MÜNCHENER UNIVERSITÄTSSCHRIFTEN

KATHOLISCH-THEOLOGISCHE FAKULTÄT

MÜNCHENER THEOLOGISCHE STUDIEN

IM AUFTRAG DER
KATHOLISCH-THEOLOGISCHEN FAKULTÄT
HERAUSGEGEBEN VON
KLAUS MÖRSDORF, WALTER DÜRIG,
GEORG SCHWAIGER

II. SYSTEMATISCHE ABTEILUNG

43. BAND

IN VITAM AETERNAM

EOS VERLAG ERZABTEI ST. OTTILIEN

IN VITAM AETERNAM

Grundzüge christlicher Eschatologie
in der ersten Hälfte des 20. Jahrhunderts

VON

ELMAR FASTENRATH

1982

EOS VERLAG ERZABTEI ST. OTTILIEN

Mit kirchlicher Druckerlaubnis

Gedruckt mit Unterstützung
aus den Mitteln der
Münchener Universitätsschriften,
der Katholisch-Theologischen Fakultät
der Universität Bonn,
mit einem Druckkostenzuschuß
der Erzdiözese Köln
und der
Deutschen Forschungsgemeinschaft.

CIP-Kurztitelaufnahme der Deutschen Bibliothek

Fastenrath, Elmar:
In vitam aeternam : Grundzüge christl. Eschatologie
in d. 1. Hälfte d. 20. Jh. / von Elmar Fastenrath. —
S[ank]t Ottilien : EOS-Verlag, 1982.
  (Münchener theologische Studien : 2. Systemat. Abt. ; Bd. 43)
  (Münchener Universitäts-Schriften : Kath.-Theol. Fak.)
  ISBN 3-88096-243-X
NE: Münchener theologische Studien / 02

Gesamtherstellung: EOS Druck, 8917 St. Ottilien

Joseph Kardinal Ratzinger

als Zeichen der

Einheit

VORWORT

Vorliegende Studie wurde am 20. Juni 1979 von der Katholisch-Theologischen Fakultät der Universität Bonn als Habilitationschrift angenommen. Das Manuskript war bereits im Frühjahr 1977 vollendet. Später erschienene Literatur konnte nicht mehr berücksichtigt werden.

Danken möchte ich allen, die zum Gelingen der Arbeit beigetragen haben: Herrn Prof. Dr. Dr. J. AUER, daß er mir den Weg zum fortschreitenden Studium öffnete; Herrn Kardinal Dr. Dr. Dr. J. HÖFFNER für sein wohlwollendes Einverständnis; den Referenten dieser Arbeit, Herrn Prof. Dr. W. BREUNING, der lange Jahre hindurch mein Mentor war, sowie Herrn Prof. Dr. H. JORISSEN, der mir ebenfalls mit Rat und Tat zur Seite stand. Mein Dank gilt aber auch dem Institut für Kirchengeschichte an der Universität Bonn mit seinen jeweiligen Leitern, Herrn Prof. Dr. Dr. B. STASIEWSKI und Herrn Prof. Dr. G. ADRIANY; des weiteren dem Bonner Regionalbischof, Herrn Dr. J. PLÖGER, und dem Leiter der Liturgieschule zu Köln, Herrn Dr. Dr. Th. SCHNITZLER. Ohne die Hilfe der DEUTSCHEN FORSCHUNGSGEMEINSCHAFT wäre der Druck des Buches nicht möglich gewesen; Druckkostenbeiträge erhielt ich außerdem aus den Mitteln der MÜNCHENER UNIVERSITÄTSSCHRIFTEN und denen des ERZBISTUMS KÖLN. Dafür sei herzlich gedankt - ebenso Herrn Prof. Dr. Dr. W. DÜRIG für die Aufnahme der Arbeit in die Reihe der Münchener Theologischen Studien, Herrn P. Dr. B. SIRCH und dem EOS-VERLAG für die sorgsame Drucklegung, Frau A. GÜNTHER für die Reinschrift des Manuskripts und Frau H. DEPTA für das Mitlesen der Korrektur.

Gedenken möchte ich an dieser Stelle auch meines Vaters, der in der Nacht unmittelbar nach meiner Habilitation verschied - requiescat in pace.

Bonn, den 6. VIII. 1981 - am Fest der Verklärung des Herrn

ELMAR FASTENRATH

INHALT

ZWEITES KAPITEL

Joseph Zahn - Die Harmonie von Jenseitshoffnung und Diesseitswirken 277

DRITTER TEIL

Die Eschatologie unter der Todeserfahrung des ersten Weltkriegs

ERSTES KAPITEL

Wandlungen des Fühlens und Denkens im Bereich der Theologie

1. Die protestantische Theologie in Kriegs- und Nachkriegszeit

R. Seeberg - G. Heinzelmann - P. Feine - Ph. Bachmann - W. Koepp - C. Clemen - H. Scholz - P. Althaus - C. Stange - K. Heim - K. Barth - E. Thurneysen - F. Traub - H. W. Schmidt - E. Sommerlath - H. E. Weber - G. Hoffmann

2. Katholische Antwort auf die Frage nach den letzten Dingen

E. Krebs - W. Götzmann - Th. Steinbüchel - Cl. Hartmann - K. Adam - R. Guardini - B. Bartmann

ZWEITES KAPITEL

Bernhard Bartmann - Christlicher Glaube als ethischer Anruf und menschlicher Trost

XIV

Abkürzungsverzeichnis

Vorbemerkung: Die Abkürzung biblischer Schriften und mittelalterlicher Texte geschieht in der allgemein üblichen Weise.

a. (= Art.) = Artikel

AA = Apostolicam actuositatem. Dekret über das Apostolat der Laien (18.11.1965). Lateinischer Text: AAS 58 (1966) 837-864. - Deutsche Übersetzung in: LThK-2VK. Bd.2. S. 603-701.

AAS = Acta Apostolica Sedis. Commentarium officiale. Roma ab 1909.

AAWB = Abhandlungen der königlichen Akademie der Wissenschaften zu Berlin. Berlin 1804/11-1900.-Vgl. APAW und ADAW.

AAWG-ph/h Kl = Abhandlungen der Akademie der Wisenschaften in Göttingen. Philologisch-historische Klasse. Göttingen ab 1940. - Vgl. AGWA.

ABAW = Abhandlungen der (königlich) bayrischen Akademie der Wissenschaften. München 1936-1949.

Abh. = Abhandlung

ABK = Akademische Bonifatius-Korrespondenz. Bis Jg. 40 (1924/25): Organ der Einigung der akademischen Bonifatius-Vereine. Ab Jg. 41 (1926): Organ zur Pflege des religiösen Lebens in der katholischen Studentenschaft. Paderborn bis 1939. - Vgl. LebZ ab 1946.

ABPh = Abhandlungen zur begründenden Philosophie. Leipzig ab 1939.

ABrPh = Alber - Broschuren - Philosophie. Freiburg.

Abt. = Abteilung

ACED = Conciliorum collectio regia maxima. (= Acta conciliorum et epistolae decretales, ac constitutiones Summorum pontificum ab anno 34 ad 1714). Ad p.Philippi Labbei et p. Gabrielis Cossartii ... labores haud modica accessione facta, et emendationibus plurimis additis, praesertim ex codicibus manuscriptis; cum novis et locupletissimis indicibus. Studio p.Joannis Harduini ... Tomis duodecim. [11 Bde.] Parisii 1714 bis 1715.

ACh = Arzt und Christ. Salzburg ab 1955.

ACO = Acta conciliorum oecumenicorum iussu atque mandato societatis scientiarum Argentoratensis ed. Eduardus Schwartz. Tom. IV. Vol. 2. Argentorati 1914.- Dass. Tom. I-IV/2. Berolini et Lipsiae 1922-1940.

ADAW = Abhandlungen der deutschen Akademie der Wissenschaften. Berlin ab 1945/46.

ADB = Allgemeine Deutsche Biographie. 55 Bde. Leipzig 1875-1910.

AELKZ = Allgemeine evangelisch - lutherische Kirchenzeitung. Begründet von Dr. Chr. E. Luthardt. Leipzig 1868 bis 1941.

AEWK = Allgemeine Encyclopädie der Wissenschaften und Künste. Hrsg. von Johann Samuel Ersch und Johann Gottfried Gruber. Leipzig 1818-1889.

AFS = Abhandlungen der Fries'schen Schule. N.F. Göttingen. Berlin. Ab 1904.

AG = Ad gentes. Dekret über die Missionstätigkeit der Kirche (7.12.1965). Lateinischer Text in: AAS 58 (1966) 947-990. Deutsche Übersetzung in: LThK-2VK. Bd. 3. S. 23-125.

AGFr = Antwort auf Gegenwartsfragen. Zeitgemäße Schriften, in zwangloser Folge herausgegeben. Hamburg ab 1919.

AGPh = Archiv für Geschichte der Philosophie. Berlin ab 1888. - Dass. N.S. Ebd. ab 1895. - 1926-1930: Archiv für Geschichte der Philosophie und Soziologie. - 1895-1930 = 1. Abt. von: Archiv für Philosophie - bzw. 1926-1930: Archiv für Philosophie und Soziologie.

AGPhys	=	Archiv für die gesamte Physiologie des Menschen und der Tiere. Bonn ab 1868.
AGPs	=	Archiv für die gesamte Psychologie. Leipzig ab 1903.
AGWA	=	Abhandlungen der (Kgl.) Gesellschaft der Wissenschaften zu Göttingen. Göttingen ab 1843. - ph/hKl = Dass. Philologisch-historische Klasse. Göttingen ab 1894. - Dass. N.F. 1899-1931.-Dass. 3. Folge ab 1932/33. Ab 1940: AAWG.
AHDLMA	=	Archives d'Histoire doctrinale et litteraire du Moyen-âge. Paris ab 1926/27.
AKV	=	Altkatholisches Volksblatt. Deutscher Merkur. (Der romfreie Katholik.) Bonn 1887-1956.
ALBl	=	Allgemeines Literaturblatt. Hrsg. durch die österreichische Leo-Gesellschaft. Wien, München 1899-1921.
ALKGMA	=	Archiv für Literatur- und Kirchengeschichte des Mittelalters. Hrsg. von H. Denifle und F. Ehrle. 7 Bde. (Berlin). Freiburg 1885-1900.
AMRHKG	=	Archiv für mittelrheinische Kirchengeschichte. Speyer ab 1949.
AnGr	=	Analecta Gregoriana cura Pontificiae Universitatis Gregorianae edita. Romae ab 1930.
ANGW	=	Aus Natur- und Geisteswelt. Sammlung wissenschaftlich-gemeinverständlicher Darstellungen aus allen Gebieten des Wissens. Leipzig ab 1898.
Anm.	=	Anmerkung
ANKPh	=	Annalen der Natur- und Kulturphilosophie. Hrsg. von W. Ostwald und R. Goldscheid. 10. Jh. Leipzig 1913.-Vgl. ANPh.
ANPh	=	Annalen der Naturphilosophie. Hrsg. von W. Ostwald. Leipzig ab 1901.
ao.	=	außerordentlich
APAW	=	Abhandlungen der (königlich -) preußischen Akademie der Wissenschaften. Berlin 1901-1944. - Vgl. AAWB und ADAW.
ApBl	=	Apologetische Blätter. Zürich 1936-1946. - Vgl. Orientierung.
APh	=	Archiv für Philosophie. Begründet von J. Cohn und R. Hönigswald. In Gemeinschaft hrsg. von J. von Kempski. Stuttgart ab 1947.
APhG	=	Abhandlungen zur Philosophie und ihrer Geschichte. Hrsg. von Benno Erdmann. Halle 1893-1920.
APhG-F	=	Abhandlungen zur Philosophie und ihrer Geschichte. Hrsg. von Richard Falckenberg. Leipzig 1907-1916.
APPP	=	Abhandlungen zur Philosophie, Psychologie und Pädagogik. Bonn ab 1954.
APPR	=	Abhandlungen zur Philosophie und Psychologie der Religion. Würzburg 1922-1941. Vgl. APPSR und APPSRÖ.
APPSR	=	Abhandlungen zur Philosophie, Psychologie und Soziologie der Religion. Würzburg 1955-1968. - Vgl. APPR und APPSRÖ.
APPSRÖ	=	Abhandlungen zur Philosophie, Psychologie, Soziologie der Religion und zur Ökumenik. Würzburg ab 1969. - Vgl. APPR und APPSR.
ApR	=	Apologetische Rundschau. Volkstümlich-apologetische Monatszeitschrift zu Lehr und Wehr. Hrsg. von dem Zentral-Ausschuß der katholischen Presse. 1. Jg. Trier 1906/07. Später: Monatsschrift zur Hebung und Verteidigung katholischen Lebens und Wissens. Köln, dann Frankfurt. - Ab 9. Jg. 1913/14 unter dem Titel „Der Fels".
ApStLG	=	Apologetische Studien der Leo-Gesellschaft. Wien.
ApVB	=	Apologetische Volksbibliothek. Mönchen-Gladbach ab 1906.
APZ	=	Augsburger Postzeitung.
ARM	=	Allgemeine Rundschau. Wochenschrift für Politik und Kultur. München 1904-1933.
Art.	=	Artikel
ARW	=	Archiv für Religionswissenschaft. Leipzig 1898-1941/42.

XVI

ASPh	=	Archiv für systematische Philosophie. Berlin 1895-1930. - 1926-1930: Archiv für systematische Philosophie und Soziologie. = 2. Abt. von Archiv für Philosophie - bzw. 1926-1930: Archiv für Philosophie und Soziologie.
ASS	=	Acta Sanctae Sedis. Roma 1865-1908.
ASSFI-FIPs	=	Abhandlungen der Sächsischen Staatlichen Forschungsinstitute. Forschungsinstitut für Psychologie. München 1921-1938. - Vgl. FIPsL.
ASWSP	=	Archiv für Sozialwissenschaft und Sozialpolitik. Tübingen ab 1904. (= Neue Folge des Archivs für soziale Gesetzgebung und Statistik.)
AT	=	Altes Testament
ATG	=	Archivo Teológico Granadino. Organ del Centro de Estudios Postridentinos de la Facultad de Teología de la Compañia de Jesús de Granada. Granada ab 1938.
AThANT	=	Abhandlungen zur Theologie des Alten und Neuen Testaments. (Basel.) Zurüch ab (ungefähr) 1944.
AThB	=	Abhandlungen zur theoretischen Biologie. Hrsg. von Julius Schaxel. Berlin 1919-1931.
AThOE	=	Abhandlungen zur Theorie der organischen Entwicklung. Roux Vorträge und Aufsätze über Entwicklungsmechanik der Organismen. Berlin 1926-1931. - Vgl. VAEO.
AUL	=	Acta Universitatis Latviensis. Riga.
AVA	=	Akademische Vorträge und Abhandlungen. Bonn ab 1946.
AVBALU	=	Ankündigungen der Vorlesungen der Großherzoglichen Badischen Albert Ludwigs-Universität zu Freiburg im Breisgau für das Sommer-/Winter-Halbjahr. Freiburg.
AWL-g/swKl	=	Akademie der Wissenschaften und der Literatur. - Abhandlungen der geistes- und sozialwissenschaftlichen Klasse. Mainz, Wiesbaden 1949-1974.
AZM	=	Allgemeine Zeitung. München.
BadB	=	Badische Biographien. Im Auftrag der Badischen Historischen Kommission hrsg. von Friedrich von Weech und Albert Krieger (u.a.). Karlsruhe, später Heidelberg 1891-1935.
BBGW	=	Basler Beiträge zur Geschichtswissenschaft. Basel ab 1938.
BChW	=	Bücherei der christlichen Welt. Gotha ab 1924.
Bd./Bde.	=	Band / Bände
BdL	=	Bücherschatz des Lehrers. Wissenschaftliches Sammelwerk zur intellektuellen und materiellen Hebung des Lehrerstandes. Osterwiek ab 1900.
BdTh	=	Bilanz der Theologie im 20. Jahrhundert. Perspektiven, Strömungen, Motive in der christlichen und nichtchristlichen Welt. Hrsg. von H. Vorgrimler und R. Vander Gucht. Freiburg, Basel, Wien 1969.
BEStPh	=	Bibliographische Einführung in das Studium der Philosophie. Bern ab 1948.
BETh	=	Beiträge zur evangelischen Theologie. Theologische Abhandlungen. München ab 1940.
BFChTh	=	Beiträge zur Förderung christlicher Theologie. Gütersloh ab 1897.
BFM	=	Bücherei für Freimaurer. Berlin ab 1907.
BGCABL	=	Beiträge zur Geschichte des christlichen Altertums und der Byzantinischen Literatur. Festgabe Albert Ehrhard zum 60. Geburtstag (14. März 1922) dargebracht von Freunden, Schülern und Verehrern, hrsg. von Dr. Albert Michael Koeniger. Bonn, Leipzig 1922.
BGl	=	Der Beweis des Glaubens. Monatszeitschrift zur Begründung und Verteidigung der christlichen Wahrheit für Gebildete. Gütersloh 1865-1908. - Später: GKG.
BGLRK	=	Beiträge zur Geschichte und Lehre der Reformierten Kirche. Neunkirchen - Vluyn ab 1937.

BGPhMA	=	Beiträge zur Geschichte der Philosophie des Mittelalters. Texte und Untersuchungen. Münster 1900-1927.
BGPhThMA	=	Beiträge zur Geschichte der Philosophie und Theologie des Mittelalters. Texte und Untersuchungen. Münster ab 1928. - Dass. N.F. ab 1970.
BHTh	=	Beiträge zur historischen Theologie. Tübingen ab 1929.
BJDN	=	Biographisches Jahrbuch und deutscher Nekrolog. Hrsg. von A. Bettelheim. Berlin 1897-1917.
BKFG	=	Brennende kirchliche Fragen der Gegenwart. Helmstedt ab 1908.
BKG	=	Bücherei des katholischen Gedankens. München ab 1928.
BKGMAR	=	Beiträge zur Kulturgeschichte des Mittelalters und der Renaissance. Leipzig und Berlin ab 1908.
BKUG	=	Beiträge zur Kultur und Universalgeschichte. Leipzig ab 1907.
BlDPh	=	Blätter für Deutsche Philosophie. Zeitschrift der Deutschen Philosophischen Gesellschaft. Hrsg. von Heinz Heimsoeth. Berlin 1927-1944.
BLE	=	Bulletin de littérature ecclésiastique. Toulouse ab 1899.
BLeb	=	Bücher des Lebens. Stuttgart ab 1943.
BMZ	=	Benediktinische Monatszeitschrift zur Pflege religiösen und geistigen Lebens. Beuron 1919-1939, 1946-1958.-Vgl. EuA.
BM-BThPhA	=	Das Bild vom Menschen. Beiträge zur theologischen und philosophischen Anthropologie. Fritz Tillmann zum 60. Geburtstag gewidmet von Schülern und Freunden. Hrsg. von Th. Steinbüchel und Th. Müncker. Düsseldorf 1934.
BMV	=	Berner Münster-Vorträge. Bern ab 1930.
BNBA	=	Bücherei der neuen Biologie und Anthropologie. Habelschwerdt ab 1925.
BNGKTh	=	Beiträge zur neueren Geschichte der katholischen Theologie. Essen ab 1961.
BÖTh	=	Beiträge zur ökumenischen Theologie. Münchener Universitätsschriften. Fachbereich Katholische Theologie. München ab 1967.
BPh	=	Beiträge zur Philosophie. Heidelberg ab 1912.
BPh als-ob	=	Bausteine zu einer Philosophie des „Als-ob". München, Berlin ab 1922.
BPhPs	=	Beiträge zur Philosophie und Psychologie. Stuttgart ab 1928.
BSBB	=	Belehrende Schriftenreihe der Buchgemeinde Bonn. Bonn ab 1925.
BSt	=	Biblische Studien. Freiburg 1895-1930.
BStHTh	=	Breslauer Studien zur historischen Theologie. Breslau 1922-1941.
BStPhG	=	Berner Studien zur Philosophie und ihrer Geschichte. Bern.
BThSBG	=	Berichte des theologischen Seminars der Brüdergemeinde in Gnadenfeld. Leipzig. (Sammeltitel ab H.7. 1905).
BuK	=	Bibel und Kirche. Organ des katholischen Bibel-Werkes. Stuttgart ab 1946.
BuL	=	Bibel und Leben. Düsseldorf ab 1960.
BWF	=	Bücher der „Weißen Fahne". Pfullingen.
BWL	=	Bibliothek für Wissenschaft und Literatur. Berlin 1876-1877.
BZ	=	Biblische Zeitschrift. Paderborn 1903-1938/39. N.S. Ebd. ab 1957.
BZfr	=	Biblische Zeitfragen, gemeinverständlich erörtert. Ein Broschürenzyklus. Hrsg. von J. Nikel und I. Rohr. Münster ab 1908.
BZSF	=	Biblische Zeit- und Streitfragen. Groß-Lichterfelde ab 1905.
BZThS	=	Bonner Zeitschrift für Theologie und Seelsorge. Düsseldorf 1924-1931.
cap.	=	caput
Card.	=	Kardinal
Cath	=	Catholica. Jahrbuch (Vierteljahresschrift) für Kontroverstheologie. Münster ab 1932.
C/B	=	Augustinus: Confessiones / Bekenntnisse. Siehe unten S. 839.

XVIII

CCL	=	Corpus Christianorum. Series Latina. Turnholti ab 1953.
ChB	=	Christliche Besinnung. Würzburg ab 1939.
ChFR	=	Christentum und Fremdreligionen. Hrsg. von Friedrich Heiler. München ab 1925.
ChG	=	Christ in der Gegenwart. Der christliche Sonntag. Freiburg ab 1967. - Vgl. ChS.
ChHe	=	Christ heute. Eine zeitgemäße Reihe. Einsiedeln ab 1947.
ChS	=	Der christliche Sonntag. Katholisches Wochenblatt. Freiburg 1949-1966. - Vgl. ChG.
ChW	=	Die christliche Welt. Evangelisches Gemeindeblatt für Gebildete aller Stände. Gotha 1886-1941.
ChWi	=	Christentum und Wissenschaft. Begründet von Karl Girgensohn. Im Auftrag des Schmalkaldener Kartells theologischer Verbindungen an deutschen Hochschulen und unter Mitwirkung von C. Schneider hrsg. von R. Winkler und H. Sasse. Leipzig 1925-1934.
ChZG	=	Christentum und Zeitgeist. Hefte zu: GuW-S. Stuttgart ab 1904.
CLac	=	Acta et Decreta Sacrorum Conciliorum recentorum. Collectio Lacensis. Auctoribus presbyteris S.J. e domo B.V.M. sine labe conceptae ad Lacum ... Tom.1-7. Friburgi Brisgoviae etc. 1870-1892.
Conc	=	Concilium. Internationale Zeitschrift für Theologie. Mainz, Einsiedeln, Zürich ab 1965.
corp.	=	corpus
Const.	=	Constitutio
CSEL	=	Corpus scriptorum ecclesiasticorum latinorum. Editum consilio et impensis Academiae litterarum caesareae vindobonensis. Vindobonae 1866-1913.
DAFC	=	Dictionnaire Apologétique de la Foi Catholique contenant les Preuves de la Vérité de la Religion et les Réponses aux Objections tirées des Sciences humaines. Quatriéme édition entièrement refondue. Sous la direction de A. d'Alès ... Avec la collaboration d'un grand nombre de savants catholiques. (4 Bde. und 1 Reg.-Bd.) Paris 1925-1928-1928-1931.
Dass.	=	Dasselbe
DB	=	Dictionnaire de la Bible. Tome 1,1-5,2. Paris 1895-1912; ³1926. -
-S	=	Dass. Supplément. Tome 1-8. Ebd. 1928-1972.
DBJ	=	Deutsches Biographisches Jahrbuch. Hrsg. vom Verbande der Deutschen Akademien. Stuttgart, Berlin, Leipzig 1914/16-1929.
DE	=	Deutsch-Evangelisch. Monatsblätter für den gesamten deutschen Protestantismus. Leipzig 1910-1920.
DEBl	=	Deutsch-evangelische Blätter. Zeitschrift für das gesamte Gebiet des deutschen Protestantismus. Berlin, Halle/S. 1875-1908. - Vgl. DE.
DE ECCL	=	DE ECCLESIA. Beiträge zur Konstitution „Über die Kirche" des Zweiten Vatikanischen Konzils. Hrsg. von G. Baraúna OFM. Deutsche Ausgabe besorgt von O. Semmelroth, S.J., J.G. Gerhartz, S.J. und H. Vorgrimler. Erster (und) Zweiter Bd.Freiburg, Basel, Wien (und) Frankfurt am Main (1966).
Ders.	=	Derselbe
DF	=	Deutsche Forschungen. Frankfurt 1921-1938.
DFIR	=	Dokumente des Fortschritts. Internationale Revue. Berlin, später Bern, 1908-1918. (= Publikationsorgan des Instituts für internationalen Austausch fortschrittlicher Erfahrungen und Organ des Bundes für Menschheitsinteressen und Organisierung menschlichen Fortschritts).
DGGW	=	Deutsche Gegenwart und ihre geschichtlichen Wurzeln = Öffentliche Vorträge der Universität Tübingen Sommer-Semester 1933. Stuttgart 1933.
DHP	=	Deutsches Handbuch der Politik. 7 Bde. München, Wien 1960-1973.

Diss.	=	Dissertation
d.(= dist.)	=	distinctio
DKKTh	=	Deutsche Klassiker der katholischen Theologie aus neuerer Zeit. Mainz ab 1931.
DLZ	=	Deutsche Literaturzeitung. Berlin ab 1880.
DM-RK	=	Deutscher Merkur. (Der romfreie Katholik.) Organ für die katholische Reformbewegung hrsg. im Auftrage der Comités in Köln und München. Bonn 1870-1921.
DMus	=	Deutsches Museum. Zeitschrift für Literatur, Kunst und öffentliches Leben. Leipzig ab 1851.
DN	=	Die deutsche Nation. Eine Zeitschrift für Politik. Charlottenburg ab 1919.
DOGW	=	Denkers over God en Wereld. Tielt, Den Haag ab 1961.
DPfBL	=	Deutsches Pfarrblatt. Stuttgart ab 1897.
DPhG	=	Die deutsche Philosophie der Gegenwart in Selbstdarstellungen. Hrsg. von Raymund Schmidt. 7 Bde. Leipzig 1921-1929.
DS	=	Enchiridion symbolorum, definitionum et declarationum de rebus fidei et morum quod primum edidit Henricus Denzinger et quod funditus retractavit, auxit, notulis ornavit Adolphus Schönmetzer S.J. Friburgi Brisgoviae ³²1963.
DSp	=	Dictionnaire de Spiritualité, ascétique et mystique, doctrine et histoire. Paris ab 1937.
DSPh	=	Deutsche systematische Philosophie nach ihren Gestaltern unter Mitwirkung von Johannes Volkelt, Hermann Schwarz, Hans Driesch, Richard Hönigswald, Bruno Bauch, Nicolai Hartmann hrsg. von Hermann Schwarz. 2 Bde. Berlin 1931.
DSt	=	Dominican Studies. Oxford ab 1948.
DtB	=	Deutsche Beiträge. Eine Zweimonatszeitschrift. München 1946/47-1950.
DTb	=	Dalp- Taschenbücher, Erkenntnis, Wissen, Bildung. Bern, München.
DTh	=	Divus Thomas. Jahrbuch für Philosophie und spekulative Theologie. Freiburg/Schw. 1914-1953. - Vgl. JPhSpTh und FZThPh.
DTh-P	=	Divus Thomas. Commentarium de philosophia et theologia. Piacenza ab 1880.
DThC	=	Dictionnaire de Théologie catholique. Contenant l'exposé des doctrines de la théologie catholique, leurs preuves et leur histoire. Commencé sous la direction de A. Vacant et E. Mangenot; continué sous celle de E. Amann, avec le concours d'un grand nombre de collaborateurs. (15 vol. in 30.) Paris 1930-1950 [i.e. 1899-1950].
DUW	=	Dissertationen der Universität Wien. Wien ab 1967.
DV	=	Dei Verbum. Dogmatische Konstitution über die göttliche Offenbarung (18.11.1965). Lateinischer Text in: AAS 58 (1966) 817-836. - Deutsche Übersetzung in: LThK-2VK. Bd. 2 S. 505-583.
DVLG	=	Deutsche Vierteljahresschrift für Literaturwissenschaft und Geistesgeschichte. Halle ab 1923.
DZ	=	Deutsche Zeitschrift (vormals: Der Kunstwart). München ab 1933.
DZSF	=	Deutsche Zeit- und Streitfragen. Flugschriften zur Kenntnis der Gegenwart. Berlin ab 1872. Hamburg ab 1883.
EBrit	=	Encyclopaedia Britannica. Edinburgh.
Ebd.	=	Ebendort
EdS	=	Edition Suhrkamp. Frankfurt.
EF¹	=	Enciclopedia Filosofica. 4 Bde. Venezia 1957.
EF²	=	Dass. 2., vollständig neu bearbeitete Auflage. 6 Bde. Firenze 1968-1969.
EGlDG	=	Karl Heim: Der evangelische Glaube und das Denken der Gegenwart. Grundzüge einer christlichen Lebensanschauung. 6 Bde. Berlin 1931-1952. (Bd. 4-6: Der christliche Glaube und die Naturwissenschaft.)

E/H	=	Augustinus: Enchiridion/Handbüchlein. Siehe unten S. 839.
EHK	=	Eine heilige Kirche. München. Jg. 16-23 (1934-1942); 27-29 (1953/54-1957/58). - Dass. N.F. ab 1963. - Vgl. HKi und ÖE.
Eisler-PhL	=	R. Eisler. Philosophen-Lexikon. Leben, Werke und Lehren der Denker. Berlin 1912.
EKL	=	Evangelisches Kirchenlexikon. Kirchlich-theologisches Handwörterbuch. Hrsg. von Heinz Brunotte und Otto Weber. Göttingen 1955-1961.
Enz.	=	Enzyklika
EPh	=	Encyclopaedia of Philosophy. 8 Bde. New York, London 1967.
ERE	=	Encyclopaedia of Religion and Ethics, ed. J. Hastings. 12 vol. Edinburgh 1908-1926. - Dass. 2. impression (mit Index vol.). Ebd. 1925-1940. - Dass. 3. impression. Ebd. 1955. - Dass. 4. impression. Ebd. 1959. - Dass. 5. impression. Ebd. 1964.
ETh	=	Evangelische Theologie. München 1934-1938. - Dass. N.S. Ebd. ab 1946/47.
EuA	=	Erbe und Auftrag. Benediktinische Monatsschrift. Beuron ab 1959.
EW	=	Evangelische Welt. Bethel bei Bielefeld 1947-1967.
F.	=	Folge
FCLDG	=	Forschungen zur christlichen Literatur- und Dogmengeschichte. Hrsg. von A. Ehrhard und J.P. Kirsch. Paderborn 1900-1938.
FDA	=	Freiburger Diözesan-Archiv. Zeitschrift des Kirchengeschichtlichen Vereins für Geschichte, Altertums- und Literaturkunde des Erzbistums Freiburg mit Berücksichtigung der angrenzenden Bistümer. Freiburg ab 1865.
FDMB	=	Flugschriften des deutschen Monistenbundes. Berlin ab 1906.
FF	=	Franziskanische Forschungen. Werl ab 1935.
FGBB	=	Flugschriften des Giordano Bruno-Bundes. Schmargendorf - Berlin ab 1904.
EGlDG	=	Karl Heim: Der evangelische Glaube und das Denken der Gegenwart. Grundzüge einer christlichen Lebensanschauung. 6 Bde. Berlin 1931-1952. (Bd. 4-6: Der christliche Glaube und die Naturwissenschaft.)
FGLP	=	Forschungen zur Geschichte und Lehre des Protestantismus seit Schleiermacher. München ab 1927.
FGSG	=	Die Führer der geistigen Strömungen der Gegenwart. Heilbronn ab 1906.
FH	=	Frankfurter Hefte. Zeitschrift für Kultur und Politik. Frankfurt ab 1946.
FIPsL	=	Forschungsinstitut für Psychologie (Leipzig): Veröffentlichungen des Forschungsinstituts für Psychologie zu Leipzig. Leipzig 1916-1920. - Vgl. ASSFI-FIPs.
FKDG	=	Forschungen zur Kirchen- und Dogmengeschichte. Göttingen ab 1952.
FKPh	=	Frommanns Klassiker der Philosophie. Stuttgart ab 1896.
FMThVRW	=	Forschungen zur monumentalen Theologie und vergleichenden Religionswissenschaft. Mainz ab 1900.
FNPhG	=	Forschungen zur neueren Philosophie und ihrer Geschichte. Halle ab 1929. Paderborn ab 1934. - Siehe: FPhG.
FNPhGPhP	=	Forschungen zur neueren Philosophie im Geist der philophia perennis. Paderborn ab 1950.
FPhG	=	Forschungen zur Philosophie und ihrer Geschichte. Bd. 1. Halle 1924. - Siehe: FNPhG.
FPhT	=	Frommanns philosophische Taschenbücher.

FPhT (Fortsetzung):
I = Gruppe 1: Kämpfer.   IV = Gruppe 4: Natur und Mensch.
II = Gruppe 2: Geisterreich.   V = Gruppe 5: Deutsches Volkstum.
III = Gruppe 3: Weltalter.   Stuttgart.

FRLANT	=	Forschungen zur Religion und Literatur des Alten und Neuen Testaments. Göttingen ab 1903.
FSGFr	=	Flugschriften über Gegenwartsfragen. Kassel ab 1921.
FSt	=	Franziskanische Studien. (Münster) Werl ab 1914. - Vgl. FF.
FStudies	=	Franciscan Studies. St-Bonaventura/N.Y. ab 1940.
FThH	=	Fragen der Theologie heute. Hrsg. von J. Feiner, J. Trütsch, F. Böckle. Zürich, Köln 1957.
FThSt	=	Freiburger theologische Studien. Freiburg ab 1910.
FurB	=	Furche - Bücherei. Berlin N.F. ab 1934.
FurSchr	=	Furche - Schriften. Berlin ab 1936.
FurSt	=	Furche - Studien. Berlin 1931-1940.
FZB	=	Frankfurter zeitgemäße Broschüren. N.F. Frankfurt ab 1880. - Dass. Hamm 1899-1922.
FZThPh	=	Freiburger Zeitschrift für Theologie und Philosophie. Freiburg/Schw. ab 1954. - Vgl. JPhSTh und DTh.
GAW	=	H. Meyer: Geschichte der abendländischen Weltanschauung. 5 Bde. Paderborn, Würzburg 1947-1950.
GETh	=	Grundrisse zur evangelischen Theologie. Gütersloh ab 1947.
GGA	=	Göttingische gelehrte Anzeigen. Göttingen ab 1802.
GKG	=	Der Geisteskampf der Gegenwart. Monatsschrift für christliche Bildung und Weltanschauung. Gütersloh 1909-1969. - Darin aufgegangen: GuW-S. - Vgl. WuT.
GlW	=	Glaube und Wissen. Kevelaer 1903-1910.
GNSL	=	Grenzfragen des Nerven- und Seelenlebens. Einzel-Darstellungen für Gebildete aller Stände. Im Verein mit hervorragenden Fachmännern des In- und Auslands hrsg. Wiesbaden ab 1900.
GörB	=	Görres-Bibliothek. Nürnberg ab 1948.
GPh	=	Geschichte der Philosophie. Siehe: J. Hirschberger. - J. Cohn. - K. Vorländer.
GPhE	=	Geschichte der Philosophie in Einzeldarstellungen. 37 Bde. Hrsg. von Gustav Kafka. München 1921-1925.
Greg	=	Gregorianum. Commentarii de re theologica et philosophica. Roma ab 1920.
GroD	=	Die großen Deutschen. Deutsche Biographie. Hrsg. von H. Heimpel, Th. Heuß, B. Reifenberg. 5 Bde. Berlin 1956.
GSp	=	Gaudium et Spes. 2. Vatikanisches Konzil. Pastorale Konstitution über die Kirche in der Welt von heute (7.12.1965). Lateinischer Text in: AAS 58 (1966) 1025-1115. Deutsche Übersetzung in: LThK-2VK. Bd. 3. S. 281-591.
GSt	=	Greifswalder Studien zur Lutherforschung und neuzeitlichen Geistesgeschichte. Berlin ab 1930.
GThF	=	Greifswalder theologische Forschungen. Greifswald ab 1933.
GThW	=	Grundriß der theologischen Wissenschaften. Freiburg (später Tübingen) ab 1893.
GuL	=	Geist und Leben. Zeitschrift für Aszese und Mystik. Würzburg ab 1947.
GuV	=	Glauben und Verstehen. Gesammelte Aufsätze von Rudolf Bultmann. Tübingen. 1. Bd. (1933), ⁴1961, ⁶1966, ⁷1972. 2. Bd. (1952), ²1958, ⁵1968. 3. Bd. 1960, ³1965. 4. Bd. 1965, ²1967.
GuW	=	Glauben und Wissen. München ab 1949.
GuW-S	=	Glauben und Wissen. Blätter zur Verteidigung und Vertiefung des christlichen Weltbildes. Stuttgart, Gütersloh 1903-1906. - Dass. bis 1910: Blätter zur Verteidigung und Vertiefung der christlichen Weltanschauung. Fortsetzung: GdG.

GW	=	Geheime Wissenschaft. Eine Sammlung seltener und neuerer Schriften über Alchemie, Magie, Kabbalah, Mystik, Rosenkreuzerei, Freimaurerei, Hexen- und Teufelswesen. Hrsg. Antonius von der Linden. Berlin 1922-1926.
H.	=	Heft
HAPhG	=	Heidelberger Abhandlungen zur Philosophie und ihrer Geschichte. Tübingen ab 1924.
HbMK	=	Handbücher zur Missionskunde. Basel ab 1909.
HEVOPr	=	Hefte des evangelischen Volksbundes für Ostpreußen. Königsberg.
HHR	=	Hohenheimer Reihe. Stuttgart ab 1956.
HibJ	=	The Hibbert Journal. A quarterly review of religion, theology und philosophy. London ab 1902.
HJ	=	Historisches Jahrbuch der Görres-Gesellschaft. München ab 1880.
HK	=	Herder Korrespondenz. Monatshefte für Gesellschaft und Religion. Freiburg ab 1946.
HKi	=	Hochkirche. Charlottenburg. 1-15 (1919-1933). - Vgl. EHK.
HKSL	=	Handbuch der katholischen Sittenlehre. Hrsg. von F. Tillmann. 5 Bde. Düsseldorf 1938-1953.
HLK	=	Heilslehre der Kirche. Dokumente von Pius IX. bis Pius XII. Deutsche Ausgabe des französischen Originals von P. Cattin O.P. und H. Th. Conus O.P. besorgt von A. Rohrbasser. Freiburg/Schw. 1953.
HM	=	Hallische Monographien. Halle ab 1948.
HMK	=	Hefte zur Missionskunde. Herrnhut ab 1910.
HNT	=	Handbuch zum Neuen Testament. Tübingen ab 1907.
HPBl	=	Historisch-politische Blätter für das katholische Deutschland. München 1838-1923.
HPG	=	Handbuch pädagogischer Grundbegriffe. Hrsg. von J. Speck und G. Wehle. 2 Bde. München 1970.
HPh	=	Handbuch der Philosophie. 5 Bde. Hrsg. von A. Baeumler und M. Schröter. München, Berlin 1926-1934.
HPhG	=	Handbuch philosophischer Grundbegriffe. Hrsg. von H. Krings, Hans Michael Baumgartner und Christoph Wild. Studienausgabe. 6 Bde. München 1973-1974.
HPhys	=	Handwörterbuch der Physiologie mit Rücksicht auf physiologische Pathologie. In Verbindung mit mehreren Gelehrten hrsg. von Rudolf Wagner. Braunschweig 1842 bis 1846.
Hrsg.	=	Herausgeber / Herausgegeben
HSWED	=	Hochschulwissen in Einzeldarstellungen. Leipzig ab 1935. - Dass. jetzt Heidelberg.
HThG	=	Handbuch theologischer Grundbegriffe. Hrsg. von H. Fries. 2 Bde. München 1962.
HThGr	=	Herders Theologische Grundrisse. Freiburg ab 1922.
HThKNT	=	Herders theologischer Kommentar zum Neuen Testament. Freiburg, Basel, Wien ab 1953.
HVPs	=	Handbuch der vergleichenden Psychologie. Unter Mitwirkung von R. Allers hrsg. von Gustav Kafka. 3 Bde. München 1922.
HWPh	=	Historisches Wörterbuch der Philosophie. Unter Mitwirkung von mehr als 700 Fachgelehrten in Verbindung mit Günther Bien (u.a.) hrsg. von Joachim Ritter. Völlig neubearbeitete Ausgabe des „Wörterbuchs der Philosophischen Begriffe" von Rudolf Eisler. Basel ab 1971.
HZ	=	Historische Zeitschrift. München ab 1859.
IAE	=	Internationales Archiv für Ethnographie (= Archives internationales d'ethnographie = International archives of ethnography.) Leiden 1888-1968.
IJE	=	International Journal of Ethics. Chicago/Ill. Philadelphia/Pen.
IKaZ	=	Internationale katholische Zeitschrift. Köln, Frankfurt ab 1972.

IKZ	=	Internationale kirchliche Zeitschrift. (= Revue internationale de théologie.) Bern ab 1911.
IWWKT	=	Internationale Wochenschrift für Wissenschaft, Kunst und Technik. Berlin 1907-1911.
JAb	=	Juristische Abhandlungen. Frankfurt ab 1964.
JBAW	=	Jahrbuch der bayrischen Akademie der Wissenschaften. München ab 1912. - Vgl. ABAW.
JBMz	=	Jahrbuch für das Bistum Mainz. Mainz ab 1946.
JDTh	=	Jahrbücher für Deutsche Theologie. Stuttgart (Gotha) 1856-1878.
Jg.	=	Jahrgang
JLW	=	Jahrbuch für Liturgiewissenschaft. Münster 1921-1941.
JPhFAUK	=	Jahrbuch der philosophischen Fakultät der Albertus-Universität zu Königsberg.
JPhGUW	=	Jahrbuch der Philosophischen Gesellschaft an der Universität zu Wien. Leipzig 1912-1916. (Vorher bis 1911: Wissenschaftliche Beilage zum Jahresbericht der Philosophischen Gesellschaft an der Universität Wien.)
JPhPhF	=	Jahrbuch für Philosophie und phänomenologische Forschungen. Halle 1913-1930.
JPhSTh	=	Jahrbuch für Philosophie und spekulative Theologie. Hrsg. von Ernst Commer. Paderborn 1886-1912. Ab Ser. 2 (1915): DTh. - Vgl. auch FZThPh.
JPTh	=	Jahrbücher für protestantische Theologie. Braunschweig 1875-1892.
JR	=	The Journal of Religion. Chicago/Ill. ab 1921.
JSOR	=	Journal of the Society of Oriental Research. Washington, Toronto 1917-1932.
JSpPh	=	Journal of speculative philosophy. St.Louis/Miss.
JVVKA	=	Jahrbuch des Verbandes der Vereine katholischer Akademiker zur Pflege katholischer Weltanschauung. Augsburg 1919-1925/26.
KABay	=	Katholische Akademie in Bayern. Akademievorträge. Würzburg ab 1964.
Kantst	=	Kantstudien. Philosophische Zeitschrift der Kant-Gesellschaft. Begründet von H. Vaihinger. Berlin ab 1897.
KatBl	=	Katechetische Blätter. München ab 1874.
KathD	=	Das Katholische Deutschland. Biographisch-bibliographisches Lexikon. Hrsg. von Wilhelm Kosch. 3 Bde. Augsburg 1933-1938.
KBE	=	Kirche in Bewegung und Entscheidung. Schriftenreihe der Deutschen Christen im Rheinland. - Dass. H. 15-17: Schriftenreihe von Theologen und Laien in der Westmark. - Dass. ab H. 18: Schriftenreihe für Gegenwartsfragen. Bonn ab 1934.
KBGG	=	Kleine Bücherei zur Geistesgeschichte. Leipzig ab 1940. - Dass. Köln ab 1946.
KDBl	=	Kölner Domblatt. Köln ab 1948.
KdG	=	Die Kultur der Gegenwart. Ihre Entwicklung und ihre Ziele. Hrsg. von P. Hinneberg. Leipzig 1905-1923.
KdR	=	Klassiker der Religion. Berlin ab 1912.
KEKNT	=	Kritisch-exegetischer Kommentar über das Neue Testament. Begründet von Heinrich August Wilhelm Meyer. Göttingen ab 1832.
KFWL	=	Katholische Flugschrift zu Wehr und Lehr. Berlin ab 1890.
KHL	=	Kirchliches Handlexikon. Ein Nachschlagbuch über das Gesamtgebiet der Theologie und ihrer Hilfswissenschaften. Unter Mitwirkung zahlreicher Fachgelehrten in Verbindung mit den Professoren Karl Hilgenreiner, Joh. B. Nisius S.J., Joseph Schlecht und Andreas Seider hrsg. von Michael Buchberger. 2 Bde. Freiburg 1907-1912.
KiG	=	Kirche im Gespräch. Freiburg.
KKD	=	Kleine katholische Dogmatik von Johann Auer und Joseph Ratzinger. 8 Bde. Regensburg ab 1970.

KKSt	=	Konfessionskundliche und kontroverstheologische Studien. Paderborn ab 1959.
KKZ	=	Katholische Kirchenzeitung. Salzburg 1889-1939.
Kl.	=	Klasse
KL²	=	Wetzer und Welte's Kirchenlexikon oder Encyklopädie der katholischen Theologie und ihrer Hilfswissenschaften. Zweite Auflage in neuer Bearbeitung, unter Mitwirkung vieler katholischer Gelehrten begonnen von Joseph Cardinal Hergenröther, fortgesetzt von Dr. Franz Kaulen. Freiburg 1882-1903.
KlBl	=	Klerusblatt. Organ der Diözesanpriestervereine Bayerns. Eichstätt, München ab 1919.
KlProt	=	Klassiker des Protestantismus. Bremen ab 1962.
KLW	=	Katholische Lebenswerte. Monographien über die Bedeutung des Katholizismus für Welt und Leben. Paderborn 1913-1935.
KM	=	Katholische Monatszeitschrift zur Belehrung, Erbauung und Unterhaltung. Köln 1826-1827.
KNT	=	Kommentar zum Neuen Testament. 18 Bde. Leipzig 1903 bis 1926.
KPBl	=	(Kölner) Pastoralblatt. (Monatszeitschrift für katholische Theologie und Seelsorge.) Köln ab 1867.
KESt	=	Kulturphilosophische, philosophiegeschichtliche und erziehungswissenschaftliche Studien. Würzburg - Aumühle ab 1937.
KTA	=	Kröners Taschenausgabe. Stuttgart ab 1915.
KuD	=	Kerygma und Dogma. Zeitschrift für theologische Forschung und kirchliche Lehre. Göttingen ab 1955.
KuG	=	Kirche und Gesellschaft. Augsburg ab 1930.
KuK	=	Kultur und Katholizismus. Mainz ab 1906.
KuM	=	Kerygma und Mythos. Ein theologisches Gespräch. 5 Bde. Hrsg. von Hans-Werner Bartsch. (ThF. 1, 2, 5, 7-9.) Hamburg - Volksdorf 1952-1955.
KVZ	=	Kölnische Volkszeitung und Handelsblatt. Allgemeiner Anzeiger für Rheinland - Westfalen. (Kölnische Handelszeitung.) Köln ab 1860.
KWH	=	Die Kirche in der Welt von heute. Untersuchungen und Kommentare zur Pastoralkonstitution „Gaudium et Spes" des 2. Vatikanischen Konzils. Hrsg. von G. Baraúna. Deutsche Bearbeitung von V. Schurr. Salzburg 1967.
KZ	=	Kirchliche Zeitschrift. Hrsg. von Theodor Kliefoth und Otto Mejer. Schwerin 1854-1859. Fortsetzung: ThZ.
KZ-Ch	=	Kirchliche Zeitschrift. Chicago/Ill. ab 1876.
l.(= lib.)	=	liber
LA	=	Literarischer Anzeiger, zunächst für den katholischen Klerus der Kirchenprovinz Salzburg. Graz ab 1886.
LebZ	=	Lebendiges Zeugnis. Fortsetzung der Akademischen Bonifatius - Korrespondenz. Eine Schriftenreihe für katholische Christen an der Hochschule und im Beruf. Hrsg.: Akademische Bonifatius-Einigung. Paderborn ab 1952/53.
LFr	=	Lebensfragen. Kampf- und Friedensblätter aus der Zeit - für die Zeit. Unter Mitwirkung hervorragender Sozialethiker hrsg. von Richard E. Funcke. Freiburg ab 1903.
LFr-SR	=	Lebensfragen, Schriften und Reden. Tübingen ab 1904.
LG	=	Lumen gentium. 2. Vatikanisches Konzil. Dogmatische Konstitution über die Kirche (21.11.1964). Lateinischer Text: AAS 57 (1965) 5-75. Deutsche Übersetzung: LThK-2VK. Bd. 1. S. 157-347.
LH	=	Literarischer Handweiser zunächst für das katholische Deutschland (ab 1891: für alle Katholiken deutscher Zunge). Münster ab 1862. - Dass. Freiburg 1920-1930. Ab Jg. 62 (1925): Kritische Monatsschrift.
LH-R	=	Literarischer Handweiser für Freunde katholischer Kirchenmusik. Regensburg 1893-1932.

LiG	=	Die literarische Gesellschaft. Hamburg 1915-1920.
LQF	=	Liturgiegeschichtliche Quellen und Forschungen. Münster 1928-1939.
LPh	=	Leitfäden der Philosophie. Berlin, Bonn 1925.
LRKD	=	Literarische Rundschau für das katholische Deutschland. Aachen 1875-1879. - Dass. Freiburg 1880-1914.
LThK[1]	=	Lexikon für Theologie und Kirche. Zweite, neubearbeitete Auflage des kirchlichen Handlexikons. In Verbindung mit Fachgelehrten und mit Dr. Konrad Hofmann als Schriftleiter hrsg. von Dr. Michael Buchberger. 10 Bde. Freiburg 1930-1938.
LThK[2]	=	Lexikon für Theologie und Kirche. Begründet von Dr. Michael Buchberger. Zweite, völlig neu bearbeitete Auflage, hrsg. von Josef Höfer, Rom, und Karl Rahrer, Innsbruck. 10 Bde. und ein Registerband. Freiburg 1957-1967.
LThK-2VK	=	Das Zweite Vatikanische Konzil. Dokumente und Kommentare, hrsg. von H.S. Brechter, B. Häring, J. Höfer, H. Jedin, J.A. Jungmann, K. Mörsdorf, K. Rahner, J. Ratzinger, K. Schmidthüs, J. Wagner, Schriftleitung H. Vorgrimler. 3 Bde. Freiburg 1966-1968.
LuJ	=	Lutherjahrbuch. Organ der internationalen Lutherforschung. Leipzig ab 1919, später Gütersloh. - Dass. Hamburg 1962-1974. Göttingen ab 1975.
LuM	=	Liturgie und Mönchtum. Laacher Hefte. Maria Laach 1948-1968.
LV	=	Literaturverzeichnis
LW	=	Literarische Wochenschrift. Kritisches Zentralblatt für die gesamte Wissenschaft. Weimar 1925-1926.
LWDV	=	Lehr und Wehr fürs deutsche Volk. Sammlung volkstümlich-wissenschaftlicher Abhandlungen. Hamburg.
LZD	=	Literarisches Zentralblatt für Deutschland. Leipzig 1850-1944.
Mansi	=	Sacrorum Conciliorum nova et amplissima collectio cuius Johannes Dominicus Mansi et post ipsius mortem Florentinus et Venetus editores ab anno 1759 ad annum 1798 priores triginta unum tomos ediderunt nunc autem continuata et Deo favente absoluta curantibus ... Ludovico Petit et Joanne Baptista Martin ... Firenze 1759-1827; später Paris, Leipzig, Arnhem (tom. 53: Ebd. 1927).
MAR	=	Marburger akademische Reden. Marburg ab 1900.
MAS	=	Münchener Akademie Schriften. München.
MB	=	Mythologische Bibliothek. Leipzig 1907-1916.
MBTh	=	Münsterische Beiträge zur Theologie. Münster ab 1923.
MdZ	=	Männer der Zeit. Lebensbilder hervorragender Persönlichkeiten der Gegenwart und jüngsten Vergangenheit. Hrsg. von Gustav Diercks. Dresden, Leipzig ab 1897.
MedW	=	Medizinische Welt. Ärztliche Wochenschrift. Jg. 1-18 Berlin 1927-1939/40.
MF	=	Miscellanea francescana. Roma ab 1935.
MF-F	=	Miscellanea francescana di storia, de lettere, di arti. Foligno 1886-1935.
MGPhAW	=	Monographien zur Grundlegung der philosophischen Anthropologie und Wirklichkeitsphilosophie. Berlin ab 1929.
MKRU	=	Monatsblätter für den katholischen Religionsunterricht an höheren Lehranstalten. Köln 1900-1922.
MNPh	=	Monographien zur Naturphilosophie. Meisenheim.
MNWU	=	Monatshefte für den naturwissenschaftlichen Unterricht aller Schulgattungen. N.F. der Zeitschrift: Natur und Schule. Leipzig ab 1907.
MPh	=	Moderne Philosophie. Berlin-Schöneberg ab 1908.
MPhF	=	Monographien zur philosophischen Forschung. Reutlingen, Schlehdorf 1947-1950. - Dass. Meisenheim ab 1951.

MS	=	Mysterium Salutis. Grundriß heilsgeschichtlicher Dogmatik. Hrsg. von J. Feiner und M. Löhrer. 5 Bde., 2 Teilbde. Zürich, Einsiedeln, Köln 1965-1976.
M.schr.	=	Maschinenschrift
MStHTh	=	Münchener Studien zur historischen Theologie. Kempten 1921-1937.
MThZ	=	Münchener theologische Zeitschrift. Vierteljahresschrift für das gesamte Gebiet der katholischen Theologie. München ab 1950.
MuW	=	Metaphysik und Weltanschauung. Leipzig ab 1926.
MVA	=	Magazin für volkstümliche Apologetik. Ravensburg ab 1902.
MVZ	=	Menschen, Völker, Zeiten. Eine Kulturgeschichte in Einzeldarstellungen. Wien ab 1925.
NA	=	Neue Anthropologie. Hrsg. von Hans-Georg Gadamer und Paul Vogler. 7 Bde. Stuttgart 1972-1975.
NAE	=	Nostra aetate. Erklärung über das Verhältnis der Kirche zu den nichtchristlichen Religionen (28.10.1965). Lateinischer Text in: AAS 5 (1966) 740-744. Deutsche Übersetzung in: LThK-2VK. Bd. 2. S. 489-495.
NCE	=	New Catholic Encyclopedia. By The Catholic University of America. 15 Vol. Washington, New York 1967.
NDB	=	Neue Deutsche Biographie. Hrsg. von der historischen Kommission der Bayrischen Akademie der Wissenschaften. Berlin ab 1953.
NDF	=	Neue deutsche Forschungen. Berlin 1934-1944.
NedThT	=	Nederlandse Theologisch Tijdschrift. Wageningen. Ab 1946/47.
NeuR	=	Das neue Reich. Wochenschrift für Kultur, Politik und Volkswirtschaft. Innsbruck ab 1918.
N.F.	=	Neue Folge
NGWSt	=	Neue geisteswissenschaftliche Studien. Tübingen ab 1957.
NJh	=	Das neue Jahrhundert. Wochenschrift für religiöse Kultur. Im Auftrag der Krausgesellschaft hrsg. und redigiert von Philipp Funk. Augsburg ab 1909. (Vorher: Das 20. Jahrhundert.)
NKGW	=	Nachrichten der königlichen Gesellschaft der Wissenschaften zu Göttingen. (Geschäftliche Mitteilungen.) Göttingen.
-m/phKl	=	Dass., mathematisch-physikalische Klasse.
-ph/hKl	=	Dass., philologisch-historische Klasse.
NKPhB	=	Natur- und kulturphilosophische Bibliothek. Leipzig ab 1905.
NKZ	=	Neue kirchliche Zeitschrift. Leipzig 1890-1934.
NLBH	=	Neue Leitsterne auf der Bahn des Heils. Regensburg ab 1856.
NR	=	J. Neuner - H. Roos: Der Glaube der Kirche in den Urkunden der Lehrverkündigung. 8. Auflage neubearbeitet von K. Rahner und K.-H. Weger. Regensburg 1971.
N.S.	=	Neue Serie - Nouvelle Série
NT	=	Neues Testament
NTA	=	Neutestamentliche Abhandlungen. Münster 1909-1961. - Dass. N.S. Ebd. ab 1965.
NTF	=	Neutestamentliche Forschungen.
		R. 1: Paulusstudien.
		R. 2: Untersuchungen zum Kirchenproblem des Urchristentums.
		R. 3: Beiträge zur Sprache und Geschichte urchristlicher Frömmigkeit.
		Gütersloh ab 1923.
NTS	=	New Testament studies. An international journal published under the auspices of studiorum novi testamenti societas. Cambridge (später London), Washington ab 1954.
NuK	=	Natur und Kultur. München (ab 1915).
NW	=	Die Naturwissenschaften. Organ der Max-Planck-Gesellschaft zur Förderung der Wissenschaft. - Organ der Gesellschaft deutscher Naturforscher und Ärzte. Berlin, Heidelberg, New York ab 1913.

NZSTh	=	Neue Zeitschrift für systematische Theologie. Berlin 1959-1962. - Vgl. NZSThRPh.
NZSThRPh	=	Neue Zeitschrift für systematische Theologie und Religionsphilosophie. Berlin ab 1963. - Vgl. NZSTh.
OA	=	Orbis academicus. Problemgeschichten der Wisssenschaft in Dokumenten und Darstellungen. München ab 1951.
O.J.	=	Ohne Jahr
ÖE	=	Ökumenische Einheit. München. 1-3 (1948/50-1952). - Vgl. EHK.
ÖKBl	=	Österreichisches Klerus-Blatt. Vormals Katholische Kirchenzeitung. Salzburg.
ÖLBl	=	Österreichisches Literaturblatt. Hrsg. durch die Leo-Gesellschaft. Wien 1892-1898. - Vgl. ALBl.
O.O.	=	Ohne Ort
ÖRR	=	Österreichische Rundschau. (Deutsche Kultur und Politik.) Wien (Brünn. München) 1904-1924.
ORhPBl	=	Oberrheinisches Pastoralblatt. Freiburg 1899-1968. (Vormals: Freiburger katholisches Kirchenblatt.)
OW	=	Die Okkulte Welt. Pfullingen ab 1920.
Pan	=	Pan - Bücherei.
-GPh	=	Gruppe Philosophie.
-GPs	=	Gruppe Psychologie und Charaktereologie. Berlin, Leipzig ab 1927.
PastBon	=	Pastor bonus. Zeitschrift für kirchliche Wissenschaft und Praxis. Trier 1889-1944. - Vgl. TThZ.
PhA	=	Philosophische Abhandlungen. Frankfurt ab 1935.
PhA-B	=	Philosophische Abhandlungen. Berlin 1907-1938.
PhA-ChS	=	Philosophische Abhandlungen. Christoph Sigwart zu seinem 70 Geburtstage, 28.3.1900, gewidmet von Benno Erdmann. Tübingen, Freiburg, Leipzig 1900.
PhA-HC	=	Philosophische Abhandlungen, Hermann Cohen zum 70. Geburtstag dargebracht. Berlin 1912.
PhA-RH	=	Philosophische Abhandlungen. Dem Andenken Rudolf Hayms gewidmet von Freunden und Schülern. Halle 1902.
Phaen	=	Phaenomenologica. Collection publiée sous le patronage des autres d'archives - Husserl. Den Haag ab 1958.
PhAn	=	Philosophischer Anzeiger. Zeitschrift für die Zusammenarbeit von Philosophie und Einzelwissenschaft. Bonn 1926-1930.
PhAr	=	Philosophische Arbeiten. Hrsg. von H. Cohen und P. Natorp. Gießen 1906-1915.
PhB	=	Philosophische Bibliothek. Leipzig ab 1868. - Dass. jetzt Hamburg.
PhG	=	Philosophie und Geschichte. Tübingen ab 1922.
PhGW	=	Philosophie und Geisteswissenschaften. Buchreihe. Halle ab 1923.
PhH	=	Philosophische Hefte. Hrsg. von M. Beck. Berlin, später Prag, ab 1928.
PhJ	=	Philosophisches Jahrbuch (der Görres-Gesellschaft). Fulda, später Freiburg, ab 1888.
PhL	=	Philosophen-Lexikon. Siehe: R. Eisler.
PhM	=	Philosophische Monatshefte. Berlin 1868-1894.
PhPS	=	Philosophische und pädagogische Schriften. (= Friedrich Mann's pädagogisches Magazin.) Langensalza 1920-1927.
PhPsA	=	Philosophische und psychologische Arbeiten. (Friedrich Mann's pädagogisches Magazin.) Langensalza 1920-1932.
PhPsF	=	Phänomenologisch-psychologische Forschungen. Berlin ab 1960.
PhR	=	Philosophische Reihe. München, Berlin ab 1923.
PhRef	=	Philosophia reformata. Kampen/Niederlande ab 1936.
PhSB	=	Philosophisch-soziologische Bücherei. Leipzig ab 1908.
PhSt	=	Philosophische Studien. Hrsg. von W. Wundt. Leipzig ab 1883.
PhSt-B	=	Philosophische Studien. Hrsg. von O.F. Bollnow. Berlin 1949-1951.

PhV	=	Philosophische Vorträge. Hrsg. von der philosophischen Gesellschaft zu Berlin. N.F. Halle 1882-1890; Leipzig 1891-1894; Berlin 1895-1899. - Dass.: Philosophische Vorträge.Veröffentlicht von der Kant-Gesellschaft. Berlin 1912-1920. - Dass.: Pilosophische Vorträge. Charlottenburg 1921-1925. - Dass.: Philosophische Vorträge. Veröffentlicht von der Kant-Gesellschaft Charlottenburg. Leipzig 1926-1934.
PhW^5	=	Philosophisches Wörterbuch. Unter Mitwirkung der Professoren des Berchmanskollegs in Pullach bei München und anderer hrsg. von Walter Brugger S.J. 5., neubearbeitete Auflage. Freiburg 1953.
PhW^{14}	=	Dass. 14., neubearbeitete Auflage. Freiburg, Basel, Wien 1976.
PhWs	=	Philosophische Wochenschrift (und Literaturzeitung). 12 Bde. Leipzig, Charlottenburg 1906-1908.
PL	=	Patrologiae cursus completus ... Hrsg. von J.-P. Migne.
-SL	=	Series latina.
-SG	=	Series graeca. Paris ab 1844.
PM	=	Pädagogisches Magazin. Abhandlungen vom Gebiete der Pädagogik und ihrer Hilfswissenschaften. Hrsg. von Friedrich Mann. Langensalza ab 1892.
PPTh	=	Probleme der praktischen Theologie. Mainz ab 1967.
PrBl	=	Protestantenblatt. Wochenschrift für den deutschen Protestantismus. Berlin 1902-1941.
PrM	=	Protestantische Monatshefte. Leipzig 1897-1921.
PrJ	=	Preußische Jahrbücher. Berlin 1859-1935.
PrKZ	=	Preußische Kirchenzeitung. Organ der Volkskirchlichen Evangelischen Vereinigung. Berlin - Steglitz 1905-1933.
Prof.	=	Professor
ProtKZ	=	Protestantische Kirchen-Zeitung für das evangelische Deutschland. Berlin 1854-1896.
PThHB	=	Praktisch-theologische Handbibliothek. Göttingen 1905-1928.
PU	=	Pädagogische Untersuchungen. Langensalza ab 1927.
PZFr	=	Politische Zeitfragen. (Hrsg. vom Broschürenfonds der deutschen Fortschrittspartei.) Berlin.
q.	=	quaestio
QGP	=	Quellenschriften zur Geschichte des Protestantismus. Zum Gebrauch in akademischen Übungen. Leipzig ab 1904.
QStGPh	=	Quellen und Studien zur Geschichte der Philosophie. Berlin ab 1960.
R.	=	Reihe
RB	=	Revue biblique. Paris ab 1892. N.S. 1-16 (1904-1919); Jg. 1-11 (1904-1914): Revue biblique internationale (= RBI).
RDE	=	Rowohlts deutsche Enzyklopädie. Reinbeck/Hamburg ab 1955.
RdG	=	Rüstzeug der Gegenwart. Hausbücher für die katholische Familie. Köln ab 1912.
RDS	=	Reichls deutsche Schriften. Berlin ab 1928.
RE^3	=	Realenzyklopädie für protestantische Theologie und Kirche. Begründet von J.J. Herzog. In 3., verbesserter und vermehrter Auflage unter Mitwirkung vieler Theologen und Gelehrten hrsg. von D. Albert Hauck Professor in Leipzig. Leipzig 1896-1913.
RelM	=	Der religiöse Mensch. Mainz.
RevP	=	Revue de Paris. Paris ab 1894.
Rez.	=	Rezension
RFNS	=	Rivista di filosofia neoscolastica. Milano ab 1909.
RG	=	Religion und Geisteskultur. Zeitschrift für religiöse Vertiefung des modernen Geisteslebens. Göttingen 1907-1914.
RGG^1	=	Die Religion in Geschichte und Gegenwart. Handwörterbuch in gemeinverständlicher Darstellung. Unter Mitwirkung von H. Gunkel und O. Scheel hrsg. von F.M. Schiele. 5 Bde. Tübingen 1909-1913.

RGG²	=	Die Religion in Geschichte und Gegenwart. Handwörterbuch für Theologie und Religionswissenschaft. 2., völlig neubearbeitete Auflage. In Verbindung mit A. Bertholet, H. Faber und H. Stephan hrsg. von H. Gunkel und L. Zscharnack. 5 Bde. und ein Register-Bd. Tübingen 1927-1932.
RGG³	=	Die Religion in Geschichte und Gegenwart. Handwörterbuch für Theologie und Religionswissenschaft. 3., völlig neu bearbeitete Auflage in Gemeinschaft mit H. Frh. von Campenhausen, E. Dinkler, G. Gloege und K.E. Lögstrup hrsg. von K. Galling. 6 Bde. und ein Register-Bd. Tübingen 1957-1965.
RHE	=	Revue d'histoire ecclesiastique. Louvain ab 1900.
RHPhR	=	Revue d'histoire et de philosophie religieuse. Strasbourg ab 1921.
RKQH	=	Religionskundliche Quellenhefte. Leipzig ab 1926.
RNS	=	Revue néo-scolastique. Louvain 1894-1909.
RNSPh	=	Revue néoscolastique de philosophie. Ebd. 1910-1940/45.
RoMo	=	Rowohlts Monographien. Reinbeck/Hamburg ab 1958.
RPh	=	Recherches de philosophie. Publiées par l'Association des Professeurs de philosophie des faultés catholiques de France. Paris ab 1955.
RQ	=	Römische Quartelschrift für christliche Altertumskunde und für Kirchengeschichte. Freiburg ab 1887.
RScPhTh	=	Revue des sciences philosophiques et theologiques. Paris ab 1907.
RThAM	=	Recherches de Théologie ancienne et médiévale. Louvain ab 1929.
RThom	=	Revue thomiste. Revue doctrinale de théologie et de philosophie. Paris ab 1893.
RuG	=	Religion und Geschichte. Stuttgart ab 1935.
RV	=	Religionsgeschichtliche Volksbücher für die deutsche christliche Gegenwart. Tübingen 1904-1921.
RWB	=	Religionswissenschaftliche Bibliothek. Heidelberg.
RWVMF	=	Religiös-wissenschaftliche Vorträge der Münchener Franziskaner. München ab 1921.
S.	=	Seite
SAWW	=	Sitzungsberichte der (kaiserlichen) Akademie der Wissenschaften.
-ph/hKl	=	Philosophisch-historische Klasse. Wien 1848-1947.
SBAW	=	Sitzungsberichte der (königlich) bayrischen Akademie der Wissenschaften zu München.
-m/phKl	=	Mathematisch-physikalische Klasse.
-ph/hKl	=	Philosophisch-philologische und historische Klasse. München ab 1860.
SBl	=	Sonntagsblatt. Hamburg 1958-1966.
SC	=	Sacrosanctum Concilium. 2. Vatikanisches Konzil. Konstitution über die heilige Liturgie (4.12.1963). Lateinischer Text: AAS 56 (1964) 97-138. Deutsche Übersetzung: LThK-2VK. Bd. 1. S. 15-109.
ScCat	=	La Scuola cattolica. Rivista di scienze religiose. Milano ab 1873.
SchwR	=	Schweizer Rundschau. Zürich ab 1900.
SDa	=	Sammlung Dalp. Bern ab 1949.
SDi	=	Sammlung Dieterich. Wiesbaden.
SDU	=	Sammlung „Die Universität". Wien ab 1948.
SEK	=	Schriften aus dem Eukenkreis. 1-32. Langensalza 1909-1929.
SELWG	=	Schriften der Elsaß-Lothringischen Wissenschaftlichen Gesellschaft (Straßburg). Colmar, später Heidelberg.
SeR	=	Science et religion. Etudes pour le temps présent. Paris 1900-1914.
Ser.	=	Serie
Sess.	=	Sessio
SG	=	Sammlung Göschen. Leipzig ab 1896.
SGBGNW	=	Schriften der Gesellschaft zur Beförderung der gesamten Naturwissenschaften zu Marburg. Berlin ab 1824.

SGPsF	=	Schriften der Gesellschaft für Psychologische Forschung. Leipzig ab 1891.
SGV	=	Sammlung gemeinverständlicher Vorträge und Schriften aus dem Gebiet der Theologie und Religionsgeschichte. Tübingen ab 1896.
SGW	=	Sammlung Gestalten und Wege. Zürich.
SGWV	=	Sammlung gemeinverständlicher wissenschaftlicher Vorträge. Berlin ab 1866.
SHAW	=	Sitzungsberichte der Heidelberger Akademie der Wissenschaften.
-ph/hKl	=	Philosophisch-historische Klasse. Heidelberg ab 1910.
SJPh	=	Salzburger Jahrbuch für Philosophie. München 1957 bis 1959.
SJPhPs	=	Salzburger Jahrbuch für Philosophie und Psychologie. Salzburg ab 1960. - Vgl. SJPh.
SM	=	Sacramentum mundi. Theologisches Lexikon für die Praxis. 4 Bde. Freiburg, Basel, Wien 1967-1969.
SMH	=	Sozialistische Monatshefte. Berlin ab 1897.
SNK	=	Sammlung Natur und Kultur. München 1911.
Sp.	=	Spalte
SP	=	Serie Piper. München ab 1970.
SPAW	=	Sitzungsberichte der preußischen Akademie der Wissenschaften. Berlin 1882-1921. - Dass.
-ph/hKl	=	Philosophisch-historische Klasse. Ebd. 1922-1938.
SPK	=	Schriften zur Pädagogik und Katechetik. Paderborn ab 1948.
StASW	=	Studien des apologetischen Seminars in Wernigerode. Gütersloh 1920-1939.
STb	=	Siebenstern-Taschenbuch. München, Hamburg ab 1964.
StBGPh	=	Studien und Bibliographien zur Gegenwartsphilosophie. Leipzig ab 1932.
StBW	=	Studien der Bibliothek Warburg. Leipzig ab 1922.
StCSF	=	Studien aus dem Collegium Sapientiae zu Freiburg i.B. Freiburg ab 1898.
StDF ·	=	Studia et Documenta Franciscana cura Fratrum Minorum in Austria, Belgio, Germania, Neederlandia edita. Leiden ab 1963.
StDGSTh	=	Studien zur Dogmengeschichte und systematischen Theologie. Zürich ab 1952.
StF	=	Studia Friburgensia. (= Kopftitel von DTh. Ser. 3.) Freiburg/Schw. 1924-1941. - Dass. N.S. ab 1947.
StHAW	=	Studienhefte zur Altertumswissenschaft. Göttingen ab 1955.
StGKA	=	Studien zur Geschichte und Kultur des Altertums. Paderborn ab 1907.
StGThK	=	Studien zur Geschichte der Theologie und der Kirche. Leipzig ab 1897.
StGWGK	=	Studien zur Geschichte der Wirtschaft und Geisteskultur. Berlin ab 1926.
SThL-L	=	Sammlung theologischer Lehrbücher. Leipzig ab 1912.
SThL-T	=	Sammlung theologischer Lehrbücher. Tübingen ab 1896.
SThSt	=	Straßburger theologische Studien. Straßburg. Freiburg 1892-1908.
StHum	=	Studia humanitatis. Berlin.
SThZ	=	Schweizerische theologische Zeitschrift. Zürich 16-37 (1899-1920). - Vgl. ThZS.
StJDR	=	Statistisches Jahrbuch für das Deutsche Reich. Berlin ab 1880.
StK	=	Stimme der Kirche. Stuttgart ab 1946.
StL⁶	=	Staatslexikon. Recht Wirtschaft Gesellschaft. Sechste, völlig neu bearbeitete und erweiterte Auflage. 1-8. Bd. Freiburg 1957-1963.
StLA	=	Studien der Luther-Akademie. Bd. 1-14. Gütersloh 1932-1951. - Dass. N.F. Berlin ab 1953.
StML	=	Stimmen aus Maria Laach. Freiburg 1871-1914.
StPhR	=	Studien zur Philosophie und Religion. Paderborn 1908 bis 1921.

StSTh	=	Studien zur systematischen Theologie. Hrsg. von D.A. Titius und G. Wobbermin. Göttingen 1928-1935.
StTh	=	Studia theologica, cura ordinum theologorum Scandinaviorum edita. = Scandinavian journal of theology. Lund ab 1948.
StVRW	=	Studien zur vergleichenden Religionswissenschaft. Berlin ab 1894.
StZ	=	Stimmen der Zeit. (Katholische) Monatsschrift für das Geistesleben der Gegenwart. Freiburg ab 1915.
SÜA	=	Sammlung Überlieferung und Auftrag.
-PrH	=	Reihe Probleme und Hinweise.
-S	=	Reihe Schriften.
-StH	=	Reihe Studia humanitatis.
-T	=	Reihe Texte. Bern, (München, Freiburg) ab 1945.
SuL	=	Salz und Licht. Vorträge und Abhandlungen in zwangsloser Folge. Barmen ab 1901.
Suppl.	=	Supplement(um)
SWALBl	=	Schriftenreihe wissenschaftlicher Abhandlungen des Leo Baeck Institute of Jews from Germany. (Ab Nr. 7: ... des Leo - Baeck - Instituts.) Tübingen ab 1959.
SWVB	=	Sozialwissenschaftliche Volksbibliothek. Zürich ab 1896.
SysTh	=	Systematische Theologie
SzTh	=	K. Rahner: Schriften zur Theologie. 12 Bde. Einsiedeln, Zürich, Köln 1954-1975.
T.	=	Teil
TB	=	Theologische Bücherei. Neudrucke und Berichte aus dem 20. Jahrhundert. München ab 1953.
TBAW	=	Tübinger Beiträge zur Altertumswissenschaft. Stuttgart ab 1927.
TdTh	=	Tendenzen der Theologie im 20. Jahrhundert. Eine Geschichte in Porträts. Hrsg. von Hans Jürgen Schultz. Stuttgart, Berlin, Olten und Freiburg im Breisgau (1966).
ThAk	=	Theologische Akademie. Hrs. von K. Rahner und O. Semmelroth. Frankfurt ab 1965.
ThARhWPV	=	Theologische Arbeiten aus dem rheinischen wissenschaftlichen Prediger-Verein. Freiburg, Tübingen, N.F. ab 1897.
ThBib	=	Theologische Bibliothek. Freiburg ab 1874. - Dass. Ser. 2. Ebd. ab 1895.
ThBl	=	Theologische Blätter. Im Auftrag des Eisenacher Kartells Akademisch-Theologischer Vereine hrsg. Leipzig 1922-1942.
ThBrp	=	Theologische Brennpunkte. Aktuelle Schriftenreihe. Bergen-Enkheim ab 1965.
ThD	=	Theologischer Digest: Theologie und Leben. Bergen-Enkheim 1-2 (1958-1959). Danach ThGA.
ThdZ	=	Theologie der Zeit. Theologische Beihefte zum „Seelsorger". Wien ab 1934.
ThEH	=	Theologische Existenz heute. Eine Schriftenreihe. Hrsg. von Karl Barth u.a. München 1933-1941. - Dass. N.S. Ebd. ab 1946.
ThF	=	Theologische Forschung. Wissenschaftliche Beiträge zur kirchlich-evangelischen Lehre. Hrsg.: Dr. theol. Hans-Werner Bartsch. Hamburg-Volksdorf ab 1948.
ThG	=	Die Theologie der Gegenwart. (= Literarische Beilage zu: NKZ.) Leipzig 1907-1939.
ThG-k	=	Theologie der Gegenwart in Auswahl. (Vorher: ThD.) Bergen-Enkheim 3-10 (1960-1967). - Dass. ab Jg. 11 (1968): Theologie der Gegenwart. Informationsorgan über wissenschaftliche und praktische Theologie.
ThGl	=	Theologie und Glaube. Zeitschrift für den katholischen Klerus. Paderborn 1909-1944.

ThHKNT	=	Theologischer Handkommentar zum Neuen Testament. In neuer Bearbeitung. Berlin ab 1959.
ThJ-T	=	Theologische Jahrbücher in Verbindung mit mehreren Gelehrten hrsg. von F. Chr. Baur und E. Zeller. Tübingen 1842-1857.
ThJber	=	Theologischer Jahresbericht. Leipzig 1881-1914/15.
ThLB	=	Theologischer Literaturbericht. Gütersloh 1878-1928.
ThLBl	=	Theologisches Literaturblatt. Leipzig 1880-1943.
ThLBl-B	=	Theologisches Literaturblatt. Bonn 1866-1877.
ThLZ	=	Theologische Literaturzeitung. Leipzig ab 1876. - Dass. jetzt: Berlin (Ost).
ThPubl	=	Theologia publica. Olten ab 1966.
ThPh	=	Theologie und Philosophie. Vierteljahresschrift für Theologie und Philosophie. Freiburg, Basel, Wien ab 1966. - Vgl. Scholastik.
ThPM	=	Theologisch-praktische Monatsschrift. Central-Organ der katholischen Geistlichkeit Bayerns. Passau 1891-1920.
ThPQ	=	Theologisch-praktische Quartalschrift. Linz/Donau ab 1848.
ThQ	=	Theologische Quartalschrift. Tübingen 1819-1944. - Dass. Stuttgart 1946-1968. - Dass. jetzt: München, Freiburg. - Umschlagtitel 1960-1968: TThQ.
ThR	=	Theologische Rundschau. Freiburg ab 1897. - Dass. Tübingen ab 1900. - Dass. N.F. Ebd. ab 1929.
ThRv	=	Theologische Revue. Münster ab 1902.
ThSLG	=	Theologische Studien der Leo-Gesellschaft. Wien 1902-1914. - Vgl. ThSÖLG.
ThSÖLG	=	Theologische Studien der Österreichischen Leo-Gesellschaft. Wien 1916-1938.
ThSt	=	Theologische Studien. Eine Schriftenreihe, hrsg. von Karl Barth. Zollikon, Zürich ab 1938.
ThStKr	=	Theologische Studien und Kritiken. Zeitschrift für das gesamte Gebiet der Theologie. Hamburg 1828-1941/42.
ThThTh	=	Themen und Thesen der Theologie. Düsseldorf ab 1968.
ThWNT	=	Theologisches Wörterbuch zum Neuen Testament. Hrsg. von Gerhard Kittel u.a. Stuttgart ab 1933.
ThZ	=	Theologische Zeitschrift. Theologische Fakultät der Universität Basel. Basel ab 1945.
ThZFr	=	Christian Pesch: Theologische Zeitfragen. Folge 1-6. (F. 1-2: StML-Erg.H. 76 und 80.) Ergänzungsreihe zu: StML. Freiburg 1900-1916.
ThZS	=	Theologische Zeitschrift aus der Schweiz. Zürich 1-16 (1884-1898). - Fortgesetzt: SThZ.
TR	=	Tägliche Rundschau. Berlin. Leipzig.
TTb	=	Topos-Taschenbücher. Mainz.
TThQ	=	Tübinger theologische Quartalschrift. (Umschlagtitel von: ThQ.) Stuttgart 1960-1968.
TThR	=	Tübinger theologische Reihe. München, Freiburg ab 1967.
TThSt	=	Trierer theologische Studien. Trier ab 1941.
TThZ	=	Trierer theologische Zeitschrift. (Pastor bonus.) Trier ab 1947.
TzF	=	Texte zur Forschung. Darmstadt.
TZTh	=	Tübinger Zeitschrift für Theologie. Tübingen 1828/1840.
u.a.	=	unter anderem/und andere
UB	=	Urban - Bücher. Stuttgart ab 1953.
UBib	=	Universal-Bibliothek. Leipzig; später auch Stuttgart.
ÜA	=	Überlieferung und Aufgabe. Abhandlungen zur Geschichte und Systematik der europäischen Philosophie. Wien und München ab 1965.
UTB	=	Uni-Taschenbücher. Göttingen, Basel.
VAEO	=	Vorträge und Aufsätze über Entwicklungsmechanik der Organismen. Hrsg. von Wilhelm Roux. Berlin 1905-1923. - Vgl. AThOE.
VD	=	Verbum Domini. Commentarii de re biblica. Roma ab 1921.

VEB	=	Vorträge zur Einführung in die Bibel. Leipzig ab 1920.
VFVRG	=	Veröffentlichungen des Forschungsinstituts für vergleichende Religionsgeschichte an der Universität Leipzig. Leipzig 1917-1934.
VGFG	=	Veröffentlichungen der Gesellschaft für Fränkische Geschichte. Würzburg.
Vgl.	=	Vergleiche
VigChr	=	Vigiliae Christianae. Review of early Christian life and language. Amsterdam ab 1947.
VKIPh	=	Veröffentlichungen des katholischen Instituts für Philosophie. Albertus-Magnus-Akademie zu Köln. Münster ab 1923.
VKSM	=	Veröffentlichung aus dem kirchenhistorischen Seminar, München. Kempten, später München, 1899-1920. - Vgl. MStHTh.
VMH	=	Volksmissionarische Hefte. Metzingen/Württ.
Vol.	=	Volumen
VoxTh	=	Vox Theologica. Interacademiaal theologische tijdschrift. Assen/Niederlande ab 1930.
VRF	=	Vorreformationsgeschichtliche Forschungen. Münster ab 1900.
VThKGi	=	Vorträge der theologischen Konferenz zu Gießen. Gießen 1884-1932.
VuG	=	Volk und Geist. Berlin ab 1922.
VWPh	=	Vierteljahrsschrift für wissenschaftliche Philosophie. Leipzig 1877-1902. (1902 = N.F. 1.)
VWPhS	=	Vierteljahrsschrift für wissenschaftliche Philosophie und Soziologie. Leipzig ab 1903. - Vgl. VWPh.
WBl	=	Die weißen Blätter. Eine Monatszeitschrift. Leipzig, Zürich ab 1913/14. - Dass. ab Jg. 6 (1919) Berlin.
WDB	=	Würzburger Diözesanblatt. Würzburg ab 1855.
WdG	=	Das Weltbild der Gegenwart. Ein Überblick über das Schaffen und Wissen unserer Zeit in Einzeldarstellungen. Stuttgart ab 1913.
WHB	=	Wissenschaftliche Handbibliothek. 1. R.: Theologische Lehr- und Handbücher. 2. R.: Philosophische Lehr- und Handbücher. 3. R.: Lehr- und Handbücher verschiedener Wissenschaften. Paderborn ab 1889.
WiWei	=	Wissenschaft und Weisheit. Zeitschrift für augustinisch-franziskanische Theologie und Philosophie der Gegenwart. Freiburg ab 1934.
WiWir	=	Wissen und Wirken. Einzelschriften zu den Grundfragen des Erkennens und Schaffens. Karlsruhe ab 1922.
WoWa	=	Wort und Wahrheit. Monatszeitschrift für Religion und Kultur. Wien, Freiburg 1946-1973.
WPh	=	Wege zur Philosophie. Schriften zur Einführung in das philosophische Denken. Göttingen ab 1911.
WPh-EPhG	=	Wege zur Philosophie. Schriften zur Einführung in das philosophische Denken. Ergänzungsreihe: Einführungen in die Philosophie der Gegenwart. Göttingen ab 1911.
WuB	=	Wissenschaft und Bildung. Einzeldarstellungen aus allen Gebieten des Wissens. Leipzig ab 1907.
WuE	=	Weltbild und Erziehung. Würzburg ab 1953.
WuF	=	Wissen und Forschen. Leipzig ab 1923.
WuGl	=	Wissen und Glauben. Magazin für volkstümliche Apologetik. Monatsschrift zur Pflege der katholischen Weltanschauung. Ab 1921: Monatszeitschrift zur Begründung und Vertiefung der christlichen Weltanschauung. Bad Mergentheim. - Vgl. MVA.
WuH	=	Wissenschaft und Hypothese. Sammlung von Einzeldarstellungen aus dem Gesamtgebiet der Wissenschaft mit besonderer Berücksichtigung ihrer Grundlagen und Methoden, ihrer Endziele und Anwendungen. Leipzig ab 1907.
WuK	=	Wissen und Können. Sammlung von Einzelschriften aus reiner und

		angewandter Wissenschaft. Leipzig ab 1908.
WuT	=	Wort und Tat. Zeitschrift für evangelische Wahrheit und kirchliche Verantwortung hrsg. im Auftrag der Apologetischen Centrale Berlin-Spandau. Ebd. 1925-1937. (Darin aufgegangen u.a. GdG.). - Dass. Zeitschrift für Mitarbeiter in der Verkündigung und der Gemeinde. Kassel 1940-1941; weiter ab 1949. (-Achtung! Es gibt außerdem noch 2 andere Schriftreihen unter diesem Titel.)
WuW	=	Wissenschaft und Weltbild. Monatsschrift für alle Gebiete der Forschung. Wien ab 1948.
WuZ	=	Wissenschaft und Zeitgeist. Leipzig ab 1935.
Z.	=	Ziffer
ZAPs	=	Zeitschrift für angewandte Psychologie und Charakterkunde. Leipzig 1907-1944.
ZAW	=	Zeitschrift für die alttestamentliche Wissenschaft und die Kunde des nachbiblischen Judentums. Berlin ab 1881.
ZChV	=	Zeitfragen des christlichen Volkslebens. Frankfurt/M. ab 1876, später Heilbronn, Stuttgart.
ZDKPh	=	Zeitschrift für Deutsche Kulturphilosophie. N.F. des Logos. Tübingen 1934-1944.
ZKG	=	Zeitschrift für Kirchengeschichte. Gotha ab 1876. - Dass. Stuttgart ab 1930.
ZKTh	=	Zeitschrift für katholische Theologie. Innsbruck, später Wien, ab 1877.
ZNW	=	Zeitschrift für die neutestamentliche Wissenschaft (und die Kunde der älteren Kirche). Berlin ab 1900.
ZPhF	=	Zeitschrift für philosophische Forschung. Meisenheim ab 1946.
ZPhSpTh	=	Zeitschrift für Philosophie und spekulative Theologie. Bonn. Tübingen 1837-1846. - Vgl. ZPhPhKr.
ZPhPhKr	=	Zeitschrift für Philosophie und philosophische Kritik. (Gegründet von I. H. Fichte und H. Ulrici.) Halle, Leipzig 1847-1918. - Vgl.ZPhSpTh.
ZPol	=	Zeitschrift für Politik. Berlin 1907-1944. - Dass. N.S. ab 1954.
ZPs	=	Zeitschrift für Psychologie. Leipzig ab 1954. - Vgl. ZAPs.
ZPsPhysSO	=	Zeitschrift für Psychologie und Physiologie der Sinnesorgane. Hamburg, Leipzig ab 1890.
ZRGG	=	Zeitschrift für Religions- und Geistesgeschichte. Köln ab 1948.
ZRLG	=	Zur religiösen Lage der Gegenwart. Schriftenreihe. München ab 1925.
ZRPs-G	=	Zeitschrift für Religionspsychologie, Gütersloh 1928-1938.
ZRPs-H	=	Zeitschrift für Religionspsychologie. Halle 1908-1913.
ZSGWB	=	Zeit- und Streitfragen des Glaubens, der Weltanschauung und Bibelforschung. Berlin-Lichterfelde ab 1918.
ZSRG	=	Zeitschrift der Savigny-Stiftung für Rechtsgeschichte. Weimar ab 1880.
ZSTh	=	Zeitschrift für systematische Theologie. Gütersloh 1923/24-1935; Berlin 1936-1955 (1957).
ZThK	=	Zeitschrift für Theologie und Kirche. Von J. Gottschick begründet. Organ für systematische und prinzipielle Theologie. Tübingen ab 1891; später Freiburg i.B. und Leipzig.
ZVKGS	=	Zeitschrift des Vereins für Kirchengeschichte der Provinz Sachsen und des Freistaates Anhalt. Magdeburg 1-37 (1904-1940).
ZVPsS	=	Zeitschrift für Völkerpsychologie und Soziologie. Berlin 1925-1931.
ZVPsSpW	=	Zeitschrift für Völkerpsychologie und Sprachwissenschaft. Berlin 1860-1890.
ZW	=	Zeitwende. Monatsschrift München ab 1925. Später Hamburg. Ab Jg. 25 (1952/53): Die neue Furche.
ZWTh	=	Zeitschrift für wissenschaftliche Theologie. Jena 1858-1913/14.
ZZ	=	Zwischen den Zeiten. Eine Zweimonatsschrift. München 1923-1933.

ERSTER TEIL

Der
philosophie- und theologiegeschichtliche Hintergrund
für die neueren Entwürfe christlicher Eschatologie

1. Einführung

Die Theologie eines Lebens nach dem Tode ist ein wichtiger Bestandteil unserer christlichen Glaubensverkündigung. Auf den einzelnen Menschen bezogen, liegt sie im Gebiet der individuellen Eschatologie, die in einer Zeit, da das innerweltliche Engagement des Christen und der Kirche stark betont wird, weithin vergessen zu sein scheint. Der praktische Seelsorger erfährt daher bei jedem Begräbnis deutlich, wie fremd der moderne Mensch dem Glauben an ein Leben nach dem Tode gegenübersteht. Hinzu kommt, daß die Ganz-Tod-Lehre, wie sie von einigen Theologen vertreten wird, dem katholischen Glaubensverständnis von der Vollendung des Menschen in der Gemeinschaft der Heiligen durch Christus bei Gott diametral entgegensteht. Überall, wo unsere Glaubenswahrheit aufgegeben oder für den Zeitraum, der sich bis zu einer endgültigen göttlichen Neuschöpfung erstreckt, außer Kraft gesetzt wird, findet eine erhebliche Verarmung des Glaubenslebens und des Kultus statt. Damit werden zugleich anthropologische Fragen angeschnitten; geht es doch darum, wie der Mensch sich selber sieht und versteht, wie er in dieser Welt handelt und lebt.

Um jedoch jedes Mißverständnis auszuschließen, weisen wir von vornherein darauf hin, daß die Kirche zu allen Zeiten am sozialen Charakter ihrer Botschaft festgehalten hat. Es ist daher nicht berechtigt, der katholischen Lehre von der Vollendung des einzelnen Menschen einen einseitigen Heilsindividualismus vorzuwerfen. Besonders im vergangenen 19. Jahrhundert hat die katholische Theologie in der Phase ihrer Neubelebung die korporative Einheit der gesamten Kirche als einer

1

geistgewirkten Liebesgemeinschaft stark betont[1]. Mag darin auch das organische Gemeinschaftsverständnis der Romantik zur Geltung kommen, wichtig ist, daß schon damals - also nicht erst neuerdings durch eine mit Hilfe soziologischer Kategorien entfalteten Theologie von Kirche als Volk Gottes - der Heilsindividualismus völlig unmöglich wurde. Auch der so oft kritisierte und zumeist falsch verstandene Missionsruf »Rette deine Seele«[2], der einer älteren Schicht kirchlicher Verkündigung entstammt, war von seiner Intention her keineswegs individualistisch gemeint; vielmehr brachte er das allgemeine Heilsangebot Gottes in Form eines personalen Imperativs zur Sprache. Allgemein und damit sozial ist diese Forderung, da sie ohne Ausnahme in völliger Gleichheit an alle Menschen ergeht. Der Form nach freilich wird der individuelle Mensch angerufen; denn jeder einzelne muß das Heil ergreifen und verwirklichen. Seit der Zeit, da Israels Propheten sich in ihrer Bußpredigt an den einzelnen Menschen wandten, um ihn zur Umkehr zum Herrn zu bewegen, wissen wir, daß die Rettung nicht einfach durch die Zugehörigkeit zu einem Kollektiv gesichert ist. Freilich war es von altersher der Fixpunkt jeder biblischen Theologie, daß der einzelne nur im Volk Gottes das Heil finden kann. Andererseits erschien jedoch oft das Heil des gesamten Volkes vom Tun eines einzelnen Menschen abhängig. Somit haben wir im Volke Gottes immer eine Spannungseinheit von Individuum und Gemeinschaft. Diese fundamentale Einsicht war der christlichen Theologie immer bewußt, wenn auch im Verlauf der Theologiegeschichte bald der eine oder der andere Pol entsprechend der allgemeinen geistigen Situation stärker akzentuiert wurde.

In dieser Untersuchung wollen wir ergründen, welche theologischen und philosophischen Grundzüge im Bereich der christlichen Eschatologie jeweils hervortreten. Dabei ist zu beachten, daß alles, was in diesem theologischen Traktat im Hinblick auf ein besonderes Verkündigungsziel spezifiziert wurde, in einem Gesamtzusammenhang steht. So kommen bei einer Erörterung der letzten Dinge zugleich alle Aussagen theologischer Anthropologie und Kosmologie zur Sprache, ebenso wie die Lehre vom Heilshandeln des dreifaltigen Gottes, der Erlösung des Menschen und der Erneuerung der Welt unter dem Gesichtspunkt der Vollendung. Daraus rechtfertigt sich die Besonderheit des Traktats, wie wir andererseits erkennen, daß sich aus der Erörterung eines speziellen Gesichtspunktes der gesamte Bereich christlicher Theologie eröffnet.

Will man das Verständnis einer Glaubenswahrheit zu einer bestimmten Zeit möglichst genau erfassen, so darf das Studium nicht auf die fachtheologischen Traktate der speziellen Dogmatik beschränkt bleiben. Vielmehr sind alle Lebensäußerungen des Glaubens hinzuzuziehen, die Frömmigkeitsgeschichte ebenso wie

---

[1] Vgl. Johann Adam Möhler (1796-1838): Die Einheit in der Kirche oder das Prinzip des Katholizismus. Dargestellt im Geiste der Kirchenväter der drei ersten Jahrhunderte (1825). Herausgegeben, eingeleitet und kommentiert von J.R. Geiselmann. Köln - Olten 1957.

[2] Vgl. dazu den sozialen Bezug in der Feldpredigt des „modern - positiven Theologen" R. Seeberg „Rette Deine Seele". In: Ders. Geschichte, Krieg und Seele. Leipzig 1916. S. 151-164. - Außerdem J. Ratzinger: Eschatologie - Tod und ewiges Leben. (KKD.9.) Regensburg 1977. S. 20-21.

die Analyse der polemischen und apologetischen Literatur. Insbesondere führen die für Hörer aller Fakultäten gehaltenen Vorlesungen sowie die allgemeinverständlichen wissenschaftlichen Traktate oft zu jenen aktuellen Fragen, die in den theologischen Lehrbüchern nicht behandelt werden. Den theologiegeschichtlich forschenden Wissenschaftler erwartet freilich eine schwierige Aufgabe. Es würde z. B. nicht genügen, die mannigfachen Ansätze des eschatologischen Denkens rein historisch zu beschreiben, ohne sie zugleich erneut spekulativ zu durchdringen und in dem inneren Zusammenhang ihrer Grundlagen systematisch aufzuzeigen. Unter System verstehen wir hier mit W. Brugger den Versuch, eine Mannigfaltigkeit von Erkenntnissen nach einer Idee der Ganzheit zu ordnen. Dabei muß jedoch das Prinzip, nach dem die Systematisierung geschieht, den Gegenständen selber zugrunde liegen oder sich aus der Art ihrer Erkenntnis ergeben; würde es von außen an die Erkenntnisse herangetragen, so könnte es den Gegenstand selber nicht erhellen[3].

Mit dieser Auffassung stimmen wir zugleich A. Adam zu, der in unserer Zeit evangelischerseits erneut betonte, daß die Dogmengeschichte der Philosophie bedürfe, ja dieser vielleicht die Methoden entlehnen müsse, nach der sie den Stoff behandle, und die Form, in der sie ihn gestalte[4]. Wir dürfen dabei allerdings nicht vergessen, daß es sich bei der Untersuchung von Glaubenswahrheiten nie um eine rein philosophische Frage handelt, die etwa nach Analyse von Einzelphänomenen im Gesamthorizont menschlicher Erfahrung und Selbstverwirklichung transzendental zu beantworten wäre. Denn weder ist die göttliche Offenbarung, in der wir nach katholischem Verständnis die wesentliche Quelle unserer religiösen Erkenntnis und den Ursprung unseres eigenen Glaubensvollzuges sehen[5], mit dem transzendentalen Erkenntnisakt als solchem identisch, noch läßt sie sich von ihm vollständig einholen. Gerade bei der Eschatologie ist zu bedenken, daß ihre Erkenntnisse wie bei den anderen Mysterien des christlichen Glaubens weder durch natürliche Erfahrung oder unmittelbare Einsicht gewonnen werden, noch durch Deduktionen, so daß sie untereinander in einem Begründungszusammenhang stünden derart, daß ihre Sätze entweder axiomatisch oder deduktiv wären. Sie beruht nicht auf Grundsätzen in sich einsichtiger Erkenntnisprinzipien (Axiomen) und abgeleiteter Sätze (Thesen): Auch die Dogmen der Kirche sind als Glaubenswahrheiten keineswegs die logischen Konstruktionen eines solchen Systematisierungsprozesses. Ihre Erkenntnisquelle ist im Unterschied zur natürlichen Wirklichkeit jener Bereiche göttlicher Offenbarung, zu deren Erfassen allerdings die natürlichen Fähigkeiten des Erfahrens und Denkens dienen. Wie immer das Verhältnis von göttlicher Offenbarung und menschlicher Erfahrung bestimmt ist, im Erkenntnisakt des Glaubens und in der von diesem getragenen Reflexionen des theologischen Denkens werden sie eins. Von einer philosophischen Methode können wir die Einsicht

---

[3] W. Brugger: PhW[14].S. 392. - Vgl. O. Ritschl: System und systematische Methode in der Geschichte des wissenschaftlichen Sprachgebrauchs und der philosophischen Methodologie. Bonn 1906. - H. Rickert: System der Philosophie. 1. Allgemeine Grundlagen der Philosophie. Tübingen 1921. - P. Tillich: Das System der Wissenschaften nach Gegenständen und Methoden. Ein Entwurf. Göttingen 1923.

[4] A. Adam: Lehrbuch der Dogmengeschichte. Bd. 1. Gütersloh 1965. S. 29.

[5] Vgl. W. Breuning: Tod und Auferstehung in der Verkündigung. In: Conc 4 (1968) 78.

übernehmen, daß sich die Einzelinhalte nur im Zusammenhang des Ganzen verstehen und das Ganze sich in Einzelmomenten konstituiert und modifiziert[6]. Daher ist eben die so speziell klingende Frage nach einem Leben nach dem Tode nur im Gesamtzusammenhang der Theologie zu beantworten.

Es ergibt sich jedoch bei der theologischen Arbeit noch eine weitere Schwierigkeit, die wir nicht übersehen dürfen. Bei dem Versuch, eine Vielzahl von Anschauungen zu einer Gesamtschau zu integrieren, fließen leicht subjektive Elemente, die später wiederum als der besondere Standpunkt des Verfassers sichtbar werden, mit in die Untersuchung ein. Wollte man nun vor dem Ernst der göttlichen Wahrheit, der als solcher letztlich keine Zweideutigkeit eignet, alle Elemente subjektiver Erkenntnis ausmerzen, so könnte man sich jedoch keinesfalls einfach auf die Wiedergabe ewig gültiger, kirchlicher Lehrsätze zurückziehen. Denn diese sollen ja gerade mit Hilfe historischer und spekulativer Reflexionen[7] im Horizont früheren und heutigen Denkens für ein besseres Verständnis erschlossen werden. Daher sind alle Bemühungen nicht nur interessante Spiegelungen von Denkspielen; vielmehr soll durch eine tiefere Erkenntnis der Glaubenswahrheit der Glaubensvollzug des christlichen Volkes neu befruchtet werden. Dabei ist das christliche Glaubensverständnis durch alle Schwierigkeiten und Einseitigkeiten hindurch zu einem einheitlichen Gesamtbild zu führen, wie es die Kirche durch die Jahrhunderte hindurch bewahrt und entfaltet hat. An ihm ist jede Einzelerkenntnis zu prüfen, ob oder in wie weit sie von diesem Glaubensverständnis getragen wird bzw. in wie weit sie dieses Glaubensverständnis erschließt[8].

Nachdem hier versucht wurde, Rechenschaft über die Methode unserer Arbeit abzulegen, seien zur weiteren Klärung noch einige spezielle Bemerkungen hinzugefügt.

Es konnte sich in unserer Studie nicht darum handeln, eine umfassende Geschichte der christlichen Eschatologie zu schreiben. Diese müßte als eine Problemgeschichte[9] das gesamte bibel-theologische Material mitsamt der dazugehörigen Interpretationsgeschichte, die Forschungsergebnisse aus den Gebieten von Religions-geschichte, -philosophie und -psychologie, ebenso die gesamte christliche Dogmengeschichte erneut sichten und systematisch verarbeiten. In den theologischen Lexika gibt es dazu einige Artikel, so protestantischerseits von P. Althaus

---

[6] Vgl. E. Coreth: Methodische Reflexion zur philosophischen Anthropologie. In: ZKTh 91 (1969) 262.

[7] Vgl. dazu H. Fries: Die Einheit in der Theologie. Gottlieb Söhngen zum Gedächtnis. In: MThZ 23 (1972) 362-363, 365. - Vgl. den Hinweis auf Ignaz Döllinger (1799-1890) bei G. Söhngen: Erkennen - Wissen - Glauben. Freiburg - München 1955. S. 1.

[8] Vgl. J. Auer: Modelldenken. In: LThK[2] 7 (1962) 508. - Ders.: Die Bedeutung der „Modellidee" für die „Hilfsbegriffe" des katholischen Dogmas. In: J. Ratzinger - H. Fries (Hrsg.): Einsicht und Glaube. Freiburg 1962. S. 259-279. - H. Hendrichs: Modell und Erfahrung. Ein Beitrag zur Überwindung der Sprachbarriere zwischen Naturwissenschaft und Philosophie. Mit Vorwort von K. Lorenz und M. Müller. (ABrPh) Freiburg 1973.

[9] Zur Methode dogmengeschichtlicher Arbeit vgl. J. Auer: Zum Begriff der Dogmengeschichte. In: MThZ 15 (1964) 146-149.

und H. Kraft[10]; diese berücksichtigen aber nicht genügend die katholische Theologie. Im Lexikon für Theologie und Kirche finden sich ebenfalls ein paar kurze Übersichten zur Eschatologie in Religionsgeschichte, Altem und Neuem Testament, im übrigen behandelte K. Rahner die Geschichte des Traktats mehr unter einem theologisch-wissenschaftstheoretischen Aspekt[11]. Eine zusammenfassende Geschichte der Eschatologie wurde seit langem für das Handbuch der Dogmengeschichte angekündigt[12], liegt aber zur Zeit leider noch nicht vor. Allerdings können wir inzwischen auf die Anmerkungen verweisen, die Chr. Schütz in seiner Grundlegung der Eschatologie im Rahmen einer heilsgeschichtlichen Dogmatik vorgelegt hat[13].

Unsere Untersuchung befaßt sich mit den theologischen und philosophischen Grundzügen jener Entwürfe zur Eschatologie, die in großer Zahl vom Ende des 19. Jahrhunderts bis zu Beginn des 2. Weltkrieges veröffentlicht wurden. Wir sehen in diesem Zeitraum eine plausible Abgrenzung; im Bereich der protestantischen Theologie erfolgte eine Wende, als die »konsequente Eschatologie«[14] gegen die Versuche, das Christentum, das Reich Gottes rein innerweltlich zu verwirklichen, Stellung nahm. Im katholischen Bereich ergibt sich die Anknüpfung aus einer Studie, die P. Müller-Goldkuhle zur Eschatologie im 19. Jahrhundert vorlegte[15].

Nach einem kurzen Blick auf die Eschatologie der Spätscholastik zeigte der Verfasser zunächst die Stellung des Traktats in der Phase des theologischen Neuansatzes aus dem Denken der Aufklärung. Anschließend verfolgte er die weitere Entwicklung dieser Lehre in der Dogmatik während der Zeit der 'katholischen Restauration', wobei er in seiner Unterteilung den theologiegeschichtlich bekannten Strömungen von Semirationalismus, Romantik und Neuscholastik folgte. Zuletzt befaßte er sich mit M. J. Scheeben, dessen theologische Entwürfe jedoch bereits vor dem ersten Vatikanum konzipiert wurden[16]. Er schloß mit einem Blick auf die eschatologischen Äußerungen im Rahmen des ersten vatikanischen Konzils, da nach seinem Urteil die bisherige Vielgestaltigkeit der Bearbeitungsweise des eschatologischen Traktats schon hier - trotz einiger neuscholastischer Monographien

---

[10] Vgl. P. Althaus: Christliche Eschatologie, dogmengeschichtlich. In: RGG² 2 (1928) 345-353. - Dass. H. Kraft. In: RGG³ 2 (1958) 672-680. - Vgl. dazu jedoch die kritische Bemerkung von H.J. Weber. In: Ders. Die Lehre von der Auferstehung der Toten in den Haupttraktaten der scholastischen Theologie. (FThSt.91.) Freiburg 1973. (Zitiert: H.J. Weber: Auferstehung.) S. 185.

[11] Vgl. Eschatologie. In: LThK² 3 (1959) 1083-1098. - G. Lanczkowski: Religionsgeschichtlich. Ebd. Sp. 1083-1084. - H. Groß: Eschatologie im Alten Testament. Ebd. Sp. 1084-1088. - R. Schnackenburg: Eschatologie im Neuen Testament. Ebd. Sp. 1088-1093. - K. Rahner: Eschatologie, theologisch - wissenschaftstheoretisch. Ebd. Sp. 1094-1098.

[12] Als Verfasser wurden angekündigt zuerst H. de Lavalette, später E. Schillebeeckx, zuletzt (1977): B.E. Daley - B. Mayer - J. Schreiner - L. Ott - E. Kunz - Ph. Schäfer - I. Escribano Alberca.

[13] Chr. Schütz: Anmerkungen zur Geschichte der Eschatologie. In: J. Feiner - M. Löhrer (Hrsg.): Mysterium Salutis. Grundriß heilsgeschichtlicher Dogmatik. Bd. 5: Zwischenzeit und Vollendung der Heilsgeschichte. Zürich - Einsiedeln - Köln 1976. S. 565-616.

[14] Vgl. unten S. 119-124.

[15] P. Müller-Goldkuhle: Die Eschatologie im 19. Jahrhundert. (BNGKTh. 10.) Essen 1966.

[16] Zu Matthias Joseph Scheeben vgl. J. Höfer. In: LThK² 9 (1964) 376-379.

wie etwa der von J. Bautz[17] - abbrach. Seltsamerweise blieb damit mehr als das letzte Viertel vom vorigen Jahrhundert unberücksichtigt, obwohl der Verfasser feststellte, daß Scheeben »ohne Zweifel bedeutsamen Einfluß auf die Entwicklung und Gestaltung der ihm folgenden Blütezeit ausgeübt« hat[18].

Wie der Blick auf die Studie von P. Müller-Goldkuhle zeigt, liegt mit dem Ende des 19. Jahrhunderts in der theologischen Forschungsarbeit ein Einschnitt vor. Seiner Meinung über die folgende Entwicklung können wir uns indes nicht anschließen, da bei ihm eine zu pessimistische Beurteilung der gegen den Modernismus gerichteten Maßnahmen zum Ausdruck kommt. Um das Dunkel, das in jener Übergangszeit liegt, ein wenig aufzuhellen, bemühen wir uns um einen Blick auf den geistesgeschichtlichen Zusammenhang der Probleme. Dabei wird deutlich, daß es auch für den katholischen Bereich des Denkens keine isolierte Entwicklung gab. Ob in Wahrheit von einem Stadium der Stagnation gesprochen werden kann, müßte in einer umfassenden theologiegeschichtlichen Analyse geklärt werden. Auch sei dahingestellt, ob sich das Schwergewicht theologischer Forschungen auf andere Gebiete verlagerte. Oftmals schon erwies sich die Klärung abseits liegender Fragen als dienlich für einen späteren Neuentwurf. Dabei ist zu bedenken, daß gerade innerhalb der katholischen Theologie die Lehre von den letzten Dingen niemals als beziehungsloses Anhängsel den übrigen Kapiteln der Dogmatik rein äußerlich zugefügt wurde. Es gibt wohl keinen Verfasser einer katholischen Dogmatik, der die Eschatologie unabhängig von seiner Gotteslehre, Schöpfungslehre, Christologie, Soteriologie usw. behandelt hätte. Alle diese einzelnen Traktate enthielten selbst die mannigfachsten Hinweise auf die eschatologische Vollendung von Schöpfung, Welt und Mensch, Kirche und Gottesreich, ohne die sie alle unvollständig geblieben wären. Die z.T. unterschiedliche Akzentuierung macht die Lebendigkeit katholischer Theologie aus. Unsere Untersuchung wird im einzelnen zeigen, daß es völlig verfehlt wäre, von einer Stagnation der Eschatologie zu sprechen und dieses Stadium gar bis »hinaus zur theologischen Situation der Gegenwart«[19] andauern zu lassen. So könnte nur in völliger Unkenntnis der Sachlage gesprochen werden. Immer wieder kam es auch in der Zeit nach dem ersten vatikanischen Konzil zu neuen Denkansätzen, die sich deutlich in der Formung des Traktats ausprägten. Selbst in den vielgeschmähten dogmatischen Lehrbüchern finden wir nicht nur die gleichförmige Wiederholung altbekannter Lehrsätze. Wie weit nun die Erneuerung einer »Begegnung der Dogmatik mit den eschatologischen Bemühungen der evangelischen Theologie«[20] zu verdanken wäre, müßte im einzelnen untersucht werden. Sicher gab es mancherlei Anregungen, die sich auf das Denken der katholischen Theologen fruchtbar auswirkten. Niemand von ihnen war ohne jede Kenntnis der protestantischen Exegese und Theologie. Doch kam es nicht zu einer ungeprüften Übernahme fremder Glaubensüberzeugung, als vielmehr zu einer kritischen Auseinandersetzung, die das eigene Verständnis klären half. Das große Thema der katholischen Theologie, die Vollendung des Menschen in der Gemeinschaft der Heili-

---

[17] Josef Bautz (1843-1917). Seine wichtigsten Schriften zur Eschatologie siehe LV.
[18] Müller-Goldkuhle. S. 214. - Vgl. H.J. Weber.
[19] Müller-Goldkuhle. S. 216.
[20] Ebd. S. 216.

gen durch Christus mit Gott, ist ohne Zweifel eigenständig behandelt und in den verschiedensten Variationen vorgestellt worden. Dies versuchen wir an den verschiedensten Entwürfen aufzuzeigen. Wir beenden unsere Untersuchung mit der Eschatologie R. Guardinis, d.h. bevor jene neuen Denkversuche zum Verhältnis »Unsterblichkeit der Seele« und »Auferstehung des Leibes« einsetzen, die G. Greshake in einer problemgeschichtlichen Studie skizziert hat[21].

Zielt unsere Untersuchung vornehmlich auf die eschatologischen Entwürfe katholischer Autoren, so ist dennoch der Blick in die Schriften evangelisch-protestantischer Theologen unerläßlich; vor die gleichen Probleme gestellt, suchten auch sie Antwort auf die aktuellen Glaubesfragen ihrer Zeit. Wo sich innerhalb der Spannweite einer allgemeinen christlichen Eschatologie keine Übereinstimmung feststellen läßt, da dient der Kontrast unterschiedlicher Auffassungen dazu, das spezifisch katholische Glaubensverständnis deutlich werden zu lassen.

Eine Beschränkung dieser Arbeit liegt sodann darin, daß wir uns im wesentlichen nur mit deutschsprachigen Publikationen befassen. Fremdsprachige Literatur wird berücksichtigt, wenn ein bedeutender Einfluß auf das Denken im deutschen Sprachraum vorliegt.

Leben nach dem Tode - auf diese Wahrheit unseres Glaubens ist diese Arbeit ausgerichtet. Sie will der Verkündigung der christlichen Botschaft dienen[22], indem sie aufzeigt, wie sehr sich das theologische Denken unserer katholischen Glaubensgemeinschaft innerhalb dieses Jahrhunderts um das Verständnis dieser Wahrheit mühte. Sie will erneut zeigen, zu welcher Hoffnung wir berufen sind, damit wir nicht durch eine rein diesseitige Interpretation des Glaubens unser transzendentes Ziel aus den Augen verlieren: Die ewige Gemeinschaft mit Gott durch Jesus Christus. In der Kraft dieses Glaubens lieben wir die Welt und alle Menschen in ihr, in Einheit mit jener göttlichen Liebe, die alles schaffen, vollenden und beseligen will.

Zum Schluß dieser kurzen Einführung in die Zielsetzung und Methode unserer Untersuchung möchte ich auf ein Wort verweisen, das mir auch für unsere Zeit eine theologiegeschichtliche Arbeit zu rechtfertigen scheint. M. Kähler sagte einmal in seinen Vorlesungen zur Geschichte der protestantischen Dogmatik im 19. Jahrhundert: »Ich halte den für einen kümmerlichen Theologen, der nicht das meiste von dem, was er vertritt, durch eine treue und emsige Schule bei seinem Vorgänger erworben hat. Wozu ist denn die Kirche Gottes, wozu die Theologie da, wenn nicht dazu, daß man - positiv und negativ - in ihr etwas lerne von seinen Vorgängern und Vorbildern?«[23]

---

[21] Vgl. G. Greshake - G. Lohfink: Naherwartung - Auferstehung - Unsterblichkeit. Untersuchungen zur christlichen Eschatologie. (QD. 71.) Freiburg 1975. S. 113-120. - Zur eschatologischen Dimension in der heutigen Theologie vgl. Greshake. Ebd. S. 11-37. - Außerdem G. Lohfink: Der Tod hat nicht das letzte Wort. Freiburg 1976. Vgl. jedoch A. Ziegenaus: Auferstehung im Tod: Das geeignete Denkmodell? In: MThZ 28 (1977) 109-132.

[22] Vgl. A. Kolping: Das Ewige Leben und die kirchliche Verkündigung. In: W. Corsten u.a. (Hrsg.): Die Kirche und ihre Ämter und Stände. Festschrift Kardinal Frings. Köln 1960. S. 299-314. - Ders.: Verkündigung über das ewige Leben. In: Christus vor uns. Hrsg. von V. Schurr und B. Häring. (ThBrp. 8/9.) Bergen - Enkheim 1966. S. 28-37.

[23] M. Kähler: Geschichte der protestantischen Dogmatik im 19. Jahrhundert. (Vorlesungen von 1890-1912). Bearbeitet und mit einem Verzeichnis der Schriften M. Kählers hrsg. von E. Kähler. (TB. 16.) München 1962. S. 248-249.

2. Die geistesgeschichtliche Situation
im Übergangsbereich vom 19. zum 20. Jahrhundert

Romano Guardini, einer der bedeutendsten Theologen in der ersten Hälfte des 20. Jahrhunderts, stellte in seiner Studie über die Letzten Dinge fest, daß die christliche Eschatologie von Dingen rede, die dem neuzeitlichen Empfinden der Menschen zum Teil sehr fern liegen. Er sah, daß der Wandel des Weltbildes wie des Lebensgefühls auf diesem Gebiet besonders viele Fragen und Widerstände weckte. Um diese Kluft zu überbrücken, versuchte er, einen Denkprozeß einzuleiten, in dem die schmerzliche Spannung dieser Gegensätzlichkeit zu ihrer Klärung kommen könne[1].

In unserer Untersuchung der philosophischen und theologischen Motive, die den eschatologischen Entwürfen katholischer Theologen in den ersten Jahrzehnten des 20. Jahrhunderts zu Grunde liegen, wählen wir diesen Hinweis Guardinis zum Ausgangspunkt, um zu zeigen, in welcher geistesgeschichtlichen Situation katholische Autoren zu einer der wichtigsten Lebensfragen Stellung nahmen.

In seiner Schrift »Gegensatz und Gegensätze - Entwurf eines Systems der Typenlehre« hatte Guardini darauf aufmerksam gemacht, daß die Typologie der Seelenvorgänge (Charaktereologie) der eigentliche Ansatzpunkt der ganzen Überlegung seiner Gegensatzlehre war[2]. Wir stehen damit zu Beginn unserer Erörterung im Bereich der Psychologie, die im 19. Jahrhundert durch den erfolgreichen Aufschwung der Naturwissenschaften weithin von der Physiologie beeinflußt wurde[3]. Vorzüglich mit deren Hilfe erhoffte man, alle seelischen Vorgänge erklären zu können. So gelangte man zu einer Psychophysik, die vor allem auf den Forschungen von Gustav Th. Fechner (1801-1887)[4] und den Untersuchungen beruhte, die Wil-

---

[1] R. Guardini: Die letzten Dinge. Die christliche Lehre vom Tode, der Läuterung nach dem Tode, Auferstehung, Gericht und Ewigkeit (1940). Würzburg [6]1952. S. VII.

[2] Ders.: Gegensatz und Gegensätze. Entwurf eines Systems der Typenlehre. Als Manuskript gedruckt. Freiburg i. Br. Caritas-Druckerei. Juli 1914. S. 19.

[3] Vgl. J. Wendland: Psychologie. In: RGG[1] 4 (1913) 1973-1976, besonders Sp. 1974. - E. Stratilescu: Die physiologischen Grundlagen des Seelenlebens bei Fechner und Lotze. (Phil. Diss. Berlin 1903.) Berlin 1903.

[4] Zu G. Th. Fechner vgl. Eisler: PhL. S. 164-168. - Ziegenfuß. Bd. 1. S. 308-314. - Ueberweg. Bd. 4. S. 292-298. - G. Hennemann: G. Th. Fechner. In: NDB 5 (1961) 37-38. - Chronologisches Verzeichnis der Werke und Abhandlungen G. Th. Fechners. Zusammengestellt von Dr. med. Rudolph Müller in Dresden. In: J.E. Kuntze: Gustav Theodor Fechner (Dr. Mises). Ein deutsches Gelehrtenleben. Leipzig 1892. S. 363-372. - Weiteres siehe unten S. 9-10, Anm. 8-10.
Zur Psychophysik:
G.Th. Fechner: Elemente der Psychophysik. 2 Bde. Leipzig 1860. - Ders.: In Sachen Psychophysik. Leipzig 1877. - Ders.: Revision der Hauptpunkte der Psychophysik. Leipzig 1882. - Vgl. außerdem: E. Hering: Über Fechner's psychophysisches Gesetz. Beiträge zur Lehre von der Beziehung zwischen Leib und Seele. 1. Mitteilung. (Sonderdruck aus: SAWW.) Wien 1875. - P. Langer: Die Grundlagen der Psychophysik. Jena 1876. - G. E. Müller: Zur Grundlegung der Psychophysik. (BWL. 23.) Berlin 1878. - Ders.: Gesichtspunkte und Tatsachen der psychophysischen Methodik. (Aus: Ergebnisse der Psychologie.) Wiesbaden 1904. - F.A. Müller: Das Axiom der Psychophysik. Marburg 1882. - A. Elsas: Über die Psychophysik. Marburg 1886. -G. F. Lipps: Grundriß der Psychophysik. (SG. 98.) Leipzig 1899. - Dass.

helm Wundt (1832 bis 1920) in dem von ihm eigens eingerichteten Laboratorium in Leipzig durchführte[5].

Die hier entwickelte experimentelle Psychologie gründete keineswegs auf einer einseitig materialistischen Weltsicht; wohl konnte sie sehr leicht zu einer monistischen Weltanschauung hinführen[6]. Bei G. Th. Fechner beruhte sie auf einer induktiven Metaphysik[7], das heißt auf dem Versuch, von der Erfahrung ausgehend durch Analogie zu einer noch zu gewinnenden Erfahrung zu gelangen[8]. Dem psychophysischen Parallelismus, den er hinsichtlich des menschlichen Lebens vertrat, entsprach im Kosmischen ein Panpsychismus, das heißt die Annahme einer Allbeseelung. Bekannt wurde G. Th. Fechner vor allem mit seinem »Büchlein vom Leben nach dem Tode«[9]. Zum richtigen Verständnis sind jedoch auch seine späteren Schriften hinzuzuziehen[10].

Neudruck. Ebd. 1903. - Dass. Neubearbeitete Auflage. Ebd. 1909. - H. Rickert: Psychophysische Causalität und psychophysischer Parallelismus. In: PhA-ChS. S. 59-87. - K. Gutberlet: Psychophysik. Historisch-kritische Studien über experimentelle Psychologie. Mainz 1905, [2]1909. - F. Brentano: Untersuchungen zur Sinnespsychologie. Leipzig 1907. - W. Wirth: Psychophysik. Darstellung der Methoden der experimentellen Psychologie. (Sonderdruck aus: Handbuch der psychologischen Methodik. III. 5.) (Dass.: AGPs.3.) Leipzig 1912. - Th. Steinmann: Psychophysik. In: RGG[1] 4 (1913) 1982-1985. - Ders.: Psychologischer Parallelismus. Ebd. Sp. 1199-1202. - R. Reininger: Das psychophysische Problem. Eine erkenntnistheoretische Untersuchung zur Unterscheidung des Physischen und Psychischen überhaupt. Wien - Leipzig 1916. - Dass. 2., verbesserte Auflage. Ebd. 1930. - A. Titius: Psychophysik. In: RGG[2] 4 (1930) 1646-1647. - Ders.: Psychophysischer Parallelismus. In: RGG[2] 4 (1930) 954-955. - H. Meyer: Das Leib - Seeleproblem. In: GAW. Bd. 5. S. 209-216.

[5] In diesem Zusammenhang vgl. W. Wundt: Lehrbuch der Physiologie des Menschen. Erlangen 1864-1865. - Dass. 2., völlig umgearbeitete Auflage. Ebd. 1868. - Ders.: Vorlesungen über die Menschen- und Tierseele. 2 Bde. Leipzig 1863-1864, [7]und[8]1922. - Ders.: Grundzüge der physiologischen Psychologie. Leipzig 1874. - Dass. 3 Bde. [6]1908-1911.

[6] Vgl. O. Muck: Psycho-physischer Parallelismus. In: LThK[2] 8 (1963) 79. - Dass.: R. Liebe. In: RGG[1] 2 (1910) 843.

[7] Vgl. H. Meyer: GAW. Bd. 5. S. 166-221.

[8] Vgl. A. Goldschmidt: Fechners metaphysische Anschauungen. (Phil. Diss. Würzburg 1902.) Würzburg 1902. - R. Liebe: Fechner's Metaphysik. Leipzig 1903. - Ders.: G.Th. Fechner. In: RGG[1] 2 (1910) 843-844; in: RGG[2] 2 (1928) 531-532. - K. Vorländer: Geschichte der Philosophie. Bd. 2: Philosophie der Neuzeit. (PhB. 106.) Leipzig [3]1911. S. 404. - W. Hartung: Die Bedeutung der Schelling - Okenschen Lehre für die Entwicklung der Fechnerschen Metaphysik. (Phil. Diss. Bonn 1912. Referent: O. Külpe.) In: VWPhS N.F. 12 (1913) 253-289. - Dass. separat Leipzig 1912. - J.K. Fiedler: Die Motive der Fechnerschen Weltanschauung. (Phil. Diss. Leipzig 1918. Referenten: J. Volkelt - E. Spranger.) Halle 1918. - F.A.E. Meyer: Philosophische Metaphysik und christlicher Glaube bei G.Th. Fechner. (Ev.-theol. Diss. Tübingen 1934. Referent: K. Heim.) Göttingen 1937. - Vgl. außerdem: K. Laßwitz: Gustav Theodor Fechner. (FKPh. 1.) Stuttgart 1896, [3]1910. - I. Hermann: Gustav Theodor Fechner. Eine psychoanalytische Studie über individuelle Bedingtheit wissenschaftlicher Ideen. (Aus: Imago. 11.) Wien 1926. - H. Adolph: Die Weltanschauung Gustav Theodor Fechners. Stuttgart 1923.

[9] G. Th. Fechner: Das Büchlein vom Leben nach dem Tode. (Hauslexikon. Vollständiges Handbuch praktischer Lebenskenntnisse für alle Stände. Hrsg. von G. Th. Fechner.) Leipzig 1836-1838. - Dass. Hamburg [7]1911.

[10] Vgl. ders.: Zend - Avesta oder über die Dinge des Himmels und des Jenseits. Vom Standpunkt der Naturbetrachtung. Drei Teile. Leipzig 1851. - Dass. 3. Auflage besorgt von K. Laßwitz. Hamburg 1903. - Ders.: Über die Seelenfrage. Ein Gang durch die sichtbare Welt um die unsichtbare zu finden. Leipzig 1861. - Dass. 2. Auflage. Mit einem Geleitwort von F.

G. Th. Fechner vertrat die Ansicht, daß der Mensch mit seinem Tode nach Leib und Seele in ein höheres Dasein eintrete. Der Geist kehre in den Erdkreis zurück und komme dadurch auch mit Gott in viel engere Lebens- und Bewußtseinsverbindung. Er werde unmittelbar inne, daß er in Gott lebt und daß Gott in ihm wirkt. Auch der Leib verschwinde nicht, er werde der Erde wiedergegeben und lebe da fort mit all den Wirkungen, die er während des Lebens auf sie ausgeübt hat. So habe im Jenseits jeder die ganze Erde zum Leib, so wie er sich ihr im Leben einverleibt hat[11]. H. Straubinger faßt diese Lehre mit folgenden Worten zusammen: »Das Jenseits baut sich also auf dem Diesseits auf, nimmt es in sich auf und führt es weiter; Diesseits und Jenseits bilden ein harmonisches Ganzes, wie im Leben Anschauung und Erinnerung ineinandergreifen und sich ergänzen«[12].

Mit seinen experimentellen Studien ebnete G. Th. Fechner einen Weg, auf dem W. Wundt, einer der bedeutendsten Repräsentanten der Philosophie und Psychologie des ausgehenden 19. Jahrhunderts[13], weiter fortschritt[14]. Das neue Verständnis des Geistes, das sich damals allenthalben zu regen begann, blieb auf seine Forschungen nicht ohne Einfluß. Nachdem zuvor eine rein naturwissenschaftliche Methode dem Denken Fesseln anlegen wollte, dehnte W. Wundt den Erfahrungsbegriff über das allein quantitativ Faßbare aus und trug somit dazu bei, daß auch die Frage nach der Unsterblichkeit der Seele wieder hervortrat[15].

Paulsen hrsg. von E. Spranger. Leipzig 1907. - Ders.: Die Tagesansicht gegenüber der Nachtansicht. Leipzig 1879, ²1904. - Vgl. Laßwitz (1896). S. 186-191. - Fiedler. S. 87-93. - K. Groos: Die Unsterblichkeitsfrage. (NDF - Abt. Phil. 15.) Berlin 1936. S. 28-49.

[11] Vgl. die Auffassung von Karl Rahner vom allkosmischen Weltbezug der Seele nach Aufhebung ihres, die Leibgestalt gegen die Gesamtheit abgrenzenden und aufrecht- und zusammenhaltenden Leibverhältnisses. - Vgl. K. Rahner: Tod.Theologisch. In: LThK² 10 (1965) 221-226, besonders Sp. 223. Ders.: Zur Theologie des Todes. In: Synopsis 3 (1949) 87-112. - Ders.: Zur Theologie des Todes. In: ZKTh 79 (1957) 1-44. - Ders.: Zur Theologie des Todes. (QD. 2.) Freiburg 1958, ⁴1963. - Vgl. H. Wohlgschaft: Hoffnung angesichts des Todes. Das Todesproblem bei Karl Barth und in der zeitgenössischen Theologie des deutschen Sprachraums. (BÖTh. 14.) Paderborn 1977. S. 265-271: Der im Tod frei werdende „allkosmische" Daseinsbezug. - Vgl. ebd. S. 233-239: Jesu Abstieg ins Totenreich als bleibende Bestimmung der Welt (Rahner).

[12] H. Straubinger: Die Religion und ihre Grundwahrheiten in der deutschen Philosophie seit Leibniz. Freiburg 1919. S. 273. - Vgl. Fiedler. S. 84-86. - Außerdem: S. Hochfeld: Fechner als Religionsphilosoph. Potsdam 1909. - Ch. Lülmann: Monismus und Christentum bei G. Th. Fechner. Mit drei Beilagen: Die Persönlichkeit Gottes im Lichte des christlichen Glaubens und des Pantheismus. Zur Frage nach der persönlichen Unsterblichkeit. Monismus und Christentum. Berlin 1917. - F. Lienhard: Der Gottesbegriff bei G. Th. Fechner. Bern 1920.

[13] W. Czapiewski. In: LThK² 10 (1965) 1266. - Vgl. Eisler: PhL. S. 830-846. - Ziegenfuß. Bd. 2. S. 915-921. - R. Eisler: Wilhelm Wundts Philosophie und Psychologie. In ihren Grundzügen dargestellt. Leipzig 1902. - G. St. Hall: Wilhelm Wundt, der Begründer der modernen Psychologie. Übersetzt und mit Anmerkungen versehen von R. Schmidt. Durch Vorwort eingeführt von M. Brahn. Leipzig 1914. - A. Heußner: Einführung in Wilhelm Wundts Philosophie und Psychologie. Göttingen 1920. - W. Nef: Die Philosophie Wilhelm Wundts. Leipzig 1923. - E. Wundt (Hrsg.): Wilhelm Wundts Werke. Ein Verzeichnis seiner sämtlichen Schriften. (ASSFJ-FJPs. 28.) München 1927. - J. Steinmetz: Das Substanzproblem bei Wilhelm Wundt. (Phil. Diss. Bonn 1930.) Düsseldorf 1931.

[14] Vgl. W. Wundt: Gustav Theodor Fechner. Rede. Leipzig 1901.

[15] G. Heinzelmann: Der Begriff der Seele und die Idee der Unsterblichkeit bei Wilhelm Wundt. Darstellung und Beurteilung. (Theol. Diss. Göttingen. Referent: A. Titius.) Tübingen 1910. S. VI-VII.

Um die Bedeutung dieser Tatsache zu verstehen, müssen wir uns vergegenwärtigen, daß W. Wundt zu einer Zeit begann, da der naturwissenschaftliche Materialismus noch in Blüte stand[16]. K. Vogt[17], J. Moleschott[18], L. Büchner[19] waren seine Zeitgenossen, ebenso wie Ch. Darwin[20]. Erwähnt werden muß auch E. Haeckel, dessen Weltanschauung um die Jahrhundertwende als Religionsersatz bei vielen Menschen größten Anklang fand[21]. Zum rechten Verständnis jener Epoche ist es daher ebenfalls unerläßlich, kurz einen Blick auf das Leben und Wirken jenes Mannes zu werfen.

Ernst Haeckel (1834-1919) stammte aus Potzdam und war in einem an Schleiermachers[22] Frömmigkeit orientierten Elternhaus aufgewachsen[23]. Naturforscher wie R. Virchow[24] zogen ihn früh in ihren Bann. Er trieb selber zoologische

---

[16] Hirschberger: GPh. Bd. 2. S. 444-449. - Vgl. P. Petersen: Wilhelm Wundt und seine Zeit. (FKPh. 12.) Stuttgart 1925.

[17] Karl Vogt (1817-1895). - Die wichtigsten Schriften siehe LV. - Außerdem vgl. J. Jung: Karl Vogts Weltanschauung. Paderborn 1915.

[18] Jakob Moleschott (1822-1893). - Schriften siehe LV. - Vgl. P. Grützner: J. Moleschott. In: ADB 52 (1906) 435-438.

[19] Ludwig Büchner (1824-1899). Schriften siehe LV.

[20] Charles Robert Darwin (1809-1882). - Seine wichtigsten Schriften: Siehe LV. - Zu Darwin vgl. u.a. A. Titius: Charles Robert Darwin. In: RGG[1] 1 (1909) 1975-1984. - Ders.: Ch. R. Darwin. In: RGG[2] 1 (1927) 1789-1793. - Ders.: Natur und Gott. Ein Versuch zur Verständigung zwischen Naturwissenschaft und Theologie. Göttingen 1926. - F. X. Kiefl: Charles Darwin und die Theologie. In: Katholische Weltanschauung und modernes Denken. Gesammelte Essays über die Hauptstationen der neueren Philosophie. Regensburg[2-3] 1922. S. 221-246. - W. von Wyss: Charles Darwin. Ein Forscherleben. Zürich, Stuttgart (1958).

[21] Vgl. A. Halder. In: LThK[2] 4 (1960) 1303.

[22] Zu F.E.D. Schleiermacher siehe unten S. 82-86.

[23] Zu Leben und Werk von E. Haeckel siehe W. Bölsche: Ernst Haeckel. Ein Lebensbild. (MdZ. 8.) Dresden, Leipzig 1900. - R. Hönigswald: Ernst Haeckel, der monistische Philosoph. Eine kritische Antwort auf seine „Welträtsel". Leipzig 1900. - W. May: Ernst Haeckel. Versuch einer Chronik seines Lebens und Wirkens. Leipzig 1909. - J. Wendland: Ernst Haeckel. In: RGG[1] 2 (1910) 1773-1776. - Ders. In: RGG[2] 2 (1928) 1562-1564. - Eisler: PhL. S. 221-223. - H. Schmidt (Hrsg.): Was wir Ernst Haeckel verdanken. Ein Buch der Verehrung und Dankbarkeit. Im Auftrag des deutschen Monistenbundes hrsg. 2 Bde. Leipzig 1914. - Ders.: Ernst Haeckel. Leben und Werke. Berlin 1926. - R. Hertwig: Ernst Haeckel. In: DBJ 2 (1928) 397-412. - G. Heberer: Ernst Haeckel und seine wissenschaftliche Bedeutung. Zum Gedächtnis der 100. Wiederkehr seines Geburtstages. Tübingen 1934. - V. Franz: Ernst Haeckels Leben, Denken und Wirken. 2 Bde. Jena 1943-1944. - Ziegenfuß: Bd. 1. S. 436. - J. Walther: Im Banne Ernst Haeckels. Jena um die Jahrhundertwende. Aus dem Nachlaß hrsg. von G. Heberer. Göttingen 1923. - J. Hemleben: Ernst Haeckel in Selbstzeugnissen und Bilddokumenten. (RoMo. 99.) Reinbeck/Hamburg 1964. - G. Uschmann: Ernst Haeckel. In: NDB 7 (1966) 423-425.

[24] Rudolpf Virchow (1821-1902), einer der bedeutendsten Mediziner des 19. Jahrhunderts, dazu Anthropologe und Ethnologe. Als freisinnig-demokratischer Politiker seit 1862 im preußischen Landtag, 1880-1893 Mitglied des Reichstags, prägte er das Schlagwort vom „Kulturkampf". Er bekämpfte seinen Schüler E. Haeckel insofern, als er weittragende Schlüsse, Theorien und Spekulationen aus der Forschung verbannt wissen wollte. Vgl. J. Wendland: Rudolf Virchow. In: RGG[1] 5 (1913) 1685. - Ders.: In: RGG[2] 5 (1931) 1593. - D. von Hansemann: Rudolf Virchow. In: BJDN 7 (1905) 352-361. - L. Aschhoff: Rudolf Virchow, Wissenschaft und Weltgeltung. (Geistiges Europa.) Hamburg 1940. - E. Meyer: Rudolf Virchow. Wiesbaden 1956.

und medizinische Studien und gab am Ende seiner Studienzeit unter dem Eindruck des Naturalismus den Glauben an einen persönlichen Gott, eine sittliche Weltordnung und an ein jenseitiges Leben auf. In seinen exakten Studien trug er viel zur Grundlegung und Fortbildung der Biologie bei. Größeres Aufsehen als alle Einzelforschungen aber erregte seine Naturphilosophie. Durch die Schriften Darwins war er zu einem begeisterten Vorkämpfer der Entwicklungslehre geworden. Mit ihrer Hilfe konnte er sich in einer »Natürlichen Schöpfungsgeschichte« alle »Welträtsel« und »Lebenswunder« auf einfachste Weise erklären[25]. Dabei radikalisierte er den Darwinschen Ansatz der Deszendenztheorie im Sinne eines kausal-mechanistischen Evolutionismus[26]. Im Seelischen sah er nur eine Funktion des Stoffes, alle materiellen Atome hielt er für bereits beseelt[27]. Geist und Materie waren für ihn nicht wesensverschieden. Er ließ nur eine einzige Substanz gelten, die für ihn Gott und Natur zugleich war. Die Materie und die ihr innewohnende Energie pries er als Welteinheit und stellte so jeder dualistischen Weltsicht einen strikten Monismus entgegen, in dem Wissenschaft und Religion zur Harmonie kommen sollten[28].

---

[25] Die wichtigsten Schriften von E. Haeckel siehe im LV.
[26] A. Halder. In: LThK[2] 4 (1960) 1303. - Zur Deszendenztheorie siehe wiederum A. Titius. In RGG[1] 1 (1909) 2041-2053. - Ders. In: RGG[2] 1 (1927) 1838-1848. - Aus katholischer Sicht siehe zum Stand der Auseinandersetzung im 19. Jahrhundert G. von Hertling (1843-1919): Entwicklungslehre. In: KL[2] 4 (1886) 642-661. - J. Herr: Der heutige Stand der Deszendenztheorie und ihre Bedeutung für die Apologetik. In: ThPQ 58 (1905) 292-307. - A. Breitung: Entwicklungslehre und Monismus. In: StML 75/II (1908) 13-27, 152-169. - V. Cathrein: Die moderne Entwicklungslehre als Weltanschauung. In: StML 76/I (1909) 479-494. - E. Wasmann: Alte und neue Forschungen Haeckels über das Menschenproblem. In: StML 76 (1909) 169-184, 297-306, 422-438. - Außerdem siehe L. Baur: Abstammung. In: LThK[1] 1 (1930) 46-51. - Ders.: Abstammung. In: KHL 1 (1907) 29-33. - A. Haas: Deszendenztheorie. In: LThK[2] 3 (1959) 255-256. - Ders.: Das stammesgeschichtliche Werden der Organismen und des Menschen. Freiburg 1959.
[27] Siehe F. Sawicki. In: LThK[1] 4 (1932) 771. - J. Wendland. In: RGG[1] 2 (1910) 1774.
[28] Siehe Hirschberger: GPh. Bd. 2. S. 447. - E. Haeckel: Der Monismus als Band zwischen Religion und Wissenschaft. Stuttgart 1905. - Zum Gesamtverständnis: Der mechanische Monismus. Eine Kritik der modernen Weltanschauung. Paderborn 1893. - Ders.: Der Mensch. Sein Ursprung und seine Entwicklung. Eine Kritik der mechanisch-monistischen Anthropologie. Padernborn 1896. - Dass. 2., verbesserte und vermehrte Auflage. Ebd. 1903. - J. Sack: Monistische Gottes- und Weltanschauung. Versuch einer idealistischen Begründung auf dem Boden der Wirklichkeit. Leipzig 1899. - E.G. Steude: Die monistische Weltanschauung. Gütersloh 1898. - E.L. Fischer: Ersatzversuche für das Christentum. Regensburg 1903. - G. Graue: Die modernen Bemühungen, den naturalistischen Monismus mit einer religiös-sittlichen Weltordnung zu vereinigen. In: PrM 9 (1905) 417-430, 466-479. - J. Engert: Der naturalistische Monismus Haeckels auf seine wissenschaftliche Haltbarkeit geprüft. Von der theologischen Fakultät der Universität Würzburg gekrönte Preisschrift. Wien 1905. - F. Paulsen: Der moderne Pantheismus und die christliche Weltanschauung. Mit einem Vorwort von M. Kähler. Halle 1906. - V. Brander: Der naturalistische Monismus der Neuzeit oder Haeckels Weltanschauung systematisch dargestellt und kritisch beleuchtet. Paderborn 1907. - M. Werner: Das Christentum und die monistische Religion. Berlin 1908. - J. Reinhard: Gott und die Seele in der monistischen Religionsphilosophie der Gegenwart. Kritische Skizzen. (Phil. Diss. Erlangen 1907.) Grimma 1908. - F.R. Lipsius: Die Religion des Monismus. Berlin 1908. - L. Plate (Hrsg.): Ultramontane Weltanschauung und moderne Lebenskunde, Orthodoxie und Monismus. Die Anschauungen des Jesuitenpaters Erich Wasmann und die gegen ihn in Berlin gehaltenen Reden. Jena 1907. - H. Lüdemann: Monistische und christliche Welt- und Lebensanschauung. In: PrM 11 (1907) 401-426. - F. Traub: Zur Kritik des Monismus. In: ZThK 18 (1908) 157-180. - O. Flügel: Monismus und Theologie. Cöthen 1908. - A. Drews: (Hrsg.):

Um in weiteren Kreisen Anhänger zu werben, gründete E. Haeckel 1906 mit anderen den Monistenbund[29], in dem zuerst der radikale Bremer Pfarrer A. Kalthoff[30], dann später W. Ostwald[31] den Vorsitz übernahm. Wir tun gut daran, uns dieses Jahr 1906 als Drehpunkt aller Auseinandersetzungen jener Zeit fest einzuprägen. Welches geistige Klima im ersten Jahrzehnt unseres Jahrhunderts vorherr-

Der Monismus, dargestellt in Beiträgen seiner Vertreter. Jena 1908. - L. Frei: Katechismus der monistischen Weltanschauung. Stuttgart 1908. - P. Schanz: Monismus und Dualismus. In: Ders. Apologie des Christentums. Teil 1: Gott und Natur. 4. vermehrte und verbesserte Auflage. Hrsg. von W. Koch. Freiburg 1910. S. 616-651. - J. Wendland: Monismus in alter und neuer Zeit. Basel 1908. - R. Eisler: Geschichte des Monismus. Leipzig 1910. - J. Wendland: Die neue Diesseitsreligion. (RV. V/13.) Tübingen 1914. - G. Wobbermin: Monismus und Monotheismus. Vorträge und Abhandlungen zum Kampf um die monistische Weltanschauung. Tübingen 1911. - F. Klimke: Der Monismus und seine philosophischen Grundlagen. Freiburg 1911, [4]1919. - Th. Steinmann: Monismus. In: RGG[1] 4 (1913) 463-466. - E. Wasmann: Der christliche Monismus. Freiburg 1919. - Straubinger: Die Religion des Monismus. In: Die Religion und ihre Grundwahrheiten in der deutschen Philosophie seit Leibniz. S. 324-327. - P. Minges: Der Monismus des deutschen Monistenbundes. Münster 1919. - Kiefl: Der Monismus der Gegenwart. In: Ders. Katholische Weltanschauung und modernes Denken. S. 362-400. - L. Baur: Monismus. In: KHL 2 (1912) 1008-1012. - Ders.: Monismus. In: LThK[1] 7 (1935) 276-281. - H. Siegel: Die Religion im Monismus. Historisch-kritische Untersuchung ihrer Stellung im modernen Monismus. (Phil. Diss. Münster 1950.) O.O. 1950. - W. Brugger: Monismus. In: LThK[2] 7 (1962) 553-555.

[29] E. Haeckel: Der Monistenbund. Thesen zur Organisation des Monismus. Frankfurt 1904. - Siehe auch K. Algermissen: Monistenbund. In: LThK[1] 7 (1935) 281-282. - Ders. in: LThK[2] 7 (1962) 555. - E. Storkebaum: Monisten und Monistenbund. In: RGG[1] 4 (1913) 466-468. - A. Ströle: Monistenbund. In: RGG[2] 4 (1930) 175-177.

[30] Albert Kalthoff (1850-1906), seit 1888 Prediger in Bremen. Er machte den Versuch, die Geschichtlichkeit Jesu zu bestreiten und setzte eine geistig-soziale Massenbewegung an die Anfänge der christlichen Religion. Der Christus der Evangelien ist ihm die personifizierte Idee der Kirche. Kalthoff gilt als Begründer der „Sozialtheologie". - Siehe H. Windisch: Albert Kalthoff. In: RGG[1] 3 (1912) 891-893. - L. Zscharnack: Albert Kalthoff. In: RGG[2] 3 (1929) 592-593. - A. Titius: Der Bremer Radikalismus. Vortrag 10.X.1907. (SGV. 54.) Tübingen 1908.

[31] Wilhelm Ostwald (1853-1932), Schüler von Ernst Mach (1838-1916), gilt als Schöpfer der physikalischen Chemie. Er vertrag eine energetische Weltauffassung. Nach J. Wendland stand er dem Monismus Haeckels fern, war ihm jedoch in der Feindschaft gegen Christentum und Kirche, in der Ablehnung einer übernatürlichen Offenbarung und im Glauben an die überragende kulturelle Bedeutung der Naturwissenschaften verbunden. - Siehe J. Wendland: Wilhelm Ostwald. In: RGG[1] 4 (1913) 1090. - Ders. in: RGG[2] 4 (1930) 836. - G. Ostwald: Wilhelm Ostwald, mein Vater. Stuttgart 1953. - M. Jammer. In: HWPh 2 (1972) 497 (Energie). - A. Dochmann: Friedrich Wilhelm Ostwalds Energetik. (BStPhG. 62.) Bern 1908. - W. Burkamp: Die Entwicklung des Substanzbegriffs bei Wilhelm Ostwald. Leipzig 1913. - Zum Energismus siehe ferner: J. Croll: Philosophy of theism. London 1857. - Ders.: The Philosophical Basis of Evolution. Ebd. 1890. - G. Helm: Die Lehre von der Energie, historisch-kritisch entwickelt. Nebst Beiträgen zu einer allgemeinen Energetik. Leipzig 1887. - Ders.: Die Energetik nach ihrer geschichtlichen Entwicklung. Leipzig 1898. - A. Rey: L'Energetique et le Mécanisme. Paris 1907. - L. Gilbert: Fundamente des exakten Wissens. Bd. 1: Neue Energetik. Dresden 1912. - F. J. Schmidt: Der philosophische Sinn. Programm des energetischen Idealismus. (WPh-EPhG. 2.) Göttingen 1912. - F. Pollach: Das Gesetz von der Erhaltung der Energie und der christliche Glaube. Fulda 1913. - E. Herzig: Psychophysische Kausalität und das Energiegesetz. In: DTh 2 (1915) 86-114. - R. Semon: Bewußtseinsvorgang und Hirnprozeß. Eine Studie über die energetischen Korrelate der Eigenschaften der Empfindungen. Nach dem Tode des Verfassers hrsg. von Otto Lubarsch. Wiesbachen 1920. - Die wichtigsten Schriften von W. Ostwald: Siehe LV.

13

schend war, erkennen wir besonders deutlich, wenn wir uns mit den Werken von B. Wille beschäftigen. Dieser stand zum Teil unter dem Einfluß G. Th. Fechners. Als Lehrer der freireligiösen Gemeinde zu Berlin trat auch er 1906 dem Monistenbunde bei[32].

War E. Haeckel ohne Zweifel der führende Kopf eines radikalen Monismus, so zeigten sich die gleichen monistischen Tendenzen auch bei anderen weit gemäßigteren Geistern, selbst wenn sie im Unterschied zu ihm von einem naturalistischen Ausgangspunkt zu einem Idealismus fortschritten, wie etwa G. J. Romanes[33], H. Lotze[34] und W. Wundt[35], ja selbst wenn sie E. Haeckel bekämpften, wie etwa F. Paulsen[36] oder H. Driesch.

Der philosophische Ansatz von R. Guardinis Gegensatzlehre ist ohne diesen Hintergrund geistesgeschichtlich nicht verstehbar. Dies wird zudem besonders deutlich, wenn wir den Einfluß von H. Driesch auf die Auffassung R. Guardinis berücksichtigen.

Hans Driesch (1867-1941) begann als Schüler E. Haeckels mit zoologischen Studien[37]. Bei Versuchen mit Seeigeleiern erkannte er, daß sich ein werdendes Le-

---

[32] Zu Bruno Wille (1860-1928) siehe H. Mack: Bruno Wille als Philosoph. (Phil. Diss. Gießen 1913. Referent: A. Messer.) Gießen 1913. - Eisler: PhL. S. 817. - Ueberweg. Bd. 4. S. 327. - Ziegenfuß. Bd. 2. S. 887. - Die wichtigsten Schriften von Bruno Wille, in denen sich besonders deutlich zeigt, welches geistige Klima das Denken um die Jahrhundertwende bestimmte, siehe LV.

[33] George John Romanes (1848-1894). Siehe J. Wendland: G.J. Romanes. In: RGG[1] 5 (1913) 14-15. - Ders. in: RGG[2] 5 (1930) 2094. - Ziegenfuß. Bd. 2. S. 370.

[34] Zu Hermann Lotze (1817-1881) siehe unten S. 14-15.

[35] J. Wendland. In: RGG[2] 2 (1928) 1562.

[36] Friedrich Paulsen (1846-1908). Beeinflußt von I. Kant, A. Schopenhauer, F.A. Lange, R.H. Lotze und G.Th. Fechner, bezeichnete selber seinen Standpunkt als idealistischen Monismus oder Pantheismus, obwohl er neben der Immanenz Gottes auch die Transzendenz betonte und das transzendente Lebensziel des Christentums als unaufgebbares Gegengewicht gegen die Kulturseligkeit erklärte. Mit William James (1842-1910) teilte er die voluntaristische Grundrichtung. - Seine wichtigsten Schriften: Siehe LV. - Außerdem: O. Nordwälder: Friedrich Paulsen und seine religiösen Anschauungen. Mainz 1906. - A. Rau: Friedrich Paulsen über Ernst Haeckel. Eine kritische Untersuchung über Naturforschung und moderne Kathederphilosophie. (FDMB. 3.) Berlin 1906. - P. Fritsch: Friedrich Paulsens philosophischer Standpunkt, insbesondere sein Vehältnis zu Fechner und Schopenhauer. (Phil. Diss. Erlangen 1910. Referent: R. Falckenberg.) (APhG-F.17.) Leipzig 1910. - R. Schwellenbach: Das Gottesproblem in der Philosophie Friedrich Paulsens und sein Zusammenhang mit dem Gottesbegriff Spinozas. (Phil. Diss. Münster 1911. Referent: G. Spicker.) Berlin 1911. - B. Schulte-Hubbert: Die Philosophie von Friedrich Paulsen. Ein Beitrag zur Kritik der modernen Philosophie. Berlin 1914. - G. Schilling: Die Berechtigung der teleologischen Betrachtungsweise der Natur nach Paulsen und Sigwart. (Phil. Diss. Erlangen. Referent: P. Hensel.) Neudamm 1919. - J. Speck: Friedrich Paulsen. Sein Leben und sein Werk. Langensalza 1926. - W. Binde: Die Psychologie Friedrich Paulsens. (Phil. Diss. Rostock 1929.) Stuttgart 1929. - Eisler: PhL. S. 530-532. - Straubinger. S. 319-320. - M. Scheibe: Philosophen der Gegenwart. In: RGG[1] 4 (1913) 1567. - H. Scholz: Friedrich Paulsen. In: RGG[1] 4 (1913) 1274-1276. - J. Wendland: Friedrich Paulsen. In: RGG[2] 4 (1930) 1018-1019. - Ziegenfuß. Bd. 2. S. 255-257.

[37] Vgl. Ziegenfuß. Bd. 1. S. 256-259. - Außerdem: A. Meyer-Abich: Hans Driesch, der Begründer der theoretischen Biologie. In: ZPhF 1 (1946/47) 356-369. - G. Siegmund: Hans Driesch. In: PhJ 57 (1947) 12-18. - A. Wenzl (Hrsg.): Hans Driesch. Persönlichkeit und Bedeutung für Biologie und Philosophie von heute. München 1951. - Ders.: Hans Driesch. In: NDB 4 (1959) 125-126.

bewesen prospektiv auf die Endgestalt als Ergebnis seiner Entwicklung hin entfaltet. Die Tatsache, daß die Ganzheit schon von Anfang an alle Teile vollständig bestimmt und ihre Entwicklung steuert, so daß die Teile vom Ganzen her Sinn und Sein erhalten, erklärte er mit Hilfe des Faktors »Entelechie«. H. Driesch nahm somit im Lebendigen außer der physikalischen und chemischen noch eine dritte Naturkraft an. Darin unterschied sich seine Auffassung von der des Aristoteles[38]. Wichtig ist jedoch, daß er seine Entelechie als eine »Ganzheitskausalität« verstand, die nicht einfach von außen her auf ein Lebewesen einwirkt, sondern im Innern des Lebewesens selbst die Ausprägung der Gestalt steuert. R. Guardini konnte in seiner Auseinandersetzung mit dem mechanistischen Evolutionismus später an Drieschs Theorie von der Entelechie anknüpfen und erklären: »Akt- und Bau-Ganzes des Lebendigen sind nicht nur Ergebnisse chemischer oder physikalischer Vorgänge, sondern jedes lebendige Sein und Geschehen steht unter einem wirkenden Plan«[39]. Guardini verwies in diesem Zusammenhang darauf, daß jeder lebendige Akt so geartet ist, daß er seiner ganzen Struktur nach auf ein Innen weist. »Jeder lebendige Akt zeigt sich als etwas, das aus einem Innern hervorgeht...Seine Wirkung verläuft von Innen her. Das ganze Aktwesen des Lebens zeigt sich so geartet, daß es auf ein transempirisches Zentrum verweist«[40]. So stimmte R. Guardini mit H. Driesch überein, der den psychophysischen Parallelismus bekämpfte und mit seinem »Vitalismus« dem mechanistischen Denken seiner Zeit ein teleologisch-ganzheitliches entgegenstellte[41].

---

[38] Nach Hirschberger: GPh. Bd. 2. S. 563. - Vgl. A. Buchard: Der Entelechie-Begriff bei Aristoteles und Driesch. (Phil. Diss. Münster 1928.) Quakenbrück 1928. - H. Conrad-Martius: Der Selbstaufbau der Natur. Entelechie und Energie. Hamburg 1944. - Dieselbe: Die Geistseele des Menschen. München 1960. - Ob heute die Einführung eines Entelechie-Begriffs überflüssig geworden ist - so H. Noack: Die Philosophie Westeuropas. (Die philosophischen Bemühungen des 20. Jahrhunderts.) Darmstadt 1967. S. 72 - sei dahingestellt. Besser dürfte es sein, das Aristotelische Verständnis von Entelechie im Hinblick auf die Befunde der naturwissenschaftlichen Forschung neu zu durchdenken. Dazu siehe W. Franzen, K. Georgulis, H.M. Nobis: Entelechie. In: HWPh 2 (1972) 506-509. - A. Mittasch: Entelechie. (GlW. 10.) München, Basel 1952. - U. Arnold: Die Entelechie. Systematik bei Platon und Aristoteles. Wien, München [1965].

[39] Guardini: Der Gegensatz. S. 59. Anm. 18. - Guardini verweist auf H. Driesch: Die Philosophie des Organischen (1909). 2 Bde. Leipzig ²1921.

[40] Guardini. Ebd. S. 58-59. - Vgl. H.M. Nobis: Über die immaterielle Dynamik als Innen der materiellen Köpersubstanz. (Phil. Diss. München 1959.) M.schr. O.O. 1956.

[41] H. Driesch: Die „Seele" als elementarer Naturfaktor. Studien über die Bewegung der Organismen. Leipzig 1903. - Ders.: Der Vitalismus als Geschichte und Lehre. (NKPhB. 3.) Leipzig 1905. - Dass. 2. Auflage unter dem Titel: Geschichte des Vitalismus. Ebd. 1922. - Dazu siehe H. André: Über den Vitalismus und Mechanismus als methodische Prinzipien. In: MNWU (1917) H. 9-11. - O. Heinichen: Driesch's Philosophie. Eine Einführung. Leipzig 1924. - H. Winterstein: Kausalität und Vitalismus vom Standpunkt der Denkökonomie. (AThOE. N.F. 4.) Berlin ²1928. - A. Titius: Vitalismus und Mechanismus. In: RGG² 5 (1931) 1599-1600. - D. Günther: Vitalismus. In: LThK¹ 10 (1938) 653-654. - Ders.: Leib und Seele. Ihre Wechselwirkung nach der heutigen Naturanschauung. Paderborn 1925. - A. Wenzl: Driesch's Neuvitalismus und der philosophische Stand des Lebensproblems heute. In: A. Wenzl (Hrsg.): H. Driesch. Persönlichkeit und Bedeutung für Biologie und Philosophie von heute. München 1951. S. 65-179. - Weitere Schriften von H. Driesch: Siehe LV. - Zur Unsterblichkeitsfrage bei Driesch siehe K. Groos: Die Unsterblichkeitsfrage. S. 62-78.

Damit greifen wir der Entwicklung vor. Kehren wir vorerst zurück zu W. Wundt. In seiner Studienzeit war er Assistent bei H. von Helmholtz[42]. Dieser hervorragende Physiologe und Physiker lehnte einen Vulgärmaterialismus ab, da er mit Rückgriff auf Kants transzendentale Ästhetik »die Empfindungen als Zeichen (nicht Abbild) des affizierenden Gegenstandes deutete«[43]. So versuchte auch W. Wundt der Welt des Geistes ihren eigenen Charakter zurückzugeben und der materialistischen Philosophie ihr Unvermögen, die psychischen Phänomene zu verstehen, vor Augen zu stellen[44]. Dabei griff er denn die Frage nach der Unsterblichkeit wieder auf und entwickelte eine eigene Unsterblichkeitsidee. Die Vorstellung einer individuellen Unsterblichkeit hielt er zwar für metaphysisch unhaltbar und ethisch minderwertig; haltbar schien ihm jedoch eine Unsterblichkeit im Sinne der »Unvergänglichkeit geistiger Entwicklung«[45]. Von daher kommt G. Heinzelmann zu dem Schluß, daß bei W. Wundt der metaphysische Begriff der Seele als ein »rein kreatorisches Prinzip« gedacht sei. Die letzten metaphysischen Willenseinheiten seien nur die primitivsten Schöpfungen des unendliche Möglichkeiten und unerschöpfliche Tätigkeiten in sich bergenden Weltgrundes. Für seine Metaphysik hänge alles an dem Verständnis reiner Aktualität[46]. So habe W. Wundt nach uraltem Vorbild des Heraklit noch einmal wieder die Gleichung von Sein und Werden aufzustellen versucht[47].

W. Wundt zeigt uns, daß sich gerade im Bereich der an den naturwissenschaftlichen Methoden des 19. Jahrhunderts orientierten Denker eine idealistische Wende anbahnte. Metaphysik wurde induktiv betrieben als »Zusammenfassung der einzelnen wissenschaftlichen Ergebnisse zu einer die Forderungen des Verstandes und die Bedürfnisse befriedigenden Welt- und Lebensanschauung«[48]. Der Idealismus zeigte sich darin, daß als Ziel der gesamten Entwicklung die Verwirklichung höchster allgemeiner Werte angesehen wurde. Dieses Absolute, der Geist als Welt-

---

[42] Hermann Ludwig Ferdinand von Helmholtz (1821-1894), Anatom, Physiologe, Physiker. Einige seiner Schriften siehe LV. - Dazu siehe außerdem Eisler: PhL. S. 247-248. - Ziegenfuß. Bd. 1. S. 498-502. - C. Stumpf: Hermann von Helmholtz und die neuere Psychologie. In: AGPh 8 (1895) 303-314. - V. Heyfelder: Über den Begriff der Erfahrung bei Helmholtz. (Phil. Diss. Berlin 1897.) Berlin 1897. - L. Königsberger: Hermann von Helmholtz. 3 Bde. Braunschweig 1902-1903. - F. Conrat: Hermann von Helmholtz' psychologische Anschauung. (APhG. 18.) Halle 1904. - A. Paalzow: Helmholtz. In: ADB 51 (1906) 461-472. - B. Erdmann: Die philosophischen Grundlagen von Helmholtz' Wahrnehmungstheorie. (AAWB. Phil.-Hist. Kl. 1.) Berlin 1921. - J. Hamm: Das philosophische Weltbild von Helmholtz. (Phil. Diss. Berlin 1937.) Bielefeld 1937. - W. Gerlach: Hermann Ludwig Ferdinand von Helmholtz. In: NDB 8 (1969) 498-501.
[43] A. Titius. In: RGG² 2 (1928) 1789.
[44] Heinzelmann. S. VII.
[45] Ebd. S. VIII und S. 43. - Vgl. W. Wundt: Vorlesungen über Menschen- und Tierseele. Leipzig ⁴1906. S. 521. - Ders.: System der Philosophie. Leipzig ³1907. Bd. 2. S. 250. - Zur Kritik siehe Heinzelmann. S. 105-107. - A. Ahlbrecht: Tod und Unsterblichkeit in der evangelischen Theologie der Gegenwart. (KKSt. 10.) Paderborn 1964. S. 17.
[46] Heinzelmann. S. 37.
[47] Ebd. S. 107.
[48] K. Thieme: Wilhelm Wundt. In: RGG² 5 (1931) 2052.

wille, war für W. Wundt die »Gottheit, die mit der Totalität alles Seins und Geschehens eins ist«[49].

W. Wundt hat auf viele Zeitgenossen eingewirkt; so finden wir die induktive Metaphysik als Neuansatz des philosophischen Denkens bei R. Richter[50], G. F. Lipps[51], R. Eisler[52], F. Paulsen, E. Adickes[53]. Sein Schüler O. Külpe[54] bildete später

---

[49] Ebd. Sp. 2053. - Vgl. ders.: Wilhelm Wundt. In: RGG[1] 5 (1913) 2168-2173. - Ders.: Philosophie und Theologie. In: PhSt 20 (1902) 360-381. - Ders.: Zu Wundts Religionspsychologie. In: ZRPs-H 4 (1911) 145-161. - Ders.: Die genetische Religionspsychologie. In: ZWTh 53 (1911) 289-316. - Ders.: W. Wundt's Bedeutung für die Theologie. In: ZThK N.F. 2. 29 (1921) 213-238. - F. Emmel: Wundts Stellung zum religiösen Problem. (Phil. Diss. Würzburg 1911. Referent: R. Stölzle.) Paderborn 1911. - J. Fröbes: Die Bedeutung Wilhelm Wundts. In: StZ Bd. 100. 51 (1921) 412-424. - A. Dyroff: Wilhelm Wundt. In: LThK[1] 10 (1938) 986-989. - K. Braig: Wilhelm Wundt. In: Ders. Modernstes Christentum und Religionspsychologie. Zwei Akademische Arbeiten (1906). Freiburg [2]1907. S. 101-150.

[50] Raoul Richter (1871-1912), ein Schüler Wundts, vertrat mit seiner „Kulturwertphilosophie" unter dem Einfluß F. Nietzsches einen voluntaristischen Pantheismus. Siehe Straubinger. S. 320-324. - Schriften: Siehe LV. - Außerdem vgl. H. Hasse: Die Philosophie Raoul Richters. Leipzig 1914.

[51] Gottlob Friedrich Lipps (1865-1931), Psychophysiker und Philosoph, Schüler W. Wundts. Schriften: Siehe LV. - Vgl. Th. Lessing: Einmal und nie wieder. Prag 1935. - Dass.: Lebenserinnerungen mit einem Vorwort von H. Mayer. (Gütersloh 1969.) S. 440. - Weit bekannter ist der ältere Bruder Theodor Lipps (1851-1914), der Begründer des Münchener Psychologischen Instituts; beeinflußt von J.F. Herbart, F.E. Beneke und R.H. Lotze. - Vgl. J. Wendland: Theodor Lipps. In: RGG[2] 3 (1929) 1667. - M. Scheibe: Philosophen der Gegenwart. In: RGG[1] 4 (1913) 1570. - Ziegenfuß. Bd. 2. S. 62-64. - Schriften: Siehe LV. - Siehe außerdem: M. Ahrem: Das Problem des Tragischen bei Theodor Lipps und Johann Volkelt. (Phil. Diss. Bonn 1908. Referent: B. Erdmann.) Nürnberg 1908. - K. Müller: Theodor Lipps' Lehre vom Ich im Verhältnis zur Kantischen. Berlin 1912. - H. Gothot: Die Grundbestimmungen über die Psychologie des Gefühls bei Theodor Lipps und ihr Verhältnis zur „Peripheren Gefühlstheorie". (Phil. Diss. Bonn 1921. Referent: G. Störring.) Mühlheim/Ruhr 1921.

[52] Rudolf Eisler (1873-1926) stand W. Wundt nahe (siehe oben, Anm. 13) und vertrat gegenüber einer von L. Busse verfochtenen dualistischen Wechselwirkungstheorie pointiert eine Darstellung vom Standpunkt des parallelistischen Monismus. - Vgl. R. Eisler: Leib und Seele. Darstellung und Kritik der neueren Theorien des Verhältnisses zwischen physischem und psychischem Dasein. (NKPhB. 4.) Leipzig 1906. S.V. - Eisler betrachtete die empirische Dualität des Physischen und Psychischen im Sinne zweier Betrachtungsweisen oder zweier Erscheinungen einer und derselben Wesenheit. „Das Gemeinsame eines jeden Monismus, die Betonung der Einheit des Wirklichen, des Wesens, welches sich der Erfahrung darbietet, die Ablehnung einer besonderen, jenseits aller möglichen Erfahrung stehenden, mit dem Leibe nur äußerlich verbundenen, auch leiblos existieren könnenden Seelensubstanz müssen wir ... gut heißen". Ebd. S. 31. - Weitere Schriften von R. Eisler: Siehe LV. - Außerdem siehe E. Selow: Rudolf Eisler. In: NDB 4 (1959) S. 421-422.

[53] Erich Adickes (1866-1926) promovierte 1887 in Berlin bei F. Paulsen über „Kants Systematik als systembildenden Faktor". In der Folge erwarb er sich den Ruf eines bedeutenden Kantforschers, der den handschriftlichen Nachlaß des Königsbergers mit philologischen Methoden publizierte. Seit dem Herbst 1904 wirkte er in Tübingen. Als Neukantianer bekämpfte er E. Haeckel. In seiner Erkenntnistheorie vertrat er die Auffassung, daß Notwendigkeit und durchgehende Gesetzmäßigkeit nur dem Sein, nicht aber dem Erkennen zukomme. Insofern stellte er der empirischen Erkenntnis eine auf subjektivem Glauben beruhende Metaphysik gegenüber. Nach Ziegenfuß trieb ihn eine monistische Tendenz zur deterministischen Weltanschauung mit einer allgemeinen, ausnahmslosen Gesetzmäßigkeit auch auf geistigem Gebiet. (Siehe Ziegenfuß. Bd. 1. S. 7.) Da ein starkes realistisches Bedürfnis ihn veranlaßte, den naturwissenschaftlichen Realismus in sein Weltbild aufzunehmen, spricht

Kants Phänomenalismus zu einem kritischen Realismus fort. Er gilt als ein Wegweiser »neu metaphysischer Tendenzen«[55]. Bevor wir jedoch diese Entwicklung nachzeichnen, wenden wir uns noch zwei anderen Philosophen zu, die ähnlich wie W. Wundt und G. Th. Fechner durch eine auf naturwissenschaftliche Forschungen gestützt induktive Metaphysik die naturalistische und mechanistische Weltsicht bekämpften: Eduard von Hartmann (1842-1906) und Rudolf Hermann Lotze (1817-1881).

Die philosophischen Bemühungen E. von Hartmanns zielten darauf ab, den voluntaristischen Ansatz A. Schopenhauers mit dem Prozeß des absoluten Geistes bei Hegel zu verbinden. Dabei griff er auf Schelling zurück und entwickelte eine Philosophie des Unbewußten[56]. Ausgangspunkt war bei ihm ein tiefgehender Pessimismus. In der Erlösung vom Dasein, in der Rückkehr dieser leidvollen Welt ins

---

Ziegenfuß bei ihm von einer Wendung vom erkenntnistheoretischen Idealismus zum metaphysischen Realismus. (Ebd. S. 7.) - Schriften von E. Adickes siehe LV. - Außerdem siehe P. Menzer: Erich Adickes. In: Kantst 33 (1928) 369-372. - J. Hanslmeier: Erich Adickes. In: NDB 1 (1953) 66-67. - Über den möglichen Einfluß von E. Adickes auf K. Neundörfer und R. Guardini siehe unten S. 729, Anm. 7.

[54] Oswald Külpe (1862-1915) war 1894-1909 Prof. für Philosophie in Würzburg, 1909-1913 in Bonn, anschließend in München. - Bibliographie seiner Schriften in: JBAW. München 1916. - Die wichtigsten Schriften siehe LV.

[55] W. Koepp: Oswald Külpe. In: RGG² 3 (1929) 1332. - Vgl. J. Wendland: Oswald Külpe. In: RGG¹ 3 (1912) 1792. - M. Scheibe: Philosophen der Gegenwart. In: RGG¹ 4 (1913) 1571-1572. - M. Grabmann: Der kritische Realismus Oswald Külpes und der Standpunkt der aristotelisch-scholastischen Philosophie. In: PhJ 29 (1916) 333-369. - A. Messer: Der kritische Realismus. (WiWir. 9.) Karlsruhe 1923. - P. Bode: Der kritische Realismus Oswald Külpes. Darstellung und Kritik seiner Grundlegung. (Phil. Diss. Berlin 1928.) Pforzheim 1928.

[56] Siehe E. von Hartmann: Philosophie des Unbewußten. Versuch einer Weltanschauung. 3 Bde. Berlin 1869. - Ders.: Schellings positive Philosophie als Einheit von Hegel und Schopenhauer. Berlin 1869. - Ders.: Gesammelte philosophische Abhandlungen zur Philosophie des Unbewußten. Berlin 1872, - Ders.: Erläuterungen zur Metaphysik des Unbewußten mit besonderer Rücksicht auf den Panlogismus. Berlin 1874. - Ders. (anonym): Das Unbewußte vom Standpunkt der Physiologie und Deszendenztheorie. Berlin 1872. ²1877. - Dass. 3. Auflage: Philosophie des Unbewußten. Gesammelte Studien und Aufsätze. Berlin 1876. - Bibliographie: Siehe A. von Hartmann. In: Kantst 17 (1912) 501-520. -
Zu Arthur Schopenhauer (1788-1860) siehe dessen Schrift: Über den Tod und sein Verhältnis zur Unzerstörbarkeit unseres Lebens an sich. In: Die Welt als Wille und Vorstellung. Zweiter Band, welcher die Ergänzungen zu den vier Büchern des ersten Bandes enthält. Dritte, verbesserte und beträchtlich vermehrte Auflage. Leipzig 1859. S. 527-581. (= Kap. 41.) -
Zum Ganzen siehe J. Bahnsen: Zur Philosophie der Geschichte, eine kritische Besprechung des Hegel - Hartmannschen Evolutionismus aus Schopenhauerschen Prinzipien. Berlin 1871. - J. Rehmke: Eduard von Hartmanns Unbewußtes auf die Logik hin kritisch beleuchtet. Phil. Diss. Zürich 1873. - H. Ebbinghaus: Über die Hartmannsche Philosophie des Unbewußten. (Phil. Diss. Bonn 1873.) Düsseldorf 1873. - O. Plumacher: Der Kampf ums Unbewußte. Nebst einem chronologischen Verzeichnis der Hartmann-Literatur als Anhang. Berlin 1881. - Th. Achelis: Der Begriff des Unbewußten in psychologischer und erkenntnistheoretischer Hinsicht bei Eduard von Hartmann. In: PhJ 6 (1893) 395-407. - K.O. Petraschek: Die Logik des Unbewußten. Eine Auseinandersetzung mit den Prinzipien und den Grundbegriffen der Philosophie Eduards von Hartmann. 2 Bde. München 1926. - H. Heinrichs: Die Theorie des Unbewußten in der Psychologie Eduard von Hartmanns. (Phil. Diss. Bonn 1933.) Teildruck Bonn 1933.

Nichts, sah er das Ziel der ganzen Menschheitsentwicklung. Da er das ganze Christentum fast allenthalben als in einem Prozeß der Selbstzersetzung befindlich sah[57], hoffte er auf eine Religion der Zukunft. Protestantische Theologen wie A. Ritschl[58] und A. von Harnack[59] verachtete er; über A. E. Biedermann[60], O. Pfleiderer[61] und R. A. Lipsius[62] urteilte er günstiger, weil er in ihrem Werk das Christentum bereits

---

[57] Vgl. E. von Hartmann: Die Selbstzersetzung des Christentums und die Religion der Zukunft. Berlin 1874. - Ders.: Die Krisis des Christentums in der modernen Theologie. Berlin 1881. - Ders.: Religionsphilosophie. I. Historisch-kritischer Teil: Das religiöse Bewußtsein der Menschheit im Stufengang seiner Entwicklung. II. Systematischer Teil: Die Religion des Geistes. Berlin 1882. - Ders.: Das Christentum des Neuen Testaments. Sachsa 1904. (= 2. umgearbeitete Auflage der pseudonym erschienenen Schrift: A. Müller: Briefe über die christliche Religion. Stuttgart 1870.) - Siehe außerdem: K. Braig: Die Zukunftsreligion des Unbewußten und das Prinzip des Subjektivismus. Ein apologetischer Versuch. Freiburg 1882. - A. Lasson: Die Entwicklung des religiösen Bewußtseins der Menschheit nach Eduard von Hartmann. (PhV. N.F. 3.) Halle 1883. - F.-J. von Rintelen: Pessimistische Religionsphilosophie der Gegenwart. Untersuchungen zur religionsphilosophischen Problemstellung bei Eduard von Hartmann und ihren erkenntnistheoretischen und metaphysischen Grundlagen. München 1924.

[58] Zu A. Ritschl siehe unten s. S. 93-95.

[59] Zu A. von Harnack siehe unten 102 Anm. 119; S. 584, Anm. 70.

[60] Alois Emanuel Biedermann (1819-1885), evangelischer Theologe in Zürich, stand durch D.F. Strauß unter dem Einfluß Hegels. Erfahrung war für ihn Ausgangspunkt aller Erkenntnis, aber sie hat auszugehen von der psychologischen Analyse des Bewußtseins, in dem immer geistiges und dingliches Sein gleichzeitig gegeben sind (Spinoza). Durch Sonderung des logischen Seins vom materiellen, unter gleichzeitigem Begreifen ihrer Einheit und ihres Gegensatzes, gelangt man zum ideellen Erfahrungsgehalt. Die Erscheinungswelt als solche existiert sonach nicht ohne logisches Sein, welches ihr transzendenter Grund ist und zugleich mit ihr eine Subsistenz ausmacht. Damit vertrat er eine „Konkret-monistische Metaphysik". Wesentliches Moment des menschlichen Geistes war ihm dessen Endlichkeit. Ewiges Leben als positives Insichsein im absoluten Geist hat nur Gott. Das ewige Heilsziel des einzelnen Menschen sah er in der Subjektivierung des Heilsprinzips zum Grund, zur Norm und zum Ziel des eigenen, in der Welt endlichen, aber in Gott ewigen Geisteslebens. - Nach W. Heydorn: Alois Emanuel Biedermann. In: RGG[1] 1 (1909) 1235-1237. - Weitere Schriften von A.E. Biedermann siehe im LV. - Vgl. außerdem: E. von Hartmann: Der reine Realismus Biedermanns und Rehmkes. In: ZPhPhKr 88 (1886) 161-179. - O. Pfleiderer: Alois Emanuel Biedermann. In: PrJ 57 (1886) 53-76. - Ders.: Die Entwicklung der protestantischen Theologie in Deutschland seit Kant und in Großbritannien seit 1825. Freiburg 1891. - Th. Moosherr: Alois Emanuel Biedermann nach seiner allgemeinphilosophischen Stellung. (Phil. Diss. Jena 1893.) Jena 1893. - R. Stähelin: Alois Emanuel Biedermann. In: RE[3] 3 (1897) 203-208. - O. Pfister: Die Genesis der Religionsphilosophie Biedermanns untersucht nach Seiten ihres psychologischen Aufbaus. (Phil. Diss. Zürich.) Zürich 1898. - U. Fleisch: Die erkenntnistheoretischen und metaphysischen Grundlagen der dogmatischen Systeme Alois Emanuel Biedermanns und Richard Adelbert Lipsius kritisch dargestellt. (Phil. Diss. Zürich 1901.) Berlin 1901. - E. Ch. Achelis: Alois Emanuel Biedermann. In: ADB 46 (1902) 540-543. - M. Hennig: Alois Emanuel Biedermanns Theorie der religiösen Erkenntnis. Eine religionsphilosophische Studie. (Phil. Diss. Leipzig 1902.) Leipzig 1902. - W. Köhler: Wesen und Wahrheit der Religion nach Alois Emanuel Biedermann. In: PrM 25 (1921) 210-233. - F. Schneider: Alois Emanuel Biedermann, Wilhelm Schuppe und Johannes Rehmke. (Phil. Diss. Bonn 1939.) Bonn 1939. - K. Neck: Das Problem der wissenschaftlichen Grundlegung der Theologie bei Alois Emanuel Biedermann. (Theol. Diss. Zürich 1944.) (Schleichtheim 1944.) - Ziegenfuß. Bd. 1. S. 118. - K. Guggisberg: Alois Emanuel Biedermann. In: NDB 2 (1955) 221.

[61] Zu O. Pfleiderer siehe unten S. 95-97.

[62] Zu R.A. Lipsius siehe unten S. 104-105, Anm. 128.

im Übergang zu einer pantheistischen Zukunftsreligion sah[63]. Gott war für ihn der Welt völlig immanent, und so bekannte er sich zu einem konkreten Monismus[64]. Dieser Grundzug seines Denkens wurde um die Jahrhundertwende von seinem Schüler A. Drews verstärkt fortgeführt[65]. Trotz dieser monistischen Tendenzen muß jedoch beachtet werden, daß für E. von Hartmann die rein mechanistisch gedeutete Kausalität schon zur Erklärung der Vorgänge im pflanzlichen und tierischen Organismus nicht genügte, geschweige denn im menschlichen Geistesleben. J. Wendland hebt daher mit Recht hervor, daß sich von Hartmann große Verdienste in der Bekämpfung der naturalistischen und mechanistischen Weltsicht, mit der der Darwinismus sich besonders bei E. Haeckel verband, erworben habe, und verweist bei ihm auf den Zusammenhang mit dem Vitalismus[66].

Wie weit die monistische Art zu denken im 19. Jahrhundert verbreitet war, zeigt auch ein Blick auf das Werk H. Lotzes, der z.B. von M. Wentscher zu den Vertretern des Monismus gezählt wird[67]. H. Lotze studierte Medizin und Philosophie in einer Zeit, da der Zusammenbruch der idealistischen Spekulation mit dem Erfolg der Naturwissenschaft zusammenfiel. Er selbst wollte wie G. W. Leibnitz die Grundsätze und Resultate der Naturforschung mit den idealen Forderungen des Geisteslebens in Einklang bringen. Dabei gaben auch für ihn Wertargumente den Ausschlag. Eine Entwicklung des Geistigen aus dem Materiellen lehnte er ab, nahm aber eine allen Einzeldingen zugrunde liegende gemeinsame unendliche Substanz an. Diese war für ihn ihrem Wesen nach geistiger Natur, die Materie nur Erscheinung[68]. Mit Hilfe des religiösen Gedankens versuchte er, die mechanistische und

---

[63] Nach J. Wendland: Eduard von Hartmann. In: RGG[1] 2 (1910) 1864-1865. - Ders. in: RGG[2] 2 (1928) 1640-1641. - M. Scheibe: Philosophen der Gegenwart. In: RGG[1] 4 (1913) 1572-1573. - Eisler: PhL. S. 230-234. - Ueberweg. Bd. 4. S. 331-341. - Ziegenfuß. Bd. 1. S. 449-454. - W. Hartmann: Die Philosophie M. Schelers in ihren Beziehungen zu Eduard von Hartmann. Düsseldorf 1956. - Ders.: Eduard von Hartmann. In: NDB 7 (1966) 738-740. - W. von Schnehen: Eduard von Hartmann. (FKPh. 20.) Stuttgart 1929.

[64] Siehe L. Baur in: LThK[1] 4 (1932) 833. - Straubinger. S. 247-258. - E. von Hartmann: Grundriß der Religionsphilosophie. (Libelli. CLXXI.) Darmstadt 1968 (= Stuttgart 1909). - A. Drews: Eduard von Hartmanns philosophisches System im Grundriß. Heidelberg 1902, [2]1906. - L. Ziegler: Das Weltbild Hartmanns. Eine Beurteilung. Leipzig (1910). Siehe besonders ebd. S. 121-141: Monistische Philosophie. - J.P. Steffes: Eduard von Hartmanns Religionsphilosophie des Unbewußten. Auf der Grundlage seiner induktiven Metaphysik dargestellt und kritisch gewürdigt. Ein Beitrag zur Auseinandersetzung zwischen theistischer und monistischer Weltanschauung. Mergentheim 1921. - L. Braun: Die Persönlichkeit Gottes. Auseinandersetzung zwischen Eduard von Hartmanns Philosophie des Unbewußten und dem kritischen Theismus. 2 Teile. (SELWG. Reihe B. 1-2.) Heidelberg 1929-1931. - M. Huber: Eduard von Hartmanns Metaphysik und Religionsphilosophie. (Phil. Diss. Zürich) Winterthur 1954.

[65] Arthur Drews (1865-1935). Schriften: Siehe LV. - Vgl. Eisler: PhL. S. 133-134. - H. Lübbe: Arthur Drews. In: NDB 4 (1959) 117.

[66] J. Wendland: Arthur Drews. In: RGG[2] 1 (1927) 2026-2027. - Zum Verhältnis E. von Hartmanns zu M. Scheler siehe unten S. 53, Anm. 255. (W. Hartmann).

[67] Zu Lotzes Monismus siehe M. Wentscher in: A. Drews (Hrsg.): Der Monismus, dargestellt in Beiträgen seiner Vertreter. Bd. 2. S. 82-102. - Vgl. M. Wentscher: Lotzes Gottesbegriff und dessen metaphysische Begründung. (Phil. Diss. Halle 1893.) Halle 1893. - Ders.: Hermann Lotze. Bd. 1: Lotzes Leben und Werk. Heidelberg 1913. - Ders.: Fechner und Lotze. (GPhE. 36.) München 1925.

[68] Nach Straubinger. S. 274-277.

teleologische Weltbetrachtung zu versöhnen, und das Dasein der Welt verständlich zu machen: Gott konnte die Welt nur schaffen, um durch sie einen bestimmten Zweck zu verwirklichen; Zweck aber kann nur insofern etwas sein, als ihm ein bestimmter Wert zukommt[69]. Nach H. Lotze wirken die kausalen Kräfte der Welt im Verband mit der einen Allursache, dem geistigen und persönlichen Gott. J. Hirschberger betont daher, daß Lotze über den Pantheismus G. Th. Fechners hinausschritt. Da er an der Auffassung von der Seele als eines être capable d'action (Leib-

---

[69] Ebd. S. 276. - Dazu folgende Schriften: H. Lotze: De futurae biologiae principiis philosophicis. Med. Diss. Leipzig 1838. - Ders.: Metaphysik. Leipzig 1841. - Ders.: Logik. Ebd. 1843. - Ders.: Leben. Lebenskraft. In: HPhys 1 (1842) 9-58. - Ders.: Seele und Seelenleben. Ebd. 3 Abt. 1 (1846) 142-264. - Ders.: Medizinische Phsysiologie oder Physiologie der Seele. Leipzig 1852. - Dass. Anastatischer Neudruck. Göttingen 1896. - Ders.: Mikrokosmos. Ideen zur Naturgeschichte und Geschichte der Menschheit. Versuch einer Anthropologie. 3 Bde. Leipzig 1856-1864. - Dass. (PhB. 185-186). Ebd. [6]1923. - Ders.: System der Philosophie. Teil 1: Logik. Teil 2: Metaphysik. Leipzig 1874-1879. - Dass. neu hrsg. von G. Misch (PhB. 141-142.) Ebd. 1912, [2]1928. -Ders.: Grundzüge der Religionsphilosophie. Diktate nach den Vorlesungen vom Wintersemester 1878/1879. Leipzig 1882. - Vgl. außerdem: K. von Prantl: Rudolf Hermann Lotze. In: ADB 19 (1884) 288-290. - Eisler: PhL. S. 425-432. - Ueberweg. Bd. 4. S. 299-308. - Ziegenfuß. Bd. 2. S. 80-87. - E. Pfleiderer: Lotze's philosophische Weltanschauung, nach ihren Grundzügen. Zur Erinnerung an den Verstorbenen. Berlin 1882, [2]1884. - Th. Achelis: Lotze's Philosophie. In: VWPh 6 (1882) 1-27. - K. Braig: Das philosophische System von Lotze. Tübingen 1884. - J. Franke: Über Lotze's Lehre von der Phänomenanlität des Raumes. (Inaugural-Diss.) Leipzig 1884. - E. von Hartmann: Lotzes Philosophie. Leipzig 1888. - M. Klein: Lotzes Lehre vom Sein und Geschehen in ihrem Verhältnis zur Lehre Herbarts. Berlin 1890. - A. Haeger: Lotzes Kritik der Herbartischen Metaphysik und Psychologie. (Phil. Diss. Greifswald.) Greifswald 1891. - G. Vorbrodt: Principien der Ethik und Religionsphilosophie Lotzes. Dessau und Leipzig 1891, [2]1892. - C. Otto: Hermann Lotze über das Unbewußte. (Phil. Diss. Erlangen 1899.) Labes 1900. - M. Reischle: Werturteile und Glaubensurteile. Eine Untersuchung. Halle 1900. - R. Falckenberg: Hermann Lotze. 1. Teil: Das Leben und das Entstehen der Schriften nach den Briefen. (FKPh. 12.) Stuttgart 1901. - Ders.: Hermann Lotze. Sein Verhältnis zu Kant und zu den Problemen der Gegenwart. In: ZPhG 150 B (1913) 37-56. - W.L. Raub: Die Seelenlehre bei Lotze und Wundt. (Phil. Diss. Straßburg 1901.) Straßburg 1901. - E. Wentscher: Das Kausalproblem in Lotzes Philosophie. (APhG. 21.) Halle 1903. - H. Lüdemann: Das Erkennen und die Werturteile. Leipzig 1910. - R. Schilling: Die realistischen Momente der Lotzeschen Ontologie. (Phil. Diss. Leipzig 1909. Referenten: W. Wundt, M. Heinze.) Leipzig 1909. - W. Scheller: Die kleine und die große Metaphysik Hermann Lotzes. (Phil. Diss. Erlangen 1912. Referent: R. Falckenberg.) Bonn 1912. - P. Lang: Lotze und der Vitalismus. (Phil. Diss. Bonn 1913. Referent: M. Wentscher.) Bonn 1913. - C. Stumpf: Zum Gedächtnis Lotzes. In: Kantst 22 (1917/18) 1-26. - G. Hahn: Der Allbeseelungsgedanke bei Lotze. Stuttgart 1925. - Hosang An: Hermann Lotzes Bedeutung für das Problem der Beziehung. (Phil. Diss. Jena 1929. - Gutachter: Bruno Bauch.) Jena 1929. - F.M. Goldner: Die Begriffe der Geltung bei Lotze. (Phil. Diss. Erlangen 1918. - Ref.: R. Falckenberg.) Borna-Leipzig 1918. - Dass. unter dem Namen F.M. Gatz. Unveränderter Abdruck. Stuttgart 1929. - H. Breilmann: Lotzes Stellung zum Materialismus, unter besonderer Berücksichtigung seiner Controverse mit Czolbe. (Phil. Diss. Münster 1925.) Telgte 1925. - S. Witkowski: Über den Zusammenhang von Lotzes medizinisch-physiologischer Anschauung mit seiner Auffassung vom Entstehen und Fortleben der Seele. (Phil. Diss. Gießen 1924.) Berlin 1924. - J. Keller: Raum und Zeit bei Lotze. (Phil. Diss. Bonn 1926.) Bonn 1926. - G. Malantschuk: Die Kategorienfrage bei Lotze. (Phil. Diss. Berlin 1934.). Berlin (1934). - H.J. Krupp: Die Gestalt des Menschen, ihr immenenter Wert und ihre Symbolik bei Rudolf Hermann Lotze. (Phil. Diss. Bonn 1942.) Bonn 1941 (M.schr.).

niz) festhielt, habe er auch die Unsterblichkeit der Seele bejaht als einen wohl begründeten Glauben, wenn sie auch von der wissenschaftlichen Psychologie nicht streng bewiesen werden könne[70]. Nach J. Hirschberger fand H. Lotze gerade mit seiner Seelenlehre viel Anklang, so bei C. Stumpf[71], L. Busse[72], M. Wentscher[73], E. Becher[74] und A. Wenzl[75]. Sein Einfluß ging über F. Brentano[76] zu E. Husserl[77]. Darüber hinaus aber hatte Lotzes Wertlehre in der Wertphilosophie des 20. Jahr-

---

[70] Hirschberger. Bd. 2. S. 502. - Vgl. K. Thieme: Glauben und Wissen bei Lotze. Leipzig 1888. - G. Pape: Lotzes religiöse Weltanschauung. (Phil. Diss. Erlangen 1899.) Berlin 1899. - P. Kalweit: Die praktische Begründung des Gottesbegriffs bei Lotze. (Phil. Diss. Jena 1900.) Jena 1900. - H. Bohner: Die Grundlagen der Lotzschen Religionsphilosophie. (Phil. Diss. Erlangen 1914. Referent: P. Hensel.) Borna-Leipzig 1914. - P. Gese: Lotzes Religionsphilosophie, dargestellt und beurteilt. Leipzig 1916. - J.W. Schmidt-Japing: Lotzes Religionsphilosophie in ihrer Entwicklung, dargestellt in Zusammenhang mit Lotzes philosophischer Gesamtanschauung. Göttingen 1925. - Ders.: Hermann Lotze. In: RGG² 3 (1929) 1730-1731. - F. Stumpf: Die Gotteslehre von Hermann Lotze. Gießen 1925.

[71] Carl Stumpf (1848-1936) studierte unter dem Einfluß von Franz Brentano Philosophie und Naturwissenschaften. Promotion bei H. Lotze mit einer Dissertation: Das Verhältnis des Platonischen Gottes zur Idee des Guten. Göttingen 1869. Später sowohl mathematische als auch experimentalpsychologische Studien (Tonpsychologie). Dazu siehe C. Stumpf: Erinnerungen an Franz Brentano. In: O. Kraus: Franz Brentano. München 1919. S. 87-149. - Ziegenfuß. Bd. 2. S. 657-660. - Ueberweg. Bd. 4. S. 523-525. Die Schriften von C. Stumpf: Siehe LV.

[72] Ludwig Busse (1862-1907) schrieb u.a. in Auseinandersetzung mit der energetischen Weltauffassung W. Ostwalds: Die Wechselwirkung zwischen Leib und Seele und das Gesetz der Erhaltung der Energie. In: PhA-ChS. S. 89-126. - Ebenso kämpfte er gegen den parallelistischen Monismus mit seiner Schrift: Geist und Körper, Seele und Leib. Leipzig 1903. - Vgl. dazu den empfehlenden Hinweis von M. Grabmann. In: Die Grundgedanken des heiligen Augustinus über Seele und Gott in ihrer Gegenwartsbedeutung. (Libelli. XC.) Darmstadt 1967 (= Köln ²1929). S. 41. - Weitere Schriften: Siehe LV. - Außerdem vgl. Eisler. PhL. S. 83-84. - Ueberweg. Bd. 4. S. 369-370. - A. Wenzl: Ludwig Busse. In: NDB 3 (1957) 75-76.

[73] Max Wentscher (1862-1942). Dazu Ziegenfuß. Bd. 2. S. 857-858. - Schriften siehe LV.

[74] Erich Becher (1882-1929) vertrat gegenüber dem Neukantianismus einen kritischen Realismus. Siehe dazu besonders seine Schrift: Gehirn und Seele. Heidelberg 1911. Dazu ebenfalls ein empfehlender Hinweis von Grabmann in dessen Schrift: Die Grundgedanken des heiligen Augustinus über Seele und Gott in ihrer Gegenwartsbedeutung. S. 41. - Weitere Schriften von E. Becher: Siehe LV. Außerdem vgl. Ziegenfuß. Bd. 1. S. 94-96. - P. Luchtenberg: Erich Becher. In: Kantst 34 (1929) 275-290. - A. Wenzl: Erich Becher. In: NDB 1 (1953) 688-689.

[75] Aloys Wenzl (1887-1967) Nachfolger von E. Becher in München, wird den Naturphilosophen zugezählt, die im wesentlichen an der Aristotelisch - scholastischen Tradition festhalten. - Dazu siehe Noack. S. 272. - W. Schleicher: Aloys Wenzl. In: EF² 6 (1967) 1107. - Ausführlich Hirschberger. GPh. Teil 2. S. 568-573. Er findet bei Wenzl eine Synthese von induktiver und klassischer Metaphysik. Vgl. ebd. S. 570. Wenzl selber bezeichnet sein System als Realidealismus. In: Philosophie der Freiheit. Bd. 1. München-Pasing 1947. S. 244. - Weitere Schriften von Wenzl: Siehe LV. - Außerdem siehe A. Dempf: Aloys Wenzl zum 70. Geburtstag. In: PhJ 65 (1957) 1-4. - W. Strobl: Die Bedeutung der Synthese. Aloys Wenzl - der Philosoph der Integration, Synthese und Ganzheit. In: Akten des 14. internationalen Kongresses für Philosophie. Wien. 2.-9. September 1968. Bd. 2. Wien 1968. S. 454-461.

[76] Zu Franz Brentano (1838-1917) siehe unten S. 45-46.

[77] Zu Edmund Husserl (1859-1938) siehe unten S. 44, 46-48.

hunderts eine noch größere Nachwirkung. Er gilt als Begründer oder Bahnbrecher der Wertethik[78].

Neben den Bemühungen dieses kritischen Realismus, der zum Teil auf einer experimentellen Psychologie und einer induktiven Metaphysik beruhte, wurde der Kampf gegen den Materialismus jener Zeit auch von einer Richtung aus geführt, die stärker an den erkenntnistheoretischen Überlegungen Kants anknüpfte. Hier ist vor allen Friedrich Albert Lange (1828-1875) zu nennen, der den Wertgehalt der religiösen und metaphysischen Ideen betonte. In dieser Welt des »Ideals« erkannte er die Zugehörigkeit des Menschen zu einem Bereich, der über den der sinnlichen Erfahrungswelt, die durch die Methodik naturwissenschaftlicher Erfahrung erschlossen wird, hinausgeht[79]. Damit war für ihn allerdings nicht ein Gegenstand des Wissens gegeben, sondern Begriffsdichtung, die in Metaphysik, Religion, Ethos und Kunst die Lebensverhältnisse auf ein Ideal hin umzugestalten habe[80]. K. Bornhausen erkennt ihm daher das Verdienst zu, in seiner weit verbreiteten Schrift über die Geschichte des Materialismus die »ethisch-humanen Tiefen des deutschen Idealismus ohne viel Theorie und Worte neu herausgehoben zu haben«[81]. Der Einfluß F. A. Langes war besonders groß, weil er sich zudem auf sozial-politischem Gebiet betätigte. Er wollte, daß der Egoismus und Materialismus durch einen Sozial-Idealismus guten Willens überbaut werde und bildete dazu den Idealismus Kants und Schillers zu einer Sozialethik aus[82]. Wenn F. A. Lange als Begründer des Neukan-

---

[78] Siehe Hirschberger. GPh. Teil 2. S. 505. - Der Begriff des Wertes wurde über die Ritschlsche Schule in die neuere Theologie eingeführt, und zwar zu dem Zweck, die Religion gegenüber der Wissenschaft abzugrenzen. Über die Verwendung von Werturteilen in der Religionsphilosophie siehe E.W. Mayer: Werturteile (2). In: RGG[1] 5 (1914) 1947-1948. - Ders.: R.H. Lotze. In: RGG[1] 3 (1912) 2390-2391. - Vgl. F.-J. von Rintelen: Der Wertgedanke in der europäischen Geistesentwicklung. Halle 1932. - Ders.: Die Bedeutung des philosophischen Wertproblems. In: Philosophia perennis. Regensburg 1930. Bd. 2. S. 927-972. - Ders.: Wertphilosophie. In: LThK[1] 10 (1938) 832-834. - E.R. Jaensch: Wirklichkeit und Wert in der Philosophie und Kultur der Neuzeit. Prolegomena zur philosophischen Forschung auf der Grundlage philosophischer Anthropologie nach empirischer Methode. (MGPhAW. 1. = SGBGNW. 16.) Berlin 1929. - J.B. Lotz: Sein und Wert. In: ZKTh 57 (1933) 557-613. - Ders.: Wert. In: LThK[2] 10 (1965) 1058-1059. - F. Bamberger: Untersuchung zur Entstehung des Wertproblems in der Philosophie des 19. Jahrhunderts. 1. Lotze. Halle 1924.

[79] Nach Hirschberger. GPh. Teil 2. S. 493-494. - Vgl. Noack. S. 144-145. - Kritisch K. Braig: Modernstes Christentum und Religionspsychologie. S. 79-101. - Vgl. J.M. Bösch: Friedrich Albert Lange und sein „Standpunkt des Ideals". Frauenfeld 1890. - M. Heinze: Der Idealismus Friedrich Albert Lange's. In: VWPh 1 (1877) 173-201.

[80] A. Dyroff: Friedrich Albert Lange. In: LThK[1] 6 (1934) 375-376. - Ders. in: LThK[2] 6 (1961) 784.

[81] K. Bornhausen: Friedrich Albert Lange. In: RGG[2] 3 (1929) 1482. - Vgl. H. Cohen: Friedrich Albert Lange. In: PrJ 37 (1876) 353-381. - F. Weinkauff: Friedrich Albert Lange. In: ADB 17 (1883) 624-631. - O.A. Ellissen: Friedrich Albert Lange. Eine Lebensbeschreibung. Leipzig 1891. - Vorländer: GPh. Bd. 2. S. 419-421. - M. Scheibe: Philosophen der Gegenwart in ihrer Stellung zur Religion. In: RGG[1] 4 (1913) 1558. - W. Hoffmann: Friedrich Albert Lange. In: RGG[1] 3 (1912) 1961-1962. - Ueberweg. Bd. 4. S. 420-422. - Ziegenfuß. Bd. 2. S. 14-16. - F.A. Lange: Geschichte des Materialismus und Kritik seiner Bedeutung in der Gegenwart. Iserlohn 1866.

[82] Siehe F.A. Lange: Die Arbeiterfrage in ihrer Bedeutung für Gegenwart und Zukunft. Duisburg 1865. - Dass. Leipzig 1910. - Ders.: J. St. Mills Ansichten über die soziale Frage und die angebliche Umwälzung der Sozialwissenschaft durch Carey. Duisburg 1865.

tianismus gilt, so wollen wir hier festhalten, wie stark schon zu Beginn der idealistische Zug dieser neuen Denkrichtung hervortrat. Die gleiche Tendenz finden wir bei
den späteren Vertretern des Neukantianismus. Bei O. Liebmann z.B. wird gerühmt, daß er der weiteren Vereinseitigung von Hegels und Schopenhauers Philosophie in Deutschland Einhalt geboten und einem neuen kritischen Idealismus
den Weg geöffnet habe[83].

Als Nachfolger F. A. Langes wirkte lange Jahre hindurch Hermann Cohen
(1842-1918) als Haupt der Marburger-Schule, einer besonders logizistisch-methodologischen Richtung des Neukantianismus[84]. Er gilt zudem als der Erneuerer der
jüdischen Religionsphilosophie, ja als der überrragende Religionsphilosoph vor
dem Ersten Weltkrieg überhaupt[85]. Indem er die sinnliche Wahrnehmung als Quelle der Erkenntnis verwarf und alle Dinge uns nur im Denken als Denkinhalt gegeben sein ließ, verstärkte er den idealistischen Zug der kantischen Philosophie in
Richtung eines logischen Idealismus[86]. So war er denn auch der Ansicht, daß der
Begriff der Religion nicht induktiv, etwa durch Religionsgeschichte und Religionspsychologie, sondern nur rein deduktiv gebildet werden dürfe[87]. Dabei kam für ihn
keine metaphysische, sondern nur eine ethische Begründung in Frage. Als solche
diente ihm die Auffassung, daß die Gottesidee unerläßlich sei, um eine Weltkultur

---

[83] Otto Liebmann (1840-1912) verwarf den subjektiven Idealismus und betonte die
überindividuellen Notwendigkeiten in den apriorischen Gründen der Denkvorgänge. Er
wandte sich daher einer kritischen Metaphysik zu, die eine „realistisch gefärbte Wertethik
vorweg nimmt". K. Bornhausen in: RGG² 3 (1912) 1650. - Vgl. M. Scheibe: Philosophen der
Gegenwart in ihrer Stellung zur Religion. In: RGG² 4 (1913) 1565-1566. - Eisler: PhL. S. 409-
411. - Ueberweg. Bd. 4. S. 422-425. - A. Meyer: Über Liebmanns Erkenntnislehre und ihr
Verhältnis zur Kantischen Philosophie. Ein Beitrag zur Kritik des modernen Intellektualismus. (Phil. Diss. Jena 1916. Referent: R. Eucken.) Borna-Leipzig 1916. - Die Schriften von O.
Liebmann siehe LV.

[84] Siehe besonders H. Cohen: Kants Theorie der Erfahrung. Berlin 1871, ²1885. - Ders.:
System der Philosophie. Teil I: Logik der reinen Erkenntnis (1902). Teil II: Ethik des reinen
Willens (1904). Teil III: Aesthetik des reinen Gefühls. 2 Bde. (1912). Berlin ³1923. - Vgl. P.
Natorp: Hermann Cohen als Mensch, Lehrer und Forscher. Gedächtnisrede. (MAR. 39.)
Marburg 1918. - Ders.: Hermann Cohens philosophische Leistung unter dem Gesichtspunkt
des Systems. (PhV. 21.) Berlin 1918. - W. Kinkel: Hermann Cohen. Einführung in sein Werk.
Stuttgart 1924. - P. Bruchhagen: Über die Grundlagen von Hermann Cohens Idealismus.
(Phil. Diss. Bonn 1932.) Teildruck: Bochum-Langendreer 1932. - S. Kaplan: Das Geschichts-
problem in der Philosophie Hermann Cohens. Berlin 1930. - J. Solowiejczyk: Das reine Den-
ken und die Seinskonstituierung bei Hermann Cohen. (Phil. Diss. Berlin 1932.) Berlin 1932. -
Eisler: PhL. S. 97-100. - Ueberweg. Bd. 4. S. 434-438. - Ziegenfuß. Bd. 1. S. 194-196. - J.
Ebbinghaus: Hermann Cohen. In: NDB 3 (1957) 310-313.

[85] Vgl. die religionsphilosophischen Schriften: H. Cohen: Der Begriff der Religion im System der Philosophie. Gießen 1915. - Ders.: Die Religion der Vernunft aus den Quellen des
Judentums. Leipzig 1919, ²1928. - Ders.: Jüdische Schriften. Mit einer Einleitung von F. Rosenzweig hrsg. von B. Strauß. 3 Bde. Berlin 1924. - Vgl. J. Guttmann: Die Philosophie des
Judentums. (GPhE. Abt. 1: Das Weltbild der Primitiven und die Philosophie des Morgenlandes. Bd. 3.) München 1933. S. 345-362. - S. Ucko: Der Gottesbegriff in der Philosophie Hermann Cohens. Berlin 1929.

[86] Straubinger. S. 230. - P. Wust: Die Auferstehung der Metaphysik (1920). Hamburg
1963. S. 84-85.

[87] Vgl. J. Hessen: Die Religionsphilosophie des Neukantianismus. 2. erweiterte Auflage.
Freiburg 1924. S. 108.

heraufzuführen. Allerdings verbürgte ihm nur der reine Monotheismus, wie ihn das Judentum vertritt, Ziel, Erfolg und Sieg der sittlichen Selbstarbeit[88]. J. Hessen bemerkt dazu, daß Religion bei H. Cohen ganz in einem sittlichen Idealismus aufgelöst erscheint[89]. Schärfer noch urteilt E. Przywara in seinen Analysen der Schriften Cohens. Gott sei für ihn - im scharfen Unterschied zu allem Pantheismus, den H. Cohen ablehnte und im Christentum bekämpfte - nicht irgendwie als Einheit des Kosmos zu fassen, sondern als das reine Sein der Idee, das »Ideal«, der Einzige. Aber diese Transzendenz Gottes sei bei Cohen in ihrem eigentlichen Sinn »die tiefste Sicherung der Immanenz der menschlichen Sittlichkeit«[90], Gott als der Einzige die Idee der unendlichen Aufgabe der Menschheit. Damit sei alles Ringen des Menschen »ins Unendliche« Selbstverwirklichung Gottes, Gottes-Genese, anderseits aber »Gott selber für den Menschen nicht gegeben, sondern »aufgegeben«, der Mensch so sehr Schöpfer, daß auch Gott schließlich sein Werk sei »ins Unendliche«[91].

Im Unterschied zu Kant lehnte H. Cohen den Unsterblichkeitsgedanken als eine sinnliche und daher mythische Verfälschung der Idee der sittlichen Persönlichkeit ab. Allerdings fordert nach ihm die Unendlichkeit der sittlichen Aufgabe den unendlichen Fortgang der sittlichen Arbeit, jedoch war ihm dabei deren Subjekt das menschliche Geschlecht insgesamt[92]. Nach J. Guttmann korrigierte H. Cohen später diese Einseitigkeit, indem er in seinem Alterswerk den Begriff des Individuums in seinem vollen Sinn zur Geltung brachte[93]. So rechnet denn auch H. Lübbe H. Cohen zu den Vorbereitern des philosophischen und theologischen Personalismus der zwanziger Jahre, da der Lehrer an der jüdisch-theologischen Lehranstalt zu Berlin die Eigenständigkeit der Religion gegenüber der Ethik auf die Ich-Du-Beziehung begründete[94]. Daß jedoch ein monistischer Zug in der Religionsphilosophie H. Cohens nicht verkannt werden darf, zeigt der Hinweis J. Guttmanns, daß Gott für H. Cohen auch in der letzten Phase seines Denkens Idee blieb. Er habe zwar in den Inhalt der Gottesidee die Konkretion und Lebendigkeit der religiösen Gottesvorstellung aufgenommen und kein Bedenken mehr getragen, Gott als Person zu denken, aber die methodischen Grundlagen seines Systems machten es ihm auch weiterhin unmöglich, Gott als Realität aufzufassen. Die Wendung zur Religion habe den Inhalt der Gottesidee, nicht deren methodischen Charakter geändert[95]. Insofern trifft das Urteil E. Przywaras zu, daß bei H. Cohen die ganze Religionsphilosophie auf dem Dynamismus eines schöpferischen Denkens gründet[96].

---

[88] Cohen: Der Begriff der Religion im System der Philosophie. S. 66.
[89] Hessen. S. 124. - Noack: H. Cohen. In: Die Philosophie Westeuropas. S. 144-148.
[90] Cohen: Jüdische Schriften. Bd. 2. S. 118.
[91] E. Przywara: Das Ringen der Gegenwart. Gesammelte Aufsätze 1922-1927. Augsburg 1929. Bd. 2. S. 639-640, 651.
[92] Nach Guttmann. S. 347, 349. - Vgl. Cohen: Kants Begründung der Ethik. Berlin ²1910. S. 350 ff. 360 ff.
[93] Guttmann. S. 355.
[94] H. Lübbe. In: LThK² 7 (1962) 912 (Neukantianismus).
[95] Guttmann. S. 361.
[96] Przywara: Das Ringen der Gegenwart. Bd. 1. S. 322.

Einen dynamischen Voluntarismus, in dem Gott als Urwille, nicht als gegenüberstehendes Objekt, sondern innewohnende Bewegung erscheint[97], findet E. Przywara auch bei Paul Natorp (1851-1924)[98], dem bedeutenden Kollegen H. Cohens in Marburg. Eine Zusammenfassung seiner Ideen gibt M. Scheibe, der wir der Kürze wegen hier folgen. Danach forderte P. Natorp, daß die Religion die Beziehung auf ein selbständiges, transzendentes, überweltliches Objekt aufgebe; denn gerade dadurch schließe sie in sich die Gefahr, die humane Bildung zu hemmen und das Individuum von den Pflichten gegen die Gemeinschaft abzuhalten. Diese habe an die Stelle einer transzendenten Gottheit und der persönlichen Unsterblichkeit zu treten. Wohl habe die Religion eine bleibende, unersetzliche Bedeutung, sofern sie das Gefühl repräsentiere, das den gestaltlos wogenden Untergrund, den unerschöpflich lebendigen Quell sowie die zusammenhaltende Kraft des seelischen Lebens bilde. Da die Religion jedoch kein eigenes Objekt habe, müsse sie sich ihre Gestaltung durch Wissenschaft, Sittlichkeit und Kunst vorschreiben und sich eine Läuterung gefallen lassen, deren Ergebnis die Beurteilung der religiösen Ideen einerseits als Ideen, andererseits als Symbole sei[99].

H. Bellersen bezeichnet P. Natorp als einen »radikalen Idealisten«, der in der Erkenntnistheorie auch die zeitlich-räumliche Ordnung Kants fallen ließ und nur die Intention auf sie noch beibehielt. Das Subjekt sei ihm die Totalität der Beziehungen, keine reale Substanz, weil Denken die Grundlage des Seins, Gemeinschaft nur Bewußtseinsgemeinschaft sei[100]. Es ist kein Zweifel, daß P. Natorp Religion nur »innerhalb der Grenzen der Humanität« gelten ließ[101]. Wenn er dabei ihre Grundlage im Gefühl erblickte, so brachte er dadurch Schleiermachers Auffassung erneut zur Geltung. Entscheidend ist, daß P. Natorp als Kulturphilosoph dieses Motiv in sein Kalkül mit einbrachte. Religion war ihm von daher ein realer Faktor, der in den Prozeß der unendlichen Objektgestaltung einzubringen sei[102]. Hier nun konstatiert J. Hessen, daß P. Natorp in seinen Kriegsschriften eine Weiterentwicklung durchmachte, die auch für die Religionsphilosophie nicht ohne Konsequenzen blieb. Er durchbrach sein idealistisches Grundprinzip und faßte die Anerkennung

[97] Ebd. S. 322.

[98] Die Schriften P. Natorps: Siehe LV. - Außerdem: E. Weck: Der Erkenntnisbegriff bei Paul Natorp. (Phil. Diss. Bonn 1914. - Referent: A. Dyroff.) Ohligs 1914. - A. Buchenau: Natorps Monismus der Erfahrung und das Problem der Psychologie. (PM. 552.) Langensalza 1913. - F.K. Müller: Erkenntnistheoretischer Idealismus und Realismus in der Religionsphilosophie unter besonderer Berücksichtigung Natorps, Ottos und Külpes. (Phil. Diss. Gießen 1924.) Gießen 1924.

[99] Scheibe: Die Philosophen der Gegenwart in ihrer Stellung zur Religion. In: RGG[1] 4 (1913) 1561. - Vgl. Eisler: PhL. S. 489-491. - Ueberweg. Bd. 4. S. 438-443. - Ziegenfuß. Bd. 2. S. 187-192. - Noack: Die Philosophie Westeuropoas. S. 148-153.

[100] H. Bellersen: Paul Natorp. In: LThK[1] 7 (1935) 449-450. - Vgl. ders.: Die Sozialpädagogik P. Natorps im Lichte der christlichen Weltanschauung. Eine religionsphilosophische Behandlung der Schulfrage in ihren Grundproblemen. Paderborn 1928.

[101] P. Natorp: Religion innerhalb der Grenzen der Humanität. Ein Kapitel zur Grundlegung der Sozialpädagogik (1894). Tübingen ²1908.

[102] Hessen: Die Religion des Neukantianismus. S. 132.

einer ontologischen Sphäre als einer letzten Seinsgegebenheit ins Auge[103]. Als P. Natorp im August 1924 starb, rühmte E. Przywara dem letzten großen Kantianer nach, daß er den entscheidenden Schritt zu einem absoluten Dasein getan habe, indem denkunabhängige Wirklichkeit und damit die Wirklichkeit des selbstwirklichen Gottes aufdämmerte[104]. Diese Wendung bahnte sich bei P. Natorp bereits 1920 an[105], bis sie in seinem nachgelassenen Spätwerk vollends offenkundig wurde[106]. Dort kam er zu einer »Metaphysik des Ausgangs des Werdens aus dem Sein und seines unendlichen Rückstrebens zum Sein«[107]. E. Przywara erkannte sofort, daß damit erneut wieder eine Wende von Kant zu Hegel eingeschlagen wurde[108] und daß in dieser Religionsauffassung des greisen P. Natorp ein Moment durchbrach, das bei H. Cohen nicht in gleichem Maße gefunden werden kann, »das urlutherische Moment des dynamischen Gottes, der als unbegreiflicher Schicksalswille dem ringenden Menschen restlos unmittelbar ist«[109]. Welche eschatologischen Vorstellungen damit verbunden waren und wie sie auf ein praktisch zu lebendes Christentum einwirkten, können wir aus dem letzten philosophischen Brief ersehen, den P. Natorp hinterließ: »Die Gegenwärtigkeit des Einen, allein und in sich Gewissen und bedingungslos Wahrhaften erfährt sich in voller Lebendigkeit des unmittelbar Gelebten als volles wirkliches Ewigsein im Augenblick«[110].

Wir haben hier wieder der Entwicklung vorgegriffen und einen Weg skizziert, auf dem die Theologie in der Zeit zwischen den Kriegen weiter fortschritt. Da es jedoch zunächst darum geht, die idealistischen und monistischen Tendenzen aufzuzeigen, um ihren Einfluß auf die Theologie vor dem Ersten Weltkrieg und die darauf folgende Reaktion zu verstehen, schauen wir wieder zurück in die Blütezeit des neukantianischen Denkens.

Aus der Marburger Schule wollen wir noch Albert Görland (1869-1952) erwähnen, dessen Religionsphilosophie zwar erst 1923 erschien[111], obgleich der Ansatz seines Denkens nach seinen früheren Schriften in der Vorkriegszeit zu finden ist[112]. Nach J. Hessen ging auch A. Görland vom schöpferischen Charakter des Be-

---

[103] Ebd. S. 134. - W. Kinkel: Paul Natorp und der kritische Idealismus. In: Kantst 28 (1923) 398-418. - E. Cassirer: Paul Natorp. In: Kantst 30 (1925) 273-298. - H. Keller: Der Raum-Zeitidealismus bei J. Bergmann, H. Cohen und P. Natorp. (Phil. Diss. Bonn 1930.) Bonn 1930. (Vollständig unter dem Titel: Die idealistische Raum- Zeitphilosophie von Hobbes bis Natorp in ihren typischen Ausgestaltungen.) - J. Graefe: Das Problem des menschlichen Seins in der Philosophie Paul Natorps. (Phil. Diss. Leipzig 1933.) Würzburg 1933. - H. Schneider: Die Einheit als Grundprinzip der Philosophie Paul Natorps. (Phil. Diss. Tübingen 1936.) Bottrop 1936.
[104] Przywara. Das Ringen der Gegenwart. Bd. 1. S. 252.
[105] Vgl. P. Natorp: Sozialidealismus. Berlin 1920, ²1922.
[106] Vgl. P. Natorp: Vorlesungen über praktische Philosophie. Erlangen 1925. - Vgl. dazu Noack. S. 151.
[107] Przywara. Das Ringen der Gegenwart. Bd. 1. S. 303.
[108] Ebd. Bd. 2. S. 938-940.
[109] Ebd. Bd. 1. S. 321.
[110] P. Natorp. In: Logos 13 (1925) 187. Hier nach K. Bornhausen in: RGG² 4 (1930) 507.
[111] A. Görland: Religionsphilosophie. Berlin, Leipzig 1923.
[112] Ders.: Der Gottesbegriff bei Leibniz. Ein Vorwort zu seinem System. (PhAr. I.3.) Gießen 1907. - Ders.: Aristoteles und Kant. Bezüglich der Idee der theoretischen Erkenntnis untersucht. Gießen 1909. - Ders.: Mein Weg zur Religion. Sonderdruck aus: Deutsche Schule. Leipzig 1910.

wußtseins aus. Transzendenz bedeutete bei ihm Erlebnisrichtung, auf der der Mensch zur Erfahrung einer polaren Einheit von totaler Immanenz und absoluter Transzendenz kommt, »Ich-Gott« und »Gott-Ich« sowie »Welt« erscheinen als Momente eines Korrelativitätsbestandes[113].

Gegenüber dieser logizistisch-methodologischen Richtung des Marburger Neukantianismus bildete sich zur gleichen Zeit eine ähnliche Schule im südwestdeutschen Raum, in der jedoch die werttheoretische Ausdeutung Kants im Vordergrund stand. Hier ist als erster Wilhelm Windelband (1848-1915) zu nennen. Wie E. Haeckel stammte er aus Potsdam, seine Wirkungsstätten waren Zürich, Freiburg, Straßburg und schließlich Heidelberg, wo seit 1872 K. Fischer in hohem Ansehen stand[114]. Seit 1891 dozierte in Freiburg auch ein Schüler Windelbands: Heinrich Rickert (1863-1936)[114.1]. Zu ihrem Schülerkreis gehörten H. Mehlis[115], J. Cohn[116], R. Kroner[117], E. Lask[118]. Wir verstehen die Eigenart ihres Denkens wohl

---

[113] Hessen: Die Religionsphilosophie des Neukantianismus. S. 53. - Vgl. A. Ruben: Die Philosophie Albert Görlands. In: LiG 5 (1919) 149-157. - E. Gaede: Die Religionsphilosophie von J.F. Fries und A. Görland. Oschersleben 1935. - Ziegenfuß. Bd. 1. S. 397-401. - Noack. S. 159.

[114] Dazu siehe H. Rickert: Wilhelm Windelband. Tübingen 1915, ²1929. - A. Ruge: Wilhelm Windelband. Leipzig 1917. - Eisler: PhL. S. 818-821. - Ueberweg. Bd. 4. S. 449-453. - Ziegenfuß. Bd. 2. S. 892-895. - Die wichtigsten Schriften von Wilhelm Windelband : Siehe LV.

[114.1] Heinrich Rickert . Hauptwerke: Siehe LV. - Außerdem: E. Spranger: Rickerts System. In: Logos 12 (1923) 183-198. - A. Faust: Heinrich Rickert und seine Stellung innerhalb der deutschen Philosophie der Gegenwart. Tübingen 1927. - Ders. (Hrsg.): Festgabe für Heinrich Rickert zum 70. Geburtstag. Bühl 1933. - H. Grünberg: Über das Verhältnis von Theoretischem und Praktischem im transzendentalen Subjekt. Eine transzendentalphilosophische Untersuchung mit besonderer Berücksichtigung von H.Rickerts Behandlung des Subjektproblems. (Phil. Diss. Jena 1927.) Borna-Leipzig 1926. - A. Dirksen: Individualität als Kategorie. Ein logisch - erkenntnistheoretischer Versuch in Form einer Kritik der ausführlich dargestellten Individualitätslehre Rickerts. Berlin 1926. - F. Böhm: Die Philosophie Heinrich Rickerts. In: Kantst 38 (1933) 1-8. - R. Zocher: Rickerts philosophische Entwicklung. Bemerkungen zum Problem der philosophischen Grundlehre. In: ZDKPh N.F. 4 (1937) 84-97. - Ders.: Heinrich Rickert zu seinem 100. Geburtstag. In: ZPhF 17 (1963) 457-462. - B. Bauch: Heinrich Rickert. In: BlDPh 11 (1937/38) 45-51. - H. Glockner: Unmittelbarkeit und Sinndeutung. Tübingen 1939. - A. Miller-Rostowska: Das Individuelle als Gegenstand der Erkenntnis. Eine Studie zur Geschichtsmethode Heinrich Rickerts. Winterthur 1955. - Ziegenfuß. Bd. 2. S. 346-350. - Noack. S. 166-169.

[115] Georg Mehlis (1878-1942), seit 1910 Hrsg. des „Logos", trat in seiner Religionsphilosophie entschieden für das Recht der Unsterblichkeitsidee ein und versuchte dasselbe auch philosophisch zu begründen. Mit dieser Ansicht stand er - nach dem Urteil von J. Hessen - innerhalb des Neukantianismus völlig allein. - Vgl. Hessen: Die Religionsphilosphie des Neukantianismus. S. 162. - Schriften von G. Mehlis: Siehe LV. - Zur Zeit, da Romano Guardini in Freiburg studierte, las Mehlis dort u.a.: Die Philosophie der Griechen (W.S. 1911/12). Übungen über Platons Lehre vom Eros (W.S. 1911/12). Die Philosophie der Romantik (W.S. 1912/13). Geschichtsphilosophie als Universalgeschichte (S.S. 1913). Philosophie der Kunst (S.S. 1913 und W.S. 1913/14). Die Philosophie des deutschen Idealismus (S.S. 1914). Religionsphilosophie (S.S. 1914). Dazu siehe AVBALU.

[116] Jonas Cohn (1869-1947). Schriften siehe LV. - Dazu: Hessen: Die Religionsphilosophie des Neukantianismus. S. 98-105, 164-165. - Eisler: PhL. S. 100-101. - Ueberweg Bd. 4. S. 461. - Ziegenfuß. Bd. 1. S. 196-197. S. Marck: Am Anfang des jüngeren Neu-Kantianismus. Ein Gedenkblatt für Richard Hönigswald und Jonas Cohn. In: APh 3 (1949) 144-164. - H. Kautz: Jonas Cohn. In: NDB 3 (1957) 316. - Zur Zeit, da Romano Guardini in Freiburg

am besten, wenn wir mit P. Wust in W. Windelband wie auch in W. Dilthey[119] und E. Troeltsch[120] Philosophen der aus der Hegelschen Schule hervorgegangenen Historiker K. Fischer[121] und J. E. Erdmann[122] sehen[123]. So versuchte W. Windelband eine Geschichte der gesamten Ideenbewegung vom Altertum bis zur Gegenwart zu zeichnen[124]. P. Wust meint allerdings, daß W. Windelband dabei vom Historismus erdrückt wurde. Als aktives Moment seines Schaffens habe nur der für die weitere Entwicklung seines Denkens bedeutungsvolle Gegensatz von Natur und Geschichte zu gelten, den er in seiner Rektoratsrede von 1894 aufstellte. Dieser Gegensatz spielte nachmals auch im Werk R. Guardinis eine bedeutende Rolle[125].

---

studierte, las Cohn dort u.a.: Psychologie und Pädagogik (W.S. 1911/12, 1912/13, 1913/14). Die Philosophie der gegenwärtigen Kultur (S.S. 1912). Grundzüge der Logik (W.S. 1912/13.) Grundfragen der Ethik: Tat, Person und objektiver Geist (S.S. 1914). Logik und Erkenntnistheorie (W.S. 1914/15). Dazu siehe AVBALU.

[117] Richard Kroner (geb. 1884) schrieb u.a.: Von Kant bis Hegel. 2 Bde. Tübingen 1921-1924, ²1961. - E. Przywara rühmt dieses Werk als eine meisterliche Problemgeschichte des deutschen Idealismus. In: Das Ringen der Gegenwart. Bd. 2. S. 218-219. - Weitere Schriften von R. Kroner siehe LV. - Außerdem: Ziegenfuß. Bd. 1. S. 691. -
Zur Zeit, da Romano Guardini in Freiburg studierte, las Kroner: Die Geschichte des deutschen Idealismus von Kant bis Hegel (W.S. 1912/13). Naturphilosophie (S.S. 1913). Geschichte der Metaphysik im Zeitalter der Naturwissenschaft - Descartes - Spinoza - Leibniz (S.S. 1914). Philosophie der Geschichte (W.S. 1914/15). Kants Weltanschauung (W.S. 1914/15). Dazu siehe AVBALU.

[118] Emil Lask (1875-1915), bahnte die Umbildung des erkenntnis-theoretisch-formalen Neukantianismus in Richtung auf eine neue Metaphysik auf realistischer Basis an. Dazu siehe Noack: Die Entwicklung der Badischen Schule. In: Die Philosophie Westeuropas. S. 170. - Wust: Die Auferstehung der Metaphysik. S. 136-143. - Außerdem: G. Pick: Die Übergegensätzlichkeit der Werte. Gedanken über das religiöse Moment in Emil Lasks Logischen Schriften vom Standpunkt des transzendentalen Idealismus. Tübingen 1921. - F. Kreis: Zu Lask's Logik der Philosophie. In: Logos 10 (1921/22) 227-243. - H. Sommerhäuser: Emil Lask in der Auseinandersetzung mit H. Rickert. Berlin 1966.

[119] Zu Wilhelm Dilthey siehe unten S. 31-36.

[120] Zu Ernst Troeltsch siehe unten S. 109-115.

[121] Kuno Fischer (1824-1907). Schriften: Siehe LV. - Vgl. dazu: F.A. Trendelenburg: Kuno Fischer und sein Kant. Eine Entgegnung. Leipzig 1869. - W. Windelband: Kuno Fischer und sein Kant. In: Kantst 2 (1897) 1-10. - Ders. (Hrsg.): Die Philosophie im Beginn des 20. Jahrhunderts. Festschrift für Kuno Fischer. 2 Bde. Heidelberg 1904-1905, ²1907. - Ders.: Kuno Fischer. Heidelberg 1907. - E. Traumann: Kuno Fischer. Ein Nachruf. Heidelberg 1907. - H. Falkenheim: Kuno Fischer. In: BJDN 12 (1909) 255-272. - E. Hoffmann: Kuno Fischer. Heidelberg 1924. - Ueberweg. Bd. 4. S. 207. - Ziegenfuß. Bd. 1. S. 346-347. - E. Selow: Kuno Fischer. In: NDB 5 (1961) 199.

[122] Johann Eduard Erdmann (1805-1892) war als ordinierter lutherischer Geistlicher Professor für Philosophie in Halle. Er gehörte zur Schule Hegels. Siehe R. Rieger: Johann Eduard Erdmann. In: RGG² 2 (1928) 228. - B. Erdmann: Johann Eduard Erdmann. In: PhM 29 (1893) 219-227. - H. Glockner: Johann Eduard Erdmann. Leben und Werke. Stuttgart 1932. - Ueberweg. Bd. 4. S. 206. - Ziegenfuß. Bd. 1. S. 298-299. - H.J. Schoeps: Johann Eduard Erdmann. In: NDB 4 (1959) 569-570.

[123] Wust: Die Auferstehung der Metaphysik. S. 76.

[124] W. Windelband: Lehrbuch der Geschichte der Philosophie. Freiburg 1892. - Dass. 15., durchgesehene und ergänzte Auflage. Hrsg. von H. Heimsoeth. Tübingen 1957.

[125] Zur Zeit, da Romano Guardini in Freiburg studierte, las Rickert dort: Die Philosophie von Kant bis Nietzsche (W.S. 1911/12). Einführung in die Erkenntnistheorie und Metaphysik (S.S. 1912). Der Darwinismus als Weltanschauung (S.S. 1912). Einleitung in die

Hier lag auch der Ausgangspunkt für die Wertphilosophie der Freiburger Schule, speziell für die Lebensarbeit Rickerts[126]. P. Wust legt dar, wie W. Windelband gerade in seiner Religionsphilosophie die von Kant gezogenen Grenzen des formalen Denkens überschritt. Der Begriff der Religion wurde danach als jene Kraft aufgefaßt, die als das Heilige die mannigfaltigen Gestaltungen des religiösen Lebens aus sich hervortreibt. Ausgangspunkt sei bei W. Windelband die Urtatsache einer antinomistischen Koexistenz von Norm und Normwidrigem in demselben Begriff; aus diesem Zwiespalt gehe der gesamte Wechsel der geschichtlichen Epochen hervor[127]. Für P. Wust ist es nicht nur äußerlich, wenn W. Windelband hier mit seinem Sollensbegriff bei J. G. Fichte anknüpfte. Damit sei die Brücke vom Gelten zum Sein geschlagen. Als Verdienst H. Rickerts betrachtete es P. Wust, diesen Sollenscharakter der Wertlehre noch verstärkt zu haben. Er legt dar, wie dieser Schüler W. Windelbands einen tragischen Kampf mit dem neukantisch-logischen Subjektivismus ausfocht[128]. H. Rickert komme dabei zu einer Heterologie des Seins und führe so einen gewaltigen Angriff auf die Marburger Ursprungs- und Prozeßlehre des Denkens, in dem mit der rücksichtslosen Einheitstendenz des logischen Monismus die still in sich selbst ruhende logische Vielheit ihrem Erzeugungsbegriff aufgeopfert wurde[129].

Dem von W. Windelband und H. Rickert aufgeworfenen Besonderungsproblem ging dann E. Lask weiter nach[130]. Von H. Rickert verlief die philosophische Entwicklung aber auch weiter zu M. Scheler, der ebenso einen »objektiven Voluntarismus« vertrat[131]. Über R. Kroner ging diese Bewegung später in die Erneuerung des hegelschen Denkens ein[132].

Wir sehen heute vielleicht stärker als die Menschen damals, daß der Neukantianismus, so wie er in der Marburger und der badener Schule vorgetragen wurde, nur ein Teil eines größeren Denkprozesses war. Neben diesem spiritualistisch-logischen gab es aber nicht nur einen materialistischen Monismus, vielmehr waren längst andere geistige Strömungen entstanden, in denen man den überspannten Rationalismus durch eine stärkere Betonung der konkreten Lebenswerte auszugleichen trachtete. Allerdings kamen zugleich neue Wellen einer irrationalen Mystik auf, die wiederum monistische Tendenzen zeitigten, obwohl es nie an Versuchen fehlte, die hier auftauchenden Gefahren auf der Grundlage einer realistischen Weltsicht zu überwinden.

Philosophie (W.S. 1912/13). Übungen zur Subjektslehre (W.S. 1912/13). Logik (S.S. 1913). Die deutsche Philosophie von Kant bis Nietzsche (W.S. 1913/14). Übungen zur Geschichtsphilosophie - Methodenlehre der Kulturwissenschaften (W.S. 1913/14). Systematik der Philosophie und Erkenntnislehre (S.S. 1914). Dazu siehe AVBALU.
[126] Wust: Die Auferstehung der Metaphysik. S. 76. -
Über den Einfluß von W. Windelband auf die Eschatologie siehe P. Althaus: Die letzten Dinge. Entwurf einer christlichen Eschatologie. S. 17-18. - Kritisch dagegen C. Stange: Das Ende aller Dinge. Gütersloh 1930. S. 6-16. - Näheres siehe unten S. 400, Anm. 256.
[127] Wust. S. 114-115.
[128] Ebd. S. 117.
[129] Ebd. S. 134. - Vgl. Noack. S. 169.
[130] Vgl. Wust. S. 136-137. - Zum Einfluß von Rickert und Lask auf das Zeit-Verständnis von H.W. Schmidt siehe unten S. 485, 489.
[131] Przywara: Das Ringen der Gegenwart. Bd. 2. S. 937-938.
[132] Ebd. S. 938.

Wir müssen nun eines Mannes gedenken, dem es darum zu tun war, die verschiedenen geistigen Strömungen in der Eigenart ihrer geschichtlichen Strukturen und Prozesse zu beschreiben und zu verstehen: Wilhelm Dilthey (1833-1911). Er selbst erhielt durch die geistigen Kräfte, die in der ersten Hälfte des 19. Jahrhunderts vorherrschten, seine Prägung[133]. Hatten einst die Romantiker versucht, die in der Aufklärungszeit verhärtete rationalistische Denkweise durch eine Weltsicht zu ersetzen, die den Phänomenen des Lebens in all seinen Erscheinungsformen besser gerecht werde, so war es W. Dilthey ebenso darum zu tun, den Menschen einer von naturwissenschaftlich-materialistischen Positivismus bestimmten Zeit die Augen für die geistigen Wirklichkeiten zu öffnen, und zwar nicht auf dem Wege eines abstrakt-idealistischen Philosophierens, sondern durch das Erfassen der vielfältigen

----

[133] Siehe: TdTh. S. 15. Dort verweist F. Rodi darauf, daß Wilhelm Dilthey als Student in Berlin die Wirkung von K.W. von Humboldt (1767-1835), A. von Humboldt (1769-1859), F.K. von Savigny (1779-1861), B.G. Niebuhr (1767-1891) gespürt, die „alten Recken" J. Grimm (1785-1863), F. Bopp (1821-1861), K. Ritter (1779-1859) und A. Böckh (1785-1867) noch erlebt und bei L. von Ranke (1795-1868) und A. Trendelenburg (1802-1872) im Seminar gesessen habe. - Vgl.: Der junge Dilthey. Ein Lebensbild in Briefen und Tagebüchern 1852-1870. Hrsg. von Kl. Misch, geb. Dilthey. Leipzig 1933. - Noack: W. Dilthey. In: Die Philosophie Westeuropas. S. 118-127, hier besonders S. 122. - O.F. Bollnow: Wilhelm Dilthey. In: NDB 3 (1957) 723-726. - Ders.: W. Dilthey. In: RGG³ 2 (1958) 196-198. - Ziegenfuß. Bd. 1. S. 244-248. -
Weitere Literatur zu W. Dilthey: A. Stein: Der Begriff des Geistes bei Dilthey. (Phil. Diss. Freiburg 1914. - Referent: H. Rickert.) Bern 1913. - Ders.: Der Begriff des Verstehens bei Dilthey. Tübingen ²1926. - L. Landgrebe: Diltheys Theorie der Geisteswissenschaften. Analyse ihrer Grundbegriffe. In: JPhPhF 9 (1928) 237-366. - G. Misch: Vom Lebens- und Gedankenkreis W. Diltheys. (Drei Aufsätze, erschienen 1924, 1932, 1936.) Frankfurt 1947. - Cl. Cüppers: Die erkenntnistheoretischen Grundgedanken Wilhelm Diltheys, dargestellt in ihrem historischen und systematischen Zusammenhange. (Phil. Diss. Freiburg 1934.) Leipzig, Berlin 1933. - J. Stenzel: Dilthey und die deutsche Philosophie der Gegenwart. (PhV. 33.) Berlin 1934. - A. Degener: Dilthey und das Problem der Metaphysik. Einleitung zu einer Darstellung des lebensphilosophischen Systems. Bonn 1933. - L. Frey-Rohn: Die Grundbegriffe der Dilthey'schen Philosophie mit besonderer Berücksichtigung der Theorie der Geisteswissenschaften. (Phil. Diss. Zürich 1934.) Zürich 1934. - N. Baring: Wilhelm Diltheys Philosophie der Geschichte. (Phil. Diss. Freiburg 1936.) Bückeburg 1936. - W. Erxleben: Erlebnis, Verstehen und geschichtliche Wahrheit. Untersuchungen über die geschichtliche Stellung von Wilhelm Diltheys Grundlegung der Geisteswissenschaften. (Phil. Diss. Berlin 1937.) Berlin 1937. - E.W. Freigang: Das Problem der Religion bei Dilthey. (Phil. Diss. Jena 1937.) Lodz 1937. - J. Englhauser: Metaphysische Tendenzen in der Psychologie Diltheys. Inaugural-Dissertation zur Erlangung des Doktorgrades der Philosophischen und Naturwissenschaftlichen Fakultät der Westfälischen Wilhelms-Universität zu Münster vorgelegt von Joh. Englhauser aus Lampferding. (Ref.: P. Wust, W. Kabitz.) (= APhPsR. H. 50.) Würzburg 1938. - F. Heider: Der Begriff der Lebendigkeit und Diltheys Menschenbild. (Phil. Diss. Tübingen 1940.) (NDF. Abt. Charaktereologie, psychologisch und philosophisch. 10= 259 [der Gesamtreihe]). Berlin 1939. - A. Bork: Diltheys Auffassung des griechischen Geistes. Berlin 1944. - H. Dormagen: Die psychische Struktur des menschlichen Erkennens bei Wilhelm Dilthey. Hünfeld/Fulda 1953. - Ders.: Wilhelm Diltheys Konzeption der geschichtlich-psychischen Struktur der menschlichen Erkenntnis. In: Scholastik 29 (1954) 363-386. - P. Hossfeld: W. Diltheys Stellung zur Religion und seine philosophischen Voraussetzungen. In: ThGl 52 (1962) 107-121. - L. von Renthe-Fink: Geschichtlichkeit. Ihr terminologischer und begrifflicher Ursprung bei Hegel, Haym, Dilthey und Yorck. (AAWG-ph/hKl. F. 3. Nr. 59.) Göttingen 1964.

Lebensphänomene innerhalb ihrer geistesgeschichtlichen Entwicklung. Charakteristisch ist, wie er die Typen der Weltanschauung und ihre Ausbildung in den metaphysischen Systemen beschrieb: »Die Weltanschauungen sind nicht Erzeugnisse des Denkens. Sie entstehen nicht aus dem bloßen Willen des Erkennens. Die Auffassung der Wirklichkeit ist ein wichtiges Moment in ihrer Gestaltung, aber doch nur eines. Aus dem Lebensverhalten, der Lebenserfahrung, der Struktur unserer psychischen Totalität gehen sie hervor. Die Erhebung des Lebens zum Bewußtsein in Wirklichkeitserkenntnis, Lebenswürdigung und Willensleistung ist die langsame und schwere Arbeit, welche die Menschheit in der Entwicklung der Lebensanschauungen geleistet hat«[134]. Den Widerstreit der metaphysischen Systeme sah W. Dilthey im Leben selbst gegründet, in der Lebenserfahrung, den Stellungen zum Lebensproblem. »In diesen Stellungen ist die Mannigfaltigkeit der Systeme und zugleich die Möglichkeit in ihnen gewisse Typen zu unterscheiden, angelegt. Jeder dieser Typen befaßt Wirklichkeitserkenntnis, Lebenswürdigung und Zwecksetzung. Sie sind unabhängig von der Form der Antithese, in welcher von entgegengesetzten Standpunkten aus Grundprobleme aufgelöst werden«[135].

Der Einfluß dieses Programms auf die weitere geistesgeschichtliche Entwicklung kann nicht hoch genug eingeschätzt werden. W. Dilthey gilt als der Neubegründer der historischen Anthropologie[136]. Meines Wissens hat sich R. Guardini nie auf Dilthey berufen. Dennoch ist dessen indirekter Einfluß schon bei der Ausgestaltung der Gegensatzlehre nicht zu verkennen. W. Dilthey sah in der Verschiedenheit der Weltanschauungen und philosophischen Systeme die lebendige Ausprägung ganz bestimmter Geistesanlagen[137]. Indem er sich um das Erkennen von Strukturen und das Verstehen ihres typischen Charakters[138] bemühte, ging es ihm dennoch nicht um deren separate Besonderheit, sondern um ihre Einbettung in das

---

[134] W. Dilthey: Die Typen der Weltanschauung und ihre Ausbildung in den metaphysischen Systemen (1911). In: Die Philosophie des Lebens. Aus den Schriften W. Diltheys ausgewählt von H. Nohl. Mit einem Vorwort von O.F. Bollnow. Stuttgart 1961. S. 92. - Vgl. dazu J. Höfer: Vom Leben zur Wahrheit. Katholische Besinnung an der Lebensanschauung Diltheys. Freiburg 1936. S. 17. - Außerdem W. Dilthey: Die Typen der Weltanschauung und ihre Ausbildung in den metaphysischen Systemen. In: Weltanschauungslehre. Abhandlungen zur Philosophie der Philosophie. Mit einem Vorwort von B. Groethuysen. (Gesammelte Schriften. Bd. 8.) 2., unveränderte Auflage. Stuttgart, Göttingen 1960. S. 75-118. - Ders.: Weltanschauung und Analyse des Menschen seit Renaissance und Reformation (1913). Mit einem Vorwort von G. Misch. (Gesammelte Schriften. Bd. 2.) 5., unveränderte Auflage. Stuttgart 1957. - J. Wach: Die Typenlehre Trendelenburgs und ihr Einfluß auf Dilthey. Eine philosophie- und geisteswissenschaftliche Studie. (PhG. 11.) Tübingen 1926.
[135] Dilthey. In: Die Philosophie des Lebens. S. 104. - Dazu Höfer. S. 42.
[136] Siehe E. Laslowski: Diltheys Verhältnis zur geschichtlichen Welt. In: HJ 56 (1936) 379-387, besonders S. 380. - A. Liebert: Wilhelm Dilthey. Eine Würdigung zum 100. Geburtstag des Philosophen. Berlin 1933.
[137] Vgl. auch W. Dilthey: Einleitung in die Geisteswissenschaften. Versuch einer Grundlegung für das Studium der Gesellschaft und Geschichte (1883). 4. Auflage mit einem Vorwort von B. Groethuysen. (Gesammelte Schriften. Bd. 1.) Stuttgart 1959. - Ders.: Der Aufbau der geschichtlichen Welt in den Geisteswissenschaften (1910). (Gesammelte Schriften. Bd. 7.) Mit einem Vorwort von B. Groethuysen (1926). 2., unveränderte Auflage. Stuttgart 1958.
[138] Siehe Höfer: Vom Leben zur Wahrheit. S. 80-84: Die reale Kategorie der Struktur.

Ganze des geistesgeschichtlichen Prozesses, den »Wirkungszusammenhang«[139].
»Der Inbegriff dessen, was im Erleben und Verstehen aufgeht, ist das Leben als ein
das menschliche Geschlecht umfassender Zusammenhang«[140]. Dabei sah W. Dilthey durchaus, daß das Leben nicht nur im stets gleichen Fließen besteht, sondern
daß es in vielfältigen differenzierten Gebilden zutage tritt. Das bleibt zu bedenken,
wenn man gegen ihn den Vorwurf erhebt, er habe einem relativistischen Historismus Vorschub geleistet[141]. Daß er allerdings, trotz eines Durchbruchs zur Realität,
die Bedeutung der Form zu gering einschätzte, dürfte P. Wust richtig gesehen haben[142] Er bedauert, daß W. Dilthey das Differenzierungsproblem nur psychologisch zu lösen versuchte, anstatt die Psychologie in die Metaphysik einzubetten.
Hier habe E. Troeltsch viel tiefer gesehen als Dilthey[143].

In der Tat erhebt sich für den denkenden Menschen schon mit der Erkenntnis
typischer Weltanschauungsformen die Frage nach ihrer Wesenform, d.h. nach ihrer inneren Struktur, ihrem bleibenden Wert, ihrer ontischen und evolutiven Einheit[144]. Daß in dieser Sicht, im Gegensatz zu einem verkürzenden Platonismus die
historische Perspektive bei der Wesenserkenntnis menschlicher Wirklichkeiten
nicht fehlen darf, sollte selbstverständlich sein.

Das eigentliche Problem, um das es damals im Ringen um den »Historismus«
ging, muß von uns im Zusammenhang der gesamten »Lebensphilosophie« gesehen
werden. Auch B. Schaidnagl verweist in einer Untersuchung über das Verhältnis
Diltheys zur Geschichte darauf, daß der Keimgrund für dieses Denken in dem

---

[139] Siehe Dilthey: Gesammelte Schriften. Bd. 7. S. 138. Bd. 8. S. 186. - Höfer: Vom Leben
zur Wahrheit. S. 30-78: Diltheys Grundauffassung vom „Wirkzusammenhang" des Lebens. -
Ders. Ebd. S. 111-151: Die historische Analyse des Wirkzusammenhangs des Lebens vom
frühen Christentum bis zur Gegenwart.
[140] Dilthey: Der Aufbau der geschichtlichen Welt - Das Leben und die Geisteswissenschaften. In: Die Philosophie des Lebens. S. 282. - Vgl. ders.: Gesammelte Schriften. Bd. 7. S.
256: „Geschichte ist nur das Leben, aufgefaßt unter dem Gesichtspunkt des Ganzen der
Menschheit, das einen Zusammenhang bildet".
[141] Zum Problem des Historismus siehe Wust: Die Ermattung der schaffenden Geisteskräfte unter dem Einfluß des Historismus. In: Die Auferstehung der Metaphysik. S. 48-82. -
F. Meinecke: Die Entstehung des Historismus und seine Probleme. 2 Bde. München 1936,
3 1959. - W. Bodenstein: Neige des Historismus. Gütersloh 1959. - A. Mirgeler: Historismus.
ThK² 5 (1960) 393-394. - Zu den Werken von E. Troeltsch siehe unten S. 110, Anm. 162.
[142] Wust: Die Auferstehung der Metaphysik. S. 203: Der Sturm und Drang der Philosophie in der neuen geistigen Strömung der Lebensmetaphysik.
[143] Ders.: Die Bahnbereiter einer neuen Synthese: Ernst Troeltsch. In: Die Auferstehung
der Metaphysik. S. 206-232, hier besonders S. 213. - E. Fülling: Geschichte als Offenbarung.
Studien zur Frage Historismus und Glaube von Herder bis Troeltsch. Berlin 1956. S. 36-61:
Diltheys geisteswissenschaftliche Philosophie des Lebens und die Frage der geschichtlichen
Relativität. - Vgl. jedoch O.F. Bollnow: Dilthey. Eine Einführung in seine Philosophie. Leipzig 1936. - Dass. Stuttgart ² 1955.
[144] Dazu vgl. Höfer: Vom Leben zur Wahrheit. S. 298.

Wort »Leben« liegt[145]. Diese Lebensphilosophie[145.1], der wir bei W. Dilthey begegnen, wurde auf der Woge der Neuromantik selbst zur »Weltanschauung«. Sie diente mannigfach zur ideologischen Rechtfertigung der verschiedensten Strömungen einer irrationalen Mystik. Über ihr schwebte - nach einem Wort M. Schelers -

---

[145] B. Schaidnagl: Diltheys Verhältnis zur Geschichte. Ein psychologischer Versuch. Phil. Diss. Berlin 1927. S. 10. - Vgl. H. Diwald: Wilhelm Dilthey. Erkenntnistheorie und Philosophie der Geschichte. Göttingen 1963.
[145.1] Vgl. W. Dilthey: Die geistige Welt. Einleitung in die Philosophie des Lebens. Mit einem Vorwort von G. Misch. (Gesammelte Schriften. Bd. 5. - 1923.) Stuttgart [2]1957. - Dazu vgl. G. Misch: Die Idee der Lebensphilosophie in der Theorie der Geisteswissenschaften. In: Kantst 31 (1926) 536-548. - Ders.: Lebensphilosophie und Phänomenologie. Bonn 1930, [2]1931.
Literatur zur Lebensphilosophie:
R. Eisler: Wörterbuch der Philosophischen Begriffe. Berlin [4]1929. Bd. 2. S. 16-19. - W. Schmidt: Die göttliche Vorsehung und das Selbstleben der Welt. Berlin 1887. - Ders.: Der Kampf um den Sinn des Lebens. Von Dante bis Ibsen. 2 Hälften. 1.: Dante. Milton. Voltaire. 2.: Rousseau. Carlyle. Ibsen. Berlin 1907. - T. Pesch: Christliche Lebensphilosophie. Gedanken über religiöse Wahrheiten. Weiteren Kreisen dargeboten. Freiburg 1895, [2]1896, [4]1898. - G. Biedermann: Philosophie des menschlichen Lebens. Des Systems der Philosophie 3. Theil. Leipzig 1889. - E. Horneffer: Nietzsches Lehre von der ewigen Wiederkunft und deren bisherige Veröffentlichung. Leipzig 1900. - Ders.: Wege zum Leben. (Der höchste Wert. Gott und Mensch. Die Ehe. Der Tod.) Vorträge. Leipzig 1908. -Ders.: Das Buch vom wahren Leben. Düsseldorf 1936. - O. Ewald: Nietzsches Lehre in ihren Grundbegriffen. Die ewige Wiederkunft des Gleichen und der Sinn des Übermenschen. Eine kritische Untersuchung. Berlin 1903. - Ders.: Gründe und Abgründe. Präludien einer Philosophie des Lebens. 2 Teile. Berlin 1909. - Ders.: Lebensfragen. Leipzig 1910. - Ders.: Die Religion des Lebens. Basel 1925. - J. Müller: Von den Quellen des Lebens. Sieben Aufsätze. München 1905, [2]1906. - Ders.: Vom Leben und Sterben. München 1906, [3]1913. - Ders.: Hemmungen des Lebens. München 1907, [2]1908. B. Wille: Das lebendige All. Idealistische Weltanschauung auf naturwissenschaftlicher Grundlage im Sinne Fechners. Hamburg, Leipzig 1905. - R. Münzer: Bausteine zu einer Philosophie des Lebens. Leipzig 1905. - Dass. 2., durchgesehene Auflage. Wien 1909. - E. von Hartmann: Zur Philosophie des Lebens. Biologische Studien. Sachsa 1906. - J. Bürde: Die Philosophie des Lebens. In allgemeinverständlicher Darstellung. Jena 1910. - J. Bode: Lebensauffassung und Lebensgestaltung. Vier Vorträge. (BFM. 25.) Berlin 1911. - R. Schwellenbach: Das Gottesproblem in der Philosophie Friedrich Paulsens und sein Zusammenhang mit dem Gottesbegriff Spinozas. (Phil. Diss. Münster 1911. - Referent: G. Spicker.) Berlin 1911. - M. Scheler: Versuch einer Philosophie des Lebens: Nietzsche - Dilthey - Bergson (1912-1914). In: Vom Umsturz der Werte. Bd. 2. (= Gesammelte Werke. Bd. 3.) Bern 1955. S. 311-339. - F. Sawicki: Lebensanschauung moderner Denker. Vorträge über Kant. Schopenhauser, Nietzsche, Haeckel und Eucken. Paderborn 1919, [6]1922. - H. Rickert: Die Philosophie des Lebens. Darstellung und Kritik der philosophischen Modeströmungen unserer Zeit. Tübingen 1920, [2]1922. - R.H. Francé: Zoesis. Eine Einführung in die Gesetze der Welt. München 1920. - Ders.: Bios. Das Gesetz der Welt. Stuttgart 1921. - Ders.: So mußt du leben. Dresden 1921. - Ders.: Die Waage des Lebens. Ein Buch der Rechenschaft. (Umschlag: Eine Kulturbilanz.) Prien (1920). - Dass., gekürzter Neudruck: Eine Bilanz der Kultur. (KTA.) Stuttgart 1939. - Raoul Heinrich Francé. Der Begründer der Lebenslehre. Eine Festschrift zu seinem 50. Geburtstag. Original-Beiträge von A. Wagner, A. von Gothard, F. Lienhard (u.a.). Stuttgart, Heilbronn (1924). - R. von Delius: Urgesetze des Lebens. Darmstadt 1922. - Cl. Baeumker: Das Ringen der Mächte im philosophischen Weltanschauungskampf der Gegenwart. In: JVVKA (1923) 34-54. - H. Cornelius: Vom Wert des Lebens. Hannover 1923. - W. Fabian: Kritik der Lebensphilosophie Georg Simmels. (Phil. Diss. Breslau 1926. - Referent: E. Kühnemann.) Breslau 1926. - B. Bauch: Philosophie des Lebens und der Werte. Langensalza 1927. - E. Dacqué: Leben als Symbol. Metaphysik einer Entwicklungslehre. München 1928. - G. Misch: Lebensphilosophie und Phänomenologie. Eine Auseinandersetzung der diltheyschen

Friedrich Nietzsche[146] wie ein verborgener Schutzgeist[147]. Das war nicht die Absicht W. Diltheys[148] und kann auch nicht jenen Männern nachgesagt werden, die unter seinem Einfluß weiterdachten[149]. Aber sein Lebenswerk stand im Sturm und Drang einer Zeit, in der es zur Rettung des menschlichen Lebens in Kultur, Wirtschaft und Politik anderer geistiger Kräfte bedurft hätte, als es jene waren, die bei

---

Richtung mit Heidegger und Husserl. Bonn 1930, [2]1931. - Dass. Reprographischer Nachdruck. Stuttgart 1967. - K. Katsube: Wilhelm Diltheys Methode der Lebensphilosophie. Hiroschima 1931. - A. Messer: Lebensphilosophie. Leipzig 1931. - Ph. Lersch: Die Lebensphilosophie der Gegenwart. Berlin 1932. - J. Hennig: Lebensbegriff und Lebenskategorien, mit besonderer Berücksichtigung Wilhelm Diltheys. Aachen 1934. - G. Söhngen: Lebensphilosophie. In: LThK[1] 6 (1934) 439-441. - D. Bischoff: Wilhelm Diltheys geschichtliche Lebensphilosophie. Leipzig 1935. - K.Th. Glock: Wilhelm Diltheys Grundlegung einer wissenschaftlichen Lebensphilosophie. (Phil. Diss. Berlin 1935.) Teildruck: Berlin 1935. - H. Heimsoeth: Lebensphilosopie und Metaphysik. In: BlDPh 10 (1937) 384-406. - Dass. (NDF. Abt. Phil. 31. = 218 der Gesamtreihe.) Berlin 1939. - W. Bietak: Die Lebenslehre und Weltanschauung der jüngeren Romantik. Leipzig 1936. - H. Meyer: Lebensphilosophie. In: GAW. Bd. 5. S. 243-418. - H. Kuhn: Lebensphilosophie. In: LThK[2] 6 (1961) 865-868.

[146] Friedrich Wilhelm Nietzsche (1844-1900). Außer dem genannten Aufsatz Schelers siehe in unserem Zusammenhang: G. Simmel: Schopenhauer und Nietzsche. Berlin 1907. - E. Arnold: Die Lebenswertung Nietzsches im Glaubenskampf der Gegenwart. In: Die Furche 6 (1916) 333-337. - F. Sawicki: Friedrich Nietzsche. Die Philosophie der Lebensbejahung. In: Lebensanschauungen moderner Denker. Paderborn [6]1922. S. 97-147. - Kiefl: Nietzsche und der Ewigkeitsgedanke. In: Katholische Weltanschauung und modernes Denken. S. 193-200. - R. Reininger: Nietzsches Kampf um den Sinn des Lebens. Der Ertrag seiner Philosophie für die Ethik. Wien 1922, [2]1925. - K. Haase: Die Soziologie der Lebensphilosophie am Beispiel Friedrich Nietzsches. (Rechts- und staatswiss. Diss. Münster 1924.) Burgsteinfurt 1923. - Przywara: Um das Erbe Friedrich Nietzsches (1925). In: Das Ringen der Gegenwart. Bd. 1. S. 169-179. - L. Klages: Die psychologischen Errungenschaften Nietzsches. Leipzig 1926. - M. Schubert: Das Verhältnis der Vitalitätswerte zu den Geisteswerten in der Philosophie Nietzsches. (Phil. Diss. Berlin 1927.) Berlin 1927. - H. Prinzhorn: Leib - Seele - Einheit. Lebenslehre Goethe - Carus - Nietzsche. Zürich, Potzdam 1928. - Ders.: Nietzsche und das 20. Jahrhundert. Zwei Vorträge (Nietzsches Prägung des neuen Menschenbildes - Nietzsches Begründung einer Psychologie). Heidelberg 1928. - K. Löwith: Kierkegaard und Nietzsche. Frankfurt 1933. - Ders.: Nietzsches Philosophie der ewigen Wiederkehr des Gleichen. Berlin 1935. - Dass. Neuausgabe: Stuttgart 1956. - K. Engelke: Die metaphysischen Grundlagen in Nietzsches Werk. (Phil. Diss. Kiel 1941.) (KPESt. 17.) Würzburg 1942. - H. Meyer: Die deutsche Lebensphilosophie. B. Die naturalistische Richtung. 1. Friedrich Nietzsche. In: GAW. Bd. 5. S. 322-339. - M. Landmann: Geist und Leben. Varia Nietzscheana. Bonn 1951. - H.W. Reichert - K. Schlechta: International Nietzsche bibliography. (University of North Carolina Press. 45.) Chapel Hill 1968.

[147] Scheler: Versuch einer Philosophie des Lebens. S. 314. - Vgl. dazu auch F. Rittelmeyer: Nietzsche (3). In: RGG[1] 4 (1913) 797-798.

[148] G. Misch: Dilthey versus Nietzsche. In: Die Sammlung 7 (1952) 378-395. - Bollnow: Dilthey. Eine Einführung in seine Philosophie. S. 222-224: Dilthey und Nietzsche.

[149] Aufgegriffen und fortgeführt wurden die Bemühungen Diltheys besonders von: Otto Heinrich Bollnow (geb. 1903), Alois Dempf (geb. 1891), Hans Freyer (1887-1969), Max Frischeisen-Köhler (1887-1920), Bernhard Groethuysen (1880-1946), Paul Hofmann (1880-1947), Hans Leisegang (1890-1951), Theodor Litt (1880-1962), Georg Misch (1878-1965), Hermann Nohl (1879-1960), Helmuth Plessner (geb. 1892), Paul Ritter (geb. 1872), Erich Rothacker (1888-1965), Eduard Spranger (1882-1963), Julius Stenzel (1883-1935), Erich Weniger (1894-1961). - Vgl. Noack: Die Philosophie Westeuropas. S. 136-142: Der hermeneutische Historismus. - Hauptschriften der oben genannten Autoren: Siehe LV.

einem einfühlenden Beschreiben frei wurden und zur Anwendung kamen. Der Verzicht auf metaphysisches Denken verkürzte nicht nur die Erkenntnisfähigkeit des Menschen, die Blindheit für die Existenz objektiver Gesetze[150] behinderte auch den Einsatz aller Kräfte zur Gestaltung dieses Lebens. Wenn man glaubte, daß das ins Unermeßliche dahinströmende und im Strömen sich fortwährend werterhöhende Leben zwar in seinem Aufgang alles feste Sein bilde, aber in seinem Niedergang zum Gesetz erstarre[151], so verkannte man die Bedeutung des Gesetzes für den schöpferischen Lebensvollzug. Der bewußte Verzicht auf die Frage nach der immer gültigen Wahrheit und nach der dauernd bleibenden Form rächte sich bitter. Er führte zu einer Anwendung oder einem Sich-austoben-lassen der Lebenskräfte, die sich nicht mehr verantworten ließ. E. Sommerlath sah z.B. 1929 sehr deutlich die Gefahr, die in einem radikalen Biologismus liegt, der von allen Werten allein nur die Lebenskraft gelten läßt. Er wußte, daß dessen Wurzeln in jenem Antirationalismus lagen, der mit der Lebensphilosophie heraufzog. Da man das wahre Leben nur vor aller Begriffsbildung sah, nicht in ihr oder hinter ihr, wurde alles Denken nur noch als sekundär gelten gelassen, schlimmer noch, als ein Nachlassen der ursprünglich schöpferischen Kraft. In diesem Zusammenhang erklärte E. Sommerlath, daß auf der durch Christus vermittelten Gottesgemeinschaft Leben nur zustande komme, indem das »vitale Leben« in ein Sterben hineingegeben werde. Aber dieses Sterben sei Durchgang, ja Mittel des echten Lebens[152].

Was aber ist »echtes« Leben? Öffnet sich in dieser dialektischen Auffassung nicht die Möglichkeit einer fatalen, hemmenden, ja lähmenden Todesmystik? Diese Frage steht im Hintergrund, wenn wir bei protestantischen Autoren nach ihrem Beitrag zu einer Theologie des Lebens fragen. Bezeichnend ist, daß in der Epoche einer extremen Lebensphilosophie auch ein radikaler Eschatologismus aufkam. Im Bereich der protestantischen Theologie gelten W. Baldensperger, J. Weiss, A. Schweitzer, M. Werner und F. Buri als die Vorbereiter, Begründer und Verfechter einer »Konsequenten Eschatologie«[153]. Hinsichtlich der katholischen Theologie bleibt zu erforschen, was denn sie zur Sicherung des konkreten menschlichen Lebens beigetragen hat. Diente dazu die Lehre vom Leben des individuellen Menschen nach dem Tode im Bereich der göttlichen Transzendenz? Wir wollen dieser Frage beim Studium eines eschatologischen Entwurfs katholischer Theologie nachgehen. Vorher jedoch gilt es, uns weiter mit der Lebensauffassung anderer Denker in der Zeit vor dem Ersten Weltkrieg vertraut zu machen.

Auch bei Georg Simmel (1858-1918) zeigte sich das Bestreben, das Leben in seiner ständigen Bewegung und Entwicklung zu erfassen[154]. Als pragmatischer So-

[150] Vgl. I.M. Bocheński: Europäische Philosophie der Gegenwart (1947). Bern ²1951. S. 139.

[151] Scheler: Versuch einer Philosophie des Lebens. S. 314.

[152] E. Sommerlath: Lebensphilosophie. In: RGG² 3 (1929) 1510-1511. - Vgl. ders.: Der Ursprung des neuen Lebens nach Paulus. Leipzig 1923. - Dass. 2., erweiterte Auflage. Ebd. 1927. - Weiteres zu Sommerlath siehe unten S. 508-515.

[153] Zu W. Baldensperger, J. Weiß, A. Schweitzer, M. Werner, F. Buri siehe unten S. 107, 115-124.

[154] Vgl. Ziegenfuß. Bd. 2. S. 539-546. - Ueberweg. Bd. 4. S. 467-471. - V. Mathieu: Georg Simmel. In: EF 5 (1967) 1376-1379. - Zur geistigen Entwicklung vgl. M. Frischeisen-Köhler: Georg Simmel (1. März 1858 - 26. September 1918). In: Kantst 24 (1919/20) 1-51.

zialphilosoph[155] erkannte er, daß Leben jedoch nicht nur ein formloses Strömen ist, daß es vielmehr nur als geformtes Leben Phänomen sein kann. Dabei galt sein Interesse nicht nur den Phänomenen, sondern auch den Lebensinhalten. Hier erkannte er, daß das Leben sich in Gegensätzen entfaltet, meinte jedoch, daß es selbst über diese Gegensätze hinausgehe. So gelangte er zu einer Auffassung von der Transzendenz des Lebens, die dem Leben selbst völlig immanent sein solle. Er erklärte: »Das Leben selbst ist unaufhörlich Relativität der Gegensätze, die Bestimmung des einen durch das andere und des andern durch das eine die flutende Bewegtheit, in der jedes Sein nur als ein Bedingtsein bestehen kann. Aus dem Eindruck des Hochgebirges aber sieht uns eine Ahnung und ein Symbol entgegen, daß das Leben sich mit seiner höchsten Steigerung an dem erlöst, was in seiner Form nicht mehr eingeht, sondern über ihm und ihm gegenüber ist«[156].

Unschwer ist zu erkennen, daß bei G. Simmel eine klare, unverwischbare Bestimmung der Gegensätzlichkeiten des Lebens fehlt. Dies mag darauf zurückzuführen sein, daß sich bei Simmel eine »Entwertung des Formbegriffs« als »negatives Gegenstück zur Überbewertung des Begriffs vom Leben« feststellen läßt[157]. Indes ist bei einer Beurteilung dieser Auffassung zu beachten, in welche Richtung die Bewegung dieses Denkens ging. Hier hat P. Wust gezeigt, daß bei G. Simmel das natürliche Leben sehr wohl der Form bedarf, weil es ohne dieses Rückgrat nicht bestehen kann. Es spiele nämlich in einem Doppelprozeß von Kraft und Form, wobei die Form für den Faktor Kraft die vitale Funktion der Dauer und der festen Stütze zu erfüllen habe. Im Bereich des Geistes sei das allerdings anders, da dominieren die Formen als objektive, absolutistische Einzelgebilde. Darin bestehe die Transzendenz des Lebens und darin liege eine Wendung zur Idee, bei der das Prinzip der Determination eine Rolle spielt. Aber für Simmel seien auch diese Zentralideen nichts weiter als Aufgipfelungen eines immanenten Lebens. Daher bedauerte P. Wust, daß bei Simmel eine gewisse Inkonsequenz vorliege, wenn er den metaphysischen Platonismus, den er in der monadologischen Form des Leibniz aufgenommen habe, nur soweit gelten lasse, als er für den Kampf gegen Kant willkommen sei, um dann nach Erledigung dieser Aufgabe sofort wieder zu einer rein immanenten Lebensauffassung zurückzukehren. Immerhin, Wust erkannte in der hier versuchten Synthese von Leben und Form einen metaphysischen Kern, so daß er in G. Simmel den »Metaphysiker der Immanenz« sah und ihn in die Bahnbrecher einer neuen Metaphysik einreihte[158]. Für uns bleibt hier zu vermerken, daß der »Immanenzphilosoph«, wie P.Wust schreibt, in der Unsterblichkeitsfrage zu einer entscheidenden Verneinung kam[159]. Einer positiven Bestimmung der Gottheit war

[155] Vgl. G. Simmel: Über soziale Differenzierung. Soziologische und psychologische Untersuchungen. Leipzig 1890, ³1910.

[156] G. Simmel: Philosophische Kultur. Gesammelte Essays. (PhSB. 27.) Leipzig 1911. - Dass. 2., um einige Zusätze vermehrte Auflage. Ebd. 1919. Dort. S. 141. - Vgl. die Rezension des genannten Werkes durch G. Wunderle in: PhJ 33 (1920) 188-191.

[157] W. Fabian: Kritik der Lebensphilosophie Georg Simmels. (Phil. Diss. Breslau 1926. - Referent: E. Kühnemann.) Breslau 1926. S. 14. - Vgl. H. Müller: Lebensphilosophie und Religion bei Georg Simmel. Berlin (1960). - M. Adler: Georg Simmels Bedeutung für die Geistesgeschichte. Wien - Leipzig 1919.

[158] Wust: Die Auferstehung der Metaphysik. S. 232-255.

[159] Ebd. S. 242. - Zur Todesauffassung Simmels vgl. J. Wach: Das Problem des Todes in der Philosophie unserer Zeit. (PhG. 49.) Tübingen 1934. S. 29-39.

er abhold. Da er jedoch das Vorhandensein der Religion in ihrer positiven Bedeutung gelten ließ[160], wandte er sich einer atheistischen Mystik zu[161].

Die letzten Erwägungen G. Simmels galten dem Problem der Individualität. Zwischen dem Allgemeinen und dem Individuum sah er die Liebe als ein übergreifendes Drittes. E. Przywara gedachte Simmels in seinem Aufsatz »Die Zukunft der Philosophie« und schrieb: »Daß die Liebe das Ewige im Individuum sucht, mag sein - aber sie kann ebenso das Individuum im Ewigen suchen, kann ebenso gut die Wesensrichtung des Menschen auf das Absolute und Überindividuelle zusammenziehen in das Definitivum einer individuellen Erscheinung und das Verhältnis zu ihr«[162].

Wir haben die Vorstellungen G. Simmels ausführlich wiedergegeben, weil sich R. Guardini in seiner Philosophie des Lebendig - Konkreten wiederholt auf G. Simmel berief[163]. Vermerkt sei noch, daß G. Simmel die Gedankenwelt H. Bergsons, dem er selbst manches verdankte, in Deutschland bekannt machte[164].

Ähnlich wie G. Simmel ging Rudolf Eucken (1846-1926)[165] von der Aktivität des Geisteslebens aus. Er gilt als der letzte Philosoph des deutschen Idealismus[166], jedoch vertrat er statt eines spekulativen Idealismus der reinen Idee einen solchen personaler Art, so daß M. Wundt bei ihm den Ursprung des neuen Personalismus findet[167]. R. Eucken ging es nicht um eine psychologische Erforschung des individuellen Seelenlebens; vielmehr studierte er, wie sich bei den Großen einer Zeit die Aktivitäten geistiger Kräfte entfalten. Diesen lebendigen Prozeß beschrieb er mit einer »noologischen« Methode, d.h. er ordnete das Wirken dieser Menschen in einen lebendigen Zusammenhang eines umfassenden geistig kulturellen Prozesses[168].

---

[160] Vgl. G. Simmel: Die Religion. (Die Gesellschaft. 2.) Frankfurt a.M. 1906, ²1912. - W. Knevels: Simmels Religionstheorie. Ein Beitrag zum religiösen Problem der Gegenwart. Leipzig 1920. -

[161] Vgl. K. Bornhausen: Simmel. In: RGG² 5 (1931) 496.

[162] G. Simmel: Fragmente und Aufsätze. Hrsg. von Dr. G. Kantorowicz. München 1923. - Vgl. Przywara: Das Ringen der Gegenwart. Bd. 1. S. 200.

[163] Dazu siehe unten S. 738, 742, 743, 791.

[164] Vgl. Ziegenfuß. Bd. 2. S. 544.

[165] Vgl. R. Eucken: Über die Bedeutung der aristotelischen Philosophie der Gegenwart. Berlin 1872. - Ders.: Die Philosophie des Thomas von Aquino und die Kultur der Neuzeit. Halle 1886. - Ders.: Thomas von Aquino und Kant, ein Kampf zweier Welten. Berlin 1901. - Ders.: Einführung in die Philosophie des Geisteslebens. Leipzig 1908. - Vgl. Th. Kappstein: Rudolf Eucken, der Erneuerer des deutschen Idealismus. (MPh. 5.) Berlin-Schöneberg 1909. - E. Boutroux: Rudolf Euckens Kampf um einen neuen Idealismus. Autorisierte Übersetzung von I. Benrubi. Leipzig 1911. - Sawicki: Rudolf Eucken. Der moderne Idealismus. In: Lebensanschauungen moderner Denker. ⁶1922. S. 200-239. - Kiefl: Katholische Weltanschauung und modernes Denken. ²-³1922. S. 319-361: Rudolf Euckens Neuidealismus und das Christentum. - Th. Raeber: Rudolf Eucken. In: NDB 4 (1959) 670-672.

[166] E. Przywara: Humanitas. Der Mensch gestern und morgen. Nürnberg 1952.

[167] M. Wundt: Rudolf Eucken. Langensalza (SEK. 22. - PM. 1124.) 1928. S. 23.

[168] Vgl. R. Eucken: Geistige Strömungen der Gegenwart. Zuerst unter dem Titel: Die Grundbegriffe der Gegenwart. Leipzig 1878. Später, in mehrfach umgearbeiteten Auflagen, Berlin, zuletzt 1928. - Vgl. R. Kade: Rudolf Euckens noologische Methode in ihrer Bedeutung für die Religionsphilosophie. Leipzig 1912.

So müssen wir auch ihn zu den Vertretern einer Lebensphilosophie zählen. »Die Frage, was unser Leben als ganzes bedeutet, was es an Zielen enthält und an Glück verheißt, das Lebensproblem«[169] beschäftigte ihn. Alles »Große sah er als die Vollendung einer Zeit, den aufklärenden Gedanken als eine Bekräftigung des Wollens der Gesamtheit«. Die Wendung »vom Zeitlichen ins Ewige« versuchte er darzustellen[170], bei der es »zu wahrhaftigem Schaffen, zur Gestaltung eines bei sich selbst befindlichen und in sich selbst wertvollen Lebens, zu allgemeingültiger und unvergänglicher Wahrheit«[171] kommt. »Was an Ewigem von der Zeit aus erreichbar ist, erst in dem Großen wird es erreicht und von der bloßen Zeit befreit, um damit ein Besitz aller Zeiten zu werden«[172].

R. Eucken zeigte auch, welche Rolle die Gottesidee in den Weltanschauungen der großen Denker spielte. Im Rahmen seiner Religionsphilosophie[173] hielt er die Vorstellung eines lebendigen, persönlichen Gottes durchaus für nötig, betrachtete dabei aber das Verhältnis von Gott und der Welt des Geisteslebens als antithetisch, nicht dualistisch. Diese Auffassung, nach der Gott sowohl »bei sich selbst befindliches Quelleben« als auch »in die Welt verflößtes Alleben« ist, bezeichnete H.

---

[169] R. Eucken: Die Lebensanschauungen der großen Denker. Eine Entwicklungsgeschichte des Lebensproblems der Menschheit von Plato bis zur Gegenwart (1890). 5., umgearbeitete Auflage. Leipzig 1904. S. 1. - Vgl. ders.: Gesammelte Aufsätze zur Philosophie und Lebensanschauung. Leipzig 1903. - Ders.: Der Kampf um einen geistigen Lebensinhalt. Neue Grundlegung einer Weltanschauung. Leipzig 1896. - Dass. 5., umgearbeitete Auflage. Berlin 1924. - Ders.: Grundlinien einer neuen Lebensanschauung. Leipzig 1907. - Dass. 2., völlig umgearbeitete Auflage. Ebd. 1913. - Ders.: Der Sinn und der Wert des Lebens. Leipzig 1908. - Dass. 9., völlig umgearbeitete Auflage. Ebd. 1922. - Die geistigen Forderungen der Gegenwart. (RDS. 1.) Berlin 1928. - Vgl. außerdem: J. Mausbach: Euckens Welt- und Lebensanschauung. In: Hochland 6 (1908/09) 641-658. - K. Kesseler: Rudolf Euckens Werk. Eine neue idealistische Lösung des Lebensproblems. Zur Einführung in sein Denken und Schaffen. Breslau, Leipzig 1911. - F. Sawicki: Rudolf Eucken und das Problem des Lebens. In: Pharus 4 (1913) 97-112.
[170] Eucken: Lebensanschauung der großen Denker. ⁵1904. S. 4. - Vgl. ders.: Die Einheit des Geisteslebens in Bewußtsein und Tat der Menschheit. Untersuchungen. Leipzig 1888.
[171] Eucken: Lebensanschauungen der großen Denker. ⁵1904. S. 5.
[172] Ebd. S. 5.
[173] R. Eucken: Der Wahrheitsgehalt der Religion. Leipzig 1901. - Dass. 4., umgearbeitete Auflage. Berlin 1920. - Dass. Neudruck. Ebd. 1927. - Ders.: Die Hauptprobleme der Religionsphilosophie der Gegenwart. Berlin 1907. - Dass. 4.-5., verbesserte und erweiterte Auflage 1912. - Ders.: Können wir noch Christen sein? Leipzig 1911. - Vgl. dazu H. Pöhlmann: Rudolf Euckens Theologie mit ihren philosophischen Grundlagen dargestellt. Berlin 1903. - O. Trübe: Rudolf Euckens Stellung zum religiösen Problem, ein Beitrag zur Charakteristik und Würdigung seiner religionsphilosophischen Grundanschauungen. (Phil. Diss. Erlangen 1904.) Erlangen 1904. - J. Margreth: La philosophie religieuse de R. Eucken. In: BLE 7 (1906) 105-119. - E. Spranger: Euckens Religionsphilosophie. In: ZThK 18 (1907) 292-298. - K. Kesseler: Die Vertiefung der Kantischen Religionsphilosophie durch Rudolf Eucken. Bunzlau 1908. - L. von Gerdtell: Rudolf Euckens Christentum. Für Gebildete aller Stände kritisch dargestellt. Eilenburg 1909. - K. Bornhausen: Der religiöse Wahrheitsbegriff in der Philosophie Rudolf Euckens. Göttingen 1910. - G. Wunderle: Die Voraussetzungen von Rudolf Euckens Religionsphilosophie. In: PhJ 22 (1910) 55-66. - Ders.: Die Religionsphilosophie Rudolf Euckens. Nach ihren Grundlagen und in ihrem Aufbau dargestellt und gewürdigt. (Kath.-theol. Diss. Straßburg 1911.) Paderborn 1912.

Schwarz als antithetischen Panentheismus[174], E. Seydl spricht von einem pantheisierenden Idealismus nach Art des älteren Fichte[175], G. Wunderle von einem immanenten aktivistischen Idealismus oder aktivistischen Pantheismus[176]. R. Eucken war der Ansicht, daß nur die Religion das untilgbare Verlangen nach Ewigkeit stillen und dem Menschen einen wahrhaft ewigen Wert verheißen könne[177]. Wahre Unsterblichkeit besteht nach seiner Auffassung in der Überzeugung von der Unzerstörbarkeit der Gott und Mensch verbindenden Lebenseinheit, aus der der Mensch das Vertrauen schöpft auf irgendwelche Erhaltung seines »geistigen Kerns«, wenngleich nicht seiner natürlichen Individualität[178].

Der Einfluß der »Lebensphilosophie« auf das Denken war zu Beginn des neuen Jahrhunderts keineswegs auf den deutschen Sprachraum beschränkt. In Frankreich gelang es Henri Bergson (1859-1941) weite Kreise in den Bann seiner Gedankenwelt zu ziehen. Diese gründete letztlich in einer romantischen Auffassung von der schöpferischen Kraft des Werdensprozesses[179]. Die zentrale Aussagen Bergsons und seiner Schüler wurden von E. Behler in vier Punkten zusammengefaßt:

»1. Das Ich ist wesentlich lebendiges Bewußtsein, konkrete Dauer, schöpferische Freiheit[180].

2. Dieses geistige Leben der Person steht in ständiger Kommunikation mit den Wesensgehalten des Universums, erfüllt von der Vergangenheit und dauernd in die Zukunft[181].

3. Das Leben überhaupt ist ständiges Werden, schöpferisches Hervorbringen neuer Arten und Formen, um im Menschen die Materie zu überwinden[182].

---

[174] H. Schwarz: Rudolf Eucken. In: RGG² 2 (1928) 399. - Der Pantheismus geht philosophiegeschichtlich zurück auf das Bemühen von Karl Christian Friedrich Krause (1781 bis 1932), eine Synthese von Pantheismus und Theismus zu schaffen. - Ähnliche Anschauungen bei G.Th. Fechner und F. Paulsen. Zu diesen siehe oben S. 14, Anm. 36. - Die Werke von K.C.F. Krause siehe LV. - Außerdem vgl. Br. Martin: Karl Christian Friedrich Krause's Leben, Lehre und Bedeutung. Leipzig 1881. - Dass. Neue (Titel-) Ausgabe. München 1885. - H. von Leonhardi: Karl Christian Friedrich Krause's Leben und Lehre. Aus dem handschriftlichen Nachlaß hrsg. von P. Hohlfeld und A. Wünsche. Leipzig 1902. - A. Stöckl: Geschichte der neueren Philosophie. Mainz 1883. Bd. 2. S. 215. - H. Gruber: Pantheismus. In: KL² 9 (1895) 1335. - Straubinger. S. 113-114.

[175] E. Seydl: Rudolf Eucken. In: LThK¹ 3 (1931) 835. - Vgl. Noack: Die Philosophie Westeuropas. S. 182.

[176] Wunderle: Die Religionsphilosophie Rudolf Euckens. S. 12, 65.

[177] Ebd. S. 81. Dort der Hinweis auf Eucken. Grundlinien einer neuen Lebensanschauung (1907). S. 309. - Vgl. ders.: Der Wahrheitsgehalt der Religion (²1905). S. 146, 197. - Ders.: Der Sinn und Wert des Lebens (²1910). S. 137.

[178] Ders.: Der Wahrheitsgehalt der Religion (²1910). S. 316.

[179] E. Behler: Bergsonianismus. In: LThK² 2 (1958) 227.

[180] Vgl. H. Bergson: Essai sur les données immédiates de la conscience. Paris 1889, ²³1924. - Dass. deutsch: Zeit und Freiheit. Jena 1911, 1920. - Dass. Lizenzausgabe. Meisenheim 1949.

[181] Vgl. H. Bergson: Matière et Mémoire, essai sur les relations du corps à l'esprit. Paris 1896. - Dass. deutsch: Materie und Gedächtnis. Mit einer Einleitung von W. Windelband. Jena 1908. - Ders.: Materie und Gedächtnis und andere Schriften. Frankfurt 1964.

[182] Vgl. H. Bergson: L'Evolution creatrice. Paris 1907. - Dass. deutsch: Schöpferische Entwicklung (übersetzt von G. Kantorowicz). Jena 1912.

4. Das letzte Ziel dieser Lebensentwicklung ist für Gott, den Schöpfer dieses Werdens, die Erweckung geistiger Wesen, die ihn zu lieben vermögen und seiner Liebe würdig sind«[183].

Ähnlich wie die Vertreter einer induktiven Metaphysik berücksichtigte auch H. Bergson die konkreten Ergebnisse der wissenschaftlichen Forschung in Physik, Psychologie, Biologie und Soziologie. Wenn er selbst als ein »Neubegründer der Metaphysik«[184] allgemein Beachtung fand, so ist jedoch zu vermerken, daß er seine Anschauungen weniger auf »Induktion« als vielmehr auf »Intuition« gründete[185]. Wie weit dieser Philosophie Bedeutung für den Religionsbegriff zukommt, wurde bereits früh in Deutschland untersucht[186]. K. Bornhausen kam dabei zu dem Urteil, daß die Analogie des Naturlebens zum Geistesleben beide Wissenschaften in ihrem Fortschritt fördern und die Ausbildung eines klaren Wissenschaftssystems ermöglichen könne. Damit aber sei keineswegs gesagt, daß Geistesleben und Naturleben wurzelhaft dasselbe sind, daß das Bewußtsein auf den Naturablauf zurückgeführt werden muß. Bei aller positiven Würdigung sah er den Fehler Bergsons darin, daß er aus der Analogie ein Abhängigkeitsverhältnis hergestellt habe. »Es schwebt ihm die Fata Morgana einer metaphysischen Lebenseinheit vor, die wissenschaftlichen Charakter trägt, und so läßt er das vitalistische Prinzip der Biologie den Körper und den Geist erzeugen und dehnt die schöpferische Entwicklung der Natur über das ganze Gebiet der Geisteswissenschaft aus [187]. K. Bornhausen bezweifelte daher,

---

[183] Vgl. H. Bergson: Les Deux Sources de la Morale et de la Religion. Paris 1932. - Dass. deutsch: Die beiden Quellen der Moral und der Religion. Jena 1933. - Behler. Sp. 228.

[184] Bornhausen. In: ZThK 20 (1910) 41. - Vorländer. GPh. Bd. 2. S. 496. - W. Lüttge. In: RGG² 1 (1927) 913. - E. Behler. In: LThK² 2 (1958) 227. - Vgl. Wust: Die Auferstehung der Metaphysik. S. 176-194. - P. Janet: Principes de métaphysique et de psychologie. Paris 1897. - H. Bergson: Introduction à la Métaphysique. Paris 1889. - Dass. deutsch: Einführung in die Metaphysik. Jena 1909. - A. Gurewitsch: Bergson, die französische Metaphysik der Gegenwart. In: ASPh 9 (1903) 463-490.

[185] Vgl. J. Lachelier: Le fondement de l'induction. Paris 1871. - E.H. Schmidt: Kritik der Philosophie vom Standpunkt der intuitiven Erkenntnis. Leipzig 1908. - A. Steenbergen: Bergsons intuitive Philosophie. Jena 1909. - H. von Keyserling: Das Wesen der Intuition. In: Logos 3 (1912) 59-79. - W. Meckauer: Der Intuitionismus und seine Elemente bei Henri Bergson. Eine kritische Untersuchung. (Phil. Diss. Breslau 1916. - Ref. M. Baumgartner.) Teildruck Breslau 1916. - Dass. vollständig. Leipzig 1917. - R. Ingarden: Intuition und Intellekt bei Bergson. Darstellung und Versuch einer Kritik. In: JPhPhF 5 (1921) 285-461. - W. Bruhn: Wesen, Wurzeln und Wert der intuitiv-metaphysischen Zeitströmung. In: ZThK 31 (1923) 169-195. - M. Adam: Die intellektuelle Anschauung bei Schelling in ihrem Verhältnis zur Methode der Intuition bei Bergson. (Phil. Diss. Hamburg 1926.) Patschkau 1926. - J. König: Der Begriff der Intuition. (PhGW. 2.) Halle 1926. - J.R. Richter: „Intuition" und „Intellektuelle Anschauung" bei Schelling und Bergson. (Phil. Diss. Leipzig 1929.) Ohlau 1929. - G. Söhngen: Intuition. In: LThK¹ 5 (1933) 441-442. - R. Jolivet: L'intuition intellectuelle et le problème de la métaphysique. Paris 1934. - G. Pflug: Henri Bergson. Quelle und Konsequenzen einer induktiven Metaphysik. Berlin 1959. - H. Wackerzapp: Intuition. In: LThK² 5 (1960) 739-740. - J. Trütsch: Intuitionismus. In: LThK² 5 (1960) 740-741. - Th. Kobusch: Intuition. In: HWPh 4 (1976) 524-540.

[186] K. Bornhausen: Die Philosophie Henri Bergsons und ihre Bedeutung für den Religionsbegriff. In: ZThK 20 (1910) 39-77. - Vgl. E. Ott: Henri Bergson, der Philosoph moderner Religion. (ANGW. 480.) Leipzig, Berlin 1914. - L. Adolph: La philosophie religieuse de Bergson. Paris 1946.

[187] Bornhausen: Die Philosophie Henri Bergsons und ihre Bedeutung für den Religionsbegriff. S. 74-75.

daß der Versuch Bergsons auf dem Gebiet der Geisteswissenschaften zu befriedigenden Ergebnissen führen könne. Er war der Meinung, daß diese neue, biologisch orientierte Metaphysik nur in Einzelheiten Anregungen und Förderungen bringen könne. Er warnte insbesondere die protestantische Theologie davor, für den geringen Vorteil des Anschlusses an das Wissenschaftssystem die wertvollsten Grundgedanken ihrer Glaubenslehre aufzugeben: »die individuelle Naturüberlegenheit, Freiheit und Subjektivität des persönlichen Glaubens«[188].

Dieser umsichtigen Kritik, zu der K. Bornhausen schon früh in seiner Untersuchung kam, entspricht ein späteres Urteil auf aristotelisch-scholastischer Grundlage, nach dem es sich bei der Lebensphilosophie Bergsons um einen »spiritualistischen Monismus« handelt[189]. K. Bornhausen, der von einem theologischen Neukantianismus ausging, sagte an anderer Stelle, worauf es ihm selber ankam: »die persönliche Glaubenswirklichkeit, die W. Herrmann[190] der Gestalt Jesu zu geben wußte, in eine Metaphysik der allgemeinen Religions- und christlichen Glaubensgeschichte hinüberzunehmen und dadurch Christentum und Europa in den neuen Grund eines christlichen Erlöser-, Offenbarungs- und Schöpfungsglauben zu stellen«[191]. Erstaunlicherweise bestimmte dieses Anliegen weitgehend auch das Lebenswerk R. Guardinis. Wenn er methodisch jedoch von einer Philosophie des Lebendig - Konkreten ausging, so sehen wir, daß sich darin der Ansatz Bergsons und seiner Lebensphilosophie als fruchtbar erwies.

Genauere Untersuchungen ergaben, daß die Vorstellungen Bergsons stark von jener Philosophie des Lebens beeinflußt waren, wie sie in Deutschland zu Beginn des 19. Jahrhunderts vor allen durch Schelling und F. Schlegel entworfen wurde[192]. Andererseits wirkte H. Bergson wiederum anregend auf verschiedene deut-

---

[188] Ebd. S. 77.

[189] Brugger. In: LThK[2] 7 (1962) 554. - Zur Philosophie Bergsons vgl. R. Kroner: Henri Bergson. In: Logos 1 (1910/11) 125-150. - Cl. Baeumker: Über die Philosophie von Henri Bergson. In: PhJ 25 (1912) 1-23. - J. Maritain: La philosophie bergsonnienne; études critiques. Paris 1914. - Dass. 2., durchgesehene und vermehrte Auflage. Ebd. 1930, [3]1948, [4]1948. - Ders.: De Bergson à Thomas d'Aquin. Essais de métaphysique et de morale. New York 1944. - Dass. Paris 1947. - Dass. deutsch von E.M. Morris: Von Bergson zu Thomas von Aquin. Acht Abhandlungen über Metaphysik und Moral. Cambridge/Mass. 1945. - G. Simmel: Zur Philosophie der Kunst. Potzdam 1922. S. 126-145: Henri Bergson. - R. Le Senne: La philosophie bergsonienne en France. In: RevP 39/II (1932) 823-844.

[190] Wilhelm Herrmann (1846-1922), seit 1879 Prof. für Systematische Theologie in Marburg, hielt einen Kantischen, an der reinen Naturwissenschaft orientierten Wissenschaftsbegriff für einzig möglich. Vgl. W. de Boor. In: RGG[2] 2 (1928) 1836-1837. - Näheres siehe unten S. 99-100.

[191] Bornhausen. In: RGG[2] 4 (1930) 508. - Vgl.: Ders. Ebd. Sp. 504-508: Neukantianismus. - Vgl. außerdem: Ders.: Die Bedeutung von Wilhelm Herrmanns Theologie für die Gegenwart. In: ZThK 30 (1922) 161-179.

[192] Hinweise bei E. Behler: Bergsonianismus. In: LThK[2] 2 (1958) 227. - Noack: Die Philosophie Westeuropas. S. 102. - Vgl. C. Dyrssen: Bergson und die deutsche Romantik. Marburg 1922. - Friedrich Wilhelm von Schelling (1775-1854) übte großen Einfluß aus durch seine Schrift: System des transzendentalen Idealismus. Tübingen 1800. Von hieraus wurde der Begriff „Leben" zur universalsten Idee der Romantik. - Vgl. W. Bietak: Die Lebenslehre und Weltanschauung der jüngeren Romantik. Leipzig 1936. S. 9. -
Friedrich von Schlegel (1772-1829) setzte sich philosophisch am intensivsten mit der Idee des Lebens auseinander. Vgl. Bietak. S. 11-12. - Fr. Schlegel: Philosophie des Lebens (1827). Kritische Neuausgabe. 1. Abt. Bd. X. Hrsg. und eingeleitet von E. Behler. Paderborn 1969.

42

sche Vertreter von Philosophie und Theologie ein, namentlich auf M. Scheler[193], O. Spengler[194], L. Klages[195], Th. Lessing[196], E. Dacqúe[197] und H. von Keyserling[198]. Wenden wir uns wieder diesem deutschen Bereich des Denkens zu, so müssen wir festhalten, daß die Lebensphilosophie, wie sie von W. Dilthey, G. Simmel, R.

---

[193] Zu Max Scheler (1874-1928) siehe unten S. 52-60.

[194] Oswald Spengler (1880-1936) war ein Verächter der Fortschrittsidee. Vergänglichkeit war für ihn das Schicksal alles Wirklichen, Feigheit der Mangel an Mut, die Vergänglichkeit alles Lebendigen zu ertragen. Vgl. Meyer: Die Weltanschauung der Gegenwart. S. 344. - Spengler verstand die Kulturen als Ausprägungen verschiedener „Lebensstile", die so radikal voneinander getrennt sind, daß sie sich weder durchdringen noch verstehen können. Diese Theorie unterscheidet sich fundamental von der Idee eines Gegensatzes des Lebendig-Konkreten, wie sie R. Guardini vertrat. E. Przywara verweist darauf, daß der von Spengler verkündete Relativismus der reinen Bewegtheit sich selbst widerlegt durch ein ausgebautes System von Polaritäten, das die reine Bewegtheit überzeitlich durchstrukturiert. Vgl. Przyware: Humanitas. S. 574. - Spengler berief sich mit seiner Auffassung auf die Morphologie Goethes; im Unterschied zu dieser war aber Spenglers Entwurf entscheidend vom Biologismus geprägt. - Vgl.: O. Spengler: Der Untergang des Abendlandes. Umrisse einer Morphologie der Weltgeschichte. 2 Bde. München 1918-1922. - Dass. Neuausgabe: (dtv 838-839) München 1972. - Ders.: Der Mensch und die Technik. Beitrag zu einer Philosophie des Lebens. München 1931. - M. Schröter: Der Streit um Spengler. München 1922. - Noack: Die Philosophie Westeuropas. S. 79-84. - A. Brunner: Oswald Spenglers Spätwerk. In: StZ 181. Bd. 93 (1968) 349-351.

[195] Ludwig Klages (1872-1956) sah die Wirklichkeit des Lebens nach Leib und Seele polarisiert, wobei der Geist auf eine Abspaltung der Seele hintendiere. Mit der Auffassung von Geist als Widersacher der Seele nahm er Stellung sowohl gegen den als Bewußtsein verstandenen Geist des Descartes als auch gegen den in Selbstentwicklung befindlichen absoluten Geist Hegels. E. Przywara bezeichnete die Grundtendenz, die im Gesamtwerk Klages zum Ausdruck kommt, als „transzendentalen Vitalismus". Er sah es in extremer Gegenposition zu dem „transzendentalen Realismus", den Heinrich Maier (1867-1933) vertrat. - Vgl. Przywara. Humanitas. S. 560; 763-765. - Noack: Die Philosophie Westeuropas. S. 84-90. - Die Schriften von L. Klages: Siehe LV. - Außerdem vgl.: H. Maier: Die Psychologie des emotionalen Denkens. Tübingen 1908. - Ders.: Philosophie der Wirklichkeit. 3 Teile: 1. Wahrheit und Wirklichkeit. 2. Der Aufbau der physischen Welt. 3. Die psychisch-geistige Wirklichkeit. Tübingen 1926-1934-1935. - J. Lewin: Geist und Seele. Ludwig Klages Philosophie. Berlin 1931. - H. Prinzhorn (Hrsg.): Die Wissenschaft am Scheideweg von Leben und Geist. Festschrift Ludwig Klages zum 60. Geburtstag. Leipzig 1932. - K. Wandrey: Ludwig Klages und seine Lebensphilosophie. In: PrJ 230 (1932) 205-219. - Dass. separat. Leipzig 1933. - H. Benediek: Der Gegensatz von Wille und Geist bei Ludwig Klages. Grundlinien seiner philosophischen Systematik. (FF. 2.) Werl 1935. - C.H. Ratschow: Die Einheit der Person. Eine theologische Studie zur Philosophie Klages. Halle 1938. - W. Witte: Die Metaphysik von Ludwig Klages. Würzburg 1939. - H. Hönel (Hrsg.): Ludwig Klages, Erforscher und Künder des Lebens. Festschrift zum 75. Geburtstag des Philosophen am 10.12.1947. Linz 1947. - E. Bartels: Ludwig Klages. Seine Lebenslehre und der Vitalismus. (MNPh. 1.) Meisenheim 1953.

[196] Theodor Lessing (1872-1933) vertrat eine extrem geistfeindliche Lebensphilosophie, in der E. Przywara eine Zuspitzung des Gegensatzpaares von Leben und Inhalt sah. Vgl. Przywara: Humanitas. S. 46. Dort auch Hinweis auf die Ähnlichkeit mit der Gegensatzlehre von R. Guardini. - Schriften von Th. Lessing: Siehe LV. - Vgl. dazu: A. Messer: Der Fall Lessing. Eine objektive Darstellung und kritische Würdigung. Bielefeld 1926.

[197] Edgar Dacqué (1874-1945) entwickelte ein mythisch-religiöses Weltbild, wobei er als Paläontologe eine idealistische Morphologie vertrat (Biotypologie). In seiner Naturphilosophie verstand er das Leben des Menschen als Symbol Gottes; die physisch gegebene Natur als Sündenfall. E. Przywara verweist auf die Mythologie Schellings und die Tradition des gnostischen Dualismus. Vgl. Przywara: Humanitas. S. 514-515, 517. - F.W.J. von Schelling: Philosophie der Mythologie (1842). 2 Bde. Stuttgart, Augsburg 1857. - Dass. Reprographischer Nachdruck. Darmstadt 1976. - Vgl. auch A. Haas: Edgar Dacqé. In: LThK² 3 (1959) 121-122. Schriften von E. Dacqué: Siehe LV.

Eucken und den übrigen vertreten wurde, sich als Gegensatz und Korrektur zu einer Philosophie des reinen Denkens verstand, wie sie vornehmlich von den Vertretern des Neukantianismus verfochten wurde. Wenn wir die gesamte Bewegung des damaligen Philosophierens überblicken, stellen wir fest, daß auf beiden Seiten je ein Idealismus herrschte, der sich zwar in seinen Anliegen und Methoden - also im formalen Vollzug des reinen Denkens oder in einem mehr einfühlenden Erfassen von Lebensbewegungen - unterschied, der jedoch hinsichtlich seiner monistischen Tendenz als eine verstanden werden kann. War nun innerhalb der späten Nachblüte idealistischer Systeme die Lebensphilosophie bereits eine mächtige Gegenströmung zu den Grundthesen des Spiritualismus, so wurde in den Jahren vor dem Ersten Weltkrieg, da R. Guardini in Tübingen und Freiburg studierte, das subjektivistische Denken außerdem in seine Schranken gewiesen durch eine andere Richtung, die unter dem Namen »Phänomenologie« bekannt wurde. Unter dieser Bezeichnung werden verschiedene Denker zusammengefaßt, die ihr Interesse vornehmlich den »Phänomenen« zuwandten, und zwar derart, daß sie bei der Wesensbestimmung aller lebendigen Erscheinungen zwar von dem unmittelbar Gegebenen ausgingen, dabei jedoch den subjektiven Faktor der Erkenntnis im Unterschied zum Psychologismus des 19. Jahrhunderts ausschalten wollten. Insofern wird diese Richtung auch als eine »Philosophie des Wesens« bezeichnet[199].

Als der eigentliche Begründer und der bedeutendste Vertreter dieser »phänomenologischen Methode« gilt Edmund Husserl (1859-1938). Dieser war zuerst Mathematiker. Durch F. Brentano kam er zur Philosophie[200]. Da er bei der Ausarbeitung seiner Methode zudem von B. Bolzano angeregt wurde[201], sei auch ein kurzer Seitenblick auf dessen Lebenswerk geworfen.

[198] Hermann Graf von Keyserling (1880-1946) erwartete im Unterschied zu L. Klages eine Reform und Neugestaltung der abendländischen Kultur nur vom Geist her. Unter dem Einfluß von W. Dilthey und H. Bergson erstrebte er eine „Sinnphilosophie", die mit genialischer Intuition in die Ursprünge von Geist und Leben dringen und sie in „Weisheit" vollenden soll. Dabei nahm er für den „Weisen" göttliche Eigenschaften in Anspruch. Nach Noack: Die Philosophie Westeuropas. S. 91-94. - Vgl. ders.: Sinn und Geist. Eine Studie zu Keyserlings Anthropologie. In: ZPhF 7 (1953) 592-597. - H. Adolph: Die Philosophie des Grafen Keyserling. Stuttgart 1927. - R. Wilhelm: Keyserling und seine Schule der Weisheit. In: RGG² 3 (1929) 741-742. - R. Röhr: Graf Keyserlings magische Geschichtsphilosophie. (StBGTh. 26.) Leipzig 1939. - Przywara: Humanitas. S. 421-422.
[199] Bocheński. S. 140-163. - Ders.: Die zeitgenössischen Denkmethoden. München 1954. S. 22-35. - A. Reinach: Was ist Phänomenologie? Halle 1921. - Dass. Neudruck. München 1951. - W. Reyer: Einführung in die Phänomenologie. (WuF. 18.) Leipzig 1926. - P.F. Linke: Grundfragen der Wahrnehmungslehre. 2., durchgesehene und um ein Nachwort über Gegenstandsphänomenologie und Gestalttheorie vermehrte Auflage. München 1929. - Ders.: Gegenstandsphänomenologie. In: PhH 2 (1930) 65-90. - Ders.: Phänomenologie. In: RGG² 4 (1930) 1167-1171. - G. Söhngen: Phänomenologie. In: LThK¹ 8 (1936) 210-212. - J. Frese: Phänomenologie. In: LThK² 8 (1963) 432-435. - L. Landgrebe: Der Weg der Phänomenologie. Das Problem einer ursprünglichen Erfahrung. Gütersloh 1963.
[200] E. Husserl: Erinnerungen an Franz Brentano. In: O. Kraus: Franz Brentano. Mit Beiträgen von Carl Stumpf und Edmund Husserl. München 1919. S. 153. - Vgl. M. Brück: Über das Verhältnis Edmund Husserls zu Franz Brentano vornehmlich mit Rücksicht auf Brentanos Psychologie. (Phil. Diss. Bonn 1932. - Ref.: A. Dyroff.) Würzburg 1933.
[201] Vgl. Hirschberger: GPh. Bd. 2. S. 542. - A. Halder: Edmund Husserl. In: LThK² 5 (1960) 545. - Vgl. E. Husserls Hinweis auf B. Bolzano, in: Logische Untersuchungen. Bd. 1: Prolegomena zur reinen Logik. Halle ⁴1928. S. 225-227.

Bernhard Bolzano (1781-1848)[202] legte in seiner 1837 veröffentlichten Wissenschaftslehre[203] dar, daß ein Satz - ebenso wie die Vorstellung, die seine Bestandteile bilden, als auch das Urteil, das in ihm begründet liegt - objektiv »an sich« gegeben sei, ohne daß ein zeitliches Subjekt für sein Zustandekommen notwendig wäre; es werde in seinem Inhalt stets vorgefunden. Mit dieser Identifizierung von Wahrheit und Objektivität war es ihm so ernst, daß er nicht einmal Gott als subjektives Denken den Sätzen vorgeordnet sehen konnte[204]. Indem er somit im Denken zwischen dem psychologischen Vorgang und dem logischen Inhalt unterschied, führte er mit voller Konsequenz die Trennung des Logischen vom Psychischen durch[205].

In ähnlicher Weise vollzog Franz Brentano (1838-1917)[206], ein Schüler F. A. Trendelenburgs[207], eine Neuorientierung der Psychologie[208]. Er unterschied zwi-

[202] Vgl. B. Bolzano: Selbstbiographie (1836). Wien ²1875. - H. Fels: Bernhard Bolzano. Leipzig 1929. - E. Winter: Bolzano und sein Kreis. Leipzig 1933. Ders.: Leben und geistige Entwicklung des Sozialethikers und Mathematikers Bernhard Bolzano 1781-1848. (HM. 14.) Halle 1949. - Ders.: Bernhard Bolzano. In: NDB 2 (1959) 438-440. - Ziegenfuß. Bd. 1. S. 130-133.

[203] B. Bolzano: Wissenschaftslehre. Versuch einer ausführlichen und größtenteils neuen Darstellung der Logik mit steter Rücksicht auf deren bisherige Bearbeiter. Hrsg. von mehreren seiner Freunde. 4 Bde. Sulzbach 1837. - Dass. 3. Auflage Leipzig 1929-1931. - Vgl. H. Scholz: Die Wissenschaftslehre Bolzanos. (AFS. 6.) Berlin 1937. - Zur Wissenschaftslehre Bolzanos vgl. Husserl: Logische Untersuchungen. Bd. 1. S. 225: Ein Werk, das in Sachen der logischen „Elementarlehre" alles weit zurückläßt, was die Weltliteratur an systematischen Entwürfen der Logik darbietet. - Weitere Werke Bolzanos: Siehe LV. - Vgl. auch J. Gotthard: Das Wahrheitsproblem in dem philosophischen Lebenswerk Bernhard Bolzanos. (Phil. Diss. Münster 1918. - Ref.: J. Geyser.) (Teildruck) Trier 1918.

[204] Nach Hirschberger: GPh. Bd. 2. S. 408-410.

[205] Ueberweg. Bd. 4. S. 175. - Vgl. H. Bergmann: Das philosophische Werk B. Bolzanos mit Benutzung ungedruckter Quellen kritisch untersucht. Halle 1909.

[206] Zum Leben und Werk von Franz Brentano vgl. u.a.: H. Bergmann: Untersuchungen zum Problem der Evidenz der inneren Wahrnehmung. Halle 1908. - O. Kraus: Franz Brentano. Zur Kenntnis seines Lebens und seiner Lehre. Mit Beiträgen von Carl Stumpf und Edmund Husserl. München 1919, ²1921. - Ders.: Brentanos Stellung zur Phänomenologie und Gegenstandstheorie. Leipzig 1924. - V. Hauber: Wahrheit und Evidenz bei Franz Brentano. (Phil. Diss. Tübingen 1936.) Stuttgart 1936. - E. Seiterich: Leben, Bedeutung und religiöse Entwicklung Franz Brentanos. In: Die Gottesbeweise bei Franz Brentano. (FThSt. 42.) Freiburg 1936. S. 1-30. - A. Kastil: Die Philosophie Franz Brentanos. Bern 1951. - Ueberweg. Bd. 4 (¹²). S. 497-500. - Hirschberger: GPh. Bd. 2. S. 411-412. - Vgl. außerdem folgende Artikel zu Franz Brentano: Eisler: PhL. S. 77-78. - H. Fels: In: LThK¹ 2 (1931) 541-542. - Ziegenfuß. Bd. 1. S. 145-148. - P.F. Linke: In: NDB 2 (1955) 593-595. - H. Delius: In: RGG³ 2 (1957) 1399-1400. - A. Scholz: In: LThK² 2 (1958) 670.

[207] Friedrich Adolf Trendelenburg (1802-1872) war seit 1833 Prof. für Philosophie in Berlin. Mit seinen aristotelischen Studien wirkte er anregend u.a. auf R. Eucken und F. Brentano, aber auch auf W. Dilthey. Das Problem, wie Denken und Sein in der Erkenntnis verbunden sind, war für ihn die philosophische Grundfrage. In seiner Antwort kam er zu einer „organischen Weltanschauung", in der er alles Einzelne aus der Idee des Ganzen erklären und in Hinblick auf seine teleologische Erfüllung zu verstehen suchte. Vgl. Ziegenfuß. Bd. 2. S. 737-738. - Ueberweg. S. 283-285. - Eisler: PhL. S. 764-767. - A. Richter. In: ADB 38 (1894) 569-572. - R. Eucken: Zur Charakteristik der Philosophie Trendelenburg's. In: PhM 20 (1884) 342-366. - B. Liebermann: Der Zweckbegriff bei Trendelenburg. (Phil. Diss. Jena 1889.) Meiningen 1889. - E.E. Hoffmann: Die Psychologie Friedrich Adolf Trendelenburgs. (Phil. Diss. Greifswald 1892.) Greifswald 1892. - P. Petersen: Die Philosophie Adolf Trendelenburgs. Ein Beitrag zur Geschichte des Aristoteles im 19. Jahrhundert. Heidelberg 1913. - J. Wach: Die Typenlehre Trendelenburgs und ihr Einfluß auf Dilthey. Eine philosophie- und geistesgeschichtliche Studie. (PhG. 11.) Tübingen 1926.

schen einer »genetischen« Psychologie, die die Gesetzlichkeit im Ablauf psychischer Phänomene zu ermitteln hat, und einer »deskriptiven« Psychologie, die die Phänomene selber zuvor in ihrer inneren Wahrnehmung, d.h. so wie sie sich unmittelbar darbieten, analytisch beschreiben, vergleichen und klassifizieren muß. Diese Evidenz der Phänomene in der inneren Wahrnehmung sah er darin, daß jeder psychische Akt von einem darauf bezüglichen Bewußtsein begleitet wird. Er sprach von einem »intentionalen Bewußtsein«, das jedoch nicht als Beziehung zwischen zwei getrennten Bewußtseinsgliedern zu verstehen sei[209]. Wie E. Seiterich aufzeigt, gab es für F. Brentano im Bewußtsein nicht vier Dinge - das Ich, der Akt, der Inhalt und der Gegenstand - sondern nur zwei, nämlich »das Ich als Substanz und als Akzidenz daran das Denken, das sich auf ʻetwasʻ bezieht. Dieses Etwas ist zwar begrifflich vom Denken zu unterscheiden, aber hat darum keine Existenz, sondern fällt mit dem psychisch Tätigen zusammen«[210].

Wir sehen hier, daß auch der Theorie Brentanos ein monistischer Zug innewohnt. So verweist E. Pszywara darauf, in welchem Maße F. Brentano seine Kategorienlehre zur irdischen Geschlossenheit des Objekts ausbaute. Er sah, wie darin die viel beschworene »Wende zum Objekt« zu einem neuen Sich- in-sich-Verschließen des Geistes wurde[211]. Wie aber kann diese Geschlossenheit geöffnet werden? Auf religiösem Gebiet übersprang die dialektische Theologie das Problem. Przywara selber machte den Versuch auf dem Wege der Analogia entis, wobei er die von andern als Aporien empfundenen Gegensätze als eine Spannungseinheit zu sehen lehrte[212]. R. Guardini gewann in seiner Gegensatzlehre grundsätzlich den gleichen Ansatz. Aber konnte er ihn bis ins letzte klären? Dieser Frage werden wir im Laufe unserer Untersuchung nachgehen. Dazu ist jedoch erforderlich, daß wir die philosophiegeschichtliche Entwicklung noch etwas weiter verfolgen.

Als E. Husserl mit Hilfe der von F. Brentano verlangten deskriptiv - psychologischen Methode die Entstehung der arithmetischen Grundbegriffe untersuchte[213], handelte es sich - wie H. Noack darlegt - um den Versuch, aus den originären Quel-

---

[208] F. Brentano: Psychologie vom empirischen Standpunkt. Leipzig 1874. - Dass. Neuausgabe. (PhB. 192.) Hamburg ³1955. - Weitere Schriften von F. Brentano: Siehe LV. - Vgl. außerdem A. Werner: Die psychologisch-erkenntnistheoretischen Grundlagen der Metaphysik Franz Brentanos. (Phil. Diss. Münster 1930.) Hildesheim 1930.

[209] Nach Noack: Die Philosophie Westeuropas. S. 200-204.

[210] Seiterich. S. 44. - Vgl. V. Berning: Das Denken Herman Schells. Die philosophische Systematik seiner Theologie genetisch entfaltet. (BNGKTh. 8.) Essen 1964. S. 40.

[211] Przywara: Humanitas. S. 437-465: Aporie und System; besonders S. 462. - Vgl. ebd. S. 214-220: Franz Brentano und der intellektuelle Platonismus.

[212] Vgl. u.a. E. Przywara: Religionsphilosophie katholischer Theologie. München 1926. - Ders.: Das Ringen der Gegenwart. Bd. 2. S. 976 (Sachregister). - Ders.: Kant heute. München 1930. - Ders.: Analogia entis. Metaphysik. Bd. 1: Prinzip. München 1932. - Dass. in: Gesammelte Schriften. Bd. 3. Einsiedeln 1962. - Ders.: Die Reichweite der Analogie als katholische Grundform. In: Scholastik 15 (1940) 339-362, 508-532. - Ders.: In und Gegen. Stellungnahmen zur Zeit. Nürnberg 1955. S. 277-281: Um die analogia entis. - Ders.: Analogia entis (Analogia) II-IV. In: LThK² 1 (1957) 470-473. - B. Gertz: Glaubenswelt als Analogie. Die theologische Analogie-Lehre Erich Przywaras und ihr Ort in der Auseinandersetzung um die analogia fidei. (ThThTh.) Düsseldorf 1969.

[213] E. Husserl: Philosophie der Arithmetik. Leipzig 1891.

46

len der inneren »Anschauung« zu einer unmittelbaren, intuitiven Gewißheit zu gelangen[214]. Unter dem kritischen Einfluß von G. Frege[215] wandte er sich jedoch alsbald noch stärker gegen alle psychologischen Vorurteile. In seinen »Logischen Untersuchungen«[216] war es ihm darum zu tun, den Psychologismus[217] als unhaltbar abzuweisen. Dabei bemühte er sich zu zeigen, daß Evidenz nicht aus den Begriffen einleuchten könne, daß vielmehr die »anschauliche Gegebenheit des Wesens selbst« Grundlage für ein apodiktisches evidentes Urteil sein müsse; »Wesensschau« sollte Fundament der Philosophie sein[218].

In der Folgezeit ging es E. Husserl weiterhin um die Sicherung objektiver Erkenntnis. Er versuchte, die »Philosophie als strenge Wissenschaft« zu begründen[219]. Methodisch erstrebte er dies auf dem Wege von »Reduktionen«[220]. Zunächst hielt er es für erforderlich, daß bei einer logischen Untersuchung von dem gegenständlichen Inhalt des besonderen Sachverhaltes abgesehen werde, um zu

[214] Noack: Die Philosophie Westeuropas. S. 208. - Vgl. W. Illemann: Husserls vor-phänomenologische Philosophie. Mit einer monographischen Bibliographie: Edmund Husserl. (StBGPh. 1.) Leipzig 1932.

[215] F.L. Gottlob Frege (1848-1925), Mathematiker, gilt als Begründer der modernen formalen Logik. - Vgl.: H. Hermes: F.L.G. Frege. In: NDB 5 (1961) 390-392. - P.F. Linke: Gottlob Frege als Philosoph. In: ZPhF 1 (1946/47) 75-90. - Chr. Thiel: Sinn und Bedeutung in der Logik Gottlob Freges. (MPhF. 43.) Meisenheim 1965. - Die Hauptschriften von G. Frege: Siehe LV.

[216] E. Husserl: Logische Untersuchungen. I.: Prolegomena zur reinen Logik. II/I.: Untersuchungen zur Phänomenologie und Theorie der Erkenntnis. II/II.: Elemente einer phänomenologischen Aufklärung der Erkenntnis. Halle 1900-1901.

[217] Husserl: Logische Untersuchungen. Bd. 1. [4]1928. S. 50-191: Der Psychologismus, seine Argumente und seine Stellungnahme zu den üblichen Gegenargumenten (S. 50-60). Empiristische Konsequenzen des Psychologismus (S. 60-77). Die psychologischen Interpretationen der logischen Grundsätze (S. 78-84). Die Syllogistik in psychologischer Beleuchtung (S. 102-109). Der Psychologismus als skeptischer Relativismus (S. 110-154). Die psychologistischen Vorurteile (S. 154-191). - Vgl. u.a.: D. Michaltschew: Philosophische Studien. Beiträge zur Kritik des modernen Psychologismus. Mit einem Vorwort von Johannes Rehmke. Leipzig 1909. - M. Heidegger: Die Lehre vom Urteil im Psychologismus. Ein kritisch-positiver Beitrag zur Logik. (Phil. Diss. Freiburg 1914. - Ref.: A. Schneider.) Leipzig 1914. - Dass. in: Frühe Schriften. Frankfurt 1972. S. 1-129. - Brück. S. 109-118: Der „Vorwurf des Psychologismus" gegen Franz Brentano.

[218] Noack: Die Philosophie Westeuropas. S. 209. - Husserl: Logische Untersuchungen. Bd. 1. [4]1928. S. 190-191, 238, 240-242, 244. - Vgl. u.a. W. Pöll: Wesen und Wesenserkenntnis. Untersuchungen mit besonderer Berücksichtigung der Phänomenologie Husserls und Schelers. München 1936.

[219] E. Husserl: Philosophie als strenge Wissenschaft. In: Logos 1 (1911) 289-341.

[220] Vgl. E. Husserl: Ideen zu einer reinen Phänomenologie und phänomenologischen Philosophie. 1. Buch: Einführung in die reine Phänomenologie. (Sonderdruck aus: JPhPhF. 1.) Halle 1913. - Die Grundgedanken dieses Werkes wurden von Husserl bereits früher erarbeitet und im Frühjahr 1907 vorgetragen. Vgl. E. Husserl: Die Idee der Phänomenologie. Fünf Vorlesungen. Hrsg. und eingeleitet von W. Biemel. (Husserliana. Edmund Husserl. Gesammelte Werke. Bd. 2.) Den Haag 1950. - Vgl. P. Natorp: Kritik der „Ideen" Husserls. In: Logos 7 (1917/18) 224-246. - Zur Philosophie E. Husserls vgl. außerdem: H.H. Grunwaldt: Über die Phänomenologie Husserls mit besonderer Berücksichtigung der Wesensschau und der Forschungsmethode des Galileo Galilei. (Phil. Diss. Berlin 1927.) Berlin 1927. - J. Bannes: Versuch einer Darstellung und Beurteilung der Grundlagen der Philosophie Edmund Husserls. Breslau 1930. - O. Becker: Die Philosophie Edmund Husserls. In: Kantst 35 (1930) 119-150. -

dem eigentlichen Wesen zu gelangen (eidetische Reduktion)[221]. Beim zweiten Schritt ging es ihm um die Erkenntnis, daß diese Wesenseinsicht als unabhängig von der je zufälligen Existenz vorfindlicher Gegenstände verstanden werde, ja daß sie das Gemeinte ausschließlich im Erlebnis des intentionalen Bewußtseins treffe (phänomenologische Reduktion)[222].

Darüberhinaus schien es E. Husserl erforderlich, bei der Sicherung der Objektivität gegen jede psychologisierende Subjektivierung in einem weiteren Schritt auf jede reale Strukturgegebenheit im intentionalen Bewußsein selbst zu verzichten (transzendentale Reduktion)[223]. Da nun andererseits jede transzendente Geltung in dem Sinne, als könne es bewußtseinsunabhängiges Seiendes geben, ausgeschlossen sein sollte, so machte sich auf die Dauer ein Realitätsverlust[224] bemerkbar. Auf dem Gebiet der religiösen Gegebenheiten kann die phänomenologische Methode mit ihren extremen Reduktionen zu einem Supranaturalismus führen, der dem Apriorismus des intentionalen Bewußtseins entspricht.

Die universale Bewußtseinsphänomenologie Husserls wurde kritisch als ein »transzendentaler Idealismus« bezeichnet[225]. Für die phänomenologische Schule

---

E. Fink: Die phänomenologische Philosophie Edmund Husserls in der gegenwärtigen Kritik. Mit einem Vorwort von E. Husserl. In: Kantst 38 (1933) 319-383. - L. Landgrebe: Edmund Husserl. Prag 1938. - Ders.: Der Weg der Phänomenologie. Das Problem einer ursprünglichen Erfahrung. Gütersloh 1963. - A. Diemer: Edmund Husserl. Versuch einer systematischen Darstellung seiner Philosophie. (MPhF. 15.) Meisenheim 1956. - W.H. Müller: Die Philosophie Edmund Husserls nach den Grundzügen ihrer Entstehung und ihrem systematischen Gehalt. Bonn 1956. - Th. W. Adorno: Zur Metakritik der Erkenntnistheorie. Studien über Husserl und die phänomenologischen Antinomien. Stuttgart 1956. - W. Szilasi: Einführung in die Phänomenologie Husserls. Tübingen 1959. - R. Winkler: Das Programm der Phänomenologie Husserls in seiner Bedeutung für die systematische Theologie. In: ZThK 29 (1921) 103-138.

[221] Diese kurze Zusammenfassung beruht auf: Ziegenfuß. Bd. 1. S. 569-576. - Noack: Die Philosophie Westeuropas. - Die Belege aus den Schriften Husserls wurden selbständig hinzugefügt. - Zur eidetischen Reduktion vgl. Husserl: Logische Untersuchungen. Bd. 1 ([4]1928). S. 240, 242, 256-257. - Ebd. Bd. 2 ([4]1928). S.106-224: Die ideale Einheit der Spezies und die Abstraktionstheorien. Ideierende Abstraktion: Ebd. S. 223 u.ö. Ebenso in: Die Idee der Phänomenologie. S. 8. - Ders.: Ideen zu einer reinen Phänomenologie und phänomenologischen Philosophie. Bd. 1 (1913). S. 9, 111-115, 140-144.

[222] Husserl: Die Idee der Phänomenologie. S. VIII, 5-9, 44-45, 58, 60-61, 72. - Ders.: Ideen zu einer reinen Phänomenologie und phänomenologischen Philosophie. Bd. 1 (1913). S. 142-149.

[223] Noack: Die Philosophie Westeuropas. S. 222. - Husserl: Die Idee der Phänomenologie. S. 39, 43. - Die weitere Entwicklung vor allem in: E. Husserl: Formale und transzendentale Logik. Versuch einer Kritik der logischen Vernunft. (Sonderdruck aus: JPhPhF. 10.) Halle 1929. Besonders S. 205-234: Transzendentale Phänomenologie und intentionale Psychologie. Das Problem des transzendentalen Psychologismus. - Ders.: Méditationes cartésiennes. Paris 1932. - Dass. deutsch: Cartesianische Meditationen. Eine Einleitung in die Phänomenologie. (PhB. 291.) Hamburg 1977. - Vgl. H. Kuhn: Besprechung der Méditationes Cartesiennes. In: Kantst 38 (1933) 209-216.

[224] Hirschberger. Bd. 2. S. 546.

[225] A. Halder: Edmund Husserl. In: LThK[2] 5 (1960) 545-546. - Vgl. Th. Celms: Der phänomenologische Idealismus Husserls. Riga 1928. - F. Weidauer: Kritik der Transzendentalphänomenologie Husserls. 1. Teil: Kritik der Gegenwartsphilosophie. Mit einem Nachtrag zur monographischen Bibliographie: Edmund Husserl. (StBGPh. 2.) Leipzig 1933.

lag darin der Ausgangspunkt zu einem Dissenz[226]. Wie H. Noack zusammenfassend schreibt[227], ließen es viele Phänomenologen bei der eidetischen Reduktion bewenden, um von da aus zu einer objektiven Ontologie und Metaphysik vorzustoßen. Im Rahmen unserer kurzen Überschau sind vor allem zwei Philosophen hervorzuheben, die für das Lebenswerk R. Guardinis von Bedeutung waren: N. Hartmann und M. Scheler.

Nicolai Hartmann (1882-1950)[228] war ursprünglich in Marburg Schüler H. Cohens und P. Natorps[229]. In seiner Schrift über die Metaphysik der Erkenntnis[230] setzte er sich jedoch kritisch mit den Grundlehren der Neukantianer auseinander.

---

[226] Ueberweg. Bd. 4. S. 512-523. - H. Meyer: Die Weltanschauung der Gegenwart. S. 226-229. - Noack. S. 224-227. -
Folgende philosophische Denker werden dem Bereich der Phänomenologie zugezählt (in alphabetischer Reihenfolge):
Oskar Becker (1889-1964). - Alfred Brunswig (1877-1927). Hedwig Conrad-Martius (1888-1966). - Eugen Fink (1905-1975). - Aloys Fischer (1880-1937). - August Gallinger (1871-1959). - Moritz Geiger (1880-1937). - Erich Heinrich (1881 *). - Jean Hering - Johannes Hessen (1889-1971). - Dietrich von Hildebrand (1889 *). - Heinrich Hofmann (1883 *). - Gerhart Husserl (geb. 1893). - Roman Ingarden (1893-1970). - Edith Landmann-Kalischer (geb. 1877). - Paul Ferdinand Linke (geb. 1876). - Hans Lipps (1889-1942). - Theodor Litt (1880-1962). - August Wilhelm Messer (1867-1937). - Arnold Metzger (geb. 1893). - Traugott Konstantin Oesterreich (1880-1949). - Alexander Pfänder (1870-1941). - Adolf Reinach (1883-1917). - Hans Reiner (geb. 1896). - Hermann Ritzel (geb. 1880). - Wilhelm Schapp (1884-1965). - Edith Stein (1891-1942). - Wilhelm Szilasi (1889-1966). - Gerda Walther (geb. 1897). - Hermann Weyl (1885-1955). - Robert Winkler (geb. 1894). - Haupschriften der hier genannten Autoren: Siehe LV.
[227] Noack: Die Philosophie Westeuropas. S. 225.
[228] Vgl. R. Heiß: Nicolai Hartmann. In: H. Heimsoeth - R. Heiß (Hrsg.): Nicolai Hartmann. Der Denker und sein Werk. Göttingen 1952. S. 15-28. - W. Schneider: Paul Nicolai Hartmann. In: NDB 8 (1969) 2-4. - N. Hartmann: Selbstdarstellung. In: DSPh. Bd. 1. S. 281-340. - Th. Ballauff: Bibliographie der Werke von und über Nicolai Hartmann einschließlich der Übersetzungen. In: Heimsoeth - Heiß. S. 286-312. - Bibliographie der von 1952 bis 1963 erschienen Arbeiten in: I. Wirth: Realismus und Apriorismus in Nicolai Hartmanns Erkenntnistheorie. (Phil. Diss. Köln 1963. - Ref.: P. Wilpert, L. Landgrebe.) (QStGPh. 8.) Berlin 1965. S. 141-148.
[229] J. Klein: Nicolai Hartmann und die Marburger Schule. In: Heimsoeth - Heiß. S. 105-130.
[230] N. Hartmann: Grundzüge einer Metaphysik der Erkenntnis. Berlin 1921. - Dass. 2., erweiterte Auflage 1925, ⁵1965. - Vgl. dazu: H.-G. Gadamer: Metaphysik der Erkenntnis. Zu dem Buch von Nicolai Hartmann. In: Logos 12 (1923) 340-359. - K. Friedemann: Nicolai Hartmanns „Grundzüge einer Metaphysik der Erkenntnis". In: PhJ 39 (1926) 62-67. - H. Knittermeyer: Zur Metaphysik der Erkenntnis. Zu Nicolai Hartmanns „Grundzüge einer Metaphysik der Erkenntnis". In: Kantst 30 (1925) 495-514. - E. Keber: Die Auffassung vom Wesen der Erkenntnis bei Edmund Husserl und Nicolai Hartmann. Ein systematischer Vergleich. (Phil. Diss. Hamburg 1952) Hamburg 1951. - J. Junker: Nicolai Hartmann als Erkenntnistheoretiker. Eine Darstellung und kritische Würdigung. (Phil. Diss. Münster 1953.) O.O. 1953. - H. Herrigel: Was heißt Ontologie bei Nicolai Hartmann? In: ZPhF 17 (1963) 111-116. - F.G. Schmücker: Nic. Hartmanns Erkenntnismetaphysik in phänomenologischer Sicht. (Antwort auf die Einwände von H. Herrigel). In: ZPhF 17 (1963) 116-122. - Vgl. in unserem Zusammenhang folgende Werke: N. Hartmann: Systembildung und Idealismus. In: Philosophische Abhandlungen. Hermann Cohen zum 70. Geburtstag dargebracht. Berlin 1912. S. 1-23. - Dass. in: N. Hartmann: Kleinere Schriften. Berlin 1958. Bd. 3. S. 60-78. - Ders.: Über die Erkennbarkeit des Apriorischen. In: Logos 5 (1915) 290-329. - Ders.: Diesseits von

Idealistische Theorien lehnte er ab; positiver dagegen wertete er sein Verhältnis zur Phänomenologie, indem er sich mit der tatsächlichen Arbeit ihrer Methode - wenn auch nicht mit ihrer Methodenlehre - solidarisch erklärte[231].

Für R. Guardini schien mit diesem Werk, das er sofort bei seinem Erscheinen in seine Überlegung einbezog, die Zeit heraufzukommen, in der der Mensch wieder den Stoß der Wirklichkeit spüren werde. Er begrüßte daher, daß N. Hartmann die Erkenntnisrelation wieder auf die Seinsrelation als umfassende zurückführen wollte, und zwar so, daß sie »vielleicht« verstanden werden muß als ein »untergeordnetes Glied eingeordnet in ein ganzes Gefüge von Seinsverhältnissen«[232].

Es ist allerdings fraglich, ob diese Vermutung Guardinis zutraf. In einer neueren Untersuchung über das Problem der Finalität in der Philosophie N. Hartmanns bestätigt zwar auch A. Möslang[233] die Tendenz, die Guardini ebenso wie viele andere damals zu erkennen vermeinte: Daß das Denken sich wieder auf das Sein richten wolle[234]. Möslang legt aber dar, daß N. Hartmann zwar das Erkenntnisproblem mit seiner Lösung in den ontologischen Raum rückt, daß aber auch die Rezeptivität, die er dabei vertritt, eine seinshafte und keine gnoseologische ist. Aus der Erkenntnis werde eine productio, Erkennen bestehe nur noch darin, daß das Bewußtsein sich den Gegenstand repräsentiere, nicht in einem Schauen, sondern im aktiven Hervorbringen des Bildes[235]. In einem Vergleich mit der aristotelisch-thomistischen Erkenntnislehre[236] stellte er fest, daß N. Hartmann im Grunde die Spontaneität des Erkenntnisaktes nicht erklären kann. Im Unterschied zu Aristoteles, der die Schau des Bewußtseinsinhaltes über die Aktivität des Intellekts stellt, sei das Erkenntnisbild N. Hartmanns subjektiver Herkunft[237]. Er kommt daher zu dem Ur-

---

Idealismus und Realismus. Ein Beitrag zur Scheidung des Geschichtlichen und Übergeschichtlichen in der Kantischen Philosophie. In: Kantst 29 (1924) 160-206. - Ders.: Wie ist kritische Ontologie überhaupt möglich? Ein Kapitel zur Grundlegung der allgemeinen Kategorienlehre. In: Festschrift für Paul Natorp. Berlin, Leipzig 1924. S. 124-177. - Ders.: Kategoriale Gesetze. Ein Kapitel zur Grundlegung der allgemeinen Kategorienlehre. In: PhA 1 (1926) 201-266. - Ders.: Zum Problem der Realitätsgegebenheit. (PhV. 32.) Berlin 1931. - Ders.: Das Problem des geistigen Seins. Untersuchungen zur Grundlegung der Geschichtsphilosophie und Geschichtswissenschaften. Berlin 1932, ³1962. - Ders.: Zur Grundlegung der Ontologie. Berlin 1934, ⁴1965. - Ders.: Sinngebung und Sinnerfüllung. In: BlDPh 8 (1934) 1-38. - Ders.: Das Problem des Apriorismus in der Platonischen Philosophie. In: SPAW-ph/hKl. Berlin 1935. S. 223-260. - Dass. separat. Berlin 1935. - Ders.: Möglichkeit und Wirklichkeit. Berlin 1938. - Dass. 2. Auflage. (Zur Grundlegung der Ontologie. Bd. 2.) Berlin 1949. - Ders.: Der Aufbau der realen Welt. Grundriß der allgemeinen Kategorienlehre. Berlin 1940, ³1964. - Ders.: Neue Wege der Ontologie. Stuttgart 1941, ³1949. - Ders.: Philosophie der Natur. Abriß der speziellen Kategorienlehre. Berlin 1950. - Ders.: Teleologisches Denken. Berlin 1952. - Einen Querschnitt durch das Werk N. Hartmanns bietet Ziegenfuß. Bd. 1. S. 454-469.
[231] Hartmann: Grundzüge einer Metaphysik der Erkenntnis. 5. Auflage. S. IV-V.
[232] R. Guardini: Auf dem Wege. Versuche. Mainz 1923. S. 45.
[233] A. Möslang: Finalität. Ihre Problematik in der Philosophie Nicolai Hartmanns. (StF. N.S. 37.) Freiburg/Schweiz 1964. S. 150. - Zum Thema „Finalität" vgl. auch: W.X. Baumann: Das Problem der Finalität im Organischen bei Nicolai Hartmann. (Phil. Diss. München 1955.) O.O. 1954. - Dass. (MPhF. 16.) Meisenheim/Glan 1955. - R. Huber: Zur Kritik des Finalitätsbegriffes bei Nicolai Hartmann. (Phil. Diss. München 1956.) O.O. 1955.
[234] Möslang. S. 163, 274-275.
[235] Ebd. S. 165.
[236] Ebd. S. 159-163.
[237] Ebd. S. 163.

teil, daß die Phänomenbeschreibung des Erkenntnisvorganges und die Problemstellung, d.h. die Frage nach der Überbrückbarkeit der Transzendenz zwischen Subjekt und Objekt N. Hartmann wohl zu einem Realisten stemple[238], daß hingegen die behauptete a priori - Erkenntnis ihn zum Idealisten mache [239]. Sein Erkennen, das rein subjektiv bestimmt sei, vermögen nicht bis an den Erkenntnisgegenstand heranzukommen. Inhaltliche Erkenntnis sei allein im spontanen Hervorbringen des Bildes gegeben, was bedeute, daß hier wie dort die hervorbringende Tätigkeit des Subjekts Wirklichkeitsanspruch erhebt. Damit erfahre der Realismus Hartmanns eine Erschütterung, die bis in seine Tiefe greife; der realistische Ansatz müsse einem Konzeptualismus weichen[240].

Zu einem ähnlichen Ergebnis kommt auch I. Wirth. Sie sieht, daß N. Hartmann zwar dem Realismus beigezählt wird, daß es aber nicht einfach ist, zu bestimmen, was er unter Realität verstand[241]. Da er einerseits die Möglichkeit einer Erkenntnis a priori behauptete, andererseits jedoch vom Vorhandensein eines grundsätzlich Transintelligiblen, Irrationalen[242] überzeugt war[243], ging sie dem Problem von Realismus und Apriorismus in seiner Erkenntnistheorie nach. Sie kommt zu dem Ergebnis, daß die erkenntnistheoretische Position N. Hartmanns wohl als Realismus bezeichnet werden könne, wobei dessen hervorstechendstes Merkmal

---

[238] Ebd. S. 163-164. - Vgl. u.a. J. Klösters: Die „Kritische Ontologie" Nicolai Hartmanns und ihre Bedeutung für das Erkenntnisproblem. (Phil. Diss. München 1927. - Ref.: J. Geyser, E. Becher.) Fulda 1928. - J. Geyser: Zur Grundlegung der Ontologie. Ausführungen zu dem jüngsten Buch von Nicolai Hartmann. In: PhJ 49 (1936) 3-29, 289-338, 425-465. 50 (1937) 9-67. - A. Guggenberger: Zwei Wege zum Realismus. Ein Vergleich zwischen Nicolai Hartmanns „Erkenntnisponderanz" und J. Maréchals „Erkenntnisdynamismus". In: RNSPh 41 (1938) 46-79. - Ders.: Das Weltbild Nicolai Hartmanns. Die erkenntnistheoretische Grundthese. In: StZ 136. Bd. 69 (1939) 21-32. - Ders.: Ontologie oder Theologie als Abschlußwissenschaft? In: Ebd. S. 78-90. - Ders.: Der Menschengeist und das Sein. Ontologie oder Theologie als Abschlußwissenschaft? Eine Begegnung mit Nicolai Hartmann. (Kath.-theol. Diss. Tübingen 1941. - Ref.: Th. Steinbüchel.) Krailling vor München 1942. - J. Thyssen: Zur Neubegründung des Realismus in Auseinandersetzung mit Husserl. In: ZPhF 7 (1953) 145-171. - Vgl. auch W. Grebe: Der natürliche Realismus. Eine Untersuchung zum Thema: Philosophie und Leben. In: ZDKPh 5 (1939) 169-208.
[239] Möslang. S. 164-166. - Vgl. H. Kuhaupt: Das Problem des erkenntnis-theoretischen Realismus in Nicolai Hartmanns Metaphysik der Erkenntnis. (Phil. Diss. Münster 1938.) APPR. 49.) Würzburg 1938. - H. Wagner: Apriorität und Idealität. Vom ontologischen Moment in der apriorischen Erkenntnis. In: PhJ 56 (1946) 292-361; 57 (1947) 431-496. - W. Schneider: Das Problem der „Realitätsgegebenheit" im „logischen Idealismus" der Marburger Schule. (Phil. Diss. Köln 1954.) Köln 1953. - H. Fleischer: Nicolai Hartmanns Ontologie des idealen Seins. (Phil. Diss. Erlangen 1955.) O.O. 1954. - H. Grabes: Der Begriff des a priori in Nicolai Hartmanns Erkenntnismetaphysik und Ontologie. (Phil. Diss. Köln 1962.) Köln 1963. - A. Molitor: Bemerkungen zum Realismusproblem bei Nicolai Hartmann. In: ZPhF 15 (1961) 591-611.
[240] Möslang. S. 165. - Vgl. dazu auch J. Aragó: Die antimetaphysische Seinslehre Nicolai Hartmanns. In: PhJ 67 (1959) 179-264.
[241] Vgl. A. Kühne: Der Realitätsbegriff entwickelt im Anschluß an die Ontologie Nicolai Hartmanns. (Phil. Diss. Mainz 1952.) O.O. 1952.
[242] Vgl. A. Konrad: Irrationalismus und Subjektivismus. Eine immanente Kritik des Satzes des Bewußtseins in Nicolai Hartmanns Erkenntnismetaphysik. (Phil. Diss. Jena 1939.) ABPh. 2.) Würzburg 1939. - J. Stallmach: Die Irrationalismusthese Nicolai Hartmanns. Sinn, Gründe, Fraglichkeit. In: Scholastik 32 (1957) 481-497.
[243] I. Wirth. S. 1-5: Aufweis der Problematik.

die Aufnahme des »Transzendentalen« sei, daß jedoch die Annahme einer apriori-schen Erkenntnis transzendentrealer Gegenstände durch die Ontologisierung des Apriorititätsbegriffes sinnlos werde[244].

Es wäre freilich naiv zu meinen, man könne die Behauptung einer Erkenntnis a priori aus dem Werk N. Hartmanns zugunsten eines erkenntnistheoretischen Rea-lismus hinausdividieren. Nachdem A. Möslang gezeigt hat, wo der entscheidende Punkt in der Erkenntnistheorie Hartmanns liegt, wird man ihm zustimmen, wenn er abschließend schreibt: »Zuweilen erregt Hartmann den Eindruck, als wolle er diese Tiefendimension im Sein nicht sehen, um nicht ein hinter der Erscheinungs-form wirksames Ordnungssystem, das auch den Menschen bestimmt, annehmen zu müssen, was bedeuten würde, einem obersten Wesen und der finalen Weltordnung das anthropozentrische Weltbild zu opfern, den sich angemaßten Absolutheitsan-spruch des schöpferischen Tuns abzutreten«[245].

Die hier aufgezeigten Schwierigkeiten kennzeichnen nicht nur das Werk N. Hartmanns, sie bestimmten vielmehr das philosophische Denken einer ganzen Epoche[246]. Daher müssen sie auch bei allem, was R. Guardini zu erkenntnistheore-tischen und ontologischen Problemen schrieb, mitbedacht werden.

Wir kommen nun zum Abschluß dieses kursorischen Blicks über die philoso-phiegeschichtliche Entwicklung der beiden ersten Jahrzehnte unseres Jahrhun-derts zu Max Scheler (1874-1928), dem R. Guardini einen klärenden Hinweis bei der Ausrichtung auf sein berufliches Lebensziel verdankte[247].

M. Scheler hatte sein philosophisches Studium in Jena bei R. Eucken[248] und O. Liebmann[249] begonnen. Sein Interesse galt besonders der Feststellung der Bezie-hungen zwischen den logischen und ethischen Prinzipien[250]. Er habilitierte sich mit einer Untersuchung über die transzendentale und die psychologische Methode[251]. Seine Begegnung mit E. Husserl hatte zur Folge, daß er bald nach München ging und dem Kreis der Phänomenologen beitrat[252]. Seine Leistung wird darin gesehen, daß er die phänomenologische Methode auf das Gebiet der Geisteswissenschaften, der Ethik und der Psychologie, der Religionsphilosophie und Soziologie des Wis-

---

[244] I. Wirth. S. 133.

[245] Möslang. S. 277.

[246] Vgl. u.a. H. Krings: Über die Wandlung des Realismus in der Philosophie der Gegen-wart. In: PhJ 70 (1962/63) 1-16.

[247] Siehe u.a. H. Kuhn: Romano Guardini. Der Mensch und das Werk. München (1961). S. 38-40.

[248] Zu R. Eucken siehe oben S. 26-27.

[249] Otto Liebmann (1840-1912) kam vom Neukantianismus zu der Forderung einer kritischen Metaphysik. Das Bewußtsein bleibt für ihn die Urtatsache, von der alle Philoso-phie ausgehen muß. Vgl. Ziegenfuß. Bd. 2. S. 58. - Eisler: PhL. S. 409-411. - Schriften von O. Liebmann: Siehe LV.

[250] M. Scheler: Beiträge zur Feststellung der Beziehungen zwischen den logischen und ethischen Prinzipien. (Phil. Diss. Jena 1897.) Jena 1899.

[251] Ders.: Die transzendentale und psychologische Methode. Eine grundsätzliche Erörte-rung zur philosophischen Methodik. Jena 1900. - Dass. Leipzig ²1922.

[252] Vgl. H. Lackmann: Das Realitätsproblem in der phänomenologischen Systematik der Spätphilosophie Max Schelers. (Phil. Diss. Mainz 1958. - Ref.: K. Holzamer, F.-J. von Rinte-len.) Mainz 1958. S. 9-16: Die Phänomenologie bei Husserl und Scheler.

sens anwandte[253]. Weit bekannt wurde er durch sein Werk: Der Formalismus in der Ethik und die materiale Wertethik[254]. In unserem Zusammenhang ist wichtig, daß er darin »zur theoretischen Auffassung der Person überhaupt« Stellung nahm[255].

M. Scheler ging davon aus, daß die formale Ethik die Person an erster Stelle als »Vernunftperson« kennzeichnet[256]. Diese Bestimmung fand er insofern für richtig, als Person niemals als ein Ding oder eine Substanz gedacht werden dürfe, die irgendwelche Vermögen oder Kräfte hätte, darunter auch ein »Vermögen« oder eine »Kraft« der Vernunft. »Person ist vielmehr die unmittelbar miterlebte Einheit des Er-lebens - nicht nur ein gedachtes Ding hinter und außer dem unmittelbar Erlebten«[257]. An der traditionellen Bestimmung der Person kritisierte Scheler, daß damit jede Konkretisierung der Personidee auf eine konkrete Person schon von Hause aus mit einer Entpersonalisierung zusammenfalle[258]. Er selber verstand Person als »diejenige Einheit, die für Akte allermöglichen Verschiedenheiten im Wesen besteht - sofern diese Akte als vollzogen gedacht werden«[259]. Als Wesensdefinition glaubte er aussprechen zu dürfen: »Person ist die konkrete, selbst wesenhafte Seinseinheit von Akten verschiedenartigen Wesens , die an sich (nicht also πρὸς ἡμᾶς) allen wesenhaften Aktdifferenzen (insbesondere auch der Differenz äußerer und innerer Wahrnehmung, äußerem und innerem Wollen, äußerem und innerem Fühlen und Lieben, Hassen usw.) vorhergeht. Das Sein der Person fundiert alle wesenhaft verschiedenen Akte[260]. Damit wollte er sagen, daß in jedem voll konkreten Akt die ganze Person steckt und in und durch jeden Akt auch die ganze Person »variiert «[261]. Nochmals betonte er, daß, wenn

[253] Ziegenfuß. Bd. 2. S. 420.

[254] M. Scheler: Der Formalismus in der Ethik und die materiale Wertethik. Mit besonderer Berücksichtigung der Ethik I. Kants. Teil 1. In: JPhPhF 1 (1913). Teil 2. Ebd. 2 (1916). - Dass. Teil 1 + 2 als Sonderdruck. Halle 1916. - Dass. unter dem Titel: Neuer Versuch der Grundlegung eines ethischen Personalismus. Halle ²1921, ³1927.

[255] Ders.: Gesammelte Werke. Bd. 2. S. 381-481. - Zu diesem Thema vgl. auch A. Altmann: Die Grundlagen der Werkethik: Wesen/Wert/Person. Max Schelers Erkenntnis- und Seinslehre in kritischer Analyse. (Phil. Diss. Berlin 1931. - Ref.: M. Dessoir, H. Maier.) Berlin 1931. - G. Kraenzlin: Max Schelers phänomenologische Systematik. Mit einer monographischen Bibliographie: Max Scheler. (Phil. Diss. Zürich. - Ref.: E. Grisebach.) (StBGPh. 3.) Leipzig 1934. - W. Weymann-Weyhe: Das Problem der Personeinheit in der ersten Periode der Philosphie Max Schelers. (Phil. Diss. Münster 1940. - Ref.: P. Wust, J.P. Steffes.) Emsdetten 1940. - E. Klumpp: Der Begriff der Person und das Problem des Personalismus bei Max Scheler. (Phil. Diss. Tübingen 1952.) O.O. 1952. - J. Malik: Das personale und soziale Sein des Menschen in der Philosophie Max Schelers. In: ThGl 54 (1964) 401-436, besonders S. 414-418: Der Mensch als Person und Individuum. - R.J. Haskamp: Spekulativer und phänomenologischer Personalismus. Einflüsse J.G. Fichtes und Rudolf Euckens auf Max Schelers Philosophie der Person. (Symposion. 22.) Freiburg, München 1966. - W. Hartmann: Das Wesen der Person. Substanzialität - Aktualität. Zur Personlehre Max Schelers. In: SJPhPs 10-11 (1966-1967) 151-168. - Ders.: Die Philosophie Max Schelers in ihren Beziehungen zu Eduard von Hartmann. Düsseldorf 1956.

[256] Scheler: Gesammelte Werke. Bd. 2. S. 381.

[257] Ebd. S. 382. - Sperrungen entsprechen Sperrung oder Kursivsatz im Text Schelers.

[258] Ebd. S. 382.

[259] Ebd. S. 393.

[260] Ebd. S. 393-394.

[261] Ebd. S. 395.

schon ein Akt niemals Gegenstand sei, erst recht die in ihrem Aktvollzug lebende Person niemals Gegenstand sein könne[262], und folgerte, zum Wesen der Person gehöre, daß sie nur im Vollzug intentionaler Akte existiert und lebt[263]. Da in dieser Sicht Person gegeben ist als »Vollzieher intentionaler Akte« ..., die durch die Einheit eines Sinnes verbunden sind, hat »psychisches Sein ... mit Personsein nichts zu tun«[264]. Weiter legte Scheler dar, daß die Welt nur als »Sachkorrelat zur Person überhaupt« zu verstehen sei[265]; andererseits aber war für ihn die Person niemals ein »Teil«, sondern stets das Korrelat einer »Welt«, der Welt, »in der sie lebt«[266]. Von hier aus ist zu verstehen, daß »Leib« und »Umwelt« für ihn auch nicht die Voraussetzungen der Scheidung »Psychisch« und »Physisch« sein konnte[267].

Die Fragen der philosophischen Anthropologie beschäftigten Scheler seit dem ersten Erwachen seines philosophischen Bewußtseins wesentlicher und zentraler als jede andere philosophische Frage[268]. Auch P. Wust sah im Rückblick auf die gesamte philosophische Wirksamkeit des umstrittenen Kölner Denkers dessen eigentlichen Zentralgedanken darin, die spekulative Anthropologie wieder an ihren alten Ort zurückzuversetzen und damit das naturalistische Dogma von der bloßen animalischen Immanenz des Menschen zu zerstören[269]. In dem langjährigen Bemühen, in dem M. Scheler von allen möglichen Seiten die Probleme anging, veröffentlichte er bereits 1915 einen Aufsatz »Zur Idee des Menschen«[270]. In einem gewissen Sinne ließen sich für ihn alle zentralen Probleme der Philosophie auf die Frage zurückführen, was der Mensch sei und welche metaphysische Stelle er innerhalb des Ganzen des Seins, der Welt und Gott einnehme. Daher hielt er es nicht für Unrecht, daß eine Reihe älterer Denker die » Stellung des Menschen im All« zum Ausgangspunkt aller philosophischen Fragestellung machen - d.h. eine Orientierung über den metaphysischen Ort des Wesens »Mensch« und seiner Existenz[271]. Zugleich ging Scheler einem Problembegriff nach, der an der Grenze von Geschichte und Naturgeschichte entspringt: die »Idee des Menschen«, ihr Inhalt und die Art ihrer Einheit [272]. Gleich eingangs betonte er, daß kein noch so enger Steg und Weg vom »homo naturalis« und seiner hypothetisch konstruierten Vorgeschichte zum »Menschen« der Geschichte, den wir auf Grund von Sinn- und Verständnisgesetzen zu verstehen vermögen und in dessen Vergangenheit wir durch Quelle, Denk-

[262] Ebd. S. 397.
[263] Ebd. S. 401.
[264] Ebd. S. 484.
[265] Ebd. S. 403.
[266] Ebd. S. 403.
[267] Ebd. S. 413.
[268] Ders.: Vorrede. In: Die Stellung des Menschen im Kosmos. Darmstadt 1928. S. 9.
[269] P. Wust: Max Schelers Lehre vom Menschen. In: NeuR 11 (1928/29) 119.
[270] M. Scheler: Zur Idee des Menschen. Zuerst in: Gesammelte Abhandlungen und Aufsätze. 2 Bde. Leipzig 1915. - Dass. 2. und 3. Auflage unter dem Titel: Vom Umsturz der Werte. Leipzig 1919 und 1923. - Dass. hier nach: Gesammelte Schriften. Bd. 3. Bern ⁴1955. S. 171-195.
[271] Ders.: Vorbemerkung. Zur Idee des Menschen. S. 173.
[272] Ebd. S. 174.

mal und Dokument unabhängig von aller Art von »Kausalschlüssen« direkt hinzuschauen vermögen[273]. Dem entsprach bei R. Guardini ein energisches Bestehen darauf, daß das Wesen des Menschen nicht mit Hilfe des Naturbegriffs allein ausgedrückt werden kann[274].

M. Scheler ging schließlich noch einem dritten Fragenkreis nach, indem er den »Menschen« auf Grund der biologischen Entwicklungslehre als Gegenstand der Naturwissenschaft in die Evolution der Arten hineingestellt sah. Er hielt es daher für nötig, die Einheit von Sachmerkmalen, die ein Recht gibt, von dem »Menschen« als zoologischer Spezies zu reden, mit der ideellen Einheit, als die der »Mensch« in den Geisteswissenschaften und in der Philosophie figuriert, eingehend zu vergleichen[275]. Im einzelnen sei hervorgehoben, daß M. Scheler den »Menschen« in dem ganz neuen Sinn verstand als die »Intention und Geste der 'Transzendenz' selbst«, als »das Wesen, das betet und Gott sucht«[276]. Die Rechtfertigung für den Verstand und sein Werk, die Zivilisation, sah er darin, daß sie das Wesen des Menschen »mehr und mehr durchlässig machen für den Geist und für die Liebe, die in allen ihren Regungen und Akten - wie Stücke einer Kurve ausgezogen und geeint - die Richtung auf ein Etwas haben, das den Namen 'Gott' hat«[277]. Er bezeichnete es als den Irrtum der bisherigen Lehre vom Menschen, daß man zwischen »Leben« und »Gott« noch eine feste Station einschieben wollte, etwas als Wesen Definierbares: den »Menschen«. Scheler hingegen erklärte, daß diese Station nicht existiert und daß gerade die Undefinierbarkeit zum Wesen des Menschen gehört. So war der Mensch für ihn nur ein »Zeichen«, eine »Grenze«, ein »Übergang«, ein »Gotterscheinen« im Strom des Lebens und ein ewiges »Hinaus« des Lebens über sich selbst. Damit erledigte sich für Scheler die Definitionsfrage. Ein definierter Mensch, so erklärte er, hätte keinerlei Bedeutung[278]. Im Vorausgriff auf unsere Erörterung sei bemerkt, daß R. Guardini - in Auseinandersetzung mit der dialektischen Theologie - das von Scheler dargelegte Verständnis des Menschen als eines transzendierenden Wesens teilte, ohne jedoch dem Integralismus von Mensch und Gott zu verfallen, der bereits in dieser frühen Schrift M. Schelers klar zutage trat. Mag sich im übrigen auch das Personverständnis R. Guardinis von dem M. Schelers in wesentlichen Punkten unterscheiden, in einem stimmten beide überein, daß Gott die einzig vollkommene Person sei, der Mensch hingegen nur unvollkommen und gleichnisweise »Person« genannt werden dürfe[279].

In späterer Zeit veröffentlichte M. Scheler noch einmal eingehende anthropologische Studien unter dem Titel »Die Stellung des Menschen im Kosmos«[280]. Darin erörterte er vor allem einige Punkte, die das Wesen des Menschen im Verhältnis

---

[273] Ebd. S. 174.

[274] R. Guardini: Die letzten Dinge. Würzburg [6]1952. S. 10. - Vgl. ders.: Welt und Person. Versuche zur christlichen Lehre vom Menschen. Würzburg 1939, [5]1962.

[275] Scheler: Zur Idee des Menschen. S. 175.

[276] Ebd. S. 186.

[277] Ebd. S. 186.

[278] Ebd. S. 186.

[279] Ebd. S. 190. - Zum Person-Verständnis Guardinis siehe unten S. 760-773.

[280] Scheler: Die Stellung des Menschen im Kosmos. Zitiert wird hier die erste Auflage: Darmstadt 1928.

zu Tier und Pflanze, ferner die metaphysische Sonderstellung des Menschen betreffen[281]. Um die Sonderstellung des Menschen zu zeigen, ging er von einer Stufenfolge der psychischen Kräfte und Fähigkeiten aus. Die Grenze des Psychischen fiel für ihn mit der Grenze des Lebendigen überhaupt zusammen[282]. Die unterste Stufe des Psychischen, das sich objektiv (nach außen) als »Lebewesen«, subjektiv (nach innen) als »Seele« darstellt - »zugleich der Dampf, der bis in die lichtesten Höhen geistiger Tätigkeit alles treibt, auch noch den reinsten Denkakten und zartesten Akten lichter Güte die Tätigkeitsenergie liefert« - bildete in seiner Weltsicht der bewußtlose, empfindungs- und vorstellungslose »Gefühlsdrang«[283]. Als zweite seelische Wesensform beschrieb er den Instinkt[284], aus dem das »gewohnheits«mäßige und das »intelligente« Verhalten als zwei gleichermaßen ursprüngliche Verhaltensweisen hervorgehen[285]. Demnach ist das assoziative Gedächtnis die dritte psychische Form[286], die vierte aber die - prinzipiell noch organisch gebundene praktische Intelligenz[287]. Im Anschluß an diese Analysen erörterte er sodann die entscheidende Frage, ob zwischen Mensch und Tier überhaupt noch mehr als ein gradueller, etwa ein Wesensunterschied besteht. Er behauptete, daß das Wesen des Menschen und das, was man seine Sonderstellung nennen könne, hoch über dem stehe, was man Intelligenz und Wahlfähigkeit nennt. Es würde selbst dann nicht erreicht, wenn man sich diese Intelligenz und Wahlfähigkeit quantitativ beliebig, ja bis ins Endlose gesteigert vorstellen wollte. Auch wäre es verfehlt, wenn man sich das Neue, das den Menschen zum Menschen macht, nur als eine neue, zu den vier zuerst genannten Wesensstufen hinzukommende denken würde. Dagegen erklärte er: »Das neue Prinzip, das Menschen zum Menschen macht, steht außerhalb alles dessen, was wir Leben, von innenpsychisch oder von außen-vital, im weitesten Sinne nennen können. Das, was den Menschen zum Menschen macht, ist ein allem Leben überhaupt entgegengesetztes Prinzip, das man als solches überhaupt nicht auf die 'natürliche Lebensevolution' zurückführen kann, sondern das, wenn auf etwas, nur auf den obersten Grund der Dinge selbst zurückfällt - auf denselben Grund also, dessen Teil-Manifestation auch das 'Leben' ist«[288]. Er bezeichnete dieses Prinzip als »Geist«[289], und verstand darunter neben dem Ideendenken zugleich

---

[281] Ebd. S. 14.

[282] Ebd. S. 16.

[283] Ebd. S. 17-24.

[284] Ebd. S. 24-31.

[285] Ebd. S. 31.

[286] Ebd. S. 31-39.

[287] Ebd. S. 39-44.

[288] Ebd. S. 46.

[289] Vgl. Kraenzlin. S. 50-52. - J. Herzfeld: Begriff und Theorie vom Geist bei Max Scheler. (Phil. Diss. Leipzig 1930. - Ref.: H. Driesch, Th. Litt.) Leipzig 1930. - P. Bačinkas: Geistbegriff bei Max Scheler. (Phil. Diss. Innsbruck 1947.) (M.schr.) - P. Hartmann: Das geistige Sein nach der phänomenologisch-metaphysischen Lehre Max Schelers. (Phil. Diss. Köln 1947.) O.O. 1948. (M.schr.) - K. Lenk: Von der Ohnmacht des Geistes. Kritische Darstellung der Spätphilosophie Max Schelers. (NGWSt.) Tübingen 1959. - Ders.: Die Mikrokosmos-Vorstellung in der philosophischen Anthropologie Max Schelers. In: ZPhF 12 (1958) 408-415. - Haskamp. S. 61-82: Schelers Geistbegriff im Hinblick auf den Tatcharakter.

die Anschauung von Urphänomenen und Wesensgehalten, ferner emotionale und volitive Akte wie Güte, Liebe, Reue, Ehrfurcht etc.. Das Aktzentrum aber, in dem Geist innerhalb endlicher Seinsphäre erscheint, nannte er im gleichen Zusammenhang Person, in scharfem Unterschied zu allen funktionellen »Lebens«-zentren, die nach innen hin betrachtet von ihm auch »seelische« genannt wurden. Die Grundbestimmung eines solchen »geistigen« Wesens sah er in einer existentiellen Entbundenheit, Freiheit, Ablösbarkeit vom Banne, vom Drucke, von der Abhängigkeit vom Organischen, vom »Leben« und von allem, was zum »Leben« gehört. Ein solches »geistiges« Wesen - so sagte Scheler - sei nicht mehr trieb- und umweltgebunden, sondern umwelt frei, weltoffen. Ein solches Wesen hat »Welt«[290]. So vermag der Mensch allein - sofern er Person ist - über sich - als Lebewesen - emporzuschwingen und von einem Zentrum gleichsam jenseits der raumzeitlichen Welt aus Alles, und darunter auch sich selbst, zum Gegenstand seiner Erkenntnis zu machen[291]. Von hier aus sah M. Scheler im Menschen das sich selbst und der Welt überlegene Wesen. Zusammenfassend sagt er: »Der Geist ist das einzige Sein, das selbst gegenstandsunfähig ist - er ist reine und pure Aktualität, hat sein Sein nur im freien Vollzug dieser seiner Akte. Das Zentrum des Geistes, die Person, ist also weder gegenständliches noch dingliches Sein, sondern nur ein sich selbst stetig selbst sich vollziehendes (wesenhaft bestimmtes) Ordnungsgefüge von Akten«[292].

Wir übergehen, was M. Scheler über die Ideirungsfähigkeit des Geistes, die Fähigkeit zu prinzipiell asketischer Haltung gegenüber Triebimpulsen sagte. Wichtiger ist für uns, daß er die Lehre von der geisitgen Seelensubstanz als einer »völlig unberechtigten Anwendung der äußeren Dingkategorie ... auf das Verhältnis von Leib und Seele«[293] ablehnte. Ebenso wie gegen die Lehre von der Selbstmacht der Idee gab er als Einwand, daß die Anwendung kosmologischer Kategorien auf das zentrale Sein des Menschen ihr Ziel verfehlten. Die Person des Menschen war daher für ihn keine »Substanz«[294], sondern nur eine monarchische Anordnung von Akten, unter denen je einer die Führung und Leitung besitzt[295]. Das Problem von Leib und Seele hatte für Scheler seinen metaphysischen Rang verloren[296]. Der physiologische und psychische Lebensprozeß war für ihn ontologisch streng identisch, nur phänomenal verschieden, wenn auch hier identisch in den Strukturgesetzen[297]; der Gegensatz, den wir im Menschen antreffen, ist nur

---

[290] Scheler: Die Stellung des Menschen im Kosmos. S. 47.

[291] Ebd. S. 57.

[292] Ebd. S. 58.

[293] Ebd. S. 75.

[294] Das mag für einen naturalistisch-biologistischen Substanzbegriff zutreffen, gilt aber gewiß nicht für das Substanzverständnis des Thomas von Aquin, auf das sich jedoch Scheler ausdrücklich an dieser Stelle bezieht. - Vgl. M. Lehner: Das Substanzproblem im Personalismus Max Schelers. (Phil. Diss. Freiburg/Schweiz 1926.) Weida 1926. - Vgl. auch Malik. S. 412. - Haskamp. S. 174-177. - W. Hartmann. In: SJPhPs 10-11 (1966-1967) 158-159.

[295] Scheler: Die Stellung des Menschen im Kosmos. S. 75.

[296] Ebd. S. 85.

[297] Ebd. S. 87.

der Gegensatz von Leben und Geist[298]. »Der Geist«, so sagte M. Scheler, »ideiert das Leben. Das Leben allein aber vermag es, den Geist von seiner einfachsten Aktregung an bis zur Leistung eines Werkes, dem wir geistigen Sinngehalt zuschreiben, in Tätigkeit zu setzen und zu verwirklichen«[299]. Diese Anschauung Schelers lief darauf hinaus, daß sich in seiner Sicht der Weltgrund im Menschen selbst unmittelbar erfaßt und verwirklicht[300]. Erklärtermaßen griff er damit den alten Gedanken Spinozas und Hegels auf: Das Urseiende werde sich im Menschen seiner selbst inne, im selben Akt, in dem der Mensch sich in ihm gegründet schaut[301]. Nur wollte er ihn dahingehend umgestalten, daß »dieses Sichgegründet-wissen erst eine Folge ist der aktiven Einsetzung unseres Seinszentrums für die ideale Forderung der Deitas, und des Versuches, sie zu vollstrecken, und in dieser Vollstreckung den aus dem Urgrund werdenden 'Gott' als die steigende Durchdringung von Drang und Geist allererst mitzuerzeugen«[302].

Zum Schluß schrieb M. Scheler: »Der Ort also dieser Selbstverwirklichung, sagen wir gleichsam jener Selbstvergottung, die das durch sich seiende Sein sucht und um deren Werden willen es die Welt als eine »Geschichte« in Kauf nahm - das eben ist der Mensch, das menschliche Selbst und das menschliche Herz. Sie sind der einzige Ort der Gottwerdung, der uns zugänglich ist - aber ein wahrer Teil dieses transzendenten Prozesses selbst«[303].

Wie kaum ein anderer Philosoph hat M. Scheler in den ersten Jahrzehnten unseres Jahrhunderts auf das Denken in den verschiedensten Teilbereichen der Wissenschaft eingewirkt. Selbstverständlich fand seine Auffassung von der menschlichen Person als eines reinen Aktzentrums innerhalb der Selbstverwirklichung des Geistes in den Kreisen einer streng theistischen Weltanschauung Widerspruch[304]. Aus der Auffassung, der menschliche Geist sei lediglich ein aktvollziehendes Wesen folgt nach J. Malik seine völlige und ausschließliche Gegenstandsbezogenheit: Daß sich das Sein des Geistes in der Ausrichtung auf das bewußtseinstranszendente Seiende erschöpft, daß der Geist somit ohne eigentliches Fürsich- und Selbstsein und ohne eigentliches Innesein (Immanenz) sei. Gerade die Bestimmung des Geistes vom intentionalen Akt her zeige, daß die Akte eines in sich stehenden und sich

---

[298] Ebd. S. 95. - Vgl. Th. Haecker: Geist und Leben. Zum Problem Max Schelers. In: Hochland 23/II (1925/26) 129-155. - Dass. in: Th. Haecker: Christentum und Kultur. München 1927. S. 227-281. - Dass. in: Th. Haecker: Essays. München 1958. S. 213-256. - Vgl. Lenk: Von der Ohnmacht des Geistes. S. 6-9. Dieser hebt hervor, daß der ontologische Dualismus von Leben und Geist schon im Frühwerk Schelers angelegt war. - Vgl. auch Haskamp. S. 181-186: Der anthropologische Dualismus Schelers in seiner Abhängigkeit von Fichte und Eucken.

[299] Scheler: Die Stellung des Menschen im Kosmos. S. 96.

[300] Ebd. S. 110.

[301] Ebd. S. 110.

[302] Ebd. S. 111.

[303] Ebd. S. 111.

[304] Vgl. E. Przywara: Religionsbegründung. Max Scheler - J.H. Newman. Freiburg 1923. - J. Geyser: Max Schelers Phänomenologie der Religion. Freiburg 1924. - P. Wust: Max Schelers Lehre vom Menschen. In: NeuR 11 (1928/29), besonders S. 200-201. - Weymann-Weyhe. S. 95-97.

selbst gleichbleibenden Wesens bedürfen, dem sie zugehören und dessen Seinsvollzug und Seinsentfaltung sie sind[305].

Wir hören hier eine der vielen kritischen Stimmen, die sich zu den Grundthesen des späten M. Scheler äußerten. Wenn wir uns im weiteren Verlauf dieser Arbeit mit der Lehre R. Guardinis von der menschlichen Person und ihrer Stellung in der Welt befassen, so müssen wir dessen Darlegungen ebenfalls in ihrer stillschweigenden Konfrontation zu den Ansichten des früh verstorbenen Philosophen begreifen. Hier sei nur vermerkt, das R. Guardini in seiner Gegensatzlehre zu dem Verhältnis von Geist und Leben bei M. Scheler Stellung nahm. Er schrieb: »... ich kann nicht sehen, daß im Menschen ein 'geistiger' Bereich für sich sei, getrennt von einem emotionalen und einem vitalen. Ich weiß im Menschen von keinem 'rein geistigen' Akt. Alles, was ich vorfinde, ist von vornerein und konstitutiv geist-leiblich, das heißt, menschlich«[306]. R. Guardini wandte sich jedoch nachdrücklich dagegen, Unterschiede zu verschleifen, die Spannungen aufzuheben und so einer monistisch-harmonistischen Naturhaftigkeit zu verfallen. Es handelte sich für ihn um den typischen Fall eines »Gegensatzes«, bei dem er mit seiner Philosophie des Lebendig-Konkreten erreichen wollte, daß nicht mehr eine typologisch bedingte Erfahrungsform sich absolut setze. Damit hoffte er manche Probleme zu klären, die von der phänomenologischen Philosophie, besonders der Max Schelers, gestellt wurden[307].

Zu den Fragen der Eschatologie äußerte sich M. Scheler einmal in einem Aufsatz über »Tod und Fortleben«[308]. In einem Manuskript, das sich unter seinen nachgelassenen Papieren befand, und bis ins Jahr 1911 zurückgeht[309], knüpfte er beim Sinken des Glaubens an das Fortleben der Person an[310]. Er legte dar, daß man eine »Unsterblichkeit« nicht beweisen könne. Problem sei nur die Frage nach einer Fortdauer oder »Fortleben der geistig-leiblichen Person«, Worte, die nach seiner Auffassung erst angesichts des Todesphänomens einen Sinn erhielten[311]. Er verwies darauf, daß der Mensch alles, was in den biologisch feststellbaren Akten lebensrelativ sei, transzendiere[312] und daß dabei sein Geist eine Sphäre von zeitlosen und ewigen Sinneinheiten berühre[313]. Die Grunderfahrung, die der Mensch dabei gewinnt, faßte er in zwei Punkten zusammen:

---

[305] Malik. S. 412. - Die Wandlungen in der Auffassung Schelers werden deutlich herausgestellt bei W. Hartmann. Auf Grund seiner Analyse aller Äußerungen Schelers kam er zu dem Ergebnis, daß - trotz aller Unterschiede - Schelers Auffassung in beachtlicher Nähe zur scholastischen Definition der Person steht. Vgl. in: SJPhPs 10-11 (1966-1967) 160-168.

[306] R. Guardini: Der Gegensatz. Versuche zu einer Philosophie des Lebendig-Konkreten. Mainz 1925. S. 173-174.

[307] Ebd. S. 175. - Mehr dazu siehe unten S. 727-747.

[308] M. Scheler: Tod und Fortleben. In: Schriften aus dem Nachlaß. Bd. 1 (= Gesammelte Werke. Bd. 10.) Bern ²1957. S. 9-64.

[309] Vgl. ebd. S. 510.

[310] Ebd. S. 11-15.

[311] Ebd. S. 36.

[312] Vgl. M. Scheler: Die transzendentale und die psychologische Methode. Leipzig 1900. S. 161. - Ders.: Der Formalismus in der Ethik und die materiale Wertethik. Gesammelte Werke. Bd. 2. S. 303. - Ders.: Zur Idee des Menschen. Gesammelte Werke. Bd. 3. S. 186.

[313] Ders.: Tode und Fortleben. S. 39.

1. daß die geistige Person in jedem ihrer Akte ... über das hinausgeht, was ihr irgendwelche »Grenze« des gleichzeitig immer im Erleben mitgegebenen Leibes »gegeben« ist;

2. daß die Menge der Gehalte jener Akte immer größer sind als die Mengen der ihnen entsprechenden Leibzustände[314].

M. Scheler berichtete sodann verschiedene Beispiele alltäglicher Erfahrung, um zu zeigen, daß es zum Wesen des persönlichen Geistes gehört, über die Grenze des Leibes und seiner Zustände hinauszuschießen. Genau das nämliche gehöre zum Wesen der Person, daß so, wie sich während des Lebens ihre Akte »hinausschwangen« über die Leibzustände, sie nun sich selbst auch hinausschwinge über ihres Leibes Zerfall. Das sei aber auch alles, was man philosophisch feststellen könne. »Ich weiß also kein Wort, daß die Person nach dem Tode existiere; kein Wort erst recht, wie sie existiere ... Aber ich glaube es, daß sie fortexistiert - da ich keinen Grund habe, das Gegenteil anzunehmen, und die Wesensbedingungen für das, was ich glaube, evident erfüllt sind«[315]. Hier schon verwies er auf den Überschuß des Geistes über das Leben[316], und daß zu einer Person auch ein Leib gehört[317]. Von daher sei zu wissen: »Wenn unsere geistige Person den Tod überdauert, dann ist ihr auch ein 'Leib' gewiß«[318]. Mehr zu wissen sei unmöglich, hier werde die Grenze erreicht.

Wir werden im Laufe unserer Untersuchung fragen, in wie weit die katholischen Theologen unseres Jahrhunderts die von M. Scheler hier genannte Grenze eingehalten haben. Allerdings ist ein unmittelbarer Einfluß seiner Schrift auf das theologische Denken nicht anzunehmen, da die Veröffentlichung seiner philosophischen Reflexion erst späterhin erfolgte[318.1]. Wohl aber sei schon hier bemerkt, daß der Geist- und Personbegriff, wie er etwa von R. Guardini vertreten wurde, in seiner Konfrontation mit dem Schelers gesehen werden muß. Wir werden darauf an gegebenem Ort zurückkommen.

Unsere Übersicht über die Philosophiegeschichte des 20. Jahrhunderts können wir nicht schließen, ohne einen Blick auf jene philosophischen Strömungen zu werfen, die unter dem Namen »Existenzphilosophie« in weiten Kreisen bekannt wurden[319] und auch auf das theologische Denken Einfluß nahmen. Freilich dürfen wir diese Einwirkung nicht zu hoch veranschlagen. Im katholischen Bereich unserer Untersuchung gab es zwischen den beiden Weltkriegen nur sehr spärlich Ansätze zu einer eigenen »Existenztheologie«[320]. Es dürfte jedoch der Klärung dienen, wenn wir hier kurz jene Philosophie skizzieren, auf deren Hintergrund alle theologischen Entwürfe jener Zeit in deutlichem Kontrast erscheinen.

---

[314] Ebd. S. 42-43.

[315] Ebd. S. 47.

[316] Ebd. S. 48.

[317] Ebd. S. 49. - Vgl. B. Lorscheid: Max Schelers Phänomenologie des Psychischen. (Phil. Diss. Bonn 1955.) (APPP. 11.) Bonn 1957. - Ders.: Das Leibphänomen. Eine systematische Darbietung der Schelerschen Wesensschau des Leiblichen in Gegenüberstellung zur leibontologischen Auffassung der Gegenwartsphilosophie. Bonn 1962.

[318] Scheler: Tod und Fortleben. S. 49.

[318.1] Vgl. jedoch den Einfluß von Schelers „Tod und Fortleben" auf M.F. Sciacca: Morte ed Immortalità. Milano 1959. - L. Boros: Mysterium Mortis. Der Mensch in der letzten Entscheidung. Olten, Freiburg 1962.

[319] Vgl. J. Pfeiffer: Existenzphilosophie. Eine Einführung in Heidegger und Jaspers. Leipzig 1933. - Dass. 2., verbesserte Auflage. Hamburg 1949. - Dass. 3., erweiterte Auflage. Ebd. 1952. - A. Fischer: Die Existenzphilosophie Martin Heideggers. Darlegung und Würdigung ihrer Grundgedanken. (Phil. Diss. München 1935.) Leipzig 1935. - A. Brunner: Ursprung und Grundzüge der Existentialphilosophie. In: Scholastik 13 (1938) 173-205. - J. Hessen: Die Existenzphilosophie. In: die philosophischen Strömungen der Gegenwart. Rottenburg 1940. S. 137-156. - O.F. Bollnow: Existenzphilosophie. In: Systematische Philosophie. Hrsg. von Nicolai Hartmann. Stuttgart und Berlin 1942. S. 313-430. - Existentphilosophie. In: Systematische Philosophie. Stuttgart (1942), [2]1949. S. 313-430. - Dass. separat 3., erweiterte Auflage. Stuttgart 1949. - Dass. 4., erweiterte Auflage. Ebd. 1955, [7]1969. - Ders.: Existenzialismus. In: Die Sammlung 2 (1946/47) 654-666. - Ders.: Deutsche Existenzphilosophie. (BEStPh. 23.) Bern 1953. - Ders.: Neue Geborgenheit. Das Problem der Überwindung des Existenzialismus. Stuttgart 1955, [2]1960. - E. Mounier: Introduction aux existentialismes (1947). In: Oeuvres. Bd. 3. Paris 1962. S. 67-175. - Dass. deutsch: Einführung in die Existenzphilosophie. Bad Salzig/Boppard 1949. - Fr.J. Brecht: Einführung in die Philosophie der Existenz. Heidelberg 1948. - Ders.: Bewußtsein und Existenz. Wesen und Weg der Phänomenologie. Bremen 1948. - Ders. (anonym): Heidegger und Jaspers. Die beiden Grundformen der Existenzphilosophie. Wuppertal 1948. - M. Müller: Existenzphilosophie im geistigen Leben der Gegenwart. Heidelberg 1949, [3]1964. - M. Reding: Die Existenzphilosophie. Düsseldorf 1949. - H. Meyer: Existenzphilosophie. In: GAW. Bd. 5. S. 419-476. - H. Pfeil: Existenzialistische Philosophie. (FNPGPhP. 1.) Paderborn 1950. - H. Kuhn: Die Begegnung mit dem Nichts. Ein Versuch über die Existenzphilosophie. Tübingen 1950. - J.B. Lotz: Zum Wesen der Existenzphilosophie. In: Scholastik 25 (1950) 161-183. - Ders.: Sein und Existenz. Freiburg 1965. - J. Hommes: Das Anliegen der Existentialphilosophie. In: PhJ 60 (1950) 175-199. - L. Gabriel: Existenzphilosophie. Von Kierkegaard bis Sartre. Wien 1951. - F.J. von Rintelen: Philosophie der Endlichkeit als Spiegel der Gegenwart. Meisenheim 1951, [2]1961. - H. Krings: Ursprung und Ziel der Philosophie der Existenz. In: PhJ 61 (1951) 433-445. - Ders.: Existenzphilosophie. In: LThK[2] 3 (1959) 1308-1312. - J. Lenz: Der moderne deutsche und französische Existentialismus. In: TThZ 58 (1949/50) 99-108, 204-211, 327-346. - Dass. 2., erweiterte Auflage. Trier 1951. - H. Knittermeyer: Philosophie der Existenz von der Renaissance bis zur Gegenwart. (SDU. 29.) Wien, Stuttgart; München 1952. - W. Stegmüller: Existentialontologie. In: Die Hauptströmungen der Gegenwartsphilosophie. Stuttgart [2]1961. S. 135-194. - Dazu vgl. H. Ogiermann. In: Scholastik 28 (1953) 448. - H. Noack: Existentialphilosophie (Existenzphilosophie). In: EKL 1 (1956) 1237-1241. - Ders.: Die Philosophie Westeuropas. S. 274-333: Von der Existenzdialektik zur Existenzphilosophie. - H.R. Müller-Schwefe: Existenzphilosophie. Zürich 1961. - J. Splett: Existenz(ial)philosophie. In: SM 2 (1968) 2-7. -K. Hartmann: Existenzialismus. In: HWPh 2 (1972) 850-851. - Ders.: Existenzphilosophie. Ebd. 862-866.

[320] Vgl. H. Meyer: Christliche Existenz. In: GAW. Bd. 5. S. 467-470. - P. Wust: Die Dialektik des Geistes. Augsburg 1928. - Ders.: Ungewißheit und Wagnis. München 1936. - E. Przywara: Drei Richtungen in der Phänomenologie. In: StZ 115/II (1928) 252-264. - Ders.: Humanitas. S. 600-642: Existenz und Ideal. - Th. Steinbüchel: Das Problem der Existenz in idealistischer und romantischer Philosophie und Religion. In: C. Feckes (Hrsg.): Scientia sacra. Theologische Festgabe, zugeeignet Sr. Eminenz dem hochwürdigsten Herrn Karl Joseph Kardinal Schulte, Erzbischof von Köln, zum 25. Jahrestag der Bischofsweihe am 19.3.1935. Köln, Düsseldorf 1935. S. 169-228. - Ders.: Der Umbruch des Denkens. Die Frage nach der christlichen Existenz, erläutert an Ferdinand Ebners Menschendeutung. Regensburg 1936. - Ders.: Die philosophische Grundlegung der katholischen Sittenlehre. (HKSL. Bd. 1.) 2 Halbbde. Düsseldorf 1938, [4]1953. - Ders.: Existentialismus und christliches Ethos. Bonn, Heidelberg 1948. - Zu Steinbüchel siehe unten S. 568. - A. Delp: Tragische Existenz. Zur Philosophie Martin Heideggers. Freiburg 1935. - H.U. von Balthasar: Apokalypse der deutschen Seele. Studie zu einer Lehre von den letzten Haltungen. Bd. 1: Der deutsche Idealismus. Bd. 2: Im Zeichen Nietzsches. Bd. 3: Die Vergöttlichung des Todes. Salzburg, Leipzig 1937-1939. - Ders.: Prometheus. Studien zur Geschichte des deutschen Idealismus. (= 2., unveränderte Auflage von: Apokalypse der deutschen Seele. Bd. 1.) Heidelberg 1947. Vgl. besonders S. 1-17. - H.E. Hengstenberg: Einsamkeit und Tod. Regensburg 1938. - Ders.: Tod und Vollendung. Regensburg 1939. - E. Gilson: Christlicher Existenzialismus. Warendorf 1951. - Für

Beginnen wir mit Martin Heidegger (1889-1976), der ursprünglich auch von der phänomenologischen Schule E. Husserls seinen Ausgang nahm[321]. Noch das Hauptwerk M. Heideggers »Sein und Zeit« erschien 1926 im Jahrbuch für Philosophie und phänomenologische Forschung und war Edmund Husserl in Verehrung und Freundschaft zugeeignet[322]. Wie weit freilich sich das Denken inzwischen gewandelt hatte, können wir ermessen, wenn wir das zweibändige Werk zu Rate ziehen, in dem J. Kraft den Weg von Husserl zu Heidegger ausführlich dargestellt hat[323]. Wir wollen jedoch hier nur das Hauptwerk Heideggers in Erinnerung rufen, weil er in diesem zuerst seine Lehre vom Dasein als Sein zum Tode entwickelt hat[324].

---

den Bereich der evangelischen Theologie vgl. u.a.: K. Löwith: Phänomenologische Ontologie und protestantische Theologie. In: ZThK N.F. 11 (1930) 365-399. - F. Traub: Heidegger und die Theologie. In: ZSTh 9 (1931/32) 686-743. - W. Andersen: Der Existenzbegriff und das existenzielle Denken in der neueren Philosophie und Theologie. Gütersloh 1940. - G. Noller (Hrsg.): Heidegger und die Theologie. Beginn und Fortgang der Diskussion. (TB. 38. SystTh.) München 1967. - Noack: Die Philosophie Westeuropas. S. 286-302: Von der Existenztheologie zum Existenzialismus. - H.Ott: Der Weg Heideggers und der Weg der Theologie. Zollikon 1959. - Ders.: Martin Heidegger. In: TdTh. S. 349-353.

[321] Vgl. M. Heidegger: Ein Vorwort. Brief an P. William J. Richardson. In: PhJ 73 (1964/65) 397-402. - Ders.: Frühe Schriften. Frankfurt 1972. - Ders.: Das Realitätsproblem in der modernen Philosophie. In: PhJ 25 (1912) 353-363. - Ders.: Die Lehre vom Urteil im Psychologismus. Ein kritisch-positiver Beitrag zur Logik. (Phil. Diss. Freiburg 1914. - Ref.: A. Schneider.) Leipzig 1914. - Dass. in: Frühe Schriften. S. 1-129. - Ders.: Die Kategorien- und Bedeutungslehre des Duns Skotus. (Habilitationsschrift. Freiburg 1915.) Tübingen 1916. - Dass. in: Frühe Schriften. S. 131-353. - Ders.: Der Zeitbegriff in der Geschichtswissenschaft. In: ZPhPhKr 161 (1916) 173-188. - Dass. in: Frühe Schriften. S. 355-375.

[322] M. Heidegger: Sein und Zeit. Erste Hälfte. (Sonderdruck aus: JPhPhF. Bd. 7.) Halle 1927. - Vgl. dazu u.a.: G. Flügel: Rez. in: PhJ 42 (1929) 104-109. - A. Dyroff: Glossen über Sein und Zeit. In: F.-J. von Rintelen (Hrsg.) Philosophia perennis. Bd. 2. S. 772-796. - H. Conrad-Martius: Rez. in: DKW 46 (1933) 246-251. - D. Feuling: Rez. zu A. Sternberger. Der verstandene Tod. In: ThR 34 (1935) 497-500. Dabei grundsätzliche Aussagen über Heideggers Todesauffassung in „Sein und Zeit". - Siehe auch E. Przywara u.a. in: StZ 118 (1930) 88.

[323] J. Kraft: Von Husserl zu Heidegger. 2 Bde. Frankfurt 1957. - Vgl. Chr. Ertel: Von der Phänomenologie und jüngeren Lebensphilosophie zur Existentialphilosophie M. Heideggers. In: PhJ 51 (1938) 1-28. - Ziegenfuß. Bd. 1. S. 487-492. - Noack: Die Philosophie Westeuropas. S. 315-333. - O. Pöggeler: Der Denkweg Martin Heideggers. Pfullingen 1963.

[324] Ergänzend zu Heideggers Auffassung des Todes in „Sein und Zeit" vgl. ders.: Kant und das Problem der Metaphysik. Bonn 1929. - Dazu vgl. u.a. J. de Vries: Rez. in Schaolastik 5 (1930) 422-425. - Przywara: Humanitas. S. 476-478. - Die Todesauffassung des späten Heidegger bleibt hier außer Betracht, da sie keinen Einfluß auf das theologische Denken vor dem zweiten Weltkrieg ausüben konnte. Es sei hier jedoch auf eine gründliche Dissertation verwiesen, in der gerade die Entwicklung im Denken Heideggers besonders berücksichtigt wurde: J.M. Demske: Sein, Mensch und Tod. Das Todesproblem bei Martin Heidegger. (Symposion. 12.) Freiburg, München 1963. - Demske verzichtete jedoch auf Vergleiche mit anderen Denkern. Vgl. ebd. S. 18. - Zu unserem Thema vgl. andere Studien über den Tod bei Heidegger, wie sie z.T. von Demske S. 16-17 aufgeführt und kurz charakterisiert werden: E. Schott: Die Endlichkeit des Daseins nach Martin Heidegger. (GSt. 3.) Berlin, Leipzig 1930. - A. Sternberger: Der verstandene Tod. Eine Untersuchung zu Martin Heideggers Existenzialontologie. Mit einer monographischen Bibliographie. (StBGPh. 6.) Leipzig 1934. - Wach: Das Problem des Todes in der Philosophie unserer Zeit. S. 39-47. - K. Lehmann: Der Tod bei Heidegger und Jaspers. Ein Beitrag zur Frage: Existenzialphilosophie, Existenzphilosophie und protestantische Theologie. Heidelberg 1938. - M.A.H. Stomps: Heideggers verhandling over den

M. Heidegger begann seine Untersuchung mit einer Exposition der Frage nach dem Sinn von Sein[325]. Über jede ontologische Aussage hinaus stellte er zunächst den ontischen Vorrang der Seinsfrage fest[326]. Das Seinsverständnis selbst war für ihn eine Seinsbestimmtheit des Daseins; das Sein selbst zu dem das Dasein sich so oder so verhalten kann und sich immer irgendwie verhält, nannte er Existenz. Wichtig ist seine Feststellung, daß die Existenz in der Weise des Ergreifens oder Versäumens nur vom jeweiligen Dasein selbst entschieden wird[327]. Mit dieser existenzialen Analytik zielte M. Heideggers Philosophie auf eine Fundamentalontologie, aus der alle anderen »Ontologien«, erst entspringen können[328]. In der Ausarbeitung der Seinsfrage sah er eine Doppelaufgabe: Einmal die ontologische Analytik des Daseins als Freilegung des Horizontes für eine Interpretation des Sinnes von Sein überhaupt durchzuführen, dann aber dabei eine Destruktion der Geschichte der Ontologie durchzuführen.

Im Ersten Teil unternahm M. Heidegger seine Interpretation des Daseins auf die Zeitlichkeit und die Explikation der Zeit als des transzendentalen Horizontes der Frage nach dem Sein. Der erste Abschnitt brachte eine vorbereitende Fundamentalanalyse des Daseins. Dabei stellte er das In-der-Welt-sein als Grundverfassung des Daseins heraus[329]. Wichtiger ist für uns der zweite Abschnitt, in dem der Marburger Philosoph das Verhältnis von Dasein und Zeitlichkeit erläuterte[330], denn dabei trug er seine Auffassung des Todesproblems vor. Wenn wir im Folgenden seine Analyse ausführlich nachzeichnen, so ist stets in Erinnerung zu behalten, daß der Tod nicht eigentlich das Hauptthema Heideggers war. Dies war vielmehr - wie J. M. Demske treffend ausführte - in den früheren Schriften der Mensch bzw. das Dasein, in den späteren Schriften das Sein, obwohl dabei der Tod das unerläßliche Begleitthema abgab, ohne die er das Mensch- und Sein - Problem nicht entfalten konnte[331].

Betrachten wir dies genauer. Für Heidegger stand das mögliche »Ganzsein des Daseins« in einer nahezu unerträglichen Spannung zum »Sein zum Tode«. Er legte dar: Sobald das Dasein so »existiert«, daß an ihm schlechthin nichts mehr aussteht,

---

dood en de Theologie. In: VoxTh 9 (1938) 63-73. - R.F. Beerling: Moderne doodsproblematiek. Een vergelijkende studie over Simmel, Heidegger en Jaspers. Delft 1945. - H. Thielicke: Tod und Leben. Studien zur christlichen Anthropologie. Tübingen 1946. S. 82-91: Das standhaltende Todeswissen im Säkularismus (Heidegger). - Th. Weiß: Angst vor dem Tode und Freiheit zum Tode in Martin Heideggers „Sein und Zeit". Innsbruck [1947]. - S.U. Zuidema: De dood bij Heidegger. In: PhRef 12 (1947) 49-66. - J. Cedrins: Gedanken über den Tod in der Existenzphilosophie. (Phil. Diss. Bonn 1949.) Bonn 1949. - R. Jolivet: Le problème de la mort chez M. Heidegger et J.-P. Sartre. Abbaye S. Wandrille 1950. - Vgl. dazu J.B. Lotz in: Scholastik 28 (1953) 440-441. - W. Kroug: Das Sein zum Tode bei Heidegger und die Probleme des Könnens und der Liebe. In: ZPhF 7 (1953) 392-415. - H. Tanabe: Todesdialektik. In: G. Neske (Hrsg.): Martin Heidegger zum 70. Geburtstag. Festschrift. Pfullingen 1959. S. 93-133. - Vgl. neuerdings Wohlgschaft: Hoffnung angesichts des Todes. S. 107-113: Christliche Deutung des Todes im Rahmen der Daseinsanalyse Martin Heideggers.

[325] Heidegger: Sein und Zeit. S. 2-40.
[326] Ebd. S. 8-11.
[327] Ebd. S. 12.
[328] Ebd. S. 13-14.
[329] Ebd. S. 41-230.
[330] Ebd. S. 231-438.
[331] Demske. S. 12.

sei es auch schon in eines damit zum Nicht-mehr-da-sein geworden. Die Behebung des Seinsausstandes besage Vernichtung seines Seins. »Solange das Dasein als Seiendes ist, hat es seine 'Gänze' nie erreicht. Gewinnt es sie aber, dann wird der Gewinn zum Verlust des In-der-Welt-seins schlechthin. Als Seiendes wird es dann nie mehr erfahrbar«[332]. Den Grund der Unmöglichkeit, Dasein als seiendes Ganzes ontisch zu bestimmen, sah er nicht in einer Unvollkommenheit des Erkenntnisvermögens. Vielmehr stand für ihn das Hemmnis auf Seiten des Seins dieses Seienden. Was so garnicht erst sein kann, wie ein Erfahren das Dasein zu erfassen prätendiere, entziehe sich grundsätzlich einer Erfahrbarkeit. Fraglich war für ihn, ob dann die Ablesung der ontologischen Seinsganzheit am Dasein nicht ein hoffnungsloses Unterfangen bleibt. Die vielen Fragen, die sich ihm hier anschlossen, versuchte er zu beantworten, um das Problem der Daseinsganzheit als nichtiges ausschalten zu können. Die Frage nach der Daseinsganzheit, die existenzielle sowohl nach einem möglichen Ganz-sein-können als auch die existenziale nach der Seinsverfassung von »Ende« und »Ganzheit«, barg für ihn die Aufgabe positiver Analyse von bisher zurückgestellten Existenzphänomenen in sich. Ins Zentrum dieser ganzen Betrachtung stellte er die »ontologische Charakteristik des daseinsmäßigen Zu-Ende-seins« und die Gewinnung eines »existenzialen Begriffes vom Tode«[333].

Die hierauf bezogenen Untersuchungen gliederte M. Heidegger in folgender Weise:

— Die Erfahrbarkeit des Todes der Anderen und die Erfassungsmöglichkeit eines ganzen Daseins (§ 47);

— Ausstand, Ende und Ganzheit (§ 48);

— die Abgrenzung der existenzialen Analyse des Todes gegenüber möglichen Interpretationen des Phänomens (§ 49);

— die Vorzeichen der existenzial-ontologischen Struktur des Todes (§ 50);

— das Sein zum Tode und die Alltäglichkeit des Daseins (§ 51)

— das alltägliche Sein zum Tode und der volle existenziale Begriff des Todes (§ 52);

— existenzialer Entwurf eines eigentlichen Seins zum Tode (§ 53).

Am Sterben der Anderen kann das merkwürdige Seinsphänomen erfahren werden, das sich nach Heidegger als Umschlag eines Seienden aus der Seinsart des Daseins (bzw. Lebens) zum Nichtmehrdasein bestimmen läßt. So kam er zu der These: Das Ende des Seienden qua Dasein ist der Anfang dieses Seienden qua Vorhandenes«[334]. Dabei stellte er aber heraus, daß im Sterben jede Vertretungsmöglichkeit scheitert, wenn es um die Vertretung der Seinsmöglichkeit geht, die das Zu-Ende-kommen des Daseins ausmacht und ihm als solche seine Gänze gibt. Er verwies darauf, daß jedes Dasein jeweilig sein Sterben selbst auf sich nehmen muß. »Der Tod ist, sofern er 'ist', wesensmäßig je der meine«[335].

---

[332] Heidegger: Sein und Zeit. S. 236.
[333] Ebd. S. 237.
[334] Ebd. S. 238.
[335] Ebd. S. 240.

Für M. Heidegger bedeutet mithin der Tod eine eigentümliche Seinsmöglichkeit, darin es um das Sein des je eigenen Daseins schlechthin geht. Am Sterben zeigte sich ihm, daß der Tod ontologisch durch Jemeinigkeit und Existenz konstituiert wird[336]. Sterben war für ihn somit keine Begebenheit, sondern ein existenzial zu verstehendes Phänomen. Den Versuch, das Ganzsein des Daseins phänomenal angemessen zu machen, betrachtete er als gescheitert. Bei der Charakteristik des Übergangs vom Dasein zum Nichtmehrdasein als Nicht-mehr-in-der-Welt-sein zeigte sich ihm, daß das Aus-der-Welt-gehen des Daseins im Sinn des Sterbens von einem Aus-der-Welt-gehen des Nur-lebenden unterschieden werden muß. Das Enden eines Lebendigen faßte er terminologisch als Verenden; dieser Unterschied schien ihm sichtbar zu werden durch eine Abgrenzung des daseinsmäßigen Endens gegen das Ende eines Lebens[337]. Er gab zu, daß sich das Sterben zwar auch physiologisch-biologisch auffassen lasse, bestand aber darauf, daß sich der medizinische Begriff des »Exitus« nicht mit dem des Verendens deckt[338].

M. Heidegger versuchte aus dem bisher über den Tod Erörterten drei Thesen zu formulieren:
1. Zum Dasein gehört, solange es ist, ein Noch-nicht, das es sein wird - der ständige Austausch.
2. Das Zu-seinem-Ende-kommen des je Noch-nicht-zu-Ende-seienden (die seinsmäßige Behebung des Ausstandes) hat den Charakter des Nichtmehrdaseins.
3. Das Zu-Ende-Kommen beschließt in sich einen für das jeweilige Dasein schlechthin unvertretbaren Seinsmodus[339].

Den Schlüssel für die weitere Todeslehre M. Heideggers finden wir in der Feststellung, daß das Noch-nicht bereits in ihr eigenes Sein einbezogen ist, und zwar keineswegs nur als beliebige Bestimmung, sondern als Konstitutivum. Entsprechend ist auch das Dasein, solange es ist, je schon sein Noch-nicht [340]. Weiter betonte er: »So wie über das Dasein vielmehr ständig, solange es ist, schon sein Noch-nicht ist, so ist es auch schon immer sein Ende. Das mit dem Tod gemeinte enden bedeutet kein Zu-Ende-sein des Daseins, sondern ein Sein zum Ende dieses Seienden«[341].

Der Tod ist demnach für M. Heidegger eine Weise zu sein, die das Dasein übernimmt, sobald es ist. So erklärte er schließlich: »Der Tod ist im weitesten Sinne ein Phänomen des Lebens. Leben muß verstanden werden als Seinsart, zu der ein In-der-Welt-sein gehört. Sie kann nur in privater Orientierung am Dasein ontologisch fixiert werden«[342].

Nach zwei Seiten hin grenzte M. Heidegger seine Auffassung ab: Innerhalb der einer Ontologie es Lebens vorgeordneten Ontologie des Daseins schien ihm wiederum die existenziale Analyse des Todes einer Charakterisierung der Grundverfassung des Daseins nachgeordnet. Sterben galt ihm als Titel der Seinsweise, in der das

---

[336] Heidegger verwies hier auf seine Daseinsanalyse. Im gleichen Buch. § 9. S. 41-45.
[337] Vgl. ebd. § 10. S. 45-50.
[338] Ebd. S. 241.
[339] Ebd. S. 242.
[340] Ebd. S. 244.
[341] Ebd. S. 245.
[342] Ebd. S. 246.

Dasein zu seinem Ende ist . Dieses Dasein verendet nie. Von daher ist es zu verstehen, daß für M. Heidegger die existenziale Interpretation des Todes vor aller Biologie und Ontologie des Lebens liegt. Die ontologische Analyse des Seins zum Ende greift andererseits keiner existenziellen Stellungsnahme zum Tode vor. Wenn der Tod als »Ende« des Daseins, d.h. des In-der-Welt-seins bestimmt wird, dann fällt damit für unseren Philosophen keine ontische Entscheidung darüber, ob »nach dem Tode« noch ein anderes, höheres oder niederes Sein möglich ist, ob das Dasein »fortlebt« oder gar, sich »überdauernd«, »unsterblich« ist. Er versicherte daher, über das »Jenseits« und seine Möglichkeit werde ebensowenig ontisch entschieden wie über das Diesseits; die Analyse des Todes bleibe aber insofern rein »diesseitig«, als sie das Phänomen lediglich daraufhin interpretiert, wie es als Seinsmöglichkeit des jeweiligen Daseins in dieses hereinsteht. Noch einmal versicherte er, daß mit Sinn und Recht überhaupt erst dann methodisch sicher auch gefragt werden könne, was nach dem Tode sei, wenn dieser in seinem vollen ontologischen Wesen begriffen werde. Ob eine solche Frage überhaupt eine mögliche theoretische Frage darstellt, ließ er unentschieden. Die diesseitige ontologische Interpretation des Todes liege vor jeder ontisch-jenseitigen Spekulation. Die existenziale Problematik ziele einzig auf die Herausstellung der ontologischen Struktur des Seins zum Ende des Daseins[343].

Die Betrachtung über Ausstand, Ende und Ganzheit ergaben für M. Heidegger die Notwendigkeit, das Phänomen des Todes als Sein zum Ende aus der Grundverfassung des Daseins zu interpretieren. Nur so konnte ihm deutlich werden, inwiefern im Dasein selbst, gemäß seiner Seinsstruktur ein durch das Sein zum Ende konstituiertes Ganzsein möglich ist. Als Grundverfassung des Daseins machte er die Sorge sichtbar. Die ontologische Bedeutung dieses Ausdrucks fand er in der »Definition« ausgedrückt: »Sich-vorweg-schon-sein-in (der Welt) als Sein-bei (innerweltlich) begegnendes Sein«[344]. Damit waren für ihn die fundamentalen Charaktere des Seins als Dasein ausgedrückt: im Sich-vorweg die Existenz, im Schonsein in ... die Faktizität, im Sein-bei ... das Verfallen, und er erklärte: wenn anders der Tod in seinem ausgezeichneten Sinn zum Sein des Daseins gehöre, dann müsse er (bzw. das Sein zum Ende) von diesen Charakteren aus sich bestimmen lassen. Das Zu-Ende-sein besage existenzial: Sein zum Ende; das äußerste Noch-nicht habe den Charakter von etwas, wozu das Dasein sich verhält; das Ende stehe dem Dasein bevor; der Tod sei kein noch nicht Vorhandenes, nicht der auf ein Minimum reduzierte letzte Ausstand, sondern ein Bevorstand . Darin enthüllte sich ihm der Tod als die eigenste, unbezügliche, unüberholbare Möglichkeit[345]. Diese nun beschafft sich nach M. Heidegger das Dasein nicht nachträglich und gelegentlich im Verlauf des Seins, sondern - so erklärte er -, wenn Dasein existiert, dann sei es auch schon in diese Möglichkeit geworfen . Da es seinem Tod überantwortet ist, und dieser somit zum In-der-Welt-sein gehört, davon habe zwar das Dasein zunächst und zumeist kein ausdrückliches oder gar theoretisches Wissen. Die Geworfenheit

---

[343] Ebd. S. 248-249.
[344] Ebd. S. 249. - Vgl. § 41: Das Sein des Daseins als Sorge. Ebd. S. 191-196.
[345] Ebd. S. 250.

in den Tod enthülle sich ihm vielmehr ursprünglicher und eindringlicher in der Befindlichkeit der Angst[346]. Die Angst vor dem Tod sei Angst »vor« dem eigensten, unbezüglichen und unüberholbaren Seinkönnen. Das Wovor dieser Angst sei das Seinkönnen des Daseins schlechthin. Mit einer Furcht vor dem Ableben dürfe die Angst vor dem Tod nicht zusammengeworfen werden.

Für M. Heidegger verdeutlichte sich in dieser Beschreibung der existenziale Begriff des Sterbens als geworfenes Sein zum eigensten, unbezüglichen und unüberholbaren Seinkönnen. Die Abgrenzung gegen pures Verschwinden, aber auch gegen ein Nur-Verenden und schließlich gegen ein »Erleben« des Ablebens gewann an Schärfe. Er verwies darauf, daß das Dasein faktisch stirbt, solange es existiert. Existenz, Faktizität, Verfallen charakterisieren das Sein zum Ende und sind somit in seiner Sicht konstitutiv für den existenzialen Begriff des Todes[347].

Im folgenden Schritt versuchte der Marburger Philosoph nun das Sein zum Tode in der Alltäglichkeit des Daseins näher aufzuzeigen; denn »wenn gar das Sein zum Ende die existenziale Möglichkeit bieten sollte für ein existenzielles Ganzsein des Daseins, dann läge darin die phänomenale Bewährung für die These: Sorge ist der ontologische Titel für die Ganzheit des Strukturganzen des Daseins«[348]. Er legte also dar, wie es dem Dasein auch in der durchschnittlichen Alltäglichkeit ständig um dieses eigenste, unbezügliche und unüberholbare Seinkönnen geht, wenn auch nur im Modus des Besorgens einer unbehelligten Gleichgültigkeit gegen die äußerste Möglichkeit seiner Existenz[349]. Den vollen existenzial-ontologischen Begriff des Todes versuchte er mit folgenden Worten zu umgrenzen: »Der Tod als Ende des Daseins ist die eigenste, unbezügliche, gewisse und als solche unbestimmte, unüberholbare Möglichkeit des Daseins. Der Tod ist als Ende des Daseins im Sein dieses Seienden zu seinem Ende«[350].

In einem letzten Abschnitt brachte unser Philosoph schließlich den existenzialen Entwurf eines eigentlichen Seins zum Tode. Noch einmal betonte er, daß im Sein zum Tode die Möglichkeit ungeschwächt als Möglichkeit verstanden, als Möglichkeit ausgebildet und im Verhalten zu ihr als Möglichkeit ausgehalten werden müsse[351]. Zwar verhalte sich das Dasein zu einem Möglichen in seiner Möglichkeit im Erwarten, und dies sei nicht nur gelegentlich ein Wegsehen vom Möglichen auf seine mögliche Verwirklichung, sondern wesenhaft ein Warten auf diese: Vom Wirklichen aus und auf es zu werde das Mögliche in das Wirkliche erwartungsgemäß hereingezogen. Wie dialektisch Heidegger jedoch das Vehältnis von Möglichem und Wirklichem sah, geht aus folgender Erklärung hervor, daß die

---

[346] Vgl. § 40: Die Grundbefindlichkeit der Angst als eine ausgezeichnete Erschlossenheit des Daseins. Ebd. S. 184-191.

[347] H. Meyer macht darauf aufmerksam, daß Heidegger gegenüber Kierkegaard und Jaspers im Verfallen kein Wertprädikat, sondern ein echtes Existential erblickt. In: GAW. Bd. 5. S. 434.

[348] Heidegger: Sein und Zeit. S. 252.

[349] Ebd. S. 255.

[350] Ebd. S. 258-259.

[351] Ebd. S. 261.

nächste Nähe des Seins zum Tode als Möglichkeit einem Wirklichen so fern als möglich sei; je unverhüllter diese Möglichkeit verstanden werde, umso reiner dringe das Verstehen vor in die Möglichkeit als die Unmöglichkeit der Existenz überhaupt. »Der Tod als Möglichkeit gibt dem Dasein nicht zu 'Verwirklichendes' und nichts was es als Wirkliches selbst sein könnte. Er ist Möglichkeit der Unmöglichkeit jeglichen Verhaltens zu ..., jedes Existierens«[352]. Die Dialektik besteht darin, daß es nach M. Heidegger das Dasein eigentlich nur es selbst ist, sofern es sich als besorgendes Sein bei ... und fürsorgendes Sein mit ... primär auf sein eigenes Seinkönnen, nicht aber auf die Möglichkeit des Man-selbst entwirft. Dann aber zwingt das Vorlaufen in die unbezügliche Möglichkeit, sein eigenstes Sein von ihm selbst her aus ihm selbst zu übernehmen. Dieses Vorlaufen erschließt für Heidegger der Existenz als äußerste Möglichkeit die Selbstaufgabe und zerbricht so jede Versteifung auf die je erreichte Existenz[353].

Nun ist aber für M. Heidegger die eigenste, unbezügliche, unüberholbare und gewisse Möglichkeit hinsichtlich der Gewißheit unbestimmt. Im Vorlaufen zum unbestimmten gewissen Tod öffnet sich das Dasein für eine aus seinem Da selbst entspringende, ständige Bedrohung. Die Befindlichkeit aber, die die ständige und schlechthinnige, aus dem eigensten vereinzelten Sein des Daseins aufsteigende Bedrohung seiner selbst offen zu halten vermag, ist die Angst. Nach M. Heidegger befindet sich in ihr das Dasein vor dem Nichts der möglichen Unmöglichkeit seiner Existenz. Die Angst ängstet sich um das Seinkönnen des so bestimmten Seienden und erschließt so die äußerste Möglichkeit. Ihre Grundbefindlichkeit gehört zu diesem Sichverstehen des Daseins aus seinem Grunde, weil das Vorlaufen des Daseins schlechthin vereinzelt und es in dieser Vereinzelung seiner selbst der Ganzheit seines Seinkönnens gewiß werden läßt. Das Sein zum Tode ist somit für Heidegger wesenhaft Angst. Zusammenfassend beschrieb er die Charakteristik des existenzial entworfenen eigentlichen Seins zum Tode mit folgenden Worten: »Das Vorlaufen enthüllt dem Dasein die Verlorenheit in das Man-selbst und bringt es vor die Möglichkeit, auf die besorgende Fürsorge primär ungestützt, es selbst zu sein, selbst aber in der leidenschaftlichen, von den Illusionen des Man gelösten, faktischen, ihrer selbst gewissen und sich ängstenden Freiheit zum Tode «[354].

Da es nicht unsere Aufgabe sein kann, die gesamte Philosophie M. Heideggers in dieser knappen Überschau darzustellen, verlassen wir hier seinen Entwurf. Es sei nur noch einmal darauf hingewiesen, daß der ganze Abschnitt den Titel »Dasein und Zeitlichkeit« trägt und daß M. Heidegger, nachdem er das mögliche Ganzsein des Daseins und das Sein zum Tode erörtert hatte, sich der näheren Bestimmung der Zeitlichkeit als dem ontologischen Sinn der Sorge zuwandte[355].

Es blieb nicht aus, daß M. Heideggers Analyse des Seins zum Tode in ihrer Bedeutung für die Theologie untersucht wurde. Kritisch fragte K. Lehmann aus der Sicht der protestantischen Theologie, warum das mögliche Ganzseinkönnen des

---

[352] Ebd. S. 262.
[353] Ebd. S. 264.
[354] Ebd. S. 266.
[355] Ebd. 3. Kap. S. 301-333. - Vgl. auch Kap. 4-6. Ebd. S. 334-438.

Daseins nur durch die Analyse des Seins zum Tode gesucht, nicht aber auch die andere Grenze, die Geburt, ebenso ins Auge gefaßt werde. Nach seiner Auffassung reichte das Existenzial der »Geworfenheit« zur Klärung nicht aus, da es in seiner Anwendung völlig unbestimmt blieb[356]. K. Lehmann faßte seine Kritik in fünf Punkten zusammen, die wir hier verkürzt wiedergeben:

1. Die Heideggersche Existenzanalyse hat nicht das Ganze in den Blick bekommen, weil sie nur die eine Grenze, den Tod, in den Blick bekommen hat und nicht auch die Geburt. Das Ganze des Daseins ist ein anderes, wenn es sich nicht als in diese Welt »geworfen« versteht, sondern in seinem Eintritt in die Welt in irgendeinem Sinn die Schöpfung Gottes wirksam sieht. Die unübersehbare Offenheit des Daseins nach rückwärts hin kann ontologisch in keiner Weise mehr bewältigt werden.

2. Die existenziale Daseinsanalyse ist daher nicht neutral; es liegt ihr vielmehr die existentielle Voraussetzung zugrunde, das Dasein von sich selbst aus zu verstehen. Dagegen wird behauptet, daß Dasein als eigentliche Existenz sich nur von Gott aus verstehen kann. Die Tatsache aber, daß das Dasein von sich aus nach seiner Eigentlichkeit fragen kann, gründet darin, daß es immer schon, wenn auch verhüllt, von seinem Sein von Gott her weiß.

3. Es ist biblischer Glaube, daß der natürliche Mensch »im Tode ist«. Nach M. Heidegger hingegen muß das Dasein, um sich aus dem Nichts zu retten, das Ideal der autonomen Freiheit erheben, und sei es auch nur die Freiheit zum Tode.

4. Die ganze Daseinsanalyse Heideggers und gerade auch die Analyse des Seins zum Tode muß, wenn theologisch darüber geredet werden soll, mit der Tatsache der Sünde in Verbingung gebracht werden.

5. Es ist nicht einzusehen, wie der existenziale Begriff des Todes relevant werden könnte für eine existentielle Haltung dem Tod gegenüber. Der existentielle Todesbegriff ist für die Existenz im Grunde ebenso gleichgültig wie das Naturphänomen Tod[357].

Abschließend betonte Lehmann noch einmal, daß die Idee eines in sich selbst geschlossenen Daseins, das sich von sich selbst her irgendwie verstehen will, und sei es auch nur in seiner ontologischen Struktur, theologisch keineswegs neutral ist[358].

Der philosophiegeschichtliche Zusammenhang, in der die existenziale Ontologie M. Heideggers gesehen werden muß, ist in einer überaus gründlichen Studie von J. Hommes deutlich aufgezeigt worden[359]. Auch H. Meyer macht darauf aufmerksam, daß der Marburger Philosoph in der existenzialen Interpretation des Todes, die vor aller Biologie und Ontologie des Lebens liegt, sich als Glied einer langen Kette weiß[360]. Heidegger selbst verwies auf W. Dilthey, dessen eigentliche philosophische Tendenzen zwar auf eine Ontologie des Lebens zielten, dennoch dabei des-

[356] K. Lehmann: Der Tod bei Heidegger und Jaspers. S. 75.

[357] Ebd. S. 79-80.

[358] Ebd. S. 90. - Vgl. die Rez. von A. Brunner in: Scholastik 15 (1940) 118.

[359] J. Hommes: Zwiespältiges Dasein. Die existenziale Ontologie von Hegel bis Heidegger. Freiburg 1953. - Zu Heideggers Philosophie vom Standpunkt des Katholizismus vgl. H.U. von Balthasar in: StZ 137. Bd. 70 (1939) 1-8. - Ders.: Apokalypse der deutschen Seele. Bd. 3. S. 193-315.

[360] H. Meyer: GWA. Bd. 5. S. 437.

sen Zusammenhang mit dem Tode nicht verkannten[361]. H. Meyer meint, daß in der Gegenwart wohl die Todesanalyse G. Simmels am stärksten auf M. Heidegger einwirkte[362], jedoch wandte M. Heidegger gegenüber G. Simmel ein, daß dieser keine klare Scheidung der biologisch-ontischen und der ontologisch-existenzialen Problematik getroffen habe, obwohl er das Phänomen des Todes ausdrücklich in die Bestimmung des »Lebens« einbezog[363]. Im gleichen Zusammenhang forderte Heidegger ausdrücklich auf, seine Untersuchung mit den Ansichten K. Jaspers zu vergleichen, da dieser den Tod am Leitfaden des von ihm herausgestellten Phänomens der »Grenzsituation« faßte, dessen fundamentale Bedeutung über aller Typologie der »Einstellung« und »Weltbilder« liegt[364].

Sehen wir uns die Todesauffassung Jaspers näher an. Karl Jaspers (1883-1969) kam auf dem Weg über psychologisch-psychiatrische Studien zur Philosophie. Schon in jungen Jahren hatte er sich mit Spinoza beschäftigt, Kant blieb der Philosoph seines Lebens, das Werk S. Kierkegaards lernte er ab 1913 kennen[365]. Den größten Einfluß aber übte nach seinem eigenen Geständnis M. Weber auf ihn aus[366]. Obwohl er sich bereits in seinen ersten Schriften [367], vor allem seinem Werk über die »Allgemeine Psychopathologie«, das er als »Leitfaden für Studierende, Ärzte und Psychologen« herausgab[368], der phänomenologischen Methode bediente, blieb er in seinem persönlichen Verhältnis zu E. Husserl und dessen Auffassung von Philosophie distanziert[369]. Nach O. F. Bollnow machte er den von Dilthey ent-

[361] Heidegger: Sein und Zeit. S. 249. Anm. 1. - Vgl. W. Dilthey: Das Erlebnis und die Dichtung. Lessing, Goethe, Novalis, Hölderlin. Leipzig (1906), ⁵1916. S. 230. - Zu Dilthey vgl. wiederum Heidegger: Sein und Zeit. S. 46, 397-404; dazu S. 399. Anm. 1.

[362] H. Meyer: GWA. Bd. 5. S. 437. - Vgl. Przywara: Drei Richtungen der Phänomenologie, besonders S. 259-260.

[363] Heidegger: Sein und Zeit. S. 249. Anm. 1. - G. Simmel: Lebensanschauung. S. 99-153. - Näheres zu G. Simmel siehe oben S. 36-38.

[364] Heidegger: Sein und Zeit. S. 249. Anm. 1. - Vgl. K. Jaspers: Psychologie der Weltanschauung. Berlin ³1925. S. 229 ff., besonders S. 259-270. - Außerdem vgl. Heidegger: Sein und Zeit. S. 301-302. Anm. 1; S. 338. Anm. 1.

[365] Vgl. K. Jaspers: Über meine Philosophie (1941). In: Rechenschaft und Ausblick. Reden und Aufsätze. München (1951), ²1958. S. 392-430. - Ders.: Mein Weg zur Philosophie (1951). In: Rechenschaft und Ausblick. S. 381-391. - Ders.: Philosophische Autobiographie. In: K. Piper (Hrsg.): Karl Jaspers. Werk und Wirkung. München 1963. S. 19-129.

[366] Ders. in: Rechenschaft und Ausblick. S. 389-400. - Vgl. ders. in: Philosophische Autobiographie. S. 47. - Ders.: Max Weber. Rede bei der von der Heidelberger Studentenschaft veranstalteten Trauerfeier (1920). Tübingen 1921, ²1926. In: Rechenschaft und Ausblick. S. 9-29. - Ders.: Max Weber, Politiker, Forscher, Philosoph. München 1932, ³1958. - Zu Max Weber (1864-1920) vgl. u.a.: Ders.: Gesammelte Aufsätze zur Religionssoziologie. 3 Bde. Tübingen 1920-1921, ²1922-1923. - Ders.: Die protestantische Ethik. Eine Aufsatzsammlung. (STb. 53-54.) München, Hamburg 1965.

[367] Vgl. K. Jaspers: Heimweh und Verbrechen. (Med. Diss. Heidelberg 1909.) Leipzig 1909. - Weitere Arbeiten siehe K. Roßmann: Bibliographie. In: Kl. Piper (Hrsg.): Offener Horizont. Festschrift für Karl Jaspers. München 1953. S. 449.

[368] K. Jaspers: Allgemeine Psychopathologie. Ein Leitfaden für Studierende, Ärzte und Psychologen. Berlin 1913. - Dass. Neubearbeitete Auflagen: ²1920, ³1922, ⁴1946. Hier zitiert: Berlin, Göttingen, Heidelberg ⁷1959. - Dazu vgl. ders. in: Rechenschaft und Ausblick. S. 426-427; in: Philosophische Autobiographie. S. 30-44.

[369] Vgl. ders.: Rechenschaft und Ausblick. S. 387.

wickelten Begriff des Verstehens fruchtbar, wobei er scharf zwischen den innerlich verstehbaren und den nur kausal erklärbaren Vorgängen im Seelenleben unterschied[370].

In seinem ersten Hauptwerk »Psychologie der Weltanschauungen« distanzierte sich K. Jaspers von allen früheren Versuchen, eine Weltanschauung zugleich als wissenschaftliche Erkenntnis und als Lebenslehre zu entwickeln, wobei die rationale Einsicht der Halt sein sollte. Stattdessen sah er seine Hauptaufgabe darin, nur zu verstehen [371], welche letzte Position die Seele einnimmt und welche Kräfte sie bewegen. Die faktische Weltanschuung blieb für ihn hingegen Sache des Lebens selbst. Statt einer Mitteilung, worauf es im Leben ankomme, wollte er nur Klärung und Möglichkeiten als Mittel zur Selbstbesinnung geben. Er verwies darauf, daß das Wesentliche, das in den konkreten Entscheidungen persönlichen Schicksals liegt, in seinem Buch verschlossen bleibt. Es habe nur Sinn für Menschen, die beginnen, sich zu verwundern, auf sich selbst zu reflektieren, Fragwürdigkeiten des Daseins zu sehen, und auch nur Sinn für solche, die das Leben als persönliche, irrationale, durch nichts aufhebbare Verantwortung zu erfahren; es appelliere an die freie Geistigkeit und Aktivität des Lebens durch Darbietung von Orientierungsmitteln, aber es verstehe nicht, Leben zu schaffen und zu lehren[371.1].

Im Vorwort zur vierten Auflage schrieb K. Jaspers, daß sein Buch aus einer Zeit stamme, in der er noch ganz in der Haltung psychopathologischen Denkens befangen war. Wohl hatte er aus persönlicher Lust seit früher Jugend philosophische Bücher gelesen, aber noch nicht Philosophie studiert. Was er dachte, erwuchs aus der Anschauung von Menschen und aus der Leidenschaft der Erfahrung in der eigenen Lebensführung. Sein Interesse war bei den letzten Dingen, und er begann, gestützt auf den Satz des Aristoteles, daß die Seele gleichsam alles sei, sich mit allem zu beschäftigen[372], was der Mensch wissen kann, wobei er die im Heidelberger

---

[370] O.F. Bollnow: Existenzphilosophie und Geschichte. Versuch einer Auseinandersetzung mit Karl Jaspers. In: BlDPh 11 (1937) 337-378. - Dass. in: Karl Jaspers in der Diskussion. Hrsg. von Hans Saner. München 1973. S. 235-273. - Ders.: Existenzerhellung und philosophische Anthropologie. Versuch einer Auseinandersetzung mit Karl Jaspers. In: BlDPh 12 (1938) 133-174. - Dass. in: Karl Jaspers in der Diskussion. S. 185-223. - Ders.: Karl Jaspers. In: RGG³ 3 (1959) 549-550. - Vgl. außerdem: U. Schmidhäuser: Karl Jaspers. In: TdTh. S. 206-211. - G. Masi: Karl Jaspers. In: EF² 3 (1968) 1155-1163. - Ders.: La ricerca della verità in Karl Jaspers. Bologna 1953. -P. Koestenbaum: Karl Jaspers. In: EPh 4 (1967) 254-258. - Ziegenfuß. Bd. 1. S. 590-593. - Noack: Die Philosophie Westeuropas. S. 303-315. - H. Meyer: GAW. Bd. 5. S. 450-467.

[371] Vgl. Jaspers: Allgemeine Psychopathologie. ⁷1959. S. 250-263, 283-289, 296-302. - Vgl. dazu M. Weber: Über einige Kategorien der verstehenden Soziologie. In: Logos 4 (1913) 253-294. - Dass. in: Schriften zur Wissenschaftslehre. Tübingen 1922. S. 403 bis 450.

[371.1] K. Jaspers: Psychologie der Weltanschauungen. Berlin 1919. - Zitiert wird im folgenden die vierte Auflage. Berlin, Göttingen, Heidelberg 1954. - Vgl. Ebd. Vorwort S. VII. (Sperrungen hier von mir.) Zu diesem Werk vgl. u.a.: Jaspers: Rechenschaft und Ausblick. S. 427. - Ders. in: Philosophische Autobiographie. S. 44-47. - H. Rickert: Psychologie der Weltanschauungen und Philosophie der Werte. In: Logos 9 (1920) 1-42. - Dass. in: Saner (Hrsg.). S. 35-69. - M. Heidegger: Anmerkungen zu Karl Jasper's „Psychologie der Weltanschauungen" (1919/21). In: Saner (Hrsg.) S. 70-100.

[372] Vgl. Jaspers: Rechenschaft und Ausblick. S. 420-421.

Kreis um W. Windelband und H. Rickert herrschende Abgrenzung der Psychologie nicht gelten ließ[373]. Bei der Frage nach den ursprünglichen Weltanschauungen erfuhr er Hegels Phänomenologie des Geistes, dann vor allem S. Kierkegaard und in zweiter Linie F. Nietzsche wie Offenbarungen. In seinem Werk, das aus dieser geistigen Bestätigung geboren wurde, wollte Jaspers keine eigentliche Philosophie bringen, obwohl er an nichts anderes als an das eigentliche Menschsein dachte. Er unterschied: Psychologie verstehe betrachtend alle Möglichkeiten der Weltanschauung, Philosophie aber gebe die wahre Weltanschauung. In dieser Formulierung, die er selbst in späteren Jahren als unklar, wenn auch fruchtbar fand, lag die Aufgabe der Abgrenzung der empirisch forschenden Psychologie. Noch im Alter bekannte er: »Was ich damals mit der Unterscheidung der Psychologie von prophetischer Philosophie wollte, ist der Sinn meines Philosophierens bis heute geblieben«[374].

Mit der Reflexion, mit der K. Jaspers auf das Werk seiner Jugend zurückschaute, vergegenwärtigte er sich, daß sein Weg von der Psychologie über die verstehende Psychologie zur Existenzphilosophie die alte Aufgabe in neuer Gestalt zu einer dringenden machte: die Abgrenzung einer wissenschaftlichen Psychologie und des methodischen Wissens um deren Möglichkeit und Grenzen. Nun ging es in seiner Weltanschauungspsychologie darum: »Nicht Weltanschauung zur Wahl, sondern in ihnen die Richtung auf das nirgends greifbare Ganze des Wahrseins im Menschen ist das Thema«[375]. Sein Interesse war keineswegs das bloß psychologische an der Realität von Weltanschauungen, sondern das philosophische an dem Wahrheitscharakter dieser Weltanschauung, und so entwarf er einen Organismus der Möglichkeiten, in allem sich selber wiedererkennend und abstoßend[376].

Wenn wir nun die Weltanschauungslehre K. Jaspers auf ihre eschatologische Relevanz prüfen, so müssen wir als erstes feststellen, daß Jaspers nicht vom Objekt her dachte, weder von Ding und Welt noch von Idee und Wesen, daß vielmehr seine Reflexion vom Menschen her kam und auf Verstehen des Menschen abzielte. Sein erstes Kapitel war daher den »Einstellungen« gewidmet, von denen in seiner Sicht alles menschliche Erkennen überhaupt abhängt[377].

Im Hinblick unseres Fragepunktes ist nun von Interesse, daß K. Jaspers neben der gegenständlichen und der selbstreflektierten auch der enthusiastischen Einstellung großen Wert beimaß. In ihr werden alle Grenzen überschritten und Blick wie Gesinnung ins Grenzenlose gewandt. Dies Grenzenlose beschrieb er als die negative Bezeichnung für etwas, das erlebnismäßig als das einzig Substantielle gegenüber allem Relativen, Begrenzten, Gegensätzlichen des Einzelnen zu gelten hat. »In der enthusiastischen Einstellung fühlt der Mensch sich selbst in seiner innersten Substanz, in seiner Wesenheit berührt oder - was dasselbe ist - fühlt er sich ergriffen von der Totalität, dem Substantiellen, der Wesenheit der Welt«[378]. So trat eine innige

[373] Jaspers: Psychologie der Weltanschauungen. S. VIII-IX.
[374] Ebd. S. X.
[375] Ebd. S. XII.
[376] Ebd. S. XII. - Vgl. ebd. S. 1-7.
[377] Ebd. S. 51-138.
[378] Ebd. S. 117-118.

Beziehung zwischen dem Wesenhaften in Objekt und Subjekt ein und eine Einstellung, die nach Jaspers eine nahe Verwandtschaft zur mystischen Versenkung mit ihrer Aufhebung der Subjekt-Objektspaltung zu haben scheint. Aus der psychopathologischen Erkenntnis dieser Seelenvorgänge kam er zu dem Schluß, daß der enthusiastischen Einstellung immer als Merkmal eignet, daß alles ans Ganze gesetzt wird und daß das Opfer der eigenen Individualität selbstverständlich wird. Enthusiasmus ist daher etwas Eigentliches und strebt zur Einheit; er ist Selbstwerden in Selbsthingabe. Diese enthusiastische Einstellung findet sich nur in der Realität, d.h. in der konkreten Wirklichkeit menschlichen Lebens. Sie ist nahezu identisch mit dem liebenden Verstehen, wodurch das Verstehen der Liebe absolut wird. Sie ist zugleich die Einstellung des Schaffenden[379].

Die Fähigkeit zu einem unendlichen Verstehen erörterte K. Jaspers sodann im Zusammenhang seiner Lehre von den Weltbildern. Im Gegensatz zu einem endlichen, geschlossenen Weltbild stand für ihn die Weise, das Verstehbare zu sehen, die aus dem Staunen und Fragen nicht herauskommt, weil sie das Unendliche sieht. Eindringlich legte er dar, daß dieses in keinem geschlossenen Bilde festgehalten, nicht abgerundet und in einem erschöpfenden Grundriß klar vorgestellt werden kann. Der Mensch vermag nach K. Jaspers nur Einzelnes zu erfassen und zu einem provisorischen Gesamtbild zu ordnen, das, wenn es entsteht, bereits überwunden ist. »Es ist uns nicht gegeben, den Sinn und Verlauf des Ganzen zu sehen und zu wissen. Nur Ausschnitte aus im ganzen unbekannten Bahnen sind gegeben. Die neue Erfahrung im weiteren Gang des Lebens wird erst zeigen, was es mit dem Mensch auf sich hat«[380].

Schon in dieser Darlegung kommt zum Vorschein, welches Todesverständnis wir bei K. Jaspers zu erwarten haben. Einmal ist der Mensch - nach Ausweis des konkreten Lebens - von seinem Wesen her grundsätzlich und stets dem Neuen geöffnet, andererseits zerbricht bereits im Entstehen jedes Bild von Welt, das der Mensch sich wiederum im konkreten Lebensvollzug macht. Werden und Vergehen, das ist der dialektische Rhythmus des Scheiterns, von dem Jaspers alsbald sprechen wird. Immerhin, die Richtung auf das Unendliche des Verstehbaren appellierte bei ihm an die lebendige Geistigkeit, ihre Initiative und Kraft. Im Weltbild unendlichen Verstehens sah er grenzenlos Erlebnismöglichkeiten und Kulturinhalte vor dem Menschen liegen. Zugleich sah er die Begrenztheit und Relativität des eigenen Seelen- und Kulturdaseins, sofern ihm objektive Gestalt zukommt. Gerade an den Grenzen des von ihm erreichten Verstehens sah er erst recht die Grenzenlosigkeit der Möglichkeiten in unbestimmter Ferne. Um dieses Unendlichkeitserlebnis im Verstehen herbeizuführen, gewahrte er die Tendenz, sich gerade dem Fremdesten und Fernsten versuchsweise zuzuwenden. In der teilweisen Verständlichkeit, in der teilweisen Übereinstimmung mit dem längst Bekannten und Selbsterfahrenen fühlte er umso mehr das Ferne und Unendliche. Die Unendlichkeit des Verstehbaren trat als analog neben die Unendlichkeit des Räumlichen. Damit zugleich wird nun nach K. Jaspers ein historisches Weltbild möglich, das auf eine verengende histori-

---

[379] Vgl. ebd. S. 118-138.
[380] Ebd. S. 175.

sche Anschauung des Ganzen verzichtet zugunsten einer anschaulichen Analyse aller einzelnen Elemente unter einer Idee der konkreten Ganzheit (Seele, Persönlichkeit, Gesellschaft usw.)[381]. Weiter legte K. Jaspers dar, daß alles Verstehbare instinktiv sogleich auch gewertet wird. Es hat als solches in seinem Wesen Wertcharakter. »Die Welt des verstandenen ist zugleich eine Welt von Werten. Die Grenzvorstellungen des verstandenen Weltbildes tragen diese Wertung in eminentem Maße«[382].

Diese Grenzvorstellungen sind für K. Jaspers mehrfacher Art:
1. die Vorstellungen von Kulturganzheiten (Zeitalter, Völker),
2. die Vorstellungen von menschlichen Persönlichkeiten.
Jaspers meinte nun, daß beide Vorstellungen immer dann aufgelöst werden, wenn das Unendliche bewußt wird; dann verwandeln sie sich in Ideen, für die schematisch vertretend eine Fülle anschaulich konstruierter, bestimmter Typen tritt, die aber als Ideen in der Intention auf konkrete Kulturen und Persönlichkeiten lebendig gegenwärtig sind. Die Grenzanschauungen sind nach Jaspers weltanschaulich das Charakteristischste. »Wie der Mensch Zeitalter und Kulturen sieht, und wie er Menschen sieht, kennzeichnet ihn. Über diese Horizonte des Wirklichen im empirischen Sinn hinaus sieht der Mensch eine mythische Welt«[383].

Es wird zu prüfen sein, wie weit diese Auffassung K. Jaspers im Bereich der katholischen Theologie Widerhall fand. Ohne Zweifel kann das Verhältnis von Unendlichem und Konkretem anders gesehen werden, ohne zugleich einem idealistischen Denken zu verfallen. Immerhin ist es Jaspers zu danken, daß er das Phänomen der Grenze hoch sensibel wahrnahm. In dieser psychologischen Richtung unterschied er sich von der mehr soziologischen Denkweise Simmels, der bereits zuvor auf das Phänomen der Grenze eindringlich hingewiesen hatte[384]. Beide aber gewahrten im Beschreiten der Grenze das Transzendente. So ist ihnen zu verdanken, daß jene besondere Art des metaphysischen Denkens nicht verkümmerte, das allein in der Wahrnehmung eines Transzendent-Unendlichen vor jeder endlichen Verdinglichung des Menschen und seiner Welt bewahrt[385].

Wie sind nun im Leben des Geistes jene Grenzsituation näherhin zu charakterisieren? K. Jaspers ging davon aus, daß der Mensch über alle einzelnen Situationen hinaus in gewissen, entscheidenden, wesentlichen Situationen, die mit dem Menschsein als solchem verknüpft, mit dem endlichen Dasein unvermeidlich gegeben sind, über die hinaus sein Blick nicht reicht, sofern der Blick auf Gegenständliches in der Subjekt-Objekt-Spaltung gerichtet ist. Diese Situationen, die an den Grenzen unseres Daseins überall gefühlt, erfahren, gedacht werden, nannte er dar-

---

[381] Sperrung von Jaspers.
[382] Ebd. S. 176.
[383] Ebd. S. 177.
[384] Zu G. Simmel siehe oben S. 36-38.
[385] Vgl. u.a. Jaspers: Allgemeine Psychopathologie. S. 637-638. - Ders.: Was ist Transzendenz? In: Rechenschaft und Ausblick. S. 421-426. - J.B. Lotz: Die Transzendenz bei Jaspers und im Christentum. In: StZ 137 (1940) 71-76. - Mehr über das metaphysische Weltbild vgl. Jaspers: Psychologie der Weltanschauungen. S. 184-216.

um »Grenzsituationen«[386]. Ihr Gemeinsames sah er darin, daß - immer in der Subjekt-Objekt-gespaltenen, der gegenständlichen Welt - nichts Festes da ist, kein unbezweifelbares Absolutes, kein Halt, der jeder Erfahrung und jedem Denken standhielte. Seine Diagnose lautete: »Alles fließt, ist in ruheloser Bewegung des in Frage gestellt werdens, alles ist relativ, endlich, in Gegensätze zerspalten, nie das Ganze, das Absolute, das Wesentliche«[387]. Hier nun glaubte K. Jaspers zu bemerken, daß diese Grenzsituationen als solche zwar für das Leben unerträglich sind, daß sie aber nie in restloser Klarheit in unsere lebendige Erfahrung eintreten, daß wir vielmehr immer angesichts der Grenzsituationen einen Halt haben; ohne diesen würde das Leben aufhören. Welchen Halt der Mensch hat, wie er ihn hat, sucht, findet, bewahrt, ist nach K. Jaspers der charakteristische Ausdruck der im Menschen lebendigen Kräfte. Sie prägen seinen Geisttypus. Mithin zielte die Frage nach dem Geisttypus für K. Jaspers darauf ab, wo der Mensch seinen Halt habe.

Bevor er nun die Grenzsituationen genauer bezeichnete, versuchte er noch einmal mit anderen Worten die Gesamtsituation zu charaktersieren. Der Mensch - so hörten wir bereits - lebt wesentlich in der Form der Subjekt-Objekt-Spaltung und hier nie in einem Ruhezustand, sondern immer in einem Streben auf irgendwelche Ziele, Zwecke, Werte, Güter hin. Dabei ergibt sich die Frage nach einem höchsten Wert, auf den es eigentlich für die Totalität des Menschen und seines Lebens ankommt. Die Frage des Endzweckes ist da, des absoluten »Telos«, und wie der Mensch auch Reihen von Werten bildet und diese selbst hierarchisch ordnet, - immer gerät er an eine Grenze, über die die Reihe noch weiter gehen mag.

Diesem Gedankengang schloß K. Jaspers einen zweiten an. Er stellte fest, daß dem Streben der Werte sich nun weiter überall ein Widerstand entgegenstellt. Zwar werden solche Widerstände vielfach als zufällig, vermeidbar, überwindbar erlebt und aufgefaßt; als solche sind sie dann endlich und bilden keine Grenze. Solche Widerstände bedeuten zwar Unglück und Leid für den Menschen, aber solange das Werterreichen beherrschend bleibt, sind sie untergeordnet und bloß relative Hemmungen. Dennoch hielt Jaspers daran fest, daß die Welterfahrung auch hier dem Menschen eine absolute Grenze zeigt, an der überall der absolute Zufall, der Tod, die Schuld zu stehen scheint. Von hieraus kam er zu der Erkenntnis der antinomischen Struktur der Welt: »mit allem Gewollten verknüpft sich (in der objektiven Welt) bei der tatsächlichen Realisierung ein Nichtgewolltes; mit allem Wollen verknüpft sich (in der subjektiven Welt) ein Nichtwollen, ein Gegenwollen; wir selbst und die Welt sind antinomisch gespalten«[388]. Dies offenbarte sich K. Jaspers in

[386] Vgl. Jaspers: Allgemeine Psychopathologie. S. 624-641. - G. Marcel: Situation fondamentale et situations limites chez Karl Jaspers. In: Recherches philosophiques 2 (Paris 1932/33) 317-348. - Dass. in: Du refus à l'invocation. Paris 1940. S. 284-326. - Dass. deutsch: Schöpferische Treue. Nach der 5. Auflage übertragen von U. Behler. München, Paderborn, Wien, Zürich 1963. S. 208-235. - Dass. neuübersetzt in: Karl Jaspers in der Diskussion. S. 155-180. - Über den Unterschied der Auffassungen von G. Marcel und K. Jaspers vgl. V. Berning: Das Wagnis der Treue. Gabriel Marcels Weg zu einer konkreten Philosophie des Schöpferischen. Freiburg, München 1973. S. 351-354.
[387] Jaspers: Psychologie der Weltanschauungen. S. 229.
[388] Ebd. S. 230-231.

dem unvermeidlichen und im Wesentlichen unveränderbaren Elend der objektiven Weltlage und in dem Bewußtsein der Sündhaftigkeit, Gebrochenheit, Verworfenheit, Wertlosigkeit, Verächtlichkeit. Diese Zerstörung nannte er im Rationalen Widerspruch. Weil nun nach K. Jaspers alles Gegenständliche rational geformt werden kann, können alle Zerstörungsprozesse, alle Gegensätzlichkeiten als Widersprüche gedacht werden: der Tod ist der Widerspruch des Lebens, der Zufall der Widerspruch der Notwendigkeit und des Sinnes usw. Solche Widersprüche - und das war für Jaspers die allgemeinste Formel aller Grenzsituationen - sieht der Mensch überall, wenn er von der endlichen Situation fortschreitet, um sie im Ganzen zu sehen. Er kam daher zu dem Schluß: »Der Mensch kann ... niemals beim konkreten Endlichen stehen bleiben, da alles Konkrete zugleich endlichen und unendlichen Charakter hat. Um welches für ihn Wesentliche es sich auch handelt, er gerät immer auf Wege zum Unendlichen oder Ganzen hin«[389].

So führt nach K. Jaspers jede Unendlichkeit den Menschen an die Abgründe der Widersprüche, die Antinomien heißen; d.h. zu Unvereinbarkeiten, die ihm endgültig, wesenhaft für das Dasein in der Subjekt-Objekt-Spaltung erscheinen müssen. Das Dasein insgesamt hat damit eine »antinomische Struktur« , das aber hieß für ihn konkret, daß jeder Grenze des objektiven Weltbildes subjektiv das jedem Leben verbundene Leiden entspricht[390].

Nur Einzelfälle dieses Allgemeinen, darum konkreter und in der Wirklichkeit das Eindrucksvollste, waren für K. Jaspers die besonderen Grenzsituationen des Kampfes, Todes, des Zufalls, der Schuld. Alle gegenseitige Hilfe schien ihm für ein empirisches Weltbild nur Grundlage für die Bildung der Einheiten, die im Kampf miteinander stehen; alle Seinzusammenhänge zuletzt durch den Zufall begrenzt, alles Leben vom Tode, alle Entsündigung von immer neuer Schuld, solange der Mensch existiert[391].

Von den einzelnen Stationen, die K. Jaspers jetzt entwickelt, verdient der Tod unsere besondere Aufmerksamkeit[392]. Er ging von folgenden Thesen aus:
1. Der Mensch stirbt, bevor er seinen Zwecke vollendet, die Nichtexistenz ist von allem das Ende.
2. Der Tod ist absolut persönliche Angelegenheit[393].
Er legte dar, daß die Situation eine allgemeine Situation der Welt und daß sie zugleich eine spezifisch individuelle ist. Erstens allgemein: Er legte Nachdruck darauf, daß alles, restlos alles, was wirklich ist, auch vergänglich ist. Zweitens individuell: Er schilderte eindrucksvoll, daß der Tod für den einzelnen Menschen, der selbst keinerlei Erfahrung mit dem Tod hat, sondern immer nur in der Beziehung des Lebendigen zum Tode steht, etwas Unvorstellbares, etwas eigentlich Undenkbares ist. Was immer wir uns bei ihm vorstellten, seien nur Negationen, nie Positivitäten. Unser allgemeines Wissen vom Tod und unsere belebte Beziehung zum Tod schienen ihm nun ganz heterogene Dinge zu sein: »Wir können den Tod gleichzeitig

---

[389] Ebd. S. 231.
[390] Ebd. S. 232.
[391] Ebd. S. 256-257.
[392] Vgl. dazu K. Jaspers: Philosophie. Bd. 2: Existenzerhellung. Berlin, Göttingen, Heidelberg (1932), ³1956. S. 220-229: Einzelne Grenzsituationen. (1.) Tod.
[393] Ders.: Psychologie der Weltanschauungen. S. 260.

nie allgemein wissen und doch ist etwas in uns, das ihn instinktmäßig nicht für möglich hält«[394]. Was ihn psychologisch interessierte, das war nun dies ganz persönliche Verhalten zum Tode, die individuell erlebte Reaktion auf die Situation der
Grenze des Todes. Wie kann der Mensch reagieren, wenn der Tod als Grenzsituation bewußt bleibt? Die sinnlichen Unsterblichkeitsvorstellungen fallen zusammen, der »Glaube« als ein Halthaben an endlichen Vorstellungsinhalten geht verloren; der Intellekt, der den Glauben durch Beweise der Unsterblichkeit der Seele
ersetzen will, ist zur Entwicklung psychologischer Kräfte ganz wirkungslos, er ist
für K. Jaspers bestenfalls der Ausdruck eines trotz allem erhalten gebliebenen, un-
eingestandenen Glaubens, ein Verhalten gegenüber der erkannten, aber noch nicht
erlebten Grenzsituation auf Grund fortbestehender Glaubenskräfte endlichen Inhalts. Der Intellekt wird für Jaspers mit dem Bewußtsein der Grenzsituation des
Todes für die Erwägung von Unsterblichkeit auch sinnlos: er verharrt seinem Wesen nach im Begrenzbaren und darum Endlichen. Es bleibt, wenn einmal die
Grenzsituation erreicht ist, nur die Reaktion in der Entwicklung neuer Kräfte, die
ihren Ausdruck wohl in Formeln finden, aber nach der Auffassung unseres Philosophen eigentlich Lebenseinstellungen, Lebensgesinnungen sind. Er verwies darauf, daß auch hier die Formeln oft eine Entwicklung nach rationaler Konsequenz
anzeigen, daß sie aber in der lebendigen Reaktion immer ihre Grenze an den letzten
Einstellungen findet, die den Kräften entspringen, die nach der Erschütterung der
Seele in der Grenzsituation übrig geblieben oder erst gewachsen sind[395].

Hier nun glaubte K. Jaspers wiederum zwei Reaktionen feststellen zu können:
Nächstliegend eine rein negative: Angesichts der erfaßten Grenzsituation werden
alle primitiven Glaubensinhalte zerstört, etwas Neues tritt nicht an die Stelle. Dieser nihilistischen Reaktion gegenüber sind alle anderen Reaktionen darin einig, daß
sie im Leben, das uns gegenwärtig und allein bekannt ist, nicht etwas gibt, dem wir
irgendwie verantwortlich sind und in dem etwas entschieden wird. Irgend ein Sinn
oder irgend ein Sein oder irgend ein Prozeß geht über dies Leben hinaus. Der Unsterblichkeitsgedanke werde - wie Jaspers lehrte - in mannigfachster, sich selbst wi-
dersprechender Form immer wieder als Ausdruck dieser die Grenzsituation über-
windenden Kraft formuliert, ohne die Grenzsituation zu ignorieren und zu vergessen. Was aber entschieden werde, was über dieses Leben hinaus Sinn oder Sein
habe, das wechsle. Darin sah er erneut schon wieder einen Rückfall in die Situation
im Endlichen ohne absolute Grenze. So werde in gewaltiger Steigerung der Seele-
nerschütterungen und Seelenkräfte immer wieder eine Beziehung zum Absoluten
trotz des Todes gesucht und immer wieder ein bestimmtes Endliches als absolut
genommen. So endete auch diese Analyse für K. Jaspers in der Antinomie: Immer
werde ursprünglich das Erlebnis der Grenzsituation des Todes überwunden durch
eine Beziehung zu einem Absoluten, ohne daß sinnliche Unsterblichkeit angenommen werde, ja mit dem klaren Bewußtsein des Aufhörens dieser Existenz; und fast
immer hörten wir alsbald doch wieder von Unsterblichkeit im alten Sinne[396].

---

[394] Ebd. S. 261.
[395] Ebd. S. 262.
[396] Ebd. S. 263.

Die verschiedenen Charakteristiken der Grenzsituationen zeigten Jaspers die antinomische Lage des Menschen: Er kann durch sie zerbrochen werden, er vermag aber auch Kraft des Lebens und Halt zu besitzen. Auflösung und Halt sah er in ständigem Kampf miteinander liegen. Dabei schienen ihm die Reaktionen unendlich mannigfaltig zu sein, der Form nach aber sich ein stets ähnlicher lebendiger Prozeß abzuspielen, bei dem die bewußte Erfahrung der Grenzsituationen, die vorher durch das feste Gehäuse der objektiv selbstverständlichen Lebensformen, Weltbilder, Glaubensvorstellungen verdeckt waren, eben dies vorher selbstverständliche Gehäuse zur Auflösung bringt. Daß dennoch der Mensch lebt und nicht zugrunde geht, war ihm durchaus ersichtlich, daß er im Auflösungsprozeß des alten Gebäudes gleichzeitig neue Gehäuse oder Ansätze dazu baut. Dieser lebendige Prozeß erschien ihm nicht als einmaliger Vorgang, sondern immer erneute Form des lebendigen Daseins zu sein. Die Umschmelzungsprozesse betrachtete er sodann als Prozesse in der historischen Folge oder als Prozesse in menschlichen Individuen. In Hegels Ausdrücken stellte er Gestalten einer Welt und Gestalten des Bewußtseins einander gegenüber. Dabei standen jedoch die menschlichen Individuen unwillkürlich im Zentrum seiner Vergegenwärtigungen. Der jeweiligen Einstellung des Menschen schien ihm ein bestimmter Geisttypus zu entsprechen, dem geistigen Typus ein entsprechend typisches Weltbild - alles jedoch in einem lebendigen Prozeß, einem geistigen Lebensprozeß[397].

Es würde zu weit führen, wenn wir alle einzelnen Geisttypen hier vorführen und auf ihre Einstellung zu den letzten Dingen befragen wollten. K. Jaspers beschrieb solche, deren absoluter Nihilismus nur in einer Psychose enden kann[398]. Andere wieder suchen ihren Halt im Begrenzten zu fassen[399]. Ihnen gegenüber schilderte er ausführlich jenen Geistestyp, der seinen Halt im Unendlichen zu finden glaubt[400]. Nur bei ihnen gewahrte er die eigentlichen Kräfte einer Weltanschauung. Diese wurzelten für Jaspers im Geist. Vom Geist aber wußte er, daß er unendlich und frei ist. Nach altem Sprachgebrauch redete er schlechthin von Geist, wenn er das Ganze, das Lebendige meinte. So formulierte er seine These: »Das Leben des Geistes ist der Geist selbst«[401].

Die verwirrende Dunkelheit, die in dieser Formulierung zum Ausdruck kommt, liegt daran, daß K. Jaspers grundsätzlich der Meinung war, was der Geist sei, werde nie endgültig klar, wiewohl einzelne Manifestationen klar werden können. »Wir können nur die Intention auf dieses Dunkle, immer klar werdende und doch nie Klare richten«[402]. Die Unendlichkeit des Geistes zeigte sich ihm z.B. im Dialektischen. Endlos und zufällig könne in diesem Medium die rationale Bewegung nach allen Seiten gehen. »Daß sie immer in sich zurückkehren, immer wieder sich auf die geschehene Bewegung zurückwenden kann, nichts zu vergessen braucht, in den dialektischen Bewegungen sich nicht verläuft, sondern hinaufschraubt und steigert, das ist das Unendliche«[403]. Dabei wurde für K. Jaspers das

---

[397] Vgl. ebd. S. 280-285.
[398] Vgl. ebd. S. 285-304.
[399] Vgl. ebd. S. 304-326.
[400] Vgl. ebd. S. 326-462.
[401] Ebd. S. 326. - Vgl. ders.: Allgemeine Psychopathologie. S. 635-640.
[402] Ders.: Psychologie der Weltanschauungen. S. 327.
[403] Ebd. S. 328.

Unendliche der Richtung nach zu einem Ganzen. Das unendliche Ganze des Geistes ist also für ihn niemals, sondern wird, und zwar in dem immer neuen Schaffen des Zusammenhangs, in der Assimilation statt im bloßen Anhäufen. »Das unendliche Ganze des Geistes nimmt die Gegensätze in sich auf, nicht in ruhender Versöhnung, sondern indem es ihre Kraft immerfort zur Geltung kommen läßt«[404].

Und noch ein Letztes. Das Leben des Geistes ist nach K. Jaspers Freiheit . Wiederum schließt er: »Da das Leben Bewegung ist und alles zugleich da und auch nicht da, ist das Wesen des geistigen Lebens, nie in Ruhe, nie fertig, sondern der Weg zu sein, seine Qualitäten zu verwirklichen. Wieder berief er sich auf Hegel und lehrte mit dem großen Dialektiker, daß der Geist als freier das Antinomische zur Synthese zu bringen vermöge, aber - und darin brachte er seine eigene Position zur Geltung - über allen Synthesen sei Freiheit im Individuum gerade als Wahl vorhanden, die für das Individuum nichts ausschließt. Die Wahl, so betonte er, bezeichne die Grenze der individuellen Existenz und habe gerade das Pathos der Freiheit und des Erweises geistiger Existenz. Die Erfahrung der Endlichkeit des Individuums kann nach Jaspers auch so gefaßt werden: »Freiheit und Geist sei das, was die Negation der empirischen, individuellen Existenz möglich, sinnvoll und erträglich macht«[405].

Das Leben des Menschen blieb für K. Jaspers damit völlig in der Schwebe, im labilen Gleichgewicht, wie er gleichnishaft sagte, schauend, staunend und nur auf dieser Grundlage für Einzelnes und Begrenztes fest und bestimmt. »Es ist ein Leben in fortwährender Disposition zum Enthusiasmus im Gegensatz zum Leben in der Stickluft von Regeln und Grundsätzen, die als unbedingt genommen werden. Die Welt der Freiheit ist wie der Ozean und der Sternenhimmel, die Welt der Gebundenheit wie ein Käfig, aus dem der durch sein eigenes Wesen gefesselte Mensch manchmal durch eine Spalte einen schnellen, erregenden, aber auch schnell vergessenden Blick wirft«[406].

Wir haben die Weltanschauungslehre Jaspers in ihren Grundzügen ausführlich wiedergegeben, nicht nur weil sie mit der speziellen Todeslehre auf das Denken im katholischen Bereich einwirkte, sondern weil vor allem die Gegensatzlehre R. Guardinis im Vergleich zu dem gelesen werden muß, was K. Jaspers über die Antinomien, aber auch über Geist und Freiheit darlegte. Schauen wir an dieser Stelle auf jenen Punkt zurück, von dem wir am Anfang dieser philosopiegeschichtlichen Orientierung ausgegangen, sind, so stellen wir fest, daß sich ein Kreis geschlossen hat. Eine weite Strecke wurde zurückgelegt, - es war in großen Zügen der Weg, den das Denken selbst in mehr als einem halben Jahrhundert nahm. Konnten wir für den zweiten Teil des 19. Jahrhunderts sagen, daß sich im Bereich der Philosophie ein Primatanspruch der experimentellen Psychologie erhob[407], so sahen wir bei Jaspers, wie die Psychologie wieder zur Philosophie zurückkehrte[408].

---

[404] Ebd. S. 328.
[405] Ebd. S. 331. - Vgl. ders.: Allgemeine Psychopathologie. S. 630-631.
[406] Ders.: Psychologie der Weltanschauungen. S. 332.
[407] Vgl. J. Eisenmeier: Die Psychologie und ihre zentrale Stellung in der Philosophie. Eine Einführung in die wissenschaftliche Philosophie. Halle 1914.
[408] Dazu siehe weitere Schriften von K. Jaspers im LV.

Wir schließen hiermit unsere Erkundigung der Philosophiegeschichte ab. Die Überschau zeigte, welche philophischen Strömungen im Übergang zur ersten Hälfte des 20. Jahrhunderts hinsichtlich der Eschatologie relevant wurden. Bevor wir nun im Hauptteil unserer Arbeit die Stellung erörtern, die die katholische Theologie im Horizont des allgemeinen Denkens zu dem genannten Thema einnahm, müssen wir zuvor einen Blick auf jene Entwicklung werfen, die sich im Bereich der evangelischen Theologie Deutschlands von den Entwürfen F. Schleiermachers bis zur radikalen Eschatologie A. Schweitzers und seiner Schüler anbahnte.

3. Die Eschatologie im Bereich der evangelischen Theologie Deutschlands

Der Widerspruch einer konsequenten Eschatologie
gegen die Versuche einer rein innerweltlichen Verwirklichung des Gottesreiches

Die Theologie des 19. Jahrhunderts war sowohl im katholischen wie auch protestantischen Bereich zu vielschichtig, als daß sie auf einen Nenner gebracht werden könnte. Die Wechselwirkungen mit der allgemeinen Zeit- und Geistesgeschichte, die Begegnung und Auseinandersetzung mit den verschiedenen philosophischen Strömungen prägten jedes theologische Werk in seiner Eigenart.

Die Theologiegeschichte steht daher vor der Schwierigkeit, sehr differenzierend urteilen zu müssen, wenn sie all den schöpferischen Neuansätzen jener Epoche gerecht werden will. Zwar ist es möglich, eine kontinuierliche Problemgeschichte zu schreiben, oder den Versuch zu wagen, das Gewirr der Meinungen unter systematischen Gesichtspunkten zu ordnen. Dabei aber muß man sich vor jeder einseitigen Parteinahme, die einem Vorurteil entspringt, ebenso hüten, wie vor den Gefahren eines relativierenden Historismus, der nur noch den Pluralismus der verschiedenen theologischen Auffassungen übrigläßt.

Vom katholischen Standpunkt aus wird die Klärung nicht von einem fortschreitenden Prozeß der theologischen Vernunft erwartet. Vielmehr ist die göttliche Offenbarung Grundlage jeder theologischen Wahrheit; die Normen ihrer Beurteilung finden sich in den verbindlichen Erklärungen der kirchlichen Lehre.

Diese Grundform, nach der katholisches Denken sich vollzieht, darf jedoch nicht zu dem Mißverständnis führen, als könne das Ergebnis solcher Theologie nur in einem System abstrakter Lehrsätze bestehen. Der katholische Theologe weiß sehr wohl, wie vielerlei Faktoren beim Zustandekommen einer kirchlichen Lehräußerung mit am Werke sind. Ist dadurch schon für das geformte Dogma selbst eine innere Lebendigkeit gegeben, so wird diese umso deutlicher ins Auge fallen, je mehr man auf die Wechselwirkungen achtet, die die kirchliche Lehre bei ihrer lebendigen Verkündigung hervorruft und erfährt. Katholische Lehre ist daher nicht einseitig ein für allemal festgelegt. Wohl muß sie vor jeder einseitigen und daher unzutreffenden Spekulation ebenso wie vor jeder Unverbindlichkeit des bloßen Meinens geschützt werden, und dazu dient das Dogma. Eine gerechte Beurteilung weiß, daß auch die katholische Theologie sehr vielschichtig ist, da sie - freilich ganz auf ihre

Weise - in lebendiger Begegnung mit den Problemen der Zeit, mit dem Denken, Fühlen und Wollen der Menschen einer Epoche verbunden ist. Wenn wir von neuen Entwürfen sprechen - und an ihnen fehlte es nicht - so können wir sagen, daß sie geradezu aus dem menschlichen Mutterboden einer Zeit entstehen. Wahrhaft katholisch sind sie freilich nur dann, wenn sie nicht einfach eine Diskussion aus dem allgemein menschlichen Gebiet in das theologische Fach übertragen, sondern wenn sie zugleich mit allen Fragen auch die Antwort enthalten, die der christliche Glaube auf das Suchen der Menschen zu geben vermag. Nach diesem Kriterium haben wir auch die evangelische Theologie zu beurteilen. Wir werden versuchen, sie in ihrer Eigenart zu verstehen und zu würdigen. Das wahrhaft Katholische findet sich gewiß auch in ihr. Jede rechte Verständigung auf dem Gebiet der Theologiegeschichte dürfte ein wichtiger Schritt auf dem Weg zu einer interkonfessionellen Einheit sein. Doch entscheidet nicht nur das Programm, sondern auch die Ausführung.

Wir werden einen Einblick in den katholischen Bereich der Theologiegeschichte bis zum nächsten Abschnitt zurückstellen. Hier geht es im wesentlichen um die Tendenzen, die innerhalb des evangelischen Bereiches zu einer Neubesinnung auf die Eschatologie des Christentums führten. Dabei ist zu beachten, daß die Geschichte der deutschen evangelischen Theologie nicht nur nach dem jeweiligen spekulativen Standpunkt ihres Verfassers variiert[1]. Auch die historische Wahrhaftigkeit führte oft zu neuen Erkenntnissen, die zur Umarbeitung ganzer Bücher zwangen. Deutlich wird dies etwa in der Neubearbeitung der »Geschichte der deutschen Evangelischen Theologie seit dem deutschen Idealismus« von H. Stephan

---

[1] Vgl. folgende Darstellungen der Theologiegeschichte:
W. Gaß: Geschichte der protestantischen Dogmatik in ihrem Zusammenhang mit der Theologie überhaupt. 4 Bde. Berlin 1854-1867. Vgl. besonders Bd. 4: Die Aufklärung und der Rationalismus. Die Dogmatik der philosophischen Schulen. Schleiermacher und seine Zeit. - C. Schwarz: Zur Geschichte der neuesten Theologie. Leipzig 1856, 4 1869. - A. Mücke: Die Dogmatik des 19. Jahrhunderts in ihrem inneren Flusse und im Zusammenhang mit der allgemeinen theologischen, philosophischen und literarischen Entwicklung desselben. Gotha 1867. - I.A. Dorner: Geschichte der protestantischen Theologie, besonders in Deutschland, nach ihrer prinzipiellen Bewegung und im Zusammenhang mit dem religiösen, sittlichen und intellektuellen Leben betrachtet. München 1867. - M.A. Landerer: Neueste Dogmengeschichte. Vorlesungen hrsg. von P. Zeller. Heilbronn 1881. - F. Nippold: Handbuch der neuesten Kirchengeschichte. 3 Bde. Teil 1: Geschichte der deutschen Theologie. Elberfeld 1890, 3 1901. - O. Pfleiderer: Die Entwicklung der protestantischen Theologie in Deutschland seit Kant und in Großbritannien seit 1825. Freiburg 1891. - F.-H.R. Frank: Geschichte und Kritik der neueren Theologie, insbesondere der systematischen, seit Schleiermacher. Aus dem Nachlaß des Verfassers hrsg. von P. Schaarschmidt. Leipzig 1894. - Dass. 4. Auflage, bearbeitet und bis zur Gegenwart fortgeführt von R. Grützmacher. Ebd. 1908. - G. Frank: Geschichte der protestantischen Theologie. Teil 4: Die Theologie des 19. Jahrhunderts. Aus dem Nachlaß hrsg. von G. Loesche. Leipzig 1905. - M. Kähler: Siehe oben S. 7, Anm. 23. - W. Elert: Der Kampf um das Christentum. Geschichte der Beziehungen zwischen dem evangelischen Christentum in Deutschland und dem allgemeinen Denken seit Schleiermacher und Hegel. München 1921. - F. Kattenbusch: Die deutsche evangelische Theologie seit Schleiermacher. 2 Teile. Gießen 1934. - H. Stephan: Geschichte der evangelischen Theologie seit dem deutschen Idealismus. Berlin 1938. - Dass. 2., neubearbeitete Auflage von M. Schmidt. Berlin 1960. - K. Barth: Die protestantische Theologie im 19. Jahrhundert. Ihre Vorgeschichte und ihre Geschichte. Zollikon, Zürich 1947. - E. Hirsch: Geschichte der neueren evangelischen Theologie im Zusammenhang mit den allgemeinen Bewegungen des europäischen Denkens. 5 Bde. Gütersloh 1949-1954, 4 1968. - Vgl. auch P. Schanz: Zur Geschichte der neueren protestantischen Theologie in Deutschland. In: ThQ 75 (1893) 3-66, 226-254.

durch M. Schmidt. Dem dort vorangestellten Motto »Wir vermögen nichts wider die Wahrheit, sondern nur für die Wahrheit«[2] ist nichts hinzuzufügen.

a) Friedrich Schleiermacher

In der soeben genannten Theologiegeschichte erfuhr vor allem die Beurteilung F. Schleiermachers eine Neufassung[3]. Wir wollen uns nun diesem Berliner Theologen zuwenden, da mit ihm eine neue Epoche für die protestantische Dogmatik begann[4]. Ohne Kenntnis seines Lebenswerkes bleibt auch die Entwicklung auf dem Gebiet der neueren Eschatologie unverständlich.

Friedrich Ernst Daniel Schleiermacher (1768-1834) begann sein philosophisch-theologisches Studium 1787 in Halle, als sich die Theologie der Aufklärungszeit bereits in einem Umbruchstadium befand. Klassik, Frühromantik und der beginnende spekulative Idealismus brachten Gegenbewegungen hervor, mit deren lebendigen Zentren der junge Theologe bald in Berührung kam[5]. J. G. Herder veröffentlichte in jenen Jahren seine »Ideen zur Philosophie der Geschichte der Menschheit«[6]. F. Schleiermacher beteiligte sich an der Auseinandersetzung mit dem Kritizismus I. Kants[7] und gewann 1796 die Bekanntschaft mit F. Schlegel[8], mit

---

[2] 2. Kor. 13, 8. - Vgl. Stephan - Schmidt. S. V.

[3] Vgl. ebd. S. VII.

[4] P. Meinhold. In: LThK[2] 9 (1964) 414. - Ebenso M. Kähler. S. 41-82: F.D. Schleiermacher, der Begründer der neueren Dogmatik. - K. Barth: Die protestantische Theologie. S. 379. Mit Berufung auf J.Ch. Gaß und A. Neander. - Vgl. u.a. auch G. Frank: Geschichte der protestantischen Theologie. Teil 4. S. 194-245: Frank, Schleiermacher und die Theologie der Mitte.

[5] Vgl. W. Dilthey: Das Leben Schleiermachers. Auf Grund des Textes der ersten Auflage von 1870 und der Zusätze aus dem Nachlaß hrsg. von M. Redeker. 1. Halbband: 1768-1862. (Gesammelte Schriften. Bd. 13.) Berlin, Göttingen 1970. - Vgl. die Rez. zur 2. Auflage (1922) von K. Adam. In: ThQ 104 (1923) 281-282. - J. Wendland: Die religiöse Entwicklung Schleiermachers. Tübingen 1915. - G. Wehrung: Schleiermacher in der Zeit seines Werdens. Gütersloh 1927. - H. Meisner: Schleiermachers Lehrjahre. Hrsg. von H. Mulert. Berlin 1934. - Vgl. O. Kirn: Schleiermacher. In: RE[3] 17 (1906) 587-617.

[6] Johann Gottfried Herder (1744-1803): Ideen zur Philosophie der Geschichte der Menschheit. 4 Bde. Riga 1785-1792. - Im Zusammenhang unserer Thematik vgl. R. Unger: Herder, Novalis, Kleist. Studien über die Entwicklung des Todesproblems in Denken und Dichten von Sturm und Drang zur Romantik. Mit einem eingedruckten Brief Herders. (DF. 9.) Frankfurt 1922. - A. Werner: Herder als Theologe. Ein Beitrag zur Geschichte der protestantischen Theologie. Berlin 1871. - R. Wielandt: Herders Theorie von der Religion und den religiösen Vorstellungen. Eine Studie zum 18. XII. 1903, Herders 100jährigem Todestag. Berlin 1904. - J. Ninck: Die seelische Begründung der Religion bei Herder entwicklungsgeschichtlich dargestellt. (Phil. Diss. Jena 1912. - Ref.: R. Eucken.) Leipzig 1912. - Dass. 2. Auflage. Ebd. 1912. - J.A. Dietterle: Die Grundgedanken in Herders Schrift „Gott" und ihr Verhältnis zu Spinozas Philosophie. In: ThStKr 87 (1914) 505-555. - M. Doerne: Die Religion in Herders Geschichtsphilosophie. Leipzig 1927. - H. Stephan: Schleiermachers „Reden" und Herders „Religion. Lehrmeinungen und Gebräuche". In: ZThK 16 (1906) 484-506. - W. Vollrath: Die Frage nach der Herkunft des Prinzips der Anschauung in der Theologie Herders. (Theol. Diss. Gießen 1909. - Ref.: S.A. Eck.) Darmstadt 1909. - Ders.: Die Auseinandersetzung Herders mit Spinoza. Eine Studie zum Verständnis der Persönlichkeit. (Phil. Diss. Gießen 1911. - Ref.: K. Groos.) Darmstadt 1911. - Zu Herder vgl. außerdem: Pfleiderer: Die Entwicklung der protestantischen Theologie. S. 19-41. - A. Werner: Herder. In: RE[3] 7 (1899) 697-703. - H. Stephan: J.G. Herder. In: RGG[1] 2 (1910) 2122-2126. - Ders. in: RGG[2] 2 (1928) 1814-1818. - K. Barth: Die protestantische Theologie im 19. Jahrhundert. S. 279-302. - M. Schmidt: J.G. Herder. In: EKL 2 (1958) 116-117. - M. Redeker: J.G. Herder. In: RGG[3] 3 (1959) 235-239. - Stephan - Schmidt. S. 22-25.

dem zusammen er seine Platon-Übersetzung begann. Großes Aufsehen erregte er mit seiner Schrift »Über die Religion. Reden an die Gebildeten unter ihren Verächtern«[7]. Nach M. Kähler lag ihr Wert in dem formalen Programm, mit dem die Religion als ein selbständiger Wert neben Politik, Moral usw. behauptet wurde[10]. Erst von daher können die weiteren Aussagen in ihrem antithetischen Charakter richtig verstanden werden, etwa gegenüber einer rationalistischen oder intellektualistischen Auffassung der Religion die Bestimmung: Religion sei »Sinn und Geschmack für das Unendliche - Anschauung des Universums«[11]. Diese Anschauung richtet sich nach Schleiermacher auf konkrete Vorgänge im Innern des Gemüts, wobei der religiöse Mensch auch in seiner Historizität, d.h. im Zusammenleben einer Gemeinschaft gesehen wurde[12]. Daher bemühte er sich als theologischer Lehrer dar-

---

[7] Vgl. F.D. Schleiermacher: 1. Über das höchste Gut: Prüfung der von Kant entworfenen moralischen Weltordnung (1787). 2. Von der Freiheit: Prüfung der Begründung unserer Willensfreiheit auf das moralische Bewußtsein. 3. Vom Wert des Lebens: Die Lösung der Frage von der Bedeutung unseres Daseins. - Vgl. Dilthey in: Das Leben Schleiermachers. Bd. 1. Berlin 1870. S. 10-15: Beilagen. - Ders.: Das Leben Schleiermachers. [3]1970. S. 133-155. - A. Dorner: Schleiermachers Verhältnis zu Kant. In: ThStKr 74 (1901) 1-75. - Vgl. auch F.D. Schleiermacher: Monologe. Eine Neujahrsgabe. Berlin 1800. - Ders.: Die Grundlinien einer Kritik der bisherigen Sittenlehre. Berlin 1803.

[8] K.W. Friedrich von Schlegel (1772-1829) kam 1797 nach Berlin. - Vgl. Dilthey: Das Leben Schleiermachers. Bd. I/1. S. 229-259. - G. Wehrung: Der geschichtsphilosophische Standpunkt Schleiermachers zur Zeit seiner Freundschaft mit den Romantikern. Ein Beitrag zur Entwicklungsgeschichte Schleiermachers in den Jahren 1787-1800. Stuttgart 1907. - H. Stock: Friedrich Schlegel und Schleiermacher. (Phil. Diss. Marburg 1930.) Marburg 1930. - Zur Platon - Übersetzung vgl. Dilthey: Das Leben Schleiermachers. Bd. I/2. (Gesammelte Werke. Bd. XIII/2.) Berlin, Göttingen 1970. S. 37-75.

[9] F.D. Schleiermacher: Über Religion. Reden an die Gebildeten unter ihren Verächtern. Berlin 1799, [2]1806, [3]1821. - Neuere Ausgaben: (UBib. 8313-8315.) Stuttgart 1969. - Dass. (PhB. 255.) Hamburg 1958. Dass. Nachdruck Ebd. 1970.

[10] M. Kähler: Geschichte der protestantischen Dogmatik. S. 49. - Vgl. Dilthey: Das Leben Schleiermachers. Bd. I/1. S. 394-426: Inhalt und Bedeutung der Reden über Religion. - Vgl. ders.: Das Leben Schleiermachers. Bd. II/2: Schleiermachers System als Philosophie und Theologie. (Gesammelte Werke. Bd. XIV/2.) Berlin, Göttingen 1966. - Ueberweg. Bd. 4. ([12]1923). S. 112-128. - A. Ritschl: Schleiermachers Reden über die Religion und ihre Nachwirkungen auf die evangelische Kirche Deutschlands. Bonn 1874. - W. Bender: Schleiermacher und die Frage nach dem Wesen der Religion. Bonn 1877. - Ders.: Schleiermachers Theologie mit ihren philosophischen Grundlagen. 2 Bde. Nördlingen 1876. - G. Lasch: Schleiermacher's Religionsbegriff in seiner Entwicklung von den ersten Auflagen der Reden zur zweiten Auflage der Glaubenslehre. (Phil. Diss. Erlangen 1900.) Erlangen 1900. - E. Fuchs: Schleiermachers Religionsbegriff und religiöse Stellung zur Zeit der ersten Ausgabe der Reden (1799-1806). Gießen 1901. - E. Huber: Die Entwicklung des Religionsbegriffs bei Schleiermacher. Leipzig 1901. - E. Schürer: Schleiermachers Religionsbegriff und die philosophischen Voraussetzungen desselben. Leipzig 1868. - P. Jensen: Schleiermachers Auffassung vom Wesen der Religion und ihr Wert gegenüber dem modernen, besonders dem naturwissenschaftlichen Denken. (Phil. Diss. Erlangen 1905. - Ref.: P. Hensel.) Husum 1905. - H. Forsthoff: Schleiermachers Religionstheorie und die Motive seiner Grundanschauung. (Phil. Diss. Tübingen 1910. - Ref. H. Maier.) Rostock 1910. - L. Goebel: Herder und Schleiermachers Reden über die Religion. Ein Beitrag zur Entwicklungsgeschichte der neueren Theologie. Gotha 1904.

[11] Schleiermacher: Über Religion. 2. Rede: Über das Wesen der Religion. S. 50-52.

[12] Stephan - Schmidt. S. 53. - Vgl. Schleiermacher: Über Religion. 4. Rede: Über das Gesellige oder über Kirche und Priestertum. Besonders S. 174-192. - Schleiermacher hatte solche Gemeinschaftsreligion in der Herrnhuther Brüdergemeinde erlebt. Darauf verweist auch M. Kähler: Geschichte der protestantischen Dogmatik. S. 53. Vgl. ebd. S. 82. - H. Holder: Die Grundlagen der Gemeinschaftslehren Schleiermachers. (PU. R. 2. H. 1.) Langensalza 1927.

um, seine Hörer »von der abstrakten Idee zur empirischen Wirklichkeit zu führen«[13].

Schleiermacher hat später diese ersten Ansätze systematisch ausgebaut[14]. Bei Beurteilung seiner »Glaubenslehre« wurde herausgestellt, wie stark christozentrisch diese konzipiert war[15]. Jedoch ging es Schleiermacher nicht um ein christologisches Dogma, sondern um die Einwirkung des historischen Jesus von Nazareth auf das Innere des Menschen. Er bemühte sich aufzuzeigen, daß die von Christus ausgehende Erlösung erst dem religiösen Leben Reinheit und Tiefe gibt[16]. Hierbei ist jedoch zu beachten, daß die Erlösungstat Christi voll und ganz als Teil der Schöpfungswirklichkeit angesehen wurde. Jesus Christus ist der zweite Adam, eine den Sündenzusammenhang durchbrechende Neuschöpfung, aber damit auch zugleich Vollendung der ursprünglichen Schöpfung[17]. So richtig diese von Paulus her vertretene Auffassung ist[18], so oft sie früher schon in der christlichen Theologie entfaltet wurde, haben doch wohl die recht, die F. Schleiermacher in diesem Zusammenhang ein fehlendes oder jedenfalls verkürztes Sündenverständnis vorwerfen. Erlösung war bei ihm »nur die mit der vorbereitenden Stufe in ihrer Notwendigkeit und Verwirklichung bereits gedachte höhere Stufe« der Schöpfung[19]. M. Kähler sah hier auch den Grund dafür, daß bei F. Schleiermacher von keiner Geschichte die Rede sein könne, die zu einem Ziel hinführt. Eschatologie sei daher ein Unding; »es geht nicht auf ein Ziel hinaus, sondern mit dem Christentum ist alles da«[20].

Ob die These, F. Schleiermacher lehne jede Art von Eschatologie ab[21], richtig ist, hängt davon ab, was man unter »Eschatologie« versteht. Sie ist zutreffend, wenn man diesen Begriff nur hinsichtlich der Vorstellung gelten läßt, daß mit dem Ende der Zeit ein radikal Neues beginnt, das zuvor nur in Spannung erwartet oder erhofft werden kann. W. Ölsner hat indes gezeigt, wie F. Schleiermacher, entsprechend seiner Darstellung des Glaubens nach den Grundsätzen der Kirche, die Novissima behandelte, wie sie im Apostolicum zu finden sind: die Wiederkunft Christi, die Auferstehung des Fleisches, das Jüngste Gericht und die ewige Seligkeit bzw. Verdammnis. Außer diesen Stücken habe er noch zwei Begriffe der Betrachtung unterzogen, die bald als dem Ganzen übergeordnete Prinzipien, bald als zwei

---

[13] Vgl. Schleiermacher. 5. Rede: Über Religionen. S. 235-279. Speziell über das Christentum ebd. S. 281-312. - Vgl. O. Ritschl: Schleiermachers Stellung zum Christentum in seinen Reden über die Religion. Ein Beitrag zur Ehrenrettung Schleiermachers. Gotha 1888.

[14] F.D. Schleiermacher: Der christliche Glaube, nach den Grundsätzen der evangelischen Kirche im Zusammenhang dargestellt. 2 Bde. Berlin 1821-1822, ²1831-1832. - Dass. Neuausgabe hrsg. von M. Redeker. Berlin ⁷1960.

[15] Vgl. ebd. § 92, 93. - Vgl. Stephan - Schmidt. S. 105. - M. Kähler: Geschichte der protestantischen Dogmatik. S. 81. - Meinhold. In: LThK² 9 (1964) 415. - Elert. S. 52, 60, 64. - H. Bleek: Die Grundlagen der Christologie Schleiermachers. Freiburg 1898. - E. Günther: Die Entwicklung der Lehre von der Person Christi im 19. Jahrhundert. Tübingen 1911.

[16] G. Wobbermin. In: RGG² 5 (1931) 174. - Vgl. S. Eck. In: RGG¹ 5 (1913) 311-312. - H. Stephan: Die Lehre Schleiermachers von der Erlösung. Tübingen, Leipzig 1901.

[17] M. Kähler: Geschichte der protestantischen Dogmatik. S. 79. - Vgl. H. Scheel: Die Theorie von Christus als dem zweiten Adam bei Schleiermacher. Leipzig 1913.

[18] Vgl. Röm. 5, 14.

[19] M. Kähler: Geschichte der protestantischen Dogmatik. S. 79.

[20] Ebd. S. 79.

[21] E. Fleischhack: Fegfeuer. Die christliche Vorstellung vom Geschick der Verstorbenen geschichtlich dargestellt. Tübingen 1969. S. 217.

parallele Fäden erscheinen: die Vollendung der Kirche und das Fortleben des Individuums[22]. Hinsichtlich des letzteren kam W. Ölsner zu dem Urteil; die Gewißheit, daß der Erlöser seinen Jüngern sein ewiges Leben in jedem Augenblick und damit auch im letzten mitteilt, stelle den Zusammenhang her, der die Aufnahme des Fortlebens der Persönlichkeit in seine Glaubenslehre gestattet habe[23].

In diesem Punkt ergaben sich jedoch zwei Schwierigkeiten, die in der Diskussion immer wieder hervorgehoben wurden. Zum einen sprach F. Schleiermacher die Mitteilung unvergänglichen Lebens durch den Erlöser allen Menschen zu und verurteilte eine Beschränkung auf die Gläubigen allein als Manichäismus - eine Auffassung, die zur These der Apokatastasis führen mußte[24]. Die andere Schwierigkeit war damit gegeben, daß Schleiermacher wohl sah, daß der kirchliche Glaube an die Auferstehung des Fleisches die Kontinuität des Personenlebens irgendwie voraussetzt, dennoch die persönliche Unsterblichkeit des Menschen für mehr als zweifelhaft hielt[25]. Schon in den 'Reden' hatte er geschrieben: »Die Unsterblichkeit darf kein Wunsch sein, wenn sie nicht erst eine Aufgabe gewesen ist, die ihr gelöst habt. Mitten in der Endlichkeit einswerden mit dem Unendlichen und ewig sein in einem Augenblick, das ist die Unsterblichkeit der Religion«[26]. Nach H. Scholz lagerte sich hier bei Schleiermacher die Kategorie des ewigen Lebens nicht nur vor den Unsterblichkeitsglauben, sondern saugte diesen sogar in sich auf. Der Unsterblichkeitsglaube ging damit restlos in das Gefühl eines diesseitig-ewigen Lebens über[27].

Von der Religionsgeschichte her wußte F. Schleiermacher, daß der Glaube an die Fortdauer der Persönlichkeit nach dem Tode überall zu finden ist, mithin nicht als eine Besonderheit des Christentums zu gelten hat. Wenn er selbst dennoch zu einer Ablehnung dieses weitverbreiteten Glaubens kam, so geschah dies mehr aus philosophischen als aus theologischen Gründen[28]. Er forderte ein »Entsagen auf die Fortdauer der Persönlichkeit«, nicht auf Grund einer atheistisch-atomistischen Denkungsart, sondern weil er in der einzelnen Seele nur eine vorübergehende Aktion der allgemeinen geistigen Produktivität sah. Dieser aktualistischen Psychologie fügte F. Schleiermacher eine theologische Erwägung über den Zwischenzustand hinzu. Möglich wäre dieser nicht ohne Gemeinschaft mit Christus, denn sonst bedeute er ein Herausfallen aus der Gnade, das die evangelische Kirche seit ihrem Entstehen verworfen habe. Sei aber die Gemeinschaft mit Christus schon für die Verstorbenen eine bewußte Wirklichkeit, dann könne nicht verständlich gemacht

---

[22] W. Ölsner: Die Entwicklung der Eschatologie von Schleiermacher bis zur Gegenwart. Gütersloh 1929. S. 9.

[23] Ebd. S. 11. - Vgl. U. Kühn: Das Problem der zureichenden dogmatischen Begründung der christlichen Auferstehungshoffnung. In: KuD 9 (1963) 1-17, besonders S. 3.

[24] Vgl. Ölsner. S. 11 und 15.

[25] Vgl. Schleiermacher: Der christliche Glaube. Bd. 2 (1960). S. 410-412. - M. Maaß: Wie dachte Schleiermacher über die Fortdauer nach dem Tode? Eine kritische Zusammenstellung aus seinen Schriften. In: JPTh 17 (1890/91) 40-107.

[26] Schleiermacher: Über Religion (1799). S. 133.

[27] Zur Ablehnung religionsgeschichtlicher Beweisführung im Dienst der Apologetik bei Schleiermacher siehe Elert. S. 45-46.

[28] H. Scholz: Der Unsterblichkeitsgedanke als philosophisches Problem. 2., neuverfaßte Ausgabe. Berlin 1922. S. 46. - Vgl. F. von Hügel: Eternal Life. A study of its implications and applications. Edingburgh 1912. S. 179-201.

werden, wozu eine Auferstehung der Toten dienlich und die Wiedervereinigung mit dem Leibe kein Rückschritt sei[29].

F. Schleiermacher war überzeugt, daß seine Auffassung im Einklang mit der evangelischen Glaubenslehre stehe. Wir sehen aus seinen Worten, wie stark er der idealistischen Denkweise verhaftet war, so daß er die leibliche Existenz des Menschen nicht recht zu würdigen vermochte. Es wurden daher schon oft beträchtliche Einwände gegen seine Thesen erhoben. Unlängst kritisierte E. Fleischhack, daß F. Schleiermacher das Problem von Sünde und Schuld umgangen habe. Unter dem erlösenden Einfluß Christi versöhne sich der Mensch selber mit der Unvollkommenheit der Welt. Mit der radikalen Verwerfung des individuellen Fortlebens nach dem Tode habe F. Schleiermacher in unseren Tagen erneut Nachfolger gefunden. Gewiß scheine die Konzentration des Wirkungsbereichs des Christenglaubens auf ein bewußt gelebtes irdisches Leben den Menschen heute einleuchtend. Dann blieben aber, wie bei Schleiermacher, die letzten Fragen menschlicher Existenz offen[30]. In Anbetracht dieser Einwände ist es sicher sinnvoll, noch einmal zu prüfen, welche Antwort katholische Theologie auf die hier gestellten Fragen zu geben vermag.

b) Richard Rothe

Hatte F. Schleiermacher bereits den Akzent auf die innerweltliche Auswirkung der Erlösungstat Christi gesetzt, so verdrängte im Verlauf des 19. Jahrhunderts immer mehr ein immanenter Chiliasmus die christliche Parusiehoffnung[31]. Dieser Wandel vollzog sich nicht nur an den Randzonen eines völlig säkularisierten Christentums, sondern selbst im inneren Bereich der protestantischen Theologie. Es ist daher zum Verständnis der Eschatologie erforderlich, der Entwicklung dieser Theorie ein wenig Aufmerksamkeit zu schenken.

Nicht von ungefähr wurde die Geschichtstheologie der mittelalterlichen Spiritualen von einem protestantischen Forscher unter dem Gesichtspunkt einer »Reformation« betrachtet[32]. In der späteren Zeit finden wir immer wieder eine starke Parallelität von reformatorischen Bestrebungen und schwärmerischen Utopien, die sich im gesellschaftlichen Leben zu verwirklichen trachten. Beide dürfen zwar nicht identifiziert werden, wenn sich auch mannigfache Berührungspunkte feststellen lassen. Deutlich wird der Zusammenhang bereits bei den Hussiten und Taboriten des ausgehenden Mittelalters[33]. In der Reformationszeit wurden chiliastische

---

[29] Schleiermacher: Der christliche Glaube. Bd. 2. S. 426-429.

[30] Fleischhack. S. 220. - Vgl. K. Flebbe: Die Lehre Schleiermachers von der Sünde und vom Übel. (Phil. Diss. Jena 1873.) Jena 1873. - P. Althaus: Die letzten Dinge. Entwurf einer christlichen Eschatologie. Gütersloh 1922. S. 50.

[31] P. Althaus. In: RGG² 2 (1928) 351. - Vgl. ders.: Die letzten Dinge. (⁵1949). S. 297-318.

[32] E. Benz: Ecclesia spiritualis. Kirchenidee und Geschichtstheologie der franziskanischen Reformation. Stuttgart 1934. - Dass. reprograph. Nachdruck. Ebd. 1964 und 1969.

[33] Jan Hus (etwa 1370-1415). Zur Geschichte und Lehre seiner Anhänger vgl. F. Seibt: Hussiten. In: LThK² 5 (1960) 546-549. - R. Říčan: Das Reich Gottes in den böhmischen Ländern. Geschichte des tschechischen Protestantismus. [Aus dem tschech. Ms.] ins Deutsche übersetzt von B. Popelář. Stuttgart (1957). - In Südböhmen vertraten die Taboriten unter dem Einfluß der Picarden einen pazifistischen Chiliasmus. Vgl. F. Seibt: Taboriten. In: LThK² 9 (1964) 1269. - Ders.: Pikarden. In: LThK² 8 (1963) 503-504. - K. Hilgenreiner: Hussiten. In: LThK¹ 5 (1933) 209. - F. Rabeneck: Pikarden. In: LThK¹ 8 (1936) 274-275. - Vgl. auch J. Weißkopf: Böhmische Brüder. Geschichte und Lehre. In: LThK² 2 (1958) 563-565.

Vorstellungen vor allem in der Täuferbewegung lebendig[34], zeigten sich aber auch in den radikal-reformatorischen Kreisen Englands in der Zeit Cromwells[35]. Zur theologischen Bedeutung gelangte der Chiliasmus erst durch Johann Coccejus[36] , dessen Schüler ihn im 18. Jahrhundert an den Pietismus vermittelten[37]. Ihren Höhepunkt fand diese Bewegung in der »Reichstheologie« von J. A. Bengel[38] und F. Ch. Oetinger[39] . Dazu schrieb P. Althaus, daß man sich über deren Phantastik

[34] Vgl. F. Blanke: Wiedertäufer I. In: LThK[2] 10 (1965) 1107-1109. - Der linke Flügel der Reformation. Glaubenszeugnisse der Täufer, Spiritualisten und Antitrinitarier. Hrsg. von Heinold Fast. (Kl. Prot. Bd. 4. = SDi. Bd. 269.) Bremen (1962). - Beachte vor allem die eschatologische Ausrichtung der Bewegung bei Melchior Hofmann (etwa 1500-1543) und den Melchioriten.

[35] Vgl. die Gruppen der „Seekers", „Ranters", „Shakers", „Waiters", „Levellers". - Vgl. Th. Sippell: Zur Vorgeschichte des Quäkertums. Gießen 1920. - Ders. in: RGG[2] 5 (1931) 368-369, 461. - L. Zscharnack: Levellers. In: RGG[2] 3 (1929) 1600.

[36] Johann Coccejus (= Koch. 1603-1669): Summa doctrina de Foedere et testamento Dei. Leiden 1648. - Ders.: Panegyricus de regno Dei. 1660. - Vgl. G. Schrenk: Gottesreich und Bund im Protestantismus, vornehmlich bei Johann Coccejus. Gütersloh 1923. Zugleich ein Beitrag zur Geschichte des Pietismus und der heilsgeschichtlichen Theologie. (BFChTh. R.2. Bd. 5.) - Hirsch. Bd. 1. S. 237-244.

[37] Vgl. u.a. Theodor à Brakel (= Dirk Gerritszon. 1608-1669). Schriften siehe LV. - Jean de Labadie (1610-1674). - Philipp Jakob Spener (1635-1705). Schriften siehe LV. - Dazu vgl. Hirsch. Bd. 2. S. 91-155: Die Grundlagen der pietistischen Theologie durch Philipp Jakob Spener. - M. Schmidt: Speners Wiedergeburtslehre. In: ThLZ 76 (1951) 17-30. - Johann Heinrich Horb (1645-1695). - Johann Wilhelm Petersen (1649-1727) und seine Frau Johanna Eleonora geb. von Merlau (1644-1724). Sie versuchten in der Eschatologie die Mystik Jakob Böhmes (1575-1624) mit dem Föderalismus zu verbinden. - Vgl. W. Nordmann: Die theologische Gedankenwelt in der Eschatologie des pietistischen Ehepaares Petersen. (Theol. Diss. Berlin 1929.) Berlin 1929. (= Teildruck aus: Die Eschatologie des Ehepaares Petersen. Ein Einzelbild aus der Geschichte des deutschen Pietismus.) - Ders.: Die Eschatologie des Ehepaares Petersen, ihre Entwicklung und ihre Auflösung. In: ZVKGS 26 (1930) 83-108; 27 (1931) 1-19. - Heinrich Horche (1652-1729). - Campegius Vitringa (1659-1722). Dazu siehe LV. - Samuel König (1670-1750). - Friedrich Adolf Lampe (1683-1729). Dazu siehe LV. - Eva von Buttlar (1670-1717). - Elias Eller (1690-1750). - Zum Ganzen vgl. K. Semisch - E. Bratke: Chiliasmus. In: RE[3] 3 (1897) 810-812. - A. Ritschl: Geschichte des Pietismus. Bd. 1: In der reformierten Kirche. Bonn 1880. - G. Frank: Geschichte der protestantischen Theologie. Teil 4. S. 527-545: Mystizismus und Pietismus. - P. Althaus: Die letzten Dinge (1922). S. 66.

[38] Johann Albrecht Bengel (1687-1752). Schriften siehe LV. - Zum Einfluß Bengels auf die Entwicklung der Dogmatik im 19. Jahrhundert, speziell die Eschatologie, vgl. Ölsner. S. 79. - H. Rusche: Eschatologie in der Verkündigung des schwäbischen und niederrheinischen Biblizismus des 18. Jahrhunderts. (Theol. Diss. Heidelberg 1943.) O.O. 1943 (M.schr.). - Bekanntlich übte die Geschichtstheologie Bengels starken Einfluß auf Hamann, Schelling, Baader und Hegel aus.

[39] Zu Friedrich Christoph Oetinger (1702-1782) vgl. Hirsch. Bd. 4. S. 166-174. - Stephan - Schmidt. S. 15. - O. Herpel (Hrsg.): F. Chr. Oetinger - Die heilige Philosophie. Aus Werken, Briefen, Aufzeichnungen ausgewählt und mit einem kritischen Nachwort versehen von Otto Herpel. München 1923. - R. Schneider: Schellings und Hegels schwäbische Geistesahnen. (Phil. Diss. Bonn 1936.) Teildruck 3, 1: Die Logik des Lebens. Berlin 1936. Außerdem Teildruck Würzburg 1938. - W.A. Hauck: Das Geheimnis des Lebens. Naturanschauung und Gottesauffassung Friedrich Christoph Oetingers. Heidelberg 1947. - Zu Bengel und Oetinger vgl. auch H.U. von Balthasar: Prometheus. Studien zur Geschichte des deutschen Idealismus. Heidelberg 1947. S. 37-41: Chiliastische Theologie. - Im Zusammenhang mit Bengel und Oetinger siehe auch Johann Michael Hahn (1738-1819). - Vgl.: Die Schriftauffassung J.M. Hahns von der Wiederbringung aller Dinge, von der ersten Auferstehung und von dem 1000jährigen Reich. In: J.M. Hahn: Schriften. Hrsg. von der J.M. Hahn-Gemeinschaft. Stuttgart 1930.

in der Schriftdeutung und der Künstelei und Anmaßung bei der Endberechnung nicht über den großen Zug ihrer Theologie täuschen dürfe. »Diese apokalyptischen Theoretiker waren Geschichtstheologen, die durch die individualistische Schranke der orthodoxen Heilslehre zu einer großartigen Konzeption der Weltgeschichte drangen, mit der Zuversicht, daß die Bibel das Licht für alle Dinge bringe und eine umfassende Geschichtsschau biete«[40]. P. Althaus zeigte desweiteren, wie durch Bengels Einfluß dann der Chiliasmus in der lutherischen Kirche neu zur Anerkennung kam, so daß die Geschichtslosigkeit der Orthodoxie durch das »heilsgeschichtliche« Denken, der Individualismus, Spiritualismus, die Jenseitigkeit durch die Erwartung des Reiches auf Erden abgelöst wurde. Er sah jedoch auch, daß diese Bibeltheologen keineswegs die ganze Kirche beherrschten, geschweige das ganze Geistesleben jener Zeit. Immerhin darf ihr Einfluß nicht unterschätzt werden. So können wir zustimmen, wenn P. Althaus in dem Idealismus von Lessing bis Hegel einen theologischen Chiliasmus säkularisiert sah[41], der sodann in Hegels Antipoden und Erben Karl Marx (1818-1883) mit der an ihn anschließenden sozialistischen, kommunistischen Bewegung den Zug »glühender immanent-chiliastischer Erwartung« fand[42]. Dabei führte nun die brennende Erwartung biblizistisch eingestellter Theologen zu Versuchen, den Sozialismus religiös in urchristlich-chiliastischem Sinn zu sehen[43]. Als Vorläufer dieser Bewegung haben aber auch Männer wie Richard Rothe (1799-1867) zu gelten, der einen immanenten Kulturrevolutionismus mit supranaturalem Chiliasmus verband. P. Althaus verwies darauf, daß er darin von einem Teil des religiösen Sozialismus in der Form des »weltlichen Christentums« in späterer Zeit erneuert wurde[44].

---

[40] P. Althaus: Eschatologie IV. In: RGG² 2 (1928) 350.

[41] Vgl. E. von Sydow: Der Gedanke des Ideal-Reichs in der idealistischen Philosophie von Kant bis Hegel im Zusammenhange der geschichtsphilosophischen Entwicklung. Leipzig 1914. - E. Hirsch: Die Reich-Gottes-Begriffe des neueren europäischen Denkens. Ein Versuch zur Staats- und Gesellschaftsphilosophie. Göttingen 1921. - von Balthasar: Prometheus. S. 45-619. - W. Nigg: Das ewige Reich. Zürich ²1954. S. 296-323. - R.K. Maurer: Endgeschichtliche Aspekte der Hegelschen Philosophie. Zur Kritik des Chiliasmus. In: PhJ 76 (1968) 88-122.

[42] Althaus. In: RGG² 2 (1928) 351. - Vgl. ders.: Die letzten Dinge. ⁵1949. S. 304. - Ders.: Religiöser Sozialismus, Grundfragen der christlichen Sozialethik. Gütersloh 1921. - Vgl. Steinbüchel. In: SL⁵ 1 (1926) 1221-1222. - F. Gerlich: Der Kommunismus als Lehre vom tausendjährigen Reich. München 1920.

[43] Vgl. u.a. Christoph Friedrich Blumhardt (1842-1919). Vgl. L. Ragaz: Der Kampf um das Reich Gottes in Blumhardt Vater und Sohn - und weiter! (1922). Zürich ²1925. - E. Jäckh: Blumhardt Vater und Sohn und ihre Botschaft. Berlin 1924. - Ders.: Christoph Blumhardt. In: RGG² 1 (1927) 1153-1154. - Ölsner. S. 98. - K. Kupisch: Christoph Blumhardt. In: TdTh. S. 24-32. - Leonhard Ragaz (1868-1945). Schriften siehe LV. - Dazu vgl. A. Rich. In: TdTh. S. 109-113. - A. Lindt: Leonhard Ragaz. Eine Studie zur Geschichte und Theologie des religiösen Sozialismus. Zollikon 1957. - M. Mattmüller: Leonhard Ragaz und der religiöse Sozialismus. Die Entwicklung der Persönlichkeit und des Werkes bis ins Jahr 1913. (BBG. 67.) Basel, Stuttgart 1957. - In diesem Zusammenhang sind auch folgende Theologen auf chiliastische Tendenzen zu prüfen: Hermann Kutter (1863-1931). Schriften siehe LV. - Johannes Müller (1864-1949). Schriften siehe LV. - Heinrich Lhotzky (1859-1930). Schriften siehe LV. - Paul Bernhard Pflüger (geb. 1865). Schriften siehe LV. - Karl Barth (1886-1968). Zu ihm siehe unten S. 430-457. Außerdem vgl. H. Gollwitzer: Reich Gottes und Sozialismus bei Karl Barth. (ThEH. 169.) München 1972.

[44] Althaus. In: RGG² 2 (1928) 352. - Vgl. ders. Religiöser Sozialismus. Grundfragen der christlichen Ethik. Gütersloh 1921. - Ders.: Die letzten Dinge (1922). S. 9-10, 68-69. - Vgl. P.

Es wäre verfehlt, in dem hier skizzierten Prozeß geistesgeschichtlich nur das Produkt von sektiererischen Gruppierungen in Kirche und Gesellschaft sehen zu wollen[45]. Auch die streng kirchlich orientierte Theologie geriet ja in den Sog einer Bewegung[46], deren Ende auch heute noch nicht abzusehen ist. In diesem Zusammenhang muß freilich vor dem Mißverständnis gewarnt werden, das in der Annahme besteht, den verschiedenen Erscheinungen des Chiliasmus liege eine unmittelbare Kontinuität zugrunde. Man sollte sich davor hüten, in einem Überblick alle

---

Tillich: Zum Problem des religiösen Sozialismus. Göttingen 1902. - Ders.: Masse und Geist. Studien zur Philosophie der Masse. (VuG. 1.) Berlin 1922. - F. von Hügel: Socialism and present social problems. In: Eternal Life. Kap. 11. S. 303-323. - E. Troeltsch: Die Soziallehren der christlichen Kirchen und Gruppen. Tübingen 1912. - P. Rohrbach: Gottes Herrschaft auf Erden. Königstein 1921. - A. Allwohn: Die Botschaft vom Reich Gottes. In: SMH 58. Bd. 28 (1922) 22-26. - A. Schlatter: Religiös-soziale Bewegung in der Schweiz. In: Die Furche 12 (1922) 173. - H. Knittermeyer: Zum Problem des religiösen Sozialismus. In: ZThK N.F. 4 (1923/24) 47-62. - Th. Steinbüchel: Der Chiliasmus in Philosophie und Gesellschaftslehre. In: SL⁵ 1 (1926) 1221-1222. - K. Kupisch: Das Jahrhundert des Sozialismus und der Kirche. Berlin 1958. - G. Merz: Religiöser Sozialismus. In: EKL 3 (1959) 617-618. - H.-H. Schrey: Religiöser Sozialismus. In: RGG³ 6 (1962) 181-186. - W. Gottschalk: Ideengeschichte des Sozialismus in Deutschland. In: H. Grebing (Hrsg.): Geschichte der sozialen Ideen in Deutschland. (DHP. Bd. 3.) München, Wien 1969. S. 19-324. - R. Breipohl (Hrsg.): Dokumente zum religiösen Sozialismus in Deutschland. München 1927.
[45] Siehe z.B. folgende religiöse Sekten mit chiliastischen Tendenzen: Mormonen. - Ernste Bibelforscher = Zeugen Jehovas. Diese nannten sich um die Jahrhundertwende „Milleniums-Tages-Anbruchsleute". Vgl. dazu C.T. Russell: Milleniumstagesanbruch. 6 Bde. 1901-1903. - Adventisten und Sabbatharier; diese standen unter dem Einfluß Bengels. - Irvingianer: Katholisch-apostolische und Neuapostolische Gemeinde. - Lorenzianer. - Millenische Exodus gemeinde.
[46] Von folgenden Theologen wird gesagt, daß sie einen gemäßigten Chiliasmus vertraten bzw. dieser Anschauung Sympathie entgegenbrachten:
Christian August Crusius (1715-1775). Dazu vgl. E. Schwarz - P. Tschakert. In: RE³ 4 (1898) 344-345. - Stephan - Schmidt. S. 16. Anm. 1. -
Philipp Matthäus Hahn (1739-1790). - Dazu vgl. R. Kübel - Ch.F.A. Kolb. In: RE³ 7 (1899) 345-348. -
Gottfried Menken (1768-1831). Dazu vgl. E.F.K. Müller. In: RE³ 12 (1903) 581-586. - K. Barth: Die protestantische Theologie im 19. Jahrhundert. S. 469-483. - Stephan - Schmidt. S. 110. -
Carl Immanuel Nitzsch (1787-1868). Vgl. seine Schrift: System der christlichen Lehre (1829). Bonn ⁶1851. S. 409-410. - Vgl. außerdem F. Nitzsch. In: RE³ 14 (1904) 128-136. - G. Frank: Geschichte der protestantischen Theologie. 4. Teil. S. 285-289. - Pfleiderer: Entwicklung der protestantischen Theologie. S. 121-122. - Ölsner. S. 39-41. - Stephan - Schmidt. S. 191. -
Johann Peter Lange (1802-1884). Vgl. seine Schrift: Christliche Dogmatik. 2. Teil: Positive Dogmatik. Heidelberg 1851. S. 1271 ff. - Vgl. W. Krafft. In: RE³ 11 (1902) 264-268. - Pfleiderer: Entwicklung der protestantischen Theologie. S. 216-218. - G. Frank: Geschichte der protestantischen Theologie. 4. Teil. S. 308-311. - Ölsner. S. 85-86. - Stephan - Schmidt. S. 190. -
Johann Christian Konrad von Hofmann (1810-1877). Vgl. seine Schrift: Weissagung und Erfüllung im Alten und Neuen Testament. Ein theologischer Versuch. Nördlingen 1844. Bd. 2. S. 372-373. - Vgl. dazu A. Hauck. In: RE³ 8 (1900) 234-241. - Pfleiderer: Entwicklung der protestantischen Theologie. S. 178-182, 285-286. - G. Frank: Entwicklung der protestantischen Theologie. 4. Teil. S. 454-460. - Ölsner. S. 55-57. - K. Barth: Die protestantische Theologie im 19. Jahrhundert. S. 553-561. - Stephan - Schmidt. S. 183-188.
Wilhelm Volck (1835-1904): Der Chiliasmus seiner neuesten Bekämpfung gegenüber. Dorpat 1869. - Vgl. A. Köberle. In: RE³ 20 (1908) 730-733. -

chiliastischen Zeugnisse vom Parsismus[47] an über das hellenistische Judentum bis zur Johannes-Apokalypse[48] und den christlichen Kirchenvätern[49], und wiederum von Augustinus bis Joachim von Fiore[50] und den Schwärmern der Reformations-

Johann Heinrich August Ebrard (1818-1888). Vgl. seine: Christliche Dogmatik. Bd. 2. Königsberg (1852), [2]1862. S. 738 ff. - Vgl. E.F.K. Müller. In: RE[3] 5 (1898) 130-137. - Johann Heinrich Kurtz (1809-1890): Lehrbuch der heiligen Geschichte. Ein Wegweiser zum Verständnis des göttlichen Heilsplanes. Königsberg 1843, [18]1895. - Vgl. G.N. Bonwetsch. In: RE[3] 11 (1902) 187-190. - G. Frank: Geschichte der protestantischen Theologie. 4. Teil. S. 468-471. -
Franz Delitzsch (1813-1890). Vgl. seine Schrift: Die biblisch-prophetische Theologie, ihre Fortbildung durch Chr. A. Crusius und ihre neueste Entwicklung seit der Christologie Hengstenbergs. Leipzig 1845. S. 6 ff. - Vgl. A. Köhler. In: RE[3] 4 (1894) 565-570. - Pfleiderer: Entwicklung der protestantischen Theologie. S. 170. - G. Frank: Geschichte der protestantischen Theologie. 4. Teil. S. 463-468. - Ölsner. S. 68-69. -
Heinrich Thiersch (1817-1885). - Dazu vgl. O. Zöckler. In: RE[3] 19 (1907) 684-692. - Pfleiderer: Entwicklung der protestantischen Theologie. S. 285. - G. Frank: Geschichte der protestantischen Theologie. 4. Teil. S. 475-478. -
Johann Tobias Beck (1804-1878): Umriß der biblischen Seelenlehre. Ein Versuch. Stuttgart 1843. - Dass. 3., vermehrte und verbesserte Auflage. Ebd. 1871. - Ders.: Erklärung der Offenbarung Johannis 1-12. Posthum hrsg. von J. Lindenmeyer. Gütersloh 1883. - Ders.: Vollendung des Reiches Gottes. Posthum hrsg. von J. Lindenmeyer. Gütersloh 1887. - Ders.: Vorlesungen über christliche Glaubenslehre. Posthum hrsg. von J. Lindenmeyer. Gütersloh 1887. 2. Teil. S. 721. - Vgl. dazu R. Kübel - A. Hauck. In: RE[3] 2 (1897) 500-506. - Pfleiderer: Entwicklung der protestantischen Theologie. S. 188-193. - G. Frank: Geschichte der protestantischen Theologie. 4. Teil. S. 360-366. - Ölsner. S. 80-83. - K. Barth: Die protestantische Theologie im 19. Jahrhundert. S. 562-569. - Stephan - Schmidt. S. 181-182. - Hirsch. Bd. 5. S. 136, 139. -
Karl August Auberlen (1824-1864): Die Theosophie Friedrich Christoph Oetingers nach ihren Grundzügen. Ein Beitrag zur Dogmengeschichte und zur Geschichte der Philosophie. Mit einem Vorwort von R. Rothe. Basel 1847, [2]1859. - Ders.: Der Prophet Daniel und die Offenbarung Johannis in ihrem gegenseitigen Verhältnis und in ihren Hauptquellen erläutert. Mit einer Beilage von M. Fr. Roos. Basel (1854), [2]1857. S. 372 ff. - Vgl. F. Fabri. In: RE[3] 2 (1897) 215-217. - G. Frank: Geschichte der protestantischen Theologie. 4. Teil. S. 367-368. - Ölsner. S. 83-84. - Stephan - Schmidt. S. 188. -
Otto Zöckler (1833-1906). - Dazu vgl. V. Schultze. In: RE[3] 21 (1908) 704-708. -
Johann Christoph Blumhardt (1805-1880). - Vgl. J. Hesse. In: RE[3] 3 (1897) 264-266. - Ölsner. S. 95-98. - K. Barth: Die protestantische Theologie im 19. Jahrhundert. S. 588-597. -
Adolf Schlatter (1852-1938). -
Johann Albert Ludwig Hebart. - Vgl. Seine Schrift: Die zweite sichtbare Zukunft Christi. Eine Darstellung der gesamten biblischen Eschatologie in ihren Hauptmomenten, im Gegensatz zu vorhandenen Auffassungen bearbeitet und auch für das Verständnis von Nichttheologen eingerichtet. Erlangen 1850. S. 164 ff. - Zum Ganzen vgl. u.a. auch P. Althaus. In RGG[2] 2 (1928) 352. - K. Algermissen: Chiliasmus. In: LThK[1] 2 (1931) 866. - Th. Steinbüchel. In: SL[5] 1 (1926) 1221.
[47] Vgl. E. Stave: Der Einfluß des Parsismus auf das Judentum. Harlem 1898. - W. Bousset: Die Religion des Judentums im neutestamentlichen Zeitalter (1902). Göttingen [2]1906. S. 330 ff. - H. Greßmann: Der Ursprung der israelitisch-jüdischen Eschatologie. Göttingen 1905. - E. Selling: Der alttestamentliche Prophetismus. Drei Studien. Leipzig 1912. S. 102-193: Alter, Wesen und Ursprung der alttestamentlichen Eschatologie.
[48] Vgl. J. Sickenberger: Das Tausendjährige Reich in der Apokalypse. In: W. Schellberg (Hrsg.): Festschrift Sebastian Merkle zu seinem 60. Geburtstag gewidmet von seinen Schülern und Freunden. Düsseldorf 1922. S. 300-315. - Ders.: Das Problem des Tausendjährigen Reiches in der Johannes-Apokalypse. In: RQ 40 (1932) 13-25. - A. Wikenhauser: Die Herkunft der Idee des Tausendjährigen Reiches in der Johannes-Apokalypse. In: RQ 45 (1937)

zeit, von dort weiter zum Pietismus, zur idealistischen Philosophie und zum Sozialismus als eine kontinuierliche Entwicklung im Sinne einer lebendigen Tradition zu sehen. Gewiß gibt es Berührungspunkte, aber dennoch kann die oft räumlich und zeitlich große Diskrepanz der Epochen nicht mit der summarischen Feststellung überbrückt werden, daß die Millenniumshoffnung intensiv im Volke fortgelebt habe[50.1]. Für diese These wäre ein genauer Nachweis zu erbringen, doch dürfte dieser oft kaum möglich sein. Um hier ein Beispiel zu nennen, sei darauf hingewiesen, daß etwa zwischen der Wiedertäuferbewegung und den mittelalterlichen Sekten ein unmittelbarer Zusammenhang nicht besteht[51]. Von daher ist es immer ein bedenkliches Unterfangen, einen Entwicklungsschematismus zu konstruieren, der neben der Kontinuität eine ebenso vorhandene Diskontinuität übersieht[52]. Statt dessen sollte man zum Verständnis der Problemgeschichte prüfen, ob nicht jeweils unter einer ähnlichen Konstellation gleiche Bewegungen hervorgerufen werden[53]. Eine

1-24. - Ders.: Weltwoche und Tausendjähriges Reich. In: ThQ 127 (1947) 399-417. - W. Metzger: Das Zwischenreich. Ein Beitrag zum exegetischen Gespräch der Kirchen über den Chiliasmus. In: M. Loeser (Hrsg.): Auf dem Grunde der Apostel und Propheten. Festgabe für Landesbischof Theophil Wurm dargebracht. Stuttgart 1948. S. 100-118. - H. Bietenhard: Das Tausendjährige Reich. Eine biblisch-theologische Studie (1944). Zürich [2]1955. - J. Michl: Chiliasmus, biblisch. In: LThK[2] 2 (1958) 1058-1059. - R. Schnackenburg: Gottes Herrschaft und Reich. Eine biblisch-theologische Studie. Freiburg (1958), [4]1965. S. 240-245.

[49] Vgl. L. Gry: Le Millénarisme dans ses origines et son développement. Paris 1904. - F. Alcañiz: Ecclesia patristica et millenarismus; Expositio historica. Granada 1933. - H. Klee: Tentamen theologico - criticum de chiliasmo primorum saeculorum. Herbipoli 1825.

[50]   Joachim von Fiore (etwa 1130-1202). Hauptwerke: Concordia Novi et Veteris Testamenti. - Expositio in Apocalypsin. - Psalterium decem chordarum. - Vgl. H. Grundmann: Studien über Joachim von Floris (BKGMAR. 32.) Leipzig 1927. - A. Dempf: Sacrum Imperium. Geschichts- und Staatsphilosophie des Mittelalters und der politischen Renaissance. (1929). Darmstadt [2]1954. S. 269-284. - Zu den Anhängern des Abtes werden gezählt:
Amalrich von Bena (gest. 1205 oder 1207) und die Amalrikaner. -
Petrus Johannis Olivi O.F.M. (etwa 1248 bis 1298): Super Apocalypsim. - Vgl. Dempf: Sacrum Imperium. S. 312-314. -
Ubertino da Casale O. Min. (1273-1317): Arbor vitae crucificae. - Vgl. E. Knoth: Ubertino von Casale. Ein Beitrag zur Geschichte der Franziskaner an der Wende des 13. und 14. Jahrhunderts. Marburg 1903. - J.Ch. Huck: Ubertino von Casale und sein Ideenkreis. Ein Beitrag zum Zeitalter Dantes. Freiburg 1903. -
Michael von Cesena O.F.M. (gest. 1342) und die Michaeliten. -
Zu den Spiritualen und Fratizellen vgl. F. Ehrle: Das Verhältnis der Spiritualen zu den Fratizellen. In: ALKGMA 4 (1888) 64-190. - L. Spätling: De Apostolicis, Pseudoapostolicis, Apostolinis. Roma 1947. - Ders.: Spiritualen. In: LThK[2] 9 (1964) 974-975. - Siehe außerdem: Arnald von Vilanova (etwa 1240-1311): De adventu Antichristi. - De tempore Antichristi. - Introductio in librum Joachim. -
Gerardo Segarelli (gest. 1300). -
Fra Dolcino (gest. 1306). -
Vgl. I. von Döllinger: Beiträge zur Sektengeschichte des Mittelalters. München 1890.

[50.1] Vgl. W. Biesterfeld: Chiliasmus I. In: HWPh 1 (1971) 1003.

[51] Vgl. Blanke. In: LThK[2] 10 (1965) 1107. - Ebenso schon W. Koehler. In: Rgg[2] 5 (1931) 1916.

[52] Zum Problem vgl. H. Trümpy (Hrsg.): Kontinuität - Diskontinuität in den Geisteswissenschaften. Darmstadt 1973.

[53] Vgl. M. Schuster: Ethnologische Bemerkungen zum Kontinuitätsproblem. In: Trümpy. S. 95-114, besonders S. 102-103 zur »typologischen Kontinuität«.

solche sozialpsychologische und ethnologische Betrachtungsweise, mit deren Hilfe der idealtypische Verlauf einer Bewegung aufgezeigt werden kann[54], ist zu billigen, solange sie nicht durch Überbetonung der gesellschaftlichen Zustände mit einem soziologischen Determinismus verbunden wird.

Doch zurück zu R. Rothe, in dem wir geradezu eine Schlüsselfigur zum Spannungsverhältnis von Christentum und weltlicher Kultur, Kirche und Staat, bzw. Gesellschaft im 19. Jahrhundert sehen können. In seiner Studienzeit hatte er vielfältige Anregungen erfahren[55]; das idealistische System, das seinen eigenen Schriften zugrunde liegt[56], ist ohne die Einwirkung der Hegelschen Gedankenwelt nicht zu begreifen[57]. Als Grundgedanke wurde herausgestellt[58], daß die christliche Religion und sittlich verstandene Weltkultur dazu bestimmt sei, sich gegenseitig zu durchdringen. Eine selbständige humane Sittlichkeit, die sich fortschreitend von der Kirche löst, galt ihm als Wirkung Christi. Die ganze Kirchengeschichte sah er unter dem Aspekt einer Überführung des Christentums von der kirchlichen in die sittlich-humane Form, ein Prozeß, der erst am Ende der Geschichte in der Vollendung des Himmelreichs auf Erden seinen Abschluß finden kann[59]. Treffend wurde von ihm gesagt, daß sich in dieser Vorstellung ein immanenter Kulturevolutionismus mit einem chiliastischen Supranaturalismus verband[60]. »Er versuchte Kultur und Geschichte mit dem Auge Gottes zu schauen und schaute so Eschatologisches voreilig in die von Gegensätzen bewegte irdische Geschichte hinein«[61]. Eine eingehende Kritik dieser spekulativen Eschatologie finden wir bei G. Hoffmann[62], einem Schüler G. Wobbermins. Er war bereit, die universale Weite und feste Verankerung im System als Vorzüge jener Eschatologie Rothes anzuerkennen. Grundsätzlich

---

[54] Vgl. W.E. Mühlmann: Chiliasmus II. In: HWPh 1 (1971) 1005-1006.

[55] Vgl. R. Holtzmann: Über Richard Rothes Herkunft und Jugend. In: PrM 24 (1920) 169-181. - F. Nippold: Richard Rothe. 2 Bde. Wittenberg 1873. - G. Frank: Geschichte der protestantischen Theologie. 4. Teil. S. 319-359. - A.E.F. Sieffert: Richard Rothe. In: RE³ 17 (1906) 169-178. - K. Barth: Die protestantische Theologie im 19. Jahrhundert. S. 544-552. - Stephan - Schmidt. S. 196-197.

[56] Vgl. H. Holtzmann: Richard Rothes spekulatives System. Freiburg 1899. - Pfleiderer. S. 194-202.

[57] Georg Wilhelm Friedrich Hegel (1770-1831) wurde 1816 nach Heidelberg gerufen. Dort veröffentlichte er 1817 sein Werk: Die Enzyklopädie der philosophischen Wissenschaften im Grundriß. Im gleichen Jahr hat R. Rothe Hegel in Heidelberg gehört. - Zum ganzen Zusammenhang des Systems vgl. vor allem M. Kähler: Geschichte der protestantischen Dogmatik. S. 103-116. - W. Flade: Die philosophischen Grundlagen der Theologie Richard Rothe's. (Phil. Diss. Leipzig.) Leipzig-Reudnitz 1900. - Ölsner. S. 28.

[58] Nach H. Stephan: Richard Rothe. In: RGG² 4 (1930) 2117-2120.

[59] Die gesamte Eschatologie Rothes in knapper Zusammenfassung bei Ölsner. S. 28-35. - Vgl. außerdem: J. Happel: Richard Rothes Lehre von der Kirche, nach ihren Wurzeln untersucht, ihrem Gehalt und ihren Folgerungen geprüft. Leipzig 1909. - J. Thomä: Rothes Lehre von der Kirche. In: ThStKr 83 (1910) 244-299. - W. Künneth: Die Gottesidee Richard Rothes. (Theol. Diss. Erlangen 1923.) M.schr. - H.-H. Damm: Die Heiligung der Welt bei Richard Rothe. (Ev.-theol. Diss. Tübingen 1955.) Berlin 1955 (M.schr.). - Ch. Walther: Der Reich-Gottes-Begriff in der Theologie R. Rothes und A. Ritschls. In: KuD 2 (1956) 115-138. - H.J. Birkner: Spekulation und Heilsgeschichte. Die Geschichtsauffassung Richard Rothes. (FGLP.R.10.Bd.17.) München 1959.

[60] P. Althaus. In: RGG² 2 (1928) 352.

[61] Stephan - Schmidt. S. 198.

[62] G. Hoffmann: Das Problem der letzten Dinge in der neueren evangelischen Theologie. (Theol. Diss. Göttingen 1929.) (StSTh. 2.) Göttingen 1929. S. 10-14.

fragte er jedoch, ab der Entwicklungsgedanke dem Wesen der christlichen Ewigkeitshoffnung gerecht zu werden vermag. Vom Standpunkt einer klar ausgeprägten Zeit-Ewigkeits-Dialektik her verneinte er dies, da der Entwicklungsgedanke keinen vollen Abschluß zulasse, der Ewigkeitsgedanke einen wirklichen, endgültigen Abschluß fordere. Er warf R. Rothe vor, daß er mit dem Gedanken eines ewigen Vollendungszustandes nichts anzufangen wisse. Bei ihm sei der Augenblick der Vollendung nur der Auftakt neuer Wirksamkeit. Das aber könne den Belangen des Ewigkeitsglaubens nicht genügen. Ein unvollkommenes Schauen Gottes, das sich stets erweitern muß, sei kein Aufhören des Stückwerks und aus dem Gedanken einer endlosen Steigerung folge, daß die jeweils erreichte Stufe noch nicht die wirkliche Seligkeit ist. So kam G. Hoffmann zu dem harten Urteil, daß es R. Rothe überhaupt nicht zu einer »Eschatologie« bringe. »Seine Unendlichkeit ist nicht die Ewigkeit des christlichen Glaubens«[63].

Wir sehen aus dieser Auseinandersetzung, daß der Kampf zwischen Rationalismus und Suprarationalismus durch die Wirksamkeit F. Schleiermachers keineswegs beendet war. Ohne Zweifel wirkte die Aufklärungstheologie in gewandelter Form auch bei den vom idealistischen Denken berührten Autoren nach. Das Verhältnis von Natur zur Übernatur, von der Zeitlichkeit der Welt zu der Ewigkeit Gottes, von spekulativem Denken zum Offenbarungsglauben, von Anthropologie, Psychologie, Soziologie, Kosmologie zur eigentlichen Theologie muß bis in unsere Tage hinein neu bestimmt werden.

c) Albrecht Ritschl

Ein dritter Theologe, dessen Wirksamkeit bis weit ins 20. Jahrhundert reicht, war Albrecht Ritschl (1822-1889)[64]. Durch F. Ch. Baur[65] hatte er sich zunächst dogmengeschichtlichen Studien gewidmet[66]. Dabei betrachtete er Geschichte in der Art Hegels, d.h. es ging ihm darum, in der Geschichte - um mit M. Kähler zu

---

[63] Ebd. S. 14. - Vgl. R. Rothe: Theologische Ethik (1837). 5 Bde. Wittenberg ²1867-1871. - Ders.: Zur Dogmatik. Gotha 1863, ²1869.

[64] Vgl. O. Ritschl: Albrecht Ritschls Leben. 2 Bde. Freiburg 1892-1896. - Ders.: Albrecht Ritschl. In: RE³ 17 (1906) 22-34. - Ders.: Albrecht Ritschl. In: ADB 29 (1889) 759-767.

[65] Ferdinand Christian Baur (1792-1860). Schriften: Siehe LV. - Vgl. außerdem: H. Schmidt, J. Haußleiter: F.Ch. Baur. In: RE³ 2 (1897) 467-483. - F.X. Funk: F.Ch. Baur. In: KL² 2 (1883) 64-75. - Pfleiderer. S. 268-279, 355-368. - S. Eck: Baur und die Tübinger Schule. In: RGG¹ 1 (1909) 959-963. - G. Fraedrich: Ferdinand Christian Baur, der Begründer der Tübinger Schule als Theologe, Schriftsteller und Charakter. Preisgekrönt von der Karl-Schwarz-Stiftung. Gotha 1909. - E. Schneider: F.Ch. Baur in seiner Bedeutung für die Theologie. Berlin 1909. - W. Dilthey: F.Ch. Baur. In: Gesammelte Schriften. Bd. 4. S. 403-432. - K. Bauer: Die geistige Heimat F.Ch. Baurs. In: ZThK N.F. 4 (1923) 63-73. - Ders.: Zur Jugendgeschichte von F.Ch. Baur (1805-1807). In: ThStKr 95 (1923/24) 303-315. - Ders.: F.Ch. Baur. In: RGG² 1 (1927) 817-820. - W. Koch: F.Ch. Baur. In: LThK¹ 2 (1931) 52-54. - K. Barth: Die protestantische Theologie im 19. Jahrhundert. S. 157-159. - Hirsch. Bd. 5. S. 508-553. - H. Mulert: F.Ch. Baur. In: NDB 1 (1953) 670-671. - M. Tetz: F.Ch. Baur. In: RGG³ 1 (1957) 935-938. - H. Liebing: F.Ch. Baurs Kritik an Schleiermachers Glaubenslehre. In: ZThK 54 (1957) 225-243. - J. Schmid: F.Ch. Baur. In: LThK² 2 (1958) 72-73.

[66] Vgl. A. Ritschl: Das Evangelium Marcions und das kanonische Evangelium des Lukas. Eine kritische Untersuchung. Tübingen 1846. - Ders.: Die Entstehung der altkatholischen Kirche. Bonn 1850. - Vgl. besonders die zweite Auflage dieses Buches (1857), die den Bruch mit Baur deutlich machte.

sprechen - »den notwendigen Fortschritt christlicher Gedankenbewegung zu verfolgen, für welche die Personen nur die Darstellenden und erscheinenden Mittel sind«[67]. Später distanzierte er sich von dieser monistischen Auffassung; gegenüber der Idee betonte er den Willen; außerdem übernahm er von H. Lotze[68] die Bedeutung des Wertes und gab diesem - wohl J. Kaftan[69] folgend - eine religiöse Bedeutung[70]. Schon von dieser religionsphilosophischen Voraussetzung her wird verständlich, daß das gesamte System A. Ritschls stark ethisch ausgerichtet war[71]. Hinzu kam, daß er I. Kants Auffassung von der Unzulänglichkeit der Metaphysik teilte und daher zu einer äußerst heftigen Polemik gegen den »metaphysischen Götzen« angetrieben wurde[72]. Er verwarf die Unterscheidung zwischen Erscheinung und Ding an sich und pflichtete der Ansicht H. Lotzes bei, daß das Ding an sich in seinen Merkmalen existiert und durch sie wirkt und sich manifestiert[73]. Gegenüber allen pantheistischen Neigungen der idealistischen Theologie bekannte er sich zu einem streng personalistischen Theismus. Überhaupt lehnte er jede romantisierende Mystik ab und unterschied sich so von F. Schleiermacher und auch von R. Rothe[74]. Allgemein galt er als Verfechter eines neuen theologischen Realismus, der mit den Tendenzen seiner Zeit in Einklang stand[75]. Der Pietismus wurde in seiner Sicht dem Wesen des Christentums wegen seinem beschränkten Horizont nicht gerecht[76]. Aber auch der unreflektierte Biblizismus erregte seinen Zorn. Innerhalb seines theologischen Systems[77] betrachtete A. Ritschl die Person Christi als die zentrale Offenbarung und damit den Erkenntnisgrund für alle Inhalte des Glaubens[78]. Dabei war für ihn der geschichtliche Jesus nicht abtrennbar von seinem Werk, mithin Herr und Haupt seiner Gemeinde. Die Erlösung durch Christus und das Reich Gottes verglich er mit den beiden Brennpunkten einer Ellipse, um die alles kreist. Das Wesen der Rechtfertigung war für ihn die als schöpferisch-lebendiges Tun Gottes verstandene Sündenvergebung. Vom Reich Gottes her verstand er das evangelische Christentum als die Religion des sittlich ringenden und beruflich tätigen

---

[67] M. Kähler: Geschichte der protestantischen Dogmatik. S. 244. - Vgl. Straubinger. S. 211-213.

[68] Zu Rudolf Hermann Lotze (1817-1881) siehe oben S. 18-23.

[69] J. Kaftan: Das Wesen der christlichen Religion. Basel 1881. - Zu Kaftan siehe unten S. 97-99.

[70] Vgl. A. Ritschl: Die christliche Lehre von der Rechtfertigung und Versöhnung. 3 Bde. Bonn (1870-1874), ⁴1895-1902. Bd. 3. S. 197, 202. - Elert. S. 264-265. - Stephan - Schmidt. S. 219.

[71] H.-O. Wölber: Dogma und Ethos. Christentum und Humanismus von Ritschl bis Troeltsch. (Theol. Diss. Erlangen 1940.) (BFChTh.44,4.) Gütersloh 1950.

[72] Vgl. A. Ritschl: Theologie und Metaphysik. Bonn 1881, ³1902. - Dazu vgl. Pfleiderer. S. 229-230.

[73] Zur philosophischen Thematik vgl. außer Pfleiderer auch Ziegenfuß. Bd. 2. S. 360-361. - O. Flügel: Albrecht Ritschls philosophische Ansichten. Langensalza 1886.

[74] Vgl. Stephan - Schmidt. S. 216, 225.

[75] Vgl. A. Ritschl: Geschichte des Pietismus. 3 Bde. Bonn 1880-1886.

[76] Außer A. Ritschl: Theologie und Metaphysik, vgl. ders.: Die christliche Vollkommenheit. Bonn 1874, ³1902. - Ders.: Unterricht in der christlichen Religion. Bonn 1875, ⁶1903.

[77] Vgl. B. Berndt: Die Bedeutung der Person und Verkündigung Jesu für die Vorstellung vom Reiche Gottes bei Albrecht Ritschl. (Ev.-theol. Diss. Tübingen 1959.) Bühl bei Tübingen 1959. - C. Stange: Das Ende aller Dinge. Gütersloh 1930. S. 2. - M. Kähler: Geschichte der protestantischen Dogmatik. - Vgl. dagegen jedoch Elert. S. 266.

Menschen[79]. M. Kähler hat gezeigt, daß für A. Ritschl das Reich Gottes der Innbegriff des höchsten ethischen Zweckes war, daß bei ihm das Religiöse die Rolle des Mittels für den Zweck des Ethischen spielte. Es werde gesagt: Religion sei nicht Theorie, sondern Leben. Leben aber sei für A. Ritschl das, was die Bibel »Wandel« nennt, die ethische Ausgestaltung, der Ausdruck des Lebens[80]. Es liegt auf der Hand, daß bei einer solchen Auffassung der Eschatologie nicht viel Raum gegeben wurde. Nach W. Ölsner sind Ewigkeit und Seligkeit die einzigen eschatologischen Begriffe, mit denen A. Ritschl sich überhaupt auseinandersetzte[81]. Ewiges Leben war ihm »die im Bereich der göttlichen Gnade mögliche geistige Selbständigkeit, die im Einklang mit Gottes Vorsehung alle Dinge sich unterwirft, so daß sie zu Mitteln der Seligkeit werden, auch wenn sie, äußerlich angesehen, derselben zuwiderlaufen«[82].

d) Otto Pfleiderer

Nach einem Wort von P. Althaus war die »ganz uneschatologische Theologie A. Ritschls« ein »Symbol für die Grundstimmung des Kirchenvolkes« jener Zeit[83]. Wir finden die gleiche Tendenz jedoch auch bei Theologen, die ansonsten mit den Ansichten Ritschls nicht übereinstimmten, etwa bei Otto Pfleiderer (1839-1908)[84]. Ähnlich wie A. Ritschl war er während seines Studiums in Tübingen durch F. Chr. Baur mit der Philosophie Hegels vertraut geworden. Den spekulativen Theismus, den er dabei gewann, verteidigte er später auch im Kampf mit A. Ritschl, als dieser sich von F. Chr. Baur, und damit auch von G. W. F. Hegel, absetzte, um auf den Spuren I. Kants jede positive Bedeutung einer Metaphysik für das theologische Denken abzulehnen[85]. O. Pfleiderer verschmolz im Gegensatz dazu Metaphysik und Religion zu einer untrennbaren Einheit. Religion entsteht für ihn aus dem Gegensatz des Selbst- und Weltbewußtseins. Gott ist der immanente Weltgrund, der die Dinge aus sich entläßt, ohne sich von ihnen zu trennen und ohne in ihnen

---

[78] Vgl. G. Wobbermin: Schleiermacher und Ritschl in ihrer Bedeutung für die heutige theologische Lage und Aufgabe. Tübingen 1927.

[79] Die Theologie Ritschls hier zusammengefaßt nach Stephan - Schmidt, S. 216-221. - H. Stephan: Albrecht Ritschl. In: RGG[2] 4 (1930) 2043-2046. - Ders. In: RGG[1] 4 (1913) 2326-2333. - E. Schott: Albrecht Ritschl. In: RGG[3] 5 (1961) 1114-1117. - H.J. Wurm: Protestantismus. In: KL[2] 10 (1897) 510-512. - W. Koch: Albrecht Ritschl. In: LThK[1] 8 (1936) 908-909. - R. Bäumer: Albrecht Ritschl. In: LThK[2] 8 (1963) 1324-1325. - Vgl. L. Haug: Darstellung und Beurteilung der Ritschl'schen Theologie. Zur Orientierung dargeboten. (Aus: Theologische Studien aus Württemberg.) Ludwigsburg [1-2]1885. - O. Pfleiderer: Die Theologie Ritschl's nach ihrer biblischen Grundlage. In: JPTh 16 (1889/90) 42-83. - K. Barth: Die protestantische Theologie im 19. Jahrhundert. S. 598-605. - Hirsch. Bd. 5. S. 557-560. - Ölsner. S. 25-28.

[80] M. Kähler: Geschichte der protestantischen Dogmatik. S. 262.

[81] Ölsner. S. 26.

[82] Ebd. S. 27.

[83] P. Althaus. In: RGG[2] 2 (1928) 353. - Vgl. ders.: Die letzten Dinge. S. 50-52.

[84] Vgl. J. Wendland: Otto Pfleiderer. In: RGG[1] 4 (1913) 1465-1466. - Ders. in: RGG[2] 4 (1930) 1156-1157. - E. Schott: Otto Pfleiderer. In: RGG[3] 5 (1961) 312-313. - R. Seeberg: Otto Pfleiderer. In: RE[3] 24 (1913) 316-323. - Eisler: PhL. S. 539-540. - Ziegenfuß. Bd. 2. S. 269-270. - Hirsch. Bd. 5. S. 562-570. - Stephan - Schmidt. S. 263-264.

[85] O. Pfleiderer: Die Theologie Ritschl's nach ihrer biblischen Grundlage. In: JPTh 16 (1889/90) 42-83. - Ders.: Die Ritschl'sche Theologie, kritisch beleuchtet. (Aus: JPTh.) Braunschweig 1891.

aufzugehen. Der Mensch hat seinen Grund in Gott, er ist Geschöpf Gottes, allerdings nur mittelbar als letztes Produkt der Weltentwicklung. Sein Ziel ist die Vereinigung mit Gott, biblisch gesprochen, das ewige Leben. Dieses Ziel kann jeder Mensch erreichen, wenn nicht sofort nach dem Tode, dann nach weiteren Fortschritten im Jenseits. Auch wissenschaftlich hielt er die persönliche Fortdauer nach dem Tode für möglich, da für ihn die Seele eine vom Leib getrennte Substanz war[86]. O. Pfleiderer hat seine Auffassung in verschiedenen Arbeiten zur Religionsphilosophie ausführlich dargelegt und begründet[87]. Das Christentum war ihm ein Sammelbecken, in das alle Religionen münden[88]. Wie seine Studie zum »Paulinismus«[89] zeigt, trat für ihn die Bedeutung der historischen Person Jesu hinter einer gedanklichen Verarbeitung der Ideenwelt zurück. Bezeichnend für seine eschatologische Auffassung ist, daß er das Reich Gottes und die auf dieses gerichtete Ethik durchaus eschatologisch verstand, daß er jedoch in der Hoffnung auf das baldige Kommen des Weltendes eine Unvollkommenheit der reinen Lehre sah[90]. Kein Wunder, daß die Parusieerwartung auch bei ihm zurücktrat, zumal er in der Frage nach der Messianität Jesu skeptisch urteilte[91].

Die Ansichten O. Pfleiderers wurden später z.T. in den Thesen religionswissenschaftlich orientierter Theologen erneuert. Ihre Kritik fanden sie nicht nur bei den Vertretern einer streng eschatologisch ausgerichteten Theologie, sondern auch bei den Schülern und Gefährten A. Ritschls. Dabei ist zu beachten, daß es Ritschl zunächst allein gelang, eine eigene Schule zu bilden[92]. Schon dadurch zwang er alle

---

[86] Nach Straubinger. S. 167-177.

[87] O. Pfleiderer: Die Religion, ihr Wesen und ihre Geschichte. 2 Bde. Leipzig 1869, [2]1878. - Ders.: Die deutsche Religionsphilosophie und ihre Bedeutung für die Theologie der Gegenwart. Eine Einleitungsvorlesung. Berlin 1875. - Ders.: Religionsphilosophie auf geschichtlicher Grundlage. Berlin 1878, [3]1896. - Ders.: Geschichte der Religionsphilosophie von Spinoza bis auf die Gegenwart. Berlin 1884, [3]1893. - Ders.: Religion und Religionen. München 1906. - Vgl. A. Lasson: Otto Pfleiderers Religionsphilosophie. In: ZPhPhKr 95 (1889) 261-279. - P. Gastrow: Pfleiderer als Religionsphilosoph. Berlin 1913.

[88] Vgl. O. Pfleiderer: Das Urchristentum, seine Schriften und Lehren in geschichtlichem Zusammenhang beschrieben. Berlin 1887. - Dass. 2 Bde. Ebd. [2]1902.

[89] O. Pfleiderer: Der Paulinismus. Leipzig 1873, [2]1890. - Vgl. F.Ch. Baur: Die Christuspartei in der korinthischen Gemeinde; der Gegensatz des petrinischen und paulinischen Christentums in der ältesten Kirche. In: TZTh (1831) H. 4. S. 61-136. - Ders.: Einige weitere Bemerkungen über die Christuspartei in Korinth. In: TZTh (1836) H. 4. S. 1-32. - Ders.: Paulus, der Apostel Jesu Christi. Ein Beitrag zu einer kritischen Geschichte des Urchristentums. Stuttgart 1845. - Vgl. A. Schweitzer: Geschichte der paulinischen Forschung von der Reformation bis auf die Gegenwart. Tübingen 1911.

[90] Nach J. Wendland. In: RGG[2] 4 (1930) 1156.

[91] Vgl. A. Schweitzer: Geschichte der Leben-Jesu-Forschung. München, Hamburg 1966. S. 360. - Vgl. O. Pfleiderer: Das Christusbild des urchristlichen Glaubens in religionsgeschichtlicher Bedeutung. Berlin 1903.

[92] Vgl. Ritschlianer. M. Rade. In: RGG[1] 4 (1913) 2334-2338. - Ders. in: RGG[2] 4 (1930) 2047-2049. - E. Schott. In: RGG[3] 5 (1961) 1117-1119. - Stephan - Schmidt. S. 251-261. - G. Ecke: Die theologische Schule Albrecht Ritschls und die evangelische Kirche der Gegenwart. 2 Bde. Berlin 1897-1904. - J. Wendland: Albrecht Ritschl und seine Schüler im Verhältnis zur Frömmigkeit unserer Zeit. Berlin 1899. - C. Stange: Albrecht Ritschl. Die geschichtliche Stellung seiner Theologie. Leipzig 1922. - O. Pfleiderer: Die Theologie der Ritschl'schen Schule nach ihrer religionsphilosophischen Grundlage. In: JPTh 17 (1890/91) 321-383.

bis ins 20. Jahrhundert hinein zu einer Stellungnahme gegenüber seiner Theologie. Hinsichtlich der Eschatologie gilt es freilich bei seinen Nachfolgern vorsichtig zu urteilen.

e) Theodor Haering

Theodor Haering (1848-1928) etwa behandelte die Eschatologie als die Lehre von der vollendeten Wirklichkeit[93]. Dabei versuchte er zwischen den Ansichten A. Ritschls und einer mehr konservativen Bibeltheologie zu vermitteln[94]. Norm war für ihn die Schrift, aber nur in soweit als ihre Sätze dem Wesen der glaubenweckenden Heilsoffenbarung offen sind. Nach W. Ölsner wurde damit die Spekulation ebenso wie ein mechanisches Schriftverständnis abgewehrt. Im einzelnen hob er hervor, daß Th. Haering nur dann im Zwischenzustand eine Verkürzung des Rechtfertigungserlebnisses sah, wenn man ihn mit Vorstellungen eines Heranreifens zur Seligkeit, eines Abstreifens der Sündenreste anfüllen wollte. Der Chiliasmus, die Eschatologie des Abbruchs der Geschichte, die Apokatastasis, die Eschatologie der unfehlbar zur Vollendung führenden Entwicklung wurden von Haering als sich einander ausschließende Vorstellungen widerlegt. Die Identität der individuellen Formen begründete er nach 1 Kor. 15,38 auf den göttlichen Machtfaktor[95].

f) Julius Kaftan

Als der »spezifische Dogmatiker des Ritschlianismus« gilt Julius Kaftan (1848-1926). Dieser brachte wieder Spannung in die Theologie, da er neben der religiös-ethischen, weltzugewandten Seite des Christentums auch das mit Christus in Gott verborgene Leben der Seele neu beachtete. Außerdem machte sich in seinen Schriften schon das Erwachen der religionsgeschichtlichen Forschung stark bemerkbar. Von ihrem Universalismus her bestimmte er induktiv das Wesen der Religion neu als die »Erfüllung des angeborenen Anspruchs auf Leben, auf die den Gehalt des Lebens ausmachenden Güter«[96]. Es blieb nicht aus, daß diese Bestimmung

---

[93] Theodor von Haering (1848-1928) wurde 1886 Prof. für systematische Theologie in Zürich, 1889 in Göttingen, 1894 in Tübingen. Schriften u.a.: Über das Bleibende im Glauben an Christus. Eine christologische Studie. Stuttgart 1880. - Ders.: Zu Ritschls Versöhnungslehre. Zürich 1888. - Ders.: Zur Versöhnungslehre. Eine dogmatische Untersuchung. Göttingen 1893. - Ders.: Das christliche Leben auf Grund des christlichen Glaubens. Christliche Sittenlehre. Calw - Stuttgart 1902. - Dass. 3., vermehrte und verbesserte Auflage. Ebd. 1914. - Ders.: Der christliche Glaube. Dogmatik. Calw - Stuttgart 1906, ²1912. - Dass. Neudruck 1922. - Vgl. Straubinger. S. 303.

[94] Stephan - Schmidt. S. 255. - Vgl. etwa Th. Haering: Gehört die Auferstehung Jesu zum Glaubensgrund? Amica exegesis zu M. Reischle's Streit über die Begründung des Glaubens auf dem geschichtlichen Jesus. In: ZThK 7 (1897) 331-351. - Ders.: Gäbe es Gewißheit des christlichen Glaubens, wenn es geschichtliche Gewißheit von der Ungeschichtlichkeit der Geschichte Jesu Christi gäbe? Mit einem besonderen Bezug auf die Auferstehung. In: ZThK 8 (1898) 468-493. - Ders.: Glaubensgrund und Auferstehung. In: ZThK 8 (1898) 129-193. - Ders.: Noch einmal das „Wie" der Auferstehung Jesu. In: ZThK N.F. 4 (1923/24) 27-46.

[95] Die eschatologischen Lehren Haerings hier zusammengefaßt nach Ölsner. S. 76.

[96] Nach Stephan - Schmidt. S. 256. - Vgl. J. Kaftan: Das Wesen der christlichen Religion. Basel 1881, ²1888. - Ders.: Die Wahrheit der christlichen Religion. Basel 1888.

wegen einer »anthropologisch-eudämonistischen Tendenz« angefochten wurde. Wir erkennen deutlich, daß sich hier im theologischen Denken bereits Motive der Lebensphilosophie[97] geltend machten. Gerechterweise wurde aber darauf hingewiesen, daß J. Kaftan zwischen innerweltlichen und überweltlichen Gütern schied. Zuhöchst stand bei ihm die von der Welt erlösende Teilnahme am Leben Gottes[98]. Das Wesen des Christentums sah er durch die beiden Gedanken des Gottesreiches und der Versöhnung bestimmt. »In dem von Jesus Christus verkündeten Gottesreich erkennt der Christ sein ewiges Ziel, das über der Welt in Gott liegt, zu dem aber der Weg nur durch die sittliche Entwicklung in der Welt führt. Kraft der von Jesus Christus gestifteten Versöhnung mit Gott weiß er sich trotz seiner Sünden zu diesem Reich berufen. In beidem miteinander, das sich gegenseitig bedingt und bestimmt, wird die christliche Religion erlebt«[99]. In der Weise, wie das überweltliche Heilsgut zu dem sittlichen Leben in der Welt in Beziehung gesetzt wird, sah J. Kaftan die spezifischen Entwicklungstufen, wie sie von den verschiedenen Konfessionskirchen repräsentiert werden. Er war der Überzeugung, daß nur die Kirche der Reformation die innere Einheit von Religion und Sittlichkeit erreicht[100].

Die Eschatologie behandelte J. Kaftan als ein Lehrstück von der christlichen Hoffnung. Dabei ging er von der These aus, daß Eschatologie im Neuen Testament aufs Engste mit der Heilsverkündigung zusammenhängt, deren Ausgangspunkt sie durch den Gedanken geworden ist, daß mit Jesu Kommen und sonderlich mit seiner Auferstehung die Endzukunft angebrochen sei. Entsprechend den Behauptungen der religionsgeschichtlichen Schule nahm er an, daß die einzelnen Züge der neutestamentlichen Eschatologie dem jüdisch-apokalyptischen Vorstellungskreis entstammen[101]. Als noch ausstehend von der Endzukunft behandelte er die Auferstehung von den Toten, das letzte Gericht und die mit dem Weltende anhebende neue Ordnung der Dinge[102]. Hier lag für ihn die christliche Hoffnung begründet, die das vollendete Gottesreich und das ewige Leben in ihm als das Ziel der Menschheitsgeschichte wie des eigenen Lebens erwartet. In beiden Fällen hielt er Durchgang durch eine Katastrophe der Vernichtung der äußeren Welt und des äußeren Menschen für unumgänglich. In Christus aber sah er das Prinzip der hier wie da zu erwartenden letzten Entscheidung. Für alle, die zu Gliedern seines Leibes geworden sind, war ihm das ewige Leben gewiß[103].

Mit der Dogmatik J. Kaftans haben wir inzwischen die Schwelle zum 20. Jahrhundert überschritten. Überblicken wir an dieser Stelle noch einmal die theologiegeschichtliche Entwicklung, so erkennen wir deutlich, daß sich in der unmittelbaren Nachfolge Ritschls ein geistiger Umbruch vollzogen hat. Zwar fand noch Hans Hinrich Wendt (1853-1928), der »letzte zusammenfassende Dogmatiker der

[97] Vgl. Straubinger. S. 213-217.
[98] J. Kaftan: Dogmatik GThW.V/1.) Freiburg 1897. - Dass. 7.-8. verbesserte Auflage. Tübingen [8]1920. S. 19.
[99] Ebd. S. 10.
[100] Ebd. S. 77. - Vgl. ebd. S. 217.
[101] Kaftan verwies auf W. Bousset: Kommentar zur Offenbarung Johannis. (KEKNT. 16. Abt. 6. Auflage.) Göttingen [2]1906.
[102] Kaftan: Dogmatik. S. 662-667.
[103] Ebd. S. 669-673. - Vgl. Ölsner. S. 72-73.

Ritschlschen Schule alten Stils«, das ewige Leben durch den Habitus der vollkommenen sittlichen Liebe und dem Genuß der vollendeten Gotteskindschaft hinreichend charakterisiert[104]. Dennoch machten sich bei J. Kaftan schon die ersten Züge eines dialektischen Denkens bemerkbar, das alsbald die seit F. Schleiermacher harmonisierende Theologie gründlich in Frage stellen sollte.

g) Wilhelm Herrmann

Deutlich wird dieser Prozeß auch im Werk eines anderen Ritschlianers, des Marburger Systematikers Wilhelm Herrmann (1846-1922)[105]. Ähnlich wie J. Kaftan verwies er auf den Lebenstrieb als Ursprung jeder Religion. Die Sphäre des »Lebens« bestimmte er daher als das der Theologie eigentümliche Gebiet; die erlösende Begegnung mit dem lebendigen Gott als ihr eigentliches Thema. Religion stand dabei für ihn in engster Beziehung zu einem lebendigen, sittlichen Bewußtsein. Er vertrat die Auffassung, daß die Sittlichkeit der Religion einen konkreten Inhalt gibt, so daß beide jeweils ineinander ihre Vollendung finden[106]. Da er zugleich auf die unendliche Spannung zwischen Sollen und Sein aufmerksam machte, entfernte er aus seiner Ethik alle eudämonistischen Züge[107]. Der Kulturseligkeit seiner Zeit stand er kritisch gegenüber. Er verspürte die Bedrohung, die von ihr ausging und rief daher zur Selbstbesinnung auf. Nach Aussagen seiner Zeitgenossen wirkte er vor allem durch das Pathos der Wahrhaftigkeit. Überall fragte er mit unabdingbarer Forderung nach dem Wesentlichen, jede Selbsttäuschung suchte er zu entlarven. Die Bedeutung, die er für die evangelische Theologie des 20. Jahrhunderts gewann, wurde darin gesehen, daß er den christlichen Glauben »in seinem Gegensatz zu der als Natur verstandenen Wirklichkeit und in seiner Zugehörigkeit zur Wahrhaftigkeit der Geschichte« bestimmte[108]. Geschichte selbst war für ihn

---

[104] Ölsner. S. 37-38. - Vgl. H.H. Wendt: Die christliche Lehre von der Vollkommenheit. Göttingen 1881. - Ders.: System der christlichen Lehre. 2 Teile. Göttingen 1906-1907, ²1920. - Ders.: Die sittliche Pflicht. Eine Erörterung der sittlichen Grundprobleme. Göttingen 1916. - Ders.: Albrecht Ritschls theologische Bedeutung. Zu seinem 100. Geburtstag (25.3.1922). In: ZThK N.F. 3 (1922) 3-48.

[105] Vgl. G. Koch: Wilhelm Herrmann. In: RGG³ 3 (1959) 275-277. - G. Ott: J.G.W. Herrmann. In: NDB 8 (1969) 691-692. - H. Mulert: Wilhelm Herrmann. In: RGG¹ 2 (1910) 2138-2142.

[106] Straubinger. S. 217-223.

[107] Nach Stephan - Schmidt. S. 257-261. - Vgl. W. Herrmann: Die Religion im Verhältnis zum Welterkennen und zur Sittlichkeit. Halle 1879. - Ders.: Ethik. (GThW. 15.) Tübingen 1901, ⁶1921. - Ders.: Die sittlichen Weissagungen Jesu, ihr Mißbrauch und ihr richtiger Gebrauch. Göttingen 1904. - Dass. 3. Auflage hrsg. von H. Stephan. Ebd. 1921.

[108] So Th. Mahlmann: In: TdTh. S. 38-39. - Vgl. W. Herrmann: Warum bedarf unser Glaube geschichtlicher Tatsachen? Vortrag. Halle 1884, ²1892. - Ders.: Der Streitpunkt in betreff des Glaubens. In: BGl 25 = N.F. 10 (1889) 361-378. - Ders.: Grund und Inhalt des Glaubens. In: BGl 26 = N.F. 11 (1890) 81-97. - Ders.: Der geschichtliche Christus der Grund unseres Glaubens. In: ZThK 2 (1892) 232-273. - Ders.: Der Glaube an Gott und die Wissenschaft unserer Zeit. In: ZThK 15 (1905) 1-26. - Vgl. R. Hermann: Christentum und Geschichte bei Wilhelm Herrmann. Mit besonderer Berücksichtigung der erkenntnistheoretischen Seite des Problems. (Theol. Diss. Göttingen 1914. - Ref.: C. Stange.) Lucka, Leipzig 1913. - Ders.: Wilhelm Herrmann. In: EKL 2 (1958) 129-131. - F. Schröter: Glaube und Geschichte bei Friedrich Gogarten und Wilhelm Herrmann. (Ev.-theol. Diss. Münster 1933.) Teildruck: Köthen-Anhalt 1936.

nicht Fortsetzung der Natur, sondern etwas von Naturvorgängen radikal Verschiedenes, das innere Leben von Personen. Weiter unterschied W. Herrmann diese »Geschichte« von »Historie«. In all dem wirkte er bis heute nach[109].

h) Martin Kähler

Wir müssen nun eines Mannes gedenken, auf dessen Vorlesung zur Geschichte der protestantischen Dogmatik im 19. Jahrhundert wir bereits wiederholt zurückgegriffen haben: Martin Kähler (1835-1912)[110]. In seiner Schrift »Der sogenannte historische Jesus und der geschichtliche, biblische Christus«[111] griff er 1892 in die alsbald alles beherrschende Diskussion um Jesus ein. Er verstand seine Kritik an der Leben-Jesu-Forschung als einen Mahnruf. Auf Grund seiner bibel-theologischen Studien wies er nach, daß der sogenannte »historische Jesus« nur eine Abstraktion sei. »Geschichtlich« war ihm daher nur der biblische Christus, der im Zusammenhang mit der gesamten Geschichte des Heils gesehen werden muß. Gegen W. Herrmann wandte er ein, daß wir den geschichtlichen Jesus nur aus dem Zeugnis der Bibel und dann der Kirche kennen, ein Zeugnis, das selbst Geschichte ist und das wir nur hinnehmen können[112]. Nach B. Lohse wurde diese Erkenntnis von der neueren Evangelienforschung voll und ganz bestätigt[113].

---

[109] Vgl. K. Bornhausen: Die Bedeutung von Wilhelm Herrmanns Theologie für die Gegenwart. In: ZThK N.F. 3 (1922) 161-179. - W. de Boor: Der letzte Grund unseres Glaubens an Gott in der Theologie Wilhelm Herrmanns. In: ZThK N.F. 6 (1925) 437-453. - Ders.: Wilhelm Herrmann. In: RGG² 2 (1928) 1836-1838. - K. Barth: Die dogmatische Prinzipienlehre bei Wilhelm Herrmann. In: ZZ 3 (1925) 246-280. - W. Schütz: Das Grundgefüge der Herrmannschen Theologie, ihre Entwicklung und ihre geschichtlichen Wurzeln. (PhA. 5.) Berlin 1926. - H. Herrigel: Die Theologie Wilhelm Herrmanns. In: Zwingliana 4 (1927) 331-353. Zum Gesamtverständnis vgl. W. Herrmann: Die Metaphysik in der Theologie. Halle 1876. - Ders.: Die Bedeutung der Inspirationslehre für die evangelische Kirche. Vortrag. Halle 1882. - Ders.: Der Begriff der Offenbarung. (VThKGi. 3.F.) Gießen 1887. - Ders.: Der Verkehr des Christen mit Gott. Im Anschluß an Luther dargestellt. Stuttgart 1886. - Dass. 7., unveränderte Auflage Tübingen 1921. -
Ders.: Christlich-protestantische Dogmatik. (KdG. Abt. IV/1. Bd. 2.) Berlin, Leipzig 1906, ²1909. - Ders.: Die Lage und Aufgabe der evangelischen Dogmatik in der Gegenwart. In: ZThK 17 (1907) 1-33, 172-201, 315-351. - Ders.: Offenbarung und Wunder. (VThKGi. 28.) Gießen 1908. - Ders.: Die christliche Religion unserer Zeit. I. Die Wirklichkeit Gottes. Tübingen 1914. - Ders.: Gesammelte Aufsätze. Hrsg. von F.W. Schmidt. Tübingen 1923.
[110] Vgl. J.W. Schmidt-Japing: Martin Kähler. In: RGG² 3 (1929) 578-580. - R. Hermann: Martin Kähler. In: RGG³ 3 (1929) 1081-1084. - W. Klaas: Martin Kähler. In: EKL 2 (1958) 503-504.
[111] M. Kähler: Der sogenannte historische Jesus und der geschichtlich biblische Christus. Leipzig 1892, ²1896, ³1928. - Dass. Neu hrsg. von E. Wolf. München 1953. - Dass. 2., erweiterte Auflage. (TB Syst. Th.2.) 1956. - Ders.: Gehört Jesus in das Evangelium? (1901). In: Angewandte Dogmen. Der Dogmatischen Zeitfragen 2. Bd. 2., gänzlich veränderte und vermehrte Auflage. Leipzig 1908. S. 51-78. - Vgl. zu diesem Thema u.a. folgende Schriften: H. Ewald: Der geschichtliche Christus und die synoptischen Evangelien. Leipzig 1892. - M. Reischle: Der Streit über die Begründung des Glaubens auf den „geschichtlichen" Jesus Christus. In: ZThK 7 (1897) 171-264. - F.J. Schmidt: Der Christus des Glaubens und der Jesus der Geschichte. Frankfurt 1910. - E. Troeltsch: Die Bedeutung der Geschichtlichkeit Jesu für den Glauben. Tübingen 1911. - W. Fresenius: Die Bedeutung der Geschichtlichkeit Jesu für den Glauben. In: ZThK 22 (1912) 244-268.
[112] Nach Stephan - Schmidt. S. 270-272.
[113] Vgl. B. Lohse: Martin Kähler. In: TdTh. S. 19-23.

In einem Artikel der Realenzyklopädie für protestantische Theologie und Kirche hat M. Kähler seine Auffassung von Eschatologie zusammenfassend niedergelegt[114]. Sie umfaßte für ihn alle Anschauungen, die den Ausgang des irdisch-menschlichen Lebens betreffen, namentlich auch die Aussichten auf das, was jenseits des irdischen Lebens liegen mag, und zwar in betreff der ganzen Menschen wie auch des Einzelnen. Von der Religionsgeschichte wußte er, daß man bisher bei keinem Volk das Fehlen von Ahnungen eines Fortlebens nach dem Sterben feststellen konnte. Er erinnerte auch daran, daß die neuere Religionsphilosophie die eine, angeblich notwendige Entwicklungsstufe aller Religion, den Animismus, geradezu aus diesen Ahnungen erwachsen lasse[115]. Kritisch wandte er jedoch dagegen ein, daß sich von der heidnischen Volksreligion her ein zusammenhängender Fortschritt weder in der Zuversichtlichkeit noch in der Menschenwürde der Vorstellungen nachweisen lasse, obwohl eine Herübernahme solchen Stoffes, meistens unter Verlust des Verständnisses für seine ursprüngliche Bedeutung bei geschichtlicher Berührung vielfach vorgekommen und teilweise selbst nachweisbar sein wird[116]. Die wesentlichen Stücke der alttestamentlichen Eschatologie waren für M. Kähler: der Messias und sein weltumfassendes Reich des Rechtes und des Friedens, und im Zusammenhang mit dessen Errichtung das sichtende Gericht über das Gottesvolk

---

[114] M. Kähler: Eschatologie. In: RE³ 5 (1898) 490-495.
[115] Vgl. G. Runze: Animismus. In: RE³ 23 (1913) 54-57. - Ders.: Psychologie des Unsterblichkeitsglaubens und der Unsterblichkeitsleugnung. (StVRW. 2.) Berlin 1894. - Zum Thema Animismus vgl. außerdem folgende Autoren und deren Schriften im LV, hier geordnet nach der zeitlichen Reihenfolge der dort genannten Veröffentlichungen.
Edward Burnett Tylor (1832-1917). - Friedrich Max Müller (1823-1900). Vgl. dazu J. Pascher: Der Seelenbegriff im Animismus Edward Burnett Tylors. Ein Beitrag zur Religionswissenschaft. Dargestellt und gewürdigt. (APPR. 23.) Würzburg 1929. - Oskar Peschel (1826-1875). - Cornelius Peter Tiele (1830-1902). - Herbert Spencer (1820-1903). - Julius Lippert (1839-1909). - Andrew Lang (1844-1912). - Friedrich Ratzel (1844-1904). - Bernhard Stade (1848-1906). - Erwin Rohde (1845-1898). - James George Frazer (1854-1941). Schriften siehe LV. - Friedrich Schwally (1863-1919). - Eugène Goblet d'Alviella (1846-1925). - John H. King: The Supranatural: its Origin Nature and Evolution. 2 vol. London, New York 1892. - Heinrich Schurtz (1863-1903). - Charles-Jean-Marie Letourneau (1831-1902). - Fritz Schultze (1846-1908). - Aloys Borchert. - Wilhelm Bousset (1865-1920). Vgl. besonders dessen Schrift: Das Wesen der Religion, dargestellt in ihrer Geschichte. Halle 1903, ³1906, ⁴1920. - Konrad Theodor Preuß (1869-1938). - Albrecht Dieterich (1866-1908). - Wilhelm Wundt (1832-1920). - Vgl. besonders Mythos und Religion. In: Völkerpsychologie. Bd. 4. Leipzig 1905. - Edward Clodd (1840-1930). - Albertus Christiaan Kruijt (1869-1905). - Otto Pfleiderer (1839-1908). Vgl. besonders: Religion und Religionen. München 1906. - Thomas Achelis (1850-1909). - Alfred Ernst Crawley (geb. 1896). - Robert Ranulph Marett (1866-1943). - Salomon Reinach (1858-1932). - Paul Torge (geb. 1873). - Irving King (geb. 1874). The development of religion. A study in anthropology and social psychology. New York 1910. - Paul Ehrenreich (1855-1914). - Carl Clemen (1865-1940). - Vgl. besonders: Die neuesten Arbeiten über Animismus und Totemismus. In: IWWKT 5 (1911) 962-972, 1007-1016. - William McDougall (1871-1938). - Emile Durckheim (1858-1917). - Wilhelm Schmidt (1868-1954). - Gerhard Heinzelmann (1884-1951). - Karl Beth (1872-1959). - Nathan Söderblom (1866-1931). Vgl. besonders: Das Werden des Gottesglaubens. Leipzig 1916, ²1926. - Anton Willem Nieuwenhuis. - Gerardus van der Leeuw (geb. 1890). - Zum Ganzen vgl. W.E. Mühlmann: Animismus. In: RGG³ 1 (1957) 389-391. - K.E. Müller: Animismus. In: HWPh 1 (1971) 315-319.
[116] M. Kähler. In: RE³ 5 (1898) 491.

und das entscheidende Gericht über die diesem feindliche Völkerwelt. Nach dem Neuen Testament nahm Jesus das Stichwort »Reich Gottes« auf, indem er jenes ganz an seine messianische Person knüpfte, stellte er die Reichshoffnung in den Vordergrund seiner Verkündigung. Nach M. Kähler hat das seine feste geschichtliche Ausprägung in der Verheißung seiner Wiederkunft gefunden, die die Auferstehung voraussetzt, aber nicht mit ihr zusammenfällt[117].

Da M. Kähler ein ausgesprochener Bibeltheologe war, ist es nicht leicht, seine eigene Position theologiegeschichtlich zu bestimmen. Wir entnehmen seiner Beschreibung der Entwicklung auf dem Gebiet der christlichen Eschatologie, daß er den teleologischen Zug, den er bei F. Schleiermacher gefunden hatte, stark hervorkehrte. In der Bedeutung, die die Hoffnung in der biblischen Theologie gewinnt, und in der Art, wie sich dort der Sinn für die Geschichte mit der Verbürgung eines Gesamtzieles erschließt, sah er den teleologischen Charakter hervortreten. Dabei verbürgte das gemeinsame Ziel ihm auch den einheitlichen Anfang und die ineinandergreifende Entwicklung. M. Kähler sprach demgemäß der Offenbarungsreligion ein universal-geschichtliches Bewußtsein zu. In ihrer religiös begründeten, sittlich gearteten, zuversichtlichen Hoffnung sah er die Überlegenheit über das Heidentum voll heraustreten. Er zeigte, wie die erste Christenheit, indem sie dem verzichtenden Pessimismus einen siegesgewissen Weltverzicht entgegenstellte, inbrünstig dem Herrn entgegenharrend missionierend die Welt überwandt. Mit Hinweis auf J. A. Dorner[118] und A. Harnack[119] vertrat er daher die These, daß man die Parusie und mit ihr die Eschatologie als das älteste Dogma der Kirche bezeichnen könne[120]. In seiner chiliastisch-irdischen Fassung sah er einen Tatbeweis wider den Vorwurf,

---

[117] Ebd. S. 142.

[118] Vgl. Isaak August Dorner (1809-1884): Entwicklungsgeschichte der Lehre von der Person Christi (1839). Bd. 1. Stuttgart, Berlin [2]1845. S. 230-231. - Vgl. ders.: System der christlichen Glaubenslehre. 2 Bde. Berlin 1879-1880, [2]1886-1888. - Ders.: System der christlichen Sittenlehre. Hrsg. von A. Dorner. Berlin 1885. - Dass. 2 Bde. Ebd. 1887. - Vgl. Ölsner. S. 49-52. - Pfleiderer: Entwicklung der protestantischen Theologie. S. 202-211. - K. Barth: Die protestantische Theologie im 19. Jahrhundert. S. 524-534. - Hirsch. Bd. 5. S. 211-215, 380-387. - Stephan - Schmidt. S. 195-196. - Zu I. A. Dorner vgl. außerdem: O. Kirn. In: RE[3] 3 (1898) 802-807. - A. Dorner. In: ADB 48 (1904) 37-47. - H. Strathmann. In: NDB 4 (1959) 79-80. - F. Stegmüller. In: LThK[2] 3 (1959) 522-523.

[119] Vgl. Adolf von Harnack (1851-1930): Lehrbuch der Dogmengeschichte. 4. neudurchgearbeitete und vermehrte Auflage (SThL-T.) I. Teil. 1. Buch. Kap. 3. Abschnitt 3: Die Hauptstücke des Christentums und die Auffassung vom Heil. Die Eschatologie. Tübingen 1909. S. 182-194. - Harnack verstand Dogma und Evangelium als Gegensatz. Den allgemeinen Ertrag der von ihm vertretenen geschichtlichen Haltung für Theologie und Glaube vermittelt seine bekannte Schrift: Das Wesen des Christentums. Leipzig [1-5]1900. - Dass. Neuausgabe: Berlin, Stuttgart 1950. - Dass. Mit einem Vorwort von R. Bultmann. (STb. 27.) München, Hamburg 1964. - Vgl. außerdem A. von Harnack: Über die Sicherheit und die Grenzen geschichtlicher Erkenntnis. Vortrag. München 1917. - Zu A. von Harnack vgl. A. von Harnack: Adolf von Harnack. Berlin 1936, [2]1937. Dass. Neuausgabe 1951. - H. Mulert. In: RGG[1] 2 (1910) 1858-1860. - H. von Soden. In: RGG[2] 2 (1928) 1633-1636. - B. Geyer. In: Hochland 28/I (1930/31) 84-85. - J.P. Junglas. In: LThK[1] 4 (1932) 828-829. - A. Brandenburg. In: LThK[2] 5 (1960) 16-17. - W. Schneemelcher. In: RGG[3] 3 (1959) 77-79. - H. Liebing. In: NDB 7 (1966) 688-690. - Ziegenfuß. Bd. 1. S. 446-448. - Stephan - Schmidt. S. 245-249.

[120] Kähler. In: RE[3] 5 (1898) 493.

daß dem Christentum eine grundsätzliche Weltflucht ursprünglich eigne. Er erinnerte daran, daß noch in der Zeit der Verfolgung das philosophisch geschulte Denken der Alexandriner sich gegen die sinnliche Fassung gewehrt und auf Grund selbständiger Gedankengänge das Jenseits der einzelnen und der Welt für die sittliche Entwicklung in Anspruch genommen habe. Darin sah er, daß die christliche Hoffnung nur die notwendige ergänzende Auswirkung der Heilsgegenwart zum Inhalt haben könne und daß deshalb die theologische Fassung des Zieles durch das Verständnis der letzteren bestimmt sein müsse[121].

Die neuzeitliche Entwicklung auf dem Gebiet der christlichen Eschatologie sah M. Kähler dadurch bestimmt, daß die Sammlung auf die individuelle Heilsgewißheit bei den Evangelischen sowohl die Sorge um die eigene Zukunft als auch die Teilnahme für die allgemeine Entwicklung in den Hintergrund rückte. Der schwärmerische Chiliasmus habe noch besonders davon abgeschreckt, näher auf die Seite der Eschatologie einzugehen. Nach M. Kähler wurde daher von den biblischen eschatologischen Prinzipien nur eines voll erfaßt: die Wesenseinheit von Heilsbesitz und Heilsvollendung. Dagegen sei die grundlegende Bedeutung der Reichsvollendung zurückgetreten. Wohl wußte M. Kähler, daß Ph. J. Spener und J. A. Bengel auch in diesem Punkt durch die Vertiefung in das christliche Leben und in die heilige Schrift weitergeführt wurden; das aber habe nicht verhindert, daß der protestantische Individualismus im Rationalismus zufolge seiner Abkehr vom biblischen Christentum bis zu einer nicht einmal immer religiös erwärmten philosophischen Unsterblichkeitsgewißheit herabgesunken sei. M. Kähler beschrieb weiter, wie dieser einseitigen Schätzung der Einzelpersönlichkeit bei F. Schleiermacher der »fromme« Verzicht des Pantheismus auf Einzelfortdauer entgegentrat[122], endlich aber bei D. F. Strauß der siegesgewisse Spott über das Jenseits in seiner zukünftigen Gestalt als den letzten »Feind, welchen die spekulative Kritik zu bekämpfen und womöglich zu überwinden hat«[123]. Im Unterschied zu dieser kritischen Theologie wurde aber zur gleichen Zeit das biblische Zukunftsbild wieder aufgefrischt,

---

[121] Ebd. S. 493.

[122] Ebd. S. 494. - Vgl. Schleiermacher: Über Religion. S. 130-131.

[123] Vgl. David Friedrich Strauß (1808-1874): Die christliche Glaubenslehre in ihrer geschichtlichen Entwicklung und im Kampf mit der modernen Wissenschaft dargestellt. Tübingen 1840-1841. §106-107. Besonders Bd. 2. S. 739. - Weitere Schriften siehe LV. - Zu D.F. Strauß vgl. W. Lang: David Friedrich Strauß. Eine Charakteristik. Leipzig 1874. - E. Zeller: David Friedrich Strauß in seinem Leben und in seinen Schriften. Bonn 1874. - Ders. In: ADB 36 (1893) 538-548. - F. Hettinger: David Friedrich Strauß. Ein Leben- und Literaturbild. Freiburg 1875. - A. Hausrath: David Friedrich Strauß und die Theologie seiner Zeit. 2 Bde. Heidelberg 1876-1878. - S. Eck: David Friedrich Strauß. Stuttgart 1899. - Ders. In: RGG[1] 5 (1913) 958-961. - A. Wandt: David Friedrich Strauß's philosophischer Entwicklungsgang und Stellung zum Materialismus. (Phil. Diss. Münster 1902.) Münster 1902. - A. Hein: Die Christologie von D.F. Strauß. In: ZThK 16 (1906) 321-345. - Th. Ziegler: David Friedrich Strauß. 2 Bde. Straßburg 1908. - Ders. In: RE[3] 19 (1907) 76-92; 24 (1913) 536. - A. Schweitzer: Geschichte der Leben-Jesu-Forschung. Tübingen [6]1951. S. 69-123. - Pfleiderer: Die Entwicklung der protestantischen Theologie. S. 130-133, 136-137, 257-263, 300-303. - Straubinger: S. 140-147. - Hirsch. Bd. 5. S. 492-518. - Stephan - Schmidt. S. 154-157. - Ölsner. S. 20-25. - Außerdem vgl. folgende Artikel zu D.F. Strauß: P. Schanz. In: KL[2] 11 (1899) 904-913. - F. Traub. In: RGG[2] 5 (1931) 844-846. - F. Tillmann. In: LThK[1] 9 (1937) 859-860. - E. Schott. In: RGG[3] 6 (1962) 416-417.

wenn auch z.T. theosophisch untermalt von J. C. Lavater, J. H. Stilling, G. Menken[124]. Hier sah M. Kähler den Biblizismus seines Jahrhunderts anknüpfen. Diesen Theologen bildete der Abschluß der Geschichte Gottes mit der Menschheit die zukünftige Geschichte. Zu ihrem Entwurf gaben neben der Apokalypse die alttestamentlichen Weisungen den Stoff, und der Chiliasmus galt als Verständnisschlüssel für das Verhältnis von Verheißung und Erfüllung. M. Kähler verwies auf Chr. K. von Hofmann[125] und K. Au. Auberlen[126], die den neuen Ansatz betonten, in dem die vollendete Offenbarung die widergöttliche Entwicklung überwindet; dagegen zeigte er, wie bei J. A. Dorner der Blick auf die Zukunft der Menschheit gerichtet wurde[127]. Ergänzend erwähnte er, daß R. A. Lipsius wie F. Schleiermacher und A. Ritschl eine lehrhafte Verwertung der biblischen Eschatologie ablehnte und nur die individuelle Fortdauer gelten ließ[128]. Er schloß mit der Feststellung, daß J. Kaftan

---

[124] Johann Caspar Lavater (1741-1801): Aussichten in die Ewigkeit. 4 Bde. Zürich 1768-1778. - Vgl. P. Wernle: Der schweizerische Protestantismus im 18. Jahrhundert. Bd. 3. Tübingen 1924. S. 221-284. - G. von Schultheß-Rechberg: Johann Caspar Lavater. In: RE³ 11 (1902) 314-325. -
Johann Heinrich Jung, genannt Stilling (1740-1817): Das Heimweh. 4 Bde. Marburg 1793. - Ders.: Szenen aus dem Geisterreich. 2 Teile. Frankfurt 1803. - Vgl. A. Freybe: Stilling. In: RE³ 19 (1907) 46-51. -
Zu Gottfried Menken siehe oben S. 89, Anm. 46.
[125] Zu Johann Christian Konrad von Hofmann siehe ebenfalls oben S. 89, Anm. 46. - Vgl. dessen Schrift: Weissagung und Erfüllung im alten und neuen Testamente. Ein theologischer Versuch. 2 Bde. Nördlingen 1841-1844. - Ders.: Der Schriftbeweis. Ein theologischer Versuch. 2 Bde. Nördlingen 1852-1856, ²1857-1860. Vgl. besonders 8. Lehrstück. In: Bd. 2b. ²1860. S. 462-731.
[126] Zu Karl August Auberlen vgl. ebenfalls oben S. 89, Anm. 46. - Vgl. besonders den 3. Abschnitt in dessen Schrift: Der Prophet Daniel und die Offenbarung Johannis.
[127] I.A. Dorner: Über die christliche Auffassung der Zukunft. Inauguralrede. Königsberg 1845. - Vgl. Ölsner. S. 49-52.
[128] Richard Adelbert Lipsius (1830-1892): Lehrbuch der evangelisch-protestantischen Dogmatik. Braunschweig 1876. - Dass. 3., bedeutend umgearbeitete Auflage. Mit einem Verzeichnis der literarischen Veröffentlichungen des Verfassers. (Hrsg. von O. Baumgarten.) Ebd. 1893. - Vgl. Ölsner. S. 23-25. - R.A. Lipsius stand in der Dogmatik zwischen A. Ritschl und A.E. Biedermann (1819-1885); ansonsten unter dem Einfluß des Neukantianismus. - Vgl. R.A. Lipsius: Die Bedeutung des Historischen im Christentum. Berlin 1881. - Ders.: Philosophie und Religion. Leipzig 1885. - O. Pfleiderer: Die Entwicklung der protestantischen Theologie. S. 241-250. - Ders.: Geschichte der Religionsphilosophie. Berlin 1893. S. 493-497. - R. Seydel: Religionsphilosophie im Umriß. Freiburg 1893. S. 73-110. - A. Drews: Die deutsche Spekulation seit Kant. Bd. 2. Berlin 1893. S. 118-143. - F. Nippold: Lipsius' historische Methode. Jena 1893. - E. Troeltsch: Rez. zu R.A. Lipsius. Lehrbuch der evangelisch-protestantischen Dogmatik. 3., bedeutend umgearbeitete Auflage. Braunschweig 1893. In: GGA (1894). Bd. 2. S. 841-854. - M. Scheibe: Rez. zu R.A. Lipsius. Lehrbuch der evangelisch-protestantischen Dogmatik. ³1893. In: ThStKr 68 (1895) 189-206. - Ders.: R.A. Lipsius. In: ADB 52 (1906) 7-27. - F. Traub: Grundlegung und Methode der Lipsius'schen Dogmatik. In: ThStKr 68 (1895) 471-529. - Ders.: R.A. Lipsius. In: RGG² 3 (1929) 1667-1668. - M. Reischle: Rez. zu R.A. Lipsius. Lehrbuch der evangelisch-protestantischen Dogmatik. ³1893. In: ThLZ 21 (1896) 41-47. - E. Pfennigsdorf: Vergleich der dogmatischen Systeme von R.A. Lipsius und A. Ritschl. Zugleich Kritik und Würdigung derselben. Gotha 1896. - A. Neumann: Grundlagen und Grundzüge der Weltanschauung von R.A. Lipsius. Ein Beitrag zur Geschichte der neuesten Religionsphilosophie. (Phil. Diss. Jena 1896.) Braunschweig 1896. - U. Fleisch: Die erkenntnistheoretischen und metaphysischen Grundlagen der dogmatischen Systeme Alois Emanuel Biedermanns und Richard Adelbert Lipsius kritisch dargestellt. (Phil. Diss. Zürich.

die Forderungen christlicher Hoffnung aus der Notwendigkeit eines Zieles der Menschheitsgeschichte und der prinzipiellen Stellung Christi ableitete, dabei jedoch die Vorstellbarkeit des Inhalts leugnete und eine »Lehre von den letzten Dingen« ausschloß[129].

Im Anschluß an diese geschichtliche Analyse bestimmte M. Kähler nun genauer sein eigenes Verständnis von Eschatologie. In dem Gegensatz, den er zwischen den Biblizisten und denen, die Schleiermachers Bahn gehen, feststellte, spiegelte sich für ihn die verschiedene Auffassung theologischer Erkenntnis überhaupt. Er war der Überzeugung, daß der teleologische Zug auf religiösem Grunde die Verbürgung des Zieles und irgendwelche Veranschaulichung desselben nicht darangeben könne und so deshalb dort suchen müsse, woher die Kraft und der Trieb des inneren Lebens sprudeln, also nicht in berechnender Selbst- und Welterkenntnis, sondern in Gott. Darin wurzelte für ihn der Unterschied zwischen der christlichen Hoffnung und dem abwägenden vermutenden Überschlag des Philosophen. Deshalb war er der Ansicht, daß sich die theologische Eschatologie nicht mit einem Anlehnen bei einer philosophischen Schule abfinden könne. Denn - so schloß er - wo der Zugang zu jener Lebensquelle durchaus geschichtlich vermittelt sei, wie im Christentum, da sei die Beschränkung auf das individuelle Geschick ausgeschlossen. Hingegen fand er mit der Anerkennung der bleibenden »prinzipiellen« Bedeutung Christi aber auch die Begründung des Inhaltes für die Hoffnung auf die Offenbarung und ihr Wort gefordert. Hatte M. Kähler so die spekulative Eschatologie in ihre Grenzen verwiesen, so wußte er andererseits, daß eine biblisch-theologische Berichterstattung nicht minder eine unbefriedigende Gestalt des der Dogmatik unerläßlichen prophetischen Lehrstücks hinterläßt. Als Richtschnur stellte er die These auf, daß - wie in der Dogmatik überhaupt - so auch in der Eschatologie Sichtung und Ordnung des Stoffes nur nach dem Grundsatz sicher gewonnen werden könne, daß alle ihre Aussagen soteriologisch sein müßten. Darunter verstand M. Kähler, daß man nur von Christus und seinen Wirkungen zum Heile samt ihren Voraussetzungen zu reden habe. »Der lebendige Heiland bestimmt die Vollendung des Heiles wie seine Begründung und Vermittlung«[130].

Ist nun in Christus die Welt mit Gott versöhnt und sind das eben darin auch alle Glaubenden, so war für Kähler dadurch auch der Vollendung ihre inhaltliche Bestimmtheit vorgezeichnet. Der Heilsbesitz, so erklärte er, sei einerseits nach seinem inneren Wesen so genugsam, daß er an dem lebendigen wiederkommenden Christus nur die Bürgschaft seines gegenwärtigen Bestandes erkenne; andererseits eigne ihm in seiner fleischlichen und irdischen Bestimmtheit doch eine Vorläufigkeit, die Entledigung von Schranken und volle Herausstellung fordere[131]. Die Eschatologie wurde so für M. Kähler zu einem Stück des Wortes vom Kreuz. Damit wies er ihr einen Anteil an der Lösung des Problems der Sünde und an dem

1901.) Berlin 1901. - F.R. Lipsius: R.A. Lipsius. In: RE³ 11 (1902) 520-524. - Eisler: PhL. S. 417. - E. Petersen: R.A. Lipsius. In: RGG¹ 3 (1912) 2168-2171. - Straubinger. S. 223-227. - Stephan - Schmidt. S. 262-263. - H. Hohlwein: R.A. Lipsius. In: RGG³ 4 (1960) 385-386.
[129] M. Kähler. In: RE³ 5 (1898) 494. - Kaftan: Dogmatik. § 72. S. 667-669.
[130] M. Kähler. In: RE³ 5 (1898) 495.
[131] Ebd. S. 495.

Verständnis der Menschheitsgeschichte zu. Zugleich glaubte er sie so davor bewahrt, sich in kosmische Erwägungen zu verlieren. Er schloß mit der Überzeugung, daß die christliche Hoffnung nur eine Äußerung des Glaubens an den lebendigen Heiland sein werde, den das der heiligen Schrift entstammende und sich an ihr messende Wort erzeuge und erhalte[132].

Die Bedeutung der letzten Dinge für Theologie und Kirche hat M. Kähler an anderer Stelle noch einmal trefflich in vier kurzen Abschnitten zusammengefaßt, die wir hier zur Orientierung wiedergeben:

1. Ohne Eschatologie keine Christologie[133]. Kähler ging davon aus, daß es eigentlich keine Anzahl von »letzten Dingen« gebe, sondern nur eine letzte Person, die freilich auch die erste sei: Jesus Christus. Immer ging es dem Bibeltheologen um die Verkündigung des lebendigen, wiederkommenden Christus. Schon hinieden sah er den Kern der Christushoffnung in der Gemeinschaft mit Gott in Christus[134], das gleiche Ziel sah er auch dem Menschen jenseits dieses Lebens leuchten[135].

2. Ohne Eschatologie keine Soteriologie. Vor der Gestalt Jesu erwacht der Scharfblick der Selbstbeurteilung, zugleich aber auch das Vertrauen auf die Genugsamkeit der Gnade. Verheißung und Hoffnung waren dabei für M. Kähler selbstverständliche Wechselbegriffe[136].

3. Ohne Eschatologie keine christliche Ethik. M. Kähler war der Ansicht, daß die Sittlichkeit des Christen in ihrer Erscheinung wohl einem völlig in den Dienst des Diesseits hingegebenen verzichtenden Idealismus gleichen könne. Aber ihre nicht erlahmende Ausdauer, ihre Macht der Weltüberwindung, die ihr keineswegs in die Unerschütterlichkeit unter den Übeln aufgehe, ziehe sie nicht aus dem vergeblich ringenden Pflichtbewußtsein, sondern aus dem dankbaren sieghaften Glauben an das Wort und die Kraft Gottes, aus der nicht trügenden Hoffnung. Auch hier gab für ihn wieder das richtige Verständnis von Christus den Ausschlag. Die Anfänge der neuen Menschheit seien sich ihrer Wurzeln in dem Glauben an die Auferstehung Jesu bewußt, in der seine und alle Verheißung zur Wirklichkeit ward. Da sei das Jenseits handgreiflich wirksam für die Jünger in die vergängliche Welt eingetreten, habe ihnen die Augen für seine Gegenwart in Christo geöffnet und ihnen auch die Wirklichkeit der jenseitigen Vollendung verbürgt[137].

4. Ohne Eschatologie keine Theodizee. Darunter verstand M. Kähler: Kein Verständnis des Weltganges aus dem Gottesglauben heraus. Er zeigte auf, daß das Evangelium sein Versprechen, daß der Weltzweck zur Verwirklichung gelange, auf eingetretene und verheißene Tatsachen gründe. Dies wiederum werde zusammengefaßt in der Person Christi. Vor seinem Richterstuhl müßten einst alle erscheinen[138].

---

[132] Ebd. S. 495.

[133] M. Kähler: Die Bedeutung, welche den „letzten Dingen" für Theologie und Kirche zukommt. (1896). In: Angewandte Dogmen. S. 501-503. - Vgl. dazu die theologiegeschichtliche Einordnung bei A. Ahlbrecht: Tod und Unsterblichkeit in der evangelischen Theologie der Gegenwart. (KKSt. 10.) Paderborn 1964. S. 23-24.

[134] Vgl. Joh. 6, 33-40; 10, 10.15.17. - Röm. 8, 8-11; 11, 36. - 1. Kor. 15, 28; 8, 6. - Eph. 1, 10. - Kol. 1, 18-20.

[135] M. Kähler. In: Angewandte Dogmen. S. 490-492.

[136] Ebd. S. 503-506.

[137] Ebd. S. 506-511.

[138] Ebd. S. 511-514.

Das eschatologische Konzept M. Kählers bestand im wesentlichen darin, das Verhältnis des Heilswerks zu dem noch unvollendeten Teilen der alten Welt und Menschheit darzulegen. Insofern erschließt die Eschatologie den Sinn für die Geschichte[139]. Dies verdient insofern unsere besondere Aufmerksamkeit, als auch im katholischen Bereich stark soteriologisch ausgerichtete Theologen wie der Würzburger Dogmatiker J. Zahn[140] sich auf ihn beriefen.

Als Ergebnis dieser Untersuchung halten wir vorerst fest, daß sich bereits am Ende des 19. Jahrhunderts in den verschiedenen Bereichen der Theologie ein neues Spannungsverhältnis bemerkbar machte. Dieses entsprang nicht so sehr seinem bestimmten theologischen oder philosophischen System, als vielmehr einem zunächst nur unterschwellig wirkenden Wandel im Denken und Fühlen der Zeit. Wir werden nun sehen, daß diese Spannung durch die erwachende Eschatologie noch verschärft wurde.

i) Die religionsgeschichtliche Schule

Die Wandlung in der Einschätzung der Eschatologie vollzog sich zuerst auf dem Gebiet der neutestamentlichen Forschung. G. Hoffmann hat skizziert, wie die Bedeutung der urchristlichen Enderwartung um die Jahrhundertwende im steigenden Maße herausgearbeitet wurde, so daß die Eschatologie als das eigentliche Kernstück erschien, von dem aus die gesamte Verkündigung Jesu zu verstehen sei. Die Einwirkung dieser neuen Betrachtungsweise auf die Dogmatik sah er darin, daß so zentrale Begriffe, wie es der Reich-Gottes-Gedanke zumal in der Ritschlschen Schule war, eine vollständige Umdeutung erfuhr. Das Reich Gottes war demnach nicht länger die nach dem Schema Gabe-Aufgabe zu bestimmende, religiössittliche Gegenwartsgröße, sondern ausschließlich Gabe, und zwar nur verheißene Gabe, die Herrschaft Gottes, die ohne Zutun des Menschen von Gott selbst aufgerichtet werden muß[141].

Fragen wir nun nach dem Ausgangspunkt dieser Theologie, so werden wir auf jene Ritschl-Schüler verwiesen, die zum Verständnis des Neuen Testament die Anschauung des Spätjudentums und der orientalischen Religionsgeschichte zur Interpretation heranzogen: Wilhelm Baldensperger (1856-1936), Johannes Weiß (1863-1914) und Albert Schweitzer (1875-1965), der 1906 das Ergebnis zusammenfaßte und mit seiner konsequenten Eschatologie radikal verschärfte. Diese Männer gehörten mit in den Bereich der sogenannten religionsgeschichtlichen Schule, die sich in Göttingen an der Wirkungsstätte A. Ritschls und des Orientalisten Paul Anton de Lagarde (1827-1891)[142] zu bilden begann[143]. Da ihr Einfluß zu

---

[139] Ebd. S. 497. - Vgl. auch M. Kähler: Der Menschen Fortschritt und des Menschen Ewigkeit. (1865). In: Dogmatische Zeitfragen. H. 1. Leipzig 1898. S. 16-45. - Dass. In: Zeit und Ewigkeit. Der Dogmatischen Zeitfragen 3. Bd. 2., gänzlich veränderte und vermehrte Auflage. Leipzig 1913. S. 166-195.

[140] Zu Joseph Zahn siehe unten S. 277-348.

[141] G. Hoffmann: Das Problem der letzten Dinge. S. 1-2.

[142] Vgl. J. Wellhausen: Gedächtnisrede auf Paul de Lagarde . In: NKGW 1895. S. 49-57. - E. Nestle: P. de Lagarde. In: RE³ 11 (1902) 212-218. - L. Techen: P. de Lagarde. In: ADB 51 (1906) 531-536. - H. Greßmann. In: RGG¹ 3 (1912) 1919-1922. - E. Littmann. In: RGG² 3 (1929) 1452-1453. - J. Froberger. In: SL⁵ 3 (1929) 732-733. - F. Schühlein. In: LThK¹ 6 (1934) 334-335. - J. Schmid. In: LThK² 6 (1961) 730-731.

[143] Vgl. Stephan - Schmidt. S. 276-281.

Beginn des 20. Jahrhunderts sehr weit reichte und katholische Theologen zur Stellungnahme herausforderte, müssen wir ihr einige Aufmerksamkeit schenken[144].

Als »Gründer« der Religionsgeschichtlichen Schule gelten Hermann Gunkel (1862-1932), William Wrede (1859-1906) und Wilhelm Bousset (1865-1920). Anregungen erhielt der Kreis von Albert Eichhorn (1865-1926)[145]. H. Gunkel zog als erster die spätjüdischen Lehren zur Erklärung der urchristlichen Geist-Vorstellung heran[146]. Während Hugo Greßmann (1877-1927) auf den Spuren Gunkels nach dem Ursprung der israelitisch-jüdischen Eschatologie suchte[147], galten die Forschungen Wredes vornehmlich dem Christusbild der Evangelien und der paulinischen Schriften[148]. Ähnlich versuchte Wilhelm Heitmüller (1869-1925) das Verständnis von Glaube und Sakramenten im Neuen Testament und im Urchristentum mit Hilfe der religionsgeschichtlichen Methode zu erhellen[149]. Um ein neues Verständnis der eschatologisch-apokalyptischen Vorstellungen Jesu bemühte sich in den hier vorgezeichneten Bahnen der Schweizer Theologe Paul Wernle (1872-1939)[150]. Als bahnbrechend für all diese verschiedenen Forschungen haben indes die Religionsvergleiche zu gelten, mit denen W. Bousset das Verhältnis von Judentum und Gnosis zum Urchristentum und dessen Beeinflussung von Hellenismus und Mysterienreligionen klären wollte[151].

Dieser kurze Überblick zeigt, daß die meisten Theologen der religionsgeschichtlichen Schule Vertreter der biblischen Wissenschaften waren, darin nicht unbeeinflußt von Julius Wellhausen (1844-1918)[152], Bernhard Duhm (1847-

---

[144] Vgl. M. Rade: Religionsgeschichte und Religionsgeschichtliche Schule. In: RGG[1] 4 (1913) 2183-2200. - E. Lehmann: Religionsgeschichte. In: RE[3] 24 (1913) 393-411. - O. Eißfeld: Religionsgeschichtliche Schule. In: RGG[2] 4 (1930) 1898-1905. - J.P. Steffes: Religionsgeschichte. 4. In: LThK[1] 8 (1936) 776-778. - H. Schlier: Religionsgeschichtliche Schule. In: LThK[2] 8 (1963) 1184-1185. - G.W. Ittel: Die Hauptgedanken der Religionsgeschichtlichen Schule. In: ZRGG 10 (1958) 61-78. - J. Hempel: Religionsgeschichtliche Schule. In: RGG[3] 5 (1961) 991-994.

[145] Vgl. H. Greßmann: Albert Eichhorn und die religionsgeschichtliche Schule. Göttingen 1914. - E. Barnikol: Albert Eichhorn. In: NDB 4 (1959) 379.

[146] Hermann Gunkel. Schriften siehe LV. - Vgl. K. von Rabenau: Hermann Gunkel. In: TdTh. S. 80-87. - Ders.: H. Gunkel. In: NDB 7 (1966) 322-323. - H.J. Kraus: Geschichte der historisch-kritischen Erforschung des Alten Testaments. Neukirchen 1956. S. 300-334.

[147] Hugo Greßmann : Der Ursprung der israelitisch-jüdischen Eschatologie. Göttingen 1905. - Vgl. H. Gunkel: Hugo Greßmann. In: RGG[2] 2 (1928) 1454. - K. Galling: Hugo Greßmann. In: NDB 7 (1966) 50-51.

[148] William Wrede. Schriften siehe LV. - Vgl. A. Jülicher: William Wrede. In: RE[3] 21 (1908) 506-510. - A. Schweitzer: Geschichte der Leben-Jesu-Forschung. (1966). S. 389-401: Darstellung und Kritik der Konstruktion Wredes. - Ders.: Geschichte der paulinischen Forschung. Tübingen 1911. S. 130-136. - J. Schmid: Wrede. In: LThK[1] 10 (1938) 976-977. - Ders. In: LThK[2] 10 (1965) 1244.

[149] Wilhelm Heitmüller. Schriften siehe LV.

[150] Paul Wernle. Schriften siehe LV.

[151] Wilhelm Bousset. Schriften siehe LV. - Vgl. H. Gunkel: Wilhelm Bousset. Gedächtnisrede an der Universität Gießen. Tübingen 1920. - Ders. Wilhelm Bousset. In: DBJ Überleitungsband 2 (1917-1920, 1928) 501-505.

[152] Vgl. E. Sellin: Julius Wellhausen. In: DBJ Überleitungsband 2 (1917-1920, 1928) 341-344. - H. Gunkel: J. Wellhausen und Wellhausensche Schule. In: RGG[1] 5 (1913) 1888-1889. - Ders. In: RGG[2] 5 (1931) 1820-1822. - H.J. Kraus. S. 235-249. - O. Eißfeld: Julius Wellhausen. In: RGG[3] 6 (1962) 1594-1595. - V. Hamp, J. Schmid: Wellhausen. In: LThK[2] 10 (1965) 1020-1021.

1928)[153] und Adolf von Harnack (1851-1930)[154]. Besonders wertvoll waren in diesem Kreis aber auch die Kenntnisse des Philologen Heinrich Zimmern (1862-1931)[155], Paul Wendland (1864-1915)[156] und Richard Reitzenstein (1861-1931)[157].

k) Ernst Troeltsch

Erwies somit die religionsgeschichtliche Methode in einer Fülle von wissenschaftlichen Publikationen ihre allgemeine Furchtbarkeit, so blieb erforderlich, sie zugleich mit einer systematischen Verarbeitung der vorgelegten Ergebnisse einer philosophischen Klärung zu unterziehen. Dieser Aufgabe widmete sich Ernst Troeltsch (1865-1923)[158]. Da seine Schriften symptomatisch für die Problematik des theologischen Denkens zu Beginn unseres Jahrhunderts sind, müssen wir ihn ein wenig ausführlicher vorstellen.

Durch die Religionsgeschichte war E. Troeltsch zu dem negativen Resultat geführt worden, vom historischen Standpunkt aus dem Christentum jede Absolutheit absprechen zu müssen[159]. Um dennoch die Allgemeingültigkeit christlicher Überzeugungen aufzeigen zu können, sah er sich auf den einzig möglichen Weg verwiesen, Glaubensfragen mit den allgemeinen wissenschaftlichen Mitteln der Geschichte und der Psychologie zu erörtern[160]. In dieser Auffassung ging er so weit, daß er

---

[153] Berhard Duhm. Schriften siehe LV. - Vgl. die Artikel von A. Bertholet. In: DBJ 10 (1907) 45-52. - H. Gunkel. In: RGG² 1 (1927) 2043-2044. - K. von Rabenau. In: NDB 4 (1959) 179-180.

[154] Zu Adolf von Harnack siehe oben S. 102, Anm. 119.

[155] Heinrich Zimmern war Assyrologe und erschloß vor allem die babylonische Mythologie für einen geschichtlichen Vergleich mit der biblischen Religion. Vgl. besonders seine Schrift: Der Streit um die Christusmythe. Berlin 1910.

[156] Paul Wendland. Schriften siehe LV.

[157] Richard Reitzenstein. Schriften siehe LV.

[158] Vgl. Th. Kaftan: Ernst Troeltsch. Eine kritische Zeitstudie. Schleswig 1912. - Außerdem die Artikel von K. Bornhausen. In: RGG¹ 5 (1913) 1360-1364. - Ders.: In: RGG² 5 (1931) 1284-1287. - P. Simon. In: LThK¹ 10 (1938) 302-304. - H. Benckert. In: RGG³ 6 (1962) 1044-1047. - A. Brandenburg. In: LThK² 10 (1965) 372. - H.E. Tödt. In: TdTh. S. 93-98. - W. Köhler: Ernst Troeltsch. Tübingen 1941. - Ueberweg. Bd. 4. S. 600-605. - Ziegenfuß. Bd. 2. S. 740-747. - Stephan - Schmidt. S. 284-290.

[159] Vgl. E. Troeltsch: Die Absolutheit des Christentums und die Religionsgeschichte. Vortrag, gehalten auf der Versammlung der Freunde der christlichen Welt zu Mühlacker, am 3.10.1901, erweitert und mit einem Vorwort versehen. Tübingen 1902, ²1912, ³1929. - Ders.: Was heißt Christentum? In: Gesammelte Schriften. Bd. 2. Tübingen 1913. S. 386-451. - J. Thomä: Die Absolutheit des Christentums, zur Auseinandersetzung mit Troeltsch untersucht. Leipzig 1907. - E. Leidreiter: Troeltsch und die Absolutheit des Christentums. (Theol. Diss. Königsberg 1927.) Mohrungen 1927. - G. Schlippe: Die Absolutheit des Christentums bei Ernst Troeltsch auf dem Hintergrund der Denkfelder des 19. Jahrhunderts. (Theol. Diss. Marburg 1966.) Marburg 1966. - Dass. Neustadt an der Aisch 1966.

[160] Vgl. E. Troeltsch: Psychologie und Erkenntnistheorie in der Religionswissenschaft. Eine Untersuchung über die Bedeutung der Kantischen Religionslehre für die heutige Religionswissenschaft. Vortrag, gehalten auf dem International Congress of arts and sciences in St. Louis. Tübingen 1905. - Ders.: Die Selbständigkeit der Religion. In: ZThK 5 (1895) 361-436. - Ders.: Das Wesen der Religion und Religionswissenschaft. Ihre Entwicklung und ihre Ziele. (KdG. I. Teil. IV/2.) Leipzig 1906. ²1909. - W. Günther: Die Grundlagen der Religionsphilosophie Ernst Troeltschs. (APhG. 24.) Leipzig 1914. - J. Wendland: Philosophie und

selbst in der systematischen Theologie die historische Methode für die allein berechtigte hielt[161]. Dennoch bemühte er sich, den relativierenden Historismus zu überwinden[162], indem er an einem religiösen Apriori festhielt[163]: Er versuchte die Zukunftsmöglichkeit des Christentums in der metaphysischen Gültigkeit der Gottesidee zu begründen. Der unzweifelhaft vorhandene Drang der ethischen Persönlichkeit über das bloß zeitliche hinaus zu einem zeitlosen und ewigen Lebensgehalt

Christentum bei Ernst Troeltsch im Zusammenhang mit der Philosophie und Theologie des letzten Jahrhunderts. In: ZThK 24 (1914) 129-165. - E. Vermeil: La pensèe d'Ernst Troeltsch. (Aus: RHPhR. 1.) Strasbourg 1922. - K. Bornhausen: Ernst Troeltsch und das Problem der wissenschaftlichen Theologie. In: ZThK 31 (1923) 196-223. - G. Ritzert: Die Religionsphilosophie Ernst Troeltschs. Eine bewußtseinskritische Beurteilung und religiöse Würdigung seiner religionsphilosophischen Schriften. (PhPS. 4.) Langensalza 1924. - E. Spieß: Die Religionstheorie von Ernst Troeltsch. Paderborn 1927.

[161] E. Troeltsch: Historische und dogmatische Methode der Theologie. (Bemerkungen zu dem Aufsatz „Über die Absolutheit des Christentums" von Niebergall.) In: ThARhWPV N.F. 4 (1900) 87-108.

[162] Vgl. E. Troeltsch: Geschichte und Metaphysik. In: ZKTh 8 (1898) 1-69. - Ders.: Das Historische in Kants Religionsphilosophie. Berlin 1904. - Ders.: Die Bedeutung der Geschichtlichkeit Jesu für den Glauben. Tübingen 1911. - Ders.: Moderne Geschichtsphilosophie. In: Gesammelte Schriften. Bd. 2. S. 673-728. - Ders.: Über Maßstäbe zur Beurteilung historischer Dinge. In: HZ 116 (1916) 1-47. - Ders.: Über den Begriff einer historischen Dialektik. In: HZ 119 (1918) 373-426. - Ders.: Die Bedeutung der Geschichte für die Weltanschauung. Berlin 1918. - Ders.: Die Dynamik der Geschichte nach der Geschichtsphilosophie des Positivismus. (PhV. 23.) Berlin 1919. - Ders.: Der Historismus und seine Probleme. Bd. 1: Das logische Problem der Geschichtsphilosophie. (Gesammelte Werke. Bd. 3.) Tübingen 1922. - Ders.: Der Historismus und seine Überwindung. Fünf Vorträge. Berlin 1924. - F.J. von Rintelen: Der Versuch einer Überwindung des Historismus bei Ernst Troeltsch. In: DVLG 2 (1929) 324-327. - K. Frör: Reformatorische Haltung und religionsgeschichtlicher Historismus. Ihre Behauptung gegenüber der historischen Zersetzung bei Ernst Troeltsch. In: Evangelisches Denken und Katholizismus. (FGLP. 5, 2.) München 1932. S. 98-123. - K. Heussi: Die Krisis des Historismus. Tübingen 1932. - W. Brachmann: Ernst Troeltschs historische Weltanschauung. (Phil. Diss. Halle 1940.) Halle 1940. - D. Freisberg: Das Problem der historischen Objektivität in der Geschichtsphilosophie von Ernst Troeltsch. (Phil. und naturwiss. Diss. Münster 1940.) Emsdetten 1940. - J. Schaaf: Geschichte und Begriff. Eine kritische Studie zur Geschichtsmethodologie von Ernst Troeltsch und Max Weber. (Phil. Diss. Tübingen 1943.) O.O. 1943 (M.schr.). - E. Fülling: Die Frage des Historismus bei Troeltsch. In: Ders. Geschichte als Offenbarung: Studien zur Frage Historismus und Glaube von Herder bis Troeltsch. Berlin 1956. S. 61-81. - W. Bodenstein: Neige des Historismus. Ernst Troeltschs Entwicklungsgang. Gütersloh 1959. - I. Escribano Alberca: Die Gewinnung theologischer Normen aus der Geschichte der Religion bei E. Troeltsch. Eine methodologische Studie. (Theol. Diss. München 1961.) (MThSt. Abt. 2, Bd. 21.) München 1961. - E. Lessing: Die Geschichtsphilosophie Ernst Troeltschs. (Theol. Diss. Göttingen 1963.) (ThF. 39.) Hamburg-Bergstedt 1965. - G. Sauter: Zukunft und Verheißung. Das Problem der Zukunft in der gegenwärtigen theologischen und philosophischen Diskussion. Zürich, Stuttgart 1965. S. 184-197: Der Korrespondenzcharakter der Geschichte. 1. Historische Wiederholung.

[163] Vgl. K. Bornhausen: Das religiöse Apriori bei Ernst Troeltsch und Rudolf Otto. In: ZPhPhKr 139 (1910) 193-206. - Kritisch dazu A. Titius: Apriorismus und Empirismus. In: RGG[2] 1 (1927) 455-458. - R.J. Jelke: Das religiöse Apriori und die Aufgaben der Religionsphilosophie. Ein Beitrag zur Kritik der religionsphilosophischen Position Ernst Troeltschs. (Phil. Diss. Gießen 1917. - Ref.: A.W. Messer.) Gütersloh 1917. - Straubinger. S. 309-310. - Wust: Die Auferstehung der Metaphysik. S. 210-232. - W. Lotz: Das religionsphilosophische Problem der Wahrheit der Religion bei Ernst Troeltsch in seiner Entwicklung dargestellt. (Ev.-theol. Diss. Bonn 1924.) Bonn 1924.

110

und der Trieb zu einer höchsten rein persönlichen Moral, in der die Menschen von innen her verbunden sind durch eine Recht, Macht, Gewalt und Kampf überbietende Gesinnungsverbindung, war für ihn der Ansatzpunkt für den Gedanken einer Fortentwicklung der Persönlichkeit nach dem Leibestod. Den Gedanken der Verwirklichung absoluter Werte jenseits der bloß relativen des alltäglichen Daseins hielt er für unvollziehbar ohne Zuhilfenahme des weiteren Gedankens einer Fortbildung und Vollendung nach dem Leibestod, wo die Keime und Ansätze einer höheren Existenz, die gewonnen sind aus dem Leben in Gott, vollendet werden durch eine endgültige Rückkehr in das göttliche Leben. In diesem Kernpunkt christlicher Zukunftsmöglichkeit steckte für E. Troeltsch das Problem der absoluten Werte, in dieser Richtung suchte er die Überwindung des Relativismus. Wenn die Persönlichkeit - so argumentierte er - überhaupt erst durch Aufnahme absoluter Werte in das Seelenleben zustande komme, so sei zugleich das Problem der Persönlichkeit, das ohne den Gedanken einer Endvollendung nach dem Leibestod nicht gelöst werden könne, soviel Dunkel und Schwierigkeiten um diesen Punkt sich auch legen möge. Jede Behauptung eines letzten, absoluten Sinnes verlange eine Lehre von den letzten Dingen auch in der zeitlichen Entwicklung des menschlichen Geistes. Jede Behauptung eines absoluten Wertes jenseits der relativen Werte verlange ein Jenseits auch im metaphysischen Sinne. Damit aber nehme das menschliche Handeln und der menschliche Lebensaffekt einen Hauch des Überweltlichen in sich auf[164].

Bemerkenswert ist an dieser Konzeption die starke Ausrichtung auf die Vollendung der ethischen Persönlichkeit im Absoluten. Wir sehen schon hier, daß es E. Troeltsch um die Bedeutung der »letzten Dinge« für das Leben des Menschen ging. Das Wesen der religiösen Vorgänge sah er darin, »das Erlebnis einer letzten, absoluten Wirklichkeit zu sein«, sie sind nichts anderes als das »Erleben und Empfinden eines letzten Seins und eines letzten Wertes, der eben damit diesem letzten Sein zukommt«[165]. So war Religion für E. Troeltsch, »wenn nicht eine Lehre, so doch eine Empfindung von 'letzten Dingen', d.h. von letzten Wirklichkeiten und Werten, die absolut und unbedingt, einheitlich und durch sich selbst notwendig sind im Gegensatz zu den von der Reflexion immer weiter relativierten endlichen Wirklichkeiten und Werten«[166]. Beachten wir sogleich einen irrationalen Einschlag, der bei E. Troeltsch in folgenden Worten zum Ausdruck kommt: »Die wahrhaft letzten Wirklichkeiten und Werte sind ... unausdenkbar, weil sie nicht relativ sind und nicht in Relationen bestehen; aber sie sind erlebbar, weil sie die Realität des göttlichen Lebens und die Seligkeit des Aufgenommenseins in dieses Leben sind«[167].

E. Troeltsch dehnte somit den Begriff der Eschatologie entschieden aus, indem er betonte, daß die letzten Dinge zunächst mit der Zeit garnichts zu tun haben. Mit knappen Strichen versuchte er zu skizzieren, wie die letzten Dinge im Laufe der

---

[164] E. Troeltsch: Die Zukunftsmöglichkeiten des Christentums. In: Logos 1 (1910/11) 165-185. - Zitat ebd. S. 177-178.
[165] Ders.: Eschatologie. Dogmatisch. In: RGG¹ 2 (1910) 624. - Vgl. ders.: Die letzten Dinge. In: ChW 22 (1908) 74-78, 97-101.
[166] Ders. In: RGG¹ 2 (1910) 622.
[167] Ebd. Sp. 625.

religionsgeschichtlichen Entwicklung zur Eschatologie wurden, d.h. »zu einer Erwartung, daß ihre volle Erschließung erst am Ende des ausgelebten Lebens liege«[168]. So sei ein mächtiger eschatologischer Mythos aufgekommen, geschaffen
von allen großen Kulturreligionen, die mit dem Prinzip des Werdens und Erarbei-
tens und mit dem Denken das Prinzip der Endlichkeit alles bloß Relativen in sich
aufnahmen. Wollte E. Troeltsch diesem religionsgeschichtlichen Mythos auch keineswegs jeglichen Sinn absprechen, so sah er das Problem jedoch darin, daß dieser
»christlich-jüdische-griechische Mythos« zu seiner Zeit der rationalistischen Kritik
unterlag. Stattdessen konstatierte er zwei moderne Formen der Lehre von den letzten Dingen: eine »pantheistische«, »immanente«, d.h. »die auf das überall gegenwärtige zeitlose absolute Sein bezogene«, und eine »personalistische«, »transzendente«, d.h. »auf den Ideen der Freiheit und des Werdens beruhende«. Dieser zweiten Form galt seine besondere Sympathie[169], während er gegenüber der ersten einwand, daß sie das Problem des Relativismus nicht echt lösen könne, da sie im Grunde nur den ganzen relativistischen Zusammenhang lasse, wie er ist, und nur lehre,
ihn auf rätselhaft mystische Weise unter dem Aspekt der absoluten Einheit zu betrachten, die dann nichts als die Hypostasierung der Form des Relationszusam-
menhanges selber sei und, indem sie mit ihm zusammenfalle, nicht über ihn hinausführe. Dagegen erklärte er mit Nachdruck, solle der Relativismus wirklich durchbrochen werden, so könne das nur durch eine Religiösität geschehen, die das Absolute vom Inbegriff des Relativen unterscheide als einen schöpferischen lebendigen
Willen; dieser Wille führe die Seele über das Relative hinaus durch Eröffnung eines
neuen Lebensstandes in der Gemeinschaft mit dem göttlichen Willen, der nun eine
Arbeit der steigenden Selbsthingabe an den göttlichen Willen bis zur völligen Willenseinigung und bis zur völligen Liebe eröffnet[170].

Mit diesem an A. Schopenhauer gemahnenden Wort kam E. Troeltsch selber
zu der Ansicht, daß eine personalistische Lehre von den letzten Dingen eine in der
Zeit verlaufende und ihr Ziel erst durch Kampf und Arbeit in der Hingabe an die
Gnade erreichende Eschatologie lehren müsse. Ihr Ziel sei die Erhebung des Menschen aus der Naturgebundenheit, der endlichen Selbstsucht und der daraus ent-
springenden Sündhaftigkeit, die Erlösung durch die uns ergreifende und aus dem
endlich-selbstsüchtigen Selbst herausführende Gnade[171].

Ist dies Allgemeingut christlicher Glaubenslehre, so gilt das kaum von jenem
charakteristischen Satz, den E. Troeltsch hinzufügte: »Diese Erlösung muß zur
Vollendung führen in der völligen Aufzehrung der endlichen Selbstheit durch die
Gottesgemeinschaft«[172].

Wie dies von Troeltsch gemeint war, zeigt uns der nächste Abschnitt, in dem
der Heidelberger Theologe die besonderen Probleme der personalistischen Eschatologie erörterte. Da in seiner Sicht die Vollendung das Individuum betrifft, lehnte
er eine Endvollendung der Gattung im innerirdischen Leben, wie sie die Hegelsche
Staatslehre und die sozialistische Gesellschaftslehre verkündeten, ab. Statt dessen

---

[168] Ebd. Sp. 625.
[169] Ebd. Sp. 626.
[170] Ebd. Sp. 627.
[171] Ebd. Sp. 627.
[172] Ebd. Sp. 627.

verwies er darauf, daß sie über das irdische Leben des Idividuums hinausgreift. Daher war für ihn die Lehre von einem Leben nach dem Tode die erste Lehre einer personalistischen Eschatologie. Wenn E. Troeltsch erklärte, daß ein solches Leben nach dem Tode nach dem ganzen Ansatz des Gedankens nichts anderes als eine zunehmende Läuterung und Entwicklung bis zur Gotteinigung der Kreatur sein könne, so müssen wir festhalten, daß für ihn diese These nur auf einem Postulat beruhte. Die gegen die These stehenden Bedenken suchte er zu entkräften, indem er einmal auf unsere »völlige Unkenntnis des Zusammenhangs von Geist und Natur« hinwies, sodann auf den wichtigen Umstand, daß in der personalistischen Eschatologie nicht von einer der »Seele« an sich zukommenden Unsterblichkeit die Rede sei, sondern von einer Fortentwicklung des aus dem natürlichen Seelenleben erst heraus geborenen und vielleicht verborgene Organe besitzenden Geistesmenschen oder der Persönlichkeit. Hinzu kam der Hinweis, daß naturgemäß für den Personalismus die Vollendung des Individuums nicht isoliert, sondern nur im Zusammenhang der Persönlichkeiten untereinander in Betracht komme (Gesamtpersönlichkeit)[173].

Hinsichtlich des Bösen stellen wir bei E. Troeltsch eine Unterschätzung fest, die ihren Grund teils in einer simplifizierten reformatorischen Sündenlehre, teils in Übernahme des evolutiven Weltbildes hat. Im Hintergrund stand bei ihm eine Lehre von der Wiederbringung aller. Dabei verwies er darauf, daß diese Lehre vielleicht selber noch die weitesten kosmischen Hintergründe habe, indem alles Naturhafte vielleicht überhaupt zur Geistwerdung berufen sei und alle Naturkörper vielleicht nur Leiber von werdenden Geistern seien[174]. Mit dieser, z.T. die Gedanken P. Teilhard de Chardins vorwegnehmenden Auffassung, hielt er sich jedoch nicht lange auf. Das letzte in der Reihe der genannten Probleme war ihm das Ende selbst. Dabei erklärte er, daß von einem Ende der Welt überhaupt nicht die Rede sein könne. Die Welt als ewige Schöpfung Gottes habe keinen Anfang und kein Ende in der Zeit. Ein Ende könne nur haben, was einen Anfang in der Zeit gehabt hat, also nur »die Welten in der Welt«[175]. Das Ende, an dem wir enden könnten, könne wohl nur das Ende der Menschenwelt sein. Wichtiger aber war für ihn das Ende der zu Gott in der sittlichen Arbeit der Freiheit zurückkehrende, aus Naturwesen zu Geistwesen und Persönlichkeiten in der Zeit gebildeten endlichen Geister. Ihre Ewigkeit sah er nur in dem Maße ihres Anteils an dem ewigen göttlichen Leben bestehen[176].

Diese These scheint auf den ersten Blick wiederum Gemeingut christlicher Glaubensüberzeugung zu sein. Die gefährliche ideologische Verengung dieser protestantisch-religiösen Weltsicht wird aber bereits in dem Wörtchen »nur« angezeigt. So dürfte es wohl nach unserer Auffassung sehr bedenklich sein, wenn E. Troeltsch weiter davon spricht, daß die Vollendung dieser ihrer Ewigkeit für die geistige Persönlichkeit nur ein Wiedereingehen und Wiederuntergehen im göttlichen Leben sein könne. Jeder Gedanke einer endlosen Existenz schien ihm dagegen

[173] Ebd. Sp. 628.
[174] Ebd. Sp. 629.
[175] Ebd. Sp. 629.
[176] Ebd. Sp. 630.

in Wahrheit erschreckend und erschütternd; eine zeitlose Existenz aber die Aufhebung jeder endlichen Existenz überhaupt und ein anderer Name für das Untergehen in Gott. Es hört sich so an, als seien folgende Worte von E. Troeltsch in bester Tradition christlicher Mystik geschrieben: »Das wirkliche Ende wäre also eine in der Fortentwicklung nach dem Tode schließlich bewirkte völlige Willenseinigung mit dem göttlichen Willen und ein Ineinanderfließen der endlichen Einzelwillen in der Liebe, so daß die vollendete Liebe, die Verzehrung der vollendeten Individuen, die Wiederhingabe der Persönlichkeit an das göttliche Leben das letzte Ende wäre«[177]. Den Wert des ganzen Vorganges sah er in der Seligkeit und in dem ethisch-persönlichen Wert, die beide in der Arbeit errungen werden und die im Moment des Endes gerade aufs höchste gesteigert würden. Die höchste vollendete Seligkeit wäre für E. Troeltsch der letzte Augenblick; »sie tötete dies endliche Wesen, indem sie es über sich selbst heraushebt und dadurch vernichtet. Erst an der vollendeten Seligkeit stürbe das endliche Wesen, wie in ihr auch seine individuellen Differenzen sich aufgelöst hätten, nachdem sie ihren Reichtum an Leben und Seligkeit in schaffender Selbstsetzung der Persönlichkeit und Herausgestaltung ihres göttlichen Lebensgrundes ausgelebt hätten«[178].

Trotz der Bedenklichkeit, mit der wir diese eschatologischen Vorstellungen von E. Troeltsch aufnehmen[179], müssen wir das Ringen um das bleibend Gültige in der Geschichtlichkeit des Lebens deshalb schon jetzt genau zur Kenntnis nehmen, weil ein katholischer Theologe wie R. Guardini später das Verhältnis von Zeit und Ewigkeit ebenfalls im Zusammenhang mit der Geschichtlichkeit des Lebens erörterte[180]. Allerdings teilte er nicht im gleichen Maße den supranaturalistischen Standpunkt, der uns bei E. Troeltsch begegnete. R. Guardini beließ dem Menschen wie auch der ganzen Schöpfung mehr Eigenstand und Eigenwert. Allerdings zeigt sich auch bei ihm die für den Personalismus typische Gefahr, bei starker Betonung der Geschichtlichkeit das naturhafte Fundament aller religiösen Lebensaussagen letztlich aufzugeben[181].

Innerhalb der evangelischen Theologie zeigt sich diese Tendenz sehr stark bei den Verfechtern einer radikalen Gegenüberstellung von Zeit und Ewigkeit, Gott und Welt. Diese dialektische Theologie, die nach der Katastrophe des ersten Weltkrieges zur Blüte kam, wurzelte bereits in der Auseinandersetzung mit dem auf rein innerweltliche Vollendung angelegten Christentum des 19. Jahrhunderts[182]. Mit dem Hinweis auf die absolute Transzendenz des Heiles und der Erlösung wurde eine radikale Änderung allen christlichen Denkens und Wirkens gefordert. Für die Neufassung der Dogmatik und Ethik spielte nun die Eschatologie eine entscheiden-

[177] Ebd. Sp. 630.
[178] Ebd. Sp. 630. - Vgl. ders.: Glaubenslehre. München 1925. S. 296-299.
[179] Vgl. die Kritik von F. Traub: Die christliche Lehre von den letzten Dingen. In: ZThK 6 (1925) 29-49, 91-120, besonders S. 98. - Ahlbrecht: Tod und Auferstehung in der evangelischen Theologie der Gegenwart. S. 17.
[180] Zu Guardini vgl. unten S. 788-789, 790-796.
[181] Vgl. den Vorwurf gegen Guardini bei Przywara: Humanitas. S. 750.
[182] Vgl. u.a. C. Stange: Das Ende aller Dinge. Gütersloh 1930. S. 1: Das Reich Gottes wurde zu einer innerweltlichen Größe (Kulturgemeinschaft).

de Rolle. Bekannt ist der Satz K. Barths aus der zweiten Fassung seines »Römerbriefs«, Christentum, das nicht ganz und gar und restlos Eschatologie sei, habe mit Christus ganz und gar und restlos nichts zu tun[183].

Wir haben soeben gezeigt, wie bereits E. Troeltsch den Begriff der Eschatologie wesentlich über das bisher gewohnte Verständnis der letzten Dinge ausdehnte. Die Vorstellung eines allumfassenden »eschatologischen Mythos« entsprach dabei dem in der religionsgeschichtlichen Schule aufgenommenen Suchen nach der Herkunft dieser Ideen. In der damaligen Zeit erhielten sie insofern eine ungeheure Sprengkraft, als sie mit der Frage nach dem Wesen des Christentums und nach der Verkündigung des historischen Jesus neu verbunden wurden. Einmal dem Denkschema einer evolutiven Geschichtlichkeit verfallen, projizierte der Systematiker die aus der Retrospektive gewonnene Auffassung in die Zukunft[184]. Welche Konsequenzen ergaben sich daraus für die Theologie seiner Zeit?

l) Johannes Weiß

Einer der ersten, die im Gegensatz zur ethisch-innerweltlichen Auffassung des Christentums den eschatologischen Charakter der Verkündigung Jesu deutlich herausstellten, war Johannes Weiß (1863-1914). Zu seiner Charakterisierung wurde angeführt, daß er auf den Spuren von G. E. Lessing und J. G. Herder nach der Bedeutung des Iran für die biblische Theologie fragte. J. G. Herders Wertung des Mythos und der Dichtung im Leben der Völker wirkte bei ihm nach, ebenso dessen Geschichtsphilosophie[185]. Als bahnbrechend erschien sein Werk über die Predigt Jesu vom Reiche Gottes[186]. Im Vorwort zur zweiten Auflage legte er dar, wie er sich in der Schule A. Ritschls von der ungemeinen Bedeutung des systematischen Gedankens vom Reiche Gottes, der den organischen Mittelpunkt seiner Theologie bildete, überzeugt hatte. Er war der Meinung, daß gerade dieser Zentralgedanke diejenige Form der Glaubenslehre darstelle, die am meisten geeignet sei, den Menschen unserer christliche Religion nahezubringen und das religiöse Leben zu erwecken. Aber schon früh beunruhigte ihn die Empfindung, daß Ritschls Gedanke vom Reiche Gottes und die gleichnamige Idee in der Verkündigung Jesu zwei sehr verschiedene Dinge sind. Daher unternahm er den Versuch, diesen Unterschied scharf und energisch hervorzuheben[187].

Zuerst erörterte J. Weiß die alttestamentlichen und jüdischen Vorbilder der Idee des Reiches Gottes[188]. Er ging davon aus, daß die Königsherrschaft Gottes

---

[183] K. Barth: Römerbrief. München ²1922. S. 300.

[184] Vgl. Sauter: Zukunft und Verheißung. S. 84-112: Im Stadium des „Paneschatologischen Traumes".

[185] Vgl. J. Hempel. In: RGG³ 5 (1961) 992. - J. Schmid: Johannes Weiß. In: LThK² 10 (1965) 1007-1008.

[186] J. Weiß: Die Predigt Jesu vom Reiche Gottes. Göttingen 1892, ²1900. - Dass. Neudruck 1964. - Zitiert wird die 2. Auflage. - Ders.: Die Idee des Reiches Gottes in der Theologie. (VThKGi. 16.) Gießen 1900. - Vgl. O. Eißfeld. In: RGG² 4 (1930) 1903. - F. Holmström: Das eschatologische Denken der Gegenwart. Gütersloh 1936. S. 61-72. - Ölsner. S. 103. - R. Schäfer: Das Reich Gottes bei Albrecht Ritschl und Johannes Weiß. In: ZThK 61 (1964) 68-88. - Sauter: Zukunft und Verheißung. S. 85-87.

[187] Weiß: Die Predigt Jesu vom Reiche Gottes. S. V.

[188] Ebd. S. 1-35.

ihrer Natur nach zwei Seiten habe, einmal der Gedanke an die Herrschaft, die Gott selbst ausübt, sodann die Vorstellung, daß sich diese Herrschaft im Leben der Menschen, z.B. in der Israelitischen Volksgemeinde darstellt[189]. Besondere Beachtung schenkte er dem Gedanken einer zukünftigen Errichtung dieser Gottesherrschaft. Er verfolgte die Spuren dieser Idee bei Daniel und in der Apokalyptik und versuchte die Herkunft ihrer antithetischen Form von Gottesherrschaft und Satansherrschaft aus dem Parsismus zu erweisen[190]. Nach dieser Einführung untersuchte er im zweiten Teil seiner Studie die Verkündigung Jesu. Hinsichtlich der Gesamtauffassung der Person Jesu setzte er sich mit J. Wellhausen auseinander, der in Jesus mehr den Weisheitslehrer als einen geistbesesenen Pneumatiker sah[191]. J. Weiß wies darauf hin, daß inzwischen, entgegen den humanisierenden Tendenzen der Aufklärung, die hohe Bedeutung der prophetischen Geschichtsbetrachtung bekannt geworden sei[192]. Er selbst setzte sich vor allem bei der Frage, welche Bedeutung das Messianisch-Eschatologische für Jesus überhaupt gehabt habe, energisch von der Meinung Wellhausens ab, nach der die eschatologische Predigt nur in ganz losem, äußerlichen Verhältnis zu der übrigen Botschaft Jesu gestanden habe[193]. Für ihn war kein Zweifel, daß die systematische Umdeutung der messianisch-eschatologischen Ideen, die Jesus selbst bereits vollzogen haben solle, ihm von den modernen Forschungen aufgedrängt worden seien. Wellhausen sei der weitverbreiteten theologischen Tradition, die in letzter Linie auf das Johannesevangelium zurückgehe, erlegen, nach der das Gericht schon hienieden in der Menschenseele vollzogen sei. Diese Lehre habe er zur Stützung seiner immanent ethischen Auffassung vom Reiche Gottes verwandt[194].

Weiß wandte sich dagegen, daß ein Spezificum Johanneischer Theologie mit den Grundgedanken der Synoptiker auf eine Stufe gestellt werde. Im Werk des Johannes sah er die großartige Umdeutung und Umformung der urchristlichen Eschatologie zu einer vom Wandel der Zeiten unabhängigen, schon in der Gegenwart voll zu erlebenden und genießenden Mystik. Dagegen habe die Religion des Urchristentums ihren Schwerpunkt in der messianischen Krise, die noch bevorstehe. Zwar habe man geglaubt, den Messias schon zu kennen und Beweise seiner Kraft erhalten zu haben, da man schon den Geist besaß, dies erste und wichtigste Stück der Verheißung; darum habe man fest und sicher an die Wirklichkeit des Heils geglaubt, das dem Gläubigen nicht mehr entgehen könne. Aber dieser Glaube habe sich doch vom Schauen unterschieden und insofern ein Moment ungelöster Spannung, unbefriedigter Sehnsucht in sich getragen. »Noch ist der Messias nicht zur wirklichen Herrschaft gelangt, noch steht die volle Seligkeit aus, wo Menschen und Gott vereinigt sein werden, noch tobt der Feind Gottes und seiner Kinder. So drängt alles hin auf das Gericht, auf die Vernichtung des Teufels, auf die Erlösung

---

[189] Ebd. S. 2.
[190] Ebd. S. 11-26, 26-34.
[191] Ebd. S. 53-54. - Vgl. J. Wellhausen: Israelitische und jüdische Geschichte. Berlin 1894. Kap. 23. S. 308-321: Das Evangelium; vgl. ³1897. Kap. 24. S. 374-388.
[192] Weiß: Die Predigt Jesu vom Reiche Gottes. S. 55-56.
[193] Ebd. S. 58-60.
[194] Ebd. S. 60.

der Erwählten, auf die Errichtung der Messiasherrschaft, auf die Erhebung zum Gottschauen und zur Herrlichkeit der Kinder Gottes«[195].

Weiß war nun der Ansicht, daß solche religiöse Stimmung, in der sich Glaube und Hoffnung mischen, aber die Hoffnung überwiegt, Gewaltiges leisten könne an Beseligung des Einzelnen wie an Weltüberwindung im Ganzen, daß jedoch auf die Dauer eine Religion nicht bei ihr stehen bleiben könne, ohne in Fanatismus und ziellose Schwärmerei auszuarten. Es bedürfe daher eines religiösen Genies anderer Art, der den vollen Gehalt in neuer Form zu erheben im Stande war. Paulus habe dem vorgearbeitet, dadurch daß er mit seiner Christusmystik ein starkes Gegengewicht zu der gezeichneten eschatologischen Spannung aufbrachte. »Wer durch den Geist mit Christo verbunden ist und in ihm lebt, der hat Raum und Zeit überwunden, für den ist Christus gegenwärtig, obschon er ihn nicht kennt, wie ihn die älteren Apostel kannten«[196].

Auf dieser Spur, die von Paulus gebahnt ist, sah J. Weiß Johannes folgen. Er behauptete, der ganze Inhalt des Evangeliums habe bei ihm eine Umschmelzung erfahren. Seine Christusliebe habe den Stand der Sehnsucht überwunden, sie sei mit dem Erhöhten, der ihr in den Umrissen der geschichtlichen Persönlichkeit gegenwärtig ist, schon jetzt aufs Innigste verbunden. So habe er die Anschauung vom Gericht und vom Heil aus der Zukunft in die Gegenwart, aus der Jenseitigkeit ins Diesseits gezogen, so daß sich die aufeinander folgenden Zeitabschnitte des Gegenwärtigen und zukünftigen Äons über-und ineinanderschieben und er nur noch eine obere und untere Welt kenne, die Christen nicht in diesem Äon sondern in jenem lebten. Auf das ewige Leben brauche man nun nicht mehr zu warten: Wer an Christus glaubt, ist schon vom Tode zum Leben hinübergegangen ... er braucht das Gericht nicht zu fürchten, denn er hat es schon überstanden. Das Gericht ist diesseitig und hat sich schon in der großen Scheidung der Geister vollzogen, die durch das angebrochene Licht herbeigeführt ist. So - meinte J. Weiß - sei den messianisch-eschatologischen Begriffen ihre Spitze abgebrochen durch den Glauben, der in der Fülle seines gegenwärtigen Besitzes nicht mehr warten will und nicht mehr zu hoffen braucht[197].

Dieselbe Tendenz fand J. Weiß auch in den paulinischen Briefen. Der Besitz des Geistes und sein Widerspiel, die Verstockung der Ungläubigen, die Gemeinschaft mit Christus und das neue Leben der Gerechtigkeit[198] waren für ihn Symptome eines Glaubens, der nicht mehr eschatologisch ist, sondern bereits am Ziele steht. Wir können uns hier mit den von J. Weiß vorgelegten Thesen im einzelnen nicht befassen. Die Anregung, die von ihm ausging, führte die Exegeten im Laufe der Jahre dazu, die verschiedenen neutestamentlichen Schriften genauer auf ihren eschatologischen Gehalt hin zu untersuchen. Allgemein anerkannt wurde die These, die J. Weiß selbst im folgenden herausarbeitete: Daß das Messianisch-Eschatologische für Jesus von zentraler Bedeutung gewesen sei[199]. Eingehend untersuchte

---

[195] Ebd. S. 61.
[196] Ebd. S. 61.
[197] Ebd. S. 62.
[198] Eph. 2, 1-5.
[199] Weiß. Ebd. S. 64-65.

er die Aussagen der Evangelien von der Nähe des Reiches Gottes[200]. Er kritisierte die herrschende Deutung der Gegenwartsaussagen: Das Reich Gottes war ihm nicht »höchstes Gut«, »Gemeinschaft« oder »Entwicklung«[201]. Nach einer Erörterung der Aussagen über Gegenwart und Zukunft des Reiches Gottes fragte er nach dem Termin, der der Reichserrichtung gesetzt sei, sowie nach der Art ihrer Verwirklichung und nach der Beschaffenheit des in ihr gegebenen Heils[202]. Er konstatierte zunächst die drängende Eile in den Worten Jesu, skizzierte aber sodann ein Bild von der Hinausschiebung des Termins und der damit gegebenen Enttäuschung und Resignation, der Todesgedanke habe erneut die Frage nach dem Termin verschärft[203]. Schließlich sei das Kommen des Gottes-Reiches vom Himmel herab als im zukünftigen Äon erwartet worden[204]. Damit habe Jesus gelehrt, daß im Reiche Gottes eine Verwandlung und Erneuerung der Menschennatur stattfinden werde[205]. Auferstehung, Gericht und Weltuntergang gehörten jetzt zu den unsystematisch vorgetragenen eschatologischen Anschauungen[206]. J. Weiß fragte desweiteren nach dem Inhalt der Reich-Gottes-Vorstellung und sah ihn in der Heilsauffassung vom ewigen Leben, der Gottesgemeinschaft, die in der Vorstellung vom himmlischen Freudenmahl ihren Ausdruck fand[207]. Reich Gottes bedeutete nach den Aussagen der Schrift aber auch Besitztum und Weltherrschaft. Er unterschlug daher nicht die Frage nach der politischen Seite der Verkündigung Jesu. Feststellen ließ sich jedoch nur, daß das Reich Gottes, wie es Jesus verkündet hat, ein Reich der Gerechtigkeit sein wird[208].

Im dritten Teil seiner Untersuchung ging es J. Weiß darum, die eschatologische Bedingtheit der Ethik Jesu aufzuzeigen[209]. Auch hier war ihm vor allem die Forderung nach neuer Gerechtigkeit ein eschatologisches Motiv[210]. Er machte klar, daß wegen der erwarteten Nähe des Weltendes garnicht beabsichtigt war, eine systematische ethische Gesetzgebung vorzulegen, die das Leben einer sittlichen Gemeinschaft auf Jahrhunderte hinaus in allen Einzelheiten zu regeln imstande gewesen wäre. Er verglich die ethische Verkündigung Jesu daher mit den Ausnahmegesetzen einer Kriegszeit. Gewaltiges, z.T. Übermenschliches schien ihm gefordert, Dinge, die unter gewöhnlichen Verhältnissen einfach zu halten unmöglich wären[211]. Vor allem aber legte er in dieser Erörterung dar, daß das Christentum nicht durch eine neue Lehre entstanden sei, sondern durch das Auftreten eines Mannes, der mit dem größten Ernst und unbeirrter Sicherheit davon überzeugt war, daß Gott ihn gesandt habe, um der Welt das Kommen des Gerichts und des Heils anzusagen. Daher gehörte für ihn zu der Verkündigung vom Reiche Gottes auch die

---

[200] Ebd. S. 69-73.
[201] Ebd. S. 73-88.
[202] Ebd. S. 88-100.
[203] Ebd. S. 102-105.
[204] Ebd. S. 105-108.
[205] Ebd. S. 109-111.
[206] Ebd. S. 111-115.
[207] Ebd. S. 115-121.
[208] Ebd. S. 118-126.
[209] Ebd. S. 128-154.
[210] Ebd. S. 145-152.
[211] Ebd. S. 139. - Vgl. R. Schnackenburg: Interimsethik. In: LThK[2] 5 (1960) 728.

Darstellung des »messianischen Selbstbewußtseins« Jesu[212]. Hier vertrat er die These, daß das Messiasbewußtsein Jesu bis zu einem gewissen Grade an dem eschatologischen Charakter seiner gesamten Verkündigung teilnahm[213]. Mit W. Baldensperger war er der Ansicht, daß Jesus mit Bewußtsein die Bezeichnung Davidssohn für den Messias verworfen[214] und sich damit von dem Davidischen Messiasbild überhaupt abgewandt habe[215]. Wie in der Verkündigung des Reiches Gottes ein stark eschatologisches Moment, eine noch ungelöste Spannung enthalten sei, so daß der gesamte Schwerpunkt auf die Zukunft gelegt werde, so sei auch der Messiasglaube Jesu nur zum Teil Gegenwartsbesitz, zum Teil auch Glaube an die Zukunft[216]. Er schloß mit der Feststellung, daß Jesus für seine Person ebenso wie für sein Werk die entscheidende Wendung erst von der Zukunft erhoffte. Er werde nicht kleiner, sondern nach dem uns von ihm gegebenen Maßstab größer, wenn wir erkennten, daß er in seiner Demut die Vollendung nicht von seinem eigenen Tun, sondern von dem Eingreifen seines himmlischen Vaters erwartet habe[217].

m) Albert Schweitzer

Es ist auffallend, wie stark J. Weiß die Eschatologie an die Verkündigung Jesu gebunden sah. Andeutungen über das weitere Schicksal der Predigt Jesu vom Gottesreich hatte er bereits mit seiner bahnbrechenden Studie gegeben. Später legte er sein Verständnis von der Person Jesu Christi erneut dar. Zugleich aber mußte er auch ausführlicher Auskunft über das Entstehen des Urchristentums und des christologischen Dogmas geben[218]. Seine Auffassungen blieben indes nicht unbestritten. Zahlreich waren die Schriften, die sich in der Folgezeit mit seinen Thesen auseinandersetzten.

Seinen besten Anwalt fand J. Weiß jedoch alsbald in Albert Schweitzer (1875-1965)[219], wenngleich dieser die von Weiß in vorsichtiger Nuancierung vorgelegte Auffassung unbedenklich radikalisierte. Wir sehen dies deutlich schon dort, wo er J. Weiß mit eigenen Worten wiedergibt. Nun ist alles weggelassen, was auf irgendeine messianische Tätigkeit schließen ließe. Die Misssionsreisen der Jünger bedeuten keinerlei Ausbreitung des Reiches Gottes sondern nur fliegende Verkündigung der Reichsidee. Und diese Nähe war in der Sicht A. Schweitzers ferner, als es Jesus damals dachte. Hatte J. Weiß in der eschatologischen Predigt das wesentliche

---

[212] Weiß. Ebd. S. 154-159.
[213] Ebd. S. 159.
[214] Mk. 12, 35-37.
[215] Weiß. Ebd. S. 160.
[216] Ebd. S. 175-176.
[217] Ebd. S. 178.
[218] Die weiteren Schriften von J. Weiß siehe LV.
[219] Vgl. M. Schlunk: Albert Schweitzer. In: RGG² 5 (1931) 339-341. - O. Kraus: Albert Schweitzer. Sein Werk und seine Weltanschauung. Berlin 1926, ²1929. - K. Stürmer: Albert Schweitzer. In: EKL 3 (1959) 881-883. - R. Grabs: Albert Schweitzer. In: RGG³ 5 (1961) 1607-1608. - H.W. Bähr (Hrsg.): Albert Schweitzer. Sein Denken und sein Weg. Tübingen 1962. Besonders S. 205-239: Th. Litt, R. Minder, H. Baur, K.A.H. Hidding, W. Quenzer: Die Persönlichkeit Albert Schweitzers. - Ahlbrecht: Tod und Unsterblichkeit in der evangelischen Theologie der Gegenwart. S. 87-89. - M. Strege: Albert Schweitzers Religion und Philosophie. Eine systematische Quellenstudie. Tübingen 1965. - W. Bremi: Albert Schweitzer. In: TdTh. S. 145-149.

Motiv für Jesu Verkündigung gesehen, so ging nach der Wiedergabe A. Schweitzers die Auffassung von J. Weiß dahin, daß die Predigt Jesu nur eschatologisch war[220]. Er selbst wurde dabei zum Inaugurator der »konsequenten Eschatologie«[221].

Die ganze Geschichte des Christentums beruhte für A. Schweitzer auf der »Parusieverzögerung«, d.h. genauer: auf dem Nichteintreffen der Parusie, dem Aufgeben der Eschatologie, damit aber auch der damit verbundenen fortschreitenden und sich auswirkenden »Eschatologiesierung der Religion«[222]. A. Schweitzer hat das gesamte biblische Material auf diese These hingeordnet. In seinen späteren Studien versuchte er vor allem zu ergründen, wie Pauli Erlösungsmystik und Sakramentenlehre aus der Eschatologie hervorgegangen sind[223]. Für überaus wahrscheinlich hielt er, daß bereits der Täufer und das Urchristentum eschatologische Sakramente geschaffen habe, die Paulus als bestehend und beglaubigt nur zu übernehmen hatte[224].

In der Streitfrage des Paulinismus, wann und womit die Hellenisierung des Christentums begonnen habe, entschied sich A. Schweitzer wiederum für eine rein eschatologische Erklärung der paulinischen Theologie, d.h. er statuierte die vollständige Zusammengehörigkeit der Lehre Pauli mit der Lehre Jesu. In seinem Werk über die Mystik des Apostels versuchte er die These zu erhärten:»Die Hellenisierung des Christentums setzt nicht mit Paulus, sondern erst nach ihm ein«[225]. Zuerst charakterisierte er die eschatologische Erwartung in den Briefen Pauli und verglich sie mit der eschatologischen Lehre von der Erlösung bei Jesus[226]. Vor allem zeigte er, wie die Sühnetodvorstellung eschatologisch bedingt war[227]. Anschließend erläuterte er die urchristliche Vorstellung von der Bedeutung des Todes Jesu, um sodann darzustellen, wie Paulus über den Tod Jesu und die eschatologische Lehre von der Erlösung dachte[228]. Im nächsten Kapitel ging es ihm um die Bedeutung der Totenauferstehung für das messianische Reich bei Paulus. Er sah in dem Apostel den Schöpfer einer Lehre von der doppelten Auferstehung Jesu:»einer ersten, in der die an Christum Gläubigen zur Teilnahme am messianischen Reiche

---

[220] Vgl. A. Schweitzer: Geschichte der Leben-Jesu-Forschung. ²1913. S. 232-235; vgl. ebd. S. 257-259 u.s.w.; in der Neuauflage 1966: S. 254-258, 263-266, u.s.w.

[221] Ebd. ²1913. S. 390-443. - Dass. 1966: S. 402-450. - Vgl. Sauter: Zukunft und Verheißung. S. 87-89. - W. Kreck: Typen der Eschatologie. In: Ders. Grundfragen der Dogmatik. München 1970. S. 279.

[222] Schweitzer: Geschichte der Leben-Jesu-Forschung. ²1913. S. 407; in 1966: S. 417. - Vgl. Ölsner. S. 103-104. - R. Haubst: Eschatologie „Der Wetterwinkel" - Theologie der Hoffnung. In: TThZ 77 (1968) 42.

[223] Vgl. Schweitzer: Geschichte der Paulinischen Forschung von der Reformation bis zur Gegenwart. S. 187-194. - Vgl. dazu die Rez. von W. Koch. In: ThQ 95 (1913) 144-145.

[224] Schweitzer: Geschichte der Paulinischen Forschung. S. 189.

[225] A. Schweitzer: Die Mystik des Apostels Paulus. Tübingen 1930. S. VIII, Vorrede. - Vgl. ebd. Kap. 4: Die eschatologische Lehre von der Erlösung. S. 54-75. - Zu der Paulus-Deutung von A. Schweitzer vgl. G. Marchal. In: Albert Schweitzer. Sein Denken und sein Weg. S. 172-177. - W. Sachs: Schweitzers Bücher zur Paulusforschung. Ebd. S. 178-183. - K. Adam: Rez. zu A. Schweitzer. Die Mystik des Apostels Paulus. In: ThQ 111 (1930) 438-441.

[226] Schweitzer: Die Mystik des Apostels Paulus. S. 54-59.

[227] Ebd. S. 59-63.

[228] Ebd. S. 63-66.

120

gelangen, und einer zweiten, in der alle anderen Menschen, die je auf Erden gelebt haben, nach dem messianischen Reiche zum Endgericht vor Gottes Thron erscheinen, um das ewige Leben oder die ewige Pein zu empfangen«[229]. Als den Grundgedanken Pauli stellt er heraus, daß die Gläubigen in geheimnisvoller Weise das Sterben und Auferstehen Christi mitmachen und auf diese Weise aus ihrer natürlichen Existenz herausgerissen und eine Menschheitsklasse für sich werden. »Wenn das messianische Reich anbricht, sind diejenigen von ihnen, die dann noch am Leben sind, nicht natürliche Menschen wie andere, sondern solche, die mit Christo irgendwie Sterben und Auferstehen durchgemacht haben und daher der Seinsweise der Auferstehung teilhaft werden können, während die anderen Menschen dann dem Sterben verfallen. Ebenso sind die, die in Christo sterben, nicht Tote wie andere, sondern solche, die durch das Sterben und Auferstehen mit Christo fähig geworden sind, vor den anderen aufzuerstehen«[230].

A. Schweitzer zeigte in diesem Zusammenhang, wie das in der Pauli überlieferten Eschatologie nicht vorgesehene Zuvorerscheinen, Sterben und Auferstehen des künftigen Messias den Charakter der Zeit zwischen der Auferstehung Jesu und seiner Wiederkunft problematisch werden ließ. Christus war noch nicht erschienen und die Welt hatte noch ihr natürliches Aussehen. Urteile man nach dem äußeren Schein, so ist es noch natürliche Weltzeit. Derjenige aber, der sich Rechenschaft davon gebe, was es bedeutet, daß - wie die geschehene Auferstehung Jesu beweist - die Totenauferstehung bereits im Gang ist, muß nach A. Schweitzer anders über die Weltzeit denken. Entscheidend für den Charakter der Periode zwischen Auferstehung Jesu und seiner Wiederkunft war für ihn nicht ihr äußeres Aussehen, sondern die Art der in ihr wirkenden Kräfte. Durch die Auferstehung Jesu sei offenbar, daß Auferstehungskräfte, d.h. Kräfte der übernatürlichen Welt, in der Kreatürlichkeit bereits am Werke seien. »Wer also Erkenntnis hat, rechnet die Dauer der natürlichen Welt nicht bis zur Ankunft Jesu in Herrlichkeit, sondern erfaßt die Zwischenzeit zwischen seiner Auferstehung und dem Anbruch des messianischen Reiches als ein Ineinander von natürlicher und übernatürlicher Welt. Mit der Auferstehung Jesu hat die übernatürliche Welt bereits begonnen, nur daß sie noch nicht in Erscheinung getreten ist«[231].

In den folgenden großen Abschnitten behandelte A. Schweitzer die Mystik des Gestorben- und Auferstandenseins mit Christo[232]; Leiden als Erscheinungsweise des Sterbens mit Christo[233]; Geistbesitz als Erscheinungsweise des Auferstandenseins mit Christo[234]. Im Kapitel über Mystik und die Sakramente wiederholte er seine These von der »eschatologischen Herkunft der urchristlichen Sakramente«[235] und versuchte aufzuzeigen, daß die Sakramente Pauli als Garanten der Auferstehung nur auf die messianische Seligkeit hinzielen[236]. Abschließend beschrieb er, wie

---

[229] Ebd. S. 94.
[230] Ebd. S. 97.
[231] Ebd. S. 99-100.
[232] Ebd. S. 102-140.
[233] Ebd. S. 141-158.
[234] Ebd. S. 159-174.
[235] Ebd. S. 222.
[236] Ebd. S. 271-276.

er den Prozeß der Hellenisierung der Mystik Pauli durch Ignatius und die johanneische Theologie verstand[237]. Das Unvergängliche der Mystik Pauli sah er in der Einheit von Reich-Gottes-Glaube und Erlösungsglauben[238]. Da sich schon bei Paulus der Begriff des Reiches Gottes aus dem Naturhaften ins Geistige wandelte, fand er Pauli Worte von dem in den Geschehnissen unseres Daseins und in unserem Denken und Wollen zu erlebenden Sterben und Auferstehen mit Christo als in unserer Weltanschauung ebenso wahr wie in der seinen. Durch seine Lehre vom Geist schlage Paulus selbst die Brücke von jener Weltanschauung zu der unsrigen«[239].

Bei dieser Erörterung vergaß A. Schweitzer keinen Augenblick, daß jede Weltanschauung mit einem entsprechenden ethischen Handeln verbunden sein muß. So konnte er sagen, daß Pauli Lehre vom Geist besage, daß das Metaphysische der Erlösung als Teihabe am ewigen Leben in der Zeit unseres Seins in der irdischen Welt als ein Geistig-Ethisches in Erscheinung trete. »Der Geist Jesu, den wir als ethischen Geist in uns zur Wirkung kommen lassen, ist identisch mit dem Geist, der uns das ewige Leben verleiht«[240]. A. Schweitzer fand, daß die in der eschatologischen Weltanschauung entstandene Auffassung der Einheit des Ewigen und des Ethischen unvergängliche Wahrheit in sich trage. Eindringlich zeigte er, daß Paulus diejenigen, die durch Christus aus dieser Welt erlöst sind, nicht aus ihr heraustreten lasse, sondern sie in sie hineinstelle, damit sie in ihr die Kräfte ihres Seins im Reiche Gottes bewähren. Daher forderte er, daß sich unsere Frömmigkeit an der Reich-Gottes-Frömmigkeit des Paulus zu erneuern habe. Zwar ziehe Pauli Reich-Gottes-Glaube die Möglichkeit einer Entwicklung dieser natürlichen Welt zum Reiche Gottes nicht in Betracht. Aber, obwohl er diese Welt aufgebe, mute er dem Erlösten dennoch zu, den Geist des Reiches Gottes, der in ihm ist, in ihr zu betätigen. Rein aus innerer Notwendigkeit, nicht mit Absicht auf Erfolg, entstehe so Wirken, das durch das Reich Gottes bestimmt werde. »Wie ein Stern aus dem Zwange des Glanzes, der in ihm ist, über einer dunklen Welt leuchtet, auch wenn keine Aussicht ist, daß er einen Morgen kündet, der über ihr aufgehen wird, also sollen die Erlösten das Licht des Reiches Gottes in der Welt erstrahlen lassen«[241].

Um diese Betätigung des Reiches Gottes aus ihrer inneren Notwendigkeit muß sich nun nach A. Schweitzer alle auf zweckmäßige Verwirklichung derselben gehende Arbeit als ihren Kern anlegen. Als solche, die aus der eschatologischen Weltanschauung herausgetreten sind, können wir nach seiner Meinung nicht anderes, als die Umgestaltung der Verhältnisse der Menschheit im Sinne des Reiches Gottes wollen und an ihr arbeiten. Dies gebiete uns der Geist, der aus der Nichterfüllung der eschatologischen Erwartung des Reiches Gottes zu uns rede. Urchristlich aber müsse unser Glaube an das Reich Gottes darin bleiben, daß wir seine Verwirklichung nicht von zweckmäßigen und organisatorischen Maßnahmen, sondern von einem Mächtigwerden des Geistes Gottes erwarten. »So wissen wir, daß die aus innerer Notwendigkeit geschehende Erweisung des Geistes des Reiches Gottes,

---

[237] Ebd. S. 324-364.
[238] Ebd. S. 369-374.
[239] Ebd. S. 375.
[240] Ebd. S. 375.
[241] Ebd. S. 378.

dessen wir im Sterben und Auferstehen mit Christo teilhaftig werden, die Reich-Gottes-Arbeit ist, ohne die alle andere umsonst bleibt«[242].

A. Schweitzer kam so durch Paulus von einer »konsequenten Eschatologie«, d.h. genauer von der Aufgabe jeder »eschatologischen Weltanschauung« zu einem pneumatischen Verständnis des Reiches Gottes. Von »Eschatologie« sollte man nach seiner Meinung nur reden, wo es sich um das in unmittelbarer Nähe erwartete Weltende und die damit gegebenen Ereignisse, Hoffnungen und Ängste handelt«[243]. In einer autobiographischen Schrift wies er noch einmal darauf hin, daß Jesu Religion der Liebe in der Weltanschauung der Weltenderwartung auftrat und daß wir uns mit dieser Tatsache abzufinden hätten. In den Vorstellungen, in denen Jesus sie verkündigte, könnten wir sie nicht zu der unsrigen machen, sondern müßten sie in diejenigen unserer neuzeitlichen Weltanschauung übertragen[244]. »Nicht mehr wie die, die der Predigt Jesu lauschen durften, erwarten wir, daß das Reich Gottes sich in übernatürlichen Ereignissen verwirklichen werde. Wir halten dafür, daß es allein durch die Kraft des Geistes Jesu in unseren Herzen und in der Welt entsteht. Das einzige aber, worauf es ankommt, ist, daß wir von der Idee des Reiches Gottes so beherrscht sind, wie es Jesus von den Seinen verlangt«[245].

Der Impuls, den A. Schweitzer der theologischen Forschung gab, hatte zur Folge, daß das »Eschatologische« in den Vordergrund der exegetischen Arbeit trat. Seitdem ist, wie O. Knoch bereits feststellte, die Frage nach der Eschatologie des Neuen Testamentes, insbesondere nach dem Zeitpunkt der Wiederkunft Christi, nie mehr verstummt[246]. Martin Werner (1887-1964)[247], Fritz Buri (geb. 1907)[248] und Martin Strege [249] schritten auf den Bahnen ihres Meisters weiter. Problemgeschichtlich interessant ist aber auch der Zusammenhang zwischen der konsequenten Eschatologie und der dialektischen Theologie[250]. Indes halten wir an dieser Stelle vorerst inne, um zu fragen, welche Stellung die katholische Theologie im geistigen Ringen jener Jahre vor dem ersten Weltkrieg einnahm. Für den evangelischen Bereich haben wir bis jetzt festgestellt, wie die biblische Verkündigung Jesu

---

[242] Ebd. S. 378.

[243] Vgl. Schweitzer: Geschichte der paulinischen Forschung. S. 178.

[244] Vgl. A. Schweitzer: Aus meinem Leben und Denken. Leipzig 1931. S. 43.

[245] Ebd. S. 44.

[246] O. Knoch: Eigenart und Bedeutung der Eschatologie im theologischen Aufriß des 1. Clemensbriefes. Bonn 1964. - Vgl. E. Müller: Die säkulare Bedeutung Schweitzers für die Leben-Jesu-Forschung. In: Albert Schweitzer. Sein Denken und sein Weg. S. 146-158.

[247] Vgl. M. Werner: Das Weltanschauungsproblem bei Karl Barth und Albert Schweitzer. Eine Auseinandersetzung. München 1924. - Ders.: Albert Schweitzer und das freie Christentum. Zürich 1924. - Die Entstehung des christlichen Dogmas, problemgeschichtlich dargestellt. Bern, Tübingen 1941, ²1953. - Ders.: Albert Schweitzers Beitrag zur Frage nach dem historischen Jesus. In: Albert Schweitzer. Sein Denken und sein Weg. S. 135-145.

[248] F. Buri: Die Bedeutung der neutestamentlichen Eschatologie für die neuere protestantische Theologie. Zürich, Leipzig 1935. - Ders.: Theologie der Existenz. Bern 1954. - Ders.: Albert Schweitzer als Theologe heute. Zürich 1955.

[249] M. Strege: Das Eschaton als gestaltende Kraft in der Theologie. Stuttgart 1955. - Ders.: Das Reich Gottes als theologisches Problem im Lichte der Eschatologie und Mystik Albert Schweitzers. Stuttgart 1956.

[250] Siehe unten S. 457.

vom Reiche Gottes von einigen Theologen um die Jahrhundertwende konsequent eschatologisch interpretiert wurde. Dies hatte zur Folge, daß sich mit dem Protest gegen ein nur diesseits orientiertes, fortschrittsgläubiges Kulturchristentum erneut der Aufruf zu einer innerweltlichen Verwirklichung des Reiches Gottes verband.

Es ist nicht unsere Aufgabe, in diesem allgemeinen Überblick die vorgetragenen Thesen einer eingehenden Kritik zu unterziehen[251]. Nur soviel sei gesagt: Wir werden sehen, wie die ethischen Akzente, die von der evangelischen Theologie gesetzt wurden, auch im katholischen Bereich anzutreffen sind. So können wir mit mancherlei Übereinstimmung rechnen, selbst da, wo es innerhalb der katholischen Theologie zu einer scharfen Abgrenzung sowohl gegenüber einem religiösen Immanentismus als auch gegenüber dem radikalen Eschatologismus kam.

[251] Vgl. F.J. Schierse: Eschatologismus. In: LThK[2] 3 (1959) 1098-1099. - W. Michaelis: Der Herr verzieht nicht die Verheißung. Bern 1942. - H. Schuster: Die konsequente Eschatologie in der Interpretation des Neuen Testaments, kritisch betrachtet. In: ZNW 47 (1956) 1-25. - E. Grässer: Das Problem der Parusieverzögerung in den synoptischen Evangelien und in der Apostelgeschichte. (Beiheft zu: ZNW. 22.) Tübingen 1957, [2]1960, [3]1977. - W.G. Kümmel: L'eschatologie conséquente d'Albert Schweitzer jugée par ses contemporains. In: RHPhR 37 (1957) 58-70. - O. Cullmann: Parusieverzögerung und Urchristentum. Der gegenwärtige Stand der Diskussion. In: ThLZ 83 (1958) 1-12. - Über A. Schweitzer und die Leben-Jesu-Forschung heute vgl. O. Michel. In: Albert Schweitzer. Sein Denken und sein Weg. S. 125-134.

ZWEITER TEIL

Die katholische Eschatologie in der Zeit vom Ende des 19. Jahrhunderts bis zum Beginn des 1. Weltkrieges

Nach einer These von P. Müller-Goldkuhle kam es durch die scharfen kirchlichen Maßnahmen gegen den Modernismus zum »Ende der großen neuscholastischen Blütetzeit«[1]. Fraglich bleibt allerdings, ob durch diese Entwicklung die Lebendigkeit der katholischen Theologie abstarb. Eher scheint das Gegenteil der Fall zu sein, wenn wir auf dem Gebiet der Eschatologie etwa die Jenseitslehre J. Zahns und die verschiedenen Arbeiten von B. Bartmann angemessen würdigen. Auch sei jetzt schon angemerkt, daß Theologen wie K. Adam und R. Guardini ihre grundlegende Formung in der Vorkriegszeit erhielten, also in jenen Jahren, da die Auseinandersetzung um den Modernismus auf dem Höhepunkt stand. Wir werden später darauf zurückkommen. Indes untersuchen wir zunächst, welcher Art die Eschatologie war, die in der apologetischen und spekulativen Dogmatik H. Schells vorgelegt wurde. Verwunderlich bleibt, daß P. Müller-Goldkuhle den Würzburger Theologen völlig übergeht, obwohl er doch ausdrücklich die Eschatologie des 19. Jahrhunderts untersuchen wollte.

[1] Müller-Goldkuhle. S. 216.

ERSTES KAPITEL

Herman Schell - Die Vollendung des Heils

1. Die philosophischen und theologischen Grundzüge
in den Studienschriften H. Schells

Herman Schell (1850-1906) gehörte zu einer Generation von Theologen, die - wie V. Berning schreibt - zwar noch in der Tradition der Tübinger Schule aufwuchs, sich aber gleichzeitig mit dem wirksamen Anspruch der Neuscholastik auseinanderzusetzen hatte[1]. Im Fluidum eines christlichen Spätidealismus begann er 1868 sein Studium in Freiburg[2]. Dort hörte er u.a. eine dogmatische Vorlesung bei F. J. Wörter[3]. Durch C. von Schäzler[4] wurde er in den Neuthomismus eingeführt,

---

[1] V. Berning: Das Denken Herman Schells. Die philosophische Systematik seiner Theologie genetisch entfaltet. (BNGKTh. 8.) Essen 1964. S. 6-7.

[2] Vgl. ebd. S. 1-20: § 1. Der junge Schell in Freiburg. - Außerdem vgl. J. Hasenfuß: Herman Schell als existenzieller Denker und Theologe. Zum 50. Todestag. Würzburg 1956. S. 25-48: Schells Leben als Zugang zum Verständnis seines Werkes. Schells Persönlichkeit als Schlüssel zu seinem Werk. - Ders.: Herman Schell. In: LThK[2] 9 (1964) 384-385. - Ders.: Leben und Wirken Herman Schells. In: H. Schell. Katholische Dogmatik. Kritische Ausgabe. Hrsg., eingeleitet und kommentiert von J. Hasenfuß und P.W. Scheele. Bd. 1. Paderborn 1968. S. IX-XXI. - J. Engert: Herman Schell. In: BadB. Teil 6. Karlsruhe, Heidelberg 1935. S. 685-691. - Ders.: Herman Schell. In: LThK[1] 9 (1937) 232-234. - Ders.: Herman Schell. In: RGG[1] 5 (1913) 280-281. - F.X. Kiefl: Herman Schell. (KuK. 7.) Mainz 1907. - Ders.: Herman Schell. In: RE[3] 26 (1913) 452-454.

[3] Friedrich Johann Wörter (1819-1901), Schüler von Franz Anton Staudenmaier (1800-1856), folgte diesem in Freiburg als Prof. für Dogmatik und Apologetik. - Vgl. C. Krieg: Friedrich Wörter. In: BadB. Teil 5. Karlsruhe, Heidelberg 1906. S. 831-837. - E. Ritzenthaler: Gedächtnisrede auf den Geistlichen Rat Dr. Friedrich Wörter, o.ö. Prof. zu Freiburg. Freiburg 1902. - J. Mayer: Necrologium Friburgense 1900-1905. In: FDA 34 (1906) 24-26. - Zur Eschatologie vgl. F.J. Wörter: Die Unsterblichkeitslehre in den philosophischen Schriften des Aurelius Augustinus mit besonderer Rücksicht auf den Platonismus. (Programm wodurch zur Feier des Geburtsfestes seiner königlichen Hoheit unseres durchlauchtigsten Großherzogs Friedrich im Namen des academischen Senats die Angehörigen der Albert-Ludwig-Universität einladet der gegenwärtige Prorector Dr. Friedrich Wörter.) Freiburg 1880. - Zur Eschatologie Staudenmaiers vgl. Müller-Goldkuhle. S. 148-157.

[4] Johann Lorenz Constantin von Schäzler (1827-1880). - Vgl. Berning: Das Denken Herman Schells. S. 3-4. - A. Knöpfler: Constantin von Schäzler. In: ADB 30 (1890) 649-651. - G.M. Häfele: Constantin von Schäzler. Zu seinem 100. Geburtstag. In: DTh 5 (1927) 411-418.

doch blieb er zeit seines Lebens mehr auf idealistischem als auf scholastischem Boden[5]. Bei J. Sengler[6], dem Freiburger Philosophen, der einem spekulativen Theismus nahestand, gewann er zudem eine philosophische Orientierung, die er nicht mehr verlieren sollte. 1870 wechselte er nach Würzburg, wo desweiteren F. Brentano[7] Einfluß auf sein Denken gewann. Als Frucht seiner Arbeit legte er eine Dissertation vor, in der er die »Einheit des Seelenlebens aus den Prinzipien der Aristotelischen Philosophie« entwickelte[8]. 1873 empfing er die Priesterweihe. Nach einem Studienaufenthalt in Rom (1879-1881) fand die theologische Promotion in Tübingen statt; 1885 erschien seine Dissertation über »Das Wirken des Dreieinigen Gottes« in der Öffentlichkeit[9]. 1884 konnte H. Schell in Würzburg eine Professur für Apologetik, christliche Kunstgeschichte und Archäologie übernehmen. Schon im Jahr zuvor hatte er mit der Veröffentlichung seiner »Katholischen Dogamtik« begonnen[10]. Sein apologetisches Werk »Die göttliche Wahrheit des Christentums« »Gott und Geist«[11] blieben zunächst unbeanstandet, wurden jedoch 1898 mitsamt der Dogmatik wegen eines dynamischen Gottesbegriffes indiziert[12]. Dem gleichen Verdikt verfielen auch die Reformschriften »Der Katholizismus als Princip des Fortschritts« und »Die neue Zeit und der alte Glaube«, während die »Apologie des Christentums« wie auch das Werk »Christus. Das Evangelium und seine weltgeschichtliche Bedeutung«[13] unbehelligt blieben. Anfeindungen und unermüdliches Wirken untergruben seine Gesundheit. Am 31. Mai 1906 erlag er einem Herzschlag.

Wenn wir nun einige philosophische und theologische Grundzüge im systematischen Denken des Würzburger Apologeten aufzeigen, so sind wir in der glücklichen Lage, uns der gründlichen Dissertation bedienen zu können, in der V. Berning die philosophische Systematik in der Theologie H. Schells herausgearbeitet hat. Daraus lernen wir, daß der junge Theologe schon mit seiner philosophischen Dissertation sich in wichtigen Punkten, wie z.B. in der Frage nach dem sensus commu-

---

[5] Berning: Das Denken Herman Schells. S. 7.

[6] Jacob Sengler (1799-1878). Schriften siehe LV. - Vgl. Berning: Das Denken Herman Schells. S. 7-8. - L. Weis: Jacob Sengler, eine Skizze seines Lebens und seiner Gottesidee. Erste Hälfte in: ZPhPhKr N.F. 74 (1879) 295-309; Zweite Hälfte (Nekrolog). Ebd. 75 (1879) 85-119.

[7] Zu Franz Brentano (1838-1917) siehe oben S. 45. - Vgl. Berning: Das Denken Herman Schells. S. 21-22.

[8] H. Schell: Die Einheit des Seelenlebens aus den Principien der aristotelischen Philosophie entwickelt. Freiburg 1873.

[9] Ders.: Das Wirken des dreieinigen Gottes. Mainz 1885. (Zitiert: W.).

[10] Ders.: Katholische Dogmatik in sechs Büchern. I. Bd.: 1. Buch: Von den Quellen der Offenbarung. 2. Buch: Von Gottes Dasein und Wesen. II. Bd.: 3. Buch: Die Theologie des dreieinigen Gottes. 4. Buch: Die Kosmologie der Offenbarung. III. Bd.: 1. Teil. 5. Buch: Menschwerdung und Erlösung. 2. Teil. 6. Buch: Heiligung und Vollendung. Paderborn 1889-1890-1892-1893. (Zitiert: D I - D II - D III/1 - D III/2.)

[11] Ders.: Die göttliche Wahrheit des Christentums. Buch 1: Gott und Geist. 2 Teile. Paderborn 1889-1896. (Zitiert: GG.)

[12] Vgl. C. Hennemann: Widerrufe Herman Schells? Eine aktenmäßige Darstellung. Würzburg 1908. - E. Commer: Hermann (sic!) Schell und der fortschrittliche Katholizismus. Ein Wort zur Orientierung für gläubige Katholiken. Wien 1906, ²1908.

[13] H. Schell: Der Katholizismus als Princip des Fortschritts. Würzburg 1897. - Ders.: Die neue Zeit und der alte Glaube. Würzburg 1898. - Ders.: Apologie des Christentums. Bd. 1: Religion und Offenbarung. Bd. 2: Jahwe und Christus. Paderborn 1901-1907.

nis, gegen Thomas von Aquin wandte[14]. Vor allem lehnte er einen molinistischen Thomismus ab, eine Entscheidung, ohne die die spätere Kontroverse um die Theologie H. Schells nicht verständlich ist. Wir werden bei der Besprechung seiner Dogmatik näher darauf eingehen. Hier wollen wir nur festhalten, daß V. Berning in der Auffassung H. Schells von der Einheit des Seelenlebens, bei der das stoffliche Sein nur den ersten physischen Anstoß zur psychischen Tätigkeit des schöpferischen νοῦς ποιητικός gibt, die spätere Lehre von der Produktivität des schöpferischen Geistes vorgebildet sah[15].

Wichtig ist auch, daß H. Schell die Begriffe Materie und Form, Potenz und Akt, als unbrauchbar für eine analytisch-systematische Rekonstruktion von Seinsverhältnissen erklärte, da er letztlich deren Identität annahm. V. Berning kam daher zu dem Schluß, daß wir hier auf den Ansatzpunkt stoßen, der dem Würzburger Dogmatiker später eine Synthese mit dem Idealismus A. Günthers und J. Senglers ermöglichte. Hier sei die weitere Entwicklung des systematischen Denkens H. Schells vorweggenommen; es zeige sich die Grundwurzel des späteren Systems[16].

Noch eine dritter Punkt wurde von V. Berning als entscheidend herausgearbeitet: H. Schell folge dem nominalistischen Substanzverständnis seines Lehrers F. Brentano, indem er den Unterschied von Akt und Potenz nur als einen begrifflichen auffasse[17]. Damit werde die ontologische Bedeutung der Gattung tief herabgesetzt zugunsten des konkreten Subjekts, der οὐσία πρώτη; diese aber forma totius und mithin Existenz, wenn auch keine absolute[18]. Hier liegt dann auch der Grund dafür, daß J. Hasenfuß H. Schell als einen »existenziellen Denker und Theologen« feiern konnte[19].

Es wäre nun freilich einseitig und daher falsch, H. Schell nur in Interpretationen und Auseinandersetzungen mit der aristotelisch-scholastischen Philosophie zu sehen. Sein Anliegen war vielmehr, zwischen Thomas und dem Idealismus, wie er etwa in der seinsdynamischen Auffassung des Monismus bei E. von Hartmann und A. Drews auftrat, auf der Grundlage einer empirischen Bewußtseinsanalyse zu vermitteln[20]. Dies ist auch zu beachten, wenn wir kurz den weiteren Studien Schells nachgehen.

Bei einem Aufenthalt in Rom lernte H. Schell 1879-1881 einige Hauptvertreter der neuscholastischen Theologie kennen, unter ihnen J. Kleutgen[21], dessen Hauptwerke er bereits studiert hatte. Erwärmen konnte er sich für ihn nicht. Er sah in

---

[14] Ders.: Christus. Das Evangelium und seine weltgeschichtliche Bedeutung. Mainz 1903. S. 24; vgl. S. 33-34.
[15] Ebd. S. 24.
[16] Ebd. S. 34.
[17] Ebd. S. 36-37.
[18] Ebd. S. 38.
[19] Siehe oben Anm. 2.
[20] Nach Berning: Das Denken Herman Schells. S. 59; vgl. ebd. S. 24.
[21] Joseph Kleutgen (1811-1883). Schriften siehe LV. - Vgl. J. Hertkens: P. Joseph Kleutgen S.J. Sein Leben und seine literarische Wirksamkeit. Zum Säkulargedächtnis seiner Geburt (1811-1911). Bearbeitet und hrsg. von P.L. Lercher S.J. Regensburg 1910. - F. Lakner: Kleutgen und die kirchliche Wissenschaft Deutschlands im 19. Jahrhundert. In: ZKTh 57 (1933) 161-214. - L. Gilen: Kleutgen und die Theorie des Erkenntnisbildes. Meisenheim 1956. - Ders.: Kleutgen und der hermesianische Zweifel. In: Scholastik 33 (1958) 1-31.

ihm, wie auch in J. Hontheim[22], den Prototyp eines molinistischen Neuscholasti-kers[23]. Neuscholastische Philosophie konnte H. Schell in Rom bei M. de Maria[24] hören, neuscholatische Theologie bei G. B. Franzelin[25]. Für entscheidender wird jedoch der Einfluß von C. Passaglia[26] angesehen, der in seiner Theologie mehr den griechischen Kirchenvätern als den Scholastikern folgte und mit seiner Auffassung bereits auf die Würzburger Lehrer Schells, H. Denzinger, F. Hettinger, J. Hergen-röther[27] eingewirkt hatte[28].

So wichtig der Studienaufenthalt in Rom für H. Schell war, so muß doch sein nachfolgendes Werk über das »Wirken des Dreieinigen Gottes« mehr in Beziehung zu dem in Tübingen lehrenden Dogmatiker J. E. Kuhn[29] gesehen werden. H. Schell selbst äußerte, daß er von diesem her auf seinen Gottesbegriff gekommen sei[30].

Ziel der Untersuchungen H. Schells war es zunächst, die zentrale Bedeutung des Trinitätsgeheimnisses für das gesamte Lehr- und Heilssystem der übernatürli-chen Ordnung nachzuweisen und zur Geltung zu bringen. Die möglichst klare Ein-sicht in den Begriff des Ewigen und Notwendigen war für ihn zugleich der beste Ausgangspunkt für die vollkommene Beurteilung des Zeitlichen und Freigewoll-ten. Daher schien es ihm von hohem spekulativem Wert, den Nachweis zu liefern, zunächst daß und wie sich die Dreifaltigkeit des göttlichen Seins in der Dreieinig-keit des göttlichen Wirkens ausprägen müsse; sodann, daß die Erfüllung der göttli-chen Sendungen und die damit verwirklichte Immanenz des dreieinigen Gottes in

---

[22] Josef Hontheim S.J. (1858-1929).

[23] Berning: Das Denken Herman Schells. S. 59.

[24] Michele de Maria S.J. (1836-1913).

[25] Johannes Baptist Franzelin S.J. (1816-1886). - Hubert: Cardinal Franzelin. In: Der Katholik 67/I (1887) 225-252. - F. Lauchert: Franzelin. In: ADB 48 (1804) 730-731.

[26] Carlo Passaglia (1812-1887).

[27] Heinrich Joseph Denzinger (1819-1883). - Vgl. Heinrich Denzinger, Erinnerungen aus seinem Leben, gesammelt von seinem älteren Bruder. In: Der Katholik 63/II (1883) 428-444, 523-538, 638-649. - F. Lauchert: Denzinger. In: ADB 47 (1903) 663-665. - M. Schmaus: Denzinger. In: NDB 3 (1957) 604. -
Franz Seraph Hettinger (1819-1890) studierte u.a. in Rom; war seit 1867 Prof. der theol. Einleitungswissenschaften; seit 1867 Prof. der Apologetik in Würzburg; seit 1883 auch für Dogmatik; irenischer Charakter, verband Wissenschaft mit Praxis. - Vgl. J. Renninger: Prälat Hettinger, ein Lebensbild. In: Der Katholik 70/I (1890) 385-402. - F. Lauchert: Hettinger. In: ADB 50 (1905) 283-284. - Th. Henner und G. Wunderle in: Lebensläufe aus Franken. Hrsg. von A. Chroust. Bd. 2. Würzburg 1922. S. 202-215. - J. Hasenfuß: Hettinger. In: NDB 9 (1972) 30-31. - Ders.: In: LThK² 5 (1960) 314.
Joseph Hergenröther (1824-1890). - Vgl. Cardinal Joseph Hergenröther. In: Der Katholik 70/II (1890) 481-499. - J. Hollweck: Ein bayrischer Cardinal. In: HPBl 106 (1890) 721-729. - S. Merkle. In: Aus der Vergangenheit der Universität Würzburg. Festschrift zum 350-jährigen Bestehen der Universität. Hrsg. von Max Buchner. Berlin 1932. S. 186-214.

[28] Berning: Das Denken Herman Schells. S. 53.

[29] Johann Evangelist von Kuhn (1806-1887): Katholische Dogmatik. 4 Bde. Tübingen 1846-1868. - Vgl. P. Schanz: Zur Erinnerung an Johannes Evangelist von Kuhn. In: ThQ 69 (1887) 531-598. - Ders.: Johannes von Kuhn. In: KL² 7 (1891) 1238-1242. - F. Lauchert: Jo-hannes von Kuhn. In: ADB 51 (1906) 418-420. - R. Vatter: Das Verhältnis von Trinität und Vernunft nach Johannes Ev. von Kuhn mit Berücksichtigung der Lehre Matthias Joseph Scheebens. Speyer a.Rh. 1940. - J.R. Geiselmann: J.E. von Kuhn. In: LThK² 6 (1961) 656-657.

[30] Vgl. Schell: Brief an Herrn Knobbe. Zitiert bei Berning: Das Denken Herman Schells. S. 55. - Einen Vergleich wichtiger philosophischer Elemente im Denken Schells und Kuhns bringt Berning ebd. S. 63-79.

der begnadigten Welt die treibende Seele aller übernatürlichen Veranstaltungen Gottes sei[31].

Dem Erkenntnisstreben des jungen Priesters eignete damit von Anfang an ein ethisches Motiv. »Wenn Gott ein lebendiger Gott ist«, so äußerte er, muß auch die Erkenntnis seiner notwendigen Dreipersönlichkeit eine Wahrheit von lebendigster Kraft und heilsamem Einfluß auf das sittlich-religiöse Leben sein«[32]. So wollte er den Nachweis führen, daß die Lehre von der transzendentalen Erhabenheit des dreieinigen, also schechthin der Welt unbedürftigen Gottes mit jener innigen Immanenz der ewigen Liebe in der begnadeten Schöpfung, in der die religiöse Sehnsucht ihre heilige und selige Befriedigung ahnt und sucht, nicht nur vereinbar, sondern verbunden sei; allerdings, wie er betonte, nur durch die freie Herablassung Gottes, aus Gnade, in deren Begriff er den eigentlichen Stein des Anstoßes für die Philosophie des stolzen Menschengeistes sah. In eben diesem Zusammenhang äußerte H. Schell auch einen Grundgedanken, der später in seiner Dogmatik ebenfalls zur Darstellung kam: Er sprach von Freiheitslehre als der Enthüllung des ewigen Urgrundes aller Wissenschaft, von einer Offenbarung des Geistes, in dem »Logik und Konsequenz vermöge der vollkommenen Identität des ewigen Denkens und der ewigen Wahrheit das eigentliche Wesen sind«[33].

H. Schell gliederte seine Arbeit in zwei Bücher. Im ersten behandelte er die Vereinbarung der reinsten Einfachheit des Seins mit der produktiven Fruchtbarkeit des Lebens in Gott; die Beziehung der inneren göttlichen Akte zu dem freien Akte nach außen; die Einheit und Unterscheidbarkeit, die sich in dem göttlichen Wirken nach außen findet. Während er so das Wirken des dreieinigen Gottes an sich betrachtete, ging es ihm im zweiten um das Wirken des dreieinigen Gottes in den Geheimnissen unseres Heiles. Hier erörterte er ausführlich die Beziehungen zu den göttlichen Personen, die in der Vorbereitung des Erlösungswerkes dem Mysterium Christi, der Gnade, der Kirche und dem Leibe Christi enthalten sind. Wie der Aufriß zeigt, handelt es sich schon in diesem Werk um die Grundlage zu einem umfassenden System der katholischen Dogmatik, wie sie derselbe Autor einige Jahre später vorzulegen wagte. Unsere Aufmerksamkeit gilt jetzt zunächst dem ersten Buch der Dissertation.

Ausgangspunkt war für H. Schell der Begriff des Lebens, und zwar bemühte er sich um die Erkenntnis jener emminenten Form, in der das Leben Gott zukommt[34]. Mit einem Hinweis auf Thomas von Aquin[35] beschrieb er das Leben als jenen »Grad des substantiellen Seins, welchem die Fähigkeit eignet, sich selbst zu bewegen oder sich selbst in Tätigkeit zu setzen gleichgültig, ob zunächst zu irgend welcher Tätigkeit oder zu immanenten Tätigkeiten, welche wie Erkennen und Lieben in dem Prinzip bleiben, aus welchem sie hervorgehen«[36].

Wie für Thomas gehörte auch für H. Schell die Fähigkeit irgendwelcher

---

[31] Schell: W. Vorwort. S. V.
[32] Ebd. S. VI.
[33] Ebd. S. VI.
[34] Vgl. ebd. S. 1.
[35] Thomas von Aquin: S. th. I.q. 18. 1. 1. c.
[36] Schell: W. S. 1-2. - Vgl. ders.: GG. Teil 2. S. 169-175.

Selbstbewegung zum Begriff des Lebens[37]. Er war aber der Ansicht, daß, wenn auch der Begriff des sogenannten actus perfecti von der Unvollkommenheit des Übergangs vom Möglichen zum Wirklichen befreit und demnach auf Gott übertragen werden darf, dies dennoch nur dadurch geschehen könne, daß gerade von der anhaftenden Bewegung abstrahiert werde. Die Bewegung sei ja wesentlich ein Übergang vom Möglichem zum Wirklichen, oder wenigstens vom Wirklichen zum Wirklichen. Es sei nun die Eigentümlichkeit des göttlichen Erkennens und Wollens, daß es in ihm keine derartige Unterscheidung zwischen dem Wesen und der Betätigung zulässig sei, kraft der das göttliche Wesen Prinzip des göttlichen Aktes genannt werden dürfe. Die reinste Wirklichkeit des göttlichen Seins fordere die innigste Identität von Wesen, Vermögen und Tat. Nur von unserer Seite aus sei eine begriffliche Unterscheidung möglich. Aus dieser Überlegung folgerte H. Schell, daß Selbstbewegung, also Leben, nur von einem Wesen auszusagen ist, das zum mindesten einen virtuellen Unterschied zwischen dem Prinzip und dem Produkt der inneren Bewegung aufweist. Da in Gott kein derartiger Unterschied zwischen dem Prinzip und dem Akt des Erkennens und Wollens angenommen werden darf, so war das Leben Gottes für ihn ein natürliches Geheimnis, in das nur die Offenbarung der göttlichen Dreifaltigkeit durch ihr übernatürliches Licht Erkenntnis eröffnen kann[38].

Da nun der persönliche Unterschied in Gott H. Schell eine Folge des gegensätzlichen Verhältnisses von Prinzip und Produkt erschien, so war für ihn die Lebendigkeit Gottes nichts anderes als seine ewige Dreifaltigkeit. Die reinste Wirklichkeit Gottes fand er besiegelt durch die unverletzliche Einheit seines Wesens; ebenso seine vollkommenste Lebendigkeit durch die wahre Dreiheit der Personen. Er nahm keine Rücksicht darauf, daß die göttliche Wirklichkeit ein real verschiedenes Produkt in den Kreaturen hat. Er argumentierte, daß, wenn auch hierin eine genügende Grundlage für den Begriff des Lebens gefunden würde, so doch Gottes Tätigkeit nach außen eine freie sei, während ihm die Lebendigkeit naturnotwendig und bedingungslos zukomme. Somit fand er diejenige Selbstbewegung, in der sich das Leben als solches äußert, in den persönlichen Ausgängen, und jene gegensätzliche Verschiedenheit, die eine Folge der Lebendigkeit ist, in der Beziehung zwischen den hervorbringenden und den hervorgebrachten Personen[39].

In einem zweiten Ansatz erörterte H. Schell, welches die Funktion unseres Erkennens und Liebens ist, die sowohl zur inneren und reinen Vollkommenheit gehört und darum auf Gott übertragen werden kann, wie zugleich Anknüpfungspunkt für die Eigentümlichkeit der persönlichen Ausgänge aufweist.

Zur Klärung seiner Frage ging H. Schell von der aristotelischen Unterscheidung aus, daß sich das Denken des menschlichen Geistes in einer zweifachen Tätigkeit vollzieht, im Vorstellen und im Urteilen[40]. Wir geben im folgenden kurz den Gedankengang wieder, in dem der Brentano-Schüler seine These erläuterte. Danach besteht die Vorstellung des Erkenntnisgegenstandes in dem Aufnehmen der

---

[37] Schell: W. S. 2. - Vgl. Thomas von Aquin: S. th. I. q. 18. a. 3. ad 3.
[38] Schell: W. S. 2.
[39] Ebd. S. 3.
[40] Vgl. Thomas von Aquin: De ver. q. 14. a. 1. c.

Erkenntnisform in den leidenden Verstand und hat die mehr oder weniger deutliche Gegenwart des Erkannten in dem Erkennenden zur unmittelbaren Folge. Hierher gehört die Abstraktion oder Begriffsbildung, d.h. das Deutlich- oder Erkennbarmachen weiterer Unterschiede in den sinnlichen Vorstellungen unter dem Einfluß des von dem tätigen Verstand ausströmenden Lichts. Aber diese Stufe stellt noch nicht die eigentliche Erkenntnis dar; denn letztere besteht in einer eigenartigen Beziehung des Erkennenden zu dem Erkannten. Die nächste Vorbedingung für die Herstellung dieser Beziehung ist zwar durch die deutliche Gegenwart des Erkannten im Erkennenden verwirklicht; sie selbst erfolgt jedoch erst dann, wenn der Verstand sich irgendwie dem Objekt gegenüber innerlich ausspricht. Erst das Urteilen hat Wahrheit oder Falschheit zur Folge. Die Wahrheit aber ist das besondere Ziel der Denkbewegung: der Geist ist unruhig, bis sein natürliches Streben in einem Sicherheit gewährenden Urteil Befriedigung gefunden hat[41].

Wir sehen aus dieser Darlegung, welch hohe Bedeutung H. Schell der Lehre vom Urteil für die Grundlegung seiner Theologie beimaß. Zunächst suchte er genauer zu erklären, ob das Urteil wesentlich eine Verbindung oder Trennung von Begriffen sei. Entgegen dem äußeren Schein wollte er an Hand von »Existenzialsätzen« aufzeigen, daß jenes, was das Urteil zum Urteil macht und innerlich vom Begriff unterschiedet, nicht in der Verbindung oder Trennung als solcher, sondern in der Bejahung und Verneinung, Zustimmung und Ablehnung, Annahme oder Abweisung der sich als wahr und wirklich geltend machenden Vorstellungen liegt[42]. Bei der zweiten Frage, ob die Wahrheit ausschließlich in den Urteilen oder auch in den Begriffen liege, verwies er wieder auf Thomas[43]. Der Begriff des Wahren besage die Übereinstimmung zwischen der erkannten Sache und dem erkennenden Verstande. Zwischen identischen Dingen könne jedoch keine Übereinstimmung stattfinden, nur zwischen Verschiedenem. Solange nun der Verstand im Erkenntnisprozeß nicht weiter fortgeschritten sei, als zur Aufnahme der von dem tätigen Verstand gebildeten Vorstellung, habe er nichts weiter getan, als sich in idealer Weise dem Gegenstande verähnlicht. H. Schell war nun der Ansicht, daß der tätige Verstand damit garnichts geleistet habe, wodurch er sich dem erkannten Gegenstand gegenüberstelle, er sei auch nicht geeignet, sich hinsichtlich der Übereinstimmung mit ihm zu vergleichen. Dies könne er erst, wenn er den Zustand des vitalen Leidens und Aufnehmens verlasse und spontan auf den vorgestellten Gegenstand reagiere, indem er die empfangene Vorstellung zu seinem Eigentum mache und sie in seiner Weise anerkennend oder verneinend ausspreche. Dies nun, so erklärte H. Schell, geschehe im Urteil. »Im Urteil ist der Verstand dem Erkenntnisgegenstand gegenübergetreten und befähigt, das Seinige ... nämlich dasjenige, was er von der Sache (geurteilt) gesagt hat, mit dem wirklichen Sachverhalte zu vergleichen«[44]. Von hier aus kam Schell zu dem Schluß, daß in der Übereinstimmung dessen, was das Urteil ausspricht, mit dem wirklichen Sachverhalt, die Wahrheit liegt. Die Wahrheit war dann für ihn nicht bloß die Frucht sondern auch der Beweggrund und Gegenstand des Urteilens und Erkennens. »Als Gegenstand der wahren Erkenntnis liegt sie in

---

[41] Schell: W. S. 4.
[42] Ebd. S. 5.
[43] Thomas von Aquin: De ver. q. 1. a. 3. c.
[44] Schell: W. S. 6.

den wirklichen Dingen; als Beweggrund der richtigen Erkenntnis macht sie sich in den Vorstellungen geltend; als Frucht der vollendeten Erkenntnis wird sie im Urteil hervorgebracht«[45].

Noch eine dritte Frage beschäftigte H. Schell in diesem Zusammenhang: Wie verhält sich das hier beschriebene Urteil zu der species impressa und dem verbum mentis der Scholastiker? Seine Antwort lautet dahin, daß das Urteil das mit beiden Begriffen gemein habe, daß es ein Produkt der denkenden Aktivität sei; mit dem inneren Wort habe es außerdem noch die Art und Weise des Ursprungs gemein: es gehe wie das Wort durch das Sprechen aus dem Verstande hervor. Ein Sagen oder Sprechen geschehe immer durch Urteilen, in grammatischem Sinn erfolge es in Sätzen, aber auch ein Wort, wie es die Psychologie verstehe, könne nicht anders als durch einen Satz ausgesprochen werden. Alle Produktionen, die noch keine Erkenntnisse, noch auch Urteil seien, sondern nur auf deren Gewinn hinarbeiten, seien die verschiedenen Stufen der species expressae. Das in ihnen, was sich im Laufe der Denkuntersuchung bewährt, gelange im verbum mentis zu einem vollkommenen Ausdruck. Die species expressa sei ein unvollendetes Produkt des Denkens, eine Zwischenstufe auf dem Wege von der Vorstellung zum Urteil. Für H. Schell wurde damit alles, was durch die Aufnahme von Vorstellungen in das Bewußtsein der Seele gelangt, zum vollen geistigen Eigentum des Verstandes mittels des Urteiles. Daraus folgerte er, daß der Verstand, insofern er die aus der unmittelbar oder mittelbar erzielten Evidenz gewonnene Erkenntnis in einem Urteil ausspreche, er die Wahrheit, d.h. die Übereinstimmung seines Wortes mit dem Gegenstande seiner Erkenntnis gewinne. Seine These lautete daher: »Das Urteil ist ... seinem inneren Charakter nach ein zustimmendes oder ablehnendes Sprechen des Verstandes; seinem Ursprung nach ist es das Erzeugnis eines selbstätigen Reagierens; seinem Ziele nach bezeichnet es den inneren Abschluß des Erkennens und die Gewinnung der logischen Wahrheit«[46].

Nach dieser erkenntnistheoretischen Grundlegung erörterte H. Schell die Frage, was nun von dem Erkennen, wie es sich in unserer Natur darstellt, auf Gott übertragen werden dürfe. Wir wollen diese Ausführungen nicht weiterverfolgen. Was uns interessierte, war vielmehr die Lehre Schells vom Urteil, die auch für seine übrige Theologie von grundlegender Bedeutung war. Hier nun wurde bereits von V. Berning herausgearbeitet, daß der junge Theologe mit seiner Behauptung, das menschliche Denken vollziehe sich in der zweifachen Tätigkeit von Vorstellung und Urteil, seinem Würzburger Lehrer F. Brentano folgte und daß er insbesondere die scholastische Auffassung, derzufolge der Begriff der Existenz erst nachträglich mit der Vorstellung verbunden werde, nicht aber im Urteil als solchem die Vorstellung ihre Wirklichkeit bereits offenbare, ablehnte[47]. Wir hörten soeben, daß jedes Urteil für Schell wesentlich Existenzialurteil war. Entscheidend blieb - und dies wurde auch von V. Berning hervorgehoben[48] - daß Schell in jedem Urteil die spontane, schöpferischen Reaktion des Subjektes sah.

---

[45] Ebd. S. 7.
[46] Ebd. S. 8.
[47] Vgl. Berning: Das Denken Herman Schells. S. 66.
[48] Vgl. ebd. S. 67.

Die folgenschwere Konsequenz, die damit verbunden war, daß H. Schell in seiner Auffassung des Urteils denjenigen Teil unseres Erkenntnisaktes sah, der - analog und schattenhaft - auf das geistige Leben in Gott angewandt werden konnte[49], ist nicht Gegenstand unserer Untersuchung. Wohl aber dürfte es für das Verständnis der Schöpfungs- und Vollendungslehre H. Schells von Nutzen sein, wenn wir uns ein wenig näher ansehen, was er über das Hervorbringen und Hervorgehen der kontingenten Gegenstände aus Gott in seiner theologischen Frühschrift ausführte.

Es war für H. Schell mit hinlänglicher Evidenz nachgewiesen, daß seitens Gottes keine Wirksamkeit möglich ist, als die immanente des Erkennens und Wollens, und daß seitens der Kreatur keine andere Art göttlicher Kausalität erforderlich ist, um ihre Natur und ihre Existenz zu begründen, als die freie Determination des göttlichen Erkennens und Wollens. Durch die Kunst des göttlichen Verstandes sah er die eine ungeteilte Vollkommenheit des göttlichen Wesens in einer einheitlich zusammengestellten Mannigfaltigkeit von Abbildern sich entfalten, deren größte Verschiedenheit den Hinweis auf das eine Urbild dennoch niemals verhülle. In gleicher Weise legte er dar, wie die heilige Liebe des göttlichen Willens diese für den menschlichen Verstand unabsehbare Menge auf das eine Zielgut hinrichtet[50], »in dessen - naturgemäßer und übernatürlicher - Teilnahme alle Geschöpfe ihrer Anlage entsprechend ihre letzte Vollendung und Seligkeit finden, sei es, daß sie zu unmittelbarer Vereinigung mit Gott gelangen, oder seinen Zwecken dienend mittelbar ihre Bestimmung erfüllen«[51].

Diese göttliche Wirksamkeit nach außen stand für H. Schell unter Voraussetzung des freien Schöpfungsratschlusses in innerem begleitendem Zusammenhang mit dem Ausgang des Sohnes und des heiligen Geistes und wurde von ihm auf die göttlichen Personen nicht bloß hinsichtlich ihrer gemeinsamen absoluten Erkenntnis und Willensbestimmung, sondern auch nach der Ordnung und Eigenart ihres Hervorbringens und Hervorgehens zurückgeführt[52].

Die Kontingenz der geschaffenen Welt schloß für H. Schell von vorneherein aus, daß die Kreatur, wie sie durch die freie Schöpfungstat Gottes in sich besteht, irgendwie notwendig in die göttliche Erkenntnis und Liebe aufgenommen sein müsse, um den ewigen Hervorgang des Sohnes und des heiligen Geistes zu begründen, oder ihm irgendeine, wenn auch noch so geringe Vollkommenheit zu geben. Als Begründung führte er an, daß das, was an sich zufällig freie Wirkung Gottes sei, nicht Voraussetzung naturnotweniger Vorgänge in dem absoluten Geist sein könne. Die auf die wirkliche Kreatur gerichtete Erkenntnis und Liebe Gottes war demnach für ihn weder notwendiges noch irgendwie mitbedingtes Konstitutiv der persönlichen Vollkommenheit in Gott[53].

Im Laufe der weiteren Untersuchungen kam H. Schell zu dem Resultat, daß es

---

[49] Vgl. ebd. S. 67-68, u. ö.
[50] Vgl. zu diesem Thema die Diss. von Th. Schneider: Teleologie als theologische Kategorie bei Herman Schell. (BNGKTh. 9.) Essen 1966.
[51] Schell: W. S. 26.
[52] Ebd. S. 27-140. - Vgl. ders.: GG. Teil 1. S. 297-300.
[53] Ders.: W. S. 28.

dem Verhältnis des göttlichen Wirkens zum göttlichen Sein, der Darstellung der heiligen Schrift, der patristischen Sprachweise und Lehrentwicklung entspricht, wenn gesagt wird: »Die göttliche Wirksamkeit nach außen geht als ein einziger und gemeinsamer Akt von den göttlichen Personen auch in der Ordnung und nach der - relativen - Eigentümlichkeit ihres ewigen Ursprungs aus. Die Einzigkeit, Aseität und Freiheit dieses Aktes in Beziehung auf jede Person als Urheberin desselben bleibt durch die Ordnung ebenso unverletzt, wie die Ewigkeit, Aseität und gleiche Würde des göttlichen Wesens in keiner Person durch die Ordnung und Weise ihres Hervorgangs beeinträchtigt wird«[54].

Diese fundamentale Aussage der Trinitätslehre prägte bei H. Schell die gesamte Theologie von Schöpfung, Erlösung und Vollendung. Wir halten dies fest, nicht weil es für die Theologie selbst etwas Neues wäre, sondern weil wir hervorheben möchten, daß Schell im Unterschied zu mancherlei religionsphilosophischer Spekulation in diesem Punkt fest auf dem traditionellen Boden der katholischen Theologie stand. Es gab bei ihm seit den Anfängen seiner literarischen Tätigkeit keine heterodoxe Auffassung des Verhältnisses von Kreatur und Gott.

In dem Kapitel über die Einheit und Unterscheidbarkeit, die sich im göttlichen Wirken nach außen findet, wußte H. Schell wohl zu differenzieren. Zunächst vertrat er die These, daß die göttliche Wirksamkeit nach außen ein einziger und ungeteilter, von jeder Zusammensetzung freier Akt sei, und zwar wegen der Einheit der göttlichen Allmacht und des Schöpfungszweckes, sowie wegen ihrer überzeitlichen Ewigkeit[55]. Wir wenden uns vor allem dem letzten Teil der These zu, weil H. Schell in diesem Zusammenhang seine Auffassung über das Verhältnis von Zeit und Ewigkeit theologisch entwickelte. Hier wird besonders deutlich, daß nicht die philosophische Reflexion Ausgangspunkt der theologischen Spekulation Schells war. Vielmehr führte der theologische Gesamtzusammenhang zu einem christlichen Verständnis von Zeit und Ewigkeit, wie es auch in anderen Entwürfen zur Eschatologie immer wieder auftaucht. Gerade wegen ihrer allgemeinen theologischen Bedeutung heben wir hier die Aussagen H. Schells besonders hervor.

Seine Erörterung ging von der Erkenntnis aus, daß die nach außen gerichtete göttliche Tätigkeit durch die Vielzahl der von ihr hervorgerufenen Dinge vervielfältigt wird. So groß auch die Zahl der Wesen sein mag, die Gegenstand der göttlichen Vorsehung sind, so weit auch der Abstand ihrer Natur, so entgegengesetzt der Verlauf ihrer natürlichen oder sittlichen Entwicklung, so lose die Wechselbeziehungen einzelner Wesen, ja ganzer Ordnungen sein und erscheinen mögen: alle endlichen Wesen sah H. Schell in dem Ratschluß des Schöpfers miteinander hingeordnet zu einem einzigen Ziel, zu jenem nämlich, das Gott in seinem Werk verwirklichen will. Die Eigenart, mit der H. Schell diese allgemein christliche Grundlehre vortrug, kam zum Ausdruck, wenn er weiter sagte: »Es ist die Sache des Geistes, alles um eines Zweckes willen zu tun, und die Sache des höchsten Geistes, sofort und von Anfang an den höchsten von ihm gesetzten Zweck auch für die entferntesten Glieder seiner Schöpfung im Auge zu haben«[56]. Ausführlich legte er dar, daß an und für

---

[54] Ebd. S. 140.
[55] Ebd. S. 141.
[56] Ebd. S. 144.

sich schon der höchste Zweck der Gotteswerke nur ein einziger sein könne, denn Zweck bedeute dasjenige Gut, um dessentwillen alles übrige geschieht. Für die göttlichen Personen könne dies nur Eines sein: die höchste Güte des göttlichen Seins selbst. Durch die Einzigkeit dieses höchsten und notwendigen Zieles werde jedoch die unendliche Mannigfaltigkeit nicht im geringsten beeinträchtigt. Eindringlich hob er hervor, daß die gesamte Schöpfung in all ihren Phasen nur als ganzes und vollendetes Werk derGegenstand eines ewigen göttlichen Aktes sein könne. Die Welt als Wirkung der ersten Ursache wollte er nicht in ihrem Anfangs- noch in ihrem Endzustand, sondern in ihrer vollen Entwicklung vom ersten Anfang durch alle Perioden hindurch bis zu ihrer endlichen Vollendung dargestellt wissen, denn »die gesamte Schöpfung in ihrer ganzen zeitlichen und räumlichen Ausbereitung ist der gleichzeitige Terminus der in ihrer Ewigkeit unteilbaren Gottestat«[57].

Zur Begründung seiner Auffassung führte H. Schell an, daß das Ewige virtuell allen sukzessiven Momenten der Zeit koexistiere, jedoch nicht früher dem früheren, nicht später dem späteren Zeitmoment, sondern in einem unvergänglichen Jetzt der ganzen Reihe aller Zeitabschnitte einer endlosen Dauer, so daß ihm niemals etwas Zeitliches vergangen werde oder zukünftig sei. Auf dieselbe Weise nun, wie das Zeitliche dem Ewigen koexistiere, werde es auch von ihm bewirkt, weil die notwendige Relation desselben zum Ewigen keine andere sein könne im Werden als im Sein. Daraus folgerte H. Schell, daß die Schöpfung dem ewigen Akt, dem sie Beistand und Entwicklung verdankt, in ihrer gesamten zeitlichen Ausdehnung koexistiert, niemals als eben aus nichts erschaffene oder sich entwickelnde oder vollendete Welt. Ihr Anfang aus nichts, ihre Entwicklung auf zeitlichem Wege zur ewigen Vollendung werde vor Gottes Auge niemals vergangen sein, sondern bleibe stets gegenwärtig. Gottes schöpferischer Akt berühre demnach gleich unmittelbar das Erste und das Letzte und nicht minder die Mitte, weil sein Terminus das Ganze in seinem Verlaufe sei. Was aus Gottes Schöpferhand als sein eigentliches Werk hervorgehe, bedürfe weder der Führung noch der Vollendung; es enthalte die Führung und Entwicklung als ein gottgegebenes Moment seines Bestandes in sich. Andererseits greife die Vollendung der Welt durch Gott bis auf den erste Moment der Erschaffung zurück; aller reale Unterschied zwischen Geschaffen und Vollendet falle in die Schöpfung hinein, in den Gegenstand des göttlichen Aktes, der in ungeteilter Ewigkeit als unmittelbares Prinzip dem Entstehen der Schöpfung aus nichts wie ihrer Vollendung im letzten Ziel gleich nahe stehe. Nur unsere Denkweise trage in die vollkommenste Einfachheit der ewigen Gottestat die (virtuelle) Zusammensetzung sukzessiver Verursachung hinein - eines Anfangs aus nichts, einer lebendigen Entwicklung und einer endlichen Vollendung. Den spekulativen Wert, der diesen Unterscheidungen zukommt, wollte H. Schell indes nicht leugnen. Er sah, daß darin das voraussetzungslose und bedingte Moment im Werden bzw. Wirken des Endlichen zur Geltung gebracht und der Grund für die entprechende Unterscheidung der potentia absoluta und ordinata in Gott geebnet werde[58]. Wie die göttliche Natur ungeachtet ihrer höchsten Einfachheit eine Fülle von Eigenschaften in sich berge, so schließe auch die reinste Einfachheit des Schöpfungsaktes die Unterschei-

[57] Ebd. S. 147.
[58] Siehe unten S. 163-164, 170, 180.

dung mehrfacher Einwirkung auf das Endliche nicht aus. Worauf es H. Schell aber ankam, war zu zeigen, daß der göttlichen Schöpfungstat als solcher kein zeitliches Moment des Schöpfungswerkes näher stehe, als ein anderes[59].

Hielt H. Schell somit jede absolute Unterscheidung im göttlichen Wirken für unzulässig, so stimmte er der Annahme relativ gegensätzlicher Eigentümlichkeiten in dem Zusammenwirken der göttlichen Personen nach außen zu. Sie standen für ihn keineswegs im Widerspruch mit der Einheit und Gemeinsamkeit dieses Wirkens, vielmehr scheinen sie ihm durch die Ordnung des trinitarischen geradezu gefordert zu sein. Allerdings wußte er, daß die Erkenntnis relativ gegensätzlicher Eigentümlichkeiten ohne eine positive Offenbarung nicht erkannt werden kann, daß sie uns aber in derselben durch Appropriationen, Theophanien und durch die Sendungen der göttlichen Personen vermittelt wird[60].

Aus dem gesamten Komplex dieser Erörterungen greifen wir einige Thesen heraus, die besonders zum Ausdruck bringen, wie H. Schell in seiner Frühschrift das Verhältnis des begnadeten Menschen zu Gott sah.

Schell verwies zunächst auf die katholische Lehre, daß der geschaffene Geist durch die übernatürliche Ausstattung befähigt wird, die dem göttlichen Innenleben vorbehaltene Wahrheit und Güte in sich aufzunehmen. Er legte jedoch großen Wert auf die Feststellung, daß diese Befähigung nicht identisch ist mit der wirklichen Einsenkung des göttlichen Erkenntnis- und Liebeslebens. Jenes erfolge unter Voraussetzung der vollendeten übernatürlichen Disposition durch die freie Selbsthingabe des allen Geistern wesenhaft gegenwärtigen Gottes, indem er sich durch sein Wollen dem geschaffenen Geist actu intelligibilis et fruibilis mache[61]. Dem göttlichen Plan gemäß solle dies nach der letzten Zubereitung der begnadeten Kreaturen durch das lumen gloriae und die confirmatio charitatis erfolgen. Dann werde die Sendung der göttlichen Personen erfüllt, indem der Sender und die Gesendeten für immer und ohne Rückhalt Einkehr in der ihrer würdig gewordenen und durch ihre Einkehr geheiligten Seele genommen habe[62].

Die Vollendung des Menschen, um die es H. Schell schon in dieser Frühschrift ging, verstand er zunächst als eine innere, insoweit sie dem Wesen Gottes und dem gottebenbildlichen Wesen der vernünftigen Kreatur als erkennendem und wollendem Geist entspricht. Der zeitlichen Entwicklung nach sah er sie als das Ergebnis einer Prüfungszeit, auf deren Verdienst die Seligkeit als Lohn folgt. Allerdings stellte er klar, daß die Sendung bzw. Einwohnung der göttlichen Personen der Entwicklung und Veränderung nur seitens der Kreatur unterliegt. Begrifflich war nämlich für ihn die Folge der Sendung nichts anderes, als die Beziehung des geschaffenen Geistes zu der ihm mitgeteilten göttlichen Person als dem unmittelbaren Prinzip der Erkenntnis und Liebe. Der eine Terminus dieser Relation war ihm unveränderlich. Er legte dar, daß die durch göttliche Selbstbestimmung berufenen Geschöpfe in diese Beziehung eintreten, sobald sie durch das Zusammenwirken von Gnade und Freiheit die notwendige Disposition erreicht haben. »Dieser ewige Heilswille Gottes, durch die Sendung des Wortes seiner Wahrheit und die Spendung der Gabe

[59] Schell: W. S. 148. - Zum Verhältnis von Ewigkeit und Zeit siehe unten S. 164-166.
[60] Schell: W. S. 149.
[61] Zum lumen gloriae in der eschatologischen Vollendung siehe unten S. 265.
[62] Schell: W. S. 186.

seiner Liebe das ewige Licht und die ewige Ruhe seiner Berufenen werden zu wollen, ist der Titel seiner besonderen Einwohnung in denselben, und zwar von dem Augenblick an, wo durch das Zusammenwirken von Gnade und Freiheit der erste Schritt der Hinwendung zu Gott als dem Alpha und dem Omega alles Heiles geschehen ist«[63].

H. Schell war überzeugt, daß von da an Gott in den Begnadigten wohnt als das sich selbst zu ihrem ewigen Lohn, zu ihrem ewigen Licht, zu ihrem ewigen Frieden bestimmende höchste Gut. Dabei war für ihn der Heilsratschluß Gottes das treibende Motiv alles äußeren innneren Gnadenwaltens, durch das die berufenen Geister ihres Zieles bewußt, fähig oder würdig werden sollen. Dennoch vergaß H. Schell nicht, in diesem Zusammenhang darauf hinzuweisen, daß Gottes Einwohnung für immer aufhört, sobald die Verhärtung in der Abkehr des Willens von Gott definitiv gewordenen ist. Dasselbe galt für ihn auch für den Fall, daß der Mensch eine Todsünde begehe; jedoch war hier die Entscheidung nicht definitiv, solange noch Bekehrung möglich blieb. Den getauften Unmündigen billigte er den Titel der besonderen Einwohnung mit vollem Recht zu, weil sie kraft des zugewendeten Verdienstes Christi - vi operis operati - habituell zu Gott hingewandt seien. Sobald die Prüfungszeit siegreich bestanden und die geforderte Reinheit und Liebe errungen sei, entfalte er seine volle Kraft nach der ganzen Größe und der nie endenen Treue des in ihm niedergelegten göttlichen Erbarmens[64].

Der Titel der Einwohung Gottes in unserem Geist lag für H. Schell demnach in nichts anderem als in unserer Berufung zur unmittelbaren Teilnahme am ewigen Leben des dreieinigen Gottes. Den Kern seiner Überzeugung brachte er mit folgenden Worten zum Ausdruck: »Wenn die Seele auf dieses Ziel hingewendet ist, so ist der wahre Gegenstand ihrer gläubigen Erkenntniskraft die unmittelbare Wahrnehmung Gottes selbst, nicht im wirklichen Schauen, aber indem sie danach strebt, verlangt und sich darauf vorbereitet. Hingewandt zu ihrem Ziel erreicht sie mit ihrer Liebe Gott selbst, noch nicht durch unmittelbaren Besitz und Genuß, aber durch die geduldige Hoffnung und das brennende Verlangen darnach«[65].

Im nächsten Kapitel behandelte H. Schell das Ziel der göttlichen Wirksamkeit, das er in der Verherrlichung Gottes und dem Heil der Welt durch die Vollendung des Mysteriums Christi, der Kirche und der Gnade sah[66]. Konnten bisher schon starke soteriologische und pneumatologischen Züge im systematischen Denken H. Schells nicht verborgen bleiben, so trat hier die christologische und ekklesiologische Struktur seiner Theologie deutlich hervor.

Das Ziel der nach außen gerichteten Freundschaftsliebe Gottes war für H. Schell vor allem Christus, als das Haupt der Schöpfung seiner Menschheit nach; sodann die Kirche, als Gnadengemeinschaft aller Glieder seines Leibes. Er verwies in diesem Zusammenhang auch auf Maria als dem persönlichen Typus der Kirche ebenso wie auf die einzelen Auserwählten, Engel und Menschen. Er sah dabei in der von Gott gewollten Welt eine Einheit der Ordnung und Wechselbeziehung im

---

[63] Ebd. S. 189.
[64] Ebd. S. 190.
[65] Ebd. S. 191.
[66] Ebd. S. 201.

höchsten Grade verwirklicht, Christus wesentlich mit seiner Kirche und mit seinen Gliedern verbunden und diese mit ihm, mit der Kirche und unter sich, durch eine alle beherrschende Lebensgemeinschaft, wie sie zwischen Haupt und Gliedern stattfindet[67].

Die Verähnlichung des geschaffenen Geistes mit Gott dem Sohn schloß H. Schell zunächst an die Proprietät seiner Sohnschaft an, von der aus sich die übernatürliche Wiedergeburt zum Kinde Gottes ergab. Hier legte er dar, daß die gratia increata dieser Wiedergeburt in der Sendung des eingeborenen Sohnes Gottes bestehe, aber nicht ohne die Mitteilung einer geschaffenen Gnade erfolge, durch die die Seele in ihrem eigenen Sein für die Aufnahme der ungeschaffenen Gnade habituell disponiert werde. So sah er durch die unmittelbare Einprägung der Sohnschaft des Eingeborenen die begandigte Kreatur mit Gott verähnlicht und in höherem Grade befähigt, Gott nicht bloß als Schöpfer, sondern sogar als Vater zu offenbaren und zu verherrlichen[68].

Damit brachte H. Schell nun wieder das letzte Ziel der gesamten Schöpfung Gottes zur Sprache. In der glorificatio Dei per Deum in Deo sah er das oberste Ziel, das die göttliche Kausalität nicht ohne, sondern gerade durch die Schöpfung erreichen will. Daher sind alle in erster Linie dazu berufen, Gott zu verherrlichen: »vereinigt zur Gemeinschaft aller Heiligen im Geiste der Liebe und durch das Bekenntnis der Wahrheit, d.i. durch Christus«[69].

Die Verherrlichung Gottes seitens der Schöpfung vollzog sich nach Schell durch die Anerkennnung und das Bekenntnis der geoffenbarten Wahrheit, die Einrichtung auf das gottgegebene Ziel und die tätige Erfüllung des Gesetzes. Sie war ihm als solche wie jede Aktion des Verstandes vorwiegend auf das Objekt gerichtet, eine Hinbewegung des geschöpflichen Geistes zu Gott. Der Logos erschien ihm in diesem Prozeß als Schöpfungswort, das den Willen Gottes durch das Hervorbringen der Dinge aus dem Nichts zur Existenz schlechthin immanent ausspricht; dann aber im engeren Sinne als das gesetzgebende Wort, das den Sinn des zu erfüllenden Gotteswillens als die heilige Norm des kreatürlichen Freiheitsgebrauches offenbart; schließlich als das richtende Wort der Welt, das die geschöpfliche Entwicklung durch sich selbst abschließt, indem es die Erfüllung des göttlichen Gesetzeswillens im unendlichen Schicksal der Guten und der Bösen zur Offenbarung bringt. Wichtig für den Gesichtspunkt unserer Untersuchung ist die zusammenfassende Aussage: »In dieser letzten Vollendung der Dinge wird zugleich die ideale Vollkommenheit erreicht, wie sie in dem göttlichen Plane gewollt, im Logos ausgesprochen und der Welt als Ziel vorgestellt war«[70].

Ausführlich besprach H. Schell noch einmal, daß das Werk der Heiligung, das seinen Abschluß in dem allgemeinen Gericht als der höchsten Verherrlichung Christi, des sichtbaren Hauptes der begnadeten Schöpfung, und in der vollkommenen Beseligung seiner mystischen Glieder durch die Anschauung und Genießung des höchsten Gutes besteht, dem heiligen Geist als der persönlichen Gabe Kraft und

---

[67] Ebd. S. 203.
[68] Ebd. S. 210.
[69] Ebd. S. 218.
[70] Ebd. S. 217.

Liebe zuzueignen ist[71]. Er formulierte die These: »Das Heil der Kreatur besteht wesentlich in der Teilnahme an dem höchsten Gut und erfordert demgemäß eine der geschaffenen Natur entsprechende Intimation der göttlichen Güter«[72].

Diese lebendige Überleitung erfolgt nach H. Schell durch den heiligen Geist. Speziell sah er sie durch die Sublimität des göttlichen Wesens begründet, vermöge der es anderen mitteilbar ist. Er fand die Betätigung der genannten Vollkommenheit durch den Zweiten Hervorgang in Gott geschehen und durch den Namen 'heiliger Geist' charakterisiert[73]. Im einzelnen legte er näher dar, daß dieser heilige Geist, insofern er aus der Freundschaftsliebe der göttlichen Personen hervorgeht, für den himmlischen Vater ein Antrieb ist, uns wie seinen Sohn zu lieben und uns durch diese Liebe zu seinen Kindern zu machen; für den eingeborenen Sohn dagegen, uns mit sich in die unaussprechliche Hingebung, mit welcher er am Vater hängt, hineinzuziehen, und zwar durch den Geist seiner eigenen Sohnesliebe, den Geist der Kindschaft. In uns aber, so führte er aus, werde der heilige Geist zu einer starken und innigen Anmutung, den himmlischen Vater und den eingeborenen Sohn recht zu lieben als den Ursprung aller Gnade und als das Urbild unserer Kindschaft[74]. In uns, so sagte er weiter, werde der Deus procedens per modum amoris zum lebendigen Antrieb, das höchste Gut zu begehren, zu erringen, bis wir Ruhe finden in ihm ... Für uns sei der heilige Geist die Bestätigung des göttlichen Liebeswillens, das Unterpfand der uns verheißenen Seligkeit: »Er ist dies als die innergöttliche Besiegelung des Begierdewillens (amor concupiscentiae), womit Gott uns zur Anschauung und Genießung seines Wesens prädestiniert, und als Unterpfand der göttlichen Freundschaftsliebe (amor amicitiae), derzufolge wir nach dem Ebenbilde des Eingeborenen zur Gemeinschaft des göttlichen Innenlebens berufen werden«[75]. In uns war der heilige Geist für H. Schell weiter die Konfirmation des Willens in einer Gottesliebe, die affektiv über alles geht, und effektiv kein Opfer scheut, jene unerschütterliche Befestigung des Geistes in Gott, wie sie sich in den Propheten, Aposteln und Märtyrern verwirklicht findet. Mit der mystischen Glut einer Theologie, wie sie uns aus den Zeiten der Kirchenväter bekannt ist, schrieb H. Schell: »In uns ist er endlich das unauslöschliche Merkmal der persönlichen Beziehung, in welche wir durch die übernatürlichen Konsekration zu Gott getreten sind, das heilige Urbild der drei sakramentalen Charaktere, das heilige Siegel unserer Auserwählung zur Kindschaft Gottes, die lebendige Gottesweihe unserer Seelen zum heiligen Zelt der Ruhe Jehovas, zum Heiligtum des Herrn, wo der Vater im Lichtglanz seines Wortes und in der Feuerglut seines Geistes thront«[76].

Wir haben hiermit im wesentlichen die philosophischen und theologischen Grundzüge herausgestellt, wie sie in den Studienwerken H. Schells hervortraten. Die ganze Gedankenfülle, die dieser spekulativ begabte Theologe vor allem in seiner theologischen Dissertation ausbreitete, können wir hier unmöglich wiedergeben. Es ist jedoch zu bemerken, daß die Darlegung des zweiten Buches des näheren

---

[71] Vgl. ebd. S. 248.
[72] Ebd. S. 223.
[73] Ebd. S. 224.
[74] Ebd. S. 226.
[75] Ebd. S. 227.
[76] Ebd. S. 227.

eine Entfaltung jener Thesen brachte, die bereits im ersten Buch grundgelegt wurden. Dies wird deutlich, wenn wir kurz die Inhaltsübersicht resümieren, die H. Schell seinem Werk beigab.

Danach ging es H. Schell im vierten Kapitel um den Einfluß, den die Erschaffung der Engel und Menschen im Gnadenstande und die erste freie Entscheidung des geschöpflichen Willens auf unsere Beziehungen zu den göttlichen Personen ausübten; mit anderen Worten: um unsere Beziehungen zu den göttlichen Personen, insofern sie in der Vorbereitung des Erlösungswerkes enthalten sind[77]. Die Gnade der Einwohnung sah H. Schell bereits im Alten Bund allen gewährt, insofern sie für alle eine Zielbestimmung gewesen sei; in den Gerechtfertigten sei sie vorbereitet und begonnen, den auserwählten Heiligen aber nach dem Maße des Pilgerstandes vollkommen gewährt worden[78].

Im fünften Kapitel besprach H. Schell die Beziehung zu den göttlichen Personen, insofern sie in dem Mysterium Christi enthalten sind[79]. Zuerst ging es ihm um die Beziehungen zu den Personen der Gottheit, die mit dem Begriff der hypostatischen Union überhaupt verbunden sind[80], sodann um die trinitarische Kausalität in dem Werk der Menschwerdung selbst[81]. In drei weiteren Artikeln befaßte er sich mit der Beziehung Christi selbst, seiner Tätigkeit und seines Werkes zu den göttlichen Personen[82].

Wichtiger ist jedoch das sechste Kapitel, in dem die Beziehungen hinsichtlich des Mysteriums der Gnade untersucht werden[83]. Im ersten Kapitel wurde die Inhabitationsgnade als übernatürliche Relation ontologisch betrachtet[84]. H. Schell sah sie sodann als übernatürliche Relation zur höchsten Wahrheit und Güte durch das Wort Gottes für die Erkenntnis und durch den heiligen Geist für den Willen vermittelt[85]. Er zeigte, wie sie mit der Einwohnung des heiligen Geistes im Gnadenleben der Liebe beginnt und sich in der Aufnahme des eingeborenen Wortes zum seligen Leben der Anschauung erfüllt[86]. Auch legte er dar, wie aus der Inhabitation des heiligen Geistes als korrelativer Beziehung zum Sohne die übernatürliche Ebenbildlichkeit und das Kindschaftsverhältnis zum Vater entspringt[87], und wie alle Gnadengaben des Pilgerstandes, insbesondere die sieben Geistesgaben der Inhabitationsgnade erfließen[88].

Während H. Schell im siebten Kapitel mehr die Beziehungen zu den göttlichen Personen hinsichtlich der äußeren kirchlichen Institution beschrieb, wobei er aber auch von dem Mysterium der Kirche sprach[89], ging es ihm im letzten Kapitel um

---

[77] Vgl. ebd. S. 249-334; besonders S. 249-270.
[78] Vgl. ebd. S. 315-334.
[79] Vgl. ebd. S. 335-412.
[80] Ebd. S. 335-338.
[81] Ebd. S. 338-346.
[82] Ebd. S. 346-412.
[83] Ebd. S. 412-512.
[84] Ebd. S. 412-416.
[85] Ebd. S. 416-437.
[86] Ebd. S. 437-451.
[87] Ebd. S. 452-461.
[88] Ebd. S. 461-471.
[89] Ebd. S. 512-555.

das Mysterium des Leibes Christi[90]. Hier zeigte er auf, daß Christus als Menschensohn in der übernatürlichen Ordnung eine so ausgezeichnete Stellung als Ursache des Heiles aller besitzt, daß die Verbindung mit seiner heiligen Menschheit von unerläßlicher Notwendigkeit für alle ist[91]. Die Lebenseinheit mit Christus fand er in erster Ordnung durch den heiligen Geist als die Gabe der Gaben hergestellt, in zweiter Ordnung durch den Glauben an Christus, durch dessen sittliche Nachfolge, und durch die Sakramente, insbesondere durch die heilige Eucharistie[92]. So verstand H. Schell die heilige Dreifaltigkeit als die bewirkende Ursache des eucharistischen Sakramentes durch die Sendungstätigkeit des heiligen Geistes, die heilige Menschheit Christi aber als die erste ministriale Ursache derselben[93]. Aber auch als Zielursache des eucharistischen Sakramentes begriff H. Schell die Trinität; ihre Verherrlichung erschien ihm als der Zweck des eucharistischen Opfers, ihre Gemeinschaft als der eucharistischen Kommunion[94]. Alle diese Ausführungen waren nicht ohne Bedeutung für die Lehre H. Schells von der Vollendung. Da sie vielfach seine gesamte spekulative Theologie in nuce enthielt, werden wir bei Besprechung seiner Katholischen Dogmatik auf die einschlägigen Artikel seines Frühwerkes zurückkommmen.

Im letzten Kapitel kam H. Schell schließlich auf jenes Thema zu sprechen, das im Rahmen unserer Untersuchung besondere Aufmerksamkeit verdient: Die Beziehung zur heiligen Dreifaltigkeit, die in der Vollendung des mystischen Leibes durch die letzten Dinge enthalten sind: Das Gericht, die Übergabe des Reiches und die Vollendung in Gott[95].

Bei der Erörterung des Gerichtes trug H. Schell nun jene Lehre vor, die ihm später mancherlei Argwohn und schwere Vorwürfe verschaffte: Daß nämlich Gott - wenn es in seinen Plänen läge - auch den sündigen Engeln Gelegenheit zur Bekehrung und Willensänderung geben könnte. Richtig wiedergegeben wird die Lehre H. Schells freilich nur dann, wenn man den zweiten Teil seiner These nicht verschweigt: Daß der sündige Widerstand gegen Gott in Verbindung mit dem objektiv erfüllten Mane-thekel-phares des Einzelnen die Sünde wider den heiligen Geist und die Reife zur Verwerfung begründet[96].

Aus der heiligen Schrift entnahm H. Schell, daß die Vorbereitung zum Gericht insbesondere dem heiligen Geist zugeschrieben werden muß. Sie war für ihn die Kehrseite jenes lebendigmachenden Waltens, das in der Vollendung der Heiligen, im Ministerium der Kirche und im Aufbau des Leibes Christi wirksam wird. Hier sah H. Schell eine Entsprechung zu der hypostatischen Proprietät als der innergöttlichen Bestätigung heiliger Liebe. Als Begründung führte er an, daß die heilige Liebe das ihrem Wesen widersprechende verabscheue und es von sich scheide, da sie in dem guten, d.h. in dem ihrem Wesen Verwandten mit Wohlgefallen ruhe. Diese das Gericht vorbereitende Wirksamkeit des heiligen Geistes stand für H. Schell zugleich in innigster Beziehung zu dem Amt der heiligen Menschheit Christi: Wie die

---

[90] Ebd. S. 555-622.
[91] Ebd. S. 555-564.
[92] Ebd. S. 564-572.
[93] Ebd. S. 572-588.
[94] Ebd. S. 588-603.
[95] Ebd. S. 603-622. - Dazu siehe unten S. 243-248, 257-269.
[96] Schell: W. S. 605. - Vgl. unten S. 216, 248.

heiligmachende Tätigkeit des göttlichen Geistes ihre höchste Idee in der mystisch-realen Verbindung mit Christus verwirkliche, so führe der heilige Geist durch die Unterscheidung der Geister die Verherrlichung des gottmenschlichen Hauptes als des gottgesetzten Richters über alle Mächte herbei. Für H. Schell diente daher gerade das Gericht der Vollendung des Mysteriums Christi, indem es dem mystischen Leib von allen fremdartigen Elementen reinigt und die alleinseligmachende Kraft seines Hauptes offenbart[97].

Wir übergehen hier die Zitate von Schrift- und Väterstellen, die der junge Theologe zum Verständnis seiner Thesen reichlich anführte. Wichtiger ist für uns ein Hinweis auf die spekulative Weise, mit der der heilige Thomas die Gesichtspunkte entwickelte, unter denen das Gericht den einzelnen göttlichen Personen in besonderer Weise zugeeignet wird. Während es bisher den Anschein hatte, als trage H. Schell nur die traditionell katholische Lehre vor, wird hier mit einem Mal die Eigenart seiner spekulativen Theologie deutlich.

In der angeführten Stelle[98] ging es Thomas um die richterliche Gewalt Christi. Im ersten Artikel seiner Untersuchung bejahte er die Frage, ob die richterliche Vollmacht Christus speziell zugeteilt werden müsse. Bei seiner Erörterung ging er davon aus, daß zum Gerichthalten dreierlei als notwendig erachtet wurde: 1. Vollmacht, Untergebene in Zucht zu nehmen, 2. Eifer zur Rechtschaffenheit, damit das Verfahren nicht aus Haß und Neid, sondern aus Liebe zur Gerechtigkeit durchgeführt werde, 3. Weisheit, gemäß der das Urteil gebildet werde. Die beiden ersteren - so meinte Thomas - ragen beim Gericht hervor, eigentümlich sei diesem aber das dritte, insofern es die Form des Urteils annehme, denn das Gesetz der Weisheit oder Wahrheit, nach dem gerichtet werde, sei selbst das Wesen des Gerichtes. Die weiteren Ausführungen machen klar, daß für Thomas die Weisheit das tertium comparationis war, auf Grund deren analogischem Charakter er eine Aussage über die richterliche Gewalt Christi machen konnte. Diese lautet: quia Filium est Sapientia genita, et Veritas a Patre procedens et ipsum perfecte repraesentans, ideo proprie iudiciaria potestas attribuitur Filio Dei[99].

Um H. Schell richtig zu verstehen, wollen wir auch die Antworten wiedergeben, mit denen Thomas verschiedenen Einwänden entgegentrat. Der erst lautete: Das Gericht gehöre dem »Herrn« nach Röm. 14,4; der Herr der Geschöpfe zu sein aber komme der ganzen Trinität gemeinsam zu. Thomas antwortete: Das sei zwar wahr; dennoch werde die richterliche Gewalt nach einer bestimmten, oben gezeigten Appropriation dem Sohn zugeeignet. - Der zweite Einwand knüpfte an Daniel 7,9.10 an. In dem dort genannten »Alten der Tage« sei der Vater zu erkennen, daher

---

[97] Schell: W. S. 605.

[98] Thomas von Aquin: S. th. III. q. 59: De iudicaria potestate Christi, in 6 articulos; art. 1: Utrum iudicaria potestas sit specialiter attribuenda Christo.

[99] Thomas zitiert an dieser Stelle Augustinus: De vera religione. c. 31. nn. 57-58. = PL-SL 34. (1845) 147-148. = CCL. XXXII (MCMLXII) 224-226. Haec est incommutabilis illa Veritas quae lex omnium artium recte dicitur, et ars omnipotentis Artificis. Ut autem nos, et omnes animae rationales, secundum veritatem de inferioribus recte iudicamus, sic de nobis, quando eidem cohaeremus, sola ipsa Veritas iudicat. De ipsa vero nec Pater: non enim minus est quam ipse. Et ideo quae Pater iudicat, per ipsam iudicat . ... Pater ergo non iudicat quemquam, sed omne iudicium dedit Filio.

sei ihm die richterliche Gewalt mehr zuzusprechen als dem Christus. Dieses Argument stützte sich auf Hilarius, der in seiner Schrift über die Trinität sagte: in Patre aeternitas[100]. Dagegen verwies Thomas darauf, daß - wie bereits Augustinus festgestellt habe[101] - dem Vater die aeternitas wegen der Vermittlung des Ursprungs zugeschrieben werde und daß dies auch für das Wesen des Ewigkeitsbegriffes bedeutend sei. Dort bezeichne Augustinus den Sohn auch als »ars Patris«. Daher werde die Gerichtsautorität dem Vater zuerkannt, insofern er der Ursprung des Sohnes ist; das Wesen des Gerichtes selbst aber dem Sohn, der die ars und sapientia des Vaters ist; denn wie der Vater alles mache durch seinen Sohn, insofern er dessen (des Vaters) Kunst-Werk ist, so richte er auch alles durch seinen Sohn, insofern er dessen (dessen Vaters) Weisheit und Wahrheit ist. Das sei im Buch Daniel gemeint, wo es zuerst heißt, daß der »Alte der Tage« sitzt, dann aber später weitergeführt wird, das der »Menschensohn« bis zu dem »Alten der Tage« kommt, und dieser ihm die Macht, die Ehre und die Herrschaft gibt; daraus, so folgerte Thomas, könne erkannt werden, daß die Urheberschaft zu richten beim Vater liege, daß aber von ihm der Sohn die Vollmacht zu richten empfange. - Der dritte Einwand schließlich brachte den Heiligen Geist mit ins Gespräch. Nach Joh. 16,18 kommt ihm das Richten im Sinne des arguere zu. Daraus wurde geschlossen, daß ihm die richterliche Gewalt eher zuzuteilen sei als Christus. Hier verweist Thomas darauf, daß Christus - wie Augustinus darlegte[102] - so gesagt habe, daß der Heilige Geist die Welt der Sünde überführe (arguet mundum peccato), wie wenn er sagte: Jener gießt in euren Herzen die Liebe aus; denn so, nachdem die Furcht vertrieben wurde, habt ihr die Freiheit zu urteilen (arguere). Dem Heiligen Geist wurde also das Gericht zugesprochen, nicht soweit es das Wesen des Gerichtes angehe, wohl aber insoweit ihn die Menschen als Antrieb (affectum) zum Urteil haben.

Die Wiedergabe des gleichen Textes durch H. Schell zeigt uns sofort einige gravierende Verschiebungen. Während Thomas nur beiläufig von der auctoritas iudicandi des Vaters sprach, eindeutig aber den Schwerpunkt in die richterliche Gewalt des Sohnes setzte, stellte H. Schell sie gleich an den Anfang der von einem Richter zu fordernden Eigenschaften. Als Quelle der Autorität bezeichnete er die »ursächliche Unabhängigkeit« - eine Bezeichnung, die wir bei Thomas vergeblich suchen. Nach H. Schell besitzt Gott als erster Ursprung aller Dinge die Autorität des höchsten Herren und Richters aller Wesen. Damit verschob er den Schwerpunkt eindeutig auf den Vater, denn, da er das Prinzip der göttlichen Personen und der Kreaturen ist, so kommt ihm die Würde des ersten Ursprunges in besonderer Weise zu. »Ihm, dem Alten der Tage, wird daher die Weltherrschaft und die höchste Autorität appropriiert; er ist es deshalb, in dessen Namen das Weltgericht vollzogen wird«[103].

Mit dieser Akzentverschiebung hatte H. Schell die Lehre des Thomas nahezu verdreht. Obwohl er ausdrücklich das Wesen des Gerichtes im Rahmen des von Thomas gegebenen Entwurfes darstellen wollte, entwickelte er weit von diesem ab-

---

[100] Vgl. Hilarius: De Trinitate. 1. II. n. 1 = PL-SL. 10. (1845) 51 A.

[101] Vgl. Augustinus: De Trinitate. 1. VI. c. 10. n. 11 PL-SL 42 (1845) 931-932. = CCL. XXXVI (MCMLIV) 241-242.

[102] Vgl. ders.: In ioan. tract. 95. n. 1. (super 16, 8.) PL-SL 35 (1845) 1871. = CCL. XXXVI (MCMLIV) 564-565.

[103] Schell: W. S. 608.

weichend seine eigene Theologie. Am Anfang unserer Analyse haben wir bereits darauf verwiesen, welche Bedeutung der Lehre vom Urteil für das systematische Denken H. Schells zukam. Ihre spezielle Auswirkung auf das Gebiet der Eschatologie können wir nun hier an Hand der theologischen Dissertation H. Schells nachweisen. Wie er lehrte, erfolgt die Ausführung des Gerichtes durch die Bildung, Verkündigung und Vollstreckung des Urteils. Alle diese Momente waren für ihn das Ergebnis der intellektuellen Tätigkeit, die ihre Erkenntnis im Urteil ausspricht und vollzieht. Der Vollzug des Gerichtes nun fällt nach H. Schell bei dem absoluten Denken Gottes mit der immantenten Produktivität des kategorischen oder imperativen Urteils zusammen. Im Unterschied zu Thomas beruhte damit bei unserem spekulativen Theologen die Wahrheit der Dinge im göttlichen Denken; dieses mißt in seinem Wort den Dingen in der idealen oder realen Ordnung die Wahrheit zu. Das göttliche Wort erscheint hier als die Frucht der zugleich notwendigen und freien Erkenntnis Gottes; als solches war es für H. Schell nicht nur ein Wort der ideenbildenden Weisheit, sondern auch der schaffenden Allmacht. H. Schell meinte, daß sich in der theoretischen Bildung und Verkündigung des Urteilsspruches wie auch in seiner allmächtigen Ausführung die hypostatische Eigentümlichkeit des Sohnes offenbare. Ihm werde daher die Abhaltung des Gerichtes, die Verkündigung und Erfüllung des göttlichen Richterspruches zugeschrieben. Allein es fragt sich doch, wo hier die eigene Tätigkeit des Sohnes liegen soll. Im Unterschied zu Thomas wird dem Vater nicht nur die letzte Autorität, sondern letztlich auch die gesamte Aktivität zugeschrieben. Der Hinweis auf die hypostatische Eigentümlichkeit des Sohnes darf uns daher nicht täuschen. Das göttliche Wort ist nach H. Schell die Frucht der Erkenntnis Gottes; diese wird ausgesprochen und vollzogen im Urteil. Eine solche dialektische Verschränkung im Prozeß hat als Konsequenz die Identität von Wort und Urteil. Mag das Urteil auch im Wort erscheinen, es ist letztlich doch der Vater selbst, der es denkend zeugt und ausspricht. Insofern der Angelpunkt des gesamten Geschehens im Urteil liegt, wurde bei H. Schell der Akzent von der ontologischen Betrachtung auf die noetische verschoben. Hier liegt der Ansatzpunkt dafür, daß sich die Spekulation H. Schells von der des Thomas unterschied. Dieser erkannte in dem Maße, wie er die richterliche Gewalt in Christus konzentriert sah, dem Sohn eigenständige Aktivität zu, - unbeschadet der letzten Urheberschaft des Vaters.

Kehren wir zurück zu H. Schell. An der besprochenen Stelle finden wir auch einige Ausführungen zu einem anderen Thema, das ihm sehr am Herzen lag und zu dem wir bei der Erörterung seiner dogmatischen Eschatologie zurückkommen werden: Die Teilnahme der freien Kreatur am Zustandekommen des richterlichen Urteils. Schon hier in seiner Frühschrift führte er folgendes aus: Da die Handlungen und Charaktere der geschaffenen Geister in Hinsicht auf die göttliche Idee des Guten die Materie des Gerichtes bilden, so sei die Würdigung der richterlichen Tätigkeit unvollständig, wenn nicht zugleich die immanente wohlgefällige Hinneigung des göttlichen Willens zum Guten und dessen mißfällige Abwendung von dem mit seinem heiligen Wesen unvereinbaren Wollen und Tun der freien Kreatur mit in Betracht gezogen werde. Indem Gott das Urteil seiner Erkenntnis über das Gute und Böse ausspreche, genüge er dem ewigen Wohlgefallen seines heiligen Willens an dem Guten außer sich und in sich, und seinem unversöhnlichen Abscheu gegen alles Böse. Hier nun brachte H. Schell ähnlich wie Thomas den heiligen Geist mit ins Spiel. Er verstand ihn als das ewige Zeugnis dieses heiligen Willens und reinsten Eifers für die Gerechtigkeit in Gott; dies aber ebenso hinsichtlich des Gerichts. Weil die Liebe und der Eifer für die Gerechtigkeit zu demselben hindrängt, werde ihm die Vorbereitung und Herbeiführung des Gerichtes zugeschrieben[104].

Eigenartig ist, daß H. Schell mit seiner spekulativen Trinitätstheologie zunächst auch hinsichtlich des Gerichtes als eines von der ersten Ursache als solcher ausgehenden Aktes von der Menschheit Christi abstrahierte. Er vergaß sie freilich nicht; vielmehr erklärte er in einem neuen Abschnitt, daß dem Sohne Gottes die Würde des Richters in Folge seiner Menschwerdung und sichtbaren Sendung in neuer und besonderer Weise zukomme. Während er als Gottessohn das gleichwesentliche Urteilswort des Vaters sei, erscheine er in seiner Menschheit als Gesandter oder dienender Vollstrecker des väterlichen Willens. Als göttliches Wort der allrichtenden Weisheit und Macht hauche er mit dem Vater den Geist der Heiligkeit und Gerechtigkeit aus; als Menschensohn sei er mit diesem Geist gesalbt[105].

Aus diesen Worten ist zu entnehmen, daß H. Schell im phänomenalen Bereich die Menschheit Christi dem göttlichen Wort untergeordnet sah. So verstand er denn das Gericht durch den Menschensohn als »ministeriale Fortsetzung der richtenden Tätigkeit des göttlichen Wortes«[106]. Darin war es ihm die Erfüllung des messianischen Propheten- und Königtums.

Den Zusammenhang von Erlösung und Vollendung sah H. Schell in seiner Frühschrift folgendermaßen: In seiner ersten Erscheinung auf Erden vollendete Christus die Offenbarung des göttlichen Willens, sowohl insofern er als Ratschluß unseres Heiles, wie als Gesetz unseres Lebens Prinzip der übernatürlichen Weltordnung ist. Er vollendete diese prophetische Mission, indem er die Erfüllung des göttlichen Willens im Weltgericht zur allgemeinen Offenbarung bringt und so den ersten Weltzweck, die Verherrlichung Gottes durch die Erkenntnis und Anerkennung seiner wunderbaren Wege bei Guten und Bösen erfüllt[107].

Aus den übrigen Schriften H. Schells wissen wir, wie sehr für ihn der erste Schöpfungszweck, die Verherrlichung Gottes, im Vordergrund seines Denkens stand. Die gesamte Soteriologie und Gnadenlehre behandelte er unter diesem Gesichtspunkt und es ist selbstverständlich, daß auch die Eschatologie als Lehre von der Vollendung unter dem gleichen Aspekt betrachtet wurde. So verbirgt sich hinter den knappen Ausführungen am Ende seiner theologischen Dissertation eine reiche Gedankenwelt, die H. Schell später in seiner Dogmatik und Apologetik weiter entfaltete. Schon jetzt sei vermerkt, daß die hier vorgetragenen Lehraussagen bald im Rahmen seiner Theodicee neues Gewicht erhielten. Doch davon später mehr[108]. Hier bleibt zu ergänzen, daß H. Schell auch den zweiten Schöpfungszweck nicht übersah: Die Beseligung der Kreatur in Gott. Er vertrat die These: Als König auf Erden gesandt, vollendete der Menschensohn im Gericht den Ausbau dieses Reiches, negativ und positiv, verbannend und belohnend, zu einem Reich des Friedens

---

104 Ebd. S. 609.
105 Ebd. S. 609.
106 Ebd. S. 610.
107 Ebd. S. 610.
108 Siehe unten S. 208, 212.

und der seligen Ruhe in Gott. Darin sah Schell die Menschheit Christi gewissermaßen als das hypostatisch verbundene Werkzeug des Wortes der Allmacht[109].

Auch das Priestertum Christi versuchte H. Schell in gleicher Weise zu verstehen. Hier vertrat er die These, daß es teils auf der Notwendigkeit des Schöpfungszweckes beruhe, teils die Sünde zur Voraussetzung habe. Eschatologisch kam es ihm im Gericht als die der göttlichen Gerechtigkeit gebührende Genugtuung durch die Verdammung der verhärteten Sünder zur Ausprägung; nach dem Gericht durch die Unterwerfung Christi in seinen Gliedern, und die Übergabe der Herrschaft[110].

Die Übergabe des Reiches (traditio regni) war der zweite Hauptpunkt des Artikels, in dem H. Schell die letzten Dinge zur Sprache brachte. Mit Hilfe der Kirchenväter suchte er zu klären, was mit der endlichen Unterwerfung Christi und dem »Gott alles in allem«[111] gemeint sei. Er verwies darauf, daß Athanasius die von Paulus in Aussicht gestellte Unterwerfung Christi unter die Gottheit des Vaters auf den mystischen Leib des Herrn bezog, der erst am jüngsten Tag zur vollkommenen Ausgestaltung und entscheidenden Lebenseinheit mit seinem Haupt gelange, also auch erst dann mit und in seinem Haupt die Huldigung der gesamten Schöpfung darbringen könne. Gerade dies, daß die Unterwerfung Christi erst am Ende der Welt stattfinde, beweise, daß aus der apostolischen Lehre nichts gegen die göttliche Würde seiner Person gefolgert werden dürfe. Denn wäre dieselbe ihrer Natur nach, nicht infolge freier Selbstentäußerung dem Vater untergeordnet, so würde seine Unterwerfung vom Anfang seines Daseins an geschehen sein, nicht erst am jüngsten Tage[112]. Ähnlich sei die Erklärung Gregors von Nazianz zur angeführten Stelle[113]. Gregor von Nyssa löse die Schwierigkeit der paulinischen Lehre in einer eigenen Abhandlung durch folgenden Gedankengang: Gott sei alles in allem, wenn er, durch keine mit seinem heiligen Wesen unverträgliche Beschaffenheit verhindert, allein und ganz das Lebensgut der geschaffenen Geister geworden sei. Dies geschehe durch die Vereinigung mit Gott, die sich für den einzelnen Menschen in dem mystischen Leibe Christi vollziehe. »Gott besitzen bedeutet nichts anderes, als mit Gott verbunden sein. Es dürfte jedoch niemand anderes mit ihm in Verbindung treten, es sei denn durch Einverleibung in ihn, wie Paulus es nennt: denn alle, welche mit dem einen Leibe Christi durch Gemeinschaft verbunden sind, werden zu einem Leib desselben. Wenn also das Gute in allen durchgedrungen ist, dann wird sein ganzer Leib der lebendigmachenden Kraft unterworfen werden. Auf diese Art wird die Unterwerfung des Leibes als Unterwerfung des Sohnes selbst bezeichnet, der mit seinem eigenen Leib, nämlich der Kirche verbunden ist«[114]. H. Schell verwies auch auf eine andere Stelle, in der Gregor sagt, die traditio regni dürfe nicht als

---

[109] Schell: W. S. 610.

[110] Ebd. S. 610.

[111] Vgl. 1. Kor. 15, 24-28.

[112] Schell: W. S. 611. - Vgl. Athanasius: De incarnatione, et contra Arianos. n. 20. PL-SG 26 (1857) 1019-1022. - Es handelt sich wahrscheinlich um ein Werk des Marcellus von Ankyra. Vgl. B. Altaner - A. Stuiber: Patrologie. Leben, Schriften und Lehre der Kirchenväter. 7., völlig neubearbeitete Auflage. Freiburg 1966. S. 273.

[113] Vgl. Gregor von Nazians: Oratio 28 (= Or. theol. 2). c. 4. PL-SG 36 (1856) 30-31.

[114] Schell: W. S. 612. - Vgl. Gregor von Nyssa: In illud: Quando sibi subiecerit omnia, tunc ipse quoque filius subiicietur ei qui sibi subiecit omnia (ad 1 Cor. 15, 28 sqq.). Pl-SG 44 (1863) 1303-1326. Zum Thema „Leib Christi" vgl. unten S. 201, 206.

ein Wiedereintreten des Vaters in die Weltherrschaft mißdeutet werden, da der Vater nie davon zurückgetreten sei; auch der Sohn trete nach Erfüllung seiner sichtbaren (und unsichtbaren) Sendung nicht davon zurück; er übergebe dem Vater nicht die Würde des Königtums, sondern das in der Gottunterwürfigkeit vollendete Reich Gottes[115].

Es würde zu weit führen, alle Texte wiederzugeben, die H. Schell in seiner Dissertation anführte. Sie waren die Frucht seiner patristischen Studien und zeigen uns, wie sehr er mit der Theologie der Kirchenväter vertraut war. Dies gilt auch für den letzten Abschnitt seines Werkes: Die Vollendung in Gott [116]. Die gesamte Dissertation H. Schells zeigt uns freilich, daß es ihm nicht einfach um die Repristinierung jener Theologie der ersten christlichen Jahrhunderte ging, daß vielmehr sein eigentümlich systematisches Denken von spätidealistischen Tendenzen am Ausgang des 19. Jahrhunderts geprägt wurde. Daran wurde bereits zur Lebenszeit H. Schells von Seiten neuscholastischer Theologen heftige Kritik geübt, die zur Indizierung einiger seiner Werke führte. So grundlegend wichtig diese Komponente für die Theologie H. Schells war, so wollen wir sie bei einer Beurteilung seines Gesamtwerkes freilich nicht überbewerten. Die Kontroversen jener Zeit sind einesteils vergangen und können nur geistesgeschichtlich in ihrer Bedeutung nachgezeichnet werden. Ob darüber hinaus die Spekulation H. Schells auf Fragen der Gegenwart Antwort zu geben vermag, müßte jeweils mit Sorgfalt untersucht werden. Für die Theologiegeschichte allerdings halten wir schon jetzt einige Grundzüge fest, die im Frühwerk H. Schells deutlich zutage traten und die wir hinsichtlich seiner katholischen Dogmatik im Auge behalten wollen. Dazu gehört die Tatsache, daß seine Behandlung der letzten Dinge christologisch und ekklesiologisch geprägt war. Wie weit diese Eschatologie im Rahmen seiner Gesamttheologie gesehen werden muß, wurde bereits aufgezeigt.

2. Die Bedeutung der Gotteserkenntnis für das Leben der Menschen

Die Art des Lehrauftrages, mit dem H. Schell 1884 an die Universität Würzburg geholt wurde, prägt den Charakter seiner Werke. So war auch das theologische Lehrbuch, das er für Schöninghs Wissenschaftliche Handbibliothek schrieb, eine apologetische Dogmatik. Das eigentümliche Bedürfnis seiner religiös tief aufgewühlten und gärenden Zeit hatte ihm die Notwendigkeit gezeigt, auch die katholische Dogmatik vom apologetischen Gesichtspunkt zu schreiben: »eine apologetische Dogmatik, um polemisch und irenisch zugleich zu sein, um mit dem systematischen Beweise und der göttlichen Wahrheitskraft der Dogmen den Widerspruch zurückzuweisen, woher er immer komme, und durch die innere Weisheitsfülle und den lebendigmachenden Geist der hohen Mysterien den kritischen wie den gläubigen Seelen den göttlichen Wert und Reichtum der Offenbarungslehre möglichst

---

[115] Vgl. Gregor von Nyssa: Sermo adversus Arium et Sabellium. n. 7. PL-SG 45 (1863) 1289-1293.
[116] Vgl. Schell: W. S. 616-622.

fühlbar zu machen«[117]. So legte er gleich im ersten Buch dar, daß er das Wesen der geoffenbarten Religion, und zwar in ihrer unmittalbaren Verursachung durch Gott unter Voraussetzung des apologetischen Nachweises für den göttlichen Ursprung des Christentums behandeln wolle; in ihrer objektiven Gestaltung als Kirche und in ihrer subjektiven Verwirklichung als Glaube sollte sie unter Voraussetzung des apologetischen Nachweises für den göttlichen Ursprung des Christentums behandelt werden; in ihrer objektiven Gstaltung als Kirche und in ihrer subjektiven Verwirklichung als Glaube sollte sie unter dem Gesichtspunkt des Werkes der Heiligung im letzten Buch zur Darstellung kommen[118].

Es ist hier nicht der Ort, die Auffassung des Würzburger Apologeten von den Quellen der christlichen Offenbarung, von der heiligen Schrift und der Tradition, einer genaueren Prüfung zu unterziehen[119]. Wichtig ist für uns das Thema: »Von der Gotteserkenntnis«, das H. Schell im zweiten Buch seines Werkes abhandelte.

a) Von der natürlichen und übernatürlichen Gotteserkenntnis

H. Schell unterschied eine Erkenntnis Gottes vermittels der Natur, vermittels der Gnade und vermittels der Anschauung; erstere ging nach seinem Verständnis von den Werken Gottes als solchen aus, die übernatürliche von den Worten der Offenbarung, die Anschauung beruhte für ihn im »Wesensbilde« Gottes. Entsprechend seiner Grundauffassung, nach der er das Dasein und das Wesen Gottes für identisch hielt, erklärte er hier, die Vollkommenheit, mit der das Dasein Gottes erkannt werde, entspreche auf den genannten drei Stufen der Vollkommenheit seiner Wesenserkenntnis; daher habe die Dogmatik beides nach dem Maß der übernatürlichen Offenbarung in seiner ewigen Wahrheit darzutun[120].

Als »natürliche Erkenntnismittel« beschrieb H. Schell jene, die aus dem Wesen des Geschöpfes als solchem fließen, die sich also mit Naturnotwendigkeit aus ihm ergeben. Da nun bei der Erkenntnis ein erkennendes Subjekt und ein Erkenntnisobjekt in Betracht komme, so seien unter den natürlichen Erkenntnismitteln zuerst jene Fähigkeiten und Akte zu verstehen, die aus dem geistigen Wesen des Menschen als solchem hervorgehen und demselben nicht vorenthalten sein können; sodann jene Hinweise auf Gott, die die objektive Welt ihrer endlichen und geschöpflichen Natur zufolge enthalte, jene Sprache, die jedes Seiende als solches über Gottes Dasein und Wesen zum betrachtenden Menschengeiste spreche und sprechen müsse. Diese objektiven Erkenntnismittel faßte H. Schell genau als »Natur« im Gegensatz zu der übernatürlichen Ausstattung[121].

---

[117] Ders.: GG. Teil 1. S. XIX-XX. - Vgl. außerdem ebd. S. 17-25: Die Aufgaben der Apologetik; S. 26-70: Die Aufgabe der Apologetik und ihr wissenschaftliches Recht. - Ders.: Methoden der Apologetik und deren Kritik. In: Apologie des Christentums. Bd. 1. S. XV-XXIV.

[118] Ders.: D I. S. 10. - Vgl. ders.: Apologie des Christentums. Bd. 1. S. 1-193: Religionsphilosophie.

[119] Die Aufgabe wäre an sich sehr verlockend, zumal Schells gesamte Theologie sehr stark bibel-theologisch ausgerichtet war. Schell behandelte die genannten Themen im ersten Buch seiner Katholischen Dogmatik. Vgl. D I. S. 10-97, 97-158, 158-217. - Außerdem vgl. Schell: Apologie des Christentums. Bd. 1. S. 194-442: Offenbarungsphilosophie. - Ders. Ebd. Bd. 2 ([2]1908). S. 1-277: Die Göttlichkeit der Offenbarung im Alten und Neuen Bund.

[120] Ders.: D I. S. 193.

[121] Ebd. S. 194.

Schon an dieser Stelle müssen wir darauf hinweisen, daß trotz der soeben vorgetragenen Distinktion H. Schell keineswegs die Möglichekeit einer rein-natürlichen Gotteserkenntnis und Gotteswissenschaft als gegeben ansah. Er hielt dafür, daß weder unser subjektives Denken noch die objektive Welt, die als sachliches Erkenntnismittel Gottes dient, unvermischt natürlich ist. Beide sah er beeinflußt von der übernatürlichen Ordnung, die mit der Gnade von innen auf jeden Menschen einwirkt, der in diese Welt kommt[122], und - so fügte H. Schell hinzu - »wie ein Kosmos feinerer Art den natürlichen Kosmos durchwebt und umspinnt«[123].

Die Unterscheidung von natürlicher und übernatürlicher Ordnung ließ sich nach H. Schell in der Innenwelt der Seele wie in der Außenwelt der Natur und Geschichte nur in abstracto behaupten, nicht aber als genaue Scheidung und wirkliche Trennung durchführen. So konnte er mit Hinweis auf Ps. 18 erklären: »Das Licht der übernatürlichen Offenbarung und die Weihe der Gnade ist über die ganze Geistes- und Naturwelt ausgegossen; niemand kann sich vor ihren Strahlen verbergen«[124].

Für H. Schell lag in dieser Grundthese, an deren Relevanz für das Gebiet der Eschatologie wir uns später immer wieder erinnern müssen, die Konsequenz, daß auch der christliche Philosoph, der sich methodisch auf die Natur im strengsten Sinne als Beweis- und Erkenntnismittel Gottes beschränken wollte, in Wirklichkeit keine rein-natürliche Theorie liefern kann. H. Schell hielt daran fest, daß alles Denken, Beweisen und Folgern sich unter dem Einfluß der erleuchtenden Gnade vollziehe, möge es auch scheinen, als ob der Zustand der anorganischen und organischen Natur von durchgreifenden übernatürlichen Einflüssen unberührt sei. Ihm genügte die übernatürliche Kraftatmosphäre, die den subjektiven Faktor, den Menschen aller Zeiten und Kulturen umkreist, um alle philosophischen und religiösen Gottestheorien den Charakter bloßer Natürlichkeit abzusprechen. Er verwies auf die alten Kirchenlehrer, die in den Philosophen und Weisen der Jünger und Zeugen des Logos sahen, wenn auch nicht in jenem erhabenen Sinne wie die Propheten und Apostel, die Geistträger schlechthin. Diese Erinnerung an einen alten Gedanken, daß jede Philosophie in concreto ein theologischer Versuch ist, schien ihm besonders bedeutsam in einer Zeit, »wo die edelsten Werke des gottsuchenden Menschengeistes aus den uralten heiligen Literaturen der großen Religionen des Ostens in den Gesichtskreis des abendländischen Denkens und der christlichen Theologie eingetreten« waren. Er sah nicht ein, warum der Einfluß des Logos und seines Geistes nicht den Werken eines Zarathustra, und Lao-tse, einem Rigveda, Bhagavadgita und Dhammapadam, der Philosophie eines Sokrates, Plato und Aristoteles fern und fremd geblieben sein sollte[125].

Nach diesem Bekenntnis, das auf einer guten theologischen Begründung beruhte, braucht es uns nicht zu wundern, daß H. Schell den religionswissenschaftlichen Forschungen seiner Zeit positiv gegenüber stand. Damit war für ihn jedoch keineswegs eine blinde, unkritische Übernahme heidnischer Denk- und Glaubensüberzeugung verbunden. Gerade H. Schell betonte immer wieder eindringlich, daß

---

[122] Vgl. Joh. 1, 9 nach der Vulgata.
[123] Schell: D I. S. 194.
[124] Ebd. S. 194.
[125] Ebd. S. 195.

die Freiheit des Willens es erlaube, der Gnade zu widerstreben, ja sogar sie aus dem Herzen zu vertreiben. Allein er war der Auffassung, daß diese Freiheit des Willens nicht vermöge, der Gnade die Gewalt der erbarmenden Langmut zu nehmen. Noch weniger hielt er die Sünde für imstande, das Geschöpf ganz und gar aus der Atmosphäre des göttlichen Gnadeneinflusses herauszunehmen. Es ist leicht einzusehen, bei wievielen Geistern der Würzburger Theologe mit dieser These Anstoß erregen konnte. H. Schell, der den Menschen in concreto sah, konnte sehr wohl ganz genau differenzieren, aber ebenso bekannte er aus seiner Sicht, daß es kein Denken, keine Geschichte, keine Philosophie, keine religiöse Literatur bei irgendeinem Volke gebe, worin die natürliche Fähigkeit und Arbeit der Gotteserkenntnis einen unvermischten Ausdruck fände: »überall ist die Spur der Sünde, überall die Kraft der heilenden und erhebenden Erlösungsgnade«[126].

Trotz der Hochschätzung, die H. Schell den religionsgeschichtlichen Zeugnissen entgegenbrachte, unterschied sich seine Methode wesentlich von jener historisch-kritischen, mit der die religionsgeschichtliche Schule Zusammenhang und Entwicklung bestimmter Glaubensvorstellungen verständlich machen wollte. H. Schell ging es um die spekulative Durchdringung aller religiösen Lebensäußerungen. Unter Spekulation verstand er allerdings nicht die »Erhebung über die positiven Normen des Glaubens durch einen kühnen Gedankenflug der Begriffe oder durch ein möglichst verwegenes Spiel von Vergleichungen«, nicht jene Methode, die sich in »möglichster Ferne von den festen Grundlagen des Glaubens und Wissens am wohlsten fühlt und ihre größte Fruchtbarkeit entwickelt, durch nichts im freien Flug frommer Phantasie gehemmt«, sondern: »sorgfältige und allseitige Verwertung der gegebenen Offenbarungslehren, engster Anschluß an die Quellen und Regeln des Glaubens«. Er ging daher von dem Grundsatz aus: »Die Wahrheit ist Gemeingut aller; die heilige Offenbarungswahrheit soll zum Gemeingut aller werden und alle in die Höhe der übernatürlichen Glaubenswahrheiten erheben - wobei natürlich wohl keinem die Anstrengung des Denkens, das sacrificium intellectus erspart werden kann«[127].

Bei H. Schells Lehre von der übernatürlichen Gotteserkenntnis ist es interessant, daß er in der Wirksamkeit der übernatürlichen Gnade vornehmlich einen göttlichen »Kraftzufluß« sah. Jedoch mag auch dies in einer Zeit, da die Energetik zu einer allgemeinen Theorie der Welterklärung entwickelt wurde, nicht verwundern[128].

Es wäre nun völlig falsch, H. Schell in einem monistischen oder gar mechanistischen Sinne verstehen zu wollen. In Wirklichkeit stand bei ihm der Mensch in seiner Personalität im Mittelpunkt der Überlegung[129]. Dieser Mensch schien ihm nicht nur deshalb einer übernatürlichen Vervollkommnung fähig, weil er, wie jedes Geschöpf, dem Schöpfer unbegrenzte Empfänglichkeit entgegenbringt, sondern weil er als persönliches Vernunftwesen nicht für ein begrenztes Maß von Wahrheit und Güte, sondern für die Wahrheit und das Gute schlechthin angelegt ist. Dieser

---

[126] Ebd. S. 195.
[127] Ebd. S. 8-9.
[128] Vgl. den Hinweis Schells auf die Energetik im Vorwort zu: Gott und Geist. S. VII. - Zum geistesgeschichtlichen Zusammenhang siehe oben S. 13, Anm. 31.
[129] Siehe oben S. 137-142.

unbegrenzten Anlage, so meinte H. Schell, entspringe nicht ein gleiches Maß akti-
ver Kraft, vielmehr sei diese notwendig begrenzt. Im Unterschied zu jener Vollkommenheit des Geistes in der Erkenntnis Gottes als der Wahrheit und im Genusse
desselben als der Quelle des Guten (im Sinne der Heiligkeit und Seligkeit der Tugend und des Glückes), das der Mensch mit seinen natürlichen Kräften selbst herbeizuführen oder zu verdienen vermag, fand H. Schell alles, was darüber hinausgeht, nur vermittelst der übernatürlichen Hilfe, Kräftigung und Erhebung durch
Gottes Gnade möglich. Mithin war die übernatürliche Ordnung für ihn nicht eine
schlechthin überraschende Äußerung göttlichen Wohlwollens, der jeder Anhalts-
punkt in der menschlichen Natur fehlte. Vielmehr fand er sie in des Menschen persönlicher Würde wohlbegründet. Diese bestand für ihn in der schon genannten Bestimmbarkeit des Geistes zu allem Wahren und Guten, wenngleich er ihre Verwirklichung über das Maß menschlicher Kraft hinausgehend fand[130].

Das Übernatürliche dachte H. Schell demnach zunächst als einen göttlichen
Kraftzufluß akzidenteller Art, der zum vorübergehenden oder bleibenden Besitz
der geschöpflichen Natur werden kann. Ontologisch unterschied er diese Gnadenkräfte von den übrigen Kräften der Natur, aber nur dadurch, daß sie ihm nicht aus
letzterer selbst als ihrem Prinzip hervorzugehen, sondern unmittelbar von Gott zu
dem Kraftquantum, das die Natur aus ihrer angestammten göttlichen Mitgift entwickeln oder erwarten kann, hinzugefügt zu werden scheinen. Er war der Meinung,
daß - nachdem sie einmal von Gott gegeben seien - nichts daran hindere, sie als in
ähnlicher Weise zur akzidentellen Ausstattung des Geschöpfes zugehörig zu betrachten wie die natürlichen Eigenschaften, Anlagen und Umstände, daß sie von
ihm wie diese letzteren gebraucht und benutzt oder auch mißbraucht werden könnten. So bestimmte er: »Die Gesamtheit dieser übernatürlichen Wirkungen und Veranstaltungen, welche zum akzidentellen Besitz der Schöpfung werden, ist die übernatürliche Ordnung, insoweit sie etwas aus Gott Heraustretendes, ein Kosmos höherer Art ist«[131].

Als guter Theologe wußte H. Schell freilich auch, daß es ein Übernatürliches
gibt, das von Gott nicht zu trennen ist. Es kann nicht aus Gott in die Welt hinübergehen, und Gott kann es nicht der Welt so geben, daß es in ihr ein neues, endliches,
akzidentelles Etwas, eine Realität darstellen würde, die nicht Gott selber ist. So
hielt er an der Existenz eines Übernatürlichen fest, das nicht zu einem, wenn auch
übernatürlichen, Moment, Bestandteil oder Akzidenz der Welt werden kann, obgleich es ihr gegeben und in ihr wirksam wird. Die hier gemeinte gratia increata
verstand er nicht nur im Sinne eines göttlichen Wohlwollens, das alles Gute spendet, sondern im Sinne einer Gabe dieses Wohlwollens. Diese war ihm »die Gnade
der Sendung des göttlichen Wortes und des hl. Geistes in die Schöpfung«[132].

Wir werden bald darauf zurückkommen. Hier wollen wir festhalten, daß H.
Schell jene übernatürliche Gotteserkenntnis differenzierte, die sich auf der Basis
des Unisversums aller natürlichen und übernatürlichen Werke und Wirkungen
Gottes erhebt, die im eigentlichen Sinne Bestandteile der Schöpfung darstellen.

---

[130] Nach Schell: D I. S. 196.
[131] Ebd. S. 196.
[132] Ebd. S. 197. - Vgl. ders.: W. S. 210. - Siehe oben S. 139.

b) Ideologische Gotteserkenntnis

Im Zusammenhang seiner Erörterung über die natürliche und übernatürliche Erkenntnis des Daseins und Wesens Gottes, äußerte sich H. Schell auch grundsätzlich über seine Auffassung vom Zustandekommen unserer Erkenntnis. Er ging von der Überlegung aus, daß wir über die Objektivität unserer Ideenbildung auf keine andere Weise zur Klarheit kommen können, als dadurch, daß wir ihren Ursprung untersuchen. Ergebe sich dabei, daß diese Ideen unter dem Einfluß realer, unabhängig von uns bestehender Gegenstände entstanden sind, ferner, daß sie in normaler und logisch unanfechtbarer Weise unter diesem Einfluß realer Mächte gebildet wurden, so sei damit die Wahrheit ihres Inhaltes erwiesen. Er erklärte: »Jeder Beweis der Wahrheit ist demnach mit einer Prüfung der Genesis der fraglichen Idee verbunden; d.h. der Ursprung der Ideen ist der Prüfstein ihrer Wahrheit«[133]. Da er nun unsere Kenntnis von Wesen und Beschaffenheit einer Sache durch die Vorstellung als solche vermittelt sah, war die Erkenntnis ihrer tatsächlichen Wirklichkeit für ihn nichts anderes als diejenige Erkenntnis, wodurch ihre einzelnen Momente in unserem Bewußtsein verursacht wurden[134].

Diese Feststellung macht deutlich, wie sehr die Erkenntnislehre H. Schells von einer Bewußtseinstheorie abhängig war. Er war der Überzeugung, daß im Bewußtsein nichts vorhanden sein kann, was nicht aus der Tätigkeit der Seele stammt, gleichgültig ob diese ganz oder teilweise von außen veranlaßt sein mag. Jede Idee war für ihn ein Gedanke, jeder Anfang und Ansatz zu einer Idee der Anfang und Ansatz der Denktätigkeit. Eine Idee oder ein Denkinhalt, der nicht durch eigene Denktätigkeit ins Bewußtsein gelangt wäre, war ihm ein Widerspruch. Nichts konnte für ihn den Inhalt unseres Bewußtseins bilden, was nicht psychischer Akt war.[135].

An anderer Stelle legte H. Schell dar, daß die Ideenbildung als das Denken des Inhalts sich durch Unterscheidung des Inhalts bei Festhaltung seiner Einheit im Gedanken oder auch Vergleichung des Verschiedenen bei Festhaltung der Verschiedenheit in Vorstellung, Begriff und Idee vollziehe, und zwar jede dieser Formen nach einer Norm, die bei allem gleich sei und der Denktätigkeit aller vorangehe als das ungeborene Gesetz, nach dem der physiologische Sinnenreiz in sinnliche Empfindung umgesetzt, der Empfindungsinhalt selbst quantitativ und qualitativ ausgelegt, sodann nach höheren Gesichtspunkten unterschieden, verglichen, geordnet, begrifflich gemacht und in ein System von Beziehungen aufgelöst werde. Je mehr dieser Maßstab angewendet werde, um die tote Masse des sachlichen Inhaltes zu gliedern, zu sichten und zum Bilde umzugestalten, desto mehr leuchte aus dem Denkinhalt Wahrheit, Schönheit und Fülle, desto mehr werde die moles mundi zum Kosmos allgemeiner Wahrheiten, das fließende Chaos der Einzelfülle zum festgegliederten Reich allgemeiner Notwendigkeiten. Dieser Maßstab der unterscheidenden und ideenbildenden Erkenntnis war für H. Schell die Wahrheit, jedoch nicht als Gegenstand und Ziel der Vernunft, sondern als deren Prinzip und

---

[133] Schell: D I. S. 200.
[134] Vgl. ders.: GG. Teil 2. S. 473-499: Der ideologische Gottesbeweis aus dem vorstellenden Bewußtsein.
[135] Vgl. ders.: D I. S. 206.

Gesetz, das die Tätigkeit von innen heraus beherrscht, bestimmt, erleuchtet. Wenn er freilich der Ansicht war, daß diese immanente Norm der Ideenbildung von Aristoteles als tätiger Verstand dem System der Seelenkräfte eingefügt werde, daß er jene Norm und Kraft der Abstraktion, wodurch das Sinnliche intelligibel, die Vorstellung zum Begriff, das Einzelne und Zufällige zu allgemeiner und fester Wahrheit werde, so dürfte er sich getäuscht haben. V. Berning hat in seinen sorgfältigen Analysen nachgewiesen, wie sehr H. Schell in seiner Aristoteles-Interpretation von F. Brentano abhängig war, ja wie er in seiner Nähe zu Kants transzendentaler Ästhetik über seinen Lehrer hinausging und sich in dem Anliegen einer empirischen Bewußtseinsanalyse mit der Auffassung J. Senglers und damit auch A. Günthers berührte[136].

H. Schell faßte seine Lehre in zwei Thesen zusammen. Erstens: »Unser Erkennen ist Ideenbildung und Urteil; Denken des Inhalts und Erfassen der Tatsachen, der Wesenheit und der Ursächlichkeit: Abbildung der Wirklichkeit in sinnlichen und geistigen Formen«[137]. Die zweite These lautete: »Die Seele hat die Kunst und das Gesetz der Ideenbildung nicht selbst erfunden, sondern findet es ohne alles eigene Zutun als Mitgift ihrer sinnlichen und vernünftigen Natur in sich vor«[138]. Das bedeutete für H. Schell, daß die Seele als Grundvermögen die ganz bestimmte Kunst hat, das Einzelne und Allgemeine in den Zügen sinnlicher und geistiger Schönheit darzustellen und wiederzugeben, jeden Eindruck auf ihre Organe mühelos und absichtslos in ein Wahrnehmungsbild umzuschaffen, jedes sinnliche Bild unwillkürlich in eine geistige Idee weiterzubilden. H. Schell verwies darauf, daß in seiner Zeit die empirische Psychologie und Naturwissenschaft zur Erkenntnis geführt habe, daß die Dinge in unseren Vorstellungsbildern ganz anders seien als in Wirklichkeit. Umso genialer und origineller erschien ihm die vorstellende Kunst der Ideenbildung, die der Seele so eingeprägt sei, daß sie ohne alle Berechnung und Überlegung die Schwingungen der Körper und Farben in Töne, Wärme und Schwere umsetze. Je selbständiger die Ideenbildung ihm in ihren Gestaltungsformen und Gestaltungsgesetzen vonstatten zu gehen schien, für desto unabweisbarer hielt er die Notwendigkeit, nach der hinreichenden Ursache dieser angeborenen Kunst zu fragen. Dabei äußerte er die Ansicht, die Seele werde nicht zum Traum oder zur grundlosen Einbildung, wenn sie als die schöpferisch-gestaltende Kunst erfaßt werde, dem realen Sein ein neues ideales Sein, ein ideales Abbild von origineller Schönheit zu geben. Daher war ihm die Ideenbildung eine Tatsache von ebenbürtiger Bedeutung, wie die Gesetzmäßigkeit im Sein und Wirken der Objekte. Die ideale Welt der bewußten Bilder forderte für ihn ebenso gebieterisch eine hinreichende Ursache von schöpferischer Genialität wie die reale Welt der Dinge. So kam er zu der Schlußfolgerung: »Die Seele enthält in sich diese hinreichende Ursache nicht; die Kunst, mit welcher sie die Welt in sich abbildet und in idealer Schönheit neu erschafft, ist ihr eingegeben; sie ist über ihr: die Wahrheit ist eine Macht, welche dem menschlichen Denken als Prinzip und Gesetz vorangeht und als die absolute Kunst des Idealen und des Schönen ewig besteht«[139]

---

[136] Vgl. Berning: Das Denken Herman Schells. S. 93-95.
[137] Schell: D I. S. 345.
[138] Ebd. S. 347.
[139] Ebd. S. 348.

Mit der These, daß die Wahrheit die künstlerische Ursache der Schönheit, die Heimat der Schönheit aber die Welt der Ideen, der sinnlichen wie der geistigen Auffassung und Wiedergabe der Wirklichkeit sei, verband H. Schell seinen »ideologischen Beweis Gottes als der absoluten Kunst aus der Ideenbildung«[140]. Gerade hier wurde die Besonderheit seines Gottesbegriffes sichtbar. Gott war für ihn die absolute Schönheit, weil er ihn als die absolute Kunst der Ideenbildung, als Prinzip und Gesetz der vorstellenden Erkenntnis annahm. Dieses Prinzip der innerlichen Abbildung der Dinge durch die sinnliche und geistige Vorstellung konnte in seiner Sicht Gott aber nur sein, wenn er die absolute Wahrheit, d.h. voraussetzungslose Selbstgestaltung ist. Nur das Wesen, das kraft eigener Idee das ist, was es ist, konnte ihm als Erklärungsgrund für die tatsächlich vorhandene Fähigkeit, die Dinge in sinnlichen und geistigen Vorstellungen nachzubilden, genügen. So erklärte er abschließend: »Das Prinzip der Ideenbildung kann nur die absolute Kunst, Wahrheit und Schönheit sein, welche ihr eigenes Wesen ewig erdacht und gestaltet hat«[141]. V. Berning hat darauf verwiesen, daß sich H. Schell an keiner Stelle deutlicher als hier für den Ontologismus, d.h. die Erkenntnis des Seins aus und in Gott ausgesprochen habe[142].

Diesem ideologischen Beweis Gottes als der absoluten Kunst aus der Ideenbildung schloß H. Schell einen noetischen Beweis Gottes als der absoluten Wahrheit aus der urteilenden Erkenntnis an. Er ging aus von der These, daß das Erfassen der Tatsachen sich durch Unterscheidung des Idealen vom Realen, des subjektiven Gedankenbildes von der objektiven Wirklichkeit bei Festhaltung beider und durch Verbindung und Gleichsetzung des Subjektiven mit dem Objektiven bei Festhaltung der Verschiedenheit beider im Urteil vollziehe. Die Erkenntnis, die zuerst die Wirklichkeit in idealer Originalität abbilde und den Gegensatz von Realem und Idealem schaffe, finde ihre Vollendung in der Gleichsetzung beider unbeschadet ihrer eigentümlichen Originalität. Die Einheit von Idee und Wirklichkeit war ihm daher die Wahrheit des Urteils und das Ziel der Erkenntnis[143]. H. Schell hielt es für eine psychologische Urtatsache, daß wir die Idee eines von uns unabhängigen, gegenständlichen Seins haben, das sich als Phainomenon uns bemerkbar macht, indem es auf uns einwirkt. Vorsichtig fügte er die Vermutung hinzu, daß dabei vielleicht doch ein verborgenes Noumenon bleibe.

Wie sehr jedoch bei H. Schell das Denken den Primat einnahm, erhellt aus seiner Feststellung, daß die beiden Kategorien des Seins, das subjektive oder intentionale Sein und das objektive oder gegenständliche Sein nicht gleichwertig wie zwei Arten nebeneinander stehen. Das Denken war für ihn nicht bloß subjektive, sondern auch objektive Tatsache. Allerdings wollte er nicht, daß das Sein nur zu einem bloßen Moment des subjektiven Gedankens herabgesetzt werde. Als Gründe dafür führte er an, daß erstens das Denken naturnotwendig nicht anders sein könne, als daß alles Denken auch Wirklichkeit sei, daß zweitens das Denken am gedachten Sein untersuche, ob es gegenständlich sei oder nicht, ab der Geist die in Betracht kommende Beziehung nur vorgefunden und nur formuliert oder selbst

---

[140] Vgl. ebd. § 15. S. 345-348.
[141] Ebd. S. 348.
[142] Vgl. Berning: Das Denken Herman Schells. S. 179.
[143] Schell: D I. S. 348-349.

hineingelegt habe[144]. Das Gesetz nun, nach dem der menschliche Geist über wahr und falsch, über Tatsächlichkeit und Einbildung urteilt, nach dem er alles, was bildlich in ihm gegenwärtig ist, als einen Gegenstand erkennt, der außer ihm tatsächlich besteht, das Gesetz also, nach dem die Vernunft ihre inneren Zustände und Lebensäußerungen als Erkenntnisbilder von Gegenständen annimmt, die in der objektiven Welt ebenso selbständig bestehen wie das eigene Ich: dieses Gesetz war für H. Schell der menschlichen Seele eingeboren, so daß es sie befähigte zur Anerkennung der tatsächlichen Wahrheit im Unterschied von subjektiver Einbildung. Er erläuterte seine These, indem er erklärte, die menschliche Vernunft trage die Wahrheit als Denkprinzip und Erkenntnisgesetz in sich, als die bestimmende Notwendigkeit, alles, was auf die Seele einwirkt, als Urtatsache ihrer Wahrnehmung aufzufassen, unter dem Gesichtspunkt des Inhalts der Tatsache, des Wesens und der Wirklichkeit sub specie essentiae et existentiae zu empfinden und wahrzunehmen, zu begreifen und zu prüfen, alles im Lichte der Allgemeinheit und der Notwendigkeit zu betrachten. Werde etwas nach Gesichtspunkten der Ähnlichkeit zu einem vorstelligen Bilde gestaltet, so werde es vergleichbar mit anderem und offenbare allgemeine Eigenschaften; werde etwas hinsichtlich seiner selbständigen Tatsächlichkeit erforscht, so geschehe dies durch die Untersuchung, ob es einen ursächlichen Einfluß auf die Ideenbildung ausgeübt habe[145].

Als jene Macht, die die Seelen befähigt und anleitet, alles nach den Gesichtspunkten der Ähnlichkeit und Ursächlichkeit in Ideen zurechtzulegen und in Urteilen zu würdigen, nach seinem Inhalt zu gestalten und in seinem Zusammenhang mit der Seele zu untersuchen, kurz, alles in das Licht der Allgemeinheit und Notwendigkeit zu stellen, nannte H. Schell auch in diesem Zusammenhang die Wahrheit. Eindeutig schien sie ihm dem menschlichen Geist vorgeordnet. Denn die Gesetze, nach denen die Ideenbildung und das Urteil vor sich gehen soll, hielt er für in ihrem Kern unabänderlich. Demnach war ihm die Wahrheit Notwendigkeit, der Geist und sein Denken jedoch zufällig. Die Wahrheit konnte für ihn demnach nicht Akzidenz des Geistes, nicht Folge seiner Organisation, nicht Ergebnis seiner Entfaltung sein. Dadurch, daß sie dem Denken Allgemeinheit und Notwendigkeit gebe, mache sie es zum Erkennen[146].

Was nun den Gottesbeweis anbelangt, den H. Schell auf dieser noetischen Grundlage führte[147], so eröffnete er nicht einfach den Weg zu dem Gott, der die Wahrheit ist, sondern vornehmlich zu dem, der die Wahrheit schafft. Ausgangspunkt bildete für H. Schell die Erkenntnis, daß der Geist und sein Denken singulär ist, daß aber Notwendigkeit und Allgemeingültigkeit nicht aus dem Zufälligen und Einzelnen abgeleitet werden können; wenn sie sich also im Grunde des vernünftigen Geistes als sein Lebensgesetz und Lebensziel finden, so können sie nur als die Wirkung einer notwendigen und allgemeingültigen Ursache gefaßt werden, die zugleich Gesetz und Vollzug der Wahrheit, Ideal und Erfüllung ist. Das war für H. Schell die absolute Wahrheit, der absolute Gedanke, der absolute Geist: Gott[148].

---

[144] Ebd. S. 349.
[145] Ebd. S. 350.
[146] Ebd. S. 351.
[147] Vgl. ders.: GG. Teil 2. S. 567-577.
[148] Ders.: D I. S. 351.

Bei einer ausführlichen Begründung seiner These kam H. Schell zu der Erkenntnis, daß Notwendigkeit und Allgemeingültigkeit des Wahren zunächst positive Satzung und Anordnung sei, in ihrem höchsten Grunde aber Selbstbegründung. Hier erschien ihm der Gott des Gedankens, der Deus mentis. Als Abstraktum - so führte er aus - könne das Wahrheitsgesetz des Denkens und Erkennens nicht das Erste sein; denn das Abstrakte findet sich im Konkretum. Allein, auch der Geist im Unterschied von dem Gesetz seines Denkens könne nicht das Erste sein, denn das Unbestimmte könne nicht das Erste sein. Hierfür kam nach H. Schell nur der absolute Geist in Frage, der nach der Grundkonzeption unseres Apologeten die »Identität von Denkgesetz und Denktat, von Denkform und Denkinhalt, von Denkkraft und Gedanken, die selbstgedachte Wahrheit ist«, denn, so hatte er erklärt, »die erste Notwendigkeit gründet in sich selbst; das Allgemeine und unbedingt Gültige ist Selbststand, Persönlichkeit, Gott«[149].

Nach dieser noetischen Begründung kam H. Schell zu dem Schlußurteil, daß die hinreichende Ursache, die den endlichen Geist befähigt, die Welt der Tatsachen in ihrer objektiven Wahrheit zu erkennen und anzuerkennen, indem sie diese Gegenstände denkbar und erkennbar gemacht, das heißt in ihre ursächliche Beziehung zum subjektiven Geist gesetzt hat, indem sie dem letzteren sodann das Gesetz eingeprägt hat, nach dem er die Wahrheit und Einbildung unterscheidet, könne nur die absolute Wahrheit sein, die allem Unterschied von subjektiver Geistigkeit und objektiver Wahrheit vorangehe. Die hinreichende Ursache der Erkenntnis, vermöge deren der menschliche Geist die Welt der Gegenstände in sich aufnehme und sie doch als eine Welt objektiver Wahrheit anerkenne, könne nur die erste Wahrheit sein, die Einheit von Tatsache und Einsicht, eine Tatsache vermöge der Einsicht in ihre Denknotwendigkeit, nicht begrifflich früher Tatsache oder objektive Wahrheit und dann erst Erkenntnis und Einsicht in deren tatsächliche Notwendigkeit. Der Geist, der als Erklärungsgrund der objektiven und subjektiven Wahrheit angenommen werden müsse, bestand für H. Schell kraft seiner eigenen Einsicht mit objektiv und subjektiv logischer Notwendigkeit und Klarheit, mit vollem Selbstbewußtsein und selbstmächtiger Einsicht. Gott war daher für ihn logische und noetische Aseität, er »urstandet kraft seiner eigenen Einsicht«[150].

Wir wollen hier nicht die Kontroverse nachzeichnen, die sich zu Beginn unseres Jahrhunderts an diesem Gottesbegriff anschloß. Wichtig ist nur festzuhalten, wie der Würzburger Theologe zu diesem Gottesbegriff kam. Fassen wir das bisher gehörte noch einmal mit H. Schells eigenen Worten zusammen, so können wir sagen: Das Erkennen war für H. Schell seinem Wesen nach die formelle Herstellung von Beziehungen im Inhalt und zwischen Tatsachen, sowie zwischen dem Inhalt und den Tatsachen, und zwar durch Unterscheidung bei Festhaltung der Einheit und durch Verbindung bzw. Vergleichung des Vielen und Verschiedenen bei Festhaltung der Vielheit und Verschiedenheit. Die Beziehungen des Inhalts machten für ihn das Wesen der Vorstellung aus, die Beziehung von Inhalt und Tatsache das Wesen des Urteils. Dabei nahm er an, daß unser Erkennen selbst ein System von Beziehungen zur Voraussetzung habe, durch deren Wechselspiel es sich entwickelt, nämlich die Beziehungen zwischen Denkprinzip und Denkakt, Denkform und

---

[149] Ebd. S. 352.
[150] Ebd. S. 355.

Denkinhalt, Denkgesetz und Denkverlauf. Diese Beziehungen konnte er nur als Inhalt und Wirkung eines höheren Gedankens begreifen, der unserem Denken vorangeht; denn die Beziehung war ihm Wesen und Werk des Gedankens, und er erklärte, es gebe keine Beziehung außer in und durch den Gedanken, nur der Gedanke könne zur Einheit verbinden, ohne die Vielheit aufzugeben, das Verschiedene in Zusammenhang setzen und in Eines zusammenfassen, ohne die Verschiedenheit zu verwischen. Analog war für ihn die Welt der Objekte ein System von Beziehungen und zwar zwischen dem Wirkenden und seiner Wirksamkeit (Substanz und Akzidenz), sowie zwischen Gesetz und Voraussetzung (Form und Materie, Direktiv- und Effektivprinzip). Er behauptete, die Vernunft finde diese Beziehungen in der Welt vor und zwar nichts als Beziehungen, soweit die Welt überhaupt in die Erkenntnis aufgenommen werde. Daß die Vernunft diese Beziehungen nicht in die Welt der Objekte hineintrage, ergab sich für ihn aus der sicheren Unterscheidung der subjektiven - und das war für ihn eine künstliche und willkürliche - Auffassung der Dinge von der objektiven. Auch die Welt erwies sich ihm als Inhalt und Werk eines Gedankens, der das Sein als ein Netzwerk von Beziehungen herstellt und damit für uns denkbar macht[151].

Je mehr wir uns in die Vorstellungswelt H. Schells hineindenken, umso deutlicher ist zu ersehen, daß er nicht nur einzelne philosophische Reflexionen zur Stützung seiner Gottesbeweise heranzog, daß wir bei ihm vielmehr mit einem umfassenden philosphischen System zu tun haben. H. Schell selber sagte, daß die Zusammenordnung des Denkens und des Seins, die die Erkenntnis der Objekte durch die Subjekte ermögliche, selber eine große Beziehung, oder vielmehr ein großes System von Beziehungen sei. Diese wiederum konnte er nur als Erfindung und Satzung eines Gedankens begreifen, in dem Innenwelt und Außenwelt eine ungeschiedene Einheit bilden, die nach ihrer Scheidung in die Welt der Objektivität und Subjektivität erst wieder in unserer urteilenden Erkenntnis analog in Eins gesetzt werden, wie sie ihm in dem absoluten Gedanken a se gegeben schienen. Diesen Gedanken, der für ihn das Prinzip aller objektiven, logischen und noetischen Beziehungen war, hielt er selbst für über alle Beziehungen erhaben. Auf keinen Fall konnte es nach seiner Auffassung der Gedanke eines von ihm unterschiedenen Geistes sein, zu dem er im Verhältnis von Akt und Prinzip stünde, von dem er auch abgehen könnte. Er mußte vielmehr dieser Geist selber sein. Nach H. Schell konnte er aber auch nicht der Gedanke eines von ihm selbst verschiedenen Objektes sein, zu dem er erst in Beziehung treten oder das in Beziehung zu ihm gebracht oder gedacht werden müßte. Er mußte sein eigener Inhalt und Gegenstand sein, gleichermaßen Gedanke und Tatsache von Grund aus, durch sich selbst objektive und subjektive Wahrheit, die auf Verinnerlichung wartet, nicht ein Geist, der eines Inhalts zur Verinnerlichung bedarf. H. Schell lehnte es auch ab, daß dieser Gedanke von einem Denkgesetz beherrscht werde, mit dem er sich in Übereinstimmung zu bringen oder zu erhalten hätte, von dem er denkbarerweise auch abfallen könnte, weil er eben nur in Beziehung zu ihn stünde. Er wollte vielmehr, daß er als ein Gedanke begriffen werde, der »sein eigenes Gesetz in vollkommener Erfüllung, sein eigenes Objekt, sein eigenes

---

[151] Ebd. S. 355-356.

Subjekt ist: der absolute Gedanke, die absolute Wahrheit, der absolute Geist, Gott«[152].

Es ist nicht unsere Aufgabe, diese Gottesbeweise H. Schells auf ihre Tragfähigkeit hin zu untersuchen[153]. Wir haben seine noetischen Grundgedanken nur deshalb ausführlich wiedergegeben, weil wir in ihnen auch den erkenntnistheoretischen Ansatz für die Ideen H. Schells vor Augen haben. Bevor wir jedoch darauf näher eingehen, sei zuvor ein Blick auf jene Themen geworfen, in denen er die kosmologische und teleologische Gotteserkenntnis behandelte. Seine Gedanken zur ethisch-mystischen Gotteserkenntnis[154] werden wir später im Zusammenhang mit seiner Gnadenlehre und der Theodizee zur Sprache bringen.

c) Die kosmologische Gotteserkenntnis

In seiner noetischen Erörterung legte H. Schell dar, daß die Tatsachen des Weltzusammenhanges und Weltverlaufes nicht Voraussetzung, sondern die Folge des urteilenden Denkens sei, das ihnen durch seine Affirmation Existenz gab. Die Idee, die zur Abbildung in dem Kosmos gelangt ist, war ihm daher nicht eine Idee der Wahrnehmung oder der angeregten Phantasie, sondern vollkommener Erfindung und Wahrmachung. Zur Erläuterung führte er aus, daß nur der Gedanke es erklärlich mache, wie die Vielheit in der Welt der Objekte durch feste Beziehungen der Teile zum Ganzen und der Einzelwesen zur Gesamtheit eine Einheit im Mikrokosmos und Makrokosmos werden könne; denn nur das Gedankenbild könne das Eine unbeschadet seiner Einheit scheiden; nur der Gedanke mache es erklärlich, wie dieser objektive Kosmos in eine Innenwelt des Bewußtseins aufgenommen werden könne[155]. Die Vielheit und Verschiedenheit des objektiven Seins in sich sowie der Gegensatz von Subjekt und Objekt und ihr Zusammenhang war ihm ein absolutes Rätsel, wenn sie nicht als denkende Unterscheidung dessen, was ursprünglich ungeschiedene Einheit ist, begriffen werde. Diese Unterscheidung war für ihn zuerst Selbst-Unterscheidung. Er ließ sie nur als eine ideale, nicht aber reale gelten. Als Grund dafür führte er an, daß sie sich unmöglich selbst zerstören dürfe[156].

Von dieser noetischen Grundlage aus wird es verständlich, daß H. Schell das Thema über die kosmologische Gotteserkenntnis mit der Feststellung eröffnete, die tatsächliche Welt gründe in keiner Hinsicht in sich selbst, sie sei weder als Einheit noch als Gesamtheit aller Dinge, weder in ihrer Erscheinung noch in ihrem Wesen das wahre, selbständige und selbstbestimmte Sein. Ihr Dasein beweise aber das Dasein einer überweltlichen, aus sich selbst seienden, in und durch sich selbst begründenden Ursache, und diese sei das Wahre, selbständige Sein[157].

So hatte für H. Schell die Möglichkeit des kontingenten oder unselbständigen Seins die Existenz eines selbstbegründeten Notwendigen zur Voraussetzung. Die

---

[152] Ebd. S. 356.
[153] Vgl. ders.: GG. Teil 1. S. 190-221: Das System der Gottesbeweise.
[154] Vgl. ebd. Teil 2. S. 620-638.
[155] Ders.: D I. S. 353.
[156] Ebd. S. 354.
[157] Ebd. S. 225. - Vgl. ders.: GG. Teil 2. S. 145-183: Kosmologischer Gottesbeweis aus der Ursächlichkeit der Welt.

Wirklichkeit des Kontingenten hatte die Freiheit oder Selbstmacht dieses Notwendigen zur Vorbedingung; für den Theologen H. Schell also die Existenz Gottes[158].

Wir lassen den Gottesbeweis, den H. Schell aus dieser Grundthese entwickelte, auf sich beruhen und nehmen nur zur Kenntnis, daß Gott für unseren Denker der logisch-befriedigende Realgrund der Welt war. Er erklärte diese Auffassung damit, daß Gott sein eigener lichter Erklärungsgrund sei, indem seine ewige Existenz in seiner unendlichen Vollkommenheit ihr inneres Recht, ihre Wahrheit und Heiligkeit, ihre wahre und heilige Notwendigkeit aufweise, die wiederum nicht durch den rätselhaften Zufall eines ewigen Daseins[159], sondern durch die logische Tat eines ewigen Gedankens und die ethische Tat eines ewigen Willens, also durch eigene Tat bestehe, als die selbstbewußte und selbstgewollte Einheit von Kraft und Tat, von Sein und Wesen. Gott war für H. Schell nicht deshalb von Ewigkeit her, weil er eben von Ewigkeit her besteht, sondern weil er sich selbst gesetzt hat, und zwar durch einen Gedanken, dessen Inhalt und Motiv die logische Notwendigkeit der unendlichen Wahrheit und Wesenheit, und durch einen Willen, dessen Inhalt die heilige Notwendigkeit der unendlichen Güte und Vollkommenheit ist. Aus dieser Auffassung, die nach V. Berning als der Mittelpunkt von H. Schells gesamtem philosophischen System zu gelten hat[160], zog der Würzburger Theologe den Schluß: »Gott ist also durch sich selbst um seiner wesenhaften Wahrheit und Heiligkeit, um seiner logischen und ethischen selbstbewußten und selbstgewollten Notwendigkeit willen, durch eine ewige Tat, welche Grund und Gipfel aller Wahrheit und Heiligkeit ist«[161].

Wichtig für uns ist nun, daß mit diesem Gottesbild bei H. Schell eine Sicht von der empirischen Welt verbunden war, nach der diese in keiner Weise der Idee des selbständigen Seins entspricht. Weder als Gesamtheit noch als Einheit der Dinge hielt er sie für geeignet, als ein selbstbegründetes Wesen angesehen zu werden. In ihrer Existenz sah er weder im Ganzen noch im Einzelnen ihrer zeitlichen und räumlichen Ausdehnung eine Tatsache, die sich selbst erklären und bei deren Anerkennung sich die Vernunft beruhigen könnte. So hielt er ihre Tatsächlichkeit in keiner Weise aus ihrer Wesensbeschaffenheit für erklärlich, noch ihr Wesen als logische Folge ihres Daseins für verständlich. Er wies darauf hin daß sie in den Unterschied von Natursein und Tätigsein, substantieller Wirklichkeit und akzidenteller Wirksamkeit auseinander fällt. Daher war sie ihm kein Wesen, das durch die eigene Tat begründet und aus dieser logischen und ethischen Tat der Selbstbegründung als die Urwahrheit und Urtatsache verständlich wäre[162]. Kritisch wandte er sich mit dieser These gegen die materialistischen und idealistischen Ideen seiner Zeit. Bei näherer Betrachtung kam er zu dem Schluß, daß der Begriff des Absoluten, des Selbstbestehenden, vom Idealismus mit einer einzelnen empirischen Denkform, vom Materialismus hingegen mit einer empirischen Daseinsform verbunden und identifiziert werde, und daß damit derselbe Deteriorierungsprozeß der Idee des

---

[158] Ders.: D I. S. 226.
[159] Vgl. ders.: GG. Teil 2. S. 1-144: Kosmologischer Gottesbeweis aus der Zufälligkeit der Welt.
[160] Vgl. Berning: Das Denken Herman Schells. S. 153.
[161] Schell: D I. S. 231.
[162] Ebd. S. 231.

wahren und eigentlichen Seins durch unlogische Kombination vorliege wie beim Fetischismus, Animismus, Polytheismus. Das wissenschaftliche Denken wähle abstrakte Symbole zur Stütze der höchsten Idee, das religiöse Denken konkrete Symbole; beide nur in der Absicht, ein Bild des Überbildlichen zur Erleichterung des Denkens mit Verwahrung gegen alle Identifikation des Sinnbildes mit dem Versinnbildeten zu gebrauchen. Allein, unvermerkt werde die Verbindung der Idee des Absoluten mit seinem abstrakten oder konkreten Symbol, das nicht absolut ist, immer inniger und ende schließlich in vollständiger Identifikation des inadäquat gedachten Absoluten mit einem adäquat und daher leichter vorstellbaren empirischen Sinnbild, in der Vergötterung des Empirischen, im wissenschaftlichen oder religiösen Monismus, ein Abfall von der Idee des Absoluten, von der Idee Gottes[163].

Mit dieser Kritik gab H. Schell eine treffliche psychologische Genesis des Monismus in Wissenschaft und Religion. Wir verlassen hier jedoch diesen Gegenstand[164] und wenden uns dem kosmologischen Gottesbeweis aus der Kausalität der Welt zu. Allerdings interessiert uns hier wieder nicht der Gottesbeweis als solcher, vielmehr wollen wir unter dem Gesichtspunkt unserer Gesamtuntersuchung jene theologischen Grundzüge im Denken H. Schells herausstellen, die für seine Eschatologie bedeutsam wurden.

H. Schell ging davon aus, daß die Ursächlichkeit, die tatsächlich in der Welt vorhanden ist, das Dasein einer ersten, allgemeinen und schöpferischen Ursache von absoluter Freiheit (Macht, Selbstmacht und Selbstbestimmtheit) beweist. Diese allgemeine Grundaussage zergliederte H. Schell in drei Einzelthesen:

1. Die Verursachung akzidenteller Veränderung der Zustände beweist das Dasein eines ersten Bewegers, denn alle empirische Ursächlichkeit ist durch ein Antecedens bedingt.

2. Die Erzeugung neuer Substanzen beweist die Mitwirkung einer universalen Ursache, deren eigentümliche Wirkung das Sein als solches ist; alle empirischen Ursachen sind durch ein Cooperans bedingt.

3. Die Erzeugung solcher Substanzen, die zugleich geistigen Wesens sind, beweist die Mitwirkung einer schöpferischen oder unbedingten Ursache[165].

Für unsere Untersuchung ist die dritte These von besonderer Wichtigkeit. Wir übergehen daher den ersten und zweiten Beweisgang und kommen sofort zu der Feststellung H. Schells, daß Wesensformen wie die menschlichen Seelen frei von elementarer Zusammensetzung entstehen, einfachen und geistigen Wesens sind und nicht durch Erzeugung aus der Zersetzung einer gleichartigen Seelensubstanz hervorgebracht werden können, da eine einfache Substanz durch fortgesetzte Einwirkung doch nie der Auflösung entgegengeführt werde, weil sie nicht im Nebeneinander von Teilen bestehe, deren Lagerungsverhältnis gelockert oder verdichtet werden könnte. Es sei daher unmöglich, daß ein endliches Wesen, auch nicht ein Geist, die hervorbringende Ursache einer Seele sei. Von hier aus schloß H. Schell

---

[163] Ebd. S. 236.
[164] Die Auseinandersetzung Schells mit dem monistischen Denken seiner Zeit würde eine eigene Monographie erfordern. - Vgl.: GG. Teil 2. S. 21-61: Die Wiederlegung des materialistischen Monismus.
[165] Schell: D I. S. 256.

auf eine Ursache, die ohne vorgängige Änderung eines bestehenden Materials Wirkungen hervorzubringen vermag und somit schöpferisch wirkt. Als Wahrheitsgehalt der biblischen Schöpfungsberichte stellte er heraus, daß der Geist nur von Gott gegeben sein kann. So war ihm die empirische Existenz des Geistes ein Beweis Gottes, ein Beweis, »daß die Ursächlichkeit der Eltern nicht ausreicht, um den Wesensbestand des Kindes zu erklären, auch dann nicht, wenn die Naturwirksamkeit als von Gott gesegnet und befruchtet, das heißt von der allgemeinen Ursache innerlich getragen und ergänzt, verstanden wird«[166].

H. Schell fand also in dem Schöpfungsbericht außer der Offenbarung auch die Vernunftnotwendigkeit ausgesprochen, daß die menschliche Seele in besonderer Weise die Ursächlichkeit und das Dasein Gottes fordere, und insofern neben dem Himmel und Erde umfassenden Kosmos als Basis der Gotteserkenntnis erscheine. Ebenso fand er die absolute Schöpfermacht notwendig, um die Existenz der Materie selbst zu erklären. Er sah in ihr die Bedingung allen Naturgeschehens; da sie nicht in sich selbst gründe, bedürfe sie der Begründung durch eine in ihrem Wirken unbedingte Wirklichkeit und Macht. Daher führe die Genesis in ihrem ersten Offenbarungswort die elementare Materie des Universums auf die Schöpfertätigkeit Gottes zurück[167].

Die erste, allgemeine und selbständige (schöpferische) Ursache mußte für H. Schell Geist bzw. geistige Tat sein; denn Ursächlichkeit bedeutete für ihn den Anfang eines seither Nichtseienden in einer abgegrenzten Natur und Tatsächlichkeit und zwar infolge der Tätigkeit eines Seienden, der Ursache. Er erklärte also, daß die Ursächlichkeit die Beziehung des Seienden zum Nichtseienden verlange, mit dem Erfolg, daß das Nichtseiende zu einem bestimmten und abgemessenen Sosein und Dasein gelange. Eine derartige Beziehung herzustellen, sei nur einem Geiste möglich, nämlich dem Denken, das Nichtseiendes vorstellen, und dem Willen, der Nichtseiendes zu seinem Inhalt machen könne. So mußte für ihn Denken und Wollen der ersten Ursache von absoluter Initiative, voraussetzungsloser Erfindungskraft und Güte sein[168].

Im Rahmen dieses kosmologischen Gottesbeweises erörterte H. Schell auch die wesentlichen Eigenschaften Gottes. Vor allem war Gott für ihn als die Ursache der in der Welt vorhandenen Wirklichkeit und Ursächlichkeit die absolute Ursächlichkeit oder Allmacht[169]. Diese konnte er nur als »Selbstmacht« und Selbstverwirklichung denken. Die Schlußfolgerung auf eine Ursache, die die ganze Ursache des Werdenden und Gewirkten, des Seienden als solchen ist, führte ihn zum Begriff der intensiv und extensiv vollkommenen Allmacht, die alles, was nicht ist, zum Wesen und Dasein ruft, deren Wirksamkeit sich jedoch nicht in einer Kategorie einschränkt, sondern das Seiende als solches zum Gegenstand hat, also intensiv das

---

[166] Ebd. S. 265.
[167] Ebd. S. 266.
[168] Ebd. S. 268.
[169] Ders.: GG. Teil 1. S. 106-189: Das Kausalgesetz und die selbstwirkliche Ursache. - Ebd. Teil 2. S. 180-183: Der Gottesbegriff der ersten vollkommenen und schöpferischen Ursache. Der Erklärungsgrund aller Ursächlichkeit muß Selbst-Ursache sein. Vgl. Berning: Das Denken Herman Schells. S. 205.

ganze Sein und Wirken von allem und extensiv alles irgendwie Seiende begründet und umfaßt. Dieser Gott war für H. Schell als die Ursache des Geistes anzunehmen. Er war für ihn unbedingt in seiner hervorbringenden Ursächlichkeit, unvermittelt in seiner Wirksamkeit, zumal H. Schell daran festhielt, daß zwischen Sein und Nichtsein kein Übergang möglich ist. Die Allmacht konnte er daher nicht als transitive Ursächlichkeit, sondern nur als immanente Macht in der Weise des Denkens und Wollens verstehen, und zwar als Geist zugleich Potentia absoluta und potentia ordinata[170]. V. Berning hat dargestellt, daß die totale Immanenz von Ursache und Wirkung das Kennzeichen für den realen, absoluten und transzendenten Geistbegriff H. Schells ist[171]. Gott war für den Würzburger Theologen geordnete Macht, insofern er die empirischen Ursachen nicht ausschließt, sondern in ihrer Ursächlichkeit begründet und bewahrt, und insofern nicht allein wirkt; absolute Macht, insofern er nicht neben und mit den empirischen Ursachen wirkt, sondern als Ursache jeder Ursache und Ursächlichkeit, als Ursache jeder Wirkung, insofern sie die Wirkung der empirischen Ursachen ist, und insofern sie es nicht ist, weil sie eben nicht ganz von ihnen erklärt wird[172].

Die Erkenntnis, daß die absolute Ursache ihrem Wesen nach Macht sei, führte H. Schell zu der Wesensbestimmung der Allgegenwart, unbeschadet des unmittelbaren Zusammenhanges dieser Eigenschaft mit dem Kausalitätsbeweis selbst, der bei ihm auch eine Ursache der Räumlichkeit forderte, die tatsächlich die Form und Bedingung aller Ursächlichkeit in der Welt ist. Hier müssen wir herausheben, daß H. Schell alle Wirksamkeit räumlich vermittelt sah; eine actio in distans oder ohne räumliche Berührung, sei es in mechanischem oder virtuellem Kontakt, hielt er nicht für möglich. Raum und Zeit waren für ihn im strengeren Sinn Kategorien des Wirkens als des Daseins, die Bewegung ihr gemeinsames Maß, die Ausdehnung eine Wirkung oder Betätigung des Körpers[173]. Nun sahen wir, daß für H. Schell Gott die Ursache alles räumlichen Wesens und Wirkens ist; per potentiam ist er daher allen gegenwärtig. Da Gott indes nicht durch eine Macht, die als Eigenschaft zu seiner Wesenheit hinzukommt, die Ursache des Seienden ist, sondern als wesenhafte Macht, so bestimmte H. Schell die Gegenwart der göttlichen Macht als Gegenwart seines Wesens: durch und durch selbsttätige und selbstbestimmende Macht. Werde jedoch die Allgegenwart per essentiam außer dem Zusammenhang mit der Macht aufgefaßt, so entstehe der Schein, als ob das göttliche Wesen als solches irgend eine Beziehung zum Raum oder einem Analogon desselben habe, das in ähnlicher Weise die Kategorie des absoluten Seins wäre wie dieser Raum für das empirische Sein. Nur insofern die Gottheit die freie Macht dessen ist, was nicht durch eigene Wahrheit und Güte besteht, sei sie allgegenwärtig oder diesem in ihrer Macht enthaltenen, möglichen und wirklichen Sein in allen Hinsichten als Ursache untrennbar verbunden. Er erklärte: »Gott ist wesenhaft allgegenwärtig, weil er selbst die Macht alles Möglichen und Wirklichen ist; allein, auch per praesentiam, da er diese Macht in der vollkommensten und geistigsten Weise ist, mit voller Er-

---

[170] Siehe oben S. 136.
[171] Berning: Das Denken Herman Schells. S. 138.
[172] Schell: D I. S. 269-270. - Er verwies auf Thomas von Aquin: S. c. g. 3. 70.
[173] Schell: D I. S. 274.

kenntnis und Willensfreiheit dessen, was er als Macht bewirkt und trägt, also mit der Gegenwart vollkommenen Wissens und freier Liebe hinsichtlich dessen, was er bewirkt und wirkt«[174].

Eine ähnliche Gedankenführung finden wir bei H. Schell auch hinsichtlich der anderen Eigenschaften Gottes. So führte ihn der Beweis Gottes als der absoluten Ursache von unbedingter Freiheit und der hierauf beruhende Begriff der göttlichen Macht zur weiteren Wesensbestimmung der Unveränderlichkeit und Ewigkeit. Hinsichtlich der ersteren beschrieb er Gott als die »unendliche Macht, welche sich selbst um der logischen und ethischen Notwendigkeit ihres Wesens willen ewig verwirklicht und mit Freiheit aus dem unermeßlichen Gebiet des abgeleiteten Wahren und Guten dasjenige verwirklicht, was wirklich wird«[175]. Zum Verständnis der Eschatologie H. Schells ist es jedoch besonders wichtig, was er hinsichtlich der göttlichen Ewigkeit darlegte.

H. Schell fand, daß Boethius die Ewigkeit gut beschrieben habe[176]. Die Bildung des Begriffes gehe von der Negation des Endes aus (Unvergänglichkeit), erhebe sich zur Aufhebung des Anfangs und trete damit in das Stadium innerer Schwierigkeiten, weil Dauer und Nacheinander nicht mehr festgehalten werden könnten, wenn der Anfang des Nacheinanders negiert worden sei; daher suche das spekulative Denken die Vorstellung einer Dauer, die ebenso über das Nacheinander wie über den Anfang erhaben ist und die ganze Fülle ihrer Lebenskraft in einer unvergänglichen Gegenwart genießt und sich dabei aller Vorzüge der Vergangenheit wie der Zukunft erfreut. Beim Begriff der Dauer fand H. Schell jedoch die Schwierigkeit, daß an Fortbestand nur gedacht werden könne unter Voraussetzung eines Anfanges. Daher nötigte ihn die Anfangslosigkeit, bei Gott auch den Begriff der Dauer zu negieren und die Aseität als die reine Wirklicheit denken, die mit zeitlicher Dauer gar keine Ähnlichkeit hat. Ebenso sah er, daß, wie Dauer und Anfang, auch Gegenwart und Vergangenheit bzw. Zukunft korrelierende Begriffe sind. Daher legte er dar, daß das vollkommene Sein zwar die Wahrheit und Güte aller drei Momente in sich aufnimmt, daß aber Gott nicht mehr Gegenwart als Vergangenheit und Zukunft, nicht mehr Anfang als Fortbestand und Ende alles notwendigen und bewirkten Seins ist, und daher ebenso der Erste wie der Letzte, obgleich seine Schöpfung unvergänglich fortbesteht. Entscheidend wies er demnach zurück, ein Moment in der Zeit in den analogen Begriff der Existenzweise Gottes hinüberzunehmen und in ihm die etwaigen Vorzüge der anderen Momente aufgehoben zu denken. Er hielt es für unmöglich, daß sich die Idee der Gegenwart und Dauer rein und gesteigert auf Gott übertragen lasse[177].

Für H. Schell war also Gott ewig im Vergleich zur gedachten und wirklichen Zeit, das heißt er ist »selbst nicht zeitlich, aber die ideale und reale Ursache der Zeit«[178]. Wegen ihrer Wichtigkeit wollen wir dieser Aussage noch genauer nachspüren.

---

[174] Ebd. S. 275.
[175] Ebd. S. 277.
[176] Vgl. Boethius: De consolatione philosophiae. l. 5, 6. PL-SL 63 (1847) 858: Aeternitas est interminabilis vitae tota simul et perfecta possessio.
[177] Schell: D I. S. 284.
[178] Ebd. S. 284.

Gott war für H. Schell die absolute Ursache und Seele aller Ursächlichkeit auch als der Urgrund der Abhängigkeit und der Aufeinanderfolge zu erfassen, als der schöpferische Denker und Urheber der Zeitlichkeit, dieser Außenseite der inneren Abhängigkeit und Aufeinander- bzw. Auseinanderfolge der Dinge und Zustände. »Er ist die Zeit der Zeit wie der Raum des Raumes, allein, nicht im Verhältnis sachlich innerer Analogie, sondern nur ursächlicher Machtwirkung. Er ist die Zeit der Weltzeit, weil er es ist, in dem die Weltzeit und alles Zeitliche besteht, wie das Zeitliche in der Zeit zu bestehen scheint; alle Zeit ist Gott, weil sie eine Erfindung seines freien Denkens; ein Belieben seiner freien Wahl, eine Wirkung seiner Macht ist.«[179]. Auf die Frage, worin die Zeit und der Raum sei, in denen alle Dinge zu existieren scheinen, antwortete er: in Gott, der idealen und realen Ursache des Universums nach allen Kategorien des empirischen Seins; allein dieses »In Gott« wollte er nicht so verstanden wissen, wie ein kürzerer Zeitabschnitt in einer längeren Ära enthalten ist, sondern nur wie die Wirkung in ihrer Ursache. Insofern Gott die Ursache der Zeit nach Idee und Wirklichkeit ist, werde er als ewig begriffen. Das aber hieß, daß seine Ewigkeit ebenso wenig Analogie mit der Zeitlicheit des Empirischen wie reine vollkommene Einfachheit mit der akzidentellen Aufeinanderfolge der Zustände und Tätigkeiten in dem Individuum und der substanziellen Aufeinaderfolge der erzeugenden und erzeugten Dinge im Universum habe. Nach H. Schell kann man daher nicht im eigentlichen Sinne sagen, Gott koexistiere der Zeit, da dies irgendwie ein gemeinsames Maß des Ewigen und der Zeit voraussetze, worin sie übereinkommen und vergleichbar sind. Jener Ausdruck von der Koexistenz bedeutete für ihn nicht mehr als: die Zeit existiert in Gott und durch Gott, in und durch sein Denken, Wohlgefallen und Wirken. Insofern hieß Gott ewig als Ursache der Zeit. Sachlich war für H. Schell die selbständige, einfache und vollkommene Existenz Gottes, in deren Einfachheit kein Moment der zeitlichen Dauer aktuell unterschieden oder virtuell als die notwendige Existenzform des endlichen enthalten ist. Zusammenfassend erklärte er: »Die Ewigkeit ist keine Dauer, also nicht koexistent der Zeit, vielmehr ist die Zeit in der Ewigkeit enthalten, wie der Raum in der Allgegenwart, das heißt wie die Wirkung in der Macht der Ursache, welche die Existenzformen ihrer Wirkung nicht an sich selbst hat, sondern sie in ihrer Idee erdenkt, mit Wohlgefallen bestätigt und frei verwirklicht«[180].

Gott erkennt nach H. Schell das Zeitliche in ewiger Gegenwart, insofern es der Gegenstand seiner freien Denk- und Willenstat ist, so wie es ist. »Die Zeitlichkeit und das Zeitliche ist das Produkt der Ewigkeit, insofern sie denkendes Ersinnen des Zeitlichen ist und dessen schöpferisches Bewirken«[181]. Eine andere Frage war für ihn, wie die Seele Christi und der Seligen durch die Anschauung Gottes an der Ewigkeit teilnehmen. Dazu erklärte er, daß das Geistesleben der Seligen, in dem es von der göttlichen Geistestätigkeit selbst erfüllt werde, hinsichtlich der zeitlichen Form seiner seitherigen Existenz eine wesentliche Verklärung oder Vergöttlichung erfahre. Aber diese übernatürliche Teilnahme an der Ewigkeit des Gotteslebens war für ihn nur eine Analogie. Von dieser partizipierenden Ewigkeit der seligen

---

[179] Ebd. S. 285.
[180] Ebd. S. 285. - Vgl. D III/2. S. 753. - Anders jedoch in: W. S. 148.
[181] Ders.: D I. S. 286.

Kreaturen möge gesagt werden, sie sei eine virtuelle Ausdehnung und virtuell der Zeit koexistent oder proportioniert[182].

H. Schell unterchied in diesem Zusammenhang die Art und Weise, wie die geistige Kreatur zeitlich ist, von der zeitlichen Dauer der Körper. Zwar hielt er daran fest, daß auch der Geist notwendig einen Anfang haben muß, sobald er in der Form der allmählichen Fortdauer existierend gedacht wird. Daher entsprach auch für ihn das Nacheinander der Anlage des endlichen Geistes auf Entwicklung. Andererseits wies er darauf hin, daß der Geist nicht der Notwendigkeit unterliegt, die aufgenommene Energie in eine andere Form der Kraft umzusetzen. Dies würde - wie beim Körper - zu einer substantiellen Auflösung führen. Der Geist vermöge die empfangene Anregungen in Form der Erkenntnis und Begierde, des Wahren und Guten in sich zu behalten, unbeschadet seiner fortwachsenden Empfänglichkeit für Wahrheit und Seligkeit im Guten, d.i. unvergänglichen Wachstums und Fortlebens. Damit war für ihn der weitere Unterschied gegeben, daß der Geist durch Gedächtnis und Voraussicht den Unterschied der Zeiten innerlich überwindet, während das körperliche und sinnliche Dasein und Leben ganz und gar in dem Fluß der Zeiten dahinfließt und nur die Einheit des ununterbrochenen Nacheinander bewahrt[183].

d) Der teleologische Gottesbeweis

Mit den letzten Thesen H. Schells sind wir schon auf Probleme gestoßen, die in den Bereich der speziellen Eschatologie gehören. Wir sehen daraus, wie wichtig die Frage der Gotteserkenntnis für die gesamte Theologie des Würzburger Apologeten war. Im gegenwärtigen Abschnitt bleibt uns nun zu prüfen, inwieweit die teleogische Gotteserkenntnis für die Vollendunglehre H. Schells relevant wurde.

In der Gesetzmäßigkeit, die die Natur und das Wirken der Dinge beherrscht, sah H. Schell eine gesetzgeberische Weisheit als schöpferische Ursache des geordneten Seins gefordert. Er verwies darauf, daß die ganze Welt schon seit Urzeit als ein Organismus, das heißt als ein System von Wechselwirkung und Wechselbeziehung, als ein Kosmos aufgefaßt wurde. Er empfand darin eine starke Nötigung, die Welt als eine objektive Vernünftigkeit, als reale Harmonie von Kraft und Fülle, als ein Ganzes zu betrachten, dessen Glieder nach Maß, Zahl und Gewicht gedacht und bewirkt, sich nicht gleichgültig gegeneinander verhalten. Seine erste These lautete daher:»Die tatsächliche Welt ist sowohl in Anbetracht der Naturgestaltung als der Wirksamkeit der Dinge von Gesetzmäßigkeit beherrscht und durchdrungen«[184].

Die Gesetzmäßigkeit der bestehenden Welt ergab sich für H. Schell erstens aus der Tatsache der Wissenschaft. Darüber hinaus fand er die Gesetzmäßigkeit im Gebiet des gegebenen Seins und der Organisation des Wesens durch die konstante Stabilität, bestimmte Verschiedenheit und Abgeschlossenheit der Arten bekundet, wie auch durch die allgemeine Analogie, die die in sich vollendeten und abgeschlos-

---

[182] Ebd. S. 287-288.

[183] Ebd. S. 288. - Dazu vgl. Berning: Das Denken Herman Schells. S. 128-134.

[184] Schell: D I. S. 295. - Zum Ganzen vgl.: GG. Teil 2. S. 184-304: Der nomologische Beweis aus der Gesetzmäßigkeit der Welt. - Dazu das bereits genannte Werk von Th. Schneider.

senen Arten in idealer Kontinuität verbindet[185]. Auch zeigte ihm die Geseztmäßigkeit im Wirken und Leiden der Dinge denselben Doppelcharakter der Stabilität der Analogie[186].

Die objektive Vernünfigkeit und Geseztmäßigkeit, die H. Schell bei dieser Analyse empirisch feststellbarer Tatsachen fand, konnte für ihn weder als die notwendige Folge der Weltsubstanz oder der Materie, ihrer Natur und Zusammensetzung begriffen werden, noch auf sich selber gründen. Bei der Widerlegung der darwinistischen Entwicklungslehre und dem idealistischen Pantheismus kam der Würzburger Theologe zu dem Schluß, daß die Weltordnung als der freie Gedanke einer überweltlichen Vernunft erkannt werden könne, die zwar notwendig in ihrem Selbst, aber frei in ihrem Weltgedanken allein hinreichende Ursache einer so weisen und zugleich nicht notwendigen Gesetzmäßigkeit sei. Da er sie in ihrem Denken als voraussetztunglos annahm, bestimmte er sie entsprechend seiner pneumatischen Grundkonzeption als absoluten Geist. Als Ursache einer Weltordnung könne sie nur auf eine Materie einwirken, die sie selber hervorgebracht habe. Hier wird die Richtung deutlich, nach der H. Schell seinen Gottesbeweis führte: Eine Weltordnung ist nur für den Weltschöpfer möglich[187].

Wichtig für unsere Untersuchung ist, daß H. Schell auch im Zusammenhang der teleologischen Gotteserkenntnis auf den Begriff der Ewigkeit zu sprechen kam. Er vertrat die These, daß die Ewigkeit die Allwissenheit Gottes nicht begründen könne. Die Gleichzeitigkeit eines erkennenden Subjektes und eines erkennbaren Objektes genügte ihm nicht, um die wirkliche Erkenntnis zu vermitteln, wenn nicht ein kausaler Zusammenhang zwischen den beiden Gleichzeitigkeiten obwaltet. Die ewige Koexistenz Gottes mit aller Zeit enthielt für ihn keinen Grund, der ihm das Zeitliche, abgesehen von dem kausalen Zusammenhang, erkennbar machen konnte. Er stellte die Alternative: entweder sei Gottes Erkenntnis die Ursache des Zukünftigen oder das Zukünftige bewirke die Erkenntnis Gottes, insofern es dasselbe enthalte. Das Letzte schien ihm in jeglicher Hinsicht unmöglich, da Gott in keiner Weise etwas empfangen kann; es würde trotz der sogenannten Koexistenz der Ewigkeit mit der Zeit vor dem Eintritt des Zukünftigfreien die Erkenntnis Gottes unerklärt lassen; denn - so fragte er - wie sollte das Zukünftige, das in keiner Weise causaliter präexistiere, ehe es selber wirklich werde, wirksam werden können. Selbst wenn diese Schwierigkeit behoben werden könnte, bliebe doch der Satz wahr: »Nicht die Gleichzeitigkeit für sich, nicht das Verhältnis der Ewigkeit zur Zeit, sondern das (ursächliche) Verhältnis des Ewigen zum Zeitlichen begründet die Erkennbarkeit und die Erkenntnis«[188]. Diese Auffassung H. Schells wirkte sich im eschatologischen Bereich besonders bei der Frage nach der Herkunft des Bösen im Verhältnis zum freien Willen des sündigen Menschen und nach der Tragweite des göttlichen Gerichtes aus. Sie muß daher später im genannten Zusammenhang sorgfältig beachtet werden.

---

[185] Schell: D I. S. 296-297.
[186] Ebd. S. 298.
[187] Ebd. S. 303. - Vgl.: GG. Teil 2. S. 211-268: Die Auseinandersetzung Schells mit dem Darwinismus im Zusammenhang mit der materialistischen und pantheistischen Entwicklungslehre.
[188] Ders.: D I. S. 317.

Zum Beweis Gottes als des absoluten Willens aus der Zielstrebigkeit im Kosmos führte H. Schell in seiner Katholischen Dogmatik zwei Beweisgänge[189]. Erstens zeigte ihm die Zielstrebigkeit, die sich im Universum offenbart[190], das Dasein eines absoluten Willens, der alle Naturen für die werktätige Entfaltung ihrer Vollkommenheit eingerichtet hat, so daß sie in dieser Richtung wirken und den Zweck der Vollendung für sich und das Universum tätig erfüllen. Wo Zweck, da Wille; der Zweck beweist das Vorhandensein des Willens. Die Zielstrebigkeit ist tatsächlich in der Welt vorhanden. Was nicht durch eigene Erkenntnis und Wahl eine in der Zukunft liegende Vollkommenheit zum Inhalt und Gesetz seines Wirkens machen kann, setzt, wenn es gleichwohl zweckmäßig wirkt, einen höheren Willen voraus, der seinem Wesen die zweckmäßige Einrichtung und seinem Wirken die zweckmäßige Richtung gegeben hat. Folglich gibt es einen Willen, der die Natur- und Vernunftwesen nach ihrer Wesensbeschaffenheit zielstrebig eingerichtet und ihnen die Richtung ihres Wirkens eingegeben bzw. angegeben hat. Dieses Prinzip der Zielstrebigkeit war für H. Schell das Prinzip auch des Seins, das heißt schöpferischer, absoluter Wille, Gott[191].

Beim zweiten Beweisgang knüpfte H. Schell an der Frage an, welches der tatsächliche Weltzweck sei, dem alles Naturstreben dient. Hier lautet seine erste These: Das Ziel, dem aller Beobachtung zufolge die Tätigkeit aller Dinge zugewandt ist, liege in der Entfaltung und Geltendmachung der eigenen Wesensidee[192]. In diesem Zusammenhang ging er auch darauf ein, daß der Teleologie des Guten die Tatsache des gewaltsamen und natürlichen Todes im sinnlichen Lebensgebiet und des geistigen Todes, der Sünde und Verdammnis entgegengehalten werde. Indessen erwiderte er, daß der Tod als allmählicher und gewaltsamer Untergang zur Wesensentfaltung der organischen Bildungen gehöre, somit als ein positives Moment der Naturstrebigkeit nicht als ein Beweis gegen diese angeführt werden könne. Der geistige Tod hingegen, der dem Glauben zufolge zur Verdammnis führt, schien ihm als eine Tatsache um nichts klarer und erträglicher zu werden, wenn man Gottes Dasein und teleologische Herrschaft leugnet. Schon hier erklärte er, daß Gott die einzige Lösung für die teleologischen Schwierigkeiten sei, die in der empirischen Tatsache der Sünde und in der Glaubenstatsache der Hölle liegen; wenn Gott Gott ist - so argumentierte er -, dann ist die Verdammnis als Endzustand wie in ihren inneren und äußeren Gründen eine Offenbarung seiner ungeteilten sittlichen Vollkommenheit, nicht bloß seiner vergeltenden Gerechtigkeit, sondern ebenso seiner Weisheit und Güte, und zwar nicht nur für die Seligen, sondern auch für die Verdammten selbst[193]. Auch dieser Auffassung H. Schells werden wir später im Teilbereich der Eschatologie erneut begegnen[194]. Hier halten wir fest, daß er die Offenbarungslehre nicht für die ungenügende Begriffsvermittlung der theologischen Eschatologie verantwortlich machen wollte.

---

[189] Vgl. ders.: GG. Teil 2. S. 305-441: Der teleologische Gottesbeweis aus der Zielstrebigkeit der Welt.

[190] Vgl. Th. Schneider: Teleologie als theologische Kategorie bei Herman Schell. S. 109.

[191] Schell: D I. S. 322-324.

[192] Ebd. S. 325.

[193] Ebd. S. 327.

[194] Vgl. D III/2. S. 751. - Siehe unten S. 217, 218, 225, 253, 254.

Die Zweckbestimmung auf die Offenbarung der Herrlichkeit Gottes in seinem Werk als Ganzem und in der Entfaltung eines so reichen Systems von Wesensideen voll wechselseitiger Beziehungen schien dem Würzburger Apologeten die denkbar beste zu sein, da sie dem Wert der einzelnen Geschöpfe vollkommen entspreche und es ermögliche, daß jedes auf seine Art nach dem strebe und zu dem gelange, was an sich und für alle das Beste ist. Folglich war für H. Schell der Wille, auf den die tatsächliche Zweckstrebigkeit zurückzuführen ist, von höchster Güte. Die Tatsache des physischen und moralischen Übels machte ihm diese Schlußfolgerung nicht zweifelhaft, auch wenn sie mit allem Nachdruck als Übel erklärt werde. Sie verhalten sich, so erklärte er, zur allgemeinen Teleologie wie der Riß zur Harmonie des Ganzen. Der Riß mache die Harmonie, die er stört, nicht zweifelhaft, sondern deutlich; selbst wenn er niemals überwunden würde, bliebe er eben Störung. Wenn also einerseits anerkannt werden müsse, daß die Teleologie des Universums durch die Unbeständigkeit und Gegensätzlichkeit der Geschöpfe, insbesondere durch den Mißbrauch des freien Willens gestört, aber nicht gemindert erscheine, so sei hinwiederum zu beachten, daß unser Ausblick in den Kosmos von einem partikulären Standort aus erfolge, daß unsere Vernunft die ersten Ursachen sowie die endliche Ausgleichung dieser Störung teils garnicht, teils unsicher erkenne, daß die Offenbarung über die ersten und letzten Dinge nur eine prophetische Apokalypse gewähre. Erst der vollständige Überblick über die Welt in ihrer substantiellen und zeitlichen Totalität konnte für H. Schell jeden Mißklang entfernen, da die Vollkommenheit und Güte dem Seienden als solchem, d.i. dem Ganzen eigne und ein Bruchstück von vornherein nicht im Vorzug des Ganzen erwartet werden könne. Indes, auch hier schien ihm die Hoffnung auf die Versöhnung der teilweisen Mißklänge in der Harmonie des Ganzen nur möglich, wenn der zwecksetzende Wille von unendlicher Güte, nämlich Gott ist[195].

Als Ergebnis halten wir fest: Wie es sich für jeden rechten Theologen geziemt, war auch bei H. Schell die Eschatologie von seinem Gottesverständnis abhängig. Dies wurde bereits im zweiten Buch seiner Katholischen Dogmatik deutlich in den Ausführungen, die er über das Wesen und Dasein Gottes machte. Wir mußten daher in unserer Untersuchung die Bedeutung der Gotteserkenntnis für das systematische Denken H. Schells aufdecken. Im nächsten Abschnitt untersuchen wir mit gleichem Interesse die Schöpfunglehre H. Schells im Hinblick auf seine Eschatologie.

3. Die Weltschöpfung als Gottestat

Mit dem vierten Buch seiner Katholischen Dogamtik legte H. Schell seine Lehre von der Schöpfung als »Kosmologie der Offenbarung« vor. In seiner Untersuchung wollte er das Gesamtwerk der Erschaffung nach seinem Wesen und seiner Wirkung darstellen, wie es teils mit der Vernunftnotwendigkeit zu denken oder der Offenbarung gemäß zu glauben ist.

---

[195] Schell: D I. S. 328.

a) Erschaffung - Erhaltung - Vorsehung - Mitwirkung

Die Ursächlichkeit hinsichtlich der Welt bestimmte H. Schell als zweifach: Erstens betrachtete er das schöpferische Verursachen alles Seienden; hier ging es ihm darum, daß Gott die Ursache der Welt ist, und daß er mit unbedingter und voraussetzungsloser Macht wirkt. Zweitens war es ihm darum zu tun, daß Gott, was seine besondere Wirksamkeit betrifft, eine Ursache in der Welt ist, und zwar die höchste, und daß er mit zweckmäßig geordneter Macht wirkt. H. Schell erklärte, daß »Erschaffung« zunächst zu verstehen sei als die volle und ganze Ursächlichkeit, deren die Welt und die Dinge bedürfen, sowohl Wirk- als Zweckursächlichkeit, die volle und ganze Ursächlichkeit Gottes hinsichtlich des Kosmos und alles Bestehenden, die reine Ursächlichkeit des Seienden, das aus sich ist, hinsichtlich des Seienden, das nicht aus sich ist[196]. Mit Hinweisen auf die Heilige Schrift beschrieb er die Schöpfung in diesem Sinn als das Werk Gottes nach außen, wobei alle übrigen Unterscheidungen von Gotteswerken für ihn nur nähere Bestimmungen des einen allumfassenden Schöpfungswerkes waren. So sah er als die Wirkung der erschaffenden Gottes-Tat die Welt schlechthin. Entsprechend der Weltsicht, die wir bereits in seiner Noetik kennen lernen konnten, ging er davon aus, daß alles, was ist, eine Hervorbringung nach dem idealen Inhalt dessen fordert, was es ist, wie auch nach der realen Tatsächlichkeit, wonach es in der ganzen Ausdehnung seiner Entwicklung und Fortdauer existiert. »Alles muß von einer unbedingten und voraussetzungslosen Ursache erdacht und gewollt sein: in diesem Sinne ist alles gleichmäßig der Erschaffung bedürftig und Erzeugnis der schöpferischen Gottestat:[197]. So bedeutete Schöpfung für ihn die vollständige Verursachung der Dinge nach ihrem idealen und realen Gehalt. Gott als Schöpfer hieß demnach: »Er ist das Ideal- und Realprinzip von allem, Grund und Ziel, Alpha und Omega«[198].

Schon aus dieser ersten Grundlegung ist zu ersehen, welche universale Weite das kosmologische Denken H. Schells umfaßte. Hier liegt der eigentliche Grund dafür, daß in seiner Glaubenslehre die Protologie mit der Eschatologie in einheitlicher Systematik verbunden wurde. Er wußte, daß das Besondere immer nur in Beziehung zum Ganzen seiend also auch mit dieser Rücksichtnahme bewirkt ist[199]. Aus inneren Gründen ist es mithin unumgänglich, den gesamten Umriß der katholischen Dogmatik darzustellen, wenn man die Eschatologie verstehen will. Nach den erkenntnistheoretischen Präliminarien, mit denen wir bereits wesentliche Grundzüge im systematischen Denken H. Schells aufzeigten, beginnen wir unsere Analyse mit der Lehre H. Schells von der Erschaffung des Anfangs.

H. Schell betrachtete zunächst das Seiende als Anfangendes, vorher Nichtgewesenes: Erschaffung im engeren Sinne, das erste Teilmoment des reinen Schöpfungsbegriffs. Zu diesem Bereich gehörten für ihn alle Wesen, die zuerst das Universum bildeten und alle später entstehenden Geister, wie auch die Menschenseelen. Die übernatürliche Gnadenvollkommenheit, mit der sie ins Dasein treten,

---

[196] Ders.: D II. S. 119.
[197] Ebd. S. 120.
[198] Ebd. S. 120.
[199] Ebd. S. 125.

rechnete er nicht minder dazu als ihre endliche Natur selbst. Schon bei Erschaffung der Umwelt und des Geisterreiches bedachte er den tiefgehenden Unterschied zu der Erschaffung des Weltganzen in seiner zeitlichen Ausdehnung. Kein Einzelwesen, so versicherte er, noch auch die Urschöpfung als zeitliche Anfangsperiode könne in der selben Weise als die Wirkung der voraussetzungslosen Schöpfertat gelten wie das Weltganze, da die Beziehungen der Abhängigkeit und Ursächlichkeit, durch die die Einzelwesen mit den übrigen Wesen, den früheren und späteren Zuständen und der Gesamtheit verwachsen seien, einen wichtigen Bestandteil ihrer selbst bildeten. Hinsichtlich der Menschenseelen führte er aus, daß bei deren Erschaffung eine weitgehende Berücksichtigung der Naturursächlichkeit stattfinde; die geistige Natur der Seele lasse zwar nur die unmittelbare Verursachung durch Gott mit Ausschluß jeder substantiellen Abhängigkeit von geschöpflichen Wirkursachen zu, allein die Zeit ihrer Erschaffung, die Art und Umstände ihrer Verleiblichung, ihre Vollkommenheit als Wesensform, ja sogar in geistig-sittlicher Hinsicht und das irdische Lebensschicksal seien nicht voraussetzunglos von Gott bestimmt, sondern mit Rücksichtnahme auf die Naturordnung, den Geschlechtszusammenhang und zahllose Beziehungen von besonderer und allgemeiner Bedeutung[200]. Kein Einzelgeschöpf ist daher nach H. Schell für sich allein in der Fülle seiner Seinsbestimmungen zu erfassen, sondern nur im zweck- und wirkursächlichen Zusammenhang mit dem Universum und der ganzen Weltentwicklung. Entsprechend sagte er aber andererseits, jedes Geschöpf sei wie das Weltganze nur in der absoluten, unmittelbaren und unbedingten Abhängigkeit von der voraussetzungslosen, selbstbegründeten und selbstbestimmten Schöpfertat nach seinem ganzen Inhalt und Umfang erklärt[201]. Hinsichtlich der zeitlichen Dimension des Kosmos schloß auch für ihn die Lehre von der Erschaffung der Welt durch Gott ein, daß die tatsächliche Schöpfung einen zeitlichen Anfang genommen hat und demzufolge seither eine endliche Zeit besteht. Mit Hinweis auf die alttestamentliche Weisheitslehre aber fügte er die Überzeugung hinzu, daß sie nie vernichtet werden und daher für immer bestehen wird[202].

Das zweite Teilmoment im Schöpfungsbegriff sah H. Schell in der Erhaltung. Von ihr sagte er, sie füge zu dem Werk der Erschaffung nicht eine neue Wirkung hinzu, sondern hebe hervor, daß die Schöpfung im Unterschied von der geschöpflichen Verursachung nicht bloß Verursachung des Werdens, sondern des Seins in seiner ganzen zeitlichen Fortdauer besage. Bei dem Ausdruck Erschaffung werde die Voraussetzungslosigkeit und Vollständigkeit der Verursachung im besonderen Hinblick auf das, was vorher war, betont; bei dem Begriff Erhaltung werde hingegen erinnert, daß die Dinge nur für unsere Betrachtungsweise im verlaufenden Augenblick zu existieren scheinen; an sich und vor Gott seien sie Seiende nur in der zeitlichen Ausdehnung ihres Bestandes und insofern Werke absoluter Verursachung oder Erschaffung. Die Erhaltung der Dinge bedeute, die Geschöpfe seien nicht nur für den Anfangsmoment der Bewirkung durch Gott bedürftig und dann selbständig fortdauernd, sondern ihre Zeitdauer sei ihnen anerschaffen. Die

---

[200] Ebd. S. 126, vgl. S. 130.
[201] Ebd. S. 127.
[202] Ebd. S. 131, vgl. S. 132. - Vgl. Berning: Das Denken Herman Schells. S. 131.

Würdigung der tatsächlichen Wesen ergebe, daß sie zur Erklärung ihrer Entstehung wie ihres Fortbestandes in jedem Augenblick einer hinlänglichen, daß heißt selbstbegründeten Ursache, d.i. eines Schöpfers bedürfe. Es sei ein Irrtum zu meinen, das Dasein im jetzigen Augenblick erkläre irgendwie das Dasein im folgenden Zeitabschnitt; nur insofern als dasjenige, was jetzt ist, eine Ursache seines Seins fordere und nicht zu vermuten sei, daß diese Ursache ihre Wirksamkeit ohne inneren Grund nur auf diesen Moment beschränke, entstehe der Schein, durch welchen der genannte Irrtum verführe[203].

Wir haben diese Darlegung ausführlich wiedergegeben, weil in ihr schon angedeutet ist, aus welcher Sicht unser Autor die Fortexistenz der Seele begründete. Dazu gehört denn auch der Hinweis, daß die Erhaltung eine absolute, unbedingte, unvermittelte Verursachung nach ihrem ganzen Fortbestand ist, das heißt nach der Gesamtheit aller Dinge oder eines jeden einzelnen im allgemeinen Zusammenhang mit dem Weltganzen. Speziell auf die Erhaltung einzelner Geschöpfe und Wirkungen bezogen, sah H. Schell sie nur bedingt und mittelbar. Allerdings ließ er diese sekundäre Erhaltung im eigentlichen Sinn nur für die materiellen Dinge gelten. Für die Geister galt die unmittelbare Erhaltung durch Gott, wenngleich er diese auch durch die Rücksichtnahme auf andere Teile der Schöpfung, auf die Zukunft und Vollendung der Welt bestimmt sah; mehr noch als bei ihrer Erschaffung, da mit der Fortdauer ihres Lebens auch die Bedeutung für die übrige Welt, ihre Beziehungen zu anderen Wesen zunehme. In wunderbarer Weise offenbarte sich für ihn die Erhaltung als spezielle Gottestat in der Gande der leiblichen Unsterblichkeit und Verklärung[204].

Das dritte Moment im Schöpfungsbegriff, die Weltregierung , bedeutete für H. Schell, daß die Ursächlichkeit des göttlichen Tuns sich nicht bloß auf das Wesen und Vermögen erstreckt, sondern auch auf das Wirken und Tun der Geschöpfe. Nach seiner Erläuterung liegt der Gegensatz von wirkendem Wesen, das mit Kräften ausgestattet ist, und tätiger Anwendung dieser Kräfte innerhalb des Seins, dessen Ursache Gott ist. Als Grund führte er an, daß das Wirken Gott nicht näher stehe als die Wirksamkeit selbst; denn das ganze Konkretum mit all seinen ontologischen Unterschieden verstand er als die unmittelbare Wirkung der Schöpfermacht. Damit wollte er indes nicht ausschließen, daß außer diesem unmittelbaren Abhängigkeitsverhältnis von Gott noch ein mittelbares obwaltet. Wird die kausale Abhängigkeit der einzelnen Geschöpfe und ihres Wirkens als Einzelwesen in Betracht gezogen, so ergab sich für H. Schell die Notwendigkeit der Mitwirkung Gottes zu aller geschöpflichen Wirksamkeit. Betrachtete er hingegen die Gesamtheit aller Geschöpfe in ihrer Abhängigkeit hinsichtlich alles Wirkens, so ergab sich der Begriff der göttlichen Weltregierung. Beide Begriffe hatten für ihn zum gemeinsamen Inhalt: »Gott ist der Urheber aller Wirk- und Zweckursächlichkeit, welche sich am Seienden offenbart und das Weltall räumlich und zeitlich verkettet«[205].

Wie die Theologiegeschichte zeigt, liegt in der näheren Zuordnung dieser beiden Begriffe eine innere Spannung verborgen, die sich gelegentlich explosiv entla-

[203] Schell: D II. S. 132-133.
[204] Ebd. S. 136.
[205] Ebd. S. 137.

den kann. Da bekanntlich auch der Würzburger Apologet in den Strudel der Auseinandersetzung zwischen Molinismus und Thomismus mit hineingerissen wurde,
müssen wir seiner Darstellung in diesem Punkt erhöhte Aufmerksamkeit schenken.

H. Schell beschrieb im Zusammenhang seiner These von der allgemeinen Mitwirkung und Weltregierung Gottes, daß der Molinismus[206] die speziellen und
innerweltlichen Einwirkungen Gottes in den Vordergrund stellt und in ihrer Gesamtheit die ganze Ursächlichkeit Gottes hinsichtlich der geschöpflichen Wirksamkeit aufgehen läßt. Beim Thomismus[207] hingegen werde vorwiegend die voraussetzungslose und vorherbestimmende Ursächlichkeit Gottes betont, jedoch ohne die speziellen Einwirkungen Gottes zu übersehen. Bei manchen Thomisten
glaubte er allerdings feststellen zu können, daß sie die absolute und rein überweltliche Ursächlichkeit Gottes so behandeln, als ob sie innerweltlich wäre, als ob sie mit
den geschöpflichen Ursachen in Vergleich und Gegensatz gebracht und als die entscheidende Einzelursache der einzelnen geschöpflichen Handlungen im Unterschied von dem Wesen und dem Lebensganzen gefaßt werden dürfen. H. Schells
eigene Meinung ging dahin, daß beide Formen der göttlichen Mitwirkung zu vereinen, aber nicht zu vermischen seien.

Die unmittelbare, voraussetzungslose, unersetzliche Vollursächlichkeit und
Allursächlichkeit Gottes oder seine rein überweltliche Wirksamkeit erstreckte sich
demnach für H. Schell auf die Gesamtheit des geschöpflichen Seins, war intensiv
und extensiv universal, umfaßte insbesondere alle geschöpfliche Wirksamkeit, ging
ihr als Ideal- und Realursache voraus und war erhaben über alle Möglichkeiten
von Gegensatz und Widerstand. Die spezielle Ursächlichkeit Gottes in seiner Weltregierung sah er hingegen nicht unbedingt und voraussetzungslos, sondern gerade
mit einer Rücksichtnahme verbunden, die Widerstand und Abweisung zuläßt. Irrtümer und Schwierigkeiten entstehen nach H. Schell dadruch, daß der Unterschied
der absoluten und der speziellen Ursächlichkeit Gottes nicht genau beachtet wird:
Sobald die spezielle Weltregierung Gottes nach Art der absoluten Verursachung,
die besondere Einflußnahme Gottes auf den Akt nach der Art der unbedingten
Vorherbestimmung aufgefaßt und die Allursächlichkeit nach Art der Einzelursache auf die Einzelwirkung bezogen werde, entstehe der Anschein, die göttliche Allursächlichkeit erdrücke die geschöpfliche Wirksamkeit, während sie deren unersetzliche Voraussetzung ist; sie werde zum Hemmnis dessen, was von ihr getragen
werde. Andererseits erwecke der Molinismus den Anschein, als entkleide er die Allursächlichkeit Gottes ihres absoluten Charakters, indem er sie in den Gegensatz
der bedingten Einzelursachen herabzieht[208].

---

[206] Zu Luis Molina S.J. (1535-1600) vgl. F. Morgott. In: KL² 8 (1893) 1731-1750. - E.
Vansteenberghe: Molinisme. In: DThC 10 (1929) 2094-2187. - F. Stegmüller: Geschichte des
Molinismus. Bd. 1: Neue Molinaschriften. Münster 1937. - Ders.: Molinismus. In: LThK² 7
(1962) 527-530.

[207] Vgl. A. Hoffmann: Bañezianisch-thomistisches Gnadensystem. In: LThK² 1 (1957)
1220-1221. -
Zu Domenigo Báñez O.P. (1528-1604) vgl. F. Morgott. In: KL² 1 (1882) 1948-1965. - Zum
Ganzen vgl. E. Przywara: Thomismus und Molinismus. In: StZ 125 (1933) 26-35.

[208] Vgl. Schell: D II. S. 141.

Die positive Lehre von der Mitwirkung Gottes faßte H. Schell in sieben Punkten zusammen:

(1) Die göttliche Ursächlichkeit ist Mitwirkung, concursus, wenn auch Vollwirkung; denn sie schließt die Tätigkeit des Geschöpfes nicht aus, sondern hat sie zum Inhalt.

(2) Sie ist allgemein, weil mit dem Begriff der geschöpflichen Wirksamkeit gegeben: concursus generalis, non specialis, wie die Gnade, die von dem übernatürlichen Ziel gefordert wird.

(3) Sie ist unmittelbar, sowohl bezüglich des Subjektes und seiner Kraft als hinsichtlich seiner Betätigung und des Werkes.

(4) Sie ist bestimmend, nicht nur bedingt; der begrifflichen Ordnung zufolge vorangehend, nicht nur begleitend.

(5) Die göttliche Mitwirkung ist Voraus bestimmung , nicht nur Voraus bewegung : Nicht bloß die Tatsache der einzelnen Wirksamkeit bedarf der hinreichenden Begründung, sondern ebenso ihr Inhalt und ihre Richtung.

(6) Die göttliche Mitwirkung ist nicht nur äußerlich noch auch bloß innerlich, sondern allseitig und allumfassend.

(7) Gottes Einwirkung wird endlich als physische, nicht bloß als moralische Ursächlichkeit bestimmt. Physisch bedeutet hierbei real oder ontologisch[209].

Die eigentliche Auseinandersetzung mit dem Molinismus führte H. Schell im siebten und achten Punkt seiner These. Besonders kritisierte er, daß der Molinismus die Einwirkung Gottes bei der Seele auf die unüberlegten Willensregungen beschränkt, indem er glaubt, damit sei hinreichend Anstoß ad exercitium actus gegeben. Dagegen wandte er ein, Gott werde hier mehr oder weniger nach Art der Einzelursache gedacht, als erste Bedingung des Seins, nicht aber als dessen Vollursache. Damit sei der Deismus im molinistischen System nicht überwunden, nur verhüllt[210]. Aber auch bei der Gegenposition befürchtete er, daß die thomistische Theorie der Gefahr nicht ganz entgehe, Gott nach Art der Einzelursache wirkend zu denken. In Folge davon sah er durch die so entstandene göttliche Einwirkung die menschliche Freiheit beeinträchtigt; Gott werde zur Einzelursache neben anderen Einzelursachen gemacht; er trete in Konkurrenz mit den physischen Faktoren und gebe dem einen Teil derselben einen Erfolg, den sie im Seelenleben selbst nicht hätten, ohne daß man einen anderen Grund für diese Bevorzugung finden könnte als das göttliche Belieben. Allein dies werde zur Willkür, wenn es in unbegründeter Weise in der Sphäre der zweiten Ursache wirke[211].

Bei seiner These von der physischen Einwirkung Gottes erkannte H. Schell an, daß der Molinismus keinen bloß moralischen concursus behauptet. Er sah sehr wohl, daß die molinistische Theorie für die Selbständigkeit der geschöpflichen Ursachen eintritt, um den Pantheismus und Determinismus zu vermeiden: So betone sie das Mit in der Mitwirkung und denke Gott und Geschöpf als zwei nebeneinander wirkende Ursachen. Die Wirkung sei indes ganz, nicht teilweise auf Gott und

---

[209] Vgl. ebd. S. 142-148.
[210] Ebd. S. 144.
[211] Ebd. S. 145.

das Geschöpf zurückzuführen; sie sei ganz Gottes und des Geschöpfes Werk. Allein dies bedeute nur, ohne dieses Zusammenwirken käme keine geschöpfliche Tätigkeit zustande; der Anteil Gottes und des Geschöpfes lasse sich nicht tatsächlich ausscheiden, und zwar in dem Sinne, daß die Wirkung dem Geschöpf unter besonderen Gesichtspunkten so zukomme, daß sie Gott nicht zukomme. Diese Unterscheidung des beiderseitigen Anteils finde in besonderer Weise bei der Betätigung des Lebens und der Freiheit statt. Dieser Theorie stellte H. Schell wiederum den Thomismus gegenüber, der behauptet, es gebe keinen Gesichtspunkt, unter dem die Wirkung des Geschöpfes als Kundgebung der Wirklichkeit nicht von Gott herzuleiten sei. Die göttliche Kausalität gehe der geschöpflichen durchweg voran, wegen der bösen Handlungen werde dieses Prinzip wieder eingeschränkt[212].

Die Lösung, die H. Schell im Zusammenhang der Kosmologie suchte, finden wir in folgendem Gedankengang: In dem Sinne, in dem die Geschöpfe selbständiges Sein besitzen, eignet ihnen auch die selbständige Ursächlichkeit. Es ist kein scheinbares, sondern ein wahrhaftiges Sein, das ihnen zukommt, obgleich es durchaus und vollständig von Gottes freier Macht bewirkt ist. Daher ist auch das eigene Wirken der Geschöpfe nicht Schein, sondern Wahrheit, obgleich es durchaus und vollständig nach Inhalt und Tatsächlichkeit von Gott bewirkt ist. Gottes Sein und Wirken ist allerdings in einem wesentlich höheren Sinn selbständig als das Sein und Wirken des Geschöpfes, weil es Aseität, Selbstverwirklichung in jeder Hinsicht ist. Diesem Sein und Wirken gegenüber ist das geschöpfliche Sein und Wirken allerdings dem Widerschein und Abglanz zu vergleichen, zwar nicht durch naturhafte Ausstrahlung und Abschwächung des göttlichen Seins, vielmehr durch freie Gedanken- und Willensbestimmung Gottes[213].

b) Die Ursächlichkeit Gottes hinsichtlich des Bösen

Je rückhaltloser alles Wirkliche aus dem freien Denken und Wollen Gottes abgeleitet wird, desto entschiedener sah H. Schell die Wahrheit zur Geltung kommen, daß es nicht aus dem Wesen Gottes abgeleitet werden dürfe. Damit kommen wir zu einem Problem, dessen Lösung dem Apologeten sehr am Herzen lag und das er deshalb schon in seiner Kosmologie ausführlich behandelte: Die Mitwirkung Gottes bei den sündhaften Handlungen sowie das Verhältnis der Allwirksamkeit Gottes zu der Tatsache des Bösen.

Mit der Schultheologie unterschied H. Schell das physische und das ethische Übel. Das erstere war für ihn vor allem mit der Idee eines zusammengesetzten Geschöpfes verbunden und daher eine Form der Endlichkeit und Abhängigkeit, zugleich aber auch Stachel der Fortentwicklung, Antrieb zur Ausnützung und Entfaltung aller Kräfte, als solches im höheren Sinn ein Gut für den Fortschritt auf allen Gebieten der Natur und Kultur. Allerdings vergaß er nicht, darauf hinzuweisen, daß als Folge der Sünde hier das Übel als Strafe erscheinen muß, nämlich der natürliche und positive, zeitliche und ewige Rückschlag der sündhaften Unordnung auf ihren Urheber zum Ausgleich des sittlichen Gesetzes mit dem Freiheitsgebrauch.

---

[212] Ebd. S. 146.
[213] Ebd. S. 147.

Auch für diesen Bereich der Schöpfung hielt H. Schell streng an der Allursächlichkeit Gottes fest; er legte aber Wert darauf zu betonen, daß die physischen Übel nicht in dem Sinn von Gott zugelassen seien, als ob er sie nicht hätte vermeiden können oder als ob sie sich infolge von irgendwelcher Naturnotwendigkeit seinem Schöpfungsplan gewissermaßen gegen die Grundrichtung des göttlichen Wollens aufgenötigt hätten. Gegen diese Auffassung eines verhüllten Dualismus von Gott und Materie erklärte er mit Entschiedenheit, sie seien im höchsten und wahrsten Sinne gut und erschienen nur von einem beschränkten und vorübergehenden Standort aus als Übel[214].

In diesem Zusammenhang kam H. Schell auch auf die Schwierigkeit zu sprechen, die die ewige Verdammnis als endgültiger Abschluß von der natürlichen und übernatürlichen Vollendung und Seligkeit bereitet. Die Lösung suchte er in der Richtung, daß auch die ewige Bestrafung sich im Gesamtbilde der Schöpfung als ein Gut darstellte, das die Wahl dieser Welt für den Schöpfer in Anbetracht seiner Heiligkeit nicht im geringsten erschwerte. In der Ordnung des Weltganzen lag für H. Schell die Versöhnung und Aufhebung jener Härte, die mit der unendlichen Güte Gottes unvereinbar scheint. Er war jedoch der Ansicht, daß es über menschliches Können hinausgehe, die Güte des Weltganzen mit der ewigen Verwerfung vieler begrifflich zu vermitteln; wenigstens waren für ihn die bisherigen Versuche einer Theodizee der Hölle nicht hinreichend, um die unendliche Güte des Weltschöpfers anders als grundsätzlich zu rechtfertigen[215].

Die Schwierigkeiten, die H. Schell hier sah, wurden noch größer, als es darum ging, die Allwirksamkeit Gottes mit dem sittlichen Übel in der Welt zu vereinen. Als eine Abschwächung der göttlichen Allursächlichkeit griff er die molinistische Theorie an, die freie Handlung sei nicht ganz auf Gott als erste Ursache zurückzuführen; sie empfange von ihm nicht ihre inhaltliche Beschaffenheit und Richtung; Gott gebe das Können; der Wille gebrauche oder mißbrauche die an sich unbestimmte Gabe und Mitwirkung Gottes. Die Kritik H. Schells zielte darauf hin, daß in dieser Theorie neben der göttlichen Ursächlichkeit eine andere Urquelle für die Richtung der Willensakte und für die Verwendung der göttlichen Mitwirkung in der geschöpflichen Freiheit angenommen werde. Infolge hiervon sei Gott die Ursache des Seins in seiner Unbestimmtheit und Bestimmbarkeit, nicht in seiner Fülle und Bestimmtheit. Wenn Gott aber nur die Ursache des Wesens, des Willens und der Anregung zum Tun, sowie einer unbestimmten Mitwirkung sei, dann sei er nicht die Vollursache des freien Geschöpfes, sondern Teilursache. Dagegen stellte nun der Würzburger Theologe seine These: »Gott ist nur dann die erste, allgemeine und hinreichende Ursache des Geschöpfes, wenn es nicht nur unter gewissen allgemeinen Gesichtspunkten, sondern als Seiendes in seiner vollen Wirklichkeit mit allen seinen Bestimmtheiten in Gott selbstbestimmter Ursächlichkeit seine erste und höchste Erklärung findet ... Was immer an Realität in dem Geschöpf und in der freien Betätigung vorhanden ist, muß auf Gottes vollursächliche Bestimmung zurückgeführt werden; sonst ist der Begriff und die Würde der absoluten und selbständigen Ursache zerstört«[216].

---

[214] Ebd. S. 149.
[215] Ebd. S. 150.
[216] Ebd. S. 151-152.

Mit dieser These kämpfte H. Schell wieder gegen den im Molinismus verborgenen Deismus an. Leider ist sein Anliegen zu Beginn unseres Jahrhunderts nicht genügend erkannt bzw. nicht anerkannt worden. Wir wollen die Problematik, die in der Auffassung H. Schells von der Allursächlichkeit Gottes zutage tritt, nicht verkennen. Hatten aber seine Kritiker eine Lösung zu bieten, die der theologischen Vernunft besser gerecht werden konnte? Wie offen die Fragen des altbekannten Gnadenstreites bis auf den heutigen Tag geblieben sind, zeigt eine jüngst erschienene Dogmatik, in der von kompetenter Seite aus erneut die katholische Lehrtradition im Zusammenhang gegenwärtiger Fragestellung aufgezeigt wurde[217]. Fest steht jedenfalls, daß H. Schell die menschliche Verantwortlichkeit nicht in Abrede stellen wollte. Die Lehre von der wesenhaften Freiheit des Menschen hinsichtlich der eigenen Entscheidung zur Verwirklichung des sittlich Guten wurde von ihm voll gewahrt[218]. Es war keineswegs ein in blinder Unterwerfung dargebrachtes sacrificium intellectus, wenn er am 6. 12. 1905 in einer Unterredung mit seinem Ortsbischof den Satz als kirchliche Lehre billigte: »Verwerflich ist die Lehre von der Allursächlichkeit Gottes, nach welcher Gott als die Vollursache alles geschöpflichen Wirkens auch das sittliche Schlechte per se direkt verursacht. Der menschliche Wille ist frei, so daß er wählen kann zwischen Gut und Bös. Eine in sich schlechte Handlung bleibt immer schlecht, wenn auch der beste Zweck verfolgt wird«[219]. Wir stimmen C. Hennemann zu, wenn er gegen E. Commer geltend machte, daß es sich hier nicht um einen »Widerruf« des Würzburger Apologeten handelte. Worum es H. Schell zu tun war, ist aus seinem Hinweis zu sehen, daß Gott nicht per accidens denke und wolle. Als dem vollkommensten und absoluten Geist eigne ihm die vollkommenste, bestimmteste und allseitigste Betrachtung und Würdigung, Erdenkung und Bewirkung des Seienden mit all seinen positiven und negativen Bestimmtheiten. »Gott erkennt und betrachtet nichts nebenbei, sondern alles steht nach allen Beziehungen, die es irgendwie aktuell oder potentiell enthält, im Mittelpunkt seiner Aufmerksamkeit und Willensbestimmung«[220].

Die zu erhoffende Lösung des Gegensatzes zwischen dem Bösen in der Schöpfung und der Güte des Weltenherrschers suchte H. Schell daher nicht in einer Lockerung des Ursächlichkeitszusammenhanges zwischen Gott und der geschöpflichen Freiheit, sondern nur in der Weltgestaltung selbst, in der Verwendung, die das Böse in seiner Verdammnis für die Weltvollendung und das Weltganze findet[221]. Er erklärte, die Unterordnung des Bösen unter das Gute müsse in dem Werk

---

[217] Vgl. J. Auer: Das Evangelium der Gnade. Die neue Heilsordnung durch die Gnade Christi in seiner Kirche. (KKD. 5.) Regensburg 1970. S. 249-254: § 47. Der Gnadenstreit des 16. Jahrhunderts und die Gnadensysteme in der katholischen Theologie.

[218] Vgl. Schell: D II. S. 163-165.

[219] Bei Commer: Hermann (sic!) Schell und der fortschrittliche Katholizismus. ²1908. S. 438. - Vgl. Hennemann: Widerrufe Herman Schells? S. 17-18, 73-75. - WDB 53 (1907) Nr. 37. S. 165-170.

[220] Schell: D II. S. 157.

[221] Vgl. Th. Schneider: Teleologie als theologische Kategorie bei Herman Schell. S. 127-129: Gottes Allursächlichkeit und das Böse.

Gottes selbst stattfinden und dergestalt sein, daß das Werk der vollendeten Schöpfung in allen seinen Teilen die unendliche Güte und Gerechtigkeit in ihrer göttlichen Untrennbarkeit offenbart und verherrlicht[222]. Diese These enthielt nun aber zweierlei. Erstens die Auffassung, daß nicht bloß das Weltganze, sondern jede Kreatur, insbesondere jedes unvergängliche Wesen eine Verherrlichung Gottes, ein wesenhafter Lobpreis der allseitigen Vollkommenheit Gottes sein müsse. Das Problem lag darin, daß nach H. Schell eine Kreatur, die einseitig die Gerechtigkeit in ihrem Unterschied von der Güte offenbart, keine Verherrlichung Gottes sein kann, da Gott als die Einheit aller Vollkommenheiten anzusehen ist[223]. Darüber hinaus ging es H. Schell um etwas anderes, das wir nun als das zweite Element seiner These herausstellen müssen: Bei der Frage, ob Gott seine Schuld am sittlichen Versagen seiner Geschöpfe beigemessen werden könne, kam er zu der differenzierenden Erkenntnis, daß Gottes Ursächlichkeit eine ganz andere sei hinsichtlich des Guten und des Bösen; nicht als ob letzteres unabhängig (Deismus) oder minder abhängig von der Allursache ein Reich zweiter Ursachen (Molinismus) entstünde. »Das Böse ist Gottes Wirkung, insofern es gut ist und im Guten des Schöpfungsganzen aufgeht«[224]. Er wollte damit keineswegs die Bestimmung entkräften, die das Tridentinum hinsichtlich der Rechtfertigung formulierte:»Si quis dixerit, non esse in potestate hominis, vias suas malas facere, sed mala opera ita ut bona Deum operari, non permissive solum, sed etiam proprie et per se, adeo ut sit proprium eius opus, non minus proditio Judae quam vocatio Pauli, a. s.«[225]. Die Anschauung, daß das Böse direkt oder unmittelbar ebenso wie das Gute zur Verherrlichung Gottes diene, verwarf er; er ließ nur eine mittelbare Verherrlichung gelten, insofern das Böse im Weltganzen durch das Gute des Weltganzen überwunden ist[226].

Es wäre verfehlt, wollte man aus diesen Sätzen herauslesen, H. Schell habe die Theorie der Apokatastasis vertreten[227]. Dies ist nicht der Fall. Bedenken wir immer, daß der Würzburger Apologet in Auseinandersetzung mit dem monistischen Denken seiner Zeit stand. Wir finden bei ihm nicht den Versuch, das Welträtsel des Bösen mit einem dialektischen Trick zu relativieren. Ebenso wenig konnte für ihn eine dualistische Theorie, die der christlichen Lehre zuwiderlief, in Frage kommen. Sollte damit der Aporie das setzte Wort bleiben? Das war für einen so systematischen Denker wie H. Schell kaum vorstellbar. Die Lösung, die er suchte, lag auf dem Gebiet der Gotteslehre, war also theologisch im speziellen Sinne dieses Wortes. Die Gotteslehre aber - und das wird bei H. Schell besonders deutlich - ist in einer katholischen Dogmatik nicht einfach ein Kapitel neben vielen anderen, vielmehr muß von ihr jedes spezielle Gebiet des konkreten Denkens wie des Seins getragen und durchformt werden. H. Schell war zweifellos auf dem richtigen Weg, wenn er die Lösung jeder Frage von der Gottesfrage her anging. Ebenso lag es in der Konsequenz dieser Theologie, wenn ihn seine Kritiker vornehmlich wegen seines Gottesbegriffs bekämpften. Zu einem befriedigenden Ergebnis führte die Kontroverse

[222] Schell: D II. S. 161.
[223] Ebd. S. 158.
[224] Ebd. S. 162.
[225] Conc. Trid. Sess. VI. Canones de iustificatione. n. 6. = DS 1556.
[226] Vgl. Schell: D II. S. 163.
[227] Zum Problem der Apokatastasis siehe unten S. 250-251.

freilich nicht. H. Schell starb zu früh. Der Streit, der sich erst nach seinem Tode voll entfaltete, vollzog sich auf dem Boden einer wenig erleuchteten, antimodernistischen Hysterie. Da H. Schell kein Modernist im Sinne jenes päpstlichen Dekrets vom 3. 7. 1907 war[228], brachte eine Kaltstellung seiner Schüler durch die kirchlichen Verwaltungsorgane ebenso wenig ein wie die frühe Indizierung einiger seiner Schriften. Wohl wurde eine fruchtbare Diskussion für Jahre, ja Jahrzehnte lahm gelegt. Erst in unseren Tagen könnte sich auf Grund der Neuauflage seiner dogmatischen Werke der Versuch anbahnen, das damals unterbrochene Gespräch fortzusetzen und die von H. Schell angebotene Lösung im Rahmen einer universalen Gotteslehre neu zu durchdenken. Wenn nicht alles täuscht, liegt die nächste Hauptaufgabe christlicher Theologie genau auf diesem Gebiet. Eine erneuerte Lehre von Gott ist fällig und muß versucht werden. In diesen Bereich gehört - wie H. Schell sehr gut zeigte - ebenso eine Lehre vom Anfang und vom Ende der Schöpfung (= Vollendung). Ganz gewiß bleiben alle Theorien über die Vollendung des Menschen und des Kosmos unzulänglich, wenn in ihnen nicht zuvor die Frage nach dem Ursprung beantwortet wird.

Die Schöpfungslehre ist somit Voraussetzung jeder Eschatologie. Wie die Bezeichnung »Theologie« für das gesamte religiöse Denken aufzeigt, ist das A und O jeder Kosmologie und Anthropologie die Frage nach Gott. In dem Maße, wie dies in der gegenwärtigen Stunde neu erkannt wird, lohnt sich die Beschäftigung mit H. Schell. Die Problematik des Bösen in der Welt ist eine Grundfrage jeder Zeit. Der Würzburger Apologet zeigte zu Beginn unseres Jahrhunderts, daß die Theodizee nicht wegen der Unzulänglichkeit früherer Lösungsversuche abgelehnt werden darf. In ihr liegt der wunde Punkt alles menschlichen Fragens; der Versuch einer Beantwortung führt in das zentrale Geheimnis jedes menschlichen Glaubens, in das Geheimnis Gott. Der Mensch begegnet ihm auf allen Wegen seines Lebens. Wenn zudem die biblische Theologie vom Menschen als dem Abbild Gottes spricht, dann wird erst recht jede Frage nach dem Menschen zu einer Frage nach Gott.

4. Die Erschaffung des Menschen

a) Die universale Einheit des göttlichen Schöpfungswerkes

»Deus ... sua omnipotenti virtute simul ab initio temporis utramque de nihilo conditit creaturam, spiritualem et corporalem, angelicam vidilicet et mundanam, ac deinde humanam, quasi communem ex spiritu et corpore constitutam«[229].

Gemäß dieser Bestimmung des 12. ökumenischen Konzils gegen die Albingenser und Katharer behandelte H. Schell in seiner Katholischen Dogmatik zuerst die

---

[228] Decretum S. Officii „Lamentabili sane exitu" (3.VII. 1907). In: ASS 40 (1907) 470-478; in: DS 3401-3466. - Vgl. Pius X. Ep. enz. „Pascendi dominici gregis" (8. IX. 1907). In: ASS 40 (1907) 593-650; in: DS 3475-3500. - Weiteres siehe unten S. 696, Anm. 85.

[229] Conc. oec. XII. = Lateranense IV (11.-30. XI. 1215): De fide catholica. (= DS 800.) Von Schell zititert in: D II. S. 170.

Geisterwelt, dann die sichtbare Schöpfung[230]. Den Menschen als die Krone der sichtbaren Welt betrachtete er im Rahmen des Schöpfungsberichts von Gen. 1 - 2, 3, bei dem er eine realhistorische und eine ideal-philosophische Deutung unterschied. Da die erstere den Text als Berichterstattung über den tatsächlichen Verlauf der Weltschöpfung und Weltgestaltung faßt, muß sie sich, wie der Apologet richtig sah, mit der Wissenschaft verständigen und die Ergebnisse der Bibelforschung mit denen der Naturforschung vergleichen. H. Schell selber war der Ansicht, daß der Schrifttext des Schöpfungberichts keine real-historische Auffassung fordert, damit auch zu keiner ängstlichen Harmonisierung nötigt. Allerdings war er der Überzeugung, daß die tiefsinnige Betrachtung sich nicht bloß in poetische Bilder einkleiden kann, daß sie vielmehr in realen Vorgängen ihre beste Darstellung findet, wenn diese der Vergangenheit angehören und ihrer Natur nach mit innerer Gesetzmäßigkeit verlaufen. So vertrat er hinsichtlich der Schöpfung die These, der innere Charakter ihrer Bestandteile werde am besten zum Ausdruck und als metaphysischer Gottesbeweis zur Geltung gebracht, wenn der Autor den tatsächlichen Ursprung der einzelnen Schöpfungswerke aus der freien Schöpfertat Gottes zu berichten vermag. Da die Genesis die philosophische und historische Betrachtung in sich vereinigt, sei die realistische Auffassung nicht abzuweisen und ein konkordistischer Ausgleich von Bibel und Naturforschung zu erstreben. Es ist erstaunlich, daß H. Schell der ideal-philosophischen Auffassung kritisch gegenüberstand. Vor allem lehnte er die These ab, nach der der göttlichen Allmacht nur ein gleichzeitiges Hervorbringen der Welt mit ihrer ganzen Fülle von Entwicklungkeimen, die in der Zeitenfolge zur Ausgestaltung gelangen, entspreche. Dagegen stellte er seine Auffassung, daß eine planmäßige Aufeinanderfolge der Kräfte, die in der Welt wirken, ebenso der göttlichen Allmacht entspricht. Das Wichtigste aber war für ihn wiederum zu betonen, daß der Allmacht nur die absolute Freiheit entspricht, die in der Auswahl der Erschaffungsweise nur von sich selbst bzw. von ihrem freien Schöpfungsratschluß bestimmt wird[231].

Nach einer Analyse des Schöpfungsberichtes begann H. Schell mit der spekulativen Durchdringung des Textes. Er glaubte einen inneren Gegensatz in dem göttlichen Wirken konstatieren zu können: Jedes Werk Gottes werde im Ratschluß ausgesprochen, in der Tat vollzogen und mit Wohlgefallen bestätigt[232]. Demnach konnte er drei Momente im göttlichen Wirken unterscheiden: Plan, Vollzug, Bestätigung. Zwischen dem Plan und dem Vollzug sah er volle Übereinstimmung walten. Demnach betonte er, daß die Welt in der göttlichen Idee nicht besser sei, als in der Wirklichkeit; es gebe keine Materie, die mit Naturnotwendigkeit die Ideen trübt und schwächt, die Gott in ihr verwirklichen will. Aus dem gleichen Grunde folgerte er auch eine vollkommene Übereinstimmung zwischen Plan und Vollzug einerseits, und der Absicht des göttlichen Willens andererseits, so daß für ihn die Welt ein

---

[230] Vgl. Schell: D II. S. 170-262: 13. Thema: Von der Geisterwelt. - Ebd. S. 262-346: 14. Thema: Von der sichtbaren Schöpfung. - Zum 13. Thema vgl. auch: GG. Teil 1. S. 252, gegen A.E. Biedermann. Dogmatik. Zürich 1869. S. 644. - Zu Alois Emanuel Biedermann siehe oben S. 19, Anm. 60.

[231] Schell: D II. S. 267.

[232] Ebd. S. 271.

genaues Abbild der göttlichen Weltidee und eine vollkommene Erfüllung des göttlichen Weltzweckes ist. Es zielte darauf ab, jeden metaphysischen Dualismus unmöglich zu machen, wenn Schell erklärte, die allgemeine Welturssache des ganzen Seins könne in ihrer Wirkung nicht gestört werden durch irgend welche andere Ursachen, denn diese alle gehörten zu ihrem Werk. »Der Ratschluß enthält einen Gedanken und eine Absicht; beide werden ohne Zutat und ohne Rest im Vollzug erfüllt; die Welt ist nicht mehr und nicht weniger, als Gottes Gedanke und Absicht enthielt; es gibt nichts, was zwischen Gottes idealen Weltgedanken und Gottes ideale Weltabsicht einerseits und die vollziehende Macht seines Denkens und Wollens andererseits eindrängen könnte«[233]. Darnach lag der dogmatische Lehrzweck des Schöpfungsberichts in der voraussetzungslosen und allumfassenden Ursächlichkeit Gottes, dessen Werk auch die Materie mit all ihren Eigenschaften ist. »Es gibt kein wesenhaft Böses, weil Gott die Wirkursache von allem ist, insbesondere von der Materie«[234].

Eine interessante These trug H. Schell vor, indem er erklärte, Gott habe am siebten Tag der Schöpfung die übernatürliche Bestimmung gegeben. Darunter verstand er jedoch nicht die Mitteilung der heiligmachenden Gnade, sondern die unmittelbare oder verhüllte Offenbarung dieses übernatürlichen Berufs oder eines Gesetzes, das den Zweck der Prüfung und Entscheidung hatte; nicht die Begründung einer Ordnung, sondern die Segnung und Heiligung des Universums zum Gottestempel; die Offenbarung, daß die Gottesruhe das selige Endziel für alle Geschöpfe, mit der Verpflichtung, dieser Bestimmung gerecht zu werden. »Der Sabbat, der Ruhetag der Herzen in Gott, ist demnach die übernatürliche Erhebung der Engel und Menschen zu Gottes seliger Gemeinschaft; die freie Hingabe der Engel und Menschen an die Ruhe in Gott, mit welcher der Gnadenspender in ihren Herzen wohnte, sollte die Zurückführung der gesamten Welt zu ihrem Schöpfer sein«[235].

Die soeben vorgetragene These ist deshalb für uns interessant, weil hier wiederum zu ersehen ist, wie in der Dogmatik H. Schells der Anfang mit dem Ziel verbunden wurde. Dies bestätigt unsere Auffassung, daß seine Eschatologie ohne seine Schöpfunglehre nicht zu verstehen ist. Es bleibt daher weiter unsere Aufgabe, die gesamte theologische Konzeption, wie sie in der Katholischen Dogmatik vorgetragen wurde, im Umriß nachzuzeichnen, bis wir zu dem speziellen Abschnitt über die Vollendung des Heils kommen.

b) Das Ebenbild Gottes in der menschlichen Natur

»Gott hat den Menschen als ein leib-geistiges Wesen erdacht und gewollt, so daß er als Ganzes, als verleiblichter Geist das Ebenbild Gottes ist, nicht nur als Geist, sondern auch dem Leibe nach, als der wesenhaften Erscheinung des Geistes und dem Mittel seiner Herrschaft über die Natur«[236]. Mit diesem ersten Satz begann H. Schell seine Darlegung über die Erschaffung des Menschen. Entsprechend

---

[233] Ebd. S. 272.
[234] Ebd. S. 273. - Vgl. oben S. 175-176.
[235] Schell: D II. S. 274.
[236] Ebd. S. 277.

seiner allgemeinen Kosmologie war es ihm nun darum zu tun, daß der Menschenleib ein unmittelbares Gebilde des Schöpfers ist, als sinnvolle Erscheinung des Geistes und zum Gebrauch für eine vernünftige Seele eingerichtet. Leiblichkeit bedeutete für ihn dem Schöpfungsbericht zufolge, keine Abschwächung dessen, was die Menschenseele unabhängig vom Leib ist, sondern eine schöne Nachbildng des Geistes im Stoff von größtem Nutzen für den Geist selbst[237].

Im Gegensatz zur Bildung des Leibes, der aus Erdenstoff hergestellt wurde, betrachtete H. Schell den Geist des Menschen mit Gen. 2, 7 als ausschließliche Wirkung Gottes. Daher lautete seine zweite These: »Die Geistigkeit gibt dem Menschen eine wesentliche Auszeichnung und offenbart sich zunächst in der Vernünftigkeit, dem ersten Zuge der Gottesebenbildlichkeit: der Anlage für die Wahrheit«[238]. Der zweite Vorzug der Gottebenbildlichkeit lag für ihn in der Anlage und Verpflichtung zum Guten, die Freiheit und Sittlichkeit des Willens (These 3). Erläuternd führte er aus, der Adelsbrief der Geistigkeit sei hinsichtlich der Erkenntnis die Idee der Wahrheit, d.i. Gottes. Daß diese Idee dem menschlichen Bewußtsein aufgeht, und daß es andererseits die Fähigkeit, das Bedürfnis und die Verpflichtung in sich vorfindet, fortschreitend in die Wahrheit hineinzuleben, in ihr fortzuwachsen, sei der Beweis des Geistes. Der zweite Vorzug gehörte nach H. Schell dem Gebiet des Willens an; diesem ist die Wahrheit das höchste Gut. H. Schell bestimmte den Willen als »die Fähigkeit der Seele, wodurch sie die Wahrheit sich aneignet, sie in sich aufnimmt, festhält, genießt und hinwiederum sich selbst in ihre Tiefen versenkt«[239]. Der Wille ist es demnach auch, der von der Wahrheit zur Liebe und Hingabe an sie mit aller Kraft ergriffen, der von ihr verpflichtet wird, nach ihrer Aneignung in ständigem Fortschritt zu streben, denn »das einzige, was um seiner selbst willen gut und beseligend ist, ist die Wahrheit; alles andere ist nur gut, weil es und insofern es als Mittel zur Aneignung der Wahrheit dient«[240].

Diese Bestimmung ist wiederum bedeutsam für den Bereich der Eschatologie, denn sie enthält die Beziehung zum Verständnis der Sünde und damit zum Gericht Gottes[241]. Der gleiche Zusammenhang ist auch bei der nächsten These zu beachten, in der H. Schell den Vorzug der Gottebenbildlichkeit des Menschen als einem Beruf und eine Befähigung zur Herrschaft über die Natur herausstellte, und zwar als eine Herrschaft über die eigenen Gedanken und Begierden. Möglich war dies für H. Schell nur dadurch, daß das Ich sich von seinen Akten und Zuständen und diese wieder von ihrem Inhalt zu unterscheiden weiß, d. i. Vernunft und Freiheit. Die Konsequenz dieser Bestimmung zeigte sich in der Behauptung, daß im Menschen die sinnliche Natur nicht nur die Verinnerlichung der vegetativen Lebensfunktionen, sondern außerdem das Werkzeug zur Erkenntnis der Wahrheit um ihrer selbst willen ist. Danach nimmt das Lebensziel des Geistes, die Aneignung der Wahrheit

---

[237] Ebd. S. 279.
[238] Ebd. S. 279. - Vgl. L. Carl: Der Begriff des Geistes bei Herman Schell. (Phil. Diss. Würzburg 1953.) O.O. 1953 (M.schr.).
[239] Schell: D II. S. 280. - Über den Zusammenhang von Willen und Erkenntnis siehe D III/2. S. 925-926. - Vgl. unten S. 268.
[240] Schell: D II. S. 281.
[241] Näheres dazu siehe unten S. 216.

und die Einpflanzung des persönlichen Geistes in die Wahrheit, die Sinnlichkeit in seinen Dienst[242].

Der Geist bringt nach H. Schell das Interesse für die Wahrheit als solche mit und durchbricht die Schranken der Selbstsucht. Hier müssen wir uns erinnern, daß der junge Philosoph den schöpferischen νοῦς ποιητικός im Unterschied zu Aristoteles und Thomas von Aquin so hoch bewertete, daß er mit seiner Auffassung von der Einheit des Seelenlebens das stoffliche Sein nur als den ersten Anstoß zur psychischen Tätigkeit gelten ließ[243]. Entsprechend erklärte er in seiner Katholischen Dogmatik, der Geist zeige die Analogie des Urbildes in der Anlage seiner Grundkräfte: Die Aufnahme des Stoffes behufs organischer Wesensgestaltung habe ihr Urbild in der Erkenntnis; denn diese sei Aufnahme der Wahrheit behufs innerer Erfüllung des Vernunftwesens. Die Wahrheit sei das »Lebensbrot des Geistes«. Durch die Erkenntnis werde der endliche Geist, der seinem Wesen nach beschränkt ist, alles: durch Vergegenwärtigung dessen, was er ist und was außer ihm ist. Die engen Schranken der natürlichen Selbstsucht sind damit nach H. Schell in der Anlage für die ideale Nachbildung alles Seins durchbrochen. So hat die menschliche Seele die Fähigkeit und das Bedürfnis, durch ideale Aneignung und Verinnerlichung alles zu werden. Sie nähert sich dadurch dem wahren und vollkommenen Sein, das kraft des eigenen Denkens alles wesenhaft ist. Denken war für H. Schell Gestaltung, und er erinnerte daran, daß wesenhafte Selbstverwirklichung nicht anders zu verstehen ist wie als wesenhaftes Denken, denkende Selbstgestaltung[244].

Wir müssen in diesem Zusammenhang noch einmal auf die philosophische Systematik im Denken H. Schells zurückgreifen. V. Berning hatte festgestellt, daß bei H. Schell nicht nur der νοῦς ποιητικός im Sinne einer einzigen allumfassenden Seelentätigkeit interpretiert wurde, daß vielmehr auch bei ihm die ontologische Bedeutung der Gattung tief zu gunsten des konkreten Subjekts, der οὐσία πρώτη herabgesetzt wurde[245]. Entsprechend vertrat H. Schell nun die Ansicht, daß die Aufnahme des Nahrungsstoffes bei den organischen Wesen naturnotwendig durch den steten Stoffumsatz zur Auflösung des individuellen Organismus führe. Er meinte, daß die Tendenz der individuellen Selbsterhaltung der Ergänzung durch den Fortpflanzungstrieb bedürfe, um wenigstens den Fortbestand der Art zu sichern, nachdem die individuelle Fortdauer nicht erreichbar sei. Entscheidend ist nun, daß er behauptet, an die Stelle des Triebes der Selbsterhaltung der individuellen und der Artexistenz trete beim Geist die Selbsthingabe der Einzelpersönlichkeit an die Wahrheit, um durch deren Aneignung innerer Unsterblichkeit und ewiges Leben zu gewinnen. Diese Aneignung der Wahrheit fordere natürlich vielfache Verleugnung der natürlichen Selbstsucht; aber sie gebe dem Geiste hinreichenden Lebensinhalt für unvergängliche Dauer. Getragen wurde diese Auffassung bei H. Schell wieder durch sein Gottesverständnis. Alles Leben, so meinte er, müsse ja einen Inhalt, jede Tätigkeit einen inneren Zweck haben, da selbst Gottes Leben sei-

---

[242] Schell: D II. S. 283.
[243] Siehe oben S. 128. - Berning: Das Denken Herman Schells. S. 24.
[244] Schell: D II. S. 283.
[245] Siehe wiederum oben S. 128. - Berning: Das Denken Herman Schells. S. 38.

ne ewige Selbstgestaltung in unendlicher Vollkommenheit zum ewigen Inhalt habe[246].

Abgesehen davon, ob das Verhältnis von individueller Existenz und Gattung richtig bestimmt, ob die durch den Geschlechtstrieb bewirkte Neuentstehung des Menschen mit »Fortpflanzung« zutreffend beschrieben wurde, halten wir dennoch als bedeutend fest, daß H. Schell auf dem Wege einer analytischen Beschreibung von empirischen Lebensvorgängen zu der These kam, daß die Anlage für die Ewigkeit oder die Unsterblichkeit der vierte Vorzug der Gottebenbildlichkeit der menschlichen Seele ist[247]. Als Gründe für die Unsterblichkeit der Seele entwickelte er in diesem Zusammenhang drei Hauptgedanken, die wir im folgenden kurz wiedergeben:

(1) Ontologisch folgte für H. Schell die Unsterblichkeit aus der einfachen Geistnatur, die über alle Zusammensetzung erhaben ist und nicht im räumlichen Nebeneinander der Teile besteht. Er verstand sie als die »Kraft der Verinnerlichung«, und legte dar, daß sie durch die Tätigkeiten wirke, die zwar faktisch, aber nicht notwendig und nur vorbereitungsweise durch organische Funktionen vermittelt werden.

(2) Die Menschenseele hat für H. Schell eine Tätigkeit, mit der sie die Ewigkeit ausfüllen kann. Um diese These zu verdeutlichen legte er dar, daß das Sein die Tätigkeit zum Zweck habe; diese gebe dem Wesen seinen Wert. Daraus folgerte er: »Die Wahrheit des geschaffenen wie des ewigen Seins ist eine Fülle von Erkenntnisinhalt, der ein ewiges Erkenntnisleben beschäftigt; Lust und Kraft dazu sind der Vernunft eingepflanzt; sie selbst ist keiner inneren Zerstörung ausgesetzt«[248]. H. Schell meinte, auch wenn die Erkenntnis nicht als fortgesetzte Erforschung betrachtet werde, sondern als voller Besitz der Wahrheit, wäre sie der endlosen Ewigkeit bedürftig, um diesen inneren Besitz durch Betrachtung gerecht zu werden.

(3) Das besondere Interesse H. Schells galt der Feststellung, die Unsterblichkeit sei eine sittliche Anlage. Die Verpflichtung, Gerechtigkeit und Heiligkeit im eigenen Charakter und in der äußeren Lebens- und Gesellschaftsordnung zu verwirklichen, fand er nur möglich, wenn dieses Ziel auch einmal erreicht werden kann; wenn es insbesondere auch durch die sittliche Bekehrung, Sinnesänderung und Selbstüberwindung noch von dem sterbenden Menschen gefördert werden kann, dessen gute oder schlechte Gesinnung für die Gesellschaft von keiner Bedeutung mehr ist, und für ihn selbst auch nicht, wenn die Sittlichkeit mit ihrer Pflicht und Macht nicht über den Tod hinausreicht. Die Herrschaft des Sittengesetzes bis zum letzten Moment war für ihn ein Beweis, daß der Tod seine innere und äußere Verwirklichung in dem Charakter und in der äußeren Schicksalsordnung nicht hinfällig macht. Daß die Heiligkeit des Charakters und die Gerechtigkeit des Schicksals hienieden nicht erreichbar ist, bedurfte für ihn keiner Erwägung; daß sie verpflichtendes Ziel alles sittlichen Strebens ist, bis zum Tode, fand er im Gewissen bezeugt[249].

Um den architektonischen Rahmen der Katholischen Dogmatik H. Schells

---

[246] Schell: D II. S. 283.
[247] Ebd. S. 283.
[248] Ebd. S. 283-284.
[249] Ebd. S. 284.

nicht zu sprengen, können wir an dieser Stelle nicht ausführlicher auf die Unsterblichkeitslehre des Würzburger Apologeten eingehen[250]. Wir haben soeben aber jene Elemente herausgestellt, die für die Eschatologie tragende Bedeutung haben. In seiner Lehre von der natürlichen Ebenbildlichkeit des Menschen zu Gott legte H. Schell weiter dar, daß sie dem Menschen nicht äußerlich angefügt oder nur als ontologisches Akzidens eingepflanzt sei, daß sie ihm vielmehr wesenhaft und unabtrennbar zukomme (6. These). Er fügte hinzu, daß die Geistesseele die Wesensform des Menschen ist, insofern sie das bestimmende Gesetz und die durchdringende Kraft, das Ideal- und Realprinzip ist, die die Anlage aller niedrigeren Wesensstufen im Menschen beherrscht.

Hinter dieser 7. These stand für H. Schell das biblische und kirchliche Dogma, daß der gottebenbildliche Geist ebenso wie der aus Erdenstoff gebildete Leib zum Wesen des Menschen gehören. Die Lehrentscheidungen des Konzils von Vienne und des 5. Laterankonzils[251] interpretierte er so, daß die Glaubenslehre von der Wesenseinheit des Menschen mit jeder Theorie verträglich ist, die die Geistseele als das unmittelbare Prinzip des menschlichen Seins und Wesens erklärt, und zwar logisch und ontologisch; die untergeordneten Wesensstufen hingegen als die aufnehmende Materie dieser geistigen Seinsform bestimmt, die etwa durch untergeordnete und unvollständige Formen zu dieser Aufnahme eingerichtet wird. H. Schell verwies darauf, daß das Konzil von Vienne wie die übrigen Lehrentscheidungen nicht die philosophische Lehre von der ersten Materie und der Form als Wesensbestandteilen der Körper zum Dogma machen wollte[252]. Er selbst lehnte die Theorie einer Materia prima energisch ab. Sie war für ihn »ein Überrest des platonischen Dualismus den Aristoteles nicht genug abtrug und den die Scholastik nur theologisch unschädlich machte[253]. Mit Recht bekämpfte H. Schell die als platonisch geltende Auffassung, nach der der Geist nur als Beherrscher und Beweger des sinnlichen Leibwesens gesehen wird; ebenso die cartesianische, die von Malebranche, Leibniz, Chr. Wolff, H. Lotze weiterentwickelt wurde und nach der der Leib nichts als ein Mechanismus ist, der von der Seele weder belebt noch lebendig benützt wird, sondern nur in gesetzmäßigem Zusammenhang mit ihr steht. Fraglich bleibt allerdings, wenn H. Schell in diesem Zusammenhang erklärt: »Es gibt kein Leiden, welches nicht in sich betrachtet Wirken wäre; es gibt kein Mögliches als Erklärungsgrund des Wirklichen, sondern nur Wirkliches«[254].

---

[250] Zum Thema Unsterblichkeit vgl. Schell: GG. Teil 2. S. 639-683.
[251] Conc. oecum. XV. Viennense. Sess. III (6. V. 1312): Const. „Fidei catholicae" (Adversus errores Petro Johannis Olivio attributi): substantia animae rationalis seu intellectivae vere ac per se humani corporis ... forma; bzw.: anima rationalis seu intellectiva ... forma corporis humani per se et essentialiter (= DS 902). - Conc. oecum. XVIII. Lateranense V. Sess. VIII (19. XII. 1513). Bulla Leonis X „Apostolici regiminis" contra Neo-Aristotelicos: „.... reprobamus omnes asserentes animam intellectivam mortalem esse, aut unicam in cunctis hominibus, et haec in dubium vertentes, cum illa non solum vere per se et essentialiter humani corporis forma existat, sicut in canone ... Clementis papae V ... in Viennensi Concilio edito continetur, verum et immortalis, et pro corporum quibus infunditur multitudine singulariter multiplicabilis, et multiplicata, et multiplicanda sit ..." (= DS 1440).
[252] Schell: D II. S. 287.
[253] Ebd. S. 288.
[254] Ebd. S. 289.

Diese philosophische Grundthese durchzieht die gesamte Dogmatik H. Schells bis hinein in seine Eschatologie[255]. Hinsichtlich des Dogmas von der Substanzeinheit der Geistseele und des Leibes im Menschen stellte er heraus, daß es jede akzidentelle Verbindung mehrerer in sich fertiger und selbständiger Naturen abweist. Er selbst interpretierte es so, daß Geist und Körper im Menschen eine einzige Natur bilden, deren Wesensform die Geistseele, deren Grundlage die niederen Stufen der Körperlichkeit und Sinnlichkeit sind; aber so, daß sie von ihrem tiefsten Grunde aus vom Geist beseelt werden[256]. Diese Auffassung sah er dadurch bestätigt, daß auf Grund der empirischen Analyse der menschliche Leib von der niedersten Stufe seiner Körperlichkeit an die Merkmale der Wesensverbindung mit der Geistseele aufweist, wie andererseits die höchsten Geistestätigkeiten durch die Mitbeteiligung der Körperlichkeit als menschliche, nicht als rein geistige gekennzeichnet sind. Danach erklärte er den zweiten Schöpfungsbericht der Genesis so, daß der ansich tote Erdenstoff ganz und gar zur lebenden Seele, d.i. zum vernunftbegabten Lebewesen wurde, indem er den Geist aus dem Munde des Schöpfers empfing. »Der gottebenbildliche Geist, der die Anlage hat, durch die Aneignung und Verinnerlichung der Wahrheit alles zu werden, ähnlich wie Gott, der im höchsten Sinne alles ist, macht seinerseits den Erdenstoff zum Ebenbild Gottes und gewinnt aus ihm selbst wieder neue Züge der Gottesebenbildlichkeit, indem er ihm zum Mikrokosmos und zum König der sichtbaren Schöpfung wird«[257].

So war für H. Schell jede Wesensstufe in der menschlichen Natur in sich betrachtet ein bestimmter actus, bestimmte Wirklichkeit, nicht nur bestimmungsbedürftige Möglichkeit. In Beziehung zur höheren Wesensstufe des Mikrokosmos bestimmte er sie als »Empfänglichkeit«, »Vorbereitung«, »Einrichtung«. Er legte jedoch Wert auf die Feststellung, daß trotzdem alle niederen Wesensstufen auch in ihrem Umkreis durch die Geistseele bestimmt werden, so daß diese nicht etwa als äußerer Abschluß die Pyramide krönt, sondern die gesamte innere Anlage aller Wesensstufen wesenhaft beherrscht als »Wesensform«. Damit war für H. Schell die mechanische, physische, chemische Körperlichkeit des Menschen von der Naturseele wesenhaft bestimmt und für sie gestaltet, er bezeichnete sie als »durchaus menschlich«. Auch das vegetative und sinnliche Lebensgebiet im Menschen war für ihn nicht einfach dem gleichnamigen Pflanzen- und Tierleben analog, sondern »durchaus menschlich«. Abschließend gab er folgende Definition: »Die Geistseele ist die Wesensform, weil sie das innere Gesetz und die durchdringende Kraft des Ganzen, sein Ideal- und Realprinzip ist. Sie verhält sich nicht so zu den niederen Wesensstufen, wie eine von diesen zu den geringeren, sondern schlechtweg alle bestimmend, ohne selbst von einer höheren bestimmt zu sein«[258]. An diese Bestimmung müssen wir uns erinnern, wenn es im Bereich der Eschatologie um das Verständnis des Todes bei H. Schell geht.

Zum Abschluß dieses Paragraphen von der natürlichen Gottesebenbildlichkeit des Menschen bekannte sich der Würzburger Dogmatiker aus Konvenienz-

---

[255] Vgl. unten S. 239-240.
[256] Vgl. Berning: Das Denken Herman Schells. S. 112.
[257] Schell: D II. S. 289.
[258] Ebd. S. 289. - Vgl. GG. Teil 2. S. 500-567: Die Geistigkeit der menschlichen Seele. - Berning: Das Denken Herman Schells. S. 114-115.

gründen zum Kreatianismus (8. These), und zwar in dem Sinn, daß für den Ursprung aller Menschenseelen die unmittelbare Erschaffung durch Gott um der geistigen Natur willen sowie die gleichzeitige Verbindung mit der Lebensfrucht der Empfängnis anzunehmen sei, weil die Geistseele als Wesensform des Menschen erschaffen werde. Diese Erschaffung war jedoch auch für H. Schell keineswegs voraussetzunglos, denn er betonte, daß sie hinsichtlich der Zeit und auch der Beschaffenheit der Geistseele im ergänzenden Anschluß an die Zeugung erfolgt. Die Wahrheit der elterlichen Zeugung wurde für ihn durch den äußeren und inneren Zusammenhang des Produktes der Erschaffung mit dem Produkt der Zeugungstätigkeit nach Zweck und Beschaffenheit vollkommen gewahrt. Mit Hinweis auf Gen. 12, 5; 46, 18.26 erklärte er, Gottes Tätigkeit ergänze innerlich die Zeugung der Eltern, so daß sie imstande seien, ein Erzeugnis nach ihrem Bild und Gleichnis hervorzubringen, weil sie die zeugende Ursache sind; weil ihre Lebensfrucht nur durch die Einhauchung der Seele von oben, das heißt von der den Naturzusammenhang überragenden Ursache zum Menschenkind werde[259]. H. Schell wußte, daß die theologische Anthropologie Augustins dem Generationismus günstig war und äußerte in diesem Zusammenhang, daß der Kreationismus auf die Begriffsbestimmung der Erbsünde von wesentlichem Einfluß sei[260]. Wir werden später noch einmal auf diesen Fragenkomplex zurückkommen.

c) Das übernatürliche Ebenbild Gottes im ersten Menschen

Die Gnade des Urstandes, der Sündenfall, das göttliche Strafgericht und die Erbsünde sind die vier großen Abschnitte, mit denen H. Schell seine theologische Anthropologie hinsichtlich der Erschaffung des Menschen abrundete. Welche seiner Thesen aus dem Bereich des Ursprungs waren für die Lehre von der Vollendung des Menschen bedeutsam?

Wie sehr zurecht wir bei H. Schell dieser Frage nachgehen, zeigt sogleich der erste Satz: »Gott hat den ersten Menschen zu einer übernatürlichen Bestimmung erhoben, indem er ihm die einstige Gottschauung zum Ziele gab und ihn mit den Gnadengaben des Geistes und Leibes ausstattete, welche dieser hohen Zweckbestimmung und ihrer Verwirklichung durch freie Selbstbestimmung und eigenens Verdienst angemessen sind«[261].

Die Vorzüge des Urstandes teilte H. Schell mit der Schultheologie in solche natürlichen und außernatürlichen Charakters, übernatürlicher und außernatürlicher Vollendung:

a) Die ursprüngliche Heiligkeit und Gerechtigkeit als übernatürliche Ausstattung (iustitia originalis).

b) die vollkommene Herrschaft des Geistes über die Sinnlichkeit und die Fähigkeit, sich vor Leiden und Tod zu bewahren als außernatürliche Ausstattung (integritas originalis).

Diese Vorzüge machen den Menschen zum übernatürlichen Ebenbild Gottes. Bei

---

[259] Schell: D II. S. 290.
[260] Ebd. S. 291-292.
[261] Ebd. S. 292.

Beschreibung der wirklichen und möglichen Stände der menschlichen Natur erklärte er, die Bedeutung des Begriffs des status naturae purae liege darin, daß die jetzige Beschaffenheit der menschlichen Natur, insbesondere das Verhältnis zwischen Geist und Sinnlichkeit, Mühsal und Tod nicht ein dem Menschen wider seine Natur aufgenötigtes Übel, sondern die Folge seiner sich selbst überlassenen Natur seien[262].

Da so manche Thesen über das Verhältnis von Natur und Gnade bis heute immer wieder große Verwirrung hervorrufen, dürfte es von Interesse sein, nachzuprüfen, wie H. Schell die Beziehung dieser beiden verschiedenen Lebenselemente des menschlichen Konkretums sah. Nach seiner Darstellung der katholischen Lehre hängt alles Sein, Können und Wirken in allen Ständen der Natur und Gnade gleich unbedingt und notwendig von der Allursache, ihrer idealen und realen Ursächlichkeit ab, ohne die kein Endliches werden und bestehen kann. Das Geschöpf bedarf demnach in jedem Stand der allursächlichen Einwirkung und Mitwirkung Gottes, ohne dessen allmächtigen Ratschluß nichts seinen hinreichenden Grund hätte. Der Naturstand bedarf nach H. Schell ebenso der erstursächlichen Vorausbewegung zu den einzelnen Betätigungen, wie der Gnadenstand. Er legte dar, daß die Unterschiede von Natur und Gnade, Notwendigkeit und Freiheit, Gut und Bös keine Beschränkung der Allursächlichkeit dessen bewirken, der allein aus sich ist, sondern einen Unterschied in dem besonderen Verhältnis zwischen dem Geschöpf und Gott, insofern sein Wirken je unter einem besonderen Gesichtspunkt betrachtet wird. So verschieden diese besonderen Verhältnisse sein mögen, H. Schell legte Wert darauf festzustellen, daß das ontologische Abhängigkeitsverhältnis davon nicht berührt werde, wonach das Seiende nach seinem vollen Inhalt und seiner ganzen Tatsächlichkeit auf den freien Gedanken und Willen der absoluten Ursache als allein hinreichenden Grund zurückzuführen ist[263].

Nachdem H. Schell zuerst die Verwurzelung beider Bereiche in der Allursächlichkeit Gottes hervorgekehrt hatte, kam er deutlicher auf die Unterschiede zu sprechen. Gnade war für ihn eine selbständige Ordnung des Zieles und der Mittel, die der Natur des endlichen Geistes durchaus unerreichbar sind, aber dennoch deren wahrste Vollendung und Erfüllung bilden; umsomehr, weil die wesenhafte Wahrheit, das Gut des Geistes, über alle Kräfte und Ansprüche des endlichen Geistes unendlich erhaben ist und demselben nur durch besondere freie Gnade zu eigen gegeben werden kann. Den Adel der vernünftigen Natur sah er darin, daß das höchste Gut der Gnade, die Wahrheit an sich, auch ihr höchstes Gut ist; das begründete in seiner Sicht die Verwandtschaft von Natur und Gnade. Allein gerade weil der Geist seiner Natur nach für das Allerhöchste angelegt sei, kann es ihm - so argumentierte H. Schell - wesenhaft, unmittelbar und vollkommen nicht aus natürlicher Kraft und natürlichem Recht erreichbar sein, weil beide endlich sind; sondern nur aus besonderer Gnade. Genau darin sah H. Schell den wesentlichen Unterschied von Natur und Gnade begründet[264].

Hatte H. Schell somit die Zuordnung von Natur und Gnade hinreichend erklärt, so ist hinsichtlich des Endzustandes wichtig, daß er zum Abschluß seiner

---

[262] Ebd. S. 293-294.
[263] Ebd. S. 294.
[264] Ebd. S. 295.

188

Überlegung kraft des Glaubens festhalten wollte, daß die Begierlichkeit, Leidens-schwäche und Sterblichkeit des Menschen nicht fremdartige Zutaten zur menschlichen Natur, nicht ihr von dem strafenden Richter gegen ihre Wesensidee aufgenötigt, sondern die natürlichen Folgen ihrer Idee als einer Verbindung von Leib und Seele, Sinnlichkeit und Geist seien. »Die gegenwärtige Beschaffenheit des Menschen ist nicht eine künstliche oder gewaltsame Verkrüppelung seiner Natur sondern die sich selbst preisgebende Natur«[265].

Nachdem die Vorfragen geklärt waren, kam H. Schell auf den eigentlichen Kern des Glaubensgeheimnisses zu sprechen. »Der Glaube lehrt als ersten und höchsten Vorzug des Urstandes die heiligmachende Gnade der übernatürlichen Gotteskindschaft mit dem Ziel einstiger unmittelbarer Gottesgemeinschaft, die ursprüngliche Heiligkeit oder Gerechtigkeit«[266]. Ontologisch umfaßte nach H. Schell diese Gnade die übernatürliche Zielbestimmung und entsprechende Wesensbefähigung, die traditionsgemäß von ihm als Kindschaft, höhere Ebenbildlichkeit, Einwohnung, habituelle Gnade und Würde der Heiligkeit beschrieben wurden. Erklärend führte er aus: Wie die Tätigkeit eine entsprechende Kraft, und diese eine entsprechende Wesensbestimmtheit voraussetze, so sei auch eine übernatürliche Verklärung und Veredlung des Wesens als die Grundlage der übernatürlichen Zielbestimmung und der von ihr geforderten Kräfte und Akte anzunehmen. Für H. Schell war dies als relative Gnade die entsprechende Verbindung mit Gott als Zielgut, Urbild und Unterpfand, die Gnade der Einwohnung des Vaters durch den Sohn im Heiligen Geist, des Senders im Gesendeten; als absolute Beschaffenheit und Ausstattung des Geschöpfs die heiligmachende Gnade samt den ihr entsprechenden aktuellen Gnaden der Erleuchtung und Bewegung[267]

Hinsichtlich des biblischen Beweises für die übernatürliche Erhebung des ersten Menschenpaares im Sinne der Heiligkeit und Gerechtigkeit ergab die unmittelbare Schilderung des Urstandes in Gen. 2 und 3, daß der Mensch in einem Zustand der lebendigen Gottesgemeinschaft, des geistigen Verkehrs mit Gott steht, der noch nicht endgültige Vollendung, aber übernatürlicher Gnadenerweis zum Zweck endgültiger Befestigung und Beseligung in Gott ist. Wenn die Genesis selbst die Anschauung Gottes nicht geradezu als das Lebensziel des Menschen ausspricht, so sah H. Schell dieselbe tatsächlich doch in dem lebendigen Gottesverkehr als die wesentliche Form seines Vollzuges und seiner Vollendung mitenthalten. Zur Situation des sündigen Menschen folgerte er daraus: »Da die Erlösung die Wiederherstellung der ursprünglichen Zielbestimmung ist, die Einführung der Menschheit in Gottes Wohnung, in Gottes Land und Reich, ins Paradies der lebendigen Gottesgemeinschaft, wo Gott alles in allem ist, so ist es unzweifelhaft, was der Schöpfungsbericht als Zielbestimmung des Menschen teils offen, teils bildlich bezeichnet«[268]. Den Lebensbaum des Paradieses bezeichnete H. Schell mit Hinweis auf Apk. 2, 7 als Sakrament. Das Leben, von dem die Heilige Schrift spricht, war für ihn keine

---

[265] Ebd. S. 295.

[266] Ebd. S. 295. - Vgl. Th. Schneider: Teleologie als theologische Kategorie bei Herman Schell. S. 148-151: Gnade als Teilhabe am dreieinigen Gottesleben.

[267] Schell: D II. S. 296.

[268] Ebd. S. 297.

abstrakte Fortexistenz, keine nur formale Unsterblichkeit, sondern die Lebensgemeinschaft mit Gott dem Lebendigen; und er fügte hinzu: »Was nicht in Gott lebt, ist nach dem Urteil der Schrift tot; Gott ist der Lebensodem alles Lebendigen, die Lebensfrucht der Unsterblichkeit: er ist es als die Wahrheit, welche den Geist erfüllt und beseligt«[269].

Ausführlich ging H. Schell in einem eigenen Abschnitt auf die Gabe der Integrität oder Unversehrtheit ἀφθαρσία ein, die bei ihm sowohl die Reinheit als Freiheit von der Begierlichkeit als auch die Unsterblichkeit, d.i. die Freiheit von Leiden und Sterben umfaßte[270]. Bei der speziellen Fragestellung unserer Arbeit interessiert vor allem der zweite Aspekt. Hierzu erklärte H. Schell, der nächste Grund dieses Vorzuges könne nicht in der körperlichen Natur selbst gesucht werden, da sie ihrem Wesen nach auf den Kreislauf des Stoffes und den Umsatz der Kräfte angewiesen sei, also die Auflösung der vorhandenen Verbindungen anstrebe. So konnte es nach seinem Verständnis nur eine Geisteskraft gewesen sein, die dem entgegengesetzten Naturstreben entgegenzuwirken vermochte, ähnlich wie auch die höheren Naturkräfte die niederen in ihren Dienst zwingen[271].

Mit dieser Darlegung H. Schells über die Urstandsgnaden des ersten Menschen haben wir wiederum ein tragendes Element seiner späteren Eschatologie gewonnen. Wir müssen uns nun seiner Lehre vom Verlust dieser außerordentlichen Vorzüge durch den Sündenfall zuwenden.

Mit Alexander von Hales war H. Schell der Ansicht, nur das besondere Prüfungsgebot[272], nicht aber das allgemeine Sittengesetz habe entscheidende Bedeutung für das ganze Geschlecht gehabt. Das Schicksal des Menschengeschlechts und die Fortdauer der Vollkommenheit des Urstandes hingen somit nur an dem Verbot des Erkenntnisbaumes. Jede andere Sünde hätte zwar den Verlust der Gnade für den Sünder, nicht aber den Verlust der Reinheit und Unsterblichkeit zur Folge gehabt. Um keine falsche Vorstellung aufkommen zu lassen, legte der Apologet dar, daß die Sünde an sich nur eine Bedeutung für die Person hat; daß hingegen die Natur, das heißt die objektiven Kräfte der Natur im engeren Sinn und der Gnade durch sie nicht verdrängt werden, außer insofern sie mit dem sündhaften Willen direkt unvereinbar sind[273]. Die Strafe, die der Ursünde folgte, sah H. Schell daher vornehmlich in ihrer »dogmatischen Bedeutung«. Seine Ausführungen zu diesem Thema stehen in unmittelbarer Beziehung zur Eschatologie, daher müssen wir sie ausführlich wiedergeben.

Die Strafe - so legte H. Schell dar - war in erster Linie die Erblichkeit der Schuld und ihrer Folgen, die Preisgebung der menschlichen Natur an den Tod, den Gott als Folge der Übertretung angedroht hatte. Diese Androhung des Todes trifft im Stammvater seine ganze Nachkommenschaft; denn er kann ihnen nur mehr die menschliche Natur in der von ihm gewollten Lostrennung von Gott, dem Lebensquell, übermitteln. Die Androhung des Todes enthielt als unmittelbaren Inhalt die

---

[269] Ebd. S. 297. - Vgl. GG. Teil 2. S. 169-175.
[270] Ders.: D II. S. 301.
[271] Ebd. S. 304.
[272] Gen. 2, 15-17.
[273] Schell: D II. S. 308.

Trennung von Gott als dem Prinzip des übernatürlichen Lebens, die Aufhebung der übernatürlichen Gottesgemeinschaft im Entwicklungsstand wie in der Vollendung. Der Verlust der heiligmachenden Gnade war Seelentod, der unmittelbar in der Tat Adams selbst enthalten lag und daher nicht besonders ausgesprochen zu werden brauchte. Für Adam nun - so erkannte H. Schell - war der Verlust der übernatürlichen Heiligkeit mit einer positiv bösen Willensrichtung verbunden, nicht aber bei seinen Nachkommen, insofern sie von Adam die menschliche Natur in der Armut der Gnadenberaubtheit, der übernatürlichen Unfähigkeit erben. Auf sie geht nun der Inhalt der Entscheidung über, nicht die Tat der Entscheidung selbst. Daher ererben sie den Mangel der übernatürlichen Gottesgemeinschaft (als Beruf, Ausstattung, Befähigung) ohne eine positive Willensrichtung gegen Gott, die eben deshalb, weil sie positive Auflehnung ist, nicht auf die übernatürliche Ordnung beschränkt bleiben könnte, sondern auch die natürliche Unterordnung unter Gott zerstörte. Allein, da der Inhalt der Entscheidungstat Adams die Ablehnung der übernatürlichen Gottesgemeinschaft ist und darin eben die Sünde formell besteht, so ist das Erbteil der menschlichen Natur nicht bloß Erbverderben, sondern Erbsünde, Erbschuld, weil es aversio a Deo als übernatürliches Lebensziel ist. Allerdings - so fügte H. Schell einschränkend hinzu - auch nur aversio a Deo in ordine supernaturali, nicht zugleich Abwendung von Gott als dem natürlichen Endziel; nur Mangel der übernatürlichen Hinwendung zu Gott, nicht zugleich der Mangel der natürlichen Hinneigung zu Gott. Aus diesem Grund war für H. Schell die von Adam fortgepflanzte Strafe seiner Übertretung nicht bloß Erbübel, sondern Erbsünde; die wesentliche Form der Erbsünde bestand demnach im Verlust der ursprünglichen Heiligkeit und Gerechtigkeit[274].

Dem Verlust der heiligmachenden Gnade entsprach bei H. Schell als ontologische Folge der Verlust der Anschauung Gottes, die poena damni. Wenn der Verlust der Gnde nicht durch persönliche Schuld herbeigeführt ist, so war nach seiner Auffassung auch die Entbehrung der Gottschauung nicht mit der Strafe des Schmerzes (poena sensus) verbunden[275]. Seine These lautete: »Die Erbsünde beraubt nur der übernatürlichen Gottesgemeinschaft, ohne die Natur als solche in ihrem Gebiet zur Abwendung von Gott hinzuneigen«[276]. In seiner Theodizee der Erbsünde führte H. Schell diesen Gedanken weiter aus. Die Erbsünde sei als solche ein ethisches und physisches Übel, ersteres als Seelentod, letzteres als Leibestod. Der Seelentod bestehe nicht in der Lebensunfähigkeit innerhalb derjenigen Entwicklung, die zum Wesen des Geistes gehöre, sondern in dem Verlust jenes übernatürlichen Lebens aus und für Gott, in Vergleich zu dem die Entwicklung und Vollendung, die ihre Quelle in der Kraft des Geschöpfes und der Schöpfung habe, kein Leben sondern Tod sei. Dennoch beurteilte er das Belassen des Menschen in der seiner Natur entsprechenden Ordnung als gut. Es sei kein positives Übel, das über den Menschen durch das Gesetz der Erbsünde verhängt werde, sondern ein relatives Übel, ein minderes Gut. Der Mensch werde seiner eigenen Kraft und dem natürlichen Weltzusammenhang überlassen, um mittels beider die Wahrheit und Seligkeit zu erreichen, soweit sie mit diesen endlichen Mitteln erreichbar ist. Es entsprach der von H.

---

[274] Ebd. S. 318-319. - Vgl. ebd. S. 332, 342 unten.
[275] Näheres zu poena damni und poena sensus siehe unten S. 254-256.
[276] Schell: D II. S. 320.

Schell vertretenen Auffassung von Selbstverwirklichung und Freiheit, wenn er erklärte, daß dies geschah, weil der Mensch es selbst so gewollt und die unmittelbare Lebensverbindung mit Gott, die für jedes Geschöpf übernatürliche Gnade ist, abgewiesen habe. So kam er zu seiner These: »Das Gesetz der Erbsünde ist keine künstliche Verschlechterung der Natur, sondern die Gewähr der Forderung, den Menschen sich selbst zu überlassen, um auf eigenem Wege die Vollendung zu finden«[277]. Daß diese Preisgabe des Menschen an sich selbst und den Weltzusammenhang die Erfüllung der Forderung war, die in Adams Sünde lag, hob für H. Schell den Schuldcharakter dieses Zustandes, die Beleidigung Gottes, die Auflehnung gegen seine Zielbestimmung, die Zurückweisung seiner Gnade, den Gegensatz zu Gottes Weltplan nicht auf. Die sich selbst überlassene Menschheit bezeichnete er als Kind des Zornes, weil es Gottes Bestimmung zuwiderlief, daß sie außerhalb der übernatürlichen Gottesgemeinschaft ihre Entwicklung und Vollendung suche[278]. - Hier äußerte H. Schell auch die Ansicht, eine Anwendung auf die ungetauft verstorbenen Kinder könne nicht unmittelbar gemacht werden, da sie vielleicht durch irgendein Mittel der Erlösungsgnade teilhaft würden[279]. Er gestand aber zu, daß darüber nichts geoffenbart sei.

Wir haben hiermit wiedergegeben, wie H. Schell die eschatologischen Folgen des Sündenfalls sah. Er selbst wußte wohl um die Schwierigkeiten, die seiner Darstellung begegnen sollten. So meldete sich der Apologet zu Wort, der sich folgendem Einwand stellte: An und für sich könnte es scheinen, daß das Übel des gefallenen Zustandes nicht hinlänglich gewürdigt werde, wenn man sein Wesen in den Verlust der heiligmachenden Gnade und der übernatürlichen Bestimmung verlege. Genüge dieser Mangel, um den Ausdruck »Tod« zu rechtfertigen? - H. Schell antwortete, er genüge nicht, wenn wir von dem Standpunkt des empirischen Lebens aus urteilten. Wenn unser gegenwärtiger Stand Leben ist, dann sei er natürlich nicht recht als Tod begreiflich. Allein, die Offenbarung beurteile die Welt von Gott aus, die Zeit von der Ewigkeit, die Entwicklung vom Ziel, den Zustand des Menschen vom Urstande aus, und von hier aus gesehen sei »Tod«, was wir in unserer Gottesferne für Leben hielten.[280]

5. Die Menschwerdung des Wortes und das Werk der Erlösung

Im fünften Buch seiner Katholischen Dogmatik handelte H. Schell von der Menschwerdung des Wortes, dem Geheimnis des Gottmenschen und dem Werk der Erlösung. Auch hier war es ihm darum zu tun, jegliche Nötigung eines Zwanges aus dem Verhältnis von Gott und Mensch auszuschließen, andererseits jedoch das erlösende Handeln Gottes im Rahmen seines gesamten schöpferischen Wirkens als durchaus sinnvoll zu erweisen.

---

[277] Ebd. S. 327.
[278] Ebd. S. 327.
[279] Ebd. S. 320; vgl. S. 340.
[280] Ebd. S. 319.

a) Von der Menschwerdung des Wortes

An und für sich genommen hielt es H. Schell für möglich, daß Gott den gefallenen Menschen im Sündenstand beließ, da sich aus dem Sündenfall selbst keinerlei Anspruch auf Wiederherstellung der verlorenen Gottesgemeinschaft ergeben könne[281].

Wie er den dogmatischen Zusammenhang sah, geht aus seiner Beurteilung hervor, daß die Wiederbegnadigung zumindest ebenso über Kraft, Verdienst und Anspruch des Menschen gehe wie die ursprüngliche Zielbestimmung zur Anschauung Gottes. Obwohl diese erste These für die gesamte Soteriologie H. Schells grundlegend war, so fügte er jedoch sofort als zweite eine dogmatische Überlegung hinzu. Sobald er nämlich den inneren Zweck des göttlichen Schöpfungswerks betrachtete, sah er, daß es unmöglich im Bereich des willkürlichen Belieben liegen konnte, ob Gott das Menschengeschlecht in der Sünde beließ oder ob er es wieder begnadigte, denn »der Sieg des Guten über das Böse ist für die Vollkommenheit des Schöpfungswerdes nicht gleichgültig«[282]. Dennoch stellte er heraus, daß die Wiederbegnadigung des gottentfremdeten Menschengeschlechts eine Tat reiner Güte war, deren Beweggrund er nur in ihr selbst, in ihrer ewigen Willensvollkommenheit, und in ihrem freien Entschluß, nicht in irgend einem geschichtlichen Vorgang oder Verdienst suchte[283]. So kam er zu der vierten These: Gott habe die Wiederbegnadigung des Menschen durch die stellvertretende Genugtuung seines Sohnes als Gottmenschen und als dessen Verdienst gewollt vollzogen; aber diese Vermittlung entspreche vollkommen dem Grundgesetz der Güte Gottes, wonach alles, was Geschenk seiner unbedingten Freiheit und Erbarmung ist, so gut als möglich auch selbsttätige Errungenschaft des Geschöpfs sein solle[284].

Hinter dieser These stand die theologische Auffassung H. Schells, daß Gott nicht erst durch das Opfer Christi zur Vergebung bewogen wurde, sondern daß er die Welt so geliebt habe, daß er die Menschen - als sie Kinder des Zorns waren, soweit es auf ihren eigenen Zustand ankam - bereits mit der voraussetzungsfreien Erbarmung der Wiederbegnadigung umfing, die sich konkret durch die Hingabe des Eingeborenen als stellvertretenden Mittels betätigte[285].

Von den Kongruenzgründen, die die Theologie für die Wiederbegnadigung durch die gottmenschliche Vermittlung zu entwickeln pflegt, stellte H. Schell zwei heraus:

1. Die Menschwerdung Gottes sei ein adäquates Mittel, um in geschichtlicher Veranstaltung den menschlichen Ernst der sittlichen Ordnung zu offenbaren, so wie die unendliche Verpflichtung, mit der Gott als Urheber der sittlichen wie Gnaden-Ordnung den Menschen mit Gehorsam und Liebe in Anspruch nehme; Gott als persönlicher Ursprung der Natur und Gnade verpflichte den endlichen Geist mit unabänderlicher und unbegrenzter Stärke und Innigkeit.

---

[281] Schell: D III/1. S. 12.
[282] Ebd. S. 12.
[283] Ebd. S. 14: Satz 3. - Vgl. Hennemann: Widerrufe Herman Schells? S. 71.
[284] Schell: D III/1. S. 15.
[285] Ebd. S. 14.

2. Die Menschwerdung Gottes sei ein adäquates Mittel, um in geschichtlicher tatsächlicher Veranstaltung den unendlichen Wert des sittlichen und übernatürlichen Lebensziels dem Menschen zur Überzeugung zu bringen. Gott als das höchste Gut jeder sittlichen Ordnung sei der Quell persönlicher und sachlicher Vollendung und Beseligung; in ihm allein komme die Liebe des Verlangens und der persönlichen Hingabe, die beide die unendliche Vollkommenheit in Sache und Person ersehnen, zur ewigen Ruhe tätiger Erfüllung. Der unendliche Wert des gegenwärtigen Gnadengutes, das der Stammvater so leichthin verscherzte, werde ebenbürtig nur dadurch beurkundet, daß ein Gottmensch dasselbe für unser Geschlecht verdiente, und uns die Hoffnung solcher Gottesgemeinschaft erwarb[286].

Aus dieser eigenständigen Formulierung traditioneller katholische Lehre ist zu erkennen, wie stark das Denken H. Schells ethisch, das heißt tätig sowohl auf Person als auf Werte hin ausgerichtet war. Dies kam auch in folgender These zum Ausdruck: »Gott ist Urheber und Endzweck der Schöpfung; da er beides in persönlicher Weise ist, so ist die Schöpfung sein Königreich. Als persönlicher Urheber und Endzweck ist Gott der Herr seiner Geschöpfe, was einen ebenbürtigen Ausdruck nur in einer Weltordnung findet, deren Krone ein Gottmensch ist«[287].

Den Grundgedanken dieser These erläuterte der Würzburger Theologe dahingehend, daß Gott als Ursprung und Ziel aller Dinge zur Anerkennnung gebracht werde als derjenige, der allein aus sich Wert habe und allem seinen Wert gebe. Hier nun war er der Ansicht, daß dies ebenso durch Nichterschaffen wie durch Erschaffen einer Welt geschehen könne; durch Erschaffen einer von Anfang an vollendeten Welt, die die Abhängigkeit von Gott offen und allzeit anerkennt, in ihm als ihrem Endziel ewig ruht, deren Existenz demnach ein steter Vollzug der Verherrlichung dessen ist, der allein kraft eigener Tat besteht und sich daher allein genügt, - oder durch Hervorbringung einer Welt wie die tatsächliche, die durch allmähliche Entwicklung und im Kampf selbsttätiger Kräfte, nicht in gradlinigem Fortschritt, sondern auf Umwegen zum Bekenntnis des ewigen Credo in Gott als den Ersten und Letzten heranreift. Dabei blieb die Welt immer für H. Schell trotz aller reichen Vermittlungformen in wesentlicher Unterordnung unter ihren Grundgedanken: Gott als Urheber und Endzweck thront in unerreichbarer Erhabenheit über ihr; sie ist ein Reich von Untertanen, deren König nicht im Reich sondern nur über ihm steht. Die Frage, die H. Schell nun stellte, zielte darauf hin, ob nicht eine Schöfpung, die nicht bloß eine Gesamtheit von Untertanen ist, sondern innerweltliche Zusammenordnung von Herrscher und Volk, nicht einen unvergleichlich höheren Wert gewinnen würde. Der Urgrund und Endzweck sei dann unbeschadet seiner wesentlichen Erhabenheit in das System der freien Gestaltung selbst hineingezogen und nicht mehr bloß überweltlich. Genau dies nun war für H. Schell durch die Menschwerdung Gottes tatsächlich geschehen. Durch sie werde Gott zum innerweltlichen Zentrum, wie er an sich ihr überweltlicher Ursprung und Endzweck ist; er stehe nicht mehr bloß als überweltlicher König über seinem Reich, sondern sei ihm als innerweltliches Haupt eingegliedert. So nehme die Schöpfung infolge dessen teil an

---

[286] Ebd. S. 20.
[287] Ebd. S. 21.

der königlichen Würde ihres Herrn und werde in den Stand der Freiheit und Kindschaft erhoben. »Gott gehört zur Welt, insofern er zu Christus gehört; alles zielt auf Christus, Christus aber ist Gott; in Christus ist Gott unser Besitz und Eigentum, uns angehörig und zugehörig«[288].

Hinsichtlich des Gottmenschen lehrte H. Schell, die Schöpfung, die an sich nur befähigt ist, dienend und gehorsam das Grundgesetz jeder Schöpfung hinzunehmen und zu erfüllen, werde im Gottmenschen ihr eigener Grund und Endzweck; ihre freie Selbsttätigkeit erhebe sich von der bereitwilligen Hingabe an das höchste Gut durch Benutzung der empfangenen Gnadenkräfte dazu, daß sie selbst die übernatürliche Ordnung, ihr Gesetz und die Gnadenkraft dazu selbsttätig begründet; im Gottmenschen werde die Schöpfung selbst zum Endzweck, sie gebe sich selbst ihr höchstes Grundgesetz und die Gnadenkraft zu dessen allgemeiner Erfüllung. Durch die Menschwerdung werde selbst das, was Gottes Vorrecht ist, Gnadenspender, Gesetz und Endzweck der Welt zu sein, in denkbar höchstem Sinn die Errungenschaft der geschöpflichen (gottmenschlichen) Selbsttätigkeit. Damit zugleich ergab sich für H. Schell das Grundgesetz, das ihm aus allem Zügen der tatsächlichen Weltgestaltung sprach: »Was das Geschenk von Gottes freier Gnade ist, soll so gut als möglich auch die Errungenschaft der geschöpflichen Selbsttätigkeit sein«[289].

Dieses Grundgesetzes höchste Erfüllung fand H. Schell in der Menschwerdung Gottes. Seine 5. These lautete daher: »Die Menschwerdung Gottes ist der höchste unter allen Einzelzwecken der Schöpfung, der Anfang aller Wege Gottes und das Endziel der Schöpfung überhaupt, insofern die Gesamtheit aller Geschöpfe in möglichster Vollkommenheit und Eigenart an der gottmenschlichen Einigung teilnehmen soll. Die Gesamtheit aller Dinge und Ereignisse zielt auf den Gottmenschen und ist insofern diesem höchsten Endzweck einverleibt, der als das Haupt auch die Gesamtheit der Schöpfung darstellt«[290].

Mit dieser These schloß sich H. Schell dem skotistischen Standpunkt an, daß die Menschwerdung in Gottesratschluß feststand unabhängig vom Sündenfall. Zur Begründung führte er aus, daß alle Momente des Weltplans in ihrem Zusammenhang als Ursachen und Folgen, Zweck und Mittel, in ihrer zeitlichen Aufeinaderfolge, nicht das eine um des anderen willen, sondern alle um des gesamten Zusammenhangs willen gedacht und gewollt seien. H. Schell wies darauf hin, daß die menschliche Erkenntnisweise eine abstrakte Berechnung in Gott hineintrage; in Gottes Weltplan sei aber das dem Ursprung nach das Höchste und Erste, nicht das zeitlich oder begrifflich Frühere, sondern das Übergeordnete und Bestimmende. So sei auch die Zulassung des Sündenfalls der Verherrlichung des Gottmenschen als Überwinders des Bösen von vornehrein untergeordnet gewesen. Aus all dem zog er den Schluß: »Die Menschwerdung Gottes ist der höchste Endzweck in der Hierarchie der Einzelzwecke des Schöpfungsplanes; alle Schöpfungskreise haben ihren Zielpunkt in ihr; sie ist der Anfang aller Wege Gottes«[291].

---

[288] Ebd. S. 23.
[289] Ebd. S. 24.
[290] Ebd. S. 24.
[291] Ebd. S. 26. - Vgl. Th. Schneider: Teleologie als theologische Kategorie bei Herman Schell. S. 122-125: Die Menschwerdung Gottes, Grund und Zweck der Welt.

Es ist nicht unsere Aufgabe, die Christologie und Soteriologie H. Schells in all ihren Einzelheiten darzustellen. Die soeben skizzierte Theologie H. Schells zur Menschwerdung des göttlichen Wortes läßt indes genug erkennen, welche Ausführungen wir im Bereich der Eschatologie zu erwarten haben, wo er über die Vollendung des Heils spricht.

b) Das Werk der Erlösung

Auch in diesem Abschnitt werden wir nicht die ganze Erlösungslehre H. Schells nachzeichnen, sondern nur jenen Paragraphen, den er der königlichen Macht Jesu im Stande der Verherrlichung widmete. Dabei fragen wir, welche Bedeutung die Lehraussagen über den fortlebenden Christus für die individuelle und allgemeine Eschatologie gewinnen konnte.

Schon in der Höllenfahrt Christi sah H. Schell eine Tat von dogmatischer Bedeutung: Vollzug des Todesopfers und insofern die letzte Folge der Erniedrigung Christi im Todesgehorsam; aber selbst nicht mehr Erniedrigung, sondern Anfang der königlichen Verherrlichung. Es ging dabei keineswegs nur um eine örtliche Bewegung der getrennten Seele Christi und deren örtlicher Aufenthalt in einem bestimmten Weltenraum, vielmehr um die Existenz- und Wirkungsweise der Seele Christi in der Welt der Geister, insbesondere aber in der Welt der abgeschiedenen Menschenseelen. Klar arbeitete H. Schell den Unterschied zur Himmelfahrt heraus, nämlich das Verweilen in der Welt derjenigen, die noch nicht im Himmel, das heißt im Licht der beseligenden Anschauung Gottes sind. Des Näheren bestimmte er die Beschaffenheit der Seele Jesu in dieser Zwischenzeit, deren Tätigkeit, auf welche Personen sich diese erstreckte und welchen Erfolg sie gehabt hatte.

Für die Beschaffenheit der Seele Jesu war ihm selbstverständliche Voraussetzung, daß sie ihren Selbstand im Sohne Gottes hatte, wie der von ihr, aber nicht vom Sohne Gottes getrennte Leib. H. Schell wies darauf hin, daß die hypostatische Union durch die Trennung der beiden Wesensbestandteile der angenommenen Menschennatur nicht gelockert wurde; Leib und Seele waren nach dem Tode, was sie getrennt voneinander sein konnten, kraft der Person des Wortes - Leib und Seele. Den Unterschied zum allgemeinen menschlichen Status sah H. Schell in ihrer Bestimmung zur Wiedervereinigung am dritten Tag. Entsprechend lehrte er: Jesus wurde der Seele nach lebendig gemacht, insofern er seither das Leben entbehrte, das heißt des Lebens in dem seligen Licht der Gottschauung. Den Tod Jesu sah er als Geburt zum eigentlichen Gottesleben, so daß die verherrlichte Seele Jesu in neuer vollständiger Umsicht alle Gebiete der Natur- und Geisterwelt, die Geschichte der Vergangenheit wie der Zukunft, die Unterwelt wie die selige Engelwelt mit der klarsten und wonnigsten Gottschauung umfaßte und durchdrang. Die Bedeutung dieses weltumfassenden Wissens lag für ihn in der daraus gewonenen Macht zu tatkräftiger Wirksamkeit und Herrschaft über die Kräfte der Natur und noch mehr über die Gewalten der Geisterwelt[292]. In zeitlicher Reihe sah H. Schell die Verherrlichung folgendermaßen fortschreiten: Zuerst sollte die Seele Jesu der vollen Gottesherrlichkeit teilhaft werden, da sie durch die Seele vor allem verdient worden

---

[292] Vgl. 1. Petr. 3, 18-20; 1. Tim 3, 16.

war; dann der Leib Jesu; sodann sein mystischer Leib, die Menschheit. Von der Seele sagte er noch einmal, sie habe das Leben in neuer Weise empfangen - aus dem Verdienst ihres Todesopfers und aus der Fülle der Gottheit, die ihrem eigenen Selbst ewig eignet, aus dem Licht und der Macht jener Herrlichkeit, die sie qua persona als Gott-Sohn ewig hatte, ehe die Welt war[293].

Kraft des Verdienstes der Gerechtigkeit, das in ihrem Todesgehorsam zur Reife gekommen war, schien es H. Schell unmöglich, daß die Unterwelt und die sittliche Gewalt, die sie bedingt, das heißt das Gesetz der Naturnotwendigkeit und der Vergeltung, die Seele Christi in ihrem Bann behielt. So lehrte er, daß sie nicht in die Unterwelt kam, um einer Naturnotwendigkeit zu unterliegen, sondern um als Vollbringer der sühnenden Gerechtigkeit zu wirken, »um mit dem von ihm verdienten Geiste der Heiligung die Bedürftigen und Empfänglichen zu erfüllen und zu vollenden«[294]. In der Trennung der Seele vom Leibe Jesu sah er wohl noch eine Folge des Todes, allein nicht mehr mit dem Zweck, das Sühnopfer zu vollbringen, sondern nur noch, um auf Erden die Wahrheit des erfolgten Todes und der nachfolgenden Auferstehung sicher zu stellen. Im gleichen Zusammenhang ließ H. Schell auch seine Vorstellung vom Himmel hervortreten. Zwar war er der Ansicht, daß den Heiligen der Vorzeit die Anschauung Gottes nicht von der Seele Christi verliehen werden konnte; als Begründung gab er an, daß es nur Gott zustehe, in den heiligen Seelen als inneres Erkenntnisbild seiner Schönheit aufzuleuchten. Wohl aber hielt er es für wahrscheinlich, daß sie ihnen sofort um des Verdienstes Christi willen von dem Erlöser - Gott verliehen werde. Eine entsprechende Lehre der Offenbarung fand er für diese Ansicht nicht. Er begründete sie mit der Überlegung, daß die Bedeutung der Himmelfahrt dieser Väter mit Christus[295] fast ganz zunichte würde, wenn sie nicht die Aufnahme in Gottes Licht und Anschauung für sie bedeute; denn »nicht die Örtlichkeit macht den Himmel, sondern die Anschauung Gottes«[296]. Der Himmelfahrt Jesu maß H. Schell insofern besondere Bedeutung zu, als sie den Beginn der Weltherrschaft Christi insbesondere auch hinsichtlich der himmlischen Mächte besagt.

Ausführlich behandelte H. Schell die Lehre von der Auferstehung Christi[297]. Zuerst legte er dar, daß sie als leibliche Verklärung und geschichtliche Erfahrungstatsache zu gelten habe. Ihr Eintreten am dritten Tag geschah für H. Schell nicht nur, damit sie selbst für unsere Erkenntnis unzweifelhaft werde, sondern auch, um den Zustand der Trennung von Seele und Leib ins rechte Licht zu rücken. Das dogmatische Moment sah er darin, daß durch die Sünde das Werk des siebten Schöpfungstages zerstört war, - nun mit der Auferstehung der neue Gottessabbat begann, nachdem der alte zum Tag der Todesruhe geworden war. So fand er den Begriff der Todesruhe erst erfüllt, nachdem durch den Tod des zweiten Adam Gottes Gerechtigkeit versöhnt und der Keim des ewigen Todes dem Todesschicksal genommen war[298].

---

[293] Zum Ganzen vgl. Schell: D III/1. S. 252-253.
[294] Ebd. S. 253.
[295] Vgl. Mat. 27, 51-53.
[296] Schell: D III/1. S. 255. - Vgl. ebd. S. 259. Abschnitt d.
[297] Vgl. ders.: Apologie des Christentums. Bd. 2. ²1908. S. 525-534.
[298] Ders.: D III/1. S. 257.

Die Beschaffenheit des Auferstehungsleibes beschrieb H. Schell anhand der Erscheinungsberichte und 1. Kor. 15, 35 - 58: Unverweslichkeit, Schönheit, Kraft, Vergeistigung sind die Vorzüge des verklärten Leibes; ein vollkommenes Werkzeug des Geistes, so daß die Menschennatur in ihm dermaßen die Verleiblichung des Geistes darstellt, daß der Geist dadruch keine Belastung sondern nur Förderung erfährt. »Wenn der irdische Mensch zur lebendigen Seele wurde, das heißt zu einem im Leibe lebenden Geiste, so wird der verklärte Mensch zu lebendigmachendem Geiste, das heißt zu einem ganz durchgeistigten Sinnenwesen, in dem der Leib ganz und gar vom Geiste durchherrscht und dienstbar gemacht ist«[299].

Aus Joh. 13, 32 ergab sich für H. Schell, daß die Auferstehung für Jesu selbst eine persönliche Bedeutung als die Verherrlichung und Verklärung seiner Menschheit hat, und zwar als die Verwirklichung der Liebe, die Gott für den Menschensohn als solchen hegt, durch die beseligende Mitteilung all jener Güter, die ihm mit der Aufnahme in der hypostastischen Union zugedacht und verbürgt waren. Die Fülle dieser Güter seien zwar von Anfang an in Jesus gewesen, so erklärte er, aber wie ein Schatz verborgen, da der geistige Genuß dieser beseligenden Güter die Möglichkeit des Verdienstes, des Opferlebens und damit der höchsten sittlichen Vollkommenheit unmöglich gemacht hätte. »Die Krone dieser beseligenden Güter, in deren geistigen Genuß Christus nach vollbrachtem Opfertod eintrat, war die tiefste und einsichtigste Anschauung der Gottheit, ihrer Ratschlüsse und Heilswerke, kurz der Gesamtwelt in Gottes ewigem Licht[300].

Die geistige Vollendung Jesu in Gott hatte nun in der Sicht H. Schells auch große Bedeutung für die gesamte Menscheit. Er verwies auf den Hebräerbrief, nach dem der Leib des Auferstandenen das nicht von Menschenhand aufgebaute Bundeszelt der Versöhnung, das Allerheiligste ist, nachdem er im Vorhof seines sterblichen Leibes das Todesopfer der Sühne vollzogen hatte. Für H. Schell war damit der Himmel, der auch als der Auferstehungsleib Christi bezeichnet wird, der Tempel, in dem und aus dem das beseligende Licht der Gottheit strahlt. So versicherte er, es gebe keinen anderen Himmelstempel, der das wirkliche Urbild des alttestamentlichen Heiligtums sein konnte, als der verklärte Leib Christi, von Gott aufgebaut zur Wohnung Gottes mit unserer Natur, von Gott selbst, dem Herrn des Tempels hinlänglich verschieden, um als sein Bau und als Gotteswerk bezeichnet zu werden. Die Kommunion als Frucht des Opfers war für ihn die Grundidee des Tempelkultes wie des Mysteriums Christi, die selige Lebens- und Gütergemeinschaft mit Gott, das Gott-mit-uns in seligem Genuß, die Kommunion der gottschauenden Menschheit mit Gott als die Frucht des Opferlebens in Christus selbst: daher war er für H. Schell die höchste Erfüllung der Idee des Tempels als Opfer- und Kommunionstätte. »Nachdem Christus sein Opferleben im Kreuzestode vollbracht, und das Heiligtum seines Leibes im Opferfeuer geistiger und körperlicher Schmerzen hatte zerstören lassen, trat er in die selige Wonne der genießenden Gottesgemeinschaft ein und ward zum verklärten Tempel der ewigen Kommunion - kraft seines Opfers«[301]. Christus trat - wie H. Schell weiter darlegte - zuerst selbst in das Allerheiligste Got-

---

[299] Ebd. S. 258. - Dazu siehe oben S. 182.
[300] Schell: D III/1. S. 260.
[301] Ebd. S. 261.

tes ein, das heißt in den unmittelbaren Geistesverkehr der Menschheit mit der Gottheit, um die Erfüllung der Verheißung schlechthin zu erwirken, die Mitteilung des heiligen Geistes, dieser göttlichen Liebesmacht, in der sich Gott zum Menschen herabsenkt, und kraft deren das Geschöpf zu Gott emporgehoben wird. Dieselbe Bedeutung machte nach H. Schell Christus auch als Gekreuzigten und als Auferstandenen zum Gotteslamm, zum Opferlamm und zum wahren Opfermahl: »Als Gekreuzigter ist er das Opfer an Gott; als Auferstandener ist er die selige Opfergemeinschaft mit Gott - in sich selbst und für uns«[302]. Die Bedeutung von Ostern lag für H. Schell darin, daß hier die ewige Tempelweihe des Bundeszeltes sichtbar wurde kraft des vollbrachten Weiheopfers; die Herstellung des tabernaculum Dei cum hominibus zunächst durch die Aufnahme der Menschheit Christi in die selige Liebesgemeinschaft des göttlichen Lebens, und damit die Vollendung der Gnadenstätte, in der die Menschheit überhaupt kraft der priesterlichen Anwaltschaft Christi zur Gottesgemeinschaft zugelassen wird - beginnend mit dem Pfingstgeheimnis. Beides stand für H. Schell in unmittelbarer Beziehung zur Eschatologie: »Was Ostern für die Menschheit Christi bedeutet, beginnt Pfingsten für uns: die Gottesgemeinschaft, insofern sie ein Trost, ein vorausempfundener Himmelsgenuß, ein Unterpfand der Seligkeit ist«[303].

Wir haben uns damit dem entscheidenden Kern der Theologi H. Schells genähert. Wie wohl niemandem sonst zu seiner Zeit gelang es ihm, die Christologie, Soteriologie, Kosmologie, Anthropologie und Eschatologie zu einer vollkommenen Einheit zu bringen. Wir finden dies eindrucksvoll in folgendem Satz: »Durch die Auferstehung wurde Christus in tatkräftiger Wirklichkeit das königliche Haupt des Universums, der Mittler und Spender aller Gnadenkräfte, der Herr und Gebieter aller geschöpflichen Mächte im Himmel, auf Erden und in der Unterwelt, endlich der Richter der gesamten Welt, sowohl im Sinne des entscheidenden Maßstabs ... als des persönlichen Prinzips, das den Maßstab anwendet. Die Auferstehung ist Heilprinzip; durch die Auferstehung ist Christus zum lebendigen Geist geworden«[304].

Die Bedeutung der Auferstehung Christi für den Menschen erörterte der Würzburger Theologe vor allem anhand der paulinischen Theologie. Besonders verwies er auf die sittliche Anwendung in Röm. 6: Die Todesschuld wird durch den Glauben und die Eingliederung in den Tod Christi und seine Sühnkraft bezahlt, da Christus wirklich als Stellvertreter der gesamten Menschheit gestorben ist; das Leben der Gläubigen wird also fruchtbar und frei für Gott und die Ewigkeit, erlöst von der Sühnepflicht und von der Strafschuld. So gliedert sich unser Leben jetzt schon in das Leben des Auferstandenen ein, der auch nicht mehr als Opfer des Todes, sondern nur mehr für Gott lebt[305].

Für die Auffassung H. Schells vom Bösen bleibt wichtig, daß er durch die Auferstehung Christi jene Weltherrschaft gesprengt sah, die Satan gerade durch das Gesetz des Todes und der Verwesung über das gefallene Menschengeschlecht im

---

[302] Ebd. S. 262.
[303] Ebd. S. 262.
[304] Ebd. S. 263.
[305] Ebd. S. 267.

Namen der strengen und rücksichtslosen Vergeltung ausübte. Satans Herrschaft bestand für ihn nicht so sehr in dem Vermögen, den Einzelnen durch einzelne Angriffe an Leib und Seele zu beschädigen, als vielmehr in der ganzen bestehenden Naturordnung, insofern sie die Folge der ersten Sünde ist. Er erklärte daher, daß dieses Gesetz der Sünde und des Todes den Leib zu einer Mühsal und Gefahr für die Seele mache; die Umgebung zu einem Netz von berückenden Täuschungen und Versuchungen; zu einer Kette von Kampf und Unterdrückung; die Natur zu einem beständigen Sinnesreiz wie zu einem unermüdlichen Angriff auf Gesundheit und Leben und schließlich zum Grab der Menschheit. Aus diesem Grab sei das gefallene Geschlecht mit Christus auferweckt worden, zum Glauben und zur Hoffnung des Lebens in Gott[306].

Anschließend kam H. Schell auf Christus als das Prinzip der Wiederherstellung zu sprechen. Der Erstgeburt aus dem Leben entspreche seine Erstgeburt aus den Toten, vermöge deren er das Prinzip der Wiederherstellung ist. Wie für ihn die Menschwerdung des Wortes Grund und Zweck der tatsächlichen Weltschöpfung und Weltgestaltung war, so sah er auch in der Auferstehung des Gottmenschen aus dem Todesleben und Todesleiden jene zweite Erstgeburt, die Grund und Vorbild aller Wiederherstellung ist. Wieder wies er auf die sakramental-pneumatische Bedeutung dieser Tatsache hin: Weil Christi Auferstehung seine Geburt zum seligen Leben in Gott ist, zur Gottesfülle und Gottesherrlichkeit, so ist sie auch das Urbild unserer Wiedergeburt aus dem Wasser und dem Heiligen Geist; durch die Taufe im Wasser begraben mit dem Gekreuzigten, stirbt der alte Mensch, der dem Gesetz mit allen seinen Kräften verfallen war, samt seiner Sühneschuld; aus dem symbolischen Taufbegräbnis steht der neue Mensch auf, um befreit von den auszehrenden Schuldverpflichtungen mit dem Auferstandenen für Gott zu leben und ein Vermögen für die Ewigkeit zu erwerben[307].

Bei jedem Schritt, mit dem wir den Gedankengang H. Schells nachgehen, wird uns immer deutlicher, daß seine Erlösungslehre die gesamten Grundlagen für seine Vollendungslehre enthielt. So verwundert es uns nicht, daß er schon hier in Verbindung mit der Auferstehung Jesu vom Weltenrichteramt Christi sprach. Als Apologet setzte er sich mit dem Einwand der damaligen Evangelienforschung auseinander, mit dem behauptet wurde, Jesus habe in zahlreichen Aussprüchen auf seine baldige Wiederkunft in äußerer Messiasherrlichkeit hingewiesen. Er sah in ihnen keine subjektive Erwartung, die auf Grund des Messiasbewußtseins entstanden, durch den Gang der Ereignisse aber widerlegt worden sei; vielmehr war er der Überzeugung, daß die eschatologischen Weissagungen Jesu ihre großartige und weltgeschichtliche Erfüllung in vollstem und eigentlichem Sinn durch die Auferstehung und Himmelfahrt, durch die geistige Wiederkunft Christi in dem von ihm verdienten und gesandten Heiligen Geist, in der strafgerichtlichen Heimsuchung des Judentums und seines Tempels, sowie in der siegreichen Ausbreitung des Christentums fanden[308].

Die himmlische Herrlichkeit Christi bestand für H. Schell einmal in der vollkommensten Vergöttlichung seines menschlichen Lebenskreises in der seligsten

---

[306] Ebd. S. 267.
[307] Ebd. S. 268. - Zur eschatologischen Dimension der Taufe siehe unten S. 260.
[308] Vgl. Schell: D III/1. S. 270-272.

Anschauung und Liebesgemeinschaft Gottes, als der psychologischen Vollendung der ontologischen Personeinheit der göttlichen und menschlichen Natur; ferner in der Offenbarung und Anbetung seines Namens seitens der gesamten Erden-, Himmels- und Unterwelt, herbeigeführt durch das Licht des Heiligen Geistes und das Lehramt der Kirche. Diese selbst haben nach H. Schell ihren Ursprung in dem Verdienst Christi und sind so die Betätigung seines himmlischen Prophetentums; drittens in der Fortdauer seines Hohenpriestertums und Selbstopfers. Dieses sah H. Schell ideal verewigt im Willen Christi, insbesondere solange die Früchte des Erlösungsverdienstes den Geschlechtern der Menschheit zugewendet werden. Vermittelt durch sittliche und sakramentale Erfordernisse und beseelt durch die hohepriesterliche Aufopferung des Erdenlebens für alle und jeden, werde der hohepriesterliche Geist Jesu in allen lebendig, die er in den Dienst seines Erlöseramtes stellt oder in denen er sein Erlösungsverdienst verwirklicht, der Geist des priesterlichen Eifers für Gottes Ehre und das Heil der Seele: dadurch werde der Opferleib Jesu durch die Eingliederung aller Erlösten und die Aufopferung aller Mitwirkenden vollkommen, die Gemeinschaft aller Heiligen umfassend und zur kosmischen Verwirklichung des letzten Weltzwecks[309]. Die Beziehung zwischen Christus und den Seinen verläuft mithin nach H. Schell in doppelter Richtung: »Das Leben, welches Christus in seiner Kirche und seinen Jüngern auf Erden fortlebt, in ihm und mit ihm verfolgt, bedrängt, büßend, streitend, verdienend, zum Vollmaß des Leibes Christi heranwachsend, ist mit der Eucharistie ein Akt des himmlischen Priestertums Christi; denn nicht bloß leben die Gläubigen in Christus hinein, sondern noch mehr macht er sich die Kirche und die Seinigen zu eigen, so daß er in ihnen lebt, wirkt und leidet«[310].

Im letzten Abschnitt ging es H. Schell um das Königtum des himmlischen Christus. Es äußert sich, wie er darlegte, nicht bloß in der Nachahmung der von ihm als Stifter und Gesetzgeber seiner Kirche auf Erden vollzogenen Akte, also in dem Fortbestand der von ihm geschaffenen Ämter, Gnadenmittel und Einrichtungen, sondern durch seine fortgesetzte Wirksamkeit, vermöge deren der himmlische Christus als der Herr der Herren und König der Könige[311] über die Kirche, in der Kirche und durch die Kirche waltet. Als vorzüglichste Königstat Christi galt ihm auch hier die Sendung des Heiligen Geistes. Geisttaufe und Weltgericht gehörten für H. Schell unauflöslich zusammen: Durch die Geisttaufe gründete Christus seine Kirche und nahm die Welt für Gott in Pflicht und Besitz; durch das Weltgericht scheidet er von dem vollendeten Gottesreich alles aus, was in der Welt nicht zur Kirche werden wollte. Da die Geistessendung immer fortdauert, und - wie H. Schell versicherte - an allen Seiten anklopft, erschien ihm das himmlische Königtum Christi als allgemein und immerwährend; da sich andererseits das Weltgericht stets vollzieht und Christus die Geister scheidet, so sah er ihn auch als Weltrichter immer tätig: Geistsendung als grundlegende, Weltgericht als abschließende Tat des Königtums Christi. In der ersteren will Christus die Welt mit Gott durchdringen, weihen und erfüllen; in der letzteren scheidet er die Widersacher aus dessen belebender und beseligender Gemeinschaft aus[312].

---

[309] Ebd. S. 272-274.
[310] Ebd. S. 275.
[311] Vgl. Apk. 17, 14.
[312] Schell: D III/1. S. 276-278; außerdem: D III/2. S. 822. - Dazu vgl. unten S. 231.

c) Das Leben des erlösten Menschen in der Gnade des Heiligen Geistes

H. Schell ging davon aus, daß die Mitteilung des Heiligen Geistes keine absolut neue Gnade war, die überhaupt zum ersten Mal an dem Pfingstfest nach Christi Opfertod der gefallenen Menschheit mitgeteilt worden wäre. Vielmehr sah er in ihr das Ziel und die Erfüllung aller früheren Geistesmitteilungen, und die unversiegliche Quelle aller folgenden Gnadenspendung für die Kirche wie für die Seelen. In seiner ersten These behauptete er daher, sie habe zentrale Bedeutung ebenso wie der Gottmensch, der Zweck und Ideal des alten Bundes und Gesetzes war, andererseits aber auch der Urheber der gesamten neutestamentlichen Heilanstalt, fortlebend in seinen Aposteln, Organen Ämtern. Die Pfingstsendung bezeichnete er als die Sendung des Heiligen Geistes schlechthin; die Quelle, aus der die Vergangenheit und die Zukunft schöpfte, die alle früheren und späteren Mitteilungen des Heiligen Geistes überragt[313]. H. Schell nannte drei Segnungen, die die Sendung des Heiligen Geistes mit sich bringt: Die Gnade, die Gnadenmittel, die Gnadenanstalt als die Organisation aller Gnadenbedürftigen und aller Gnadenmittel[314]. Auch der Zweck der sichtbaren Pfingstsendung war ihm ein dreifacher: Die Heiligung der Seelen, der Aufbau der Kirche, die Vollendung des Leibes Christi durch die sakramentale Lebensgemeinschaft der Glieder mit dem Haupt. »Durch die Gnadeneinwohnung des hl. Geistes nimmt die Seele Gott als ihr Zielgut in sich auf und an seiner Heiligkeit teil; als Glied der Kirche gelangt sie schon hienieden zum sicheren Besitz der unfehlbaren Wahrheit, indem der hl. Geist die Kirche als Gesamtheit aller Gläubigen durch das Charisma der Wahrheit auszeichnet; als Glied des eucharistischen Leibes Christi nimmt die begnadete Seele an dem göttlichen Sein und der göttlichen Sohnschaft des Gottmenschen Anteil, und wird in die innigsten Lebensbeziehungen zu dem dreieinigen Gott aufgenommen, insbesondere zu Gott dem Vater«[315].

Die Sendung und Einwohnung des Heiligen Geistes war für H. Schell im Grunde gegeben, sobald der Ratschluß seine Verwirklichung begonnen hat, vermöge dessen Gott sich zum höchsten Gut seiner Geschöpfe im Sinn der beseligenden Gottschauung bestimmte. Die Erfüllung dieses Heilsratschlusses umfaßte daher die Sendung des Sohnes und des Heiligen Geistes in die begnadete Kreatur[316].

Den eschatologischen Bezug verdeutlichte H. Schell hier in seiner fünften These. Danach wird der Heilige Geist als die Liebeskraft der Heiligung und Seligkeit den Seelen als solchen zu eigen gegeben; als Geist der Wahrheit indes der Gemeinschaft aller geheiligten Seelen, der Kirche, jetzt im Charisma der Glaubenswahrheit, einst in der seligen Anschauung Gottes in seinem Wort; als Geist der Kindschaft, der die geheiligten in Gottes Vaterherz birgt und im Schoß des ewigen Vaters sammelt, wo der Eingeborene ewig ruht; dort wird der Heilige Geist den Begnadigten als dem mystischen Christus gegeben[317].

Aus dem weiten Gebiet der pneumatologisch entfalteten Gnadenlehre wollen wir nun speziell die Thesen H. Schells über die heiligmachende Gnade und den

---

[313] Schell: D III/1. S. 286.
[314] Ebd. S. 287.
[315] Ebd. S. 289.
[316] Vgl. ebd. S. 290.
[317] Ebd. S. 291.

202

Stand der Rechtfertigung wiedergeben, da sie ebenfalls grundlegende Elemente für seine Lehre von der Vollendung enthalten.

Das Wesen der heiligmachenden Gnade fand H. Schell in dreifacher Weise bestimmt:

a) Durch übernatürliche Geistigkeit, das heißt übernatürliche Empfänglichkeit für Gott als absolute Wahrheit und Güte;

b) durch höhere Ebenbildlichkeit mit Gott insbesondere mit dem Wesensbild Gottes;

c) durch die Kindschaft Gottes als Würde und Stand, wie als Kraft und Anspruch zur Erbschaft Gottes, das heißt zur vollen und seligen Aufnahme des höchsten Gutes in das eigene Innere.

Hier fügte H. Schell hinzu: »Da das höchste Gut indessen Person ist, so gestaltet sich diese Verbindung mit Gott zu dem Verkehr vertrauter Freundschaft und Wechselhingabe, jetzt in der Hoffnung, dereinst im Genuß«[318]. Im einzelnen erläuterte er, daß durch die übernatürliche Geistigkeit oder Verklärung des begnadeten Menschen seine besondere Beziehung zum Heiligen Geist geoffenbart werde, der als Gabe aller Gaben und ungeschaffenes Prinzip des übernatürlichen Lebensprinzips die Seele erfüllt und bewohnt. Durch die höhere Ähnlichkeit mit Gottes Vollkommenheit erscheine die Seele besiegelt mit dem Bilde Gottes, gestaltet nach dem Ausdruck seines Wesens, dem wesensgleichen Sohn. Hier sah H. Schell die Kindschaft und die Anwartschaft auf all die seligen Güter gegeben, die aus dem Vater als dem Prinzip alles Guten hervorgehen, insbesondere auf die einstige Zeugung des eingeborenen Sohnes in den geheiligten Seelen, als des Prinzips unserer Gottschauung. Ähnlichkeit und Kindschaft bedeuteten für H. Schell mehr Beziehungen, die auf Grund der übernatürlichen Geistigkeit hergestellt werden. Die letztere bildete für ihn das eigentliche Wesen der geschaffenen Gnade, insofern sie eine der Seele selbst zu eigen gegebene Vollkommenheit ist[319].

Im folgenden erläuterte H. Schell Punkt für Punkt die von ihm gegebene Wesensbestimmung der Gnade. Zuerst befaßte er sich mit der übernatürlichen Vergeistigung, die durch diese heiligmachende Gnade bewirkt wird. Geistigkeit bedeutete für ihn jenen Vorzug der einfachen Seele, vermöge dessen sie Anlage und Fähigkeit für die Wahrheit ist. Im Gegensatz und in der Erhabenheit über das Sinnliche offenbare sich ihm vor allem die physische Vollkommenheit des Geisteswesens, der Vorzug unvergänglicher Selbständigkeit. Eben dieser Vorzug gewinnt nach H. Schell seine höchste Stufe, wenn der Geist als Wesensform einer sinnlichen Natur auch diese in der Auferstehung des Fleisches mit unvergänglicher Lebenskraft verklärt.

Die Gnade offenbarte sich für H. Schell auch insofern als übernatürliche Vergeistigung des endlichen Geistes, als sie diesen ebenfalls von jenen kosmischen Dingen selbständig macht, die noch für ihn Bedeutung haben, d. i. von den äußeren Bedingungen seiner Erkenntnis und Willensbetätigung. Gerade diese These führt uns zu der Erkenntnis, wie der Würzburger Theologe das Leben des Begnadeten nach dem Tode verständlich machte. Er erklärte: »Wenn der reine Geist auch als

---

[318] Ebd. S. 330.
[319] Vgl. ebd. S. 331.

Substanz unabhängig ist (von allem außer Gott), so doch nicht in seiner Betätigung. Eine vollkommene Unabhängigkeit und Selbständigkeit gibt ihm nur die übernatürliche Gnade, nämlich die Berufung zur unmittelbaren Anschauung Gottes in Gott selbst«[320].

In diesem Zusammenhang verwies H. Schell auch darauf, daß Materie und Trägheit innerlich verwandt sind; mit der Materie - so führte er aus - verbinde sich die Notwendigkeit, durch einen gewissen Aufwand von Kraft entgegengesetzte Schwierigkeiten zu überwinden und erst dann mit freier Kraft die Idee zu verwirklichen. Entsprechend werde der Geist nicht ganz ausgefüllt, soweit er Anlage für die Wahrheit sei, solange ihm die Welt als Mittel zur Aneignung der Wahrheit diene. Nur wenn Gott dem Bewußtsein als objektives Wahrheitsbild aufleuchte, werde das ganze Auffassungsvermögen für ewig ausgefüllt, zumal kraft der Erscheinung des Gottesbildes im Bewutßsein aus dem innersten Seelengrund jener Liebesgeist zur Wahrheit herauswehe, mit dem die Einkehr Gottes in den Seelen erfolgt. Gott als objektives Bild der Wahrheit und als subjektive Begeisterung der Wahrheit wandelt nach H. Schell das gesamte Vermögen und Können des geschaffenen Geistes in ewiges Leben um und damit in unvergängliche Seligkeit. Zusammengefaßt lautete die These: »Die Berufung zur Gottschauung vergeistigt den Begnadigten noch in anderer Weise, indem sie ihm ein ewiges Leben versichert, das die allerhöchste Lebendigkeit und Energie entwickelt, in dem kein Rückstand von Fähigkeit bleibt, die nicht in lebendige Tätigkeit umgesetzt wäre, und zwar in einem ununterbrochenen Fortschritt, von Klarheit zu Klarheit, wie vom Geist des Herrn. 2 Cor. 3, 18«[321].

H. Schell sah selbst, daß mit seinen Thesen einige Fragen aufgeworfen wurden, so der Einwand, es könne scheinen, als ob die natürliche Vergeistigung durch den Gnadenberuf zur Gottschauung gerade durch die übernatürliche Unabhängigkeit von allem außer Gott die Begnadigten vereinzele und außer Zusammenhang bringe. Gegen diesen Vorwurf eines selbstsüchtigen Heilsindividualismus erklärte er, die Liebe zur Wahrheit schließe die anderen nicht von dem seligen Besitz derselben aus, sondern gerade mit ein, insbesondere wenn die Wahrheit als der persönliche Gott erkannt und aufgenommen werde, als der Gute, durch dessen schöpferische Weisheit alle Geister und alle Ideale bestehen, alles, was für die Wahrheit angelegt ist und alles, worin die Wahrheit wiederleuchtet. »Gott, der weder als Wort noch als hl. Geist in den vielen Seelen, denen er sich zum innersten Eigentum hingibt, der Vervielfältigung oder Verteilung bedarf, der als ein Bild und als eine Liebe in allen wohnt, macht in sich und mit sich auch alle, die er in Gnaden heimsucht und beseligt hat, zum Gegenstand und Zielpunkt des inneren Lebens aller, des amor qui omnibus Deum vult und selig ist in der Anschauung, daß die Wahrheit in allen ist und daß alle in der Wahrheit selig sind, wenn auch dieser oder jener insbesondere der Seele persönlich nahe steht«[322].

Für H. Schell kehrt daher mit Gott sein ganzer Himmel in die gottschauende Seele ein, um von ihr aufgenommen zu werden, und jede einzelne Seele durch diese allumfassende Liebe zu dem ganzen Himmel auszudehnen. Wo daher Gott durch

---

[320] Ebd. S. 332.
[321] Ebd. S. 332.
[322] Ebd. S. 333.

die Gnade zum Lebensprinzip des Seelenlebens geworden ist, liegt - so folgerte H. Schell - die höchste Seligkeit darin, daß alle den allein guten Gott durch ihre wechselseitige Liebe einander geben und von einander empfangen. Nur in der Anschauung Gottes sei es möglich, daß tatsächlich ein einziges Gedankenbild, der Logos, in allen Geistern die Wahrheit vergegenwärtige und eine einzige Liebe alle verbinde. Aus diesem Grund hielt es H. Schell nur durch die übernatürliche Gnade für möglich, daß alle im eigentlichen Sinn zu e i n e r Lebensgemeinschaft, zu e i n e m Gottestempel, zu e i n e m Gottesstaat werden, in dem keine Selbstsucht zur Scheidewand wird, in dem jede Selbstheit ganz darin aufgeht, ein Gefäß der Gottesliebe und der Liebe zu allen Gottgeliebten zu werden. Mit der physischen Selbständigkeit, die die Gnadenordnung dem Begnadigten allem gegenüber gewährt, was nicht Gott ist, wurde demnach die ethische Gemeinschaft der Nächstenliebe nicht gemindert, sondern geläutert und gesteigert. Die Gnade erwies sich ihm als übernatürliche Vergeistigung sowohl ontologisch durch die höchste Selbständigkeit, als psychologisch durch die höchste Selbstlosigkeit der Liebe aller zu allen in ihrer einzigen Liebe, in Gott. »Der Geist erfährt durch die Gnade die größte Steigerung und Reinigung seiner Wesensart über die Grenzen des Endlichen hinaus bis zur übernatürlichen Gottähnlichkeit, sowohl insofern er als Geist physisch im Gegensatz zur Materie ...steht und Selbständigkeit bedeutet, als ethisch im Gegensatz zur Selbstsucht und Einschränkung auf sich selbst, als ob der Adel des Geistes nicht die Freiheit von jeder Sorge um den substantiellen Wesenbestand wäre, und demgemäß die Freiheit für die rückhaltlose Hingabe an den Allein-Guten, die persönliche Wahrheit«[323].

Mit diesem Zitat beschließen wir unseren Einblick in die pneumatologische Gnadenlehre H. Schells. Der Energie wie dem Inhalt nach, durch Tatkraft wie Lebensfülle war für ihn - wie er selbst feststellte - die Gnade der Gottschauung die höchste Vergeistigung des natürlichen Geistes[324].

Zum Abschluß unserer vorbereitenden Analyse müssen wir uns nun noch einem letzten Thema zuwenden, das H. Schell ebenfalls im Zusammenhang von Heiligung und Vollendung behandelte: Die Lehre von der Kirche. Zunächst definierte er: »Die Kirche ist das von Christus gestiftete Reich der (wahren und) übernatürlichen Gottesgemeinschaft, vorbereitet in den Patriarchen und Propeten, hergestellt durch die pflichtmäßige Gemeinschaft mit dem Stuhl Petri in dem (gottverbürgten) Glauben, und den (gottverordneten) Gnadenmitteln«[325].

In dem Begriff und Nachweis der Kirche, wie er in der biblischen Darstellung festgehalten wird, waren für H. Schell folgende Thesen enthalten:
a) Die Kirche ist sichtbar, als die wesentliche Erscheinung der Offenbarung, insofern sie Lehre und Ideal ist;
 b) sie ist Hierarchie, ein Organismus von göttlichen Ämtern, also von ungleichen Ständen und Ordnungen;
c) sie ist notwendig, da der Einzelne nur als Glied der Kirche zur Gottesgemeinschaft gelangen kann.
Zu diesem letzten Punkt erklärte er: »Wenn die Kirche die Offenbarung nach ihrer

---

[323] Ebd. S. 334.
[324] Ebd. S. 334.
[325] Ebd. S. 382-383.

realen Seite, die Realisierung ihres idealen Gehaltes ist, dann ist sie notwendig und unentbehrlich für alle, wie die Offenbarung selbst, welche in ihr zur Erscheinung und Entfaltung kommt«[326].

Den Zweck der Kirche bestimmte H. Schell als die »Verwirklichung der übernatürlichen Gottesgemeinschaft in der zum Leibe Christi gegliederten Gesamtheit aller Begnadigten, zunächst wie es dem Stand der Entwicklung und Prüfung, sodann wie es dem Stand der ewigen Entschiedenheit und Vollendung entspricht«; oder, anders formuliert: »Ihr Zweck ist die Erziehung des Menschengeschlechtes in seiner organischen Gesamtheit zur übernatürlichen Lebensgemeinschaft mit Gott«[327].

Des näheren führte H. Schell aus, daß der Zweck der Kirche die geordnete und wirksame Mitteilung der von Christus verdienten Güter des Himmelreiches sei; das gemeinsame Leben aus der geoffenbarten Wahrheit und Gnade im geordneten Wechselverhältnis des Gebens und Empfangens. Geben und Empfangen sei dabei beseelt vom heiligen Geiste Gottes und Christi: ein weihevolles, kraftvolles, liebevolles Geben aus der Fülle der Salbung Christi und der Güte Gottes, ein hierarchisches Geben im heiligen Geist, und nicht minder ein heiliges Empfangen kraft der übernatürlichen Sehnsucht und Bereitwilligkeit, die der heilige Geist des Gebetes und der Gnade in den Heilsbegierigen erweckt und wachhält. Das lief darauf hinaus, daß H. Schell mit Hinweis auf Röm. 15; 1 Kor. 12; Eph. 4, 5; Kol. 1, 3 sagte, der Zweck der Kirche sei »die Nachahmung des Geheimnisses Christi in der gesamten Schöpfung und deren Einverleibung in den Gottmenschen als ihr Haupt«, »die Darstellung und Verwirklichung einer innigen Gemeinschaft Gottes mit seinem Geschöpf, so daß die Kreatur ganz in ihrem Gott gründet und zielt, ohne jedoch ihre Eigenart einzubüßen; so daß sie in seliger Teilnahme der im Wort ausgesprochenen Wesensfülle mit dem eingeborenen Sohn im heiligen Geiste vollkommener Hingabe dem Vater angehört«[328].

So sah H. Schell in der Nachbildung des Geheimnisses der dreieinigen Gottheit und der Wechselbeziehung des Ursprungs, des unendlichen Lebens in ewiger Vollkommenheit, das sich in wechselseitigem Geben und Empfangen vollzieht und in diesem Füreinander ganz aufgeht, den höchsten Zweck der Kirche. Hier lag für ihn zugleich der tiefste Grund des Unterschiedes zwischen der lehrenden und der hörenden Kirche. In Gott sah er den liebevollen Geber des ewigen Lebensbrotes, des Offenbarungswortes. Seine Autorität fand er lebendig im königlichen Amt der Kirche; die Wahrheitsfülle seines Wortes im Lehramt; die zündende Glut und belebende Kraft seiner sich selbst mitteilenden Liebe im priesterlichen Amt[329]. So hatte für ihn die Kirche die Vermittlung der Gnade Gottes und der Verdienste Christi für die Einzelseele zum Zweck, allein nicht so, als ob sie nur Mittel und nicht auch Selbstzweck wäre und zwar gerade dadurch, daß sie dem Einzelnen zur Gottesgemeinschaft verhilft; deshalb sagte er: »Die Kirche ist die übernatürlich verklärte Schöpfung als Einheit, als Einheit unter sich, weil Einheit mit Gott; die übernatürliche Organisation der Menschheit insbesondere als eines Ganzen: die weltgeschicht-

---

[326] Ebd. S. 384.
[327] Ebd. S. 384.
[328] Ebd. S. 385.
[329] Siehe oben S. 147.

206

liche Erfüllung des großen Gebotes der Nächstenliebe, in dem das ganze Gesetz aufgeht«[330].

Wenn H. Schell sagte, die Kirche sei auch Selbstzweck, so bedeutete das bei ihm nicht, der Einzelne sei um der Hierarchie willen, sondern als Glied der Gesamtheit da, um mit ihr Gottes Leben in sich aufzunehmen und nachzuahmen, um von ihr Gottes Leben zu empfangen und es mit ihr wieder mitzuteilen, nicht um aus dieser Wechselbeziehung des Gebens und Empfangens je auszuscheiden und in die Vereinzelung des Selbstgenügens und der Abgeschlossenheit überzugehen, sondern um gemeinsam mit der ganzen Kirche in Gottes Leben ewig fortzuleben, auch im seligen Genuß des höchsten Gutes nicht in sich selbst zurückgezogen, sondern lebendig mit den Gliedern des heiligen Gottesstaates verbunden. »Gott trennt und vereinzelt nicht, sondern verbindet und belebt, weil er dreieinig ist«[331].

Im folgenden Abschnitt behandelte H. Schell die Zugehörigkeit zur Kirche als Rechts- und Gnadengemeinschaft. Auch den Umfang der Kirche bestimmte er nach ihrem Zweck: »Sie dehnt sich soweit aus, als die Berufung zur Gnadengemeinschaft mit Gott, deren Herold sie auf Erden ist«[332]. Als Gnadengemeinschaft umfaßt sie die Seligen des Himmels, die vollendeten Engel und Seelen, die von der Welt der Reinigung festgehaltenen Seelen, sowie die streitende Kirche auf Erden. Das gemeinsame Merkmal der Angehörigkeit zur Gemeinschaft des Gottesreiches war für H. Schell die Heiligkeit als Beruf; grundsätzliches Merkmal für den wirklichen Empfang und die tatsächliche Annahme des Berufs zur Heiligkeit der Glaube bzw. die Taufe. Die Gnadengemeinschaft der streitenden Kirche umfaßt nach H. Schell alle Menschen, die sich tatsächlich im Stande der heiligmachenden Gnade befinden, also auch jene, die unverschuldeterweise nicht zur Rechtsgemeinschaft der sichtbaren Kirche gehören, aber unter dem Einfluß der überall wirksamen Gottesgnade das zum Heil Notwendige in Erkenntnis und Leben vollbringen. H. Schell machte hier eine bedeutsame Unterscheidung, indem er erklärte, diese letzteren gehörten zwar nicht zum Leib, wohl aber zur Seele der Kirche[333]. Unter Kirche im engeren Sinne verstand er jene Gemeinschaft und Heilsanstalt, die Christus gestiftet hat. Er machte darauf aufmerksam, daß Christus nicht die Gnadengemeinschaft einsetzte, als er mit dem Wort an Petrus die Kirche gründete, denn die Gnadengemeinschaft habe schon von Anfang an bestanden, wenn auch kraft des vorauswirkenden hohenpriesterlichen Verdienstes Christi. Von daher ergab sich, daß die Mitgliedschaft zur Kirche nur dann eine vollkommene sein kann, wenn sie sich auf den »Körper« und die »Seele« bezieht, mit anderen Worten, wenn die Rechtsgemeinschaft mit der Gnadengemeinschaft verbunden ist[334].

Die Zugehörigkeit zur Kirche war auch für H. Schell zum Heil unerläßlich, weil sie der »Inbegriff aller Gnadenmittel des hl. Geistes ist«[335]. Allerdings behielt er stets den weiten Blick für das allumfassende Gnadenwirken Gottes. So erklärte er: »Wie die Seele und ihre Wirksamkeit nicht im Leibe und dessen räumlichen

---

[330] Schell: D III/1. S. 385.
[331] Ebd. S. 386.
[332] Ebd. S. 386. - Vgl. Th. Schneider: Teleologie als theologische Kategorie bei Herman Schell. S. 151-153: Kirche als leibhafte Gnade.
[333] Schell: D III/1. S. 387.
[334] Vgl. ebd. S. 388.
[335] Ebd. S. 392.

Grenzen eingeschränkt ist, sondern durch denselben hinauswirkt und denselben mit einer ausgedehnten Macht- und Interessensphäre umgibt, aus der er empfängt und welcher er mitteilt, in welcher er sich bewegt und selber ausdehnt, so auch der hl. Geist in der Kirche«[336].

Zusammenfassung:

Wir haben hiermit die wesentlichen Elemente der Erlösungslehre H. Schells herausgestellt und ihren dogmatischen Zusammenhang hinlänglich verdeutlicht. Der pneumatische Aspekt, den das Wirken des verherrlichten Christus in der Welt eröffnet, war für H. Schell die Grundlage für das Leben des erlösten Menschen. Seine Ausführungen zu diesem Thema leiteten das sechste Buch seiner Katholischen Dogmatik ein, in dem er die Vollendung in der Einheit mit der Heiligung umfassend darstellte. Schon aus dieser Tatsache ist zu erkennen, daß bei ihm die Dogmatik nicht aus einer bloßen Addition verschiedener Traktate bestand, so daß die Eschatologie einfach als der noch ausstehende Teil den anderen Kapiteln angehängt worden wäre. Sie war vielmehr pars integra seiner gesamten Theologie. Nach dem überleitenden Thema der Heiligung wenden wir uns nun seiner Lehre von der Vollendung des Heils zu.

6. Die Vollendung des Heils

Im 21. Thema seiner Katholischen Dogmatik handelte H. Schell »Von der Vollendung des Heils«. Schon die Wahl des Titels läßt erkennen, wie sehr die Eschatologie in den systematischen Zusammenhang der Soteriologie eingeordnet wurde.

a) Die Theodicee als Ausgangspunkt der Eschatologie H. Schells

An den Anfang stellte H. Schell einen »Allgemeinen Grundsatz«, aus dem hervorgeht, daß bei ihm das Problem der Theodicee vor allem in bezug auf Tod und Gericht im Vordergrund seiner Überlegung stand. Er erklärte:

»Die Eschatologie ist der Inhalt der christlichen Hoffnung, der unerschütterlichen Überzeugung, daß in dem vollendeten Gotteswerk kein ungelöstes Rätsel, kein Grund zum Zweifel an der Güte, Heiligkeit und Weisheit des allwirksamen Weltenherrschers sein wird; daß nichts in der Weltvollendung zu finden sein wird, was dem denkenden Geiste die Anerkennung zu erschweren oder gar zu verwehren geeignet wäre. Gott habe wirklich in der Schicksalsbestimmung allen und jedem einzelnen gegenüber nichts als Barmherzigkeit und Gerechtigkeit, und zwar wahrhaft und ernstlich ohne Ansehen der Person walten lassen«[337].

---

[336] Ebd. S. 393.
[337] Ders.: D III/2. S. 721. - Vgl. GG. Teil 1. S. 340-346: Begriff und Bestimmtheit des Vollkommenen.

Gegenüber dieser erhofften Einsicht war für H. Schell der Ausgleich zwischen dem sittlichen Bewußtsein und der Lehre von der Gnadenwahl, Reprobation u.ä., den die Dogmatik zu erarbeiten sucht, nur ein Notbehelf. Für ihn war die Theodicee vollzogen, sobald erkannt wird, daß »das ewige Schicksal der Verdammnis bei keinem Geschöpf irgendwie die Folge des Unglücks sei, sondern ganz und gar, ohne Nachhilfe durch dialektische Unterscheidungen und Kunstmittel, die Wirkung der sittlichen Verschuldung und freien Selbstbestimmung bzw. der Gnade«[338].

Mit dieser Feststellung wandte sich H. Schell scharf gegen jede fatalistische Bestimmung des endgültigen Schicksals des Menschen. Was Himmel und Hölle scheidet, konnte für ihn in keiner Weise ein Fatum sein, sondern einzig und allein die Schuld der freigewollten und mit Freiheit umfangenen Sünde. In dieser Überzeugung, die sich in der christlichen Hoffnung ausspricht, fand er die unentwegte Zuversicht, daß Gott vollkommen gerechtfertigt werde und daß kein Dunkel die Heiligkeit und Güte seines Schicksalsratschlusses der Einsicht entziehe. So versicherte er: »Das Unglück hat keine ewige Folge: sonst würde das Fatum regieren; nur die entsprechende sittliche Schuld ist es, was als Ursache allen Unglücks in der Ewigkeit fortwirkt. In der Weltvollendung ist das Unglück nur mehr als Wirkung der Schuld vorhanden, nicht als Ursache«[339].

Mit diesen Worten hatte H. Schell wiederum das Hauptanliegen seiner Theologie zur Sprache gebracht. Ähnlich hatte er sich bereits im zweiten Buch bei der biblischen Begründung des 'glaubens an Gott als die absolute Vorsehung' mit dem gleichen Thema befaßt, als er ausführlich »Von Gottes Dasein und Wesen« handelte. Mit der Analyse des Buches Job kam er zu dem Ergebnis, dessen Wert liege vor allem darin, daß es die Intensität des sittlichen und des religiösen Interesses an der Existenz Gottes dartue und zeige: niemand könne eine bessere Gewähr für die endliche Harmonie der realen Weltgestaltung mit der sittlichen Idee darbieten als die persönliche Vorsehung: denn sie sei mit dem Prinzip des Sittlich-Guten identisch. »Alle Bedenken, welche von Schicksalsbetrachtungen aus gegen das Dasein einer Vorsehung erhoben werden, leiden an dem geheimen Irrtum, als ob irgend einem Kritiker die sittliche Gerechtigkeit des Geschehens mehr angelegen sein könnte als Gott, der doch nichts als Heiligkeit und Interesse für die Heiligkeit ist«[340].

Entsprechend seiner früheren Darlegung folgerte H. Schell nun im letzten Buch seiner Dogmatik: Ein Gott, dessen eigene Existenz schließlich eine unerklärte des ewigen Ungefähr, der reinen Tatsächlichkeit wäre, die seinem heiligen Willen begrifflich voranginge und unabhängig von seinem Willen bestünde, wäre auch in seinen Schicksalsratschlüssen unerklärlich: das Fatum, oder die unerklärliche Notwendigkeit, die seiner ewigen Existenz anhaftet, wäre dann natürlich auch seinem Schicksalswillen eingeprägt.

Dieser verfehlten Ansicht stellte H. Schell nun seine Lehre von der hohen Bedeutung der positiven Aseität Gottes für die Eschatologie gegenüber. Er erklärte: »Wenn Gottes ewige Existenz und unendliche Vollkommenheit als die vollbewußte

[338] Ders.: D III/2. S. 722.
[339] Ebd. S. 722.
[340] Ders.: D I. S. 421; vgl. S. 422-424.

und darum anbetungwürdige Tat seines heiligen Willens erkannt wird, dann werden wir einst klar einsehen, warum Gott existiert: dann werden wir noch vielmehr mit vollster Klarheit einsehen, warum Gottes Vorherbestimmung einem jeden sein Schicksal bereitet hat: denn ein heiliger Wille erklärt ohne jeglichen Rückstand alles, was kraft seiner Satzung besteht oder herbeigeführt wird«[341].

Indem H. Schell so auf den Zusammenhang von Gottesbegriff und Eschatologie aufmerksam machte, wandte er sich zugleich wiederum gegen die molinistische Theologie. Er warf ihr vor, sie habe unter dem euphemistischen Titel der Scientia media das Fatum zum Lösungsprinzip gemacht[342]. Nicht minder scharf kritisierte er jedoch im gleichen Zusammenhang die Auffassung, nach der der Tod der Freiheit des Willens als äußerer Tatsache ein für allemal ein Ende mache; der Tod wandle insbesondere jede einzelne Todsünde sofort in vollen Satanismus um - nach Grad und Umfang, das heißt in ewigen Gotteshaß und jegliche Schlechtigkeit[343]. Entschieden wandte er sich gegen solche Theologen, die in ihrer Eschatologie jeden Zweifel und das Entsetzen vor solchen Sätzen und ihren Folgen als schwächliche Sentimentalität abtun wollten. Ihnen gegenüber verwies er auf die Verantwortung für den Abscheu vor dem Offenbarungsglauben, und Offenbarungsgott, der in zahllosen Schriften seiner Zeit aus sittlichen Gründen ausgesprochen und verbreitet werde. Angesichts der antichristlichen Literatur, mit der seit Kant die neuzeitliche Philosophie und Religionswissenschaft den Jehova- und Christusglauben bekämpfte, sei es Pharisäismus, den Mangel an sittlichem Ernst und zuchtlose Sinnenlust als den einzigen Beweggrund hinzustellen, um dessentwillen die theologischen Aufstellungen der modernen Eschatologie bekämpft würden. Dem Dogmatiker, der sich nur auf ein kirchliches Innenleben einschränkt, möge diese naive Anschauung behagen, zumal sie ihm die Behandlung der Probleme sehr bequem mache; allein dem Apologeten sei es angesichts des modernen Aufmarsches gegen den Offenbarunglauben zweifelhaft, daß dieser feindliche Angriff auch im Rahmen der sittlichen Idee und der Gerechtigkeit unternommen werde[344].

So lehnte H. Schell aus apologetischen Gründen die derben und grobsinnlichen, harten und verdammungslustigen Vorstellungen der modernen Darsteller des Offenbarungsglaubens ab. Sein eigenes Programm verdeutlichte er mit dem Hinweis, daß sich der Erdenpilger im Stand der sittlichen Entwicklung befinde. Was bei ihm Gegenstand der gläubigen Hoffnung sei, das bilde in der Offenbarung Gegenstand der eigentlichen Prophetie und sei demgemäß nach deren Gesetzen zu beurteilen. Die Offenbarung kenne keine fatalistische Weissagung; keine Weissagung sei unbedingt, jegliche sei sittlich bedingt; jede Prophetie sei in erster Linie als sittliche Wahrheit des Verhältnisses von sittlichem Verdienst und äußerem Schicksal zu verstehen, d. i. als bedingte Verheißung und Drohung. Abschließend kam er

---

[341] Ders.: D III/2. S. 723.

[342] Ebd. S. 723; vgl. S. 745. - Vgl.: D II. S. 327: Schells Darstellung der Lehre Molinas von der scientia media im Zusammenhang mit der Frage nach der Prädestination.

[343] Gesperrt von Schell; D III/2. S. 723. - Vgl. ebd. S. 731, 748-750, 753. - Die Kritik Schells dürfte sich auf die Eschatologie von J. Bautz beziehen. Vgl. Schell: D III/2. S. 745. Dort zitiert er J. Bautz: Der Himmel. Mainz 1881. S. 15. - Zum Thema vgl. auch J. Bautz: Die Hölle. Mainz 1882.

[344] Schell: D III/2. S. 723.

zu dem Urteil: »Nicht das Schicksal an sich, sondern der Zusammenhang von Sittlichkeit und Schicksal ist die Vorhersage der Prophetie«[345].

Neben dem Fatalismus bekämpfte H. Schell auch den Rigorismus mit derselben Entschiedenheit. Er bedauerte, daß nach pietistischem und puritanischem, stoischem und kantischem Standpunkt die Moral den für die Eschatologie bestimmenden Ausschlag geben solle - statt der Theodicee. Man kann indes nicht sagen, daß H. Schell aus einem idealistisch-spekulativen Interesse diese geistesgeschichtlich hoch bedeutsame Entwicklung verwarf; vielmehr wurde er als Theologe von bestimmten seelsorglichen Motiven bewegt. Er sah wohl, daß die Anhänger einer unerbittlich strengen Moral darauf hofften, daß das Motiv zur möglichst baldigen und dauernden Besserung möglichst kräftig wirke. Da sie in jeder Möglichkeit der späteren Bekehrung und der inneren Vervollständigung unvollkommener Anfänge eine Gefahr für das sittliche Interesse witterten, suchten sie diese Möglichkeit nach Kräften einzuschränken und das Verhängnisvolle einer unabänderlichen Entscheidung möglichst nahezurücken. H. Schell billigte ihnen zu, daß sie für die augenblickliche Ermahnung einen kräftigen, eindringlichen Beweggrund gewinnen; er bezweifelte jedoch, daß die strengen Vorstellungen rückhaltlos geglaubt würden. Die Kehrseite der Medaille bestand für ihn darin, daß der Gewinn des möglichst eindringlichen Motivs zur Besserung mit einem um so größeren Verlust an Seelen für das Himmelreich, mit einem um so geringeren Erfolg des Erlösungswerks und einem um so stärkeren Anhang des widergöttlichen, in ewigem Trotz innerlich ungebeugten, wenn auch äußerlich gebundenen Satansreiches bezahlt werde. Die Moral, so folgerte der Apologet, hätte zwar auf Kosten der Theodicee ein Motiv von wünschenswerter Eindringlichkeit gewonnen; ob freilich auch von wünschenswertem Erfolg, schien ihm mehr als zweifelhaft. Vorsichtig fragte er, ob nicht gerade der Rigorismus im vermeintlichen Interesse des Sittengesetzes das Reich der Gotteshasser bevölkere[346]

Es genügte nicht, daß H. Schell eine Auffassung zurückwies, die er selbst nicht teilen konnte. Im Rahmen der wissenschaftlichen Handbibliothek mußte er seinen eigenen Standpunkt positiv darlegen. Er ging davon aus, daß die Gesetze des Heilsplanes derart sein müssen, daß die Form der Entwicklung durch das Ziel der Vollendung bestimmt wird, - nicht aber umgekehrt. Als Begründung führte er an, daß die Entwicklung um der Vollendung da ist, die zeitliche Wurzel um des ewigen Ganzen willen: Auch die Zeit sei nur ein Teil der Schöpfung und demgemäß beherrscht von dem Zielgesetz des Ganzen; ebenso habe die sittliche Entwicklung in dieser Vorbereitungszeit den Charakter des Mittels zum Zweck, und sei damit nur als ein untergeordnetes Moment hinsichtlich der Vollendung, d. i. des Ganzen in Betracht zu ziehen. Entschieden lehnte er es aus diesem Grunde ab, daß man die Lehre über das Verhältnis der Geschöpfe zur Allwirksamkeit Gottes und der Entwicklung zur Vollendung unmittelbar für die Einschüchterung des Willens im sittlichen Interesse verwende. Das wahre und unvergängliche Interesse der Moral bestand für ihn allein in der tatsächlichen Verwirklichung des Guten. Während die

---

[345] Ebd. S. 724.
[346] Ebd. S. 725; vgl. S. 731.

rigorose Moral die Eindrücke der Furcht begünstigt, hielt er dagegen, daß die Hoffnung, zu der der Christ verpflichtet ist, von dem einstigen Triumph Gottes und der vollkommenen Theodicee überzeugt sei. Kurz und bündig erklärte er: »Der Rigorismus, der die Sünde verewigt, ist nicht Gottes Sache. Gott zieht mit menschlichen Banden; 'nicht will ich vollbringen die Glut meines Zornes: denn Gott bin ich, und nicht Mensch!' Hos. 10,4.9«[347].

Kein Wunder, daß H. Schell mit seiner These Anstoß erregen mußte. Auf einzelne Lehrpunkte, die beanstandet wurden, werden wir weiter unten eingehen. Wenn wir uns nun nach dieser allgemeinen Grundlegung den traditionellen Hauptstücken seiner katholischen Eschatologie zuwenden, so müssen wir uns errinnern, daß H. Schell eine apologetische Dogmatik schrieb. Dabei diente ihm zur Lösung vieler Fragen die Theodicee als Richtmaß. Indessen war er sich immer wohl bewußt, daß das letzte Dunkel unserer irdischen Rätsel erst in der seligen Vollendung endgültig gelöst sein wird.

b) Der Tod und das besondere Gericht

Der Tod war für H. Schell in eschatologischer Hinsicht das Ende der Prüfungszeit, die Wegnahme aus dieser Welt der verdienstvollen Mitarbeit am messianischen Gottesreich und der Übergang in den Zustand der Entschiedenheit, der Zielvollendung und ewigen Vergeltung[348]. Beim Schriftbeweis zu seiner These setzte er sich ausführlich mit der biblischen Darstellung der Scheol auseinander. Der Kern der Vorstellung schien ihm darin zu liegen, daß die Offenbarung die ungläubige Abwendung von Gott im übermütigen Pochen auf die eigene Kraft bekämpfen wollte. Die Unentbehrlichkeit Gottes für die Welt und den Menschen sollte dargetan werden, zumal die Götter des Heidentums nicht als überweltliche Mächte, sondern als Glieder der von dem wahren Gott durch Säkulatisation losgerissenen Welt erkannt wurden. Daher mußte Gottes Herrscherrecht vor allem im Diesseits zur Anerkennnung gebracht werden. Das Jenseits trat dabei zurück, um so die messianische Zukunft im Diesseits als Gottes Sieg in dieser Wirklichkeit zur Überzeugung zu bringen. Gottes Herrschaft und die Hoffnung des Guten flüchtete sich nicht vor der Sünde ins Jenseits, sondern wird hier triumphieren, - das war für H. Schell der Gedanke, durch den sich die Offenbarung von der philosophischen Eschatologie unterschied[349].

An zweiter Stelle hob H. Schell hervor, daß der Tod das besondere Gericht im unmittelbaren Gefolge habe. Er bezeichnete es auch als das »göttliche Urteil über den sittlichen Wert und Unwert, sowie über das ewige Schicksal der abgeschiedenen Persönlichkeit«[350]. Gott erwartet den Menschen nach dem Leben, um ihm Lohn und Vergelter zu sein. In diesem Hauptgedanken der Offenbarungslehre von Tod und Gericht sah H. Schell den ernsten Zweck, dem das Leben trotz seiner

---

[347] Ebd. S. 726. - Zu Schells Kampf gegen den pietistischen Rigorismus und Pharisäismus vgl. ebd. S. 746-747, 752-753, 757.

[348] Ebd. S. 726.

[349] Ebd. S. 727.

[350] Ebd. S. 727.

scheinbaren Eitelkeit durch den Tod zusteuert. Um kein Mißverständnis aufkommen zu lassen - der Vorwurf, er vertrete einen egoistischen Heilsindividualismus, droht jedem Theologen, der seine Lehre nicht sofort mit einer Darstellung der kollektiven Gesamtvollendung der Menschheit beginnt - erklärte H. Schell, der Mensch sei allerdings nicht eine isolierte, in ihrer Vereinzelung abgeschlossene und ganze Persönlichkeit, sondern kraft der Natur wie der Gnadenordnung wesentlich ein Glied der Menschheit, solidarisch mit ihr verbunden in der Erbsünde, dem Strafzustand und der Todesherrschaft, nicht nur mit seiner Freiheit allein maßgebend in der sittlichen Entwicklung, vielfach oder überwiegend von außen getragen und gedrängt, mehr als durch selbsttätige Selbstbestimmung beeinflußt; aber auch solidarisch im Guten, eingefügt in Christus, erlöst ohne eigenes Zutun in ihm, wie ohne eigenes Zutun verschuldet in Adam, daher auch nur durch die förmliche Gewaltanstrengung des Willens loszureißen von dem zweiten geistlichen Stammvater[351]. Allein, so wahr das alles ist, hier legte H. Schell besonderen Nachdruck darauf, daß der Mensch ‗ unbeschadet der Gliedschaft im Ganzen - immer eigene Persönlichkeit bleibt[352]. Folgerichtig differenzierte er: Der selbständigen Bedeutung des Einzelmenschen entspreche das besondere Gericht; insofern er als Einzelner nicht ganz das ist, was er ist, unterliege er noch dem allgemeinen Gericht. Allerdings komme die Gesamtheit aller Beziehungen auch im besonderen Gericht zur Offenbarung, Würdigung und Vergeltung[353].

Den Tod sah H. Schell drittens allgemein über das Menschengeschlecht verhängt, insofern er das Ende der Prüfungszeit in der diesseitigen Welt sinnbildlicher Erkenntnis bedeutet und mit dem besonderen Gericht über den Wert des abgelaufenen Lebens verbunden ist. Gemäß seinem allgemeinen Grundsatz warnte er wiederum davor, die Allgemeinheit des Todesschicksals fatalistisch zu verstehen, als ob ausnahmslos jeder Einzelmensch eines natürlichen oder gewaltsamen Todes sterben und in der Trennung seiner Seele vom Leib anheimfallen müßte . Nach Lehre der heiligen Schrift sei für viele der Tod durch die innere Gottesfreundschaft seines schrecklichen Charakters beraubt worden, bis zum Kuß des Herrn, der die scheidende Seele in seine Gemeinschaft liebend aufnimmt, wie bei Mose. Solcher Tod war für H. Schell nicht mehr weit von der leiblichen Aufnahme in den Himmel entfernt, zumal wenn er auch den Leib von Gottes unmittelbarer Fürsorge geborgen sah, um ihn der Macht des Todes zu entziehen. Zur Würdigung dieser Auffassung müssen wir uns erinnern, daß H. Schell von der Unsterblichkeit des Menschen kraft seiner einfachen Geistnatur überzeugt war, wobei er allerdings die Leiblichkeit nur als den materiellen Bereich der individuellen Selbstverwirklichung verstand. Wir haben bereits weiter oben auf die eschatologische Bedeutung dieser Seelenlehre hingewiesen[354]. Entsprechend lehrte der Würzburger Theologe nun im systematischen Zusammenhang seiner Vollendunglehre, die Allgemeinheit des Todes sei streng gewahrt, insofern alle nach diesem Leben mit Ausschluß eines Seelen-Schlafzustandes oder einer sonstigen Unterbrechung im besonderen Gericht dem

---

[351] Vgl. ebd. S. 752.
[352] Vgl. Th. Schneider: Teleologie als theologische Kategorie bei Herman Schell. S. 92-94.
[353] Schell: D III/2. S. 729.
[354] Siehe oben S. 182.

verdienten Schicksal überantwortet werden, also der ewigen Gottesgemeinschaft oder der ewigen Verdammnis. Die Annahme eines schlafähnlichen Zwischenzu- standes[355] bis zum Weltgericht lehnte er als eine ungenügende Würdigung des jen- seitigen Lebens im Vergleich zum Diesseits ab, weil die Unsterblichkeit mitnichten nur die Nachwirkung des Erdenlebens und demzufolge nur eine Fortexistenz in ab- geschwächter Form sei. Dagegen erklärte er, die Offenbarung nehme zwar dem Diesseits nicht seinen eigenen und selbständigen Wert und setze es nicht zu einer bloß relativ wertvollen Lebensform als Vorbereitung auf das Jenseits herab, so daß sie ihren Wert verliere, nachdem der Zweck erreicht sei: aber sie weise doch dem Jenseits die beherrschende Bedeutung zu, in dem auch das Diesseits ewig aufgeho- ben fortbestehe. H. Schell folgerte daraus, daß ein Traumleben teleologisch unbe- gründet sei. »Wenn Gott als Ziel der Menschheit erkannt ist, ist das Leben derjeni- gen, welche mit dem Gnadenkeim (habitus gratiae sanctificantis sive semen vitae aeternae 1 Joh. 3, 9) im Herzen sterben, ein stetes Aufsteigen zur Seligkeit der Vollendung«[356].

Mit der nächsten These resümierte H. Schell für die Eschatologie, was er be- reits in seiner Gnadenlehre ausführlich dargelegt hatte: »Das besondere Gericht entscheidet endgültig über die Zugehörigkeit oder den Ausschluß vom Reich der Gnadengemeinschaft, unbeschadet der fortschreitenden Läuterung der Seelen, welche nicht durch den geistigen Tod vom Leibe Christi getrennt sind«[357]. Auch hier warnte er davor, diese Entscheidung so aufzufassen, als werde der Wille ge- waltsam, das heißt durch äußere Ursachen in jeglicher Sünde positiv und grund- sätzlich verhärtet, ohne daß dies nicht in der sündhaften Willensrichtung oder Ge- sinnung selbst begründet wäre. Für H. Schell stand fest, daß der Lebenskeim der Gnade bei keinem im Jenseits erstickt werde, der ihn im Sterben trotz mannigfacher Sünden bewahrte[358].

Wenn H. Schell lehrte, daß der Tod aus dem Stand der Prüfung und des Ver- dienstes in die Welt der Vergeltung und Entschiedenheit hinausführe, dann bedeu- tete dies auch, daß die Lebensbahn für jeden, der an Gott glaubt, einen unendlich ernsten Zweck hat. Er schloß daraus, daß sie dann weder ein Spiel von Existenzfor- men, noch eine zwecklose Fortsetzung dieses Erdenlebens erwarten könne; es sei dann unmöglich, die Welt als eine Kette von lauter Scheinwelten zu denken, von denen keine die Vollkommenheit und den Frieden bringt. Positiv stellte er dagegen, daß der Tod dann vielmehr als Übergang in die Welt der offenen Wahrheit, der harmonischen Ausgleichung und der gerechten Vergeltung angenommen werden müsse. »Ohne Gott ist Welt- und Lebenslauf ein Spiel, vielleicht auch ein endloses Spiel; in Gott hat sie ihren Zweck zu suchen und zu finden, oder in freier Verschul- dung zu verlieren«[359].

Aus der Fülle der Gedanken, die der Apologet gerade zu diesem Punkt vor- trug, können wir nur einige herausgreifen, insoweit sie seine nächste These vorbe- reiteten. Als erstes verwies er darauf, daß Offenbarung und Kirchenlehre weniger

---

[355] Siehe unten S. 219.
[356] Schell: D III/2. S. 730.
[357] Ebd. S. 730.
[358] Ebd. S. 731. - Vgl. oben S. 210.
[359] Schell: D III/2. S. 735.

durch bestimmte Aufstellungen als vielmehr durch den Geist ihrer Eschatologie den leiblichen Tod als den Abschluß der Prüfungszeit und Verdienstfähigkeit betrachten. Damit aber sei keineswegs gelehrt, die Willensfreiheit trete in den Zustand der Erstarrung und höre eigentlich auf. Ebenso hielt er es für unmöglich, eine absolute Unveränderlichkeit des Willens mit dem Tode eintreten zu lassen, da die Freiheit eine wesentliche Eigenschaft des geistigen Willens sei und somit unmöglich dem Willen verloren gehen oder entzogen werden könne. Hier versuchte H. Schell nachzuweisen, daß Verdienstfähigkeit und Freiheit nicht dasselbe sind; die Freiheit müsse nicht wegfallen, wenn die Verdienstfähigkeit nicht mehr besteht. Die Verdienstlichkeit des Sittlich-Guten in diesem Leben beruhte für ihn in der Trennung der Erfahrung vom Glauben. Daraus folgerte er: Da nun unmittelbar oder bald nach dem Tode für Gute wie Böse zur unmittelbaren Erfahrung werde, was hier Glaube sei, daß das Gute allein wahrhaft beseligt, das Böse aber schmerzlich enttäuscht, so sei Abwendung oder Enthaltung vom Bösen in der jenseitigen Welt nicht mehr eine Sache des Verdienstes, sondern selbstverständlich, weil abgenötigt von einer Erfahrung[360]. Von einer Aufhebung des Wahlvermögens zwischen Gut und Böse oder gar der Einschränkung der Wahlfreiheit auf das Böse allein konnte jedenfalls für H. Schell keine Rede sein, es sei denn, kraft der inneren Konsequenz des selbstbestimmten Willens[361].

H. Schell hatte hiermit den Grund gelegt für eine Lehre vom Wesen der Todsünde im biblischen und dogmatischen Sinn, die bei seinen Gegnern scharfe Ablehnung erfuhr. Allerdings wurde seine These vielfach schon im Ansatz nicht ganz korrekt wiedergegeben. Sie lautete: »Die kirchliche Lehre bezeichnet nun jene Sünden, welche tatsächlich von der inneren Verstocktheit des Willens im Jenseits verewigt werden, als Todsünden. Wer in der Todsünde stirbt, bleibt dem Gnadenleben auf ewig verschlossen - nicht kraft äußerer Anordnung, sondern kraft seiner freien und inneren Willensbeschaffenheit, welche er aus dem Diesseits mitbringt«[362]. In der Beanstandung dieser These durch den Würzburger Ortsbischof von Schlör ist statt »nun« das Wörtchen »nur« zu lesen[363]. Selbst wenn dies H. Schells Meinung gewesen sein sollte, - so steht es nicht im Text, und es geht nicht an, eine Verschärfung in ihn hineinzulesen. Hier zeigt sich uns in der unscheinbar kleinen Abweichung eines einzelnen Buchstabens die Tendenz, die kritisierte These in ihrem Eigengehalt so sehr zu verfestigen, daß auch von kleinen Geistern der Streit darüber geführt werden konnte, ob das wirklich kirchliche Lehre sei, wie der Autor durch Sperrung hervorhob. Dem Anliegen H. Schells wurde man bei dieser kleinlichen Auseinandersetzung nicht gerecht. Auf den Kern der Sache kam man nicht zu sprechen; dazu hätte man freilich auch die These im Kontext seiner gesamten Theologie interpretieren müsssen. H. Schell selber zeigte die Bereitschaft, mißverständliche Formulierungen kirchlicher Glaubenslehre jederzeit zu korrigieren oder aufzugeben. Im Kampf gegen den dogmatisch-moralistischen Rigorismus seiner Zeit leistete er freilich keinen Widerruf.

---

[360] Ebd. S. 739.
[361] Zu Schells Lehre von der Freiheit der Selbstbestimmung nach dem Tode vgl. ebd. S. 748, 750, 754.
[362] Ebd. S. 741.
[363] Hennemann: Widerrufe Herman Schells? S. 65.

Wenn wir in Kürze die wichtigsten Gesichtspunkte wiederholen, mit denen H. Schell seine These zu erläutern suchte, so stand an erster Stelle der Versuch, die Grenze zwischen Tod und Krankheit der Seele aufzuzeigen. Hinsichtlich der subjektiven Seite der Sünde konnte diese Grenze für ihn nur im Willen selbst zu finden sein, in dessen Selbstbestimmung und Freiwilligkeit[364], von seiten des sachlichen Inhalts her konnte es hingegen nur das Zielgut, das heißt Gott selbst sein, was den Unterschied von Tod und Kranksein, das heißt von grundsätzlichem Ungehorsam gegen Gott und von mangelhafter unterbrochener Hinwendung zu Gott, begründet. Daher formulierte er: »Die formale Todsünde ist die Sünde mit aufgehobener Hand, die Sünde wider den hl. Geist, die freiwillige Abwendung von Gott, die freilich in jeder Sünde vorhanden sein kann; nur sie ist es, welche eine so scharfe Bestimmtheit an sich trägt, wie sie dem Unterschied von Tod und Krankheit entspricht: sie ist überall, wo der Wille sich unmittelbar Gott widersetzt und verschließt, und zwar mit voller Selbstbestimmung, wenn dies auch um eines geschaffenen Gutes willen stattfindet«[365].

Auch diese These wurde von der Kritik beanstandet. H. Schell berief sich auf Thomas von Aquin[366], ohne freilich dessen gesamte Sünden- bzw. Gnadenlehre zu übernehmen. Zur gerechten Beurteilung muß gesagt werden, daß die Formulierung H. Schells nicht der gängigen kirchlichen Definition entsprach, wie sie in den kirchlichen Katechismen und pastoralen Handreichungen dargeboten wurde. Der Kern der Lehre aber, eine deutliche Abgrenzung zwischen Krankheit und Tod zu treffen, konnte auch von seinen Gegnern nicht beigebracht werden, zumal sie in ihrem Denken mehr auf die Sache, H. Schell jedoch auf die existentielle Mitte der Person ausgerichtet war. Dennoch dürfte seine These mit Recht kritisiert werden, und zwar auf jenen Grundzug Schell'scher Theologie hin, von dem aus auch die ganze Sündenlehre unter dem Primat der Selbstverwirklichung erscheint, die neben sich letzten Endes keine Passivität, keine Schwäche und kein Erleiden kennt bzw. zulassen kann. Wir jedenfalls würden den Unterschied von Krankheit und Tod hinsichtlich der Sünde eher in dieser Richtung zu erkennen suchen und befürchten, daß der von H. Schell so heftig bekämpfte Rigorismus bei ihm selbst auf dem Weg des personalen Aktivismus erneut durch die Hintertür einer zu eng gefaßten Analogie von göttlichem und menschlichem Leben in die Theologie hineingerät. Freilich handelt es sich bei dieser Feststellung nur um eine Tendenz, die, obgleich deutlich feststellbar, dennoch bei H. Schell nicht zu absoluter Herrschaft kam. Es ließen sich daher auch genügend Stellen anführen, die weitergende Befürchtungen zerstreuen könnten.

Kehren wir nun mit geschärftem Blick zu seiner Lehre von der Todsünde zurück. Bei der Darlegung des biblischen Begriffs wies H. Schell darauf hin, daß in der heiligen Schrift beider Testamente das Weltgericht als die entscheidende Hauptsache erscheint, in der neueren Dogmatik aber das besondere Gericht. H. Schell sah darin die Gefahr, daß die Kluft zwischen der historisch-dramatischen

---

[364] Vgl. die Definition des Willens bei Schell: D II. S. 280. Dazu vgl. oben S. 182. - Außerdem vgl. Schell: GG. Teil 2. S. 578-619.
[365] Ders.: D III/2. S. 742.
[366] Vgl. Thomas von Aquin: S. th. I. 2. 72.5; 3. 86. 4.

Idee der Heilsentwicklung bis zum allgemeinen Weltgericht und der abstrakt-ethischen Hervorhebung des besonderen Gerichts als der Hauptursache bedenklich erweitert wird, wenn alle jene Ausreifung des sittlichen Wollens im Guten und im Bösen gewaltsam auf den einen Moment des Todes zusammengedrängt wird. Daher war er der Ansicht, daß für dieses Ausreifen die Zeit zwischen dem besonderen und dem allgemeinen Gericht und insbesondere das letztere selbst bestimmt ist. Für das allgemeine Gericht konnte H. Schell keinerlei Zweck erkennen, wenn es nichts anderes als die Summe der besonderen Gerichte wäre. Von letzteren sagte er, daß sie die Guten und die geistig Toten scheiden. Mit dieser Glaubenslehre verband er jedoch die feste Überzeugung, daß bis zum allgemeinen Weltgericht das Unvollendete heilig werde[367]. Dem falschen Rigorismus warf er vor, in letzter Konsequenz gar keine echte Sündenvergebung, sondern nur Strafabbüßung oder Strafnachlaß im Jenseits zu kennen. Er sei aber insofern inkonsequent, als er hinsichtlich des Bösen von einer Verhärtung durch die klar erkannte und empfundene Wahrheit spreche, hingegen von einer Erschütterung dessen, was noch zu erschüttern ist, nichts wissen wolle[368]. So blieb H. Schell dabei, daß es nur die innere Energie und Tendenz der Selbstbestimmung sei, die im Jenseits zur unheilbaren und ewigen Sünde werde, nicht aber eine spezielle Anordnung Gottes. Unerschütterlich glaubte er an die Bereitwilligkeit Gottes, jeder Sünde unter der Bedingung der Buße Vergebung zu gewähren. Jedenfalls lag für ihn die nicht vergebbare, weil nicht bekehrbare Sünde nicht erst im Jenseits, sondern schon im Diesseits vor. Zur Begründung verwies er nochmals auf die Freiheit, da sie es sei, die jeweils mit aller Energie in die Sünde eingehe, sich in ihr erschöpfe und ewig aufgehe. »Die Freiheit bleibt nämlich ihrem Wesen nach vor und nach dem Tod die gleiche Macht der Selbstbestimmung«[369].

Wenn man diesen fundamentalen Ansatz H. Schells richtig bedenkt, wird man kaum den Vorwurf machen können, er habe mit einem progressiven Liberalismus die Meinung vertreten, daß jeder Mensch auch nach dem Tode einer weiteren Vollendung entgegengehen könne. Gegenüber verschiedenen Einwänden erklärte er selbst ausdrücklich, daß die recht verstandene Freiheit die Sicherheit und Unabänderlichkeit des Zustandes nach dem besonderen Gericht nicht gefährde, auch wenn sie im Tode keine Beeinträchtigung erfahre[370]. Dies und ähnliche Versicherungen konnten indes nicht jene Kritiker zum Schweigen bringen, die den Würzburger Apologeten wegen seiner Vollendungslehre beargwöhnten. Sie beanstandeten daher die These, die H. Schell am Ende dieses Paragraphen äußerte: »Richtig betrachtet ist der Tod eine Weihe, eine durchgreifende Reinigung, eine Befreiung der vorhandenen Grundrichtung der Seele zu Gott von den sie umstrickenden Neigungen und Schwächen«[371]. Schell erhoffte, daß jene grundsätzliche Hingabe des Willens

---

[367] Schell: D III/2. S. 743.

[368] Vgl. ebd. S. 746-748.

[369] Ebd. S. 748.

[370] Ebd. S. 754.

[371] Ebd. S. 755. - Vgl. die von Bischof von Schlör beanstandete Stelle in: D III/1. S. 208: „... unser Sterben ist nicht mehr Vollendung des Untergangs in der Sünde, sondern Sakrament des Lebens durch die Gemeinschaft des Todesopfers Christi". - Vgl. Hennemann: Widerrufe Herman Schells? S. 68.

an Gott im Tode von den Banden befreit werde, die sie hier noch hemmten. Er sagte etwa: Das Böse lebt vom Schein der diesseitigen Welt, von dem berauschenden Taumel, mit dem das Versunkensein in diesen Todesleib die Erkenntnis der Wahrheit trübt. Der Tod macht diesem trügerischen Schein und diesem berauschenden Taumel ein jähes Ende: aus der Trunkenheit des sinnlichen Lebens erwacht die Seele zur klaren Nüchternheit jener Welt, wo das Gute und das Böse nicht nur als gut und bös geglaubt, sondern unmittelbar empfunden wird. Wenn auch keine neuen Erkenntnismittel der abgeschwächten Seele zuteil wird und nur das Bewußtsein bewahrt wird, was im diesseitigen Erfahrungs- und Glaubensleben erworben wurde, dann ist doch wie mit einem Schlag der Dunstkreis verschwunden, der sich in dieser oberflächlichen Wahrnehmung um die Seele lagert; in nackter, geistiger Klarheit liegt die sittliche Ordnung und das vergangene Leben vor dem Geist[372].

So war für H. Schell der Tod eine Weihe, die durch das grelle Licht der Wahrheit alles, was im Grunde Gott angehört, für ihn zur unverrückbaren Entschiedenheit ausgestaltet. Er glaubte, daß dadurch das Kartenhaus der Einbildungen, die die energische und konsequente Durchführung der gottzugewandten Grundrichtung aufhielten, zusammenstürzen werde: Also sei der seither im Rausch der Vorurteile zurückgehaltene Funke der Gottesangehörigkeit frei und flamme mit aller Willensmacht zu Gott empor. »In der Welt der Klarheit ist für den Willen, der mit dem Habitus der heiligmachenden Gnade die positive Grundrichtung zum übernatürlichen Heilsgut mit hinüberrettet, unter dem unmittelbaren Einfluß der offenbaren und unmittelbar empfundenen Wahrheit keine Abwendung von Gott möglich, weder aus Schwäche, noch aus Bosheit«[373].

Der Tod als Weihe hieß für H. Schell auch, daß er als vindikative Strafe in Gottes Hand eine selbständige Bedeutung habe allerdings nur dann, wenn er zugleich auch medizinal wirkt und nicht ohne weiteres zur Verhärtung in jeder freiwilligen Sünde führt. In diesem Falle wäre nämlich nach H. Schell der plötzliche Tod insbesondere in der Blüte oder Reife des Lebens nichts anderes als die unmittelbare Überantwortung an den ewigen Tod, und die Heimsuchung des zeitlichen Strafgerichts nichts als eine Maßregel, die auf Erden aufräumt, um die Hölle möglichst rasch und ausgiebig zu bevölkern[374]. Diese charakteristische Formulierung H. Schells reizte natürlich wiederum zum Widerspruch, so daß wir uns nicht wundern, daß auch diese These durch Bischof von Schlör beanstandet wurde[375]. Dabei wurde vielleicht aber doch übersehen, daß für H. Schell ein anderer Gedanke unabdingbar dazu gehörte: Die zeitliche Lebensentwicklung der Menschen und Völker habe einen selbständigen Wert und behalte ihn auch in der Ewigkeit, nicht bloß als Vorbereitung zur Ewigkeit für die Einzelperson, sondern als Theodicee der göttlichen Weisheit in der zeitlichen Weltentwicklung[376].

Zum Schluß seiner Erörterung gab H. Schell den Hinweis, daß das Strafleiden eine wenn auch gezwungene Verähnlichung und Vereinigung mit Christus bewirkt, dem Gott als dem Haupt die Sünden der Welt zur heilkräftigen Abbüßung anstatt

---

[372] Schell: D III/2. S. 755.
[373] Ebd. S. 756.
[374] Vgl. oben S. 211.
[375] Vgl. Hennemann: Widerrufe Herman Schells? S. 68.
[376] Schell: D III/2. S. 757.

aller aufgebürdet hat. Von seinem stellvertretenden Strafleiden empfange jede Sündenstrafe eine heilkräftige Weihe: insbesondere der Tod, dem Christus sterbend den Giftstachel genommen und die Gnadenkraft des Lebens eingepflanzt hat[377]. Die Todesweihe, von der H. Schell sprach, muß daher in ihrer christologischen Dimension gesehen werden. Dies gilt auch von der jenseitigen Läuterung, von der er im folgenden Paragrapen handelte.

c) Die jenseitige Reinigung

»Die Seelen, welche sich zwar noch im Gnadenstand befinden und sich des übernatürlichen Lebens nicht beraubt haben, welche also mit dem Habitus oder Keim des übernatürlichen Gnadenlebens vom Tod und Gericht betroffen werden, welche nicht durch todsündliche Schuld dem geistigen Tod verfallen sind, aber gleichwohl der Reinigung und Genugtuung bedürfen, um die Flecken der Sünde zu tilgen, und der Gerechtigkeit volle Sühne zu leisten: alle diese Seelen werden einem Leidenszustand überantwortet, dem Fegfeuer oder Reinigungort, bis sie so vollkommen heilig und gerecht sind, daß sie zu der ihrem Verdienst entsprechenden Seligkeit oder Gottschauung verklärt werden können«[378].

Mit dieser ersten These begann H. Schell seine Erörterung vom Fegfeuer oder von der jenseitigen Reinigung. Er bekannte sich damit zu einer Lehre vom Zwischenzustand. Um jedoch kein Mißverständnis aufkommen zu lassen, lehnte er gleich zu Beginn die origenistische Idee eines immerwährenden Wechsels des Sittenstandes wie auch die Annahme eines Seelenschlafes oder aller ähnlich gearteter Theorien ab[379]. Sie waren für ihn Ausflüsse einer Halbheit in der Verhältnisbestimmung von Diesseits und Jenseits, und er warf ihnen vor, sie seien befangen vom Schein, der die Würdigung des Jenseits vom Standpunkt des erfahrungsmäßigen Erdendaseins leicht beeinträchtigt, als ob das diesseitige Leben das wahre Dasein wäre: dann könnte das jenseitige natürlich nur als eine bruchstückartige Fortsetzung gelten, dem höchstens (nach dem Weltgericht) durch einen wunderbaren Eingriff Gottes die Vollständigkeit zurückgegeben werde[380].

Im Rahmen dieser Grundlegung verwies H. Schell auch sogleich auf die Spannung, die innerhalb der Theologie des 19. Jahrhunderts zwischen der philosophischen Vernunftlehre von der persönlichen Unsterblichkeit und sittlichen Vergeltung einerseits und der biblischen Offenbarungslehre von der allgemeinen Auferstehung und Vergeltung am jüngsten Tag konstatiert wurde. Er meinte, die philosophische Einsicht in die persönliche Bestimmung des Einzelmenschen wäre beeinträchtigt, wenn die sittliche Vollendung der Einzelpersönlichkeit bis zur Weltvollendung eine jahrtausend lange Unterbrechung erleiden müßte. Wenn andererseits die heilige Schrift die solidarische Einheit, Aufgabe und Verantwortung des Menschengeschlechts durch die Lehre von der irdischen Zukunft des Reiches Gottes, dem diesseitigen Gottesgericht am jüngsten Tag und der gleichzeitigen Auferweckung des Fleisches hervorhebt, so betonte H. Schell, daß sie dies nicht auf Ko-

---

[377] Ebd. S. 757.
[378] Ebd. S. 758.
[379] Siehe oben S. 213.
[380] Schell: D III/2. S. 759.

sten der selbständigen Bedeutung der sittlichen Einzelpersönlichkeit tun wolle. Ohne diese Einheit der Person gebe es kein Ganzes wie das Reich Gottes[381].

Im gleichen Zusammenhang ging H. Schell auch auf den Einwand ein, der von der Religionswissenschaft am Ende des 19. Jahrhunderts gegen den Offenbarungcharakter der christlichen Eschatologie erhoben wurde. Dieser lautete: Die Kirche habe unter dem vorwiegenden Einfluß der philosophischen Denkweise der klassischen Welt seit dem 5. Jahrhundert, in dem der klassisch-antike Geist in die Kirche einzog, die biblisch-prophetische Eschatologie zurückgedrängt - und zwar dadurch, daß sie dem Chiliasmus und alle Theorien, die dem allgemeinen Weltgericht die entscheidende Bedeutung beimessen, verwarf. Die griechische Philosophie vertrete nämlich die Unsterblichkeitslehre des Jenseits in Würdigung der sittlichen Einzelpersönlichkeit; die prophetische Theologie hingegen die Zukunftseschatologie des Diesseits und der leiblichen Auferstehung zur messianischen Gottesherrschaft im Diesseits. Bei dieser Auffassung trete die Einzelpersönlichkeit zurück. Sie habe nur Bedeutung als Glied des Ganzen, zur Herbeiführung der messianischen Zukunft. Bei ihr sei nicht von einem besonderen Gericht nach dem Tode, sondern von dem allgemeinen Gericht der Endzeit die Entscheidung des ewigen Schicksals abhängig. Indem nun die Kirche der philosophisch-hellenischen Eschatolgie die Herrschaft eingeräumt und die prophetisch-apokalyptische abgewürgt habe, trete zu Tag, daß sie nicht so sehr ein Erzeugnis der göttlichen Offenbarung, als des Wettkampfs der verschiedenen geistigen Strömungen in der Ära der macedonisch-römischen Völkermischung sei[382].

Zur Lösung des Problems ging H. Schell davon aus, daß ein Gleichsetzen der biblischen Eschatologie der messianischen Zukunft im Diesseits mit dem Chiliasmus nicht zutreffend ist[383]. Dagegen spreche auch, daß das allgemeine Gericht unbeschadet der ewigen Schicksalsentscheidung im besonderen Gericht seine selbständige Bedeutung habe. Hinsichtlich der Philosphie der heidnischen Völker vertrat er die Ansicht, daß diese über die Bestimmung der Menschheit nur soweit zuverlässige Erkennntis gewinnen konnte, als dieselbe aus der inneren Anlage und Wesensart der menschlichen Natur zu berechnen ist, d. i. als Unsterblichkeitslehre im Jenseits. Die Entwicklung der Menschheit als eines Ganzen in dem geschichtlichen Fortschritt der Zeiten sei nicht bloß von der inneren Anlage, sondern vor allem von der äußeren Erziehung und Regierung durch Gottes freien Herrscherplan bestimmt, also nur durch Prophetie und Apokalypse erkennbar. Wenn demnach die Offenbarung so viel als möglich die ganze Menschheit zur Vorbereitung der vollkommenen Heilsreligion berief, so blieb die prophetische Apokalypse der menschlichen Zukunft im messianischen Reich in Auferstehung und Weltgericht dem auserwählten Volk vorbehalten; die philosophische Unsterblichkeitlehre hingegen von der persönlichen Vergeltung nach dem Tod im besonderen Gericht konnte, wie H. Schell meinte, ganz gut der menschlichen Vernunft überlassen werden, zumal sie auch im Heidentum nur insofern sich selber überlassen war, als sie nicht methodisch oder gesetzmäßig wunderbare Anregungen und Eingriffe Gottes

---

[381] Ebd. S. 759.
[382] Ebd. S. 760.
[383] Näheres siehe unten S. 229-230.

erfuhr. Von der kirchlichen Eschatologie sagte H. Schell daher, sie sei ein Beweis für die universale Erhabenheit der Wahrheit, die ihre Vollendung mit sicherer Herrschaft durch das Prophetentum Israels und durch die Philosophie derheidnischen Vernunft vorbereitete und herbeiführte. »Vernunft und Offenbarung, Philosophie und Prophezie dienen der höchsten Wahrheit, weil sie sowohl Logos als Liebes-Geschenk Gottes sind«[384].

Erst nach dieser allgemeinen Grundlegung, in der der apologetische Charakter der Dogamtik H. Schells besonders deutlich hervortritt, gab der Würzburger Theologe eine Definition des Glaubensbegriffs »Fegfeuer«, den er anschließend mit Beweisen aus Schrift und Tradition erschließen wollte. Er formulierte den kirchlichen Glauben folgendermaßen:

»Das Fegfeuer oder der Reinigungsort ist jener Zustand der abgeschiedenen Menschenseelen, in dem diejenigen, welche nicht im Zustand des geistigen Todes befunden wurden, aber auch nicht im Stande ungehemmter Entwicklung und Vollkommenheit ihres Gnadenlebens, durch innere und äußere Strafleiden geläutert und versöhnt werden. Durch die Läuterung gewinnen sie die Heiligkeit, und durch die Abbüßung gewinnen sie die Gerechtigkeit, welche zum Eintritt in die selige Gottschauung erforderlich ist«[385].

Wir übergehen hier die sorgfältig und recht umfangreich geführten Schrift- und Traditionsbeweise, mit denen H. Schell seine These explizierte und stellen nur einige Gedanken heraus, die allgemeine Bedeutung haben. In den alttestamentlichen Schriften unterschied er hinsichtlich des Jenseits eine Periode der Zurückhaltung und der deutlichen Offenbarung. Bei der Analyse der älteren Bücher kam er zu dem Ergebnis, daß dort, wo Gott als Gesetzgeber und Herr alles Tuns und Lassens in der Seele und dem gläubigen Bewußtsein thront, die Leugnung der Unsterblichkeit unmöglich sei, denn Gott passe weder als Urbild noch als Gesetzgeber und Vater in ein Wesen hinein, das unerbittlich dem Schicksal der Verwesung anheimfällt: »Er ist zu groß für ein vergängliches Wesen und Dasein; er ist unmöglich ein Gott der Toten, er ist mit innerer Notwendigkeit ein Gott der Lebenden«[386].

Das Schweigen der ältesten Offenbarung vom Jenseits erklärte H. Schell damit, daß die Heilsaufgabe des Einzelnen wie des Volkes im Diesseits nicht als bedeutunglos vernachlässigt werden sollte, damit nicht etwa nur die individuelle Seele für das Jenseits durch Weltflucht sicher gestellt wäre. Das Jenseits werde nicht in den Vordergrund gestellt, um nicht dem Diesseits seine selbständige Bedeutung zu nehmen und es zu einem bloßen Mittel der Aszese herabzusetzen, das heißt zu einer Sache, deren bester Gebrauch der Nichtgebrauch und die Preisgabe wäre. Er übersah nicht, daß das Jenseits wohl als Lohn der hienieden geleisteten Arbeit für die Verwirklichung des messianischen Gottesreiches in Aussicht steht; allein er betonte, daß auch die übernatürliche Kulturaufgabe zunächst in der diesseitigen Welt liege. »Die Offenbarung fordert die geistige Arbeit aller zunächst für ihr Heilswerk und Gottes Verherrlichung im Diesseits; im Jenseits belohnt er sie für diese Arbeit«[387].

---

[384] Schell: D III/2. S. 760.
[385] Ebd. S. 760-761.
[386] Ebd. S. 765. - Vgl. Mat. 22, 32.
[387] Schell: D III/2. S. 766.

Auch die Psalmen und die älteren heiligen Dichtungen ließen für H. Schell das Jenseits nicht als maßgebenden Zweck und Beweggrund für die sittliche Lebensführung hienieden hervortreten. Er erkannte in ihnen wohl großartige Gedanken, die sich auf die Ewigkeit beziehen lassen, weil die Ewigkeit in Gott enthalten ist: Wer Gott als Erbteil hat, hat den Quell und Inhalt des unsterblichen Daseins in sich. Aber diese Anwendung wurde nach H. Schell eben nicht gemacht; es sei nur dafür gesorgt worden, daß die ewige Fortdauer der Seele einen Zweck und Inhalt habe. Unter der Kategorie der jenseitigen Fortdauer, Seligkeit, Bestrafung werde auch in der heiligen Poesie der Offenbarung die von ihr gewollte und gewährte Gottesgemeinschaft nicht betrachtet. Selbst das Problem der Theodicee, die große Frage, wie Gottes Weisheit, Gerechtigkeit und Güte zu erkennen sei in der schrecklichen Ungleichheit der Schicksalslose, in dem schreienden Gegensatz von Verdienst und Lebensglück, in der unerforschlichen Prädestination und Reprobation zu den Gnadenmitteln der irdischen Heilsordnung, welche Erfahrung und Theologie doch bezeugen: selbst diese Frage werde als Thema ausgeführt, ohne daß das Jenseits mit seiner zeitlichen und ewigen Vergeltung hervorgehoben würde. So kam er zu dem Schluß: »Es ist nicht das Fegfeuer noch die Hölle, was dem alttestamentlichen Glaubensbewußtsein zuerst mit deutlicher Bestimmtheit aus der allgemeinen Idee der Fortdauer oder Wiederherstellung nach dem Tode entgegentritt, sondern der Himmel mit seiner Gottschauung. Wohl erscheint das Jenseits und das Leben in Gott als der geheimnisvolle Hintergrund des zeitlichen Lebens; allein für den Sünder erscheint zunächst nur Nichtigkeit und Vergeblichkeit seines Strebens in Aussicht, also höchstens die poena damni, aber nicht die poena sensus«[388].

Das Interesse der Propheten wie der biblischen Eschatolgie überhaupt sah H. Schell vorwiegend auf den sachlichen Ausgang des weltgeschichtlichen Gegensatzes zwischen Gottesreich und Weltmacht ausgerichtet und nur nebenbei auf das Endschicksal der dabei beteiligten Personen. Hinsichtlich dieser schien ihm der großartige Gedanke den Propheten vorzuschweben, daß ein Geist durch nichts so empfindlich getroffen werde, wie durch die volle Aussichtslosigkeit der Ziele und Ideen, für die er sich und sein Leben eingesetzt hat. Nach den Propheten sind es aber nicht die Personen, um derentwillen Israel zur Auferstehung aus dem Strafgericht gelangen soll, vielmehr das gerettete Israel, das in ganz unerwarteter Begnadigung die Gesamtheit aller Heidenvölker mitumfaßt. Gerettet wird demnach die vom Zielgedanken Israels aus organisierte und vereinigte Menschheit, das Israel Gottes; gerichtet wird dagegen die vom Geist dieser Welt aus organisierte und ringende Menschheit. Als selbstverständliche Voraussetzung und Ergänzung erachtete H. Schell es in diesem Zusammenhang, daß dem Geist des Gesetzes und den Propheten gewiß nichts so angemessen sei, als daß auch alle Einzelnen durch die persönliche Unsterblichkeit der Seele und die Auferstehung des Fleisches ihren Anteil an dem Endergebnis des weltgeschichtlichen Kampfes, an dem Weltgericht und an der ewigen Vergeltung empfingen, allein er wies darauf hin, daß dieser Anteil der Personen nicht so bestimmt ausgesprochen werde und daher auch dem gemein-religiösen Bewußtsein fern geblieben sei. So sei auch in der Tradition der Synagoge die persönliche Eschatologie im Hintergrund geblieben; erst die persischen und grie-

---

[388] Ebd. S. 768. - Näheres zu poena damni und poena sensus siehe unten S. 254-256.

chischen Zeiten hätten einigermaßen auch für die Offenbarungsschriften eine Wandlung gebracht, weil ein neues Bedürfnis durch sie befriedigt werden mußte[389].

Im Zusammenhang mit der neutestamentlichen Theologie kam H. Schell darauf zu sprechen, daß gerade der Idealismus das eifrige Interesse für die sittliche und geistige Vollendung der Menschheit, Philosophen und Staatsmänner wie auch Theologen oft zu Gegnern der Offenbarung und der Kirche macht; daß diese meist viel mehr Interesse an den Aufgaben der geistigen Welt haben als viele Gläubige. An diese Feststellung knüpfte er die Frage, ob Gott für diese einseitigen Eiferer keinen Weg habe, damit sie wenigstens als die Letzten noch in sein Himmelreich eingehen könnten. Als Beantwortung finden wir einen interessanten Zusammenhang, mit dem H. Schell auch die Einrichtung des Fegfeuers rechtfertigte.

Er ging davon aus, daß diejenigen, die ein eigentlich innerliches und lebendiges Interesse an den idealen Aufgaben der Menschheit gehegt und demgemäß auch mit selbständigem Denken und Streben Stellung zu denselben genommen haben, nicht so leicht zur Erkenntnis und Sühne ihrer Einseitigkeiten, Ungerechtigkeiten, Lebensgrundsätze gelangen, eben weil sie von idealen Gesichtspunkten aus ihre Lebensaufgabe erfaßten. In der Weltgeschichte des Diesseits, deren Zögling die Völker und die Gesamtheit ist, werde diesem Umstand Rechnung getragen durch jene Ausdehnung der christlichen Welteinrichtung. Da indes der Mensch nicht nur Glied seines Volkes und des Ganzen, nicht bloß von geschichtlicher Bedeutung für andere, sondern auch Selbstzweck ist, so folgerte H. Schell, daß dieser Einrichtung des Heilswegs der Menschheit im Ganzen eine ähnliche Einrichtung im Heilsweg des Einzelmenschen entsprechen müsse. Diese Einrichtung nun sei das Fegfeuer: jener Zustand, wo die Befangenheit und Vorurteile überwunden werden, die das Interesse an Religion und Sittlichkeit, an Gott und Seelenheil erzeugte und stählte. Die Welt des Diesseits sei eine Welt der Gegensätze und des Scheins, bruchstückweiser und sinnbildlicher Anschauung - wie es für die Prüfung des freien Willens angemessen ist, um mit Verdienst über allem Stückwerk das Ganze zu erstreben. Weil nun die Einseitigkeit kaum zu vermeiden sei, so habe Christus allen in Aussicht gestellt, noch als Letzter in das Reich Gottes einzutreten[390]. Zu dieser Einsicht gelange die Nation im Reinigungsfeuer der Weltgeschichte, die Einzelseele im Fegfeuer, das hieß für H. Schell, »im Lichte der unverhüllten, scharfen Wahrheit«[391].

Zusammenfassend können wir sagen: H. Schell glaubte, daß die meisten der in Gott und mit Christus Sterbenden im Jenseits noch eine große sittliche Aufgabe zu erfüllen haben, bis sie die Reinigung und Vollendung besitzen, die für die Aufnahme des göttlichen Wortes und Geistes zur seligen Gottschauung erfordert wird[392]. Mit diesem Satz begründete er die katholische Lehre vom Fegfeuer.

Die dritte These, die H. Schell zur weiteren Erläuterung seiner Reinigunglehre vortrug, lautete: »Die Reinigung und Vollendung der armen Seelen im Fegfeuer erfolgt sicher, aber verdienstlos, und zwar durch empfindliche Strafleiden«[393]. Hier

---

[389] Schell: D III/2. S. 771.
[390] Ebd. S. 778, vgl. S. 779.
[391] Vgl. Luk. 13, 23-30. 35.
[392] Schell: D III/2. S. 785.
[393] Ebd. S. 791.

betonte er noch einmal seine Unterscheidung zwischen Verdienst und sittlichem Fortschritt überhaupt: Das sittliche Wachstum finde im Prüfungsstand durch Verdienst statt, im Jenseits hingegen ohne Verdienst. Die Überlegung, die H. Schell an seine These anschloß, ist wieder von allgemeiner Bedeutung. Sie soll daher ein wenig gerafft im folgenden wiedergegeben werden.

(A). Wie schon in der Gnadenlehre ging H. Schell davon aus, daß das Verdienst dieser Welt des Glaubens entspricht, wo die Wahrheit unter dem oberflächlichen Schein und unter Sinnbildern halb verhüllt und halb offenbar ist. Da bedürfe es der Erhebung des Geistes zu der Überzeugung, daß das Sittlich-Gute wirklich das beseligende Gut sei, und daß das Böse wirklich das Verderben und Elend mit sich bringe. Nun aber werde hinieden weder die beseligende Güte des Sittlich-Guten, noch die bittere Verderblichkeit der Sünden empfunden. Deswegen bleibe der Abfall möglich, so lange das irdische Leben währt. Für H. Schell hatte hier das Wachstum im Guten in der Tat den Charakter des Verdienstes, weil wir im vollen Sinn in einer Welt der Verheißung und des Glaubens leben.

(B). Nun gibt es außerdem ein sittliches Wachstum durch Reinigung oder Strafleiden bzw. Abbüßung. Dies geschieht eben im Fegfeuer, das heißt nach H. Schell »in der Welt der Gerechtigkeit, welche den sündbefleckten, aber gottgehörigen Seelen die ganze Bitterkeit, Schlechtigkeit und Schädlichkeit ihrer Sünden durch die Strafen unmittelbar zur Empfindung bringt«[394]. Unter dieser scharfen und einschneidenden Erfahrung hielt H. Schell einen Abfall vom Guten für vollständig ausgeschlossen, da das Böse nur durch den Schein des Guten und die Hoffnung, in ihr Beseligung zu finden, eine Anziehungskraft auf den Willen ausüben kann. Das Fegfeuer war hingegen für ihn eine Welt sicherer Entschiedenheit in dem mitgebrachten Gnadenstand und in dem erreichten Guten. Die Reinigung erfolgt dabei zwar frei und keineswegs einem widerstrebenden Willen, aber doch gedrängt durch die unmittelbare Erfahrung, wie bitter und verderblich es ist, wider den Herrn gesündigt zu haben[395].

(C). Ausführlich beschrieb H. Schell nun auch in diesem Zusammenhang den Zustand der Vollendeten, die die Beseligung des Guten empfinden, die Lieblichkeit und Wonne jeglicher Tugendgesinnung und Taten. Er war überzeugt, daß nur die Heiligen durch unmitelbare Empfindung erfahren, wie das Sittlich-Gute die wahre Vollkommenheit und Beseligung des Geistes und der ganzen Natur ist. Indem das Licht der Gottheit mit der ungehemmten Kraft der ewigen Wahrheit in die Seele eindringe, sei diese naturnotwendig in allen ihren Kräften bis ins Innerste hinein ergriffen, befreit und gehoben: die Schwerkraft, die der Existenz in der Gottesferne anhaftet, sei durch die innere Verklärung umgewandelt in die selige Notwendigkeit, immer tiefer in die Lichtwelt dessen einzudringen, der als der Allein-Gute empfunden wird. »Wer den Berg der Verklärung erklommen hat, dem Menschensohn folgend, haftet nicht mehr an der Scholle, um dort droben stehen zu bleiben in ewigem Stillstand, sondern hat die innere Verklärung des Geistes durch das einstrahlende Licht der Gottheit erfahren, um sich in ewiger Himmelfahrt von Gott gehoben in Gott zu Gott zu erheben, ohne jemals für das Wachstum des hl. Könnens und seli-

---

[394] Ebd. S. 791.
[395] Ebd. S. 792.

gen Wollens an eine Grenze zu stoßen. Das selige Innewerden der Güte Gottes die sich zum Lohn dem enthüllt, der sie gläubig geliebt und gesucht hat, ist ein neuer gewaltiger Antrieb, die hl. Liebe und Hingabe zu steigern in einem Wachstum, dessen Grenze allein in Gottes Unendlichkeit liegt, der als einwohnender hl. Geist die Seele seiner Verklärten, und als Logos der Inhalt ihrer Geisteshaltung geworden ist«[396].

In der seligen Wechseldurchdringung des vollendeten Geschöpfes mit seinem Gott war für H. Schell alles entfernt, subjektiv wie objektiv, was als Hülle für die Wahrheit und demzufolge als Schranke für die Freiheit des Aufstrebens vorhanden war, sozuagen als träge Masse, die im Gegensatz zu dem Inhalt des hl. Willens steht und den größten Teil der sittlichen Kraft für ihre Überwindung fordert. Er verkündete daher, im Lande der Liebe und Gottschauung finde im Sinn ungehemmtester Freiheit ein ewiges Wachstum statt in den unendlichen Gott hinein: ewig verschieden der Vollkommenheit nach, weil der Ausgangspunkt dieser Himmelfahrt oder die Höhe des Verklärungsberges, das heißt nach H. Schell das Maß und die Art der im Prüfungsstand erreichten sittlichen Gottesliebe für die Einzelnen sehr verschieden war, und in dem Glorienlicht diese Verschiedenheit bewahrt; aber trotzdem für alle ein ewiges Wachstum in der Innigkeit und Stärke der Gottesgemeinschaft, angeregt durch den wetteifernden Einfluß der seligen Wonne und des heiligen Eifers in selbstvergessener Liebe. Interpretierend wiederholte er die Worte des hl. Paulus: »Wenn er (der Mensch) einst (vollends) bekehrt ist, wird der Schleier weggenommen. Der Herr nämlich ist Geist; wo aber der Geist des Herrn ist, da ist Freiheit (daß heißt ungehemmte Kraftentfaltung). Wir alle aber werden mit unverhülltem Antlitz die Herrlichkeit des Herrn schauen und dann zu demselben Bilde verklärt, von Herrlichkeit zu Herrlichkeit (fortschreitend), wie vom Geist des Herrn (2 Cor. 3, 16-18)«[397].

Hinsichtlich der Natur der jenseitigen Strafleiden erklärte H. Schell: »Die Strafleiden des Fegfeuers werden von der Naturordnung der jenseitigen Welt verursacht, deren Kräfte und Wirksamkeiten von der göttlichen Gerechtigkeit zur sittlichen Reinigung der Seelen gesetzmäßig dienstbar gemacht werden. Sie werden von der hl. Schrift durch analoge Kräfte und Wirkungen der diesseitigen Welt, insbesondere durch das Feuer versinnbildet«[398].

In der letzten These stellte H. Schell fest, daß die armen Seelen in der Aufgabe ihrer Reinigung durch Strafleiden nicht vereinsamt noch vom Reich der Liebe ausgeschlossen seien. Ihre sittliche Reinigung im Fegfeuer werde vielmehr durch die Fürbitten, guten Werke und sakramentalen Opfer der Kirche und der Gläubigen auf Erden, wie durch die Vermittlung der Heiligen im Himmel unterstützt, erleichtert und beschleunigt[399]. Gegenüber der protestantischen Leugnung des Fegfeuers aus dem Grundgedanken der Reformation erklärte er, daß der Mensch nicht nur als Einzelperson Ziel und Gegenstand des Heilswerkes, nicht nur die Menschheit als eine organische Einheit angesehen werden dürfe. Auch die Kirche habe einen

---

[396] Ebd. S. 793.
[397] Ebd. S. 793.
[398] Ebd. S. 795.
[399] Ebd. S. 797.

selbständigen Zweck als die Form, in der die Gesamtheit zu der übernatürlichen Gottesgemeinschaft erhoben und organisch zum Leibe Christi gegliedert werde. Nur wenn die Einzelnen wesentlich - aber unbeschadet ihrer selbständigen Persönlichkeit - Glieder des Leibes Christi, nicht bloß nebenbei zur Wechselwirkung berufen sind, wenn also die Kirche als solche ein Recht hat, dann hielt H. Schell auch eine Wechselbeziehung zwischen den Lebenden und den Verstorbenen möglich, zwar nicht mehr durch unmittelbare Einwirkung wie hienieden, aber durch die Liebe, die für einander eintritt[400].

Blicken wir zum Schluß auf die gesamte Reinigungslehre H. Schells zurück, so finden wir ihren bleibenden Wert vor allem darin, daß sie trotz ihres apologetischen Charakters das umstrittene Thema Fegfeuer nicht isoliert behandelte, sondern im Gesamtzusammenhang einer umfassenden Vollendunglehre zur Geltung brachte. Gerade als Apologet sah sich H. Schell verpflichtet, die höchst vernunftgemäße Fegfeuerlehre von allen mythologischen und phantastischen Zutaten, sowie von einer Physik und Geographie des Jenseits freizuhalten, um sie nicht für das nüchterne und gewissenhafte Denken, dem es um die Wahrheit zu tun ist, zu gefährden. Eine derb-materialistische Ausdeutung der göttlichen Offenbarung lehnte er ab[401]. Wie kaum einem anderen katholischen Theologen seiner Zeit dürfte es ihm damit gelungen sein, die Glaubenslehre der Kirche dem menschlichen Denken verständlich zu machen. Die Fegfeuerlehre H. Schells zeigt, daß eine Ablehnung seiner Eschatologie nur von einem gänzlich andersartigen philosophischen oder theologischen Vorverständnis her erfolgen könnte.

d) Der Sieg des Gottesreiches und die Wiederkunft Christi

In diesem Abschnitt begegnen uns Motive, die bereits von Anfang an das Werk des Würzburger Dogmatikers wie eine Symphonie durchzogen, ja es in seinem eigentlichen Charakter entscheidend prägten. Indes haben hier die genannten Ideen ihren entscheidenden Ort, so daß von diesen her neues Licht auf das gesamte Werk fällt und es uns in seiner inneren Struktur erkennen läßt.

Das Werk der Erlösung und die Kraft der Gnade Christi soll nach H. Schell nicht bloß in den Einzelmenschen siegreich zur Entfaltung kommen, sondern auch in der Menschheit als solcher, insofern sie eine lebendige Einheit ist, mehr als die Summe ihrer Einzelglieder. In der Durchführung des Erlösungswerks an dem Menschengeschlecht im ganzen sah er das fortschreitende Weltgericht, und zwar indem es zur Entwicklung der schlummernden Anlagen drängt und die Freiheit nötigt, zu der großen Aufgabe der Gnadenordnung Stellung zu nehmen, sich dem Gottesreich und seinem gottmenschlichen Haupt in der Kirche einzugliedern und so Kraft und Persönlichkeit an Gott und sein Werk hinzugeben. Insofern alle Kräfte zur Entscheidung für oder wider Gott herausgefordert werden, wirkt nach H. Schell das göttliche Gericht unausgesetzt in der Welt, und bringt das Unbestimmte zur Bestimmtheit, Entschiedenheit und endlich auch zur Offenbarung vor der Welt. Gott - in der allseitigen Fülle der Bedeutung - soll von dem Geist wie der gesamten

---

[400] Ebd. S. 798.
[401] Ebd. S. 797.

226

Menschheit als Lebensinhalt angeeignet, als Lebensgesetz durchgeführt und als Lebenskraft nachgeahmt und betätigt werden. H. Schell bezeichnete Gott daher als das »Lebensbrot der geistigen Welt«; er ist es aber, wie er erklärend hinzufügte, nicht wie ein lebloser Stoff, noch wie eine Sache, sondern als selbsttätige Persönlichkeit: folglich kann er der Menschheit auch nicht mechanisch als ihr ewiger Lebensinhalt dargeboten werden, sondern kann, muß und will von ihr mit dem Aufwand von lebendigem Geist, von Kraft und Tätigkeit gesucht und angeeignet werden, der in ebenbürtigem Verhältnis zu der inhaltlichen Fülle Gottes steht. Das geistige Leben, mit dem Gott angeeignet wird, muß daher nach H. Schell ebenso groß und stark und vielfältig sein, wie die Fülle des göttlichen Logos: das lebendige Pneuma muß dem unendlichen Logos, der Geist, der geistige Kraftaufwand muß der Wahrheit ebenbürtig sein: daher bedarf es einer Weltgeschichte von solcher Spannung und Aufregung, damit Gott im Geist und in der Wahrheit zum Inhalt und Gesetz der Menschheit wird[402]. Wie H. Schell weiter ausführte, ist von jeder Generation die Unterscheidung des Guten und des Bösen, des Göttlichen und des Gottwidrigen, der Wahrheit und des Scheins in eigentümlicher Weise gefordert. Dabei bleiben sittliche Entscheidung und gläubige Erhebung, selbsttätige Anstrengung der von der Gnade gehobenen Freiheit für alle Zeiten der Kirchengeschichte der ausschließliche Weg, der ins Land der verheißenen Gottesgemeinschaft führt. Ebenso bleibt der Grundcharakter der irdischen Entwicklung des Gottesreiches immer derselbe als einer Zeit der Prüfung für den Einzelnen, die Völker und die gesamte Gesellschaft.

H. Schell erinnerte aber sofort daran, daß die Kirche zur Wahrung dieses sittlichen Charakters ihrer irdischen Zukunft stets jene Theorien abgewiesen hat, die einen Zustand auf Erden erwarten, mit dem das Verdienst des Glaubens und der Prüfung nicht mehr vereinbar ist. Als die gefährlichste dieser Irrlehren bezeichnete er den Chiliasmus, da er die jenseitige Welt für eine irdische Geschichtsperiode in die Erfahrungswelt des Diesseits herabzieht[403].

Als Lehre der Offenbarung stellte H. Schell heraus, daß die Idealwelt des Glaubens zwar nicht in ununterbrochenem, aber in siegreichem Fortschritt die Erdenwelt für Gott erobern werde und nicht bloß die Einzelnen, sondern die gesellschaftliche Ordnung, Sitte und Recht, Kunst und Wissenschaft, Handel und Verkehr, Besitz und Macht nach dem göttlichen Gesetz umgestalten und verklären werde. Er wies darauf hin, daß diese Verheißung nach biblischer Lehre die Ausbreitung des Evangeliums unter allen Heidenvölkern enthält, sodann die Bekehrung des Volkes Israel, wenn die Fülle der Heiden einst in Gottes Reich eingegangen sein wird; daß sie ferner die Weissagung einer Segenszeit umfaßt, nachdem die Menschheit im großen und ganzen in die Kirche eingegliedert ist. Für H. Schell war dies die erste Auferstehung oder der Triumph auf Erden, bedeutete jedoch nicht jene Ruhe, die keinen Angriff und keine Gefährdung des Reiches Gottes mehr zu besorgen braucht; er war vielmehr der Ansicht, daß das Reich Gottes auch in jener Siegeszeit mit bewaffneter Vorsicht geschützt werden müsse. Daher folge die Ankündigung eines großen Abfalls in der Zeit des Antichrist, heftigsten Kampfes und furchtbarer

---

[402] Ebd. S. 798-799.
[403] Ebd. S. 800. - Vgl. oben S. 220. Weiteres unten S. 229-230.

Katastrophen, der Vorzeichen, daß die Ernte reif und das Endgericht nahe sei. Dann werde die zweite Ankunft des Menschensohnes erfolgen, um zu verbinden, was innerlich zusammengehört, und auf ewig zu scheiden, was sich innerlich widerstrebt. Natur und Geist werden in Einklang gebracht, die seither vom Tode beherrschte und zerrissene Menschennatur in der Auferstehung des Fleisches wiederhergestellt, in der gesamten Weltordnung Heiligkeit und Seligkeit, Verdienst und Glück miteinander vereint, wie andererseits das unheilbar Böse ausgeschieden und der ewigen Verdammnis überliefert, die seiner inneren Natur entspricht[404].

Im einzelnen führte H. Schell dazu aus, die doppelte Weissagung, daß die Vollzahl der Heidenvölker und endlich auch Israel als Nation zu Christus bekehrt werden, sei der prophetische Ausdruck für die Überzeugung, daß Gottes Offenbarung und Heilswerk eine objektive Tatsache sei und daher auch in der tatsächlichen Welt ihren Triumph feiern müsse. Was menschliches Gedankenbild sei, könne Ideal bleiben, ohne wirklich zu werden; was indes allen Ernstes Gottes Wort ist, das müsse wenigstens im wesentlichen zur Tatsache werden. Als wesentlich rechnete H. Schell zum Erfolg des Heilswerkes dessen Durchführung in der Gesamtheit des Geschlechts und in dem auserwählten Volk. Daher verkündige die Prophetie, daß das messianische Reich sowohl über den Widerstand der heidnischen Weltmächte und Nationen, wie Israel triumphieren werde; das heißt es werde trotz allem menschlichen Widerstand der heidnischen Weltmächte und Nationen seine Peripherie und sein Zentrum gewinnen[405].

Diese Allgemeinheit der Bekehrung wollte H. Schell indes weder bei den heidnischen Völkern noch bei Israel mißverstanden wissen. Darum erklärte er wiederum mit Nachdruck, sie beziehe sich nicht in fatalistischer Weise auf die Gesamtzahl aller Personen, sondern auf die Nation im großen und ganzen. Entsprechend seiner Lieblingsidee hob er auch hier hervor, daß im Verhalten der Einzelnen die Freiheit hervortrete, die selbst der stärksten Einwirkung widerstreben könne. Dagegen kam für ihn im Verhalten der Nationen die objektive Macht der Tatsachen zur Geltung; sowohl die objektive Anziehungskraft des Christentums, mit der Gott es ausgestattet hat, als auch die objektive Widerstandskraft der Völker in ihrer nationalen Art und Anlage. Vom Christentum und der Kirche sagte er speziell, wenn es eine göttliche Stiftung sei, so werde es die Welt des Diesseits einmal in Gottes messianisches Reich umwandeln und sich mächtiger erweisen, als alle nationalen Bestrebungen. »Weil der Glaube Offenbarung ist, darum muß das Gottesreich schon auf Erden und im Diesseits bei allen Völkern triumphieren, ehe das Ende kommt und der Morgen der Ewigkeit für diese Welt aufdämmert«[406].

Der zweite Gedanke, den H. Schell zur Erläuterung seiner These anführte, war, daß die hl. Schrift - durchdrungen von der Wahrheit ihres göttlichen Offenbarungscharakters - von Anfang an nicht bloß geweissagt hat, das messianische Gottesreich habe die Aufgabe und Bestimmung zur Aufnahme aller Völker, sondern auch die Kraft, um tatsächlich die Gesamtheit der Völker in seiner theokratischen Gottesgemeinschaft zu vereinigen[407]. Die typische Weissagung der endlichen

---

[404] Schell: D III/2. S. 800.
[405] Ebd. S. 801.
[406] Ebd. S. 802. - Vgl. ders.: GG. Teil 2. S. 666.
[407] Ders.: D III/2. S. 802.

Bekehrung Israels und der gesamten Menschheit zum messianischen Reich durchzieht die ganze heilige Schrift und war für H. Schell der eigentliche Kern ihrer geschichtlichen Darstellung; ihre hauptsächliche Bedeutung sah er in dem prophetischen Gedanken liegen[408]. Als zweites großes Thema der biblischen Weissagung in Wort und sachlichen Sinnbildern, in bedeutsamen Geschichten und Darstellungen bezeichnete er die gnadenvolle Berufung und Annahme aller Heidenvölker in das messianische Reich. Auch hier galt ihm die Weissagung als Grundcharakter der Offenbarung; daher werde die Verwirklichung des göttlichen Ideals für die diesseitige Welt sowohl im Wort wie im Bild verkündigt; in dieser empirisch-realen Welt solle die Macht des Guten über das Böse das Reich der Gnade über die Verblendung der Selbstsucht triumphieren: dann erst sei ein Abschluß gewonnen, der die innere Übermacht des Guten über das Böse offenbart[409].

An dieser Stelle machte H. Schell in einem kleinen Exkurs auf den Unterschied zwischen der biblischen Weissagung und dem philosophischen Denken aufmerksam. Letzteres neige bei seiner abstrakt-begrifflichen Behandlung der Probleme dahin, den Sieg des Guten erst ins Jenseits, in die nachzeitliche Weltvollendung, in eine Art Idealwelt zu verlegen. Es fehle eben dem abstrakt-philosophischen Denken die Grundlage, die der Prophet habe, um mit unbedingter Sicherheit den Triumph des Guten für das Reich dieser empirischen Wirklichkeit zu verkünden. Der Philosoph könne nicht wagen, was der Prophet sagen kann, weil er im Namen Gottes spricht, der Herr aller Mächte ist, die an der Weltentwicklung beteiligt sind. Der Philosoph könne nur auf Grund der Vergleichung der abstrakten Begriffe und des inneren Wertes der Dinge urteilen: allein der erfahrungsmäßige Wettlauf errege den Anschein, als ob das Böse in realer Hinsicht nicht ohnmächtig sei, wie es nach seinem inneren Unwert zu vermuten wäre. Daher begnüge sich das philosophische Denken, den Triumph des Guten und den Sieg des Gottesreiches aus dem zweifelhaften Diesseits in das Jenseits hinüberzuretten, wo ganz andere Faktoren maßgebend sind als hienieden. Diese Neigung habe sich auch bei dem philosophisch-geschulten, griechisch-römischen Geist gezeigt, indem man die Weissagung von dem messianischen Segensreich möglichst auf das Jenseits deutete. Gegenüber dieser Grundposition des philosophischen Denkens erkannte H. Schell, daß die prophetische Offenbarung des lebendigen Gottes sich nicht mit dem Sieg des Guten im Jenseits begnügt, mit einer Art Idealwelt, wo er gewissermaßen als die Folge eines Deus ex machina erscheint; daß sie vielmehr außerdem diesen Sieg für das real-empirische Diesseits verkündet und verbürgt, für diese Welt der Entwicklung, in der sich die kämpfenden Kräfte des Guten und des Bösen zu messen haben[410].

Nachdem H. Schell so positiv die biblische Lehre vom Sieg des Gottesreiches dargestellt hatte, befaßte er sich noch einmal intensiv mit der Widerlegung häretischer Lehren. Wie wir hörten, sah er vor allem im Chiliasmus eine falsche Auffassung von dem Triumph des Gottesreiches auf Erden, besonders wenn sie sich mit der Erwartung einer tausendjährigen Herrschaft Christi und seiner vom Tode auferstandenen Heiligen verbunden habe, wie z. B.:

---

[408] Vgl. ebd. S. 807-810.
[409] Vgl. ebd. S. 810-813.
[410] Ebd. S. 813-814.

(A). Das messianische Reich bestehe in einer äußeren, weltlichen Gewaltherrschaft des Volkes Israel oder der Auserwählten über die Heiden oder das übrige Menschengeschlecht.

(B). Die Erwartung, der altjüdische Kultus werde in jener Zeit wiederhergestellt, wie sie dem jüdischen Chiliasmus eigen ist.

(C). Die Erwartung eines weltlichen Fortschritts in der Offenbarung Gottes, einer neuen Ausgießung des heiligen Geistes zur Eröffnung eines dritten Zeitalters, das ebenso mit dem heiligen Geist in Verbindung gebracht wurde wie der alte Bund mit Gott-Vater, und der neue mit Gott-Sohn.

Demgegenüber verwies H. Schell auf die Schriftlehre, wonach die Offenbarung mit den Aposteln Christi abgeschlossen und durch die Herabkunft des heiligen Geistes am Pfingstfest des Heilsjahres die ganze Fülle jener Gnadenkräfte, Gnadenmittel und Gnadenämter in der Kirche niedergelegt worden ist, die der göttliche Heilsplan dem (gläubigen) Menschengeschlecht für die streitbare Entwicklungszeit der Kirche nach dem vollbrachten Heilswerk zugedacht hat. Daher vermerkte er mit Nachdruck, daß die Offenbarung, Gnade und Kirche Christi vollkommen ausreichend seien, um das Reich Gottes und die Menschheit in ihm zur allgemeinen Überzeugung und tatkräftigen Vollendung auf Erden zu führen. Ein Fortschritt finde nur in der geistigen Verwertung der im Glaubens- und Gnadenschatz der Kirche enthaltenen himmlischen Gotteskräfte statt: in der lebendigen Entwicklung eines Geistes, der in Hinsicht auf Verständnis und Begründung, Darlegung und Gesinnung der Wahrheits- und Weisheitsfülle (d.i. dem Logos) der Offenbarung immer mehr gerecht und ebenbürtig wird[411]. Die allgemeine Herrschaft des Reiches Christi über die Gesamtheit aller Erdenvölker, nachdem als letzte Nation Israel in die Kirche eingetreten ist, nannte H. Schell in Wahrheit eine Auferstehung des Christentums und einen Triumph der Heiligen. Er meinte damit nicht, daß sie selbst wieder neu vom Himmel auf diese Erde niedersteigen würden, wohl aber, daß ihr Prinzip der Wahrheit auf Erden alle Ordnungen siegreich durchdringt. Andererseits lehrte er, daß die Feinde Gottes, die im Verlauf der Weltgeschichte gegen sein Heilswerk ankämpften, ihre »Toten« sehen werden; darunter verstand er ihre gottfeindlichen Ideen und Ziele, die nicht wieder aufleben, bis nach der Zeit des Triumphes Christi während des sinnbildlichen Millenniums; erst danach werden sie wieder aufleben beim letzten, gewaltigsten Angriff des Antichristen[412].

So sehr H. Schell unter den apokalyptischen Ereignissen reale Geschehnisse im Geschichtsverlauf der Menschheit verstand, so sehr lehnte er die Vorstellung, es werde einst die leibliche Auferstehung der Heiligen erfolgen und diese mit Christus sichtbar auf Erden mit dem übrigen Menschengeschlecht in äußerer Gemeinschaft leben, als phantastisch und unverträglich mit dem Gesetz der freien Entwicklung des ganzen Gottesreiches und der Einzelmenschen im Stand des Glaubens und der Himmelsferne ab. Es gab für ihn keinen Zweifel, daß sowohl die Kirche als auch die Einzelnen mit den Waffen, die Christus ihnen hinterließ[413], selbsttätig den Triumph des Gottesreiches extensiv und intensiv herbeiführen und dadurch den

---

[411] Ebd. S. 814-815.
[412] Ebd. S. 816.
[413] Vgl. Apg. 1, 4-8.

Beweis erbringen, daß es mit den Errungenschaften der Auferstehung Jesu und der Geistsendung allein allen anderen Mächten überlegen ist: Nicht durch äußere Zucht und Gewohnheit, nicht durch den Geist der wahren Überzeugung und Hingabe solle und werde das Reich zur Alleinherrschaft auf Erden kommen. Von allen anderen Waffen und Erfolgen, auch wenn sie zeitweilig zugunsten der Kirche wirkten, gelte Christi Wort an Petrus[414]. Nur was der Geist erobert hat, kann nach H. Schell wirklich Bestand haben. Daher erklärte er: Wäre das sichtbare Eingreifen des Himmels notwendig, um Gottes Reich hienieden in der menschlichen Gesellschaft und Völkerfamilie allenthalben und vollkommen zur Weltherrschaft zu erheben, so wäre dieser Sieg das Geschenk eines Deus ex machina, bei dem die äußere Gewalt den Mangel der inneren Überzeugungskraft ersetzen müßte, den Mangel der geistigen Wahrheit und Weisheit, bei dem Gott daher plötzlich mit seiner Allmacht eingreifen müßte, nachdem die Ausstattung, die er seiner Kirche in Lehre, Gnadenmitteln und Verfassung gegeben, troz aller besonderen Vorsehung sich als unzureichend erwiesen hätte, um die ganze Menschheit auf solchen Wegen, wie sie vernünftigen Wesen entsprechen, für Gottes Reich erfolgreich zu gewinnen und Christus zuzuführen. Seine dritte These lautete daher: »Es sind nicht neue Offenbarungen noch Verfassungsänderungen, welche den siegreichen Fortschritt des Christentums zu einer Ära des Triumphes erheben: alle Wahrheiten und Ordnungen, alle Ideale und Geisteskräfte sind der Kirche schon seit dem Abschluß der Offenbarung anvertraut«[415]. Zugleich verwies H. Schell aber darauf, daß die volle Durchdringung des Ideals vom Reiche Gottes in den Menschen selbst wie in den öffentlichen Ordnungen der Menschheit als solcher durch die Herzenshärte, Einseitigkeit und Beschränktheit der menschlichen Natur sowohl auf Seiten der Banner- und Waffenträger des Christentums, wie auf Seiten seiner wissenschaftlichen, politischen und praktischen Gegner und der zu bekehrenden Menschheit überhaupt, unmöglich gemacht werde[416].

Mit der vierten These verdeutlichte H. Schell seine Geschichtstheologie weiterhin in die Richtung der Periodisierung des Geschichtsverlaufs. Dabei unterschied er eine zweifache messianische Wirksamkeit Jesu Christi, die sich durch die gottbestimmten Zeitenläufe fortsetzt. In der Gründung des Reiches Gottes in den Seelen durch die innerliche Erlösungsmacht der Wahrheit und Gnade sah er die messianische Wirksamkeit Jesu als des Propheten und Hohenpriesters. Die erste Periode dieses messianischen Wirkens umfaßte nach H. Schell das verdienende Pilgerleben Jesu im Stand der Selbstentäußerung in der Krippe bis zur Gottverlassenheit am Kreuz; die zweite die himmlische Gnadenwirksamkeit Jesu durch die fortdauernde Spendung der von ihm verdienten und erflehten Geistesfülle, bis im Lauf der Wüstenfahrt ein vollkommen christliches Geschlecht herangereift ist, sei es in der streitenden oder in der leidenden Kirche, das in das gelobte Land der Gottschauung eingehen kann. Durch das Erscheinen des göttlichen Wesensbildes in den geläuterten Seelen wird das innerliche Gottesreich zur ewigen Vollendung gebracht und das messianische Amt des Namens Jesu erfüllt. Die Gründung des Gottesreiches in der Welt und dessen sieg- und segensreiche Durchführung in der äußeren

---

[414] Vgl. Mat. 26, 52-53; Joh. 18, 11. 36-37.
[415] Schell: D III/2. S. 817.
[416] Ebd. S. 821.

Ordnung der Menschheit ist, wie H. Schell im einzelnen erklärte, durch den Namen »Christus« gekennzeichnet. Mit der Fülle geistiger Kräfte, die Gottes Ratschluß hierfür bestimmt und Christus seiner Kirche hinterlassen oder gestattet hat, vollbringt er in angestrengtem Kampf die allmähliche Eroberung der Welt für Gottes Reich. Die streitende Kirche bezeichnete H. Schell als das messianische Königtum Christi nach dem Vorbild des Königs David[417]. Ihre Ära dauert vom Pfingsttag des Heilsjahres, an dem sie mit den Waffen des heiligen Geistes ausgerüstet wurde, bis zur allgemeinen Ausbreitung und Durchführung des Christentums. Die zweite Ära dieses messianischen Königtums Christi auf Erden war für H. Schell im tausendjährigen Reich versinnbildet. Sie dauert solange, als das triumphierende Christentum allen gegnerischen Mächten überlegen, seine Segens- und Friedensherrschaft ausübt. Noch einmal betonte er, daß mit einem persönlichen Erscheinen Christi in dieser Ära nicht zu rechnen sei, da er erst zur allerletzten Siegestat persönlich erscheinen und der Weltmacht Satans und des Antichristen für immer ein Ende bereiten werde[418].

In diesem Zusammenhang stellte H. Schell konkret geschichtlich die Bedeutung der kirchlichen Einheit für die Eschatologie heraus, indem er betonte: Die Verheißung, daß Christus mit seinen Heiligen es ist, der in seiner Kirche auf Erden herrscht, wenn alle Völker in die Gemeinschaft des einen Glaubens, Opfers und desselben Hirtenamtes eingegangen sein werden, beweise die Innigkeit der Interessengemeinschaft, die den Himmel der Heiligen mit der Kirche der Erdenwaller verbindet. Nicht bloß Christus, sondern auch seine Blutzeugen herrschen darnach mit ihm auf Erden, wenn das Reich Gottes sich ausbreitet und in allen öffentlichen und privaten Verhältnissen durchsetzt[419].

Über das Maß der Zeiten, die bis zum jüngsten Tag verlaufen, fand H. Schell in der heiligen Schrift keinerlei Anhaltspunkte, außer denjenigen, die in der von Gott gesetzten Aufgabe seiner Kirche und den von seinem Wort prophetisch verkündigten Erfolgen seines Reiches auf Erden enthalten sind. Vom letzten Kampf sagte er nur, er sei zunächst Folge des Abfalls, der Erhebung des Antichristen und der Aufreizung durch Satan. Nach der Überwindung der beiden Tiere[420], in denen er das Ideal einer vom Offenbarungsgott emanzipierten Weltordnung, sowie alle Versuche, die Kirche von innenher aufzulösen sah, beginnt der Siegeszug der Erlösungsgnade auf Erden, soweit dies in dem Stand der Prüfung, Entwicklung und des Glaubens zu erreichen ist. Satansmacht - so lehrte H. Schell - sei nun gebunden, damit er die Völker nicht weiter verführen, nicht etwa durch äußere Gewalt, die ihm angetan würde, sondern durch die lebendige Kraft, mit der das Reich Gottes, die Wahrheit und Gnade entfaltet und dem Bösen die seither offenen Tore und Breschen verschließt. Aber nach und nach - wenn auch nur schwer, mühsam und vereinzelt - sah H. Schell neuerdings Zweifel, Selbstsucht und Niedertracht in die Seelen eindringen, bis sich diese Regungen so verdichten, daß Satans Gebundenheit endet und er seinen letzten und furchtbarsten Angriff gegen die Kirche unternimmt. Ihn wird

---

[417] Vgl. oben S. 201.
[418] Schell: D III/2. S. 822.
[419] Ebd. S. 824-825.
[420] Vgl. Apk. 19, 20.

der Herr Jesus vernichten durch den Geist seines Mundes und das Licht seiner Ankunft[421].

Von dieser biblischen Lehre aus kam H. Schell zu der letzten These in diesem Abschnitt: Die zweite Wiederkunft Christi werde in Macht und Herrlichkeit erfolgen,

(a) um den letzten Ansturm der Lüge und Bosheit, sowie den Antichrist selbst durch das Licht seiner Wahrheit zu entkräften und dem Reich Gottes den vollen und ewigen Sieg zu gewähren,

(b) um die Gesamtheit der Lebenden und Toten durch Umwandlung und Wiederbelebung zur vollen Unsterblichkeit der Auferstehung zu berufen,

(c) um endlich das allgemeine Weltgericht abzuhalten über alle Einzelnen und Gemeinschaften, Engel und Menschen, soviele ihrer für oder wider Gottes Reich gewirkt haben, und dadurch Gottes Weltregierung vor allen zu rechtfertigen, jedem sein eigenes tatsächliches Wesen und Sinnen in unverhüllter Wahrheit und ganzer Tragweite zu zeigen und fühlbar zu machen, um das bis dahin in sich vollendete Gute mit ewiger Gottesgemeinschaft zu belohnen, und das bis dahin in sich ausgereifte Böse mit der ewigen Verdammnis zu bestrafen[422].

Zum Schluß machte H. Schell darauf aufmerksam, wie sehr die Wiederkunft Christi in der apostolischen Zeit im Vordergrund des Glaubensbewußtseins gestanden und alle zu der hochgespannten Anstrengung des Wirkens und des Leidens für die Kirche Christi befähigt habe[423]. Bei dem Mißverhältnis zwischen dem, was das Christentum wirklich in der Welt war, und der Macht, die es aus dieser Welt verdrängen sollte, schien es allerdings, als ob nicht im natürlichen Verlauf der Geschichte und bei stillem Mitwirken der Gnade die Weltherrschaft Christi erreicht werden könnte, sondern nur durch das außerordentliche Eingreifen des Messiaskönigs. Zum Parusieproblem, das bekanntlich in der Zeit H. Schells besonders virulent wurde[424], äußerte er sich folgendermaßen: Je mehr die Kirche in der Welt Wurzel gefaßt und die verschiedenen Schichten der gesellschaftlichen Ordnung durchdrungen habe, desto ruhiger sei der gläubige Gedanke an die baldige Wiederkunft Christi geworden; je mehr sich die Vorstellung des Nahebevorstehenden von dem Glauben an Christi Wiederkunft trennte, desto weniger wurde das geistige Gefühl in Mitleidenschaft gezogen. Als indes das Christentum in der Zeit Konstantins sich unversehens zur Blüte des äußeren Machtbestandes entfaltete, habe der Gedanke, daß der Sieg des Kreuzes durch den Fortschritt der menschlichen Anstrengung im Kampf der geschichtlichen Gegensätze herbeigeführt werden sollte, vollends alle Bedenklichkeit verloren, ja man habe sich so sehr an die Verbindung der Kirche mit dem Römerreich gewöhnt, daß man dessen drohenden Zusammenbruch als Anzeichen des nahen Weltendes teilnahmslos betrachtete, als ob die Kirche nicht auch ohne das Römerreich in siegreicher Majestät fortbestehen könnte. H. Schell meinte, je mehr Erfolg bereits für eine Sache erzielt sei, desto leichter werde der Gedanke und desto lebhafter rege sich der Wunsch, der Abschluß der gesamten Entwicklung möge erst in ferner Zukunft liegen, hingegen sei es für die Zeit des kleinen Anfangs

---

[421] Schell: D III/2. S. 827-828. - Vgl. 2. Thess. 2, 8.
[422] Schell: D III/2. S. 828-829.
[423] Vgl. ders.: Apologie des Christentums. Bd. 2. ²1908. S. 523-525.
[424] Vgl. ebd. S. 516-523.

ein psychologisches Bedürfnis und eine weise teleologische Einrichtung, daß man an den baldigen und vollen Triumph seines Ideals glaube. Werde einer jungen Idee die Hoffnung auf die baldige Weltherrschaft genommen, so raube man ihr die eigentliche Spannkraft; der Gedanke, in jahrtausende langer Entwicklung und stetem Kampf die Weltherrschaft verdienen zu sollen, würde die aufkeimende Saat verdorren lassen. Darin also sah H. Schell die teleologische Bedeutung der lebendigen Wiederkunftshoffnung der jungen Christenheit für die allernächste Zeit[425].

Wir lassen hier H. Schells Stellungnahme zum Problem der Parusie. Wir werden auf dieses Thema zurückkommen, wenn wir seine Thesen von Weltgericht und Weltvollendung zur Sprache bringen.

e) Die Auferstehung des Fleisches

»Die Auferweckung der Toten ist die erste Tat des wiederkommenden Gottmenschen zur Wiederherstellung der menschlichen Natur und des Menschengeschlechtes nach dem Plane des Schöpfers«[426]. Mit dieser ersten These eröffnete H. Schell einen weiteren Paragraphen seiner Vollendungslehre, die wegen seiner philosophischen Implikation für uns von besonderem Interesse ist.

Für H. Schell war die Auferstehung des Fleisches nicht nur eine Grundwahrheit der Offenbarung, sondern auch die Form, in der die heilige Schrift von der Unsterblichkeit des Menschen spricht: die volle Wiederherstellung des Menschenwesens in fröhlicher Urstände. Zugleich sah er aber auch, daß sich die ganze Schärfe des Gegensatzes zwischen der Offenbarungsreligion und dem menschlichen Konstruktionsversuchen der Wahrheit sich in diesem Dogma besonders ausprägt. So verwies er darauf, daß die Predigt von der Auferstehung des Fleisches für die antike Welt als das Auffallendste am Christentum erschien, das am wenigsten begriffen und am meisten bekämpft wurde. Gegenüber dem philosophischen Idealismus des abstrakten Denkens stellte er den konkreten Realismus der biblischen Offenbarung heraus. Hier habe es sich gezeigt, daß das Christentum und der Erlösungsglaube nicht in einer höheren Welt spielt, sondern wahrhaft und ernstlich in der diesseitigen, erfahrungsmäßigen Erdenwelt; hier habe es sich gezeigt, daß es seinem Christus wirklich die Kraft zutraut, die unerbittliche Macht des Diesseits zu besiegen, den Tod, nachdem er demselben den Stachel genommen, die Sünde[427].

Auch bei der Darlegung des biblischen Schriftbeweises ging es ihm darum, diesen fundamentalen Gegensatz aufzuzeigen: Wenn die Philosophie den Menschen und seine Zukunft erforsche, so könne sie dies nur mittels der abstrakten Unterscheidung seiner Bestandteile und deren gesonderter Untersuchung tun; auf diesem Wege gelange sie zur Unsterblichkeit der Seele, d. i. einem teilweisen Fortbestand des Menschen, einer ruinenhaften Nachexistenz. Wenn hingegen ein Prophet mit Offenbarungen auftrete, so müsse seine Lehre das Gepräge tragen, daß sie aus dem

---

[425] Ders.: D III/2. S. 830-831. - Vgl. Th. Schneider: Teleologie als theologische Kategorie bei Herman Schell. S. 155-156.

[426] Ebd. S. 831.

[427] Ebd. S. 832.

Schöpfungsplan, aus dem Herrscher- und Allmachtsbewußtsein des absoluten Geistes stammt. »Der Philosoph berechnet, was der Mensch mit Naturnotwendigkeit zum mindesten noch sein muß; der Prophet verkündet, was der Mensch kraft der Schöpfungsidee und dem Weltplan Gottes sein wird«[428].

Bei Erörterung der paulinischen Auferstehungslehre zeigte H. Schell auf, daß der Apostel eben die menschliche Zukunft nach dem Tode vom Standpunkt Gottes und des Gottesglaubens aus erwägt und daher nicht begreifen kann, warum Gott nicht die Wiederherstellung des ganzen Menschen in seinen Heilsplan aufnehmen könnte, sondern es bei dessen ruinenhafter und teilweiser Fortexistenz als getrennte Seele belassen sollte. Wer hingegen als Philosoph mit den Mitteln der Vernunft allein an diese Frage herantrete und sie vom Menschen aus zu lösen unternehme, für den sei die Unsterblichkeit der Seele die Hauptsache; die Auferstehung des Fleisches erscheine ihm als eine Zutat von nebensächlicher Bedeutung, von der der Philosoph sogar fürchte, sie erschüttere die Grundlagen seiner Unsterblichkeitsbeweise für den Geist. H. Schell erkannte damit klar, daß diese philosophische Skepsis die Auferstehung durch eine derbsinnliche Auffassung lächerlich und widerspruchsvoll zu machen sucht, als ob die Weltvollendung nichts weiter sei als eine Verewigung der gegenwärtigen Natur- und Daseinsformen, eine Wiederherstellung und Nachbildung derselben, - nur in dauerhafterem Material. Paulus aber weise die Zweifler darauf hin, daß die innere Verklärung der körperlichen Natur die Vorbedingung ihrer Verewigung sei. »Was dem Bestand nach unvergänglich werden soll, wie der Geist, muß zuerst innerlich himmlisch werden, wie der Geist. 1. Cor. 15, 15-50«[429].

Hinsichtlich der kirchlichen Tradition dieser apostolischen Lehre gab H. Schell anschließend an Origenes und Tertullian die Erklärung, daß Erkenntnis und Idealität ebenso verwandt seien wie Wille und Realität. Jenes Sein, das vom Grunde seines Wesens aus substantielle Willenstat sei, bedürfe der Körperlichkeit nicht, um vollkommene Realität zu sein. Gott allein sei durch seinen Willen real, das heißt kraft bewußter Selbstbestimmung; bei allen endlichen Geistern sei der Wille akzidentell, das heißt unbeteiligt bei der Begründung des tatsächlichen Wesensbestandes. Insofern habe der letztere bei allen Geschöpfen etwas Ungeistiges, Unbewußtes, Körperhaftes: das heißt eine Naturgrundlage. Die geschöpfliche Natur sei nur Wirkung und Gegenstand des (schöpferisch-geistigen) Denkens und Wollens, nicht selbst Denken und Wollen. In dieser Auffassung, die indes deutlich genug H. Schells eigene Interpretation durchscheinen läßt, fand er den Sinn, warum die Kirchenlehrer die Leiblichkeit für notwendig erachteten zur Vollkommenheit, nicht nur zur notdürftigen Existenz des endlichen Geistes. Er fügte an, daß auch Tertullian mit großem Nachdruck auf der Körperlichkeit der Seele als Bedingung der Wirklichkeit bestanden habe[430].

Wir sind hiermit schon inmitten einer philosophisch-theologischen Erörterung der Auferstehungslehre H. Schells. Als Apologet entwickelte er die inneren Gründe des Auferstehungsdogmas; diese sollten jedoch die Auferweckung des

[428] Ebd. S. 833.
[429] Ebd. S. 836. - Vgl. GG. Teil 1. S. 251.
[430] Ders.: D III/2. S. 836.

Fleisches nicht als notwendig beweisen, sondern in ihrer Übereinstimmung mit dem christlichen Gottesbegriff und der biblischen Idee vom Menschen dartun. Sie blieben für ihn ein für allemal eine Offenbarunglehre, ein Glaubensgeheimnis, da die Auferstehung von den Toten nicht als Naturnotwendigkeit aus der Beschaffenheit des menschlichen Wesens und seiner Bestandteile erfolgt und keine unentbehrliche Bedingung für die Verwirklichung der sittlichen Ordnung ist, sondern - wie H. Schell sagte - eine Anforderung und Verheißung, deren Ursprung in der Freiheit und Gnade des Schöpfers liegt. Da indes die Freiheit des Schöpfers nichts anderes ist als die höchst naturgemäße Betätigung der schöpferischen Weisheit und Vernunft, so ging es unserem Apologeten darum zu zeigen, daß das Dogma dieses freien Schöpferwillens die denkende Vernunft im höchsten Maß befriedigt. Als theologischen Grund führte H. Schell zunächst an, daß Gott nach dem Begriff der biblischen Offenbarung der absolute Geist ist, der durch sein schöpferisches Denken und Wollen die Gesamtheit der Dinge in ihrem Wesen gestaltet, in ihrem Dasein begründet und in ihrer Wechselwirkung hergestellt hat. Wenn das Geschöpf von Grund aus Gottes Gedankenwerk ist, dann - so folgerte er - kann es nicht im Zerfall und Stückwerk enden, es sei denn, daß sich das göttliche Wesen selbst zeitlich erschöpft. So fand H. Schell den Ursprung des gottebenbildlichen Schöpfers als den tiefsten Grund und Bürgen für die vollständige Wiederherstellung nach dem Tode. »Alles im Menschen ist von Gottes Weisheit erdacht und gewirkt. Gott steht dem, was ganz und gar von ihm erdacht und bewirkt ist, nicht dermaßen gegenüber, daß sich unversehens von Seiten der Physis seiner elementaren oder zusammengesetzten, primären oder sekundären Geschöpfe eine Unmöglichkeit oder Schwierigkeit hinsichtlich der höheren Absichten des Weltenherrschers ergeben könnten. Es gibt keine Seite an den Dingen, die Gott nicht ganz und gar denkend und wertgebend beherrschte«[431]. H. Schell wies weiter darauf hin, daß der Einwand der physischen Unmöglichkeit gegen die Auferweckung der Toten nicht erhoben werden dürfe, wenn es sich um den Gott der Offenbarung handle; nur gegen einen Gott, von dessen Schöpfergedanken und Schöpferwillen etwas anderes (z. B. ein Urstoff) unabhängig bestünde, würde dieser Einwand gelten. Allein, nach biblischer Lehre[432] könne der Schöpfergeist kein Stoff - und kein Kraftelement aus dem Auge oder aus der Hand verlieren, da sie nur durch sein Denken und Wollen bestehen oder wirken. H. Schell pries daher den Triumph der planmäßigen Weisheit und der zielstrebigen Macht über die Titanennatur der finsteren Urmaterie, wie ihn die Auferweckung des Menschengeschlechts aus dem Grab der Jahrtausende besage. Damit hatte er wiederum den teleologischen Gesichtspunkt in der Eschatologie zur Geltung gebracht. Gegenüber dem heidnischen Gottesbegriff und dem Dualismus von Gott und Urstoff rühmte er, daß die Auferweckung des Fleisches der Triumph der absoluten Persönlichkeit über die unpersönliche Natur und der Person über die Natur überhaupt sei, die Machtprobe des theistischen und biblischen Gottesbegriffs[433].

An dieser Aussage über Person und Natur schloß sich nun sofort eine anthropologische Begründung der Auferstehungslehre an. H. Schell behauptete, daß die

---

[431] Ebd. S. 837.
[432] Vgl. Weisheit 1, 7.
[433] Schell: D III/2. S. 838.

Idee des Menschen nur durch die Auferstehung der Toten und die Verklärung des Leibes eine dauernde Verwirklichung finde, da nur so dem Geist in seiner Vollendung ein vollkommenes Werkzeug zur Verinnerlichung der Außenwelt zu Diensten stehe. Es fragt sich freilich, ob eine bloß instrumentale Bedeutung der Leiblichkeit für die menschliche Person der biblisch-christlichen Anthropologie in vollem Umfang gerecht wird. Bei einer Beurteilung gilt es aber zu bedenken, daß sich H. Schell mit seiner These eindeutig von der dualistisch-gnostischen Philosophie absetzen wollte, derzufolge der Körper nur ein Gefängnis, Hemmnis und Zuchthaus für den Geist wäre. H. Schell behauptete gegenüber dieser Theorie, daß die volle Bedeutung der Auferstehung für die Wesensidee des Menschen erst dann erkannt werde, wenn zwei Annahmen ergänzend hinzukommen. Die erste formulierte er folgendermaßen: »Die Seele hat ohne den Leib eine unvollkommenere Daseinsweise; sie ist in der Entfaltung ihrer Lebenskräfte extensiv und intensiv, der Art und dem Grade nach gelähmt und zurückgehalten, weil sie ihres naturgemäßen Organs, der Leiblichkeit als ihres Mediums zum Verkehr mit der Außenwelt entbehrt«[434]. Die zweite bestand in einem längeren Gedankengang, den wir hier mit den Worten H. Schells wiedergeben: Nach dem platonisch-gnostischen Spiritualismus oder Dualismus wäre die Idee des Menschen als der Vergeistigung der Sinnlichkeit und der Versinnlichung der Geistigkeit nichts als ein bewundernswürdiger Versuch des göttlichen Weltbildners, der indessen an dem Titanentrotz der blinden Naturnotwendigkeit scheitert. Ob dieser Titanenkampf das Kunstwerk Gottes mittelst der Sinnlichkeit von innen oder mittelst des Siechtums von außen zur Ruine macht, dem Tod und der Verwesung überantwortet, der endgültige Sieg in diesem Wettlauf würde der blinden Urmaterie gehören. Ob der göttliche Weltbildner nun von vorneherein auf die unvergängliche Fortdauer der menschlichen Wesensvollendung verzichtete, etwa weil er seine eigene Ohnmacht erkannte, oder ob er erst durch die innere und äußere Verderbnis des Menschen genötigt wurde, auf die endgültige Verwirklichung des menschlichen Wesensideals zu verzichten: in jedem Fall würde die Materie über den Geist triumphieren; dieser Weltenlauf wäre der Beweis und das Zugeständnis, daß der Geist der Materie gegenüber schwächer und unfähig ist, sein Ideal harmonischer Herrschaft der Seele über die Leiblichkeit auf die Dauer durchzuführen. Nur soviel könnte der überweltliche Geist vielleicht erreichen, daß er die Natur nötigt, solange wenigstens als dieser Weltzustand fortdauert, durch Fortpflanzung des Menschengeschlechts einen scheinbaren Ersatz zu leisten für die Gewalt, die sie im geistigen und leiblichen Tod dem Ebenbild Gottes in jedem einzelnen Menschen ausnahmslos und erbarmungslos antut. Aus dieser mißlichen Situation zog nun der Apologet folgende Schlüsse:
1. Die Seelen, die zur körperlosen Fortdauer genötigt, in die Gemeinschaft der oberen Welt eingehen, wären gerade durch ihre Unsterblichkeit ebensoviele unvergängliche Zeugen und Denkmäler der großen Niederlage des Geistes in der Weltgeschichte. Trotz aller Tugend und Gottseligkeit wären sie ein sprechender Beweis dafür, daß auch diese Anstrengungen die menschliche Natur nicht vor dem Endschicksal bewahren könnte, zur Ruine zu werden und höchstens so Unsterblichkeit und Seligkeit zu genießen.

---

[434] Ebd. S. 838.

2. Der Himmel litt an dem Widerspruch, daß der sittliche Triumph des Geistes über die Sinnlichkeit nicht durch die ewige Friedensherrschaft des siegreichen Geistes über die gebändigte Natur belohnt wird, sondern in ewiger Trennung von ihr lebt. 3. Die Hölle wäre ein entsetzlicher Beweis dafür, daß die blinde, vernunft- und gesetzlose Naturmacht dem Geist sein eigenes Werk und Ebenbild zu entreißen vermag. Daß aber wäre ihr größter Triumph, daß sie den Geist soweit in ihre Knechtschaft herabzieht, daß er durch Selbstsucht, Grausamkeit und Götzendienst mit bewußter Absicht und Methode seine Wollust in dem leiblichen und geistigen Verderben seiner selbst und der anderen Menschen sucht und findet, daß die fortschreitende Entwürdigung und Niedertracht der menschlichen Natur gewissermaßen zu seinem Lebensberuf und ewigen Schicksal macht. Demgegenüber verwies H. Schell auf die Offenbarung, die den Sieg des Geistes, den Triumph Gottes verkündet. »Die Auferstehung des Fleisches ist der ewige Triumph Gottes und Christi über den Tod und dessen Stachel, die Sünde. Durch die Auferweckung des Fleisches wird die Wesensidee der Menschheit für alle Ewigkeit verwirklicht und erfüllt. Dieser Triumph der Weisheit und der Güte ist um so größer, als eben die Menschennatur ihrer Idee nach jenes Gottesgebilde ist, das am meisten von der inneren und äußeren Verwesung bedroht ist. Allein virtus in infirmitate perficitur. 2 Cor. 12, 9«[435].

Fassen wir diese Überlegung H. Schells zusammen, so können wir sagen: In der Wesensidee des Menschen kam für ihn die Tendenz des Geistes nach der Herrschaft über die Natur, der Weltplan Gottes als die Herrschaft seines Gesalbten über die Welt und deren Umwandlung zum Gottesreich zum Ausdruck. Dieser anthropologischen Begründung fügte er nun als drittes noch eine kosmologische hinzu, in der er zeigen wollte, daß auch die Idee der Welt für die Vernünftigkeit des Auferstehungsdogmas eintritt. Diese Idee der Welt war für ihn das Ideal der harmonischen Zusammenordnung von Natur und Geist zu einer Einheit, in der beide ihrer Eigenart und ihrem Eigenwert entsprechend an sich und füreinander zur Geltung kommen, sich gegenseitig ergänzend und fördernd, um miteinander ein zeitliches Abbild der unendlichen Wesenfülle von Vorzügen darzustellen, die in Gott zur ewigen Einheit verschmolzen sind. Bei einem nur äußerlichen nebeneinander beider Ordnungen, in dem Natur und Geist nicht durch innere Wechselwirkung und Abhängigkeit vereinigt wären, kann nach H. Schell von einer Zusammenordnung keine Rede sein. Wird nun für den Endzustand der Weltentwicklung keine Form innerer Wechselwirkung zwischen Geist und Natur erreicht, die beiden ihre eigenartige Vollkommenheit vermittelt und zugleich der Stetigkeit des Vollendungszustandes entspricht, dann - so folgerte er - ist das Ideal des Kosmos, der Weltordnung, und damit der Weltherrschaft Gottes unerfüllt. Aus diesem einerseits kosmologischen, andererseits jedoch durch und durch theologischen Grund verfocht H. Schell die These, durch die Auferstehung der Toten werde die Idee der Welt endgültig verwirklicht, denn durch die Wiederherstellung des Mikrokosmos gewinne nicht nur der menschliche Geist in seinem verklärten Leib einen engeren Herrschaftsbereich, sondern zugleich als weiteres Herrschergebiet die gesamte Natur, weil er ja durch

---

[435] Ebd. S. 840.

seinen Leib in engster Beziehung zu ihr stehe und ihr selbst - als König angehöre. Hinter dieser theologischen These stand zugleich das philosophische Argument, daß der Leib nicht als abgesondertes, beziehungsloses Einzeldasein gedacht werden kann, ohne daß die ganze Eigenart der körperlichen Natur verleugnet würde; so vertrat H. Schell die Ansicht, die unentbehrliche Lebensatmosphäre sei die Gesamtnatur und der lebendige Wechselzusammenhang mit ihr[436].

In einem zweiten Ansatz brachte H. Schell auch hier noch einmal den Gesichtspunkt der Teleologie zur Geltung. Er beschrieb, daß die Idee der Welt nicht bloß eine innere Zusammenordnung von Natur und Geist sowohl für die Zeit der Entwicklung als auch der Vollendung besagt, sondern auch einen inneren Zusammenhang zwischen der Entwicklung und der Vollendung. Frage war, ob die menschliche Tugend im Himmel nur Belohnung findet oder auch tätige Fortexistenz. Hier nun folgerte H. Schell: Gibt es eine Auferstehung der Toten, so hat die menschliche Tugend auch im Himmel eine Heimat, um dort in unvergänglicher Lebenskraft zu blühen. Zur Begründung fügte er bei, daß das Ideal der menschlichen Sittlichkeit die Herrschaft des gottergebenen Geistes über die sinnliche Natur in ihm und um ihn sei, über ihre Reize und Hindernisse, Güter und Kräfte. Der Zwischenspalt zwischen menschlichem Tugendideal und dem himmlischen Lohn, zwischen verdienender Sittlichkeit und verdienter Seligkeit werde durch den Auferstehungsglauben gehoben: »Es ist wirklich die Welt des Diesseits, die im Jenseits verklärt wird, wenn einst die Toten auferstehen«[437]. Das Auferstehungsdogma war damit die Bürgschaft der Offenbarung dafür, daß das Ideal des sittlichen Kosmos, der sittlichen Weltordnung als der inneren Zusammengehörigkeit von Geist und Natur, und des inneren Zusammenhangs von Entwicklung und Vergeltung voll und ganz erfüllt werden wird[438].

Wenden wir uns nun der zweiten These H. Schells zu. Er formulierte: »Das Dogma von der Auferstehung der Toten lehrt die Identität des Auferstehungsleibes mit dem jetzigen Leib, und zwar die numerische Identität im Unterschied von der spezifischen, die individuelle im Unterschied von einer einfachen Wiederverkörperung der Seele ohne Zusammenhang mit ihrem jetzigen Leibwesen, aber auch die wahre und wirksame Körperlichkeit im Gegensatz zu einer scheinbaren, bedeutungslosen, ätherischen Kugelgestalt ...«[439]. Bei der Interpretation dieses Glaubenssatzes lehnte er das Postulat einer stofflichen Identität des Auferstehungsleibes entschieden ab. Gemäß seiner Auffassung vom Verhältnis der Wesensform zur Materie, die wir bereits im Zusammenhang der Schöpfungswirklichkeit kennen lernten[440], erklärte er auch hier, daß die Materie am wenigsten an der Individualität beteiligt sei. In ihrer Erhebung zum Individuationsprinzip sah er eine Erbschaft des platonischen Dualismus zwischen dem Idealen und Realen, der allgemeinen Wesensidee und der individuellen Wirklichkeit. Er distanzierte sich von Platon, weil dieser den allgemeinen Begriff mit dem inhaltlichen Wesen identifiziert und nur

---

[436] Ebd. S. 841.
[437] Ebd. S. 842.
[438] Vgl. ebd. S. 843.
[439] Ebd. S. 844.
[440] Siehe oben S. 185-186.

den allgemeinen Artbegriff als das wertvolle und verständliche Sein anerkannt habe; er kritisierte, daß diesem die Individualität infolge hiervon als eine Verunreinigung des wahren Wesens erschienen, obgleich es garnicht vermieden werden könne, weil die Ideen nur dann reale Existenz in dieser Erfahrungswelt erhielten, wenn sie sich in der Materie widerspiegeln und dadurch vervielfältigen, das heißt individualisieren. Im Gegensatz zu dieser Auffassung sah er in der Individualität nicht eine Verunreinigung des wahren Wesens, sondern das eigentliche Sein, dessen Prinzip nicht in der Materie, sondern in dem actus existentiae liegt, der als solcher zugleich actus subsistentiae ist. »Die Individualität ist keine Unvollkommenheit des Seienden, also auch nicht von dem Prinzip der Unvollkmmenheit abzuleiten, sie ist vielmehr die höchste Vollendung und Bestimmtheit des Seienden, und daher bei den geistigen Wesen mit der Würde der Persönlichkeit ausgezeichnet«[441]. Wie wenig das Prinzip der Individualität mit der Materie gemeinsam habe, ergab sich für H. Schell daraus, daß die numerische Identität des Leibes durchaus ungeährdet fortbesteht trotz allem Kreislaufen und Umsatzes der Elemente, aus denen er fort und fort neu aufgebaut wird. Daher fragte er: »Wie kann die Materie Princip oder Mitprincip der Individualität sein, wenn sie sich fort und fort ändert, während die numerische Identität unverändert dieselbe bleibt?«[442]. H. Schell selber beantwortete diese Frage mit der These, daß die numerische Identität alleine vom Ich kommt, nicht vom Stoff; denn, so argumentierte er, »das Prinzip der Dieselbigkeit (Haecceitas) des 'dieser' ist nicht der Stoff, sondern das Ich, der tatsächliche actus existentiae et subsistentiae, der Selbstand«[443]. Hinsichtlich der dem Origenes zugeschriebenen Lehre, die Seele werde den Auferstehungsleib aus anderem Stoff wesentlich geradeso neugestalten, wie im Erdenstande[444] - ähnlich Durandus[445] und Lacordaire[446] - forderte er, vorher zu untersuchen, ob von diesen die Voraussetzung zugegeben werde, daß die Materie Prinzip oder Mitprinzip der Individualität sei. Werde dieser Satz verworfen und die Existenz oder der actus subsistentiae, das heißt das Ich als das alleinige Individuationsprinzip erklärt, sei es eine falsche Unterstellung, wenn behauptet werde, obige Lehre werde der numerischen Identität des Auferstehungsleibes mit dem jetzigen Leibe nicht gerecht[447].

Die dritte These H. Schells war der Beschaffenheit des Auferstehungsleibes gewidmet: Er ist dem Vollendungs- und Vergeltungszustand entsprechend. Auffallend ist, daß H. Schell auch hier die paulinische Lehre[448] im Sinne seiner Auffassung vom alleinigen Primat der geistigen Wesensform interpretierte. Danach gab Paulus als Grundwesen des Auferstehungsmenschen an, daß dieser zum lebendigmachenden Geist geworden sei, während der Erdenmensch eine lebendige Seele

[441] Schell: D III/2. S. 846.
[442] Ebd. S. 847.
[443] Ebd. S. 849. - Vgl. Berning: Das Denken Herman Schells. S. 114-115.
[444] Vgl. Epiphanios von Salamis: Panarion (= Haereses), 64.
[445] Durandus de San Porciano O.P. (etwa 1275-1334). - Vgl. Ueberweg. Bd. 2. [11]1927. S. 522.
[446] Jean-Baptist-Henri (Dominique) Lacordaire O.P. (1802-1861).
[447] Schell: D III/2. S. 850.
[448] Vgl. 1. Kor. 15, 42.

darstelle. Daraus folgerte H. Schell, daß im Auferstehungsleib die geistige Lebenskraft triumphiert über die Stoffmasse, als deren lebendigmachender Geist; die Materie werde so im Auferstehungsleib erst wahrhaft lebendig, während es der Geist als Wesensform des Leibes in dieser irdischen Menschennatur nur notdürftig dazu bringe, daß er selber im widerstrebenden Stoff und im auflösenden Stoffwechsel zur lebendigen Seele werde. Im Unterschied zu der jetztigen Verfassung, in der H. Schell die Wesensidee des Menschen, die Lebenseinheit von Geist und Stoff, fort und fort in ihrem Bestand bedroht sah, bis sie wirklich vom Tode erreicht wird, beschrieb er ihren Zustand der Vollendung so, daß dann der Stoff nurmehr Werkzeug seiner geistigen Lebenskraft sei, die sich in ihm als lebendigmachender Geist offenbart, den Stoff bis in den tiefsten Wesensgrund hinein belebend, auch in seinem niedersten und elementaren Kräften ohne Rückstand dem Lebenszweck aneignend. Da dies der Geist hienieden noch nicht vermag, blieb für H. Schell im Körper ein bedeutender Kraftvorrat, der nicht ganz und gar zum Dienst des Geistlebens umgestaltet ist; hierin fand er die Angriffspunkte und Pforten des Todes. Diese Auffassung von der rein instrumentalen Zweckdienlichkeit der materiellen Lebensgrundlage umschloß bei ihm des weiteren ein ähnliches Verhältnis des Menschen zur Natur. Dieser konnte er nämlich weder Selbständigkeit noch eigene Bedeutung beimessen. Er vertrat daher die Ansicht: Solange die Entwicklung und Prüfung als ein Bedürfnis für den geistigen Menschen bestehe, sei die Naturordnung bis in alle ihre Einzelgesetze hinab von einem höheren Gesetz beherrscht und zu einer derartigen Gestalt bestimmt, daß die Natur als passendes Werkzeug für den Prüfungszustand erscheine; sobald jedoch die Geisterwelt in sich ausgereift sei, werde ihr Vollendungszustand zum bestimmenden Gesetz der Naturordnung bis in die Einzelverhältnisse der einfachsten Stoffteile hinab. Naturgesetz und Naturgestalt dienen damit nach H. Schell ebenso dem Vollendungszustand wie jetzt dem Prüfungszustand. Beide sah er unter dem umfassenden Gesichtspunkt der Teleologie, indem er erklärte: »Die Kraft des zielsetzenden Gedankens, welcher seither absichtlich an sich hielt, um die Natur zum Werkzeug der Prüfung zu machen, dringt dann rückhaltlos in die stofflichen Elemente vor, um ihren Gedankengehalt vollständig auszuwirken«[449].

Neben der Unverderblichkeit (impassibilitas) ergab sich aus der paulinischen Theologie als zweite Eigenschaft die Schönheit (claritas) des Auferstehungsleibes, sowie dessen Kraft (agilitas) und Vergeistigung (subtilitas). »Kraft« hieß für H. Schell »Fähigkeit zur Einwirkung«, wozu er besonders rechnete, daß der Leib Werkzeug des Willens ist, der auf die Welt des Erkennbaren durch den Leib einwirkt, um sie in ihrer Kraftfülle zu erproben, zu offenbaren und so auch in ihren verborgenen Tiefen der Erkenntnis zu vergegenwärtigen. Auch aus diesem Grunde erforderte für ihn die Idee der Verbindung von Leib und Geist zu ihrer Erfüllung einen Leib, der dem Willen als kräftiges Werkzeug eine möglichst ausgedehnte, tiefgehende und bedeutsame Wirkung nach außen vermittelt[450]. Ähnlich instrumental verstand H. Schell auch die subtilitas: je mehr Gott den Geist erleuchtend

---

[449] Schell: D III/2. S. 851.
[450] Vgl. ebd. S. 852-853

und belebend durchdringe, desto mehr werde der Leib vergeistigt zu dem vielsagenden Charakterbild und kraftsprühenden Werkzeug eines reichen und zum wirksamen Apostel seines gottflammenden Geistes[451]. Die Beschaffenheit des Auferstehungleibes der Verdammten ist nach H. Schell natürlich von dem Gesetz des Verdammniszustandes und der Sünde bestimmt, das heißt theologisch gesprochen, von der göttlichen Weisheit und Gerechtigkeit, die eine gesetzmäßige Übereinstimmung zwischen dem inneren Wert und Wesen wie auch dem äußeren Zustand und der Wirkungsweise in allgemein gültigen und innerlich begründeten Wechselbeziehungen herstellt. Der Grundgedanke dieser Überlegung war: »So weit sich die Welt ausdehnt, aus der Gottes Dasein erkannt werden soll, folgten die Tätigkeitsformen der Dinge, der körperlichen wie der geistigen Wesen aus dem Gesetz ihrer inneren Naturbestimmtheit, und tragen den Charakter allgemein gültiger Wechselverhältnisse«[452].

Im Zusammenhang mit der Beschaffenheit des Auferstehungleibes setzte sich unser Apologet auch mit der Meinung anderer Theologen auseinander, nach der die Organe als Bestandteile des Leibes dereinst bestehen bleiben, während ihre Funktionen aufhören. Hiergegen wandte er ein, daß sich Organisation und Funktion nicht auseinanderreißen lassen, ohne die erste sinnlos zu machen; die Funktion sei die Seele des Organs, sein Zweck und einziges Recht zum Dasein. Die Lösung des Problems suchte er in dem paulinischen Satz, daß sich die jetzige Leiblichkeit zur verklärten wie Same und ausgewachsene Gestalt verhalten[453] so ergebe sich dereinst eine neue Organisation die von dem Grundcharakter des Vollendungslebens bestimmt sei, in innerer Übereinstimmung von Organ und Funktion[454].

In einer letzten These behauptete H. Schell zum Schluß, daß die Naturverklärung nichts anderes als die Ergänzung der leiblichen Auferstehung von den Toten sei. Diese war für ihn als dauernder Fortbestand nur denkbar in einer verklärten Natur. Zur Begründung gab er an, daß die Körperwelt wesentlich die Bedingtheit des Einzelnen durch das Ganze und den wechselseitigen Zusammenhang von Wirkung und Gegenwirkung erfordere[455]. So sehr wir dieser allgemeinen Formulierung heute noch zustimmen können, so wenig ist dies hinsichtlich der Einzelheiten möglich, in denen H. Schell seine Auffassung explizierte. Einmal entsprechen seine Aussagen über Naturordnung, Tier- und Pflanzenwelt nicht den heutigen Erkenntnissen naturwissenschaftlicher Forschung Eine Revision entsprechend dem gegenwärtigen Stand löst aber nicht die anderen Schwierigkeiten, die sich aus den Ungereimtheiten philosophisch-theolgischer Reflexionen ergeben. Hier rächt es sich, daß H. Schell hinsichtlich des Menschen die geistige Form gegenüber der materiellen Natur überbewertete. Sein spiritueller Idealismus hinderte ihn, das Verhältnis des Menschen zur Natur zu ordnen, daß es auch im Zustand der Vollendung sinnvoll und vernünftig erschien. Beim Menschen konte noch die organisch-leibliche Natur in ihrem zukünftigen Bestand insofern verständlich gemacht werden, als sie weiterhin der in ihrer Dauerhaftigkeit ausgezeichneten Geistseele als Werkzeug

---

[451] Ebd. S. 854.
[452] Ebd. S. 855.
[453] Vgl. 1. Kor. 15, 42-44.
[454] Schell: D III/2. S. 856-857.
[455] Ebd. S. 857.

dienen wird[456]. In entfernterem Maße konnte dieses natürlich auch der gesamten kosmischen Natur zugeschrieben werden. Wie aber ist deren Eigenexistenz möglich, wenn ihr in der Auffassung H. Schells keine bleibende geistige Wesensform zukommen konnte; wenn in ihrem jeweiligen Sosein nur der wechselnde Aggregatzustand totaler Tätigkeit gesehen wurde; in allen körperlichen Eigenschaften nicht ruhende Formen, sondern Kraftwirkungen[457]? Bei dieser Auffassung blieb H. Schell nichts weiter übrig, als das gegenwärtige irdische Leben der Natur bis in den Vollendungszustand des Menschen hinein andauern zu lassen. Seine Bemühung, den Verklärungszustand des Menschen als Inbegriff sittlicher Vollendung auch auf den Naturzustand der Pflanzen und Tiere zu übertragen[458], barg indes ein hohes Maß an Lächerlichkeit in sich. Wie anders hätte die Lösung ausgesehen, wenn er auch der untermenschlichen Natur dauernde geistige Wesensform zuerkannt hätte. Dann hätte er die Verklärung der Natur immerhin analog zu der des Menschen verständlich machen können.

f) Das Weltgericht und die Weltvollendung

Die Weltgeschichte wird ihren Abschluß finden durch ein allgemeines Gericht, das der Gottmensch Jesus Christus über alle Personen und Mächte, die zur Mitwirkung am Reiche Gottes berufen waren, abhalten wird[459]. Mit diesem Glaubenssatz kam für H. Schell die überweltliche Erhabenheit und zielbewußte Herrschergewalt des selbstwirklichen Offenbarungsgottes mit rückhaltloser Konsequenz zur Geltung. Nach Deut. 32, 35 eilen die Zeiten dem jüngsten Tag, dem Gottestag, dem Tag des allgemeinen Weltgerichts entgegen. H. Schell führte dazu aus, daß es bei allen Völkergerichten von Anfang an darum geht, Gott nicht nur in einer idealen Region jenseits der Sterne anzuerkennen, während man diese irdische Welt nach eigenem Gutdünken einrichtet, sondern hienieden Gottes Herrschertum zur sittlichen Wahrheit und Gottes Reich zum heiligen Gesetz werden zu lassen. Durch die gesamte Menschheit schreitet der Herr mit königlicher Majestät; die ganze Weltgeschichte ist sein Passah, ein Hindurchschreiten des höchsten Richters, segnend und gebietend, helfend und strafend, belebend und tötend, richtend über Menschen und Götter[460].

Die besondere Aufgabe des hier besprochenen Dogmas sah H. Schell darin, die selbständige Bedeutung des Weltgerichts gegenüber dem besonderen Gericht nach dem Tode darzutun. Im Unterschied zu mancher anderen Dogmatik stellte er beide Ereignisse nicht einfach beziehungslos nebeneinander; vielmehr deckte er ihre innere Beziehung auf, indem er sie in ihrer jeweiligen Eigenart fortlaufend miteinander verglich. So stellte er klar, daß im besonderen Gericht die sittliche Persönlichkeit nach dem Maßstab des allgemeinen Gesetzes gerichtet, das heißt das Interesse der Gesamtheit der Einzelpersonen gegenüber gewahrt werde. Das Weltgericht diene im Unterschied dazu der Wahrung der Einzelpersönlichkeit und ihrer

---

[456] Vgl. ders.: GG. Teil 2. S. 660.
[457] Vgl. ders.: D III/2. S. 857-858.
[458] Ebd. S. 858.
[459] Ebd. S. 860.
[460] Ebd. S. 862.

selbständigen Würde als Selbstzweck gegenüber der Notwendigkeit, die die Weltentwicklung im Interesse der Allgemeinheit mit sich brachte, die Interessen der Einzelpersonen um allgemeiner Gesetze und Zwecke willen vielfach zu beeinträchtigen[461]. Dabei hoffte er, daß das allgemeine Weltgericht den vollkommenen Ausgleich zwischen dem Recht der Einzelperson und dem der Allgemeinheit bringen werde, zwischen der Würde des persönlichen Geistes, der in sich eine geschlossene Einheit ist und bleibt, und der Wahrheit des einheitlichen Zusammenhangs aller Personen untereinander, mit der Naturwelt und dem Schicksal. Das Verhältnis der beiden Gerichte zueinander verglich er mit dem zwischen Unsterblichkeit und Auferstehung, zwischen teilweiser und voller Durchführung des theistischen Grundsatzes in der Kosmologie, daß Geist und Natur für einander geschaffen sind, um miteinander in wirk- und zweckursächlicher Unterordnung der Natur unter die gottergebene Geisterwelt den Heilsplan Gottes zu erfüllen. Das besondere Gericht war für ihn philosophisch erkennbar, da eine Forderung des Sittengesetzes im Zusammenhang mit der persönlichen Unsterblichkeit; das Weltgericht bedeutete für ihn hingegen den Abschluß der geschichtlichen Entwicklung überhaupt, um sie mit allen bedeutsamen Momenten zu verklären und in die Ewigkeit zu erheben. So sah er das allgemeine Gericht in engerem Zusammenhang mit dem, was die Personen unter dem Gesichtspunkt des Tatsächlichen, des Schicksals, der Vorsehung sind, und formulierte entsprechend die These: »Der erste Unterschied des besonderen und des allgemeinen Gerichtes betrifft die Sache; dort ist es die subjektive Gesinnung, die sittliche Absicht, die ans Licht gebracht und beurteilt wird, hier außerdem und insbesondere das objektive Werk, die tatsächliche Handlungsweise mit ihren Folgen, in denen sich ihr innerer Wert oder Unwert offenbart«[462].

Ein zweiter Unterschied bestand für H. Schell hinsichtlich der Personen, auf die sich das zweimalige Gericht erstreckt. Hiernach hat das Weltgericht eine selbständige Bedeutung als Völkergericht, als Gericht über die großen und kleinen Geistesmächte, über die Menschheit als solche und über ihre Parteikörper, die die Einzelnen für ihre religiösen, nationalen, sozialen, industriellen, wissenschaftlichen, künstlerischen, beruflichen Ideale und Kulturziele in Anspruch nahmen und dem Einzelnen mehr oder weniger Inhalt gaben[463]. Hierbei äußerte er die Meinung, die Philosophie besitze nicht die Mittel, um dem Gegenstand, an dem sich die sittliche Prüfung der unsterblichen Seele vollzieht, und damit der menschlichen Personenverkettung einen selbständigen Wert zu sichern, der die Zeitenflucht überdauert und nicht mit der Vergangenheit auf ewig vergeht. So behauptete er, daß der philosophische Spiritualismus und die von ihm bestimmte Dogmatik mit dem Leib, der Erde, den eigentümlichen Formen der menschlichen Tugend, dem Nationalgeist, den Beziehungen der Lebensgemeinschaft und den Ergebnissen der gemeinschaftlichen Kulturarbeit für die Zeit der Vollendung nichts anzufangen wisse, wenn man auch diesen Dingen um des Glaubens willen eine ehrenvolle Unterkunft im Vollendungszustand zuweise[464].

---

[461] Ebd. S. 867.
[462] Ebd. S. 868.
[463] Ebd. S. 869-870.
[464] Ebd. S. 871.

Wir teilen diese Auffassung des Theologen H. Schell nicht. Ob er mit dieser These die philosophischen Äußerungen seiner Zeitgenossen richtig wiedergab, wäre gerade in dem hier zur Debatte stehenden Punkt einer eigenen Untersuchung wert. Jedenfalls scheint uns hier die Auffassung des Apologeten gegenüber der philosophischen Erkenntnis zu negativ zu sein. Wir würden der Kultur- und Sozialethik durchaus zutrauen, daß sie die Verwirklichung eines gültig bleibenden Wertes einigermaßen sicher beurteilen kann. Wir müssen H. Schell indessen zugute halten, daß zu seiner Zeit die phänomenologischen Methoden noch nicht so weit entwickelt waren, daß er sich ihrer mit Gewinn bedienen konnte. Hinsichtlich der Offenbarung urteilte er freilich ganz anders. Indem sie das Weltgericht als Abschluß der Zeiten ankündigte, lehrte sie ihn, daß nicht bloß die Einzelseelen Wert haben, sondern auch die Völker und Geschlechter als solche, die Familien- und Wechselbeziehungen, die Mächte des irdischen Lebens wie Staat und Nation, Kunst und Wissenschaft, Kultur und Industrie. Nicht die Summe aller Einzelpersonen war es, die er vor dem Thron des Weltenrichters erscheinen sah, sondern die Staaten, Großmächte und Dynastien, die Systeme und Tendenzen der Philosophie und Religion, der Theorie und Praxis auf allen Gebieten, die Religionen, Sekten und Parteien, Schulen, Orden, Stände und Gesellschaften: alle als solche und jeder, insofern er Knotenpunkt einer Menge von Wechselbeziehungen war in Familie, Freundschaft, Kampf, Beruf, Staat und Kirche. Den subjektiven Geist sah H. Schell vom besonderen Gericht ins Licht der göttlichen Wahrheit gestellt und am ewigen Gesetz gemessen, den objektiven hingegen vom Weltgericht: dieses bringe zur Offenbarung, was in den großen, heils- und weltgeschichtlichen Geistesströmungen Recht und Unrecht war, so viele ihrer in der Engel- und Menschenwelt jemals wirksam wurden und Propaganda machten. Er erklärte abschließend: »Das Weltgericht bringt also erst die volle und sichere Erkenntnis für alle mit, was an dem weltgeschichtlichen Wirken der Himmels- und Erdenmächte objektiv gut oder schädlich, besser oder minder sachgemäß war«[465].

Eine fünfte These betraf den Zusammenhang und Ausgleich von sittlichem Beruf und tatsächlicher Befähigung, von Schicksal und Verdienst. H. Schell wußte, daß Verpflichtung, Gnadenberuf und Risiko als allgemeingültiges Gesetz für alle gleich sind, aber er sah, daß das Lebensschicksal äußerst verschieden ausfällt und daß doch von ihm die Zuwendung der Gnadenmittel wie die sittliche Selbstbestimmung abhängt. Da tauchte vor seinem geistigen Blick wiederum das Problem der Theodizee auf, die ihm den endlichen Ausgleich zwischen Verdienst und Schicksal, innerem Wert und äußerem Zustand zu fordern schien; viel dringender aber noch die Aufhebung des Gegensatzes, der zwischen der Zielbestimmung für die Ewigkeit und die Ausstattung dafür, zwischen der inneren Bedeutung und dem äußeren Schicksal obwaltet. Hier nun lehrte H. Schell: Das allgemeine Gericht werde allen Richtungen und Formen des Pessimismus gegenüber offenbar machen, wie Gottes Vorsehung und Opferliebe des Erlösers dem einen die Gemeinschaft mit seinem neuen Stammvater und Heiland durch die Mittel des Glücks bereitete, dem anderen durch die Mittel des Unglücks. Er verwies darauf, daß die Menschheit mit dem Gekreuzigten verbunden wird durch das Sakrament, durch sittliche Anstrengung

---

[465] Ebd. S. 872.

als persönliche Begierde nach dem Heil und den Heilsmitteln, endlich auch durch Leiden und Tod. Für H. Schell handelte es sich dabei um die sinnbildliche Aneignung Christi im Sakrament, die subjektive Verähnlichung mit ihm durch die Werke der Barmherzigkeit und Gerechtigkeit, sowie die objektive Verähnlichung mit ihm durch Kreuz und Leiden. Das Weltgericht offenbart ihnen allen die Heiligkeit und Güte, Gerechtigkeit und Barmherzigkeit des Gottheilandes in dem mannigfaltigen Zusammenhang von Schicksal und Gnade, Notwendigkeit und Freiheit, wie zwischen beiden und der Vollendung[466].

Der soziale Bezug des Weltgerichts wurde von H. Schell auch noch in einer anderen Richtung festgestellt. Er behauptete: Im Weltgericht waltet zwar derselbe Gottmensch als Richter wie im besonderen Gericht, allein in jenem erstgenannten richten mit die Engel, Apostel und alle seine Jünger[467]. Zur Begründung führte er an, daß erst jetzt auch für die Engel und Heiligen das Werk Gottes in seinem weitgespannten Riesenbau erkennbar werde; erst jetzt trete Gottes Heilsplan in jener allumfassenden Größe und Hoheit vor den geschöpflichen Geist,- der allem in Güte gerecht werde und alles, was irgendwie gut ist, in den Dienst seines Heiligtums stelle. Für alle schien es ihm eine große und wertvolle Aufgabe zu sein, sich durch gegenseitige Vertretung ihrer berechtigten Interessen, wie sie sich von ihrem Lebensschicksal, ihrer Lebensarbeit und Geistesrichtung aus ergaben, in das Verständnis des großen Gotteswerkes hineinzuarbeiten - mit Abstreifen der noch übrig gebliebenen Einseitigkeiten, mit Überwindung noch vorhandener Mängel und Vorurteile.

Für H. Schell kam dabei nicht bloß eine äußere Unterordnung und bewußte Hingabe an das Heilswerk Gottes in Betracht, sondern eine innnere Verwandtschaft und sachliche Annäherung. So erschien das Weltgericht nicht nur als eine Tat des gottmenschlichen Hauptes gegenüber den zu Gliedern seines Leibes Berufenen, sondern auch eine Tat der Gesamtheit der Glieder Christi unter sich und gegenüber denen, die dem Reiche Gottes, dem Leibe Christi, dem Tempel des Heiligen Geistes nicht einfügt werden können und wollen. Durch das allgemeine Gericht fügt sich der Gottesstaat selbsttätig in sich zusammen nach dem offenbar gewordenen Gottesplan. H. Schell gab zu, daß dieser Gottesstaat alles und alle von sich ausstößt, was mit ihm unvereinbar ist und bleibt. Daneben betonte er aber auch: Er werde das Recht von allen und von allem erweisen, was seither verschieden beurteilt werden konnte, solange das Gotteswerk nicht in seiner allseitigen Größe und allumfassenden Vollendung erkennbar war; wonach bis dahin manches Gute für bös, manches Gottgemäße für gottwidrig, aber auch manches Schlechte für heilsförderlich gehalten werden konnte, - wenigstens von einem einseitigen Standpunkt aus, wie es eben dem Geschöpf im vergänglichen Zeitenlauf und im Gegensatz der Ideale nicht anders möglich ist[468]. Mit dieser These erfaßte H. Schell positiv den eschatologischen Aspekt des innerkirchlichen Pluralismus wie jeder relativ berechtigten Geistesrichtung.

Mit dieser letzten These gab H. Schell eine Zusammenfassung seiner gesamten Vollendunglehre. Danach ist das Weltgericht die geistige Weltvollendung, damit

---

[466] Vgl. ebd. S. 874.
[467] Ebd. S. 874.
[468] Ebd. S. 877-878.

zugleich die Rechtfertigung Gottes und seines Gesalbten, aber auch die Verdammnis der unbußfertigen Sünde und Sünder. Sein Vollzug galt ihm gewissermaßen als die geistige Wiederholung der Weltgeschichte von den Schöpfungstagen an, aber im Licht der Weltvollendung, »beschienen von Gottes ausgeführtem Heilsplan als der Sonne, die jedes Dunkel verscheucht, keinen Schatten wirft, aber jedes Rätsel löst und alle Fragen in klare Antworten umwandelt«[469]. H. Schell erwartete, daß die Gegensätze, die in der Weltentwicklung gegeneinander gespannt waren und unvereinbar schienen, dann aus der bisherigen Zerstreuung und Trennung als die zusammengehörigen Wesensbestandteile der geschöpflichen Vollkommenheit gesammelt, ausgeglichen und vereint werden. Ebenso erhoffte er, daß das Weltgericht einen geheimnisvollen Ausgleich mit sich bringt zwischen dem inneren Wert, der in der Gottebenbildlichkeit der Geistnatur und in der Zielbestimmung für ein ewiges Dasein mit einer Schicksalsmöglichkeit von unendlicher Tragweite liegt, und der Übermacht des Übels, das den größten Teil der Menschen dem ewigen Verderben zu überantworten droht, ehe der Mensch selbst dessen Dasein und die Tragweite der ihn umgebenden Schicksalgefahren ahnt, um sich wenigstens durch die innere Gesinnung dagegen zu schützen. Die Weltentwicklung konnte damit angesehen werden als »Ergänzung des von der Güte Gottes gesetzten Grundes und Anfangs des Guten zu der angemessenen Vollkommenheit, die Fortbewegung der Anlage zur Tätigkeit, der Natur zur persönlichen Freiheit, des idealen Gesetzes zur realen Erfüllung, des sittlichen Lebens-Ideals zur sachgemäßen Ausführung und reifen Ausgestaltung, des inneren Wertes und Verdienstes, wie er der Natur, dem ursprünglichen Ingenium wie dem erworbenen Charakter, und endlich den Taten eignet, zu dem gebührenden Daseinszustand - sei es Seligkeit oder Unseligkeit«[470]. Nachdrücklich wies er darauf hin, daß das Gute durch den Schöpfer immer in angefangener Weise hergestellt sei, damit es seine Ergänzung suche und suchend innerlich ausreife. Entsprechend schrieb er, das Weltgericht zeige einst, wie dieses Suchen des teilweise Guten nach der entsprechenden Ergänzung durch die persönliche Freiheit und Selbstbestätigung, durch die konkrete Verwirklichung seines Lebensgedankens und endlich durch die gerechte Vergeltung nach Gottes wundervollem Plan im Großen und Ganzen zu einem Finden werde; wie alle seitherigen Bruchstücke des angefangenen und getrennten Guten im tragischen Kampf der Gegensätze zwischen Natur und Geist, unter dem Druck einer feindlichen Todesmacht nicht Bruchstücke verkümmerter Naturanlagen, erstrebter Ideale und unbelohnter Verdienste bleiben, sondern gerade durch die Dienste, die sie in ihrem bruchstückartigen Zustand dem Schöpfungsganzen leisten, ihrer eigenen Vollendung entgegengeführt wurden[471].

Die räumlichen und zeitlichen Umstände und Formen des Weltgerichts wollte H. Schell nicht erörtern, weil die Offenbarung dafür am wenigsten Anhaltspunkte gebe und weil uns, die wir in den Kategorien der Entwicklung leben, die Anhaltspunkte fehlten, um die Formen des Abschlusses auch nur zu ahnen. So erklärte er, nicht die äußeren Kategorien des räumlichen und zeitlichen Daseins verbänden die

---

[469] Ebd. S. 876.

[470] Ebd. S. 877. - Vgl. Th. Schneider: Teleologie als theologische Kategorie bei Herman Schell. S. 153-157: Weltgericht als Offenbarung der Vollendeten Gesamtheit.

[471] Schell: D III/2. S. 878. - Vgl. GG. Teil 2. S. 666-667.

Gegenwart mit dem Endabschluß für unsere jetzige Erkenntnis, sondern der innere Zusammenhang, die innere Bedeutung und Idee des Weltgerichts. Wichtig war daher allein für ihn, diese innere Bedeutung zu erforschen und für das wissenschaftliche Glaubensverständnis wie für das sittliche Leben zu verwerten. So von innen heraus gewürdigt, bedeutete ihm das Dogma vom Weltgericht keine Schwierigkeit und keinen bedenklichen Einwand gegen den Glauben; er war vielmehr überzeugt, es werde als erhabene Wahrheit und als ein unvergleichlich wertvoller Beitrag zu einer harmonischen Lösung des Weltproblems erkannt, bei der nicht beeinträchtigt wird, was idealen Wert oder reale Bedeutung hat. Das Dogma wurde somit für H. Schell zu einem »apologetischen Strebepfeiler des Offenbarungstempels«[472].

g) Die ewige Verdammnis der Gottlosen

Im sechsten Paragraphen behandelte H. Schell noch einmal speziell das Thema, um dessentwillen ihn vielerlei Schwierigkeiten gemacht wurden: Die ewige Verdammnis der Gottlosen. Die Glaubenslehre der Kirche formulierte er in einem ersten Satz folgendermaßen:

Diejenigen Engel und Menschen, die in ihrem besonderen Gericht, d. i. nach dem Abschluß ihrer Prüfungszeit im Zustand des geistig-sittlichen Todes oder der endgültigen und innerlich unbußfertigen Sünde (peccatum finale) betroffen wurden, empfangen im allgemeinen Gericht nochmals das Urteil ihrer ewigen Verdammnis, das heißt des endgültigen Ausschlusses aus der Gottesgemeinschaft der Heiligen und der Versetzung in den positiven Stand der Unseligkeit, der ihrer Unheiligkeit entspricht. Die Verdammnis ist ewig, weil die Sünde als endgültig und unabänderlich beim Gericht befunden wird. Die ewige Verbannung von Gott ist die angemessene Strafe für die auf ewig vollzogene Gottentfremdung. Die Verdammten sind nicht ewig verstockt, weil sie zu ewiger Strafe verurteilt sind, sondern sie werden mit ewiger Strafe belegt, weil und insofern sie auf ewig verstockt sind«[473].

Streng dem Wortlaut nach konnte man schwerlich diese Formulierung kirchlicher Lehre durch den Würzburger Apologeten als falsch abweisen; es zeigte sich jedoch, daß vor allem mit dem letzten Passus allerlei Zündstoff gegeben war.

Sehen wir uns diese Schwierigkeiten näher an. Anhang zahlreicher Bibelstellen erklärte H. Schell, daß das Feuer, das den verdammten Geist peinigt, aus dessen eigenem Innern kommt. Nach Ex. 28. 18 sei die Strafe ewig und endgültig, weil und wenn die Sünde ihrer inneren Energie und Tendenz nach ewig und unwiderruflich ist. Gegenüber der Auffassung, die Unbußfertigkeit der Verdammten habe ihre Ursache in der Trostlosigkeit ihres Zustandes und in dem Übermaß ihrer Qualen, wandte er ein, daß dann der äußere Strafzustand die moralische oder gar physische Unmöglichkeit einer (natürlichen) Reue mit sich bringe; in diesem Fall wäre die sittliche Schlechtigkeit, die in der ewigen Unbußfertigkeit als solcher liegt, nicht die Ursache, sondern die Folge des gottverhängten Strafzustandes[474].

---

[472] Ders.: D III/2. S. 878.
[473] Ebd. S. 879.
[474] Ebd. S. 880.

Bei Darlegung des Traditionsbeweises war für H. Schell die spekulative Verteidigung des Kirchenglaubens durch Origenes von besonderem Interesse[475]. Er gab sie mit folgenden Worten wieder: Keine Strafe ohne Heilszweck, noch weniger mit der Folge oder der Tendenz, die Verstocktheit zu bewirken oder sicherzustellen. Die Verdammungsqual entspringe den prophetischen Worten zufolge aus der Sünde selbst und sei daher die psychische Empfindung des Widerspruchs, der in der eigenen Sünde liegt, die Verinnerlichung ihres tatsächlichen Unwesens, die Umsetzung dessen, was die Seele in ihrem Lebenslauf objektiv an Unsittlichkeit angesammelt hat, in subjektives Gefühl, kurz um die Bestrafung des Sünders durch seine eigene Sünde, als die wirksamste und unwiderlegliche Aufklärung über deren wahres Wesen[476].

Es war für H. Schell von Wichtigkeit, daß die alexandrinische Theologie keinen Dualismus von sittlichem Sünden- und realem Strafzustand im Jenseits aner-. kannte; beide seien im Grunde eins, die Umsetzung der Sünde in Schicksal, des idealen Unwertes in reale Unseligkeit. Er erklärte dazu: Durch die Strafe werde nach alexandrinischer Auffassung der geistigen Natur keine Verstümmelung und Verkümmerung ihrer wesentlichen Kräfte, insbesondere der Erkenntnis und Freiheit, angetan, was eine teilweise Vernichtung bedeuten würde; der Strafzustand sei vielmehr die sachgemäße Auswirkung der Sünde, kraft der vergeltenden Gerechtigkeit, die in der Zusammenstellung des Zusammenhangs von Ursachen und Wirkung waltet. H. Schell machte auch darauf aufmerksam, daß die Alexandriner trotz aller Betonung des geistigen Ursprungs der Höllenqualen deren körperlichen Charakter nicht grundsätzlich leugneten, denn die Natur sei ihnen nichts anderes als eine »Anregung zur Erkenntnis und Geistestätigkeit überhaupt«, insofern sie Werk und Sinnbild der Schöpfergedanken sei; und endlich eine »Nachwirkung und Vergeltung der sittlichen oder unsittlichen Geistestätigkeit«. Nach H. Schell vollzieht sich damit ein Kreislauf vom Geist in die Natur, von der subjektiven Innerlichkeit des Wollens in die objektive Äußerlichkeit der wirklichen Naturzustände. »Die Natur ist Grundlage und Vorbereitung, sowie Auswirkung und Vergeltung des idealen Geisteslebens«[477].

Die übrigen Grundgedanken der Alexandriner ergaben sich für H. Schell von selbst aus dem Satz, daß die Zustände um der Tätigkeit willen da sind als deren Vorbereitung und Folge, nicht aber umgekehrt, daß also jeder eintretende Zustand dem Kausalgesetz zufolge einen entsprechenden Einfluß auf das tätige Verhalten des Geistes ausüben muß. Außerdem wies H. Schell darauf hin, daß die Alexandriner im Gottesbegriff und im Schöpfungszweck die innere Einheit betonen und so jede Form des Dualismus grundsätzlich ablehnen. »Der Schöpfer und der geschaffene Geist werden mit voller Konsequenz in dem Verhältnis der absoluten Abhängigkeit des Geschöpfes von Gott gedacht, nicht in einem äußerlichen Verhältnis, das den Gedanken ermöglicht, die Hemmungen des Geschöpfes in seiner glücklichen Fortentwicklung...zu seiner inneren und äußeren Vollendung könne unter

---

[475] Vgl. Origenes: Contra Celsum. l. IV. 13; l. V. 14-16. PL-SG 11 (1857) 1042-1043; 1202-1206. - Ders.: De principiis. l. II. 10, 4-8. PL-SG 11 (1857) 236-240: De igne iferni et poenis.
[476] Schell: D III/2. S. 880.
[477] Ebd. S. 881.

Umständen im Interesse der Verherrlichung einer göttlichen Eigenschaft liegen«[478].

Ein Konflikt zwischen dem primären und sekundären Schöpfungszweck erschien nach dieser Auffassung unmöglich, weil den Alexandrinern ein Konflikt zwischen den Offenbarungsinteressen der göttlichen Eigenschaften dort undenkbar war, wo die letzteren, besonders Barmherzigkeit und Gerechtigkeit, nicht als nebeneinanderstehende Vollkommenheiten, sondern als ein und dieselbe Vollkommenheit des allein selbstwirklichen Heiligen gefaßt wurden. »Gerechtigkeit und Barmherzigkeit brauchten ihre Offenbarungsgebiete nicht zu teilen, als ob die volle Verherrlichung der einen Vollkommenheit durch die Zurückhaltung der anderen bedingt oder doch gefördert würde«[479].

In diesem Zusammenhang ging H. Schell auf die Apokatastasis ein, die von den Origenisten in dem Sinn gelehrt wurde, daß die endgültige Festigkeit der seligen Vollendung im Himmel der Heiligen in Abrede gestellt wurde. Da auch unserem Würzburger Apologeten der Vorwurf gemacht wurde, er vertrete diese von der Kirche verurteilte Theorie[480], müssen wir sorgfältig beobachten, wie er sich in diesem Punkt äußerte. Hier nun stellt sich heraus, daß er die Origenisten dahingehend kritisierte, daß sie die Freiheit des Willens, um derentwillen die Bekehrung der Verdammten angenommen wurde, auch den Abfall der Seligen ermöglichen sollte, »als ob das Gute und Böse gleich wenig geeignet wären, den Willen zur ewigen Festigkeit und Ruhe zu bringen, als ob das Gute nicht das Zielgut sei, dessen Besitz und Genuß in der Anschauung Gottes den Willen ganz ausfüllt, seine höchsten Erwartungen und Wünsche im Übermaß erfüllend«[481]. H. Schell fand, daß dem Manichäismus gegenüber von der patristischen Apologie mit Recht der Grundsatz geltend gemacht wurde, nur das Gute sei zur Unveränderlichkeit geeignet, das Böse hingegen nicht: weil nur das in sich ruhen kann, was in sich selbst hinreichend begründet ist. Im Unterschied dazu beurteilte er es als eine Fehlentwicklung, daß die spätere Spekulation Gut und Bös als gleich befähigt zur Unabänderlichkeit und Stäte behandelte (so die Orthodoxen), oder als gleich wenig befähigt zur endgültigen Festigkeit und Vollendung (so die Origenisten). Mit dieser origenistischen Gleichstellung von Gut und Bös war für H. Schell nun der eigentlich sittliche Weltzweck überhaupt geleugnet und ein endloses Spiel aufsteigender und absteigender

---

[478] Ebd. S. 881.

[479] Ebd. S. 881.

[480] Der Vorwurf, Schell vertrete die Apokatastasis-Lehre, wurde erhoben von Johann-Baptist Stufler S.J. (1865-1952). In: Die Heiligkeit Gottes und der ewige Tod. Eschatologische Untersuchungen mit besonderer Berücksichtigung der Lehre Prof. H. Schells. Innsbruck 1903. - Vgl. ebd. S. 133. - Außerdem vgl. ders.: Die Verteidigung Schells durch Professor Kiefl. Innsburck 1904. - Ders.: Die Theorie der freiwilligen Verstocktheit. Innsbruck 1905. - F.X. Kiefl: Die Ewigkeit der Hölle und die spekulative Begründung gegenüber den Problemen der modernen Theodicee. Meine Kontroverse mit Johann Stufler S.J. über die Eschatologie von Herman Schell und Thomas von Aquin. Sonderdruck aus: ThPQ 1904 und 1905 nebst einem Nachwort. Paderborn 1905. - Ders.: Die Stellung der Kirche zur Theologie Herman Schells. Mainz 1908. - J. Lehner: Der Willenszustand des Sünders nach dem Tode. Nach thomistischen Prinzipien dargestellt. Wien 1906. - J. Sachs: Die ewige Dauer der Höllenstrafe. Paderborn 1900. - J. Gredt O.S.B.: Die Sünde und ihre Auswirkung im Jenseits. In: JPhSTh 16 (1902) 406-423. - Berning: Das Denken Herman Schells. S. 84.

[481] Schell: D III/2. S. 822, vgl. S. 906.

Entwicklungen behauptet, das streng genommen ebenso wenig auf Gott als Schöpfer zurückgeführt werden durfte, wie es auch niemals zu ihm als seinem Endzweck zu gelangen vermag[482].

Diesen Befund aus patristischer Zeit stellt H. Schell in den größeren geistesgeschichtlichen Zusammenhang mittelalterlicher und neuzeitlicher Philosophie und Theologie. Daß der Protestantismus der Reformationszeit die Apokatatasis verwarf, schien ihm völlig konsequent, da er aufgrund seines häretischen Willensinteresses immer zu einem schroffen Dualismus hinneigte, der die Gegensätze stets verschärfte, anstatt sie zu versöhnen. Das Verstandesinteresse, die philosophische Geistesrichtung hingegen fand er bestrebt, die Gegensätze zu überwinden und auf ein höheres Prinzip zurückzuführen. Diese Auffassung, die stets zum Monismus neigte und entsprechend auch durch einen Optimismus gekennzeichnet war, stand für H. Schell im Gegensatz zu jener der Vernunft wie der Natur feindlichen Haltung der Reformation, die ausschließlich Glauben und Gnade als die einzigen Grundlagen des Wahren und Guten betonte. Daher war für H. Schell in der Reformation mit der Heilsgewißheit der Auserwählten dem Partikularismus des Heils eine eigentliche Heimat eröffnet, während die katholische Anerkennung der unzerstörbaren Befähigung des endlichen Geistes durch Vernunft und Freiheit für die ewige Wahrheit und Güte ebenso sehr die Grundlage für den Universalismus des göttlichen Heilswillens darbot[483].

Die Frage nach dem Schicksal der Gottlosen bringt in jeder Dogmatik die eschatologischen Konsequenzen aus der Gnadenlehre zur Sprache. In der protestantischen Gnadenlehre sah H. Schell die einzig denkbare Voraussetzung für die Annahme der inneren Unfähigkeit zur natürlichen, an sich - wie er bemerkte - nicht heilskräftigen Reue und Abwendung vom Bösen. Nach katholischer Lehre gehörte für ihn die religiös sittliche Fähigkeit innerhalb des natürlichen Guten zum Wesen des Geistes; wenn sie durch die Gnade nur in eine höhere Zielbestimmung gehoben werde, dann sei der Verlust der Gnade nicht ohne weiteres gleichbedeutend mit unabänderlicher Verhärtung in der einmal begangenen Sünde.

Mit dieser Feststellung war der Würzburger Apologet wieder auf das Thema gekommen, das ihm besonders am Herzen lag. Wie schon früher erklärte er erneut, daß die unverlierbare Freiheit des natürlichen Geistes nicht einfach passive Bestimmungsfähigkeit durch Gottes Gnade oder durch satanischen Einfluß sei, sondern wahrhaft sittliche Fähigkeit des Guten. Die Verdammten sind daher nach H. Schell nicht verstockt durch den Gegenstand, die Anlage oder deren Beschaffenheit, auch nicht durch die Umstände ihres Daseins, sondern allein durch Willkür, die er im todsündlichen Mißbrauch der Freiheit liegen sah. Daher lautete seine These: »Es ist nicht die innere Konstitution bzw. Verkümmerung des Willensvermögens, was den ewigen Fortbestand der Sünde bewirkt, sondern die Energie des todsündlichen Aktes selbst, die sich in der Ewigkeit auswirkt, nachdem sie als virtuell ewig im besonderen Gericht befunden und verurteilt worden ist«[484].

Zum Kontrast verwies H. Schell noch einmal darauf, daß die Festigkeit der

---

[482] Ebd. S. 883.
[483] Ebd. S. 884.
[484] Ebd. S. 885.

Heiligen nach ihrer Vollendung nicht bloß subjektiv durch die Energie ihres gottergebenen Willens begründet sei, sondern auch objektiv durch den Inhalt, der das absolute Gute ist; durch ihre von diesem Zielgut erfüllte Wesens- und Gnadenanlage; endlich durch ihren äußeren Zustand, die selige Gemeinschaft. Dagegen folgerte er, es müßte ein absolutes Böses geben, wie das Gute in Gott absolut ist, wenn der Gegenstand des Wollens diesem bei den Verdammten ebenso wie bei den Heiligen eine unabänderliche Sicherheit geben sollte; es müßte ebenso eine Geistesanlage zum Bösen geben, wie zum Guten; ebenso einen Zustand, der in demselben Sinn nur die Verkörperung des Bösen ist, wie der Himmel eine reine Verkörperung des Guten; das scheinbar Gute müßte sich ebenso unter allen Gesichtspunkten bewähren, wie das wahrhaft Gute, das in den Vollendeten sich immer als heiligend und beseligend offenbart. H. Schell erinnerte daran, daß die katholische Kirche stets den Dualismus abgewiesen habe, auch in der Form einer Gleichstellung des Bösen mit dem Guten. Entsprechend behauptete er in seiner Katholischen Dogmatik: »Es gibt wohl ein absolutes Gut, und eine Welt des Guten ohne Böses, aber keine Welt des Bösen ohne die Grundlage des Guten - in subjektiver und objektiver Hinsicht«[485]. Gegenüber der Reformation hob er hervor, daß sich die Eschatologie gewiß anders gestalte mit der Annahme, die Wesensanlage des Geistes könne in ihrem wesentlichen Vermögen verkümmern und zur Unfähigkeit hinsichtlich des Wahren und Guten herabgemindert werden.

Am Anfang unseres Kaptitels haben wir herausgestellt, daß für H. Schell als Apologeten die Theodicee Ausgangspunkt seiner Eschatologie war. Wir müssen nun noch einmal auf diesen Gegenstand zurückkommen, da die Problematik in der ewigen Verdammnis der Gottlosen gipfelt. Ihre Theodicee lag für H. Schell zunächst in der inneren Ausgleichung zwischen der Todsünde und dem Strafzustand des ewigen Todes; eben darin, daß die Strafe nicht als die Ursache der ewigen Verstockung erscheint, sondern umgekehrt, als deren Strafe und Folge. Darauf also zielte die These H.Schells ab, die Entziehung und Nichtgewähr übernatürlicher Gnaden nach Ablauf des Prüfungszustandes dürfe weder direkt noch indirekt als Aufhebung oder Hemmung der natürlichen Vernunft und freien Selbstbestimmung hingestellt werden, weder als Verkümmerung der Geistesanlage von innen heraus, noch als deren Erstickung von außen herein. Zum zweiten sah H.Schell die Theodicee der ewigen Verdammnis in der Versöhnung der beiden Notwendigkeiten: daß die unzerstörbare Anlage des Geistes für Wahrheit und Recht gewahrt bleibe, daß aber auch die ernste Bedeutung des irdischen Lebensberufes und der menschlichen Entwicklung für den Einzelnen und die Gesamtheit gewahrt werde, indem die endgültige Scheidung zwischen Gut und Bös als der Abschluß dieser zeitlichen Lebens- und Weltgeschichte anerkannt bleibt[486].

Im Zusammenhang dieser These trug H. Schell noch einmal all das vor, wofür er im Laufe seines ganzen Lebens unermüdlich kämpfte. Wir können daher nicht umhin, seine Ausführungen ausführlich wiederzugeben. Nur so ist es möglich, seine Eschatologie in ihrer Besonderheit zu erfassen, zumal es uns nicht um die Ermittlung einer abstrakten katholischen Doktrin geht.

---

[485] Ebd. S. 886.
[486] Ebd. S. 886.

Mit seiner These zur Theodicee der ewigen Verdammnis bekämpfte H.Schell an erster Stelle die falsche Apokatastasis, die im Sinne des Rationalimus ausschließlich die Wahrheit sicherzustellen suchte, daß der Geist seiner innersten Natur nach stets zum Wahren und Guten angelegt und geneigt bleiben müsse; daß er dem Einfluß des Wahren und Guten niemals absolut unzugänglich werden könne; sowie daß Irrtum und Bosheit nur unter dem Schein von Wahrheit und Güte den Geist für sich gewinnen könnten. Dagegen darf nach H. Schell nicht übersehen werden, daß die sittliche Ordnung damit steht und fällt, daß es einen Welt- und Lebenszweck gibt, für die einmal eine endgültige Entscheidung des freien Geistes eintreten muß. Er hielt fest, daß ohne endgültige Entscheidung und Vergeltung die sittliche Würde des freien Geistes hinfällig wäre; die Weltentwicklung ein zweckloses Spiel, sei es in der Form ewiger Wiederholung ohne endgültigen Abschluß, sei es deswegen, weil die strafende Gerechtigkeit aus falschem Mitleid der fortdauernden Sünde gegenüber erlahmen müßte, nur weil sie durch ihre eigene Güte verhindert wäre, die ewige Sünde mit ewiger Strafe zu vergelten. Ebenso aber hielt H. Schell es für eine Erlahmung und Zerstörung der Gerechtigkeit, wenn Gott durch seine Güte bestimmt wäre, die ewig fortdauernde Sünde nach vergeblicher Anwendung zeitlicher Strafen höchstens noch durch Vernichtung der Unbußfertigen zu vergelten. Das bedeutet ihm nichts anderes als die Zerstörung des Gottesbegriffs, denn es wäre nicht mehr der unendlich vollkommene Geist, in dem das Ideal aller Ideale ewige Tatwirklichkeit und Selbstmacht ist, wenn er dem Satan gegenüber nur mehr das Mittel der Vernichtung hätte. Dagegen stand seine These: »Nicht das Nichtsein des Geistes ist die Ergänzung, die dem freigewollten Abfall von Gott gebührt, sondern die Empfindung dessen, was in diesem Abfall Torheit, Bosheit, Wahnwitz liegt«[487]. Als Sache der Gerechtigkeit bezeichnete es H. Schell, jeder idealen Größe den angemessenen realen Zustand zu gewähren und sie dadurch nach ihrer Eigenart zu einem harmonischen Ganzen, zu einer inneren Einheit zu vollenden. Daher lehnte er die Vernichtung der Gottlosen ab, weil sie ein Triumph des Bösen und die Unfähigkeit des Guten wäre, sich so zu wahren, wie es recht ist.

Das zweite Argument H. Schells zur Theodicee der Verdammnis richtete sich gegen einen religiös-sittlichen Eifer, der mit pietistischem Rigorismus[488] fast ausschließlich für den sittlichen Ernst des irdischen Prüfungszustandes eintrat, dafür daß einmal eine endgültige Entscheidung herbeigeführt werden müsse, wenn Gott und sein Gesetz nicht zum Spott der Geschöpfe werden, wenn sein Schöpfungzweck überhaupt irgendwo wahrhaft erreicht werden sollte. Hier verlangte der katholische Theologe, daß dieser endgültige Zustand der Weltvollendung nicht durch äußere Veranstaltungen, Machtwirkungen und Gesetze, die der inneren Naturbeschaffenheit des Geistes widersprechen, herbeigeführt oder sichergestellt werden dürfte, so daß diese den äußeren Abschluß nur durch widernatürliche Gewaltmittel gegen die gottebenbildliche Natur des Geistes erreichten. Er forderte: »Die Gesetze und Mittel der äußeren Weltregierung bis zum endgültigen Abschluß der ganzen Entwicklung müssen der inneren Natur der Geschöpfe entsprechen, welche durch

---

[487] Ebd. S. 887.
[488] Siehe oben S. 211-212.

die äußere Vorsehung ihrem ewigen Entscheidungszustand entgegengeführt werden«[489].

H. Schell hielt es wohl wegen der Beschränktheit des zeitlichen Standpunktes für möglich, daß die menschliche Wissenschaft bei den Notwendigkeiten, einer unendlich ernsten Entscheidung und einer endgültigen Vergeltung für die Ewigkeit, sowie der unvertilgbaren Anlage des Geistes für die Wahrheit und Güte, nicht ganz gerecht werden könne. Die Lösung lag für ihn als Theologen jedoch im Geheimnis Gottes als des Weltvollenders begründet[490]. Danach ist in der sittlichen Vollkommenheit Gottes die Bürgschaft gegeben, daß er in seinem Ratschluß ebenso die Lösung aller Gegensätze und die Versöhnung aller sittlichen Notwendigkeit enthält, wie er in seinem Wesen die innere Einheit aller Ideale ist, - nicht bloß die äußere Zusammenfügung aller Vollkommenheiten durch das Postulat der Allmacht, die unbedingt Glauben fordert, weil sie eben Allmacht ist und keinen Widerspruch und Zweifel duldet. Gott war für H. Schell »die innere Harmonie und Wechseldurchdringung aller idealen und realen Vorzüge in seinem ewigen Wesen hinsichtlich des Unendlichen, aber auch in seinem Ratschluß und Schöpfungsplan hinsichtlich des Zeitlichen«[491].

Zuletzt beschäftigte sich H.Schell noch mit der inneren Beschaffenheit der Höllenstrafen. Mit der Offenbarung unterschied er die Strafe des Verlustes oder des Ausschlusses vom Reiche Gottes und seiner seligen Gemeinschaft (poena damni) und die Strafe des positiven Schmerzgefühls, herstammend von der Beschaffenheit jener Welt, die den Verdammten als Aufenthalt angewiesen ist. Dabei hielt er die Strafe des Verlustes für den wesentlichen Teil der Verdammnis, da sie die Zwecklosigkeit und Ruhelosigkeit des geschöpflichen Daseins bedeutet, die die Abweisung des einzigen und wahren Zielgutes für den Geist mit sich bringt, der in demselben Maß für Gott angelegt ist, wie er wesentlich die Befähigung für Wahrheit und Recht ist[492].

Die Strafe des Verlustes war für H. Schell die Umsetzung der Todsünde aus der idealen Ordnung des Wollens in die Welt der Tatsächlichkeit. Jede Sünde betrachtete er als Todsünde, insofern sie freiwillige Abwendung von Gott ist, und zwar um so gewisser, je unmittelbarer diese Ablehnung oder Geringschätzung Gottes als des höchsten Gutes oder als des höchsten Herrn ausgeprägt wird, sei es in der Form der Zurücksetzung oder des Ungehorsams in der Gesinnung selber. Freilich sah er die menschliche Verschuldung nur dann gegeben, wenn ein unzweifelhaft göttliches und in seinem göttlichen Ursprung und Recht erkennbares Gesetz abgelehnt wird. Je größer andererseits die Geistesanlage war, die, anstatt zum Gefäß Gottes zu werden, zur Ablehnung Gottes mißbraucht wurde, desto stärker auch das bittere Gefühl. H. Schell hielt dafür, daß die Strafe des Verlustes dort am bittersten sei, wo die Sünde objektiv und subjektiv am größten war und bleibt. So konnte

---

[489] Schell: D III/2. S. 887.
[490] Vgl. Röm. 11, 32-36.
[491] Schell: D III/2. S. 888.
[492] Ebd. S. 888. Schell vertrat diese Auffassung gegenüber dem Vorwurf E. von Hartmanns, Monotheismus sei Monosatanismus. - Vgl. Schell: GG. Teil 1. S. 283, 289. - E. von Hartmann: Die Religion des Geistes. Berlin 1882. S. 262. - Zu Eduard von Hartmann vgl. oben S. 19, Anm. 57.

er sagen, die Strafe des Verlustes sei unendlich sowohl dem objektiven Verlust als auch dem subjektiven Wertempfinden nach. Diese Unendlichkeit hinsichtlich des intentionalen Objektes entsprach nach seiner Darstellung genau der unendlichen Schuld, die der Todsünde wegen der unendlichen Güte und Majestät des verachteten Gottes eignet. Präzise sagte er, die Strafe des Verlustes besage

1. den Ausschluß von der übernatürlichen Gottschauung, die das eigentliche Zielgut der Gnadenordnung ist, und von jener lebendigen Teilnahme an der ewigen Wesens- und Daseinstat Gottes,die mit der Gottschauung gegeben ist und den gottschauenden Geist in die selige und mittätige Lebensgemeinschaft der ewig selbstwirklichen Dreieinigkeit hineinzieht;

2. den Ausschluß von jener Gottesgemeinschaft, die das Zielgut der natürlichen Ordnung und die Quelle der natürlichen Vollendung und Seligkeit wäre;

3. desgleichen aber auch die Verbannung aus der Gemeinschaft aller Heiligen, als deren Glied die Gottgemeinschaft zu üben und zu genießen, ein nicht unwesentlicher Bestandteil der seligen Vollendung ist;

4. die äußeren Finsternisse, das heißt die Verbannung aus dem Naturreich des Lichts, aus dem Himmel im materiellen Sinn, aus jener Lichtwelt des Friedens und Lebens, die die sinnliche Verkörperung der sittlichen Ordnung und Verdienste, der übernatürlichen Ideale und Zwecke ist[493].

Diese letzte Bestimmung leitet über zu den poena sensus, in denen H. Schell die Wirkung positiver Wesens- und Daseinszustände sah, die selbst - wie er schrieb - der Verkörperung und Erfüllung des sündhaften Wahns in der eigenen subjektiven Körperlichkeit wie der ungebundenen Geistes- und Körperwelt seien[494]. Unter den einzelnen Bestandteilen dieser positiven Unseligkeit widmete H. Schell besonders der vielerörterten Frage seine Aufmerksamkeit, ob das Feuer der Hölle ein reales, das heißt materielles oder körperliches Feuer sei, oder ein ideales, das heißt eine von den inneren Geisteszuständen und dem Inhalt des Bewutßseins angefachte Feuerglut des Schmerzes. Bei der Erörterung lehnte unser Apologet es ab, die Wundermacht Gottes für die Bestrafung der Verdammten in Anspruch zu nehmen, weil dieser Zweck ihrer nicht würdig sei und die Wundermacht gerade den entgegengesetzten Zweck habe, nämlich die übernatürliche Erhebung der Geschöpfe in Gottes Licht und Leben, weil eben hierzu keine geschaffene Kraft ausreicht. In der Hölle aber, so fügte er hinzu, solle nicht die Macht, sondern die sittliche Gerechtigkeit und Weisheit hervortreten[495]. Grundsätzlich hielt er daran fest, daß das Höllenfeuer in erster Linie für die abgefallenen Engel bereitet und dann auch zum Strafmittel der verdammten Menschen bestimmt wurde. Daraus folgerte er, daß das Höllenfeuer nicht darnach zu konstruieren sei, wie ein vergänglicher Menschenleib zu peinigen wäre; es handle sich vielmehr um einen Strafzustand, der ursprünglich der geistigen Natur entsprechend geartet, auch den gottlosen Menschen zugewandt werde[496].

---

[493] Schell: D III/2. S. 889.
[494] Ebd. S. 890.
[495] Ebd. S. 890.
[496] Ebd. S. 892.

Die Auseinandersetzung, die H. Schell in diesem Fragepunkt mit anderen Theologen führte[497], kann von uns übergangen werden, da sie kaum unser heutiges Interesse befriedigen wird. Anders ist das allerdings bei dem Abschnitt, in dem der Würzburger Theologe selber versuchte, das Wesen des Höllenfeuers spekulativ verständlich zu machen. So schien ihm das Feuer, das dem Teufel und seinem Anhang bereitet ist[498], die Materie in jenem Zustand der gesetzlosen und ziellosen chaotischen Verbindung und Trennung zu sein, der als Abbild der endgültigen Sünde entspricht. Das Feuer, so dozierte H. Schell, sei nämlich die gewaltsame Form der Auflösung und Mischung des Stoffes, und insofern das furchtbarste Mittel der Zerstörung. In der bestehenden Weltordnung werde diese titanenhafte Macht des Chaos eingeschränkt durch die Macht und das Gesetz des Lebens; sie müsse ihm sogar dienen, indem die Verbrennung den Stoff für neue Bildungen von fester Gesetzmäßigkeit herrichtet. So kämpfe in der bestehenden Weltordnung die Macht des Chaos mit der Kraft des Kosmos. Dieser Kampf entspricht nach H. Schell dem Zustand der Geisterwelt, wo die Sünde mit den sittlichen Mächten um die Herrschaft in dem freien Willen des Einzelnen und der gesamten Menschheit ringt.

Zur Verdeutlichung dieser These machte H. Schell wiederum seine Auffassung geltend, daß die Natur durch und durch Sinnbild und Werkzeug des Geistes sei; das Gesetz, das in der sittlichen Welt tatsächlich waltet, bestimmt den Charakter der Naturordnung. Diese war daher in der Sicht H. Schells ein Gemisch von Chaos und Kosmos, eben darin aber wiederum ein Abbild des geistigen Entscheidungskampfes und zugleich ein Werkzeug, Antrieb und Schauplatz sittlicher Prüfung. Nach dem Weltgericht ergab sich nun, daß das Reich des Guten von der Sünde geschieden ist. Folgerichtig erklärte H. Schell, der Himmel sei dann die materielle Natur, verklärt und durchherrscht von dem Einklang und der Fülle siegreicher, bewährter, unverlierbarer Kraft, die die Heiligen in sich erzielt haben. Wie steht es aber dann mit der Hölle? Sie ist ebenfalls die Materie, aber in einem solchen Zustand, wie er der verewigten Gesetzlosigkeit des Willens entspricht. Diesen Zustand beschrieb H.Schell als den eines chaotischen, regellosen, ziellosen Auseinanderreißens und Zusammenstürzens der Elemente, der Zustand eines ewigen Brandes, dem kein Gesetz bildender Ordnung mehr ein Ziel setzt. Die Hölle ist demnach eine Welt, wo Stoff und Kraft der Elemente befreit sind von der Herrschaft der Gesetze und Zwecke, und unbeschränkt durch Zahl, Maß und Gewicht sich mischen und scheiden, in unauslöschlichen Flammen auf- und niederlodern. »So wollte es die Sünde im Reiche des Geistes; sie sieht es nun auch erfüllt im Reich der Materie; und diese wird ihr dadurch zum quälenden Schreckbild, zum Spiegelbild ihrer eigenen Zerrissenheit und Ruhelosigkeit, zum Werkzeug ihrer Züchtigung«[499].

In wie weit das unvergängliche Geist- und Leibwesen der Verdammten selbst geeignet ist, mit in diesen Zustand glühender Spannung zu geraten, ist nach H.

---

[497] So u.a. mit Franz Schmid: Quaestiones selectae ex theologia dogmatica. Paderbornae 1891. - Vgl. ders: Die Seelenläuterung im Jenseits. Brixen 1907. - Vgl. dazu die Rez. von J. Stufler. In: ZKTh 32 (1908) 353-357.
[498] Vgl. Mat. 25, 41.
[499] Schell: D III/2. S. 896.

Schell schwer zu bestimmen. Jedoch war es für ihn keine Schwierigkeit, zu deren Überwindung ein Wunder erforderlich wäre. Die Frage, wieso die Körperwelt im Kreislauf ständiger Wechselwirkung bleibe, obgleich der Vollendungszustand auch diese verewigt, beantwortete er mit dem Hinweis, daß in seinem System die Tätigkeit der Zweck und die Wesensoffenbarung des Seienden ist, also unentbehrlich und bedeutungsvoll für den Zustand der endgültigen Vollendung. Auch in diesem Vollendungszustand galt für ihn das unabänderliche Kausalgesetz, das erfordert, keine Wirksamkeit ohne entsprechende Wirkung anzunehmen. Die Feuerglut der Hölle hatte nach der Auffassung H. Schells ihre wahrhaft hinreichende Ursache und Wirkung in der abgefallenen Geisterwelt, und genau dies war für ihn ihre Theodiocee[500].

h) Die ewige Seligkeit bei Gott

Nachdem H. Schell das ewige Schicksal der Gottlosen erörtert hatte, wandte er sich im letzten Paragraphen seiner Katholischen Dogmatik der ewigen Seligkeit des Menschen bei Gott zu. Als Glaubenssatz stellte er an den Anfang, daß die ewige Belohnung und Vollendung der Gerechten in der unmittelbaren Gottschauung und Gottgemeinschaft besteht. Als Ursache dieser seligen Vollendung in Gott betrachtete er die gnadenvolle Selbsthingabe Gottes an die Gerechten; er selber möchte von ihnen erkannt und empfunden werden. Den christologischen und pneumatologischen Aspekt dieser Vollendungslehre brachte er dadurch zum Ausdruck, daß er in der ersten These lehrte, durch diese Einkehr Gottes in die geheiligten Seelen zu unmittelbarem Erkenntnis- und Willensbesitz werde das Geheimnis der zeitlichen Sendung des Wortes und des heiligen Geistes auf ewig erfüllt und vollendet: »Gott ist zum Wahrheits- und Liebesbesitz der Seinigen geworden, zu ihrem geistigen Lebensinhalt, zum Gesichtspunkt ihres Denkens, zum Mittelpunkt ihres Wollens, zu ihrer innersten Lebenskraft«[501].

Den Schriftbeweis zu dieser Glaubenslehre baute H. Schell auf der Vorstellung auf, daß die paradiesische Glückseligkeit, die durch die Sünde verloren ging, jener Zustand der Gottesgemeinschaft war, das heißt die Verwirklichung des siebten Schöpfungstages für die Zeit der diesseitigen Entwicklung, die Wohnung und Ruhe Gottes bei seinem Ebenbild, die Herablassung Gottes zu seinem Geschöpf, um mit ihm in ein festes Verkehrsverhältnis zu treten. Um jedes Mißverständnis abzuwehren, schrieb H. Schell auch hier: »Ruhe Gottes bedeutet nicht Tatenlosigkeit, sondern Festigkeit im Ziel der Gottestätigkeit, ein Bleibenwollen Gottes, eine feste Niederlassung Gottes bei den Menschen«[502].

Wir übergehen hier die vielen Schriftstellen, die unser Theologe anführte, um die alttestamentliche Vorstellung der Gottesschau darzulegen. Von besonderem Interesse ist nur, daß er Ex. 32, 32 und Num. 12 als Beweis dafür ansah, daß es eine

---

[500] Ebd. S. 897.
[501] Ebd. S. 897.
[502] Ebd. S. 897. - Vgl. Th. Schneider: Die Teleologie als theologische Kategorie bei Herman Schell. S. 157-159: Ewige Ruhe und ewiges Leben.

unmittelbare Erkenntnis Gottes gibt, die wesentlich von der beseligenden Gott-schauung verschieden ist. Die erstere dachte H. Schell sich vermittelt durch intellek-tuelle, endlich-zeitliche Ideen, die die Seele unter der Einwirkung Gottes erzeugt, etwa so, wie wir die Wahrnehmungsbilder unter der Einwirkung der Sinnesgegen-stände erzeugen[503]. Im Unterschied dazu erwartete er für die wesenhafte Gottschau-ung das ewige Wesensbild Gottes selber als Erkenntnismittel. Gemäß der Schrift kann Gott im jetzigen Entwicklungsstand nur in seiner schonenden Gnade, bildlich von der Rückseite, nicht in der Herrlichkeit seines Angesichts geschaut werden. Entsprechend lehrte H. Schell: Wer in der irdischen Zeitlichkeit aufeinanderfolgen-der flüchtiger Augenblicke, in der Unstete dieses körperlichen Lebens lebt, könne überhaupt nicht das ewige Wesensbild Gottes in sein zeitliches Denken und Be-wußtsein aufnehmen, er werde durch dieses ewige Wahrheitsbild nur der Zeit ent-rückt und verewigt, soweit dies der Daseins- und Seligkeitsanfang erlaubt. Die An-schauung Gottes dagegen sei keine vorübergehende Gnade, weil sie nicht durch ein endliches und geschaffenes, also auch vergängliches Erkenntnisbild vermittelt wer-de, sondern durch Gottes ewiges Wort[504].

Aus den Evangelien des Neuen Testaments entnahm H. Schell, daß die himmli-sche Gottesgemeinschaft von Christus in Sinnbildern verheißen wurde; besonders hob er hervor, daß Christus mit dem Idealbild auf Erden zugleich das Himmelsbild seiner ewigen Vollendung in den acht Seligkeiten der Bergpredigt entwarf. Diese himmlische Seligkeit sah er auch bei Johannes als das Leben hervortreten; die aus ihm geborenen Kinder Gottes nannte er Kinder der Auferstehung und Un-sterblichkeit[505].

Von der paulinischen Theologie her sah H. Schell insbesondere den pneumati-schen Aspekt der Vollendung zur Geltung gebracht; darnach ist der Heilige Geist jetzt die Sehnsucht und Bürgschaft, einst die belebende Kraftquelle zur Anschau-ung Gottes. H. Schell beschrieb ihn daher als das innere Prinzip der ewigen Bele-bung im Himmel; von ihm erfüllt und getrieben, gewinne die Seele die Kraft, das unendliche Erbgut Gottes sich zum tätigen Genuß anzueignen. Im Gottmenschen als dem Eingeborenen Gottessohn erschien das Vorbild unserer Vollendung; diese sah H. Schell darin liegen, daß wir als echte Kinder in dem zu sein und aufzugehen begehren, was unseres Vaters ist. Aus 1. Kor. 2, Röm. 8, 14 folgerte er: Ist die Sohn-schaft des Eingeborenen durch die Erfüllung mit dem lebendigmachenden Geist in der Geisterwelt zur teilnehmenden Offenbarung gebracht, dann werde auch die Knechtschaft der vernunftlosen Natur gelöst zu jener herrlichen Freiheit der durch keine Sünde mehr gehemmten, ungestörten Kraftvollendung, die der Schöpfergeist ihr von Urbeginn zugedacht habe - schwebend und webend über dem Chaos, um Gottes Schöpfergedanken in der Natur auszuwirken[506].

Diesen spekulativen Ansatz führte H. Schell im folgenden weiter aus, indem er den Blick auf die gesamte menschliche Entwicklung lenkte. Es ging ihm darum, daß alles, was Gott in seiner Idee dem Geschöpf an Vollkommenheit, Kraftfülle und

---

[503] Vgl. Schell: D III/2. S. 822-823.
[504] Ebd. S. 898.
[505] Ebd. S. 900.
[506] Ebd. S. 902.

Lebensinhalt zugedacht, erst in der Vollendung zur ungetrübten und ungehemmten Offenbarung kommt, nachdem das Wie der Entwicklung, des Kampfes, des Fortschritts erfüllt ist. Hier öffnet sich nach H. Schell die Möglichkeit, daß die endlichen Gegensätze innerlich ausreifen und für die Harmonie der ewigen Verklärung würdig und geeignet werden. Er wies darauf hin, daß die Schöpfung die Vollkommenheit der Kraft, mit der Gott von Ewigkeit her durch die Tat der unendlichen Heiligkeit und Weisheit die höchste Lebensfülle alles Guten in sich verwirklicht, nur im Nacheinander der Entwicklung nachahmen kann, wie sie das einfache Urbild der unendlichen Güte nur im Nebeneinander der buntesten Mannigfaltigkeit endlicher Gegensätze widerzuspiegeln vermag. Hingegen erwartete er, daß in der Vollendung diesem Gesetz des Nebeneinander und Nacheinander der Giftstachel des Todes, der gegenseitigen Beeinträchtigung und Hemmung genommen werde. Genau darin lag für ihn die Freiheit, die der Heilige Geist der gesamten Geister- und Naturwelt gewährt, »nachdem er sie ganz und gar durchdrungen hat, vom gottmenschlichen Haupt aus in alle Glieder Christi ausströmend, bis auch die niedrigsten Glieder und Werkzeuge des Urbildes aller natürlichen und übernatürlichen Schöpfung, der Leib und die vernunftlosen Naturwesen die fortschreitende Kraft der Erlösung erfahren und damit ihre Freiheit und ungehemmte Vollendung nach Gottes Idee gewonnen haben«[507].

Zur Begründung dieser theologischen Aussage führte H. Schell an: Was eine Hülle für die Erkenntnis sei, bilde auch eine Fessel und Schranke für den Willen; und was in der Natur eine Störung des Gesetzes, eine Verschärfung der Gegensätze, eine Steigerung der Selbstsucht sei, das bilde eine Hemmung ihrer ordnenden, versöhnenden, vereinigenden Kraft, mit der die höheren Ordnungen sich aus den niederen aufbauen und die niederen dadurch veredeln und in sich aufheben. Mit der Gottanschauung wird nach H. Schell jede Hülle von dem denkenden Geist weggenommen und damit jede Spur von Überrest der beschränkenden Selbstsucht innerlich überwunden, soweit dieselbe in einer beschränkten Gottesidee gründet. Gerade darum hört für ihn der Gegensatz des Endlichen im Denken und Wollen der Geisterwelt wie in den Gestaltungen der Naturwelt auf, ein wechselseitiges Hemmnis und die Ursache der Beeinträchtigung zu sein; er wird fortan nur mehr zur gegenseitigen Ergänzung und Erfüllung des gewaltigen Abbildes Gottes in seiner Schöpfung. Bezüglich der einzelen Geschöpfe, Völker und Kulturbestrebungen können nach H. Schell allerdings große Meinungsverschiedenheiten bei den Seligen bestehen bleiben, bis ihnen der ganze Weltplan Gottes durch seine Erfüllung offenbar wird[508].

Gesondert zitierte H.Schell in diesem Zusammenhang die Aussagen der geheimen Offenbarung. In den sieben Briefen Christi habe der neutestamentliche Prophet die himmlische Stadt der Seligen als das Haus beschrieben, das die Weisheit auf sieben Säulen aufgebaut hat. H. Schell sah in diesen die sieben Geisteskräfte, die in den sieben Sakramenten wie eben soviele Gotteskeime wirksam die Frucht der Seligkeit in ihrem Wachstum heranreifen. Da der Systematiker an dieser Stelle

---

[507] Ebd. S. 902-903. - Vgl. 2. Kor. 3, 16-18.
[508] Schell: D III/2. S. 903.

die eschatologische Dimension der gesamten Sakramentenlehre aufdeckte, geben wir seine Darstellung ausführlich wieder[509]:

(1) Wer durch die Taufe zum Gotteskind geboren wurde, darf nicht rückwärts sinken: des Fortschritts im Gnadenleben beseligende Himmelsfrucht ist der Genuß vom Lebensbaum[510]. Hierbei erklärte H. Schell: Das Christentum sei konservativ im treuen Festhalten am Logos der ewigen Wahrheit, das hieß für ihn: am Glaubensinhalt; es sei Fortschritt in der stets zunehmenden Kraft der geistigen Überzeugung und Verwirklichung des Gottesreiches und seiner Ideale in immer weiterer Ausdehnung und stets verbesserten neuen Formen, insbesondere der Nächstenliebe: Fortschritt im heiligen Geist, dem Lebendigmacher.

(2) Die Frucht der Firmgnade und ihre Benützung in standhafter und unüberwindlicher Kampfestreue ist die Unempfänglichkeit für den zweiten Tod (das war für H. Schell die ewige Festigkeit in Gott) und die Krone des Lebens[511].

(3) Für die Reinheit der hier bewahrten Gottesgemeinschaft und die Abwehr der Götzengemeinschaft wird dem Vollendeten die himmlische Kommunion des wahren Manna, der weiße Stein und der neue Name zuteil[512].

(4) Wer die Gottesfeinde in seinem eigenen Inneren durch den Kampf der Buße und den Sieg über sich selbst überwindet, empfängt Teil am Sieg und Triumph Christi über die äußeren Gottesfeinde[513].

(5) Für die Erhebung des Geistes zum Reich Gottes trotz aller äußeren und inneren Todesschwäche wird dem Sterbenden als Frucht der letzten Ölung die unwiderrufliche Aufnahme in die Gemeinschaft Gottes und die ewige Anerkennung vor dem Vater verheißen[514].

(6) Dem allgemeinen wie dem besonderen Priestertum wird für die Berufstreue im hierarchischen Samariterdienst der Wahrheit und Gnade der Lohn verheißen: Erfolg des theokratischen Wirkens, Bewahrung vom Abfall in der Gefahr und die Ehre, als Pfeiler im ewigen Gottestempel den heiligen Dienst fortzusetzen, ausgezeichnet durch Gottes Namen.

(7) Die religiöse Weihe der irdisch-geschlechtlichen und zeitlich-gesellschaftlichen Verhältnisse, sowie die Abwehr der Versuchung, die Ehe und Familie, Unterricht, Staat und Gesellschaft, Kultur und Verkehr im Übermut des Fortschritts zu verweltlichen, empfängt als himmlischen Lohn die vertrauteste Gemeinschaft mit Christus im ewigen Hochzeitsmahl und sogar auf dem Thron seiner Herrschermacht.

Weitere schriftgemäße Aussagen über die Gottesschau der Seligen entnahm H. Schell dem Buch der Offenbarung[515].

Schon diese biblische Grundlegung ließ keinen Zweifel daran möglich, daß die Anschauung Gottes wesentlich übernatürlich ist, und zwar, wie H. Schell in einer zweiten These hervorhob, für jeden geschöpflichen Geist, wenn das Recht und die

---

[509] Vgl. ebd. S. 904-905.
[510] Vgl. ebd. S. 467-468. - Dazu siehe oben S. 182.
[511] Vgl. Schell: D III/2. S. 508-510.
[512] Vgl. ebd. S. 564-566. - Vgl. oben S. 142.
[513] Vgl. Schell: D III/2. S. 590-591.
[514] Vgl. ebd. S. 626-627.
[515] Ebd. S. 905-906. - Vgl. u.a. Off. 4; 7, 9-17; 21, 1-22.

Kraft dazu in Betracht kommt[516]. Da Gott allein das hinreichende Erkenntnismittel zu seiner unmittelbaren Vergegenwärtigung im Bewußtsein ist, hat kein Geist die Macht und den Anspruch darauf, daß sich Gott selbst ihm als Erkenntnismittel zu eigen gebe und unverhüllt offenbare. Nach H. Schell besteht auch keine Naturnotwendigkeit, daß Gott etwa als die absolute Wahrheit und das durchaus erkennbare Wesen bei geeigneter Anlage und vorhandener Empfänglichkeit dem Geist wahrnehmbar werde, da Gott selbst kein Naturwesen ist, das ohne sein Zutun besteht und daher auch unwillkürlich sein Wesen und Dasein durch gewisse Eigenschaften, das heißt dauernde Wirksamkeit nach außen offenbaren muß. Der Geist, so dozierte H. Schell, der alles, was ist, durch seine eigene Denk- und Willenstat ist, übt keine naturnotwendige Wirksamkeit nach außen aus. Er folgerte daraus, daß Gott auch für den schärfsten Geist in seiner unverhüllten Herrlichkeit und Tatsächlichkeit trotz seiner vollkommenen Allgegenwart nur wahrnehmbar ist, wenn er und soweit er für ihn wahrnehmbar sein will. Da das selbstbestimmende Wesen auch nur vermöge seiner eigenen Selbstbestimmung und Selbstoffenbarung erkennbar ist, konnte er sagen: »Gott ist das geistige Licht, das sich ganz und gar in seiner Gewalt hat, die Sonne der Wahrheit, die von keinem Auge unmittelbar gesehen werden kann, von dem sie nicht gesehen werden will«[517].

Für H. Schell war es deshalb unmöglich, daß ein Geist zu einer unmittelbaren Wesensidee Gottes gelange, es sei denn durch die unmittelbare Einwirkung Gottes auf seine Erkenntnis. Er vergaß dabei nicht, daß nach Thomas von Aquin die Anschauung Gottes allein dem natürlichen Verlangen des Geistes entspricht[518]. Auch fand er es durch die Geschichte der Religion und der Philosophie, durch Erfahrung und Vernunft sehr einleuchtend, daß der menschliche Geist stets nach vollkommenster und unmittelbarster Anschauung und Einsicht der ewigen Wahrheit verlangt und alle Wege erprobt, um dazu zu gelangen. Allein gegenüber der späteren Scholastik wandte er ein, daß sie auch die passive Empfänglichkeit und das Verlangen nach dem übernatürlichen auf eine eigene Übernatürliche Befähigung zurückführte und so die Gnade als etwas absolut Fremdes, Neues und Übergeistiges hinstellte, ebenso übergeistig wie der Geist übersinnlich ist.. Wenn nun entsprechend als das eigentümliche Erkenntnisobjekt der Vernunft das Allgemeine im Sinnlichen bestimmt wurde, bei dessen Erkenntnis der natürliche Mensch vollkommen befriedigt sei, ohne Höheres zu begehren, dann war für H. Schell damit der Vorzug des Geistes als der unbeschränkten Anlage für die Wahrheit und Güte als solche preisgegeben; der natürliche Mensch könnte sich zu den übernatürlichen Offenbarungswahrheiten, Heilsgütern und Tugenden nicht einmal mit seinem Verlangen erheben. Da hielt es der Würzburger Theologe in diesem Punkt mit Thomas, auf den er den klaren Grundsatz zurückführte: Die Anschauung Gottes ist natürlich in Anbetracht der Anlage der geistigen Natur als solcher für die Wahrheit als solche; sie ist schlechthin übernatürlich, weil ihre Verwirklichung nicht durch die Kräfte eines geschöpflichen Geistes erreichbar ist, sondern nur durch Gottes freie, ungeschuldete und unverdiente Selbstmitteilung[519]. Er formulierte daher als Glaubenssatz:

---

[516] Schell: D III/2. S. 907.
[517] Ebd. S. 908.
[518] Vgl. Thomas von Aquin: S. c. g. 3, 62.
[519] Schell: D III/2. S. 910.

»Die unmittelbare Gottschauung kann nur durch Gott selbst in der Seele angeregt werden, nicht durch irgend eine von Gott verschiedene Ursache. Gott bewirkt die Anschauung seines Wesens durch seine freie Selbstbestimmung hierzu, oder durch seine Selbstvergegenständlichung oder Selbstoffenbarung in der Seele, und zwar soweit als er ihr intensiv und extensiv offenbar werden will. Gott kann als unmittelbarer Spender des ebenbürtigen Wesensbildes (als species impressa) den Geist zur seligen Anschauung erheben; ein geschaffenes Wesensbild kann wohl eine unmittelbare Gotteserkenntnis vermitteln, wenn es unter Gottes eigener Anregung von der Seele erzeugt wird; allein diese unmittelbare Wahrnehmung Gottes ist noch keine wesenhafte Gottschauung«[520].

H. Schell glaubte sich hinsichtlich dieser These mit den Thomisten einig zu sein. Zur näheren Begründung, wie Gott unmittelbar Erkenntnisform im Bewußtsein werden könne, verwies er wieder auf die Lehre des Aquinaten, nach der Gott dies allein kann, da er allein durchaus Idee oder Erkenntnisform, sein eigenes und lebendiges Denkgebilde ist, erhaben über den Gegensatz von Geistwesen und Geistgedanke, Substanz und Tätigkeit, Natursein und Tatsein: ipsum suum esse, Einheit von Tatsache und Inhalt, ganz und gar selbstwirklich, selbstgedacht und selbstgewollt, also nicht aufgenommen in einem Empfänger einer bestimmten Wesensvollkommenheit, dem dieselbe ohne Zutun kraft des schöpferischen Denkens und Wollens eines Höheren, des selbstwirklichen Gottes zuteil wird. Alle anderen Wesen in der Geister- wie Körperwelt non sunt ut pura forma in genere intelligibilium, sed ut formam in subiecto aliquo habentes[521].

Diese These nun griff H. Schell auf: Kein Wesen außer Gott besteht als der selbstursächliche Inhaber, als der selbstwirkliche und selbstverdienstliche Besitzer seiner Natur, sondern als deren Empfänger; er ist die Verwirklichung seiner Natur nicht kraft eigener Bestimmung, sondern kraft göttlichen Willens und hat diese seine Natur nicht selbst abgegrenzt und ausgedacht, sondern nur zur Verwirklichung eines göttlichen Gedankens empfangen. Erst auf Grund dieser substantiellen Natur, die die Verwirklichung einer göttlichen Idee ist - außer Gott in eigenem Selbstand nicht in Gott -, beginnt nach H. Schell das selbsttätige Denkleben des geschaffenen Geistes. Er ist zuerst etwas Erdachtes (Natur, Substanz); erst auf Grund dessen bildet er selbst Ideen; er ist also nicht sein eigenes Denkgebilde, wie Gott ganz und gar, und kann daher nicht unmittelbar zur Erkenntnisform eines anderen Geistes werden. Im Unterschied zu dieser Wesensart des Geschöpfes kann Gott als reine und wesenhafte Idee, als Selbstgedanke, wenn er will und soweit er will, in das Innere des Bewußtseins eindringen, oder vielmehr sich in dem Inneren des Geistes offenbar machen und die Seele unmittelbar durch sein Wesen zur Gottschauung erleuchten, denn sein Wesen ist ganz und gar selbstbestimmte Tätigkeit und - wie H. Schell hinzufügte - für die Seligen freie Selbstoffenbarung und Selbstmitteilung. Noch einmal wies H. Schell darauf hin, daß alle anderen Wesen nur durch die von ihnen naturhaft oder selbstmächtig ausgehenden Einwirkungen akzidenteller Art, also etwas, was sich nicht mit ihrem Sein deckt, in das Bewutßsein des Wahrneh-

---

[520] Ebd. S. 910-911.
[521] Vgl. Thomas von Aquin: S. c. g. 3, 51.

menden anregend eingehen. Sie bewirken Bilder, aber sind nicht schon wesenhaft Erkenntnisbilder. Für H. Schell kann daher auch kein Geschöpf so vollkommen und richtig erkannt werden wie Gott; denn alles andere wird nach seiner Auffassung nur durch Bilder ins Bewußtsein aufgenommen, die von ihm angeregt und bewirkt sind, nicht aber unmittelbar durch seine wesenhaft innerliche Anwesenheit im Seeleninnern[522]. So stand für ihn fest: »Nur Gott wirkt nicht mit naturhafter Notwendigkeit auf irgend ein Wesen ein, sondern nur nach dem Ausmaß seiner freien Selbstoffenbarung«[523].

Andererseits wußte aber auch H. Schell, daß Gott durch nichts in ebenbürtiger Weise der Seele gegenständlich gemacht werden kann, so daß es keinerlei Ersatz für seine unmittelbare Vergegenwärtigung in der Seele gibt; daher seine These, daß keine andere Erkenntnisform ihn in seiner göttlichen Eigenart darstellen und zum Bewußtsein bringen kann. Mit Berufung auf Thomas führte er zur Begründung an: (a) »Gott ist der selbstwirkliche Geist, sein Selbstgedanke und Selbstwille, ewig wesenhafte Idee; alles andere ist durch ihn bewirkt, durch sein Denken gestaltet und durch seinen Willen zum Selbstand hinausgestellt«[524]. Er hielt es daher für unmöglich, daß etwas außer Gott der Seele die ewige Selbstwirklichkeit Gottes zur Anschauung bringt, wie er durch sein eigenes Denken und Wollen ewig vollkommen besteht, niemals in der Entwicklung vom Können zum Tun, von der idealen Möglichkeit zur realen Wirklichkeit, niemals im Werden, ewig seiend, aber durch sich selbst getragen und geklärt, als Sohn aus dem Vater wahrhaft und darum von Ewigkeit zu Ewigkeit gezeugt, als heiliger Geist von beiden wahrhaft gewollt und hervorgehend, wechselseitig von einander umfangen und umschlossen, im ewigen Fürsichsein, um ewig für einander, aus einander und in einandner zu sein in unendlichem Hervorbringen und Hervorgehen.

Es muß allerdings an dieser Stelle bemerkt werden, daß H. Schell bei dieser Interpretation nicht die Lehre des Aquinaten wiedergab, sondern seine eigene Gotteslehre in ihrer eschatologischen Relevanz aufzeigte. Das gilt auch für den zweiten Ansatz seiner Begründung (b), in der er erklärte: »Gott ist der selbstwirkliche Geist in unendlicher Vollkommenheit; er ist alle Wesensfülle in allseitiger Einfachheit; der unendlich allseitige und dennoch einfache Inbegriff aller idealen und realen Vollkommenheiten, der letzteren jedoch nur real urbildlich und in idealer Besitzform: durch schöpferisches Erdenken und Wollen alles Möglichen und Wirklichen; - ersteres notwendig, letzteres in freier, aber ewiger Selbstbestimmung«[525]. Die Unendlichkeit oder Allseitigkeit durchdringt nach H. Schell alle Eigenschaften Gottes, sodaß er in keiner Weise ein begriffliches Nebeneinander von Vollkommenheiten darstellt, sondern nur ein Ineinander und Füreinander und Voneinader der gleichwohl deutlich und bestimmt ausgezeichneten Vollkommenheiten. H. Schell war überzeugt, daß die Idee der allseitigen Vollkommenheit kein geschaffenes Bild je zu geben vermag, da jedes andere Gebilde einseitig und nur teilweise ist: »als Abbild nicht aufgenommen von dem allseitigen Standpunkt der selbstwirken-

---

[522] Schell: D III/2. S. 911.
[523] Ebd. S. 913.
[524] Ebd. S. 913.
[525] Ebd. S. 913.

den Unendlichkeit, sondern von irgendeinem der unendlich vielen Gesichtspunkte, die der Allseitig-Vollkommene eben durch die denkende und wollende Selbstverwirklichung der unerschöpflichen Einfachheit möglich macht«[526]. Aus diesen beiden Gründen hielt es H. Schell für unmöglich, daß eine unmittelbare Wesensschau Gottes durch eine andere Erkenntnisform gewonnen werde als durch ihn selbst.

Was nun den Inhalt der Gottschauung betrifft, so finden wir bei H. Schell verschiedene Differenzierungen. Einmal unterschied er die Erkennntnis der Vollkommenheit Gottes in seinem Wesen und seiner Dreieinigkeit von dem Schöpfungsratschluß Gottes als Akt wie insbesondere nach seinem Inhalt der Welt, dem Weltlauf und der Weltvollendung. Es ging ihm dabei jedoch nicht nur um eine systematische Unterteilung. Da H. Schell auch als spekulativer Theologe kein abstrakter Denker im Sinne eines wissenschaftlichen Schematismus war, so enthalten die hier vorgestellten Unterscheidungen eine ganze Geschichtstheologie. Sie sind als solche von allgemeinem Interesse und müssen daher ebenfalls ausführlich wiedergegen werden.

Für H. Schell ergab sich auf Grund seines gesamten theologischen Systems, daß die Gottschauung der Seligen vor dem Weltgericht allein die notwendige Vollkommenheit des unendlichen Wesens zum Inhalt hat. Erst nach der Weltvollendung hielt er es für möglich, daß vielleicht der freie Ratschluß Gottes in und mit seiner eigenen Weisheitsfülle offenbar werden könne, so daß dann in diesem Weltgedanken des Weltschöpfers der ganze Weltbestand bis zu allen Einzelpersonen und Wesen herab, sowie die gesamte Heilsentwicklung im Einzelnen und Ganzen vom Gesichtspunkt der höchsten Allursache aus übersichtlich und verständlich werde. Notwendig schien ihm indes diese Erkenntnis keineswegs. Die Erkenntnis der Welt in Gottes eigenem Gedanken schien ihm nicht so sicher für die Seligen anzunehmen, weil sie die Welt unmittelbar in ihrem eigenen Verlauf und Bestand erkennen können, wenn auch nicht alle in ihrer zeitlichen Vorbereitung, so doch hinlänglich in ihrer ausgereiften Wirklichkeit und Planmäßigkeit[527].

H. Schell hatte damit einen Blick auf den Endzustand geworfen; er machte aber auch Aussagen über den Zwischenzustand der Zeit bis zu diesem Vollendungspunkt hin. Hier stellte er heraus, daß nach dem besonderen Gericht die Seelen persönlich in Gott befestigt und vollendet sind, das hieß für ihn, daß dieser persönlichen Vollendung nach ihre Läuterung die Beseligung in der Anschauung der unendlichen Vollkommenheit, die Gott selber ist, entspricht. Hingegen schloß er aus, daß die Seelen schon als Glieder des Weltganzen vollendet seien. Als solche zur Mitwirkung an dem großen Heilswerk und Entwicklungsgang der Völker, Geschlechter und Personen berufen, sah er sie mit allen Kämpfern in den Gegensatz der Interessen hineingezogen. Dies schien ihm aber unmöglich, wenn sie das einheitlich vollkommene Weltbild im Lichte Gottes schauten: Von Überlegung und Beschlußfassung, von Kampf und Gegensatz in Wahrung der berechtigten Interessen von Personen, Völkern, Kulturzielen und Idealen könnte ebensowenig die Rede sein, wie von einer Heranziehung zum Weltgericht[528].

---

[526] Ebd. S. 913.
[527] Ebd. S. 914. - Vgl. GG. Teil 1. S. 283.
[528] Ders.: D III/2. S. 914.

Die Engel und Seligen kennen den Tag des Weltgerichts nicht, folglich sehen sie nach H. Schell Gott nur in Gott, nicht sein Werk noch seinen Ratschluß. Ausgenommen von dieser allgemeinen Regel sah er nur die Erhebung Christi zur Rechten Gottes, die diesem zugleich seine Erhebung in das Licht jener vollkommensten Gottschauung bedeutet, die auch das gesamte Weltbild mit allen Zwecken und Gesetzen, Kräften und Geschicken vom Standpunkt des Schöpfers aus entfaltet. Einen ähnlichen Vorzug billigte er auch in entsprechender Unterordnung der Throngenossenschaft der Gnadenmutter bei ihrem Sohn sowie den Aposteln beim Weltgericht zu, - die Ehre des Richteramtes aus dem dann unmittelbar in Gott erfaßten Schöpfungs- und Heilsplan heraus. Durch dieses bevorzugte Wissen schienen ihm die Apostel allen übrigen gegenüber überlegen und zum Richtertum befähigt, wie Maria seither zum Mutteramt der Fürsorge für alle. Hinsichtlich möglicher Abstufungen in der intensiven und extensiven Vollkommenheit der Selbstvergegenwärtigung Gottes in dem seligen Geist sind nach H. Schell unendlich viele anzunehmen[529].

Nach allgemeiner theologischer Lehre bedürfen die Seligen zur geistig-lebendigen Betätigung der Gottschauung einer besonderen übernatürlichen Stärkung ihrer Vernunft. Diese Gnadenausstattung der vollendeten Geister wurde von H. Schell mit der Schultradition als das lumen gloriae vorgestellt[530]. Mit seiner Hilfe nehmen die Seligen die unendliche Fülle der ewigen Gottheit »mit lebendiger Geisteskraft in ihr Denkleben auf«, ohne allerdings die ihnen offenbar gewordene Wahrheitsfülle vollständig zu erfassen und zu erschöpfen. H. Schell lehrte daher, daß sie in seligem und belebendem Fortschritt von Erkenntnis zu Erkenntnis, von Einsicht zu Einsicht aufsteigen, zu immer vollkommenerem und allseitigerem Verständnis Gottes, in Gott erleuchtet und gehoben von Gottes Lebens- und Liebesgeist: »Sie erkennen und verstehen Gott in seiner göttlichen Erhabenheit, Unendlichkeit und Kraft, allein sie begreifen und umfassen ihn nicht, nie und nimmermehr«[531]. Der Grund dafür ergab sich einfach aus der Tatsache, daß die aktive Befähigung des Geistes immer hinter seiner unbegrenzten Empfänglichkeit für die Wahrheit zurückbleibt, ebenso hinter der unendlichen Inhaltsfülle und dem unerschöpflichen Lebensgeist dieser ewigen Wahrheit. H. Schell folgerte daraus, daß auch das Glorienlicht und die mit ihm gewonnene Erkenntniskraft endlich bleibt im Unterschied zu Gott, der unendlich ist.

Die Selbstvergegenwärtigung Gottes im Bewußtsein der vollendeten war für H. Schell eine Tätigkeit Gottes von gleicher Qualität, aber auch eine Anregung zur entsprechenden Vorstellungstätigkeit. Infolge hiervon - so lehrte er - stehe Gott, soweit und wie er wollte, innerlich vor dem vollendeten Geist kraft jener Hingabe und kraft dessen unwillkürlicher Aufnahme und Vorstellung, wie wir eine sinnliche Wahrnehmung machen. Allein dieses Innesein Gottes im Geist war für ihn erst die Grundlage für die aktive Erkenntnistätigkeit, die unendliche Wahrheitsfülle, die in dem von ihr übermächtig und unendlich stark angeregten Denkleben zur Idee, zum Gedankenbild und zur Einsicht im Urteil verarbeitet werden soll. Dabei ergibt sich

---

[529] Ebd. S. 915.
[530] Vgl. oben S. 137.
[531] Schell: D III/2. S. 917. - Vgl. dagegen die Kritik von E. Krebs. Näheres siehe unten S. 552, 555-556.

aber, daß selbst der höchstbegabte und höchstbegnadigte Geist hinter der Fülle und dem Licht dessen zurückbleibt, was ihm in seinem Bewußtsein entgegenleuchtet. H. Schell folgerte: Soweit die Erkenntnis von der inneren Gegenwart Gottes und der Empfänglichkeit des Guten bestimmt ist, stehe der unendliche Gott vor jeder Seele, nicht gleichartig, sondern so, wie er es für gerecht und gut findet; soweit aber die Gottschauung die Sache der tätigen Aneignung, Ideenbildung, und Einsicht ist, bleibe sie als endliche Leistung hinter der Unendlichkeit des Dargebotenen zurück, nicht bloß für den Anfang, sondern in alle Ewigkeit[532].

Worauf es H. Schell in diesem Abschnitt ankam, war zu zeigen, daß Gott nicht bloß der unendliche Reichtum gegenständlicher Vollkommenheit ist, die angeschaut wird und so das Bewutßsein erfüllt, sondern auch der selbstwirkliche Lebensgeist, der die Tätigkeitskraft der aufnehmenden Vernunft bis in ihre innersten Tiefen und Gründe hinein aufregt und zur tatkräftigen Aneignung, Beurteilung und intellektuellen Ausbeutung der vergegenwärtigten Wahrheitsfülle reizt. Für H. Schell bedeutete dies: Gott spendet sein Wort in die beseligte Seele als die Erkenntisform und das Wesensbild der Gottschauung. Er tut dies nach H. Schell in der Liebe seines heiligen Geistes, das heißt mit der belebenden Erweckung der begnadeten Seele zur Aneignung dieser unendlichen Wahrheitsfülle in einem ewigen Bild. »Indem der Geist seiner belebenden Liebe eindringt, erweitert und vertieft, spannt und steigert er deren vernehmende Denk- und Willenskraft aufs höchste«[533]. Ebenso weht er nach H. Schell als belebende und beseligende Kraft aus dem mitgeteilten Erkenntniswort selbst hervor und in die entzückte Seele hinein. Dem Apologeten war wichtig, daß die Venunft von dem unendlichen Inhalt nicht zum Stillstand der Denktätigkeit gebracht wird, ihre gestaltende und erforschende Erkenntniskraft unter der Fülle des einstrahlenden Erkennntisstoffes nicht erlahmt, noch ihre lebendige Selbstbetätigung durch das ungeahnte Licht der selbstverständlichen Urwahrheit entbehrlich wird, vielmehr im höchsten Grad zur stärksten und anhaltendsten Anstrengung ihrer Denkkraft geweckt wird. Gegenüber allem Protestantismus, der einen exklusiven Gegensatz zwischen der Vollkommenheit des Schöpfers und des Geschöpfes annimmt und daher das Geschöpf im Interesse Gottes zur Passivität verurteilt, proklamierte er den katholischen Grundsatz: »Gott ist das Leben und bewirkt das Leben; seine Vollkommenheit verdrängt und ersetzt niemals die eigene Vollkommenheit und Selbsttätigkeit des Geschöpfes, sondern begründet, erregt und entwickelt sie«[534]. Eschatologisch gesehen bedeutete dies: Unter dem Eindruck der Gotteserscheinung im Bewußtsein werde die Vernunft in ihrer ganzen Denkkraft dem herabkommenden Gott entgegeneilen, um ihn in ihren Gedanken aufzufassen, um ihn in seiner Tiefe, Weite und Höhe, in seinem inneren Ursprung, Seins- und Erklärungsgrund, sowie in seiner inneren Selbstvollendung und gegensätzlichen Selbstentfaltung, in seiner Wesenseinheit und Dreieinigkeit zu ergründen, um ihn in seiner logischen und sittlichen Notwendigkeit und allmächtigen Freiheit zu verstehen, anzuerkennen und auszusprechen, um ihn von seiner Einfachheit aus bis in die fernsten Fernen seiner ewig wirklichen

---

[532] Schell: D III/2. S. 918.
[533] Ebd. S. 918.
[534] Ebd. S. 919.

und klar bestimmten Unendlichkeit zu verfolgen, zu bewundern und anzubeten. Überall finde sie den richtigen Standpunkt, um sich in dem unendlichen Reich tiefster Weisheit staunend und anbetend auszurufen, was sie schaut, jubelnd zu erzählen und zu rühmen, was sie so klar erfaßt, so tief ergründet und so voll empfindet[535].

Fassen wir zusammen: Aus dem Abstand zwischen der Endlichkeit der aktiven Geisteskraft und des Glorienlichtes einerseits und der Unendlichkeit Gottes, nicht bloß wie er an sich ist, sondern wie er kraft seiner gnadenvollen Selbstbestimmung zum ewigen Lohn in dem Bewußtsein jedes Seligen ist, ergab sich für H. Schell die Unmöglichkeit der ebenbürtigen, umfassenden und voll begreifenden Erkenntnis Gottes durch Vorstellung und Beurteilung. In diesem Mangel sah er jedoch zugleich einen großen Vorzug. Er erklärte: Während Gott ganz und gar Tat ist und nichts ohne seine eigene Tätigkeit, Weisheit und Heiligkeit besitzt, sei der endliche Geist auf das Empfangen, auf das Natursein, auf die ruhende Zuständlichkeit gegründet. Wenn ihm nun die höchste Vollendung nur in der Weise des Empfangens mitgeteilt werden könnte, so wäre dieselbe erkauft durch den Verzicht auf die Lebensvollendung, die in der Selbsttätigkeit liegt und in der Aseität Gottes ihr Urbild hat. H. Schell begrüßte es daher, daß der Ausgleich zwischen der unendlichen Wahrheitsfülle des erscheinenden Gottes und der endlichen Erkenntniskraft des verklärten Geistes die Aufgabe für eine ewige Anspannung aller Kräfte gibt, mit all dem Adel und all der Wonne, die in unvergleichlicher Reinheit nur mit der Selbsttätigkeit verbunden sind, um so mit immer gesteigerter und erweiterter Ideenkraft, von immer höheren und höheren Gesichtspunkten, ohne Verlust des Früheren in Gottes unendlicher Wahrheit und Weisheit fortzuschreiten - »nicht ein Fortschritt zu Gott, sondern in Gott; nicht eine Annäherung an Gott, sondern eine selige Wanderung in der Fülle der unendlichen Vollkommenheit, um sie in ihrem Reichtum mehr und mehr von den steigenden Hochgebirgen ihrer eigenen Weisheit herab zu überschauen«[536].

Für H. Schell ist der Wille der Seligen durch die Gottschauung in seiner ganzen Kraftfülle lebendig und von jedem Hemmnis frei geworden. Er betätigt sich mit ungehemmter Freiheit und seliger Lust in der fortschreitenden Erforschung der göttlichen Wahrheitsfülle, um ihres unerschöpflichen Reichtums sowie aller sonstigen Wahrheiten in ihrem Licht immer mehr und mehr inne zu werden, und in dem geistigen Lebensverkehr mit der dreieinigen Wahrheit aus ganzer Seele aufzugehen. In seiner letzten These stellte er daran anknüpfend heraus, daß der Antrieb zu dieser stets wachsenden Hingebung an die beseligende Wahrheit zwar schon unbegreiflich wonnig ist, wenn die sachliche Vollkommenheit Gottes in Betracht gezogen wird, daß jedoch noch innig-stärker jener Antrieb ist, der in dem persönlichen Liebesverkehr mit Gott liegt. Nicht wie eine Sache steht nach H. Schell Gott vor dem entzückten Geist in überwältigender, aber schweigsamer Schönheit; vielmehr in der ganzen Liebeswärme der hingebenden Persönlichkeit hat er in der Seele Einkehr genommen, als beredter Erklärer seiner entzückenden Schönheit als vertraulicher Führer durch die lichten Tiefen seiner unergründlichen Vollkommenheit auf die ewigen Höhen seiner voraussetzungslosen Weisheit und Heiligkeit. Weiter sagte

---

[535] Ebd. S. 919.
[536] Ebd. S. 921. - Vgl. GG. Teil 1. S. 281.

H. Schell: »Gott steht nicht bloß vor dem Geist - in riesenhafter Größe und gleichwohl als vertraulicher Vater: er weht auch aus dem Innersten der Seele selber mit der Glut seines Geistes, um sie in kühnem Hochflug zu sich hinaufzuheben zu immer lichterer Erkenntnis und innigerer Gemeinschaft«[537].

Bei der Frage, ob die Seligkeit vorwiegend die Erkenntnis oder den Willen in Anspruch nehme, erklärte H. Schell, daß beide einander ganz durchdringen. Der Wille[538] habe den Primat, insofern Sein, Tun und ihre Vollendung unter dem Gesichtspunkt der Existenz, Persönlichkeit, Lebensbetätigung, des Wechselverkehrs betrachtet werden; die Erkenntnis hingegen, insofern sie unter dem Gesichtspunkt des Wesens, der Natur, des Lebensinhaltes und Besitzes erscheinen. Die gottschauende Seele nun nimmt für H. Schell geistigen Anteil an der heiligen Willenstat, mit der Gott seine unendliche Vollkommenheit ewig vollbringt: In Gottes Licht, Gottes Leben schauend, schmelze sie in gewaltiger Liebesglut mit ihm zusammen zu jener ewigen und anbetungswürdigen Tat, durch die er selbst als die Erfüllung allen Rechtes mit unverbrüchlicher Notwendigkeit und Freiheit ewig besteht. - Ferner erklärte H. Schell: Mit dem heiligen Gott wolle die Seele geistigerweise alle Vollkommenheit seines Werkes, wie es sein Schöpfungsplan bestimmt hat: Ergriffen von der Güte des Schöpfers, Erlösers und Vollenders, den sie schaut und fühlt, bringe sie sich selbst und ihr ganzes Lebenswerk in der Glut heiliger Hingebung gewissermaßen von neuem und damit als geläuterte und vollendete Weihegabe dem in ihr offenbaren Gott dar; sie lebe mit ihrem Willen in allen anderen Heiligen, kämpfe, büße und leide, siege und überwinde in den übrigen Gliedern Christi, um ihrem inneren Drang in wonniger Lust zu entsprechen. Das ganze Opferleben des Hauptes und Leibes Christi lebe jedes vollendete Glied aus ganzer Seele mit, in inbrünstiger Anstrengung, daß Gottes Wille geschehe, wie im Himmel, so auch auf Erden. »Wie die Erkenntnis der ganzen seligen Gemeinschaft und der Glanz der verklärten Körperwelt in jeder gottschauenden Seele wiederstrahlt, so lebt und liebt der ganze Himmel aus jedem Herzen heraus, so wird der sittliche Kampf und Sieg jedes Gottesstreiters in jeder Seele geistig angeeignet und Gott dem Herrn dargebracht«[539].

Hiermit öffnete sich für H. Schell noch einmal der Blick auf das Verhältnis der gottschauenden Seligen vor dem Weltgericht zu den Streitern auf Erden. Abgeschlossenheit konnte für ihn nicht der angemessene Zustand der Vollendeten sein. Daher lehrte er, daß ihr Wille mit unsagbarer Gottesgewalt ergriffen werde von dem stürmischen Verlangen, alle gottgewollte Vollkommenheit in heiligem Zusammenwirken und neidloser Seelengemeinschaft zu verwirklichen. »Sie wissen, von welchen Prüfungen und Gefahren die Menschheit hienieden bedrängt ist: wie könnten sie anders als in glühendem Gebet und in bereitwilliger Teilnahme nach den Gesetzen jener Welt den Erdenpilgern, Völkern und Geschlechtern, Staaten und Ständen und Familien ihre Aufgabe vollbringen helfen, wie es die Offenbarung von Anbeginn an fordert und zeigt?«[540] H. Schell schloß seine Vollendungslehre

---

[537] Ders.: D III/2. S. 924-925.
[538] Vgl. oben S. 182. Das Verhältnis von Wille und Wahrheit nach H. Schell.
[539] Ders.: D III/2. S. 926.
[540] Ebd. S. 926-927.

und damit seinen Entwurf einer Katholischen Dogmatik mit dem eschatologischen Ausblick auf den Endzustand des Reiches Gottes:

»Wenn ...dereinst die Vollzahl der Auserwählten in die Gottschauung eingegangen, wenn der Leib Christi zum Vollalter des Hauptes heranreift, wenn die verklärte Natur mit dem gotterfüllten Geist auf ewig zu lebendigem Friedensbund vermählt ist, wenn Tod und Sünde überwunden und Gott alles in allem ist: dann stimmt die ganze Gemeinschaft der seligen Engel- und Menschenwelt, der vollendeten Geister- und Körperwelt mit gottentflammter Begeisterung zu dem gewaltigen Dankpsalm zusammen, in dem jede Tugend, jedes Verdienst, jeder Charakter ein Akkord ist; jedes Talent, jede Kunst, jede Wissenschaft ein Wert; jeder Stand, jedes Schicksal, jede Ordnung ein Klang; jedes Volk, jede Zeit, jede Welt ein Ton; und alle zusammen ein begeistertes Loblied zu Ehren des Allerbarmers, der aus der Vergangenheit und Zukunft dem staunenden Geiste entgegenkommt, ein Loblied, so gewaltig wie Gottes Welt, so reich wie Zeit und Ewigkeit, und so innig wie die gotterfüllte Liebe: ein Psalm, in dem das unendliche Wort mit der Glut und Kraft seines hl. Geistes fortschallt von Himmel zu Himmel, von Geschlecht zu Geschlecht, von Ewigkeit zu Ewigkeit (Apoc. 4, 8): Heilig, Heilig, Heilig ist Gott der Herr, der Allherrscher, der da war, der da ist und der da kommt! Allelujah!«[541]

7. Würdigung

Während wir die Lehre H. Schells im Hinblick auf seine Eschatologie Schritt für Schritt nachzeichneten, haben wir am Schluß der einzelnen Abschnitte mehrfach dargelegt, worin die Bedeutung seines Entwurfs zu sehen ist. Am Ende unserer Untersuchung bleibt uns nun die Aufgabe, das Lebenswerk des Würzburger Apologeten umfassend zu würdigen.

In dem Verewigten begegnete uns ein Theologe, der mit der außergewöhnlichen Kraft seines Denkens ein Werk von imponierend geschlossener Systematik vorlegte. Insofern ist es zutreffend, wenn man in ihm den letzten großen Systematiker der katholischen Theologie des 19. Jahrhunderts sah. Dabei darf jedoch nicht verkannt werden, daß in der Katholischen Dogmatik H. Schells einzelne Probleme nicht bis ins Letzte geklärt wurden und somit Fragen - wenn nicht für den Autor selbst, so jedoch für den Leser - offen blieben.

Die Verwurzelung H. Schells im theologischen und philosophischen Denken des vergangenen Säkulums wurde bereits in früheren Untersuchungen häufig nachgewiesen. Diese Beziehung darf jedoch nicht so verstanden werden, als ob hier ein Epigone des theistischen Idealismus die Thesen seiner Vorgänger unkritisch übernommen und nur apologetisch angewendet hätte. Nein, H. Schell nahm kritisch Stellung, setzte sich mit dem Denken seiner Zeit selbständig auseinander und brachte es zu einem eigenen Entwurf. Daran ließen selbst die Gegner, die ihn vom Boden neuscholastischer Theologie aus bekämpften, keine Zweifel übrig. Aber sie wiesen darauf hin, daß der Würzburger Theologe bereits in seinem Ansatz mehr dem neuzeitlichen Denken als dem mittelalterlich-scholastischen verpflichtet war.

---

[541] Ebd. S. 927-928.

Gewiß, H. Schell kannte Thomas und die anderen großen Lehrer der Vergangenheit ebenso wie die Theologie der Kirchenväter. Die Eigenart seines Entwurfs tritt jedoch darin zutage, daß entsprechend neuzeitlicher Tradition das gesamte Denken stark auf erkenntnistheoretischen und ethischen Reflexionen beruhte. Von diesem Ansatz her konzipierte er seine apologetische Dogmatik, wobei das Problem der Theodicee eine gewichtige Rolle spielte. Theologisch wurde damit die Lehre von der Gotteserkenntnis zum tragenden Pfeiler des gesamten Entwurfs.

Trotz einer intensiven Beschäftigung mit den Problemen der Gottesbeweise war die Gotteserkenntnis für den Würzburger Theologen kein Thema einer abstrakten Spekulation. In der Konsequenz seines Denkens zeigte er den Gott, der sich selbst verwirklicht und dessen schöpferische Tat alles Seiende, den Kosmos samt den Menschen, ins Leben ruft. Zweierlei war dabei für H. Schell von höchster Wichtigkeit: Die Teilnahme des Geschöpfs am ewigen, geistigen Leben des dreieinigen Gottes. Daraus ergab sich der Zusammenhang von Protologie und Eschatologie, systematisch dargestellt mit den Kategorien von Kausalität und Finalität, Ursprung und Vollendung. In concreto kam dabei der Lehre von der Menschwerdung des Wortes und dessen Erlösungswerk eine zentrale Stellung zu. Als zweites müssen wir hervorheben, daß H. Schell mit der kirchlichen Lehrtradition den Menschen als Ab- und Ebenbild Gottes sah. Das bedeutete aber für ihn, daß der Mensch Anteil erhält an der schöpferischen Kraft Gottes, und das heißt nicht zuletzt, daß die Selbstverwirklichung ihm als Aufgabe auferlegt ist. Für H. Schell war damit Eschatologie nicht nur das letzte, vollendete Schöpfungswerk Gottes, das der Mensch höchstens nur erbeten, erwarten und annehmen kann, sondern ein Ziel, das er selbst Tag für Tag im persönlichen Leben wie im gesamtgeschichtlichen Wirken anstreben muß. Bei dieser Konzeption konnte H. Schell den personalen und den universalen Aspekt aufs glücklichste miteinander verbinden.

Als H. Schell zu Beginn unseres Jahrhunderts verhältnismäßig jung starb, hinterließ er ein respektables Werk, das jedoch nicht bis ins Letzte abgeschlossen war. Vielleicht hätte er bei rüstiger Schaffenskraft nach den geistigen Umwälzungen, die der erste Weltkrieg mit sich brachte, eine neue Synthese vorlegen können. Wir haben daher von H. Schell kein reifes Alterswerk. Wohl aber darf man in seiner letzten größeren Schrift so etwas wie die Summe seines theologischen Denkens sehen. Wir wollen daher zum Abschluß noch einmal anhand dieser Schrift die wichtigsten eschatologischen Gedanken H.Schells über das Leben und die Vollendung des Menschen herausstellen.

Das Werk trug den Titel: »Christus. Das Evangelium und seine weltgeschichtliche Bedeutung«[542]. Schon im Titel wurde damit jene zentrale Stellung zum Ausdruck gebracht, die H. Schell dem götlichen Wort nicht nur für das theologische, sondern auch für das gesamte neuzeitliche Denken zusprach[543]. Die weltgeschichtliche Bedeutung Christi sah er darin, daß Jesus der Ursprung des Besten und Stärksten ist, was die moderne neuzeitliche Kultur erstrebt: das Ideal der Persönlichkeit. Jesus war für ihn der Quellgrund des Göttlichen, das er in der modernen Kultur lebend wahrnahm:Der Heiland des persönlichen Geistes, sein Befreier von den mo-

---

[542] H. Schell: Christus. Das Evangelium und seine weltgeschichtliche Bedeutung. Mainz 1903. Zitiert wird die Auflage von 1906 (14. bis 15. Tausend).
[543] Vgl. ebd. S. 6-7 u.ö.

nistischen Vorurteilen und Bedenken des antiken wie des modernen Zeitgeistes. Der Monismus galt H. Schell trotz allem Persönlichkeitskult als die grundsätzliche Verneinung der Persönlichkeit, ihres Rechtes und ihrer Würde, die Lähmung ihrer Kraft und Hoffnung[544].

Damit war bereits in diesem ersten Abschnitt das Thema der Ewigkeit angeschnitten. Diese stand für H. Schell nicht als das ganze Andere in einem dialektischen Verhältnis zur Zeit. Sie war für ihn vielmehr eine Realität, die dadurch ständig in die Zeit hineinwirkt, daß sie den Menschen zur Verwirklichung auffordert. In dieser Hinsicht verwies H. Schell auf die These H. St. Chamberlains, der die weltgeschichtliche Bedeutung Christi darin fand, daß Jesus die wichtigste und folgenschwerste Entdeckung gemacht habe: jene Kraft, die die Vergänglichkeit (Äußerlichkeit und Zersplitterung) überwinden könne und werde; die fähig sei, den Menschen selber völlig umzugestalten, fähig aus einem elenden, leidbedrückten Wesen ein mächtiges, seliges zu machen[545].

H. Schell ging es darum, daß durch Jesus der Geist gerichtet war, der im Namen der Religion Gott von der Welt entfernt und in unnahbare Erhabenheit rückt; der der ewigen Güte verwehrt, sich erbarmend zum Sünder herabzuneigen, weil der Allheilige von dem Unreinen befleckt, weil die Heiligkeit der sittlichen Ordnung dadurch gefährdet würde. H. Schell war es darum zu tun, daß die Unendlichkeit und Vollkommenheit nicht zur abgeschlossenen Monade und Tatsache macht, sondern zur mitteilenden Ursache, das heißt personal gesprochen, zum Vater der Geschöpfe, zum Heiland der Sünder, zum Erretter vom Tod[546]. Ontologisch hieß das: »Die ursächliche Kraft, die selbstmitteilende Güte, die Offenbarung des Innern nach außen ist das Grundgeheimnis des Seins«[547].

Wir finden hier den Kernpunkt der gesamten Gedankenwelt H. Schells, wenn er betonte, das innerste Wesensgeheimnis allen Seins liege nicht in der ruhenden Beziehungslosigkeit, sondern in der lebendigen Ursächlichkeit der sich mitteilenden Tätigkeit. Dieser Enthüllung durch Christus entsprach für H. Schell das Gesetz der fördernden, hochherzigen Liebe, die alles zum Ausgangspunkt und zum Werkzeug des Bessern und der Vervollkommnung macht, während die Selbstsucht alles als Anlaß und Mittel der Hemmung benützt. Er war überzeugt, daß in der Hand der Liebe jeder Gegensatz befurchtend wirkt und Leben erzeugt; in der Hand der Selbstsucht jedoch zum Werkzeug der Unterdrückung und Hemmung wird. Alle Kraft des Lebens, - so führte er aus -, soll der Förderung des Lebens dienen und keine Hemmung hervorrufen. Darin sah er Gottes Vorbild: »denn in ihm leben alle. Er ist kein Gott der Toten, sondern der Lebendigen«[548].

---

[544] Vgl. ebd. S. 16.

[545] Ebd. S. 42-43. - H.St. Chamberlain: Die Grundlagen des 19. Jahrhunderts. München 1899. S. 207, 209. - Zu Housten Stewart Chamberlain (1855-1927) vgl. C. Kranz: Chamberlains Grundlagen des 19. Jahrhunderts in ihrer Stellung zu Christus und zum Christentum. (ZChVL. Bd. 31. H. 3. S. 107-154.) Stuttgart 1906. - W. Vollrath: H.S. Chamberlain und seine Theologie. Erlangen 1937. - F. Beckmann: H.St. Chamberlains Stellung zum Christentum. (Ev.-theol. Diss. Tübingen 1943.) O.O. 1943 (M.schr.). - Otto Graf zu Stolberg-Wernigerode: Chamberlain. In: NDB 3 (1957) 187-190. - A.R. Schlette: Houston Stewart Chamberlain. In: EPh 2 (1967) 72-73.

[546] Schell: Christus. S. 44.

[547] Ebd. S. 46.

[548] Ebd. S. 47. - Vgl. Mat. 22, 32.

Das Christentum als die Religion des wahren Lebens, dieses Thema wurde von H. Schell vor allem in einem Kapitel über das Christusbild des Johannesevangeliums herausgearbeitet. Die Theologie des Lebens, die hier in allgemein verständlicher Sprache vorgelegt wurde, ging davon aus, daß der Gedanke und Wille jene Innerlichkeit und Tatkraft ist, womit das geistige Leben allein zu vollziehen ist. Der Geist lebt nach H. Schell durch Aneignung des wahren Lebensinhaltes und durch ebenbürtige Entfaltung der eigenen Lebenskräfte an diesem Lebensinhalt, und zwar nicht in beziehungsloser Abgeschlossenheit, sondern im Füreinander der Liebe. Gedanke und Wille waren daher für den Würzburger Theologen die Form, wie das Äußere zum Inhalt des Innern, und jedes Innere zum Kraftquell des Äußeren wird. Gedanke und Wille waren für ihn die Kraft der Innerlichkeit: aber sie wiesen ihn nach außen, um aufzunehmen und auszugeben. Darum war für ihn im geistigen Leben das lebendige Tatwort das beste Lehrwort, und er betonte, daß der lehrhafte Gedankeninhalt nur die wahrhafte Denk- und Erkenntnistat ist, insofern er den Willen aufgenommen hat und von der Liebe zur Vollkommenheit und Wahrheit getragen ist. Die frohe Botschaft vom wahren Leben konnte daher für ihn nur die starke Tat des wahren Lebens sein: »Tat der Erkenntnis und Lehre, Tat der Erfüllung und des Vorbildes, Tat der Hingabe und Aufopferung zur Überwindung aller Gegnerschaft«[549].

Leben, wahres Leben, war für H. Schell die große Sehnsucht der Menschen, aber auch jenes große Neue, von dem die frohe Botschaft Kunde gibt. Er legte dar, wie die Erdenwelt dieses Leben von der unendlichen Tat des unendlichen Lebens, von der ewigen Wahrheit und Liebe bekommt. Den Anfang des Johannes-Evangeliums interpretierte H. Schell dahin, daß im Anfang der Wahrheitsgedanke bei Gott war und dieser Wahrheitsgedanke Gott selber ist; denn: Gott ist das Leben, geistiges Leben, darum Gedanke und Wille. Im Gedanken war für H. Schell bereits Wille, sonst wäre er nicht lebendiger Gedanke, sondern nur Begriff, Denkinhalt. Leben aber verstand er als Wechselbeziehung, Tätigkeit von innen heraus, Wechselbeziehung in dem Lebendigen selber, innerer Hervorgang. Mit anderen Worten: »Leben ist Voneinandersein, Ineinandersein, Füreinandersein. Geistiges Leben ist die Wechselbeziehung, welche bewußt und gewollt ist. Der Gedanke ist Leben, der Wille ist Leben ... Der Gedanke ist ganz in die Wahrheitsfülle versunken, deren Bild und Ausdruck er ist; diese Wahrheitfülle ist ebenso im Gedanken. Aber nicht wie Stoff im Stoff, sondern mit der innigsten Ergriffenheit der Liebe und mit dem Willen, ineinander zu sein und füreinander zu sein, der Gedanke für die Wahrheit, die Wahrheit für den Gedanken. Das ist der Geist der Wechselhingabe und des Füreinanderlebens, der Geist der Mitteilung und der Liebe«[550].

Wir haben wiederholt darauf hingewiesen, daß diese Theologie eines persönlichen, tätigen, unendlichen, ewigen Lebens bei H. Schell nicht im luftleeren Raum stand, sondern von ihm in Auseinandersetzung mit den Weltanschauungen seiner Zeit konzipiert wurde. So wandte er sich bei Darlegung des biblischen Gottesbegriffs dagegen, daß der Monismus jene innigste Wechseldurchdringung von Persönlichkeit und Unendlichkeit für unmöglich hielt, weil er das Geistige nach Art des Körperlichen dachte und für das Geheimnis der Innerlichkeit kein Verständnis

---

[549] Schell: Christus. S. 121.
[550] Ebd. S. 122.

hatte. Aus dem Gottesbegriff Jesu, nach dem der Vater seinen Wesensbesitz mitteilt, aber sein Selbst behauptet, um Liebe sein und bleiben zu können, sah der Theologe das Urbild für alle Ebenbilder Gottes und den tiefsten Grund für die persönliche Unsterblichkeit der Einzelseele gegeben. »Die Einzelpersönlichkeit muß und soll sich ewig behaupten, ein Tempel der Unendlichkeit, Tatkraft des vollkommensten Lebens, Hingabe an die Gesamtheit von ihrem Selbst aus und darum in ihrer eigenpersönlichen Art zu sein. Der Einzelne hat ein ewiges Recht als Brennpunkt, der die Allvollkommenheit in sich sammelt, als Lebensinhalt, als Tätigkeitsaufgabe, als Gemeinschaftszweck«[551].

So versöhnen sich nach H. Schell die zwei angeblich unvereinbaren Gegensätze: Einzelpersönlichkeit und Unendlichkeit. Das Evangelium war für ihn ihre Versöhnung: die Erlösung der Seele aus dem Kreislauf der Vergänglichkeit, die Berufung zur Wiedergeburt aus dem Geist der Ewigkeit, zur Auferstehung in Freiheitskraft für das Gottesreich des Gott-Alles-in-Allen. Innerliches Haben, tatkräftiges Erringen und Erleben, wechselseitiges Geben und Fördern erschien ihm als die Form des wahren Lebens. Inhalt und Gegenstand, Quellgrund und Frucht desselben war für ihn Gott, die Unendlichkeit des Ewigen und Zeitlichen, die Allvollkommenheit des Notwendigen und des Geschöpflichen. Jesus bringt nach H. Schell das Gottesreich und eröffnet ihm die Innerlichkeit der Seele, die Tatkraft des Willens, die Selbsthingabe der Liebe. In Jesus sah er das wahre Geistesleben begründet, das keinen Untergang kennt, weil sein Aufgang die wirklich erlebte Erkenntnis, die wirklich betätigte Liebe Dessen ist, dessen Fülle, Tatkraft und Güte keine Grenzen kennt. »Indem die Einzelseele«, so erklärte er, »in Gott eingeht, braucht sie nicht in ihm unterzugehen: denn mit Ihm vertieft sie sich in die Unendlichkeit, erhebt sie sich zur Allvollkommenheit und erweitert sie sich durch die Liebe zur Gesamtheit, um mit allen Gott in gotteswürdiger Weise zu erleben«[552].

H. Schell war sich demnach bewußt, daß hinsichtlich des Verhältnisses von Gott und Mensch alle Vermittlungen Formen des Lebens und der Liebe sind. So konnte er sagen, daß die Persönlichkeit zwar ihr eigenes, unverlierbares Selbst ist, aber nicht, um sich in sich selber abzuschließen, sondern um sich und die ganze Fülle ihres Lebensinhaltes wie ihres Könnens für die andern aufzuschließen. Da nun die Wechselbeziehung der Liebe die Einheiten zu Gemeinschaften verknüpft, wird in der Sicht H. Schells die Persönlichkeit, indem sie die Wechselbeziehung betätigt, durch ihre eigene Vollendung zu einem eigenartigen Brennpunkt des Ganzen[553].

Die eschatologische Dimension dieses schöpferischen Lebensprozesses erörterte H. Schell noch einmal thematisch im Zusammenhang mit der messianischen Vollendung Christi, bei der sich das Psalmistenwort bewahrheitet: »Du läßt meine Seele nicht in der Todeswelt; du läßt deinen Gesalbten nicht die Verwesung schauen«[554]. Hier erklärte er, daß das Evangelium Jesu eine Botschaft von seinem Tode, aber auch von seiner Auferstehung ist. Typisch für H. Schell war, daß er sich bei aller bibeltheologischen Fundierung seiner durchaus dogmatischen Erörterung nie

---

[551] Ebd. S. 123.
[552] Ebd. S. 124.
[553] Vgl. ebd. S. 140.
[554] Vgl. Ps. 16 (15), 10; Apg. 2, 27; 3, 35.

biblizistisch an den Buchstaben klammerte. Der Beweis für die Gültigkeit und Wahrheit jener evangelischen Botschaft lag für ihn in der pneumatischen Kraft, die dem Evangelium innewohnt. Er verwies darauf, daß die erste apostolische Verkündigung die frohe Botschaft des Auferstandenen war, daß der große Beweis, den die Jünger dafür geltend machten, die Kraft des Heiligen Geistes war, der über sie herabkam und sie befähigte, in allen Sprachen der Weisheit und der Liebe zu reden und zu wirken. Das Entscheidende war für H. Schell, der Pfingsttag. Gewiß, ohne Ostern kein Pfingsten; aber seit dem Pfingsttag handelte es sich um die weltgeschichtliche Tatsache einer klaren, felsenfesten Überzeugung und eines starken Willensentschlusses zum Apostolat des Auferstandenen[555]. Der Pfingsttag erschien daher unserem Würzburger Theologen als die große Zusammenfassung der ganzen Vergangenheit, als die Frucht aller großen Gottestage, angefangen vom ersten Schöpfungswort »Es werde Licht« bis zum Todesschrei am Kreuz »Es ist vollbracht!«. Hören wir zum Schluß, wie H. Schell seine Darlegung beendet:

»Gott selber war es, der kommen wollte, um seine Schöpfung heimzusuchen, um sie in ihren tiefsten Tiefen zu berühren und mit den ungeahnten Gluten der Ewigkeit zu durchdringen! Darum mußte auch die Schöpfung aus ihren tiefsten Abgründen heraus dem Ewigen entgegeneilen, im Sturm des Kampfes, in der Glut des Wollens, in allen Sprachen fragenden Verlangens! Es galt ja einen Gottestag, der in allen folgenden Jahrtausenden fortwirken sollte: so lange und so weit, als des Geistes Licht- und Feuerzungen die Großtaten Gottes erzählen, und die Liebe zum Schöpfer, Erlöser und Vollender entzünden! Solange und soweit die Werke der Barmherzigkeit im Geiste Christi wirken und sich an Not und Widerstand zu neuer Glut und Kraft entzünden: so lange dauert der Pfingsttag und mit ihm die Kraft des Lebens Jesu fort! Der Pfingsttag kennt keinen Abend, denn seine Sonne, die Liebe, kennt keinen Untergang. 'Die Liebe höret nimmer auf'. 'Sie macht ihre Boten zu Sturmwinden, und ihre Diener zu Feuerflammen!'«[556].

Etwas von diesem göttlichen Feuer brannte auch in Herman Schell. Leider verhinderten es die gehässigen Anfeindungen des Schell-Streites zur Zeit der antimodernistischen Psychose, daß der Würzburger Apologet theologisch Schule bilden konnte. Dennoch erstrahlte in ihm ein Licht, das in vielen die Begeisterung zu apostolischer Tat entzündete und das ganz im Stillen manchem Priester leuchtete auf seinem Weg durch eine dunkle Zeit; ein Licht, das jeden zu wärmen vermochte, wenn Glaube, Hoffnung und Liebe zu erkalten drohten.

Wenn wir heute auf das Werk des Würzburger Theologen zurückschauen, so finden wir den Wert seines Entwurfs nicht zuletzt in jener pneumatischen Dimension, die in all seinen Schriften deutlich zutage tritt. Wenn von der neuzeitlichen Theologie gesagt wurde, daß sie »geistvergessen« gewesen sei, so trifft dieses Urteil für H. Schell gewiß nicht zu. In einer so pneumatisch geformten Theologie verliert die Eschatologie jenen Charakter der Fremdheit, der ihr oftmals anhaftet. Sie wird so zum integrierenden Bestandteil jeder theologischen Aussage. Man darf freilich diese pneumatische Theologie trotz ihrer Nähe zum idealistischen Denken nicht mit einem unweltlichen Spiritualismus verwechseln. Dagegen zeugt schon H.

---

[555] Vgl. Schell: Christus. S. 197-198.
[556] Ebd. S. 199.

Schells Kampf gegen jeglichen Monismus. Wie sein Entwurf deutlich werden läßt, bewahrte andererseits das pneumatische Denken den Apologeten davor, in einen theologischen Materialismus abzugleiten.

Kein Wunder, daß in unserer Zeit die pneumatische Theologie H. Schells neu an Bedeutung gewinnt. Dabei verschlägt es nicht, daß einzelne Probleme von ihm nicht endgültig gelöst wurden, vielmehr für die weitere Diskussion offen bleiben. Die Einwände neuscholastischer Theologie gegen H. Schell haben damals wie heute ihre Berechtigung nicht verloren. Aber die meisten der orthodoxen Gegner H. Schells verkannten sein Anliegen und die Gesamtbedeutung seines Werkes. Wir sind heute dankbar dafür, daß ein so sehr der Wahrheit verpflichteter Denker wie H. Schell darauf bestand, daß gewisse Seiten der christlichen Glaubenslehre nicht in Vergessenheit geraten dürfen. Die Abgeschlossenheit des irdischen Lebens darf nicht der Unendlichkeit Gottes, der Unergründlichkeit seiner Gerechtigkeit, Barmherzigkeit und Liebe entgegen gestellt werden. Dabei ist stets zu beachten, daß es sich in lebendigem Vollzug göttlichen Waltens nicht um die Betätigung verschiedener, dialektisch gegen einander wirkender Eigenschaften handelt, sondern um den einen, einfachen Grundakt, der alles Seiende schafft, trägt und vollendet. Hierfür wollte der Würzburger Apologet uns erneut die Augen öffnen. Daß H. Schell die personalen Kategorien voll zur Geltung brachte, ohne ihre ontische Dimension je aufzugeben oder zu vergessen, ist ein Vorzug seines Werkes.

Wir werden im folgenden sehen, daß der hier beschriebene Ansatz nicht vergeblich war, da andere Theologen später auf diesem Wege weiter voranschritten[557]. Herman Schell, der letzte große Theologe aus dem spekulativen Denken des 19. Jahrhunderts, stand zugleich an der Schwelle einer neuen Zeit. Diese ist von ihm nicht unbeeinflußt geblieben, da gar manche ihm etwas zu verdanken hatten. Die Eschatologie in der Universalität H. Schells ist bis heute ein hervorragender Ausdruck lebendiger katholischer Theologie.

---

[557] Vgl. vor allem den eschatologischen Entwurf von J. Zahn, den wir im folgenden ausführlich darstellen.

ZWEITES KAPITEL

Joseph Zahn - Die Harmonie von Jenseitshoffnung und Diesseitswirken

1. Das Dogmatische Anliegen Zahns:

Einbau der Eschatologie in das Ganze einer christlichen Heilslehre

Die Harmonie von christlicher Jenseitshoffnung und Diesseitswirken war das Anliegen einer Vorlesung, die der Würzburger Dogmatiker J. Zahn im Winter-Semester 1913/14 für Studierende aller Fakultäten hielt[1]. Da er der Überzeugung war, daß die Leugnung des Jenseits in Wahrheit soviel als die Verkümmerung des Diesseits bedeute, vertrat er die These, daß das Christentum von Anfang an auf das Jenseits gerichtet, aber nicht diesseits feindlich sei[2].

Schon aus diesem Programm ist zu ersehen, daß J. Zahn in seiner Apologie nicht die Polemik suchte, sondern der Verständigung dienen wollte. So stellte er an den Anfang seiner ersten Vorlesung die Frage, worin der eigentliche Grund dafür liege, daß so viele moderne Menschen an der Religion irre werden.

Als Ausgangspunkt für die gesamte Untersuchung griff J. Zahn die Antwort auf, die der Philosoph und Soziologe R. Goldscheid[3] damals gegeben hatte, indem er behauptete, sämtliche Religionen seien aus der Verzweiflung an der Welt und am Menschen geboren; sie trügen daher, wenigstens soweit sie das Diesseits betreffen, durchaus pessimistischen Charakter; das Christentum speziell lehre, daß das irdische Leben nur das nichtige Vorspiel für das ewige Leben sei; eine solche Anschauung aber müsse der vollkommenen Entfaltung des Kulturgedankens entgegenstehen und die Vertreter dieses Gedankens scharf verletzen[4].

Diesen Vorwurf sah J. Zahn in engstem Zusammenhang mit dem Einwand, der in gleichem Sinn gegen Jesus selbst erhoben wurde. Er verwies darauf, daß A.

---

[1] J. Zahn: Das Jenseits. Paderborn 1916.
[2] Ebd. S. 1.
[3] Rudolf Goldscheid (1870-1931) vertrat als Monist einen sozial-aktivistischen Evolutionismus. Als Soziologe gründete er 1909 mit Max Weber (1864-1920) und Ferdinand Tönnies (1855-1936) die Deutsche Gesellschaft für Soziologie. Um zu verstehen, in welchen geistigen Raum J. Zahn seine Schrift stellte, vgl. die im LV genannten Schriften von R. Goldscheid. - Außerdem vgl. Eisler: PhL. S. 207-208.
[4] R. Goldscheid. In: ANKPh 12 (1913) 4.

Schweitzer jüngst in seiner Geschichte der Leben-Jesu-Forschung H. S. Reimarus die Palme reichte, weil dieser zuerst die Vorstellungswelt Jesu als eschatologische Weltanschauung verstanden und damit Jesus wirklich »historisch« aufgefaßt habe[5].

Diese Auffassung, die Jesus nur eine einseitig eschatologische Richtung zutraute und ihm schlechthin absprechen wollte, daß er Rücksicht auf die Diesseitsentfaltung der Menschheit genommen habe, bezeichnete der Würzburger Dogmatiker als befremdlich nach all dem, was in der wissenschaftlichen Welt damals erörtert wurde. Wohl betonte auch er mit A. von Harnack, daß, wer aus der Lehrweisheit Christi die Jenseitsbotschaft losreißt, aufhört, die wahre Lehre Christi zu bieten[6], aber er hielt es für völlig irrig, einen Christus mit bloß eschatologischem Anschauungskreis als »Christus der Geschichte« zu bezeichnen.

Mit Hinweis auf die heilige Schrift[7] stellte J. Zahn dagegen seine These: »Der Christus, der 'unter uns gewohnt hat', war weit davon entfernt, seine ganze Lehre, seine ganze Tätigkeit in den dunklen Schatten des hereinbrechenden Gerichtes einzutauchen«[8]. Hinsichtlich der Paulinischen Schriften kam der Würzburger Dogmatiker zum gleichen Ergebnis. Daß Paulus die Völker aufrief fürs ewige Heil, habe ihn nicht gehindert, in seinen Briefen unvergängliche Lehren über das christliche Lebensideal, über das Familienleben, über die bürgerlichen Pflichten zu geben[9]. Dadurch allein werde die Behauptung entkräftet, daß die Jenseitsbotschaft der Urkirche diesseitsfeindlich sei und daß die eschatologische Überzeugung alle religiösen und ethischen Erwägungen überwuchere. Auf Grund der Tatsache, daß der Meister selbst ebenso wenig über dem Jenseits das Diesseits vergaß wie seine Apostel, kam J. Zahn zu dem Schluß, daß es zwar dem Gedanken Christi, dem Geist des Christentums vollauf entspreche, daß das Jenseitsglauben und Hoffen tief in die Herzen dringe und durch nichts von dort sich wegdrängen lasse. Aber deshalb sollte aus dem Diesseits dennoch nicht ein »nichtiges Vorspiel« werden[10].

J.Zahn leugnete nicht, daß das Dogma vom ewigen Leben auch in einer einseitigen Auffassung auftreten kann, als deren Frucht sich dann eine Verachtung der diesseitigen Lebensordnung, eine Vernachlässigung der Erdenpflichten ergibt. Er verwies darauf, daß schon die apostolischen Zeiten solche Erscheinungen sahen. Wie aber damals die Apostel dies nicht billigten und von ihnen eine andere Mahnung gekommen sei, so habe später die christliche Kirche, der es oblag, zum Jenseits zu mahnen und die Rechte des Diesseits zu wahren, jeden Irrtum zurückgewiesen, der wie im Montanismus oder Manichäismus eine Verketzerung des Irdischen suchte[11]. »Weshalb sollte jenes Glauben und Hoffen zum Hemmnis werden für das ernste, edle Erdenstreben? Gilt es nicht, vielmehr in den Kreisen erleuchteter Gläu-

---

[5] Zahn: Das Jenseits. S. 2. - Vgl. Schweitzer: Geschichte der Leben-Jesu-Forschung. [2]1913. S. 23; dass. in der Neuauflage 1966: S. 56.

[6] Vgl. von Harnack: Lehrbuch der Dogmengeschichte. Bd. 3. [3]1897. S. 85.

[7] Zahn: Das Jenseits. S. 3.

[8] Mat. 19, 13-14; 6, 26-28; Luk. 8,5 ff.; 13, 6 ff.; 14, 28 ff. - Zahn verwies auf P. Dausch: Das Leben Jesu (Grundriß). (BZfr. 4. Folge H. 1.) Münster 1911. S. 12.

[9] Vgl. Röm. 12, 9.10.15.

[10] Zahn: Das Jenseits. S. 4-5.

[11] Ebd. S. 4.

bigkeit als ein Prüfstein für die Echtheit, Reinheit, Gesundheit des Jenseitsglaubens, daß er auf den dunklen Pfaden des Erdenlebens die Richtung zeige und für die Diesseitsaufgaben Quellen der Kraft eröffnete?«[12] Mit dieser Überlegung antwortete der katholische Theologe dem rein diesseitig orientierten Sozialphilosophen: »Ein Geistesauge, welchem in der Ewigkeitsidee ein höheres Licht aufglänzt, wird deshalb weder unlustig, noch unfähig, Orientierung zu geben in den Dimensionen des Diesseits. Ein Menschenherz, welches einem höheren Leben sehnend sich eröffnet, hört deshalb wahrlich nicht auf, Früchte liebender Hingabe zu reifen im Familienleben, im Berufskreise, im öffentlichen Wirken«[13].

Die Richtigkeit dieser These zu erweisen, diente die ganze Vorlesung J. Zahns. Er verwendete dazu unter anderem eine transzendentale Methode, indem er aufzuzeigen suchte, daß die Menschheit sich selber viel zu nahe steht, als daß unter all dem Flüchtigen, was in die Erscheinung tritt, in den Tiefen ihres Seins ein Ahnen, ein Streben, eine Anlage, eine Verwandtschaft ruht, durch die auf ein Höheres, Dauernderes hingezeigt wird. »Die Menschheit gibt durch ihre Geschichte selbst Zeugnis für ein Übergeschichtliches, zu welchem sie in Beziehung steht«[14].

J. Zahn bezog sich mit dieser These auf die Zeugnisse in Literatur und Kunst. Seine Rezensenten hoben rühmend hervor, daß er sich nicht darauf beschränkte, nur den Inhalt der katholischen Lehre wiederzugeben, dogmatisch zu beweisen, zu entwickeln und gegen mögliche Einwürfe zu verteidigen, daß er vielmehr aus anderen Wissensgebieten alles heranzog, was ihm zur besseren Würdigung und zum tieferen Verständnis des Dogmas beizutragen schien[15].

Indem er die Anschauungen der alten Kultur- und Naturvölker über das Jenseits reichlich zu Wort kommen ließ, berücksichtigte er insbesondere die Ergebnisse der vergleichenden Religionswissenschaft seiner Zeit. Gerade darin erblickte J. Pohle einen besonderen Vorzug dieses Buches, daß neben den Offenbarungsquellen vielfach auch die religionsgeschichtlichen Zeugnisse zu Worte kommen[16].

Um voreiligen Mißverständnissen jedoch vorzubeugen, müssen wir hinzufügen, daß J. Zahn selber sich in diesem Zusammenhang ausdrücklich dagegen verwahrte, von der unmittelbar religiösen Seite der vielfachen Äußerungen des Jenseitsgedankens abzusehen und denselben ein lediglich geschichtliches Interesse zuzuwenden. Er betonte, daß gerade, wenn die Betrachtung eine wirklich geschichtliche ist, diese alsbald zur religiösen Welt zurückführt. Denn »jene Erscheinungen erfordern eine Erklärung. Die Erklärung aber liegt in der Tiefe der Ideen, der religiösen Ideen«[17].

In dieser Auffassung J. Zahns finden wir den Grund dafür, daß bei ihm die Erwägung der Religionsgeschichte zugleich Religionsphilosophie ist. Er wußte um die Schwierigkeiten und Grenzen jeder religionsgeschichtlichen Forschung und wurde schon von daher vor einem religionswissenschaftlichen Positivismus und

---

[12] Ebd. S. 5.
[13] Ebd. S. 5.
[14] Ebd. S. 8.
[15] J. Stufler. In: ZKTh 41 (1917) 112.
[16] J. Pohle. In: ThRv 18 (1919) 32.
[17] Zahn: Das Jenseits. S. 17.

Historismus bewahrt. Zusammenfassend erklärte er, daß alle beachtenswerten Ergebnisse der Forschung - die Traumbilder, die der Naturmensch vom Jenseits hat, die Unsterblichkeitsideen, die Pindar oder Platon entwickelt, die Inschriften, die die Christen der ersten Jahrhunderte in die Katakomben eingemeißelt oder eingekritzelt haben, die Hymnen, die von späteren Jahrhunderten der Ewigkeit gewidmet wurden in Texten und Melodien, in Steinen und Farben - gewiß unser geschichtliches Interesse mit bestem Recht beanspruchten, aber auch unser philosophisch-theologisches. So sah er sich gedrungen zu fragen, wieviel innerer Wert jenen Vorstellungen innewohnt, wie weit sie vor der Prüfung des strengen Denkens bestehen, in welchem Verhältnis sie etwa sich befanden zu den Jenseitslehren der Offenbarung des Alten und Neuen Bundes[18].

Wenngleich sich die Vorlesungen J. Zahns von einem dogmatischen Traktat »De Novissimis« unterscheiden, so war für ihn dennoch die Frage nach dem Jenseits ihrem eigentlichen Wesen nach und im strengsten Sinn eine »theologische«. Dies kam bei ihm zum Ausdruck in den Fragen, wie Gott sein Werk zum Ziele führe und wie wir selbst uns zum Ziele hinzuordnen haben[19]. Es ging ihm darum, den Himmel mit der Erde in die rechte Verbindung zu bringen. Philosophisch sah er dieses Programm von der Forderung H. Lotzens getragen, der einmal sagte: »Nur die Einsicht in das, was sein soll, wird uns auch die eröffnen in das, was ist; denn keinen Tatbestand, keine Einrichtung der Dinge, keinen Lauf des Schicksals wird es in der Welt geben können, unabhängig von dem Ziele und dem Sinne des Ganzen«[20].

Theologisch formuliert, ging es wie schon zuvor bei H. Schell[21] um den Zusammenhang von Schöpfung und Vollendung. Daß dies für J. Zahn nicht im Sinne einer lebensfremden Spekulation von Interesse war , erhellt die beigefügte Frage, wie wir selber uns zum Ziele hinzuordnen haben. Für den Würzburger Dogmatiker gab es keine ontologische Bestimmung ohne die ethische Besinnung auf deren Vollzug. So verwies er auch auf den personalen Anspruch, der mit einer Lehre vom Jenseits untrennbar verbunden ist. »Denn ob die jenseitige Welt eine bloße Illusion ist oder ob sie Realität besitzt, so gut wie diese Welt des Zeitdaseins, oder, um es richtiger zu sagen, viel mehr als diese: das ist nicht eine Frage der bloßen Theorie, sondern eine Frage, die ins Leben geht, weil es die Frage ist nach dem Sinn und Wert des Lebens«[22]. Halten wir hier fest, daß J. Zahn mit den zitierten Worten ein Motiv der Lebensphilosophie aufgriff, die in jenen Jahren aufbrach[23].

Der apologetische Ansatzpunkt gegenüber einer sozialistisch-evolutionistischen Diesseitspropaganda und die Verankerung der christlichen Eschatologie im Vorstellungsbereich der Lebensphilosophie führten dazu, daß J. Zahn seinen gesamten Entwurf an der Polarität des Daseins orientierte. Mit dem Wort »Jenseits« verband sich deshalb bei ihm nicht die Vorstellung einer »anderen Welt« oder eines

---

[18] Ebd. S. 17.
[19] Ebd. S. 18.
[20] H. Lotze: Mikrokosmos. Bd. 1: Der Leib - die Seele - das Leben. Leipzig [5]1896. S. 442. - Zu R.H. Lotze siehe oben S. 18-23.
[21] Zu H. Schell vgl. oben S. 170.
[22] Zahn: Das Jenseits. S. 18.
[23] Zur Lebensphilosophie siehe oben S. 34, Anm. 145 a.

»anderen Lebens«, das von uns getrennt wäre im Sinne eines räumlich Verbunde-nen und Nahen. Ebenso lehnte er die Auffassung, daß uns eine »höhere Welt« als unbekannte gegenüberstünde, als unzureichend ab. Stattdessen verstand er die Ge-genüberstellung von Jenseits und Diesseits vornehmlich als das Verhältnis von Weg und Ziel[24].

Wir finden hier die gleichen polaren Grundanschauungen, die R. Guardini später in seiner Lehre vom Gegensatz methodisch entfaltete[25]. Wie jener vom Le-bendig-Konkreten ausging, so knüpfte auch J. Zahn an jener auffälligen und tag-täglichen Erfahrung an, daß in der Erscheinungswelt, die uns umgibt, ein allgemei-nes und ausnahmsloses Wechseln und Wandeln stathat, wenngleich in sehr ver-schiedenem Rhythmus[26]. Da ergänzend die Wissenschaft hinzutritt mit dem Nach-weis, daß auch in Daseinsbereichen, zu welchen schlichte Beobachtung keinen Zu-tritt hat, das gleiche Gesetz der Wandelbarkeit herrscht und zudem die Menschheit mit ihrer eigenen Geschichte Zeugnis dafür ablegt, wie auch sie dem Gesetz des allgemeinen Wandels untersteht, sah J. Zahn in diesem Tatbestand den Ausgangs-punkt für eine tiefer gehende Weltbetrachtung, die nach seiner Meinung zu einer Erkenntnis der Weltvollendung führen muß. Er erklärte daher seinen Hörern:

»Mit der gleichen Folgerichtigkeit, mit welcher wir aus der Verkettung von näheren und ferneren Ursprüngen rückwärts schließen auf einen ersten, selbst nicht verursachten, aber in sich selbst den Grund alles Seins und Wesens tragenden Urgrund allen Seins und Geschehens: mit der gleichen logischen Notwendigkeit schließen wir stufenweise vorwärts auf ein letztes Ziel aller Wandlungen, aller Entwicklungen, auf ein Ziel, welchem alles entgegenstreben und in seiner Art die-nen muß und in welchem es seine Vollendung findet, ohne daß das Ziel selbst, das allen die Vollendung anbietet, seinerseits der Vollendung bedürfe, da es ja selbst aller Wesen Urgrund und Endziel ist«[27].

Es sei darauf aufmerksam gemacht, daß es sich bei diesen Worten J. Zahns um eine ontologische Aussage handelt. Sie stand bei ihm nicht unmittelbar im Dienst eines »Gottesbeweises«. Wohl aber sah er gerade in der strengen Durchführung dieser Idee der Vollendung - auch nach der sittlichen Seite hin - den Grundgedan-ken und den einzigartigen Vorzug der christlichen Jenseitslehre. Er verwies darauf, daß das Evangelium wiederholt von dem Ende, von der Vollendung der Welt bzw. der Weltzeit spricht[28]. Von hieraus ergab sich für ihn eine systematische Veranke-rung der Eschatologie in der Gotteslehre, denn er erklärte, es verrate Verständnis des biblischen Textes, wenn von den Dogmatikern im Anschluß an den biblischen Sprachgebrauch die Jenseitslehre behandelt wird als »Lehre von Gott dem Vol-lender« (De Deo consumante, bzw. consumatore)[29].

Zusammenfassend können wir in einer ersten Analyse sagen: Für J. Zahn war nicht irgendein später Kommendes Inhalt der christlichen Jenseitslehre, sondern

---

[24] Zahn: Das Jenseits. S. 18.
[25] Zu R. Guardini und seiner Lehre vom Gegensatz siehe unten S. 727-747.
[26] Vgl. dazu die Lebensphilosophie von G. Simmel. Näheres siehe oben S. 36-38.
[27] Zahn: Das Jenseits. S. 20.
[28] Vgl. Mat. 24, 3; 28, 20 u.ö.
[29] Zahn: Das Jenseits. S. 19.

ein Kommendes, das Ziel und Abschluß sein soll, und zwar ein Abschluß, der ein endgültiger sein wird[30].

Neben dem Terminus »Vollendung« verdienen nach J. Zahn auch eine Reihe von anderen biblischen Ausdrücken unsere besondere Beachtung, weil sie durch den Zusammenhang, in dem sie verwendet werden, nach der gleichen Richtung hinzeigen. Es sind dies Ausdrücke wie »die letzten Tage«, »der letzte Tag«, »das Ende der Tage«, »die letzte Stunde«, »die letzte Zeit«, »die letzten Dinge«, »das Ende der Dinge«[31]. Auf dieser biblischen Terminologie beruhte für ihn die gewöhnliche fachwissenschaftliche Bezeichnung des Wahrheitsgebietes, dem er sich in seiner Vorlesung zuwandte: Die Lehre von den letzten Dingen (De novissimis), die Eschatologie. Er betonte eigens, daß der katholischen Theologie die Beschränkung der Eschatologie auf Weltende und Weltgericht fremd ist und gab folgende Definition:

»Eschatologie besagt uns demnach die auf der göttlichen Offenbarung ruhende, an der kirchlichen Lehre sich orientierende wissenschaftliche Darstellung jener Ereignisse und Zustände, welche den Abschluß des einzelnen Menschenlebens und der ganzen Menschheitsgeschichte bilden«[32].

Wenn J. Zahn gegenüber dem Terminus »Eschatologie« dennoch dem Gebrauch des Ausdrucks »Jenseitslehre« den Vorzug gab, so weil dieser zwar dem Wortsinn nach zunächst auf die Endzuständlichkeit hinweist, aber infolge wesentlicher Beziehungen auch die Ereignisse einschließt, durch die jene Zuständlichkeit bedingt ist. In einer methodischen Reflexion hob er hier jene Elemente hervor, die seinen gesamten Entwurf kennzeichnen. Wir können sie in drei Punkten zusammenfassen:

1. Die Bibel betont in erster Linie den Abschluß der Menschheitsgeschichte und in zweiter Linie den des einzelnen Menschen.

2. Weil und insoweit zwischen dem Menschen und der übrigen Schöpfungswelt eine innere Beziehung besteht, ist auch die Weltvollendung in Erwägung zu nehmen.

3. Die Vollendung selbst ist in aktivem Sinn zu fassen als eine göttliche Tat, durch die alles zum Ziel gewiesen wird, und in passivem Sinn als Zuständlichkeit, die das Resultat jener göttlichen Tat ist[33].

Nach dieser inhaltlichen Bestimmung skizzierte J. Zahn kurz den logischen Gang seiner Vorlesung. Am Anfang beschäftigte ihn die Frage nach dem Übergang vom Diesseits zum Jenseits, er sprach also zuerst von der Sterblichkeit des Leibes und der Unsterblichkeit der Seele. Im engen und notwendigen Zusammenhang damit sah er die Frage, die für ihn sowohl geschichtlich als spekulativ ein ganz besonderes Interesse zu verdienen schien: Ob sogleich nach dem Abschluß des Erdenlebens die Entscheidung für das Jenseits gegeben ist oder in welchem Sinn etwa von einem jenseitigen »Zwischenstand« die Rede sein oder nicht sein kann. In diesem

---

[30] Vgl. ebd. S. 20.
[31] Ebd. S. 23. - Zahn verwies auf folgende Texte des AT: Gen. 49, 1; Ez. 38, 16; Jes. 2, 2. Im NT: Joh. 6, 39.40; 2. Tim. 3, 1; 1. Petr. 1, 5; Jud. 18.
[32] Zahn: Das Jenseits. S. 24.
[33] Ebd. S. 25.

Zusammenhang erörterte er sodann, ob die jenseitige Vollendung des Menschen, die positive und endgültige Erreichung des Zieles einfachhin bei allen wie der Abschluß eines Naturprozesses eintreten müsse, oder ob nicht vielmehr die Endbeseligung in der Vereinigung mit dem höchsten Gut als Bedingung eine Freiheitstat haben werde, so daß es sich um ein Entweder-Oder, um Erreichung oder Verfehlung des Zieles handle. Nachdem er so versuchte, die selige und glorreiche Vollendung der Seele in ihrem innersten Wesen und in ihrer ganzen Fülle einigermaßen zu würdigen, hielt er es für seine Pflicht, nach dem Verhältnis zu fragen, in dem die leibliche Seite des Menschen zur »Vollendung« stehen wird. Zum Schluß leitete er die Betrachtung von der Vollendung des einzelnen hinüber zur allgemeinen Vollendung der Menschheit wie zur Vollendung des Weltganzen. Ein natürliches Bindeglied war ihm die Erwägung der Wiederkunft Christi. Dabei stellte er heraus, daß die »End-Vollendung« in gleicher Weise Abschluß des Werkes der Erlösung wie das der Schöpfung ist[34].

Nachdem J. Zahn den Inhalt seiner Vorlesungen vorgestellt hatte, kam er kurz auf den wissenschaftlichen Charakter seiner Darstellung zu sprechen. Diesen beschrieb er als ein ernstes Arbeiten, das nach den Zusammenhängen der Dinge fragt und voranzuschreiten sucht zur geschlossenen, einheitlichen Auffassung; ein geistiges Arbeiten, das hinabsteigt zu den tieferen und tiefsten Gründen, deren Erwägung einen eigentlichen, persönlichen, dauernden Besitz der Wahrheit verbürgen kann. Er erhoffte daher von seiner Arbeit den Einbau der Jenseitslehre in das Ganze einer wahrhaft befriedigenden Weltauffassung und in das ganze der christlichen Weltanschauung, der christlichen Heilslehre[35].

Es wäre ein Mißverständnis, wenn wir aus diesem Programm bei J. Zahn auf ein Übergewicht der Lehre gegenüber dem Glauben schließen wollten. Am Ende seiner ersten Vorlesung kam er unter anderem auch auf das Verhältnis von Wissenschaft und Glauben zu sprechen. Dabei betonte er, daß dem Glauben gegenüber einer göttlichen Offenbarung überall das erste und letzte Wort bleiben müsse. Er war aber der Überzeugung, daß der Geist des Menschen um so mehr sich bewogen sieht, in die Fülle der Wahrheit einzudringen, je tiefer sie in sein eigenes Leben greift: Von diesem Lebensvollzug des Glaubens her hielt er es für möglich, daß das Jenseitsstreben um so lebensvoller wird, je lichter und reicher die Einsicht in die Lebenslehre ist. Wohl gemerkt, er erwartete vom »Baum des Jenseitsglaubens«, daß er als köstliche Früchte festen Glauben, zuversichtliche Hoffnung und echten Lebens- und Leidensmut hervorbringt. Aber dabei hielt er die hingebende wissenschaftliche Pflege der Jenseitsdogmen und der Jenseitsprobleme nicht für ein Hindernis dieser Fruchtbarkeit, vielmehr versprach er sich von ihr Vertiefung und weitere Ausbreitung gerade des Jenseitsglaubens[36]. Wir werden im folgenden prüfen, inwieweit sein eschatologischer Entwurf diesem Ziel dient.

---

[34] Ebd. S. 25-26.
[35] Ebd. S. 26.
[36] Ebd. S. 34.

2. Sterblichkeit und Unsterblichkeit

In seiner zweiten Vorlesung ging J. Zahn davon aus, daß Sterblichkeit und Unsterblichkeit des Menschen wohl nur miteinander verstanden werden können. Entsprechend seiner Auffassung von der Harmonie bei Jenseitshoffnung und Diesseitswirken verwies er darauf, daß das Rätsel der Menschheit nicht erst jenseits des Grabes beginnt, sondern vielmehr auch im Diesseits liegt, und zwar in besonderer Weise in dem, was zwischen Diesseits und Jenseits ist, im Übergang vom einen zum andern, das heißt im Tod[37].

a) Die Sterblichkeit dem Leibe nach

Im ersten Teil dieser Untersuchung erörterte J. Zahn die Sterblichkeit dem Leibe nach. Als Ausgangspunkt wählte er das starke Hervortreten des Todesmotivs in der Weltliteratur und in der bildenden Kunst der Völker im Altertum wie in der mittleren und neueren Zeit. Anhand des Alten Testaments und anderer religionsgeschichtlicher Dokumente zeigte er, wie tief das Todesproblem in die Menschenwelt eingreift[38].
Was aber ist der Tod? Die Antworten: Tod ist das völlige Aufhören der Entwicklung bzw. aller Beziehungen zur Umwelt, ist Aufhören des Lebens, wies er als ungenügend zurück. Denn sofort erhob sich für ihn die Frage: Weshalb versagt die Erfahrung und ist die Beziehung am Ende? Ist nicht »unser Leben selbst in seinem innersten Sein ein Geheimnis..., zu dessen Lösung die Mittel der Erfahrung ungenügend sind«?[39] Demnach hielt er eine Definition des Todes als ein »Aufhören des individuellen Lebens« für eine Behauptung, die durchaus die Grenze dessen überschreitet, was als Resultat der Erfahrung feststeht. Denn, »was wir erfahrungsgemäß sagen können, ist nur dieses, daß das individuelle Leben in dieser bestimmten Form und für diese unsere Wahrnehmung im Tode aufhört«[40].
J. Zahn führte die Beobachtung an, daß beim Tode des Menschen die Zufuhr neuen Materials zum Zellenaufbau nachläßt, daß die Aufnahme der Nahrung, des Sauerstoffs allmählich abnimmt und schließlich ganz eingestellt wird. Die Herztätigkeit, der Blutkreislauf kommt zum Stillstand, die Bewegungen, die physiologischen Funktionen samt und sonders werden zuerst unregelmäßiger und schwächer, erlahmen dann aber vollständig um der Leichenstarre Platz zu machen. Dies alles sind ohne Zweifel Begleiterscheinungen des Todes. Sind sie aber der Tod selber? Hier erhob J. Zahn den Einwand, daß das Leben des Menschen doch wohl mehr sei als bloße Energiesumme. Mit einem bloßen Aggregat von Kräften, wenngleich noch so fein und reich, sei das Leben nicht erklärt. Ebensowenig sei »mit einem bloßen Komplex von Vorstellungen und Wollungen die Tatsache des einheitlichen, des bewußten Seelenlebens« in befriedigender Weise verständlich zu machen. Der Tod sei darum etwas anderes als bloßes Aufhören dieser »Energien« und dieses »Bewußtseinskomplexes«[41].

---

[37] Ebd. S. 36.
[38] Ebd. S. 37-40.
[39] Ebd. S. 40.
[40] Ebd. S. 41, vom Autor gesperrt.
[41] Ebd. S. 41, vom Autor gesperrt.

Mit dieser seiner Grundsatzerklärung griff J. Zahn die Probleme auf, die sich mit der Frage nach dem Menschen und seiner Seele ergaben. Er nahm damit Stellung gegen den Psychologismus des 19. Jahrhunderts, der in der Assoziationspsychologie von David Hume (1711-1776) grundgelegt wurde und noch um die Jahrhundertwende den aktualistischen Seelenbegriff bei W. Wundt beherrschte[42]. Ebenso wandte sich J. Zahn gegen den energetischen Monismus von W. Ostwald[43]. Einen eigenständigen Beitrag zur Lösung dieser Probleme brachte J. Zahn allerdings nicht. Vielleicht lag das daran, daß die Zeit für eine neue Erörterung des Problems von Leben und Tod auf naturwissenschaftlich-naturphilosophischer Ebene noch nicht reif genug war.

Stattdessen kam J. Zahn auf die biblische Auffassung vom Tod zu sprechen. Nach Phil. 1, 23; 2.Tim. 4, 6 bestimmte er den Tod als Auflösung und Trennung; sogleich jedoch mit Hinweis auf Clemens von Alexandrien[44], Augustin[45] und Platon[46] als »Trennung der Seele vom Leibe«[47]. Mit dem Viennenese[48] und dem Laternanense V[49] verstand er nach Gen. 2, 7 die Seele als das Lebensprinzip des Leibes. Es war ihm daher ohne weiteres klar, daß der Leib mit Notwendigkeit des Lebens entbehrt, wenn die Seele von ihm scheidet. Allerdings gab er zu, daß selbst dann, wenn wir uns der Offenbarung in Bezug auf ihre Anschauung über das Wesen des Todes anvertrauen, dennoch die Frage nach der Ursache des Todes bestehen bleibt. Hier finden wir bei ihm nun eine beachtenswerte These.

J. Zahn ging von der Feststellung aus, daß die Bibel den Tod als Folge der Sünde bezeichnet[50]. Daran anschließend warf er die Frage auf, ob wir dann nicht die Unsterblichkeit auch dem Leibe nach als eine natürliche Bestimmung des Menschen bezeichnen müßten. Dieser Folgerung konnte er jedoch nicht zustimmen.

---

[42] Zu W. Wundt siehe oben S. 9-18.

[43] Zu W. Ostwald und dem energetischen Monismus siehe oben S. 13.

[44] Clemens von Alexandrien: Stromata. l. VII. c. 12. PL-SG 9 (1857) 496-512; besonders 500 A.

[45] Augustinus: De civitate Dei. l. 13. c. 6: separatio animae a corpore. PL-SL 41 (1846) 381. = CCL. XLVIII (MCMLV) 389. = CSEL. XL. 622.

[46] Platon: Phaidos 67, C.D.

[47] Zahn: Das Jenseits. S. 41, vom Autor gesperrt.

[48] Vgl. oben S. 185, Anm. 251.

[49] Vgl. ebenfalls oben S. 185, Anm. 251. - Von den Neu-Aristotelikern vgl. besonders Pietro Pomponazzi (1462-1525): De imortalitate animae. Venezia 1518. - Dazu vgl. A.H. Douglas: The Philosophy and psychology of Pietro Pomponazzi. Edited by Charles Douglas and R.P. Hardie. Cambridge 1910. - Dass. Reprographischer Nachdruck. Hildesheim 1962. - E. Weil: Des Pietro Pomponazzi Lehre von dem Menschen und der Welt. (Phil. Diss. Hamburg [1932].) Hamburg [?] [Berlin] 1928. - G. Heidingsfelder: Unsterblichkeitsstreit in der Renaissance. In: Aus der Geisteswelt des Mittelalters. Studien und Texte, Martin Grabmann zur Vollendung des 60. Lebensjahres von Freunden und Schülern gewidmet. Hrsg. von Albert Lang, Jos. Lechner, Mich. Schmaus. (BGPhMA. Suppl.bd. 3.) Halbbd. 2. Münster 1935. S. 1265-1286. - E. Gilson: Autor de Pomponazzi. Problématique de l'immortalité de l'âme en Italie du XVIe siècle. In: AHDLMA. Bd. 28. 36 (1961) 163-279. - E. Behler: Pomponazzi. In: LThK² 8 (1963) 604-605.

[50] Zahn: Das Jenseits. S. 42. - Vgl. Röm. 5, 12; 6, 23. - Vgl. Gen. 2, 17; 3, 6.19; Weish. 2, 23-24; Ps. 50, 7. - Zum genannten Problem vgl. auch W. Joest: Der Zusammenhang von Sünde und Tod, biblisch und dogmatisch untersucht. (Ev.-theol. Diss. Tübingen 1946.) Heidelberg 1946 (M.schr.).

Denn da der Mensch jetzt dem physischen Tod nicht zu entgehen vermag, wäre er im gegenwärtigen Stand wohl nicht mehr von der gleichen (ursprünglichen) Natur. »Wenn aber der Leib auch zuvor, seiner Natur nach, der Hinfälligkeit tributpflichtig war, mit welchem Rechte kann alsdann das jetzige Todesverhältnis der Menschheit als Sündensold bezeichnet werden?«[51]

Zur Lösung des Problems verwies J. Zahn darauf, daß bei den Dogmatikern volle Übereinstimmung darüber besteht, daß der physische Tod mit der natürlichen Beschaffenheit des menschlichen Leibes gegeben ist. Zur Verdeutlichung führte er an, daß die These »Immortalitas primi hominis non erat gratiae beneficium, sed naturalis conditio« von der Kirche verworfen wurde[52]. Hinsichtlich der Schrift bemerkte er, daß diese keinen Anlaß habe, »ex professo« zu betonen, daß der Mensch an sich im Naturzusammenhang steht. Für die Schrift komme die konkrete Wirklichkeit in Betracht. Hierfür habe sie im Dienst des Heils eine ernste Botschaft zu verkünden. Dennoch verweise auch die Genesis darauf, daß der Mensch nach seiner leiblichen Seite in den ganzen sichtbaren Kosmos hineinverflochten ist. Danach ist der Mensch ein bevorzugtes Glied innerhalb der Reihe der Wesen[53], aber er ist doch ein Glied des Ganzen, mit den anderen Gliedern zusammengeordnet, und sein Leib ist erdhaft[54]. Deshalb, so folgerte J. Zahn, ist der Mensch nach der leiblichen Seite den Gesetzen der organisch-animalischen Welt unterworfen, wie andere Lebewesen angewiesen auf allmähliches Wachsen durch Stoffzufuhr und Zellenbau, angelegt auf ein Fortpflanzen durch Keimverbindung, Zellenteilung, Neuaufbau, aber auch bestimmt, wenn das Wachstum den Höhepunkt erreicht hat, wieder von dieser Höhe der Lebenskraft herabzusteigen, abzunehmen, abzusterben[55]. Von diesem Gesichtspunkt aus hielt es J. Zahn für sinnlos, den Tod als »Anpassungserscheinung« zu betrachten, als »Zurücktreten hinwelkender Organismen, um neu auflebenden die Stätte einzuräumen«[56]. Allein unzulässig war ihm das Wort, wenn es den Tod des Menschen überhaupt erklären soll. Denn dabei sei übersehen, daß der Mensch nicht in seiner Artbestimmung aufgehe.

Lehnte J. Zahn somit die »Anpassungs«hypothese im Sinne der materialistischen Auffassung des Menschenwesens ab, so kam es ihm jedoch in diesem Zusammenhang nur darauf an, »die Stellung des menschlichen Organismus innerhalb der Reihe der Lebewesen und damit den Naturzusammenhang des physischen Todes zu betonen, wie ihn auch die Naturwissenschaft ihrerseits...beleuchtet«[57].

Mit diesem Hinweis auf die naturwissenschaftliche Anthropologie beendete er den ersten Teil seiner Überlegung. Was etwa die besondere Huld Gottes dem Menschen außerhalb seiner natürlichen Ausstattung in Aussicht gestellt habe, dies - so sagte er - müsse »auf anderen Blättern des Buches der Wahrheit « gelesen werden[58].

---

[51] Zahn: Das Jenseits. S. 43.
[52] Ebd. S. 43. - Pius V. Bulla „Ex omnibus afflictionibus" (1. X. 1567) - Errores Michaelis Baii. Nr. 78 (= DS 1978). - Baiius = Michel De Bay (1513-1589).
[53] Vgl. Gen. 1, 26.28.
[54] Vgl. Gen. 2, 7.
[55] Zahn: Das Jenseits. S. 43.
[56] Ebd. S. 44.
[57] Ebd. S. 44.
[58] Ebd. S. 44.

Wenn nun wirklich, wie die Offenbarung lehrt, dem Menschengeschlecht an den allerersten Anfängen seiner Geschichte das huldvolle Angebot gemacht wurde, daß ihm um den Preis einer sittlichen Tat der Weg offen stehe, der Endvollendung entgegenzugehen, ohne dem Leib nach die Frucht des Todes zu kosten, und versagte nun die Menschheit in dieser Prüfung, indem sie der großen göttlichen Huld mit schwerer Schuld antwortete: »dann freilich ist für diesen tatsächlichen Stand der Dinge der Tod des Menschen nicht bloße Naturfolge, sondern als Schuldfolge, als Strafverhängnis zu betrachten, insofern der Mensch lediglich wegen der Sünde an die natürliche Hinfälligkeit anheimgegeben bleibt, welchen ihn anderenfalls der Ratschluß der ewigen Liebe in Huld und Treue überhoben hätte«[59].

J. Zahn verglich diese Kunde der Offenbarung mit den Erfahrungen des täglichen Lebens. Da werden durch die Sünde die Lebenskraft aufgesaugt, die Lebensdauer verkürzt. Durch Gier, Haß, Zorn, stolzen Wahn und das ganze Heer der Leidenschaften ergeben sich verheerende Eingriffe in Gesundheit und Leben. So wiederholt sich in der Erfahrung des Einzellebens, was zum Beginn der Menschheit im großen Ganzen vollzogen wurde. Allerdings war J. Zahn der Ansicht, daß hinsichtlich der Folgezeit das Verhältnis von Sünde und leiblicher Straffolge ein mehr oder minder bedingtes ist, da in jenem allgemeinen Verhältnis zwischen der ersten Menschensünde und dem menschlichen Todesverhängnis ein allgemeines Gesetz herrscht, wenngleich nicht in endgültiger Weise, denn »über den Tiefen der Menschheit, in welchen die Todesgedanken ihre Schauder verbreiten..., schimmern die Antworten des Glaubens...«[60].

J. Zahn begnügte sich damit, im Rahmen seiner Vorlesung die Schrift selber über den Tod und dessen Überwindung sprechen zu lassen - eine Überwindung, die durch die Kraft Christi einst dem Leibe winkt. Abschließend verwies er darauf, daß durch dieselbe Kraft Christi auch jetzt schon für die Seele des Menschen der Zugang zum ewigen Leben frei geworden ist, auf daß sie, die für die Fortdauer kraft ihrer Natur bestimmt ist, kraft der Gnadengabe über alle natürliche Anlage hinaus ihr beseligendes Ziel in der Anschauung Gottes findet[61].

In diesem Zusammenhang sah J. Zahn den Natur- und Schuldcharakter des Todes in Beziehung zum christlichen Glauben von der Erlösung. Auch für ihn ergab sich somit der Zusammenhang von Eschatologie und Soteriologie, die ein Kennzeichen christlicher Dogmatik ist.

b) Die Unsterblichkeit der Seele nach

Im zweiten Teil dieser Untersuchung behandelte J. Zahn die Unsterblichkeit des Menschen der Seele nach. Dazu brachte er die Zeugnisse der Menschheit für den Unsterblichkeitsglauben zunächst außerhalb, dann innerhalb der Offenbarungskreise. Er übersah dabei nicht die Unterschiede, die zwischen der christlichen Fassung dieses Glaubens und den außerchristlichen obwalten. So betonte er gleich

---

[59] Ebd. S. 45. - Vgl. Thomas von Aquin: S.Th. II/II 164. 1 ad 1: mors est naturalis propter condicionem materiae et est poenalis propter amissionem divini benificii. - Vgl. Zahn: Das Jenseits. S. 46. Anm. 4.
[60] Vgl. Röm. 5, 12.15; 1. Kor. 15, 3.4.20-22.26. - Zahn: Das Jenseits. S. 46.
[61] Ebd. S. 47.

eingangs, daß ein Fortleben, das seinen wesentlichen Zweck in der Vereinigung der Seele mit Gott findet, unermeßlich über die Seligkeitsvorstellungen hinausragt, die im Jenseits nur irgend eine gesteigerte Fortsetzung des Diesseits sehen[62]. Ebenso tiefgreifend war für ihn der Unterschied zwischen dem christlichen Gedanken des Fortlebens und dem außerchristlichen darin, daß ihm innerhalb des Christentums die Einseitigkeit der Betrachtung, die nur den Standpunkt des Menschen berücksichtigt, überwunden ist. Er verwies darauf, daß in den liturgischen Gebeten der Kirche eine »theozentrische Reinheit der christlichen Eschatologie« zum Ausdruck kommt. Die »Vollendung«, die im Jenseits winkt, werde eben Vollendung des Werkes Gottes sein, deshalb auch Vollendung der Verherrlichung Gottes.

Diese beherrschende Idee werde umsonst außerhalb der Offenbarungskreise gesucht, so vielfach sich ansonsten auch die Unsterblichkeitsüberzeugung ausgesprochen habe[63].

Nachdem J. Zahn kurz die Jenseitsvorausstellungen der Japaner, Chinesen, Perser, Babylonier, Assyrer und Ägypter vorgestellt hatte, befaßte er sich etwas eingehender mit der griechischen Unsterblichkeitshoffnung. Dabei stellte er fest, daß die Quellen zwar reichlich fließen, jedoch die Meinungen der Gelehrten stark auseinander gehen, wenn es sich um die Schlußfolgerungen handelt. Ohne auf die Kontroversen allzu sehr einzugehen, erinnerte er daran, daß z. B. bei der Frage, ob bei Heraklit die Fortdauer der einzelnen Seele nach dem Tode gelehrt werde, E. Zeller sich dafür ausgesprochen habe, während E. Rohde dies verneinte[64].

Den Höhepunkt der griechischen Unsterblichkeitslehre sah auch J. Zahn bei Platon. Interessant ist jedoch sein Urteil, daß der »Prophet der Unsterblichkeit« eine volle Abgeklärtheit und Sicherheit und eine wahre innere Einheitlichkeit der Unsterblichkeitsgedanken vermissen lasse. An die christliche Unsterblichkeitslehre reiche er schon deshalb nicht hinan[65], weil er in der Annahme einer Präexistenz der Seele und in der dualistischen Spaltung des Menschen und überdies noch in den orphisch-pythagoreischen Vorstellungen einer Jenseitsentwicklung befangen geblieben sei. Nichtsdestoweniger habe Platon auf dem Gebiet der Jenseitslehre einen unvergleichlichen Einfluß auf die Folgezeit entfaltet und zwar dadurch, daß er versucht habe, die Unsterblichkeitsanlage im Wesen der Seele selbst klarzulegen und zwar auf mannigfache, teilweise dem modernen Denken fremde Art[66]. Hinsichtlich

---

[62] Ebd. S. 47.

[63] Ebd. S. 48.

[64] Ebd. S. 53. - Zahn verweist auf E. Zeller: Geschichte der Philosophie der Griechen in ihrer geschichtlichen Entwicklung dargestellt. Bd. 1. Leipzig [4]1889. S. 646 ff. - E. Rohde: Psyche. Seelenkult und Unsterblichkeitsglaube bei den Griechen. Bd. 2. Tübingen [3]1903. S. 150, 143, 378.

[65] Vom Autor gesperrt.

[66] Zahn: Das Jenseits. S. 56. - Vgl. ebd. Anm. 4. Dort erwähnt Zahn die Kontroverse, ob Platon lediglich Wesen und Gattung, nicht aber die individuelle Seele fortdauern lasse. So G. Teichmüller: Studien zur Geschichte der Begriffe. Berlin 1874. S. 115 ff. - Dagegen F. Bertram: Die Unsterblichkeitslehre Plato's. Eine von der philos. Facultät der Universität Würzburg genehmigte Dissertationsschrift von Friedr. Bertram aus Eltville im Rheingau. Halle a/ S. 1878. - E. Zeller: Geschichte der Philosophie der Griechen. Bd. 2 ([4]1888). S. 825 ff. und 831 ff. - Ph. Kneib: Die Beweise für die Unsterblichkeit der Seele aus allgemeinen psychologischen Tatsachen neu geprüft. (SThSt. V, 2.) Freiburg 1903. S. 101. - Rohde. Bd. 2. S. 278. Anm. 2.

der Beweise ließ J. Zahn jenen hintan, der aus dem früheren, körperfreien Sein der Seele genommen wird, ebenso jenen, der sich auf Heraklits Theorie vom Kreislauf stützt, gemäß welcher wie auf das Leben der Tod, so auf den Tod das Leben folgen müsse. Ebenso überging er die Gedankenfolge, daß, wie der Leib durch seine Krankheit zerstört werde, so die Seele, falls sie sterblich wäre, durch ihre Krankheiten sterben müßte - was doch durch die Erfahrung widerlegt werde. Erwähnenswert hielt er vor allem zwei Argumente:

1. jenes aus dem Charakter der Seele als Lebensprinzip, das gemäß seinem Begriff dem absoluten Tod nicht hörig sein könne,

2. jenes aus der Tatsache des geistigen Erkennens: Weil die Seele die Ideen erkennt, kann sie selbst nicht inferior sein den Ideen gegenüber, also auch nicht vergänglich, da die Ideen unvergänglich sind[67].

Interessant ist die Ansicht, daß Platon selbst wohl nicht ohne weiteres mit einem allgemeinen Erfolg seiner Beweise gerechnet habe[68].

Übergehen wir nun die Zeugnisse, die J. Zahn aus dem Volksglauben der Helenen, sodann vor allem noch aus Cicero und Seneca anfügte. Auch hier war er sich der entgegenstehenden Auffassung bewußt, wie sie bei Leukipp und Demokrit, Epikur und Plinius zu finden ist.

Ein eigener Abschnitt wurde sodann dem Glauben im Volk der alttestamentlichen Kirche gewidmet. Ausdrücklich wies er die Hypothese zurück, daß die Jenseitsanschauung des Alten Testaments auf Entlehnungen aus den babylonischen Kulturkreisen beruhe[69]. Wohl ließ er eine allmähliche, gesunde Entwicklung der Jenseitsideen innerhalb des Offenbarungsvolkes gelten. Hier schien ihm die Vergeltungslehre eine wichtige Rolle zu spielen, insofern als schon die Diesseitsvergeltung als erweckender und stärkender Antrieb zur Gesetzes- und Bundestreue, zum religiösen und sittlichen Leben in den Dienst der göttlichen Erziehung Israels trat[70]. Ähnlich bedeutsam fand er auch das Verhältnis von der individuellen und kollektiven Gerechtigkeit in Israel[71]. Im einzelnen bejahte er mit Ch. E. Luthardt[72] zwei unterschiedliche Momente im Jenseitsglauben des Alten Testaments: Die Gewißheit der persönlichen Fortdauer und die Gewißheit eines verschiedenen künftigen Geschicks[73]. Für völlig verfehlt hielt er es, Ausdrücke, die auf ein Land der Schatten als des Menschen- und Gottesfernen hinzeigen[74], vom Zusammenhang der

[67] Zahn: Das Jenseits. S. 57.

[68] Ebd. S. 57.

[69] Ebd. S. 61. - Zahn verweist hier auf J. Hehn: Die biblische und die babylonische Gottesidee. Die israelitische Gottesauffassung im Licht der altorientalischen Religionsgeschichte. Leipzig 1913. S. 339-359.

[70] Zahn: Das Jenseits. S. 63.

[71] Ebd. S. 64.

[72] Christoph Ernst Luthardt (1823-1902): Kompendium der Dogmatik (1865). 10., vermehrte und verbesserte Auflage. Leipzig 1900. S. 384. - Vgl. außerdem ders.: Die Lehre von den letzten Dingen, in Abhandlungen und Schriftauslegungen dargestellt. Leipzig 1861, ³1885. - Ölsner. S. 62-66.

[73] Zahn: Das Jenseits. S. 64.

[74] Vgl. Hiob 10, 21; Jes. 38, 11; Ps. 87, 6.13. - Zum Thema vgl. J. Royer: Die Eschatologie des Buches Job. Unter Berücksichtigung der vorexilischen Prophetie dargestellt. (BSt. VI/5.) Freiburg 1901.

Heilsstufe loszulösen. Er sah hier ein pädagogisches Element und erklärte: »Gerade der Tod sollte ja das drückende Joch, das die Sünde dem Menschen auflegt, und das dringende Bedürfnis nach Erlösung zum Bewußtsein bringen«[75] .In den gleichen Versen der Genesis, die diesen Gedanken zur Geltung bringen, fand J. Zahn nachdrücklicher als sonst die altbiblische Urkunde für die Unsterblichkeit der Menschenseele. Vorsichtig formulierte er:»...da der Mensch erscheint als ein Wesen mit zwei Bestandteilen, mit der Seele, die Gott einhaucht, und mit dem Leib, der aus der Erde genommen, und da alsbald nach dem Falle das Strafverhängnis des Todes in die Worte gekleidet wird, daß zum Staube zurückkehren werde, was vom Staube genommen ist, soll damit nicht die Seele selbst von dem ausgeschlossen sein, was des Todes ist?«[76]

In vier weiteren Fragen faßte J. Zahn zusammen, worauf es ihm bei einer Untersuchung des alttestamentlichen Unsterblichkeitsglaubens ankam:

1. Wie bliebe der Vorzug gewahrt, daß der Mensch Gottes Bild trägt, wenn die Seele selbst der Vergänglichkeit unterliegt?

2. Wie wäre es denkbar, daß im Alten Bund die Erfüllung des göttlichen Gesetzes als höchstes inneres Glück gepriesen wird, wenn doch gleichzeitig die Sanktion der sittlichen Ordnung nur in der diesseitigen, äußeren Vergeltung erkannt worden wäre?

3. Wie wäre es möglich gewesen, daß das Lebens-Ideal so hoch stieg, um im geistigen Besitz Gottes den Gipfel des Strebens zu finden, und daß gleichzeitig der Besitz dieses schrankenlosen Gutes auf die kurze Spanne der Erdenpilgerschaft eingeschränkt wurde?

4. Was sollte die Messias-Idee mit ihrer Allgemeinheit und Lebendigkeit, wenn doch für jeden einzelnen Menschen das Grab das letzte Wort wäre?[77]

Der Nachweis für die Unsterblichkeitslehre der Bibel war für J. Zahn nicht abhängig von der Zahl der Stellen, die diese aussprechen, sondern vom gesamten religiösen-sittlichen Charakter der biblischen Weltanschauung und vom übernatürlichen Charakter der biblischen Lebens- bzw. Heilsordnung, die - das war seine Überzeugung - die Unsterblichkeit der Seele zur Voraussetzung hat. Dabei allerdings betonte er, daß die ausdrückliche Bekundung des jenseitigen Fortlebens ihre deutlich erkennbaren Stufen hat.[78]

Mit der Darstellung des Zeugnisses, daß von der Menschheit innerhalb und außerhalb der Offenbarungskreise für die Unsterblichkeit der Seele abgelegt wird, verband J. Zahn zugleich die Frage nach der philosophisch-theologischen Begründung der Unsterblichkeit. Dabei war er sich bewußt - und dies verdient festgehalten zu werden - , daß die wahre Unsterblichkeitsüberzeugung, wo sie uns als Tatsache entgegentritt, weniger auf einzelnen Denkübungen beruht, als vielmehr auf sittlicher Tiefe, echtem Lebensernst, religiösem Sinn. Dennoch hielt er auch auf diesem Gebiet an der Forderung fest, daß aus Achtung vor der Würde des Menschen auch die Erkenntnisfähigkeit ihre Rechte und Pflichten ausübt[79].

---

[75] Zahn: Das Jenseits. S. 65.
[76] Ebd. S. 66.
[77] Ebd. S. 66.
[78] Ebd. S. 67.
[79] Ebd. S. 69.

J. Zahn begann diese Überlegung bei der natürlichen Stimme des menschlichen Herzens, wie sie etwa aus Friedhofsinschriften spricht. Dabei griff er ein Argument auf, das vor ihm bereits G. Esser anführte: Wenn selbst im Tierreich kein Instinkt zweck- und ziellos ist, wie sollte dann bei der königlichen Herrscherin der Natur, bei der Seele das Sehnen und Streben, fortzuleben nach dem Tode, der allgemeine Wille zur Unsterblichkeit als grundlos, als Irrung und Verblendung erscheinen?[80]

Für J. Zahn stellte sich hier die Frage, nach welcher Richtung sich im einzelnen die Anlage der Menschenseele als Anlage für die Unsterblichkeit erweist. Als nächstliegender und überzeugendster Hinweis galt ihm die sittliche Anlage. Wenn nun im diesseitigen Menschenleben eine wahrhaft befriedigende Harmonie zwischen sittlichem Verdienst und persönlichem Schicksal nicht statthat, dann stand für ihn die Folgerung fest: »Wenn...überhaupt eine Reaktion der verletzten sittlichen Ordnung statthaben soll, dann muß es ein Jenseits geben«[81]. Er war sich wohl bewußt, daß es sich bei dieser Überlegung um das Postulat des Ausgleichs handelt, allerdings bedeutete ihm dieses »Postulat der Harmonie zwischen Sittlichkeit und Seligkeit eben das Postulat der Unsterblichkeit der Seele«[82].

Indem J. Zahn diesen Beweis der Unsterblichkeit aus der sittlichen Ordnung an den Anfang stellte, hatte er nicht die Absicht, die Beweise aus den anderen Ordnungen, wie sie etwa von Thomas von Aquin vorgelegt wurden[83], in ihrem Wert abzuschwächen. Aber nur auf die metaphysisch-teleologische Betrachtung der selbstständigen Geistigkeit der Seele und ihres natürlichen Dranges nicht bloß nach Einzelerkenntnissen, sondern auch nach Erkenntnis der Wahrheit schlechthin[84] wollte er eigens hinweisen. Dabei legte er dar, daß sich die Menschenseele nicht im leiblichen Wesensaufbau oder Wesensumbau durch den Kreislauf des Umsatzes sinnlicher Stoffe und Güter erschöpft, daß sie vielmehr ihre eigentliche Bestimmung darin hat, daß sie in ihrer Innerlichkeit das entsprechend Wertvolle, das Wahre und Gute, erkennend und liebend zu dauerndem Besitz aufnimmt. Diese geistige Aufnahme stehe in völligem Gegensatz zu der stofflichen Aufnahme; psychologische Vorgänge seien in keiner Weise bloß chemische Vorgänge von etwas höherer Ordnung. Erkenntnisse und Gesinnungen gehörten in anderer Art zum Ich wie die materiellen Bestandteile. Das geistige Leben sei mitnichten lediglich eine Addierung von Inhalten, bloße Summierung von Phänomenen. So sei die Seele nicht hinabgezogen in den Kreislauf der stofflichen Umwandlung durch immer neue Verbindungen und Auflösungen. Deshalb sei die Seele nicht zu Ende, wenn die Aufgabe des leiblichen Organismus zu Ende ist; es entbehre die Seele nicht

---

[80] Ebd. S. 70-71. - Gerhard Esser (1860-1923) war 1898-1922 Dogmatiker in Bonn. Zahn verweist auf G. Esser, J. Mausbach (Hrsg.): Religion, Christentum, Kirche. Eine Apologetik für wissenschaftlich Gebildete. Unter Mitwirkung von St. von Dunin-Borkowski, J.P. Kirsch, N. Peters u.a. 3 Bde. Köln 1911-1913. Bd. 1. S. 312-313. - Vgl. G. Esser: Die Seelenlehre Tertullians. Paderborn 1893.

[81] Zahn: Das Jenseits. S. 71. - Vgl. Esser - Mausbach (Hrsg.) Bd. 1. S. 239-240.

[82] Zahn: Das Jenseits. S. 72.

[83] Thomas von Aquin: S. c. g. II. 79: Quod anima humana, corrupto corpore, non corrumpitur.

[84] Zahn: Das Jenseits. S. 72.

der Existenzberechtigung, wenn der Leib im Grabe liegt und der Auflösung verfällt. Sonst bleibe ja die herrliche Anlage zum Wahrheitsbesitz, die auf Erden gar ungleich, von vielen unsagbar wenig, von niemand in vollkommener Weise zur Verwirklichung gebracht werden könne, im schreienden Widerspruch mit der Weisheit des Schöpfers auf immer und ewig vereitelt.

Und selbst die Frage bleibe ewig ohne Antwort, die wir am Ende unseres Menschenlebens von irgend einem geistigen und sittlichen Wert angesichts der ganzen Naturordnung zu stellen genötigt wären, die Frage nach dem Äquivalent, das nach dem Tode an Stelle der geistigen, sittlichen Inhalte, die im Erdenleben Tatsachen waren, sich zeigen müßte. Denn »innerhalb dieses wunderbaren gesetzmäßigen, einheitlichen Ganzen, in das wir uns hineingestellt sehen, ist es unmöglich, daß der ganze Reichtum von Erfahrungen und Kenntnissen und Ideen, von Grundsätzen und Idealen, von Tugenden und Verdiensten, von edelsten Absichten und heiligsten Gesinnungen in das Nichts hinabsinke«[85].

Wir haben diese Darlegung J. Zahns ein wenig zusammengefaßt wiedergegeben, um zu zeigen, wie er auch hier verschiedene Fakten, die er aus der naturwissenschaftlichen Anthropologie und Psychologie übernahm, mit andersartigen philosophischen Überlegungen verband, die dem ethischen Bereich entstammten. Ohne Zweifel trägt der Gedankengang mehr den Charakter eines apologetischen denn den eines dogmatischen Beweises[86]; dennoch lag für J. Zahn der Schwerpunkt eindeutig im theologischen Bereich. So betonte er abschließend, daß die Menschenseele hinsichtlich der Unmöglichkeit, ins Nichts hinabzusinken, nicht von sich selber her den Grund ewiger Dauer in sich trägt. Da sie in keiner Weise der letzte Grund ihres Seins sei, könne sie weder den Beginn noch die Fortdauer selber geben. Dennoch hielt er die Behauptung aufrecht, daß die Seele des Menschen nimmermehr die Sterblichkeit seines Leibes teilen könne, auf Grund der Schlußfolgerung, daß Gott, der der Seele ihre geistige und sittliche Natur, ihre Ewigkeitsanlage und ihr Ewigkeitsverlangen gegeben, sein eigenes Werk nicht verleugnen werde[87].

Das Endresultat der Untersuchung war für J. Zahn, daß es sich bei dem christlichen Verständnis von Unsterblichkeit nicht um ein Fortleben irgendwelcher Art handelt, sondern »in schlichtem und strengem Sinn um die persönliche Fortdauer nach dem Tode«[88]. Dagegen hielt er die These von einem »Fortleben im Ganzen«, im Zusammenhang der allgemeinen Entwicklung, im Geist anderer Menschen, im Ruhm der Nachwelt für Modemeinungen, von denen das ernste Denken nicht befriedigt wird, für einen Kompromiß, der von Grund aus verfehlt ist. Ebenso, wenn

---

[85] Ebd. S. 73-74. - Zahn verweist auf Schell: Gott und Geist. Bd. 2. S. 643-651.

[86] Der apologetische Charakter der ganzen Überlegung wird ersichtlich aus dem Hinweis auf die von S. Weber in 3. Auflage hrsg. Apologie von F. Hettinger: Fundamentaltheologie oder Apologetik. Freiburg 1913. S. 63-64. -
Franz Seraph Hettinger (1819-1890) war Apologet und Dogmatiker in Würzburg, wo J. Zahn 1880-1883 und 1884-1885 studierte und 1890 promoviert wurde. - Zu Hettinger siehe oben S. 129, Anm. 27. -
Simon Weber (1866-1929) war seit 1898 ao. Prof. für Apologetik in Freiburg, später Exeget. - Vgl. S. Hirt: Nekrolog. In: FDA N.F. 32 (1931) 22-27.

[87] Zahn: Das Jenseits. S. 74.

[88] Ebd. S. 75.

der Naturalismus, mit der Unsterblichkeitsidee sich scheinbar versöhnend, das künftige Leben als eine Art Fortsetzung des Diesseits ausgebe, oder wenn der Pantheismus das Leben nach dem Tode als ein persönlichkeitsleeres, antindividuelles Leben, als ein völliges Untertauchen in das Allgemeine, ein Versinken in das Absolute fasse[89].

J. Zahn wandte sich mit dieser Apologie gegen den Einfluß, den L. Feuerbach[90], G. von Giżycki[91], W. Wundt[92], aber auch F. D. Schleiermacher[93] und E. Troeltsch[94] auf seine Zeitgenossen ausübten. Für ebenso unhaltbar beurteilte er auch die Vorstellungen monistischer Kreise, in denen man hoffte, mit der Tatsache der zahllosen Dissonanzen des allgemeinen Glaubens an ein Fortleben sich abzufinden durch die Tröstung, die in einem Arbeiten für die Gemeinschaft und in einem Fortleben in der Gemeinschaft liegt[95]. Dies widerspreche der Würde der menschlichen Persönlichkeit. Für J. Zahn blieb es daher unmöglich, vom Diesseits her das Rätsel des Todes zu lösen. Er verwies darauf, daß die Menschheit nicht nur in die Gegenwart eingespannt ist, sondern auch rückwärts in die Vergangenheit und voraus in die Zukunft greift, mit Erinnerung und Nachruhm, mit Kontakt und Konnex des Wirkens. Hierin sah er auch den Unterschied des Menschen zum Tier, das keine eigentliche zeitliche Erinnerung, keinen eigentlichen Lebenslauf, kein eigentliches Schicksal und Erleben wie der Mensch hat. »Und in der Ehrfurcht selbst, die der Mensch...den Toten erweist, und im Gedächtnis, das er...den Längstdahingeschiedenen weiht, wahrt er die Würde des Nachruhms. Aber wahrlich nicht zur Leugnung, sondern zur Bejahung der Unsterblichkeit«[96].

J. Zahn machte sich indes keine Illusion davon, wie vergänglich es wäre, Unsterblichkeit auf Nachruhm zu gründen. Die natürliche Grundlage jeder Jenseitsbotschaft wie auch wahrer Diesseitsordnung war für ihn die Tatsache, daß die Seele selbst erhaben ist über das Reich des Verbleichens und Vergehens. Lauter jedoch als jede Poesie, machtvoller als philosophische Argumentation, eindringlicher als die tiefste Reflexion war indes für ihn das Zeugnis der Bibel. Er war der Überzeugung, daß ihre Siegel völlig ungelöst bleiben müssen, wenn nicht der doppelte Heroldsruf verstanden wird, der vom ersten bis zum letzten Wort erklingt: »Gott« und »Unsterblichkeit«[97].

---

[89] Ebd. S. 75.

[90] Vgl. Ludwig Feuerbach (1804-1872). Ders. anonym: Gedanken über Tod und Unsterblichkeit. Nürnberg 1830. - Weitere Schriften siehe LV. - Dazu vgl. G. Nüdling: Ludwig Feuerbachs Religionsphilosophie. Die Auflösung der Theologie in Anthropologie. (FNPhG. 7.) Paderborgn 1936, [2]1961. - H. Meyer: Der Naturalismus in der Religionsphilosophie. 1. Ludwig Feuerbach. In: GAW. Bd. 5. S. 72-76.

[91] Georg von Giżycki (1851-1895). Schriften siehe LV.

[92] Zu W. Wundt siehe oben S. 9-18.

[93] Zu Schleiermacher siehe oben S. 82-86. Zu dessen Auffassung hinsichtlich des persönlichen Fortlebens der Seele vgl. J. Wendland: Die religiöse Entwicklung Schleiermachers. Besonders S. 210-226.

[94] Zu E. Troeltsch siehe oben S. 109-115. Vgl. besonders E. Troeltsch: Die letzten Dinge. In: ChW 22 (1908) 74-78, 97,101. - Ders.: Eschatologie IV. Dogmatisch. In: RGG[1] 2 (1910) 622-632. - Dazu vgl. Ölsner. S. 38-39.

[95] Zahn: Das Jenseits. S. 76.

[96] Ebd. S. 78.

[97] Ebd. S. 79.

Zum Schluß der zweiten Vorlesung verwies J. Zahn darauf, daß die Jenseitspredigt eine wesentliche Grundlage der Lehre Jesu bildet. Die Bergpredigt war ihm trotz all ihrem unvergleichlichen und unvergänglichen Diesseitswert doch nach ihrem tiefsten Grund und letzten Ziel Jenseitsmahnung. Jedenfalls, »wenn es heißt, das Neue Testament in unrichtigem Licht zu lesen, wenn man seinen Inhalt einseitig eschatologisch faßt, so bedeutet es nicht bloß ein Lesen in falscher Beleuchtung, sondern eine Verwechslung von Tag und Nacht, ein völliges Blindsein für den heiligen Text, wenn man die Lehre Christi als bloße Diesseitsreligion zu deuten unterpfängt«[98]. Dies ist sicher richtig, wenngleich wir nach den heutigen exegetischen Erkenntnissen hinter der Verwendung einiger Bibelzitate ein Fragezeichen machen müssen. J. Zahn war jedenfalls überzeugt, daß Christus selbst der Botschaft von der jenseitigen Fortdauer Ausdruck gegeben habe, vor allem, indem er die Auferstehung des Leibes von den Toten verkündete und damit die Wiedervereinigung des Leibes mit der Seele, die selbst dem Tod nicht zugänglich ist[99].

Dem Wort des Herrn getreu, zogen später die Apostel zu den Nationen mit der Botschaft der Wahrheit, um ewiges Leben zu bringen. J. Zahn wollte mit seiner ganzen Vorlesung aufweisen, daß die christliche Gemeinde und jede einzelne Seele heute noch in dieser Sphäre des ewigen Lebens atmet[100]. Nur kurz verwies er darauf, daß auch das kirchliche Lehramt die Glaubenslehre durch eine ausdrückliche und feierliche Aussprache des Dogmas von der Unsterblichkeit der Seele auf dem 5. Laterankonzil bestätigt hat[101]. Er schloß mit der Feststellung, daß »alle Dogmen, welche uns fortan begegnen werden, wie sie selber die Unsterblichkeit der Seele zur Grundlage haben, so auch ihrerseits durch die selbstständige dogmatische Begründung das Unsterblichkeitsdogma vielseitig erklärten«[102]. Dem wollen wir im folgenden unsere Aufmerksamkeit widmen.

3. Der Übergang vom Diesseitsleben zum jenseitigen Zielstand

Hatte J. Zahn sich bereits in der zweiten Vorlesung mit dem Sterben des Menschen beschäftigt, so ging es ihm bei dem neuen Thema nur insoweit um das Todesproblem, als er die Unhaltbarkeit chiliastischer »Zwischenstandstheorien« aufzeigen wollte. Dabei wurden von ihm auch die Vorstellungen von Seelenschlaf und Seelentod zurückgewiesen. Die Lehre von der Seelenwanderung war ihm eine Phantasie, die im Widerspruch zu Vernunft und Glauben steht. Insbesondere bekämpfte er dabei alle Apokatastasistheorien, die gerade in damaliger Zeit neu aufgelebt waren. Positiv bemühte er sich aufzuzeigen, daß die Endgültigkeit der Entscheidung für das Jenseits im Diesseits liegt. Dabei erläuterte er auch die kirchliche Lehre vom besonderen Gericht.

---

[98] Ebd. S. 80.
[99] Ebd. S. 80. - Zahn verweist auf Mat. 10, 28; 22, 32.
[100] Zahn: Das Jenseits. S. 81.
[101] Siehe oben S. 185, Anm. 251. - Vgl. oben S. 285, Anm. 49.
[102] Zahn: Das Jenseits. S. 81.

J. Zahn ging wieder aus von der großen Zahl von Inschriften und bildlichen Darstellungen, aus denen wir Kenntnis von der Jenseitshoffnung der alten Christen gewinnen können. Er verwies darauf, daß der Todestag als Geburtstag bezeichnet wurde; damit werde der Anfang eines neuen, höheren Lebens verkündet, das der Glaube verbürgt. Im Vergleich mit den heidnischen Jenseitsdenkmälern sah er bei den christlichen Glaubenszeugnissen tiefgreifende Unterschiede, die er in vier Punkten zusammenfaßte:

1. betonte er die inhaltliche Selbstständigkeit und wesentliche Unabhängigkeit der einschlägigen Jenseitsvorstellungen bei den Griechen und Römern.

2. fiel ihm eine durchgängige Sicherheit des Unsterblichkeits-bzw. Auferstehungsglaubens bei den Christen auf gegenüber einem Empfinden von Unsicherheit, die sich in heidnischen Kreisen jener Epoche findet.

3. verwies er auf die grundsätzliche Geistigkeit des christlichen Jenseitsbildes gegenüber der in den heidnischen Denkmälern mehr oder minder hervortretenden Tendenz, das Jenseitsglück als gesteigertes Nachleben irdischer Genüsse aufzufassen.

4. stellte er die Entschiedenheit heraus, mit der die christlichen Zeugnisse zum Ausdruck bringen, daß die im Frieden heimgegangenen am Ziel ihrer Laufbahn angekommen und in den Besitz des Heils eingegangen sind[103].

Nach dieser ersten Analyse des religionsgeschichtlichen Materials, wie es vor allem von der Archäologie sichergestellt wurde[104], wandte sich J. Zahn der Frage zu, ob mit dem Ende des irdischen Lebens auch ein Ende des »Prüfungslebens« überhaupt gekommen sei, oder ob nicht wenigstens noch vor dem Endzustand ein Zwischenzustand angenommen werden könne, in dem den Menschen Gelegenheit zur Vervollkommnung gegeben werde.

Im Dienst der Klarheit über den gegenwärtigen Fragepunkt betonte J. Zahn, daß es in diesem Zusammenhang nicht um die Lehre vom Purgatorium gehe[105]. Ebenso lag der kirchliche Glaubenssatz von der Vorhölle (Limbus) außerhalb gegenwärtiger Erörterung[106]. Indem er so durch eindeutige Abgrenzung mögliche Mißverständnissen von vornherein vorgebeugt hatte, begann er die Auseinandersetzung mit dem Gedankensystem des Chiliasmus.

---

[103] Ebd. S. 83-84.

[104] Zahn stützte seine Analysen auf folgende Schriften: Carl Maria Kaufmann (1872-1951): Handbuch der christlichen Archäologie. (WHB. 3. R. 5.) Paderborn 1905, ²1913. - Ders.: Die sepulkralen Jenseitsdenkmäler der Antike und das Urchristentum. Beiträge zu der christlichen Jenseitshoffnung. (FMThVRW. 1.) Mainz 1900. - Ders.: Die Jenseitshoffnungen der Griechen und Römer nach den Sepulkralinschriften. Beiträge zur monumentalen Eschatologie. Freiburg 1897. - Vgl. auch die später erschienene Schrift desselben Autors: Handbuch der altchristlichen Epigraphik. Freiburg 1917. -
Franz Joseph Dölger (1879-1940): ICHTYS. Das Fischsymbol in frühchristlicher Zeit. Bd. 1: Religionsgeschichtliche und epigraphische Untersuchungen. Zugleich ein Beitrag zur ältesten Christologie und Sakramentenlehre. (RQ. Suppl. H. 17.) Freiburg 1910. - Vgl. ders.: ICHTYS. I-V. Freiburg, Münster 1910-1943. - Franz Xaver Kraus (1840-1901) (Hrsg.): Realenzyklopädie der christlichen Altertümer. 2 Bde. Freiburg 1883-1886. -
Zu der hier angeschnittenen Thematik vgl. besonders A. Stuiber: Refrigerium interim. Die Vorstellung vom Zwischenzustand und die frühchristliche Grabeskunst. Bonn 1957.

[105] Die kirchliche Lehre vom Purgatorium behandelte Zahn ausführlich in seiner 5. Vorlesung. Dazu siehe unten S. 314-322.

[106] Zahn: Das Jenseits. S. 85.

a) Die Unhaltbarkeit der Zwischenstandstheorien: Chiliasmus - Psychopannychie

Den Fehler jeder chiliastischen Theorie sah J. Zahn darin, daß das 20. Kapitel der »Offenbarung«, das in Anfang, Ende und Mitte offenbar symbolische Züge trägt, um jeden Preis und im Widerspruch zum Geist des ganzen Buches die tausend Jahre und die Herrschaft der tausend Jahre buchstäblich gefaßt und damit eine Art von Zwischenzustand vor der Endvollendung eingeführt wird, während doch die vorausgehenden Teile der Zukunftsschau außer Zweifel stellen, daß die Gerechten, die um des Herrn willen gestorben sind, bereits in die Herrlichkeit, in die Seeligkeit des Herrn, in den Himmel eingegangen sind[107].

J. Zahn selbst verstand die »erste Auferstehung«[108] als Teilhaftwerden des Lebens Christi, durch das der Gläubige vor dem »zweiten Tod« als der Verdammnis geschützt wird[109]. Dogmengeschichtlich wußte er, daß einige Kirchenväter in einer gemäßigten chiliastischen Meinung befangen waren[110]. Er vertrat jedoch die Ansicht, daß ihre irrigen Vorstellungen niemals zum Irrtum der Kirche geworden seien. Augustinus sei es gelungen, das chiliastische System in der Weise zu widerlegen[111], daß es in den folgenden Jahrhunderten nurmehr vorübergehend respristiniert werden konnte und zwar vorherrschend innerhalb vereinzelter Gruppen häretischer Tendenz[112]. Innerhalb des Protestantismus habe der Chiliasmus in seiner ausgeprägten sinnlichen Form Abweisung durch die symbolischen Bücher gefunden[113], aber auch in seiner etwas feineren Auffassung Widerlegung durch die Mehrzahl der Dogmatiker[114].

Rein dogmengeschichtlich betrachtet, konnte somit das Problem als gelöst gelten; dennoch mußte J. Zahn feststellen, daß in neuerer Zeit einzelne Autoren auf protestantischer[115] wie auf katholischer[116] Seite wieder offen dem Chiliasmus zu-

---

[107] Vgl. Apk. 7, 13-17.

[108] Apk. 20, 6.

[109] Vgl. Zahn: Das Jenseits. S. 87. Anm. 1. - Diese Deutung wird freilich der geschichtstheologischen Seite des Problems nicht voll gerecht. - Vgl. die bereits oben zum Thema Chiliasmus genannte Literatur.

[110] Zahn verwies auf Irenäus :Adversus haereses. l.V.c.33, 4; 34. PL-SG 7 (1857) 1214-1215. - Vgl. Altaner - Stuiber. S. 116. - Justinus : Dialog mit Tryphon. 80. PL-SG 6 (1857) 663-667: Justini sententia de regno mille annorum. - Vgl. Altaner-Stuiber. S. 70. - Tertullianus : Adversus Marcionem. l.III.c.24. PL-SL 2 (1844) 355-358. = CCL. I (MCMLIV) 541-544. - Ders.: De spectaculis. 30. PL-SL 1 (1844) 660-662. = CCL I (MCMLIV) 252-253. - Vgl. Altaner - Stuiber. S. 70. - Lactantius: Divinae institutiones. c. VII. PL-SL 7 (1844) 1023-1024. - Vgl. Altaner - Stuiber. S. 186.

[111] Vgl. Augustinus: De civitate Dei. l. XX. c. 7. PL-SL 41 (1846) 666-669. = CCL. XLVIII (MCMLV) 708-712. = CSEL. XL. 439-443.

[112] Zahn: Das Jenseits. S. 88. Anm. 6: Z.B. bei den Anhängern des Joachim von Floris. Dazu siehe oben S. 91, Anm. 50.

[113] Vgl. Confessio Augustana. Art. XVII (gegen die Anabaptisten). - Confessio Helvetica posterior. XI. - Calvin: Institutio. III, 25, 5.

[114] Zahn verwies auf Ch.E. Luthardt: Kompendium der Dogmatik. [10]1900. S. 391. - Vgl. u.a. Kaftan: Dogmatik. [8]1920. S. 668-669.

[115] Zahn verwies auf Luthardt: Kompendium der Dogmatik. S. 390, 392. - Friedrich August Berthold Nitzsch (1832-1898): Lehrbuch der evangelischen Dogmatik. 2 Teile. (1889-1892). 3. Auflage. Bearbeitet von H. Stephan. Tübingen 1911-1912. S. 724. Genannt werden dort: Bengel, Oetinger, Rothe, K. von Hofmann, Beck, K. I. Nitzsch, Schlatter. - Zu F. Nitzsch vgl. auch Ölsner. S. 52-53.

neigten. Wenn der Würzburger Dogmatiker darin nur eine »rein ephemere Erscheinung« sah[117], so unterschätzte er ohne Zweifel die Wirksamkeit der utopischen Ideen, die sich mit den alten Irrtümern verbanden. Seine Apologie richtete sich zunächst nur gegen ein mangelhaftes Erfassen eines »tieferliegenden Problems«, das sich bereits innerhalb des alten Chiliasmus geltend machte, nämlich das des »Wartestandes«. Darauf näher einzugehen, schien ihm von historischem und sachlichem Interesse zu sein. Wenn er indes die chiliastischen Tendenzen nur im Zusammenhang mit einer sehr engen Sektengeschichte zur Sprache brachte oder sie als nur vorübergehend mißverstandene theologische Probleme ohne weiteren gesellschaftlichen Bezug abhandelte, so kann es aus heutiger Sicht so scheinen, als habe der Würzburger Dogmatiker in diesem Punkt die Zeichen der Zeit nicht genügend erkannt.

Man darf freilich in der Auffassung J. Zahns nicht einfach die Auswirkung eines idealistischen Denkens sehen, denn in seinen Vorlesungen ist keineswegs festzustellen, daß ein immanenter Entwicklungsoptimismus die christliche Parusiehoffnung verdrängen konnte. Ebensowenig trifft diesen Entwurf jener Vorwurf, der des öfteren gegenüber der katholischen Theologie des 19. und des beginnenden 20. Jahrhunderts erhoben wurde, nämlich daß sie trotz all ihrer dogmengeschichtlichen Forschungsarbeit im Grunde geschichtslos geblieben sei. Hier gilt es, vorsichtig abzuwägen, um keinem Vorurteil zu verfallen. Gewiß fehlte J. Zahn die richtige Abschätzung der Gefährlichkeit jener chiliastischen Tendenzen, deren Aufleben in jener Zeit er wohl bemerkte. Auch erörterte er nicht eingehend deren gesellschaftliche Relevanz. Dennoch war er kein mit Blindheit geschlagener Dogmatiker, der unbekümmert von den Problemen seiner Zeitgenossen ein System abstrakter Spekulation oder eine Sammlung positivistisch angehäufter Fakten inthronisieren wollte. Sein Entwurf lief in der hier erörterten Frage vielmehr darauf hinaus, grundsätzlich den für einen gläubigen Christen in jedem chiliastischen System liegenden Irrtum aufzuzeigen, um so einem religiösen Schwärmertum seinen Nährboden zu entziehen. Daher diente die Darlegung dieses dogmengeschichtlich versierten Fachmanns dem Zweck, seinen Zuhörern jene gesunde christliche Lehre zu vermitteln, die zu der entscheidenden Erkenntnis führen kann, daß alle Jenseitshoffnung eines christlichen Menschen mit dem rechten Diesseitswirken in Einklang stehen muß.

Um den Kernpunkt des Problems genauer anzupeilen, gab J. Zahn zu, daß man in gewisser Weise den Zustand der Gerechten nach dem Tod als einen »Wartestand« bezeichnen kann, denn sie harren
1. auf die Wiederkunft Christi,
2. auf das Gericht über die Menschheit, das sich mit der zweiten Ankunft Christi vollziehen wird,

---

[116] Zahn nannte J.B. Pagani: Das Ende der Welt, oder die Wiederkunft unseres Herrn und Heilandes Jesu Christi. Aus dem Englischen von L. Haug. (NLBH. 2.) Regensburg 1856, ²1879. - J.N. Schneider: Die chiliastische Doktrin und ihr Verhältnis zur christlichen Glaubenslehre. Schaffhausen 1859. - Außerdem ist zu nennen August Rohling (1839-1931): Der Zukunftsstaat. St. Pölten 1894. - Vgl. S. Grill: Aus August Rohlings Leben und Schriften. In: ÖKBl 94 (1961) 18-20.
[117] Zahn: Das Jenseits. S. 88.

3. auf die volle Verwirklichung des Reiches Gottes,

4. auf die Vollendung der Gesamtschöpfung.

Insofern könne von einem »Zwischenzustand« gesprochen werden. Dabei sei festzustellen, daß selbst bei der einseitigen Betonung dieses » Warte standes« und bei der hieraus folgenden Überspannung des Unterschiedes im Seligenstand vor und nach der Auferstehung des Leibes die ausschlaggebende Bedeutung des Diesseitslebens sich aufrecht halten ließ. Die eigentliche Schwierigkeit habe aber darin gelegen, jener Wahrheit gerecht zu werden, daß die beim Tode völlig reinen, gerechten Seelen unmittelbar nach dem Tod wirklich an ihr Ziel gelangen, wahrhaft in die Seligkeit eingehen[118].

J. Zahn legte nun anhand des reichen dogmengeschichtlichen Materials in dieser Frage dar, daß in der vornikänischen Zeit dort, wo chiliastische Vorstellungen herrschten, der Weg versperrt war, der über den unmittelbaren Eingang der heimgegangenen Gläubigen und Gerechten in die Glorie hätte Aufschluß geben können[119]. Auffallend fand er, daß auch zu einer Zeit, in der der Chiliasmus wesentlich überwunden war, und selbst bei Vätern, die in direktem Gegensatz zu ihm standen, Schwankungen oder Irrungen in diesem Punkt statthatten[120] und daß so diese Frage weder im Morgendland noch im Abendland zur Ruhe kam[121]. Daß jedoch nach der deutlichen Erklärung des zweiten Konzils von Lyon[122] und nach eingehender

---

[118] Ebd. S. 89.

[119] Zahn verwies auf Justinus: Dialog. c. Tryph. 80. Vgl. oben S. 296, Anm. 110. - Irenäus: Adv. haer. l.V.c.5, 1. PL-SG 7 (1857) 1134-1135. - Tertullianus: De resurrectione carnis. 17, 43. PL-SL 2 (1844) 816-818. = CCL.I (MCMLIV) 941-942.

[120] Hier führte Zahn folgende Zeugnisse an:
Cyrillus von Alexandrien: Contra Anthropomorphitas. 16 (zu Luk. 16, 23). PL-SG 76 (1859) 1103-1106. - Augustinus: Retractationes. l.I.c.14, 2. PL-SL 32 (1845) 606. - Vgl. jedoch ders.: Tractatus 124 in Ioh. 5-7. PL-SL 35 (1845) 1598-1600. = CCL. XXXVI (MCMLIV) 683-687. - Zu Apk. 7, 13-17; 14, 12-13; Phil. 1, 23; 2. Kor. 5, 6: Irenäus: Adv. haer. l. IV. c. 33, 9. PL-SG 7 (1857) 1078. - Tertullianus: De resurrectione carnis. 43. PL-SL. 2 (1844) 855-856; = CCL. I (MCMLIV) 978-981. - Cyprianus: Ep. ad Fortunatum. De exhortatione martyrii. Praefatio. 4. PL-SL 4 (1844) 653-654; CCL. III (MCMLXXII) 184-185. - Ders.: De mortalitate. 26. PL-SL 4 (1844) 600-602; = CCL III (MCMLXXVI) 31-32. - Gregor d.Gr.: Dialogorum libri IV, de vita et miraculis patrum Italicorum et de aeternitate animarum. l.IV.c.25. PL-SL 77 (1849) 356-364: Si ante restitutionem corporis recipiantur in caelo animae iustorum. - Ders.: Moralia in Iob. l.IV.c.36. PL-SL 75 (1849) 677-680. Griechische Väter u.a. Gregor von Nazianz: Oratio 7, 21. PL-SG 35 (1857) 782-783.

[121] Vgl. Theophylactus: Enarratio in Evangelium Lucae (PL-SG 123. 1104-1105: Zu Luk. 23, 43.) Für die abendländische Theologie verwies Zahn auf Alkuin: Epist. 60 ad Aquil. Vgl. auch J. Hergenröther: Photius. Patriarch von Constantinopel. Sein Leben, seine Schriften und das griechische Schisma. Nach handschriftlichen und gedruckten Quellen. 3 Bde. Regensburg 1867-1868-1869. Bd. 3. S. 643. Anm. 46. - M. Cappuyns: Note sur le problème de la vision béatifique au 9e siècle. In: RThAM 1 (1929) 98-107.

[122] Concilium oecumen. XIV. Lugdunense II. Sess. IV (6. VII. 1274). Professio fidei Michaelis Palaeologi imperatoris. Additio specialis contra errores Orientalium. De sorte defunctorum: „Illorum ... animas, qui post sacrum baptisma susceperunt nullam omnino peccati maculam incurrerunt, illas etiam, quae post contractam peccati maculam, vel in suis manentes corporibus, vel eisdem exutae, ..., sunt purgatae, mox in coelum recipi" (= DS 857).

Untersuchung der Scholastik[123] die Kontroverse im 14. Jahrhundert infolge von Äußerungen einiger Minoritentheologen und des Papstes Johannes XXII. noch einmal aufbrach, habe niemand voraussehen können; die Tatsache, daß Johannes XXII. persönlich die Lehre begünstigte: Die Seligkeit, zu der die Heiligen unmittelbar nach dem Tode eingingen, bestände in der Schauung der glorreichen Menschheit Christi, während ihnen die selige Anschauung des Wesens Gottes erst nach der Auferstehung zuteil werde[124].

Die Ursache für diese Auffassung sah J. Zahn nicht in theologisch stichhaltigen Gründen, sondern in einer »Psychologie des Jenseitslebens vor der Auferstehung«. Zusammenfassend versuchte er die Gedankenfolge des Papstes mit folgenden Worten anzudeuten: »Da die Seligen ... bis zum Weltgerichte auf die Auferweckung ihrer Leiber hoffen, Hoffnung aber und Gottschau nicht zugleich statthaben können, sei die Verschiebung der Visio beatifica bis zur Auferstehung anzunehmen«[125].

Diese Formulierung J. Zahns könnte den Eindruck erwecken, als habe der mittelalterliche Papst bereits ein typisch neuzeitliches Thema angeschlagen. Doch der Schein trügt, denn immerhin nahm Johannes XXII. wenn nicht eine unmittelbare Anschauung Gottes, so doch immer eine Anschauung der menschlichen Natur Christi bei den Seelen der Verstorbenen an, bis diese nach dem allgemeinen Weltgericht der vollen Seligkeit zugeführt würden. Außerdem ist zu bedenken, daß der Papst zwei Tage vor dem Tod seine These vor dem Kardinalskollegium feierlich zurückzog und in einer Bulle, die allerdings erst sein Nachfolger veröffentlichte, ein letztes Bekenntnis ablegte, daß der allgemeinen Kirchenlehre entsprach[126]. Freilich müssen wir zugeben, daß - selbst nachdem Papst Benedikt XII. in der Apostolischen Konstitution »Benedictus Deus« die kirchliche Lehre fest formulierte[127], die Frage von Zeit zu Zeit immer wieder aktualisiert wurde. Den Grund hierfür haben

---

[123] Vgl. z.B. Thomas von Aquin: S. th. III. Suppl. 69, 2: Utrum statim post mortem animae deducantur ad coelum vel ad infernum. - Vgl. ders.: S. c. g. IV. 91: Quod animae statim post separationem a corpore poenam vel praemium consequuntur. -
Es sei darauf verwiesen, daß die Frage im Gesamtzusammenhang der visio beatifica behandelt werden muß. Vgl. K. Forster: Anschauung Gottes II-IV. In: LThK² 1 (1957) 585-591. - Außer der dort genannten Literatur siehe auch B. Farnetani: La visione beatifica di Dio secondo S. Bonaventura. In: MF 54 (1954) 3-28. - J. Mulson: La possibilité de la vision béatifique dans S. Thomas d'Aquin. Langres 1932. - K. Rahner: Zur Ontologie der visio beatifica (1939). In: SzTh. Bd. 1. S. 354-361. - J. van Torre: Saint Thomas et l'aptitude de l'esprit créé à la vision immédiate de l'essence divine. In: Bijdragen 19 (1958) 162-191.
[124] Johannes XXII. (1316-1334). - Vgl. die Veröffentlichung zweier seiner Ansprachen vom 1. XI. und 15. XII. 1331 durch M. Prados S.J. In: ATG 23 (1960) 155-184. - Zum Ganzen vgl. Georg Hoffmann (1860-1930): Der Streit über die selige Schau Gottes (1331-1338). Leipzig 1917. - Dazu vgl. B. Bartmann: Rez. in: ThGl 11 (1919) 445. - Vgl. auch G. Hoffmann: Das Wiedersehen jenseits des Todes. Geschichtliche Untersuchung. Leipzig 1906. - H. Otto: Zum Streite um die visio beatifica. In: HJ 50 (1930) 227-232. - Th. Käppeli: Le procès contre Thomas Waleys O.P., étude et documents. Rome 1936. - Vgl. auch D.L. Douie: John XXII and the Beatific Vision. In: DSt 3 (1950) 154-174. - Vgl. dies.: John XXII, Pope. In: NCE 7 (1967) 1014-1015. - F. Lakner: Zur Eschatologie bei Johannes XXII. In: ZKTh 72 (1950) 326-332.
[125] Zahn: Das Jenseits. S. 93.
[126] Vgl. Johannes XXII.: Bulle „Ne super his" (3. XII. 1334). In: DS 990-991.
[127] Benedikt XII. (1334-1342): Constitutio „Benedictus Deus" (29. 1. 1336). In: DS 1000. - Vgl. J. Ratzinger: Benedictus Deus. In: LThK² 2 (1958) 171-172. - E. Lewalter: Thomas von Aquin und die Bulle „Benedictus Deus" von 1336. In: ZKG 54 (1935) 399-461.

wir jedoch nicht in der eigentlich theologischen Seite der Problematik zu suchen, als vielmehr in dem Gewicht, daß der Anthropologie in dieser Glaubenswahrheit vom neuzeitlichen Denken her zugemessen wird. Theologisch können wir auch heute mit J. Zahn daran festhalten, daß »weder die Tragweite der künftigen Auferstehung verkannt, noch die Wichtigkeit des allgemeinen Gerichtes beeinträchtigt wird, wenn den Heiligen unmittelbar nach dem Tode der Eingang in die selige Gottschauung zugeschrieben wird«[128].

Abschließend bemerkte J. Zahn, daß das Tridentinum diese bereits vom Konzil von Florenz[129] im Anschluß an das zweite Konzil von Lyon genau festgelegte kirchliche Lehre in Schutz nahm, als es die Anrufung und Verehrung der Heiligen, die mit Christus herrschen im Himmel die ewige Seligkeit genießen, in ihrem Sein und Recht nachwies[130]. Wir sehen daraus, welche Bedeutung für das Leben der Kirche dem richtigen Verständnis des genannten Dogmas zukommt. Keineswegs war die kirchliche Lehre in der neuzeitlichen Epoche auf eine individualistische Beseligung des einzelnen Menschen ausgerichtet. Wie der Glaubensvollzug der als typisch empfundenen katholischen Frömmigkeit behielt auch die Theologie allezeit die Lehre von der Communio Sanctorum fest im Blick. Zeugnis dafür gaben zu Beginn des 20. Jahrhunderts auch die Vorlesungen J. Zahns.

Mit der Stellungnahme der Theologie und des kirchlichen Lehramtes in den hier behandelten Fragen war für unseren Würzburger Dogmatiker auch eine andere Form der Zwischenstandstheorie abgewiesen, von der wir schon im Altertum hören, und die bis in die neueste Zeit Anhänger fand: die der Psychopannychie[131]. Dagegen richtete J. Zahn die Frage, wie denn eine menschenwürdige Fortdauer nach dem Tode statthaben könne, wenn auf Myriaden von Jahren das persönliche Bewußtsein in Schlummer gefallen wäre[132]. Eine Antwort gab es für ihn darauf

---

[128] Zahn: Das Jenseits. S. 93. - Vgl. H.J. Weber: Auferstehung. S. 216-217.

[129] Vgl. DS 856-858. Dazu siehe oben Anm. 122. - Concilium oecumen. XVII. Florentinum (1439-1445). Bulla unionis Graecorum „Laetentur caeli“ (6. VII. 1439). De sorte defunctorum: „Illorum animas, qui post baptisma susceptum nullam omnino peccati maculam incurrerunt, illas etiam, quae post contractam peccati maculam, vel in suis corporibus, vel eisdem exutae corporibus, prout superius dictum est, sunt purgatae, in caelum mox recipi et intueri clare ipsum Deum trinum et unum, sicuti est, pro meritorum tamen diversitate alium alio perfectius“. (= DS 1305.)

[130] Concilium oecumen. XIX. Tridentinum (1545-1563). Sess. XXV (3. XII. 1563). Decretum de invocatione ... Sanctorum: „... Sanctos, una cum Christo regnantes, orationes suas pro hominibus Deo offerre; ... Sanctos, aeterna felicitate in caelo fruentes, invocandos esse ...“. (DS 1821.)

[131] Zu Psychopannychie vgl. J. Calvin: Tractatus de Psychopannychia. Straßburg 1542. (Gegen die Auffassung der Anabaptisten.) - Vgl. J. Bautz. In: KL² 6 (1889) 114. - P. Schanz: Seelenschlaf. In: KL² 11 (1899) 57-58. - G. Schulemann: Seelenschlaf. In: LThK¹ 9 (1937) 414. - F. Refoulé: Seelenschlaf. In: LThK² 9 (1964) 575-576. - Vgl. auch Hypopsychie: Irrlehre einer arabischen Sekte im 3. Jahrhundert.

[132] Die Vorstellung vom Seelentod wurde von Zahn an dieser Stelle nicht eigens erörtert, da er schon in der 2. Vorlesung dargelegt hatte, warum an der Lehre von der Unsterblichkeit des Menschen festzuhalten sei. Hier bemerkte er nur kurz, daß sich zwischen Thnetopsychiten und Hypnopsychiten keine völlig scharfe Grenze ziehen läßt. - Vgl. Zahn: Das Jenseits. S. 95. Anm. 6. - Den Versuch, die Sterblichkeit der Seele spekulativ zu beweisen, finden wir zu Beginn des 19. Jahrhunderts bei Carl Stange (1870-1959). - Vgl. Ölsner. S. 69-70, zu: C. Stange: Moderne Probleme des christlichen Glaubens. Leipzig 1910. - Zu C. Stange siehe unten S. 415-425. Seine späteren Schriften siehe LV.

nicht. Deshalb hielt er an der Lehre fest, daß die Seele, unbeschadet ihrer wesentlichen Einigung mit dem Körper, während des gegenwärtigen Lebens und unbeschadet der Bestimmung zur endlichen Wiedervereinigung mit dem Leibe, in der Zwischenzeit ihres getrennten Seins weder des Gebrauchs ihrer geistigen Kräfte noch der höchsten und reichsten Objekte ihrer Betätigung beraubt ist. Eine genauere Begründung für diese Auffassung gab er hier an dieser Stelle nicht. Wohl meinte er, daß Paulus keine Verteidigung gegen den Vorwurf der Psychopannychie brauche[133], denn wenn er danach verlange, aufgelöst zu werden und bei Christus zu sein, so sei sicherlich seine Absicht nicht, einen Verlust als Gegenstand seiner Sehnsucht zu erklären. Dies wäre doch der Fall, wenn nach dem Tod das Bewußtsein eindämmern würde. Daher fragte er mit Hinweis auf Phil. 1, 23 und 2 Kor. 5, 8, was darnach ein »Sein mit Christus« sollte[134].

So verband J. Zahn mit seiner Ablehnung aller Zwischenstandstheorien auch die Zurückweisung der Theorie von einem Seelenschlaf oder Seelentod[135].

b) Die Unhaltbarkeit der Wiederherstellungstheorien: Seelenwanderung - Wiedergeburt - Apokatastasis

Den Zwischenstandstheorien, die J. Zahn bisher zurückgewiesen hatte, lag es ferne, dem diesseitigen Leben seine entscheidende Bedeutung zu nehmen. Anders freilich verhält es sich bei jenen Theorien, die der Würzburger Dogmatiker im folgenden behandelte.

---

[133] Einige protestantische Theologen, die mit Hinweis auf 1. Thess. 4, 13.14.15 und 1. Kor. 15, 20 die Auffassung vertraten, Paulus sei die Theorie vom Seelenschlaf zuzuschreiben, standen dem hegelianisch orientierten Kirchen- und Dogmenhistoriker F.Ch. Baur nahe. Vgl. z.B. Köstlin: Die Lehre des Apostels Paulus von der Auferstehung. In: JDTh 22 (1877) 273-288.
O. Pfleiderer: Der Paulinismus. Leipzig 1873. S. 259 ff. - Zu Pfleiderer siehe oben S. 95-97. - Leonhard Usteri (1799-1833): Die Entwicklung des paulinischen Lehrbegriffs in seinem Verhältnis zur biblischen Theologie des Neuen Testaments. Ein exegetisch-dogmatischer Versuch. Zürich (1824), ⁶1851. S. 368. - Dazu vgl. P. Güder: Leonhard Usteri. In: RE² 20 (1908) 368-370. - August Ferdinand Dähne: Die Entwicklung des paulinischen Lehrbegriffs. Halle 1835. S. 179.
Weizel: Die urchristliche Unsterblichkeitslehre. In: ThStKr 9 (1836) 579-640, 895-981. - Vgl. außerdem: Martin Brückner (1868-1931): Urchristliche Eschatologie. In: RGG¹ 2 (1910) 620. - Gegen die These, Paulus vertrete die Theorie vom Seelenschlaf: Hubert Theophil Simar (1835-1902): Die Theologie des heiligen Paulus (1864). Freiburg ²1883. S. 251-252. - Außerdem folgende protestantische Theologen: Hermann Meßner (1824-1886): Die Lehre der Apostel. Leipzig 1856. S. 283. - Woldemar Gottlob Schmidt (1836-1888): De statu animarum medio inter mortem et resurrectionem. Zwickau 1861. S. 23 ff. - Dazu vgl. Ch.Th. Ficker: Woldemar Gottlob Schmidt. In: RE³ 17 (1906) 660-661. - Franz Splittgerber (1833-1887): Tod, Fortleben nach dem Tode und Auferstehung. Ein biblisch-apologetischer Versuch zur Lösung der wichtigsten, in dies Gebiet einschlagenden Fragen mit besonderer Berücksichtigung der älteren und der neueren Literatur. Halle 1862. - Hier zitiert die 4. Auflage. Ebd. 1885. S. 118-119. - Bernhard Weiß (1827-1918): Lehrbuch der biblischen Theologie des Neuen Testaments. Berlin (1868), ⁵1888. S. 391. --- Zum Ganzen vgl. Zahn: Das Jenseits. S. 96. Anm. 3. Dort der Hinweis auf L. Atzberger: Die christliche Eschatologie in den Stadien ihrer Offenbarung im Alten und Neuen Testamente. Mit besonderer Berücksichtigung der jüdischen Eschatologie im Zeitalter Christi. Freiburg i.B. 1890. S. 212, Anm. 1. S. 250, Anm. 1.
[134] Zahn: Das Jenseits. S. 97.
[135] Vgl. im ganzen ebd. S. 95-97.

Zuerst wandte er sich der Lehre von der Seelenwanderung und der Wiedergeburt zu. Er sah in ihr eine der widerspruchsvollsten Aufstellung, die die Geschichte
des menschlichen Geisteslebens kennt. Sie war für ihn eine »Sandwüste halt- und
wertloser Meinungen, verhängnisvoller Irrtümer«, doch wußte er auch um das
»Goldkorn der Wahrheit«, das sie birgt. »Mit elementarer Gewalt spricht aus jenen
Gebilden des grübelnden Verstandes und der dichtenden Phantasie das Unbefrie-
digtsein des Menschen mit dem irdischen Dasein, das Verlangen nach einer Lösung
der Dissonanzen, die im Diesseits sich nicht lösen wollen. Und ebenso gewaltig
bricht die Überzeugung durch, daß die Sünde, die im Menschenleben so unheimlich
haust, in keiner notwendigen Verbindung mit dem Menschenwesen steht, sondern
ablösbar ist und abgelöst werden muß, wenn der Mensch an ein Ziel gelangen will,
das seines Wesens würdig ist«[136].

Es ging J. Zahn darum, daß diese Ablösung von der Sünde dem Menschen
selbst würdig sei und seiner Natur entspreche. So machte er gegen die Seelenwanderung den Hinweis auf die Wesenseinheit der Seele mit dem Leibe geltend, und zwar
mit diesem bestimmten, individuellen Leib, der eben in der individuellen Seele sein
Lebensprinzip besitzt[137]. Mit diesem Argument verurteilte er das Spielen so mancher neuerer Denker mit dem Gedanken der Metempsychose und Palingenesie.

Wir sehen hier wiederum deutlich, daß J. Zahn bei seinen Erörterungen nicht
von einem religionsgeschichtlichen Interesse bewegt wurde. Vielmehr verweilte er
bei den alten Verirrungen nur, weil sie in seiner Zeit neu belebt wurden. Dabei ging
es ihm sowohl um die moderne buddhistische Propaganda in Deutschland[138], als
auch um eine kritische Beurteilung der Ansichten von E. Troeltsch, der in einem
dogmatischen Artikel von der Fortentwicklung des aus dem natürlichen Seelenleben erst herausgeborenen und vielleicht verborgene Organe besitzenden Geistmen-
schen sprach und den Gedanken erwog, ob nicht vielleicht alles Naturhafte überhaupt zur Geistwerdung berufen sei und alle Naturkörper als Leiber von werdenden Geistern angesehen werden könnten[139].

---

[136]Ebd. S. 100.
[137]Vgl. ebenso die Beurteilung bei W. Brugger: Seelenwanderung. In: LThK[2] 9 (1964)
577.
[138]Vgl. u.a. R. Steiner: Reinkarnation und Karma. Berlin 1903. - P. Gennrich: Die Lehre
von der Wiedergeburt, die christliche Zentrallehre, in dogmengeschichtlicher und religionsgeschichtlicher Beleuchtung. Leipzig 1907. - Ders.: Moderne buddhistische Propaganda und
indische Wiedergeburtslehre in Deutschland. Leipzig 1914. - Ders.: Christentum und Theosophie. Eine Auseinandersetzung mit Rudolf Steiners Anthropologie. (HEVOPr.) Königsberg
1920. - O. Zimmermann: Die neue Theosophie. In: StZ 79 (1910) 387-400, 479-495. - M. Kröning: Gibt es ein Fortleben nach dem Tode? Stuttgart 1917. - L.J. Frohnmeyer: Die theosophische Bewegung, ihre Geschichte, Darstellung und Beurteilung. Stuttgart 1920. - A. Mager:
Theosophie und Christentum. Berlin 1922, [2]1926. - Ders.: Moderne Theosophie. Eine Wertung der Lehre Steiners. In: PZFr 4 (1922) 113-128. - Ders.: Theosophie. In: LThK[1] 10 (1938)
86-88. - J. Lippl: Buddhistische Bewegung im Abendland. In: LThK[1] 2 (1931) 617-619. - H.
Haas: Bibliographie zur Frage nach Wechselbeziehungen zwischen Buddha und Christentum. (VFVRG. 6.) Leipzig 1922.
[139]Troeltsch: Eschatologie IV. Dogmatisch. In: RGG[1] 2 (1910) 622-632, besonders Sp.
629. - Vgl. dazu auch Nitzsch - Stephan: Lehrbuch der evangelischen Dogmatik. [3]1910. S.
720-721. - Näheres zu E. Troeltsch siehe oben S. 109-115.

In dieser Verbindung der alten Reinkarnationslehre mit dem neuzeitlichen Evolutionismus sah J. Zahn unselige Kompromisse mit Modemeinungen, die zu völliger Verwirrung der religiösen Begriffe und zu völliger Verarmung an religiösen Gütern führen müßten. Nur ein Urteil, das sich an der Kontinuität der kirchlichen Lehre und am Worte Gottes selbst orientiert und das dabei das eigene christliche Bewußtsein zu Rate zieht, sei geschützt. So gelangte er selbst zu dem Bekenntnis, das er seinen Hörern zu vermitteln suchte: »Der Christ, der am Grabe seiner zum Herrn heimgegangenen Teuren steht, weiß sie im Herrn geborgen, nicht hinausgeschleudert in den Strudel bunter Metamorphosen in immer neuen Entwicklungen, sondern gelandet am Gestade eines Landes, das den Zielstand bedeutet, zu welchem dieses Leben den Weg bildet«[140].

Ausführlicher als die Lehre von der Seelenwanderung behandelte J. Zahn die Apokatastasistheorie. Als erstes stellte er fest, daß die biblische Stelle Apg. 3,21 nur den Hinweis gibt, daß dereinst die ganze Schöpfung an der erneuernden, verklärenden Kraft der Erlösungstat Christi Anteil erhält. Für den Sinn, in dem der Ausdruck in der späteren theologischen Sprache vorherrscht, nämlich zur Betonung der jenseitigen, bzw. endzeitlichen allgemeinen Bekehrung, fehle im Text jeder Anhalt[141].

Bevor er auch hier den aktuellen Anlaß seiner Erörterung aufdeckte, gab er einen knappen Überblick über die Problemgeschichte. Ohne sich indes lange bei der Vorgeschichte aufzuhalten, stellte er sogleich Origenes als den wichtigsten Vertreter der Theorie vor. Der große Alexandriner Theologe entfalte sein System vor allem in der Schrift περὶ ἀρχῶν (De principiis). Nach seiner Auffassung ward der Fall der von Gott geschaffenen Geister Anlaß zur Erschaffung der Sinnenwelt. Auch der Menschenseele hafte infolge ihres früheren Falles das Böse an, aber sie solle sich aus ihm durch Christi Gnade und durch eigenen Kampf zur Läuterung emporringen, bis sie schließlich im Jenseits dieses Ziel erreicht. Auch die Engel nehmen an diesem Prozeß Anteil. Wenn schließlich alles geläutert und das Böse besiegt sei, fehle damit der Sinnenwelt ihr Existenzgrund; das Nicht-Geistige kehre zum Nichts zurück, und die Einheit Gottes und des Geistigen sei wiederhergestellt[142]. Damit indessen sei die Spekulation des Origenes nicht abgeschlossen. Das Ende der Dinge sei mit dieser Wiederherstellung noch nicht gekommen, vielmehr beginne nun eine neue Entwicklung, die ihrerseits wieder von einer neuen abgelöst werde[143]. Niemals verlassen die geistigen Kreaturen den Entwicklungsstand, eine wahre dauernde Vollendung könne es für Engel und Menschen nicht geben. So kam J. Zahn

---

[140]Zahn: Das Jenseits. S. 101.

[141]Ebd. S. 102. Anm. 1.

[142]Vgl. Origenes: De principiis. l. II. c. 1, 1-2. PL-SG 11 (1857) 181-183. = TzF. Bd. 24. S. 284-289.

[143]Vgl. ebd. l. III. c. 5, 3; l. IV. c. 35. PL-SG 11 (1857) 327-328; 409-411. = TzF. Bd. 24. S. 622-641; 806-812. Zur Sache vgl. O. Bardenhewer: Geschichte der altkirchlichen Literatur. Bd. 2. Freiburg ²1904. S. 184-194 (mit Spezialliteratur). - Altaner - Stuiber. S. 207-208. - Von der neueren Literatur vgl. u.a. A. Méhat: „Apokatastase". Origène, Clément d'Alexandrie, Act. 3, 21. In: VigChr 10 (1956) 196-214. - G. Müller: Origenes und die Apokatastasis. In: ThZ 14 (1958) 174-190.

zu dem Schluß, daß es sich bei dieser Lehre um die »extremste Form der Kreislauf-phantasien« handle[144], und er erhob schwerwiegende Einwände gegen diese Theo-rie: Wie für die rechtmäßige Betätigung des Erkenntnisvermögens die obersten Denkgesetze die Voraussetzung bilden, so sei es für das ethische Wollen unerläß-lich, ein letztes Ziel, einen Abschluß zu haben. Wenn sich Fall und Umkehr, Sünde und Reinheit, Vermannigfaltigung und Heimkehr zur Einheit und dann wieder neue Zwiespältigkeit ewig folgen würden, dann wäre nicht nur das Christentum preisgegeben, sondern überhaupt jede theistische Überzeugung, jede ethische Le-bensauffassung. Das Wesen der seligen Gottesschau schließe von vornherein aus, daß die seligen Engel und Heiligen in neue Prüfungen eintreten und in neuen Fall hinabsinken. Allerdings sei diese Seite des Irrtums geschichtlich wenig hervorgetre-ten. Um so nachhaltiger habe die Behauptung gewirkt, daß auch für die Menschen, die im Stande der Gottesfeindschaft aus dem Leben geschieden sind, im Jenseits der Weg zur Bekehrung offenstehe, ja daß gar alle Bösen sich letztlich bekehren werden[145]. Diesen Irrtum habe die Kirche jedoch zu wiederholten Malen abgewiesen[146].

Nach dieser dogmengeschichtlichen Grundlegung kam J. Zahn auf die Ten-denzen zu sprechen, zu späteren Zeiten die alten Irrtümer neu aufleben zu lassen. An erster Stelle nannte er die Wiedertäufer, die jedoch auch in dieser Hinsicht von den Reformatoren des 16. Jahrhunderts verurteilt wurden[147]. Indes seien späterhin von mystizistischer wie von rationalistischer Seite die gleichen Anschauungen ver-treten worden. Hierher gehöre F. Ch. Oetingers Wiederherstellungstheorie, die durch die Berufung auf Paulinische Stellen[148] und durch den blendenden Schein theosophischer Weisheit sich zu empfehlen suchte, aber schon durch die Ver-quickung mit chiliastischen Träumereien sich selbst das Urteil sprach. Aber auch F. Schleiermacher habe mit großem Nachdruck das Recht dieser Lehrmeinung zu begründen versucht, indem er vor allem darauf hinwies, daß die Beseligung der Gu-ten keine ungetrübte sein könne, wenn sie andere in der Verdammung wüßten[149]. J. Zahn erinnerte dann daran, daß der Gedanke einer allgemeinen Endbekehrung und Endbeseligung in England und Amerika versucht hat, etwa bei den »Universa-listen«, deren ausdrückliches Bekenntnis die Endbeseligung aller Menschen bilde-te, Fuß zu fassen[150].

---

[144]Zahn: Das Jenseits. S. 103.
[145]Ebd. S. 103.
[146]Ebd. S. 145. - Vgl. die Synode von Konstantinopel (543) gegen Jerusalemer Mönche, die die Lehren des Origenes verbreiteten. DS 411. - Concilium oecumen. V. Constantinopolit-anum II (553): 15 Anathematismen gegen Origenes. - Vgl. Mansi. Bd. 9. S. 396-400; vgl. ebd. S. 272 und S. 384. - F. Diekamp: Die origenistischen Streitigkeiten im 6. Jahrhundert und das 5. allgemeine Concil. Münster 1899. - Die selben Irrtümer wurden auch von den drei folgenden Konzilien verurteilt: Concilium oecumen. VI. Constantinopolitanum III (680-681). - Conci-lium oecumen. VII. Nicaenum II (787). - Concilium oecumen. VIII. Constantinopolitanum IV (869).
[147]Vgl. Confessio Augustana. Art. XVII.
[148]1. Kor. 15, 27-28. - Eph. 1, 8-11.
[149]Vgl. Schleiermacher: Der christliche Glaube. Besonders Bd. 2. § 163; vgl. §74.
[150]Vgl. O. Pfülf: Universalisten. In: KL² 12 (1901) 314-315.

Innerhalb der katholischen Kirche konnte J. Zahn verwandte Strömungen von gleicher Ausdehnung nicht ausfindig machen. Nur gelegentlich seien Versuche unternommen worden, eine jenseitige Bekehrung spekulativ zu erörtern und als möglich zu verteidigen, so aus apologetischen Gründen teilweise von J. B. Hirscher[151] und H. Schell[152]. Zum Abschluß zitierte er folgende Definition, die durch eine vorbereitende Kommission dem ersten vatikanischen Konzil zur Beratung und Beschlußfassung vorgelegt werden sollte:

»Lehre der katholischen Kirche ist es, daß es gar keine Sünde gibt, wie schwer immer sie sein mag, welche nicht während dieses Lebens durch wahre Buße und durch die Kraft der Sakramente von der unendlichen Barmherzigkeit Gottes unseres Erlösers Verzeihung finden könnte. Allein ebenso ist auf Grund der Schrift, der Väter, der kirchlichen Gesamtanschauung festzuhalten, daß nach dem Verlauf des Lebens - wenn die Menschen beim Ziel angelangt sind, um nach den Werken, die ein jeder in diesem Leben vollbracht hat, Gutes oder Böses zu empfangen - für keine Todsünde mehr die Möglichkeit einer heilskräftigen Buße oder Sühne besteht«[153].

In der hier vorgeschlagenen Definition kam für J. Zahn die allgemeine christliche Überzeugung zum Ausdruck[154]. Er selbst sah in der direkten Ablehnung eines jenseitigen Zwischenstandes die Wahrheit energisch ausgesprochen, der auch seine Vorlesung dienen wollte, daß eben »der Tod den Übergang bildet aus dem Pilger- und Prüfungsstand (status viae) in den Schluß- und Zielstand (status termini)«[155].

---

[151]Johann Baptist Hirscher (1788-1865): Christliche Moral als Lehre von der Verwirklichung des göttlichen Reiches in der Menschheit. 3 Bde. Tübingen 1835. Vgl. besonders Bd. 1. §180: Die immerwährende Herrschaft Jesu Christi im Jenseits. a) Anstalten zur Heiligung der Abgeschiedenen. - Dagegen Joseph Kleutgen S.J.: Theologie der Vorzeit verteidigt. 3 Bde. Münster 1853-1854-1870. Vgl. besonders Bd. 2. S. 396-498: 8. Abhandlung: Von der Sünde. Dort vor allem das 4. Hauptstück, S. 486-498 (S. 486 fälschlich als 3. Hauptstück bezeichnet!). - Dass. ²1872. S. 427 ff.

[152]Zu H. Schell siehe oben S. 215-217. - Zahn verwies in diesem Zusammenhang auch auf den englischen Naturforscher St. George Jackson Mivart (1827-1900), in dessen theologischen Exkursen die Vorstellung vom Evolutionsprozeß zum Ausdruck kam. - Vgl. St.-G. Mivart: Happiness in Hell. In: The Nineteenth Century. Philadelphia. December 1892. S. 899-919; February 1893. S. 320-338. - Ders.: A retrospect. In: The Tablet. Saturday, May 20, 1893. S. 764-766. - Zahn: Das Jenseits. S. 107, Anm. 5, und S. 164. - Vgl. EB 18 (1911) 628-629; 15 (1968) 606-607.

[153]CLac VII. 517; vgl. ebd. 550. - Zahn: Das Jenseits. S. 108.

[154]Zahn verwies auf folgende nicht-katholische Bezeugungen: Erzbischof Makarij (= Michail Petrowitsch Bulgakow 1816-1882; russischer Dogmatiker und Kirchenhistoriker): Orthodoxe dogmatische Theologie (in Russisch). St. Petersburg ⁵1895. Bd. 2. S. 524 ff. - Dazu vgl. A. Bukowski: Die Genugtuung für die Sünde nach der Auffassung der russischen Orthodoxie. (FCLDG. XI/1.) Paderborn 1911. S. 171-172. -
Julius Kaftan: Dogmatik. ⁶1909. S. 668. - Dass. ⁷⁻⁸1920. S. 668, 673. - Vgl. Ölsner. S. 72-73. - Edward Arthur Litton (1813-1897): Introduciton to Dogmatic Theologie on the basis of the thirty-nine articles of the Church of England. London 1882, ³1912. - Vgl. jedoch Edward Falconer Litton (1827-1891): Life or death; the destiny of the soul in the future state. London 1866.

[155]Zahn: Das Jenseits. S. 108.

c) Die endgültige Entscheidung des Diesseits für das Jenseits

Damit war J. Zahn zum Kern seiner Vorlesung gekommen. »So entscheidet denn das gegenwärtige Leben, durch die Richtung, die es einschlägt, über das Los im Jenseits. Mit dem Abschluß des diesseitigen Lebens fällt der Abschluß der Prüfungsfrist defenitiv zusammen«[156].

J. Zahn belegte diese These mit vielen Zitaten aus der Heiligen Schrift[157]. Mit einem historischen Rückblick gab er zu, daß in den ersten Jahrhunderten die Vorstellungen, die sich auf die Vollendung des einzelnen Menschen bezogen, in den Hintergrund traten, während die Vollendung der gesamten großen Gottesgemeinde[158], die zugleich mit der ersehnten Wiederkunft Christi mitersehnt wurde, aufs lebhafteste Geist, Gemüt und Phantasie beschäftigten. Als Grund dafür nannte er die Art und Weise, wie das Christentum in die Erscheinung trat, nämlich als das neue Gottesreich gegenüber dem alten, als Gottesreich gegenüber dem gottesfeindlichen Reich der heidnischen Weltmacht. Dennoch hob er hervor, daß im kirchlichen Bewußtsein von Anfang an der Gedanke sich lebendig zeigte: sobald mit dem Tod der Übergang zum Jenseits sich vollzogen hat, ist auch die Entscheidung über den jenseitigen Seelenstand gegeben[159]. Außer durch die heiligen Bücher werde auch durch die altchristlichen Denkmäler und Schriften gezeigt, daß die im Tod gegebene Vollendung des einzelnen nicht vergessen oder gar geleugnet wurde[160].

Wichtig für uns ist, daß J. Zahn die altchristlichen Zeugnisse nicht mit den Augen eines Religionshistorikers betrachtete. Entscheidend war für ihn nicht der einzelne patristische Beleg, sondern das allgemeine und allzeitliche christlich-gläubige Denken, das so viele unmittelbar klare Äußerungen gab, daß die kirchliche Lehre vom Weg- und Zielstand darin einen abgeschlossenen Beweis findet. Spekulativ hob er hervor, daß das christliche Leben bei aller Erlösungsfreudigkeit und Heilszuversicht doch den unverkennbaren Charakter einer tiefen sittlichen Energie, eines gemessenen Ernstes, einer würdigen Wachsamkeit trage. Er führte das auf das Wort Christi zurück, daß keine diesseitige Tugend als abschließende Höhe gelte, sondern jeder Tag dem folgenden eine neue Aufgabe stelle, und daß wie die Anfangenden, so die Fortgeschrittenen des erhabenen Zieles eingedenk seien, ebenso wie auch der kurzen, vielleicht ganz kurzen Frist, die ihnen bleibt; daher mahnt die Kirche unermüdet ihre Gläubigen zur Wachsamkeit: »Wer sein Heil hier versäumt, bevor der Tod kommt, kann nachmals, wenn der Tod gekommen ist, nicht mehr eine zweite Frist erwarten, um sich besser zu entscheiden«[161].

Diese Auffassung fand J. Zahn auch in der ganzen kirchlichen Seelsorge nach allen ihren Formen und Zweigen, vorzüglich in der äußeren und inneren Missions-

---

[156]Ebd. S. 110.
[157]Joh. 9, 4.5; Mat. 25, 1-13; Gal. 6, 8-10; 2. Kor. 9, 6; 1. Petr. 1, 4.6-7; 1. Kor. 9, 25; Apk. 2, 10; Luk. 12, 37; Sir. 11, 24.28.
[158]Gesperrt hier und im folgenden von Zahn.
[159]Zahn: Das Jenseits. S. 112.
[160]Zahn verwies auf L. Atzberger: Geschichte der christlichen Eschatologie innerhalb der vornizänischen Zeit. Freiburg 1896. S. 613-615.
[161]Zahn: Das Jenseits. S. 114.

pflege und aus der pastoralen Obsorge für Kranke und Sterbende. Auch das demütig-zuversichtliche Gebet um einen guten Tod stand für ihn in diesem Zusammenhang. Er verwies sodann auf einen anderen Zweig des christlichen Lebens und Betens: Das Gedächtnis der Heiligen, wie die Kirche es feiert; auf die Fürbitten, mit denen die Kirche der im Frieden Heimgegangenen gedenkt. Auch in diesem Punkt legte der Würzburger Dogmatiker großen Nachdruck auf die Feststellung, daß die kirchlichen Formulare der Heiligenverehrung keinen Zweifel lassen, daß die Kirche bei den Heiligen den wahren und definitiven Besitz des Zielstandes voraussetzt. Ebenso wies er darauf hin, daß bei all der Liebe, die die streitende Kirche mit ihren verstorbenen Gliedern verbindet, bei all der Zuversicht, mit der das Gebet für die in der Gnade Geschiedenen Gott dargebracht wird, nimmermehr und nirgends nach dem Geist der Kirche für die Verstorbenen in dem Sinne gebetet wird, wie es etwa für lebende Mitchristen geschieht, um ihre Bekehrung. Die Absurdität, die in einer gegenteiligen Praxis läge, versuchte er mit der Überlegung aufzuzeigen, daß die kirchliche Übung von einem Gebet für die Verstorbenen, auf daß sie vom Bösen zum Guten sich bekehrten, ebensowenig etwas wisse, wie von einem Gebet um Beharrlichkeit für jene, die einmal in der Gnade Gottes heimgegangen sind. Aber diese Bitten müßten uns nicht nur erlaubt, sondern auch geboten erscheinen, wenn wir nicht sicher wären, daß die Entscheidungen über das ewige Leben und über den ewigen Tod von diesem Erdenleben abhängt, und daß darum auch alle, die einmal im Lebenskampf mit der Gnade Gottes den Sieg errungen, auf immer in der Liebe befestigt und des seligen Zieles versichert seien[162].

Außer durch die Ausdeutung der Heiligen Schrift und der altchristlichen Zeugnisse kam J. Zahn auch auf anderen, spekulativen Wegen zur nämlichen Würdigung des Dieseitslebens. Hierbei zeigte er deutlich, wie sehr die Ausprägung der Eschatologie vom herrschenden Gottesbild abhängig ist. Die Menschenseele, die das Gepräge des göttlichen Ebenbildes trägt, kann nicht einer ziellosen Entwicklung überantwortet sein, wenn der Gott der Offenbarung nicht wie im Pantheismus ein ewig werdender, nach Selbstverwirklichung ringender ist. So kam J. Zahn zu dem Schluß: »Ein endlos wirbelnder Strudel hinabziehender Sündenlust und emporhebender Läuterung - dies wäre eine Vorstellung, die etwa innerhalb der unerlösten Menschheit einigermaßen erklärlich wäre, nicht aber in dem Lichtreiche der Erlösung, die als Tatsache vor uns steht.«[163].

Schon in diesen Worten rückte J. Zahn die Soteriologie in den Mittelpunkt seiner Betrachtung. Die Hypothese einer jenseitigen Prüfungserneuerung schien ihm widerlegt, wenn das zentrale Geheimnis des Christentums, das Dogma von der Menschwerdung des Sohnes Gottes zur Welterlösung, klar und bestimmt gewürdigt wird. Hier nun lehrt die Kirche, daß der ewige Logos diese Menschennatur angenommen hat, daß er in dieses Erdenleben eintreten wollte und in diesem Leben das Werk der Wiederherstellung der Menschheit vollbracht hat. Auch von der Soteriologie her sah J. Zahn daher seine These bestätigt: »In diesem unserem Erdenleben ist ... der Prüfungsstand gegeben, der die Entscheidung über das Jenseits unwiderruflich in sich birgt.«[164].

---

[162]Ebd. S. 115.
[163]Ebd. S. 116.
[164]Ebd. S. 117.

Zum Abschluß seiner dritten Vorlesung faßte J. Zahn mit kurzen Worten die kirchliche Lehre vom besonderen Gericht zusammen, die zum definitiven Übergang des Menschen vom Diesseits zum Jenseits gehört: Die Schwierigkeit des richtigen Verständnisses sah er darin liegen, daß die Entscheidung noch nicht endgültig ist, solange der Mensch im Diesseits weilt, daß sie aber schon zur Wirkung gekommen ist, sobald er dem Diesseits nicht mehr angehört. Frage daher: Wie hat sie sich vollzogen?[165]

Aus den Erfahrungen des Lebens leitete J. Zahn ab, daß im Augenblick des Todes sich ein Selbstgericht vollzieht. Aber zugleich hielt er daran fest, daß das besondere Gericht, nicht bloß ein Selbstgericht, sondern ein göttliches Gericht ist. Dabei sei natürlich nicht an all den Apparat zu denken, auf den ein menschliches Gericht nicht verzichten kann, der aber nicht zum Wesen des Gerichtsaktes gehört, sondern durch die Erfordernisse bedingt ist, die sich gegenüber den Mängeln menschlichen Wissens für die Rechtsübung ergeben. Nicht um Ermittlung von Schuld oder Unschuld, Schuldgraden und Milderungsgründen usw. handle es sich beim göttlichen Gericht, sondern um Kundgabe und Vollzug des Urteils. Und gerade mit Rücksicht auf diese Kundgabe des im Erdenleben verdienten Loses, mit Rücksicht auf die unerbittlich gerechte Majestät, von der die Rechenschaft über das Leben gefordert wird, und auf die unermeßliche Tragweite der Entscheidung steht nach J. Zahn der Terminus »göttliches Gericht« entsprechenderweise im allgemeinen Gebrauch. Die nähere Bestimmung des »besonderen Gerichtes« erklärte sich für ihn aus der Vorsehung Gottes. Danach fällt ohne Zwischenpause die göttliche Entscheidung in die Seele des Menschen, in dem gleichen Augenblick, in dem, was Gottes heilige Gerechtigkeit zugesprochen, allzumal von der heiligen und gerechten Allmacht vollzogen wird[166].

Unwiderrufliche Zusicherung der Herrlichkeit, deren Genuß der Gott zugewandten Seele winkt - unwiderruflicher Ausschluß von der Glorie für jene, die durch schwere, unbereute Sünde den bitteren Verlust selbst verschuldet, - damit sind bereits die Themen genannt, denen J. Zahn in den nächsten Vorlesungen seine Aufmerksamkeit schenkte.

4. Der selbstverschuldete Verlust des Endzieles und der seligen Vollendung

a) *Voruntersuchung über die Möglichkeit des ewigen Heils innerhalb und außerhalb der Zugehörigkeit zur Kirche*

Den Gegenstand der vierten Vorlesung zählte J. Zahn zu den schwierigsten Kapiteln der Jenseitslehre, ja der ganzen Dogmatik. Eine erste Voruntersuchung galt der Frage nach der Zahl der auf ewig Geretteten.

Gegenüber dem Vorwurf, nach der Lehre des Christentums würden nur sehr wenige das Heil erlangen, legte J. Zahn dar, daß nach kirchlicher Lehre nur Gott die Zahl seiner Auserwählten kennt[167]. Eines jedoch stand für den Apologeten fest:

---

[165]Ebd. S. 118.
[166]Ebd. S. 120.
[167]Ebd. S. 123.

Nicht der Geist des Laximus, nicht eine weichherzige Konvenienz gegen die Wünsche der menschlichen Schwäche, sondern die ewige Wahrheit selbst hat davon gesprochen, daß Gottes Reich ein Reich der Milde, der Heilung, Erhebung, Rettung ist, daß der ewige Gott die Seelen liebt und ein Freund des Lebens ist, und daß er seinen Sohn in die Welt dahingab, damit jeder, der an ihn glaubt, nicht verloren geht, sondern ewiges Leben hat[168]. Aus einem kleinen Exkurs über die Ansichten neuerer Theologen in dieser Frage geht eindeutig hervor, daß J. Zahn selbst der milderen Richtung zuneigte[169], wenngleich er auch hier auf die Sentenz des Thomas von Aquin verwies: melius dicitur, quod soli Deo est cognitus numerus electorum[170].

---

[168]Ebd. S. 126. - Zahn verwies auf Joh. 3, 16; Jes. 42, 1-4; Mat. 12, 18-21.

[169] Zur Theorie der kleinen Zahl bekannte sich:

Francis Xavier Godts C.S.S.R.: De paucitate salvandorum quid docuerunt Sancti? Lectio spiritualis sacerdotibus perutilis. Bruxellis ³1899. S. 347-354. - Bernhard Deppe (1845-1900). Rez. zu: A. Castelein. Le rigorisme. ²1899. J. Coppin. La question de l'Evangile. F.X. Godts. De paucitate salvandorum. ²1899. In: LH 38 (1899) 141-145, 309-311. - Als Gegner dieser Theorie nannte Zahn:

Juan Bautista Genér (1711-1781): Theologia dogmatico-scholastica. 6 Bde. Roma 1767-1777. -Gustave-François Xavier de la Croix de Ravignan (1795-1858). Vgl. u.a. ders.: Au ciel un ange de plus, fragments et lettres de consolation tirés de Saint François de Sales, de Fénelon, du R.P. de Ravignan et du P. Lacordaire, avec la messe pour les funérailles des enfants. (Extrait des Lettres à des jeunes gens. Nouvelle édition. Paris 1863. -

Louis Jacques Monsabré O.P. (1827-1907): La Vie future ... Carême 1888. Conférences de Notre-Dame de Paris. Exposition du dogme catholique. Aux bureaux de l'„Année dominicaine". Paris 1888. - Ders. deutsch: Das künftige Leben. Conferenz-Reden, gehalten in der Notre-Dame-Kirche zu Paris. Genehmigte Übersetzung von J. Drammer. Köln 1890. - Ders.: L'Autre monde ... Carême 1889. Conférences de Notre-Dame de Paris. Exposition du dogme catholique. Au bureaux de l'„Année dominicaine". Paris 1889. - Dass. deutsch: Die andere Welt. Conferenz-Reden, gehalten in der Notre-Dame-Kirche zu Paris. 2. Folge. Genehmigte Übersetzung von J. Drammer. Köln 1890. - Ders.: La Vie future, principaux extraits de ses oeuvres, rassemblés par l'abbé J. Chapeau, chanoine de Blois. Paris 1932. -

Frederick William Faber (1814-1863): The burial service, its doctrine and consolations. London 1838. -

Auguste Castelein S.J. (1840-1922): Le Rigorisme, le nombre des élus et la doctrine du salut. 2. éd. revue et augmentée. Paris - Bruxelles 1899. - Vgl. J. Coppin: La question de l'Evangile: „Seigneur, y en aura-t-il peu de Sauvés?" Luc. XIII, 23. Ou: Considération sur l'écrit du R.P. Castelein S.J., intitulé: Le Rigorisme et la question du nombres des Elus. Bruxelles 1899. -

In Deutschland:

Franz Xaver Dieringer (1811-1876): Das Epistelbuch der katholischen Kirche. Theologisch erklärt. Mainz 1863. Bd. 3. S. 467-468. -

Wilhelm Schneider (1847-1909): Das Wiedersehen im anderen Leben. Trostwort an Trauernde. Paderborn 1879. - Ders.: Das andere Leben. Ernst und Trost der christlichen Weltanschauung. 3., teilweise neu bearbeitete und sehr vermehrte Auflage von „Das Wiedersehen im anderen Leben". Ebd. 1890, ⁵1901, ⁶1902. - Dass. 12. Auflage mit einem Begleitwort von Paul Wilhelm von Keppler. Ebd. 1914. - Dass. 15. und 16. verbesserte Auflage besorgt von F. Egon Schneider. Ebd. 1932. - Vgl. W. Liese: Wilhelm Schneider. In: Necrologium Paderbornense. Paderborn 1934. S. 485-486. - R. Bruch: Sittlichkeit und Religion. Bischof Wilhelm Schneider von Paderborn als Moraltheologe. In: ThGl 50 (1960) 401-419. - Konstantin Gutberlet (1837-1928). - Vgl. J.B. Heinrich: Dogmatische Theologie. Fortgeführt von C. Gutberlet. Bd. 8. Mainz ²1897. S. 366 ff. -

Joseph Pohle (1852-1922): Lehrbuch der Dogmatik. Bd. 2. Paderborn ⁶1916. S. 477-478. - Vgl. A. Michel: Nombre des élus. In: DThC 4, 2 (1924) 2350-2378.

[170] Thomas von Aquin: S. th. I. 23. 7: Utrum numerus praedestinatorum sit certus.

Das zweite Problem, das J. Zahn in dieser Voruntersuchung anschnitt, war die Frage, ob auch vor Christus und außerhalb der äußeren Verbindung mit der Kirche eine Heilsmöglichkeit für den Menschen besteht. Er zitierte verschiedene päpstliche Lehrentscheidungen, aus denen hervorgeht, daß die Kirche nicht den Segensbereich ihres Wirkens in die Grenzen der äußeren Zugehörigkeit zu ihrer Gemeinschaft eingeschränkt erachtet, und daß sie keineswegs alle, die außerhalb derselben sind, als von Gnade und Seligkeit ausgeschlossen erklärt[171]. Für lehrreich hielt der Dogmenhistoriker eine Untersuchung, in wie hohem Grade bereits im christlichen Altertum der Gedanke an die Universalität des göttlichen Gnadenwaltens sich Geltung verschaffte[172].

J. Zahn stand damit in einer Front mit denen, die ähnlich wie zuvor H. Schell der Behauptung, es gebe eine übergroße Zahl von Verworfenen, entgegentraten, indem sie auch die außerordentlichen Heilswege Gottes mit besonderem Interesse in ihre Überlegungen einbezogen[173]. In drei Zusätzen behandelte J. Zahn die Fragen nach dem Heil der Erwachsenen, die außerhalb des Christentums stehen, nach dem Heil der Unmündigen vor Christus und nach dem Los jener Unmündigen, die ohne das Heilmittel der Taufe sterben. Auch hier ging es ihm darum, daß ansonsten der ganze überwiegende Teil der Menschheit von der Erlangung des ewigen Heils ausgeschlossen wäre[173.1].

b) Existenz und Wesen der Hölle

Im Hauptteil dieser vierten Vorlesung erläuterte J. Zahn die These, daß die Existenz der Hölle und die Ewigkeit ihrer Strafen zum Glaubensbestand der Kirche gehört, daß dieser auf unabweisbar deutlichen Aussprüchen der Heiligen Schrift

---

[171] Papst Alexander VIII. (1689-1691). Decretum S. Officii (7. XII. 1690) - Contra errores Jansenistorum (DS 2301-2332). - Zahn zitierte besonders Nr. 4 und 5. -
Papst Clemens XI. (1700-1721). Const. „Unigenitus Dei Filius" (8. IX. 1713) - Contra errores iansenistici Paschasii Quesnel (1634-1719) (DS 2400-2502). - Zahn verwies besonders auf Nr. 29, sowie auf Nr. 26 und 27. -
Papst Pius VI. (1775-1799). Const. „Auctorem fidei" (28. VIII. 1794) - Contra errores Synodi Pistoriensis. Nr. 22: De fide velut prima gratia (DS 2622). -
Papst Pius IX. (1846-1878). Epistola encyclica „Quanto conficiamur moerore" (10. VIII. 1863): De indifferentismo (DS 2865-2867).
[172] Zahn: Das Jenseits. S. 129. - Vgl. A. Seitz: Die Heilsnotwendigkeit der Kirche nach der altchristlichen Literatur bis zur Zeit des heiligen Augustinus. Freiburg 1903.
[173] Zahn: Das Jenseits. S. 132. - An einschlägiger Literatur nannte Zahn außer den bereits oben Anm. 169 angeführten Werken: Antonius Fischer (1840-1912): De salute infidelium. Commentatio ad theologicam apologeticam pertinens. Essendiae 1886. - Franz Schmid (1844-1922): Die außerordentlichen Heilswege für die gefallene Menschheit. Brixen 1899. - Dazu vgl. J. Mausbach: Außerordentliche Heilswege für die gefallene Menschheit und der Begriff des Glaubens. In: Der Katholik 80/I (1900) 251-271, 306-325, 401-425. -
Joseph Mausbach (1861-1931): Die Ethik des heiligen Augustinus. 2 Bde. Freiburg 1909. Besonders Bd. 2. S. 300-306, 323 ff. -
Wilhelm Liese (1876-1956): Der heilsnotwendige Glaube. Freiburg 1902. -
Louis Capéran (1884-1962): Le problème du salut des infidèles. Essai historique et théologique. 2 Vol. Paris 1912. - Dass. Toulouse ²1934.
[173.1] Zahn: Das Jenseits. S. 132-137.

ruht, daß er ebenso in der Überlieferung einen klaren, lauten und steten Nachhall findet[174].

Auf Grund der vielfältigen altchristlichen Zeugnisse kam er zu dem Schluß, daß es kaum irgend eine andere Lehre gibt, in der die Kirchenväter, die Lehrer und die Gläubigen aller Zeiten übereinstimmen wie darin, daß es eine Hölle gibt und immer geben wird[175]. An die Seite der biblischen und altchristlichen Zeugnisse stellte er die feierlichen Lehrentscheidungen der Kirche[176]. Zum Abschluß zeigte er noch mit Zeugnissen der Religionsgeschichte, daß der menschlichen Natur das Bewußtsein tief innewohnt von dem unversöhnlichen Gegensatz, der zwischen dem unbereuten, ungesühnten Frevel und dem seligen Endziel besteht, und von der Notwendigkeit einer unbedingt siegreichen Sanktion der sittlichen Ordnung[177]. Eigens wurde sodann die Frage nach dem Charakter der jenseitigen Strafen erwogen und herausgestellt, daß nach Anschauung der Kirche die Strafe der Hölle primär in nichts anderem liegt, als im verschuldeten Verlust des Himmels, das heißt der seligen Gottesgemeinschaft[178].

J. Zahn vermerkte schon in diesem Zusammenhang, daß alles darauf ankommt, einigermaßen die Größe der Seligkeit zu erkennen, die mit dem Wort »Himmel«, »himmlische Anschauung Gottes« gemeint ist. Nur von dortaus werde sich erkennen lassen, was »Hölle« bedeutet, sofern sie Verlust des Himmels, Ausschluß von der seligen Anschauung ist. »Weil die Seele ihrer ganzen natürlichen Bestimmung nach auf die Erkenntnis und die Liebe Gottes und auf die in Erkenntnis und Liebe ewig beseligende Vereinigung mit Gott angelegt ist; weil, über diese natürliche Bestimmung und Anlage...hinausgehend, die wundersame huldvolle Gnadenordnung in innerlichster Erhebung der natürlichen Ziele und Kräfte dem

---

[174] Ebd. S. 137. - Zahn verwies auf folgende Schriftzeugnisse: Mat. 13, 30.40-41; 25, 10-12.21.29-46. - Joh. 15, 1-6. - Dan. 12, 2. - Weish. 5, 3 ff.; vgl. 3, 2 ff. - 2. Thess. 1, 8 ff. - 2. Petr. 2, 4.6. - Jud. 6-7. - Apk. 20, 6.9; 21, 6.9. -
Väterzeugnisse: Justin: Apologia I. 21; 28. PL-SG 6 (1857) 359-362; 371. -
Irenäus: Adv. haer. l.IV.c.28, 2; l.V.c.27, 2. PL-SG 7 (1857) 1061-1062; 1196-1197. -
Cyprian: Liber ad Demetrianum. c.25.PL-SL 4 (1844) 562-563. - CCL. III A (MCMLXXVI) 50-51.
Augustin: De civ. Dei. XXI. 23; 24,4. PL-SL 41 (1846) 735-736; 739. = CCL. XLVIII (MCMLV) 787-789; 791-792. = CSEL XL. 555-557; 561. - Ders.: Liber ad Orosium. c.6. n. 7. PL-SL 42 (1845) 673.
[175] Zahn: Das Jenseits. S. 143.
[176] Concilium oecumen. XII. Lateranense IV (1215). Cap. I. De fide catholica. Definitio contra Albingenses et Catharos. „... qui omnes cum suis propriis resurgent corporibus, quae nunc gestant, ut recipiant secundum opera sua, sive bona fuerint sive mala, illi cum diabolo poenam perpetuam, et isti cum Christo gloriam sempiternam". (DS 801.) -
Concilium oecumen. XIX. Tridentinum. Sess. XIV (25. XI. 1551). Doctrina de sacramento paenitentiae. Cap. 4: De constitione: „... contritionem imperfectam, quae attritio dicitur, quoniam ... ex gehennae et poenarum metu ... concipitur, ... declarat ... donum Dei esse ... quo paenitens adiutus viam sibi ad iustitiam parat". (DS 1678.) - Dazu Canones de sacramento paenitentiae. 5. (DS 1705.) - Vgl. Sess. VI (13. I. 1547). Decretum de iustificatione. Cap. 16: De fructu iustificationis, hoc est merito bonorum operum, deque ipsius meriti ratione. DS 1545. - Dazu Canones de iustificatione. 8, 15-17. (DS 1558, 1565-1567.) - Zum Concilium oecumen. XX. Vaticanum I (1869-1870) vgl. CLac VII. 517, 567.
[177] Zahn: Das Jenseits. S. 145-147.
[178] Ebd. S. 148.

Menschen die unmittelbare Anschauung Gottes für ein ewiges Jenseits dargeboten und ermöglicht hat: darum muß folgerichtig der völlige und immerwährende Verlust dieses erhabenen Endziels den Menschen, der sich selber als schuldigen Urheber dieses ewigen Verlustes erkennt, einer Tiefe und Glut der Seelenpein überantworten, zu welcher keine menschliche Vorstellung, geschweige denn ein Ausdruck der menschlichen Sprache hinabreicht«[179].

Damit verwies J. Zahn auf vier Momente, die andeutungsweise die wesentlichen Strafen der Hölle kennzeichnen:

1. die Unendlichkeit des Guten, dessen der Mensch verlustig geworden;
2. die innerste Verwandtschaft, zu der die Seele des Menschen diesem Guten gegenüber erhoben war;
3. die stets nagende Stimme des Innern, daß der Verlust einzig und allein in eigener schwerer Schuld wurzelt;
4. das brennende Bewußtsein, daß dieser schwerste, schmerzliche Verlust in selbstverschuldeter Weise ohne Ende bleibt[180].

Nachdem J. Zahn dargelegt hatte, daß in dieser Strafe des Verlustes (poena damni) zunächst das Furchtbare der Höllenstrafe beruht, beschäftigte er sich mit der Frage nach dem Erleiden peinvoller äußerer Einwirkung (poena sensus). Hier stimmte er J. Pohle zu, der für das physische Wesen des Höllenfeuers eintrat, und zwar in dem Sinn, daß es ein äußeres Medium oder Agens gebe, das die Verdammten auf geheimnisvolle Weise peinigt, dessen innerste Natur aber uns Menschen hier auf Erden unbekannt ist[181]. Eine rein symbolische Auffassung des Höllenfeuers lehnte er mit nahezu allen katholischen Theologen ab[182].

Zusammenfassend wies J. Zahn darauf hin, daß die dogmatische Erwägung das Geheimnisvolle der poena sensus hervorgehoben hat. Soviele Versuche auch gemacht worden seien, um Licht in dieses dunkle Gebiet zu bringen, so wenig entspreche dem Bemühen der Erfolg[183].

Zum Schluß bemerkte J. Zahn, der Lehre von der poena sensus begegne kein Bedenken, daß nach der Auferstehung die verworfenen Menschen auch äußere Pein erleiden müßten. Die Schwierigkeit liege allein in der Frage, wie die mit ihrem Leibe nicht vereinte Seele eine Peinwirkung von einem sinnlichen Agens her erfahren könne. Es ist für uns interessant, daß er in diesem Zusammenhang u.a. die Vorstellung erwähnte, daß die Seele auch bei ihrer Trennung von ihrem Leibe nicht aus ihrer Eingliederung in die ganze Weltwirklichkeit hinausfalle und daß deshalb vermöge des göttlichen Weltplans auch von seiten eines materiellen Agens eine Einwirkung auf die leiblose Seele möglich sei[184]. Näher ausgeführt hat J. Zahn diese Vorstellung allerdings nicht. Er betrieb eben keine Physik der letzten Dinge. Sein

---

[179] Ebd. S. 153-154.
[180] Ebd. S. 154.
[181] Pohle: Lehrbuch der Dogmatik. Bd. 3. (⁵1912). S. 743-744.
[182] Zahn: Das Jenseits. S. 154-155. - Näheres ebd. S. 157-159.
[183] Ebd. S. 160.
[184] Vgl. ebd. S. 203: „Man würde sonst außer acht lassen, daß die Menschenseele schon durch die Verbindung mit dem Körper auf die Korrespondenz mit der materiellen Welt angelegt ist und daß diese innere Anlage auch durch den leiblosen Zwischenstand nicht etwa zerstört wird". - Vgl. die Vorstellung K. Rahners vom allkosmischen Weltbezug der Seele. Dazu siehe oben S. 10, Anm. 11.

letztes Wort war in diesem Zusammenhang der Hinweis auf den Sprachgebrauch Jesu Christi[185].

c) Lösung einzelner Bedenken gegen das Dogma

J. Zahn wußte, daß der Lehre von der Hölle zahlreiche Bedenken entgegenstehen, vor allem solche, die ihren Ausgang vom Empfinden des menschlichen Herzens nehmen. Er war der Ansicht, daß weder unmittelbare Erfahrung noch Spekulationen hier das letzte Wort sprechen können, doch hielt er befriedigende Aufschlüsse für möglich, wenn man die Offenbarungswahrheiten der Heiligen Schrift annimmt und in ihrer Konsequenz durchdenkt. Die Hypothese von einer möglichen Milderung der Höllenstrafen lehnte er ab, jedoch hielt er daran fest, daß Gott nach seiner Barmherzigkeit waltet. Seine Überzeugung ging dahin, daß Er, der den glimmenden Docht nicht auslöscht, vielleicht noch vor dem Tod besondere Gnaden verleiht, die unsere äußere Wahrnehmung übersteigen[186].

Als nächstes wies J. Zahn den Einwand zurück, daß die Glorie der Seligen nicht vollkommen sein könne, wenn andere davon ausgeschlossen wären. Hier gab er zu bedenken, daß die Verwerfung eines Sünders nie der Liebe Gottes widerspricht, die Seligen aber sich in vollkommener Einigung mit dem Willen Gottes befinden[187].

Ein weiterer Abschnitt wurde der These gewidmet, daß jede Strafe auf Besserung zielt und zwecklos wird, wenn sie dieses Ziel nicht erreicht. In diesem Fall hielt J. Zahn am inneren Recht einer Vergeltungsstrafe fest. Unmöglich schien ihm dabei die gnostische These von einer absoluten Vernichtung der unheiligen Seelen. Die Widerlegung lag für ihn im Wesen der menschlichen Persönlichkeit und in den Aussagen der Heiligen Schrift über das Gericht am Ende der Welt und dem dort gesprochenen Urteil[188]. Dabei durfte freilich nicht verschwiegen werden, daß gegen

---

[185] Zahn: Das Jenseits. S. 162.

[186] Ebd. S. 164-165.

[187] Ebd. S. 166-167.

[188] Ebd. S. 168-170. - Als neuere Vertreter des alten Irrtums nannte Zahn im Anschluß an Nitzsch - Stephan (Evangelische Dogmatik. [3]1912. S. 735):
Richard Rothe (1799-1867). Dazu siehe oben S. 86-93. - Christian Hermann Weiße (1801-1866): Über die philosophische Bedeutung der christlichen Lehre von den letzten Dingen. In: ThStKr 9 (1836) 271-340. - Ders.: Rez. zu K.F. Göschel. Von den Beweisen für die Unsterblichkeit der menschlichen Seele im Lichte der spekulativen Philosophie. In: ThStKr 9 (1836) 187-216. - Ders.: Psychologie und Unsterblichkeitslehre. Leipzig 1869. -
Theodor Jakob Plitt (1815-1886).-
Theodor von Haering (1848-1928). Dazu vgl. oben S. 97. Schriften siehe LV. -
Hans Hinrich Wendt (1853-1928). Dazu vgl. oben S. 98-99. Schriften siehe LV. -
Otto Kirn (1857-1911) wirkte u.a. in Basel, ab 1896 in Leipzig. Schrieb u.a.: Grundriß der evangelischen Dogmatik. Leipzig 1905. - Vgl. dass. 4. Auflage nach dem Tode des Verfassers hrsg. von H. Preuß. Ebd. 1912. S. 136. -
Max Reischle (1858-1905): Jesu Worte von der ewigen Bestimmung der Menschenseele in religionsgeschichtlicher Beleuchtung. Eine Skizze. (Sonderabzug aus: PhA-RH. S. 531-560.) Halle a.S. 1902. -
Dagegen: Theodor Kliefoth (1810-1895): Christliche Eschatologie. Leipzig 1886. S. 290. - Vgl. Ölsner. S. 66-67. -
Christoph Ernst Luthardt: Kompendium der Dogmatik. [10]1900. S. 386, 399. - Vgl. ders.: Die Lehre von den letzten Dingen.

die hier verteidigte biblische Lehre das Bedenken erhoben wurde, wie sie sich mit der Güte Gottes vereinbaren lasse.

Zur Beantwortung hob J. Zahn hervor, daß jede Todsünde ein unermeßliches Unrecht gegenüber Gott und ein unermeßliches Unglück für den betreffenden Menschen ist. Erneut wies er darauf hin, daß Sünde nicht ein Verhängnis, sondern selbstverschuldete Bestimmtheit ist. Die Seele bleibt fern von Gott, wenn sie in innerer Unbußfertigkeit als Zuständlichkeit aus dem Diesseits ins Jenseits hinübergeht. »Für niemand«, so argumentierte J. Zahn, »gibt es eine Hölle, der die Gnade der Buße ergriffen, gleich wie niemand ihr entgeht, der die Gnade verschmäht hat in der Zeit, da sie ihm innerhalb der Frist des Diesseits entgegenkam«[189].

Im folgenden Abschnitt kam J. Zahn auf die Verfälschungen der christlichen Prädestinationslehre zu sprechen. Er war der Ansicht, daß niemals gegen die wahre christliche Jenseitslehre gröblicher verstoßen und größere Schwierigkeiten gemacht wurden, als durch den Bruch, der im Kalvinismus mit der Lehrüberlieferung und damit zugleich mit dem gesunden Urteil der Vernunft und des Glaubens vollzogen wurde. Er zeigte mit Entschiedenheit die ausdrückliche Verwerfung einer praedestinatio ad malum auf und rühmte, daß das Konzil von Trient mit dem Hinweis auf das unerforschliche Geheimnis der göttlichen Prädestination für den Universalismus des göttlichen Gnadenwaltens eintrat[190].

Zuletzt bemühte sich J. Zahn zu zeigen, daß die Seligkeit eine Gabe ist, die von Gott unlöslich mit der Freiheit verbunden wurde. Er wollte den Menschen dieses köstliche Gut nicht vorenthalten, wenn er auch den Mißbrauch einzelner voraussah. Darob aber dürfe Gott wahrlich nicht angeklagt werden, selbst dann nicht, wenn der Mensch das übernatürliche Endziel, zu dem auch nicht der Schein einer Rechtsforderung hinweist, sondern nur freieste, überhuldvollste Liebe bestimmt hat, als untreuer Knecht im trägen Nichtgebrauch, in bösem Mißbrauch die Willens- und Gnadenkräfte verscherzt habe. Der demütige Glaube finde in jener göttlichen Kundgabe der kommenden Entscheidung nichts anderes als die Liebe des guten Hirten, der jeden zu sich heranruft und jeden für ewig zu sich aufnimmt, der guten Willens ist[191].

5. Die Verschiebung des seligen Gottesbesitzes für die noch nicht völlig geläuterten Gerechten

J. Zahn hatte es abgelehnt, einen jenseitigen Zwischenzustand anzunehmen in dem Sinn, daß die sittliche Prüfung und Entscheidung in ein künftiges Dasein verlegt wird. Diesseitsleben und Jenseitsleben standen für ihn im gleichen Zusammenhang wie Weg und Ziel. Als er dieser grundlegenden Wahrheit seine Aufmerksamkeit zuwandte, beachtete er sehr wohl, daß mit ihr das katholische Dogma von ei-

---

[189] Zahn: Das Jenseits. S. 173.

[190] Ebd. S. 174-175. - Concilium oecumen. XIX. Tridentinum. Sess. VI (13. I. 1547). Canones de iustificatione. 17: Si quis iustificationis gratiam non nisi praedestinatis ad vitam contingere dixerit, reliquos vero omnes, qui vocantur, vocari quidem, sed gratiam non accipere, utpote divina potestate praedestinatos ad malum: an. s. (DS 1567.)

[191] Zahn: Das Jenseits. S. 176-178.

nem jenseitigen Läuterungsstand in Einklang stand. Als Voraussetzung der Feg-feuerlehre galt ihm dabei, daß all jene und nur jene, die in ihrem Erdenleben für Gott sich entschieden, die Gnade Christi ergriffen, in der Liebe und Freundschaft Christi ihr Erdenleben beschlossen haben, des ewigen Heiles sicher seien. Allein, so fügte er hinzu, ist keineswegs gesichert, daß alle, die als Glieder Christi in Glaube und Liebe von hinnen scheiden, unmittelbar in die Glorie und Wonne eintreten, die ihnen unverlierbar sicher ist, da andererseits nichts ungeläutert in den Himmel kommen kann[192].

J. Zahn wußte, daß diesem Gebiet der katholischen Glaubenslehre mancherlei Widerspruch begegnet, doch hielt er eine Verständigung über die genannten Grundvoraussetzungen einer Jenseitslehre mit den getrennten christlichen Ge-meinschaften durchaus für möglich[193]. Daher erläuterte er zunächst, was die katho-lische Kirche über diesen Gegenstand lehrt und mit welchen Gründen sie ihre Lehre stützt.

a) Gewißheit und Wesen des Purgatoriums

J. Zahn zitierte eingangs die Bestimmungen der Konzilien von Lyon, Florenz und Trient[194]. Das Wesentliche dieser Lehre lag für ihn in folgenden zwei Punkten:
1. die Existenz eines Zwischenstandes nach dem Tod in dem bereits dargelegten Sinn: Es kann geschehen, daß Seelen, die im Stand der Gnade aus dem Diesseits ins Jenseits hinübergehen, noch der Läuterung bedürfen, bevor sie Gott zu schauen würdig sind[195].
2. Die Erlaubtheit und Ersprießlichkeit frommer Fürbitten und guter Werke, die für die Seelen der Entschlafenen geschehen, um ihnen Erleichterung oder Erlaß der läuternden Strafenpein von Gott zu erwirken[196].
Dagegen hielt J. Zahn fest, daß in den kirchlichen Entscheidungen nichts definiert ist über die Ortsbestimmung des Purgatoriums, noch über den Charakter der Stra-fen desselben, speziell über den näheren Sinn, in dem diese Strafen als »Feuerstra-fen« bezeichnet werden.

Zielte J. Zahns Untersuchung also darauf ab, den wesentlichen Inhalt des Dogmas gemäß den maßgebenden kirchlichen Aussprachen zu begründen, so erör-terte er zunächst die Einwände, die darauf abzielten, daß sich ein Beweis für das

---

[192] Ebd. S. 179-180.
[193] Ebd. S. 180-181.
[194] Concilium oecumen. XIV. Lugdunense II. Sess. IV (6. VII. 1274). Professio Michaelis Palaeologi imperatoris. (DS 856-859: De sorte defunctorum.) - Concilium oecumen. XVII. Florentinum. Bulla unionis Graecorum „Laetentur caeli" (6. VII. 1439). (DS 1304-1306: De sorte defunctorum.) - Concilium oecumen. XIX. Tridentinum. Sess. XXV (3./4. XII. 1563). Decretum de purgatorio. (DS 1820.) - Vgl. dass. Sess. VI (13. I. 1547). Canones de iustificatio-ne. 30: Si quis post acceptam iustificationis gratiam cuilibet peccatori paenitenti ita culpam remitti et reatum aeternae poenae deleri dixerit, ut nullus remaneat reatus poenae temporalis, exsolvendae vel in hoc saeculo vel in futuro in purgatorio, antequam ad regna caelorum adi-tus patere possit: an. s. (DS 1580.)
[195] Zahn: Das Jenseits. S. 183.
[196] Ebd. S. 184.

Fegfeuer aus den kanonischen Schriften nicht erbringen lasse[197]. In 2 Makk. 12, 36-46 sah er ein Bekenntnis des Jenseitsglaubens, daß jenen, die in frommer Gesinnung verstorben sind, dennoch der Läuterung bedürfen, Gebetshilfe vom Diesseits aus werden könne. Er vertrat die Ansicht, daß dieses historische Zeugnis selbst dann Gewicht habe, wenn der inspirierte Charakter des Buches bestritten werde[198]. Bezüglich des Neuen Testaments schien es ihm nicht verwunderlich, daß die einschlägige Lehre mehr mittelbar zur Aussprache kommt. Mit L. Atzberger vertrat er die Ansicht, daß die Eschatologie innerhalb des Neuen Testaments den Charakter der Prophetie hat, die immer noch einen Teil ihrer Botschaft im Schleier des Geheimnisses darbietet. Dabei würden alle konkreten Übergangsformen vom Beginn bis zur Vollendung der Erlösung oder Beseligung gleichsam übersprungen, um erst bei ihrem Ziel und Ende auszuruhen[199]. Er nannte im folgenden verschiedene Schriftstellen, die im Gesamtzusammenhang die Lehre nicht strikt begründen, wohl aber beleuchten[200]. Von daher kam er zu dem Schluß, daß der Gedanke, der der katholischen Lehre vom läuternden Zwischenstand zu Grunde liegt, mit der Paulinischen Lehre vor allem durchaus harmoniert: »Daß alle Hoffnung in Christus ruht, daß aber vermöge der Gnade Christi diejenigen, welche auf Christus als ihr Fundament aufgebaut, also mit Christus in Verbindung geblieben sind, auch noch nach dem Tode kraft dieser Verbindung mit Christus von Mängeln und Makeln Läuterung finden werden«[201].

Eine besondere Bestätigung dieser biblischen Lehre sah J. Zahn in der fortwährenden kirchlichen Tradition, Fürbitte für die Entschlafenen bei Gott einzulegen. Ausführlich schilderte er wieder den altchristlichen Brauch, fügte jedoch aus apologetischem Interesse zahlreiche Zeugnisse über die Auffassung in den getrennten christlichen Gemeinschaften und der orientalischen Kirche hinzu, durch die der kirchliche Glaube an die Existenz eines jenseitigen Läuterungsstandes bezeugt wird. Dabei gab er zu bedenken, daß sich naturgemäß die allmähliche Lehrentfaltung bei diesem Gegenstand so gut wie bei den anderen geltend mache[202].

Fand somit J. Zahn das Dogma von der Existenz des Purgatoriums in jeder Weise bestätigt, so versuchte er anschließend die Fragen über dessen näheren Charakter zu beantworten. Ganz energisch wurde von ihm gleich zu Anfang alle Phantastereien und Gaukeleien des Spiritismus verurteilt[203]. Er wies aber auch darauf

---

[197] So Martin Luther bei der Leipziger Disputation (1519). - Vgl. Leo X. Bulle „Exsurge Domine" (15. VI. 1520) - Errores Martini Lutheri. 37: Purgatorium non potest probari ex sacra Scriptura, quae sit in canone. (DS 1487.)

[198] Zahn: Das Jenseits. S. 186.

[199] Atzberger: Die christliche Eschatologie in den Stadien ihrer Offenbarung im Alten und Neuen Testamente. S. 282.

[200] Jak. 3, 2; Apk. 21, 27; Mat. 5, 25-26; 12, 32; Luk. 12, 58-59; 1. Kor. 3, 11-15.

[201] Zahn: Das Jenseits. S. 189.

[202] Ebd. S. 190-196.

[203] Ebd. S. 198. - Vgl. jedoch die differenzierende Beurteilung von P. Schanz: Spiritualismus (Spiritismus). In: KL² 11 (1899) 645-653, besonders Sp. 652. - Literatur zum damaligen Stand der Diskussion: A. Kardec: Le ciel et l'enfer, ou la justice divine selon le spiritisme. Paris 1865, ⁵1875. - Ders.: Über das Wesen des Spiritismus. Aus dem Französischen. Zwickau 1882. - Dass. Leipzig 1894. - Ders.: Spiritualistische Philosophie. Das Buch der Geister. Enthaltend die Grundsätze der spiritistischen Lehre über die Unsterblichkeit der Seele, die Natur

der Geister und ihre Beziehungen zu den Menschen, die sittlichen Gesetze, das gegenwärtige und das künftige Leben, sowie die Zukunft der Menschheit. Nach der durch die höheren Geister mit Hilfe verschiedener Medien gegebenen Unterrichtung gesichtet und geordnet. Autorisierte deutsche Original-Ausgabe. Zürich 1886, [2]1898. - Ders.: Der Himmel und die Hölle oder die göttliche Gerechtigkeit nach den Aufschlüssen der Kunde vom Geist; dargestellt durch die vergleichende Prüfung der Lehren über den Übergang vom körperlichen zum geistigen Leben, die künftigen Strafen und Belohnungen, die Engel und die Teufel, die endlosen Strafen u.s.w.; sodann beleuchtet in zahlreichen Beispielen bezüglich der wirklichen Lage der Seele während und nach dem Tode. Mit Übertragung ins Deutsche durch Christian Heinrich Wilhelm Feller. Berlin 1890. - Ders.: Der experimentelle Spiritismus. Das Buch der Medien oder Wegweiser der Medien und der Anrufer, enthaltend eine besondere Belehrung über die Geister, über die Theorie aller Kundgebungen, über die Mittel für den Verkehr mit der unsichtbaren Welt, Entdeckung der Mediumität, über Schwierigkeiten und Klippen, welchen man bei der Ausübung des Spiritismus begegnen kann. Aus dem Französischen ins Deutsche übersetzt von Franz Pavlicek. 2. (Titel-)Auflage. Leipzig 1891, [3]1899. - Ders.: Das Buch der Geister. Die Grundsätze der spiritistischen Lehre über die Unsterblichkeit der Seele, die Natur der Geister und ihre Beziehung zu den Menschen, die moralischen Gesetze, das diesseitige und jenseitige Leben und die Zukunft der Menschheit enthaltend, nach der Belehrung, welche von den höheren Geistern mittelst verschiedener Medien gegeben werden. Leipzig 1903. - M. Perty: Die mystischen Erscheinungen der menschlichen Natur. Leipzig 1861. - Dass. 2. vermehrte und verbesserte Auflage. 2 Bde. Leipzig und Heidelberg 1872. - Ders.: Der jetzige Spiritualismus und verwandte Erfahrungen der Vergangenheit und Gegenwart. Leipzig 1877. - Ders.: Die sichtbare und unsichtbare Welt. Diesseits und Jenseits. Leipzig 1881. - Ders.: Ohne mystische Tatsachen keine erschöpfende Physiologie. Leipzig 1883. - I.H. Fichte: Der neue Spiritualismus, sein Wert und seine Täuschung. Leipzig 1878. - J.K.F. Zöllner: Die transcendentale Physik und die sogenannte Philosophie. Leipzig 1879. - J. Wieser: Der Spiritismus und das Christentum. In: ZKTh 4 (1880) 662-716; 5 (1881) 85-138. - Ders.: Der Spiritismus und das Christentum. (Aus: ZKTh.) Mit einer Beilage: Über Dr. G.Th. Fechner's „Tagesansicht". Regensburg 1881. - M. Schneid: Der moderne Spiritismus, philosophisch geprüft. Eichstätt 1880. - K. Gutberlet: Der Spiritismus. Köln 1882. - Ders.: Der Kampf um die Seele. Vorträge über brennende Fragen der modernen Psychologie. Mainz 1899. - Dass. 2 Bde. 2., verbesserte und vermehrte Auflage. Ebd. 1903. - W. Schneider: Der neue Geisterglaube. Tatsachen, Täuschungen und Theorien. Paderborn 1882, [3]1913. - Zu W. Schneider siehe oben S. 309, Anm. 169. - F. Kirchner: Der Spiritismus, die Narrheit unseres Zeitalters. (DZSF. 186.) Hamburg 1883. - F. Schultze: Die Grundgedanken des Spiritismus und die Kritik derselben. Drei Vorträge zur Aufklärung. Leipzig 1883. - E. Weber: Der moderne Spiritismus. (ZChVL. 57.) Heilbronn 1883. - E. von Hartmann: Der Spiritismus. Leipzig 1885, [2]1898. - Ders.: Die Geisterhypothese des Spiritismus und seiner Phantome. Leipzig 1891. - A.N. Aksakow: Animismus und Spiritualismus. Versuch einer kritischen Prüfung der mediumistischen Phänomene mit besonderer Berücksichtigung der Hypothesen der Hallucination und des Unbewußten. Als Entgegnung auf Dr. E. von Hartmanns Werk „Der Spiritismus". 2 Bde. St. Petersburg 1890. - Dass. deutsch: Leipzig 1895. - Dass. 3., verbesserte Auflage. Ebd. 1898, [5]1919. - Ders.: Der Vorläufer des Spiritismus in den letzten 250 Jahren. St. Petersburg 1895. - Dass. deutsch: Hervorragende Fälle willkürlicher mediumistischer Erscheinungen aus den letzten drei Jahrhunderten. Einzig autorisierte Übersetzung aus dem Russischen und mit einem Beitrag von Feilgenhauer. Leipzig 1898. - C. du Prel: Der Spiritismus. (UBib. 3116.) Leipzig 1893. - G.G. Franco: Le spiritualisme, manuel scientifique et populair. Bruxelles 1894. - C. Baudi di Vesme: Storia dello Spiritismo. Torino 1896. - Dass. deutsch: Geschichte des Spiritismus. 3 Bde. Luzern 1898-1900. - O. Riemann: Ein aufklärendes Wort über den Spiritismus auf Grund praktischer Erfahrung und wissenschaftlicher Studien. Berlin 1901. - Dass. 2., durchgesehene und vermehrte Auflage. Ebd. 1901. - A.-H.-M. Lépicier: The unseen world. An exposition of catholic theology in its relation to modern spiritism. New York 1906. - Dass. New english edition greatly enlarged. Ebd. 1929. - Vgl. ders.: Uno sguardo al di là della tomba. Dello stato e dell'operazione dell'anima separata del corpo. Roma 1896. - Ders.: dell'anima umana separata del corpo, suo stato, sua operazione. 2 a adizione ampliata. Roma 1901. - Ders.: Tractatus de novissimis. Parisii 1921. - A. Sleumer: Der Geisterkult in alter und neuer Zeit. (FZB. N.F. Bd. 26. H. 12.) Hamm 1907. - Ders.: Spiritismus. In: KHL 2 (1912)

hin, daß es innerhalb der christlichen Gläubigkeit großer Achtsamkeit und Maßhaltung bedarf, so oft es sich um Fragen des Jenseits und des Verhältnisses zwischen Diesseits und Jenseits handelt[204].

Ähnlich wie bei der Höllenstrafe nahm J. Zahn auch im Purgatorium einen Doppelcharakter der Strafe an. Entsprechend sah er die unaussprechlich herbe Pein des Fegfeuers darin, daß die Seelen den Besitz des seligen Zieles, in dessen Genuß sie bereits sein könnten, noch nicht erreicht haben: »sühnebedürftig, läuterungsbedürftig, wie sie annoch sind, müssen sie so lange der beseligenden Anschauung Gottes entbehren, bis ihre Schuld abgetragen, das Hemmnis beseitigt ist, das sie von jenem höchsten Gut trennt, zu welchem nur das Heilige gelangen kann«[205]. Daß die Seelen dieses Standes mit voller Sicherheit dem glücklichen Augenblick entgegensehen, der sie mit dem Ziele ihrer Sehnsucht vereint, stand für ihn außer Frage.

Wie J. Zahn schon früher ausführte, ist es eine notwendige Folgerung aus der Tatsache des besonderen Gerichts, das unmittelbar nach dem Tode statt hat und das in seiner Bedeutung beeinträchtigt wäre, wenn der Seele nicht kund würde, ob sie auf ewig Gott gehört oder auf immer verstoßen ist. Allein durch diese Sicherheit des Heils werde die »Pein des Verlustes« nicht aufgehoben: »Vermöge des Standes der Gottesfreundschaft, in welchem diese Seelen in die andere Welt eingetreten sind, und vermöge der Befreiung ihrer Erkenntnis von den mancherlei Hemmungen des Diesseits sehnen sie sich deutlicher, eindringlicher als jemals zuvor, wie allein und ausschließlich ihr Gott und Herr für ihre Seele die Heimat ist und die Ruhe, das Licht, die Wonne der Seele nach allen Weiten und Tiefen für immerdar, und daß es ihr freiwilliges Verfehlen, ihr schuldhaftes Versäumnis ist, daß sie von jenem Zielgute zurückhält, zu welchem all ihr echtestes, tiefstes Bedürfnis und Verlangen sie hinweist«[206].

J. Zahn war der Ansicht, daß dieser Schmerz ob des selbstverschuldeten Verzugs so einschneidend tief ist, daß der Ausdruck »Feuerpein« auch dann völlig berechtigt wäre, wenn keine weitere Quelle des Schmerzes angenommen werden müßte. Er wußte natürlich, daß neben der Entbehrungsstrafe (poena damni) von Gläubigen und Theologen eine weitere Strafe (poena sensus) angenommen wird. Dabei hob er jedoch hervor, daß über die Beschaffenheit des Mediums, durch die die poena sensus vermittelt wird, eine kirchliche Entscheidung nicht erfolgte[207].

Steht somit nach kirchlicher Lehre fest, daß durch die Leiden des Purgatoriums zeitliche Sündenstrafen abgebüßt werden, so ging J. Zahn im folgenden Abschnitt auf die Frage ein, ob das Fegfeuer bloß und ausschließlich ein Strafort sei. Er selbst schloß sich in der Kontroverse der gegenteiligen Auffassung an. Schon der

---

2175-2177. - Th. Steinmann: Spiritismus. In: RGG¹ 5 (1913) 839 bis 841. - H. Ohlhaver: Spiritismus und Christentum. In: Ders. Die Toten leben! Dritter Teil. Hamburg 1921. S. 7-27. - R. Gerling: Der Spiritismus und seine Phänomene. Oranienburg ²1918, ⁵1923. - Zur Verurteilung des Spiritismus durch die Kirche vgl. Pius IX. Litt. encycl. S. Officii ad episcopos „Supremae" (4. VIII. 1856). In: ASS 1 (1865/66) 177 ff. - Dass. in: DS 2823-2825. - Vgl. Responsorium S. Officii (26. VII. 1899). In: ASS 32 (1899-1900) 189.
[204] Zahn: Das Jenseits. S. 199.
[205] Ebd. S. 200.
[206] Ebd. S. 200.
[207] Ebd. S. 201-202.

Name selbst war ihm Beweis, daß die Seelen durch läuternde Strafen gereinigt werden, was offenbar mehr ist als bloßes Abbüßen und Genugtun[208]. Andere Beweise fand er in der Lehre der Heiligen Schrift[209] und der Tradition, sowie in der theologischen Erwägungen, die das Fegfeuer als einen Stand der Läuterung erweisen[210]. Diese sah er jedoch nicht in der Weise eines sittlichen Ringens zwischen Gut und Bös, noch in der Weise eines sittlichen Verdienstes, wohl aber in einer Reinigung »unter dem Walten der läuternden Einflüsse des Heiligen Geistes, welche den heilsamen Eindrücken der gerechten Strafe zur Seite gehen und in der heiligen und starken Geduld der leidenden Seelen, in ihrem Glauben und in ihrem Hoffen, ihrem Bereuen und ihrem Lieben das erfolgreiche Echo finden«[211].

So führte J. Zahn die Frage nach dem Zweck der Fegfeuerstrafen unmittelbar hinein in die schwierige Frage nach der seelischen Zuständlichkeit der zu Läuternden. Hatte er schon früher die Seelenschlaftheorie abgelehnt[212], so vertrat er nun entschieden die katholische Lehre, daß bei den Seelen der Abgeschiedenen die Kräfte des Liebens und glaubensstarken Hoffens nicht brach liegen, daß sich vielmehr bei ihnen die heilige Gottesliebe ihren Einfluß wahrt, wie im Streben und Kämpfen des Diesseits, so auch in den läuternden Peinen des Jenseits. »Wo die Gotteserkenntnis so voll Freude und Sicherheit und die Hoffnung von solcher Kraft des Sehnens und von solcher Gewißheit des Erwartens, ... da erblüht die Liebe der Seelen unter überhellen, glühenden Strahlen, die von der ewigen Liebe aus sie erreichen, zu einer inneren Reinheit, zu einer Vollkraft, deren Frucht die voranschreitende Läuterung, die wachsende 'Reife' ist«[213].

Für J. Zahn war es daher eine theologisch einwandfreie, ja selbstverständliche Meinung, daß je nach dem Maß dessen, was abzubüßen ist, und je nach dem Grad der Liebe die Seelen unterschiedlich lange im Purgatorium zu weilen haben[214]. Die Behauptung, daß notwendigerweise mit dem Tod selbst oder mit dem besonderen Gericht oder mit dem ersten Augenblick nach demselben jede Seele von jeder läßlichen Sünde und von jeder ungeordneten Neigung befreit werde, lehnte er ab[215]. Noch einmal versicherte er unmißverständlich, daß die kirchliche Lehre vom Läuterungsstand nichts zu tun habe mit dem Wahn einer gleichsam spontanen jenseitigen Selbstläuterung, eines allmählichen, rein natürlichen, darum schlechthin allgemeinen »Selbstausreifens« der Seele bis zur Vollendung in Gott. Aber er hielt es für verfehlt, diesem Irrtum in die entgegengesetzte Richtung ausweichen zu wollen[216].

Obwohl sich J. Zahn in seiner Fegfeuerlehre mit aller wünschenswerten Klarheit von einer evolutionistischen Auffassung jenseitiger Läuterung deutlich abgegrenzt hatte, entging seine Auffassung dennoch nicht der Kritik seines Innsbrucker

---

[208] Vgl. K. Gutberlet. In: Heinrich: Dogmatische Theologie. Fortgeführt von C. Gutberlet. Bd. X. 1902-1904. S. 632. - F. Schmid: Die Seelenläuterung im Jenseits. S. 104 ff.
[209] 2. Mak. 12, 36-46; Mat. 12, 32; 1. Kor. 3, 11-15.
[210] Zahn: Das Jenseits. S. 205-207.
[211] Ebd. S. 208.
[212] Vgl. oben S. 300-301.
[213] Zahn: Das Jenseits. S. 208.
[214] Ebd. S. 209. - Vgl. H. Simar: Lehrbuch der Dogmatik. Freiburg ³1893. S. 900.
[215] Zahn: Das Jenseits. S. 213.
[216] Ebd. S. 213.

Kollegen J. Stufler. Dieser erhob in einer Besprechung den Einwand, daß J. Zahn nicht streng genug zwischen Nachlassung von läßlichen Sünden und allmählicher Läuterung von sittlichen Unvollkommenheiten unterschieden habe. J.Stufler wollte ersteres hingehen lassen, letzteres jedoch nicht. Er selbst vertrat die These: »Es gibt im Fegfeuer keine Sünde, auch keine läßliche Sünde mehr, und daher auch keine Hinneigung zu ihr, keine ungeordneten, unfreien Regungen des Willens«[217]. Abgesehen davon, daß sich eine gegenteilige Behauptung bei J. Zahn nirgendwo findet, bleibt die Frage, ob die dogmatische Abgrenzung, die J. Stufler gegen J. Zahn vertrat, sich im Rahmen einer theologischen Anthropologie rechtfertigen läßt. Wir werden sehen, daß R. Guardini später ohne Einschränkung die gleiche Auffassung wie J. Zahn vertrat. Da die Theologie des jüngeren noch stärker von einer religionsphilosophischen Reflexion, die einem christlichen Personalismus verpflichtet war, getragen wurde, fiel es nicht schwer, im personalen Beziehungsfeld die jenseitige Läuterung als fortschreitende Heiligung verständlich zu machen, ohne gegen einen katholischen Glaubensgrundsatz zu verstoßen.

Doch kehren wir zurück zu J. Zahn. Wir haben soeben unserer weiteren Untersuchung ein wenig vorgegriffen, weil es ratsam ist, die Punkte gut im Auge zu behalten, an denen sich die von uns besprochenen Theologen berührten. Wir werden sehen, daß sich daraus eine deutliche Kontinuität innerhalb der deutschen katholischen Theologie ergibt. Da die dogmatische Theologie bei manchen ihrer Vertreter schon um die Jahrhundertwende nicht einseitig rückwärts gewandt, sondern durchaus zukunftgerichtet war, kann sie sich noch in unseren Tagen als fruchtbar erweisen.

b) Symbolisch-irenische Erörterungen gegenüber den getrennten Christen des Morgen- und Abendlandes

Hatte J. Zahn zu Beginn seiner Vorlesung die Hoffnung ausgesprochen, daß eine Verständigung über die Lehre vom Purgatorium mit den getrennten kirchlichen Gemeinschaften möglich sei, so verkannte er jedoch keineswegs die Gründe, die zu seiner Zeit eine solche Hoffnung, ja selbst jeden Versuch, ihre Verwirklichung vorzubereiten, erschwerten.

Als erstes ging er auf den Vorwurf ein, der von orthodoxer Seite erhoben wurde: die katholische Fegfeuerlehre sei Origenismus. Dagegen betonte er, daß die katholische Kirche ebenfalls eine jenseitige Bekehrungsmöglichkeit ablehnt. Andererseits wies er darauf hin, daß die orthodoxe Lehre bei ihren verschiedenen Verfechtern sehr schwankend sei: einmal werde die Lehre von der jenseitigen Läuterung verworfen, dann jedoch die Wirksamkeit von kirchlichen Suffragien bei denen, die sich vor ihrem Tod bekehrten, anerkannt. Den Hauptgrund für solches

---

[217] J. Stufler S.J. Rez. in: ZKTh 41 (1917) 111-113. Er verwies darauf, daß Domenico Palmieri S.J. (1829-1909) eine ähnliche Auffassung wie Zahn vertrat, jedoch vorsichtiger differenzierte. - Vgl. D. Palmieri: Tractatus theologicus de Novissimis. Prato 1908. § 23. S. 65 ff. - Vgl. W. Kasper: Palmieri. In: LThK ² 8 (1963) 14. -
Nicht zu verwechseln ist Domenico Palmieri mit dem Orientalisten Aurelio Palmieri O.E. S.A. (1870-1926), dessen Werk „Theologia dogmatica orthodoxa (ecclesiae graeco-russiae) ad lumen catholicae doctrinae examinata et discussa ...“ (2 vol. Florentiae 1911-1913) von Zahn wiederholt zitiert wird. Vgl. Zahn: Das Jenseits. S. 185, Anm. 2; S. 218, Anm. 2.

Schwanken sah J. Zahn in einem Zurückbleiben der morgenländischen Theologie in der dogmatischen Entwicklung, indem sie verkennt, daß es nicht eine Änderung, sondern eine naturgemäße Entfaltung der Lehre ist, wenn aus grundfesten Prämissen, die in der Heiligen Schrift, in den Vätern, in der Liturgie sich darbieten, strenge logische Folgerungen gezogen werden[218].

Als nächstes versuchte J. Zahn den Vorwurf, mit der katholischen Lehre von den Bußwerken nach erlangter Rechtfertigung werde das Grunddogma vom unendlich wertvollen Erlösungswerk Christi verleugnet, zu entkräften, indem er auf das Kreuz an unseren Gräbern verwies. »Das Zeichen des Heiles, das so oft im Leben über Stirne, Mund und Herz erglänzte, das so freundlich tröstend den Sterbenden begrüßt, leuchtet in das Grab als einzige Hoffnung«[219]. Vom katholischen Glaubensvollzug her begründete er das Bekenntnis, daß der katholische Christ die Tilgung der Sündenmakel und Sündenfolgen vom Gnadenstrom des kostbaren Blutes Christi erhofft. »Ihm allein, den der Glaube am Grabe als die 'Auferstehung und das Leben' bekennt, fleht die vertrauende Andacht an, daß er als der große und eine Mittler der Barmherzigkeit, wie die Schuld, so die Strafe huldreich erlasse«[220].

An dritter Stelle ging J. Zahn noch auf ein Bedenken ein, dem er ein sachliches Gewicht nicht beimaß: Man fürchte, daß der Glaube an das Purgatorium die heilsamen Fesseln der christlichen Zucht lockere, den Leichtsinn befördere, weil ja Aussicht auf Erlaß der zeitlichen Sündenstrafen bestehe, während durch den streng gegensätzlichen Gedanken des ewigen Lohnes und der ewigen Strafe, die die morgenländische Kirche festhalte, der ethische Ernst gefördert werde[221]. J. Zahn erwiderte dagegen, daß das Dogma vom Läuterungsstand selbst nach seinem innersten Gehalt und Charakter das lauteste Manifest der sittlichen Erhabenheit Gottes sei, die nur das ganz Reine in die selige Vereinigung mit sich aufnimmt und das noch nicht Geläuterte, aber für die Läuterung Empfängliche in gerechter Leidensschule reinigend, heilend zu sich emporhebt, um es der Einigung würdig zu machen. Dabei geht der Appell an alle, die guten Willens sind, dahin, ernstlich um jeden Preis den Stand der Gnade und Freundschaft Gottes zu wahren, ohne den im Jenseits die Pforte der seligen Gotteinigung sich niemals öffnen wird, zweitens aber jene Zartheit und Reinheit des Gewissens zu erstreben, jene vertrauende Offenheit für die allzeit bereite Gnadenhilfe, jene ernste, treue Mitwirkung, die demütig hoffen läßt, daß die Seele bei ihrem Heimgang nicht nur des Gnadenstandes sich erfreuen, sondern eines Grades der Lauterkeit, der Liebe, welchem die Frist zur vollen Läuterung sich verkürzt, die selige Pforte durch die göttliche Huld sich früher öffnet[222]. Hier erinnerte J. Zahn an die gnadenvolle Verbindung aller Gläubigen in dem einen Leib, dessen Haupt Christus ist; von daher werde das demütig-zuversichtliche Vertrauen gestärkt, daß Gott um der Gebete und Opfer der Kirche willen seine Hilfe beschleunigen werde. Mit sehr eindrucksvollen Worten legte er dar, daß das eigentliche Anliegen der »Fegfeuergläubigen« nicht das der eigenen Seele, sondern

---

[218] Vgl. ebd. S. 214-218.
[219] Ebd. S. 220.
[220] Ebd. S. 220-221.
[221] Ebd. S. 223.
[222] Ebd. S. 224.

das der zarten Liebe, treuen Sorge und Opferfreudigkeit gegenüber den heimgegangenen Brüdern und Schwestern sei[223]. So halte der Katholik daran fest, daß das Band, das kraft des gemeinsamen Glaubens an Christus, kraft der gleichen Liebe, der gleichen Gnade Christi die Seelen verbindet, weiter reicht als dieses Erdenleben und daß darum weder die Fürbitten, noch die frommen Werke vergeblich bleiben, die von Christus her wie ihre wirksame Kraft, so immer neue lebenswarme Anregung erhalten. Wenn die Kirche auf diese Weise mit den Gebeten, die sie im Namen Christi darbringt, und mit den Verdiensten, die von den Heiligen in der Kraft des Alleinverdienstes Christi erworben sind, den leidenden Seelen zu Hilfe kommt, so sah J. Zahn darin abermals eine Anerkennung der Erlöserliebe und Erlöserkraft Christi[224].

In einem letzten Zusatz behandelte J. Zahn am Schluß der fünften Vorlesung noch die Frage, ob vermöge der Gemeinschaft aller Glieder Christi mit ihrem Haupte Christus die Seelen des Purgatoriums für die Glieder der streitenden Kirche wirksame Fürbitte darbringen könnten. Wenn bei Thomas von Aquin diese Frage verneint zu werden scheine, weil die Seelen »non sunt in statu orandi, sed magis, ut oretur pro eis«[225], so meinte unser Würzburger Dogmatiker, daß eine Unfähigkeit zur Interzession sich wohl nicht aus dem Peinstand folgern lasse. Daher habe denn auch die Übung vieler Gläubigen, sich der Fürbitte der armen Seelen zu empfehlen, seitens der Kirche keine Mißbilligung erfahren[226].

Schauen wir an dieser Stelle noch einmal zurück, so können wir feststellen, daß sich J. Zahn bei seiner Darlegung der Fegfeuerlehre selber einer großen Zurückhaltung befleißigte. In abgewogenem Urteil brachte er sowohl den ganzen sittlichen Ernst als auch die zuversichtliche Milde zur Geltung, die der rechten katholischen Lehre in dieser Glaubenswahrheit eignet. Breiten Raum nahm eine irenische Erörterung gegenteiliger Meinungen der protestantischen und orthodoxen Theologie ein, ein Anliegen, das in unserem ökumenischen Zeitalter nichts an Aktualität verloren hat. Der dogmatische Gehalt seiner Vorlesung liegt in der Begründung der seelischen Zuständigkeit der zu Läuternden und in dem hervorragenden Wert, der dabei der Gemeinschaft der Heiligen in dem einen Leibe Christi beigemesen wird. So kam auch in diesem Teil der Vorlesungen J. Zahns die soziale Dimension der Jenseitslehre voll zur Geltung. Eine individualistisch ausgeprägte Eschatologie findet sich bei ihm nicht.

6. Die ewige Vollendung der Seele in Gott

»Kein Auge schaut, kein Ohr vernimmt, kein Gemüt empfindet, was Gott denen bereitet hat, die ihn lieben«[227]. Obwohl dies Wort des heiligen Paulus von allen Geheimnissen des Reiches Gottes gilt, wurde es von J. Zahn besonders auf das Geheimnis von der ewigen Vollendung der Seele in Gott bezogen. Er hielt es für mög-

---

[223] Ebd. S. 225.
[224] Ebd. S. 227.
[225] Thomas von Aquin: S. th. II/II. 83. 11. ad 1.
[226] Zahn: Das Jenseits. S. 228.
[227] 1. Kor. 2, 9. - Vgl. Jes. 64, 4.

lich, von der »Jenseitsglorie« ein Wort zu sprechen, das vor der Wahrheit bestehen kann, da der künftige »Glorienstand« die Vollendung des Gnadengeheimnisses ist. Die übernatürliche Wirklichkeit des diesseitigen Gottesreiches schien ihm dafür ein guter Ausgangspunkt zu sein[228].

a) Voruntersuchung über die Ortsbeziehung der Jenseitszustände

In einer Voruntersuchung beschäftigte er sich zunächst mit der Ortsbeziehung der Jenseitszustände. Eine Bestreitung des Jenseits vom modernen Weltbild aus hielt er für grundlos, zumal schon die Weltvorstellung der Antike keineswegs so kindisch war, wie bisweilen behauptet wird[229]. Gegen den Vorwurf, daß in der Gegenwart der Jenseitsglaube der Bibel und der patristischen wie der mittelalterlichen Kirche überwunden sei, weil er auf einem Weltbild beruhte, das heute völlig aufgegeben sei, stellte der Apologet die These entgegen, daß die Substanz des 5. und 6. Glaubensartikels unabhängig von einem bestimmten Weltbild sei[230]. »Weder die Gottesidee noch die Unsterblichkeitsidee, weder die Erklärung der diesseitigen Welt noch die denkende Fassung des jenseitigen Lebens stehen in näherem, inneren Zusammenhang mit dem Weltbilde, wie es von der populären Vorstellung entworfen oder von der wissenschaftlichen Forschung versucht wurde oder späterhin wird versucht werden«[231]. Wohl ließ J. Zahn gelten, daß es vorübergehend Schwierigkeiten bereiten könne, nachzuweisen, daß ein neues Weltbild mit religiösen Wahrheiten nicht in Kollision tritt; eine grundsätzliche Schwierigkeit jedoch hielt er bezüglich der Unterscheidung des religiösen Gebietes vom naturwissenschaftlichen für ausgeschlossen. Er verwies darauf, daß auch unser heutiges Weltbild der Erweiterung, Berichtigung und Fortbildung bedarf; durch die konsequente Unterscheidung glaubte er jedoch, die religiöse Wahrheit davor bewahrt, an dem relativen Charakter der zeitgeschichtlichen Naturforschung teilzunehmen. Außerdem ließ er nicht gelten, daß religiöse Wahrheiten, kirchliche Glaubenssätze sich deshalb ändern, weil bei der Mitteilung der Lehrsubstanz Hilfsanschauungen benützt werden, die eben den einzelnen Zeitläufen entnommen sind. Dazu gehörte für ihn auch die Benützung des populären Weltbildes im Alten und Neuen Testament oder auch in der religiösen Unterweisung[232]. Vor allem verlangte er, daß die Bibel richtig gewürdigt werde. Gegenüber Kol. 3, 1-2; Off. 21, 10 etwa fand er es kläglich, daß man sich über die christlichen Jenseitsgedanken hinwegsetzen wollte mit einem Spott, der die »Raumfrage« zum Anlaß nimmt[233]. Da die Existenz des Geistigen ihre eigenen, inneren Beweise habe, solle man sich davor hüten, die Raumvorstellungen als Schwierigkeit gegen die Jenseitslehre auszugeben. Er zitierte in diesem Zusammenhang den Schell-Schüler Ph. Kneib: »Kein Reich ist realer und mächtiger als das

---

[228] Zahn: Das Jenseits. S. 231.
[229] Zahn verwies auf E. Hoppe: Glauben und Wissen. Antworten auf Weltanschauungsfragen. Gütersloh 1915.
[230] Zahn: Das Jenseits. S. 233, 237.
[231] Ebd. S. 236.
[232] Ebd. S. 237.
[233] Ebd. S. 239. - Vgl. David Friedrich Strauß (1808-1874): Der alte und der neue Glaube. Bonn 1872. S. 130.

Reich des Gedankens. Man kann aber nicht angeben, in welchem Teil des Raumes der geistige Gehalt eines Vortrages ist, der Inhalt eines Gedankens, Wortes, Satzes. Und doch wird niemand im Ernst behaupten, der geistige Inhalt sei nichts Wirkliches«[234].

Es lag J. Zahn fern zu sagen, daß für die Seligen im Vollendungsstand eine Ortsbestimmung überhaupt nicht in Frage kommt. Mit dem Paderborner Moraltheologen und Bischof W. Schneider war er der Ansicht, daß in der Vorstellung vom Himmel, wie er nach dem allgemeinen Weltgericht alle Erlösten für die ganze Ewigkeit zur seligen Gemeinschaft vereinigen wird, der Begriff der körperlichen Räumlichkeit mit aufzunehmen ist[235]. Für den Zustand, in dem die Seelen der Heimgegangenen zuvor sich befinden, lehnte er eine Allgegenwart ab, weil sie ihm mit dem Charakter der Geschöpflichkeit unvereinbar schien; ebenso schien ihm aber auch eine Lokalisierung im Sinn der räumlichen Einfügung und Einschränkung ihrem geistigen Sein und Seligsein zu widersprechen. Darin stimmte er mit dem neuscholastischen Dogmatiker L. Janssens überein, der genau so über das Verhältnis der Engel zum Raum lehrte[236]. J. Zahn berief sich aber auch auf seinen Würzburger Amtsvorgänger, dem der Himmel und das Leben nach dem Tode nicht als eine verschiedene Örtlichkeit und Zeit erschien, in der der Übergang vor allem durch räumliche und materielle Veränderungen geschehen müßte, als vielmehr durch eine von obenher erfolgende Entfernung jener Hindernisse, die es mit sich bringen, daß Gott jetzt nicht unser unmittelbarer Erkenntnisstand und Lebenszweck ist[237].

Zur Stützung seiner These zog J. Zahn auch die theologische Summe des Aquinaten heran und betonte, daß jeder, der den Grundgedanken seiner Darstellung beachte, dagegen geschützt sei, die Raumvorstellungen in den Vordergrund zu

---

[234] Philipp Kneib (1870-1915: Die Unsterblichkeit der Seele, bewiesen aus dem höheren Erkennen und Wollen. (ApStLG. I/4.) Wien 1900. S. 135. - Vgl. ders.: Die Beweise für die Unsterblichkeit der Seele aus allgemeinen psychologischen Tatsachen neu geprüft. (SThSt. V/2.) Freiburg 1903.

[235] W. Schneider: Das andere Leben. [12]1914. S. 462-463.

[236] Laurentius Janssens O.S.B. (1855-1925): Summa theologica ad modum commentarii in Aquinatis Summam praesentis aevi aptatam. 9 Vol. Romae, Friburgi Brisgoviae 1900-1921. Hier Bd. 6 (1905) S. 550:
„Non potest omnino respectus Angelorum ad locum assimilari respectui Dei ad locum. Deus est Spiritus immensus, Angelus vero limitatus - Deus agens universalis, Angelus vero particularis. Quare nequid Angelo tribui ubiquitas sicut et Deo. Ad summum potest ei tribui aliqualis ubiquitas successiva, quatenus nullus est locus in quo non possit successive suam limitatam praesentiam exercere. Pariter nequit ex opposito conferri habitudo Angeli ad locum cum habitudine corporum ad locum. Corpora praesentia sunt in loco circumscriptive, per contactum quantitatis; Angeli vero, utpote spirituales, praesentes sunt definitive, quatenus sunt ibi et, dum sunt ibi, non sunt alibi, idque non per contactum quantitatis, sed virtutis". - Vgl. Thomas von Aquin: S. th. I. 52: De comparatione Angelorum ad loca.

[237] Vgl. H. Schell: Jahwe und Christus. (Apologie des Christentums. 2. Bd.) 2. Auflage. Paderborn 1908. S. 477: „Der Himmel und das Leben nach dem Tode erscheinen im Evangelium nicht als eine verschiedene Örtlichkeit und Zeit, in die der Übergang vor allem durch räumliche und materielle Veränderungen geschehen muß, sondern durch die von innen und oben her erfolgende Entfernung jener Hindernisse, welche es mit sich bringen, daß Gott jetzt nicht unser unmittelbarer Erkenntnisgegenstand und Lebenszweck ist." Vgl. ebd. S. 476. - W. Schneider: Das andere Leben. S. 460. - Zahn: Das Jenseits. S. 241.

rücken[238]. So kam der Würzburger Theologe zu dem Schluß: »Ob wir ... die Seligen vor oder nach der Wiedervereinigung der Seele mit dem Leib ins Auge fassen, und ob wir an die Gegenwart der Seligen an sich oder an ihr Wirken denken: wir sind unvermögend, ihren 'Aufenthaltsort', ihre Gegenwart in einer restlos befriedigenden Weise zu bestimmen, da unsere Diesseits-Erfahrung angesichts der verschiedenen Zuständlichkeit keine genügende Analogie aufweist«[239].

Im Unterschied zu J. Bautz hatten daher für J. Zahn Hypothesen über das »Wo?« des Himmels nur sehr geringen Wert, und obwohl er selbst ganz unwillkürlich die Begriffe von Räumlichkeit wie »hoch« oder »begrenzt« auf die jenseitigen Zustände anwandte, so gab er doch dem Gedanken Nachdruck, »daß der Gegensatz zwischen dem Diesseits und dem Jenseits in erster Linie ein zuständlicher, nicht ein räumlicher ist«[240]. Er vermeinte darum, keinen Tadel zu verdienen, wenn er sich in seinen Vorlesungen dahin beschied, vom Jenseitsstand überhaupt, vom jenseitigen Läuterungsstand, vom Stand der Verworfenen, vom Glorienstand zu sprechen[241]. So verstand er auch die Aussagen der heiligen Schrift über die himmlische Seligkeit, die ihm, so unabhängig wie möglich von jedem früheren und späteren Weltbild die These zu stützen schien, die ihn in dieser sechsten Vorlesung beschäftigte: »Unsere Seligkeit bedeutet ihrem Wesen nach soviel als die Vollendung unserer Seele in Gott, in der Erkenntnis Gottes, in der Liebe Gottes, im Genusse Gottes, gemäß der Verheißung, die uns gegeben ist und die auf ewig sich erfüllen will«[242].

b) Das Wesen des Glorienstandes

Die Jenseitslehre hatte für das Denken J. Zahns nicht die »Anschaulichkeit eines Bauplanes« oder die »Übersichtlichkeit einer Touristenkarte«. Das Wesen des ewigen Lebens war ihm ein Geheimnis, bildlich gesprochen, ein Land, das von unserer diesseitigen Erfahrung nicht durchwandert, von unserem diesseitigen Verständnis nicht durchgründet werden kann. Die Heilige Schrift hat diesen Tatbestand nicht geändert, wenn nach ihren Aussagen der Himmel in dem beruht, was J. Zahn als sein Wesen bezeichnete: »in dem Besitz Gottes selbst«[243]. Aus dem Alten und Neuen Testament gewann er die sehr beachtenswerte Einsicht, daß die Gemeinde der Gotteskinder nicht bloß das Reich Gottes mit den Kräften der Erwartung, die auf das Kommende hofft, und mit den Kräften der Liebe, die das Zugesicherte schon besitzt, erfassen will, sondern nach Gott selbst trachtet, um mit ihm Eins zu werden[244].

---

[238] Ebd. S. 241. - Vgl. Thomas von Aquin: S. th. Suppl. 69: De his quae spectant ad resurrectionem, et primo de loco animarum post mortem. Art. 1: Utrum assignetur receptacula animabus post mortem. - Vgl. ders.: In IV Sent. dist. 45. qu. 1. art. 1, ad 1.
[239] Zahn: Das Jenseits. S. 242.
[240] Ebd. S. 242. - Vgl. Joseph Bautz (1843-1917): Der Himmel. Spekulativ dargestellt. Mainz 1881. S. 177-178.
[241] Zahn: Das Jenseits. S. 242.
[242] Ebd. S. 243.
[243] Ebd. S. 244.
[244] Ebd. S. 245. - Vgl. Gen. 15,1; Jes. 48, 12; Off. 22, 13; Ps. 36, 6-10; 39, 7-8; 84; 1. Thess. 4, 16.

J. Zahn, der sich in seinen theologischen Studien intensiv mit der christlichen Mystik befaßt hatte[245], legte auch hier dar, wie die Väter und Mystiker viel von aufgehendem Einswerden im gottseligen Leben hier auf Erden und vom vollkommenen Einswerden im Himmel gesprochen haben. Dies geschah freilich oft in Form von Gleichnissen, die an materiellen Dingen anknüpften, obwohl sie dabei geistige Verhältnisse nur sehr unzureichend darzustellen vermochten. J. Zahn beurteilte sie insofern besonders kritisch, als er sie außer Stande sah, ein Moment in der Vereinigung zwischen Gott und Mensch richtig auszudrücken, das ihm ganz wesentlich schien: Alles von dieser heiligsten, innigsten Einigung auszuschließen, was eine Vermischung oder Vernichtung des individuellen Lebens besagt[246].

Hier nun brachte der Würzburger Dogmatiker den Lebensbegriff voll zur Entfaltung, den er in den heiligen Schriften zu finden glaubte. Leben besagte ihm dabei nicht nur Sein und Wirken, es war für ihn vor allem eine Einheit, die sich von innen aufbaut, in einer bewundernswürdigen Verbindung von Geschlossenheit des Eigenen und von Aufnahmefähigkeit gegenüber anderem, was dem Eigenen dienen kann; wobei von der Tiefe des Inneren aus die Mannigfaligkeit der Tätigen begründet und beherrscht wird, in dem die Lebenskräfte sich entwickeln und ihr Einwirken auf die Umwelt entfalten.

Unvergleichlich höher aber war für J. Zahn das geistige, persönliche Leben, das er voll und ganz von Gott her begründet sah. Gott allein ist das Leben und gibt das Leben. Aber er gibt es nach J. Zahn in mannigfaltigen Stufen, deren höchste die ist, daß wir Anteil erhalten am göttlichen Leben. Verglichen mit diesem ewigen Leben in Gott, war ihm selbst das wunderbare Leben der Seele, die zur Gnadenkindschaft erhoben ward, nur wie ein Keim gegenüber der Frucht. Aus der Heiligen Schrift hatte er schon zuvor die Einsicht geschöpft, es sei der Vorbesitz des ewigen Lebens, daß wir im Erdenstand die wahre, lebendige, die belebende Erkenntnis unseres Gottes anfangsweise ergreifen, und es sei der Vollbesitz des ewigen Lebens, daß wir in dieser »Erkenntnis« vollendet werden. Das Johanneische Gedankengut verdeutlichte ihm besonders klar, daß diese Seligkeit nicht als bloße Zuständlichkeit, gleichsam als ruhender Habitus gefaßt werden darf. Leben besagte für ihn mehr, und gerade die johanneische Theologie schien ihm zu fordern, bei der Frage nach den Lebensbetätigungen insbesondere die Erkenntnis nicht außer acht zu lassen[247].

Genau dies schien unserem Würzburger Dogmatiker mit jenem Ausdruck verdeutlicht zu werden, der gemäß dem theologischen Sprachgebrauch am gewöhnlichsten zur Bezeichnung des Vollendungsstandes diente: der visio beatifica.

J. Zahn stellte heraus, daß die selige Anschauung Gottes für den Christen nicht in einer Erfüllung irdischer menschlicher Wünsche, nicht in einer Steigerung erdhaft-menschlicher Kräfte und Tätigkeiten, nicht in irgendeiner verfeinerten jenseitigen Fortsetzung diesseitigen Genießens beruht, sondern in der Sphäre des Geistes. Zur spekulativen Begründung wies er darauf hin, daß es der Erkenntniskraft

---

[245] Vgl. J. Zahn: Einführung in die christliche Mystik. Paderborn 1908, ⁵1922.
[246] Zahn: Das Jenseits. S. 246.
[247] Ebd. S. 247-248. - Vgl. Joh. 5, 26; 6, 33.35.40.47-58.63; 17, 2-3; 1. Joh. 2, 25; 5, 11.20; vgl. Mat. 19, 16-17; Röm. 5, 21.

zukommt, der Seele die geistige Gegenwart eines Objektes zu vermitteln. Hier im Diesseits können wir zwar nur Abschattungen von Bildern der ewigen Wahrheit, Schönheit, Güte auf allen Wegen und in allen Formen finden. Für den Stand im Jenseits aber erwartete J. Zahn, daß das geistige Ich vom Nebeneinander, Beschränktsein, Geteiltsein des erdhaften Vorstellens befreit sein wird. Der Geist werde dann nicht mehr bloß göttliche Vollkommenheiten im mühsamen Nacheinander der Erwägung und Schlußfolgerung schauen, sondern den allein Vollkommenen in wahrer Unmittelbarkeit erkennen. Die verklärte Seele werde nicht mehr damit zufrieden sein, den Bildern des Göttlichen sich zuzuwenden, vielmehr die unendliche Gottheit selbst schauend besitzen[248] als den Urquell allen Lichtes, aller Klarheit und Wahrheit, nicht mehr »im Stückwert« oder nur wie »im Spiegelbild«, sondern von Angesicht zu Angesicht, schauend den dreieinigen Gott in der geheimnisvollen Erhabenheit, in der Fülle, in der Glorie seines ewigen Seins und Lebens[249].

An dieser Stelle seiner Untersuchung schaltete J. Zahn einen Exkurs über die Lichtvorstellung ein, wie sie sich in den christlichen Gebetswünschen der Frühzeit, aber auch schon zuvor in der antiken Welt weit verbreitet war. Als typisch bezeichnete er die Vorstellung, daß die Seele selber Teil des unermeßlichen Lichtes sei, wohingegen der spezifisch christliche Charakter der Lichtidee zum Ausdruck kommt, wo Gott angerufen wird, er möge das Licht verleihen. Hier zeigte sich J. Zahn jene Übereinstimmung, die zwischen dem Glaubenszeugnis der Bibel und der Kirche besteht[250].

Zurückweisen mußte der christliche Dogmatiker damit auch die Auffassung, die in dem einseitig-spekulativen Weltbild von J. G. Fichte und G. Th. Fechner entworfen wurde. Er bestand darauf, daß das künftige Leben nach christlicher Anschauung nicht in einer gesteigerten Weiterentwicklung diesseitiger Anlagen und Betätigungen besteht, sei es nun in freier oder in naturhafter Fortentfaltung, sondern in einem Akt, der über alles natürliche Bedürfen hinausgeht. Nur eine ganz besondere Erhebung des kreatürlichen Geistes seitens Gottes ermöglicht diesen Akt und damit eine geheimnisvolle innere Verähnlichung mit Gott. J. Zahn faßte die theologische Lehre, wie sie auf Grund der Heiligen Schrift entfaltet wurde, in der These zusammen: Wir werden »Gott nur schauen durch Gott, in Gott«[251].

Nach diesem Exkurs, in dem J. Zahn den Unterschied der christlichen Dogmatik zu den religionsgeschichtlich und religionsphilosophisch herrschenden Ansichten verdeutlichte, kam er auf eine innerkatholische Kontroverse zu sprechen, die

---

[248] Zahn fügte in einer Anmerkung ausdrücklich hinzu, daß damit nicht ein völliges „comprehendere" besagt werde, da das Unendliche nicht vom Endlichen ganz durchgründet werden kann. - Vgl. Thomas von Aquin: S. th. I. 12, 7: Cum igitur lumen gloriae creatum in quocumque intellectu creato receptum non possit esse infinitum, impossibile est quod aliquis intellectus creatus Deum infinite cognoscat. Unde impossibile est quod Deum comprehendat.

[249] Zahn: Das Jenseits. S. 248-250. - Vgl. 1. Kor. 13, 9-12; 1. Joh. 3, 2.

[250] Zahn: Das Jenseits. S. 250-252. Er verwies dabei u.a. auf Off. 21, 22; 1. Joh. 1, 5; Joh. 8, 12; vgl. auch Jes. 9, 2; 60, 2-3; Mat. 4, 13-15; Luk. 2, 32.

[251] Zahn: Das Jenseits. S. 253. - Zahn verwies u.a. auf das Concilium Oecumen. XV Viennense. Sess. III (6.5.1312): Errores Beguardorum et Beguinarum de statu perfectionis. n. 5. (= DS 895). - Thomas von Aquin: S. th. III. 9, 2 ad 3. - Vgl. ebd. I. 12, 1.4.5. - Ders.: De veritate 14, 10, 2. - Vgl. H. Kirfel: Das natürliche Verlangen nach der Anschauung Gottes. In: DTh (Ser. II.) 1 (1914) 33-57.

vor allem zwischen den Vertretern der großen Orden erörtert wurde. Er bezeichnete es als ein Mißverstehen, wenn man die Betonung des intellektuellen Moments unserer Vollendung, wie sie offenbar in den Begriffen der visio beatifica und des lumen gloriae gegeben ist, als Ausdruck eines einseitigen Intellektualismus auffassen wollte.

Dagegen betonte er, daß das Schauen Gottes nicht von der Liebe Gottes getrennt werden dürfe, gleichwie Schauen und Lieben nicht getrennt werden von der beseligenden Einigung[252]. Nach J. Zahn dachten aber weder die Thomisten mit ihrer Betonung der Gottschauung daran, die Bedeutung der Gottesliebe für die selige Vollendung verkümmern zu lassen, noch wollten die Skotisten bei der Betonung der fruitio Dei die Schauung Gottes in ihrer Bedeutung verkennen. Als lohnende Frucht ihrer Kontroverse sah J. Zahn die Verstärkung und Vertiefung der Erkenntnis an, daß die selige Vollendung im wahrsten und reichsten Sinn Vollendung der ganzen Menschenseele sein müsse. Daher hielt er es für müßig, Erörterungen über den Primat der Erkenntnis oder des Willensvermögens anzustellen. Im Wesen der Vollendung lag für ihn, daß auch das, was im Diesseits selbst bei der innigsten Verbindung nicht ganz aus der Gegensätzlichkeit heraustritt, im Jenseits in jener strahlenden Harmonie und ungetrübten Einheit sich darbietet, die es verwehrt, von einer eigentlichen Unterordnung des einen oder des anderen Moments zu sprechen: bei der Vollendung werde beides erblühen zu einem seligen Rhythmus[253].

J. Zahn hatte mit dieser Auffassung eine Sicht gewonnen, die zur gleichen Zeit von R. Guardini zu einer umfassenden philosophischen Methode ausgebaut wurde[254]. Auch das Stichwort Rhythmus begegnet uns öfter in der zeitgenössischen Philosophie[255]. J. Zahn sah darin die Möglichkeit, die lebendige Einheit von Verschiedenartigem zum Ausdruck zu bringen. So erklärte er, daß es kein anderes ewiges Leben gebe als jenes, das »durchflutet ist vom Dreiklang: Schauen Gottes, Liebe Gottes, Seligkeit Gottes«[256]. Das alles beruhte freilich für ihn darauf, daß Gott sich selbst zum Ziel gibt als die »lautere Offenbarung seiner Liebe«, gleich wie wiederum »seine Selbstmitteilung an die Geschöpfe zur Seligkeit und das persönliche Eingehen der Geschöpfe in die göttliche Huldabsicht der Beseligung ein überschwenglicher, nimmer endender Hymnus auf die Majestät der ewigen Liebe sein wird«[257].

Mit diesen Worten hatte J. Zahn seine grundlegenden Ausführungen über das Wesen des Glorienstandes beendet. Im folgenden Abschnitt fügte er einige nähere Bestimmungen hinzu. Vor allem war es ihm darum zu tun, gegenüber Mißverständnissen bei verschiedenen Denkrichtungen seiner Zeit die ethische Reinheit und Würde der christlichen Himmelshoffnung aufzuzeigen. Damit griff er ein Anliegen auf, für das zuvor schon Ph. Kneib energisch gestritten hatte[258]. Wir heben aus diesem Abschnitt hervor, daß für J. Zahn die Glorie nicht anders denkbar war denn

---

[252] Zahn: Das Jenseits. S. 254.
[253] Ebd. S. 256.
[254] Zu R. Guardini siehe unten S. 727-747.
[255] Siehe unten S. 742, Anm. 88.
[256] Zahn: Das Jenseits. S. 257.
[257] Ebd. S. 259.
[258] Vgl. Ph. Kneib: Die Jenseitsmoral im Kampfe um ihre Grundlagen. Freiburg 1906.

als Frucht der Gnade, die ihrem Wesen nach Gottes freie Gabe ist, ihrem Prinzip nach von Christus uns erworben in freier Huld. Darum war für ihn auch der Himmel ein reines Geschenk der Gnade, eine Gabe der Gnade Christi. Aber er lehrte mit der Heiligen Schrift, daß niemand die Seligkeit gewinnen kann, wenn er nicht zuvor darum gekämpft hat, treu gewesen und wachsam geblieben ist, sich als Diener des Herrn bewährt hat[259].

Als nächstes behandelte J. Zahn das Problem der Verschiedenheit der Stufen und Arten von Herrlichkeit und Seligkeit. Dabei verwies er darauf, daß die Mannigfaltigkeit der Lebenswelt von Nivellierung und Uniformierung weit entfernt ist. In Verbindung mit der sittlichen Anstrengung, die nach göttlichem Ratschluß von jedem Menschen gefordert wird, sah er hierdurch jeden Quietismus und die Neigung zu einseitiger Passivität von vorneherein ausgeschlossen. »Die Hingabe an Gott muß tätige Weihe werden, das Ruhen in Gott muß im Eilen zu Gott sein; ein Eilen auf den Pfaden der Opferliebe«[260]. Damit zugleich schien ihm aber auch die Gefahr überwunden, daß »das Diesseits im grellen Licht der Ewigkeit zur vollen Bedeutungslosigkeit herabsinkt«[261].

Wir stellen fest, daß J. Zahn damit wieder sein Lieblingsthema angeschlagen hatte, die Harmonie vom Diesseitswirken und Jenseitsleben. Dieses Anliegen beherrschte auch seine Ausführungen zu dem Problem, ob durch die Verschiedenheit des himmlischen Lohnes nicht die Glückseligkeit des einzelnen beeinträchtigt werde. Er wies dies Bedenken ab mit dem Argument Augustins, daß das Begehren der vollendeten Seele in vollendeter Harmonie mit dem göttlichen Willen bestehe, und daß die Vollendung der Liebe jeden Neid ausschließe[262]. Außerdem verwies er darauf, daß im Jenseits alles Gegensätzliche, Beschwerende, Selbstische besiegt und das hohe Ideal des Gottesreiches, die Gemeinschaft der Brüder, verwirklicht ist. Mit Anselm von Canterbury lehrte er daher, daß dereinst das himmlische Lebensgesetz der heiligsten Gütergemeinschaft alle umfaßt, ein freudiger Austausch der Reichtümer des Schauens, Liebens und Genießens[263].

Es ist das besondere Verdienst J. Zahns, in diesem Zusammenhang ausdrücklich hervorgehoben zu haben, daß die Vollendung des Menschen auch die Vollendung nach der sozialen Seite seines Wesens in sich einschließt. Gleichwie im Jetztstand gemäß der göttlichen Idee die Geschöpfe ihr Sein nicht haben als zerrissene Felsblöcke, sondern als Glieder eines Ganzen, und wie diese gliedschaftliche Bestimmung in gleichem Grade sich vervollkommnet, als die Bedeutung des einzelnen Wesens in den höheren Stufen reiner und stärker hervortritt, so werden - wie J. Zahn erklärte - erst recht in der seligen Vollendung die einzelnen Menschen nicht einander gegenüberstehen wie getrennte Welten, sondern wie Glieder eines zusammenstimmenden Kosmos, wie Glieder einer Familie, »aufs innigste geeint durch

---

[259] Zahn: Das Jenseits. S. 260-262. - Vgl. Mat. 25, 10.21.23; Off. 2, 10.

[260] Zahn: Das Jenseits. S. 265.

[261] Ebd. S. 265.

[262] Ebd. S. 266. - Vgl. Augustinus: De civ. Dei. l. XXII. c. 30, 2. PL-SL 41 (1846) 802. = CCL. XLVIII (MCMLV) 863.

[263] Zahn: Das Jenseits. S. 267. - Vgl. Anselm von Canterbury: Proslogion. c.25: Quae et quanta bona sint fruentibus eo. Deutsch-lateinische Ausgabe. Übersetzt, eingeleitet und erläutert von Rudolf Allers. (Hegner-Bücherei.) Köln (1966). S. 236-241.

die selige Mitgift des Himmels, die königliche Liebe«[264]. Dabei überschreite die Vollendung ihrem Umfang nach weit alle Einigungen, die sich im Diesseits durch die Bande des Blutes und die Verwandtschaft des Geistes vollziehen. Geradezu unermeßlich schien ihm die Perspektive auf das millionenfache Hinundwiderstrahlen und Hinundherfluten der Seligkeit und Herrlichkeit von Seelen zu Seelen, von Stufen zu Stufen, von Reichen zu Reichen - in jenem einen »Reich Gottes«, das in diesem biblischen Namen selbst die Idee der Gemeinsamkeit als wahr und notwendig sanktioniert. Auch an dieser Stelle betonte er noch einmal, daß die Quellen freudiger Gemeinschaft und seligen Austausches umso reichlicher strömen, je entschiedener »die Hingabe an das Reich Gottes sich bewährt hat in der allmählichen Entfaltung der Frist der Weltzeit«[265]. Die Betonung der sozialen, universalen Momente der Beseligung waren für ihn unerläßlich[266], ebenso wie die Übereinstimmung von Erdenwirken und Himmelsherrlichkeit.

Zum Schluß dieser Vorlesung legte J. Zahn noch dar, daß die Glückseligkeit des Menschen kein Ende haben kann und das sichere Bewußtsein ihrer steten Fortdauer in sich schließen muß. Mit G. Teichmüller wies er den Einwand, daß im Himmel Langeweile drohe[267], ab, da dieser den inneren Unterschied von Streben und Werden einerseits und dem Vollendeten und Ewigen andererseits verkennt[268]. Er fügte hinzu, daß in theologischer Sicht die Ewigkeit der seligen Anschauung Gottes in jeder Weise eine Vollkommenheit besagt. Diese war für ihn nicht nur eine Art Anteilnahme an der göttlichen Unvergänglichkeit und Unwandelbarkeit, sondern auch eine gewissen Anteilnahme an der göttlichen Lebensfülle. Darum werde es im Himmel einen »Fortschritt« geben, von Leben zu Leben, von Liebe zu Liebe, von Freude zu Freude, von Klarheit zu Klarheit, von Licht zu Licht, von Gott zu Gott[269]. Er schloß mit den Worten:

»Der Geist des Menschen..., der über all dem Rufen, Rennen, Streiten, dem er sich nicht entziehen kann, über all dem Hämmern und Zimmern, Geben und Helfen, Fragen und Forschen, dem er sich nicht entziehen will, noch ein anderes Wünschen und Streben kennt; der Geist, der von einem Suchen weiß nach der Sammlung von einem Fragen nach dem Einheitlichen; der Geist, der die Kraft sich bewahrt hat, an ein Festes und Bleibendes zu glauben; der Geist, der den Mut hat, im Glauben, Hoffen, Lieben des ewigen Lebens das Erdenleben zu erheben und zu weihen: ein solcher Geist hat in den Tiefen seiner selbst den Abdruck der heiligen Urkunde gefunden, die Gottes untrügliches Wort ihm bietet in der frohen Botschaft von der ewigen Seligkeit und von der seligen Ewigkeit«[270].

---

[264] Zahn: Das Jenseits. S. 268.

[265] Ebd. S. 268.

[266] Vgl. ebd. S. 269. Anm. 4.

[267] Vgl. Johann David Michaelis (1717-1791): Dogmatik. Göttingen 1784. § 203. - Franz Volkmar Reinhard (1753-1812): Vorlesungen über die Dogmatik. Amberg, Sulzbach 1801. - Dass. 3. Auflage hrsg. von J.G.I. Berger. Sulzbach 1812. S. 687. - D.F. Strauß: Die christliche Glaubenslehre. Bd. 2. S. 675 ff.

[268] Zahn: Das Jenseits. S. 274. - Gustav Teichmüller (1832-1888): Über die Unsterblichkeit der Seele. Leipzig 1874. S. 186-190. - Weitere Schriften von ihm siehe im LV.

[269] Zahn: Das Jenseits. S. 275. - Nach F. Hettinger: Apologie des Christentums. Bd. 2: Die Dogmen des Christentums. 2. Abt. Freiburg ^{5}1880. 15. Vortrag: Himmel und Hölle. Besonders S. 306.

[270] Zahn: Das Jenseits. S. 276.

7. Die Vollendung des Menschen nach Seiten des Leibes

Nachdem J. Zahn die christliche Lehre von der ewigen Vollendung der Seele in Gott dargelegt hatte, erörterte er die Vollendung des Menschen nach Seiten des Leibes. Da es ihm in seiner Vorlesung nie um eine lebensfremde Spekulation ging, stellte er seinen Zuhörern eingangs die Frage, ob nicht die Gräber mehr sind als bloße Denkmäler des Todes; ob sie nicht vielleicht doch ein Ahnen offenbarten, daß auch der entseelte Leib des Menschen nicht völlig aus dem ausgeschaltet ist, dem noch eine Zukunft bevorsteht, ein Ahnen vielleicht, daß das Leben, das nach dem Tod auf den Menschen wartet, eben dem ganzen Menschen, also auch der leiblichen Seite nach gilt[271]. Von der Offenbarung her suchte er zu ergründen, was damit gesagt werde, wenn wir bekennen: Ich glaube an die Auferstehung des Fleisches.

a) Die Gewißheit der Auferstehung

Es war für J. Zahn unbestreitbar, daß in den ältesten Glaubenssymbolen die Auferstehung des Leibes als Gegenstand des allgemein-christlichen Bekenntnisses zum Ausdruck kommt. Für ebenso unbestreitbar hielt er es, daß dieses Bekenntnis sich auf die klare, nachdrückliche Lehre Christi selbst gründet. Dabei sah er, daß Christus bei der Verkündigung dieser Lehre an geheiligte Überlieferungen und tiefe Überzeugungen anknüpfen konnte, wenn er anderseits auch hartnäckigen Bestreitungen entgegentreten mußte[272].

Im ersten Teil dieser Vorlesung sichtete J. Zahn das einschlägige biblische Material, das bei einer Erörterung der Auferstehungsfrage herangezogen werden muß. Er konnte sich dabei auf die Untersuchungen von L. Atzberger, J. Royer, J. Grimm und F. Tillmann stützen[273]. Hinsichtlich der alttestamentlich-jüdischen Offenbarungslehre kam er zu folgendem Ergebnis: Der Gott Israels ist der Gott des Lebens und der Treue, der seinen Bund auch denen gegenüber hält, die längst als Beute des Todes ins Grab gesunken sind. Nicht Tod und Grab triumphieren, sondern Gottes Kraft. Die Gräber werden ihre Toten wiedergeben, wenn das Zepter des Messias erhoben, wenn sein Reich eröffnet sein wird. »In der gleichen Kraft Gottes und im Dienst des nämlichen großen Endzieles, der Verwirklichung des ewigen Reiches Gottes, wird zu guter Stunde das alttestamentliche Gottesvolk aus dem Grab der Erniedrigung, aus dem Exil befreit und wird einst die große Gemeinde der Entschlafenen aller Zeitläufte aus den Grüften gerufen werden«[274]. Hinsichtlich des

---

[271] Ebd. S. 278.
[272] Ebd. S. 279-280.
[273] Atzberger: Die christliche Eschatologie in den Stadien ihrer Offenbarung. S. 15-109: Die Eschatologie des Alten Testaments. S. 116-189: Die jüdische Eschatologie im Zeitalter Christi. - Royer. Vgl. oben S. 289, Anm. 74.-
Joseph Grimm (1827-1896) Prof. für neutestamentliche Exegese, seit 1874 in Würzburg. - Vgl. F. Lauchert: Joseph Grimm. In: ADB 49 (1904) 550-551. - A. Ehrhard, H. Schell: Gedenkblätter zu Ehren des hochw. geistlichen Rathes Dr. Joseph Grimm. Würzburg 1897. - Hauptwerk von J. Grimm: Das Leben Jesu. Nach den vier Evangelien dargestellt. 5 Bde. Regensburg 1876-1887. - Hier dass. Bd. 5. 2. Auflage besorgt von J. Zahn. Regensburg 1900. S. 503-514: Zu Mat. 22, 23-33; Luk. 20, 27-40; Mark. 12, 18-27.
[274] Zahn: Das Jenseits. S. 284.

Neuen Testaments vertrat er mit den Exegeten seiner Zeit die These, daß die Lehrweisheit der Paulinischen Auferstehungsgedanken in der jüdisch-rabbinischen Theologie ihre befriedigende Erklärung nicht findet[275]. Im Anschluß an die Paulinische Theologie stand für ihn fest, daß Christus selbst das A und O jeder Auferstehungslehre ist[276].

Dieser biblischen Offenbarungslehre fügte J. Zahn sodann die Väterzeugnisse vom Auferstehungsglauben der frühen Kirche bei. Neben der Unmittelbarkeit und Sicherheit des Gotteszeugnisses und der Siegesfreudigkeit des Christusbekenntnisses und des Erlösungsbewußtseins fand er in Schriften jener Zeit vor allem den Ewigkeitsglauben und die Auferstehungszuversicht in erquickender, seelenstärkender Weise ausgesprochen[277]. Besondere Aufmerksamkeit wandte er den von den Vätern benützten Natur-Analogien zu. Dabei kam er zu dem Ergebnis, daß bei ihnen der pure Naturalismus oder nackte Evolutionismus völlig auszuschließen sei. Mit dem Bekenntnis des Glaubens, dem Appel an die höhere Macht und Heiligkeit wurde die Auferweckung der Leiber ganz und gar als gnadenvolle Gottestat verstanden. Die Analogien wollten nur dartun, daß die Auferstehungsidee in Einklang mit der rationalen Weltbetrachtung gesehen werden kann; eine letzte positive, definitive Entscheidung sei in der umstrittenen Frage vom Worte Gottes, vom Worte Christi erwartet worden[278].

Nachdem J. Zahn als Schrift- und Traditionsbeweis für den christlichen Auferstehungsglauben die biblischen und frühchristlichen Zeugnisse vorgelegt hatte, schloß er drei Erwägungen an, die der spekulativen Begründung des Dogmas dienen sollten.

(I.) Die christologische Erwägung knüpfte daran an, daß nach göttlichem Ratschluß der Gottessohn in den Tod gehe und aus dem Grab erstehe, damit für den Menschen der Anteilnahme an seinem Tod auch die Teilnahme an seiner Auferstehung und Verherrlichung folge. Daraus schloß J. Zahn, daß die Auferweckungskraft Christi sich mitnichten auf die geistige Erweckung der Seelen beschränkt. Der Grund lag für ihn in der Tatsache, daß der Gottessohn das Erlösungswerk weder auf eine bloß innergeistige Weise vollzogen, noch ausschließlich für den geistigen Teil der Menschennatur bestimmt hat. Die ganze wahre Menschennatur sei vom ewigen Logos in der Inkarnation angenommen worden und der ganzen Menschennatur habe ebenso das Werk der Rettung gegolten. Diese christologische Dimension des Auferstehungsdogmas faßte der Würzburger Theologe in zwei Thesen zusammen:

1. »Die Tatsache der Auferstehung Christi ... bietet die Bürgschaft für die Auferstehung der Glieder Christi ...«.

2. »Die Kraft, die in der Auferstehung Christi sich wirksam erweist, ist die Kraft, die auch mächtig ist zu unserer Auferweckung«[278].

(II.) Mit dieser christologischen Erwägung war für J. Zahn auch die anthropologische Begründung der Auferstehung aufs innigste verschlungen. Hierbei spielte

---

[275] Vgl. Fritz Tillmann (1874-1953): Die Wiederkunft Christi nach den paulinischen Briefen. (BSt. XIV/1-2.) Freiburg 1909. S. 3-4.

[276] Zahn: Das Jenseits. S. 291.

[277] Ebd. S. 293.

[278] Ebd. S. 296.

für ihn die Einwirkung der sakramentalen Gnadenordnung auf den Leib eine bedeutende Rolle. Daraus erhellte sich ihm abermals, von welcher Kraft aus der christliche Glaube die Auferstehung des Fleisches erwartet. Vom Körper selbst erhoffte er ebensowenig ein Wiederaufleben als in ihm die Kraft unbegrenzter Fortdauer des Lebens oder eines selbstbegründeten Beginnes liegt. Aber auch die Seele fand er aus sich selber außerstande, die Auflösung des Leibes rückgängig zu machen, da sie schon außerstande ist, den Leib dauernd vor der Auflösung zu schützen. Daher stand für J. Zahn fest, daß die leibliche Unsterblichkeit dem Menschen nicht als Naturgabe dargeboten wird, sondern nur als Geschenk göttlicher Huld. Allerdings ließ er gelten, daß das Gotteswerk von Anfang an in der Menschennatur vorbereitet worden ist. Die Art der Erschaffung des ersten menschlichen Leibes, die innere Verbindung der beiden Wesensteile zur wahren Wesenseinheit, war für ihn eine »Prophetie der Wiederverbindung der Seele mit dem Leibe nach dem Schlafe der Grabesnacht«[280]. In diesem Zusammenhang verwies J. Zahn auch auf die Wertschätzung, die der Leib in der Anthropologie des christlichen Dogmas erfährt[281]. (III.) Zum Schluß dieser spekulativen Erwägungen wandte J. Zahn den Blick in die Zukunft der Gesamtschöpfung. In einem kosmologischen Argument für die Konvenienz der Auferstehung lehrte er mit F. Hettinger, daß im Menschen nach dem Plan Gottes sich die Welt des Geistes und des Körpers in der innigsten Lebensgemeinschaft verbinden sollen. Dies sei von Gott nicht nur für den Augenblick des irdischen Lebens geschaffen worden; vielmehr werde der Mensch auferstehen als der von Gott geschaffene Mittelpunkt beider Reiche - geschaffen für die Ewigkeit[282].

b) Einzelne Probleme

Nachdem J. Zahn die christliche Gewißheit der Auferstehung dargelegt hatte, behandelte er einzelne Probleme, die mit diesem Glaubensgeheimnis verbunden sind.

Die erste Untersuchung dieser Reihe galt dem Problem der Identität des auferstandenen Leibes mit dem jetzigen Leib. Er verteidigte die These von der numerischen Identität mit dem Argument, daß man nicht von Auferstehen sprechen könne, wenn die Seele einst mit einem Leibe, der außer Beziehung zum jetzigen Leib stünde, verbunden werde. Als Dogmengeschichtler wußte er, daß die kirchliche Lehre mit dem Athanasianum und dem IV. Laterankonzil feststand. Er begnügte sich aber nicht damit, deren Formulierung wiederzugeben, sondern versuchte, den Glaubenssatz wissenschaftlich näher zu entfalten. Dabei wies er zwei extreme Meinungen mit Entschiedenheit zurück: 1. die Forderung einer absoluten stofflichen Identität; 2. deren völlige Preisgabe[283]. Statt vieler Subtilitäten trug er zwei Erwägungen vor, die ihm wichtig schienen. Einmal verwies er auf die Schranken menschlicher Einsicht, um von hier aus Raum zum Vertrauen auf Einsicht,

---

[279] Ebd. S. 298.
[280] Ebd. S. 302.
[281] Ebd. S. 303-304.
[282] Ebd. S. 305.
[283] Ebd. S. 306.

Weisheit und Macht des göttlichen Waltens zu schaffen. Zweitens erinnerte er daran, daß, obwohl der Aufbau eines leiblichen Organismus in einem ständigen Umbau besteht, gleichwohl die Kontinuität des ganzen Leibes gewahrt bleibt. Daraus folgerte er, es sei unberechtigt, ja widersinnig, zur Wahrung der Identität des Auferstehungsleibes eine völlige Wiederaufnahme aller Stoffteile zu fordern, die während des Lebens mit dem Leib in Verbindung waren. Lehnte er so eine absolute Identität ab, so stimmte er aber der Forderung einer relativen Identität zu, allerdings mit der weiteren Einschränkung, daß es unserer jetzigen Einsicht wohl versagt bleibt, über die Frage nach den Normen dieser relativen Identität eine hinlängliche, gesicherte Antwort geben zu können[284].

Hatte J. Zahn sich so in der Frage der leiblichen Identität des Auferstehungsleibes eine auffallend weise Zurückhaltung auferlegt, so verurteilte er jedoch die Auffassung, mit Hinweis auf die Schranke unserer Einsicht, jede stoffliche Identität zu bestreiten. Damit wies er die Hypothese der rein »formellen« Identität zurück, wie sie von Durandus und von neueren Theologen wie von J.-B.-H. Lacordaire, Ch. Bonnet, H. Schell, L. Billot vertreten wurden[285]. Gegenüber der These, die Identität des Auferstehungsleibes beruhe zutiefst darin, daß es dieselbe Seele sei, die den neuen Leib wie den einstigen informiere, gab er zu bedenken, daß die völlige Verzichtleistung auf eine stoffliche Gleichheit des Auferstehungsleibes die Gefahr mit sich bringt, die Identität des Leibes, die man zuerst ausdrücklich festhielt, nachher tatsächlich preiszugeben oder um den Preis von Künsteleien in der Erklärung aufrechtzuhalten[286].

Die umstrittene These schien J. Zahn außerdem weder mit der Väterlehre noch mit der Paulinischen Theologie vereinbar zu sein. Für die Auferstehungslehre des heiligen Paulus schien ihm die Identität des künftigen Leibes mit dem jetzigen - im Sinn einer mehr als bloß formellen Identität - ebenso wesentlich zu sein, wie die verklärte Zuständlichkeit des künftigen Leibes[287].

Als weiteres entscheidendes Argument führte unser Theologe die Identität des verklärten Leibes Christi mit dem Gekreuzigten an. In Christus aber sah er den Prototyp für die Zuständlichkeit des Menschen. Seine Auferstehung war ihm das Gesetz unserer Auferstehung[288].

---

[284] Ebd. S. 309.
[285] Durandus de San Porciano O.P.: In l. IV Sent. dist. 44. qu. 1. - Vgl. Ueberweg. [11]1927. Bd. 2. S. 517-524. - Siehe oben S. 240, Anm. 445. - Lacordaire. Vgl. oben S. 240, Anm. 446. - Charles Bonnet (1720-1793): La Palingénésie philosophique ou idées sur l'état passé et sur l'état future des êtres vivants. 2 v. Genève [6]1769. - Dass. deutsch: Über die Unsterblichkeit. Übersetzt von J.C. Lavater. Zürich 1769. - Weitere Schriften siehe LV. - Vgl. R. Savioz: La philosophie de Charles Bonnet. Paris 1948. - Schell: Katholische Dogmatik. 3. Bd. 2. Teil. S. 844-850; 849: Die numerische Identität kommt allein vom Ich, nicht vom Stoff ... denn das Prinzip der Diesselbigkeit (haecceitas), das „dieser" ist nicht der Stoff, sondern das Ich, der tatsächliche actus existentiae et subsistentiae, der Selbstand. - Louis Billot S.J. (1846-1931): Quaestiones de novissimis. Roma [3]1908. S. 168-184; 178: sat manifestum esse videtur quod ad resurgentium corporum identitatem sufficiet identitas formae seu animae ...
[286] Zahn: Das Jenseits. S. 310.
[287] Ebd. S. 311.
[288] Ebd. S. 312.

Zuletzt verwies J. Zahn noch auf die Verheißung Christi, wie sie im Johannes-Evangelium (6,55) ausgesprochen wurde. Er verwahrte sich dagegen, daß die Wirkung der Eucharistie auf den Kommunizierenden als Mitteilung irgend einer physischen Qualität an den Leib gefaßt werde. Dennoch glaubte er an eine ganz spezielle Beziehung der Eucharistie zum Leibe und damit auch zur Auferstehung des Leibes. Hierfür bürgte ihm Christi Wort, - damit aber auch für die wahre Identität des Auferstehungsleibes nach der stofflichen Seite.

Man mag heute diese Auffassung als unzulänglich kritisieren, da sie einerseits die Exegese in den Dienst der spekulativen Dogmatik stellte, andererseits dennoch keine volle spekulative Klärung brachte. Dennoch sollte man bei der Auffassung J. Zahns bedenken, daß nur dann, wenn die Kraft des eucharistischen Christus in diesem nämlichen Leib, dem sie in der Speise des Lebens mitgeteilt wurde, schließlich über Tod und Verweslichkeit triumphiert - daß nur dann die messianische Verheißung einen Inhalt hat, der der großen Stunde, der ausdrücklichen Versicherung, der feierlichen Form voll entspricht[289]. Wir müssen würdigen, daß sich bei J. Zahn keine Spiritualisierung johanneischer Theologie finden läßt, wohl aber eine ganzheitliche Anthropologie, wie sie in unserer Zeit immer wieder gefordert wird.

Das nächste Problem, dem J. Zahn sich in dieser Vorlesung stellte, war die Frage nach der Zuständlichkeit des auferstandenen Leibes. Auch hier beobachtete er eine große Zurückhaltung, indem er erklärte, die wahre Vollendung des Menschen werde sich auf gotteswürdige Weise entsprechend der menschlichen Natur vollziehen. Sie werde den ganzen Menschen umfassen, und zwar so, daß die Vollkommenheit des Leibes mit der vollendeten Seele harmoniert[290].

Im Hinblick auf den anfänglichen Schöpfungszustand hielt J. Zahn die außerhalb des Kreises der Naturgaben verliehenen Vorzüge des Leibes für eine willkommene Hilfe zu einer gewissen Veranschaulichung des glorreichen Endstandes. Dabei dürfe jedoch die »höhere Weise« des letzteren nicht übersehen werden, denn der Stand des Zieles übertreffe den des Weges[291]. Entscheidend war für ihn aber auch in diesem Zusammenhang nicht eine philosophische Reflexion über Weg und Ziel, sondern das soteriologische Argument, daß die künftige Herrlichkeit des Leibes eine Gabe Christi als unseres Erlösers ist. »Aber wie Christus unser Erlöser ist, der uns erneuert, so ist er auch unser Haupt, in dem wir vollendet werden. Wir sind Glieder seines Leibes. Dies wird unsere Vollendung sein, daß unsere Ähnlichkeit mit ihm sich vollenden wird. Seine Schönheit, seine Herrlichkeit, seine Unvergänglichkeit wird widerstrahlen in uns«[292].

J. Zahn bezog diese biblische Grundlehre nicht nur auf die Seele, sondern mit Hinweis auf Phil. 3, 20-21 auch auf den Leib. Der Gedanke einer Einheit der Erlösten mit Christus dem Erlöser, der in dem Paulinischen Vergleich von Haupt und Gliedern treffend seinen Ausdruck fand, war für ihn die Verklammerung von Soteriologie und Eschatologie. Im Anschluß an Paulus fügte er der allgemeinen Beschreibung des Auferstehungsleibes vier spezielle Bestimmungen hinzu. Dabei verhehlte er nicht, daß bei dieser theologischen Fruchtbarmachung der einschlägigen

---

[289] Ebd. S. 313.
[290] Ebd. S. 315-316.
[291] Ebd. S. 317.
[292] Ebd. S. 317.

Paulinischen Verse die Grenze zwischen genauer Explikation des Textes und ihrer Applikation vielfach fließend war[293]. Aus der klassischen Stelle 1 Kor. 15, 42-44 entlehnte er folgende Bestimmungen:

(1) Unverweslichkeit[294];
(2) Lichtglanz (=Fehlen von Unanschaulichkeit und Unehre)[295];
(3) Kraft (Beweglichkeit)[296];
(4) Durchgeistigung[297].

Die hier genannten »biblischen Grundlinien« verpflichteten J. Zahn jedoch auch nach einer anderen Seite hin zu einer wesentlichen Ergänzung seiner bisherigen Ausführung über die Auferstehung selbst und ihre Begründung. Da er die Eschatologie unter dem besonderen Gesichtspunkt der Vollendung behandelte, hielt er sich für berechtigt, auch bei der Auferstehungslehre zunächst jenen Teil der Menschheit ins Auge zu fassen, bei dem allein von einer »Vollendung« im strengen Sinn die Rede sein kann. Er berief sich darauf, daß auch die Heilige Schrift vornehmlich von der Auferstehung der Gläubigen, der Gerechten spricht[298]. Hingegen hielt er es für eine Verirrung, in Paulus den Vertreter einer partikularistischen Auferstehungshoffnung zu vermuten[299]. Er verwies auf solche Schrifttexte, in denen die Allgemeinheit der Auferstehung für Gute und Böse ausgesagt ist[300]. Auch der Väterbeweis schien ihm in diesem Punkt völlig klar zu liegen[301]. Zur theologischen Würdigung dieser Universalität erinnerte er noch einmal an die ethischen Gründe, die er bereits generell als Konvenienzbeweis für das Fortleben nach dem Tode und das besondere Gericht angeführt hatte. Hier brachte er zudem das Argument zur Geltung, daß Christus das Haupt der ganzen Menschheit ist. Wenn seine Auferstehung bei den Getreuen zum Mitauferstehen und zur Teilnahme an seiner Herrlichkeit führe, dann werde bei jenen, die sein Leben von sich gewiesen, nicht das Gesetz

---

[293] Ebd. S. 317.

[294] Ebd. S. 318-319. Mit Hinweis auf 1. Kor. 15, 24-26; 2. Kor. 5, 4; Röm. 6, 9; Hebr. 2, 14; Off. 7, 16; 21, 4.

[295] Zahn: Das Jenseits. S. 319-321. Mit Hinweis auf 2. Makk. 7, 11; Mat. 13, 43; 17, 2; Luk. 24, 29; Joh. 6, 55; 20, 27; Phil. 3, 21; 1. Kor. 15, 41; Dan. 12, 3; Weish. 3, 7.

[296] Zahn: Das Jenseits. S. 321. Mit Hinweis auf Jes. 40, 31; vgl. Augustinus: De civ. Dei. l. XIX. c. 27; l. XXII. c. 30, 1. PL-SL 41 (1846) 657-658; 801-802. = CCL. XLVIII (MCMLV) 697-698; 862-863.

[297] Zahn: Das Jenseits. S. 321-323. Mit Hinweis auf Weish. 9, 15; Mat. 22, 30; 1. Kor. 6, 13; 15, 51; 1. Thess. 4, 14-16.

[298] Vgl. Joh. 6, 40; Röm. 6, 5.

[299] Zahn: Das Jenseits. S. 324. Mit Tillmann: Wiederkunft Christi. S. 184-185. Gegenüber Willibald Beyschlag (1823-1900): Neutestamentliche Theologie oder geschichtliche Darstellung der Lehren Jesu und des Urchristentums nach den neutestamentlichen Quellen. 2 Bde. Halle 1891. Hier ²1896. Bd. 2. S. 272. - Heinrich Julius Holtzmann (1832-1910): Lehrbuch der neutestamentlichen Theologie. 2 Bde. Freiburg 1897. Bd. 2. S. 200. - Richard Kabisch (1868-1914): Die Eschatologie des Paulus. Göttingen 1893. S. 109-110.

[300] Vgl. Joh. 5, 29; Off. 20, 12-14; 2. Kor. 5, 10; Dan. 12, 2.

[301] Zahn: Das Jenseits. S. 325. - Vgl. u.a. Tertullianus: De praescriptione haereticorum. c. 13. PL-SL 2 (1844) 26-27. = CCL. I (MCMLIV) 197-198. - Augustinus: Enchiridion ad Laurentium de fide, spe et caritate. n. 84. PL-SL 40 (1845) 272. = CCL. XLVI (MCMLXIX) 95. = E/H. -S. 146-147. - Vgl. die kirchliche Lehrbestimmung: Concilium oecumen. XII Lateranense IV (11.-30. XI. 1215): De fide catholica - definitio contra Albingenses et Catharos. (= DS 801). Siehe oben S. 311, Anm. 176.

der Auferstehung selbst aufgehoben; wohl aber werde das Gut der Auferstehung verscherzt, samt der Vorzüge, die den Auferstehungsleib erwarten[302].

Mit dem hier angedeuteten erschütternden Kontrast war J. Zahn bereits bei dem Thema angelangt, das er in der nächsten Vorlesung ausführlicher behandelte. Hier erinnerte er noch einmal daran, daß in der gesamten altchristlichen Literatur die Auferstehungslehre nicht wie eine abstrakte Theorie da stehe, sondern wie ein lebendiger Quell, aus dem unablässig Tröstungen, Kräftigungen sprudeln in den schweren Zeiten des Kämpfens und Duldens. Die Auferstehung will Gegenstand des Glaubens und Hoffens sein. So schloß er mit den Worten: »Ob wir durch die alten oder die neuen Friedhöfe schreiten, durch die kleinen und die großen, die heimischen und die fremden Gottesäcker: wir sehen in ihnen nicht Schlachtfelder, auf welchen der Tod seinen endgültigen Triumph feiert, sondern Siegesgefilde, die das Zeichen des Königs des Lebens tragen, Saatfelder der Zukunft, über welche der Frühlingshauch neuen Lebens wehen wird«[303].

8. Die Vollendung der Menschheit

An verschiedenen Stellen konnten wir bereits beobachten, daß J. Zahn neben der individuellen Vollendung des Menschen dem sozialen Aspekt der Jenseitslehre seine Aufmerksamkeit schenkte. Er erwies sich damit als ein guter Vertreter der katholischen Theologie, die bei ihrer stark ekklesiologischen Orientierung nie einem einseitig individualistischen Denken verfallen konnte. Die allgemeine Vollendung der Menschheit stand im Mittelpunkt der achten Vorlesung, mit der der Würzburger Dogmatiker das Dogma vom Weltgericht unter verschiedenen Gesichtspunkten behandelte.

a) Das Dogma vom Weltgericht

Für J. Zahn stand in dieser Untersuchung das Ganze der Weltanschauung in Frage. Was wird mit der Menschheit selbst sein, soll sie ins Blinde laufen, ist sie einem ewigen Kreislauf überantwortet, wird sie früher oder später in den Abgrund eines ewigen Nichts versinken, - oder wird sie in eine Höhe steigen völlig über sich selbst hinaus?[304].

Zur Beantwortung dieser Frage fand J. Zahn in der Bibel, daß nicht nur der einzelne Mensch, sondern das ganze Volk ein Ziel hat. Er stellte dabei fest, daß trotz der Sonderstellung dieses Volkes auch die Berufung der Völker insgesamt und damit der wahrhaft menschliche Charakter der Völkergeschichte zur Geltung kommt. Dabei erkannte er eine doppelte Verschränkung: Wie die Gerichte des Herrn über die Völker ergehen, so werden sie auch Israel nicht verschonen; wie für Israel in diesen Heimsuchungen ein Quell der Läuterung sich bieten soll, so winkt auch den Heiden die Möglichkeit der Rettung im messianischen Heil. Im Neuen Testament war der gleiche Grundgedanke festzustellen: Der Herr wird kommen

---

[302] Zahn: Das Jenseits. S. 326.
[303] Ebd. S. 327.
[304] Ebd. S. 329.

und alle richten - alle müssen vor ihm erscheinen, um Rechenschaft abzulegen und gerechte Vergeltung zu empfangen[305].

Nachdem J. Zahn wiederum die biblischen Zeugnisse[306] vorgeführt und auch die Festlegung der kirchlichen Lehre[307] zu dieser Glaubenswahrheit angegeben hatte, behandelte er die Fragen, die nach dem Zeitpunkt des kommenden Gerichts immer aufs Neue im Laufe der Geschichte gestellt werden. Energisch wies er darauf hin, daß schon das 5. Laterankonzil die epidemische Weissagerei über das hereinbrechende göttliche Gericht verurteilt und den widerbiblischen Charakter jeder zeitlichen Fixierung betont hatte[308].

Zusammen mit der verfehlten Kalkulation kam J. Zahn auch auf die Versuche zu sprechen, die eine Periodisierung der Welt- bzw. der Kirchengeschichte zum Ziel haben. Hier ließ er nur jene Perioden gelten, die in der Heiligen Schrift selber angedeutet werden und von christlichen Theologen so aufgegriffen werden, daß der Endtermin offen bleibt[309]. Was die »Zeichen des Gerichtes« betrifft, so unterschied er mit Thomas und Augustin, daß es dreifach verschiedene gibt, solche, die einen zeitgeschichtlichen, solche, die einen allgemeingeschichtlichen und solche, die einen endgeschichtlichen Charakter haben[310]. Aber auch hierfür galt, daß wohl der innere Zusammenhang von Teilgericht und Weltgericht einleuchten muß, die zeitlichen Verhältnisse der verschiedenen Sphären aber verborgen bleiben[311].

b) Weltgeschichte und Weltgericht

Die weitverbreitete These, daß die Weltgeschichte das Weltgericht sei, fand die Billigung J. Zahns, allerdings mit der Einschränkung, daß die Weltgeschichte das Weltgericht im endzeitlichen Sinn nicht entbehrlich macht[312]. Wenn sich das sittliche Urteil schon gegen eine Verewigung des Unrechts hinsichtlich des einzelnen Menschen aufbäumt, so für J. Zahn umsomehr, wenn ganze Geschlechter und Völker einer solchen Disharmonie überantwortet würden[313]. Er ließ auch nicht den Gedanken gelten, daß die Weltgeschichte eben dadurch das Weltgericht in sich berge, daß die späteren Generationen über die früheren das Urteil sprechen und daß

---

[305] Ebd. S. 330.

[306] Joel 2, 31-32; 3, 12; Jes. 66, 15-16. 19-21; Seph. 1, 14; Mal. 4, 1-2; Dan. 12, 1-2; Joh. 5, 28-29; Apg. 10, 42; 2. Kor. 5, 10; Hebr. 6, 1-2.

[307] Vgl. Symbolum „Quicumque". (= DS 76). - Concilium oecumen. XII. Lateranense IV. (= DS 801).

[308] Vgl. ACED. t. 10. Paris 1714. S. 640: Ne certum tempus adventus Antichristi et extremi iudicii diem praedicent. - Vgl. CLac Bd. IV. S. 747, 1062, 1103, 1204. - Kritisch äußerte sich Zahn in diesem Zusammenhang u.a. gegenüber Wladimir Sergejewitsch Solowjow (1853-1900): Drei Gespräche über Krieg, Fortschritt und Ende der Weltgeschichte, mit Einschluß einer kurzen Erzählung vom Antichrist (1900). In: Gesammelte Werke. Bd. 8. St. Petersburg ²1911. - Vgl. ders.: Ausgewählte Werke. Übersetzt von H. Köhler. 2 Bde. Jena 1914-1916. - Th.G. Masaryk: Rußland und Europa. Studien über die geistigen Strömungen in Rußland. I. Folge: Russische Geschichts- und Religionsphilosophie. Soziologische Skizzen. 2 Bde. Jena 1913. Besonders Bd. 2. S. 266-272.

[309] Zahn: Das Jenseits. S. 339-340.

[310] Ebd. S. 341.

[311] Ebd. S. 342-343.

[312] Ebd. S. 346.

[313] Ebd. S. 347.

sich in Zukunft das Recht enthüllen werde, das heute noch verschleiert ist. Wir würden in diesem Fall die gleiche Unerträglichkeit für das sittliche Empfinden feststellen und den gleichen Widerspruch zwischen dem, was der Evolutionismus verspricht und was er halten kann. J. Zahn sah hier einen Zwiespalt klaffen. Wenn die einzelnen Stufen der Menschheit für sich selbst ohne innere Bedeutung sind, dann konnte für ihn auch nicht das Produkt ihrer Entstehung zu innerer Bedeutung emporsteigen. Überhaupt von Weltgeschichte zu sprechen, hielt er nur unter der Voraussetzung für berechtigt, daß jeder Epoche der Menschheit eine wahre Bedeutung zukommt und daß gleichzeitig ein Zusammenhang von Epoche zu Epoche besteht, so daß das einzelne Glied der Menschheit ebenso seinen eigenen, unveräußerlichen Wert besitzt in seinem Suchen und Streben, seinem Arbeiten und Opfern, sei es im Kleinen oder Großen, wie es andererseits, mit dem Früheren und Späteren mannigfach verschränkt, der über alles einzelne hinausgreifenden Kette der Menschheits-Einheit sich einfügt. Folgerichtig sah er sich genötigt, ihren Zielpunkt höher zu legen als in den Blütestand einer kommenden Generation, die im Vollbesitz materieller und geistiger Erwerbs- und Genußmittel gedacht wird. Er hielt es daher für eine unvergleichliche Aufgabe, die das Dogma vom Weltgericht zu erfüllen hat, »dafür einzutreten, daß die Menschheit einem Ziel entgegengeht, welches die einzelnen Entwicklungsstufen schlechthin übersteigt und welches gleichwohl alle die Stufen, die Geschlechter, die Völker, die Klassen, die Gruppen, die Institutionen, ja alle die einzelnen Menschen der einzelnen Zeiten und Nationen und Stufen in ihrer besonderen, dauernden Bedeutung zur Geltung bringt«[314]. Hier machte sich J. Zahn die Auffassung M. Kählers zu eigen, daß erstens ohne Verständnis für Geschichte ein wissenschaftliches Verstehen der biblischen Offenbarung nicht zu gewinnen ist, daß zweitens jedoch ohne die theologische Eschatologie die historische Forschung nicht zu einem vollen inneren Verstehen des festgestellten geschichtlichen Materials kommt[315].

Im einzelnen legte J. Zahn dar, daß das Weltgericht nach dem Zeugnis der Bibel nicht eine bloße Wiederholung der Einzelgerichte ist, sondern ihre Vollendung. Es ist ein allgemeines Gericht, bei dem das Endschicksal aller Menschen zur Offenbarung kommt[316]. Es ist ein Gericht über die Menschheit insgesamt, bei dem es um die vielfach verschlungenen Zusammenhänge geht, die inneren wie die äußeren, die mittelbaren wie die unmittelbaren, die segensreichen wie die verderblichen. Dazu kommt der Zusammenhang, der dem Menschen von der Offenbarung her bekannt ist, das Geheimnis der Erbschuld auf der einen, der Erlösung auf der anderen Seite. All dies wird erst zum Schluß der geschöpflichen Erkenntnis zugänglich gemacht[317].

c) Weltgericht als Offenbarung Gottes, als Tat und Triumph Christi

Die bisherigen Ausführungen lenkten den Blick vor allem auf die Menschheit und ihre Geschichte. Darüber darf jedoch nicht vergessen werden, daß Gott selber

---

[314] Ebd. S. 349.
[315] Ebd. S. 349. Anm. 1. - Martin Kähler (1835-1912): Dogmatische Zeitfragen. Bd. 2. Leipzig ²1908. S. 496-497.
[316] Zahn: Das Jenseits. S. 350.
[317] Ebd. S. 351-355.

am Ende der Zeit Recht schafft. Diesem Teil des Glaubensgeheimnisses widmete J. Zahn im folgenden Abschnitt der Vorlesungen seine Aufmerksamkeit.

Im Vordergrund stand für ihn das Problem der Vorsehung Gottes, genauer ihrer Rechtfertigung ob der Verschiedenheit ihrer äußeren und inneren Gaben, ob der materiellen oder sittlichen Übel, die von ihr zugelassen wurden. Ohne Rücksicht auf das Ganze bleiben sie dem Menschen völlig unverständlich[318]. J. Zahn erinnerte daran, wie sehr der menschliche Einblick während des Zeitenlaufs beschränkt ist. Aber er vergaß auch nicht auf die unbeschränkte Zuversicht hinzuweisen, die den gläubigen Christen trotz aller Dunkelheit des Erdenlebens erfüllt[319]. Sind auch die Wege verborgen, auf denen Gott seine Kirche führt, sie hofft dennoch auf das Offenbarwerden seiner Weisheit und Gerechtigkeit[320].

Damit berührte J. Zahn das Thema der Heilsökonomie. Er sah richtig, daß auch diese für den Christen zahllose Fragen aufwirft, die in dieser Weltzeit nicht gelöst werden. Es gibt unter den Menschen eine Scheidung, die von Christus mit dem Blick auf die jetzigen Verhältnisse schon deutlich ausgesprochen wurde. Aber sie beläßt dem Menschen einzeln wie der menschlichen Gemeinschaft allezeit die Möglichkeit der Umkehr und Buße[321]. Hierin lag für J. Zahn das Geheimnis von Gottes Langmut, die am Ende ebenfalls gerechtfertigt wird[322]. Die endgültige Scheidung beruhte für ihn darauf, daß die göttliche Majestät der Heiligkeit ebenso unendlich ist wie die göttliche Liebe. Sie bewirkt einen letzten majestätischen Ausgleich, vor dem aller Widerspruch verstummt, zu dem vielmehr alle das Amen sprechen werden[323].

So sah J. Zahn in dem letzten Gericht Gottes die Vollendung der Menschheit, der diese Vorlesung galt. Er war aber mit dieser allgemeinen Bestimmung noch nicht zum Ende gekommen; übrig blieb, dieses Weltgericht als Tat und Triumph Christi darzustellen.

In Kürze ging J. Zahn auf die Frage ein, in welcher Weise das Gericht als Gotteswerk den drei göttlichen Personen appropiiert werde[324]. Wichtiger als die theologische Spekulation war ihm jedoch, den »Menschensohn« als den eigentlichen Richter, das Gericht als Vollendung des dreifachen messianischen Amtes Christi zu verstehen. Das Gericht wird demnach Christus übertragen und von ihm in seiner menschlichen Natur vollzogen[325].

Mit dieser Auffassung wollte der Dogmatiker keineswegs einer Aufspaltung der zwei Naturen in Christus das Wort reden. Vielmehr ging es ihm darum, zu zeigen, wie die menschliche Natur von Gott für das Werk der Erlösung in Dienst genommen wurde,- so eben auch für die Vollendung des Erlösungswerkes. Dadurch

---

[318] Ebd. S. 355.
[319] Ebd. S. 357.
[320] Ebd. S. 358-359.
[321] Vgl. Luk. 10, 10-15; 11, 29-32.
[322] Zahn: Das Jenseits. S. 361.
[323] Ebd. S. 362.
[324] Ebd. S. 365-366. - Hierzu benutzte Zahn: Schell: Das Wirken des dreieinigen Gottes. S. 608-609; zu Thomas von Aquin: S. th. III. 59, 1, i. c., ad 2 und ad 3.
[325] Zahn verwies auf F. Suárez: In III p. S. th. (qu. 59. a. 6). disput. 52, sect. 1. n. 4-5.

werde sich der Sieg Gottes innerhalb der Menschheit vollziehen, vermittelt durch die menschliche Natur selbst[326].

In diesem Gedanken berührte sich J. Zahn mit der markant soteriologisch ausgeprägten Eschatologie M. Kählers. Auch dieser sah die Natur als das der Menschheit dienende Organ in die Versöhnung dadurch einbezogen, daß der Wiederkommende die gesamte Schöpfung unter Ausscheidung alles Widergöttlichen zum Mittel ungehemmter Gemeinschaft macht[327]. Ähnlich verstand auch J. Zahn den biblisch fundierten Glaubensartikel von der Wiederkunft Christi[328]. Er machte deutlich, daß das Weltgericht damit nicht nur ein glanzvolles Phänomen ist, das gleichsam von außen her zur Weltgeschichte hinzukommt. Gewiß ist es Abschluß und Resultat der Weltgeschichte, das Zeitende spricht das Amen zum Zeitenlauf. Aber, wie Christus den Mittelpunkt der Zeiten bildet, so ist er auch ihr Ziel-, End- und Höhepunkt[329]. Christus selbst vollendet die Menschheit zur Gemeinschaft der Heiligen und Seligen[330].

An dieser Stelle wird besonders deutlich, wie stark die Jenseitslehre J. Zahns von einer biblischen Christologie getragen war. Der Würzburger Dogmatiker schloß die Vorlesung mit einem Zitat aus dem Werk seines Vorgängers H. Schell über das Wirken des dreieinigen Gottes: »Erfüllt mit dem Geiste der kindlichen Gottesliebe und geschmückt mit der Würde des Sohnes Gottes empfängt der mystische Christus, der getreue Gottesknecht in Haupt und Gliedern, das segnende Wohlgefallen des himmlischen Vaters und geht ein in die selige Ruhe des Herrn, zum ewigen Sabbat im Allerheiligsten Gottes«[331].

9. Die Vollendung aller Dinge

a) Die Zukunft des Kosmos nach der naturwissenschaftlichen Forschung

Die letzte Frage, die J. Zahn in seinen Vorlesungen über das Jenseits behandelte, war die nach der Zukunft des materiellen Kosmos. Zur Beantwortung erörterte er zuerst die Ergebnisse der naturwissenschaftlichen Forschung. Dabei leitete ihn der Gedanke, daß die lange Entwicklungsgeschichte, die speziell unser eigener Planet mit seinen verschiedenen geogonischen Phasen und geologischen Perioden aufweist, auch Schlüsse auf seine fernere Entwicklung zuläßt. Wenn die Kosmogonie beredt sei über das Gestern, werde sie auch über das Morgen nicht stumm bleiben[332].

Im einzelnen stellte J. Zahn kurz die Theorien vor, die entweder von einem »friedlichen« Altern der Erde sprechen, oder die plötzliche Katastrophen in der Zukunft für wahrscheinlich halten. Daneben stellte er jene Hypothesen, die er nach

---

[326] Zahn: Das Jenseits. S. 367. - Mit Hinweis auf Apg. 17, 31; vgl. ebd. 10, 38-42; Joh. 5, 27-28.

[327] Zahn zitierte 2. Thess. 1, 7; 2, 8; 1. Kor. 15, 23; Phil. 2, 7-11; Tit. 2, 13; 1. Tim. 6, 14; vgl. Joh. 14, 28; Mat. 10, 23; 16, 27; Apg. 1, 11.

[328] Vgl. Off. 1, 8.17.

[329] Zahn: Das Jenseits. S. 369, 373.

[330] Vgl. Ölsner. S. 88.

[331] Zahn: Das Jenseits. S. 374. - Schell: Das Wirken des dreieinigen Gottes. S. 622.

[332] Zahn: Das Jenseits. S. 377.

ihrem gemeinsamen Merkmal als Kreislauftheorien bezeichnete. Als Ergebnis hielt er fest, daß es sowohl naturwissenschaftliche Gründe gegen den endlosen Bestand des jetzigen Kosmos als auch gegen den endlosen Kreislauf aller Dinge gibt. Als Theologe beobachtete er jedoch in diesen naturwissenschaftlichen Fragen größte Zurückhaltung. Mit T. Pesch hielt er eine Entscheidung auf diesem Gebiet für nicht spruchreif[333].

b) Die Zukunft des Kosmos nach der Lehre der Offenbarung

Vom naturwissenschaftlichen Standpunkt aus ließ sich also die Frage nach der Zukunft des Kosmos nicht endgültig beantworten. Zu einem anderen Ergebnis kam J. Zahn, als er vom ethisch-religiösen Standpunkt aus den gleichen Gegenstand untersuchte. Offenbarungswort und Glaubensbekenntnis führten den Dogmatiker zu der These: »Der 'Weltuntergang' ist nicht völliges Untergehen, sondern ein Entwerden, das ein neues Werden in sich schließt«[334].

Der innere Gegensatz, in dem die biblische Ideenwelt zu jeglicher Form des Manichäismus und ebenso zu jeglichem Pantheismus steht, schien J. Zahn schon an sich die Vorstellung einer Vernichtung alles Körperlichen ebenso wie jene einer vollen Verflüchtigung oder eines Versinkens ins Göttliche abzuwehren. Zur Begründung seiner Behauptung verwies er auf die Texte in der Heiligen Schrift[335]. Vor allem bei Paulus fand er die Auffassung von der Kontinuität zwischen der jetzigen und der künftigen Weltzuständlichkeit bestätigt, so daß eben von einer Befreiung dieser jetzigen Welt und von ihrer künftigen Erhebung zur Herrlichkeit die Rede sein kann. Die These, daß nicht die Welt selbst vergeht[336], sondern nur die Gestalt dieser Welt, ihre gegenwärtige Zuständlichkeit oder ihre jetzige Existenzweise - wie J. Zahn interpretierend ausführte, bestimmte auch das Denken der Kirchenväter und fand in der Lehrentscheidung der Kirche ihren bindenden Ausdruck[337].

J. Zahn begnügte sich indes wiederum nicht mit dieser positiven Darlegung der kirchlichen Lehre, er versuchte sie auch spekulativ zu durchdringen, das heißt, sie im Gesamtgefüge der christlichen Theologie systematisch verständlich zu machen. Demnach findet die Welt den Erklärungsgrund ihres Daseins und Soseins in der Lehre von der Schöpfungstat des ewigen, absoluten, einen, persönlichen Gottes; ebenso ist die Forterhaltung dieser Welt im Sein und Wirken seine Tat; ebenso aber auch die Vollendung der Welt[338]. Nach J. Zahn bleibt es Gottes Geheimnis,

---

[333] Ebd. S. 385. - Tilmann Pesch S.J. (1836-1899): Die großen Welträtsel. 2 Bde. Freiburg ³1907. S. 341-346.

[334] Zahn: Das Jenseits. S. 386.

[335] Vgl. 2. Petr. 3, 13; Off. 21, 1; Jes. 65, 17; 66, 22; Röm. 8, 19-23.

[336] Vgl. 1. Kor. 7, 31.

[337] Vgl. Cyrillus von Jerusalem: Catechesis XV. n. 3. PL-SG 33 (1857) 871-875.
- Ambrosius: Expositio Evangelii secundum Lucam. l. X. n. 128. PL-SL 15 (1845) 1836. - CCL.XIV (MCMLVII) 382.
- Ders.: Expositio super septem visiones libri Apocalypsis. Cap. 21. PL-SL 17 (1845) 936-960.
- Hieronymus: Commentarius in Is. 24, 1-3. PL-SL 24 (1845) 281-282. = CCL-LXXIII (MCMLXIII) 315-317.
- Concilium oecumen. V. Constantinopolitanum II. Sess. VIII (2.6.553): Anathematismi de tribus Capitulis. Can. 11: Contra Origenem (etc.) (= DS 433).

[338] Zahn: Das Jenseits. S. 392.

welche natürlichen Faktoren, Prozesse, Gesetze aus dem Bereich der gegenwärtigen Wirklichkeit nach den ewigen Plänen in den Dienst der Schlußvollendung der Welt treten werden. Niemals aber sei die Welt auf sich gestellt; ein einziger Plan umfasse Anfang, Mitte und Ende. Und dieser Plan ist »ein Plan des Heiles,...dem die Ratschlüsse der Schöpfung und Wiederherstellung, der Vollendung dienen«[339].

Nach dieser zuversichtlichen Erklärung, was auf Grund der Offenbarung in Konsequenz der Heilstatsachen und Heilslehren als Endstand der Welt entsprechend scheint, fügte J. Zahn drei Erwägungen hinzu, die die Endverklärung der materiellen Schöpfung durchsichtig machen, wobei er freilich das »Wie?« hinter dem »Daß« zurückstellte.

(1) J. Zahn ging aus von dem Dogma der Auferstehung des Fleisches, dessen Begründung in der göttlichen Offenbarung und dessen Empfehlung durch das gläubige Denken er schon in der siebten Vorlesung dargelegt hatte. Dort zeichnete er den Menschen als Bindeglied zwischen der Welt des Geistes und der Welt der puren Materie als lebendige geistige Seele und materiellen Leib. Wenn nun nach der Lehre des Glaubens der Mensch als Ganzes bestimmt ist zur ewigen Vollendung, dann sind - so folgerte J. Zahn - auf Grund der göttlichen Schöpfungsidee und des Wiederherstellungsplans auch die beiden antithetischen Glieder des Kosmos je nach ihrer besonderen Weise zur Vollendung bestimmt[340].

(2) Auch hier griff J. Zahn einen Gedanken auf, den er schon zuvor entfaltet hatte: Die heiligen Sakramente bedeuteten für ihn eine Art von Verklärung der sichtbaren Schöpfung - von ihrem Geheimnis aus glaubte er unschwer eine kommende Verklärung der Schöpfung schauen zu können[341].

(3) Entscheidend aber war für ihn der theologische Grund: Die Menschwerdung besagt die Annahme der wahren, vollständigen menschlichen Natur durch den Gottessohn. Damit ist auch die materielle Schöpfungswelt in eine neue übernatürlich-ideelle Beziehung zum ewigen Logos getreten und hat zugleich das Siegel einer vollkommeneren Bestimmung, das Unterpfand der zukünftigen Erklärung erhalten. Daher rief J. Zahn seinen Hörern zu: »Blicken wir auch hier auf den Quellpunkt aller Geheimnisse des Christentums, die Lebenswurzel seiner Gnadenordnung, das Geheimnis der Menschwerdung, das Geheimnis, das wie eine Krone der Herrlichkeit leuchtet über unserer Erde, diesem kleinen Bethlehem im großen Universum«[342].

c) Einzelfragen

Die Sicherheit und Bestimmtheit, mit der die Offenbarung und das christliche Denken von der Tatsache der Weltvollendung redet, hatte bei manchen Theologen zu der Annahme geführt, bei einzelnen Fragen über das »Wie?« dieser Vollendung Lösungen geben zu können. J. Zahn war auch in dieser Hinsicht sehr zurückhaltend. So lehnte er es etwa ab, Auskunft über die Reihenfolge der Endereignisse zu

---

[339] Ebd. S. 393.
[340] Ebd. S. 393-394.
[341] Ebd. S. 394.
[342] Ebd. S. 395.

geben, da wir über die Vorgänge überhaupt und besonders über ihre zeitliche Ausdehnung keine zureichende Vorstellung gewinnen können[343]. Beachtlich ist, daß J. Zahn aber auch alle Harmonierungsversuche etwa zwischen dem Mosaischen Hexaemeron und den Einzelergebnnissen von Astronomie, Geologie, Paläontologie ablehnte. Das gleiche galt ihm aber auch für die eschatologischen Probleme. Er warnte davor, die Grenze zwischen theologischer und naturwissenschaftlicher Forschung zu verwischen. Es war nicht seine Absicht, an die Naturwissenschafler das Ansinnen zu stellen, unsere theologischen Fragen zu beantworten[344]. Als Apologet hielt er es wohl für möglich, gelegentlich auf naturwissenschaftliche Resultate und Hypothesen hinzuweisen, wenn es galt, Einwürfe gegen das Schriftwort als haltlos darzutun. Eine positive Beleuchtung einzelner Schriftworte war ihm willkommen, da er wußte, daß die Wahrheit selbst und ihre letzte Quelle nur eine ist[345].

Von dieser Voraussetzung aus ist es nicht sinnvoll, die einzelnen Erörterungen J. Zahns nachzuzeichnen, zumal er meistens zu negativen Ergebnissen kam. Wohl glaubte er manchmal, einen Schluß a minori ad maius führen zu können, etwa wenn er folgerte, daß die Schönheit und Vollkommenheit Gottes, die jetzt schon aus aller Welt zu uns strahlt, dereinst um so stärker widerleuchtet, - allein über dies Allgemeine ging er nicht hinaus. Auch in diesem letzten Teil seiner Vorlesung blieb er bei dem Grundgedanken: »Die Gottestat, welche der große Gegenstand der Eschatologie ist, ist die Vollendung unseres Heiles«[346].

10. Abschließende Würdigung der Jenseitslehre J. Zahns

Zum Abschluß unserer Untersuchung bleibt uns übrig, den theologischen Gehalt dieses eschatologischen Entwurfs in seiner Gesamtheit zu würdigen.
Mit der neunten Vorlesung hatte J. Zahn den Abgesang seiner Jenseitslehre gehalten. Unter systematischem Gesichtspunkt war es sinnvoll, nach Erörterungen über die Vollendung der Seele in Gott, die Vollendung des Menschen nach seiten seines Leibes und die Vollendung der Menschheit insgesamt noch ein Kapitel über die Vollendung aller Dinge folgen zu lassen. Indes fiel diese Vorlesung inhaltlich nach dem christologischen Höhepunkt der achten Vorlesung merklich ab. Sie scheint nur noch ein Annex zu sein, mit dem die Jenseitslehre kosmologisch abgerundet wurde. Es fragt sich daher, ob das Thema nicht besser zuvor im Anschluß an die leibliche Vollendung des Menschen behandelt worden wäre, zumal J. Zahn erkannte, daß diese durchaus in ihrer kosmischen Dimension erfaßt werden muß[347]. Wohl hatte der Würzburger Dogmatiker herausgestellt, daß die christliche Eschatologie von Christus her ihr Licht empfängt[348]. Insofern versäumte er es nicht, die Lehre von der Vollendung aller Dinge wie die ganze Jenseitslehre christologisch zu durchformen. Indem er jedoch gerade in der letzten Vorlesung nach der Zukunft des Kos-

---

[343] Ebd. S. 396, Anm. 2. - Vgl. ähnlich Ölsner. S. 66: Gegen Ch.E. Luthardt. Vgl. oben S. 289, Anm. 72.
[344] Zahn: Das Jenseits. S. 397.
[345] Ebd. S. 398.
[346] Ebd. S. 406.
[347] Ebd. S. 393-394.
[348] Vgl. ebd. S. 395.

mos fragte, verlagerte er das Gewicht seiner Eschatologie in die kosmologische Richtung. Hervorgerufen wurde dies ohne Zweifel von dem apologetischen Interesse, das die gesamte Darlegung des Würzburger Professors bestimmte. Die Lehre von der Vollendung des Kosmos rundete insofern trefflich den Bogen seiner Vorlesungen, als sie zu seinem wichtigsten Anliegen zurückführte, die Harmonie von Diesseitswirken und Jenseitshoffen aufzuzeigen.

Beachtenswert ist, daß es in dem eschatologischen Entwurf J. Zahns zu keiner anthropologisch-spiritualistischen Engführung kam. Er lehrte, daß Gott für eine Ewigkeit auch die materielle Welt in ihrem Vollendungsstand dem Menschen als Gegenstand der reinsten, freudigsten, fruchtbarsten geistigen Beherrschung darbieten werde, nicht als Hemmnis, sondern als Mittel des seligen Entzückens in Gott, das in lebensvoller Wechselbeziehung ebenso Wurzel als Frucht der Freude am verherrlichten Kosmos sein werde[349].

Erst im Licht der schließlichen Vollendung und Verklärung des materiellen Kosmos kann die göttliche Schöpfungstat recht eigentlich verständlich gemacht werden. Nicht Niedergang und Untergang ist nach J. Zahn das Ziel der Schöpfung, sondern Leben und Reifen; nicht Auflösung und Zerstörung, sondern Neubau und Vollendung; nicht völliges Vergehen, sondern herrliche Verklärung. Um der Menschheit willen bejaht er das Dasein der Erde, in der Endverklärung des Kosmos sah er die Endverklärung des Menschen sich abstrahlen. »Ja« war für ihn alleweg der Klang der christlichen Jenseitshoffnung. Daher betonte er immer wieder, daß nur bei dem völligen Verkennen des Wesens des Christentums sein bejahender Grundcharakter geleugnet und der schwere Vorwurf erhoben werden konnte, daß das Jenseitsdogma eine Hemmung aller Diesseitsziele bedeute[350]. »Wenn aber kein Gegensatz besteht zwischen Vollendung und Anfang, wie sollte da der Gedanke an die Vollendung, das Streben nach Vollendung ein Hindernis bilden für ein früheres Stadium?«[351] Er verlangte, daß jeder, der über die Einwirkungen des Jenseitsgedankens auf das Diesseitsleben mitsprechen wolle, die Sache an der Erfahrung prüfe. Ihm kam es darauf an zu zeigen, welche Kraft von einem lebendigen Glauben an die ewige Bestimmung des Menschen und an die jenseitigen Sanktionen aller diesseitigen Verpflichtung hervorquellen kann. Daher hielt er die Annahme für unzutreffend, daß sich die Segnungen des Jenseitssinnes nicht auf das Diesseits erstrecke. »Ich dächte, wer die äußeren und inneren Anlagen, über welche er verfügt, als gottverliehene Gaben betrachtet, als Lehen, über die er seinem Herrn Rechenschaft zu geben hat, und wer seine Kräfte, seine Bestrebungen, seine Leistungen als ein Gut betrachtet, das verdient, für die Ewigkeit erhalten zu werden, der sollte wohl in dieser Würdigung einen mächtigen Stützpunkt finden für die Anspannung seiner Kräfte. Und wenn ihm jene Auffassung für alle seine Kräfte gelten muß, auch für die körperlichen... und wenn er glaubt an die einstige Wiedererweckung seines Leibes und an die kommende Verklärung der ganzen Schöpfung, sollte es ihm da möglich werden, die Kraftanspannung einzuschränken auf die rein geistigen Gebiete?«[352]

---

[349] Ebd. S. 396.
[350] Vgl. ebd. S. 407.
[351] Ebd. S. 408.
[352] Ebd. S. 411.

Zahllos waren für J. Zahn die Segnungen des Jenseitsglaubens für den inneren Menschen wie für die äußere Kultur[353]. Er wies aber darauf hin, daß sich diese Segnungen nur um den Preis eines religiösen, sittlichen Ernstes vermitteln, da das Ewige über dem Zeitlichen steht als beherrschendes Gesetz und tröstlichen Ausgleich[354]. Vom Christentum als einer reinen Diesseitsreligion zu sprechen, schien ihm völlig widersinnig. Unerträglich fand er es, wenn die Negation des Jenseitsglaubens als die Weisheit der Gegenwart und die Hoffnung der Zukunft ausgegeben wird, als Norm für die Erziehung kommender Geschlechter[355]. Fest war er davon überzeugt, daß es sich für den Menschen verlohnt, den Geist frei zu halten oder frei zu machen von materialistischer Gefangenschaft und pantheistischen Träumen[356].

Indem wir auf diese negativen Urteile J. Zahns verweisen, dürfen wir nicht verkennen, daß seine Schrift nicht von Polemik erfüllt war, sondern von dem positiven Bemühen, Einsicht in den Sinn und in die Begründung des Jenseitsdogmas zu geben. Zum Abschluß dieses Versuches stellte er fest, daß der Glaube an das Jenseitsdogma der Kirche die Einsicht in die Unendlichkeit der Wahrheit selbst ist, und in die Endlichkeit unserer Kraft. Er ist der Ansicht, daß die Wahrheit unvergänglich Bestand hat, und daß unser Geist fortdauernd Anspruch hat auf unvergängliche Wahrheit. So besteht der Diesseitsglaube nicht ohne Zuversicht auf das selige Schauen im Jenseits[357].

J. Zahn schloß seine Vorlesungen mit einem Ausblick auf die Zukunft. Denn »wer immer es unternommen hat, die Menschheit zu segnen, hat sie gesegnet im Zeichen der Zukunft. Auch das Christentum segnet in diesem Zeichen. Die Zukunft, die es zeigt, schwebt nicht flüchtig von der Erde hinweg. Aber sie bleibt auch nicht auf der Erde haften. Sie ist nicht ein Traumland, das verzaubert, sondern eine Heimat, die verklärt. Sie ist...die wahrste, sicherste, höchste Realität, die es gibt. Aber eben deshalb wird unsere Einsicht in das Jenseits erst dann eine vollkommene sein können, wenn seine Realisierung selbst wird vollendet sein«[358].

Überblicken wir zum Schluß noch einmal zusammenfassend das gesamte Werk, so wird uns klar, daß J. Zahn in seinen Vorlesungen nicht einfach verschiedene Themen aus der Eschatologie nebeneinander abhandelte, sondern daß er »ein fast vollständiges System der Eschatologie«[359] anbot. Obwohl er sich ganz allgemein an einen weiten Zuhörerkreis wandte, so fand doch auch der Fachtheologe in seinen Darlegungen, in denen kaum eine bedeutendere eschatologische Frage oder Kontroverse unberührt blieb, mannigfache Anregung[360]. Wir haben bereits das po-

---

[353] Vgl. ebd. S. 410-412.
[354] Vgl. ebd. S. 412-415.
[355] Vgl. ebd. S. 416-418.
[356] Ebd. S. 419.
[357] Ebd. S. 419.
[358] Ebd. S. 420.
[359] So urteilte in einer Rez. der evang. Prof. für systematische Theologie Richard Heinrich Grützmacher (1876-1959). In: ThG 11 (1917) 31. - Vgl. auch dessen Werk: Diesseits und Jenseits in der Geistesgeschichte der Menschheit. Berlin 1932.
[360] Peter Lippert S.J. (1879-1936) Rez. zu J. Zahn. Das Jenseits. In: StZ Bd. 92. 47 (1917) 570.

sitive Urteil des Innsbrucker Dogmatikers J. Stufler zitiert[361]. Ähnlich rühmte Th. Steinmann den bei aller Bindung freien und unbefangenen Geist dieses katholischen Theologen und seine reiche Belesenheit auf dem Gebiet der evangelischen Theologie[362].

Obwohl somit die Kritik das Buch J. Zahns im allgemeinen positiv aufnahm[363], wurden jedoch wichtige Besonderheiten dieses eschatologischen Entwurfs gar nicht erkannt oder zumindest nicht für wert befunden, eigens hervorgehoben zu werden. P. Lippert verstand die Publikation aus aktuellem Anlaß als ein Trostbuch[364] all der Hinterbliebenen, die mit leidvoller Sehnsucht ihren Gefallenen ins dunkle Jenseits nachblicken, und als einen Damm, den der Autor einer eben damals steigenden Flut von spiritistischen und theosophischen Jenseitsträumen entgegensetzte[365]. Das aber reicht nicht aus, um die Eigenart dieses Werkes genügend zu würdigen. Es seien daher in unserer Revision jene Besonderheiten herausgestellt, in denen das eigentümliche Verständnis des Würzburger Dogmatikers zum Ausdruck kam:

(1) Als christlicher Theologe wußte J. Zahn um die Bedeutung, die der Gottesidee für den gesamten Bereich der Eschatologie zukommt[366]. So verstand er die Vollendung des einzelnen Menschen wie auch der Menschheit insgesamt als Werk Gottes. Sein Entwurf war daher theologisch im strengen Sinn des Wortes.

(2) Bei dieser christlichen Grundeinstellung war für J. Zahn der Mensch keineswegs zur Passivität verurteilt. Vielmehr war er der Auffassung, daß sich die Tat Gottes auf dem Wege eines Anspruchs an den Menschen verwirklicht; Gott selbst eröffnet dem Menschen den Spielraum für das eigene, verantwortliche Tun. So legte er dar, wie der Mensch in seiner konstitutiven Ausrichtung auf die Vollendung und in seinem dieser nun folgenden Handeln in dieser Welt selbst über sein endgültiges Schicksal entscheidet.

(3) Die Vollendung des Menschen lag damit für J. Zahn auf der ethisch-personalen Ebene. Daher nahm auch in seinem eschatologischen Denken nichts einen breiteren Raum ein als die ethische Würdigung des Jenseitsglaubens[367]. Das Wort von der Ewigkeit, vom Himmel, den wir von Gott erwarten um unseres Heilands willen, war für ihn die unerschütterliche Grundlage jener ganzen Ethik, die »eintritt

---

[361] Stufler. Rez. zu J. Zahn. Das Jenseits. In: ZKTh 41 (1917) 112. - Ähnlich Pohle. Rez. zu J. Zahn. Das Jenseits. In: ThRv 18 (1919) 32.

[362] Theophil Steinmann (geb. 1869) Rez. zu J. Zahn. Das Jenseits. In: ThLZ 42 (1917) 42. - Vgl. ders.: Der religiöse Unsterblichkeitsglaube. Sein Wesen und seine Wahrheit, religionsvergleichend und kulturphilosophisch untersucht. (BThSBG. 8.) Leipzig 1908, ²1912. - Ders.: Jenseitsvorstellungen der primitiven Völker. Ein Wort zu deren Verständnis. (HMK. 10.) Herrnhut 1912. - Dazu vgl. Zahn: Das Jenseits. S. 15, Anm. 4.

[363] Weitere Rez. zu J. Zahn: Das Jenseits: Augustin Arndt S.J. (1851-1925). In: ALBl 26 (1917) 268. - B. Bartmann. In: ThGl 8 (1916) 855. - Ludwig Heilmaier. In: ARM 18 (1921) 149. - F. Wagner. In: LA 31 (1917) 84.

[364] P. Lippert. S. 570. - Vgl. Zahn: Das Jenseits. S. III, 71, 228, 257, 362, 416.

[365] P. Lippert. S. 570.

[366] Vgl. Zahn: Das Jenseits. S. 18, 48, 63, 153, 163, 170-178, 212, 237, 245, 259, 284, 296, 357, 361.

[367] Vgl. ebd. S. 3, 22, 45, 103, 109, 113, 176-177, 224-225, 260, 263, 265, 322, 326-327, 345, 349, 351, 353, 371-372, 389, 409-416. - Beachte hierbei u.a. auch die Einschärfung der Arbeitspflicht.

für die Harmonie von Dogma und Tugend, von Weg und Ziel, und welche dabei allererst festhält an der Überzeugung von der Notwendigkeit der Erlösung und der Gnade«[368]. Es war daher das besondere Ziel des Würzburger Dogmatikers, mit seinen Vorlesungen zu zeigen, daß für einen gläubigen Christen Jenseitshoffnung und Diesseitswirken zusammengehören, ja daß letzterem für die Vollendung in der Ewigkeit entscheidende Bedeutung zukommt. Wir finden daher bei ihm keine »Physik der letzten Dinge«[369], vielmehr bis in die Erörterung der kosmischen Dimension der Vollendung hinein eine vollständig anthropologische Ausrichtung des Denkens. Einen sozial-aktivistischen Evolutionismus lehnte er allerdings ab[370], da er in der Vollendung der Welt nicht das Ergebnis einer rein diesseitigen Evolution, sondern eine göttliche Tat sah. Hier wird deutlich, daß er in seinem Entwurf Antwort auf die auch im religiösen Raum brennenden Zeitfragen geben wollte.

(4) Bei J. Zahn war die individuelle Eschatologie fest eingefügt in die Konzeption einer allgemeinen Vollendung der gesamten Menschheit. Diese beruht nach katholischer Lehre auf der Universalität des göttlichen Gnadenwaltens, das alle Gläubigen auf dem Heilsweg der Kirche zu einer Einheit zusammenfaßt[371]. Für J. Zahn ergab sich daraus die soziale Bedeutung der Jenseitslehre, die er immer wieder hervorzuheben nicht müde wurde[372]. Für unerläßlich hielt er daher die Betonung der sozialen und universalen Momente der himmlischen Beseligung, das christliche Jenseitsbild mit seiner vollendeten Gemeinschaft der Heiligen schien ihm die wirksamste Abwehr gegen die Gefahr der Isolierung zu sein, zu der der Egoismus allzu leicht den Menschen verleitet[373].

Blicken wir aus unserer heutigen Sicht auf das Werk J. Zahns zurück, so müssen wir würdigen, daß es ihm zu Beginn unseres Jahrhunderts gelang, mit seinen vor Hörern aller Fakultäten gehaltenen Vorlesungen in ein zentrales Thema christlichen Glaubens und Wirkens einzuführen und dabei wesentliche Elemente neuzeitlichen Denkens zu berücksichtigen. In dieser Eigenart liegt der besondere Wert dieses systematischen Entwurfs christlicher Eschatologie.

---

[368] Ebd. S. 415.

[369] Vgl. Y. Congar: Bulletin de Théologie dogmatique. In: RScPhTh 33 (1949) 463. - P. Künzle: Thomas von Aquin und die moderne Eschatologie. Antrittsvorlesung gehalten am 26. 10. 1960 an der Universität Freiburg. In: FZPhTh 8 (1961) 109-120. - Ders.: Die Eschatologie im Gesamtaufbau der wissenschaftlichen Theologie. In: Anima 20 (1965) 231-238. - Die Unmöglichkeit, eine Physik, Chemie, Physiologie der letzten Dinge zu geben, wurde früher bereits betont. Vgl. Atzberger. In: Handbuch der katholischen Dogmatik von Dr. Matthias Joseph Scheeben ... Vierter (Schluß-)Band. Von Dr. Leonhard Atzberger. (Theologische Bibliothek.) Freiburg im Breisgau. (1903. Unveränderter Neudruck von 1927.) S. 928. - Dazu vgl. Zahn: Das Jenseits. S. 315.

[370] Vgl. ebd. S. 63, 75, 77, 348-349.

[371] Vgl. ebd. S. 32, 129, 133, 268, 358, 373.

[372] Vgl. ebd. S. 6, 77-78, 267, 353-354, 411.

[373] Vgl. ebd. S. 269, Anm. 4; S. 415.

DRITTER TEIL

Die Eschatologie unter der
Todeserfahrung des Ersten Weltkrieges

ERSTES KAPITEL
Wandlungen des Fühlens und Denkens
in Theologie und Philosophie

1. Die protestantische Theologie in Kriegs- und Nachkriegszeit

Durch die ungeheuren Opfer und Verluste, die der Weltkrieg von 1914-1918 mit sich brachte, wurde das Leben der an ihm beteiligten Völker aufs Schwerste erschüttert[1]. Die Zahl der Toten wird auf zehn Millionen geschätzt, ohne genaue Angaben über all jene machen zu können, die in der Gefangenschaft oder nach ihrer Entlassung aus dem Kriegsdienst starben. Für das Deutsche Reich ermittelte das Zentralnachweisamt für Kriegsverluste und Kriegsgräber eine Zahl von rund 2,055 Millionen Tote bei einer Gesamtzahl von 13,25 Millionen mobilisierter Personen[2]. Die Vervielfältigung des Leides, das diese Opfer in der Heimat hervorrief, gibt zu der Vermutung Anlaß, daß kaum ein Überlebender jener Epoche ohne unmittelbare Todeserfahrung blieb.

In der Folge der grauenhaften Geschehnisse zeigte es sich, daß nicht nur die äußeren Verhältnisse bei vielen Menschen verändert waren, sondern daß sich auch im Fühlen und Denken allenthalben ein Umbruch vollzog. Gewiß, mit der Zeit verebbten die Symptome eines allgemeinen Fiebers und man konnte fragen, ob der

---

[1] Vgl. E. Foerster: Der Weltkrieg in seinen religiösen und sittlichen Auswirkungen. In: RGG² 2 (1929) 1316-1318.

[2] Vgl. H. Sacher: Weltkrieg. IV. Statistik. In: SL⁵ 5 (1932) 1174. - StJDR (1924/25). 44 (1925) 24-27: Die Kriegsheere und Verluste im Weltkriege 1914-1918.

Krieg überhaupt große Wirkungen auf das religiöse und sittliche Leben ausgeübt habe[3]. Die Beurteilung blieb zwiespältig und führt uns zu der Erkenntnis, daß der Krieg nicht punktuell für sich betrachtet werden darf. Dies gilt auch, wenn wir in unserer Untersuchung nach seinen Auswirkungen auf das eschatologische Denken der Menschen jener Epoche fragen.

Aus dem Abstand, den wir inzwischen gegenüber jenen Ereignissen gewonnen haben, sehen wir deutlich, daß sich die Hinwendung zur Eschatologie bereits vor dem Krieg vollzog[4]. Ebenso ist die Frage nach dem Jenseits auch in früheren Jahren ernsthaft gestellt worden. Dennoch hat die Todeserfahrung des Krieges die Frage nach der Ewigkeit, nach dem Sinn der Opfer und der göttlichen Vorsehung neu wach werden lassen[5]. Zunächst erschienen zur Beantwortung eine Vielzahl von Trostschriften, unter denen protestantischerseits die von R. Seeberg, P. Feine und Ph. Bachmann, wie auch die von G. Heinzelmann, W. Koepp und P. Althaus hervorgehoben wurden[6]. Um die Übersicht zu vervollständigen, wollen wir auch die eschatologischen Arbeiten von C. Clemen, H. Scholz, C. Stange, K. Heim, K. Barth, E. Thurneysen, F. Traub, H. W. Schmidt, E. Sommerlath, H.E. Weber und G. Hoffmann heranziehen.

(1) Reinhold Seeberg (1859-1935)

Bereits im Winter - Semester 1901/02 hatte der Berliner Theologe R. Seeberg[7] in sechzehn Vorlesungen über die Grundwahrheiten der christlichen Religion vor Studierenden aller Fakultäten ein akademisches Publikum gehalten, in dem er unter anderem auf die eschatologischen Fragen zu sprechen kam[8]. Im Januar 1915 veröffentlichte er unter dem Titel »Ewiges Leben« eine Studie, der ein Vortrag zugrunde lag, den er am Totenfest des vorhergehenden Jahres zum gleichen Thema gehalten hatte[9].

---

[3] Geistige und sittliche Wirkung des Krieges in Deutschland. Von Otto Baumgarten, Erich Foerster, Arnold Rademacher, Wilhelm Flitner. (Wirtschafts- und Sozialgeschichte des Weltkrieges. Deutsche Serie. = Veröffentlichung der Carnegie-Stiftung für internationalen Frieden. Abt. für Volkswirtschaft und Geschichte.) Stuttgart 1927.

[4] Vgl. E. Sommerlath: Unsere Zukunftshoffnung. Zur Frage nach den letzten Dingen. Vortrag gehalten auf der Tagung des Lutherischen Einigungswerkes in Marburg. In: AELKZ. Nr. 47-50 (1927). - Dass. Sonderdruck. Leipzig 1928.

[5] Vgl. Theodor Traub (geb. 1860): Von den letzten Dingen. Vorträge auf neutestamentlicher Grundlage. Stuttgart 1926. - Dass. 2., ergänzte Auflage. Ebd. 1928. - Ders. Totengedächtnis. Stuttgart 1921.

[6] Ölsner. S. 105-106.

[7] Reinhold Seeberg stammte aus Livland; 1884 wurde er Privatdozent in Dorpat; seit 1889 wirkte er als Prof. für systematische Theologie in Erlangen; 1898 kam er nach Berlin; dort war er u.a. Vorsitzender der freien kirchlich-sozialen Konferenz. Er wird den „modernpositiven" Theologen zugezählt. Vgl. u.a. M. Schian: R. Seeberg. In: RGG[2] 5 (1931) 367-368. - W. Koch: R. Seeberg. In: LThK[1] 9 (1937) 401-402. - Ölsner. S. 73-74, 116. - A. Deißmann: Reinhold Seeberg. Stuttgart 1936. - Stephan-Schmidt. S. 304-305.

[8] R. Seeberg: Die Grundwahrheiten der christlichen Religion. Ein akademisches Publikum in 16 Vorlesungen vor Studierenden aller Fakultäten. Leipzig 1902. - Zitiert wird die 6., verbesserte Auflage. Leipzig 1918. Besonders S. 169-182: Der sittliche Kampf um das neue Leben und sein Ziel.

[9] R. Seeberg: Ewiges Leben. Leipzig 1915. Zitiert wird die 2., mehrfach verbesserte Auflage. Leipzig 1915.

R. Seeberg sah, daß die Leidtragenden, mit denen er im Gespräch stand, nicht mit Bibelsprüchen und deren geschichtlicher Erklärung abgespeist werden wollten. Daher rückte er Fragen allgemeiner Weltanschauung in den Vordergrund und versuchte, diese mit mancherlei philosophischen Erwägungen zu beantworten[10]. Daraus entstand »das Trostbuch für die Gebildeten daheim«, das einer umfassenden Eschatologie gleichkam[11]. Zehn Jahre später integrierte er diese aus aktuellem Anlaß herausgegebene Schrift in die Summe seines theologischen Denkens. Bei unserer Analyse greifen wir jedoch auf den ersten Entwurf zurück, da mit ihm bereits die gesamte Konzeption vorlag. Hinweise auf die entsprechenden Abschnitte seiner »Christlichen Dogmatik«[12] fügen wir jeweils als Anmerkung unserer Darstellung hinzu.

Gleich zu Anfang seiner Studie stellte R. Seeberg den Schrecken des Krieges die Vision des Lebens gegenüber. Er beschrieb, wie der apokalyptische Reiter Tod[13] damals fast alle mitten im Leben umfangen hielt und in den Herzen der Menschen Jammer und Not, aber auch mancherlei ungestillte Sehnsucht hervorrief. Allerdings glaubte er auch zu bemerken, daß bei vielen der Tod einen Teil seiner Schrecken verloren zu haben schien; daß sogar - sicherer als sonst - die Hoffnung auf ein ewiges Leben ausgesprochen wurde. »Das Leben ist stärker als der Tod, es wird ihn überwinden, irgendwie und irgendwo. Nicht der Tod hat das letzte Wort, sondern das Leben. Der sterbende Wille überdauert irgendwie den sterbenden Leib. Das letzte, an dem aller Herzen hängen, ist nicht der Tod, es ist das Leben, ewiges Leben«[14].

Schon hier wird der voluntarisitische Ansatz im Denken R.Seebergs sichtbar. Der Anthropologie entnahm er, daß sich unser irdisches Leben in einer fortlaufenden Kette von Wechselwirkungen zwischen uns und den uns umgebenden Dingen vollzieht[15]. Die Verwirklichung dieser Wechselwirkung fand er durch die sinnliche Natur mit ihren mannigfaltigen und feinen Organen vermittelt.Er legte dar, daß es im Alter schwerer werde, das uns umflutende Leben in uns eindringen zu lassen und die Zielpunkte unseres Willens um uns scharf und sicher zu fixieren; dieser Lösungsprozeß erreiche im Tode seinen Abschluß; mit ihm würden jene Bande zerreißen, die uns mit der Welt verknüpften; die Beziehung zu dieser Welt der Lebendigen höre auf; während diese an ihrem Platz bleibe, werde uns »ein Plätzchen außerhalb ihrer«[16].

---

[10] Ebd. Vorwort. - Zur methodischen Abweisung eines reinen Biblizismus vgl. auch P. Althaus: Die letzten Dinge. Lehrbuch der Eschatologie. Gütersloh [5]1949. S. 65.

[11] A. Uckeley: Rez. zu R. Seeberg. Ewiges Leben. In: ThG 9 (1915) 148-149. - Vgl. B. Bartmann: Rez. zu R. Seeberg. Ewiges Leben. In: ThGl 7 (1915) 774-775.

[12] R. Seeberg: Christliche Dogmatik. Bd. 1: Religionsphilosophisch-apologetische und erkenntnistheoretische Grundlegung - Allgemeiner Teil: Die Lehre von Gott, dem Menschen und der Geschichte. Bd. 2: Die spezielle Dogmatik: Das Böse und die sündige Menschheit, der Erlöser und sein Werk, die Erneuerung der Menschheit und die Gnadenordnung, die Vollendung und das ewige Gottesreich. Erlangen, Leipzig 1924-1925.

[13] Vgl. Off. 6, 8.

[14] Seeberg: Ewiges Leben. S. 2. - Vgl. 1. Kor. 15, 54.

[15] Vgl. Dilthey: Einleitung in die Geisteswissenschaften. - Seeberg: Christliche Dogmatik. Bd. 1. S. 455-457.

[16] Seeberg: Ewiges Leben. S. 4.

Der Tod war somit für R. Seeberg die Zerstörung des sinnlichen Lebens und daher die Aufhebung der Beziehung zur Welt, zugleich aber damit eine sinnlose Einsamkeit, eine ewige Nacht und ewige Tatenlosigkeit, die die Seele umfängt. »Totsein heißt allein sein. Im ewigen Weltenraum schwebt die Seele allein dahin. Nicht Form oder Farbe; nicht Schranke oder Ziel begegnet ihr. Sie steigt in das Leere und sie fällt in das Leere. Sie ruft und kein Echo antwortet ihr, sie tastet und tappt und nichts Festes berührt sie«[17].

So negativ uns dieser Aspekt in der Anthropologie R. Seebergs vorkommt, so müssen wir doch bedenken, daß er das Ich des Menschen als etwas geistig Reales auffaßte, das als das Dauernde in uns im Gegensatz zu den Sinnen steht, die ihm dienen und durch die es sich nach außen hin offenbart. Auf Grund der Empirie war er überzeugt, daß es in unserer Existenz immer zwei Elemente gebe, die zwar in steter Wechselwirkung zueinanderstehen, von denen aber keines das andere »hervorbringt«. So bekannte er sich gegenüber dem materialistischen Monismus und dessen Dogma von der Seele als einem Produkt der bewegten Materie zu einem empirischen Dualismus, wobei er sich auf G.W. Leibniz berief[18]. Entscheidend war für ihn, daß das geistige Selbstbewußtsein oder das Ich in seiner dauernden Einheit verharrt, während unser ganzer physischer Mensch in stetiger Bewegung und in einer fortlaufenden Verwandlung begriffen ist. Den Widerspruch des Monismus sah er darin, daß einmal behauptet wird, die »Materie« bringe die Seele samt ihrem Denken und Bewußtsein hervor, dann aber umgekehrt, daß die Materie selbst vom Bewußtsein hervorgebracht werde oder daß sie in dieser ihrer Einheit als die Materie nirgend anders als nur im menschlichen Denken existiere. Für R. Seeberg selbst war »Materie« nur »eine naturwissenschaftliche Formel zur Bezeichnung der Einheit und des Zusammenhanges einer unendlichen Vielheit auf unser Bewußtsein wirksamer, aber von ihm unabhängiger oder ihm 'gegebener' Erscheinungen«[19]. Hier wird deutlich, daß hinter dem Empirismus R. Seebergs I. Kant steht. So versicherte er denn auch, daß diese Erscheinungen nicht irgendwo »an sich« existieren, sondern daß sie ihre Eigenart nur in der Beziehung auf unser Bewußtsein haben, das heißt als von uns gedachte Dinge. Das Ding existierte für R. Seeberg nur, sofern wir es denken. Er hielt es für schlechterdings unmöglich, daß der denkende Geist sich selbst bei der Betrachtung der Dinge ausschaltet, da unser Geist keine Realität kenne und kennen könne, außer der von ihm wahrgenommenen. Da wir so nur vermöge unseres Denkens denken können, war es eben für R. Seeberg unmöglich, unser Denken als Produkt der Außenwelt oder der Materie anzusehen[20].

Für R. Seeberg selbst war die Seele als das reale geistige Ich unseres empirischen Selbstbewußtseins eine letzte unauflösliche Einheit. Insofern bekannte er sich zu der Lehre Platons, wie sie im Phaidon vorliegt[21]. Es schien ihm ein durchaus vernünftiger Gedanke, daß das geistige Ich in seiner Einheit irgendwie fortbesteht,

---

[17] Ebd. S. 5.
[18] Ebd. S. 6.
[19] Ebd. S. 9.
[20] Ebd. S. 9.
[21] Nach Ahlbrecht war Seeberg der letzte bedeutende evangelische Theologe, der sich in der Seelen- und Unsterblichkeitslehre entschieden zum Platonismus bekannt hat. Vgl. Ahlbrecht: Tod und Unsterblichkeit in der evangelischen Theologie der Gegenwart. S. 79.

wenn der Körper im Tode zerfällt. Dennoch schien ihm entsprechend der antiken Hadeslehre das Los der Seele überaus traurig zu sein. Die Seele ist zwar, aber sie lebt nicht . Als Begründung führte er an, daß die Seele auf Wechselwirkung angelegt sei. Eine solche schien ihm aber nach dem Zerfall des sinnlichen Apparates nicht mehr möglich, so daß er nur von einer isolierten, leeren Fortexistenz der Seele sprach[22].

Die philosophische Reflexion brachte somit für R. Seeberg ein ziemlich negatives Ergebnis, wenngleich die Widerlegung des materialistisch-monistischen Standpunktes in ihrer Bedeutung für die Theologie gewürdigt werden muß. Um jedoch zu einem im ganzen positiveren Ergebnis zu gelangen, prüfte der Berliner Theologe, ob mit Hilfe der Religionsgeschichte ein Weg über die Erkenntnis bloßer Fortexistenz hinaus zu einem wirklichen Fortleben eröffnet werde[23]. Er verwies darauf, daß man schon in den ersten Anfängen oder auf einer primitiven Entwicklungsstufe der Religion die Toten irgendwie in beschränkter Weise das irdische Dasein fortsetzen ließ. Auf einer höheren Stufe der Religion habe man das Geschick davon abhängig gesehen, was der Einzelne auf Erden getan hatte. Für R. Seeberg lag darin der Anfang einer Gesetzesreligion, bei der sich der Gedanke an die Fortdauer durch das Vergeltungsprinzip in das Doppelgeschick »Himmel« und »Hölle« zerspalte. Positiv wertete er, daß damit die Fortexistenz eine weittragende sittliche und erzieherische Bedeutung für den Menschen erhält. In dieser Hinsicht würdigte er auch die Lehre von der Seelenwanderung, weil in ihr die Strafe selbst zu einem Weg der Seligkeit werde. Auf noch höherer Entwicklungsstufe sah er jedoch die Religion stehen, in der die »Idee der Erlösung« und der Vollendung die Leitung der Hoffnung des Menschen übernahm. Er beschrieb, wie nach den griechischen Mysterien oder der Philosophie Platons die Gottheit als der alles belebende, in allem waltende Geist erschien, der die Seele bewegt und von allem Bösen und Nichtigem befreit. Da dieser Prozeß schon in der Gegenwart beginne, werde das ganze Leben zu einer Schule der Ewigkeit. Strafen treten zurück oder werden zu zeitlichen Mitteln und Hilfen zur Durchführung des ewigen Lebens[24].

R. Seeberg sah aber auch, daß mit dieser Auffassung eine fortlaufende Erhebung und Entmaterialisierung der Seele verbunden war. Auch die biblische Religion gehörte für ihn in ihrer neutestatmentlichen Durchführung zu dieser dritten Entwicklungsstufe oder dem Typus der Erlösungsreligion. Er hob jedoch hervor, daß hier die persönliche sittliche Verantwortung eine ungleich größere Bedeutung als in der griechischen Philosopie behalten habe. Dabei werde, obgleich ein Gericht nach den Werken gelehrt werde, auf das Klarste die Gnade oder der wirksame Gottesgeist als der einzige Grund der Erlösung und der Hoffnung auf ein ewiges Leben anerkannt[25]. Als Ergebnis dieser Analyse hielt R. Seeberg fest, daß die Menschen in den allerverschiedensten Daseinsbedingungen und auf sehr verschiedenen Stufen der geistigen und sittlichen Entwicklung stets die Unsterblichkeit der Seele fast wie

---

[22] Seeberg: Ewiges Leben. S. 11. - Vgl. ders.: Die Grundwahrheiten der christlichen Religion. S. 180.

[23] Vgl. ders.: Christliche Dogmatik. Bd. 1. S. 49-52; Bd. 2. S. 582-584.

[24] Ders.: Ewiges Leben. S. 12.

[25] Ebd. S. 12-13. - Vgl. Ahlbrecht: Tod und Unsterblichkeit in der evangelischen Theologie der Gegenwart. S. 79.

etwas Selbstverständliches angenommen haben, obwohl der bloße Augenschein wie auch die Unsicherheit aller Gedanken über Leben und Tod dagegen sprach. Denn wer von diesem Leben rede, kenne es nicht, und wer es etwa kenne, sei nicht mehr in der Lage, von ihm zu reden[26].

Wir übergehen den Widerspruch, der in dieser letzten These R. Seebergs liegt. Das eigentliche Problem lag für ihn in der Frage, woher jene Gewißheit komme, wie sie uns sowohl in den naiven als auch in den mehr reflektierten Formen entgegentritt. Richtig erkannte er, daß die Geschichte keine eindeutige Antwort zu geben vermag. Auch schienen ihm die Versuche, die Entstehung des Unsterblichkeitsglaubens aus natürlichen Vorgängen wie dem Atmen und Träumen zu erklären, für durchweg wenig überzeugend. Schwerer wog für ihn das Argument von der inneren Unmöglichkeit des denkenden Geistes sich selbst als nichtseiend vorzustellen. Einen Beweis für die Unsterblichkeit der Seele wollte er aber auch davon nicht ableiten, da wir, - wie er sagte -, das Wesen der Dinge noch nicht erfassen, indem wir sie denken[27].

Erkenntnistheoretisch gab es für R. Seeberg zwei Wege als Zugang zum Verständnis der uns umgebenden Wirklichkeit[28]:
1. die sinnliche Wahrnehmung und das logische Denken,
2. die Empfindung, die Intuition, das Wollen.

Zum ersten erklärte R. Seeberg, er verfolge das Ziel, sichere und klare Begriffe zu finden und ihre Richtigkeit und Notwendigkeit logisch zu beweisen. Für ihn stand fest, daß der menschliche Verstand eine bestimmte Struktur hat, daß er nur in den ganz bestimmten, immanenten Formen, den Denkkategorien, arbeiten kann. Der Verstand eignet sich demnach die mannigfachen Eindrücke, die ihm auf dem Weg der Sinnlichkeit zugeführt werden, dadurch an, daß er sie nach diesen Kategorien bearbeitet oder formt. Die Eindrücke oder das Ding an sich, von dem die Eindrücke ausgehen, mögen wie immer beschaffen sein, der Verstand muß es in seine Kategorien hineinzwängen[29]. Bei den Begriffen nun, die der Verstand bei dieser seiner Tätigkeit bildet, handelte es sich für R. Seeberg keineswegs nur um bloße Hilfsmittel zur Gliederung eines umfassenden Ganzen, sondern um den verstandesmäßigen Ausdruck für eine real vorhandene Ordnung[30]. Dennoch blieb für ihn diese »bloß logische« Betrachtung der Welt einseitig. Er erhob gegen sie den Einwand, daß sie den Strom der Wirklichkeit nicht auszuschöpfen vermöge. Sie komme zu vielen Begriffen und verbinde sie nach gewissen abstrakten Gesetzen, aber wie sie die Dinge wirklich isoliere, um sie zu verstehen, so sei auch ihre Zusammenfügung abstrakt und unlebendig. »Es entstehen automatische Figuren, die so überaus kunstvoll gearbeitet sind, daß sie 'wie lebendig' sich miteinander bewegen. Aber die Realität des Lebens fehlt ihnen. Die Begriffe ergeben ein übersittlich komponiertes Bild, aber sie geben nicht den nie ruhenden Lebensstrom wieder«[31].

Mit dieser Auffassung , daß ruhende Bilder, »feste« Begriffe nie ein genügendes Abbild des Lebens sein können, da dieses sein Wesen »an der Beweglichkeit des

[26] Seeberg: Ewiges Leben. S. 14.
[27] Ebd. S. 18.
[28] Vgl. ders.: Christliche Dogmatik. Bd. 1. S. 269, 270-275.
[29] Ders.: Ewiges Leben. S. 16.
[30] Ebd. S. 17.
[31] Ebd. S. 18.

nie rastenden Wollens« habe, kam R. Seeberg von I. Kant zu einer voluntaristischen Lebensphilosophie[32]. So schrieb er: »Das Leben ist Drang und Trieb zur Existenz, sowohl zur eigenen als auch zur Vereinigung dieser mit dem Andern. Leben will in anderem sein und anderes in sich ziehen und dadruch sich im Zusammenhang mit dem anderen sich verwirklichen. Leben ist immer zugleich Selbsterhaltung und Selbstschöpfung und Erhaltung und Schöpfung des Anderen. Leben will gleichzeitig zeugen und empfangen, schaffen und geschaffen werden. Hungrig will es alles andere in sich hineinziehen, um selbst zu sein und zu bleiben, und satt und voll will es in alles andere eindringen, um zu schaffen, zu gestalten und zu erhalten. Alles Lebendige ist seinem Wesen nach Selbstleben oder Selbstheit«[33]. Auf Grund dieser Anschauung formulierte er die These: Das Leben sei seinem Wesen nach ein Wollen, gleichgültig ob es sich erst als dunkler Trieb oder schon als bewußtes geistiges Streben darstellt.

Wenn R. Seeberg so vom »Leben« sprach, so dachte er an eine Vielheit von Wesen, die durch ihr Wollen Selbstheiten sind, aber zugleich eben durch das Wollen miteinander zur Einheit verbunden werden. Leben war für ihn das aller Individuellste, aber zugleich immer etwas Gemeinsames[34]. Damit ergab sich für ihn ein neues Problem, das für die Lösung der Frage nach dem ewigen Leben von größter Wichtigkeit war. Er sah, daß das Leben der einzelnen Willenswesen egozentrisch ist, daß sich ein jeder selbst durchsetzen und das Andere zum Mittel der Selbstbefriedigung gebrauchen will. War da nicht zu erwarten, daß diese vielen Willen in unendlichen Widerstreit einander aufzuheben trachten? Hier versicherte R. Seeberg, das sei nicht der Fall, die Willen würden vielmehr in eine Harmonie miteinander treten, die sich in einem einheitlichen Wirken bewähre. Er verwies darauf, daß mancherlei Triebe des natürlichen Lebens einander fordern und fördern, ebenso die Tendenzen der geistigen Willen. Auch die biologische Entwicklungsreihe bestätigte ihm, daß sich in einer unendlichen Vielheit individueller Willen die Einheit verwirklicht. Gerade dadurch, daß sie ihr eigenes Selbst zu erhalten versuchen, schaffen sie die Harmonie des Ganzen. Das gehe soweit, daß sie sich selbst der Zerstörung preisgeben, um die anderen zu erhalten. Sie haben ihr Leben daran, daß sie für andere sterben. Daraus folgerte R. Seeberg, daß in den selbstischen Willen eine Macht zu wirken scheine, die sie füreinander bestimme, zueinander treibe und miteinander wirksam mache. Wenn nun diese Macht sich in lebendigen Willen so verwirklicht, daß sie die vielen Wilen zu e i n e m Wollen vereinigt, so könne sie selber offenbar nur als lebendiger Wille gedacht werden. Dies war für R. Seeberg jener

---

[32] Seeberg schenkte auch in seiner Christlichen Dogmatik dem Transzendentalismus und Voluntarismus seine Aufmerksamkeit und wurde folglich in der Theologiegeschichte in jene Strömung eingeordnet, die unter dem Einfluß Kants und Schopenhauers vom Intellektualismus zum Voluntarismus weiterschritt. - Vgl. Seeberg: Christliche Dogmatik. Bd. 2. Vorwort. S. IV. - F. Paulsen: Einleitung in die Philosophie. (1892). Stuttgart [36]1923. Vorwort S. VII. - Vgl. auch die kritische Rezension von K. Thieme zu Seeberg. Ewiges Leben. In: ThLZ 41 (1916) 415-416. Thieme sah den Entwurf Seebergs von einem vitalistischen, voluntaristischen Panentheismus geprägt. - Vgl. G. Koch: Die Wahrheit des Christentums nach Reinhold Seeberg. (Theol. Diss. Erlangen 1929.) Erlangen 1932. Besonders S. 39-46: Philosophische Kritik.

[33] Seeberg: Ewiges Leben. S. 19.

[34] Seeberg zitierte Röm. 14, 7.

Urwille, der die Einzelwillen setzt und in ihrem Wollen verwirklicht; das Urwollen, aus dem alles Leben ist und in dem die Einheit und die Vielheitlichkeit seiner Bewegung beschlossen ist; der lebendige Gott, der als der Urwille in dem Leben der Natur wie der Geschichte sich zur Wirksamkeit erschließt[35]. Hinsichtlich der Welt folgerte R. Seeberg daraus, daß der letzte Grund aller Realität und alles Geschehens lebendiger Wille sei, daß alle Gesetze und Ordnungen im Weltzusammenhang offenbar von diesem Willen frei gegeben und gesetzt seien, und daß die Tatsache ihrer Gesetzmäßigkeit in keiner Weise gegen ihre Herkunft aus der freien Verfügung jenes Urwillens sprechen könne. Dieser Urwille sei andererseits wegen der Ordnungen und Gesetze, die sich im Weltzusammenhang vorfinden, nicht als blinder Trieb, sondern als vernünftiger Wille vorzustellen[36].

Die Tatsache, daß das Leben zugleich Drang zur Selbstheit und zur Einheit des Ganzen ist, war für R. Seeberg eine Paradoxie. In der Tendenz auf Einheit, die die individuellen Leben im innersten bestimmt, lag für ihn das eigentliche Leben. Die Macht aber, die diese Tendenz bewirkt, war für ihn der Urwille oder Gott. Die Welt in ihrer unauflöslichen Einheit erschien ihm als der Strom des Lebens, der von dem Urwillen gewollt ist, und sich in einer unendlichen Anzahl von lebendigen Willen verwirklicht. Die ganze Natur war demnach ein gewaltiger Lebensprozeß, der Ausdruck eines allbewegenden Urwillens. Ebenso stellte sich für R. Seeberg die Geschichte als die große Bewegung der Geister, als ein einheitlicher Lebensprozeß dar, als die Verwirklichung eines einheitlich organisierenden Urwillens[37].

Innerlich zugänglich war für R. Seeberg dieser einheitliche Lebensstrom auf dem Wege des Instinktes[38], in dessen tierischer Form er eine Analogie zum Verständnis des Willens als Leben sah. An diesem Punkt nun taucht zum ersten Mal der Hinweis auf die kriegerischen Ereignisse jener Jahre auf. R. Seeberg meinte, wer die große Bewegung zur Erhaltung des Lebens in einem Volk wirklich erschaue, erlebe, empfinde, der werde selbst in dieser nämlichen Richtung wollen und sich bewegen[39].

Empfindung und Wille waren es also, mit denen nach R. Seeberg überall der Zusammenhang des Lebens erfaßt wird. Keineswegs wollte er das so verstanden wissen, als ob dabei die Bewegung der Seele den Menschen auf ein niederes Gebiet hinabführe, das unter dem Denken liegt. Er führte aus, daß diese Intentionen und Empfindungen ebenso wie die sinnlichen Wahrnehmungen unserer Seele in Gedanken verwandelt würden; daher ruhten auch die Willensentschlüsse, die aus ihnen hervorgehen, nicht minder auf geistiger Anschauung als die aus verstandesgemäßer Reflexion hervorgewachsenen Taten. Er vertrat sogar die These, daß die höchsten und beherrschenden Motive unserer Seele von uns aus auf diesem Weg der intuiti-

---

[35] Ders.: Ewiges Leben. S. 20. - Vgl. ders.: Christliche Dogmatik. Bd. 1. S. 75. - Zur Selbsthingabe des eigenen Wollens an den göttlichen Urwillen vgl. die Auffassung von E. Troeltsch. Dazu siehe oben S. 112.

[36] Seeberg: Ewiges Leben. S. 21.

[37] Ebd. S. 22. - Vgl. R. Eucken: Die Einheit des Geisteslebens in Bewußtsein und Tat der Menschheit. Untersuchungen. Leipzig 1888. - Ders.: Einführung in die Philosophie des Geisteslebens. Berlin 1908.

[38] Vgl. H. Bergson: L'évolution créatrice. Paris 1907. S. 191-192.

[39] Seeberg: Ewiges Leben. S. 24.

ven Empfindung oder des unmittelbaren Wollens gewonnen würden. Nicht minder beruhten für ihn die großen und entscheidenden Schlüsse unseres Willens fast durchweg auf solchen unmittelbaren Eindrücken von dem Ganzen und seinem Leben[40].

In dieses Gebiet des Eintritts in einen neuen geistigen Lebenszusammenhang durch Intuition, Empfindung und Wollen gehörten für R. Seeberg auch die »inneren Vorgänge«, die wir - wie er schrieb - unter dem Namen Religion zusammenzufassen pflegten. Sie war für ihn nichts anderes, als daß der Mensch in dem geistigen Leben dieser Welt die Macht eines Willens unmittelbar zu empfinden bekommt, der ihn völlig unterwirft und dadurch zugleich beseligt[41]. Entsprechend war für ihn der Glaube nichts anderes als diese erlebte und bejahte Unterwerfung[42].

Doch zurück zu der erkenntnistheoretischen Grundlage für das Lebensverständnis R. Seebergs. Noch einmal legte er dar, daß unsere Kategorien versagen, wenn wir das Leben selbst in seiner Einheit mit Hilfe logischer Begriffe zum Ausdruck bringen wollen. Das Denken vermöge nur ein abstraktes Abbild von jenem Leben zu zeichnen, wie es in seiner unendlichen Einheit nur konkret zu erfassen sei, indem wir es im Empfinden und Wollen erleben. Die gleichen Schwierigkeiten sah R. Seeberg auch gegeben, wenn wir Gott als Ursache oder Zweck der Welt denken, oder wenn wir das physische und geistige Leben nicht anders denken als eine Verkettung von Ursachen und Wirkungen. Er argumentierte: Niemand könne sagen, daß das »falsch« sei, aber es reiche nicht aus. Wie nun die rationale Betrachtung der Welt darin bestehe, daß wir die uns umgebenden Dinge in die in uns selbst von vorneherein (a priori) vorhandenen Verstandesformen füllten und fügten, so müsse auch in unserem Innern von vorneherein eine Form vorhanden sein, die fähig sei, die Einheit des Lebens in sich aufzunehmen[43]. R. Seeberg fand sie in der eigenen Lebendigkeit, und er erklärte, wir vermöchten das Lebendige in seiner Eigenart zu empfinden, weil wir selbst lebendig und in dieser Lebendigkeit mit ihm verwandt und eins seien. Freilich bestand für ihn eine Aporie darin, daß wir das Lebendige so in einem irrationalen Empfinden, Schauen, Wollen erfassen, dann es aber in einer rationalen Betrachtung zerlegen, verbinden und deuten wollen. Zwischen diesen beiden Elementen blieb für ihn eine ständige Spannung. Auf Grund dieser irrationalen Realitäten kam er zu dem Schluß: »Das Leben wird uns stets vor Tatsachen

[40] Ebd. S. 25.
[41] Ebd. S. 25. - Zur Definition von Religion vgl. Seeberg: Christliche Dogmatik. Bd. 1. S. 77, 78. - W. Vollrath wies in seiner Rez. zu Seebergs Christlicher Dogmatik auf den Unterschied hin, der zwischen der Bestimmung von Religion als Abhängigkeitsverhältnis bei Schleiermacher und von Religion als Willensverhältnis bei Seeberg liegt. - Vgl. Vollrath. In: ThG 19 (1925) 62.
[42] Seeberg: Ewiges Leben. S. 25.
[43] Vgl. W. Auer: Die religiöse Erkenntnis und das Apriori. In: Ders.: Die theologische Grundposition Reinhold Seebergs im Blick auf die Auseinandersetzung über theozentrische und anthropozentrische Theologie. (Theol. Diss. Heidelberg 1937.) Berlin 1937. S. 19-29. - Zur Frage nach dem religiösen Apriori vgl. auch Seeberg: Christliche Dogmatik. Bd. 1. S. 101-104. - Vgl. R. Jelke: Das religiöse Apriori bei Reinhold Seeberg. In: Reinhold-Seeberg-Festschrift. In Gemeinschaft mit einer Reihe von Fachgenossen hrsg. von Wilhelm Koepp. 2 Bde. Leipzig 1929. Bd. 1: Zur Theorie des Christentums. S. 81-97.

unseres Empfindens und Wollens stellen, die der logischen Konsequenz des Gedankens widersprechen und sich nicht der Einheit und Geschlossenheit der Begriffe fügen wollen«[44].

Mit dieser erkenntnistheoretischen Grundlegung hatte R. Seeberg den Boden für die Lösung bereitet, die er bei der Frage nach dem ewigen Leben anzubieten hatte. Nach dem soeben Gesagten ist klar, daß für den Berliner Systematiker ein wirklicher Beweis, der ein ewiges Leben aus den Tatsachen gegenwärtigen Lebens mit voller Denknotwendigkeit erschließen will, nicht in Frage kam. Den Beweis für die Unzerstörbarkeit der Seele ließ er zwar gelten, behauptete jedoch, daß dieser für ihn in keiner Weise ausreiche, um ein Fortleben der Seele auch nur wahrscheinlich zu machen. Hinzu kommt, daß nach R. Seeberg der Verstand als solcher die ewige Realität des Lebens überhaupt nicht erfassen kann. So erklärte er: Er könne zwar die Seele als Substanz verstehen, aber nicht deren Lebendigkeit, also auch nicht das ewige Leben erfassen. Der einzige Weg, auf dem Gewißheit über das ewige Leben erlangt werden könne, sei die Erkenntnis des lebendigen Gottes auf Grund einer Lebensgemeinschaft in intuitiver Empfindung und williger Unterwerfung[45].

Der ganze geistige Lebenszusammenhang sah nun für R. Seeberg so aus: Wir sind als sinnliche Wesen Glieder in der großen Kette des Lebensprozesses, in dem wir erzeugt werden und den wir erzeugen, der uns erhält und den wir erhalten. Wir sind eins mit diesem Strom des Lebens, und der zielstrebige Wille, der ihn erzeugt und erhält, wirkt in uns ebenso wie in allen übrigen Punkten des Stromes: Er ist in uns und wir sind in ihm[46]. Ebenso verhält es sich mit dem Strom des geistigen Lebens, in dem alles, was die menschlichen Geister sich an Ideen, Idealen und Urteilen erwarben, als Einheit zusammengefaßt ist. Es ist dies der objektive Geist, der sich unseres geistigen Lebens bemächtigt, indem er es durchdringt und dadurch ihm Inhalt und Richtung gibt. Durch ihn fühlen wir uns als einen Teil in dem großen Strom des geistigen Lebens, wir werden Glied eines zusammenhängenden Reiches von Geistern, wie sie uns umgeben und von Anfang der Welt gelebt haben. So wirken diese in uns fort in der umfassenden Wechselwirkung eines Geisterreiches. Indem wir Genossen der Geister werden, werden wir selbst zu einem Organ des geistigen Gesamtlebens. Damit aber treten wir auch in Gemeinschaft mit jenem Geist, der die Grundlage allen geistigen Lebens ist, mit Gott. So ist unser Leben geistiges Leben nach dem Bilde Gottes[47].

Besinnen wir uns noch einmal auf den dualistischen Ansatz R. Seebergs, so wird verständlich, was er damit meinte, wenn er darauf verwies, daß wir in unserer konkreten Existenz zwei Reichen angehörten. Gegenüber seiner früheren These, daß wir in der gegenwärtigen Ordnung der Dinge auch die geistige Gemeinschaft nur durch sinnliche Mittel vollziehen könnten, stellte er nun die Frage, ob diese sinnliche Vermittlung der geistigen Gemeinschaft im Wesen der Sache begründet

---

[44] Seeberg: Ewiges Leben. S. 28.
[45] Ebd. S. 30. - Vgl. ders.: Christliche Dogmatik. Bd. 2. S. 570.
[46] Seeberg verwies auf Apg. 17, 28.
[47] Seeberg: Ewiges Leben. S. 31-33. - Vgl. Ahlbrecht: Tod und Unsterblichkeit in der evangelischen Theologie der Gegenwart. S. 79.

sei oder ob sie bloß durch unsere gegenwärtige geist-leibliche Beschaffenheit erforderlich werde. Zur Lösung ging er davon aus, daß Gott, den wir aus vielen Gründen als Geist denken müßten, auf die geistige Welt ebenso wie auf die materielle einwirke. Von daher schien es ihm unbezweifelbar, daß die Möglichkeit einer Kommunikation rein geistiger Wesen untereinander besteht. Er überlegte weiter: Wenn Gott die Geister zur Gemeinschaft untereinander bestimme, aber auch selbst, bei dem Sterben, die sinnlichen Mittel dieser Gemeinschaft abtue, so müsse man es als geradezu notwendig ansehen, daß die geistige Gemeinschaft auch nach dem Tode in irgend einer Form sich werde vollziehen können. »Gott ist das Leben und Gott will das Leben oder eine Gemeinschaft der Geister. Also wird der Tod oder die Aufhebung der sinnlichen Lebensgemeinschaft keineswegs jenen geistigen Lebenszusammenhang zerstören«[48].

Hielt R. Seeberg somit das geistige Fortleben des Menschen nach dem Tode durchaus für möglich, so müssen wir nun fragen, wie er den Zustand des ewigen Lebens sah.

Das Reich der Geister, wie es sich in der Geschichte schon entrollt, war für R. Seeberg ein großer fortschreitender Prozeß, in dem zugleich die einzelnen Glieder in einem fortlaufenden Fortschritt sich befinden. Daß der einzelne Geist immer mehr zum Werkzeug der großen Tendenzen des Geistes in der Menschheit werde und daß derart durch die sich sammelnde Geisterschar die ewigen Tendenzen des Geistes auch in der Zeit realisiert werden, war für ihn der Sinn der Weltgeschichte. Er sah aber auch, daß viele ihre irdische Dienststelle verlassen, ohne genügend vergeistigt worden zu sein und geistige Kraft in Wirkung gesetzt zu haben. Dies schien im offenen Widerspruch zur Anlage und zum bewegenden Streben des Menschen zu stehen. Daß dies Streben zum Ziel kommt und damit zugleich die Tendenz des Geistes sich in diesem einzelnen Gebiet durchsetzt, - das war für ihn der Fortschritt, den die Geschichte durch die Verlegung in eine andere Daseinssphäre erfährt, und der Weg zur Vollendung, den der Einzelgeist durchläuft. Diesen ganzen Strom geistiger Entwicklung sah er durch den ewigen Geist, d. i. der Urwille oder Gott, hervorgebracht und in seinem Lauf bestimmt. Je mehr nun ein Leben von dieser Macht des Geistes durchdrungen wird, desto lebendiger wird nach R. Seeberg seine Annäherung an den Urquell des Geistes, desto inniger spürt es sich umschlossen von dem göttlichen Geist. »Das Leben des Geistes, in den dies Einzelleben eingegangen ist, ist zugleich ein Leben der Gemeinschaft mit Gott. Das erlebt die menschliche Seele hienieden, indem sie Anteil gewann am Leben des Geistes. Das wird sie in steigendem Maß erfahren, wenn sie in dem geistigen Leben fortschreitet. Denn jeder Lebensfortschritt ist vertieftes Erleben der Lebensmacht«[49].

Dies war für R. Seeberg ewiges Leben , das Gott immer gibt und wir immer empfangen. Es strömt beständig mit seinem Schauen und Empfinden in das Leben des Menschen herein und strömt wieder mit seinem Wollen und Streben aus ihm hervor zum Urquell des Lebens hin. Es ist im Menschen Trieb und Tat. Darin, daß wir wirken, wie Gott immer wirkt[50], sah R. Seeberg die Gottesähnlichkeit des Menschen. Wir empfangen Geist in tiefem Empfinden und gebären Geist in starkem

---

[48] Seeberg: Ewiges Leben. S. 34. - Vgl. Ahlbrecht. Ebd. S. 16-17.
[49] Seeberg: Ewiges Leben. S. 37. - Vgl. ders.: Christliche Dogmatik. Bd. 1. S. 94-97.
[50] Vgl. Joh. 5, 17.

Wollen. So werden wir in das Urleben hineingezogen. Alle Hemmungen und Hindernisse stärken nur die Bewegung in uns und steigern damit ihre Lust, denn nichts kann uns dauernd aufhalten, solange der Lebensstrom in uns kreist. Er assimiliert alles. R. Seeberg sah keinen Grund dafür, daß dies Leben je zum Stillstand kommt. »Es ist aus Gott, darum ist es ewig. Es ist ewiges Leben und es ist unser Leben«[51].

Noch ein Wort zur Seligkeit. R. Seeberg verstand sie als die absolute Befriedigung, die entsteht, wenn Leben sich seinen Grundverhältnissen entsprechend bewegt und entfaltet. Wenn unser geistiges Leben dauernd in Intuitionen und Empfindungen Gott und den von ihm geordneten Weltzusammenhang aufnehme und wir die uns dadurch aufgelegte Bestimmung mit freiem Wollen realisierten, dann - so erklärte er - lebten wir ein uns in jeder Richtung entsprechendes und daher befriedigendes oder beseligendes Leben voller Harmonie. Auch unser logisches Denken und unser sinnliches Bedürfnis nach Anspannung der Kräfte erhalte dadurch nach allen Seiten hin Stoff und Anregung[52].

Nachdem R. Seeberg eine nahezu paradiesische Vision des ewigen, seligen Lebens gezeichnet hatte, kam er auf das Böse zu sprechen, das mit seiner zerstörenden Macht alles Leben bedroht. Schon durch unsere sinnliche Existenz fand er das Bewußtsein des ewigen Lebens ständig angefochten, so daß uns vor dem Tode graut und wir an der ewigen Dauer des Lebens zweifeln. Das lag für ihn nicht an einem Mangel an Begriffen, sondern an der Realität dieses Lebens selbst. Der Grund für diesen lebenswidrigen Prozeß führte er ebenfalls auf den Willen zurück, der aus dem Zusammenhang der geistigen Gesamtbewegung ausbricht und sich isoliert. Diese Tendenz, die das reine geistige Leben und Streben unterbricht, war für ihn ein Rätsel, eine Tatsache, die niemand erklären, das heißt nicht als rational notwendig zu erweisen vermag. R. Seeberg beschrieb das Böse als eine Verfälschung des geistigen Lebens, dadurch daß der Mensch sein Interesse ausschließlich auf das eigene Wohl richtet. Sie führe - so erklärte er - zur Isolierung, in der der Wille nicht mehr bloß Organ des Gesamtwillens sein wolle, nicht mehr nur Glied des Ganzen, sondern eigenes Lebenszentrum. Durch die Verlegung des Lebenszentrums in das eigene Ich löse sich der Mensch von dem wirklichen Lebensstrom, das heißt von Gott. Als Folge dieses Prozesses sah er, daß der Mensch, der Gott vergißt, selbst ums Leben kommt[53]. Hinsichtlich der Eschatologie beschrieb R. Seeberg diesen Vorgang so, daß mit dem Eintritt des Bösen auch das Bewußtsein eines ewigen Lebens im Menschen schwindet. Am Ende bleibt nur noch die Vorstellung eines isoliertern Fortexistierens der eigenen Person ohne jede Beziehung zur Geisterwelt, oder eines Aufhörens, das durch das Vergehen und Verfallen seiner sinnlichen Natur eintritt[54].

Über den Umfang des Bösen machte R. Seeberg in diesem Zusammenhang keine Aussagen. In seiner bildhaften Sprache meinte er, daß es für alle, »die der Lebensstrom auswarf« , keine Möglichkeit gebe, von sich aus wieder in ihn zu ge-

---

[51] Seeberg: Ewiges Leben. S. 38. - Vgl. ders.: Christliche Dogmatik. Bd. 1. S. 467-469.
[52] Ders.: Ewiges Leben. S. 38-39. - Ders.: Christliche Dogmatik. Bd. 1. S. 150. Bd. 2. S. 602-604.
[53] Ders.: Ewiges Leben. S. 40-42; vgl. S. 68. - Vgl. ders.: Christliche Dogmatik. Bd. 2. S. 11-12, 78, 87-109.
[54] Ders.: Ewiges Leben. S. 45.

langen, es sei denn, daß der Strom selbst den Ausgeworfenen wieder erfasse. Dies war für ihn aber kein natürlicher Prozeß, wie er an und für sich mit dem Dasein des Menschen gegeben ist. Er erklärte: Das ewige Leben gehöre freilich dem Menschen von Natur, aber wenn sich der Mensch aus seinem Zusammenhang losgelöst habe, werde es »eines besonderen Erlebnisses« bedürfen, um wieder in ihn hineinversetzt zu werden[55].

Hier nun verwies R. Seeberg auf die Erlösung zum Leben durch den Geist Christi. In Jesus sah er göttlichen Geist, als Wille zur Erlösung der Menschheit: In Jesus und durch sein Tun wurde er in der Geschichte der Menschheit wirksam. Ein Urquell des Lebens sprudelte auf, wie ihn die Menschheit zuvor nie gekannt hatte[56]. Wer mit ihm in Berührung kam und sich seinen Einwirkungen unterwarf, der wurde von der heiligen Macht des Geistes ergriffen und ewiges Leben durchdrang ihn[57]. So trat nach R. Seeberg in der geschichtlichen Gestalt Jesu Geist und Leben wieder in die Mitte der sterbenden Welt. »Die königliche Gewalt des göttlichen Geistes in Christus unterwirft die Herzen, indem sie durchdrungen werden von dem Geist, der das Leben ist«[58].

Dies Leben, wie es von Jesus in seine Anhänger eindrang, war für R. Seeberg das wirkliche Leben des Geistes, aber keine sinnlich wahrnehmbare und rational erklärbare Größe, sondern ein kontinuierlicher Lebensstrom, dessen Wesen nur von der empfindenden Intuition oder dem sich unterwerfenden Willen erfaßt wird[59]. Dies Leben ist ewiges Leben, das keine Zerstörung durch den Tod kennt. Für R. Seeberg ist Jesus selbst dem Tod mit dem hellen Bewußtsein entgegengegangen, ihm nicht zu erliegen[60]. Seinen Geist befahl er in die Hände Gottes, der ein Gott der Lebenden ist. Hinsichtlich der Auferstehung Jesu sagte R. Seeberg ganz klar, es handle sich nicht darum, daß der göttliche Geist, der sein Wesen ausmachte, fortlebe, sondern darum, daß der Mensch Jesus, der Träger dieses Geistes war, nach seinem Tode lebendig sei[61].

Die Bedeutung dieser Tatsache bestand für R. Seeberg in der Erkenntnis, daß das menschliche Leben, wenn es sich mit dem göttlichen Geist geeint hat, wenn es sein Organ geworden ist, durch den Tod hindurch erhalten bleibt. Daraus ergab sich: daß der Geist den Zustand nach dem Tode nicht als jene schreckliche Einsamkeit der abgeschiedenen Seelen denken kann, sondern als ein Sein in Christus und ein Sein bei Gott; denn die Gewißheit dessen, daß Gott uns nicht im Tode läßt, begründet sich nach Paulus darauf, daß er uns seinen Geist als Pfand geschenkt hat[62]; am Ende der Tage wird durch diesen Geist, der in uns wohnt, auch unser Leib wieder lebendig gemacht. Es ist der Geist Christi. Daher stellte R. Seeberg als Hauptgedanken heraus, daß jeden, der in die Lebensgemeinschaft des Geistes

---

[55] Ebd. S. 46.
[56] Vgl. Joh. 5, 26; 1. Joh. 5, 11-12.20.
[57] Vgl. Joh. 3, 15; 6, 54.
[58] Seeberg: Ewiges Leben. S. 47. - Vgl. ders.: Der Ursprung des Christusglaubens. Leipzig 1914.
[59] Vgl. ders.: Ewiges Leben. S. 48.
[60] Ebd. S. 49.
[61] Ebd. S. 50. - Vgl. ders.: Christliche Dogmatik. Bd. 2. S. 209.
[62] Vgl. 2. Kor. 5, 5.

Christi gezogen ist, dadurch auch die Gewißheit des ewigen Lebens jenseits des Todes überkommt[63].

Bei den übrigen Aussagen R. Seebergs können wir uns kurz fassen. Hinsichtlich der »Auferstehung des Fleisches« vertrat er die Auffassung, daß im Neuen Testament keine festgefügte Lehre vorliege. Jedenfalls hätten die neutestamentlichen Männer nicht an eine Wiederherstellung des Fleisches gedacht, sondern die Überzeugung gehabt, daß der Mensch, der mit Gott oder seinem Geist in Lebensgemeinschaft trete, dem Tode nicht verfalle. Um dies zum Ausdruck zu bringen, habe der Begriff von der Auferweckung des Leibes oder von der Mitteilung eines neuen Leibes nahe gelegen, zumal man nach der alttestamentlichen Denkweise keine andere Lebendigkeit des Menschen als die im Leibe kannte. Als die bleibenden Grundelemente in der Auferstehungsidee bezeichnete R. Seeberg, daß Gott dem Menschen eine ihm gemäße Existenzform nach dem Tode geben und daß der Mensch individuell fortleben und die Mittel zur Gemeinschaft mit seinesgleichen haben werde[64]. Zur Stützung seiner These analysierte er die entsprechenden Kernstellen Paulinischer Theologie[65]. Auch dort ergab sich für ihn die Hauptsache, daß der Auferstehungsgedanke die individuelle Fortexistenz derer verbürgt, in denen das Leben des Geistes begonnen hat[66].

Nachdem R. Seeberg die Aussagen des Neuen Testamentes über das jüngste Gericht dargestellt hatte[67], stellte er noch die Frage nach dem doppelten Ende des individuellen Menschen. Leben war doch für ihn an sich schon ein Zustand der Gemeinschaft mit Gott. Wie kann denn jemand belebt werden, bloß um abermals dem Tode zu verfallen? Seine Überlegung ging wieder davon aus, daß das Christentum wesentlich »Erlösungsreligion« sei. Entsprechend evangelisch-lutherischer Grundlehre zog er die Gewißheit der Sündenvergebung in diesen Gedankenkreis: Da der Mensch nur allmählich vom Geist geheiligt werde, könne er zum inneren Frieden nur gelangen, sofern er dessen gewiß werde, daß Gott ihm wirklich gnädig ist trotz dem Bösen, das ihm noch blieb[68]. Der Gedanke einer besonderen Bestrafung der Gottlosen entstammte für R. Seeberg einer vergangenen Stufe der Gesetzesreligion; das Christentum habe ihn akzeptiert, da er ein notwendiger Bestandteil des großen Geschichtsverlaufes sei, der zum Ende hinführt. Ein spezifisch christliches Element konnte er in ihm jedoch nicht erblicken, weil er nicht aus dem Prinzip der Erlösung hervorgegangen sei[69]. Auf Grund seines Glaubens an die Ewigkeit des göttlichen Erlöserwillens und den allumfassenden Sieg der Gottesherrschaft äußerte daher R. Seeberg später in seiner christlichen Dogmatik klar die Überzeugung, daß wohl alle Seelen von Gott durch das Purgatorium der Gnade zur ewigen Vollendung geführt werden[70].

---

[63] Seeberg: Ewiges Leben. S. 52. - Vgl. ders.: Christliche Dogmatik. Bd. 2. S. 210-214; 585-588.

[64] Ders.: Ewiges Leben. S. 54.

[65] 2. Kor. 5, 1-5.8; 1. Thess. 4, 17; 1. Kor. 15, 51.

[66] Seeberg: Ewiges Leben. S. 57. - Vgl. ders.: Christliche Dogmatik. Bd. 2. S. 220-221, 590-593.

[67] Vgl. ebd. S. 593-596.

[68] Ders.: Ewiges Leben. S. 64.

[69] Ebd. S. 66. - Vgl. ders.: Christliche Dogmatik. Bd. 2. S. 19-40.

[70] Vgl. ebd. S. 285-287, 577-578, 588-590, 625-632. - Vgl. Fleischhack: Fegfeuer. S. 243.

Wir haben damit die wichtigsten Lehren kennengelernt, die R. Seeberg in seiner Trostschrift über das ewige Leben vortrug. Die weitere Ausführung brachte nur eine direkte Applikation auf die Leidtragenden des Krieges, um ihnen die Furcht vor dem Tode zu nehmen und sie durch den Glauben an das persönliche Fortleben, das Wiedersehen, die ewige Seligkeit, Weltgericht und Weltgeschichte neu zu stärken. Dabei behandelte er die Frage nach der Reife für das ewige Leben und das Problem der Hölle, das er nach den soeben referierten Grundsätzen zu lösen trachtete.

Versuchen wir nun eine kurze Bilanz dieser Trostschrift zu ziehen, so müssen wir würdigen, daß R. Seeberg die schweren Lebensfragen seiner Zeit auf Grund der christlichen Botschaft vom ewigen Leben zu beantworten suchte. Dabei nahm er auch die Lebensphilosophie zu Hilfe[71] und beschrieb ein Lebenssystem, in dem alle Ausführungen aufeinander bezogen waren dadurch, daß sie von einem alles beherrschenden Punkt abhingen. So gewann er Platz für all das, wonach sich Tausende von Leidtragenden sehnten: die Anfänger und die Suchenden, die Reifen und Vollkommenen, die Eltern und Kinder, Ehegatten und Freunde, die Frühvollendeten und die Altgestorbenen. In dieses System paßten ebenfalls die mannigfaltigen Gruppen, die durch eine Verschiedenheit der Kultur und Bildung, der Geistesrichtung der familienhaften oder volkstümlichen Eigenart entstehen. Sie alle ergänzen sich in seiner Sicht, da er in allen in besonderer Weise, sie trennend und eben dadurch zueinander treibend, den ewigen Wilen wirksam sah[72].

Auffallend negativ bewertete R. Seeberg allerdings in seinem Gesamtkonzept die Welt der Sinnlichkeit. Zwar äußerte er, daß das Leben in seiner Wirklichkeit das Produkt von Wirklichem sei und daß seine Bewegung Wirkliches realisiere und Wirklichem entgegenstrebe[73]. Dies geschah für ihn jedoch wesentlich nur in der Sphäre reiner, das heißt unsinnlicher Geistigkeit[74]. Von daher verstand er auch die Ewigkeit. Wahres geistiges Leben konnte niemals ein Leben für heute und morgen sein, für diesen Raum oder für jenen, wie es eben mit dem sinnlichen Leben verbunden war. Nur geistiges Leben war Leben schlechthin, ungebunden durch äußere Schranken und daher nicht auflösbar durch deren Verfall[75]. Das Sinnliche wurde damit für R. Seeberg ontologisch der Bezirk des Vergänglichen; der Schritt zu einer dualistischen Verteufelung des Sinnlichen war nicht mehr weit. Zwar hütete sich R. Seeberg stets vor dieser äußersten Konsequenz. Im letzten konnte es für ihn keinen metaphysischen Dualismus geben[76], nicht etwa weil er jede Metaphysik von vorneherein abgelehnt hätte, wie es seinem noetischen Kritizismus nahe lag, sondern weil er, genau besehen, dem monistischen Materialismus, den er entschieden bekämpfte, eine sittliche evolutive Welt entgegenstellte, in der am Ende der Geist alleine herrschende Wirklichkeit war.

---

[71] Zur Lebensphilosophie siehe oben S. 34.
[72] So Seeberg: Ewiges Leben. S. 97-98.
[73] Ebd. S. 69.
[74] Vgl. dazu die kritische Bemerkung, daß die Lehre von der Welt ganz der Anthropologie untergeordnet werde; von P. Althaus: Rez. zu R. Seeberg. Christliche Dogmatik. In: ThLZ 50 (1925) 432-439. Vgl. u.a. Seeberg: Christliche Dogmatik. Bd. 1. S. 139: Erlösung von der Welt.
[75] Seeberg: Ewiges Leben. S. 70.
[76] Vgl. ebd. S. 189.

Im Sinne dieser Auseinandersetzung, die geistesgeschichtlich längst vor dem großen Krieg begann, sah R. Seeberg dann das ganze Kriegsgeschehen selbst. Hier offenbarte sich in letzter Konsequenz, was er in einer These behauptete: daß der Tod nicht erst auf die Sünde folgt, sondern in ihr wird und wächst[77]. Das Grauen vor dem Tode verstärkte sich bei ihm durch das unaustilgbare Bewußtsein, daß wir selber schuld sind an unserem Niedergang. Der Tod war daher für ihn kein Verhängnis, sondern eigene Schuld; »er kommt zu uns, weil wir selbst den Weg zu ihm beschritten haben«[78].

Den tödlichen Weg eines Lebens im Bereich der Sinnlichkeit stellte R. Seeberg immer wieder den rettenden des Geistes gegenüber. Der Strom des geistigen Lebens solle den Menschen ganz durchdringen, so daß er in seiner Existenz zu einem neuen Menschen umgewandelt werde. Allein diesem Leben komme die Qualität der Ewigkeit zu im Unterschied zu einem bloß sinnlichen Leben[79].

Bei dieser Auffassung blieb freilich eine Frage offen, die im Hinblick auf die Theodizee gestellt werden muß. Wenn der ewige Wille (=Gott) uns zu einem ewigen Leben bestimmt hat, wozu dann erst der Umweg über dieses zeitliche Leben mit all seinen Gefahren? R. Seeberg wußte darauf keine rationale Antwort. Er erklärte nur, daß wir keinen Einblick in den ewigen Willen hätten, sondern höchstens wissen könnten, daß Gott so gewollt habe, nicht aber warum. Allen Weiterfragenden gab der Berliner Theologe den Rat, sich an das eigene Leben zu halten. In diesen Äußerungen R. Seebergs finden wir den entscheidenden Angelpunkt seines Denkens. Noch einmal legte er dar, daß unser Wesen Wille ist, umschlossen und bewegt vom Urwillen, aber hineingestellt zwischen Gegensätze, von denen aus das Bewußtsein unserer Freiheit möglich wird. Hier nun lehrte R. Seeberg, daß das breite Gebiet der Sinnlichkeit zum Spielraum der Betätigung für den Willen des Menschen werde, zugleich jedoch zum Hindernis, an dem sich seine Kraft entfalten könne. Vollends steigere der Gegensatz des Bösen die geistige Energie des Willens auf das Höchste und dadurch auch das Freiheitsbewußtsein[80].

Von einer allgemein idealistischen Spekulation unterschied sich R. Seeberg nur, indem er betonte, daß der Wille nicht aus sich Herr zu werden vermöge über das mit der Sinnlichkeit verbundene Böse. Als Theologe bestand er dann darauf, daß nur der Christusgeist wirksam das Böse überwinden könne. Nur wenn die geistige Allmacht Christi in ihrer Güte und Heiligkeit, in ihrer Wahrheit und Innerlichkeit die Seele bewege, vermöge sie einen Bruch zu vollziehen mit der Welt und sich dadurch dauernd über sie erheben[81]. So hatte er die Hoffnung, daß der Geist in seiner Kraft den Gegensatz zur Sinnlichkeit überwindet; daß dann die bisherige Form der Entwicklung ihr Ende findet; daß sie in das rein geistige Gebiet einmündet, in dem der Gegensatz der Sinnlichkeit und die Krankheit des Bösen für immer abgestoßen ist. Im Endgericht werde offenbar, wer in dem großen Kampf der Selbstbehauptung des Geistes gegenüber den niedren Elementen der Sinnlichkeit

---

[77] Ders.: Ewiges Leben. S. 68.
[78] Ebd. S. 69; vgl. S. 73.
[79] Ebd. S. 72.
[80] Ebd. S. 100.
[81] Ebd. S. 75.

und Gottwidrigkeit in der Kraft des Geistes gesiegt habe und dadurch in die Ordnung des ewigen Lebens eingetreten sei[82].

Zum Schluß kam R. Seeberg noch einmal auf den Anlaß seiner Schrift zurück, indem er eindringlich beschrieb, wie auf dem Schlachtfeld jetzt der Kampf braust und tobt: Die Hölle scheint losgelassen, die Donner rollen, Blitze zucken und schleudern Tod und Verderben, alles ist erfüllt von Stöhnen und Ächzen der Sterbenden: ein Jammermeer, das hinflutet über die Völker. Aber über dieses Feld schreitet still und groß eine gewaltige Gestalt: Christus imperator, wie Michelangelo ihn in der Sixtina malte. Er sieht mit großen, prüfenden Augen um sich, denn er ist der Herr der Weltgeschichte, und hier wird um Geschichte gekämpft. Wo er steht, da ist der Geistwille, der die innersten Zusammenhänge der Geschichte der Menschen schafft. Und ahnend und hoffend zuckt es wieder in Tausenden: Er ist der Herr und keiner sonst. Sein Geist entscheidet über alles Große in der Welt. Die Militia Christi, die Schar, in der der Geist lebt, schafft es letztlich. Aber der Herr ist auch der barmherzige Samariter, der die Gefallenen an sein Herz zieht und in brechenden Augen ein Licht widerspiegeln läßt. Der Herr! o daß es hinklänge über das Schlachtfeld brausend und jauchzend. O daß es Widerhall fände in den Herzen der Trauernden daheim. »Der Herr ist Geist« und der Geist ist das ewige Leben. Wo Christi Geistesherrschaft ist, da ist ewiges Leben. Da ist der Tod verschlungen im Sieg[83].

Wir haben diesen Schlußabschnitt der Trostschrift R. Seebergs etwas gerafft wiedergegeben, um ein wenig jene Atmosphäre spüren zu lassen, in der damals sich das Denken eines eminent spekulativen Theologen vollzog. In nahezu mythischer Rede versuchte er zu Beginn des ersten Weltkrieges die beunruhigt fragenden Menschen zu Grundwahrheiten des christlichen Glaubens, zu der paulinisch - johanneischen Theologie von Geist und Leben hinzuführen. Wie weit er damit die vom Leid Betroffenen wirklich trösten konnte, ist eine andere Frage. Oft scheint es uns, als huldigte er einer zu optimistischen Weltsicht, wie er diese schon in seinem akademischen Publikum vorgetragen hatte. Wenn er auch eine übertriebene Siegeszuversicht, wie wir sie bei anderen väterländisch gesinnten Theologen finden, vermied[84], so vermissen wir andererseits eine kritische Distanz zu dem politischen und militärischen Geschehen. Allzuleicht wurde auch in dieser Schrift die Weltgeschichte zum Weltgericht, aus der der willensmächtige, tätige Geist geläutert hervorgeht. Gewiß wußte R. Seeberg um die Macht des Bösen, das das Leben einzelner Menschen wie gesamter Völker zu zerstören vermag.

So gelangte er am Ende seines Lebens immer stärker zu der Einsicht, daß der Gegensatz von Gut und Böse in der Geschichte niemals überwunden wird[85]. Aus diesem Grunde lehnte er die Idee des Tausendjährigen Reiches entschieden ab. Er sah

---

[82] Ebd. S. 99.

[83] Vgl. ebd. S. 107-108.

[84] Vgl. jedoch ebd. S. 88, 107. - Außerdem: R. Seeberg: Geschichte, Krieg und Seele. Reden und Aufsätze aus den Tagen des Weltkrieges. Leipzig 1916. Der Autor veröffentlichte diese Sammlung als seinen „Beitrag zum Kriegsdienst"; vgl. ebd. Vorwort. S. V-VI. - „Der Krieg als Kraftprobe". Ebd. S. 31, 49, 83 u.ö.

[85] Ders.: Christliche Dogmatik. Bd. 2. S. 606-607.

in ihr eine Gefahr, wenn sie mit sozialistischen und / oder anderen politischen Idealen verknüpft wird und dadurch fremde, irdische Ziele in die religiöse Tendenz des Christentums hineingemengt werden[86]. Da er jedoch andererseits an eine transzendente Vollendung des gesamten geistigen Prozesses glaubte, konnte er für das konkret geschichtliche Leben den satanischen Charakter des Bösen nur ungenügend zur Sprache bringen. Da er den Willen immer unter dem Antrieb eines Urwillens sah, blieb der böse Wille für den Verstand ein unergründliches Geheimnis. Er wurde insofern nicht ernst genug genommen, als seinen widergöttlichen Entscheidungen letztlich keinerlei definitiver Charakter zuerkannnt wurde. Der katholische Dogmatiker B. Bartmann billigte R. Seeberg aber zu, daß er im ganzen an der traditionellen christlichen Eschatologie festgehalten habe[87]. Dennoch erhob er gegen die Theorie einer Apokatastasis im Namen der biblischen Botschaft und der kirchlichen Lehre ernsten Widerspruch[88]. Diese Einwände wurden im übrigen auch von evangelischen Theologen geteilt.

(2) Gerhard Heinzelmann (1884-1951)

Wir wenden uns nun einer kleinen Schrift zu, in der der Theologe G. Heinzelmann[89] die Gläubigen mit drei Wegweisern dem Ziel des ewigen Lebens zuführen wollte[90].

Stärker noch als R. Seeberg lehnte G. Heinzelmann eine verstandesmäßige Erkenntnis im Bereich der eschatologischen Fragen ab. Der Verstand, so führte er aus, habe es mit dem zu tun, was uns in sinnenfälliger Erfahrung gegeben ist. An ihm versucht er sich mit der Kunst der Begriffsbildung. Dabei aber stößt er nie auf ewiges Leben[91]. Ebenso meinte G. Heinzelmann, daß jeder, der das ewige Leben mit den Mitteln der Psychologie zu gewinnen hoffe, im tiefsten Gestrüpp stecken bleibe und gerade damit des ewigen Lebens verlustig gehe, weil der Verstand auch das formende, vereinheitlichende Ich des selbstbewußten Geistes nur in der bunten wechselnden Fülle seelischer Erscheinungen fasse[92].

Zum Glück fand G. Heinzelmann aber noch einen anderen, und zwar einen unmittelbaren Zugang zum Geheimnis der Welt als den - wie er schrieb - »alles Sein

---

[86] Ebd. S. 612.
[87] Bartmann. In: ThGl 7 (1915) 774-775.
[88] Siehe unten S. 622, 633.
[89] Gerhard Heinzelmann war seit 1910 Privatdozent in Göttingen; 1914 wurde er a.o. Prof. in Basel, 1918 o. Prof. für systematische Theologie ebd.; 1931 ging er nach Halle, wo er außer der systematischen Theologie einen Lehrauftrag für Religionsphilosophie übernahm.
[90] G. Heinzelmann: Ewiges Leben. Berlin 1917. - Zur Grundposition seines theologischen Denkens vgl. die kritische Auseinandersetzung mit E. Troeltsch, R. Otto, W. Bousset und C. Stange in der am 11.6.1915 in Basel gehaltenen Antrittsvorlesung: Die erkenntnistheoretische Begründung der Religion. Ein Beitrag zur religions-philosophischen Arbeit der gegenwärtigen Theologie. Basel 1915. - Die dort hervortretende Abhängigkeit von W. Wundt hatte er durch das Studium von dessen Unsterblichkeitsidee erworben. Vgl. oben S. 10, Anm. 15. - Vgl. dazu auch die bereits erwähnte Schrift von G. Heinzelmann: Animismus und Religion. Eine Studie zur Religionspsychologie der primitiven Völker. Gütersloh 1913. - Vgl. Ölsner. S. 105.
[91] Heinzelmann: Ewiges Leben. S. 6.
[92] Ebd. S. 8.

366

in Formeln bannen wollenden Verstand«[93]. Wer dem » Unmittelbaren« nicht recht geben wolle, dem könne niemand vom ewigen Leben reden. Es sei der große Segen des Krieges, daß er uns den Zugang zum Unmittelbaren wieder geschenkt habe. Darum hörten wir auch wieder die Stimmen der Ewigkeit aus dem eigenen Herzen erklingen. Zwar wies G. Heinzelmann darauf hin, daß unser unmittelbares Leben nicht selbst das Ewige sei. Aber mitten im Unmittelbaren steige es auf; die Seele selber schaffe es sich unter dem höchsten Zwang, in Freiheit und Notwendigkeit zugleich. »Wenn der Forscher seinen Leib zerrüttet, weil ihm die Wahrheit aufgegangen ist..., wenn der Sohn seines Vaterlandes das Leben in die Schanze schlägt um des Vaterlandes Ehre willen, wenn die Mutter die Söhne hergibt, weil die Pflicht es so erheischt, wenn der höchste Einsatz gewollt wird, weil höchste Werte auf dem Spiele stehen, dann kommt das ewige Leben zu uns. Dann stehen wir auf einmal mitten in ihm. Dann fühlen wir uns größer als alles Vergängliche. Dann 'fordern' wir 'Unsterblichkeit'«[94]. Darin sah G.Heinzelmann die Forderung Jesu erfüllt: »Tu das, so wirst du leben«[95]. So kam er zu seiner ersten These: »Der Zugang zum ewigen Leben geht nur durch die befreiende Tat«[96].

Die zweite These, die G. Heinzelmann anschloß, lautete: »Das ewige Leben ist nur wirklich als persönliches Leben«[97]. Deutlich lehnte er jede monistische Mystik ab. Zugleich aber wandte er sich dagegen, den Schöpfungen menschlicher Kultur Ewigkeitswert zuzumessen. Mit G. Simmel[98] fragte er, ob nicht gerade die Tragödie der Kultur darin zu sehen sei, daß ihre objektiven Erzeugnisse zu Fesseln werden, zu steinernen Massen, die den Fortschritt hindern[99]. Bei genauer Betrachtung kam er zu dem Schluß, daß es uns im tiefsten Grunde nur die Werte des gemeinsamen Lebens ermöglichen, das Geheimnis einer weltüberlegenen Wirklichkeit zu gewinnen. Immer sei es die Liebe in irgendeiner Form, die das ewige Leben gewinne, die Liebe, die sich opfern, sich selbst verlieren kann. »Das haben wir erst jetzt im Kriege wieder schätzen gelernt. Nicht die großartigste Erfindung erzeugt in uns den Gedanken an ein unvergängliches Leben, und mag sie noch so hohe Kulturbedeutung haben. Aber der Heldenmut des einfachsten Bauernsohnes, der um des Vaterlandes willen den Tod sucht, mag auch wenig dadurch erreicht sein, der will uns wert scheinen, in Ewigkeit aufbehalten zu werden«[100].

Hier ist zu beachten, daß für G. Heinzelmann Ideen und Ideale nicht das Leben selbst, sondern nur seine Schattenbilder waren. Auch hier hielt er es für falsch, die unmittelbare Anschauung des Lebens durch blasse Vernunftbegriffe und Hinweise auf die objektiven Güter der Kultur überbieten zu wollen. Von wirklichem, aus der Ewigkeit stammendem Leben wollte er nur sprechen, wo sich dieses selbst in den Tiefen unserer Persönlichkeit ankündigt.

---

[93] Ebd. S. 9.
[94] Ebd. S. 10-11.
[95] Vgl. Luk. 10, 28; Lev. 18, 5.
[96] Heinzelmann: Ewiges Leben. S. 9, vgl. S. 6.
[97] Ebd. S. 12.
[98] Zu G. Simmel siehe oben S. 36-38.
[99] Heinzelmann: Ewiges Leben. S. 15.
[100] Ebd. S. 18.

Mit dem dritten Wegweiser richtete der Theologe den Blick darauf, daß ewiges, persönliches Leben nur unter der göttlichen Gnade möglich ist[101]. Insbesondere vertrat er die These: »Die vergebende Gnade rettet die Zuversicht zur Persönlichkeit«[102]. G. Heinzelmann führte aus, daß jeder, der unter der Gnade steht, nicht nur das ewige Leben in seiner reinen Form als unvergängliches persönliches Leben hat, sondern - unendlich mehr - die Bestätigung dafür, daß wirklich die Liebe das Bleibende und Unvergängliche in der Welt ist, denn ihm begegnet der Herr selbst in vollendeter Hingabe. So hat - nach G. Heinzelmann - der Gläubige ständig ein Beispiel schöpferischer Allmacht vor Augen, denn nur als der Allmächtige kann Gott selbst der Schuld gebieten, daß sie nicht sein soll, dem Gewissen, daß es schweigen soll. Nur als der Allmächtige kann er der sündigen Weiterentwicklung sein Halt entgegenrufen und einen Neuanfang setzen. Diesem Gott - so meinte er - werde man zutrauen, daß er auch dem vollendeten Zusammenbruch unseres persönlichen Lebens im Tode in einer Auferstehung neue Wirklichkeit schenken könne. Eindringlich zeigte er, daß Gott uns die Gnade nur verkündigen läßt im Zusammenhang mit der Auferstehung Jesu Christi. So werde diese Auferstehung dem Glaubenden mehr sein als nur der Beweis, wie hoch die ersten Jünger von der Persönlichkeit ihres Meisters gedacht haben. Sie werde ihm vielmehr zum Glaubensgrund dafür werden, daß in der Gnadenpredigt des Christentums nicht nur eine Idee vom gütigen Gott, nicht nur ein innerer Seelenvorgang gegeben ist, sondern daß hier die Herrschaft Gottes mit ihrem göttlichen »Werde« aufgerichtet werden soll, daß hier der Aufgang aus der Höhe vorliegt, der diese Welt mit Tod und Sünde umgestalten soll[103].

So erhielt für G. Heinzelmann der Gedanke an das ewige Leben erst durch die Religion seine ganze Kraft und Anschaulichkeit[104]. Dabei vergaß der Theologe nicht, daß der Mensch ohne die Gnade in Ewigkeit seiner wahren Bestimmung verlustig gegangen wäre, ohne doch der bloßen Vernichtung anheim zu fallen. Hinsichtlich des gesamten Weltgeschehens war er überzeugt, daß Gott nicht von dem läßt, was er sich vorgenommen hat. Daraus resultierte bei ihm die Theologie vom göttlichen Gericht, von dem er freilich meinte, daß wir es nur in unzureichenden Bildern beschreiben könnten. Ebenso war er der Überzeugung, daß das Denken nicht über den Tod hinausführe. Dieser war für ihn der Abgrund, der alles verschlingt. »Wir haben kein gutes Gewissen, wenn wir hinter ihn noch einmal ein Leben setzen ähnlich dem unsrigen, voller Möglichkeiten zur Entscheidung, voll langsamen Wachsens und Werdens, voll neuer seelischer Anknüpfungspunkte«[105].

Das Leben von der Gnade erhoffen, hieß für G. Heinzelmann denn auch, völlig darauf verzichten, daß man sich eine Vorstellung macht, wie es vom Tod zum Leben weitergeht. Er behauptete, wir seien mit unserer Weisheit am Ende, wenn wir sagen sollten, wie denn das ewige Leben beschaffen sei. Seine Auskunft lautete: Totaliter aliter! Der Glaube an die Gnade bestärkte G. Heinzelmann in seinem

[101] Ebd. S. 19.
[102] Ebd. S. 21.
[103] Ebd. S. 21-22.
[104] Vgl. auch G. Heinzelmann: Die Stellung der Religion im modernen Geistesleben. Ein akademischer Vortrag. Basel 1919.
[105] Heinzelmann: Ewiges Leben. S. 23.

Schweigen. Gnade sei nicht zu begreifen, zu postulieren, abzuleiten, sie sei souverän. Entsprechend ließ sich für ihn Schöpfung auf keine Analogie und Formel bringen. Sie war für ihn Uranfang. So kam er zu der These: »Aus Gnaden, in schöpferischer Allmacht verliehenes ewiges Leben ist das absolute Geheimnis, sofern wir es seinem Sein nach ergründen wollen. Wir wissen nur, daß sein Wert in der Liebe besteht«[106].

Das Schmerzliche am Tode, daß er die völlige Ungewißheit darüber einschließt, wie es weitergeht, konnte G. Heinzelmann den fragenden Menschen der Kriegszeit nicht hinwegnehmen. Für ihn war der Tod ein Fallen ins Unbestimmte. Als Gläubiger hatte er freilich die Hoffnung, daß der blinde Glaube - blind, weil jeder entsprechenden Vorstellung beraubt - dieses Fallen erträgt in der Gewißheit, die ein Soldat in die Worte kleidete: »Wenn ich falle, tiefer als in Gottes Schoß kann ich doch wohl nicht fallen«[107].

Vergleichen wir nun diese knappe Darstellung G. Heinzelmanns mit der größeren Studie R. Seebergs, so fällt auf, daß beide nicht nur den Titel gemeinsam haben. Sie ähneln sich vor allem darin, daß beide bewußt philosophische Erwägungen in ihr theologisches Denken einbeziehen. Der voluntaristische Ansatz R. Seebergs ist bei Heinzelmann zwar verdeckt; dennoch hat sein Versuch, dem Ewigen nahezukommen durch befreiende Tat, den gleichen Wurzelgrund. Ebenso erhielten beide Schriften eine spezielle Prägung durch die Begegnung mit der zeitgenössischen Lebensphilosophie. Der gravierende Unterschied zwischen beiden Entwürfen ist darin zu sehen, daß G. Heinzelmann stärker noch als R. Seeberg jede verstandesmäßige Erfassung transzendenter Wahrheit ablehnte. Da er im Unterschied zu dem Berliner Systematiker auch auf jede Begründung der Eschatologie im Willen verzichtete, war er von seinem Ansatz her zum Schweigen verurteilt. Es scheint somit nicht nur äußerlich bemerkenswert, daß seine Schrift wesentlich kürzer ausgefallen ist. Bei G. Heinzelmann macht sich bereits jene dialektische Theologie bemerkbar, die zwar der Begriffe nicht entbehren kann, dennoch über Gott und das Ewige nicht menschlich reden zu können glaubt.Die Ablehnung jeder Analogie im Bereich von Schöpfung und Gnade hatte Folgen, die erst später im Bereich der Theologie voll sichtbar wurden. G. Heinzelmann selbst war von einem gläubigen Vertrauen zu dem allmächtigen Gott erfüllt. Dieses aber wurde schon damals von vielen Menschen unter dem Eindruck des Krieges nicht geteilt. Wie, wenn es erneut enttäuscht werden sollte, wenn der Glaube eines Tages jede erlebnismäßige Basis verliert? Dann wird eine Theologie, die ein verstandesmäßiges Begreifen von vorneherein ablehnt, auch nicht länger mehr von »Allmacht« und »Gnade« reden können. Das »totaliter aliter« muß dann in seiner theologischen Konsequenz zum Verzicht auf jede transzendente Eschatologie führen. Es wird außerdem jede Schöpfungstheologie, jedes vernünftige Reden von Gott unmöglich machen. Gewiß zeigen andere Entwürfe, wie sich die Theologie gegen diese äußersten Konsequenzen wehrte, vor allem mit Berufung auf das biblische Wort. Leider fehlen dabei oft verbindliche Kriterien für eine weitergehende Reflexion. Nüchterne Bibeltheologen machen aber sehr deutlich, daß die Beschränkung in der theologischen Aussage oft genug

---

[106] Ebd. S. 25.
[107] Ebd. S. 25.

nicht der Heilgen Schrift selbst, sondern einem theologischen bzw. philosophischen Vorurteil entstammt. Wir verlassen daher einstweilen die Entwürfe spekulativer Theologie, um zu sehen, welche Aussagen sachlich-positiver Art z.B. ein so trefflicher Theologe wie P. Feine bei Erörterung des gleichen Themas noch für möglich hielt.

(3) Paul Feine (1859-1933)

Am Ende des Krieges hatte P. Feine[108] eine kleine Schrift »Die Gegenwart und das Ende der Dinge« herausgegeben[109]. Ergänzend dazu veröffentlichte er eine kleine Broschüre mit dem Titel »Das Leben nach dem Tode«[110]. Beide Schriften wollen wir hier gemeinsam vorstellen.

Auch P. Feine ging davon aus, daß durch den Weltkrieg auf nahezu allen Gebieten eine bedeutungsvolle Umwertung geltender Werte vollzogen und ein großes Fragen ausgelöst wurde. Alle die großen religiösen Fragen, die die Menschheit je und je bewegten, tauchten von neuem mit elementarer Gewalt auf und forderten gebieterisch Antwort. P. Feine nannte: Fragen nach der Person Jesu, nach Gott und Welt, Diesseits und Jenseits, Gottes Weltregiment, dem Schicksal des einzelnen, gut und böse, Leid und Unglück. Mit Vorliebe - so stellte er fest - verweilten die Gedanken der religiös Interessierten bei der Frage nach dem Ziel, dem die Geschichte der Menschheit zustrebt[111]. Gleich zu Anfang gab er seiner Überzeugung Ausdruck, daß rein diesseitig orientierte Zukunftsideale keine Lösung bringen können: Weder die an Jesaja 11,6.8 anknüpfenden, chiliastisch gefärbten, utopischen Friedensvorstellungen, noch die sozialistischen Ideen mit ihrer revolutionären Tendenz, noch eine monistische Weltbetrachtung, die zwar von der Erhaltung der physischen Energie spricht, aber den Tod als das unwiderrufliche Ende jedes Individuums ansieht. Insbesondere wandte er sich gegen die modernen Ausdeutungen des Danielbuches und anderer Weissagungen vom Ende der Dinge[112].

Zugleich mit dieser Kritik äußerte P. Feine starke Bedenken gegenüber der theologischen Arbeit seiner Zeit. Er bedauerte, daß die christliche Zukunftshoffnung im Glaubensleben der Kirche wie in der wissenschaftlichen Behandlung nicht gebührend gewürdigt wurde; daß die Kirche, allzusehr mit Gegenwartsfragen beschäftigt, irdischen Zukunftsbildern entgegenstrebte; daß viele Christen mehr auf die Fortdauer der Seele in einem besseren Sein hofften; daß ihnen das Wiedersehen und die Vereinigung mit ihren Lieben wichtiger sei als der Zusammenhang christlicher Zukunftshoffnung mit der Person Christi und ihrer Vollendung zu Gotteskindern im Reich der Ewigkeit[113]. P. Feine wußte wohl, daß in den letzten Jahrzehnten eifrig Untersuchungen über die christliche Eschatologie angestellt wurden; daß vor allem die neutestamentliche Theologie in der Frage nach dem Inhalt der Verkündi-

---

[108] Vgl. H. Strathmann: Paul Feine. In: NDB 5 (1961) 61. - H. Schlier: Paul Feine. In: LThK² 4 (1960) 63.
[109] P. Feine: Die Gegenwart und das Ende der Dinge. Leipzig 1918.
[110] Ders.: Das Leben nach dem Tode. Leipzig 1918. Zitiert wird die 2. Auflage. Ebd. 1919.
[111] Ders.: Die Gegenwart und das Ende der Dinge. S. 5.
[112] Ebd. S. 7-11.
[113] Ders.: Das Leben nach dem Tode. S. 5.

gung Jesu vom Reich Gottes und nach der Person Jesu auf die Probleme hingeführt wurde. Es war für ihn aber merkwürdig, rückschauend zu beobachten, daß von diesen Untersuchungen aus die christliche Lehre von den letzten Dingen wenig neue Befruchtung erfahren hatte. Zwar trat mit Nachdruck die Behauptung auf, das Urchristentum sei eschatologisch ausgerichtet gewesen, das heißt, es habe geglaubt, unmittelbar vor dem Ende der Dinge zu stehen, aber die Schlußfolgerung, daß die Enderwartung ein Grundelement alles Christenglaubens sei, blieb aus[114].

Auf Grund seiner bibeltheologischen Studien kam P. Feine zu der Ansicht, daß bei den vorangegangenen Untersuchungen ein Grundfehler unterlaufen sei. Kritisch beschrieb er daher die Gedankenentwicklung der evangelischen Theologie vor dem Kriege. Man habe richtig erkannt, daß die Tatsache der eschatologischen Stimmung in der apostolischen Kirche geschichtlich nur erklärlich sei, wenn sie auf Jesu eigene Lehre zurückgeführt werde. Bei der Frage nun, wie Jesus zu seiner eschatologischen Verkündigung vom Reiche Gottes kam, habe man die Verwandtschaft seiner Predigt mit der zeitgenössischen jüdischen Theologie verfolgt und behauptet, Jesus habe sich stark an die damalige jüdisch-eschatologische Erwartung angelehnt. Daneben aber habe man im ältesten Christentum noch eine zweite Linie feststellen wollen: eine dem griechischen Geist entsprungene und auch in orientalischen Erlösungsreligionen gepflegte Vorstellung vom Hereinragen göttlicher Kräfte in dies irdische Dasein: Geist, Licht, Leben. Die Wirkung dieser Gedanken habe im weiteren Verlauf eine gewisse Hellenisierung der christlichen Religion zur Folge gehabt. Ein wirklich geschichtliches Verständnis des ältesten Christentums sei also nur möglich, wenn man seine Auseinandersetzung mit diesen beiden großen Strömungen verfolge und die richtige Stellung dazu gewinne[115].

Gegen diese Thesen nun wandte P. Feine ein, daß in ihnen die christliche Zukunftshoffnung nicht in einwandfreier Weise zur Darstellung gelangte. Der Fehler schien ihm in einer unrichtigen Stellung zur Person Jesu zu liegen, und dem, was Gott uns in Jesus geschenkt und verheißen hat. P. Feine verwies darauf, daß chiliastische Sekten dort auftreten, wo die Kirche versagt. Sie rufen die Christen auf, die Zeichen der Zeit zu beachten und die Wiederkunft Christi in der allernächsten Zeit zu erwarten. Dabei sei zu beachten, daß auch in christlichen Kreisen die Frage nach den letzten Dingen lebendig blieb. Vor allem habe der Krieg bei Unzähligen, denen der Gedanke an die letzten Dinge bis dahin ferne lag, ein großes Fragen ausgelöst: was wird aus den Millionen, die im Krieg in den Tod gesunken sind? Ist ihr Leben ausgelöscht? Haben nur diejenigen unter ihnen, die im christlichen Glauben gestorben sind, die Hoffnung auf ein ewiges Leben? Was wird aus denen, die noch nicht ausgereift waren, die noch in innerem Kampf mit der christlichen Religion standen, und die doch vielleicht ihren Heiland gefunden hätten, wenn ihr Leben nicht so jäh abgebrochen wäre? Ist diese Erde das Ziel der Dinge? Und wenn nicht, was für ein Zukunftsbild soll unsere Herzen stärken und unser Haupt aufrichten lassen?[116]

Auf diese Fragen versuchte der Hallenser Theologe Antwort zu geben. Grundlegend waren für ihn die Glaubenssätze, zumal er sah, daß sich die christliche Lehre

---

[114] Ebd. S. 7.
[115] Ebd. S. 8.
[116] Ebd. S. 11.

in der hier aufgeworfenen Problematik auf ein Gebiet begibt, auf dem die menschliche Erfahrung versagt. »Wir stehen an den Gräbern, ohne daß wir jenseits des dunklen Tales die Umrisse festen Landes erblicken können«[117]. Dennoch bestand P. Feine darauf, daß wir als Christen eine auf unseren Heiland gegründete feste Hoffnung haben, insofern wir aus der Heiligen Schrift wissen, daß wir hienieden Gottes Wege geführt werden. Gerade dies werde uns in der Person Christi - nach P. Feine Mittelpunkt der Heiligen Schrift - ganz deutlich und offenbar. So sagte er: Von Jesus nun wissen wir, daß er, der Gekreuzigte, durch die Auferstehung von den Toten zu ewigem Leben hindurchgegangen ist. Er will aber auch uns die Stätte bereiten und uns zu sich nehmen[118].

Solche biblischen Aussagen waren für P. Feine Offenbarungen, die Gott unserer Schwachheit hat geben wollen und an die wir uns halten dürfen. Er war überzeugt, daß Jesus und seine Apostel ein wenig den Schleier des Zukünftigen gehoben haben, so daß uns die Grundzüge der einstigen Vollendung des göttlichen Heilswillens mit der Menschheit und mit jedem einzelnen unter uns feststehen, mag uns auch gar vieles noch dunkel bleiben[119].

Für P. Feine selbst war die Bibel Ausgangspunkt seiner Untersuchung, mit der er einen Weg aus dem Dunkel und den Rätseln der ihn umgebenden Ereignisse zum Licht der göttlichen Wahrheit ergründen wollte. Da er keine andere Quelle göttlicher Erkenntnis anerkannte, stellte er sich ganz auf den Boden der Heiligen Schrift, in der »Gott zu uns redet, in der er sich nicht nur in der Vergangenheit offenbart hat, sondern in der auch wir heutigen alles finden, was wir zur Erkenntnis Gottes und der Wege, die er uns führen will, nötig haben«[120].

Auf dieser Grundlage ergaben sich für P. Feine folgende schriftgemäße Aussagen christlicher Eschatologie:

Alles Weltgeschehen nimmt seinen Ausgang von Gott. Er hat das Tun der Menschen fest in der Hand. Insbesondere ist das Gericht, das über die Welt ergeht, Gottesgericht. Im 63. Kapitel des Jesajabuches begegnet uns eine der erschütterndsten und ernstesten Offenbarungen des Strafwillens Gottes an der sündigen Menschheit. Aber schon im gleichen Kapitel begegnet uns Gott nicht nur als strafender, sondern auch als Vater und Erlöser. Hier schon entspringt das Vertrauen, daß Gott alles nach seinem Willen lenkt, daß sein Wille zuletzt aber nichts anderes als Gnaden- und Liebeswille ist. Als Christen wissen wir, daß Gott seinen Sohn Jesus Christus in die Mitte des Weltgeschehens gestellt hat. Er ist daher das Maß aller irdischen Dinge, aber auch das Ziel, zu dem die Menschheit geführt werden soll, daher der Herr, dem jeder Mensch untertan werden muß. An ihm scheiden sich die Zeiten[121].

Mit dieser biblischen Lehre vertrat P. Feine die Überzeugung, daß es nach der christlichen Ära nicht noch einmal einen neuen Anfang geben werde. Für ihn stand fest, daß alles, was Jesus gebracht hat, ein für allemal auf wunderbare Weise in die

---

[117] Ebd. S. 6.
[118] Joh. 14, 2-3; 17, 24.
[119] Feine: Das Leben nach dem Tode. S. 7.
[120] Ders.: Die Gegenwart und das Ende der Dinge. S. 12.
[121] Ebd. S. 12-13.

Weltgeschichte verflochten ist. Wohl sah er, daß Weltlauf und Geschichte ihren eigenen Gang gehen, scheinbar nach Gesetzen, die vom Willen Jesu weit abliegen. Dennoch lehrte ihn die Heilige Schrift, daß gerade in diesem Verhältnis ein Gesetz der göttlichen Weltregierung offenbar wird, das sich nach Gottes Willen immer wieder in gleicher Weise in der Geschichte der Völker und der Zeiten wiederholen soll. Daher wurde begreiflich, daß auch in der Gegenwart Staaten und Völker nach wie vor ihre irdischen Ziele verfolgen, ohne sich um Jesus zu kümmern. Dennoch glaubte er fest, daß Jesu Macht, wie sie sich bereits in seinen Erdentagen zeigte, nicht unwirksam geworden ist, daß sich Gottes Pläne nicht durchkreuzen lassen, daß Gott vielmehr auch das gegenwärtige Weltgeschehen fest in der Hand hat. Jedoch verwies er darauf, daß Jesus selbst nicht zur Vollendung gelangt sei, indem er schrittweise seine Königsherrschaft auf Erden erweitert und alle Feinde niedergeworfen habe; vielmehr, indem er scheinbar unterlag, habe er gezeigt, daß er vollendet wurde durch das, was er litt. Für P. Feine ergab sich aus diesem Vorbild: Wenn Jesus sich diese Welt nicht dienstbar gemacht hat, werden eben dies auch seine Jünger nicht vermögen[122].

Nach dieser ersten Klarstellung legte P. Feine weiter dar, daß Jesus selbst den Kampf mit den satanischen Mächten dieser Welt als die Aufgabe seines Lebens betrachtet hat. Das Gottesreich, das er brachte, sei ein Einbrechen in das Satansreich gewesen. Damit verband P. Feine die Überzeugung, daß auch der auferstandene Jesus die Seinen vor der Satansmacht schützen werde; endgültig gebrochen werde jedoch alles, was Gott und Christus widerstrebt, erst wenn Christus neu auf Erden erscheint, um sein Reich aufzurichten; bis dahin wirke das Böse in dieser Welt, und der Kampf, den Jesus begonnen habe, gehe mit wechselndem Erfolg weiter. Ernsthaft wies P. Feine darauf hin, daß wir keinen Anspruch darauf haben, es zu erleben, oder gar es im Dienst unseres Herrn durch unsere Arbeit zu erreichen. Satan werde weiter seine Macht erweisen, selbst wenn das Reich Gottes wachse und fortschreite[123].

Aus dem hier entwickelten Gedanken betrachtete P. Feine die anläßlich des Krieges gegen die Ohnmacht des Christentums erhobenen Anklagen. Er nahm diese sehr ernst, fragte aber, ob nicht mit ihnen ein falscher Anspruch an das, was das Evangelium leisten könne, verbunden werde[124]. Der Einwand führte ihn auf die christliche Verkündigung vom Reiche Gottes und deren Bedeutung für die Menschheit. Um die richtige Vorstellung vom Reiche Gottes zu gewinnen, lehnte er eine Anknüpfung an der Theologiegeschichte ab, da uns bei Augustin, Dante, Calvin, Cromwell, Johann von Leyden, Kant, Herder, Schleiermacher, Ritschl, Wellhausen, Schweitzer u.v.a. jeweils verschiedene Auffassungen begegnen, die bald überwiegend idealistische, bald realistische, bald philosophische oder ethische, apokalyptische, mystische, rein religiöse oder gar pathologische Symptome in der Verkündigung Jesu vom Ende finden wollten. Er selbst stellte daneben die bibeltheologische These: »Jesus hat sich als Bringer und den König des Gottesreiches gewußt. Das Gottesreich ist der Zustand der Dinge, wo nichts anderes herrscht als

---

[122] Ebd. S. 14-15.
[123] Ebd. S. 16.
[124] Ebd. S. 17.

Gottes Wille allein. Das Gottesreich ist das Ziel der Geschichte«[125]. Zum Beweis führte er aus, daß Gott - wenn er die Welt geschaffen habe und über sie gebiete - auch alles seinem Willen untertan mache. Jesus habe nun das Reich Gottes auf Erden aufrichten wollen, wie es bereits im Himmel besteht. Er habe ja beten gelehrt: »Dein Reich komme«, nämlich auf die Erde. Erst wenn auch dort Gottes Wille zur unumschränkten Durchführung gelange, umspanne das Reich Gottes Himmel und Erde[126].

In diesem Zusammenhang behauptete P. Feine, daß nach Jesu Lehre der Gang des Reiches Gottes nicht so gedacht werden dürfe, als ob er sich in einer innerweltlichen Entwicklung der Menschheit zu der religiösen und sittlichen Vollkommenheit vollziehe, wie sie Jesus dieser Welt habe bringen wollen. Gewiß sollen wir Glieder des Reiches Gottes werden, sollen als Kinder Gottes vollkommen sein, wie unser himmlischer Vater vollkommen ist, und dies Ziel - so war P. Feine überzeugt - werden wir durch Jesus erreichen, aber nicht, indem wir - nachdem wir die Predigt vom Reiche Gottes gehört und angenommen haben - nun selbst immer weiter vorwärts gehen, bis wir die Vollendung erreicht haben[127].

Ohne Zweifel entsprach diese Überzeugung eines evangelischen Bibeltheologen der Grundposition lutherischer Theologie. Wichtig für uns ist jedoch, daß P. Feine gegenüber allen evolutionistischen Theorien seiner Zeit mit der trefflichen Analyse biblischer Texte[128] dem Mißverständnis einer mechanischen Selbstverwirklichung des Heils entgegentrat. Er mußte sich damit freilich die Frage stellen, ob mit dieser Ablehnung nicht die Predigt vom Reiche Gottes ihrer eigentlichen Wirkung beraubt werde. Er antwortete, daß das Evangelium nicht nur rettende, sondern auch richtende Kraft habe. Entsprechend sah er in der Geschichte die sich fort und fort erneuernde Erscheinung, daß überall da, wo das Evangelium an die Menschen herantritt, diese ihm zustimmen oder ablehnen. Gerne gab er zu, daß das Evangelium, wo es zu einem Volk gebracht wird, vielerlei Kräfte weckt und anregt, so daß Kultur und Bildung nebst Fortschritten auf allen Gebieten menschlicher Arbeit wachsen. Daneben übersah er jedoch nicht die Entfesselung der bösen Triebe auch bei christlichen Völkern. Im Unterschied zu der Kulturseligkeit der vorangegangenen Jahrzehnte erklärte er, daß die Kultur gleichgültig sei gegen gut und böse; sie kenne keine Sünde und rechne nicht mit ihr. Hierin fand er den Grund dafür, daß sich hinter den schönsten Aushängeschildern wie Christentum, Freiheit, Gleichheit, Gerechtigkeit, Pazifismus, Zivilisation sich die häßlichsten menschlichen Instinkte verbergen können, die mit dem Evangelium nichts zu tun haben. Ihnen gegenüber hielt er die demaskierende Wirkung des Evangeliums hier auf dieser Erde für unausbleiblich. Eine wirkliche Christianisierung ganzer Völker schien ihm aber ausgeschlossen, denn das Evangelium wecke immer Kampf und damit auch Feindschaft gegen Gott. Gegenüber den totalitären Tendenzen, die ihm allen chiliastischen Theorien zu eigen schienen, war er überzeugt, daß die Stellungnahme

---

[125] Ebd. S. 19.
[126] Ebd. S. 20.
[127] Ebd. S. 21.
[128] Etwa zu Mark. 4, 26-29 und andere Gleichnisse Jesu.

der Menschheit zur christlichen Verkündigung immer verschiedenartig bleiben werde[129].

P. Feine bestritt also vom Standpunkt biblischer Theologie aus, daß das Reich Gottes nach der Art komme, wie es die pazifistischen Träume ausmalten. Entschieden wandte er sich auch gegen die Ideen eines christlichen Sozialismus, wie sie z.B. in der Schrift eines Berliner Pfarrers vorgetragen wurden, etwa mit dem Satz:»Das Reich Gottes der Zukunft wird eine Christokratie sein, welche alle Gebiete des Lebens in zunehmendem Maße beherrscht«[130]. Mit seiner Ablehnung wollte P. Feine keineswegs die alttestamentliche Erwartung vom Reiche Gottes treffen. Da er jedoch nach christlichem Glauben die alttestamentliche Weisung in Jesus erfüllt sah, fragte er, was Jesus selbst über die Vollendung des Reiches sagte. Zudem betrachtete er alles, was an der Person Jesu selbst geschehen ist, als vorbildlich für unsere eigene Vollendung. Daraus ergab sich: »Jesus selbst ist durch die Auferstehung von den Toten vollendet worden. Was an ihm an seinem irdischen Leib als dem Erstling der Auferstandenen vollzogen worden ist, das wird und muß auch mit uns geschehen, wenn wir das Reich Gottes erben sollen«[131].

In diesen beiden Aussagen fand P. Feine die festen Punkte christlicher Zukunftshoffnung. Von hier aus gewann er die Richtlinien zur Beantwortung aller Gegenwartsfragen. Zusammenfassend sagte er: »Das Zukunftsbild, welches das Neue Testament entwirft, ist also dies. Nicht diese Erde und die jetzt auf ihr herrschenden Zustände werden der Schauplatz des Reiches Gottes sein, sondern Gott wird mit machtvoller Hand in den Weltenlauf eingreifen. Er, der Himmel und Erde geschaffen hat, wird Himmel und Erde auch erneuern. Die Bibel erwartet eine diese Erde treffende Katastrophe, welche eine Neuschöpfung oder eine Umgestaltung der jetzigen Beschaffenheit einleitet. Wie die Erde um des Menschen willen geschaffen ist und der Mensch zum Herrn der Erde gesetzt ist, so wird auch die zukünftige Welt so beschaffen sein, wie es der zukünftigen Art des Menschen entspricht. Am Auferstehungsleib und dem Leben und Verkehr des auferstandenen Jesu mit seinen Jüngern haben wir wenigstens ein gewisses Maß des Urteils, wie wir diese zukünftige Erde zu denken haben. Aber wohl mit Absicht hat Jesus über diese Dinge den Schleier des Geheimnisses gebreitet gelassen, und kein menschliches Grübeln oder menschlicher Vorwitz wird in dieses Dunkel eindringen«[132].

Zuletzt griff P. Feine noch einmal die Frage auf, wann das Ende der Dinge komme. Er stellte heraus, daß die Aussagen Jesu nicht den Charakter der Wahrsagung haben, sondern der Weissagung. Jesus habe die Vollendung nicht in solcher Weise vorausgesagt, daß wir imstande wären, ihren Eintritt mathematisch zu berechnen. Er sieht zwar das Ende dieser Welt und das Kommen des Reiches Gottes auf dieser Erde in festen Umrissen vor sich liegen, aber er gibt keinen Aufschluß über das Wann dieser Ereignisse[133]. Zu einem entsprechenden Ergebnis kam er auch bei Analyse der apostolischen Schriften[134].

---

[129] Feine: Die Gegenwart und das Ende der Dinge. S. 23.

[130] W. Israel: Die große Hoffnung vom Reiche Gottes auf Erden. Berlin 1915. S. 17. - Vgl. die 3., ergänzte Auflage. Ebd. 1920.

[131] Feine: Die Gegenwart und das Ende der Dinge. S. 26.

[132] Ebd. S. 30-31.

[133] Ebd. S. 32-35.

[134] Ebd. S. 35-38.

Nach dieser allgemeinen Feststellung zeigte P. Feine zum Schluß, daß in Jesu Weissagung vom Ende der Dinge[135] zwei Aussagen mit besonderer Deutlichkeit heraustreten:

1. die Vorhersagung von einer Zeit furchtbarer Kriegsgreuel unter den Völkern der Erde, von Not und Bedrängnissen, die über die Menschheit kommen, von der Verfolgung und Schmähung des Namens Christi und Abfalls vieler vom christlichen Glauben;

2. die Verheißung, daß das Ende kommen soll, wenn das Evangelium bei allen Völkern verkündet sein wird.

Hier nun stand P. Feine mit vielen Menschen seiner Zeit unter dem starken Eindruck, daß beide Weissagungen sich erfüllten. So wies er darauf hin, daß die Erde solche fast die ganze Menschheit in ihren Umkreis ziehende Kriege und Nöte noch nicht gesehen habe. Die furchtbaren Erscheinungen von Haß, Verleumdung, Heimtücke, Verräterei und Bosheit, die sich sogar in den heuchlerischen Deckmantel der Gerechtigkeit oder gar christlicher Gesinnung hüllen, seien direkt widerchristlich. Hier sah er dämonische satanische Mächte am Werk. Der Antichrist entfaltet in der Gegenwart seine Macht. Satan zeigt, daß er noch die Herrschaft dieser Welt hat oder wenigstens in Anspruch nimmt. Und dies alles in einer Zeit, da wir - wie P. Feine meinte - nicht weit von dem Ziel entfernt zu sein scheinen, daß in einer großzügigen Entwicklung der Mission alle Völker dieser Erde unter der Botschaft vom gekreuzigten und auferstandenen Jesus gestellt würden. Er erinnerte daran, daß schon bei der Weltmissionskonferenz von Edinburgh (1910) die Erwartung ausgesprochen wurde, wir könnten dem Herrn die baldige Wiederkunft ermöglichen, indem wir noch in unserer Generation die Einladung zum Eintritt in das Reich Gottes an alle Völker der Erde ergehen ließen[136]. Nichts destoweniger mahnte der Hallenser Theologe, nüchtern zu bleiben. Beim Versuch, die Zeichen der Zeit zu deuten, erkenne man den Ernst des Gerichts, das Gott jetzt über die Christenheit in dieser Welt heraufführt. Im Gericht erblickte er ein Zeichen des vorbereitenden Endes. Er rief alle Christen dazu auf, sich um so treuer zu dem Herrn Jesus zu bekennen, ihm zu dienen, seine Herrlichkeit zu verkündigen und seinem Kommen entgegenzuharren; dabei jedoch eingedenk zu bleiben der Mahnung, die er den Seinen gab, ehe er nach seiner Auferstehung in den Himmel erhoben wurde[137].

Diesen allgemeinen Grundzügen biblischer Eschatologie fügte P. Feine in sei-

---

[135] Vgl. Mat. 24.

[136] Vgl. J.R. Mott: Evangelisation of the World in this Generation. New York 1900. - Ders.: The decisive hour of Christian Missions. New York 1910. - Dass. Deutsch: Die Entscheidungsstunde der Weltmission und wir. Aus dem Englischen. (HbMK. 4.) Basel 1911. - Dass. 3., durch einen Anhang erweiterte Auflage. Ebd. 1914. - Die Edinburger Welt-Missions-Konferenz. Bilder und Berichte von Vertretern deutscher Missions-Gesellschaften. Gesammelt von A.W. Schreiber. Basel 1910. -
Zu John Raleigh Mott (1865-1955) vgl. B. Mathews: Ein Christ auf den Straßen der Welt. Das Leben des Dr. John Raleigh Mott. Aus dem Amerikanischen. Hrsg. von Jul. Richter. Berlin 1934. - G.M. Fisher: John R. Mott, architect of co-operation and unity. New York 1952. - G.S. Wegener: John Mott - Weltbürger und Christ. Ein Mann bereitet den Weg der Ökumene. Wuppertal (1965).

[137] Feine: Die Gegenwart und das Ende der Dinge. S. 38. - Vgl. Apg. 1, 6 ff.

ner zweiten Schrift noch einige Ergänzungen hinzu, die die individuelle Vollendung des Menschen mehr berücksichtigten. Auch hier stand hinter allem, was er anführte, eine Gesamtschau des Evangeliums, der Person Jesu und der apostolischen Predigt, wie er sie in seiner »Theologie des Neuen Testaments« niedergelegt hatte[138]. Noch einmal beschrieb er, wie nach dem Sündenfall das große Heilshandeln Gottes mit den Menschen beginnt: Gott will die sündig gewordene Menschheit doch noch zu dem mit der Schöpfung gesetzten Ziel führen. Den Zielpunkt sieht der Christ erreicht in der Person Jesu. Damit jedoch nicht genug. Jesus hat im Auftrag Gottes die Sünden der Welt getragen. Er will uns Anteil geben an seiner Lebensgerechtigkeit. Als neues Haupt der Menschheit setzt er in uns den Anfang eines neuen Lebensprozesses. Die innere Einwirkung Jesu auf uns nehmen wir auf in der Voraussetzung, daß der neue Anfang auch zur Vollendung gelangen wird. Damit werden wir zur Hoffnung eines Zustandes geführt, der jenseits dieses Erdenlebens liegt. Dieses uns in Jesus gesetzte Ziel werden wir ebenso wenig auf dieser Erde erreichen, wie es Jesus vor seinem Tode und seiner Auferstehung erreicht hat, zumal wir von der Macht der Sünde hienieden niemals frei werden. Die Zustände auf Erden sind und bleiben solche, die auf eine Menschheit zugeschnitten sind, die von ihrer schöpfungsmäßigen Bestimmung abgefallen ist[139].

Wir haben schon darauf hingewiesen, daß für P. Feine die christliche Zukunftserwartung ihre Norm und ihr Maß an dem hat, was Gott an Jesus tat und was Jesus über das Leben nach dem Tode lehrte. So kam er zu der These: »Seine Aussagen über den Zustand der Menschen nach dem Tode sind für uns normgebend, auch in dem Falle, daß sie übereinstimmen mit den im damaligen Judentum lebendigen Anschauungen«[140]. Vor allem ermittelte P.Feine aus dem Johannesevangelium , daß das ewige Leben jenes göttliche, einem Tod nicht unterworfene Leben ist, das Jesus in seiner Person verkörpert. Es ist ein Leben, das auf dieser Erde beginnt, und in die Ewigkeit hineinreicht, ein Leben, das durch den leiblichen Tod nicht versehrt wird, denn der irdische Tod hebt die Lebensgemeinschaft mit Christus nicht auf, sondern sie geht auch nach dem Tode unmittelbar weiter; sie führt von dem schon in diesem Leben erfahrenen Übergang aus dem Tode in das Leben hinüber zu dem Auferstehungsleben am Ende der Tage, der allgemeinen Totenauferstehung. So kam er zu dem Schluß: »Die christlichen Toten werden nach dem Tode leben. Es gibt überhaupt für die Menschen nach dem Tode keinen Traumzustand, sondern ihre bejahende oder verneinende Stellung zu Jesus auf Erden führt sie sofort nach dem Tode wieder in seine Gemeinschaft oder in den Zustand der Verwerfung. Das ist die Lehre Jesu«[141].

Die gleiche Lehre fand P. Feine auch in den übrigen apostolischen Schriften des Neuen Testaments[142]. Da die persönliche Fortexistenz behauptet wird, war für

---

[138] P. Feine: Theologie des Neuen Testaments. Leipzig 1910, ⁴1922, ⁷1935. - Vgl. dazu die Rez. von M.-J. Lagrange O.P. In: RBI 7 (1911) 583-585. - B. Bartmann. In: ThGl 4 (1912) 862-864.

[139] Feine: Das Leben nach dem Tode. S. 13.

[140] Ebd. S. 16.

[141] Ebd. S. 22.

[142] Ebd. S. 22-27.

ihn das Wiedererkennen der Menschen auch untereinander eine notwendige Folgerung, wenngleich er schlechterdings nicht zu sagen wußte, wie wir uns einen Leib
ohne leibliche (körperliche) Organe denken sollen[143]. Die himmlische Leibhaftigkeit Jesu fand er über die irdische Stofflichkeit erhaben[144]. In seiner ersten Schrift
äußerte er die fragwürdige These, daß der himmlische Körper Jesu nach der Art
gedacht werden müsse, wie die Leiber der Engel beschaffen sind. Er bekannte jedoch, darüber nichts rechtes zu wissen. Der Gott, der die Welt geschaffen habe,
werde aber auch den Auferstehungsleib zu schaffen die Macht haben, wie es ihm
gefalle[145]. Später schrieb P. Feine, nach Paulus sei der himmlische Leib als ein neues
Kleid oder eine neue Behausung für die in diesem und jenem Leben gleichbleibende
Persönlichkeit zu denken[146]. Jedenfalls sah er nicht in einer bestimmten Stofflichkeit das Entscheidende für unsere Leiblichkeit, wichtig war ihm vielmehr, daß unsere Persönlichkeit dieselbe bleibt und die Leiblichkeit in diesem und jenem Leben
gestaltet[147].

Dunkel war für P. Feine auch die Frage nach der Möglichkeit der Bekehrung
des Menschen nach dem Tode. Deutlich schien ihm nur die Lehre des Evangeliums,
daß die Entscheidung Gottes über den Menschen nach seiner Stellungnahme zur
Person Jesu getroffen wird. Wenn jedoch viele Menschen im Erdenleben vor eine
solche Entscheidung nicht gestellt werden, so lag für P. Feine die Erwartung nahe,
daß alle, die auf Erden die volle Möglichkeit einer Entscheidung für oder wider
Christus nicht gehabt haben, nach dem Tode vor eine solche gestellt werden[148]. Die
Lehre von der Apokatastasis aller Dinge lehnte er ab, da sie ihm nach den Aussagen
der Bibel als unhaltbar erschien und überdies auch praktisch den sittlichen Ernst
der christlichen Predigt gefährdete[149]. Ebenso wies er auch die Lehre von der See-
lenvernichtung entschieden zurück[150].

Auch in seiner zweiten Schrift ermahnte P. Feine die Gläubigen, die Zeichen
der Zeit, die auf das Ende hinweisen, zu beachten, jedoch der Versuchung zu wider-
stehen, die Zeit der Wiederkunft Christi errechnen zu wollen[151]. Als Ziel der christlichen Zukunftshoffnung stellte er unter Berufung auf Paulus volle Gotteserkenntnis heraus[152]. Wir werden Einblick in seine wunderbare Weisheit und seine Welt
und jeden von uns umspannenden Ziele gewinnen. Mit aller Kreatur werden wir
Gott, Gottes Willen, Gottes heilige Ziele mit der Welt an unserem Teil verwirklichen helfen. All unser Tun wird ein Handeln und Wirken zur Ehre Gottes sein[153].

Der Ernst der Kriegszeit legte es P. Feine nahe, den Fragen nach den letzten
Dingen nicht aus dem Wege zu gehen, vielmehr das in der wissenschaftlichen Ar-

---

[143] Ebd. S. 32-33.
[144] Ebd. S. 56.
[145] Ders.: Die Gegenwart und das Ende der Dinge. S. 27-28.
[146] Ders.: Das Leben nach dem Tode. S. 58.
[147] Ebd. S. 63.
[148] Ebd. S. 33.
[149] Ebd. S. 34-42.
[150] Ebd. S. 42-55.
[151] Ebd. S. 55.
[152] Vgl. 1. Kor. 13, 12.
[153] Feine: Das Leben nach dem Tode. S. 72.

beit wie auch in der kirchlichen Unterweisung Versäumte nachzuholen. Der evangelische Theologe erhoffte nicht von einer Neuordnung der irdischen Verhältnisse einen Zustand der Glückseligkeit. Diese Erde und was auf ihr ist, war für ihn vergänglich und durch Sünde befleckt; nach seiner Auffassung ist es den Menschen im gegenwärtigen Zustand nicht möglich, aus dieser Situation herauszukommen. Dennoch sah er es als Ziel unseres Lebens an, daß wir die Arbeit auf dieser Erde als »Ewigkeitsmenschen« betreiben sollen. Denn die Welt der Ewigkeit, die himmlische Welt, ragt nach dem Wort der Bibel bereits in unser irdisches Leben hinein; in der Person Jesu wird sie uns greifbar und ereichbar. Damit fühlen wir uns nicht mehr bloß an diese Welt gebunden, sondern tragen etwas in uns, was seinen Grund und sein Wesen in einer anderen Welt hat. Die Eschatologie P. Feines ist beseelt von dem festen Glauben, daß Jesus diese Anfänge in uns zur Vollendung führen wird[154].

(4) Philipp Bachmann (1864-1933)

Von gläubigem Vertrauen war auch die Schrift »Tod oder Leben?« erfüllt, mit der der Erlanger Systematiker Ph. Bachmann[155] Fragen und Gewißheiten über Sterben und Unsterblichkeit, Himmel und Hölle, Seelenwanderung und Seligkeit, Menschheitskampf und Menschheitsvollendung behandelte[156]. In der brodelnden Gärung seiner Zeit beklagte er das Werk der Zerstörung und Selbstvernichtung, das die Menschheit getroffen hatte. Da das deutsche Volk von der Mittagshöhe hinweg in die dunkelste Nacht gestürzt war, sah er, daß viele sich zu der alten Weisheit flüchteten: Laßt uns essen und trinken, denn morgen sind wir tot. Daneben spürten andere, daß die damalige Gegenwart nicht ertragen werden konnte ohne einen Blick über den heutigen und morgenden Tag hinaus, ohne einen Blick auf eine künftige Klärung und Vollendung, ohne den Blick in die Ewigkeit. Aber wie anders war die Stimmung zu Beginn des Krieges, da große Siegeshoffnungen alle erfüllten. Zum Trost verwies der Theologe nun darauf, daß frohe, sieghafte Zukunftsgewißheit von Anfang an in der Christenheit lebte: es kommt ein Tag der Tage, eine Herrschaft ohne Makel, ein Sieg, ein Reich der Vollkommenheit[157].

In diesem Geist begann Ph. Bachmann seine Erörterung mit dem Motto, das Paulus im Hinblick auf die Todesgefahren gesprochen hatte: »Als die Sterbenden und siehe - wir leben«[158]. Er wußte freilich, daß es ein weiter Schritt von der Gefahr

---

[154] Ebd. S. 73.

[155] Philipp Bachmann stammte aus Geislingen in Franken; seit 1902 war er o. Prof. für systematische Theologie und neutestamentliche Exegese in Erlangen. - Vgl. H. Strathmann: Philipp G.O. Bachmann. In: NDB 1 (1953) 500-501.

[156] Ph. Bachmann: Tod oder Leben? Fragen und Gewißheiten über Sterben und Unsterblichkeit, Himmel und Hölle, Seelenwanderung und Seligkeit, Menschheitskampf und Menschheitsvollendung. Stuttgart 1920.

[157] Ebd. S. 5-6.

[158] 2. Kor. 6, 9. - Vgl. Ph. Bachmann: Der 2. Brief des Paulus an die Korinther ausgelegt. (Kommentar zum Neuen Testament. Bd. 8.) 3., durchgesehene Auflage. Leipzig 1918. - Ders.: Der 1. Brief des Paulus an die Korinther ausgelegt. (Kommentar zum Neuen Testament Bd. 7.) Leipzig 1923.

zum Tode selbst ist. So verwies er darauf, daß E. Haeckel, der Herold des monistischen Evangeliums, ebenfalls seinen Blick auf Tod und Grab geworfen hatte, ohne daß ihm dort eine ahnungsfrohe Hoffnung aufgestrahlt war. Der Theologe mußte somit zu Menschen sprechen, denen der monistische Kulturphilosoph bereits den praktischen Grundsatz eingeprägt hatte: das irdische Leben in fruchtbarer Tätigkeit und erquickendem Naturgenuß so gut und so glücklich als möglich zu gestalten, im übrigen aber die Entscheidung dem blinden Zufall zu überlassen, der in Ermangelung einer weisen Vorsehung die Welt regiert[159]. Dagegen verwies Ph. Bachmann auf den Umstand, daß schon der Urmensch seine Toten in dunkler Ahnung so bestattete, als ob er sie zur Reise in ein neues Lebensland rüsten wolle.

Gegenüber den Zweifeln und Verneinungen, die eine fortschreitende Kultur hervorbrachte, hielt er daran fest, daß für das elementare, instinktive Ur- und Grundgefühl der Menschheit der Tod mehr als ein bloßes Ende, mehr als Abschluß ist. Der Mensch fühle sich als ein Ich, er erfasse alles, was in ihm vorhanden ist, in der Einheit seines Ichs zusammen; er begleite alle Geschehnisse in der Seele mit dem unmittelbaren Gefühl: das bin Ich, das war gestern Ich, das werde morgen Ich sein. »Die Geschehnisse wechseln, aber das Ich bleibt. Tausendfache Veränderungen und Umbildungen finden statt; aber das Ich ist immer eines und dasselbe«[160]. Mit dieser Erfahrung vom »Wunder des Ichs im Menschen« schien ihm von jeher die Empfindung lebendig gewesen zu sein, daß auch durch den Tod dieser Kern des menschlichen Wesens nicht ganz zerstört werden könne. Es war ihm daher verständlich, daß der Tod immer schon mehr als denn ein bloßes Ende, als eine Pforte empfunden wurde[161].

Das religionsgeschichtliche Faktum konnte nach Ph. Bachmann allerdings für das menschliche Denken nur bis zu einem Lebensglauben führen, wohingegen er die christliche Gemeinde in Lebensgewißheit ruhen sah. Wichtig war ihm vor allem, daß die christliche Hoffnung den Einzelnen auch jenseits der Pforte als einzelnen, als geschlossene Persönlichkeit in der Gemeinschaft des ewigen Gottes fortleben sieht. So kam er zu der These: »Der ganze Ertrag des irdischen Lebens bleibt und gibt der zur Unsterblichkeit erhobenen Seele ein individuelles Gepräge - ein Wunder des Schöpfers, der jedes Menschenleben zu individueller, persönlicher Art gestaltet, ein Wunder der erlösenden Liebe, die das Natürliche und Besondere nicht auflöst, sondern vollendet«[162].

Damit hatte Ph. Bachmann zugleich die Erwartung einer tatsächlichen und steten Vollendung ausgesprochen. Ein unendliches Werden und Wachsen, ein unablässiges Ringen um eine unendlich ferne Vollkommenheit lehnte er freilich ab, da das Christentum die Hoffnung auf sabbatliche Ruhe im Sinne eines Fertigseins mit Kampf und Mühe, einer wirklichen Vollendung, setzt. Er erinnerte daran, daß mit der Hoffnung auf das ewige Leben auch die Hoffnung auf die Auferstehung des Fleisches in einer verklärten Leiblichkeit verbunden ist. Verklärung bedeutete für

---

[159] Ders.: Tod oder Leben? S. 8. - Vgl. E. Haeckel: Ewigkeit. Weltkriegsgedanken über Leben und Tod, Religion und Entwicklungslehre. Berlin 1915. S. 42-43. - Zu E. Haeckel siehe oben S. 11-14.
[160] Bachmann: Tod oder Leben? S. 10.
[161] Ebd. S. 10.
[162] Ebd. S. 15.

ihn Fertigsein, Abschluß, Vollendung; Leiblichkeit den notwendigen Zusammenhang mit der Welt. »Gott, Seele und Welt...in so mannigfaltigen und mehrfachen Beziehungen stehen wir mit unserem Leben in der irdischen Gegenwart, diesseits der Pforte, und geistleiblich und darum gotterfüllt und welterfüllt zugleich sollen wir auch in der Ewigkeit leben«[163]. Dieser Vorgang vollzieht sich nach Ph.Bachmann in zwei Stufen: Auf der ersten ruht die des Leibes ermangelnde Seele wie ganz nach innen, ganz in sich und in Gott hineingezogen, in Stille und seliger Erquickung in der Nähe des Herrn. Wenn aber das Wunder der Auferweckung geschieht, dann finden Leib und Seele sich in verklärter Gemeinschaft, dann hat das Harren ein Ende. »Ein tätiges, bewegungsvolles, beziehungsreiches Leben bricht aus der verleiblichten Seele hervor, gotteinig und welterfüllt zugleich«[164].

Alle diese Erwägungen bildeten für Ph.Bachmann nicht Beweisgründe für den Verstand, wohl aber Beweggründe für den Glauben. Sein Lebensglaube ruhte auf Gottes in Christus offenbar gewordenem Willen, Gnade und Verheißung[165]. Auf dieser Grundlage zeigte er, daß Gottes Kraft das Wunder vollbringt und allem, was es berührt, Unsterblichkeit verleiht. Staunend, dankbar und demütig blickte er auf die Energie der Stärke Gottes, die sich grundlegend in der Auferweckung des Herrn, vollendend sich betätigend in der Gabe des ewigen Lebens an kurzfristigen Menschenkinder auswirkt. So wandelt Gottes Größe »das Zeitliche in Ewiges, befähigt das Zeitgeborene zu ewigem Leben»[166].

Wir haben damit bereits die wichtigsten Thesen Ph. Bachmanns wiedergegeben. Im zweiten Abschnitt behandelte er die Frage Seligkeit und Verdammnis. Er wies nach, daß die Theorie von der gänzlichen Vernichtung aller Gottlosen nach christlich-biblischer Lehre unmöglich ist[167], und daß auch die Prädestinationslehre das Problem nicht lösen kann[168]. Die Allbeseligungslehre, die Wiederbringung auch der Verlorenen lehnte er ebenso ab[169]. Noch einmal betonte er, daß die Vorstellung von einer Fortsetzung des sittlichen Kampfes in jener höheren Welt dem christlichen Glauben nicht entspricht. Zur grundlegenden Eigenart des Christentums gehörte es für ihn, daß Gut und Böse wirklich als schroffe, prinzipielle Gegensätze gewertet werden. Diese Eigenart brachte er in der These von der ewigen Verdammnis zur Geltung: »Gut und Böse besitzen die Kraft, ewig zu trennen«[170]. In diesem Satz lag für ihn ein Radikalismus der sittlichen Wertung von größter Bedeutung, von absoluter Höhe. Allerdings verband er mit dem Glauben an Gott auch den an eine Einheit in den Gegensätzen, eine Einheit nicht auf Kosten der Wahrheit, sondern eine Einheit in der Heiligkeit und der Liebe[171]. Darin fand er eine Lösung für das schmerzliche Rätsel, das in dem Nebeneinander von Seligkeit und

---

[163] Ebd. S. 16.
[164] Ebd. S. 17.
[165] Ebd. S. 22.
[166] Ebd. S. 29.
[167] Ebd. S. 42.
[168] Ebd. S. 44.
[169] Ebd. S. 45.
[170] Ebd. S. 52.
[171] Ebd. S. 62.

Verdammnis ruht. »In Gott...ruht eine Überwindung derselben, die es nicht aufhebt, eine der Heimlichkeiten Gottes, sein ewiges Geheimnis«[172].

Im dritten Teil seiner Abhandlung setzte sich der Erlanger Theologe mit den Ideen und Praktiken des Spiritismus[173], der theosophischen Todes- und Lebensträume[174] und des Okkultismus auseinander[175]. Im vierten Teil ging es ihm um den Kampf der Welt um ihre Zukunft und die Zukunft Christi[176]. Abschließend faßte er die Ergebnisse in einem Kapitel über die ewige Vollendung zusammen[177]: Auf dem Boden einer verklärten Welt wird dereinst die durch Sünde und Tod und Schrecken hindurch gerettete Gemeinde leben. Dann hemmt nicht mehr der Leib die Seele und ihr höheres Leben; willig dient er ihr zum Ausdruck und Vollzug alles dessen, was sie erfüllt. Keine Sehnsucht mehr, von diesem Todesleib erlöst zu werden, treibt die Seele fort; ganz und für immer fühlt sie sich ihm verbunden und in ihm heimisch, bringt in reiner Wahrheit und edler Schönheit alles, was sie bewegt, zum Vollzug in dem Leibe. Positiver als R. Seeberg sah Ph. Bachmann den Menschen von Anfang auf der Grenze zweier Welten stehend, beiden angehörend, der sinnlichen und der geistigen. Das war für ihn kein Selbstwiderspruch, aber auch noch keine endgültige Einheit, da im irdischen Leben immer wieder die Gefahr der Zerspaltung gegeben ist. Dann aber ist »diese Gefahr überwunden, und die ursprüngliche Einheit zwischen Leib und Seele, von einer und derselben Grundkraft der Wahrheit und des Lebens vereinigt und verklärt«[178]. Ewiges Leben war für Ph. Bachmann nicht darin zu sehen, daß wir unaufhörlich ein Jahr zum andern fügen, sondern darin, daß wir frei sind vom Werden und Altern, vom Gegensatz zwischen gestern, heute und morgen. Ewig leben heißt: »in stetiger Gleichheit mit sich selbst über allen Schranken und Bedingungen der Zeit stehen«[179]. Sich dies vorzustellen, schien ihm zwar unmöglich, aber er war überzeugt, daß von Gottes Ewigkeit ein Abglanz auf uns fällt, der alle Schatten der Zeit von unserem Wesen hinweg scheucht.

(5) Wilhelm Koepp (1885-1965)

Hatte die Schrift Ph. Bachmanns einen popularisierenden Charakter, so kehren wir mit der Studie »Die Welt der Ewigkeit« des Hallenser Privatdozenten W. Koepp[180] zur wissenschaftlichen Theologie zurück. Sein Anknüpfungspunkt war der religiöse Skeptizismus, der in Folge des verlorenen Krieges mit einheitlich geschlossener Front dem christlichen Jenseitsglauben entgegenstand. Auch 1921 verlangten noch die durch die Todeserfahrung des blutigen Ringens aufgeworfenen

---

[172] Ebd. S. 56.
[173] Ebd. S. 64-77. - Zum Spiritismus siehe oben S. 316-318.
[174] Bachmann: Tod oder Leben? S. 77-90. - Zur theosophischen Bewegung siehe oben S. 304; S. 302, Anm. 138.
[175] Bachmann: Tod oder Leben? S. 90-98.
[176] Ebd. S. 99-131.
[177] Ebd. S. 132-144.
[178] Ebd. S. 139.
[179] Ebd. S. 140.
[180] Wilhelm Koepp stammte aus Zoppot; 1920 wurde er Privatdozent in Halle, 1922 Prof. für systematische Theologie und Religionspsychologie in Greifswald.

Fragen unabweislich eine Antwort. Hinzu kam, daß der Kirche in der Nachkriegszeit gerade auf dem Gebiet der Zukunftshoffnung in der Sozialdemokratie bzw. im Kommunismus, in deren rein innerweltlichen eschatologischen Stimmungen, ein außerordentlicher Konkurrent erwachsen war. Darüber hinaus blieb zu beachten, daß die Theologie selbst zu neuen Einsichten gelangt war. Es war dies vor allem die Erkenntnis, in welchem Maße das Christentum an der Quelle seines Ursprungs, in seiner gesamten Urform von einer »eschatologischen Glut ungeheurer Spannungsgrade, von einer alle religiösen Aussagen erst krönenden, alle ethischen Forderungen erst die letzte Motivkraft gebenden Ewigkeitsnähe und Gewißheit« beherrscht war [180.1]. Von hieraus glaubte Koepp zu ermessen, wie weit sich das Christentum seiner Zeit in diesem Punkt von dem ursprünglichen Glauben entfernt habe. Dies veranlaßte ihn, erneut der Frage nachzugehen, welche Wahrheit und Wirklichkeit für uns die Welt der Ewigkeit hat.

W. Koepp gliederte seine Abhandlung klar in drei Abschnitte: Von einer religionsgeschichtlichen Stofferhebung und einer religionspsychologischen Analyse kam er zu einer religionsphilosophischen Entfaltung.

Zum ersten wollte er zunächst auf den Zug der eschatologischen Ideen in der Geschichte des Christentums lauschen, um ihre Allgemeingültigkeit - soweit wie vorhanden - in Christentum und Kirche festzustellen. Dabei war er überzeugt, daß den eschatologischen Tendenzen der Heiligen Schrift, sofern sie unter sich selbst einstimmig sind, und sofern sie zugleich wesentlich mit zu den Geist und Glauben weckenden Elementen des »Wortes Gottes« in der »Schrift« gehören, keine christliche Erkenntnis widersprechen darf, ohne daß der Glaube sein Fundament verliert. Zwar wollte er die Überzeugungen aller Religion mitberücksichtigen, aber der »bunte Wust eschatologischer Ideen in der Religionsgeschichte« zeigte ihm die Undurchführbarkeit eines richtungslosen, ganz allgemein religionsgeschichtlichen Standpunktes [181]. Von einer gewohnten, alle Unebenheiten schon möglichst ausgleichenden Gliederung nach zeitlicher Reihenfolge sah er ab, um mit einer Teilung des Stoffes in Längsschnitte mehr die sachlich enger zusammenhängenden Vorstellungskomplexe zu erheben:
1. die individual-eschatologische Linie,
2. die sozial-eschatologische Linie,
3. die Linie des zeitlichen Ausgleichs,
4. die Linie des Blicks auf die Welt der Gottlosen.
Dabei wollte er den großen Querschnitt, der durch fast alle Linien hindurchgeht, nämlich der des Übergangs von der Endgeschichte auf Erden zur eigentlichen Welt der Ewigkeit, an keiner Stelle vergessen [182].

Die inhaltliche Unsicherheit in den Lehren der Eschatologie sah W. Koepp schon in den Aussagen der Schrift begründet. Die »Harmonisierung der traditionellen Verarbeitung der biblischen Lehre von den letzten Dingen« lehnte er ab. Unstimmigkeiten, ja Widersprüche ließen ihn auf verschiedene Frömmigkeitsweisen,

---

[180.1] W. Koepp: Die Welt der Ewigkeit. (ZSGWB.) Berlin-Lichterfelde 1921. S. 3-4. - Zum ganzen vgl. die positive Rez. von B. Bartmann. In: ThGl 14 (1922) 119.
[181] Koepp: Die Welt der Ewigkeit. S. 5.
[182] Ebd. S. 5-6.

ja Wandlungen innerhalb der einzelnen Typen schließen. Er griff die These A. Schweitzers[183] auf, wenn er behauptete, das gesamte Urchristentum habe mit seinem einen überall durchklingenden Grundmotiv, mit dem glühenden Glauben, daß es selbst in Kürze die Wiederkunft des Herrn in den Wolken sehen werde, sich in dem größten und tiefsten seiner menschlichen Irrtümer befunden[184]. Im Lichte dieser Anschauung schien es ihm, als ob die Kirche mit der ganzen Fülle eschatologischer Vorstellungen äußerst willkürlich verfahren sei. Besonderen Wert legte W.Koepp auf den »historischen Nachweis des Einströmens fremder Vorstellungen«. Gestützt auf die neuesten Untersuchungen von E. Sellin[185] über die alttestamentliche Hoffnung behauptete er, daß kaum irgendwo die These vom Synkretismus so »wirklich zu einem Teil berechtigt« sei, wie bei den Vorstellungen über Schöpfung und die Eschatologie[186]. Desgleichen verwies er auf Vermengungen von reinen Glaubensmotiven und solchen aus Philosophie und Weltanschauung. Als Generalbeleg diente ihm R. Seebergs Schrift »Ewiges Leben«, die er als das »beste Kriegsbuch zu diesen Fragen« bezeichnete[187]. Die eigentliche Aufgabe erblickte W.Koepp in der geschichtlichen Analyse des gesamten Stoffes, wobei er die einzelnen Linien in ihrem gegenseitigen Verhältnis sowie ihrem Auf und Ab in der Geschichte beobachten wollte, um so die ganze Lebensfülle des eschatologischen Bildes zu erfassen und zu entfalten[188].

Neue Ergebnisse brachte die religionsgeschichtliche Stofferhebung W.Koepps nicht. Positiver ist das Ergebnis auf dem Gebiet der religionspsychologischen Analyse, auf dem der junge Dozent besonders heimisch war[189]. Der Weg über die Erfahrung anderer konnte den Forscher nur in den Vorhof der Erkenntnis führen. Viel wichtiger war ihm die Aufgabe, selbst den Weg solcher Erfahrung und Erkenntnis Stück für Stück nachzugehen. Dieses Erkennen wollte er daraufhin analysieren, was sich bei schärfster und ganauester Beobachtung als das empirische Faktum in ihm feststellen lasse. Er gab sich der Hoffnung hin, daß solche rein faktische Feststellung des wirklichen Weges und Inhaltes der Erfahrung von selbst dazu dienen werde, Irrtümer und Täuschungen oder Sicherungen und Bestätigungen zu erheben, durch die die Welt der religiösen Erfahrung und innerhalb dieser auch unserer Ewigkeitserkenntnis wissenschaftlich gereinigt werde[190]. Besonders kam es ihm darauf an, wie weit bei einem Vergleich zwischen der religiösen Erfahrung von der Ewigkeitswelt und der übrigen religiösen Erfahrung die Erfahrungsobjekte hier und dort mit derselben Sicherheit aufgenommen und erfaßt werden oder nicht; ob

---

[183] Zu A. Schweitzer siehe oben S. 119-124.
[184] Koepp: Die Welt der Ewigkeit. S. 7.
[185] Vgl. E. Sellin: Der alttestamentliche Prophetismus. Drei Studien. Leipzig 1912. - Ebd. S. 102-193; Alter, Wesen und Ursprung der alttestamentlichen Eschatologie. - Vgl. ders.: Die israelitisch-jüdische Heilandserwartung. (BZSF. Ser. 5. H. 2/3.) Groß-Lichterfelde 1909. - Ders.: Die alttestamentliche Hoffnung auf Auferstehung und ewiges Leben. In: NKZ 30 (1919) 232-289.
[186] Koepp: Die Welt der Ewigkeit. S. 9.
[187] Ebd. S. 9. - Nach Fr. W. Schmidt war Koepp entscheidend durch R. Seeberg beeinflußt. Vgl. ders. in: RGG² 3 (1929) 1137-1138.
[188] Koepp: Die Welt der Ewigkeit. S. 10.
[189] Vgl. ders.: Einführung in das Studium der Religionspsychologie. Tübingen 1920.
[190] Ders.: Die Welt der Ewigkeit. S. 13.

die Ewigkeitsaussagen der religiösen Erfahrung denselben Grad von Erfahrensgewißheit haben wie die anderen Aussagen oder nicht. Dabei teilte er die Überzeugung Schleiermachers, daß es eine direkte Erfahrung, eine unmittelbare Überführung des religiösen Erlebens gegenüber den eschatologischen Größen nicht gibt[191].

Bei seiner Untersuchung der eschatologischen Ideen im Christentum stieß W. Koepp auf den »höchst eigentümlichen Sachverhalt«, daß die allgemeine Gewißheit und Aussagesicherheit merkwürdigerweise nicht bei den nächstliegenden Etappen der eschatologischen Entwicklung am größten sei und dann weiterhin abnehme, sondern daß das Fernste, das unendlich ferne transzendente Ziel, das Ziel der Welt der Ewigkeit, des ewigen Reiches und ewigen Lebens eigentlich alle vor ihm liegenden Etappen an Klarheit, Sicherheit und Glut der Erfassung und Identität der Erfassungskraft weit übertreffe[192]. Schon daraus folgerte er, daß sich die Welt der christlichen eschatologischen Ideen sich ihrem Typus nach von dem üblichen Typus von Komplexen »reiner Hoffnung« in der menschlichen Seele durchaus unterscheide. Diese These glaubte er bestätigt durch das »allerseltsamste« Faktum, daß das Urchristentum seine Zukunftswelt der Ewigkeit immer zugleich mit der stärksten Kraft als gewissestes Objekt seiner gegenwärtigen Erfahrung erfaßte. So kam er in seiner religionspsychologischen Analyse der neutestamentlichen Frömmigkeit zu der Grundaussage: »Ihre Zukunft ist die Gegenwart«[193]. Er erinnerte daran, wie oft schon der Zwiespalt und die seltsame Spannung hervorgehoben wurde, daß in Jesu Predigt vom Reiche Gottes zugleich eine eschatologische, kommende und eine schon gegenwärtige Größe sei. Wir selbst, so stellte er fest, seien hier schon selig, wenn auch in Hoffnung. Diese unterscheide sich aber sachlich in nichts vom Glauben; nur habe der Glaube denselben Gegenstand als gegenwärtig, den die Hoffnung als zukünftig habe. Er verwies in diesem Zusammenhang auf den Stellenwert, den die Auferstehung Christi für die Urchristenheit hatte. Daraus folgte als beherrschendes Grundmotiv der ganzen urchristlichen Seelenstellung, daß man Bürger zweier Welten sei, der diesseitigen Erdenwelt und zugleich der jenseitigen, schon gegenwärtigen und zugleich noch kommenden Himmelswelt. Diese urchristliche Hoffnung war nicht allgemein menschlich unsicher, sondern »vollgetränkt von schon gegenwärtiger Erfahrungsgewißheit«[194].

Alle übrigen Vorstellungen und Ideen aus der Welt der christlichen Eschatologie, die diesen Charakter einer »von gegenwärtiger Erfahrungsgewißheit getragenen Hoffnung« nicht haben, wollte W. Koepp sorgsam abtrennen. So hielt er dafür, daß die ganze Zukunftsentwicklung auf Erden eben um der unmittelbaren gegenwärtigen Glaubenserfahrung willen der menschlichen Erkenntnis entzogen sei, weil sie als irdische Zukunft einfach unerhebbar sein müsse. Ebenso wollte er aus der »reinen Ewigkeitswelt des Glaubens« die Lehre vom Zwischenzustand und die ganze Bilderwelt des Buches der Offenbarung ausscheiden, weil der heutige Christ sie nicht erfahren könne[195]. Als wirklich gegenwärtig könne die Glaubenserfahrung

---

[191] Ebd. S. 14. - Vgl. Ölsner. S. 105-106.
[192] Koepp: Die Welt der Ewigkeit. S. 15.
[193] Ebd. S. 15.
[194] Ebd. S. 17.
[195] Ebd. S. 18.

des Christen nach ihrer Selbstaussage vor allem erfassen, daß es die Welt der Ewigkeit überhaupt wirklich gibt. Von daher kam W. Koepp zu seiner These: »Genau in demselben Maß, wie der Glaube überhaupt Gott nahe kommt und gewiß ist, kommt er auch nahe und wird gewiß dieser jenseitigen Welt Gottes, welche seine Sehnsucht und sein Glaubensbesitz, seine Hoffnung und seine höchste Gegenwartsrealität ist«[196].

So offenbarte sich für W. Koepp in demselben Sinn, in dem Gott dem irdischzeitlichen Glauben und Erfahren des Menschen sich kundtut, - sich offenbart, sich zum Erleben gibt, sich erkennen läßt-, mit ihm auch die ewige Welt seines ewigen Reiches. Es war W. Koepp gleich, ob man diese Welt mehr sozial als das »ewige Reich« Gottes und seine Herrschaft, oder mehr individual als das »ewige Leben« empfindet. Für selbstverständlich hielt er, daß die Gewißheit Gottes beides beim Gotterleben, im Gebet aller Arten, immer gleichmäßig mit in sich faßt[197].

Das spezifisch lutherische Anliegen der evangelischen Theologie kam bei W. Koepp darin zum Ausdruck, daß er der Frage nachging, warum und wodurch die christliche Erfahrung dessen so gewiß sein könne, daß dieses Reich und Leben eitel Seligkeit sei. Seine Antwort ging dahin, daß auch hier Jesus Christus der einzige Weg, der einzige dem Glauben nie als trügerisch erfundene Träger der Erfahrung und Gewißheit sei. »Ewiges Reich und Leben, und darin ewige Seligkeit, und beides durch Christus, den Herrn des Reiches, bei dem wir anheim sein werden allezeit: das alles ist dadurch verbunden, daß es die rein religiösen Züge in der reinen Jenseitswelt der Ewigkeit darstellt, diese aber auch in aller dem Glauben nötigen Vollständigkeit«[198].

Im dritten Teil der Untersuchung ging W. Koepp darauf aus zu prüfen, ob der soeben gewonnene Erfahrungsinhalt widerspruchslos und einhellig ist, ob er mit dem Inhalt der umgebenden Erfahrungsgebiete zusammenstimmt, und ob er sich der Ordnung unserer Gesamterfahrung einfügt. Zuerst fragte er, wie der Kern der christlichen »Hoffnung«, der christliche Ewigkeits-»glaube«, »Gegenwarts«-gewißheit haben könne. Hier erklärte er, daß Ewigkeit, als unendliche Zeit verstanden, nicht erst »nach« »dieser Zeit« anfange. Sie sei garnicht unendlich, wenn wohl ihr Ende, nicht aber ihr Anfang im Unendlichen liege. Man könne das Unendliche in der endlichen Erfahrung weder beim Raum noch bei der Zeit, weder nach dem unendlichen Großen noch nach dem unendlich Kleinen hin, jemals erreichen. Alle Versuche, eine unendlich lange Zeit zu denken, endeten doch immer wieder bei einer verlängerten endlichen Zeit. Daraus folgerte Koepp, daß das Unendliche überall der Grenzbegriff der Endlichkeit für unsere Erfahrung ist.Die Bildung dieses Grenzbegriffes verstand er so, daß dadurch immer der absolute Gegensatz zu der endlichen Sphäre, von der er gebraucht wird, zum Ausdruck gelangt. So war Unendlichkeit für ihn im eigentlichen Sinn Un-endlichkeit. Ewigkeit bestimmte er als un-endliche Zeit, als »Unzeitlichkeit«, als »Zeitlosigkeit«[199]. Diesen Grenzbegriff wollte er jedoch nicht nur negativ, sondern auch positiv sehen. Das Endliche in der Zeit bestimmte er als die Begrenztheit aller Größen und ihre damit wieder mög-

---

[196] Ebd. S. 19.
[197] Ebd. S. 19.
[198] Ebd. S. 20.
[199] Ebd. S. 23.

liche stete Veränderung im Fluß der Dinge; Ewigkeit als die Welt der Wandellosigkeit, des steten Beharrens, der ewigen Unwandelbarkeit. In wahrer Positivität war das für ihn die christliche Ewigkeitswelt, das heißt die Welt des ewigen Gottes als der unwandelbar zeitlos auf die Welt und uns gerichteten ewigen Energie (actus purus), die wandellose Ewigkeit des Weltherrn und Vaters Jesu Christi. Von daher sah er den positiven, christlichen Begriff der Ewigkeit darin, daß der Ewigkeitsglaube aus einer Ewigkeits»erfahrung«, die in der christlichen Gotteserfahrung mitgesetzt ist, und daß sich so - von dieser Immanenz des Transzendenten her - der Gedanke der Ewigkeit als der Unzeitlichkeit wieder weiter in den des »Wandellos - Zeitlos - Gegenwärtigen« wandelt[200].

In diesem Sinne war für W. Koepp auch die Welt der Ewigkeit als christliches Hoffnungsgut zeitlos ewig gegenwärtig. Dieses Ineinander war für ihn eine letzte Spezialisierung der Tatsache, daß sich aller Glaubenserfahrung ein Jenseitig-Diesseitiges offenbart und darbietet. Er sah es zustande kommen, »indem an das ewige Heil das Gewand des irdisch Zukünftigen getan wird«[201].

W. Koepp stellte nun den gesamten Inhalt des »rein religiösen Zentralkreises des christlichen Ewigkeitsglaubens« in dieses neue Licht. Da stand vor ihm das Gottesreich der Herrlichkeit, das »Himmelreich« des »ewigen Evangeliums«, und das »ewige Leben« darin. Zeitlos - ewig - gegenwärtig schien ihm die Seligkeit, die in diesen ewigen Gütern geschenkt und wandellos erfahren und gelebt wird, Vollendung, Leben und Seligkeit. Und zeitlos - ewig - gegenwärtig fand er die Vermittlung dieses Heils in Jesus Christus, das Daheimsein »bei dem Herrn«, das Reich der Herrlichkeit als das Reich des Christus, der es uns bringt. So sah er die Ewigkeit »immer vor uns«. »Wir sind schon in ihr, sofern wir Glaubende sind; waren schon in ihr in Gottes 'ewigem Ratschluß', ehe wir zeitlich waren; und bleiben in ihr, auch wenn unser Erdenkleid vergeht. Unser Leben ist nichts; aber Christus lebt in uns; und durch ihn Gottes Ewigkeit«[202].

Im letzten war für W. Koepp das einzige immer neu sich abwandelnde Thema aller Religion und alles christlichen Glaubens Gott, nur Gott, immer wieder nur der wandellose Gott in der ganzen Fülle seiner Beziehungen zu der sich wandelnden endlichen Welt. »Alle Glaubensaussagen, wenn sie bis zu ihrer letzten Quelle zurückverfolgt werden, verwandeln sich in Aussagen über Gott. Ihre letzte Wahrheit ist immer der ewige, unendliche, sich offenbarende Gott selbst«[203]. Damit hatte W. Koepp den theozentrischen Charakter seiner Theologie deutlich herausgestellt[204]. Er kam zu dem Ergebnis, daß sich die Zentralzüge des christlichen Ewig-

---

[200] Ebd. S. 24.

[201] Ebd. S. 25.

[202] Ebd. S. 25-26.

[203] Ebd. S. 26.

[204] Vgl. E. Schaeder: Theozentrische Theologie. Eine Untersuchung zur dogmatischen Prinzipienlehre. (In zwei Teilen.) I. Geschichtlicher Teil. Leipzig 1909, [3]1925. II. Systematischer Teil. Ebd. 1914, [2]1928. - Ders.: Streiflichter einer theozentrischen Theologie. (BFChTh. 20. Jg. H. 1.) Gütersloh 1916. - H. Stephan: Theozentrische Theologie. In: ZThK 21 (1911) 171-209. - E. Brunner: Theozentrische Theologie? In: ZZ 4 (1926) 182-184. - E. Przywara: Katholischer Radikalismus (1925). In: Ders.: Das Ringen der Gegenwart. Bd. 1. S. 83. - Ders.: Neue Theologie? (1926). In: Das Ringen der Gegenwart. Bd. 2. S. 679-680. - F. Traub: Theozentrische Theologie. In: RGG[2] 5 (1931) 1140-1141. - E. Schott. In: RGG[3] 6 (1962) 594. - Zu Erich Schaeder (1861-1936) vgl. E. Schott: E. Schaeder. In: RGG[3] 5 (1961) 1381.

keitsglaubens in der Welt der Christenhoffnung mit den Zentralzügen alles Christenglaubens identifizieren. Diese Selbstidentifikation erhob für ihn die Gewißheit der Ewigkeitswelt endgültig auf die volle Höhe aller Glaubensgewißheit[205].

Nach dieser allgemeinen Grundlegung erörterte W. Koepp noch einige Einzelfragen christlicher Eschatologie. So schien ihm die ewige Dauer der Persönlichkeit unabweisbar gefordert zu sein, und zwar in der Form einer neuen Leiblichkeit[206]. Er hielt es um der Seligkeit der ewigen Welt willen für ganz unmöglich, daß wir jemals unter das Niveau unserer jetzigen Existenzweise wieder hinuntersinken könnten. Allerdings war er auch der Ansicht, daß jeder Versuch, das Ewige, Zeitlose, Un-endliche, das Jenseits, mit den Farben und Zügen der Endlichkeit, der Zeit, des Diesseits auszumalen, eben an seinem eigenen Widerspruch in absoluten Gegensätzen scheitern müsse[207].

Konnte so schon alles bloße Schließen aus dem Diesseits auf die jenseitige Welt der Ewigkeit nach W. Koepp immer nur in Antinomien reden, so ist klar, daß er schon aus diesem Grunde alle Vorausberechnung der irdisch-zeitlichen Erwartung ablehnte. Die Berührung mit der zeitgenössischen Lebensphilosophie finden wir darin, daß er die Lebensbewegung des rein natürlichen Menschen mit jenem Leben verglich, das dem Christen von der Ewigkeitswelt her im Gotterfahren zuströmt. Er beschrieb dieses als »nicht zersetzbar«, »unvermögend zu erstarren«, da die zeitlos - gegenwärtige Ewigkeit ihm eine Quelle wandeloser Lebendigkeit ist. Sie »durchfüllt« das Leben des Menschen, je länger er mit ihr Berührung hat, mit den Farben der Seligkeit, die Gott und seine Welt geben. In den greisen Menschen des Glaubens fand er etwas fast schon Überirdisches, gewiß etwas Unnatürliches, aber dort, wo der Abstieg beginnt, werde das »ewige Leben« in ihnen offenbar. Entsprechend sah er diese Verabsolutierung in das Unbedingte der Ewigkeit als den christlichen Sinn des Todes an[208].

Das Endschicksal der gesamten Kirche, der Gemeinschaft der Gläubigen, des Reiches Gottes auf Erden in der Geschichte am Ende der Tage gehörte für W. Koepp weithin in den Bereich »reiner Zukunftserwartung«, da ihm hier - im Unterschied zur Individuallinie der Eschatologie - lebendige Paradigmen und Analogien fehlten. Mit Hinblick auf O. Spengler hielt er dafür, daß es nicht möglich sei, das Christentum als eine Schöpfung rein natürlicher Lebenskraft in der Lebensbewegung der sterbenden Kulturen seiner ersten Umgebung zu verstehen. Schon an seinem Ursprung könne es nur als eine Lebenskraft aus einer anderen Welt begriffen werden. So werde dann auch die Christengemeinde statt aller Niedergangs- und Zersetzungserscheinungen der natürlich - sterbenden Menschheit nur immer tiefer leben im Geist und Atem Gottes und der Ewigkeit. W. Koepp war überzeugt, daß sie noch in den Tagen ihrer Greisenhaftigkeit etwas wie ein johanneisches Zeitalter haben werde. Er versicherte, das letzte Schicksal des Reiches Gottes auf Erden werde sein: Außen Kampf und Verfolgung, aber innen mitten unter dem Druck brennend mit desto größerer Liebe eine johanneische Epoche[209].

---

[205] Koepp: Die Welt der Ewigkeit. S. 27.
[206] Ebd. S. 28.
[207] Ebd. S. 29.
[208] Ebd. S. 33.

Zusammenfassend stellen wir fest: In der kleinen Schrift des Hallenser Privatdozenten handelt es sich um den Versuch, die christliche Eschatologie in ihrem besonderen Zeit - Ewigkeitsverhältnis spekulativ zu erfassen. Eine radikal - dialektische Gegenüberstellung beider Welten war ihm fremd, da er an der Möglichkeit einer Erfahrung des Ewigen in der Zeit und somit an der Immanenz des Transzendenten festhielt. Der Begriff der »Zeitlosigkeit«, mit dem er die Ewigkeit zu bestimmen versuchte, hielt jedoch einer späteren Kritik nicht stand. Dies wurde deutlich durch die Arbeit von H.W. Schmidt, eines Schülers W. Koepps, der durch die phänomenologischen Untersuchungen zum Zeitbegriff geschult, das Verhältnis von Zeit und Ewigkeit in ein neues Licht stellte. Der weitreichende Einfluß einer konsequenten Eschatologie machte sich bei W.Koepp bemerkbar, wenn er mit eigener charakteristischer Wendung schrieb: »Die christliche Religion muß Jenseits - und Ewigkeits - Religion sein, oder sie ist überhaupt nicht. Denn der Glaube ist immer Ewigkeitsglaube, ist immer Leben und Seligkeit. In ihm sind wir Jenseits- und Ewigkeitsmenschen in einem sterbenden Leben, Jenseits- und Ewigkeitsgemeinde in einer sterbenden Welt! Ewige Jugend und ewiges Leben ist unser, vollendete Schöpfung und Gottes ewiges Reich!«[210].

(6) Carl Clemen (1865-1940)

Hatte W. Koepp gelegentlich auf Ergebnisse der religionsgeschichtlichen Forschung hingewiesen, so kamen diese stärker bei C. Clemen zur Sprache, der seit seinen ersten bilbisch - theologischen Studien historische und systematische Gesichtspunkte miteinander zu verbinden suchte[211].

Zu Beginn des neuen Jahrhunderts veröffentlichte der Hallenser Privatdozent unter dem Titel »Niedergefahren zu den Toten« einen Beitrag zur Würdigung des Apostolikums[212]. Mit dieser Schrift hoffte er, nicht nur die Aufnahme des genannten Artikels in das Glaubensbekenntnis und den Ursprung dieses Symbols überhaupt besser zu erklären, sondern auch zu beweisen, daß das betreffende Stück in der Gegenwart durchaus festgehalten werden kann, wenn man es gemäß 1. Petr. 3-4 in einem historischen Sinn nimmt. Dieser schien ihm der allein berechtigte zu sein und die Erkenntnis zu erhalten, daß nach dem Tode - wie die Bekehrungsmöglichkeit - so auch die Arbeit an andern fortdauert. In diesem Sinn widmete er die Schrift dem Andenken zweier früh verstorbener Geschwister[213].

---

[209] Vgl. ebd. S. 34-38. - Oswald Spengler (1880-1936): Der Untergang des Abendlandes. Umrisse einer Morphologie der Weltgeschichte. 2 Bde. München 1918-1922. - Dass. Neuausgabe. (dtv 838-839.) München 1972. - Weitere Schriften Spenglers siehe im LV.

[210] Koepp: Die Welt der Ewigkeit. S. 40. - Zu. K. Barth siehe unten S. 430-457.

[211] Vgl. C. Clemen: Die religionsgeschichtliche Methode in der Theologie. Gießen 1904. - Zur religionsgeschichtlichen Schule siehe oben S. 107-109.
- Carl Clemen habilitierte sich 1892 in Halle. - Vgl. H.H. Schrey: Carl Clemen. In: NDB 3 (1957) 280. - Zur Bibliographie vgl. RGG¹ 1 (1909) 1829-1830; RGG² 1 (1927) 1687; LThK² 2 (1958) 1221.

[212] C. Clemen: „Niedergefahren zu den Toten". Ein Beitrag zur Würdigung des Apostolikums. Gießen 1900.

[213] Ebd. S. V.

Nachdem C. Clemen Alter und Sinn des Stücks analysiert hatte, erörterte er seinen Wert. Zunächst legte er dar, daß das Alte Testament zwar noch keine Weiterentwicklung nach dem Tode gelehrt, aber ebensowenig eine solche bestritten habe, da die ganze Frage noch nicht existierte und auch dort, wo eine Auferweckung erwartet wurde, doch der Begriff der entschuldbaren Unwissenheitssünde fehlte. Aus diesem Grunde, so folgerte er, habe das Judentum eine nachträgliche Bekehrung verworfen, während sich das Neue Testament zwar abgesehen von 1.Petr. 3f. nicht dafür, aber auch nicht dagegen ausgesprochen habe[214].

C. Clemen beschrieb, welche verschiedenen Umdeutungen der Descensus im Laufe der späteren Zeit erfuhr. Die Heilspredigt Jesu im Bereich der Abgeschiedenen schien ihm aber nur sinnvoll zu sein, wenn eine Weiterentwicklung für den Menschen gleich nach dem Tode zugegeben werde. Dagegen könne nicht eingewendet werden, daß mit der Bekehrungsmöglichkeit nach dem Tode alle früheren Anstrengungen sinnlos oder vergeblich gewesen seien, so daß als Folge einer solchen Auffassung auch aller Missionseifer erlahmen müßte. Gegenüber solchen, die das Heil hier noch nicht ergriffen haben, bedürfe es der Predigt des Evangeliums, wie auch gegenüber solchen, die hier auf Erden ihre Kräfte und Fähigkeiten noch nicht genügend verwenden konnten. Aus diesen Gründen glaubte er eine Hadespredigt Christi vorauszusetzen und am religiösen Gehalt des Stückes durchaus festhalten zu dürfen[215].

Es ist unverkennbar, wie stark ein evolutionistischer Geistbegriff die exegetischen und dogmengeschichtlichen Ausführungen C. Clemens bestimmte. Dasselbe finden wir auch in einer Schrift, die er zwanzig Jahre später im Fragehorizont des ersten Weltkriegs veröffentlichte, nachdem er in Bonn Professor für Geschichte des ältesten Christentums, vergleichende Religionsgeschichte und Religionsphilosophie geworden war. Einseitig vom Standpunkt vergleichender Religionsgeschichte aus nahm er Stellung zu dem Thema: »Leben nach dem Tode im Glauben der Menschheit«[216], ohne allerdings die Aussagen der Bibel und des christlichen Glaubens hinlänglich zu berücksichtigen. Die gesamte Arbeit wurde in drei Teile gegliedert: Die Form, der Ort und der Inhalt des Lebens nach dem Tode. Nach einer Vorbemerkung über die Verbreitung und das Alter dieses Glaubens behandelte er im ersten Teil das Weiterleben des ganzen Menschen, das Weiterleben eines vom Körper unterschiedenen, geistigen Prinzips, die Auferstehung des irdischen Leibes und die Unsterblichkeit der Seele; im zweiten Teil richtete er seine Aufmerksamkeit auf die Unterwelt, das Totenreich auf der Erde, die Unsterblichkeit der Seele; im dritten erörterte er die Fortsetzung des irdischen Lebens, die Verschlechterung des irdischen Lebens, die übermenschliche Stellung der Toten und das verschiedene Geschick der Verstorbenen.

Auf Grund des hier erarbeiteten Materials machte C. Clemen zum Schluß einige prinzipielle Aussagen. Zu der Frage, ob wir wirklich von einer Seele sprechen oder vielmehr bei der von der Erfahrung dargebotenen Mannigfaltigkeit von Bewußtseinsvorgängen stehen zu bleiben haben, meinte er: Er wolle nicht behaupten,

---

[214] Ebd. S. 182-187.
[215] Ebd. S. 224-232.
[216] C. Clemen: Das Leben nach dem Tode im Glauben der Menschheit. (ANGW. 544.) Leipzig, Berlin 1920. - Vgl. dazu die Rez. von Chr. Schreiber. In: PhJ 33 (1920) 387-390.

daß das Bewußtsein als Substanz zu denken wäre, wenn auch die gegen diese Anschauung erhobenen Bedenken nur die Vorstellung von einer unabänderlichen Substanz träfen, die in der Tat unhaltbar sei. Das Psychisch - Reale könne auch als Kraftzentrum gedacht werden; aber Bestimmteres ließe sich darüber noch nicht ausmachen, genug, daß von ihm als einer besonderen Realität gesprochen werden müsse. Dann aber, so schloß C. Clemen, könnte die Seele auch nach dem Tode weiterexistieren, denn daß wir uns das natürlich nicht vorzustellen imstande seien, besage garnichts. Freilich beweisen lasse sich ein solches Weiterleben so lange nicht, als die Erscheinungen des Spiritismus und Okkultismus nicht genauer untersucht seien; es könne nur postuliert oder aus praktischen Gründen angenommen werden. Andererseits verwahrte sich C. Clemen dagegen, daß man ein Leben nach dem Tode einfach als denknotwendig erklären wollte. Eine solche Beweisführung machte jedenfalls auf ihn keinen Eindruck. Stattdessen forderte er, davon auszugehen, daß die Welt überhaupt einen Sinn und Zweck habe; dann lasse sich zeigen, daß auch für den einzelnen ein Weiterleben nach dem Tode, dessen Möglichkeit nicht bestritten werden könne, anzunehmen sei. Vor allem, so betonte C.Clemen, müsse von einem Leben nach dem Tode eine Fortsetzung der sittlichen Entwicklung erhofft werden. Wer habe nicht angesichts des Todes das Gefühl, nicht fertig zu sein; wer müsse nicht sagen: So wie ihm bisher schon immer neue Aufgaben gestellt wurden, von denen er früher nichts ahnte, deren Erfüllung ihn aber aufs höchste beglückte, so werde das auch wohl weiterhin der Fall sein. Könnte er diese Aufgaben dann nicht mehr erfüllen, so bliebe sein Leben, mag es auch noch so reich gewesen sein, ein Torso; so hätte die ganze Entwicklung insofern wieder kein Ziel und keinen Sinn[217].

C. Clemen glaubte nicht daran, daß die sittliche Entwicklung des Menschen auf wunderbare Weise plötzlich zum Abschluß gebracht wird; vielmehr vertrat er die Ansicht: wie sie hier auf Erden immer nur Schritt für Schritt vorangehe, so werde das auch nach dem Tode noch der Fall sein. Darin lag für ihn einbeschlossen, daß auch dann noch Widerstände zu überwinden sind, daß also insofern das Leben auf Erden sich fortsetzt. Allerdings, so fügte er einschränkend hinzu, hätte das keinen Zweck, wenn diese Fortsetzung unter im wesentlichen gleichen Verhältnissen stattfände, das heißt wenn wir auch nach dem Tode der Widerstände, mit denen wir es zu tun haben werden, nie Herr würden. Er war überzeugt, daß sich der Kampf, den wir auch dann noch zu bestehen haben werden, eben dadurch von dem irdischen unterscheiden werde, daß er zum Siege führt. Dies werde schon dadurch ermöglicht, daß wir dann nicht mehr durch das, was das Neue Testament Fleisch nennt, immer wieder gehindert werden. Aber in Tätigkeit, die uns hier allein befriedigte und beglückte, werde auch die Seligkeit noch bestehen - vielleicht in Arbeit an denen, die in ihrer sittlichen Entwicklung noch nicht so weit fortgeschritten sind und immer von neuem in diesem unfertigen Zustand abgerufen werden.Er folgerte, daß damit gleich die christliche Erwartung eines Reiches Gottes recht behielte und die Hoffnung auf eine Wiedervereinigung mit denen, die wir hier auf Erden besonders liebten und schätzen, festgehalten werden könne, - wenngleich man sich das Leben nach dem Tode kaum weiter ausmalen dürfe[218].

---

[217] Clemen: Das Leben nach dem Tode im Glauben der Menschheit. S. 109-110.
[218] Ebd. S. 115.

Wir werden bald sehen, wie diese »evolutionistische« Auffassung des Bonner Religionshistorikers den Widerspruch lutherischer Theologen fand. Für C. Clemen aber stand fest, daß jeder, der an keine jenseitige Weiterentwicklung und Vollendung glaubt, auch in seinem irdischen Streben nachlassen wird[219].

(7) Heinrich Scholz (1884-1956)

Nachdem wir die Ansichten eines Religionshistorikers zum Problem des Lebens nach dem Tode kennen gelernt haben, wenden wir unsere Aufmerksamkeit nun einer Schrift zu, in der nach dem ersten Weltkrieg der Unterblichkeitsgedanke als philosophisches Problem erörtert wurde[220]. Ihr Verfasser, H. Scholz, hatte sich unter dem Einfluß von A. von Harnack der Theologie zugewendet, sich 1910 in Berlin für Religionsphilosophie und systematische Theologie habilitiert, wurde 1917 als Ordinarius nach Breslau gerufen, wo er bis 1921 wirkte. Aus der Zeit dieser ersten Schaffensperiode stammt seine »Religionsphilosphie«, in der er alle bis dahin geleistete Arbeit zusammenfaßte[221]. Es sei daran erinnert, daß der Söhngen - Schüler H. Luthe diesem Werk eine gründliche Studie gewidmet hat[222].

Die Beschäftigung mit dem Unsterblichkeitsproblem hatte bei H. Scholz schon sehr früh eingesetzt[223]. In der oben genannten Schrift begann er die Erörterung, indem er zunächst die Metaphysik des Todes darlegte[224]. Daran anschließend beschäftigte er sich intensiv mit der Platonischen Begründung und Kantischen Kritik der Unsterblichkeitsbeweise[225], wobei er aufzeigte, welche Umformungen der Unsterblichkeitsgedanke in alter und neuer Zeit erfuhr.

Die älteste Umformung fand nach H. Scholz durch den johanneischen Begriff des »ewigen Lebens« statt[226]. Gemäß der Erkenntnis, daß es sich um ein durchaus gegenwärtiges Leben handelt, dessen Ewigkeit jedoch nicht in seiner Dauer, sondern in der Unendlichkeit seines Gehaltes liegt, schien ihm die ältere quantitative Betrachtung völlig in eine qualitative übergegangen zu sein. Entwicklungsgeschichtlich glaubte er feststellen zu können, daß der johanneische Gedanke des ewi-

---

[219] Ebd. S. 118.

[220] Heinrich Scholz: Der Unsterblichkeitsgedanke als philosophisches Problem. Berlin 1920. - Dass. 2., neuverfaßte Ausgabe. Ebd. 1922. - Zitiert wird die 2. Ausgabe.

[221] Ders.: Religionsphilosophie. Berlin 1921, ²1922. - Vgl. u.a. G. Wunderle. In: ThRv 20 (1921) 393-394. - K. Adam: Der Weg der erfahrungsmäßigen Gotteserkenntnis. Eine Auseinandersetzung mit Heinrich Scholz. In: ThQ 103 (1922) 200-248. - Dass. in: K. Adam. Glaube und Glaubenswissenschaft im Katholizismus. Vorträge und Aufsätze. 2., erweiterte Auflage. Rothenburg 1923. S. 94-142.

[222] H. Luthe: Die Religionsphilosophie von Heinrich Scholz. (Kath. theol. Diss. München 1961.) Köln 1961. Darin eine biographische Einführung (S. 10-15), sowie eine ausführliche Bibliographie (S. 355-368). - Hingewiesen sei besonders auf die im Anhang beigefügten „Unveröffentlichten Schriften und Fragmente aus dem Nachlaß von Heinrich Scholz" (S. 387-510).

[223] Vgl. H. Scholz: Schleiermachers Unsterblichkeitsglaube. Eine Totenfest-Betrachtung. In: ChW 21 (1907) 1133-1138. - Ders.: Wie dachte Goethe über Tod und Unsterblichkeit? In: TR 20. und 22. November 1909.

[224] Ders.: Der Unsterblichkeitsgedanke als philosophisches Problem. S. 7-29.

[225] Ebd. S. 30-41.

[226] Vgl. Joh. 5, 24.

392

gen Lebens tief in die mittelalterliche Mystik eingegangen war und daß die Kirche des Mittelalters ihn trotz ihrer unerschütterlichen Jenseitsmystik im allgemeinen durchaus duldete, zumal er sich nur selten in Übersteigerungen zu einer Kritik des Unsterblichkeitsdogmas verschärft habe. In der Neuzeit hingegen wurde der Geist mehr und mehr von einer ans Irdische gefesselten Weltanschauung umfaßt; dieser drängte den Jenseitsglauben insgesamt allmählich zurück und trat schließlich an dessen Stelle. H. Scholz verwies auf F. Schleiermacher als den klassischen Vertreter dieser folgenreichen Richtung und beschrieb, daß sich bei ihm die Kategorie des Lebens nicht nur vor den Unsterblichkeitsglauben lagerte, vielmehr diesen in sich aufsaugte, so daß der Unsterblichkeitsglaube restlos in das Gefühl eines diesseitig - ewigen Lebens überging[227].

Für H. Scholz selbst war der Unsterblichkeitsgedanke als philosophisches System identisch mit dem Unsterblichkeitsglauben, dem ein positives philosophisches Werturteil irgendwie zugeordnet werden kann; dieser Unsterblichkeitsglaube schien ihm wenigstens potentiell einer philosophischen Rechtfertigung fähig[228]. Die philosophische Erörterung des Unsterblichkeitsglaubens ruhte dabei auf einem Inbegriff von Bedingungen auf, dem folgende Elemente angehören mußten: (1) ein Bestimmungsaxiom, das den Unsterblichkeitsbegriff auf diejenigen Lebensformen einschränkt, die über das irdische Leben hinausreichen und irgendwie mit der Erhaltung des Selbstbewußtseins verknüpft sind; (2 - 5) vier Einklammerungspostulate, nämlich erstens die Einklammerung des Anspruchs auf endgültige Urteile zugunsten einer Erkenntnisgewinnung, deren philosophische Qualität auf der Art ihrer Erwerbung und der Substanz ihres Gehaltes beruht und nicht an der Allgemeingültigkeitsform haftet; zweitens die Einklammerung aller Rechtfertigungsversuche, die sich entweder auf Transformationen des Unsterblichkeitsgedankens oder auf okkulistische Experimente oder auf vitalistische Spekulationen stützen; (6 - 7) zwei Existenzpostulate, nämlich erstens die Existenz eines Unsterblichkeitsglaubens, der sich weder direkt noch indirekt auf die Verdinglichungstendenzen einer primitiven Psychologie zurückführen läßt; zweitens die Existenz von Erfahrungen hochstehender Art, aus denen in zuverlässigen, obschon nicht notwendigen Gedankenschritten auf Unsterblichkeit geschlossen werden kann[229].

Der Gedanke an die Möglichkeit einer Entbindung von der Materie nötigte H. Scholz zu einer Erneuerung der alten Unterscheidung von Seele und Geist. »Seele« im engeren Sinne identifizierte er mit dem Inbegriff derjenigen Bewußtseinsinhalte, die so eng an die Existenz des Leibes gebunden sind, daß sie ohne ihn nicht einmal sinnhaft gedacht werden können. Alles Sinnliche im weitesten Sinne wäre damit der »Seele« zugeordnet und mit dieser eindeutig an den Organismus gebunden[230].

---

[227] Scholz: Der Unsterblichkeitsgedanke als philosophisches Problem. S. 46.
[228] Ebd. S. 58.
[229] Ebd. S. 74.
[230] Ebd. S. 78. - Zur Bewertung vgl. Ahlbrecht: Tod und Unsterblichkeit in der evangelischen Theologie der Gegenwrt. S. 82-83.

Nach dieser Definition behauptete H. Scholz fortan nur noch die Unsterblichkeit des »Geistes«, das heißt für ihn die über das irdische Leben hinausreichende, mit der Erhaltung des Selbstbewußtseins verknüpfte Fortexistenz des Geistes. Was nun die nähere Bestimmung des Geistes betraf, so war sie ihm durch diese Definition des Seelenbegriffs vorgezeichnet. Wenn nun der bei ihm eingeführte »Geist« nicht nur ein unkontrollierbares Phantasma sein sollte, so mußte er für H. Scholz notwendig mit dem Inbegriff derjenigen Bewußtseinsinhalte zusammenfallen, die nach Abzug des »Seelischen« übrig blieben. Dies aber war dann der Inbegriff derjenigen Erlebnisse und Funktionen, in denen wir unmittelbar der »Autonomie« des Bewußtseins inne werden, oder, was für H. Scholz dasselbe bedeutete, in denen wir uns von der organisierten Materie des Körpers mehr oder weniger unabhängig fühlen. Mehr als eine relative Autonomie oder Unabhängigkeit glaubte er auch für die höchsten Bewußtseinsinhalte nicht ohne Übersteigerung behaupten zu können. Unter den Bewußtseinsinhalten der geforderten Art drängten sich ihm die von den mechanischen Triebhandlungen so gänzlich verschiedenen Willensfunktionen am stärksten auf. In diesem voluntaristischen Aspekt folgte er I. Kant und J.G. Fichte. Ein zweiter Komplex waren für ihn die intellektuellen Funktionen, soweit sie nicht im Dienst der Selbst- und Arterhaltung, sondern der Theorie, also der »reinen Erkenntnis« stehen[231].

Als die notwendige und hinreichende Bedingung für die Auszeichnung des Geistes neben der Seele bezeichnete H.Scholz den Inbegriff der Funktionen und Eindrücke, die ihm bei aufmerksamer Betrachtung irgendwie den Charakter des »Unirdischen« zu tragen schienen, das heißt aber den Charakter von etwas, das er durch die organisierte Materie zwar mannigfach vermittelt sah und nirgend ohne sie antraf, obgleich es in dieser nicht auch ihren hinreichenden Grund haben konnte, so daß es ihm auf eine merkwürdige »Selbsteindeutigkeit des Geistes« hinzudeuten schien. Er gab zu bedenken, daß wir den Geist und das Bewußtsein überhaupt nur als einen eigentümlich zentralisierten Inbegriff von charakterisierten Relationen kennten, denen auch nicht eine Spur von Dinglichkeit anhafte, »Substanz« war der Geist für ihn nur insofern, als er in seiner eindeutigen Aktualität relativ für sich existiere. Dieses relative Fürsichsein deute allerdings - wie er erklärte - auf eine Substanzialität, von der wir keinesfalls absehen können. Es war jedoch für ihn eine Substanzialität von gänzlich anderer Art als diejenige, die er dem Dingsein zugeordnet sah[232].

Nach dieser Erörterung kam H. Scholz zu der Definition: »Der Unsterblichkeitsglaube als philosophisches Problem, d. i. als Objekt einer möglichen philosophischen Rechtfertigung, ist der Glaube an die über das irdische Leben hinausreichende, mit der Erhaltung des Selbstbewußtseins verknüpfte Existenz des durch das Auftreten 'uniridscher' Momente geadelten, folglich, im Gegensatz zur Natur der 'Seele', der organisierten Materie gegenüber in eigentümlicher Selbstständigkeit verharrenden Geistes«[233].

---

[231] Scholz: Der Unsterblichkeitsgedanke als philosophisches Problem. S. 79.
[232] Ebd. S. 80-81.
[233] Ebd. S. 82.

394

Die Konsequenz, die sich aus dieser Umschreibung ergab, lag darin, daß H. Scholz nur unter Voraussetzung des Unsterblichkeitsglaubens die Teilnahme des sittlichen Subjekts an den Gütern der sittlichen, d. i. den Ausgleich von Charakter und Schicksal verbürgenden Weltordnung gewährleistet sah. Er verwies darauf, daß das Entscheidende an der philosophischen Rechtfertigung, die I.Kant dem Unsterblichkeitsglauben verlieh, in folgenden Punkten zu suchen sei:

(1) Es gibt einen philosophischen Unsterblichkeitsglauben, ... der nicht nur einer nachträglichen philosophischen Rechtfertigung fähig ist, sondern aus philosophischen Erwägungen entspringt.

(2) Der Ursprung dieses Unsterblichkeitsglaubens liegt in der Logik des sittlichen Selbstbewußtseins, die deshalb nicht weniger Logik ist, weil sie die Existenz von Beziehungen fordern darf, die die Logik des reinen Erkennens nur als widerspruchsfreie, also mögliche Gedankenschöpfungen (»Ideen«) zulassen kann.

(3) Der Inhalt dieses Unsterblichkeitsglaubens ist die über das irdische Leben hinausreichende, mit der Erhaltung des Selbstbewußtseins verknüpfte Existenz des sittlichen Subjektes zum Zweck des Genusses der sittlichen Weltordnung (des Ausgleichs von Charakter und Schicksal).

(4) Die Grundlage dieses Unsterblichkeitsglaubens ist die Einsicht in die singuläre Bedeutung des sittlichen Subjekts, d. i. in den eigentümlichen Wertgehalt, durch den sich der sittlich lebendige Mensch als eine durch nichts zu ersetzende »Persönlichkeit« aufbaut und der »Natur« gegenüber eine Stellung erlangt, die ihm das Recht verleiht, sich... als ein Endzweck der Schöpfung zu fühlen; mit anderen Worten als ein Charakter, dessen Schicksal der das sittliche Leben produzierenden Vernunft garnicht gleichgültig sein kann, solange sie noch an sich selber glaubt[234].

Hierzu erläuterte H. Scholz, daß der Kantische Gedankengang die einzige Rechtfertigung des Unsterblichkeitsglaubens sei, die des Gottesglaubens auf keine Weise bedarf. Es sei die einzige deduzierbare Form des Unsterblichkeitsglaubens, die sich grundsätzlich mit dem Atheismus verträgt. Formal gehen alle philosophischen Rechtfertigungen des Unsterblichkeitsglaubens nach H. Scholz auf Obersätze zurück, die sich als hypothetische Urteile erweisen, d. i. als Urteile, die grundsätzlich durch gleichberechtigte Gegenurteile ersetzt werden können. Die Entscheidung liegt dabei ausschließlich in den Händen des urteilenden Subjekts, und die Verantwortung, die dieses hiermit übernimmt, war für H. Scholz so groß, daß er wohl verstehen konnte, warum der Positivismus die voraussetzungsloseren Urteile vorzieht[235].

Zwischen der Unendlichkeit der sittlichen Aufgabe und der endlichen Dauer des menschlichen Lebens sah H.Scholz ein Mißverhältnis bestehen, von dem er meinte, es könne nur dadurch beseitigt werden, daß der Unsterblichkeitsglaube zugleich in den Dienst des sittlichen Vollendungsstrebens gestellt wird. Einschränkend sagte er allerdings, daß er sich unter einem sittlichen Wachstum, das sich nicht in der stetigen Auseinandersetzung mit der organisierten Materie vollzieht, also mit dem, was er von der Unsterblichkeit ausschloß, schlechterdings nicht vorstellen könne[236].

---

[234] Ebd. S. 86-87.
[235] Ebd. S. 89.
[236] Ebd. S. 92.

Interessant ist nun, wie H. Scholz selbst als Religionsphilosoph, zu dem ange-schnittenen Problem Stellung nahm.Er vertrat die These: »Wie es einen Unsterb-lichkeitsglauben gibt, der des Gottesglaubens sowenig bedarf, daß er sich im Prin-zip sogar mit dem Atheismus verbinden kann, so gibt es umgekehrt in den beiden Bereichen der Metaphysik und der Religion einen souveränen Gottesglauben, der mit irgendwelchen Unsterblichkeitsinteressen so wenig verknüpft ist, daß er sie oh-ne die geringste Erschütterung völlig preiszugeben vermag«[237]. Die Ableitung des Unsterblichkeitsglaubens aus dem Gottesglauben war für H. Scholz nur unter der Voraussetzung möglich, daß der menschliche Geist als das Subjekt des Gottesbe-wußtseins gedacht und vermöge dieser einen Beziehung der ganzen Natur gegen-übergestellt wird. Die daran anschließende Überlegung faßte H. Scholz in folgen-den Sätzen zusammen:

(1) Es gibt im Bereich des hochwertigen Denkens neben dem autonomen noch ei-nen zweiten Unsterblichkeitsglauben, der durch den Gottesglauben vermittelt ist.

(2) Der Ursprung dieses Unsterblichkeitsglaubens liegt nicht in der Logik des Got-tesglaubens als solcher, sondern in der Voraussetzung, daß das Gottesbewußtsein, als einziger absoluter, aber stets nur in relativer Verwirklichung existierender Wert, einer absoluten Verwirklichung würdig ist.

(3) Der Inhalt dieses Unsterblichkeitsglaubens ist die über das irdische Leben hin-ausreichende, mit der Erhaltung des Selbstbewußtseins verknüpfte Existenz des menschlichen Geistes zum Zweck seiner ewigen Erfüllung mit der Substanz des Gottesbewußtseins.

(4) Die Grundlage dieses Unsterblichkeitsglaubens ist die Sonderstellung des menschlichen Geistes im Gefüge der Natur vermöge seiner Erhöhung durch das Gottesbewußtsein. Als unentbehrliches Zusatzglied kommt die Annahme hinzu, daß der Geist überhaupt nur in der Form des persönlichen Lebens existiert und diese ihm wesentliche Form nicht erst nachträglich durch die Verbindung mit der organisierten Materie erlangt[238].

Das Einzige, was für H. Scholz über jeden Zweifel gewiß war, war das kraft seiner Transformation durch das Gottesbewußtsein über jede andere Existenzform hinausgehobene »ewige Leben in der Zeit«[239]. Alles übrige betrachtete er als Speku-lation. Der Unsterblichkeitsglaube als philosophisches Problem, als Glaube, der einer philosophischen Rechtfertigung fähig ist, stand dabei für ihn jenseits des pragmatischen Standpunktes[240].

(8) Paul Althaus (1888-1966)

Hatte sich H. Scholz bemüht, die Tradition des philosophischen Denkens un-ter der verschärften Fragestellung jener Zeit zu behaupten, so zeigen die Schriften des Lutheraners P. Althaus deutlich, welche Veränderungen der Krieg im Bereich des theologischen Denkens bewirkte.

---

[237] Ebd. S. 98.
[238] Ebd. S. 100-101.
[239] Ebd. S. 103.
[240] Ebd. S. 109.

. P. Althaus stammte aus Obershagen bei Hannover. Noch bevor er 1914 Privatdozent in Göttingen wurde[241], - wo schon sein Vater Paul Althaus d.Ä. (1861-1925) Professor für systematische und praktische Theologie war (1897-1912) -, veröffentlichte er mit dem Titel »Der Friedhof unserer Väter« eine Aufsatzfolge, in der er wesentliche Gesichtspunkte der evangelischen Ewigkeitshoffnung in ihrem systematischen Zusammenhang beschrieb[242].

Durch das Massensterben des 1. Weltkriegs sah sich der junge Privatdozent erneut gedrängt, zu den uralten Problemen unseres Jenseitsglaubens Stellung zu nehmen. Zunächst versuchte er, in einem »Gang durch die Sterbe- und Ewigkeitslieder der evangelischen Kirche« den trauernden Christen Trost zu spenden[243]. 1922 erschien dann in den Studien des apologetischen Seminars in Werningerode sein Buch »Die letzten Dinge«, das einen umfassenden Entwurf christlicher Eschatologie darbot[244].

Schon ein erster Blick in die Einleitung dieser Schrift läßt uns erkennen, daß es sich bei P. Althaus ähnlich wie in den katholischen Entwürfen von H. Schell, J. Zahn oder R. Guardini um eine apologetische Dogmatik handelte; das heißt, sie wurde nicht als Teilstück eines umfassenden dogmatischen Lehrbuchs verfaßt, sondern muß als Versuch gewertet werden, jene dringlichen Fragen, von denen die Menschen damals bewegt wurden, zu beantworten. Die Arbeit zielte deshalb darauf ab, alte Glaubenswahrheiten in neuem Licht verständlich zu machen, Einwände zu entkräften, gegenteilige Auffassungen zu widerlegen - eine Aufgabe, an der P. Althaus unermüdlich arbeitete. Um seine These richtig zu verstehen, kommt es darauf an, daß der Ausgangspunkt dieser Fragen zutreffend erfaßt wird. Wenn wir hier zunächst die Analyse widergeben, die der Rostocker Systematiker seiner dogmatischen Untersuchung voranstellte, so gewinnen wir zugleich jenen Horizont, in dem sich das theologische Denken damals vollzog.

P. Althaus beschrieb, wie nach dem Krieg ein Strom der Fragenden von den laut angebotenen spiritistischen Jenseitsoffenbarungen und der anthroposophischen Jenseitsschau angelockt wurde. Neben der Frage nach dem Einzelnen meldete sich jedoch noch mächtiger das Problem des Endes überhaupt. Viele waren aus der »Lieblingseschatologie des letzten Menschenalters«, dem Glauben an den Fortschritt ins Unendliche, an die ewige Weiterentwicklung des Geistes, wie sie nach dem Urteil unseres Theologen in der Ethik W. Wundts[245] ihren reifsten Ausdruck fand, aufgeschreckt. Der Krieg offenbarte furchtbar die Dämonie der Kultur und erschütterte den evolutionistischen Optimismus in Europa. Das Erleben eines »Endes« und der tiefe Eindruck von einer immanenten Sinnlosigkeit der Geschichte machte die Zeit für die Eschatologie reif. Daher würdigte Althaus, daß mit O. Spenglers Schicksalsgedanke mitten in allem Relativismus ein Wort vom Letzten

---

[241] W. Lohff: Paul Althaus. In: TdTh. S. 296-302. - Vgl. Stephan-Schmidt. S. 334-335. - Ölsner. S. 106-110.

[242] P. Althaus: Der Friedhof unserer Väter. In: AELKZ 46 (1913) 1115-1118, 1142-1146, 1167-1169, 1192-1194, 1216-1217.

[243] Ders.: Ein Gang durch die Sterbe- und Ewigkeitslieder der evangelischen Kirche. Gütersloh 1915, [4]1948.

[244] Ders.: Die letzten Dinge. Entwurf einer christlichen Eschatologie. (StASW. 9.) Gütersloh 1922.

[245] Zu W. Wundt siehe oben S. 9, 16.

und Unbedingten, eine neue Eschatologie an die Stelle eines idealistischen Kultur- und Fortschrittsglaubens trat[246]. Hierbei übersah er nicht, daß die Skepsis gegenüber der Zukunftshoffnung keineswegs die Alleinherrschaft gewinnen konnte. Im Kommunismus und Sozialismus gewahrte er das »Lodern eines eschatologischen Glaubens von ungebrochener Gewalt«, das »heiße Erwarten eines Zeitalters der Gerechtigkeit und Brüderlichkeit, das von der Not, dem Haß, der Konkurrenz der Gegenwart erlöst«[247].

P. Althaus hatte bei all dem jedoch nicht nur die außerchristlichen Bewegungen im Auge. Er sah vielmehr, wie durch den Machtanstieg und Zukunftsanspruch des bolschewistischen Kommunismus die Christenheit aufs Neue und sehr unmittelbar vor das chiliastische Problem geführt wurde. So beschrieb er, wie im »religiösen Sozialismus«, der den Sozialismus urchristlich chiliastisch verstehen und erklären wollte, die Frage nach dem Gottesreich auf Erden und dem Recht des Chiliasmus neu erwachte[248], und wie gerade damit innerhalb der christlichen Gemeinde ein neues Zeitalter der »letzten Dinge« heraufzog. Er machte darauf aufmerksam, daß der eschatologische Zug, der bei Pietisten und Sekten stets lebendig war, nun ebenso durch die Gruppe der Religiös - Sozialen ging[249]. Je deutlicher man erkannte, wie das Kommen des sozialen und pazifistischen Gottesreiches jenseits alles religiös - sozialen Aktivismus, jenseits der Möglichkeiten eines christlich durchglühten und autorisierten Sozialismus blieb, desto heißer streckte man sich - wie P. Althaus zugestand - der wunderhaften Machttat Gottes entgegen, von der man annahm, daß mit ihr die Herrschaft Gottes auf Erden herrlich hereinbrechen werde. Diese eschatologische Spannung bewertete der Lutheraner als »Triebkraft und Bescheidung des Aktivismus zugleich«, und er versäumte nicht, darauf hinzuweisen, daß die »urchristliche soziale Reichsgotteserwartung« gegen das »individualistische, jenseitsgerichtete und für diese Erde hoffnungslose Luthertum« aufgerufen wurde[250].

Auch jenseits der eigentlich religiös-sozialen Kreise sah P. Althaus somit das Empordrängen des eschatologischen Denkens. Die neue Besinnung darauf, daß die Religion mit Kultur, Sozialismus, Staat und Diesseitswerten überhaupt zunächst nichts zu tun habe, daß sie Ergriffen-, Erkannt-, Gerichtet- und Berufensein durch das »ganz andere« bedeute, die mit großer Wucht vordrängende neue und doch alte Verkündigung, daß Gott und Welt den absoluten Gegensatz bezeichne - das heißt: die Wiederentdeckung oder doch erneute Betonung der Transzendenz der Religion und Gottes, des schlechthin wunderhaften Einbruchs seiner Offenbarung in die todverfallene Welt - das alles bedeute für ihn eine völlige Krisis des üblichen Kulturprotestantismus und der Diesseitsreligion. Mit dem Durchbruch der Transzendenz und des Supranaturalismus sah er die Gegenbewegung gegen die fortschreitende »Enteschatologisierung« des Christentums entstehen, und mit Hinweis auf

---

[246] Zu O. Spengler siehe oben S. 43, Anm. 194.
[247] So Althaus: Die letzten Dinge. S. 9-10. - Vgl. ders. in: RGG² 2 (1928) 353.
[248] Vgl. ders.: Religiöser Sozialismus. Grundfragen der christlichen Sozialethik. (StASW. 5.) Gütersloh 1921. - Vgl. auch Th. Siegfried: Endgeschichtliche und aktuelle Eschatologie. In: ZThK N.F. 4 (1923/24) 353.
[249] Dazu siehe oben S. 86-88.
[250] Althaus: Die letzten Dinge. S. 10-11.

K. Barth[251], E. Thurneysen[252] und F. Gogarten[253] kam er zu dem Schluß: »Die Eschatologie, vordem ein lange vernachlässigter Anhang, will der eigentliche Kern und Sinn des Ganzen werden«[254].

Theologiegeschichtlich ergab sich mit dieser Analyse der Ausgangspunkt, von dem her P. Althaus in ernster Verantwortung die christliche Hoffnung in erneuter Besinnung begründen, entwickeln und begrenzen wollte. Der biblizistischen Methode gegenüber erhob er die Frage, ob es sich bei der biblischen Hoffnung im Ganzen und in ihren Einzelgedanken um etwas dem Christentum Wesenseigenes oder um zeitgeschichtlich-Zufälliges handle. Die Aufgabe des Dogmatikers sah er darin, hinter die großen Hoffnungsworte und Bilder des Neuen Testaments zurückzugehen und nach der Notwendigkeit zu suchen, mit der sie aus der Erfahrung der Tat Gottes herausgewachsen seien. Er werde, wenn er so die biblischen Gedanken von ihrer Wurzel aus nachdenke, bald merken, wie die neutestamentliche Hoffnung garnicht in erster Linie auf ausdrücklichen Jesusworten, sondern auf der Christustatsache, dem Faktum des gekreuzigten und lebendig erstandenen Christus und des durch ihn begründeten Christenstandes ruhe. Diese Vertiefung in die Wurzeln biblischer Eschatologie lehrte P. Althaus die notwendigen Spannungen und Polaritäten der Hoffnung verstehen, aber auch die zeitgeschichtlichen Schranken und Gebundenheiten ihres biblischen Ausdrucks erkennen. In seiner Dogmatik wollte er den gleichen Weg vom Glauben zum Hoffen gehen, wie er ihm in den biblischen Sätzen deutlich genug erkennbar wurde. Er erwartete, daß die Christustatsache, an der Glaube und Hoffnung des Neuen Testament entstehen, sich auch an uns als glaubenerweckende gegenwärtige Macht erweise; und wenn unser Glaube zugleich ein Hoffen werde, dies um der gleichen Tatsache willen geschehe. So vertrat er die These: »Bei ihr, sofern sie Glauben schafft und ihm sich in ihrem Sinne erschließt, das heißt bei dem Christusglauben muß eine theologisch mögliche Eschatologie einsetzen, aus ihm ist jede Aussage abzuleiten«[255]. Darin sah er die einzige und wahre Objektivität, an der ihm gelegen war.

Der dogmatischen Grundlegung einer christlichen Eschatologie schickte P. Althaus die religionsphilosophische Begründung aller Eschatologie voraus. Hier betrachtete er es als seine Aufgabe, die Notwendigkeit eschatologischer Gedankenbildung überhaupt, ihre Bedingungen und Möglichkeiten vom Wesen religiöser Erfahrung oder metaphysischer Besinnung aus durchzudenken. Dabei wurde er auf zwei Grundformen der Eschatologie geführt, die er als »axiologische« und »teleologische« bezeichnete. Unter ersterer begriff er die Gewißheit um letzte Dinge oder um das Ewige, die nach seiner Beobachtung immer dann entsteht, wenn wir Menschen inmitten unseres Lebens der Norm begegnen. Zur Stützung seiner These verwies er darauf, wie Windelband in seiner Philosophie der Werte den Begriff des

---

[251] Friedrich Gogarten (1887-1967). Althaus wies hin auf dessen Schrift: Die religiöse Entscheidung. Jena 1921. - Vgl. F. Gogarten: Fichte als religiöser Denker. Jena 1914. - D. Sölle: Friedrich Gogarten. In: TdTh. S. 291-295.

[252] Zu K. Barth siehe unten S. 430-457.

[253] Eduard Thurneysen (geb. 1888) stand ebenso wie K. Barth unter dem Einfluß von Chr. Blumhardt und H. Kutter. Dazu siehe S. 88, Anm. 43.

[254] Althaus: Die letzten Dinge. S. 12.

[255] Ebd. S. 14.

Ewigen verwendete[256] und erklärte: »Das Ewige hat hier den Sinn des Unbedingten, auf das wir mitten in bedingten Beziehungen und durch sie bezogen sind, des Übergeschichtlichen mitten in der Geschichte«[257]. P. Althaus fand, daß dieser Begriff der Ewigkeit weder mit dem naiven der endlosen Dauer in der Zeit, noch mit dem erkenntnistheoretischen der Zeitlosigkeit etwas zu tun habe, daß er vielmehr - als seinen Gegensatz - die Zeit als Ort des Bedingten bestimme; daß er deshalb inhaltlicher als jene sei, wie er denn in der Erfahrung inhaltlicher Transzendenz geboren werde[258].

Mit der Bezeichnung »axiologisch« wollte P. Althaus also andeuten, daß die Inhaltlichkeit einer Gegenwartserfahrung gemeint sei[259]. Dieses Ewige bezeichnete für ihn nicht nur die Grenze, das Jenseits unseres Lebens, vielmehr sah er es in dem Fordern der Norm und in der Hingabe des Willens an die Norm in die geschichtliche, relative Wirklichkeit des Lebens selber hineintreten, so daß wir mitten in der Geschichte an dem Übergeschichtlichen teilnehmen, überzeitlich werden durch die Hingabe an das Unbedingte[260]. Entsprechend fand der Religionsphilosoph in aller höheren Religion alle sonstige Normerfahrung gesammelt und durch das Erfaßtsein von dem transzendenten Heiligen überboten. Es handelte sich dabei geradezu um Transzendenzgewißheit, um »Ewigkeits«-Erfahrung in völliger Bewußtheit und Unwidersprechlichkeit. Ähnlich wie R. Otto beschrieb er, daß sie den Menschen zunächst als demütige Gewißheit eigener Ärmlichkeit, Endlichkeit, Todverfallenheit ergreift, indem sie den Abstand aufreißt und die Seele hart auf die Grenzen der Menschheit stößt; daß sie dann jedoch paradoxerweise mitten in Nichtigkeits-, Unwerts-, ja Gerichtserfahrung irgendwie zu einem Anteilgewinnen an dem Leben Gottes wird. In der Gottesgemeinschaft, ob sie nun magisch-sakramental oder mystisch-ekstatisch oder ethisch-persönlich zustande komme, trage der Augenblick »Ewigkeit« in sich, jenseits alles Scheins sei das Dasein vor und in die »Wahrheit« gerückt, hinter allem Vordergründigen die Tiefe erschlossen, die allerwirklichste Wirklichkeit; aus eigener Existenz, die sich als in sich nichtig, als nichts dem Tode gerade jetzt enthülle, sei »ewiges Leben« geworden - zunächst in dem Sinne schlechthin unbedingten Lebensgehaltes, unbedingten Sinnes und durch seinen Inhalt unbedingter »Jenseitigkeit«, denn »Gottes Leben ist und bleibt das Jenseits gegenüber allem natürlichen Menschen- und Weltdasein«[261].

Nach P. Althaus liegt hier der Ton auf der Inhaltlichkeit dessen, was als ewiges, himmlisches Leben in das arme Dasein eintritt, daß die Frage nach der Dauer des persönlichen Daseins in der gegenwärtigen Seligkeit des Gotthabens ganz untergehen kann. Er meinte gar, daß diese Gewißheit, von dem Ewigen erfaßt und auf letzte Dinge bezogen zu sein, mit dem Verzicht auf persönliches Fortleben über den Tod hinaus verknüpft sein könne. Die alttestamentliche Freude an der Gottesgemeinschaft war ihm ein ergreifendes Zeugnis davon, wenngleich er in Psalm 73 den Be-

---

[256] Zu W. Windelband siehe oben S. 28-30. - Gegen die Idee des Ewigen bei Windelband vgl. C. Stange: Das Ende aller Dinge. Die christliche Hoffnung, ihr Grund und ihr Ziel. Gütersloh 1930. S. 6-16.
[257] Althaus: Die letzten Dinge. S. 17.
[258] Ebd. S. 17.
[259] Vgl. ebd. S. 18, Anm. 2.
[260] Ebd. S. 17.
[261] Ebd. S. 19.

weis dafür fand, daß die Ewigkeitserfahrung, wenn sie als Erschließung von wirklicher persönlicher Gemeinschaft zustande kommt, notwendig weiterdrängt zu der Gewißheit, daß ein solcher Lebensinhalt durch den Tod brechen muß als persönliche Gemeinschaft mit dem von Ewigkeit zu Ewigkeit Lebendigen. »Ewigkeit« und »letzte Dinge« bezeichneten daher für ihn nicht nur einen unvergleichlichen jenseitigen Inhalt, sondern um des Inhalts willen zugleich jene Unvergänglichkeit, die wir, an die Zeitform gebunden, nur als Dauer jenseits des Sterbens begreifen könnten. P. Althaus sah, daß dagegen alle Frömmigkeit, die noch nicht zu personalistischer Klarheit gekommen ist oder als Mystik ihr überlegen zu sein meint, die Frage nach der Dauer beiseite schiebt. Er vermutete aber, daß die Abweisung der Frage nicht überall als endgültige Verneinung der persönlichen Fortdauer gemeint sei, sondern als Gegensatz gegen schnellen und flachen Unsterblichkeitsglauben verstanden werden könne[262].

Der teleologische Begriff der letzten Dinge erwuchs P. Althaus aus der Erfassung der Zeit als Geschichte. Die Zeit erschien ihm zunächst, gerade unter dem Eindruck der uns umgrenzenden Ewigkeit, nur als Wechsel, als Veränderlichkeit und Ort des Vergehens. Aber dann erkannte er, daß die gleiche Ewigkeitserfahrung, wenn sie ihm anders auch die Beziehung unseres Wollens und Handelns auf das Unbedingte bedeutete, dann der Zeit eine ganz neue Tiefe und Bedeutung gibt: ... »sie wird zur Geschichte, zur Bewegung auf ein Ziel hin, zur Stätte des Gehorsams oder Ungehorsams gegen das Unbedingte, also zum Ort der Tat, aber auch der Schuld, also auch des Widerstreites, der Spannung, des Kampfes, schließlich der Möglichkeit fortschreitenden Sieges«[263]. Darin schon fand P. Althaus den Gedanken eines Zieles, des Telos, des Endes eingeschlossen. Neben das Ewige als übergeschichtlich Gegenwärtiges traten hier die letzten Dinge als Ziel, in verschiedener Besonderung: als Ertrag, Vollendung, aber auch als Krisis, Entscheidung, Lösung der Spannung, Sieg des kämpfenden Unbedingten. So stellte er neben die Eschatologie als Lehre von einer im axiologischen Sinn »letzten«, übergeschichtlichen Wirklichkeit die Eschatologie als Lehre von der »Vollendung« einer Geschichte, neben die Gegenwartserfahrung der letzten Dinge das Warten der Hoffnung, die mächtige Spannung des Harrens. In diesem Sinne erschien ihm die Zeit als Form des »Noch-nicht«, des Unvollendeten, des währenden Kampfes, der ungelösten Spannung. Gegenüber dem Vorigen bedeutete dies ein Neues: »das Unvollendete ist etwas anderes als das Relative, die Bewegung der Geschichte etwas anderes als der Wechsel und das Vergehen als solches - so tief die beiden Beziehungen auch zusammenhängen mögen«[264].

Hier entstand für P. Althaus die Eschatologie im eigentlichen und üblichen Sinne des Wortes. Er beschrieb, wie sie allen Geschichtsreligionen eigen ist, in denen die Gottheit nicht nur als das der Geschichte transzendente Sein, auch nicht nur als das allem Wirklichen schaffend gegenwärtige Leben, sondern auch als in der Geschichte mit den Menschen handelnder, als kämpfender und siegender Wille erscheint. Er war der Ansicht, daß sich die Enderwartung an einen offenkundigen

---

[262] Ebd. S. 20-21.
[263] Ebd. S. 21.
[264] Ebd. S. 22.

Dualismus, an den Schranken und Widerständen der Gottesherrschaft, an Schuld und Not, an der Eitelkeit des ganzen Weltdaseins entzündet. Hier fand er die Vorstellung von zwei Zeitaltern, dem αἰὼν οὗτος und dem αἰὼν μέλλων begründet. Mit Berufung auf E. Reitzensteins Untersuchung über die iranischen Erlösungsmysterien[265] schrieb er, daß hierhin alle »iranisch« bestimmten Religionen, alle Formen des Messianismus und der Reichserwartung gehörten, in denen eine Ablösung des jetzigen Weltenlaufs durch die völlig hereinbrechende Herrschaft Gottes erwartet werde. Die gleiche Struktur wiesen für ihn die großen Entwicklungssysteme des deutschen Idealismus auf, und er versicherte, daß alle Geschichtsphilosophie, die von einem Fortschritt in der Geschichte rede, notwendig in diesem besonderen Sinn eschatologisch werden müßten[266].

Dadurch daß die Vollendungserwartung in zwei so unterschiedlichen Beziehungen erschien, entstand für P. Althaus nun ein ernstes Problem. Er sah, daß man von einer Geschichte der Menschheit oder eines Volkes reden kann und daß demgemäß eine auf das Jenseits des Todes gerichtete Vollendung des einzelnen und eine auf die Endgeschichte gerichtete Erwartung des Idealzustandes der Menschheit und Welt entsteht. Im Nebeneinander und dem Verhältnis dieser beiden Vorstellungsreihen lag für ihn das Problem der theologischen Form der Eschatologie. In der spätjüdischen Eschatologie fand P. Althaus zwei Gedankenreihen vereinigt: die messianisch-endgeschichtliche und die personalistisch-übergeschichtliche; hier Tod und Gericht über den einzelnen bzw. über alle Menschen, ewiges Leben oder ewige Verdammnis, dort die Wehen und das Kommen des Messias, das Gericht über die feindlichen Mächte als Endakt der Geschichte, als Lösung der Hochspannung ihrer letzten Periode, dann die Herrschaft Gottes. Diese beiden Linien, die ihm auseinanderzulaufen schienen, sah er verbunden durch die Auferstehung, in der alle persönlich Vollendeten an der Vollendung der Geschichte im Reiche Gottes auf Erden Anteil gewinnen. Er war überzeugt, daß die urchristliche Eschatologie in diesem Punkt an die spätjüdische anknüpfte und daß damit auch für sie die Notwendigkeit entstanden sei, einen Zwischenzustand als Brücke zwischen Tod und Auferstehung, das heißt als Vermittlung zwischen den beiden Reihen der Vollendungshoffnung zu denken[267].

P. Althaus faßte das Problem aber nicht nur von der Religionsgeschichte, sondern vornehmlich von der Religionsphilosophie aus ins Auge. Ansätze zu einer Analyse der Inhalts- und Formprobleme aller Eschatologie bot ihm I. Kants kleiner Aufsatz »Das Ende aller Dinge« von 1794. Die Verschärfung des Problems innerhalb der idealistischen Philosophie beruhte für ihn darin, daß die Eschatologie durch ihre total ethische Ausrichtung ihre kosmische Dimension verlor. Konnte der einzelne immerhin durch die Auferstehung an der kosmischen Vollendung des urchristlichen Reiches Gottes beteiligt werden, so blieb die Frage schwer zu lösen, wie denn der einzelne dereinst den sittlichen Menschheitsfortschritt nachholen könne[268]. Die Lösung des Problems suchte der Theologe darin, daß er das Verhältnis der Geschichte und der letzten Dinge dialektisch bestimmte, wobei er die Auf-

---

[265] Zu R. Reitzenstein siehe oben S. 109.
[266] Althaus: Die letzten Dinge. S. 23.
[267] Ebd. S. 25.
[268] Ebd. S. 26.

fassung vertrat, daß dieser Art des Verhältnisses eine eigentümliche seelische Haltung von »Erfahren« und »Hoffen« entsprechen müsse[269].

Bei der Begründung der spezifisch christlichen Eschatologie fällt auf, daß P. Althaus im Unterschied zu anderen evangelischen Theologen seiner Zeit nicht von dem durch Jesus geschenkten Heilsbewußtsein ausging, obwohl auch für ihn darin der Höhepunkt christlicher Gotteserfahrung bestand. Dies hatte für den dogmatischen Entwurf weitreichende Konsequenzen. Aus der These, daß der christliche Glaube nicht erst als Heilsgewißheit, sondern schon als Gottesgewißheit eine auch das persönliche Leben betreffende Eschatologie schafft, folgte für ihn die Unsterblichkeitsgewißheit des Christen. P. Althaus war überzeugt, daß das Ich-Du-Verhältnis zwischen Gott und dem Menschen dort, wo es einmal in Kraft trat und bewußt wurde, unaufhebbar ist. Daher hielt er das Verständnis des »ewigen Todes« als Auslöschung der Existenz des Ich für einen unmöglichen Gedanken und trat dafür ein, daß das Wort Jesu »Gott ist nicht ein Gott der Toten, sondern der Lebendigen« (Lukas 20, 38) nicht erst als Beweis für das ewige Leben im Sinne des Heils, sondern schon als religiöser Unsterblichkeitsbeweis verstanden werden wolle[270].

P. Althaus wandte sich damit gegen C. Stange[271] und K. Dunkmann[272], die den Unsterblichkeitsgedanken als heidnisch aus der christlichen Frömmigkeit und Theologie hinausweisen wollten. Er legte dar, daß er die selbstständige Bedeutung der Unsterblichkeitsgewißheit neben der Gewißheit des ewigen Lebens nicht übersehen habe. Das ewige Leben besage etwas ganz anderes als die Unsterblichkeit. Diese sei in jenem eingeschlossen, niemals aber umgekehrt. Zwischen beiden stehe die Frage nach dem Heil. Die Gewißheit der Unsterblichkeit sei auch und gerade als Gerichtsgewißheit lebendig: ich kann dem Zorn Gottes niemals entgehen. Mit dem ganzen schweren Ernst der christlichen Heilsfrage betonte er diesen Unterschied von Unsterblichkeit und ewigem Leben gegen das oberflächliche, sentimentale Interesse am Leben nach dem Tode. Er sah richtig, daß gerade die Gewißheit des Fortlebens tiefe »Unheilsgewißheit«, zumindest Heilsungewißheit sein kann. Daraus folgerte er, daß die christliche Predigt auf eine religiöse Begründung der Unsterblichkeit nicht verzichten kann, bevor und außerdem, daß sie den Grund der eschatologischen Heilsgewißheit bezeugt. Es war für ihn unmöglich, die christliche Theologie auf die Soteriologie einzuschränken. »Gottesbeziehung und Gottesgemeinschaft sind zweierlei«[273].

Nach diesem Exkurs über die Unsterblichkeitsgewißheit, wie sie durch die christliche Gotteserfahrung für P. Althaus gegeben war, wandte er sich der christlichen Eschatologie zu, wie sie aus der Heilserfahrung wächst. Auch hier glaubte er

---

[269] Ebd. S. 27.

[270] Ebd. S. 28.

[271] Zu Carl Stange siehe unten S. 415-425.

[272] Vgl. K. Dunkmann: Der christliche Gottesglaube. Grundprinzip der Dogmatik. Gütersloh 1918. S. 364-365. - Zu Karl Dunkmann (1868-1932) vgl. G. Lehmann. In: NDB 4 (1959) 199-200.

[273] Althaus: Die letzten Dinge. S. 30. - Zur weiteren Auseinandersetzung mit C. Stange siehe ebd. S. 30. Anm. 1. - Außerdem: P. Althaus: Unsterblichkeit und ewiges Leben bei Luther. Zur Auseinandersetzung mit C. Stange. (StASW. 30.) Gütersloh 1930. - H. Scholz: Der Unsterblichkeitsgedanke als philosophisches Problem. Berlin 1920. - Dass. 2., neuverfaßte Auflage. Ebd. 1922.

die beiden Wurzeln - axiologische und teleologische Eschatologie - feststellen zu können[274]. Gesondert wollte er zunächst eine jede von ihnen behandeln.

Die systematische Verbindung zwischen der allgemeinen Unsterblichkeitslehre und einer christologisch begründeten Eschatologie war bei P. Althaus mit der Auffassung gegeben, daß der Mensch zum Christen werde, wenn die im Neuen Testament bezeugte Christustatsache ihm zu einer Gotteserfahrung werde[275]. Da nun die Erscheinung des Heiligen jedesmal auf Seiten des Menschen Schuld und Tod offenbar macht, hieß für P. Althaus Gottes Nahekommen gemäß Lutherischer Tradition »Gericht« und »Enthüllung des Todescharakters im Menschenwesen«. Diese freilich sah er ebenso überboten durch die Liebe Gottes, die mit ihrem Ja, das heißt mit ihrem in Jesus Christus als Tat gesprochenem Vergebungswort bis in die letzten Tiefen des Todesbewußtseins dringt. Diese vergebende und mit den Schuldigen Gemeinschaft stiftende Liebe war für P. Althaus das völlig Transzendente, das schlechthinnige Jenseits aller Menschenmöglichkeiten, aller denkbaren Entwicklungsperspektiven und Weltumwälzungen; darum nicht als Idee, sondern nur als Konkretum der Tat, als »übergeschichtlich-geschichtliches Paradoxon« faßbar. Die Gewißheit der Liebe Gottes führte ihn dabei einerseits zu dem Gedanken der Erwählung von Ewigkeit her, andererseits zu der Zuversicht, daß aus den Händen dieser Liebe keine Macht mehr reißen kann. Diese Ewigkeitserfahrung des Christen mit ihrem ganz spezifischen Inhalt wurde für P. Althaus zu der Gewißheit unzerstörbarer Gemeinschaft mit Gott[276].

Wichtig war für P. Althaus, daß diese Teilnahme am Leben Gottes, das »ewige Leben«, für den mit Christus Verbundenen Gegenwartsbesitz ist. Das Beiwort »ewig« bezeichnete für ihn das Leben nach seinem Inhalt als etwas völlig Transzendentes. Aus dieser völligen Transzendenz wollte er durch die Feststellung, daß der Mensch es gegenwärtig »hat«, nicht rütteln. Nie und nimmer war es für ihn eine Steigerung des natürlichen Lebens. Mit dem Hinweis auf Paulus[277] erklärte er: »Es ist ein Leben, das vom Menschen aus gesehen Sterben bedeutet; Leben jenseits eines Sterbens, durch Sterben hindurch«[278]. Aber dieses transzendente Leben sah er eben doch im Christen wirklich gegenwärtig. »Gottes Leben selbst ist, indem Gott die persönliche Gemeinschaft stiftet, dem Menschen eigen geworden: Gottes Geist, Gottes Liebe, Gottes Gerechtigkeit, Gottes Heiligkeit werden Inhalt des menschlichen Lebens«[279].

Die Dauer über den Tod hinaus war für P. Althaus nun eine selbstverständliche Folgerung aus dem Gegenwartsbesitz ewigen Lebens. Zur näheren Begründung machte er wieder den paradoxen Doppelcharakter des neuen Lebens geltend. Unter allen Umständen ist das ewige Leben nur im Glauben, das heißt für P. Althaus in

---

[274] Auf die Kritik Stanges hin hat Althaus später von der vierten Auflage an die Verwendung der Begriffe „axiologisch" und „teleologisch" auf den religionsphilosophischen Teil seines Werkes eingeschränkt. Dort vermerkte er, daß die Wertphilosophie, der sie entstammten, für ihn Säkularisierung der Gotteserkenntnis sei. Vgl. Althaus: Die letzten Dinge. [5]1949. S. 18.

[276] Ebd. (1922). S. 35.

[277] Vgl. Röm. 6, 4 ff.; Kol. 3, 3; Gal. 2, 20; Phil. 1, 21.

[278] Althaus: Die letzten Dinge. S. 35.

[279] Ebd. S. 35-36. - Vgl. 1. Kor. 2, 12; Röm. 8, 9 ff.; 5, 5; 1, 17; Heb. 12, 10.

der Christusverbundenheit, wirklich, aber es ist doch eben als wirkliches Leben des Menschen da[280].

Neben dieser Erfahrung letzter Dinge in der Liebe und in dem Christusleben als Grund persönlicher Ewigkeitsgewißheit erkannte P. Althaus, daß der Christusglaube auch die Bedingungen für die Bildung einer teleologischen Eschatologie enthält. Damit kam er auf die zweite Wurzel christlicher Eschatologie zu sprechen. Ausgangspunkt waren ihm drei Grundfragen, die er überall in der Religionsgeschichte anzutreffen meinte: Nach der konkreten Gegebenheit des Heiligen, nach dem Bestehen des menschlichen Lebens vor seinem Leben und nach dem Weg, auf den das göttliche Leben dem Menschen eigen wird[281]. Das spezifische Wesen des Christentums sah P. Althaus darin, daß diese dreifache Frage in der Christustatsache zur Ruhe kommt. Dennoch lag für ihn in dieser dreifach-einheitlichen Lösung der Spannung jener Fragen wiederum ein dreifach-einheitlicher Widerstreit beschlossen. In dieser eigentümlichen Spannung fand er nun den Grund, um dessen willen der Christusglaube zur teleologischen Eschatologie wird.

Diese etwas dunklen Andeutungen werden verständlich, wenn wir auf die Fragenkreise kurz im einzelnen eingehen. Zunächst das Paradoxon der Offenbarung. Gott - so versicherte P. Althaus - begegnet uns konkret in der Geschichte Jesu, und doch ist diese Erscheinung in Knechtsgestalt, Ärgernis. Modern gesprochen: Der Herr alles Lebens erscheint als geschichtlich begrenztes, zeitgeschichtlich bedingtes Leben, im Knechtsgewande geschichtlicher Unsicherheit und Ferne der lückenhaften und verhüllenden Überlieferung; in der Unscheinbarkeit, der gegenüber das Ärgernis und Nein der Verkennung möglich, die wagende Tat des Ja notwendig wird. In der Folge davon sah P. Althaus die »Welt« auch neben der Gemeinde stehen; die Kirche Gottes mit dem universalen Gut und Anspruch ihres Herrn partikular; das Reich Gottes mit Widerständen, in denen sich die Satansmacht auswirkt; der Glaube mit dem Charakter eines kämpfenden »Dennoch«. Dieser Widerstreit kann nach P. Althaus durch den Fortgang der Geschichte selber nicht aufgehoben werden, da er in dem Wesen der geschichtlichen Offenbarung des Unbedingten begründet liegt. Aus dem hier gemeinten Dualismus folgte auch, daß der Fortgang der Geschichte immer auch zugleich die fortgehende Gewalt des Antichrist enthält. Für P. Althaus war dies der Gedanke, der sich hart und ernst jedem Evolutionismus widersetzt, der von einer innergeschichtlichen Überwindung jenes Widerstreites träumt. Dennoch wußte der Theologe vom Glauben her, daß der Widerstreit aufgehoben werden muß. So werde in der Spannung gegenüber der »Welt« der Glaube an Christus, den Herrn über alle, zu der Erwartung, daß der Heilige aus der Knechtsgestalt der Geschichtlichkeit heraustrete, damit aus dem kämpfenden Dennoch des Glaubens das Schauen-wie-er-ist werde; aus dem Sich-versagen der vielen die Huldigung aller Zeugen und Beugung aller Knie; daß das in Gott verborgene Leben Christi und seiner Gemeinde als die wahrhafte Wirklichkeit erscheine und so das Reich den Widerstand der »Welt« und des Satanswillens überwinde. Das war für P. Althaus die

---

[280] Althaus: Die letzten Dinge. S. 36.
[281] Vgl. ebd. S. 39. - In diesem Zusammenhang verwies Althaus u.a. auch auf die Schrift von R. Otto: Das Heilige. Über das Irrationale in der Idee des Göttlichen und sein Verhältnis zum Rationalen. Breslau 1917.

christliche Form jener Hoffnung, die alle am Reich-Gottes-Gedanken orientierte Religion irgendwie kennt: die Lösung der innergeschichtlichen Spannung in der widerstandslosen Herrschaft Gottes. Darin sah er den Sinn des Gedankens der Widerkunft Christi: ein Gericht über die »Welt«, die an ihm vorüberging. Zugleich sah P. Althaus sich durch den Christusglauben zu der Hoffnung gedrängt, daß Gott auch alle bis dahin »übergangenen« mit der für uns in Christus geschehenen abschließenden Offenbarung begegnen lasse, um ihnen so die wache Entscheidung zu ermöglichen. Dies war für ihn die eschatologische Form des Bekenntnisses zur Absolutheit der Christustatsache[282].

Das zweite Paradoxon, das P. Althaus unter dem Aspekt seiner teleologischen Eschatologie betrachtete, war das Dogma der Versöhnung. Dabei machte er geltend, daß die Paradoxie bereits in Luthers Rechtfertigungslehre begründet war. Erst das künftige Gericht kann die totale Überwindung der Sünde, die gänzliche Lösung von der Sünde bringen[283].

An dritter Stelle kam P. Althaus schließlich auf das Paradoxon des Geistes zu sprechen. Hier verwies er darauf, daß im Glauben und in der Liebe Gottes ewiges Leben gegenwärtig ist, aber das gleiche Leben, in dem Gottes Geist selber wirkt, unwürdig gegeben ist an den »Leib des Todes« mit all seinen Hemmungen und Gebrechlichkeiten, mit den Gesetzen der Ermüdung, des Alterns und Sterbens. Die Schranken, die hier vor dem Einzelnen liegen, fand P. Althaus ähnlich auch im Leben der Gemeinde: die Liebesverbundenheit des Dienens findet Hemmungen durch Trennung in Raum und Zeit, durch den Tod, durch sinnlose Zerreißung. Der Kampf um die Wahrheit führt zu den Rissen in der Einheit. Auch für dieses Paradoxon kannte P. Althaus keinerlei Lösung im Laufe der Geschichte. Eindringlich wies er darauf hin, daß alle religiös-soziale Schwärmerei, die von der christlichen Sozialverfassung und dem Weltfriedensreich der Liebe träumt, vergißt, daß soziales und nationales Ringen nur Spezialfälle eines Gesetzes der Antithese und Verdrängung sind, das zur wesenhaften Struktur geschichtlichen Daseins überhaupt gehört und demgemäß unser geistiges und sittliches Leben auch jenseits aller Politik als notwendige Form beherrscht. In Anbetracht dieser Erfahrung wurde ihm der Glaube zu der Erwartung einer »neuen Welt«, die dem Gesetz der Verdrängung und Antithese entnommen ist. Damit weitete sich der Blick von der Hoffnung auf Verklärung des persönlichen Lebens zu jener, die auf die Erlösung des Kosmos gerichtet ist[284].

Als Ergebnis halten wir vorerst fest: P. Althaus fand in der Sicht seines Glaubens überall einen Dualismus, der für ihn die Spannung des Hoffens begründete. In

---

[282] Althaus: Die letzten Dinge. S. 41-45.

[283] M. Luther: Sermon von den guten Werken. W.A. Bd. 6. S. 216: Sein kinder, vn doch ßunder, sein angenem vnd thun doch nit genug. - Althaus: Die letzten Dinge. S. 45-46. - Vgl. K. Holl: Die Rechtfertigungslehre in Luthers Vorlesung über den Römerbrief mit besonderer Rücksicht auf die Frage der Heilsgewißheit. In: ZThK 20 (1910) 245-291. - Dass. in K. Holl: Gesammelte Aufsätze zur Kirchengeschichte. I. Luther. Tübingen ⁴⁻⁵1927. S. 111-154. - Sauter: Zukunft und Verheißung. S. 121. - Zum Einfluß Luthers auf das Denken von P. Althaus vgl. Ahlbrecht: Tod und Unsterblichkeit in der evangelischen Theologie der Gegenwart. S. 30-33.

[284] Althaus: Die letzten Dinge. S. 47-49.

dem dreifachen Paradoxon des Christenstandes oder des irdischen Reiches Gottes fand er die Wurzel der teleologischen Eschatologie.

Zum Abschluß seiner dogmatischen Untersuchung war es P. Althaus darum zu tun, noch einmal aufzuzeigen, daß seine Vollendungshoffnung streng christozentrisch begründet war. Ausdrücklich betonte er, daß die Christustatsache hierbei immer die Tatsache des Auferstandenen ist, christliche Eschatologie mithin auf der Ostertatsache beruht. In dem Auferstandenen, das heißt in dem zu Gott erhöhten Menschen Jesus Christus wurde ihm das Ziel unserer Hoffnung, das Jenseits des Paradoxons, schon als Anfang und Bürgschaft gegenwärtig und anschaubar. Damit war zugleich der konkrete Punkt gegeben, an dem alle Paradoxien christlicher Eschatologie zusammengefaßt werden konnten in das eine Paradoxon unserer Christusbruderschaft oder Christusgliedschaft: Brüder, Glieder - und doch noch im Kampf mit der Sünde, im Todesleib. Dieses Ineinander von unzerstörbarer Gemeinschaft mit ihm und weitem Abstand; der Kontrast von Bruderschaft und Ferne; von »in Christus« und »in der Welt sein«, drängte ihn zur gewissen Erwartung eines Letzten, das die Spannung löst. In der Sache führten ihn diese neuen Ausdrücke christozentrischer Prägung nicht im mindesten über seine teleologische Eschatologie hinaus. Andererseits aber sah er, daß das Nebeneinander zweier Beziehungs- bzw. Ausdrucksreihen einer Doppelseitigkeit der Betrachtung Christi entspricht, das heißt dem zweifachen Gesicht der Christustatsache selbst. Der Sohn Gottes ist zugleich der Menschensohn, der Anbruch einer neuen Menschheit. »Der an uns mit Gottes Vergebungstat handelt, tut das eben, indem er unter uns als der neue Mensch den Namen des Vaters heiligt«[285]. Daraus folgerte er, daß für die Bedeutung und Beziehung Christi zu uns, für das Heil selbst eine doppelte Reihe von Ausdrücken möglich ist, die sich gegenseitig fordern, um eine vollständige Anschauung zu ergeben. Beide Male lag für ihn alles an der Christusgemeinschaft und er stellte heraus, daß der doppelte Ausdruck für die Christusbeziehung unseres Hoffens, die zweifach ausdrückbare Bedeutung der Ostertatsache, genau dem Grundproblem der Christologie entspricht: der Doppelheit des Vertretungsgedankens in der Versöhnungslehre[286].

Um die Eigenart dieses theologischen Entwurfs richtig zu verstehen, müssen wir noch zwei Gesichtspunkte hervorheben, die P. Althaus am Ende des zweiten Kapitels erläuterte. Zum ersten vertrat er die Ansicht, daß die christliche Hoffnung in ihrer teleologischen Gestalt unleugbar die logische Form von Postulaten habe. Diese jedoch waren für ihn streng theozentrisch-christozentrischer Art, erwachsen aus dem, was Gott ist und tat[287]. Dies mag für die Apologetik dieser christlichen Eschatologie bedeutsam sein. Wichtiger ist für uns der zweite Aspekt: Zum Schluß seiner dogmatischen Untersuchung war P. Althaus bemüht zu zeigen, in welchem Verhältnis zueinander sich die axiologische und die teleologische Betrachtung der letzten Dinge innerhalb des Christenlebens befinden. Hier sprach er von einer Polarität des Christenlebens, bei der keine Seite allein für sich bestehen, mithin auch nicht beliebig austauschbar sein könne. Äußerlich gesehen erscheint diese Auffassung jener Gegensatzlehre frappierend ähnlich, die R. Guardini in den gleichen

---

[285] Ebd. S. 56.
[286] Ebd. S. 56.
[287] Vgl. ebd. S. 56-57.

Jahren veröffentlichte[288]. Ohne Zweifel hatten beide Denker aus der gleichen zeitgenössischen Philosophie ihre Anregungen erhalten. Bei P. Althaus stellte sich jedoch ähnlich wie bei K. Heim die Polarität der Ewigkeitsbeziehung des Christen als ein dialektisches Verhältnis von Ewigkeit und Geschichte dar. Die Ewigkeit war einerseits für ihn ein »in der Geschichte erlebtes Jenseits aller Geschichte (das Übergeschichtliche)«, andererseits eine »in der Geschichte erharrte 'Vollendung' aller Geschichte, ihre Aufhebung, die doch ihren Ertrag darstellt (das...Nachgeschichtliche)«[289]. Theozentrisch gesprochen ging es P. Althaus um das Verhältnis von: Gott und die Geschichte. In dem paradoxen Verhältnis von Ewigkeit und Geschichte kehrte für ihn nur das Grundgeheimnis der Religion wieder. »Der Übergeschichtliche setzt und waltet eine Geschichte, deren 'Ertrag' vor ihm gilt und in die 'Ewig-

Welche Konsequenzen diese Auffassung mit sich brachte, liegt auf der Hand. Der Ertrag der Geschichte lag für P. Althaus nicht in ihrem zeitlichen Endzustand vor, sondern wird in dem Jenseits der Geschichte erhoben. Die Vollendung der Geschichte konnte er daher weder als einen geschichtlichen Endzustand denken, noch in besondere Beziehung zu diesem setzen. Er erklärte: »Die 'letzten Dinge' haben mit der letzten Periode der Geschichte nichts zu tun. Die Eschatologie ist an der Frage nach einem geschichtlichen Endzustand nicht interessiert. Sie hat daher auch nicht die Aufgabe, Aussagen über eine zu erwartende Entwicklung oder eine Abfolge von Perioden der Geschichte zu machen«[291].

Mit diesen Thesen grenzte sich der Rostocker Theologe scharf gegen alle Formen der endgeschichtlichen Eschatologie ab[292]. Das eigentliche Problem lag nach seiner Auffassung darin, daß die Bibel die Verknüpfung der biblischen Geschichte mit Anfang und Vollendung der Menschheitsgeschichte in bezug auf Gott nur so ausdrücken konnte, daß sie die Heilsgeschichte vom zeitlichen Anfang der Menschengeschichte herkommen und in der Richtung auf ihr zeitliches Ende fortschreiten ließ, zum endzeitlichen Ziel hin[293]. Nach P. Althaus bedeutet nun diese Vorstellung nichts anderes als die Projektion einer Geschichte, die ihrem ganzen Wesen nach nicht in der Zeitlinie die Richtung ihres Fortschritts und ihre Vollendung haben kann, auf diese Zeitlinie. Er gab zu, daß dieses Verfahren damit sein Recht begründen kann, daß die Heilsgeschichte im engeren Sinn in der Zeit fortschreitet und daß ebenso im Leben des einzelnen die Begegnung mit Christus ein Vorher und Nachher voneinander scheidet und einen Prozeß fortgehender Heiligung dem Ende entgegen einleitet. Aber er warf die Frage auf, ob sich dies auf die Geschichte der Menschheit mit Gott anwenden läßt. Da die Geschichte, in der der Mensch und die Menschheit zwischen Hingabe und Selbstbehauptung, Schuld und Verzeihung, Tod und Leben, Lüge und Wahrheit steht, allgegenwärtig ist und von jedem durchlebt wird, glaubte er Urstand und Sündenfall nicht als ein geschichtliches Ereignis

---

[288] Zur Polarität der Gegensatzlehre Guardinis vgl. unten S. 727-747.
[289] Althaus: Die letzten Dinge. S. 63.
[290] Ebd. S. 63.
[291] Ebd. S. 64-65; vgl. ebenso S. 95.
[292] Bezüglich Änderung zugunsten einer gewissen endgeschichtlichen Eschatologie vgl. Althaus: Die letzten Dinge. ³1926. S. 173-180.
[293] Ebd. (1922). S. 82.

am zeitlichen Anfang der Menschheit denken zu können. Dabei versicherte er ausdrücklich, daß nicht erst anthropologische und prähistorische Erwägungen, sondern schon die Vertiefung in die Gewissenserkenntnis der Sünde ihn zu dieser These nötigte[294]. Entsprechend dem Anfang beurteilte er nun auch das Ende der Geschichte der Menschheit mit Gott. Wie er den Urstand und den Sündenfall nicht in der Geschichte hinter sich suchte, so auch die Vollendung nicht am zeitlichen Ende der Geschichte. Auch hier sprach er von etwas »Überzeitlichem«. Heilsgeschichte hat danach in jedem Geschlecht ihren Anfang und findet in der Begegnung mit Christus ihre Vollendung. »Wir finden die Vollendung nicht, indem wir die Längslinien der Geschichte bis zum Ende durchziehen, sondern indem wir überall die Senkrechte auf ihr errichten. Das heißt: Wie jede Zeit dem Urstand und dem Sündenfall gleich nahe ist, so ist auch jede gleich unmittelbar zur Vollendung«[295]. Jede Zeit war in diesem Sinn für Althaus letzte Zeit.

Es ist zu erkennen, wie eine extrem einseitige These P. Althaus in eine eigentümliche Dialektik führte. Zwar sprach er weiterhin von Polarität, jedoch entbehrte dies völlig jeder zeitlichen Dimension. Die Grundform der Polarität war für ihn die von Sünde und Gnade, Tod und Leben. Wohl wußte er, daß - wie er sich ausdrückte - »die Berufung zum völligen Durchleben dieser Polarität, wie die Christustatsache sie bedeutet«, als geschichtliches Faktum in die »Menschheits- und Herzensgeschichte« eintritt und ihr den Charakter der Aufeinanderfolge von Perioden gibt. Damit stieß er jedoch wieder auf das eine Problem, das alles bewegte: Gott in der Geschichte. » Gott handelt mit uns, das begründet Universalität und überzeitliche Gegenwart seiner Geschichte. Gott handelt mit uns in der zeitlichen Geschichte , das begründet Ungleichmäßigkeit, Partikularität und Periodizität seiner Geschichte«[296]. Darin bestand für P. Althaus die Dialektik des Begriffs der Heilsgeschichte.

Die Konsequenz, die diese dialektische Theologie mit sich brachte, zeigte sich vor allem im Verständnis der Parusie[297]. P. Althaus wollte an ihr festhalten, aber auch sie war ihm statt eines endzeitlichen ein überzeitliches Ereignis und bedeutete ihm die Aufhebung aller Geschichte. So erklärte er, daß erst durch diese das dreifache Paradoxon, aus dem, wie dargelegt, die teleologische Eschatologie entsteht, überwunden werde. Den überzeitlichen Charakter der Parusie sah er dadurch erwiesen, daß alle sie erleben. Als gemeinsame und gleichzeitige Erfahrung aller war sie ihm eine universale Tatsache. Was aber hieß hier »gleichzeitig«? P. Althaus versuchte den Kern seiner Gedanken durch eine Besinnung über das Verhältnis der Zeit zum Überzeitlichen auszudrücken. Was sich uns in ein Nacheinander menschlicher Tode, des Endes von Geschlechtern, Völkern, Zeiträumen zerlegt, das sei, von dort aus gesehen, der gleiche Akt und das eine »gleichzeitige« Erlebnis der Aufhebung der Geschichte, des Eintritts der Geschichte in die Ewigkeit. »Alle Senkrechten, die wir auf der Zeitlinie errichten, um auf die Ewigkeit, die Parusie, die Vollendung zu stoßen, treffen sich in einem Punkte«[298]. Konkret verstand er diese

---

[294] Ebd. S. 83.
[295] Ebd. S. 84.
[296] Ebd. S. 85.
[297] Vgl. jedoch Althaus: Die letzten Dinge. ³1926. S. 173.
[298] Ebd. (1922). S. 98.

These so: Die Verstorbenen sind schon bei Christus, haben Parusie und Gericht erlebt. Wir werden das erleben und erst nach uns die anderen Generationen bis hin zur letzten. Diese »überzeitliche Gleichzeitigkeit« entsprach für P. Althaus genau dem Verhältnis Gottes zur Zeit. Feilich mit letzter Konsequenz konnte der Lutheraner den philosophischen Gedanken nicht durchhalten. Der Gedanke eines »Zwischenzustandes« schien ihm entbehrlich, wenn damit nur der Zeitabstand zwischen Tod und Parusie ausgefüllt werden solle. Dagegen glaubte er den Gedanken eines »Mittelzustandes« beibehalten zu müssen, damit Menschen und Völker jenseits der irdischen Geschichte in die Heilsgeschichte hineinbezogen und vor die Entscheidung gestellt werden können. Diesen Vorgang aber dachte P. Althaus »diesseits der Parusie«, da sie als Gericht nach seiner Auffassung die Entscheidung voraussetzt und ihre Tragweite enthüllt. »Die Parusie«, so sagte er abschließend, »besteht darin, daß Gottes Selbsterschließung in Christus, die als werbende Wirklichkeit durch die Geschichte gegangen ist, nunmehr als überführende Wirklichkeit vor allen steht«[299].

Aus dem Gesagten ergab sich wie von selbst, daß der Gerichtsgedanke in der Eschatologie von P. Althaus eine dominierende Stellung einnahm. Von der Erfahrung des gegenwärtigen Gerichtes Gottes wollte er zu der Erwartung des kommenden weiterführen. Als Lutheraner legte er dar, wie der Weg vom Verwerfungsgericht über das Entscheidungsgericht führt. Auch hier wies er eine sich in vielen Entscheidungen sich vollziehende Entwicklung im Sinne einer Emporläuterung ab[300]., indem er darlegte, daß die christliche Eschatologie die Erwartung eines doppelten Ausganges der Menschheitsgeschichte nicht entbehren kann. Doch blieb er dabei nicht stehen; denn es galt, neben dem Verantwortungsbewußtsein auch das Erwählungsbewußtsein der Gläubigen zu wecken. Den anthroposophischen Läuterungsideen wie dem altkirchlich-katholischen Läuterungsglauben gestand er insofern ein Recht zu, als auch er forderte, die evangelische Predigt müsse ebenfalls hervorheben, daß jeder Mensch dazu bestimmt sei, ein Abbild Christi zu werden. Daß er dabei unsere Geltung vor Gott immer nur auf dessen verzeihende Gnade gegründet wissen wollte, verstand sich für einen lutherischen Theologen ganz von selbst[301]. Das letzte Kapitel dieses eschatologischen Entwurfs widmete P. Althaus dem Thema »Das ewige Leben und die neue Welt«. Auch hier zeigte sich die eigenartige Dialektik seines theologischen Denkens. Ewiges Leben war für ihn zunächst axiologisch gesehen das »Leben mit Gott, wie es für den Christen in dem 'Frieden Gottes', in der Weltüberlegenheit des Glaubens und in der Liebesverbundenheit der Gemeinde durch die Christusgemeinschaft schon heute selige Wirklichkeit bedeutet«[302]. Bei der teleologischen Gestalt der Eschatologie ging er wieder von den

---

[299] Ebd. S. 99. - Vgl. die Nuancierungen in den späteren Auflagen seines Werkes. - Zum philosophischen Vorverständnis auch Ahlbrecht: Tod und Unsterblichkeit in der evangelischen Theologie der Gegenwart. S. 106, 108, 112.

[300] Vgl. Althaus: Die letzten Dinge: S. 111-113. - Gegen die deutsche idealistische Philosophie. Seit G.E. Lessing, vor allem gegen E. Troeltsch: Eschatologie. In: RGG[1] 2 (1910) 629-630. - Dazu siehe oben S. 111, 114.

[301] Althaus: Die letzten Dinge. S. 124-125.

[302] Ebd. S. 126.

schmerzlich gespürten Schranken des Christenstandes aus. Demgegenüber sah er das ewige Leben als »vollendete Gemeinschaft mit Gott«[303].

Es fällt nicht schwer, dieser biblisch begründeten Definition zuzustimmen. Schwieriger wird es dort, wo P. Althaus sein Verständnis mit Hilfe philosophisch-theologischer Reflexion entfaltet. Er legte dar, daß das ewige Leben nicht nur einen dem natürlichen Lebensinhalt gegenüber transzendenten Inhalt bedeute, sondern zugleich eine den formellen Bedingungen des irdisch-geschichtlichen Daseins gegenüber transzendente Daseinsform . So führte ihn der teleologische Gedanke der Vollendung aus der inhaltlichen Bestimmung der Seligkeit in das ihn quälende Formproblem. Es lief darauf hinaus, daß P. Althaus »Seele« und »Form« (als Daseinsform verstanden) von einander getrennt sah[304]. Wichtiger aber ist, daß P. Althaus auch in diesem Zusammenhang letztlich nur die ethische Bestimmung des Menschen gelten ließ. Insofern kam er trotz neuer Ansätze über den Geltungsbereich der Kantischen Postulate kaum hinaus. Er hielt es für unmöglich, das Wesen der Ewigkeit gültig auszudrücken, da wir denkend nicht die Schranken unseres Daseins überwinden könnten; die Zeitform selber führe in unauflösbare Antinomien. Diese zeigten sich für ihn wieder in dem Gegensatz zwischen dem elastischen Begriff eines in sich ruhenden Seins und in der naiven Vorstellung einer endlosen Dauer in der Zeit. Dazu äußerte P. Althaus, wie jener Begriff nicht zur Erfassung des ewigen Lebens führe, so dieser nicht zum ewigen Leben[305]. Mit dem Hinweis darauf, daß die Ewigkeit als bewegungsloses Sein schon für den Gottesglauben eine tödliche Vorstellung sei, wies er die Vorstellung dieses Ewigkeitsbegriffes für den Glauben zurück. Die »Überzeitlichkeit« Gottes verstand er dementsprechend nicht einfach als Zeitlosigkeit seines Daseins, da der »Überzeitliche« zugleich in der Geschichte handelnd gegenwärtig ist. Er sprach davon, daß das geschichtliche Werden und sich Entscheiden von wirklicher Bedeutung für Gott sei; daß er im Ernste der seine Herrschaft erst Heraufführende sei. So glaubte er, immer zugleich zwei Aussagen über Gott machen zu müssen, die in unserer Existenzform nur etwas Gegensätzliches behaupten konnten: Wirken und Ruhe, Wollen und am Ziel sein[306]. Von diesem Verhältnis Gottes zur Geschichte nahm P. Althaus die Analogie, um den Weg auch für das Formproblem des ewigen Lebens zu zeigen. Seine These lautete: »Die Ewigkeit...ist das Jenseits der Zeitlichkeit. Sie läßt sich daher nur so andeuten, daß sie als das Jenseits des Gegensatzes von Werden und Sein bezeichnet wird«[307]. Damit wurde für P. Althaus die Antinomie die Form aller Ewigkeitsaussagen. Das Leben, so versicherte er, müsse, in unseren von der Zeitanschauung beherrschten Begriffen beschrieben, Nicht-mehr-werden und Werden, Ruhe und Tat in einem sein[308].

Auf der Grundlage der hier in knappen Zügen explizierten Zeit-Ewigkeitsdialektik versuchte P. Althaus zu konkreten Aussagen über die neue Welt und die neue

[303] Ebd. S. 127.
[304] Vgl. ebd. S. 141.
[305] Ebd. S. 129.
[306] Ebd. S. 130.
[307] Ebd. S. 130.
[308] Althaus verwies auf Th. Haering: Der christliche Glaube. ²1912. S. 663-670. - Zu Th. Haering siehe oben S. 97.

Leiblichkeit zu gelangen. Hinsichtlich beider erklärte er im Unterschied zu A. Ritschl, der die teleologische Beziehung der Naturwelt und Kulturarbeit auf das Reich Gottes herausstellte[309], daß sich die Natur weder als notwendige Voraussetzung und Ort des geschichtlichen Lebens noch als Behandlung der Herrlichkeit Gottes erschöpfend begreifen lasse, so wichtig auch beide Beziehungen seien. Die Natur bedeute gewiß Vorbedingung und Mittel des Reiches Gottes, aber ihr Sinn könne nicht darin aufgehen. Sie müsse auch Selbstzweck nach Gottes Willen sein, Erscheinung seines Lebens und seiner Schönheit[310]. Ebenso hielt er auch die ausschließlich teleologische Beziehung aller Kultur auf das Reich Gottes für unzureichend, denn dieses war für ihn nicht ein gegenständliches Ziel neben und über den irdischen Zielen, sondern eine Bestimmtheit und Haltung der Seele, mit der wir in alle irdische Arbeit hineingehen, frei von ihr und doch zugleich frei zur Hingabe an sie. Daraus folgerte er, daß das Reich Gottes nicht höchstes Gut über anderen Gütern, sondern die »allgegenwärtige Verfassung des Gewissens ist«[311].

Diese letzte Äußerung war typisch im Bereich eines zugleich an Luther als auch an Kant orientierten Weltverständnisses. Es wundert uns daher nicht, daß P. Althaus in der gesamten sinnlich materiellen Welt, und das war für ihn sowohl die Natur als auch die Kultur, vornehmlich das Vergängliche sah, das er in die Welt der Ewigkeit nicht hineindenken konnte. Daher war es ihm auch hinsichtlich der Eschatologie weniger um die Werke der Kultur, als vielmehr um das Wirken selbst zu tun. Jene waren nach seinem Verständnis durch und durch diesseitig und vergänglich, »sicher nicht die fertigen Bausteine für die neue Welt«[312]. Im Wirken jedoch wagte er die Bedingung und Verheißung der ewigen Welt zu sehen und von dorther fiel ihm auf Wissenschaft, Kunst, Natur- und Sozialgestaltung, Technik und Politik, wenn sie selbst ihm auch nach Gegenständen und Erträgen rein irdisch und vergänglich erschienen, ein Glanz ewigen Sinnes. Er berief sich dabei ausdrücklich auf die lutherische Ethik, die wohl weiß, daß das Reich Gottes etwas ganz anderes ist als alle Kultur, die sich aber zugleich einer kulturflüchtigen Askese von Gottes wegen widersetzt. In diesem Sinn äußerte er in der Zeit nach dem ersten Weltkrieg die unerschütterliche Überzeugung, daß Ethik und Eschatologie einander suchen.

Die gleiche ethische Ausrichtung gab P. Althaus seiner Eschatologie auch hinsichtlich der »neuen Leiblichkeit«. Da der ursprüngliche Sinn des spätjüdischen Auferstehungsgedankens mitsamt der endgeschichtlichen Diesseits-Eschatologie dahingesunken war, lag für ihn der Grund, von einer neuen Leiblichkeit zu reden, ausschließlich in der christlichen Ethik, wie sie durch den Schöpfungsglauben bestimmt wird. Daß in dem sittlichen Verhältnis von Seele und Leib ein selbstständiger Gottesgedanke zum Ausdruck kommt, der eschatologisch seine Erfüllung finden muß, das und nur das verband er mit dem »Hoffnungswort« von der Auferstehung des Leibes[313].

P. Althaus hatte damit allen nur psychologischen oder metaphysischen Erwägungen, die von der Natur der Seele und ihres Verhältnisses zum Leibe ausgehen,

---

[309] Vgl. A. Ritschl: Die christliche Lehre von der Rechtfertigung und Versöhnung. Bd. 3. ⁴1902. S. 265-266; 578. - Zu A. Ritschl siehe oben S. 93-95.

[310] Althaus: Die letzten Dinge. S. 133.

[311] Ebd. S. 134-135.

[312] Ebd. S. 137.

[313] Ebd. S. 139.

den Abschied gegeben. Den Grund für das Verhältnis von Seele und Leib suchte er ausschließlich in der sittlichen Erfahrung. Im übrigen konnten ihm Bilder und Begriffe über die »Leiblichkeit« des ewigen Lebens nichts sagen, da dies für ihn jenseits aussprechbarer menschlicher Erfahrung, weil jenseits von Raum und Zeit lag. Dennoch wagte er zwei »Grundsätze«:

1. »Der irdische Leib ist in Bau und Anlage ganz durch seine Bedeutung, sinnliche Existenz zu begründen, bestimmt...,als solcher also nur in der Geschichte denkbar, da er nicht nur in ihr vergeht, sondern auch mit ihr als Möglichkeit dahinfällt.«

2. »Es bedeutet die Würde des Leibes, daß er Erscheinung des Individuellen der Person ist;...wir dürfen erwarten, daß auch die neue 'Gestalt'...individuell sein wird, höchste Erfüllung dessen, was wir schon hier an Ausprägung der Seele etwa im Antlitz erleben«[314].

Damit lehnte P. Althaus jeden natürlichen Zusammenhang zwischen irdischer und himmlischer Leiblichkeit ab. Statt dessen wagte er von einem wesentlichen Zusammenhang zwischen der sittlichen Treue, in der wir das Körperliche zum Gepräge der Seele werden lassen, und unserer ewigen Gestalt zu sprechen. Aber noch einmal betonte er, daß diese damit nicht zu einem Erzeugnis sittlicher Arbeit wird, sondern Schöpfung des Gottes, der allein Herrlichkeit und unvergängliche Schönheit geben kann, bleibt[315].

Fassen wir zusammen: Das Jenseitsbild, das P. Althaus in seinem Entwurf gezeichnet hatte, verstand er als Ausdruck und Zeugnis menschlicher Geschichtlichkeit, eines Kampfes der noch ausstehenden Entscheidung, des Noch-Nicht, das unser Leben bezeichnet. Daher war für ihn christliche Eschatologie als Gedankenzusammenhang nur eine Erscheinungsform des Wartens, die ihrerseits nur in der lebendigen Verbindung mit der Praxis wartenden Christenlebens gesund bleibt[316].

P. Althaus hat in der Folgezeit unermüdlich mit den gleichen Fragen gerungen. Dabei wuchs die Schrift von einem anfänglichen Entwurf zu einem sehr bekannten Lehrbuch der Eschatologie heran. Getreu seinem apologetischen Interesse setzte er sich mit der jeweils neu erschienenen Literatur auseinander. Die vielen Einarbeitungen, die das Werk im Laufe der Zeit anreicherten, nahmen ihm freilich jenen jugendlichen Schwung und jene umfassende Einheitlichkeit, die die erste Auflage kennzeichnet und für die theologiegeschichtliche Erfassung jener Zeit so wertvoll macht[317]. Im Rahmen unserer Untersuchung können wir auf die einzelnen Veränderungen nicht eingehen. Es sei hier nur darauf verwiesen, daß vor allem die dritte und vierte Auflage (1926 und 1933) stark überarbeitet wurden[318]. Daneben veröffentlichte P. Althaus noch eine Fülle von Einzelstudien, die alle in den Bereich der

---

[314] Ebd. S. 141.

[315] Ebd. S. 142.

[316] Vgl. ebd. S. 146-147.

[317] Vgl. G. Hoffmann: Das Problem der letzten Dinge in der neueren evangelischen Theologie. S. 42. - Ähnlich H.W. Schmidt: Zeit und Ewigkeit. Die letzten Voraussetzungen der dialektischen Theologie. Gütersloh 1927. S. 337.

[318] So eliminierte Althaus z.B. den Terminus „Axiologie" in der 4. Auflage seines Buches. - Vgl. dazu: Althaus: Die letzten Dinge. ⁵1949. S. XIII-XIV. - H. Berkhof: Über die Methode der Eschatologie. Aus dem Holländischen von H.-U. Kirchhoff. In: Diskussion über die „Theologie der Hoffnung" von Jürgen Moltmann. Hrsg. und eingeleitet von Wolf-Dieter Marsch. (Mit Beiträgen von ...) München 1967. S. 168-180. - Dass. zuerst in: NedThT 19 (1966) 480-491.

Eschatologie gehörten[319]. Wenn wir jedoch die erste Auflage seines Hauptwerkes besonders würdigen, so müssen wir feststellen, daß die Erarbeitung einer axiologischen und einer teleologischen Eschatologie durchaus fruchtbar war[320]. Die Bedenken, die von protestantischer Seite gelegentlich gegen die Herkunft dieser Begriffe aus der Wertphilosophie geäußert wurden, teilen wir nicht; die religionsphilosophischen Reflexionen des Rostocker Theologen bieten gerade - trotz all ihrer Unterschiede - mannigfache Ansatzpunkte für ein vergleichendes Gespräch über die Grundlagen katholischer Theologie, wie sie damals unter anderen von R. Guardini, E. Przywara, K. Adam herausgestellt wurden[321].

Unsere Bedenken richten sich allerdings gegen jene Vorurteile, mit denen P. Althaus eine ontologische Begründung von Wert, Person, Welt, Seele und Leib umging bzw. ausschloß. Die dialektische Gegenüberstellung von Zeit und Ewigkeit wurde von ihm gelegentlich zwar gemildert, da er in gut lutherischer Weise immer wieder den Blick auf beide Bereiche lenkte. In der Sache hielt er aber bis zuletzt daran fest, daß beides nicht in einem Blick zu einen sei, ebenso wenig wie der Dualismus von Unsterblichkeit und Auferweckung. Im Unterschied zu anderen Theologen bekämpfte er diesen Dualismus nicht. Der Personalismus, der bei P. Althaus gerade in diesem Zusammenhang stark ausgeprägt war, ist zu begrüßen, da er vor jeder einseitigen Verdinglichung der Eschatologie bewahren kann. Freilich sehen wir keinen Grund dafür beizupflichten, wenn das Existenzverständnis des Menschen mit einer Entsubstantialisierung des Wirklichen verbunden wird. Wir verweisen darauf, daß E. Schlink in einer Diskussion mit P. Althaus später noch davor warnte, das Ontische einfach in Aktualismus aufzulösen. Auch P. Althaus hielt die Gegenüberstellung von Substanz und Existenz in mente Dei für fragwürdig. Allerdings war es ihm bis ins hohe Alter immer wieder darum zu tun, ein vorschnelles Aufstellen alter Thesen abzuwehren und die Menschen vor bestimmten Fragen zurückzurufen[322]. Insofern der Blick des Apologeten hierbei auf Erscheinungen wie Spiritismus, Chiliasmus, Anthroposophie ect. gerichtet war, stimmte die katholische Theologie mit ihm überein. Eine Übernahme lutherischer Grundpositionen ergab sich freilich in der Zeit vor dem zweiten Weltkrieg nicht. Überblicken wir jedoch die Problemlage, wie sie P. Althaus etwa in seinen Retraktionen zur Eschatologie beschrieb[323], so lassen sich eine Fülle von Berührungspunkten feststellen, die auch heute noch das Gespräch zwischen den Konfessionen wertvoll machen könnten, zumal die oben bereits genannten katholischen Theologen von ihrer eigenen Position aus sachlich mancherlei zu den von P. Althaus offengelassenen Fragen beizutragen haben.

---

[319] Dazu vgl. LV.
[320] Vgl. H. Grass: Die Theologie von Paul Althaus. In: NZSThRPh 8 (1966) 213-237.
[321] Przywara: Analogia entis. Dazu vgl. oben S. 46, Anm. 212. - Außerdem vgl. J. Terán-Dutari: Die Geschichte des Terminus „Analogia Entis" und das Werk Erich Przywaras. Dem Denker der „analogia entis" zum 80. Geburtstag. In: PhJ 77 (1970) 163-179. - R. Stertenbrink: Ein Weg zum Denken. Die Analogia entis bei Erich Przywara. Salzburg, München 1971.
[322] Vgl. P. Althaus: Retraktionen zur Eschatologie. In: ThLZ 75 (1950) 253-260.
[323] Ebd.

(9) Carl Stange (1870-1959)

Das theologische Panorama der ersten Nachkriegszeit kann hinsichtlich der Eschatologie vollständig nur erfaßt werden, wenn C. Stange nicht vergessen wird, der innerhalb der lutherischen Theologie dem Entwurf von P. Althaus kritisch gegenüberstand.

C. Stange trat zuerst mit einer Studie hervor, in der er die christliche Ethik in ihrem Verhältnis zur modernen Ethik bei Fr. Paulsen, W. Wundt und E. von Hartmann zu rechtfertigen suchte[324]. An den Anfang stellte er als Motto das Jesus-Wort: »Ich bin der Weg, und die Wahrheit und das Leben; niemand kommt zum Vater, denn durch mich«[325]. Aus der Gesamtheit des Lebens und der Lehre Jesu gewann C. Stange die Erkenntnis, daß Jesus in prophetischer Weise die Frage nach dem Sinn und Wert des Seins beantwortet hat. Mithin stand fest, daß die Botschaft Jesu gegenüber seinen Zeitgenossen nur die altbekannte Verkündigung vom Nahen des Gottesreiches war. Wenn dennoch dessen Predigt in seinen Zuhörern den Eindruck des ganz Neuen erweckte, so führte C. Stange dies auf die gewaltige, alles bezwingende Persönlichkeit Jesu zurück. In dieser suchte er den eigentlichen Grund für die Macht seines Wirkens. Wollte man - so schrieb er - für den Eindruck, den die Person Jesu erweckte, eine Formel bilden, so wäre es die, daß die Kraft seiner Persönlichkeit in dem Bewußtsein der »inneren Willenseinheit mit Gott« zu finden ist[326].

Aus diesem Bewußtsein heraus versuchte C. Stange das ganze Leben Jesu zu verstehen, und dabei auch den Gegensatz seiner Stellung zur eschatologischen Hoffnung seines Volkes richtig zu erfassen. Jesu Vorstellungen, so meinte er, gingen vielleicht ebenso sehr ins Transzendente, wie die seiner Volksgenossen, und was an immanenten Momenten in ihm gewesen sei, möge bei jenen Parallele und Analogie finden. Auf diesen Gegensatz komme es aber nicht an. Der entscheidende Gegensatz liege vielmehr darin, daß jenes Transzendente von der Spekulation über das Gottesreich ausging und von da aus zu der Forderung einer besonderen Heiligung gelangte, während Jesus in sich das Leben fühlte und von diesem Bewußtsein aus auch auf die an sich sekundären eschatologischen Ideen seiner Zeit einging. Für C. Stange war es daher von fundamentaler Bedeutung, daß bei Jesus der Gedanke vom Kommen des Gottesreiches sich nicht von dem Gedanken der Sinnesänderung trennen ließ[327].

Aus der gemeinsamen Grundform aller theistischen Religionen und aus der besonderen Bestimmung, die diese durch die Persönlichkeit Jesu erhielt, ließ sich nun nach C. Stange das christliche Ideal der Ethik darstellen. Der wichtigste Gedankengang bestand in folgender Überlegung:

Gott als die vollkommene Persönlichkeit ist der Grund alles Seins. »Persönlichkeit«, so hatte er schon vorher definiert, »ist dasjenige geistige Subjekt, das in sich selbst den einheitlichen Zweck seiner selbst hat; sie betätigt ihr Wesen, indem

---

[324] Carl Stange: Die christliche Ethik und ihr Verhältnis zur modernen Ethik: Paulsen, Wundt, Hartmann. Göttingen 1892.

[325] Joh. 14, 6.

[326] Stange: Die christliche Ethik. S. 83.

[327] Ebd. S. 84.

sie mit ihrer Vorstellungs- und Willenstätigkeit sich auf diesen eigenen einheitlichen Zweck richtet, das heißt ihn erkennt und teleologisch festhält«[328]. Sofern Gott nun Persönlichkeit ist, wissen wir, daß er einen Zweck haben muß, den er erkennt und unwandelbar festhält. Zu der Erkenntnis dieses Zwecks vermögen wir jedoch weder durch empirische Vergleichung noch durch dialektische Begriffsbewegung zu gelangen; der Inhalt desselben wird uns allein durch das religiöse Erkennen Jesu zuteil. Er besteht darin, daß wir, die wir von Gott mit der Anlage zur Persönlichkeit geschaffen sind, zur Persönlichkeit, das heißt vollkommen wie Gott selber werden[329]. Wollte man nun nachträglich - so überlegte C. Stange weiter - die theistische Formel für die göttliche Persönlichkeit zur Verdeutlichung dieses Verhältnisses verwenden, so würde man sagen, daß Gottes Zweck nicht in ihm selber liegen kann, da er - wenn er sich selbst als Zweck hätte - nur sich selbst bejahte, worin aber schon sein Sein und nicht sein Zweck besteht. Die vollständige Negation seiner selbst vermag Gott gleichfalls nicht als Zweck zu wollen, da das sein Wesen als Persönlichkeit aufheben würde. Also kann der Zweck, den er hat, nur darin bestehen, daß er zwar sein Wesen will, aber in anderer als der eigenen Existenzform: als Vielheit und als Werden. Dann aber sah es so aus, als ob er erst mit der Schöpfung recht eigentlich Persönlichkeit geworden sei, während er vor der Schöpfung gemäß der potentia zwar den Zweck hatte und erkannte, aber ihn nicht festhielt, das heißt verwirklichte. Dem wäre nach C.Stange allerdings so, wenn die Schöpfung ein zeitlicher Akt Gottes wäre. Wenn man jedoch von einem Vorher existieren Gottes rede, so könne man es nur in logischem Sinn tun, das heißt in dem Sinne, daß die Merkmale der vollkommenen Persönlichkeit zu dem Begriff der vollkommenen Persönlichkeit auch ohne Rücksicht auf den Begriff der Schöpfung zu bilden und zusammenzufügen wären. C. Stange faßte nun die formale Bestimmung, wie sie ihm der theistische Gottesbegriff lieferte, und die materielle Erfüllung durch das Urteil und das Bewußtsein Jesu zu einem einheitlichen Ausdruck zusammen; Danach »besteht das Ideal der christlichen Ethik in der vollkommenen Gemeinschaft der gewordenen Persönlichkeiten, das heißt im Gottesreich«[330].

Gegenüber verschiedenen ablehnenden Argumenten E. von Hartmanns wandte C. Stange ein, daß die Persönlichkeit als vollendete Persönlichkeit kein ethischer Begriff sei, da sonst noch die Möglichkeit eines Werdens einer Entwicklung der vollendeten Persönlichkeiten gegeben sein müßte, was aber durch den Begriff derselben selbstverständlich ausgeschlossen werde. Für C. Stange umfaßte der Begriff des Sittlichen somit immer den des Werdens und Sich-entwickelns; wo jedes Werden ausgeschlossen war, konnte daher für ihn auch die Beziehung nicht mehr ethischer Natur sein. Er erklärte, eine Beziehung zwischen dem Reich des sittlichen Werdens und dem ethischen Ideal sei selbstverständlich in der christlichen Ethik gegeben; aber diese Beziehung sah er eben nicht darin, daß das Ideal selbst den ethischen Kategorien unterstellt sei, sondern darin, daß die ethischen Kategorien wirklich vom Ideal abgeleitet werden. Der Begriff des höchsten Gutes war für C. Stange der Norm-gebende, den Inhalt der einzelnen konkreten Sittlichkeit bestimmende Be-

---

[328] Ebd. S. 76.
[329] Vgl. Mat. 5, 48.
[330] Stange: Die christliche Ethik. S. 85.

griff. Danach mußte selbstverständlich das, was in der konkreten Sittlichkeit in unvollendeter Gestalt vorhanden ist, auch in dem Ideal vorhanden sein, jedoch als Vollendetes. Als eine falsche Anwendung ethischer Kategorien erachtete er es, wenn man die Formen der Unvollkommenheit, in denen das Sittliche selbst sich darstellt, auf die transzendente Welt übertragen wollte. Anders aber lag für ihn die Sache, wenn der Inhalt des Ideals derselbe ist, wie in der konkreten sittlichen Bildung, weil eben diese von jenem inhaltlich bestimmt werden soll[331].

Indem C.Stange so gegenüber E. von Hartmann die Anwendbarkeit der vollendeten Persönlichkeit auf die transzendente Welt aufzeigte, wollte er die Ansicht, es müsse mit der Vielheit der Persönlichkeiten im Jenseits auch die Unvollkommenheit wieder mitgesetzt werden, als hinfällig erweisen. Er bestand darauf, daß der Grund der Unvollkommenheit der empirischen Welt nicht in der Vielheit der Individuen, sondern allein in deren Bedingtheit zu suchen sei. Ihr gegenüber sah er jedoch die Möglichkeit einer Koexistenz der vielen Persönlichkeiten in der Einheit des Zwecks gegeben - eine Einheit, von der er behauptete, daß sie mit physisch-sinnlicher Identität garnichts zu tun habe und über den Kreis unserer Denkfähigkeit völlig hinausgehe. Diese dachte er als »innigste Willensgemeinschaft der einen vollkommenen und der vielen gewordenen Persönlichkeiten«. Sie war für ihn vor allem dadurch von der physischen Einerleiheit verschieden, daß jede Persönlichkeit ihre besondere Stellung - wie in der diesseitigen Welt - so auch im Jenseits hat und auf besondere Weise die Vollkommenheit des Ideals, das heißt Gottes, widerstrahlt. Von Sittlichkeit, Religion etc. konnte da nicht mehr die Rede sein, da dies für C. Stange Worte waren, die nur auf die unvollkommene Welt paßten. Unter dasselbe Urteil fiel auch der Gedanke, daß jenes jenseitige Reich Gottes, wenn es nicht selbst lebendige Entwicklung wäre, womit allerdings die Unvollkommenheit erneuert wäre, eine erstarrte, tote Masse beziehungsloser Individuen sein müsse. Es war für ihn ebenso unmöglich, den Begriff einer entwicklungslosen Vielheit, wie den der Entwicklung auf die Transzendenz anzuwenden. Wenn es ihm völlig unmöglich schien, eine stagnierende geistige Gemeinschaft zu denken oder vorzustellen, so rührte das daher, daß er nur die Persönlichkeit empirisch als werdende, das heißt mit Unvollkommenheiten behaftete und daher sich entwickelnde, kannte. Mit der gleichen Erörterung ließ sich aber so wenig für das ethische Ideal als gegen dasselbe etwas ausmachen, weil dabei für C. Stange stets die Scheidung des Adäquaten vom Inadäquaten in der Beziehung der transzendenten Welt nicht genügend vollzogen werde[332].

Da wir uns in unserer Untersuchung nicht in eine Erörterung der unterschiedlichen Auffassungen christlicher Ethik verlieren wollen, verlassen wir an dieser Stelle den vorliegenden Entwurf. Immerhin wurde klar, daß für C.Stange die Sittlichkeit wegen der Vollendung der Persönlichkeit im Gottesreich eine eschatologische Ausrichtung haben muß, die über das gegenwärtige, natürliche Leben hinausweist. Wir gehen daher nicht fehl, wenn wir die Wurzeln dieser Eschatologie in der transzendentalen Ethik I. Kants suchen. In der Tat weisen die weiteren Schriften C.Stanges den starken Einfluß auf, den er seitens des Königsberger Philosophen erfahren hat.

---

[331] Ebd. S. 85.
[332] Ebd. S. 86.

Dabei ist freilich zu berücksichtigen, daß C. Stange gelegentlich I. Kant durch Luther interpretiert, wie er andererseits bemüht war aufzuzeigen, daß wichtige Tendenzen I. Kants bereits in der philosophischen Kritik Luthers grundgelegt waren[333].

Schauen wir nun in die religionsphilosophischen Schriften C. Stanges[334], so müssen wir hervorheben, wie sehr es ihm darum zu tun war, bei voller Anerkennung der Verschiedenheit von Leib und Seele keinen metaphysischen Gegensatz zwischen beiden zu konstruieren. Materie war für ihn verkörperter Geist, letzterer immer beseelte Materie. Diese Auffassung beruhte auf der Überzeugung, daß die Einheit, die des Leibes bedarf, durch die Einheit aller psychisch-mechanischen Vorgänge in den wesentlichen Funktionen der Seele erwiesen ist. Hinsichtlich der Unsterblichkeit der Seele folgerte nun der Religionsphilosoph, daß dem Menschen mit einer solchen nicht geholfen wäre, wenn die Seele ihre funktionale Einheit mit dem Leib entbehren müsse. Für ihn gab es daher nur die eine Konsequenz, auch den Leibestod in seiner Einheit auf das Lebensganze auszudehnen. Diese Erkenntnis fand C. Stange auch durch weitere Erwägungen ethischer und theologischer Art gestützt. Der Wille Gottes, so argumentierte er, verlange von uns in dem Gebot der Liebe volle Hingabe. Das sich selbst suchende Leben wolle sich jedoch der Hingabe entziehen. Im Gewissensakt, in dem der Mensch das Gericht Gottes über sein verkehrtes Leben empfindet, liege die Lebenszerstörung, der nach Gottes gnädigem Willen eine Lebenserneuerung folgt. Nicht die Verlängerung unseres Erdenlebens über den Tod hinaus sichere uns die Ewigkeit, sondern gerade die Zerstörung unseres Lebens. Nach C. Stange ist es gerade ein Glück, daß wir sterblich sind, denn nur dadurch können wir gerettet werden[334.1].

Die Vorlesungen, die C. Stange 1924 bei einer Tagung des apologetischen Seminars über »Die Unsterblichkeit der Seele« hielt, diente dem Ziel, eine systematische Klärung des Unsterblichkeitsgedankens herbeizuführen[335]. Zum richtigen Verständnis dieser Schrift müssen wir unbedingt den Hinweis des Verfassers beachten, daß er nicht beabsichtige, eine Geschichte des Unsterblichkeitsglaubens zu

---

[333] Zur genaueren Nachprüfung vgl. ders.: Einleitung in die Ethik. I. System und Kritik der ethischen Systeme. II. Grundlinien der Ethik. Leipzig 1900-1901, ²1923. - Ders.: Der Gedankengang der „Kritik der reinen Vernunft". Leipzig 1903, ⁴1920. - Ders.: Die ältesten ethischen Disputationen Luthers. Hrsg. von Carl Stange. (QGP. 1.) Leipzig 1904. - Ders.: Religion und Sittlichkeit bei den Reformatoren. In: Theologische Studien, Martin Kähler zum 6. I. 1905 dargebracht. Leipzig 1905. S. 111-134. - Dass. separat. Ebd. 1905. - Ders.: Luther und das sittliche Ideal. Gütersloh 1919. - Dass. neu abgedruckt in: Ders. Studien zur Theologie Luthers. Bd. 1. Gütersloh 1928. S. 159-219. - Ders.: Die Ethik Kants. Zur Einführung in die Kritik der praktischen Vernunft. Leipzig 1920. - Ders.: Hauptprobleme der Ethik. Leipzig 1922.

[334] C. Stange: Grundriß der Religionsphilosophie. Leipzig 1907. - Ders.: Moderne Probleme des christlichen Glaubens. Leipzig, Erlangen 1910. - Ders.: Christentum und moderne Weltanschauung. Teil I: Das Problem der Religion. Leipzig 1911, ²1913. - Ders.: Die Religion als Erfahrung. Gütersloh 1919.

[334.1] Nach Ölsner. S. 69-71.

[335] C. Stange: Die Unsterblichkeit der Seele. (StASW. 12.) Gütersloh 1925. S. 5. - So ders. bereits in seiner Schrift: Luther und das sittliche Ideal. Vgl. ders.: Studien zur Theologie Luthers. Bd. 1. S. 159-219; vgl. ebd. S. 181.

schreiben. Wenn das Inhaltsverzeichnis dennoch im wesentlichen einen geschichtlichen Abriß bietet, von den Vorstellungen der primitiven Völker bis zum deutschen Idealismus, so dürfen wir im Inhalt der Schrift keine verläßlichen Ergebnisse philosophiegeschichtlicher Forschung erwarten, eher gibt uns der Verfasser eine Zusammenstellung verschiedener Ideen unter typologischem Gesichtspunkt. Es kann hier nicht unsere Aufgabe sein, die zum Teil sehr anfechtbaren Thesen C. Stanges einzeln in ihrem historischen Kontext zu erörtern[336]. Wichtig für das Verständnis ist jedoch, die apologetische Tendenz zu beachten, mit der C. Stange den Nachweis führen wollte, daß der Glaube an die Unsterblichkeit der Seele mit dem christlichen Glauben an ein Leben nach dem Tode nichts zu tun habe und weder in religiöser noch in philosophischer Hinsicht dem christlichen Glauben gleichwertig sei[337].

Im Zusammenhang mit der Luther-Renaissance jener Tage[338] gipfelte die Schrift in einer Darlegung von Luthers Kritik an der Unsterblichkeitslehre, wie sie vor allem in der Entscheidung des 5. Laterankonzils von 1512 zum Ausdruck kam[339]. Da C. Stange sich auch in anderen Schriften um das Todesverständnis Luthers bemühte[340] und mit ihm seine eigenen Anschauungen zu rechtfertigen suchte, wollen wir diesem Kaptiel etwas mehr Aufmerksamkeit schenken[341].

C. Stange ging davon aus, daß die Dogmatisierung des vermeintlich aristotelischen Satzes von der Unsterblichkeit der Seele nicht bloß bei den humanistisch gebildeten Aristoteles-Interpreten, sondern auch bei M. Luther Widerspruch gefunden habe. Als Beweis führte er einige Zitate an, mit denen der gebannte Theologe gegen das angebliche Recht des Papstes, neue Glaubensartikel aufzustellen, protestierte[342]. Luther habe unter dem Einfluß des P. Pomponazzi die Aristoteles Deutung durch das Konzil und dessen Lehre, daß die Seele Form des Menschen und

---

[336] Zum Problem vgl. A. Ahlbrecht: Unsterblichkeit der Seele. Voraussetzungen und methodische Vorentscheidungen für ihre Leugnung in der evangelischen Theologie. In: ThG-k 7 (1964) 27-32.

[337] Vgl. Stange: Unsterblichkeit der Seele. S. 19.

[338] Vgl. A. Nygren: Carl Stange als theologischer Bahnbrecher. In: NZSTh 2 (1960) 123-128, besonders S. 125.

[339] Concilium Lateranense V. Sess. VIII (19. 12. 1513). Bulla Leo X „Apostolici regiminis". = DS 1440-1441. - Vgl. C. Stange: Zur Auslegung der Aussagen Luthers über die Unsterblichkeit der Seele. In: ZSTh 3 (1925/26) 735-784. - Dass. in: Studien zur Theologie Luthers. Bd. 1. S. 287-344. - Ders.: Luther und das 5. Laterankonzil. In: ZSTh 6 (1928/29) 339-444. - Dass. separat: Zur Auslegung der Aussagen Luthers über die Unsterblichkeit der Seele (und) Luther und das 5. Laterankonzil. (StASW. 24.) Gütersloh 1928. - Ders.: „Die geradezu lächerliche Torheit der päpstlichen Theologie". Zu Luthers Urteil über die Seelenlehre des fünften Laterankonzils. In: ZSTh 10 (1933) 301-367. - A. Deneffe: Die geradezu lächerliche Torheit der päpstlichen Theologie. In: Scholastik 5 (1930) 380-387.

[340] Vgl. C. Stange: Der Todesgedanke in Luthers Tauflehre. In: ZSTh 5 (1928) 758-844. - Dass. in: Studien zur Theologie Luthers. Bd. 1. S. 348-434. - Ders.: Luthers Gedanken über die Todesfurcht. (GSt. 7.) Berlin, Leipzig 1932. - Ders.: Luthers Gedanken über Tod, Gericht und ewiges Leben. In: ZSTh 10 (1933) 490-513.

[341] Zu Luthers Einfluß bei C. Stange vgl. im ganzen Ahlbrecht: Tod und Unsterblichkeit in der evangelischen Theologie der Gegenwart. S. 27-30.

[342] Vgl. Stange: Unsterblichkeit der Seele. - M. Luther: Assertio omnium articulorum (1520). Stange zitierte: Luther. Werke. E.A. deutsch. Bd. 24. S. 131. - M. Luther: An den christlichen Adel. In: E.A. deutsch. Bd. 21. S. 345.

unsterblich sei, abgelehnt[343]. Für Luther sei der Mensch nicht ein aus Leib und Seele zusammengesetztes Wesen, sondern eine Einheit, nämlich fleischlicher Wille. Dieser Unterschied in der Anthropologie sei von grundlegender Bedeutung für die Verschiedenheit der römischen Heilslehre und der Heilslehre Luthers[344].

Im folgenden gab C. Stange mit unbewiesenen Behauptungen eine völlig unzulängliche Darstellung der angeblich katholischen Lehre, die wir hier übergehen[345]. Was er hingegen über M. Luther sagte, ist für uns instruktiv. Wir wollen es hier zwar nicht auf seine historische Richtigkeit überprüfen, sondern als die eigene Lehrmeinung dieses Lutheraners zur Kenntnis nehmen, wobei zu bedenken ist, daß seine Auffassung zu Kontroversen mit anderen Vertretern dieser theologischen Richtung führte.

C. Stange erklärte, daß für M. Luther der Mensch immer nur als einheitliche Person in Betracht komme. Er gewinne den Gegensatz von Gut und Böse nicht durch die Zerlegung eines Individuums in Vernunft und Sinnlichkeit. Der sittliche Mangel des Menschen zeige sich vielmehr ebensosehr auf dem Gebiet des geistigen Lebens, wie auf dem der Sinnlichkeit. Gut und Böse seien nicht ein Hinweis auf zwei verschiedene Provinzen im Menschen, sie seien vielmehr die Prädikate, die wir dem menschlichen Willen beilegen, wie er sich in allem Tun und Verhalten des Menschen äußert. »Der Wille macht das Wesen des Menschen aus, und der Wille des Menschen ist immer ein und derselbe, ob er sich nun in der Betätigung unserer höheren oder unserer niederen Seelenkräfte äußert«[346].

Die Entdeckung nun, daß der Gegenstand der sittlichen Beurteilung der Wille sei, wurde von C. Stange M. Luther zugesprochen. Daß es sich hier jedoch nicht um eine rein theologische Aussage handelt, daß vielmehr in der Auffassung C. Stanges eine ganz bestimmte philosophische Richtung zum Ausdruck kommt, beweist ein Zitat aus I. Kants Grundlegung zur Metaphysik der Sitten, das er im gleichen Atemzug anführte und das besagt, es sei überall nichts in der Welt, ja überhaupt - auch außer derselben zu denken möglich, was ohne Einschränkung für gut gehalten werden könnte, als ein guter Wille. Theologisch bestimmte C. Stange: Böse sei der Wille, der sich selbst und das Seine sucht und gut der Wille, der sich um des andern willen dahingibt. Von Gut und Böse könne erst dann geredet werden, wenn wir neben dem Willen des Menschen einen anderen Willen kennen, der sich vom menschlichen Willen durch seine Beschaffenheit unterscheidet. Einen derartigen vom menschlichen Willen wesentlich verschiedenen Willen habe M. Luther in dem Wil-

[343] Stange: Die Unsterblichkeit der Seele. S. 134. - Vgl. ders.: Luther und das fünfte Laterankonzil. S. 10-33: Die Konzilsakten. - Zu Pietro Pomponazzi siehe oben S. 285, Anm. 49. - H.J. Weber verweist unter Berufung auf A. Adam (Dogmengeschichte. Bd. 2. S. 121-122) darauf, daß Luthers Ablehnung eines philosophischen Beweisganges in der Unsterblichkeitsfrage nicht auf philosophischen Überlegungen, sondern gerade auf deren Verwerfung einerseits und andererseits auf seiner Kenntnis skotistischer Werke beruhte. Vgl. Weber: Auferstehung. S. 150. Anm. 168. Außerdem ebd. S. 162 und 122.
[344] Stange: Die Unsterblichkeit der Seele. S. 135. - Vgl. ders.: Studien zur Theologie Luthers. Bd. 1. S. 172-175. - Zum Begriff der Seele nach Luther vgl. C. Stange: Das Ende aller Dinge. [Die christliche Hoffnung, ihr Grund und ihr Ziel.] Gütersloh 1930. S. 164-177.
[345] Vgl. dazu Ahlbrecht: Tod und Unsterblichkeit in der evangelischen Theologie der Gegenwart. S. 35, 84.
[346] Stange: Die Unsterblichkeit der Seele. S. 136.

len Gottes gefunden, so daß seit dem das Problem der Ethik in der Frage bestehe, wie der fleischliche Wille zum geistlichen Willen werden könne. Vom menschlichen Willen könne diese Umwandlung offenbar nicht ausgehen, so daß sie nur durch den göttlichen Willen hervorgebracht werden könne. Dies geschehe dadurch, daß wir unter der Einwirkung des Gesetzes Gottes zur Selbsterkenntnis geführt würden. Das Gesetz führe dazu, daß wir die fleischliche Art unseres Willens als böse erkennen und zugleich unserer Unfähigkeit innewerden, uns von der fleischlichen Art unseres Willens freizumachen. Insofern übe das Gesetz Gottes an uns das Gericht. Aber eben diese Erkenntnis unseres Unwertes und unserer Unfähigkeit zum Guten sei bereits eine Umwandlung des Willens. Denn wenn wir darauf verzichten müssen, uns unseres eigenen Könnens zu rühmen, und uns selbst das Urteil sprechen zu müssen, dann gäben wir damit das Vertrauen auf uns selbst auf und erkennten Gottes Willen als heilig an. Damit gewinne unser Wille einen neuen Inhalt und ein neues Ziel. Der Verzicht auf sich selbst und die Anerkennung der göttlichen Heiligkeit bedeute, daß nun nicht nur mehr unser Ich, sondern Gott unseren Willen bestimme. Aus der Selbstsucht unseres Willens sei die Selbsthingabe des eigenen Ich an Gott geworden, aus dem fleischlichen Willen der geistliche Wille[347].

Wir finden in dieser Zusammenfassung wieder eine stark vom Voluntarismus geprägte Darstellung der lutherischen Heilslehre, bei der auffällt, wie wenig christologisch sie konzipiert wurde[348]. Die Bedeutung der Gedanken M. Luthers bestand für C. Stange darin, daß sie eine durchaus einheitliche Auffassung von der Welt zum Ausdruck brachten. Die Schöpfung Gottes bestehe danach nicht aus zwei voneinander getrennten, einander entgegengesetzten Gebieten, in derem einen Gott und in deren anderem der Teufel herrsche. Die ganze Schöpfung sei vielmehr ein einheitliches Werk Gottes. Als Schöpfung Gottes erweise sie sich dadurch, daß sie unter dem Willen Gottes stehe. Das aber gelte von der Schöpfung auch insofern, als sie dem Willen Gottes widerstreite. Denn soweit dies der Fall sei, stehe die Welt unter dem Gericht Gottes. Aber die unter dem Gericht Gottes stehende Welt stehe auch unter dem Willen Gottes. Die sich von Gott abwendende und unter der Sünde stehende Welt werde eben durch das Gericht zu einer unter der Herrschaft Gottes stehenden Welt: eine und dieselbe Welt, die durch das Gericht aus dem Zustand des Verderbens in den Zustand des Heils geführt werde[349].

Von diesen Gedanken aus ergab sich nun für C. Stange eine spezifische Beurteilung des Todes und des Lebens nach dem Tode, die er ausdrücklich von der katholischen Auffassung - wie er sie verstand - absetzte: Im Zusammenhang der Gedanken M. Luthers stelle sich der Tod als das Gericht Gottes über das fleischliche Wesen der Kreatur dar; im Widerstreben gegen den Tod komme derselbe Selbstbehauptungstrieb zum Ausdruck, den unser Gewissen als die Wurzel der Sünde zeige. Indem der Tod unser Leben zerbreche, bezeuge er, daß vor Gott der nur sich selbst

---

[347] Ebd. S. 137-138. - Vgl. ders.: Studien zur Theologie Luthers. Bd. 1. S. 182-194.

[348] Vgl. jedoch u.a. Stange: Studien zur Theologie Luthers. Bd. 1. S. 193-194, 208-218. - Außerdem ders.: Das Ende aller Dinge. S. 73-97: Die Person Christi und das ewige Leben (Luther).

[349] Stange: Die Unsterblichkeit der Seele. S. 138. - Vgl. ders.: Zu richten die Lebendigen und die Toten. In: ThLBl 52 (1931) 17-22. - Ders.: Die christliche Vorstellung vom jüngsten Gericht. In: ZSTh 9 (1931/32) 441-454.

suchende Wille nicht bestehen kann. Die Unsterblichkeit des Menschen war für C. Stange schon deshalb unmöglich, weil die Seele des Menschen, wenn sie auch durch den leiblichen Tod nicht zerstört wird, dennoch garnicht die Möglichkeit hat, an der Welt des ewigen Lebens teilzunehmen, da das nach seiner Auffassung ewige Leben Gottes wesentlich anderer Art als das menschliche Leben ist. Nach Luthers Auffassung stehe der Tod auf der gleichen Stufe wie das im Gewissen sich vollziehende Gericht. Daraus folgerte C. Stange: der Tod werde eine verschiedenartige Bedeutung haben, je nachdem ob ihm das Gericht des Gewissens vorangehe oder nicht. Denn indem sich das Gericht des Gewissens in unserem Willen vollziehe, werde unser Wille umgestaltet, und zwar so, daß das Gericht des Todes ihn nicht mehr treffen könne. Wo das Gericht des Gewissens nicht vorangegangen sei, finde der Tod nur den kreatürlichen Eigenwillen, dem er das Urteil spreche. Wo aber das Gericht des Gewissens voraufgegangen sei, da sei ein neuer Wille entstanden, der nicht in den Zusammenhang der natürlichen Schöpfungsordnung gehöre[350].

Wir haben hier den Kern der lutherischen Theologie bei C. Stange wahrgenommen, aus der heraus er auch eine neue Vorstellung von dem Leben nach dem Tode folgerte. Er vertrat die These: Nach christlicher Auffassung sei das Leben nach dem Tode nicht die selbstverständliche Fortsetzung des irdischen Lebens. Im Christentum finde der Glaube an die Unsterblichkeit der Seele keinen Platz, sondern an seine Stelle trete der Glaube an die Auferstehung der Toten. Zur Begründung legte er folgenden Gedankengang vor: Von einem Leben im Jenseits könne nur geredet werden, wenn es einen Gott gibt[351]. Von ihm allein gelte, daß er unsterblich sei. Von ihm heiße es im Johannes-Evangelium, daß er das Leben in sich selber habe[352]. Für die Kreatur dagegen mitsamt dem Menschen gelte, daß er das Leben empfängt. Das dürfe natürlich nicht bloß von der unvollkommenen Gestalt des Lebens gesagt werden, wie wir es während unseres irdischen Daseins besitzen, sondern es müsse auch von dem Leben in seiner vollkommenen Gestalt gelten, wie es uns im Jenseits zuteil werde. Es wäre ein Widerspruch in sich selbst, wenn wir in der Zeit der Vollendung, da unser Leben ganz mit Gottes Leben eins sein soll, von ihm getrennt sein sollten durch den Besitz eines Lebens, das nicht mehr seine beständige Gabe wäre. »Der Gedanke des christlichen Glaubens, daß alles Gottes Gabe ist, muß auch im Hinblick auf das ewige Leben zur Geltung kommen: das ewige Leben ist nicht eine notwendige Folge unserer natürlichen Beschaffenheit, sondern ein beständiges Geschenk aus Gottes Hand«[353]. C. Stange folgerte, daß nur die am ewigen Leben Anteil haben, die die Fähigkeit besitzen, sich von Gott geben und schenken zu lassen. Die Voraussetzung des ewigen Lebens war für ihn, daß wir im Gericht unseres Gewissens den Zusammenhang mit Gott gewonnen haben. Darin allein fand er die Bürgschaft dafür, daß wir zum ewigen Leben berufen sind: »Das ewige Leben ist nichts anderes als die Gemeinschaft mit Gott«[354].

---

[350] Ders.: Die Unsterblichkeit der Seele. S. 139-140.
[351] Vgl. ders.: Der christliche Gottesglaube im Sinn der Reformation. In: ZSTh 3 (1925/26) 517-547. - Dass. in: Studien zur Theologie Luthers. Bd. 1. S. 235-269.
[352] Joh. 5, 26.
[353] Stange: Die Unsterblichkeit der Seele. S. 140.
[354] Ebd. S. 141. - Vgl. ders.: Die Gemeinschaft mit dem lebendigen Gott. Zwölf Predigten. Leipzig 1914. - Ders.: Die christliche Lehre vom ewigen Leben. In: ZSTh 9 (1931/32) 250-276.

Wir wären schnell bereit, diesem letzten Satz C. Stanges unsere volle Zustimmung zu geben, denn worin unterscheidet er sich von der rechten katholischen Auffassung? Aber Vorsicht! Fragen wir näher, worauf diese Gemeinschaft mit Gott begründet wurde, so finden wir, daß für C. Stange ein bloß kreatürlicher Zusammenhang zwischen Geschöpf und Schöpfer nicht in Frage kam. Anhand von Markus 12,26-27 parr. trat er dafür ein, daß die in der Bibel gestellte Frage nach der Auferstehung der Toten auf dem persönlichen Verhältnis von Gott und der von ihm angerufenen Menschheit beruhe. Die Gemeinschaft des gleichen Namens, die Familiengemeinschaft, die sich dadurch bildet, versuchte er mit der Kategorie der »Bedeutung« zu erfassen. Abraham, Isaak, Jakob - das Leben jener Männer gehört nicht bloß dem vorübergehenden Strom der zeitlichen Vergänglichkeit an, sie haben vielmehr auch »Bedeutung für das Leben Gottes«. Umgekehrt, da er der ewige Gott ist, so muß auch dies persönliche Verhältnis eine »ewige Bedeutung« haben. Nach C. Stange kommt es demnach einzig darauf an, daß Gott mit uns redet[355] - und zwar, wie es der lutherische Theologe verstand, allein durch die Stimme des Gewissens. Dadurch wird nach C. Stange unser Verhältnis zu Gott ein persönliches Verhältnis und dies persönliche Verhältnis kann - nicht um unseretwillen, sondern um Gottes willen - nicht wieder gelöst werden[356].

Es ist nun deutlich zu sehen, worin für C. Stange die Verbürgung des ewigen Lebens begründet war. Vom katholischen Standpunkt aus wäre diese Auffassung nicht gänzlich zu verwerfen, aber es wäre einzuwenden, daß das biblische Schöpfungsverständnis von C. Stange wesentlich verkürzt wurde. Umgekehrt hätte er in seiner Polemik gegen die katholische Lehre auf diesen entscheidenden Punkt der konfessionellen Kontroverse eingehen müssen, anstatt das 5. Laterankonzil als einen Beweis für seine These zu nehmen, daß die katholische Unsterblichkeitslehre von falschen heidnisch-philosophischen Ideen geprägt sei. In dieser Hinsicht aber ist zu erkennen, wie sehr C. Stange mitsamt seiner Polemik selbst vom idealistischen Zeitgeist geprägt war. Anstatt sich an der Realität zu orientieren, behauptete er, daß vom Standpunkt des Unsterblichkeitsglaubens aus »eigentlich das irdische Leben sinnlos« sei. Nur insofern ließ er vielleicht eine positive Schätzung des menschlichen Lebens gelten, als das Wesen der Seele im Erkennen bestehe und infolge dessen die Ausbildung des Geistes als Aufgabe des Menschen erscheine. Der Sinn des menschlichen Lebens würde dann darin bestehen, daß der einzelne zur vollkommenen Erkenntnis gelangt. Allerdings - das war nicht C. Stanges Ansicht. Wir führen seinen Gedankengang nur an, weil er genau in diesem Zusammenhang die Ablehnung eines Zwischenzustandes vertrat. Wenn vollkommene Erkenntnis Ziel des menschlichen Lebens wäre, würden alle, die in früher Jugend sterben, das Ziel nicht erreichen. Hier könnte der Gedanke eines Zwischenzustandes helfen, indem das hier auf Erden Versagte nachgeholt würde. Doch solche Gründe ließ C. Stange nicht gelten.

---

[355] Vgl. ders.: Luther und das sittliche Ideal. In: Studien zur Theologie Luthers. Bd. 1. S. 181. - Ders.: Das Ende aller Dinge. S. 30: „Ubi igitur et cum quocumque loquitur Deus ... is certe est immortalis. Persona Dei loquentis et verbum significant, nos tales creaturas esse, cum quibus velit loqui Deus usque in aeternum et immortaliter" (M. Luther. Genesis-Kommentar. E.A. Bd. VI. S. 332).

[356] Stange: Die Unsterblichkeit der Seele. S. 142. - Vgl. ders.: Jesu Beweis für die Auferstehung der Toten. In ders.: Moderne Probleme des christlichen Glaubens. Leipzig, Erlangen 1910. S. 220-225.

Darum bezeichnete er den Gedanken des Zwischenzustandes schlechthin als ein »reines Erzeugnis der Phantasie«[357]. Er konnte diesen Gedanken in keiner Weise auf die Aussagen unseres Gewissens gründen, im Gegenteil, sobald dem Gedanken eines Zwischenzustandes Raum gegeben werde, sah er die Verantwortung für das irdische Leben geschwächt[358]. Es war für ihn nicht einzusehen, warum in einem Zwischenzustand die Erreichung der Vollkommenheit möglich sein soll, wenn sie hier auf Erden versagt ist. Niemand vermöge zudem anzugeben, unter welchen Bedingungen dieser Zustand der Vollkommenheit erreicht sein solle: der Prozeß der Entwicklung schreite beständig fort, so daß sich der Maßstab der Vollkommenheit verschiebe und niemals endgültig werde[359].

Sollte C. Stange mit diesem rein philosophisch interpretierten Zwischenzustand den Läuterungsstand gemeint haben, von dem die katholische Eschatologie spricht, so irrte er. In der Tat zeigte er nur, daß das philosophische Denken, so wie es beschrieb, zu dem Ergebnis führte, daß die Wirklichkeit so schlecht wie möglich eingerichtet ist, um das Ideal zu erreichen. C. Stange ging darüber noch hinaus, indem er behauptete, zwischen der Wirklichkeit des Lebens und den Ansprüchen des philosophischen Denkens bestehe ein unüberwindlicher Gegensatz. Und doch, ist nicht auch das von Neukantianismus und Voluntarismus geprägte Denken C. Stanges philosophisch zu nennen? Eigenartig ist seine Auffassung der Zeit. Er erklärte: Wenn das Ziel des menschlichen Lebens darin gesehen werde, daß das Ich, das nur sich selbst kennt, den Anspruch des Du und damit die Gemeinschaft mit dem Du kennen lerne, dann bedürfe es nicht einer bestimmten Länge der Zeit, damit das Ziel erreicht werde. Das Gewissen sei unabhängig von aller Kultur; innere Lebendigkeit des Menschen unabhängig von der Reihe der Jahre. Wenn das Leben des einen lange daure und das des andern nur kurze Zeit, so komme darin zum Ausdruck, daß die Dauer der Zeit überhaupt nicht von entscheidender Bedeutung sei. Von entscheidender Bedeutung war für ihn nur, ob wir in der Zeit unseres irdischen Lebens mit Gott in Berührung gekommen sind oder nicht, - denn, so behauptete er noch einmal, davon hänge die Hoffnung auf die Anteilnahme am ewigen Leben ab[360]. Gewiß, wir geben zu, es kann auch unter denen, die jung an Jahren sind, solche geben, die in dem Erwachen des Gewissens oder im Ernst des Todes das Angesicht Gottes schauen. Aber wird nicht gerade in dieser Theologie, der C. Stange sich verpflichtet wußte, mit der Geringschätzung der zeitlichen Dauer auch die Wirklichkeit der Welt als Schöpfung Gottes und Aufgabenbereich des Menschen verachtet? Hier ist zu fragen, ob die katholische Theologie nicht eine andere Auffassung vom Wert der Zeit (auch als zeitlicher Dauer) und damit vom Verhältnis des Menschen zur Schöpfung als jenem Werk, das der Ewige gezeitigt hat, aufzuweisen vermag. Das Gespräch mit C. Stange ist nicht leicht (und aus diesem Grund vielleicht

---

[357] Stange: Die Unsterblichkeit der Seele. S. 143.
[358] Zum Thema „Verantwortungsbewußtsein" vgl. u.a. Stange: Das Ende aller Dinge. S. 199-200.
[359] Vgl. ebd. S. 195.
[360] Ders.: Die Unsterblichkeit der Seele. S. 144. - Vgl. ders.: Das Ende aller Dinge. S. 73: „Der Begriff des Ewigen verliert für Luther ganz die zeitliche Bedeutung". Außerdem ebd. S. 98-121: Der eschatologische Begriff der Geschichte.

auch damals unterblieben), zumal er nur ein verzerrtes Bild von katholischer Theologie zu geben wußte. Räumen wir dies beiseite, verständigen wir uns zudem im philosophischen Bereich, so daß auch verdeckte philosophische Denkvoraussetzungen offenkundig werden, so ließe sich vielleicht mit ihm am ehesten der Zugang zur Theologie M. Luthers gewinnen, als deren Apologet C. Stange immer wieder auftrat. Gerne wollen wir anerkennen, daß die Auseinandersetzung, die C. Stange mit P. Althaus, W. Windelband, E. Troeltsch, A. Nygren und K. Heim führte[361], diesem Ziel diente. Von besonderem Interesse ist für uns K. Heim, da er als Theologe mancherlei philosophische Überlegung in sein Denken einbezog. Wir wollen ihn hinsichtlich seiner Eschatologie im folgenden kurz vorstellen.

(10) Karl Heim (1874-1958)

K. Heim entstammte dem religiösen Mutterboden des schwäbischen Pietismus[362]. Nach R. Winkler folgte er in der Gegenüberstellung von Glauben und Wissen A. Ritschl[363]. Als pietistischer Einfluß gilt, daß er die Gewißheit des Glaubens durch »Selbstzersetzung der logischen Gewißheit« sicherzustellen versuchte[364]. Ausgangspunkt war für ihn die Logik, wie sie von G. Uphues[365] vermittelt wurde. Im Anschluß an E. Husserls »Logische Untersuchungen« lehnte er den radikalen Psychologismus ab[366]. Obwohl er dabei ein metaphysisches Weltbild durchaus in Betracht zog, begründete er jedoch jede Erkenntnis im Subjekt. Der voluntaristische Ansatz kam bei ihm darin zum Ausdruck, daß der Glaube allein Christus zur perspektivischen Mitte aller Werte und des gesamten Weltgeschehens macht[367].

Zur Eschatologie äußerte sich K. Heim bereits ausführlich in seinem »Leitfaden der Dogmatik« (1912). Im Erlebnis der Erlösung aus der Sündennot war für ihn die Gewißheit eingeschlossen, daß das Ich ewig oder unsterblich ist. Denn die Not - so argumentierte er - aus der wir erlöst werden, hätte nicht den Charakter der tiefsten Not, wenn sie durch den Glauben an den zu irgend einer Zeit zu erwartenden Untergang des Ichs zeitlich begrenzt wäre; und die Erlösung durch Christus wäre

---

[361] Vgl. u.a. Stange: Das Ende aller Dinge. S. 1-73. - Aus der späteren Zeit vgl. u.a. die Rez. von Stange zu: H. Thielicke. Tod und Leben. Studien zur christlichen Anthropologie. Tübingen ²1946. In: ThLZ 72 (1947) 286-288.

[362] Karl Heim: Ich gedenke der vorigen Zeit. Erinnerungen aus acht Jahrzehnten. Hamburg 1957.

[363] Zu A. Ritschl siehe oben S. 93-95.

[364] R. Winkler: Karl Heim. In: RGG² 2 (1928) 1763-1764. - Vgl. ebenso zu K. Heim F. Melzer. In: EKL 2 (1958) 94. - W. Wiesner. In: RGG³ 3 (1959) 198-199. - A. Brandenburg. In: LThK² 5 (1960) 169. - P. Althaus. In: NDB 8 (1969) 268-269. - A. Köberle: Glaubensvermächtnis der schwäbischen Väter. Heidelberg 1959. S. 63-81. - H.E. Eisenhuth: Im Gedenken an Karl Heim. In: ThLZ 83 (1958) 657-662.

[365] Goswin Carl Uphues (1841-1916) wird mit J. Volkelt, O. Külpe, F. Paulsen, W. Dilthey, R. Eisler, F.J. Schmidt und R. Eucken zu den Vertretern einer kritischen Metaphysik gezählt. - Vgl. Vorländer: GPh. Bd. 2. S. 474. - Wichtige Schriften von Uphues siehe LV.

[366] K. Heim: Psychologismus oder Antipsychologismus? Entwurf einer erkenntnistheoretischen Fundamentierung der modernen Energetik. Berlin 1902.

[367] Vgl. ders.: Glaube und Leben. Gesammelte Aufsätze und Vorträge. Berlin ²1928. - Zur Theologie von K. Heim vgl. u.a. L. Schlaich. In: ZZ 7 (1929) 461-483.

nicht die einzig mögliche Rettung aus dieser Not, wenn das Aufhören des Ichbewußtseins als ein zweiter Weg zur Befreiung aus dieser Not offenstünde[368]. Damit war für K. Heim zunächst die doppelte individuelle Glaubensaussage gegeben: (1) in der Erlösung haben wir ein ewiges Verbundensein mit Christus gefunden, (2) ohne die Erlösung durch Christus geht das Ich ewig verloren, aber nicht im Sinne der Vernichtung des Bewußtseins, sondern im Sinne eines ewigen Verzweiflungsstandes[369].

In einem biblischen Vortrag über 2.Kor.4, 17 - 5, 10 gab K. Heim später nähere Auskunft über seine Vorstellungen von dem Leben, das den Menschen nach dem Tode erwartet[370]. Er verglich unseren Aufenthalt in dieser sichtbaren Welt mit einer kurzen, stürmischen Überfahrt über einen Meeresarm, durch die wir ans Ufer eines anderen, noch unbekannten Landes geführt werden. Dort, so versicherte er, gibt es eine Welt ohne Ende und ohne Grenzen, ein Land, wo man nach allen Seiten gehen kann, ohne daß man jeweils ans Ende kommt[371]. Für K. Heim hatte die Ewigkeit auf alle Fälle ein unendliches Übergewicht über alles, was nur zeitlich ist. Vom Leib sagte er, daß dieser nicht nur ein Kerker sei, als vielmehr ein Instrument - und zwar das einzige - durch das wir schaffen und wirken könnten; eben dieses Instrument werde uns im Tode aus der Hand geschlagen[372]. Nach dieser negativen Feststellung beschrieb er, wie Paulus das wunderbare Geheimnis der Vollendung enthüllt, das so herrlich ist, daß wir im Blick auf dieses Vollendungsziel der Schöpfung Gottes dem völligen Zusammenbruch unserer Leibeshülle getrost entgegensehen können. Gott habe einen Bau für uns bereit, der aus einer völlig anderen Leiblichkeit besteht. Er erinnerte daran, daß die Jünger durch den auferstandenen Christus eine erste Vorahnung von dieser neuen Leiblichkeit bekamen, von der unser jetziger Leib nur ein vergänglicher, vorausgeworfener Schatten ist. So beginne ein engelgleiches Leben, das wir mit der jetzigen Leiblichkeit überhaupt nicht mehr vergleichen können. Eine Einschränkung machte K. Heim allerdings: Wir können diese neue Leiblichkeit nicht sofort nach dem Tode bekommen. Sie kann uns erst geschenkt werden, wenn die Weltvollendung kommt, wenn die ganze Todesgestalt aufhört, die der jetzigen

---

[368] Vgl. Ahlbrecht: Tod und Unsterblichkeit in der evangelischen Theologie der Gegenwart. S. 120-121: Die soteriologische Umkehrung der These von der totalen Verlorenheit bei K. Heim.

[369] K. Heim: Leitfaden der Dogmatik. Halle 1912. S. 81. - Vgl. ders.: Der Glaube an ein ewiges Leben (1921). In ders.: Leben aus dem Glauben. Beiträge zur Frage nach dem Sinn des Lebens. Berlin 1932. S. 93-98. - Nach Ahlbrecht wird es nicht ganz klar, ob das Fortbestehen nach dem Tode für K. Heim der Schöpfungsordnung oder aber dem Erlöserwirken Gottes zu verdanken ist. Vgl. Ahlbrecht: Tod und Unsterblichkeit in der evangelischen Theologie der Gegenwart. S. 68-69.

[370] Vgl. aber auch folgende Artikel von K. Heim: Der Glaube an ein ewiges Leben. Vortrag (1921). In ders.: Glaube und Leben. Gesammelte Aufsätze. Berlin 1926. S. 325-347; ²1928. S. 351-373; dass. in: Leben aus dem Glauben. Beiträge zur Frage nach dem Sinn des Lebens. Berlin 1932. S. 77-98. - Ders.: Die Wende der Zeiten. In: Ders. Stille im Sturm. Predigten. Tübingen 1924. S. 49-61. - Ders.: Das Weltgericht. In: Stille im Sturm. S. 160-171. - Ders.: Die neue Welt Gottes. Berlin 1928. ⁴1929. - Ders.: Weltschöpfung und Weltende. Dritte Folge von: Der christliche Glaube und die Naturwissenschaft. (= Der evangelische Glaube und das Denken der Gegenwart. Bd. 6.) Hamburg 1952, ²1958.

[371] Ders.: Was nach dem Tode unser wartet. Biblischer Vortrag über 2 K 4, 17 - 5, 10. München 1948. - Dass. 6. erweiterte Auflage. Frankfurt 1957. Dort S. 4.

[372] Ebd. S. 8.

Welt noch ihr Gepräge gibt, wenn sich das Wort erfüllt: »Siehe, ich mache alles neu«[373]. Ehe dies komme, müsse der ganze bisherige Weltlauf abgeschlossen sein; durch das Gericht müsse die Schlußbilanz der bisherigen Weltgeschichte gezogen werden[374].

Im Hinblick auf den Tod ergaben sich für K. Heim daraus nun zwei Fragen: (1) was erwartet uns unmittelbar nach dem Tod, wenn nicht schon bei unseren Lebzeiten das Weltende kommt? (2) was dürfen wir dann für uns erwarten, wenn die Weltvollendung hereinbricht?[375].

K. Heim ging davon aus, daß der Blick der neutestamentlichen Zeugen zunächst ganz auf das Ende gerichtet war. Alles, was diesem Ende vorangehe, sei für sie nur eine »Vorhalle«, ein »Durchgangsstadium« gewesen, »vergleichbar mit der Durchfahrt eines Bahnzuges durch einen dunklen Tunnel, der nur spärlich beleuchtet ist«. Daß viele Fragen, die wir in bezug auf diesen Durchgangszustand haben, im Neuen Testament unbeantwortet bleiben, führte K. Heim auf das beschränkte menschliche Fassungsvermögen zurück. Daher könnten wir uns den Zustand, in dem wir sein werden, nicht vorstellen. Alle Vorstellungen davon seien nur unzulängliche, räumliche Bilder, die der Sache nicht vollständig entsprächen, aus der Bibel seien nur Grundlinien zu gewinnen, an die wir uns halten könnten[376].

Wichtig ist, was K. Heim im Anschluß an Offenbarung 6,9 ff. über die christlichen Märtyrer sagte. Er sah, daß sie sich nach Auskunft der Bibel in einem Zwischenzustand zwischen Tod und Auferstehung befinden. Sie leiden bewußt darunter, daß sich die Zwischenzeit zwischen ihrem Märtyrertod und ihrer Verherrlichung so lange hinzieht und beten zu Gott, er möchte diese Entwicklung beschleunigen. K. Heim schloß daraus, daß im Zwischenzustand weder Zeit noch Bewußtsein ausgeschaltet sei[377]. Von einem Sondergericht nach dem Tode, in dem jeder Verstorbene allein verhört und verurteilt würde, wollte K. Heim nichts wissen. Jetzt, so betonte er, während wir das Wort Jesu hörten, sei die Entscheidungsstunde. Wenn wir glaubten, beginne schon jetzt das ewige Leben. Die Entscheidung über den Zustand nach dem Tode falle nicht in einem Sondergericht, sondern während unseres Erdenlebens in der Stunde, da Christus uns begegne. Vom Zeitpunkt unserer Begegnung mit Christus, bei der eine Scheidung der Geister eintrete, werde ein zweiter, späterer Zeitpunkt unterschieden, in dem diese Scheidung endgültig werde. Dieser zweite Zeitpunkt trete mit der allgemeinen Auferstehung ein[378].

»Begegnung« war - wie wir hier sehen - eine wichtige Grundkategorie, in der der evangelische Theologe seine entscheidenden Aussagen machte. »Wenn ein Mensch...mitten in seinem inneren Ringen aus diesem Leben herausgerissen wurde, so dürfen wir gewiß sein: Seine Entscheidung ist nicht abgerissen...es gibt noch Begegnungen mit Christus jenseits des Grabes«[379]. Als Beweis diente ihm die Hadesfahrt Christi nach seinem Tode, vor seiner Auferstehung, zu den abgeschiedenen

---

[373] Off. 21, 5. - Vgl. Jes. 60, 19; Dan. 7, 18.27.
[374] Heim: Was nach dem Tode unser wartet. S. 9-10.
[375] Vgl. ebd. S. 12.
[376] Ebd. S. 13.
[377] Ebd. S. 14.
[378] Ebd. S. 24.
[379] Ebd. S. 30.

Seelen, die sich im Zwischenzustand befinden. Ihnen werde das Evangelium verkündet, sie erhielten Raum zur Umkehr und die Möglichkeit, sich für Christus zu entscheiden[380]. Der Tod selbst freilich verwandelte nach K. Heim nichts. Die Auffassung, daß der Tod ein Läuterungsfeuer sei, in dem alle Schlacken unseres Wesens weggeschmolzen würden, lehnte er ab. Er war stattdessen überzeugt, daß wir in derselben Verfassung hinüberkommen werden, in der wir uns im Augenblick des Todes befinden. Vieles deutete aber für ihn darauf hin, daß wir auch in dem wichtigen Zwischenzustand zwischen Tod und Auferstehung noch Entscheidungsstufen durchlaufen könnten. So scheine nach dem Tode eine vorläufige Scheidung einzutreten, diese sei aber offenbar noch nichts Endgültiges. Es sei noch Raum da für unsere Entscheidungen. Alle, denen der lebendige Christus während ihres Erdenlebens noch nicht wirklich vor Augen getreten sei, könnten noch eine Begegnung mit ihm haben. Erst dann, wenn dieser Zwischenzustand vorüber sei, komme die letzte große Entscheidung[381]. Dieser Tag, der alles klar macht, sei der Schlußstrich, den Gott unter die bisherige Weltgeschichte setzen werde. Dann, wenn das geschehen sei, werde das erscheinen, was alles unendlich ausgleichen und ersetzen soll, was wir in dieser Welt gelitten haben[382].

Zum Schluß wies K. Heim ergänzend darauf hin, daß auch Paulus die Lösung des Widerstreites erwarte, der jetzt noch zwischen dem Wunder des Menschenleibes, dieser Krone der Schöpfung, und seiner Hinfälligkeit und Zerbrechlichkeit besteht. Der Theologe schloß daraus, daß wir eine Daseinsform erhalten, die aller Vergänglichkeit entrückt sei. Diese neue Daseinsform, von der unser jetziger vergänglicher Leib nur der vorgeworfene Schatten gewesen sei, trage die Ewigkeit in sich. Diese sei die Vollendung der Schöpfung, die Erfüllung unseres Verlangens nach Verleiblichung, die Erfüllung der Sehnsucht des Menschengeistes nach einer Form, die seiner göttlichen Herkunft entspricht[383].

Zum richtigen Verständnis der hier vorgelegten theologischen Konzeption müssen wir uns noch einmal die philosophischen Voraussetzungen im Denken K. Heims vergegenwärtigen. W. Becker hat behauptet: Der Eschatologie, die einen Grundzug des Pietismus ausmacht, - der Mensch als »Kandidat der Ewigkeit« - fehle die Dimension der Geschichtlichkeit[384]. Trifft dies auch für K. Heim zu? Nehmen wir zunächst zur Kenntnis, daß er in seiner Religionsphilosophie den »statischen Dualismus« des Platonismus, in dem er eine Resignation gegenüber der zeitlichen Wirklichkeit sah, durch einen »dynamischen Dualismus«, wie er ihn im Neuen Testament fand, ersetzen wollte. Als Theologe war er daher bemüht, eine platonische

---

[380] Ebd. S. 28. - Vgl. ders.: Jesus der Weltvollender. Der Glaube an die Versöhnung und Weltverwandlung. (= Der evangelische Glaube und das Denken der Gegenwart. Bd. 3. Berlin 1937. - Dass. 2. und neubearbeitete Auflage. Ebd. 1939. - Dass. Dritte, umgearbeitete Auflage. Hamburg 1952.

[381] Vgl. Fleischhack: Das Fegfeuer. S. 244.

[382] Heim: Was nach dem Tode unser wartet. S. 35-36. - Vgl. Ders.: Weltschöpfung und Weltende.

[383] Ders.: Was nach dem Tode unser wartet. S. 37.

[384] W. Becker: Nachwort. In: J.H. Newman: Der Antichrist nach der Lehre der Väter. Deutsch von Th. Haecker. München (1951). S. 95.

Auslegung des Johannes-Evangeliums zu überwinden[385]. Der Weltkultur und Weltpolitik gegenüber, das heißt allem, was den Weltmenschen so stark bewegt, konnte er als Christ nicht gleichgültig sein[386]. Was bedeutete das aber für die Eschatologie? K. Heim lehrte, das Bild, das wir uns von den letzten Dingen machten, hänge ganz ab von der Auffassung der Zeit, von der wir ausgingen, also vom Zeitgefühl und Zeitbegriff, von der Art, wie wir praktisch und theoretisch die Zeit erfassen[387]. Was verstand K. Heim unter Zeit? Im Gegensatz zur antiken Zeitauffassung hielt er die Geschichtsauffassung des Neuen Testaments mathematisch gesprochen für vektoriell, das heißt er sah sie unter dem Symbol einer gerichteten Linie, die von einem Ende her ihre Richtung empfängt[388]. Theologisch war für ihn die Zeit das Dasein der gefallenen, das heißt aus der Unmittelbarkeit zu Gott herausgefallenen Schöpfung. Bei dieser Feststellung ließ er jedoch keinen Zweifel daran, daß auch die gefallene Schöpfung noch Schöpfung bleibt, deren ganzes Leben ein Atemzug Gottes ist. Daß wir uns allerdings in einem gefallenen Zustand befinden, zeigte sich für ihn vor allem in der unlösbaren Antinomie: Gott ist gegenwärtig, er ist aller Dinge Grund und Leben; aber er ist unsichtbar, er ist nicht ohne weiteres zugänglich, er kann geleugnet werden. Wir können Gott nicht vergegenständlichen. Sobald wir uns dazu unterfangen, fassen wir nicht ihn, sondern einen weltlichen Ersatz. Daraus folgerte K. Heim, daß wir das Verhältnis zwischen der Zeitlichkeit und Gott nur in einem schmerzlichen Widerstreit ausdrücken können. »Da Gott aller Dinge Grund und Leben ist«, so schloß K. Heim weiter, »ist jeder Zeitinhalt, jedes Element der Natur und Geschichte bis zum Rande voll von Ewigkeit«[389]. Aber dieser Inhalt befindet sich nach K. Heim in einem gebundenen Zustand. Wir können ihn nicht frei machen...Wir haben es nicht in der Hand, den verhüllten Ewigkeitsgehalt der Welt zu enthüllen. Das kann nur Gott selbst, der diese Zeitform für die jetzige Lage geordnet hat. Er allein kann diese Form wieder zurücknehmen. Was ist nun das »telos«, so fragte K. Heim. Es war für ihn nicht die Schaffung eines neuen Zustandes, sondern die Enthüllung eines verborgenen Gottesgehaltes der Zeit, also »apokalypsis«. »Die Zeit«, so erklärte er, »trägt ihren Sinn nicht in sich selbst; sie ist nur ein Übergang zur Enthüllung ihres Gehaltes, zur Sinnerfüllung der ganzen Zeitform«[390]. Aus dieser Grundlegung zog K. Heim nun die Folgerung für seine Eschatologie. Er überlegte: Nicht nur der Zeitinhalt, nein, die Zeitform ist der tiefste Grund des Weltleides. Sie ist etwas in sich Unvollendetes, Ruheloses. Wenn es Vollendung geben soll, so müsse sie darin bestehen, daß diese Form selber überwunden werde, daß der Zeitstrom im Meer der Ewigkeit zur Ruhe komme. Gerade dem sittlich ringenden Menschen könne es zur Gewißheit werden, daß diese Zeitform als solche etwas sei, was zum Fluch der gefallenen Schöpfung gehört. So kam er zu dem

[385] K. Heim: Zeit und Ewigkeit, die Hauptfragen der heutigen Eschatologie. In: ZThK N.F. 7 (1926) 403-429; vgl. ebd. S. 427-428. - Vgl. ders.: Zeit und Ewigkeit (Ps. 103, 15-17). In ders.: Die lebendige Quelle. Predigten. Tübingen 1927. S. 171-188.
[386] Ders. in: ZThK 7 (1926) 408.
[387] Ebd. S. 403.
[388] Ebd. S. 423. - Vgl. ders.: Das Weltbild der Zukunft. Eine Auseinandersetzung zwischen Philosophie, Naturwissenschaft und Theologie. Berlin 1904. S. 40-43.
[389] Ders. in: ZThK 7 (1926) 416.
[390] Ebd. S. 417.

Schluß: »Die Zeit hat ihren Sinn nicht in sich selbst; sie drängt einem Moment entgegen, wo sie vollendet und in eine höhere Daseinsform aufgehoben wird. Dieser Moment ist von der einen Seite gesehen ein letzter Zeitpunkt, von der anderen Seite gesehen Ewigkeit«[391].

Nach W. Ölsner hat K. Heim mit dieser Dialektik des Ewigen die Voraussetzung für die spätere »eschatologische Schule« geschaffen[392].

(11) Karl Barth (1874-1968)

Nachdem wir die Dialektik des Ewigen bei K. Heim kennen gelernt haben, wenden wir uns nun der Eschatologie in jenem Bereich der »dialektischen Theologie« zu, als deren Exponent K. Barth galt[393].

In einer eingehenden Untersuchung zum Thema »Eschatologie und Geschichte in der Theologie des jungen Karl Barth« wies Tj. Stadtland nach, daß dessen Denken vornehmlich in der Theologie von Chr. Blumhardt und J.T. Beck wurzelte[394]. Vor allem habe letzterer großen Einfluß auf den jungen Theologen ausgeübt, da K. Barth von ihm die Theorie einer »effektiven Rechtfertigung« übernommen habe, das heißt die Ansicht, daß der Mensch in re bereits von Gott gerecht gemacht sei[395].

Gegen diese Auffassung richtete sich später vor allem die Kritik von H. W. Schmidt: Es handle sich um die Verdiesseitigung der futurischen Eschatologie, das heißt um die Möglichkeit der Vollendung der Geschichte in der Jetztzeit, um ein innerweltliches Geschehen, verbunden mit chiliastischen Erwartungen[396]. Tj. Stadtland urteilte entsprechend, daß bei K. Barth in dieser frühen Periode seines Schaffens von Gottes Zukünftigkeit keine Rede sein könne und daß demzufolge alle Eschatologie in Ethik aufgelöst werde. Nachdem er die Entwicklung durch die folgenden Werke K. Barths bis zum Band IV/3 der Kirchlichen Dogmatik verfolgt hatte, kam er zu dem Ergebnis, daß K. Barth von seinem ersten Ansatz her eigent-

---

[391] Ebd. S. 423.

[392] Vgl. Ölsner. S. 77-79, 107.

[393] Vgl. u.a. G. Heinzelmann: Das Prinzip der Dialektik in der Theologie K. Barths. In: NKZ 35 (1924) 531-556. - W. Koepp: Die gegenwärtige Geisteslage und die „dialektische" Theologie. Eine Einführung. Tübingen 1930. - H.U. von Balthasar: Analogie und Dialektik. Zur Klärung der theologischen Prinzipienlehre Karl Barths. In: DTh 22 (1944) 171-216. - Ders.: Karl Barth. Darstellung und Bedeutung seiner Theologie. Köln 1951, ²1962. Ders.: Apokalypse der deutschen Seele. Studien zu einer Lehre von den letzten Haltungen. Bd. III: Die Vergöttlichung des Todes. Salzburg, Leipzig 1939. S. 316-391: Karl Barth. - H. Bouillard: Das Dialektische bei Karl Barth. In: LThK² 3 (1959) 335-337. - Ders.: Karl Barth. I: Genèse et évolution de la théologie dialectique. Paris 1957. - Th. Siegfried: Das Wort und die Existenz. Auseinandersetzung mit der Dialektischen Theologie. 3 Bde. Gotha 1930-1933. - Vgl. besonders Bd. I: Die Theologie des Wortes bei Karl Barth. Eine Prüfung von Karl Barths Prolegomena zur Dogmatik.

[394] Tj. Stadtland: Eschatologie und Geschichte in der Theologie des jungen K. Barth. (BGLRK. 22.) Neunkirchen-Vluyn 1966. - Vgl. neuerdings Wohlgschaft: Hoffnung angesichts des Todes. S. 45-65: Zum eschatologischen Entwurf des frühen Barth. - Zu Chr. Blumhardt siehe oben S. 88, Anm. 43. - Vgl. J. Berger: Die Verwurzelung des theologischen Denkens Karl Barths in dem Kerygma der beiden Blumhardts vom Reiche Gottes. (Theol. Diss. Berlin 1956.) (M.schr.) - Zu J.T. Beck siehe oben S. 90, Anm. 46.

[395] Stadtland. S. 45-51.

[396] Ebd. S. 55. - Zu Hans Wilhelm Schmidt siehe unten S. 469-508.

430

lich nicht mehr nötig hatte, auch noch von Eschatologie zu reden. Wenn alles schon siegreich, glanzvoll, fraglos noetisch gegeben sei, könne der Eschatos nichts Neues mehr bringen, so daß die Rede vom Eschatos uneigentlich, wenn nicht sogar überflüssig werde[397].

Wie Tj. Stadtland feststellte, bleibt zu berücksichtigen, daß K. Barth besonders in seinen ersten Arbeiten unter dem Einfluß von W. Herrmann stand; aber selbst für das Spätwerk trat für ihn charakteristisch zutage, daß K. Barth ein Schüler des Marburger Theologen war[398]. Desweiteren ergab die Untersuchung, daß sich manche praktischen Vorschläge K. Barths, die auf eine innerweltlich-soziale Verbesserung des menschlichen Lebens abgezielt waren, mit dem Bestreben der religiös-sozialen Schweizer wie H. Kutter und L. Ragaz berührten[399]. Hervorgehoben wurde jedoch, daß K. Barth vor allem in folgenden drei Punkten das Anliegen Chr. Blumhardts übernahm:

1. die Welt emporzutragen zu Gott und Gott hineinzutragen in die Welt;
2. die Menschen nicht von außen, sondern in dem großen Kreis Gottes zu sehen;
3. die Kooperation von Gott und dem Menschen zu verdeutlichen[400]. Auf Grund seiner Analysen kam Tj. Stadtland zu dem Schluß, daß die Theologie des jungen K. Barth bis einschließlich der ersten Auflage seines Römerbriefes noch ins 19. Jahrhundert gehörte[401].

Wir tun gut daran, uns selbst die Position K. Barths in jenen ersten Anfängen vor Augen zu führen, zumal seine Theologie in der spannungsreichen Zeit nach dem ersten Weltkrieg zunehmend an Bedeutung gewann.

Das Programm seiner theologischen Arbeit entwickelte K. Barth anhand von Römer 1, 16-17: Es ist eine Kraft ausgegangen von Gott in der Auferstehung des Christus von den Toten. »Das ist's, was hinter uns steht, ganz abgesehen vor allem was wir sind, denken, treiben«[402].

Für K. Barth wird hier keine Theorie aufgerichtet, keine abstrakte Moral gepredigt, keine neue Kultur empfohlen. Alles derartige, was auch unter uns auftauchen mag, war für ihn menschliches Beiwerk, gefährlicher religiöser Rest, bedauerliches Mißverständnis, nicht die Sache selbst. Daher betonte er, daß wir nicht Ideen hinter uns hätten, sondern die Kraft aller Kräfte, die darum auch die Idee der Ideen sei: die Kraft Gottes. »Unsere Sache ist unsere im Christus realisierte Erkenntnis Gottes, in der uns Gott nicht gegenständlich, sondern unmittelbar und schöpferisch nahetritt, in der wir nicht nur schauen, sondern geschaut werden , nicht nur verstehen, sondern verstanden sind , nicht nur begreifen, sondern ergriffen sind«[403]. Danach ist unser Gottesgedanke der lebendige Arm Gottes, unter den die Natur,

---

[397] Stadtland. S. 189. - Zur Eschatologie K. Barths. vgl. auch G. Greshake: Auferstehung der Toten. Ein Beitrag zur gegenwärtigen Diskussion über die Zukunft der Geschichte. (Koinonia. 10.) Essen 1969. S. 163-169.

[398] Zu W. Herrmann siehe oben S. 99-100.

[399] Zu H. Kutter und L. Ragaz siehe oben S. 88, Anm. 43. - Vgl. Koepp. Besonders S. 40-41.

[400] Stadtland. S. 43-45.

[401] Ebd. S. 45.

[402] K. Barth: Der Römerbrief. Bern 1919. S. 7.

[403] Ebd. S. 7.

die Geschichte, die Menschheit, ja wir selbst wieder gestellt sind. Vom Ursprung her werden wir aufs Neue mit dem göttlichen »Es werde!« angesprochen. Damit, so versicherte K. Barth, sei nichts Neues erschollen, gehört, in Erfüllung gegangen, sondern das Älteste, nichts Besonderes, sondern das Allgemeinste, nichts Geschichtliches, sondern die Voraussetzung aller Geschichte: Das, was immer verhüllt war in den gehörten Propheten Worten, aber jetzt erst offenbart, so daß es nun wieder wie im Anfang in den Augen und Ohren der Menschen ist und damit der Welt, deren Haupt und Zentrum der Mensch ist. Insofern war es für K. Barth jedoch nicht nur das alte Bekannte, sondern auch ein Neues, nicht das Allgemeine, sondern das Besonderste, keine bloße Voraussetzung, sondern selber Geschichte: die Eröffnung eines neuen Äons, die Erschaffung einer Welt, in der Gott wieder Gewalt hat[404].

Die Dialektik dieser Sprache weist darauf hin, daß K. Barth nur so das göttliche Werk unserer Errettung erfassen und darstellen konnte. Dabei darf die heilsgeschichtliche Struktur seines theologischen Denkens nicht verkannt werden, wenngleich die Dimension der Zeit schon in seinem ersten Ansatz radikal verkürzt wurde. Denn für ihn befindet sich der Mensch mit der ganzen gegenwärtigen Welt in einem Zustand der Gefangenschaft. Die Abkehr des Menschen von Gott hat ihn seinem Ursprung entfremdet, Gott zu seinem Feind gemacht; die einst in Gott gebundenen und spielenden Weltkräfte herrenlos gemacht, ihn und alle Kreatur unter das Gericht der eigenen Verworfenheit und des Todes gebracht. Den Knoten zu dieser hoffnungslos verwirrten Lage, die durch keine Sittlichkeit zu überwinden und durch keine Religiosität zu beschönigen war, hat Gott nun zerhauen durch die reale Tat der Eröffnung einer messianischen, göttlich-irdischen Geschichte. Im Christus sah K. Barth die Menschheit wieder Gott zugekehrt und damit den Grund gelegt zur Wiederbringung alles dessen, was verloren war. Wir stehen schon in den Anfängen dieses Geschehens und eine weite Perspektive eröffnet sich auf einen Zustand in der Freiheit Gottes hin. »Nicht mehr unter dem Gericht, sondern unter der Gnade, nicht mehr in der Sünde, sondern in der Gerechtigkeit, nicht mehr im Tode, sondern im Leben, das ist der Weg der Errettung, den die Kraft Gottes jetzt mit uns und einst mit der ganzen Welt gehen will«[405].

Für K. Barth handelte es sich darum, an diese Kraft Gottes zu glauben. Er legte dar, daß die kommende Welt nicht mechanisch, sondern organisch kommt; und daß das schöpferische Organ, das dazu in Wirksamkeit treten muß, eine Vorausnahme des Zieles ist, das erreicht werden soll: Die freie Vereinigung des Menschen mit Gott, wie sie im Christus vollzogen war und wie sie in den von Christus Berufenen möglich und wirklich wird. Wenn der Mensch Ja sagt zu dem göttlichen Ja, das im Christus zu ihm gesprochen ist, wenn die Treue Gottes, der von der Welt und vom Menschen nicht lassen kann, einer neuerwachten Gegentreue begegnet, so war das für K. Barth »Glaube«, mit dem die Errettung anhebt, und mit dem sich die im Christus begründete Weltwende fortsetzt[406].

Hier lag für ihn auch der Grund für das Gebet und die Einladung, die jetzt mit dem Evangelium allen Völkern verkündigt wird, damit sie ihr gehorchen sollen.

---

[404] Ebd. S. 8.
[405] Ebd. S. 8.
[406] Ebd. S. 8.

432

Das Bewußtsein und die Zuversicht, mit der sich der Christ hierbei zu seiner Sache stellt, beruhte für den reformierten Theologen allein auf der schöpferischen, erlösenden, die Welt umfassenden Kraft Gottes. Gerade darüber, daß sie Kraft Gottes ist, sollte es keine Zweideutigkeit geben. In dem, was uns den Christus hat zur Kraft werden lassen, enthüllte sich ihm einzig die Gerechtigkeit Gottes. Diese war nach dem Brief des Apostels »Im Christus«; daher sah K. Barth in ihr das Geheimnis der Kraft seiner Auferstehung und damit zugleich die Voraussetzung der Errettung der Welt vom Verderben, die durch diese Kraft begonnen hat. Als Begründung führte er an, daß allein die wiedergewonnene Unmittelbarkeit des Menschen zu Gott im Gehorsam des Christus die Türe des Grabes zu sprengen vermochte; folglich mache sie allein die Errettung real, zu einer entscheidenden neuen Bewegung, und schütze sie vor dem Rücklauf aller menschlichen Bewegungen in neue Sünde und neuen Tod. Für K. Barth konnte es daher nicht zweifelhaft sein, daß wir gerade im Bezug auf das innerste Wesen der Kraft Gottes vor einer tatsächlichen Wende der Zeiten, vor der Enthüllung eines Mysteriums stehen. Die Wirklichkeit der Gerechtigkeit Gottes im Christus war für ihn das Neue im Evangelium[407].

Zum Schluß dieser programmatischen Einführung erklärte K. Barth, daß dieses Neue, das vom Himmel her kommt und auf Erden Wurzel schlägt, in der freien Vereinigung des Menschen mit Gott besteht, in der die Treue Gottes beim Menschen Glauben findet, oder - anders ausgedrückt - in der Gott dem Menschen wieder glaubt und einer Treue begegnet. Das gläubige Verhalten gegenüber der Offenbarung bestand für ihn in Gottes Handeln und in einer Gehorsamstat des Menschen, im Anerkennen und Annehmen, im Ergriffenwerden und Begreifen. Indem sich so Gott selber das Organ seiner Kraft auf Erden schafft, »ist durch jene Aufrichtung der göttlichen Gerechtigkeit die Keimzelle des Lebens wieder in die Geschichte und in die Natur gegeben. Nun wächst in die menschliche Weltgeschichte hinein das göttliche. Nun hat die neue Schöpfung angefangen, in der der Tod nicht mehr sein wird«[408].

In seinen näheren Ausführungen ging K. Barth davon aus, daß Gott in seiner »ewigen Kraft und Gottheit«[409] in sich selbst unveränderlich ist. Insofern war und ist er immer der Herr des Lebens, in dem kein Tod ist. Da er uns aber in seiner freien Vereinigung mit ihm ergreifen und von uns ergriffen sein will, ist - wie K. Barth sah - auch ein negatives Verhältnis zu ihm möglich. »Der Mensch kann aus dieser freien Gemeinschaft mit Gott auch als Verworfener hervorgehen«[410]. Im zweiten Kapitel sprach K. Barth jedoch von der alles umfassenden, allen Widerstand schließlich brechenden Schöpfermacht Gottes. Da betonte er, daß der Christ nicht dazu von den Toten in der Kraft Gottes auferstanden sei, um eine neue »hohe Warte« aufzurichten neben den bisherigen, sondern um die umfassende, allgemeine Lebendigkeit Gottes zu beweisen, die sich auch an den Gottlosen und Ungerechten bewährt. So beschrieb er die Auferstehung als den Einbruch der Kraft, der Durchbruch zur Erkenntnis nicht nur innerhalb eines Kreises von Gesinnungsverwandten, sondern in kosmischer Tiefe, in räumlicher und zeitlicher Weite und Breite[411].

---

[407] Ebd. S. 9-10. Sperrungen im Text von Barth selbst.
[408] Ebd. S. 11.
[409] Röm. 1, 20.
[410] Barth: Der Römerbrief. S. 12.
[411] Vgl. ebd. S. 35.

Im Zusammenhang mit der hier beschriebenen »Gerechtigkeit Gottes« kam K. Barth auf das Problem der Geschichte zu sprechen. Die Epoche der äußerlichen Stufen und Unterschiede war für ihn abgelaufen, das, was bisher »Geschichte« hieß, das Auf- und Niederwogen alter und neuer menschlicher Gerechtigkeit stillgelegt. Die Gültigkeiten und Werte dieser Geschichte fand er innerlich aufgehoben durch das, was von Gott her geschehen ist. Das Problem war für ihn, wie sich die im Christus neue eigentliche Geschichte zu der erledigten alten sogenannten Geschichte verhalte. Ist sie auch die eigentliche Geschichte, die »Geschichte der Geschichte«, wie K. Barth sagte, so konnte sie für ihn doch nicht als eine zweite neben jene treten, denn sonst wäre ja die »Geschichte« gerade nicht erledigt[412].

Die Lösung ergab sich für K. Barth aus der Überlegung, daß es sich bei der kommenden Welt nicht um eine Entleerung, sondern um eine Erfüllung der vergehenden Welt handelt. Er erklärte, die offenbar gewordene Gotteskraft eröffne nicht eine neue Geschichtszeit nach und hinter der anderen, sondern sie bringe als Längsschnitt durch die Zeiten die göttlichen Möglichkeiten aller Perioden zur Erscheinung und zur Realisierung[413]. Was den Menschen betrifft, so führte er weiter aus, daß die Gerechtigkeit Gottes und das vom Gesetz gemeinte Handeln in der eigentlichen Geschichte keine Gegensätze, vielmehr in der Auferstehung eins seien. Einschränkend fügte er hinzu, daß die Geschichte unter der Voraussetzung einer fleischlichen Menschheit ewig eine Geschichte von Ansätzen und Möglichkeiten bleiben müsse, denn das sei eben das Wesen des Fleisches: Die Unzulänglichkeit der Kreatur für die Erfüllung des Willens ihres Schöpfers. Die Dialektik des reformatorischen Denkens tritt zu Tage, wenn in der Sicht K. Barths das Fleisch das Menschliche, das mit dem Göttlichen eins sein müßte, zum Nur-Menschlichen macht. Er erklärte: Die Fleischnatur, das heißt die kosmische Ordnung, unter die der Mensch durch den Abfall gestellt sei, unterbinde zum vornherein die Realisierung des Göttlichen im Menschlichen und reiße das Tun Gottes und das der Menschen mechanisch auseinander[414].

K. Barth blieb freilich nicht bei dieser negativen Geschichtsbetrachtung stehen. Daneben stellte er die Offenbarung, daß im Strom der sogenannten Geschichte das neue, entgegengesetzt strömende Element der eigentlichen Geschichte sichtbar werde. Dieses abschließende und zugleich einen neuen Anfang machende Ereignis sah er darin, daß im Verborgenen der Menschen jene Veränderung sich ereigne, die das Gesetz postuliere, ohne sie zu erzeugen. Die Naturgrundlage des bisherigen Geschehens werde aufgehoben und durch eine andere ersetzt, von der ein neues Geschehen ausgehe. Dieses Aufheben und Neusetzen sei die Gabe der Gerechtigkeit und die Aufgabe des Glaubens. Von diesem Gesichtspunkt aus werde der negative Sinn der bisherigen Geschichte als solcher erkannt, aber auch überwunden; denn das Leben ohne Gott werde dem Menschen unmöglich gemacht, weil es in Gott neu begründet wurde. Eine neue Weltzeit ist somit angebrochen, und diese ist nach K. Barth das Ende aller Zeiten. Indem Gott nun sein letztes Wort, das Wort spricht,

---

[412] Ebd. S. 43.
[413] Ebd. S. 44.
[414] Vgl. ebd. S. 54-55.

in dem Maß, als es nun gehört wird, wird die Zeit still gelegt durch die Ewigkeit. Indem die Zeit in ihrem tiefsten Sinn erfüllt wurde und wird, liegt sie dahinten. Eine neue Schöpfung hat angehoben, in der die Sünde nicht mehr notwendig und möglich und in der das Gesetz gegenstandslos ist. In dieser »neuen« Schöpfung erschien K. Barth nichts Anderes als das Sein, das im Anfang bei Gott war und dessen Entfaltung und Alleinherrschaft das Ende der Wege Gottes ist. Im Lichte des Kampfes zwischen Gesetz und Sünde, Ideal und Leben erschien ihm die Zeit als Zeit, das heißt Ablauf, Veränderung, Entwicklung, Werden und Vergehen: als Unterbrechung jenes anfänglichen und endlichen Seins in der Herrlichkeit Gottes. Er war der Überzeugung, daß die Zeit im ewigen Jetzt verschwindet, sobald der Kampf beendet, der Anfang und das Ende aus Vergangenheit und Zukunft Gegenwart geworden ist. Genau dies ist nach K. Barth geschehen, indem an einem Punkt in der Zeit die Gerechtigkeit Gottes, der göttliche Sinn der Welt sich bekannt gemacht hat. »Von diesem einen Punkt aus pflanzt sie sich nun fort, wo immer sie Glauben findet, da bricht die neue Weltzeit, die keine Zeit mehr ist, an, da erscheint die Zeit erfüllend, das ewige Jetzt - den Kampf abschließend der Friede - die Sphäre des Zwischenfalls ablösend der Anfang und das Ende«[415].

Die neue Weltzeit ist somit jener neue Äon der Gerechtigkeit Gottes, der von ihm schon jetzt bekannt gemacht wurde. Für K. Barth war damit alles bereits geschehen, vollendete Tatsache. Dennoch hielt er mit dem Apostel fest, daß die Enthüllung des Geheimnisses ihren Gang in der Zeit nehmen müsse, bis die gefallene Entscheidung auf der ganzen Linie, bis in alle Tiefen des Weltzusammenhangs hinein, zur Geltung gekommen sei. Das Wichtige aber war für ihn, daß die Entscheidung, der Durchbruch, der verborgenen Gottesgerechtigkeit nicht erst bevorsteht, sondern sich bereits ereignet hat[416]. Entsprechend war für K. Barth die Offenbarung, der Durchbruch des Willens Gottes vom Himmel auf die Erde, vom Bewußtsein Gottes in das Bewußtsein der Menschen, der nun die Wende der Zeit herbeigeführt, das Ende aller Zeiten nahe herbeigebracht hat, Erscheinung, Ereignis, Gegenwart, Voraussetzung der Kraft und der Orientierung Gottes[417]. Noch einmal verwies er darauf, daß in Jesus Christus sich die Treue Gottes bewährt. »Er ist der Punkt in der Zeit, in dem die Zeit erfüllt ist, die geschichtliche Erscheinung, in dem die Geschichte abgeschlossen ist...Er ist der Anfang und das Ende, die Gegenwart geworden«[418].

So stellte K. Barth beide ineinander: die sogenannte und die eigentliche Geschichte. Beide sah er ineinander wie Frage und Antwort, wie Verheißung und Erfüllung. Dabei erwies sich ihm im Lichte des Neuen auch das Alte als das Ewige. Vom Ziele aus wurde ihm die Reihe der Taten Gottes als solche erkennbar. Im Christus erschien ihm der Sinn der Geschichte zu Ehren Gottes als Gottes Sinn. In der Offenbarung wurde für ihn die Treue Gottes sichtbar. Er verstand diese als die im Ganzen wirkende Kraft. Und Glauben hieß für ihn: die Treue Gottes bejahen[419].

[415] Ebd. S. 59.
[416] Ebd. S. 60.
[417] Ebd. S. 61.
[418] Ebd. S. 62.
[419] Ebd. S. 69.

Zusammenfassend erklärte er: »Das ist eben die Treue Gottes, die sich in der neuen Erweisung seiner Kraft bewährt: daß nichts, was aus ihm ist, verloren geht. Er läßt sich durch den Mißbrauch seines Wortes nicht kompromittieren, aber eben darum auch nicht aufhalten, es in Kraft zu setzen. Die Zeit und das Ende aller Zeiten, die sogenannte und eigentliche Geschichte, die Welt und das Gottesreich, sie treten für ihn nicht hintereinander, das zweite als die Ablösung und Auflösung des ersten, sondern sie sind ineinander, das zweite als die Erfüllung des ersten«[420]. Hier fand K. Barth seine Auffassung begründet, daß das Gottesreich die »Wirklichkeit« weder stehen läßt, noch einfach abbricht, vielmehr in ihr als ihr eigener und eigentlicher Sinn wächst, bis es sie ganz in sich aufgenommen hat, bis Gott Alles in Allem ist[421].

Fragen wir nun welche Bedeutung diese Erkenntnis für das Leben des Christen hat, so finden wir bei K. Barth, daß im Christus uns der im Längsschnitt der vergangenen und zukünftigen Geschichte verborgene Sinn der Zeiten offenbar wird. Wir können dadurch am Christus beteiligt sein, so daß wir von Stunde zu Stunde vor dem Gott stehen, der die Toten lebendig macht und das Nicht - Seiende ins Sein ruft. K. Barth legte dar, daß durch die Auferstehung Jesu von den Toten jene Schöpfungs- und Belebungstat, durch die Gott in der Jetztzeit seine Gerechtigkeit in Kraft gesetzt hat, in der die Ablösung der alten diesseitigen Welt durch die neue jenseitige vollzogen und eröffnet ist, eine neue Lage entstanden sei. Im Vollzug der neuen Schöpfung im Christus sah er die Handlung, in der wir mitten drin stehen. Hierbei betonte er wiederum den charakteristischen Gegensatz, nach dem wir in der Unterordnung der vom Abfall zerstörten Welt unter dem Zorn Gottes der Tod das letzte Wort sei, nun aber - im Christus - die Wolke des Zorns von der Sonne der Gerechtigkeit durchbrochen und damit die Voraussetzung, die Bedingung, die Grundlegung des Lebens geschaffen sei. »In Jesus ist die ursprüngliche, für uns aber neue Natur der Dinge in Gott wieder erschienen, bricht auf, quillt, überströmt, teilt sich mit, will Alles was ist hineinziehen in den Rhythmus der ewigen Lebensbewegung, von Gott her, zu Gott hin«[422]. Jenseitsglaube, so fragte K. Barth? Ja, aber Glaube an das Jenseits, das mit Macht und zusehends Diesseits wird[423]. Auch zu Römer 5,9 legte er dar, daß wir unter der Wirksamkeit der im Christus geschehenen großen objektiven Gottestat stehen. In seinem Tod haben wir den Lebensgrund. Mit dieser seit der Schöpfung gewaltigsten Veränderung ändert sich nach K. Barth die Gesamtlage von Grund auf: Ein Durchbruch, der sich in der Jetztzeit, in der messianischen Gegenwart, in der entscheidenden Wende der Äonen im Himmel ereignet hat, eröffnet sich ein Lebensprozeß auf Erden, das heißt auf der seelisch-geschichtlichen Seite unseres Daseins. Für K. Barth sind wir in diesen vom Jenseits ins Diesseits übergreifenden Prozeß hineingestellt. In der zerstörerisch tödlichen Entwicklung der Welt sah er an der Stelle, wo wir stehen, ein neues lebendiges Element eingetreten, das nun seinerseits wirksam wird und organisch jener Entwicklung entgegenarbeitet[424].

---

[420] Ebd. S. 74. - Mat. 5, 17-19.
[421] 1. Kor. 15, 28.
[422] Barth: Der Römerbrief. S. 106.
[423] Ebd. S. 109.
[424] Ebd. S. 120.

Auch hier beeilte sich K. Barth, keinen Zweifel daran zu lassen, daß wir zunächst »Feinde« sind, das heißt daß wir in den Zusammenhang der gottentfremdeten Kreatur gehören. Darum führte er zu V. 10-11 aus, daß wir uns kraft unserer Fleischesnatur in vollem und unheilbarem Gegensatz zu unserem göttlichen Ursprung befinden und uns Gott in gleichen Maße, als wir das Wesen der alten Welt bejahten, zum Gegner machten. Von Hause aus ist der Mensch bei K. Barth nicht der Träger einer neuen Welt, sondern ihr Hinderer und Zerstörer. Im Lichte des Römerbriefes kam er aber alsbald zu der Erkenntnis, daß das, was bei den Menschen unmöglich ist, bei Gott möglich wird: Als Feinde werden wir mit Gott versöhnt, weil die Welt mit Gott versöhnt worden ist. Nach K. Barth ist die große Veränderung zwischen Gott und der Welt geschehen, also auch für uns geschehen. Das Reich Gottes ist nahe herbeigekommen. Für K. Barth ändert auch unsere stärkste Gebundenheit an die alte Welt und unsere verbohrteste Fremdheit gegenüber der neuen nichts an der objektiven Tatsache der Weltversöhnung. Der Christus hat in seinem Blut überwunden uns zu gut. Auf dieser Lehre des Apostels begründete sich bei K. Barth die reformatorische Lehre: Wir können trotzen, lügen, gottlos sein - und sind doch in den Armen des lebendigen Gottes, der im Christus sein Recht allgemein gültig wieder aufgerichtet hat. Und nun - so fuhr K. Barth fort - wagen wir es eben, uns auch persönlich auf den Grund dieser großen umfassenden Tatsache der Versöhnung zu stellen. Wir wagen zu schließen: auch »wir« sind versöhnt[425]....Wir stellen uns einfach in diesen Prozeß hinein,...wir wollen garnichts anderes sein, als eben ein organisch mit dem Ganzen verbundenes Partikel der Kreatur, die mit Gott versöhnt ist, und derer nun eine bis in die Abgründe der Hölle hineingreifende Errettung und Erlösung wartet ... als Gottes Gabe und Sache, als Funktion in der Bewegung Gottes, die alle Tage wieder mit dem Anfang anfängt - und darum unsererseits Appell und Verheißung an alle anderen, an die ganze Welt, mit uns durchzubrechen zu der Versöhnung mit Gott, die wahrhaftig im Blute des Christus für alle Menschen, für die ganze Kreatur Ereignis geworden ist[426]. Sich vor jenen universalen Hintergrund stellend, »wagte« K. Barth es zu glauben und zu sagen: »Wir werden erlöst, weil eine Welterlösung im Gang ist. Wir werden neue Menschen, weil eine neue Menschheit begründet ist«[427].

Auf Grund dieser Erlösungstheologie verkündete K.Barth mit Römer 5, 12-21 den Sieg des Lebens. Danach hat Gott, indem der Christus durch seine Gerechtigkeit dem Leben die Ehre gegeben hat, sich selbst als den Lebendigen hingestellt. Zugleich hat damit aber auch der Mensch im Christus die Feiheit und Vollmacht, ein Lebendiger zu sein. Für K. Barth handelte es sich hierin freilich nicht um eine innere Neubegründung des Menschen. Er sah das Entscheidende darin, daß sich in der Weltgeschichte zwei parallele Machtwirkungen gegenüberstehen: Jene des Todes von Adam aus und jene des Lebens vom Christus aus. Die Dialektik dieser Situation ergab sich für ihn daraus, daß sich zu beiden Seiten je ein kosmischer Zusammenhang eröffnet, und zwar beidemal alle Menschen in sich begreifend. Für ihn aber war daher nicht wichtig und ausschlaggebend, wer und wie der einzelne

---

[425] 1. Kor. 5, 19 b.
[426] Barth: Der Römerbrief. S. 123-124.
[427] Ebd. S. 125.

Mensch sei, sondern allein, unter welcher der beiden kosmischen Kräfte er stehe, oder vielmehr, da beide Mächte sich auf alle Menschen erstreckten, in welchem Verhältnis sie in seinem Leben zueinander stünden. K.Barth lehnte es ab, das Schicksal und die Haltung des einzelnen Menschen als das Thema der Weltgeschichte anzusehen; als solches galt für ihn nur die Auseinandersetzung jener beiden parallelen Machtwirkungen. Er behauptete daher: »Was der einzelne Mensch ist, das ist er nicht in sich und für sich, sondern in Adam und in Christus... unter der Gesetzmäßigkeit der Todeskraft und...der Lebenskraft«[428]. Für K. Barth hatte es sich freilich offenbart und entschieden, daß in dem Gewirre der Geschichte nun auf einer Seite die letzte Kraft ist, eben da, wo die Gnade Gottes dem Christus und den Seinigen das Szepter gibt. So verkündete er: »Aus der durch die Gerechtigkeit des einen Christus vollzogenen Weltversöhnung bricht hervor der schöpferische Prozeß des Lebens , der unsere Errettung ist«[429].

So sehr es K. Barth darum zu tun war, den Zusammenhang dieses Weltvorgangs darzulegen, so wollte er jedoch auch den entgegengesetzten Weltvorgang, der durch jenen abgelöst und überwunden ist, verstehen und erläutern: Das Hervortreten des Todes , unter dessen Schreckensherrschaft wir stehen, aus der Sünde des einen Adam. Denn eines war für K. Barth sicher: Der Tod ist der Herrscher, aus dessen Gewalt wir errettet werden müssen, wenn es eine Errettung geben soll. In der grausigen Tatsache der Vergänglichkeit, des Zerstörens und Zerstörtwerdens sah er alle Übel, Schrecken und Rätsel des Daseins zusammengedrängt. Wieder betonte er, daß Tod und Leben in unauflöslichem Widerspruch stehen. Wo immer er auf den Tod stieß, wurde das Leben ihm problematisch, und mit J.T.Beck sagte er, es handle sich da um eine »verkehrte, rückgängige, zentrifugale, auflösende Bewegung«, nie und nimmer um eine normale Erscheinung. Der Tod gehört demnach nicht in die ursprüngliche Welt hinein, er muß vielmehr von anderswoher mittels Störung der göttlichen Absichten in die Welt eingezogen sein. Keinen Zweifel gab es daran, daß in Gott selber der Tod keinen Sinn und keinen Raum hat. Gott kann nicht Ja und Nein, Licht und Finsternis sein. Wenn jetzt die Schatten des Todes auf der Erde liegen, so kann dies für K. Barth nur in einer Wendung und Veränderung in der Schöpfung seinen Grund haben. Innerhalb der Welt Gottes muß ein Faktor aufgetaucht sein, der stark genug war, die Lebensfreude, mit der er sich seiner Kreatur zuneigte, zu verhüllen und die Welt unter das Regiment seines Zornes zu stellen, das nun jene Desorganisationskraft gewähren läßt. Damit aber nicht genug, K. Barth ging noch einen Schritt weiter, indem er behauptete, es müsse eine gottähnliche Macht sein, die solche Kraft, wie sie dem Tod über alles Lebendige zu eigen sei, verliehen habe. Wo aber finden wir eine solche Macht? K. Barth bemühte sich aufzuzeigen, daß das Problem des Todes in uns selbst begründet liegt; in uns selbst die fatale schöpferische Freiheit, jene Desorganisationskraft zu entfesseln; in uns selbst der unbekannte Faktor, der nach dem Zorngericht Gottes ruft; in uns selbst der Gegengott, der Teufel, das Schicksal, das Naturgesetz, das dem Tod seine Kompetenz und Kraft verleiht. Nicht aus Gott und nicht aus einer fremden Macht, sondern

---

[428] Ebd. S. 126.
[429] Ebd. S. 127.

»durch einen Menschen erhielt die Sünde Eingang in die Welt und durch die Sünde der Tod und so fand der Tod Durchgang zu allen Menschen«[430].

Die Sünde war somit als Erreger der Todeskrankheit diagnostiziert. K. Barth erklärte, daß es nur eine Sünde gebe: das Selbständigseinwollen des Menschen Gott gegenüber. Ihrem Wesen nach gehöre sie zwar nicht zum Menschen, jedoch sei durch seine Usurpation jene Natur, die von »Sünde« nichts wußte, von Grund auf neu disponiert worden[431]. Damit, so führte er weiter aus, habe die Sünde zugleich Eingang in die Welt erhalten. Der Mensch habe sie dem Kosmos einverleibt und zu seinem organischen Bestandteil gemacht. Dem unnatürlichen Prinzip, dem sich der Mensch freiwillig unterworfen, müsse nun auch sie freiwillig untertan sein. Nach Paulus werde die Krankheit des Menschen zur Weltkrankheit[432].

Eindringlich beschrieb K. Barth, wie im Prinzip der Sünde selbst schon die Kraft des Todes liegt. Mit der Selbständigkeit des Menschen Gott gegenüber sah er den Tod entfesselt und zur Macht erhoben. Die Vergänglichkeit des Lebens ergab sich für ihn aus dem Verlust der Unmittelbarkeit des Menschen zu Gott. Indem der Mensch sich mit der Aufrichtung seiner Selbstgerechtigkeit zum Knecht der Zeit gemacht habe, indem er selbst sein Wesen durch Abwendung von seinem ewigen Lebensgrund preisgegeben habe, seien Auflösung, Relativität und Vergänglichkeit, die nicht sein Wesen ausmachten, zu seinem Schicksal geworden. Wir selbst setzen nach K. Barth den Tod zum Herrscher über uns und unsere Welt ein, womit zugleich Gottes eigentliche Absicht durchkreuzt, seine ursprüngliche Absicht verwirrt und entstellt wird, so daß in der Welt, die wir eigenmächtig zu unserer Welt gemacht haben, das allgemeine Todesschicksal seine unnatürliche, aber gottähnliche Gewalt ausüben kann[433].

Hatte K. Barth bisher die Auffassung des heiligen Paulus interpretierend wiedergegeben, so trat die Eigenart seiner eigenen Theologie stärker zutage, wenn er im folgenden behauptete, der »historische Adam« sei als solcher in diesem ganzen Geschehen ebenso belanglos, unwichtig wie der »historische Jesus« als solcher. Der Sündenfall Adams und der Tod des Christus waren für K. Barth nur wichtig wegen der allgemeinen, umfassenden, jenseitigen Wendung im Himmel, im »Verborgenen der Menschen«, die sich hier und dort hinter dem einmaligen historischen Ereignis vollzogen haben. Es handelt sich dennoch um Weltgeschichte im prägnanten Sinn: nicht um ein einzelnes, und wäre es das erste Glied einer Reihe, sondern um die schlechthinnige Disposition eines Ganzen, nicht um eine Geschichte unter andern, sondern um das, was immer und überall geschehen ist und geschehen wird, um eine Voraussetzung allen Geschehens, die freilich in einem Punkt der Geschichte zum ersten Mal durchbricht und erkennbar wird. Den Römerbrief interpretierte K. Barth so, daß der »Eingang«, den die Sünde in die Welt fand, im folgenden Tod zum »Durchgang« wurde. Die solidarische Einheit der Menschheit mit ihrem Stammväter nahm er als Tatsache, wobei er darlegte, daß die jenseitig-verborgene fatale Bestimmung unseres Daseins auf Konsequenz drängt: Wie der Geist Adams der Geist

[430] Ebd. S. 128.
[431] Ebd. S. 129.
[432] Ebd. S. 130.
[433] Ebd. S. 131.

der Menschheit insgesamt ist, so wird auch das Schicksal Adams das Schicksal der ganzen Menschheit. Die Konsequenz, die sich daraus ergab, lauteste: »Wir stehen objektiv unter der kosmischen Kraft des Todes«[434].

Wie es nun für K. Barth bei Adam nicht jener zeitlich - geschichtliche einzelne Vorfall als solcher war, der das Todesverhängnis heraufrief, sondern jener Fall, der im Vorfall nur zum Vorschein kam, so war für ihn Christus das Urbild, der wahre und reine Gedanke Gottes, »der Kommende«, die Erfüllung, der Sieg und das letzte Wort Gottes. Christus und Adam - der Weg Gottes in der Weltgeschichte[435]. Ein Weg, so betonte K. Barth, also kein Zustand, keine Gegebenheit, keine stabile »Wirklichkeit«! Der logische Parallelismus konnte von ihm nur aufgestellt werden, um ihn sofort wieder aufzulösen. Für K. Barth durfte er nicht zum System werden, daher ließ er ihn nur als eine augenblickliche, vorübergehende Wahrheit gelten. Der Grund für diese Auffassung lag darin, daß K. Barth beim Gedanken an Adam und Christus jeden kosmischen Dualismus vermeiden wollte. So behauptete er denn, der Sinn dieses Weltgegensatzes sei die endgültige Erschütterung und Bewegung dessen, was in »ödem Gleichgewicht« ruhen möchte[436].

Für den paulinisch denkenden Theologen stand allerdings fest, daß der Fall nicht gleich kräftig neben der Gnade steht. Wenngleich sich beide zunächst gegenüberstehen, beide »gottähnlich« - wie K. Barth sagte - so steht Gott dennoch nicht auf beiden Seiten, sondern parteiisch nur auf einer; denn es ist nicht die gleiche göttliche Notwendigkeit da, wo sie als Schuld und Schicksal, das heißt als Raub und Abfall gegenüber der Herrlichkeit Gottes und als negative Kehrseite seiner Liebe auftritt, und da, wo sie als Versöhnung und Erlösung die legitime Erscheinung des positiven göttlichen Willens ist[437]. Wie aber wird für den zunächst ein für alle Mal im Geiste Adams fixierten Menschen der Übergang vom Tod zum Leben möglich? Durch die Gnade Gottes, so antwortete K. Barth, die auf einem souveränen Akt des göttlichen Willens beruht. K. Barth kleidete seine Darlegung in die Frage: Ist der »Fall« ein freches Abstandnehmen von Gott, ein falsches Selbständigseinwollen ihm gegenüber ... wie nun, wenn Gott selbst dieses Verhalten gar nicht als möglich anerkennt, wenn er - und das ist eben seine Gnade - die Menschheit zurückzieht und zurückstellt zu sich, in seine Gemeinschaft, dahin wo sein Angesicht leuchten kann über uns? Menschsein und Sterben erscheinen zunächst als ein leidiger Naturzusammenhang, den der Einzelne unfreiwillig über sich ergehen lassen muß als böser Zufall, niedergeworfen von einer Macht, auf deren Existenz er als Einzelner keinen Einfluß hat. Wie nun aber, wenn gerade darin eine Änderung eingetreten ist? K. Barth beantwortete diese Frage, indem er den Tod als das Verhängnis des uns alle beherrschenden bösen Willens beschrieb. Nun habe aber Gottes Gnade, nämlich »die Gnade, die der eine Mensch Jesus Christus hatte«, die Herrschaft jenes bösen Willens und das aus ihr folgende Verhängnis außer Kraft gesetzt. Darin liege das Geschenk Gottes an die Welt, daß im Christus die Freiheit des Menschen vom Schicksal wiederhergestellt ist, und zwar mit eben der Allgemeingültigkeit, mit der

---

[434] Ebd. S. 132.
[435] Ebd. S. 136.
[436] Ebd. S. 137.
[437] Ebd. S. 137.

sie in Adam verloren gegangen war. Als Geschenk aus dem Himmel eröffne sie einen neuen Lebenszusammenhang: »den alten Bindungen zum Trotz als neue Kausalität, in der eine Zukunft schlummert, die anders sein wird als die Vergangenheit«[438]. Gnade beschrieb K. Barth in diesem Zusammenhang als Feindschaft dem »letzten« Feind, Licht in unsere Todesschatten hinein, neue schöpferische Kräfte aus dem ewigen Reichtum Gottes in das Reich der Vergänglichkeit, Organisierung einer Lebenswelt, in der kein Tod mehr ist. So, als »Lebensreichtum, der aus dem ewigen Leben Gottes selbst überströmte, der unsere Todesarmut überschüttete und zudeckte, ist uns Gottes Gnade im Christus begegnet«[439].

Leben, so können wir zusammenfassend sagen, war für K. Barth das Ergebnis eines wirklichen Freispruchs. In dieser Neuschaffung des Menschen in Gott sah er das positive Ziel der messianischen Rettungstat. Das Reich Gottes beschrieb er demnach als ein Reich von Befreiten und Freien, ein kommendes Reich, demgegenüber aber auch der Wille des Menschen aktiv werden darf, indem er annimmt, was ihm Gnade als freies Geschenk anbietet. Das »Geschenk« der Gerechtigkeit war für ihn jene göttliche Erklärung, daß der Mensch das Recht und die Vollmacht haben soll, den Weg, der zu diesem Ziel führt, anzutreten und zu gehen[440]. Somit steht der neue Mensch nicht mehr unter dem Verhängnis, sondern unter den Ordnungen dessen, »der die Toten lebendig macht und das Nicht-Seiende ins Sein ruft«[441].

Wir haben damit bereits die frühe Theologie K. Barths in ihren wichtigsten Grundzügen vorgestellt. In den weiteren Kapiteln seines aufrüttelnden Buches führte er eingehender aus, was unter Gnade und Freiheit zu verstehen sei: Gnade vor allem als die göttliche Voraussetzung, die neue Ordnung, unter die wir gestellt sind, der veränderte Weltzusammenhang, dem unser Leben eingefügt wird. Von dieser Voraussetzung aus, vom veränderten Jenseits aus gehen wir nach K. Barth in die Zukunft hinein, mit unbedingter, in sich selbst gewisser Zielstrebigkeit[442]. Es handelte sich für ihn um eine Realität, das heißt um den Abbruch einer alten, die ganze Menschheit umfassenden Verbindung und um die Eröffnung eines neuen, ebenso die ganze Menschheit, ja die ganze Welt umfassenden Lebenszusammenhang. Wesentlich geschah dies durch den Tod des Christus, jenes Ereignis, mit dem Gott die Allgewalt der Sünde durchbrach und aufhob[443].

Im folgenden beschrieb K. Barth, welche Auswirkung dieses Ereignis im Leben des Menschen zeitigt. »Wie das Begräbnis Jesu in Wahrheit nur die dunkle, zunächst unverständliche Kehrseite war des Triumphes der Macht und der Herrlichkeit Gottes, der sich in diesem Ereignis zunächst unsichtbar vollzog, um am Ostermorgen siegreich und sichtbar zum Durchbruch zu kommen, wie das Kreuz des Christus in seiner Auferstehung zum Leuchten kam als göttliche Versöhnungstat, als die Kraft der Gnade unter der wir jetzt stehen - so ist auch das Ende, das in der Taufe der Sünde gesetzt ist, darum ein wirkliches Ende, weil es in der Absicht

[438] Ebd. S. 138.
[439] Ebd. S. 139.
[440] Ebd. S. 141-142.
[441] Ebd. S. 147. - Röm. 4, 17.
[442] Vgl. Barth: Der Römerbrief. Kap. 6. S. 148-180. Kap. 7. S. 181-217. - Hier besonders S. 150.
[443] Ebd. S. 154.

und in der Kraft Gottes zugleich ein Anfang ist, eine Eröffnung neuer Möglichkeiten, ein Wandeln-Dürfen und Wandeln-Können und Wandeln-Müssen und Wandeln-Wollen 'in ein neues Leben' ...«[444].

Hier nun stand K. Barth vor der Frage, auf welche Weise das neue Leben, das im Christus Ereignis wurde, den einzelnen Menschen vermittelt wird. Da es sich für ihn nicht einfach um eine Zuständlichkeit des Seins handeln konnte, brachte er an dieser Stelle die Dynamik des Wortes zur Geltung. Denn das erlösende Wort Gottes war für ihn ein lebendig dynamisches Wort. Er erklärte: »Was durch die Taufe mit uns geschehen ist, ist keine mechanische Veränderung, sondern die Versetzung und Eingliederung in einen neuen Organismus, dessen Wachstum und Wachstumsgesetze nun unsere eigenen werden«[445].

Das Wort Gottes war für K.Barth im strengen Sinne neue Schöpfung. Ihm schrieb er die Kraft zu, unsere bisherige Natur, unseren bisherigen Kosmos abzubrechen und uns in den Zusammenhang eines anderen zu setzen. Die Kraft dieser Natur sah er sowohl im Tod des Christus als auch in der Gnadenwahrheit des befreiten in Gott gefangenen Menschenwillens. Er beschrieb, wie die Kraft dieser neuen Welt nun wirkt, indem sie inmitten der alten Welt durchbricht, und daselbst entscheidend und verbindend, zerstörend und aufbauend, ein neues Gebilde schafft: den Keim der kommenden Welt. Römer 6,5 interpretierte er, indem er darauf verwies, daß auch uns diese Kraft erreicht und ihrem Werk organisch eingegliedert hat. Mit Vergleichen aus der biologischen Welt beschrieb er sodann, daß der aus dem Tod des Christus hervorgegangene Keim der kommenden Welt die Wurzel ist, wir hingegen an ihm mitwachsende Zellen. Daher haben wir auch Anteil am Fortgang des Werks dieser neuen Naturkraft. Mag dieser Fortgang etwas erst Zukünftiges sein, wir gehen nach K. Barth dieser und keiner anderen Zukunft entgegen. Mit jedem Schritt vorwärts bewies sich ihm die Kraft des Todes deutlicher als das, was sie ist: die Kraft der Auferstehung. Mit dem Römerbrief lehrte er, daß wir von den Tendenzen der alten Welt geschieden werden durch unsere Verbindung mit der neuen; immer offenkundiger wurde ihm aus unserem »mit Christus begraben werden« das »Wandeln in einem neuen Leben«[446].

Die positive Entwicklung, die K. Barth immer aufs Neue aufzuzeigen bemüht war, wurde jedoch von ihm selbst sofort wieder eingeschränkt, wenn er erklärte, daß das Reich Gottes zwar nahe herbeigekommen und wir ihm durch den Tod des Christus einverleibt seien, - herausgerissen aus unserem bisherigen Organismus -, daß aber dennoch unser Leben mit Christus in Gott verborgen[447] und noch nicht zur siegreichen Entfaltung, Vollendung und Alleinherrschaft gekommen ist. K. Barth stellte fest, daß rings um uns her, ja in uns selbst, dieser alte Organismus lebt und fort und fort auch seine Wirkungen ausübt, obwohl wir im Kern unseres Wesens von ihm geschieden, abgeschnitten sind. Er verwies darauf, daß wir, obwohl als getrennte Glieder, auch in der Einflußzone des Adamsgeistes stehen. Noch sei unsere ganze Persönlichkeit, obwohl den Gesetzen der neuen Natur unterworfen, in allen ihren Regungen und Bewegungen mitbestimmt von den Ordnungen der alten

---

[444] Ebd. S. 155.
[445] Ebd. S. 155. - Röm. 8, 29.
[446] Barth: Der Römerbrief. S. 156.
[447] Kol. 3, 3.

Natur. Er meinte, daß sich gerade damit die vollzogene Scheidung, das Kreuz des Christus, das zwischen uns und der Sünde steht, in seiner eigentümlichen Dynamik geltend mache. Dennoch betonte er auch hier, daß der Tod des Christus, dessen Kraft durch die Taufe unsere eigene geworden, uns nicht nur von unserem alten Menschen als von einem Fremden gelöst, sondern uns in einem scharfen und siegreichen Gegensatz zu ihm gestellt habe. Das Kreuz des Christus war für ihn unter allen Umständen der Wendepunkt, der den Sieg Gottes und die Katastrophe des alten Menschen bezeichnet[448].

Mögen wir alle noch in der Einflußzone der Sünde Adams stehen und als deren Kennzeichen die Hinfälligkeit und Sterblichkeit des Fleisches an uns tragen - der Christ lebt. Da nun von dem Sein, in dem der Christus steht, kein Weg zurück in die Sterblichkeit führt, hat sich etwas Unwiderrufliches ereignet. Das Leben, in das er durch seine Auferstehung von den Toten eingegangen ist, hat mit Werden und Vergehen nichts zu schaffen, ist keiner Entwicklung unterworfen, keinem Verhalten ausgesetzt, es ist in sich selber lebendig, weil es Leben in Gott ist. Nach K. Barth bedeutet dies, daß alle Stürme des Todes die objektive jenseitige Wahrheit, die da aufgegangen ist, nicht erschüttern und beseitigen können: Der Christus ist nicht unter dem Tod, sondern über ihm, so gewiß er nicht unter dem Zorn Gottes, sondern in der Kraft seiner Gerechtigkeit steht. Er ist Herr über den Tod, nicht der Tod über ihn, so gewiß es im Ursprung, in Gott keinen Tod gibt. K. Barth schrieb: »Sein Leben ist unauflöslich, in seiner Fülle nicht historisch zu begründen und nicht psychologisch abzuleiten, so gewiß gerade jenes auflösende dekomponierende, relativierende Element im Kosmos, die Sünde, in seiner Tat aufgehoben wurde«[449]. Wohl wußte K. Barth, daß auch Christus einmal im Tode war, daß sich auch an ihm das Schicksal der Menschheit erfüllte, der er angehörte, daß auch er mittrug an dem Fluch, der von Adam her auf dem ganzen Geschlecht liegt. Aber er betonte, daß gerade Sein Sterben der große Entscheidungsakt zwischen dem Menschen und der Macht war, die das Todesschicksal auf die ihr ergebene Menschheit losgelassen hat: der Sünde. So verstand K. Barth den Tod Christi als die endgültige Absage der Menschheit an diese Macht, die offenkundige Außerkrafterklärung ihrer Ordnungen, und als Begründung führte er an, daß dieser Tod das Ende, nein die Vollendung eines Menschenlebens in der wiedergefundenen Unmittelbarkeit Gottes war; sie wurde im Leben Jesu bis zuletzt nicht preisgegeben, selbst da nicht, wo er als Kind des Vaters, seinen Willen gefangen in Gottes Willen, in die Dunkelheit des Todes ging. K. Barth sah darin das Neue in der Weltgeschichte, die grundsätzliche Überwindung eines alten. »Er stirbt, aber indem er dem Todesschicksal seinen Tribut bezahlt, stirbt er auch der Sünde, wird für diese Macht ein toter, ein unerreichbarer Mann, steht da als ein Mensch, in dem eine eigene Kraft ist, der neben dem alten ein neues Weltzentrum begründet. Sein Tod steht mitten drin zwischen dem Menschen und der Sünde und verkündigt es Allen, die auch Menschen und auch in der Einflußzone der Sünde sind: seht da, Mensch und Sünder gehören nicht zusammen! Da ist der Mensch, der von der Sünde frei , der ihr tot gewesen ist, der den Bann des allgemeinen Sündigens gebrochen hat - und das ist die Sünde ,

---

[448] Barth: Der Römerbrief. S. 158.
[449] Ebd. S. 163.

deren Magnetismus sich gegenüber diesem Einen, obwohl er ein Mensch war, nicht bewährte, die ihn wohl töten, aber nicht bezwingen konnte. Da ist der Mensch, der nicht sündigen muß, weil er nicht sündigen will. Sein Tod ist nicht sein Tod, sondern der Tod des alten Menschen, der sündigen wollte und mußte. Sein Tod ist also...ein Sieg, die im Himmel beschlossene und vollbrachte Versöhnung, die Kraft, durch die die Gnade Gottes die Menschheit von der Sünde abgesperrt hat[450]. Eben darum aber war dieses Sterben wohl ein einmaliges Erleiden, aber nicht ein endgültiges Schicksal, ein Durchgangspunkt, aber kein Ende. Als Triumph über die Sünde war dieser Tod der Tod des Todes, die Eröffnung einer neuen höheren Form menschlichen Daseins in der Gemeinschaft Gottes, wie sie sich in den Ostertagen in den ersten Umrissen gezeigt hat«[451].

Das Entscheidende lag für K. Barth darin, daß dieser Tod ein Triumph über die Sünde war. Aus diesem Grunde war er eben vor Gott nicht Tod, sondern Leben in stärkstem Sinn, aus Gott fließendes und zu Gott wieder zuströmendes Leben, das der Schatten des Todes wohl einen Moment verdüstern durfte, um ihm dann als dem unmittelbar Göttlichen in der Menschheit nichts mehr anhaben zu können. So sicher der Christ in seinem Tod der Sünde gestorben ist - erklärte K. Barth - so sicher lebt er nun Gott, zur Rechten des Vaters, in der Herrlichkeit und Absolutheit des Schöpfers, der unser Erlöser ist, so sicher ist er nun eben jenem Fluch der Vergänglichkeit, indem er siegend einen Moment unterlag, endgültig entrückt, entrückt den Mächten des Verderbens und des historisch-psychologischen Relativismus, die unter dem Zorne Gottes ernstzunehmende Mächte sind. Der Christ aber steht nicht unter dem Zorn, sondern unter dem Wohlgefallen Gottes. Und darum »stirbt er hinfort nicht mehr«[452].

Der Einfluß der Lebensphilosophie auf das Denken K. Barths ist an dieser Stelle seiner Darlegung besonders deutlich. Allerdings wird dieses Leben theologisch verstanden in jener »gewaltigen Anschauung des Todes und der Auferstehung des Christus«, die den Menschen das Verständnis seiner Situation ermöglicht und vermittelt. Weil uns die Augen aufgegangen sind für das, was im Christus uns allen geschenkt wurde, preisen wir die Gnade und trotzen der uns umdrängenden Sünde. Wie Römer 6, 12-14 zeigt, ist noch die Sünde in der Welt und bringt sich im ganzen Lauf und Geist der Weltgeschichte gewaltig zur Geltung. Energisch wies K. Barth zurück, daß die im Christus eröffnete Versöhnung der Welt mit Gott gleichsam eine mechanische Entzauberung sei; vielmehr sah er in ihr eine durch die Kraft ihres Ursprungs organische Erneuerung.

Wichtig ist, was K. Barth in diesem Zusammenhang über die Welt als den »Leib« des Menschen sagte: Die Welt ist die Welt des Menschen. Der Mensch steht und fällt mit ihr. Es gibt keinen erlösten Menschen ohne eine erlöste Welt ... Unser »Leib« ist die Welt ... Mit der ganzen Welt ist er zum Kriegsschauplatz geworden, auf dem die Sünde um ihr Dasein und ihre Geltung kämpfen muß, ein Krieg, in dem wir die Streiter sind[453]. Aber dieser Kampf ist eigentlich schon entschieden, denn die

---

[450] Röm. 6, 2.
[451] Barth: Der Römerbrief. S. 163.
[452] Ebd. S. 164.
[453] Ebd. S. 166.

444

Herrschaft der Sünde über uns ist bereits gebrochen. Darin sah K. Barth die Konsequenz daraus, daß wir als lebendige Organe in das »Nachbild des Todes« des Messias, das Gott als Saatgut seiner neuen Welt in den Acker der Menschheit gelegt hat, verwachsen sind. Daraus ergab sich für ihn sodann als Programm, daß wir nun auch leben und wachsen müssen in dem Organismus, und nicht mehr in der Unnatur, aus der wir erlöst sind; sein, was wir sind und nicht mehr, was wir nicht sind[454].

Wie wir sehen, hatte K. Barth zur Darlegung seiner Auffassung die Terminologie einer organologischen Lebensphilosophie in Dienst genommen. Es kann jedoch kein Zweifel sein, daß der Theologe damit nicht jenem Biologismus verfallen war, der mit seiner monistischen Weltanschauung das Denken um die Jahrhundertwende weithin prägte. Immerhin mußte K. Barth verdeutlichen, worin er konkret den Einheitsgrund des Menschen mit dem im Leben Gottes erhöhten Christus sah. Dies geschah, indem K. Barth auf die Bedeutung des Ostergeheimnisses näher einging. Dabei trat auch der voluntaristische Charakter seiner Theologie deutlich zutage. Er erklärte nämlich, daß die Eigenart der Gnade der freie, gute, aus Gott strömende und an Gott orientierte Wille sei, nicht eine Hilfe für den Willen, nicht etwas Mitwirkendes neben ihm, sondern unser Wille selbst, sofern er frei und gut ist, als Schöpfung Gottes. Damit ist für K. Barth der Mensch unter der Gnade das, was er selbst aus sich machen wird[455]; damit wird das Tun des Menschen in jene Weltreihe gestellt, deren Telos ewiges Leben heißt; damit sind wir unterwegs in jenes Messiasreich, in dem Gott regiert und der Mensch wieder eins ist mit seiner Bestimmung, die Welt wieder geworden, wie Gottes schöpferische Liebe sie sich dachte. Diese Vollendung des Lebens entbehrte nach K. Barth nicht der Anschaulichkeit. Denn - so erklärte er - so anschaulich uns die »Wirklichkeit« den Tod vor Augen stellt als das unvermeidliche Ende der von der Sünde ausgehenden Weltbewegung, so anschaulich ist uns das ewige Leben im vollen Licht und in allen Kräften Gottes im Christus entgegengetreten. Die Menschheit werde es nie vergessen können, so meinte K. Barth, daß sie dieses Ziel einmal gesehen hat. Darum werde sie schließlich auch nicht verleugnen können, daß sie unter der Gnade steht. »Die Gerechtigkeit mit ihrer Teleologie, die Freiheit in Gott mit der Ernte, die sie hervorbringt, hat uns und alle Menschen mit Beschlag belegt. Wir sind im Christus gerecht und frei geworden, wir stehen im Sieg des Lebens«[456].

Damit war für K. Barth alles gesagt, was über die Zukunft und den Weg der Menschheit überhaupt gesagt werden kann. Er gestand zu, daß das religiös-kirchliche Leben seine eigene Wichtigkeit hat und seine besondere Pflege erfordert, solange der tatsächliche Lauf der Welt sich der Herrschaft Gottes entziehen kann[457]. Aber auch dabei galt, daß das »neue Wesen«, dem der Christ in einer neuen Welt dienen darf, eben das Denken und Handeln auf Grund jener objektiven Veränderung ist, da Gott wieder nach dem Szepter gegriffen und den Gang der von ihm gelösten Geschichte durch den vom Christus ausgehenden Lebensprozeß unterbrochen und zur Heimkehr gewendet hat[458].

---

[454] Ebd. S. 165.
[455] Ebd. S. 169.
[456] Ebd. S. 179.
[457] Vgl. ebd. S. 187.
[458] Ebd. S. 194.

Die Dynamik der Geschichte ist nach K. Barth damit eindeutig auf jene Zukunft ausgerichtet, die im Tode und der Auferstehung des Christus bereits gegenwärtig wurde und das gesamte Geschehen der Vergangenheit in neuem Licht erscheinen ließ. In neuem Anlauf versuchte K. Barth alsbald darzulegen, wie der Geist Gottes das Vergangene, Gegenwärtige und Zukünftige in einem umfassenden Prozeß eint. Das 8. Kapitel ist daher als das Kernstück jenes grandiosen Entwurfs zu betrachten, da es die pneumatische Struktur der Barthschen Eschatologie sichtbar werden läßt.

Die Vergangenheit wurde von K. Barth noch einmal dahingehend beschrieben, daß das Sein in der alten Welt des Fleisches notwendig eine Richtung des Tuns involviert, die auf den Tod hinweist und in ihrer fatalen Konsequenz durch alle bloß innerweltliche Religiosität und Ethik nicht geändert werden kann. Dieser Welt gehören wir jedoch nicht mehr an, wenn wir schon jetzt Glieder der kommenden, aus dem Geist, aus der Kraft im Christus sich aufbauenden Gerechtigkeitswelt sind, so gewiß dieser Geist des Christus jetzt schon in uns ist und wir durch ihn bereits dem formierenden Zentrum dieser Welt angegliedert sind. Für K. Barth hieß das, daß die erlösende Macht Gottes in uns ist, die organisch fortschreitend die Bindungen, unter denen wir jetzt mit den schwindenden Resten unseres bloß persönlichen gottfremden Daseins im Fleische noch stehen mögen, in Freiheit und Überwindung verwandelt wird. Noch regiert der Tod über das in uns, was noch immer unerlöste Natur ist und muß regieren; denn, wo noch keine Rettung ist, so sagte K. Barth, da muß auch noch Tod sein. Aber in das Gebiet des Todes hinein brechen nun, schritthaltend mit dem Sieg der Gerechtigkeit über die Sünde, die Lebenskräfte des Geistes und werden nicht ruhen, bis nichts Sterbliches mehr an uns ist, bis unser anhin dem Tod unterworfenes Gesamtdasein verwandelt ist in einen Organismus des Lebens. Denn »wie die Sünde nicht nur die Seele, sondern die Natur verwüstet hat, so ist auch das Ende der Wege Gottes die neugeschaffene Leiblichkeit«[459].

Den objektiven Grund unserer Befreiung vom Gericht sah K. Barth nun darin gegeben, daß in der alten Welt eine neue Schöpfung vollzogen wurde, und zwar so, daß gerade jener Macht, deren Herrschaft uns ins Gericht brachte, selber das Todesurteil gesprochen wurde. Uns wurde damit die Möglichkeit eröffnet, in der Erfüllung des göttlichen Willens zu leben; diese erfordert jedoch nicht mehr und nicht weniger als eine neue Tat der Kraft Gottes in Fortsetzung der ersten Schöpfung aus dem Nichts. Denn daran zweifelte K. Barth keinen Augenblick, daß die Welt und Menschheit, die jetzt ist, in das Chaos und Nichts zurückkehrt, der Gewalt des Todes verfallen. Eine neue Welt muß anbrechen, wenn die Wahrheit und Güte Gottes wirklich zu Ehren kommen soll. Gerade das sah er geschehen. Gott sprach ein zweites »Es werde!«, indem er seinen eigenen Sohn in die alte Welt hineingab: den neuen Menschen, der durch seine von Adams Fall unberührte Unmittelbarkeit zu ihm selber der Anfang einer neuen Menschheit und Welt werden konnte, jenen Menschen, in dem Gott sich selber wieder erkennen kann und in dem nun alle Menschen ihr eigenes wahrhaftiges Bild wiedererkennen müssen, jenen Menschen, in dem keim-

---

[459] Ebd. S. 219.

haft alles das wiedergebracht ist, was der Menschheit und Welt durch ihre Gottesferne verloren ging[460].

Bezieht sich somit die neue Schöpfung nach K. Barth zuerst nur auf den Christus, so hat das göttliche Wirken am Menschen allerdings nicht nur rein deklamatorischen Charakter, denn das Eintreten dieser Kraft Gottes im Christus war für unseren Theologen ein geschichtliches Ereignis von umwälzender Mächtigkeit. Zwar sah er es motiviert und bedingt durch die paradoxe und irrationale Tatsache der Sünde; es war für ihn daher selber paradox und irrational, das heißt kein denknotwendiges, aus der Kontinuität eines Systems zu begreifendes immanentes Verhältnis Gottes zur Welt. Es handelte sich also für ihn um eine Reaktion Gottes, die in der Zeit zur Erscheinung kommt, nachdem die Entwicklung der bisherigen Geschichte, wo sie in der Zeit erscheint, dem Menschen und seiner Welt verhängnisvoll geworden. Diese Tat Gottes ereignet sich also nach K. Barth trotz ihrer sachlichen Neuheit und Originalität in einer der sündenbeherrschten Fleischeswelt entsprechenden Gestalt. Das hieß für ihn: Sie tritt nicht als Mirakel neben das bisherige Geschehen, sie besteht nicht in der Vernichtung der diesseitigen Welt und in der abrupten Errichtung einer Überwelt, sondern: Die alte Welt der »Wirklichkeit« wird, zunächst an einem Punkt, der Schauplatz jener Wirklichkeit der neuen hervorbrechenden Gotteskraft. So wurde mitten in die Auflösung hinein der schöpferische Keim des Neuaufbaus gelegt, und K. Barth sah ihn dazu bestimmt, mit seinem Wachstum Schritt für Schritt ein Element des alten Chaos um das andere an sich zu ziehen, sich selber einzuverleiben und so das verwandelte von innen heraus organisch erneuerte Weltganze aus sich zu entlassen, wie es einst das Schöpfungswort im Anfang getan hat. »Das ist der Christus: die über die gesetzliche Mahnung und Drohung hinausgreifende Tat und Offenbarung Gottes zugunsten der Welt, die er nicht aufhört, als seine Welt in Anspruch zu nehmen«[461].

Hatte K. Barth soweit die christologische Basis seiner Theologie zur Geltung gebracht, so gaben ihm die Verse 10 und 12 im 8. Kapitel des Römerbriefs Gelegenheit, seine Auffassung von Pneuma vorzutragen. Heftig wehrte er sich gegen Lesarten, die den Geist in das Zwielicht eines psychisch-physischen Mittels rücken würden; stattdessen hob er hervor, daß der Geist in den Christen die Erscheinung, die Offenbarung, das Unterpfand des objektiven, jenseitigen, göttlichen Grundes ihrer Auferweckung sei. Das Bemühen, eine objektiv-transzendentale Begründung an Stelle einer subjektiv-psychologischen zu setzen, schloß jedoch nicht aus, den in uns heimischen Gottesgeist als eine dynamisch wirkende Kraft zu sehen. Der Wille Gottes, der im Christus Naturgesetz geworden ist, erlöst den Menschen von der fluchbringenden Vereinzelung zum organischen Sein im Zusammenhang der mit Christus erschienenen neuen Menschheit, und macht ihn so auch als Individuum zum Träger des Lebens des Christus. Dieses jenseitige Wesen des Menschen war für K. Barth eben der Geist: die durch den Christus für uns, an uns und in uns wirksam gewordene Kraft der kommenden Gotteswelt. Weil diese kommende Welt die Welt der Gerechtigkeit, des erfüllten Gesetzes, des Vollzugs des göttlichen Willens, der Wiederherstellung der Ehre Gottes auf Erden ist, darum war für K. Barth auch ihr

---

[460] Ebd. S. 222-223.
[461] Ebd. S. 224.

in uns gelegter Keim, der Geist, das dynamische Prinzip, durch das eine Enklave der Gerechtigkeit in uns geschaffen wird. Sofern der Geist aber Gerechtigkeit schafft, schafft er nach K. Barth auch ewiges, todüberlegenes Leben, eröffnet ein Dasein, das dem Tode nicht ausgeliefert ist, sondern seiner Herrschaft in zunehmendem Maße Boden abgewinnt. Sofern der Mensch unter der neuen objektiven Voraussetzung des Geistes - und nicht der Fleischeswelt steht, gehört er der Domäne des Lebens an[462].

Arbeitet somit im Christen auch das Plasma einer neuen Lebenswelt, so konnte dennoch nach der Lehre K. Barths der »Leib« des Menschen, das heißt seine ganze natürliche Daseinssphäre, angefangen mit unserem physischen Organismus und endigend mit den letzten kosmischen Bedingtheiten unserer geschichtlich-individuellen Lage, tot sein, der Verwüstung und dem Verfall preisgegebene rohe Natürlichkeit, wie es unserer Welt kraft der bisher allgemein herrschenden Sünde entsprechen mußte. Entscheidend blieb jedoch die Einsicht, daß Gott sich, wie gegen die Sünde, so auch gegen den Tod aufmachte. Daher erklärte K. Barth, Gott habe durch die Auferweckung des Christus von den Toten das Regiment des Todes auch im leiblichen Dasein unterbrochen und erstmalig das leibliche Leben ins Licht gebracht, das der urprüngliche Sinn alles Daseins und das Ende seiner Wege mit allen Dingen sei. In der Auferstehung des Christus erschien ihm das jetzt vergiftete und zerrüttete leibliche Dasein in seiner Bindung und Bestimmtheit durch den Geist, das heißt durch die Naturgesetze der ursprünglich endlichen Gotteswelt. Darnach hat derselbe lebendige Gott denselben lebendigmachenden Geist nun als Garanten und Zeugen des ewigen Lebens im Christen heimisch gemacht. Mag uns immer die Plerophorie der Auferstehung noch vorenthalten sein, weil wir als Glieder am Leibe des Christus erst hineinwachsen müssen in das siegreiche Leben, das in ihm erstmalig hervorgebrochen ist - der Weg und das Ziel sind uns nach K. Barth auch in dieser Beziehung gewiesen: »der Geist baut auch in uns an einem neuen leiblichen Dasein, an dem in verwandelter Gestalt schließlich alle Elemente unseres jetzigen leiblichen Daseins teilnehmen müssen, bis alles Sterbliche verschlungen ist vom Leben«[463].

Das sind die Bestimmungen und Verheißungen, unter die K. Barth den Christen »im Geiste«, das heißt unter der Herrschaft des neuorganisierten Prinzips der Gotteswelt gestellt sieht: »kraft der Gerechtigkeit...hineinzuwachsen in das Leben, das Gott von Anfang an aller Kreatur zudachte und das er im Christus aufs Neue als seine wahre Meinung mit der Welt hat erscheinen lassen«[464].

Sind wir demnach unter die Voraussetzungen und Bedingungen der neuen Welt gekommen kraft der Erscheinung des Sohnes Gottes, so betrachtete K. Barth auch unsere gegenwärtige Lage von der Tatsache des Geistes aus. Dabei beschrieb er ihren Gesamtcharakter durch die Worte: Vorläufigkeit, Zielklarheit und Bewegung. Vorläufigkeit, weil der uns verliehene Geist die kommende gänzlich neu organisierte Gerechtigkeitswelt erst zellkernartig in sich enthält; Zielklarheit, weil der Geist in uns sowohl über die Tatsache der nahenden Vollendung als auch über die

---

[462] Ebd. S. 229.
[463] Ebd. S. 230.
[464] Ebd. S. 231.

Richtung, in der sie erfolgen muß, keinen Zweifel übrig läßt[465]; Bewegung, weil der Geist des Christus als schöpferische Kraft Gottes selber den Umbau der alten Welt in Angriff genommen hat und dieses Werk nicht wieder einstellen wird. Aus der Tatsache, daß der »Geist des Lebens« sich hinter uns stellt, ja in uns heimisch geworden ist, ergab sich für K. Barth des weiteren eine absolute Bestimmtheit unserer jetzigen Lage, und zwar in doppelter Hinsicht: Negativ, weil wir nicht mehr nach Fleischesart leben können, positiv, weil wir in uns und aus uns selber Organe oder Agenten der Kraft Gottes geworden sind[466].

Derselbe Geist, der uns zu siegreichen Kämpfern der neuen Welt, weil zu Gottes Kindern macht, gibt nach K. Barth aber auch unserer Lage jene geschichtliche Perspektive, die sofort die Gegenwart mit der Zukunft verbindet. Mit Paulus verwies er darauf, daß sich die ganze Schöpfung mit uns in einem vorläufigen, unbefriedigenden Zustand befindet und mit Sehnsucht einer neuen Geburt entgegensieht, die mit dem Hervorbrechen der jetzt noch in uns Menschen wie eingeschlossenen Geisteswelt zusammenfallen muß. Das Zentrum, von dem die Erlösung ausgehen muß, ist mithin der Mensch im Christus, der dem Hervorbrechen des Sohnesgeistes, sich selber und dem Kosmos zur Befreiung entgegenharrt. Zusammenfassend sagte K. Barth bezüglich des Pneuma, daß der Geist, abgesehen von unserer Geistigkeit und Begeisterung in sich selber Geist ist; er wolle von sich aus aufbrechen, sich entfalten, regieren, bis in alle Tiefen und Höhen des Daseins hinein, und das sei schließlich unsere Freude, daß wir an seinem Wachstum und Sieg teilhaben dürften[467].

Geist ist also nichts anderes als Gerechtigkeit und Leben, so wahr er nach K. Barth Keim der kommenden Gotteswelt selber ist. Nach Auskunft des Römerbriefes dient jede Behauptung, jeder Ausbruch des Geistes in die unerlöste, noch nicht geistbeherrschte Umwelt hinein dem Bau, dem Wachstum des unvergänglichen Kosmos, der in der Auferstehung des Christus erstmals erschien. In diesem Zusammenhang wurde auch die gesellschaftlich-politische Dimension der Barthschen Theologie besonders deutlich, indem er behauptete, daß die von der Sünde beherrschte Fleischeswelt eben an sich dem Todesschicksal verfallen sei, eine verfälschte, verdorbene, weil von Gott gelöste Schöpfung, die als solche den auf ihr liegenden Fluch zu Ende tragen und vergehen muß, indes die Erneuerung durch den Geist, durch die organisierende Kraft des neuen Weltzentrums bereits vor sich geht. Jeder Dienst, den wir der alten Welt leisten, führt uns auf den Weg, der notwendig mit der Auflösung endigt. Sofern wir uns ihm hingeben, so warnte K. Barth, nehmen wir nicht teil am Werden, sondern am Vergehen. Der Geist des Lebens ist dann

---

[465] Barth sah unser Tun und Hoffen in bestimmter Weise durch den Geist determiniert. Diese Auffassung, wonach der Geist als das die ganze neue Organisation der Zukunft bestimmende Prinzip in kosmischer Ausdehnung verstanden wird, übernahm er von J.T. Beck. Den Mittelpunkt für diese Weltbetrachtung, die die leidensvolle Gegenwart mit der herrlichen Zukunft kombiniert, bilden danach die Geistchristen, die Gotteskinder. „So ist der Geist Christi, d.h. der göttliche Sohnesgeist, nicht nur neues menschliches Individual- und Sozialprinzip, sondern auch neues Weltprinzip der Zukunft, und das Resultat ist eine von der freien Herrschaft der Gottessohnschaft durchdrungene Welt, eine Geisteswelt mit Geisteskörpern". - Barth: Der Römerbrief. S. 231-232.

[466] Ebd. S. 232.

[467] Ebd. S. 233.

nicht dabei. »Der Geist«, so fuhr K. Barth fort, »ist nie romantisch-konservativ. Der Geist nimmt die Verhältnisse nicht, wie sie sind. Der Geist hat nicht Interesse an der Erhaltung des Bisherigen, des Bestehenden, sondern an seiner Verwandlung und Neugeburt...Geist ist Wachstum und hat im Gesetz des Wachstums seine einzige Autorität. Der Geist kann in der Gegenwart nichts Anderes sein als Revolution«[468]. Den theologischen Grund für diese Auffassung sah K. Barth in der Tatsache, daß das Leben im Christus und daß das Wesen dieses Lebens eben in seiner Zukunftsperspektive, das heißt in seiner der neuen Welt zugewandten Zielstrebigkeit liegt[469].

Diese gewisse Aussicht in die Zukunft macht nach K. Barth den Widerspruch unserer jetzigen Situation verständlich, erträglich und fruchtbar. Das beinhaltet dreierlei:

1. Gottvertrauen und Eschatologie sind nicht voneinander zu trennen;
2. gibt es keine Lösung des Welträtsels ohne Eschatologie;
3. Heilsgewißheit und Eschatologie gehören unzertrennbar zusammen.

Somit stehen wir am Anbruch des neuen Äons und dem daran sich anschließenden Neubau der Schöpfung. Der Geist handelt, wie K. Barth sagte, in eigener Sache. Nicht was wir als seine Geschöpfe aufzuweisen haben von seinem Wirken, war für K. Barth das entscheidende, sondern daß wir Anteil haben am Wachstum des Leibes des Christus; daß wir durch den Geist in der Richtung auf dieses Kommende in Bewegung gesetzt sind[470].

Aus der Dynamik des neuen göttlichen Schöpfungswerkes ergab sich für K. Barth die absolute Bestimmtheit unseres Wesens durch das Zukünftige. Damit begründete er die feste Zuversicht, daß die Gotteszukunft, die uns jetzt schon trägt, sich auch fürderhin als Antwort auf unsere Lebensfragen bewährt[471]. »Die Geschichte«, so versicherte er, »geschieht nicht mehr am Menschen vorbei. Die Verhältnisse werden aus fremden unbeherrschten Potenzen wieder zum Ausdruck innerer Notwendigkeit. In der Natur wird die kalte starre Schicksalsmaske verdrängt durch die lebendigen vertrauten Züge des väterlichen Angesichts. Der Tod herrscht nicht mehr als Auflöser und Zerstörer, sondern er muß, wie beim Christus selbst, Diener werden des großen Verwandlungswerkes. Das Leben kann wieder menschlich werden und der Mensch kann sich dem Leben wieder vertrauensvoll hingeben. Das also ist unsere Zukunft, daß wir als die im Leibe des Christus vereinigten Liebhaber Gottes von allen Seiten wohl Rätsel und Widerstände, aber schließlich doch nur Kräfte und Hilfen zu erwarten haben«[472].

K. Barth brachte an dieser Stelle auch das besondere Anliegen seiner spezifisch reformierten Theologie zum Ausdruck, wenn er erklärte, daß in unserem Sein im Christus unmittelbar unsere Prädestination zum Heil liege und daß nichts, was noch kommen kann, dazwischen kommen könne, so gewiß Gott es selbst sei, der uns zu unserem und der ganzen Welt Heil zum Leib des Christus zusammenge-

---

[468] Ebd. S. 235.
[469] Vgl. ebd. S. 238.
[470] Vgl. ebd. S. 239-250.
[471] Vgl. ebd. S. 253.
[472] Ebd. S. 256.

450

schlossen habe. Zur Teilnahme am Sieg seines Reiches, an dem großen göttlichen Verwandlungswerk, seien wir auch persönlich berufen; als die im Christus Eingegliederten und zu seiner Zukunft berufenen als solche auch die vor Gott Gerechten. Das alles - Berufung, Gerechtigkeit, Herrlichkeit - freilich erst als Keim, als Anlage, als Bestimmung, als ewige Prädestination, als geöffneter und gangbarer Weg, nicht als Blüte, Frucht, Erfüllung und erreichtes Ziel - aber als eine ewige Prädestination und als ein von Gott eröffneter Weg und darum als eine genügende und gültige Antwort auf alle unsere Zukunftsfragen. Weil in Gott unser Zukünftiges schon geordnet ist und weil wir im Christus in Gottes Gedanken hineinsehen, darum dürfen wir - so versicherte K. Barth - freudigen klaren Blickes in die Zukunft sehen[473].

Diese grandiose Vision der Zukunft enthielt aber noch einige weitere theologische Implikationen. Diese traten zutage, indem K. Barth behauptete, daß es im Christus weder Anklage noch Todesurteil gebe. Dahinter stand die Auffassung, daß es im Christus keine Wesensunterschiede zwischen Gerechten und Sündern gebe, kein Vorrecht an der ewigen Wahrheit und keinen Ausschluß davon. Im Christus, so erklärte K. Barth nun, gelte nur eines, nicht etwas Menschlich-Geschichtliches, sondern: Gott ist da, der gerecht macht. Sind wir im Christus, so könnten wir nicht mehr an unsere kleine Beschränktheit denken, sondern nur noch daran, wie er durch die Gewalt der menschlichen Beschränktheit siegreich hindurchgebrochen ist in seinem Sterben und Auferstehen, wie er nun zur Rechten Gottes steht - sei durch ihn nun die ganze Menschheit eben dahin gestellt[474].

Damit hatte K. Barth den Kern seiner Eschatologie ausführlich dargestellt. Halten wir uns noch einmal vor Augen: Die im Christus geschehene Offenbarung war für K. Barth nicht die Mitteilung einer intellektuellen Klarheit, eine Weltformel, deren Besitz die Möglichkeit einer Beruhigung böte, sondern Kraft Gottes, die uns in Bewegung setzt, Schöpfung eines neuen Kosmos, Durchbruch eines göttlichen Keims durch widergöttliche Schalen, anhebende Aufarbeitung der unerlösten Reste, Arbeit und Kampf an jedem Punkt und für jede Stunde. So sah K. Barth das Wirken des heiligen Geistes, und er versicherte, daß jeder, der ihn anders verstehen wolle, ihn falsch verstünde[475].

Man kann den Römerbrief K. Barths als einen Hymnus auf die Macht des Gottesgeistes verstehen, die in seiner Theologie der Hoffnung[476] überschwenglich gepriesen wird: »Erfüllung nicht Auflösung, Welterlösung nicht Weltuntergang, Totenauferstehung in Natur und Geschichte, neubelebende Umgestaltung der altgewordenen jetzigen Welt durch die Kraft des Geistes, was ihr an jenem göttlichen Neuaufbau Beteiligte als Fortsetzung des im Christus begonnenen Gotteswerkes erwartet«[477]. K. Barth erwartete, daß die jetzt schon gegebene allgemeine Seinsgrundlage der Weltversöhnung sich bewähre in einer ebenso allgemeinen Lebensoffenbarung über allen Gräbern, ebenso wie über allen jetzt unter Verschluß gehaltenen, durch menschliche Schuld unvollendeten Gottesgedanken. Von dieser Lebensoffenbarung und Totenauferstehung werde das Wiedererwachen der alten Hel-

---

[473] Ebd. S. 258.
[474] Ebd. S. 261.
[475] So ebd. S. 264.
[476] Vgl. ebd. S. 318-345.
[477] Ebd. S. 332.

den Gottes, ihr Wiedereintritt in ihre frühere providentielle Stellung, die Neubelebung der alten Form von innen heraus, die Fortsetzung der alten Linie von Gott her ein wesentlicher und bedeutsamer Bestandteil sein. Für den Fall, daß sogar die verlorenen Kirchen wieder zur Erkenntnis Gottes kommen, erwartete K. Barth, daß dann die entscheidenden Durchbrüche des Lebens auch im weiteren Rahmen nicht mehr ferne sein können, daß dann vielmehr das Ende aller Dinge, und das hieß bei ihm die Wiederkehr aller Dinge zu ihrem Ursprung, nahe sein müsse. Solches Wiederaufnehmen der alten, scheinbar abgerissenen Fäden der göttlichen Geschichte waren für ihn apokalyptische Zeichen, daß Gott darin ist, Nachlese zu halten, um dann bald seine Ernte in die Scheuern zu bringen[478].

Indem K. Barth so die Umrisse zukünftiger Entwicklungsmöglichkeiten zeichnete, kam er auch dazu, ausführlich seine Geschichtstheologie darzulegen. Dabei stellte er der »gewohnheitsmäßigen Geschichtsbetrachtung« als den entscheidenden Kontrast das göttliche »Geheimnis« der Geschichte gegenüber. Menschlichem, »eigensinnigem« Denken sagte er nach, daß es sich grundsätzlich nur an die zeitlichen, diesseitigen Entwicklungen der Dinge halte, an das sichtbare Gewand der Geschichte, sodaß es insofern eigentlich überhaupt keine Zukunft kenne. Danach wäre jede wirkliche geschichtliche Situation ein in sich geschlossenes Ganzes, das von außen betrachtet, keine Möglichkeit der Veränderung und des Fortschritts enthält. Dem stellte K. Barth jenes göttliche Denken gegenüber, das grundsätzlich von innen ausgeht, in den zeitlichen diesseitigen Entwicklungen nur Erscheinungen einer ewigen jenseitigen Bewegung sieht, und insofern ganz auf das Zukünftige gerichtet ist. Dieses Denken sieht nach K. Barth das Wirkliche nicht im Fertigen, sondern in dem, was hinter dem Fertigen im Werden ist; es betrachte, so versicherte er, kein Einzelnes für sich, sondern alle Einzelheiten in der bewegten Ruhe des Ganzen; es sehe endlich dieses Ganze nie als eine Summe von Einzelheiten, sondern in dem alle Einzelheiten durchdringenden und organisierenden Prinzip. Weiter behauptete er, daß die menschliche Betrachtungsweise an den in sich abgeschlossenen Ereignissen, Verhältnissen und Gegensätzen der Geschichte hafte, während es für die göttliche Betrachtungsweise nirgends solche abgeschlossene und eingeschlossene Punkte gebe, sondern überall nur Ansätze, Versuche, Teilstücke, vorläufige Lösungen. K. Barth charakterisierte das menschliche Geschichtsdenken vor allem dahin, daß es unwillkürlich immer wieder den einzelnen Menschen, sein zwischen Geburt und Sterben eingeschlossenes »Leben«, seinen Charakter, seine Leistung, sein Los zum Mittelpunkt ihrer Betrachtung mache und dabei selbstverständlich jeden Faden seines Sinnes der Geschichte aus den Händen verliere. Vom göttlichen Geschichtsdenken hingegen behauptete K. Barth, daß es sich nie direkt auf den Einzelnen richte, sondern auf das Volk, den Staat, die Stadt, also auf den Hintergrund und Zusammenhang, der allein dem Charakter und Schicksal des Einzelnen Würde und Bedeutung verleiht. Hierin fand er das Prinzip, das im Dasein des Einzelnen den Sinn des Geschichtsganzen durchschimmern läßt. Für die göttliche Betrachtungsweise ergaben sich daraus, wie K. Barth lehrte, wirklich verschiedene Zeiten in der Geschichte, wirkliche Unterschiede auch unter den einzelnen großen geschichtlichen Bildungen und schließlich auch unter den einzelnen Menschen: Unterschiede des Berufes

---

[478] Vgl. ebd. S. 332.

452

und der Erwählung, geschichtliche Stunden, die kommen und gehen, entscheidende Fortschritte, die möglich werden, aber auch hinter und über diesen Unterschieden das eine große Ziel, dem alles durch alle Differenzierungen und Peripetien hindurch zustrebt - während es, so behauptete er noch einmal, für das menschliche Geschichtsdenken eigentlich keine Unterschiede und kein Ziel gibt[479].

Wir haben hiermit das dialektische Geschichtsverständnis K. Barths kennengelernt. Eigenartig ist, daß er an anderer Stelle davor warnte, die im Christus kommende Revolution willkürlich vorauszunehmen und dadurch hintanzuhalten und die Sache der göttlichen Erneuerung mit der Sache des menschlichen Fortschritts zu vermischen. Fest bestand er darauf, daß das Göttliche nicht politisiert und das Menschliche nicht theologisiert werden dürfe, auch nicht zugunsten der Demokratie und Sozialdemokratie. »Ihr müßt euch«, so rief er seinen Lesern zu, »freihalten für das Letzte. Ihr dürft in keinem Fall in dem, was ihr gegen den jetzigen Staat tun könnt, die Entscheidung, den Sieg des Gottesreiches suchen. Der kommt durch das, was Gott selbst in euch tut, zur Hervorbringung eines neuen Himmels und einer neuen Erde, in welcher Gerechtigkeit wohnt«[480].

Mit dem Ausblick auf das Letzte, das heißt jene neue Schöpfung, die die Liebe oder der Geist Gottes heraufführt, verband K. Barth seinen Appell an den Ernst der Stunde, da die Wende der Äonen uns im Christus zu einer Frage persönlicher Verantwortlichkeit, jene Abwendung und Zuwendung gegenüber der Welt bzw. dem Reiche Gottes unsere eigentliche Lebensaufgabe werde[481]. Letztes Lebensziel des persönlichen Lebens bleibt jene Überwindung der Gegensätze, die nach seiner physischen Seite schon im Christus Wirklichkeit wurde, zu der Einheit eines Daseins im Dienst und in der Herrlichkeit Gottes. Dieser Gott war für K. Barth ein Gott der Hoffnung, ein Gott, der uns Perspektiven öffnet, ein Gott der kommenden Dinge. »Wir müssen an die kommenden Dinge glauben«[482], so hören wir abschließend K. Barths eindringlichen Ruf.

Es kann nicht verwundern, daß dieser Appell aufhorchen ließ in einer Zeit, die wie kaum eine andere unseres Jahrhunderts für die letzten Dinge aufgeschlossen war. Im übrigen tat der Verfasser alles, um in der von ihm beschworenen »permanenten Krisis von Zeit und Ewigkeit«[483] seinen Entwurf universaler Eschatologie zu vertiefen[484]. Unter dem Einfluß F. Overbecks, seines Bruders H. Barth, S. Kierkegaards und F.M. Dostojewskis[485] fragte er intensiver nach Ursache und Wirkung; radikaler noch als in der ersten Auflage sah er den Menschen unter das Gericht Gottes gestellt, aus dem ihn nur jenes »Allein durch den Glauben« retten kann. Glaube

---

[479] Vgl. ebd. S. 338-339.

[480] Ebd. S. 381.

[481] Vgl. ebd. S. 395.

[482] Ebd. S. 424.

[483] Ahlbrecht sieht in dieser Formulierung das Leitmotiv der frühen Barthschen Theologie. Vgl. Ahlbrecht: Tod und Unsterblichkeit in der evangelischen Theologie der Gegenwart. S. 90.

[484] Vgl. Barth: Der Römerbrief. 2. Auflage in neuer Bearbeitung. München 1922. S. XIII.

[485] Vgl. ebd. S. VI. - H. Schindler: Barth und Overbeck. Ein Beitrag zur Genesis der dialektischen Theologie. Gotha 1936. - E. Thurneysen: Die Anfänge. Karl Barths Theologie der Frühzeit. In: Antwort. Karl Barth zum 70 Geburtstag am 10.5.1956. Zollikon, Zürich 1956. S. 831-864.

ist dabei ganz und gar Wunder, Anfang, Schöpfung. Der nahende Tag bringt den neuen Menschen mit einer neuen Welt, die Gnade führt kraft der Auferstehung und kraft des Gehorsams zur Freiheit. Hinsichtlich des Geistes trat eine Dynamisierung der Geschichte zurück, zugunsten einer unmittelbar getroffenen Entscheidung in Wahrheit und Liebe. K. Barth sprach nun weniger allgemein von der menschlichen Not, als vielmehr von der Not und Schuld der Kirche, die er besonders in einer Krisis der Erkenntnis hervortreten sah. Die oft beschriebene Wende zur Kirchlichkeit, die hier sichtbar wurde, ließ ihn auch prononciert von der Hoffnung der Kirche sprechen, aus der heraus er für das Hauptproblem der Ethik, die Krisis des freien Lebensversuchs, die Möglichkeit einer Lösung sah. Programmatisch forderte er, daß im »Diesseits« für das »Jenseits« der Platz frei werden solle[486]. Hart kritisierte er vor allem, daß wir die Zeit mit der Ewigkeit verwechseln und dabei den Sinn für die Ewigkeit verlieren. Mit dem schroffen Hinweis, daß die Zeit ein Nichts ist gemessen an der Ewigkeit, daß alle Dinge Schein sind, gemessen an ihrem Ursprung und Ende, daß wir Sünder sind und daß wir sterben müssen, wollte er die Ewigkeit erneut in Erinnerung bringen. Dabei revidierte er seine Geschichtsauffassung zu der zentralen These, daß die Schnittlinie von Zeit und Ewigkeit, von gegenwärtiger und zukünftiger Welt tatsächlich durch die Geschichte läuft. Die sogenannte »Heilsgeschichte« war für ihn nur die fortlaufende Krisis aller Geschichte, nicht eine Geschichte in oder neben der Geschichte[487]. Dieser Auffassung entsprach die radikale Behauptung, daß der »Glaube nur insofern Glaube« ist, als er »keine geschichtliche und seelische Wirklichkeit beansprucht, sondern unsagbare Gotteswirklichkeit ist«[488].

Der Vorwurf der Geschichtslosigkeit bzw. der Ungeschichtlichkeit seines theologischen Denkens wurde gegen K. Barth vor allem nach Erscheinen seiner akademischen Vorlesung über 1. Kor. 15 »Die Auferstehung der Toten«[489] erhoben[490]. Er hatte kritisiert, daß wir, wenn von »letzten Dingen« die Rede ist, unwillkürlich an Ereignisse und Gestalten einer zeitlichen Zukunft der Welt, der Menschheit und der einzelnen, an »Endgeschichte« im Sinn von Schlußgeschichte, Geschichte am Schluß der Geschichte, der Lebensgeschichte der Einzelnen sowohl wie der Welt- und Kirchengeschichte, ja sogar der Naturgeschichte, denken. Das aber sei in 1. Kor. 15 nicht gemeint. Bevor er daran ging, die Lehre des Apostels positiv zu inter-

---

[486] Barth: Der Römerbrief. ²1922. S. 17.

[487] Ebd. S. 24.

[488] Ebd. S. 34.

[489] Ders.: Die Auferstehung der Toten. Eine akademische Vorlesung über 1. Kor. 15. München 1924. - Vgl. dazu u.a. die Rezensionen: R. Bultmann: K. Barth. Die Auferstehung der Toten. In: ThBl 5 (1926) 1-14. - Dass. in: Bultmann: Glaube und Verstehen. Bd. 1. S. 38-64. - P. Althaus: Paulus und sein neuester Ausleger. Eine Beleuchtung von K. Barths „Auferstehung der Toten". In: ChWi 1 (1925) 20-30, 97-102. - G. Wartenberg, G. Barning: Zwei Stimmen zu Karl Barths „Auferstehung der Toten". In: ChWi 1 (1925) 306-323, 337-361. - Vgl. M. Strauch: Die Theologie Karl Barths. Straßburg 1924. - Dass. 5. Auflage. München 1933. - Ölsner. S. 100-102. - Greshake: Auferstehung der Toten. S. 52-95: Die Auferstehung der Toten in der Offenbarungstheologie Karl Barths.

[490] Koepp. S. 553. - Ähnlich Althaus in: ChWi 1 (1925) 97-99, besonders S. 101. - Vgl. ders.: Theologie und Geschichte. Zur Auseinandersetzung mit der dialektischen Theologie. In: ZSTh 1 (1923/24) 741-786: Entwertung der Geschichte; Verzicht auf Heilsgeschichte; Ungeschichtlichkeit der Erlösung. - Vgl. Wartenberg. S. 308. - Kühn. In: KuD 9 (1963) 4.

pretieren, legte er zunächst dar, daß von letzten Dingen nur redet, wer vom Ende aller Dinge redet, und zwar als von einer Wirklichkeit so radikal allen Dingen, allem Geschehen und allem Zeitlichen überlegen, daß die Existenz aller Dinge, aller Zeit und aller Geschichte allein in ihr begründet wäre; von ihrem Ende also, das nichts anderes wäre als ihr Anfang, von Endgeschichte, die gleichbedeutend wäre mit Urgeschichte, von der Grenze aller Zeit als dem Ursprung aller Zeit[491].

Schon in dieser dialektischen Gegenüberstellung wurde das positive Anliegen K. Barths sichtbar. Es war ihm nämlich darum zu tun, die Erkenntnis fruchtbar werden zu lassen, daß es die Ewigkeit Gottes ist, die der Unendlichkeit der Welt, der Zeit, der Dinge, des Menschen eine Grenze steckt. Das letzte Wort, das hier gesprochen ist, muß nach K.Barth so sehr als letztes Wort verstanden werden, daß es zugleich als erstes verstanden wird, die Geschichte des Endes zugleich und als solche Geschichte des Anfangs. Die Zeit als solche schien ihm daher endlich zu sein, kraft ihrer Begrenzung durch die Ewigkeit. Das war jedoch für K. Barth nicht einfach ein objektiv gegebener Umstand, der als solcher einfach zu beschreiben wäre. Vielmehr sah er hier als Grundlage des Verstehens ein aktives göttliches Tun. Die Zeit wird demnach von der Ewigkeit gesetzt. Das aber wäre für K. Barth nicht wirkliche Ewigkeit, die Ewigkeit Gottes, was die Zeit, statt sie als endlich zu setzen, in Unendlichkeit auflösen würde[492]. Nun wußte K. Barth wohl, daß das 15. Kapitel des 1. Korintherbriefes vom Tod und von den Toten handelt, entscheidend war jedoch für ihn, daß die apostolische Predigt mit dem Wort »Auferstehung« an die leere Stelle den Ursprung und die Wahrheit alles Seienden, Bekannten und Eigenen, die Realität aller res, aller Dinge, die Ewigkeit der Zeit, eben die Auferstehung der Toten setzt. »Die Toten! das sind wir. Die Auferstandenen! das sind wir nicht«[493].

Mit diesem bekannten Diktum verband K. Barth die Erklärung, daß das, was wir nicht sind, identisch gesetzt wird mit dem, was wir sind: Die Toten lebendig, die Zeit Ewigkeit, das Seiende Wahrheit, die Dinge real; dies alles freilich nur in Hoffnung gegeben, eine Identität also, die im Gegenwärtigen von uns aus nicht zu vollziehen, in Gott jedoch schon vollzogen ist[494]. Hinsichtlich des Auferstehungsleibes lehnte er eine Dualität von Diesseits und Jenseits ab und behauptete eine Identität beider, die freilich für ihn wiederum nicht gegeben und nicht direkt festzustellen, sondern nur zu hoffen und zu glauben war[495].

Bei all diesen Überlegungen meinte K. Barth aufzeigen zu können, daß der christliche Monismus, wie er ihm bei den Korinthern vorzuliegen schien, unversöhnlich auf die Dialektik des paulinischen Denkens stößt. So wichtig dieses Anliegen nun wohl war, so muß doch festgestellt werden, daß K. Barth sein Ziel nicht voll erreichte. P. Althaus wandte sich dagegen, Paulus einfach zum Kronzeugen der modernen dialektisch-eschatologischen Theologie zu machen, indem man dem Apostel seinen eigenen Offenbarungs- und Geschichtsgedanken unterlegt[496]. Besonders

---

[491] Vgl. dazu H. Barth: Das Problem des Ursprungs in der platonischen Philosophie. Antrittsvorlesung. München 1921. - H.W. van der Vaart Smit: Die Schule Karl Barths und die Marburger Philosophie. In: Kantst 34 (1929) 333-350.
[492] K. Barth: Die Auferstehung der Toten. S. 59.
[493] Ebd. S. 60.
[494] Ebd. S. 61.
[495] Ebd. S. 66.
[496] Althaus. In: ChWi 1 (1925) 101.

rügte er, daß ohne weiteres von »Auferstehung« geredet werde, obwohl es bei Paulus nicht dasselbe ist, ob es um die Auferstehung Christi oder um unsere Auferstehung geht[497]. Für K. Barth war freilich »Auferstehung« das Kernstück seiner Theologie, Auferstehen nicht im Sinne irgend einer geschichtlichen Tatsächlichkeit, sondern als Offenbarungsakt der Herrlichkeit und Majestät jenes Gottes, dessen Ewigkeit aller Welt und Zeit ihr Ende setzt[498].

Ähnlich wie P. Althaus wandte auch R. Bultmann gegen K. Barth ein, daß er sich mit seiner Theorie des Futurum aeternum nicht auf Paulus berufen dürfe. In einer Übersicht über die neuere Entwicklung der Eschatologie machte H. Berkhof darauf aufmerksam, daß K. Barth selbst später einsah, daß sein Ewigkeitsbegriff nicht nur »Überzeitlichkeit«, sondern auch die »Nachzeitlichkeit« umfassen müsse. Deshalb sei er in seiner Kirchlichen Dogmatik[499] in gewisser Weise zu der teleologischen Interpretation zurückgekehrt, wie er diese in der ersten Auflage seines »Römerbriefs« vorgelegt hatte[500].

Es würde den Rahmen dieser Arbeit übersteigen, wollten wir das gesamte Lebenswerk K. Barths unter dem Gesichtspunkt der hier angeschnittenen Fragen zur Darstellung bringen. Genug, daß wir die Konzeption dieses bedeutenden Theologen aus der Frühzeit seines Schaffens heraus kennengelernt haben. Hören wir zum Schluß, wie der katholische Dogmatiker K. Adam die Entwürfe K. Barths damals kurz nach ihrem Erscheinen beurteilte. Obwohl er kritisch zeigte, daß der »Römerbrief« im Lichte eines Gottesbegriffs geschrieben war, bei dem uns Gott im schroffsten Gegensatz seiner Andersheit, als das unendliche Jenseits aller geschöpflichen Beziehungsmöglichkeiten, als wesenhaftes Paradox entgegentrat, - ein Gottesbegriff also, der einen radikalen kosmischen Dualismus zur Folge hat - so rühmte er doch, daß dieser Römerbrief im August 1918 wie eine Bombe auf dem Spielplatz der Theologen einschlug, in seinen Wirkungen etwa vergleichbar der Antimodernisten - Enzyklika Pius' X. vom 7. September 1907. Wie diese die katholische Theologie vor der mehr und mehr aufsteigenden Gefahr des Immanentismus und Relativismus rettete und ihr die Transzendenz der Offenbarung und die Absolutheit des Gotteswortes wieder ins Gewissen schrieb, so sei es K. Barths heißes Bemühen gewesen, die Theologie wieder zu ihrem θεός und λόγος zurückzuführen und die rein historische und psychologisch verfahrende Theologie zu töten[501].

Nach diesen Worten eines der profiliertesten katholischen Theologen jener Zeit

---

[497] Ebd. S. 24. - Ähnlich Barning. S. 354.
[498] Zum Gottesbegriff Karl Barths vgl. Wartenberg. S. 321-323. - Kritisch vor allem Althaus. In: ZSTh 1 (1923/24) 752-763: Die Unzulänglichkeit des Gottesgedanken.
[499] Vgl. K. Barth: Kirchliche Dogmatik. II/1 (1940) 658-722.
[500] Berkhof. S. 169.
[501] K. Adam: Die Theologie der Krisis. In: Hochland 23/II (1925/26) 271-286. - Dass. in: K. Adam: Gesammelte Aufsätze. Augsburg 1936. S. 319-337. - Vgl. R. Köhler: Kritik der Theologie der Krisis. Eine Auseinandersetzung mit Karl Barth, Friedrich Gogarten, Emil Brunner und Eduard Thurneysen. Auf Grund eines am 25. April 1925 in der Philosophischen (Hegel-) Gesellschaft zu Berlin gehaltenen Vortrags. Berlin 1925. - W. Lüttge: Zur Krisis des Christentums. Gütersloh 1926.

konnte man auch im katholischen Lager an den eschatologischen Entwürfen K. Barths nicht mehr achtlos vorübergehen.

(12) Eduard Thurneysen (geb. 1886)

Zu den Männern, die »Zwischen den Zeiten« die Theologie zu einer radikalen Neubesinnung auf das Eschaton führten, gehörte auch E. Thurneysen[502]. In einem Beitrag zur Eschatologie[503] legte er 1931 einen umfassenden Entwurf vor, der heute noch unsere Aufmerksamkeit verdient.

E. Thurneysen wandte sich entschieden dagegen, daß die Eschatologie nur als eine Beigabe zum Leben Jesu gesehen werde, die unter Umständen auch wegbleiben könnte. Mit seiner These, daß anders als eschatologisch von Jesus Christus garnicht gesprochen werden könne[504], berief er sich auf die Erkenntnis A. Schweitzers, wonach die Leben - Jesu - Forschung des 19. Jahrhunderts gezeigt habe, wie das Bild Jesu in den Evangelien eschatologisch bestimmt sei[505].

Die Theologie E. Thurneysens wurde von hieraus hauptsächlich durch drei Dinge bestimmt:

1. Vom Wunder. Er sah in ihnen vorauflaufende Zeichen einer mit Christus hereinbrechenden und durch ihn angekündigten Zukunft, da mit ihm eine Geschichte beginnt, die nicht mehr Weltgeschichte, sondern Endgeschichte ist. Geschichte in der die Weltgeschichte zu Ende geht und eine ganz und gar andere Geschichte beginnen will und begonnen hat.

2. Vom Kreuz Christi, das noch eindeutiger auf die Zukunft weist, da Jesus uns an eine Grenze führt, die eine letzte Grenze allen Daseins ist, die Grenze des Todes, von der her er redet und auf die hin er lebt. Dort, im Schatten des Todes, stieß E. Thurneysen auf jene Quelle, aus der das Leben strömt; dort wurde ihm die Grenze endgültig sichtbar, über die hinweg Jesus in dies sein Leben unter uns getreten ist; von dort aus verstand er, daß Christus von jenseits der Gräber kommt und daß jenseits dieser Zeit und Welt sein Wesentliches liegt. Daher behauptete er: »Seine Botschaft an uns ist Botschaft von der Grenze, die alle Zeit und alles Leben an einer ganz anderen Zeit, an einem ganz anderen Leben finden muß«[506].

3. Von jenem Rätselwort Auferstehung, »das diese andere Welt, diese Zeit jenseits aller Zeit, diese Zukunft Jesu Christi endgültig aufdeckt und zugleich verhüllt, verhüllt und zugleich aufdeckt«[507].

Auferstehung, das hieß für E. Thurneysen also nichts anderes denn Christus zu verstehen als den Herrn einer neuen kommenden Welt; als den, bei dem hinter dem menschlichen Letzten das göttliche Erste steht und stand von allem Anfang an.

---

[502] Eduard Thurneysen, seit 1929 Privatdozent für praktische Theologie in Basel. - Beiträge vor allem in: ZZ (seit 1923). - Schriften: Siehe LV. - Außerdem vgl. P. Fricke: Eduard Thurneysen. In: RGG² 5 (1931) 1171. - A. Niebergall: Eduard Thurneysen. In: RGG³ 6 (1962) 881-882.

[503] E. Thurneysen: Christus und seine Zukunft. Ein Beitrag zur Eschatologie. In: ZZ 9 (1931) 187-211. - Vgl. dazu Ölsner. S. 99-100.

[504] Thurneysen. S. 194.

[505] Zu A. Schweitzer siehe oben S. 119-124.

[506] Thurneysen. S. 196.

[507] Ebd. S. 196.

Auferstehung, das ist nach Thurneysen wahrlich ein Vorgang in dieser Welt, aber ein Vorgang nicht von dieser Welt, also ein Vorgang, der diese Welt ganz und gar in Frage stellt. Dabei verstand er das Herantreten Christi an uns, das Hereintreten seiner Zukunft in unser Gesichtsfeld, als Offenbarung ; den dadurch ermöglichten Akt des Sehens dieser Zukunft bestimmte er als Glauben, wobei er eigens hervorhob, daß diese Zukunft sich als ein an sich erkennbares Gegebene im Raume des Lebens garnicht vorfinde; sie müsse immer erst zu uns kommen und für uns erkennbar werden durch sich selbst; Christus müsse sie uns selber aufdecken, wenn wir sie sehen sollten[508].

Von dieser Grundposition aus ging es E. Thurneysen um Eschatologie in jenem buchstäblichen Sinn, das heißt ums Ganze und Letzte. Hoffnung bedeutete ihm nichts anderes als Inhalt dieser Zukunft, wobei Inhalt die konkrete, bestimmte Gestalt war, in der diese Zukunft Jesu Christi auf uns zukommt. Hoffnung hatte daher für ihn eine doppelte Seite, eine objektive und eine subjektive: einmal die Sache Gottes selber als solche in ihrem Gerichtetsein auf uns, sodann auch unser Gerichtetsein auf die Sache Gottes, das heißt unser Stehen in der Gewißheit dieser Sache, im Lichte und in der Erwartung ihres Kommens[509].

E. Thurneysen hielt gegenüber P. Althaus daran fest, daß alle Eschatologie irgendwie endgeschichtlich sei, denn von der Zukunft Jesu reden hieß für ihn, vom Ende dieser Zeit und Welt zu reden. Allerdings grenzte er sich von einer geschichtsphilosophischen Eschatologie ab, die als Schlußergebnis der Weltgeschichte nur die Feststellung der Vergänglichkeit alles Zeitlichen in sich selber trägt. Auf dem Boden solcher Einsicht wachse ganz elementar die Sehnsucht nach einem ewigen Jenseits der Zeit, das selber nicht mehr Zeit wäre; aber dieses Ewige wäre nur ein Grenzbegriff, keinesfalls das wirkliche, endgültige Aufhören der Zeit, sondern nur die logische Relation, in der der Begriff der Zeit zu einem Jenseits der Zeit steht, das selber nicht mehr Zeit wäre. Nach E. Thurneysen gehört es gerade zur Zeit, daß sie ohne ein Ewiges nicht gedacht werden kann, aber daß sie dennoch dieses Ewige nie erreicht. Ohne Zweifel könnte man aus dieser These die radikale Endlichkeit bzw. Zeitlichkeit der Zeit folgern. Aber wie sehr E. Thurneysen auch wußte, daß bereits zu seiner Zeit der naiv-optimistische Fortschrittsgedanke tief erschüttert war, verlor er sich nicht in den skeptischen Überlegungen einer pessimistischen Kulturkritik. Er meinte vielmehr, daß aus der soeben beschriebenen Auffassung von Zeit deren Un-endlichkeit zu folgern sei, so daß es im Grunde nie eine wirklich letzte, endgültige, alles abschließende Krisis geben könnte, und auf diese kam es unserem Theologen entscheidend an. Er behauptete daher, daß es innerhalb der Zeit und des Zeitdenkens kein wirkliches Ende gebe, daß vielmehr die Zukunft Jesu Christi allein dieses Ende ist[510].

Beachten wir: E. Thurneysen war der festen Ansicht, daß alle Analysen jener Krisen, die über die Geschichte und den Kosmos kommen, nicht zu Gott oder jener Erkenntnis führen, daß Gott am Ende steht. Gegenüber der geschichtsphilosophi-

---

[508] Ebd. S. 197.
[509] Ebd. S. 198.
[510] Ebd. S. 199. - Zur Kritik der Zeitauffassung von Thurneysen vgl. Th. Siegfried: Die Idee der Vollendung. In: ThBl 6 (1927) 81-95, besonders Sp. 82 oben.

schen Eschatologie wies er jedoch alsbald darauf hin, daß genau an der Stelle, wo die Analyse der Lage in der Erkenntnis der Vergänglichkeit ende, die heilige Schrift das Wort Gott sage. Das sei etwas völlig Neues, wirklich das Ende, die vollständige Vergänglichkeit, der alles entgegeneilt. Die Welt habe nun einen Ausgang, aber jenseits dieses Ausgangs, hinter dem es nicht ewig weitergeht, liege der neue Anfang[511].

Dieses Wort vom Ende entfaltet sich nach E. Thurneysen in den beiden Worten von Schuld und Erlösung; das Wort Schuld zunächst dahin, daß das Ende unser Gericht ist. Dabei behauptete er, daß es im Dämmerlicht der Geschichte letztlich ebensowenig eine letzte Schuld wie eine letzte Unschuld gebe, sondern nur Schicksal, Verhängnis, Umstände, für die wir nichts können. So fragwürdig diese These ist, nach der letztlich das politische, militärische, wirtschaftliche Handeln des Menschen jeder Verantwortlichkeit bar wäre, so führte sie bei E. Thurneysen zu der Behauptung, daß alles Zeitliche schuldhaft sei. Er glaubte im Lichte der Bibel die Verkehrtheit aller Wege der Menschen zu erkennen, das Gefallensein aller Zeit aus dem Gehorsam Gottes, und behauptete daher, daß Zeitlichkeit =Schuldigkeit bedeutet. Einseitig und blind gegenüber der differenzierenden Sicht der Bibel vertrat E. Thurneysen die radikale These von einer Schuld Aller an Allem, die wie verzehrendes Feuer hervorbrechen wird am Tag, da die Menschen vor Gott stehen als ihrem Richter[512].

Freilich war dies nicht das Letzte, von dem nach Thurneysen christliche Eschatologie zu reden hat. Im Lichte der Zukunft Christi gewinnt der Mensch auch jenes Erbarmen Gottes, das im Kreuze Christi sichtbar wird als die Wendung vom Tod zum Leben. So wendet sich die menschliche Schuld aus Gericht zur Vergebung, die sich in der Erlösung erfüllt. In diesem Ende, das der Anfang von etwas Neuem ist, fand E. Thurneysen unser ewiges Gerettet- und Geborgensein in der Zukunft Christi. Hier lag für ihn auch jenes ewige Leben begründet, daß er keinesfalls in Kontinuität zum Leben hier und jetzt denken wollte, auch nicht in Kontinuität zum sogenannten inneren Leben. Jede Art von Unsterblichkeitslehre lehnte er ab als Versuche, das ewige Leben in Kontinuität zu denken mit dem Leben hier und jetzt. Im Prädikat »ewig« lag für ihn gerade das vollständige, qualitative Unterschiedensein dieses Lebens von allem Zeitlichen oder mit dem Zeitlichen in irgendeiner, wenn auch noch so fein und sublim gedachten Kontinuität stehenden Leben. Positiv ausgedrückt legte er dar, daß das ewige Leben nur zu Stande komme durch einen göttlichen Herrschaftsakt gleich dem Herrschaftsakt der Schöpfung oder dem Herrschaftsakt der Versöhnung. Gott spricht das, was tot ist, an als lebendig, das Verwesliche als unverweslich, so wie er das Seiende durch sein Wort aus dem Nichts schuf, so wie er den Sünder gerecht macht. Sofern man doch von Kontinuität sprechen wolle, so meinte E. Thurneysen, so liege sie nicht beim Objekt dieser Lebendigmachung, nicht beim Menschen, nicht in irgend einer Unzerstörbarkeit seines Lebens, sondern allein darin, daß dieser selbe Mensch, der hier und jetzt stirbt und vergeht, dort dann und wann von seinem Gott gerufen werde - nun eben zum ewigen Leben. Noch einmal, »das Leben, das Ende muß völlig, muß radikal gedacht

[511] Thurneysen. S. 202.
[512] Ebd. S. 204.

werden, das wir nehmen beim Sterben. Daß diesem Ende ein neuer Anfang folgt, das ist das Wunder der Auferstehung«[513].

Wir sehen, wohin die radikale Eschatologie E. Thurneysens führt: Es gibt keine Entwicklung der Geschichte und des Einzellebens zum Reiche Gottes hinan, keine Verklärung und Erhöhung, die über die Todesgrenze hinausreicht, nur eines: das Kommen der Zukunft Jesu Christi zu uns. Es fragt sich allerdings, in welcher Hinsicht dann das gegenwärtige Leben überhaupt sinnvoll sein kann, woher das ethische Handeln des Menschen seine Begründung nimmt, ob die Erkenntnis der geschichtlichen Un-endlichkeit wie auch der durch die Offenbarung Gottes gewonnenen Einsicht in die unbedingte Schuldverhaftetheit nicht zum Verzicht auf Handeln und Leben führt. Angesichts der vielfachen Krankheitsfälle, bei denen Menschen gegenüber ihrem Schicksal resignieren oder ihm in rauschhafter Auflehnung zu entgehen suchen, erhebt sich dringend die Aufgabe, diesem Problem nachzugehen. E. Thurneysen, der die Schwierigkeit zu bemerken schien, antwortete mit einem Appell, der Erde treu zu bleiben. So sehr er jede Kontinuität ablehnte, so verwies er nun anhand von 1 Kor. 15,53 auf die Identität des sterblichen Menschen mit dem zum Leben berufenen, eine Identität, bei der er aber nochmals warnend einschränkte, daß sie nur in Gott bestehe und gerade das Wunder der Auferstehung ausmache. Er selbst war der Ansicht, daß die Hoffnung auf das ewige Leben den Christen teilnehmen heißt an Kampf und Leid dieser Zeit und Erde, daß es ihn hineinzwingen muß, in die Fragen und Nöte dieses Lebens[514].

Für E. Thurneysen lag in dieser Hoffnung die wahre ethische Konsequenz der Zukunft Jesu Christi. Zum Schluß kam er noch einmal auf die subjektive Seite dieser Hoffnung zu sprechen, das heißt auf unser Gerichtetsein auf die Zukunft Christi. Von hier aus sah er die christliche Ethik durch und durch eschatologisch bestimmt. Mit dieser Erkenntnis, die sich auf Offenbarung und Glauben begründet, stehen wir nach E. Thurneysen in jenem Raum der Kirche, die auf die Zukunft Jesu Christi hofft und aus dieser Hoffnung die Kraft ihres Handelns schöpft. Ihr geht es nicht um die Begründung einer neuen Kultur, so versicherte er, wohl aber um eine neue Haltung innerhalb des menschlichen Lebensraumes, in dem die Kulturen aufsteigen und fallen[515].

Mit diesem Beitrag zur Eschatologie hatte E. Thurneysen eine Theologie der Zukunft vorgelegt. Entgegen der gewohnten, landläufigen Bedeutung wollte er dem Begriff Zukunft einen ganz neuen Gehalt geben, indem er ihn mit dem Namen Jesus Christus verband. Daß es um die »Zukunft Jesu Christi« gehe, war die entscheidende Erkenntnis, auf der er seine gesamte Eschatologie aufbaute. Es ging ihm dabei nicht darum, über die Zukunftskraft und Zukunftsbedeutung der geschichtlichen Gestalt Jesu zu sprechen. Wichtig war ihm allein, daß sich der Begriff Zukunft in der Verbindung mit dem Namen Jesu wandelt, und zwar so stark, daß er dem gewöhnlichen Sinn nicht mehr entspricht. Er glaubte festzustellen, daß der Name Jesu nicht mehr in das Kontinuum der Zeit hineingehe, daß er ihn vielmehr von innen heraus aufsprenge. So legte er dar, daß der Begriff Zukunft in der Verbindung

---

[513] Ebd. S. 207.
[514] Ebd. S. 209. - Zum ganzen vgl. Ahlbrecht: Tod und Unsterblichkeit in der evangelischen Theologie der Gegenwart. S. 119.
[515] Thurneysen. S. 211.

mit dem Namen Jesu und kraft dieser Verbindung aus dem Kontinuum der Zeit herausbreche und somit eine Vorstellung von »Zukunft« auftauche, die mit all dem, was bisher Zukunft hieß, nichts mehr zu tun habe. Bei dieser radikalen Gegenüberstellung ließ E. Thurneysen freilich noch die Möglichkeit offen, daß die gewohnte, bisher Zukunft geheißene Zeitstrecke ein schwaches Abbild und Gleichnis einer ganz anderen, jenseits aller Zeit liegenden Zukunft ist, zugleich jedoch betonte er den absoluten Gegensatz dieser eine absolute Grenze setzenden Zukunft. »Ein Fernes, Letztes, Unbekanntes ist auch diese neue, die Zukunft Jesu Christi, aber in einem ganz anders radikalen Sinne, nämlich ein Letztes, Äußerstes, das nicht nur der jeweiligen Gegenwart, sondern das aller, aller jemals denkbaren und möglichen Gegenwart gegenüberliegt«[516].

In der Radikalität seines Denkens behauptete der Basler Theologe, daß jeder »erfüllten Zeit« die Zukunft Jesu Christi als ein ganz anderes, jenseits liegendes Land und Reich gegenüberstehen werde. Prädikativ hielt er diese Erkenntnis freilich für nicht mehr aussagbar, da es sich für ihn um kein Seiendes innerhalb der Zeit handelte; transzendental sah er jedoch die Vernunft zu einem Hinaussteigen über sich selbst genötigt, so daß eine Zeit Gottes jenseits aller Menschenzeit als gesetzt und vorhanden angenommen werden müsse, eine Zeit, die keine Zeit mehr ist, die Zeit ist ohne Zeit zu sein, die gemeint ist, wenn wir den Namen Jesus Christus aussprechen. Dieser Name schien ihm einzig und allein dazu gegeben, daß wir dieses Unmögliche, dieses über alles Menschendenken Hinausgreifende als wirklich, als real gegeben annehmen und damit zu rechnen beginnen. »Das ist diese Zukunft, die, die an dieser Stelle auftaucht als Prädikat seines Namens«[517].

Den Verdacht, daß es sich bei solchem Reden von einem Jenseits der Zeit oder der Geschichte als von einem Wirklichen nur um einen Mythos handle, begegnete E. Thurneysen mit dem Hinweis auf die konkret historische Gestalt Jesu. Jesus Christus, die »Ankündigung jener Zukunft ohnegleichen« sei »nicht nur eine legendäre und mythische Gestalt«[518]; er habe seine Stelle ganz und gar innerhalb der Geschichte und teile mit allem Geschichtlichen den Charakter des Zeitlichen. Das besondere dieses wirklich geschichtlichen Ortes, dieser Jahre und ihres Trägers liege darin, daß hier in der Geschichte, im Raum der Zeit, da Alles wird und zugleich vergeht, Einer steht, der in dieses Werden und Vergehen hineintritt mit dem Worte einer Zukunft jenseits dieses Werdens und Vergehens. In Markus 1, 15: »Die Zeit ist erfüllt, das Himmelreich ist nahe herbeigekommen, tut Buße und glaubt an das Evangelium!«, sah E. Thurneysen die Ankündigung eben dieser unvergleichlichen Zukunft, die wohl Zukunft ist und doch als diese Zukunft nun mitten in die Gegenwart eines geschichtlichen Augenblicks hereinbricht und darum auch schon Erfüllung ist. Als Konsequenz ergab sich daraus die These vom Jenseits aller Zeit, das nicht nur eine begriffliche Abstraktion oder eine mythisch-legendäre Konkretion, sondern Zukunft in strengem Sinne ist, unsere Zukunft, das heißt nach E. Thurneysen ein auf unsere Welt Zukommendes, uns Bereitetes und Ereilendes; Zukunft, die wir nicht »haben«, von der man vielmehr sagen müßte, daß sie uns hat, das heißt

---

[516] Ebd. S. 190.
[517] Ebd. S. 191.
[518] Ebd. S. 192.

deren Herr und Subjekt nicht wir sind, die nicht ein Dingliches ist uns gegenüber, die vielmehr ein anderes Subjekt hat, Jesus Christus, dessen Zukunft sie ist. Mit dieser Feststellung ist das dialektische Denken an seine Grenze gekommen, und so erklärte Thurneysen denn auch: »Unsere ganze Zeit in ihrer ganzen menschlichen Unendlichkeit hat eine Grenze an dieser Zukunft, eine Grenze also nicht nur in sich selbst, sondern eine wirkliche Grenze, eine Grenze, jenseits der nicht wieder eine neue, eine sozusagen verlängerte oder verlegte menschliche, sondern jenseits der eine ganz und gar andere Welt und Zeit beginnt, ein neuer Himmel und eine neue Erde«[519].

E. Thurneysen vergaß nicht, daß Jesus Christus der Bringer dieser Zukunft war; denn eben darin sah er dessen Auftrag, dessen Werk innerhalb der Geschichte, dessen Epiphanie auf Erden. Damit zugleich war für ihn alles gesagt, was über Jesus Christus überhaupt gesagt werden kann, das heißt so verstanden war für ihn das Wort Zukunft nichts anderes als ein Prädikat, welches das, was Jesus Christus ist, nicht weniger vollständig ausdrückt, als man von ihm sagt, er sei Sohn Gottes, Versöhner, Erlöser. Er ist derjenige, der von jenseits der Grenze aller Zeit kommt, der Sohn des Vaters von Ewigkeit. Als dieser von jenseits Kommende ist er bei E. Thurneysen der Ge-kommene, der in der Zeit lebende, der wahre Mensch, die geschichtliche Person, der jedoch als der primär Zukünftige, dann erst und als solcher Gegenwärtige, alle Zeit aufhebt, so daß hier in der Zeit das Ende aller Zeit anbricht[520]. Diese Theologie der Zukunft Jesu Christi stand für E. Thurneysen mitten im Zentrum der großen christologischen Bestimmungen. Darüber ließ dieser Entwurf jedoch keinen Zweifel, daß anders als eschatologisch von Jesus Christus gar nicht gesprochen werden könne.

Nahm E. Thurneysen damit das Programm der konsequent eschatologischen Schule auf[521], so fragt sich indes auch bei ihm, ob von dem radikalen Ansatz dieses Denkens aus nicht die Eigenständigkeit der einzelnen theologischen Teilbereiche zu sehr eliminiert wird. Die entscheidende Frage lautet jedoch, ob eine Weltsicht, die das Diesseits in einer zeitlichen Erstreckung nur von der Vergänglichkeit her verstehen will, der Wirklichkeit gerecht werden kann. Gibt es nicht auch in allem Fließen und Vergehen das Bleibende einer Gestalt? Müßte nicht von dieser aus das Verhältnis Gottes zur Welt, die ja in ihrer geschöpflichen Struktur seine Welt ist, anders bestimmt werden? Ist nicht die Zukunft Christi auch das Kommen des göttlichen Wortes in eine Welt, die seit eh und je sein Eigentum war? Wird nicht das göttliche Wort in eben dieser Welt Fleisch, damit alle, die den Sohn Gottes aufnehmen, die Macht erlangen, Kinder Gottes zu werden, so daß sie seine Herrlichkeit schauen? Wird in der entscheidenden Stunde nicht das diesseitige Leben in seinem innersten Bestand gerettet und durch die Kraft des gegenwärtigen göttlichen Wortes aus der Vergänglichkeit der Welt in die Ewigkeit des göttlichen Äons aufgenommen? Auf diese drängenden Fragen finden wir in der dialektischen Theologie keine hinreichende Erwiderung. Die Radikalität der geschöpflichen Endlichkeit macht in Hin-

---

[519] Ebd. S. 193.
[520] Ebd. S. 194.
[521] Vgl. oben S. 95.

blick auf die Gegenwärtigkeit des Heils blind. Ein absolut Zukünftiges kann auch transzendental vom Denken nicht erfaßt werden, wenn es nicht vom gegenwärtig Bleibenden eine Brücke zum göttlichen Ewigen gibt. Von dieser fundamental theologischen Besinnung aus sprechen die eschatologischen Entwürfe katholischer Theologie. Aber auch im evangelischen Bereich des christlichen Glaubens blieb der radikal dialektische Ansatz, wie wir ihn bei K. Barth und E. Thurneysen kennen lernten, nicht ohne Widerspruch. Dies werden die nächsten Entwürfe zeigen, denen wir uns nun zuwenden.

(13) Friedrich Traub (1860-1939)

Aus den Veröffentlichungen von P. Althaus, K. Barth, E. Thurneysen wurde ersichtlich, welche Ausprägung die Eschatologie im Bereich der sogenannten dialektischen Theologie erhielt. Zwar muß, um eine unzulässige Schematisierung zu vermeiden, jeder Entwurf in seiner Eigenart gewürdigt werden; dennoch ist nicht zu verkennen, daß den hier genannten Arbeiten eine radikale Gegenüberstellung von Gott und Welt, Tod und Leben, Zeit und Ewigkeit als Charakteristikum eignet. Ohne Zweifel erregten sie in jener Epoche »Zwischen den Zeiten« großes Aufsehen; jedoch ist festzuhalten, daß die »dialektische« Theologie nicht unwidersprochen blieb, geschweige denn, daß sie zur allein herrschenden Richtung wurde[522]. Die Schule A. Ritschls räumte nicht so leicht das Feld, und die systematische Theologie aus dem Umkreis von A. Titius und G. Wobbermin, die stark von einer religionspsychologischen Methode geprägt wurde, war bestrebt, auf dem Boden der Reformation alle Studien mit größtmöglicher Objektivität, unabhängig von theologischen und kirchenpolitischen Parteitendenzen jeder Art, in steter Fühlung mit den historischen, exegetischen, kirchengeschichtlichen und allgemein religionswissenschaftlichen Disziplinen zu fördern und bewußt im Dienst der evangelischen Kirche stehend, dennoch eine ökumenische Theologie anzubahnen[523]. Zugleich behauptete sich neben all diesen verschiedenen Richtungen und Schulbildungen eine Theologie spezifisch lutherisch geprägter Tradition.

Beschäftigen wir uns zunächst mit einem Entwurf von F. Traub[524], da er wegen seines kritischen Ansatzes unsere Aufmerksamkeit verdient. In der Darstellung, die dieser Theologe der christlichen Lehre von den letzten Dingen gab[525], rügte er, daß durch E. Troeltsch ein umfassender Begriff von Eschatologie aufgekommen war, wonach unter »letzten Dingen« überhaupt das Absolute im Gegensatz zum Relativen verstanden wurde. Daraus resultierte eine Zweiteilung, nach der es die Wissenschaft immer nur mit dem Relativen zu tun habe, die Religion hingegen mit dem

---

[522] Vgl. u.a. Stephan-Schmidt. S. 326-336. - Th. Siegfried: Endgeschichtliche und aktuelle Eschatologie. In: ZThK N.F. 4 (1923/24) 353-371. - W. Koepp: Die gegenwärtige Geisteslage und die „dialektische" Theologie. Eine Einführung. Tübingen 1930.

[523] Vgl.: „Studien zur systematischen Theologie". Hrsg. von D. Arthur Titius und Georg Wobbermin. Göttingen ab 1928.

[524] Friedrich Traub, von 1910 bis 1930 o. Prof. für systematische Theologie in Tübingen, Ritschlianer. - Vgl. M. Rade. In: RGG² 4 (1930) 2048. - J. Wendland. In: RGG² 5 (1931) 1252. - Stephan - Schmidt. S. 251-252.

[525] F. Traub: Die christliche Lehre von den letzten Dingen. In: ZThK 6 (1925) 29-49, 91-120.

Absoluten, das heißt den letzten Werten und Wirklichkeiten, die nicht wissenschaftlich erfaßbar sondern nur praktisch erlebbar sind. Mit der Zeit habe dieser Begriff der letzten Dinge nichts zu tun; letzte Dinge würden sie deshalb genannt, weil der Mensch dabei nicht bei den unmittelbar Gegebenen stehen bleibe, sondern auf etwas über und hinter ihnen Stehendes zurückgehe. Daß das Absolute an das zeitliche Ende des Lebens verlegt werde, sei erst sekundär. Primär habe man unter den letzten Dingen das Absolute im Gegensatz zum Relativen zu verstehen[526].

Im Unterschied zu dieser Auffassung, die ihren Einfluß unverkennbar auf P. Althaus ausgeübt hatte[527], und im Interesse einer klaren Begriffsbildung, lehnte F. Traub es ab, den axiologischen Begriff eines letzten Wertes und den teleologischen einer letzten Zeit unter dem gleichlautenden Titel »Eschatologie« zu stellen. Er bestimmte daher die christliche Eschatologie als die Lehre von dem, was zuletzt kommt nach dem Tode des einzelnen und nach dem Ende der Geschichte. Um jedes Mißverständnis auszuschließen, zog er es jedoch - statt von Eschatologie zu sprechen - vor, einen anderen gleichwertigen Titel zu wählen, und zwar: Die christliche Hoffnung[528].

Ausgangspunkt war für F. Traub das Apostolikum. Der dort im 12. Artikel ausgesprochene Grundgedanke: »Ich glaube an ein ewiges Leben«, umschloß für ihn ein Doppeltes: Die Vollendung des Einzelnen wie des Gottesreiches als ein Ganzes. Eine Begründung dieses Glaubens von der empirischen Wissenschaft her war für F. Traub gänzlich ausgeschlossen. Fraglich blieb ihm jedoch auch die Tragfähigkeit philosophischer Beweise. Hinsichtlich des moralischen Beweises, wie er vor allen von I. Kant durchdacht wurde, stellte er fest, daß er nur zu einem Postulat führe, nach I. Kants ausdrücklicher Definition ein theoretisches Urteil, inhaltlich jedoch ein Existentialurteil, dessen Geltung auf einer sittlichen Denkforderung beruht[529]. Ähnlich verhält es sich nach F. Traub auch bei jenem ästhetischen Beweis, nach dem in der menschlichen Persönlichkeit eine Fülle von geistigen Bedürfnissen schlummert, die in der kurzen Zeit des Erdendaseins keine Befriedigung finden und überhaupt ungestillt bleiben müssen, wenn es nicht ein anderes Leben gibt, in dem sie gestillt werden[530]. Was den metaphysischen Beweis betrifft, so verhielt sich F. Traub gänzlich ablehnend, da er - wie er meinte - auf zwei falschen Voraussetzungen beruht: 1. daß es kein absolutes Vergehen gebe, und 2., daß die Seele eine einfache Substanz sei. Das erste schien ihm lediglich ein naturwissenschaftliches Postulat, jedoch kein logisches Axiom zu sein; das zweite nur ein metaphysisches Gebilde, das man der wirklichen Seele supponiert habe, ohne das sie selbst so sei. Außerdem war er der Auffassung, daß die Unsterblichkeit, die bei einem metaphysischen Beweis herauskomme, etwas ganz Anderes als jenes ewige Leben sei, das den Gegenstand der Christenhofffnung bildet: Jene sei nichts als die formale Fortexistenz, das ewige Leben dagegen ein wertvoller Inhalt, aus dessen Bejahung erst die formale Fortexistenz gefolgert werden könne. Es stand daher für F. Traub fest, daß sich

---

[526] Ebd. S. 30-31.
[527] Zu P. Althaus vgl. oben S. 396-414.
[528] F. Traub. S. 30.
[529] Ebd. S. 33.
[530] Ebd. S. 34.

die Überzeugung von einem Fortleben nach dem Tod überhaupt nicht auf die Form des Seelenlebens, sondern nur auf seinen Inhalt begründen lasse[531].

Abgesehen davon, daß der Tübinger Theologe darauf verzichtete, das Verhältnis von Form und Inhalt tiefer zu ergründen, wäre zu fragen, ob er nicht bemerkte, daß in seiner These jener Wertbegriff heimlich wieder auftauchte, den er hinsichtlich des teleologischen Zeitbegriffs aus der Eschatologie eliminiert wissen wollte. Bevor wir jedoch kritisch zu den philosophischen Voraussetzungen F. Traubs Stellung nehmen, haben wir zu prüfen, auf welcher theologischen Begründung er seine Lehre von den letzten Dingen aufbaute.

Nachdem F. Traub alle Vorstellungen des Okkultismus, Spiritismus und der Anthroposophie aus der christlichen Lehre von den letzten Dingen verwiesen hatte, bemühte er sich um den Schriftbeweis. Dieser konnte für ihn nur darin bestehen, daß die Schrift als das ursprüngliche Glaubenszeugnis der geschichtlichen Gottesoffenbarung verstanden wird. Die einzelnen Schriftaussagen wollte er nur dann dogmatisch verwerten, wenn sie den Glauben an die Offenbarung entweder direkt zum Ausdruck bringen oder doch mit demselben in notwendigem inneren Zusammenhang stehen. Das hieß für F. Traub, daß die einzelne Schriftstelle aus dem dogmatischen Beweis nicht ausgeschieden werden muß, daß sie aber daraufhin zu prüfen ist, in welchem Maß sie den Glauben an die Offenbarung zum Ausdruck bringt; danach nämlich richtet sich für den evangelischen Theologen das Maß ihrer Autorität[532].

So sehr der Nachweis einer Begründung christlicher Glaubenslehre auf der Tatsache der geschichtlichen Offenbarung Gottes zu begrüßen ist, so bleibt doch zu fragen, ob der Glaube nicht in dem genannten Verfahren unangemessen formalisiert wird. Wie verhält er sich zu jenem anderen Glauben, der besagt, daß die Heilige Schrift insgesamt Ausdruck der geschichtlichen Offenbarung Gottes ist? Da bekanntlich jedem Glaubensbegriff ein Vorverständnis zugrunde liegt, haben wir zu fragen, was der Tübinger Theologe unter Glauben verstand.

Glaube, so zeigt es sich nun, war für F. Traub sehr stark subjektiv bestimmt, denn das Geschehen der göttlichen Offenbarung vollzieht sich in seiner Sicht primär im Bereich der persönlichen Erfahrung. Enthusiastisch proklamierte er, daß jeder, der in Christus seinen Gott gefunden habe, nicht anders als bekennen könne: »Ich glaube an ein ewiges Leben«[533]. Dabei ist die Erfahrung göttlicher Liebe die Grundlage des Glaubens und des Bekenntnisses, denn wer in Christus seinen Gott gefunden hat, der eben erkennt, daß Gott die Liebe ist, die mit ewiger Liebe liebt, die Macht, die die Gewalt des Todes bricht. F. Traub berief sich darauf, daß Jesus selbst in seinem Gespräch mit den Sadduzäern jenen Zusammenhang herausstellte, der zwischen dem in seiner Person verbürgten Gottesglauben und dem Ewigkeitsglauben besteht. Damit habe Jesus den letzten und tiefsten Grund aufgedeckt, auf dem unsere Ewigkeitshoffnung beruht[534]. Zu wem Gott spricht: »Ich bin dein Gott«, und wer umgekehrt zu Gott sprechen kann: »mein Gott«, der wisse auch, daß sein

---

[531] Ebd. S. 36; vgl. ebd. S. 92.
[532] Ebd. S. 41.
[533] Ebd. S. 43.
[534] Vgl. zustimmend G. Hoffmann: Das Problem der letzten Dinge in der neueren evangelischen Theologie. S. 79.

in Gott gegründetes Leben nicht vergehen kann, weil Gott nicht ein Gott der Toten ist, sondern der Lebenden[535]. An dem Wort Jesu wurde F. Traub deutlich, daß diese Gewißheit des Glaubens durchaus persönlicher Art ist. Folglich kam es ihm darauf an, daß der Mensch Gott persönlich erlebt als seinen Gott. Gerade dieses Gotteserlebnis sah er an die Gottesoffenbarung in Christus geknüpft.

Die hier skizzierte Erlebnistheologie hatte freilich für den Bereich der Eschatologie nur einen äußerst begrenzten Wert. Rigoros erklärte F. Traub:»Wir besitzen keine Psychologie Gottes und so besitzen wir auch keine Erkenntnistheorie des Jenseits«[536]. Als Begründung dieser These führte er an, daß das ganze menschliche Denken nur auf diese irdische raumzeitliche Welt eingestellt sei. Wenn nun doch vom Jenseits geredet werde, so könne dies nur mit räumlichen und zeitlichen Ausdrücken geschehen, die jedoch notwendig inadäquat seien. Würden sie als solche genommen, so stießen wir auf unvermeidliche Widersprüche. Diese lösten sich erst auf, wenn erkannt werde, daß sie nur als symbolische Bezeichnungen des Unerkennbaren, Unaussprechbaren gemeint seien. Wenn wir ein für allemal diesen Vorbehalt machten, so trage er kein Bedenken, sich der symbolischen Ausdrücke zu bedienen[537].

F. Traub war also der Ansicht, daß Aussagen über das Jenseits möglich seien als symbolisches Aussprechen des an sich Unaussprechlichen. Dabei wollte er freilich nicht vergessen, daß die Symbole als Hinweis auf eine, wenn auch theoretisch nicht faßbare, so doch unzweifelhafte Wirklichkeit gemeint seien. Gotteskindschaft und Liebe bildeten für ihn die Inhalte des gegenwärtigen und des zukünftigen Christenlebens. Wie diese Inhalte sich gestalten werden, darüber wußte er nichts zu sagen. Er bestand jedoch darauf, daß diese Inhalte Wirklichkeiten sind und daß sie nicht aufhören, solche zu sein, weil man sich von ihrer Daseinsform in der zukünftigen Welt keine Vorstellung machen kann[538].

Der gemeinsame Inhalt von Gegenwart und Zukunft, um den es hier geht, fand F.Traub in dem johanneischen Begriff des Lebens, der gegenwärtigen und zukünftigen Besitz umschließt. Fragen wir nach einer genaueren Begründung für diese Auffassung, so stoßen wir auf ein Postulat: Jenseitiges und diesseitiges Leben müssen ihrem Inhalt nach gleichartig sein, da sonst das letztere für einen ernsthaften Menschen den Sinn verlieren würde[539]. Daraus nun erwuchs für F. Traub die Überzeugung, daß Gott auch im künftigen Leben unserem Geist diejenigen Daseinsbedingungen verleiht, deren er zum Erleben und Üben der Gotteskindschaft und Nächstenliebe bedarf. Er werde der geistigen Persönlichkeit das ihr vollkommen entsprechende Organ verleihen, das wir im Anschluß an den Sprachgebrauch des Paulus als σῶμα πνευματικόν bezeichnen könnten[540].

Mit dieser Begründung der Ewigkeitshoffnung distanzierte sich F. Traub noch

---

[535] Vgl. Mark. 12, 27 par.
[536] F. Traub. S. 93.
[537] Ebd. S. 94.
[538] Ebd. S. 95.
[539] Ebd. S. 92.
[540] Vgl. 1. Kor. 15, 44. - Dazu E. Schweizer in: ThWNT 6 (1959) 417-419; 7 (1964) 1057-1064.

einmal ausdrücklich von allen metaphysischen Beweisen für die Unsterblichkeit der Seele. Schon das Beweisobjekt schien ihm ein anderes zu sein: dort ewiges Leben im christlichen Sinn, das heißt Ewigkeit des mit Christus in Gott verborgenen Lebens, hier der formale Gedanke einer Unsterblichkeit. Dort eine persönlich bedingte Gewißheit: ich muß die Gottesgemeinschaft erleben, dann erlebe ich auch die Ewigkeitshoffnung, hier ein rationaler Schluß aus der Substantialität der Seele auf deren unvergängliche Dauer[541].

Zunächst behauptete F. Traub, daß der Tod nicht - wie eine populäre Erklärung laute - eine Trennung von Leib und Seele sei, sondern ein Aufhören beider, die Vernichtung der ganzen geistleiblichen Persönlichkeit. Daraus folgerte er, daß es eine natürliche Unsterblichkeit der Seele nicht gebe; sie lasse sich nicht nur nicht durch rationale Beweise begründen, vielmehr werde ihre Annahme durch die Tatsache des Todes widerlegt[542].

Hiermit stimmte F. Traub jenen Philosophen zu, die behaupteten, daß es eine natürliche Unsterblichkeit der Seele nicht geben könne, weil sie mit der durchgängigen Abhängigkeit des Seelischen vom Körperlichen nicht vereinbar sei. Aber damit schien ihm garnichts gesagt gegen den Glauben an ein persönliches Fortleben, der eben als Glaube für ihn ganz anders begründet war als die Annahme der natürlichen Seelenunsterblichkeit. Die Existenzbedingungen für eine neue Unsterblichkeit lagen für F. Traub in jener Allmacht des lebendigen Gottes, an die der Christ glaubt, weil er schon jetzt die Lebenskraft Gottes erfährt. »Wir glauben, daß Gott die Macht hat, die im leiblichen Tod erloschene Seele zu neuem Leben zu erwecken und ihr diejenigen Existenzbedingungen zu verleihen, deren sie zu ihrem Leben bedarf«[543].

Der Gedanke an ein persönliches Fortleben schloß also die Überzeugung in sich, daß in einer transzendenten Welt neue Daseinsbedingungen der Persönlichkeit geschaffen werden, die die irdischen in dieser doppelten Beziehung ersetzen; daß sie die Existenz und daß sie die individuelle Eigenart der Persönlichkeit ebenso verbürgen, wie es die im Tode erloschene Leiblichkeit getan hat. Denn aus nichts kann nach F. Traub geschlossen werden, daß der Geist auch losgelöst von allen seinen Bedingungen seine Existenz behaupten könnte. Vielmehr hatte es für ihn dabei sein Bewenden, daß eine völlige Vernichtung der leiblichen Bedingungen, wie sie im Tode stattfindet, auch das persönliche Leben selbst vernichten müßte. Daß diese im leiblichen Tod eintretende Vernichtung aufgehoben und durch Schaffung neuer Daseinsberechtigungen ausgeglichen werde, war für ihn der kühnste Glaube, den man sich denken kann[544].

So sehr das persönliche Erleben Ausgangspunkt für die Theologie des Tübingers war, so legte er in einem zweiten Ansatz doch Wert auf die Feststellung, daß der Einzelne seine Vollendung nicht als isoliertes Individuum, sondern nur im Zusammenhang mit dem Ganzen des Gottesreiches erleben kann. Er sah, daß ohne diesen Zusammenhang schon das Reich Gottes auf Erden nicht denkbar ist und

---

[541] F. Traub. S. 43.
[542] Ebd. S. 47.
[543] Ebd. S. 47.
[544] Ebd. S. 96.

postulierte, daß dies auch von seiner Vollendung gelte[545]. Gegenüber jedem Chiliasmus erklärte F. Traub, daß diese Vollendung nicht auf Erden zu erwarten sei, sondern nur in einer Welt, in der der Tod überwunden ist, mithin erst dann, wenn die irdische Menschheitsentwicklung einmal aufhört[546]. Sie war für ihn desweiteren an die Person Jesu verknüpft und an seine Parusie, das heißt an den Gedanken, daß Christus seine Sache zum Siege führen wird und daß dieser Sieg offenbar werden muß vor aller Welt[547]. Ebenso hielt F. Traub den Gedanken eines Gerichts für einen unveräußerlichen Bestandteil der christlichen Zukunftserwartung: ohne Gericht keine Vollendung. In der Vorstellung eines Gerichtsdramas sah er indes eine theologische Entwicklung, bei der die Kirche über das Urchristentum hinaus gewachsen ist. Für die ersten Christen sei es natürlich gewesen, ein solches Gerichtsdrama, in dem alle zugleich gerichtet werden, zu erwarten. Man habe es in solcher Nähe geglaubt, daß, von einigen wenigen Frühverstorbenen abgesehen, alle es noch erleben konnten. Als aber dieser Glaube sich nicht erfüllte, habe mehr und mehr die Vorstellung Platz gegriffen, daß das göttliche Gericht schon beim Tode des Einzelnen eintrete. So ist nach F. Traub das iudicium particulare beim Tod des Einzelnen an die Stelle des iudicium universale am Ende der Welt getreten. Zwar halte die Lehre der Kirche auch an diesem fest; für F. Traub aber war es im Grunde überflüssig, wenn das iudicium particulare vorausgeht[548].

Eine ähnliche Entwicklung nahm nach F. Traub auch die Erwartung jener Wiederkunft Christi, die bereits mit dem Stichwort Parusie ausgesprochen wurde. Für die urchristliche Hoffnung, ja für Jesus selbst sei sie diesseitig gewesen, während wir aus der Offenbarungstatsache, die uns in Christus gegeben ist, eine jenseitige Vollendung ableiten. Heftig wehrte sich F. Traub, diesen Grundsatz zu verschleiern. Seinen Stachel dürften wir nicht einmal nehmen durch die Erkenntnis, daß Gott selbst uns in diesen Widerstreit hineingeführt hat. Im Anschluß an die Thesen der radikalen Eschatologie erklärte er, daß Jesus entgegen aller Erwartung nicht zu den Seinen gekommen sei, sondern immer nur die Seinen durch den Tod zu ihm. Durch die Tatsache, daß die Vereinigung nie im Diesseits sondern immer nur im Jenseits geschehe, sei die urchristliche Hoffnung korrigiert und die Diesseitshoffnung in Jenseitshoffnung umgewandelt worden. Daß wir diese Umwandlung bejahen können, daß die Nicht-erfüllung der urchristlichen Hoffnung für uns nicht einfach den Niederbruch der ganzen Hoffnung bedeutet, sondern aus dem Zusammenbruch der Diesseitshoffnung die Jenseitshoffnung sich siegreich erhebt, das verdanken wir demnach der Gesamttatsache der Christusoffenbarung, die sich als Tatsache stärker erwiesen hat als das einzelne von Christus überlieferte Weisungswort. Aus dem so verstandenen Jenseitscharakter christlicher Hoffnung folgte daher für F. Traub, daß alle endgeschichtliche Eschatologie entfällt[549].

In einer Auseinandersetzung mit K. Barth hatte F. Traub erkannt, daß hinter dessen Theologie ein erkenntniskritisches, also philosophisches Problem stand: die

---

[545] Ebd. S. 99.
[546] Ebd. S. 100.
[547] Ebd. S. 102.
[548] Ebd. S. 101.
[549] Ebd. S. 107. - Vgl. dazu Ahlbrecht: Tod und Unsterblichkeit in der evangelischen Theologie der Gegenwart. S. 109-110.

Frage nach dem Verhältnis der Ewigkeit zur Zeit. Er warf der neuen Theologie vor, daß ihr Grundgedanke der »dialektische« Charakter dieses Verhältnisses sei, daß sie mithin ihre Wurzel nicht im Glauben, sondern in der Philosophie habe[550]. Sicher war F. Traub der Ansicht, daß sein eigener Entwurf voll und ganz dem christlichen Glauben entsprang. Dabei merkte er nicht, daß er selbst dem erkenntniskritischen Dilemma nicht entgehen konnte, indem er die Thesen der konsequenten Eschatologie übernahm[551]. Jene radikale Gegenüberstellung von Diesseits und Jenseits konnte er mit dem Postulat einer Identität der Glaubensinhalte nur mühsam überbrücken. Auffallend ist, wieviel Raum er benötigte, um darzulegen, was Eschatologie nach seinen erkenntnistheoretischen Voraussetzungen nicht sein kann, bzw. zu welchen Vorstellungen sie nicht entfaltet werden darf. Ist Erlebnistheologie, die auf einer intuitiven Erkenntnis beruht und zu einem eschatologischen Symbolismus führt, nicht eine zu schwache Basis, um darauf die gesamte Lehre von den letzten Dingen im Leben des Menschen zu begründen? Kann die Fülle der göttlichen Offenbarung, wie sie in Christus Wirklichkeit wurde und wie sie im Leben seiner Kirche überliefert und auf mannigfache Weise neu vergegenwärtigt wird, in einem so engen Rahmen, wie F. Traub ihn steckte, auch nur einigermaßen genügend erfaßt werden? Ein Blick auf die Versuche katholischer Theologie zeigt, daß dies nicht ohne eine angemessene Metaphysik der Person gehen kann[552].

(14) Hans Wilhelm Schmidt (geb. 1903)

Unter den Veröffentlichungen, die sich kritisch mit den Thesen der dialektisch-eschatologischen Theologie auseinandersetzten, ragt ein Werk hervor, das H. W. Schmidt[553], ein Schüler des in Greifswald wirkenden W. Koepp[554], im Jahre 1927 vorlegte, um zu einer neuen Durchdenkung des Problems der Geschichte anzuregen[555].

Schmidts Kritik konzentrierte sich um den Einwand, daß die Theologie bei K. Barth, E. Brunner[556] und P. Althaus vor dem Relativismus eines historizistischen und psychologistischen Denkens allzu rasch kapitulierte und in einem Jenseits aller Zeit die »Offenbarung« Gottes wiederfinden wollte, obwohl doch die Bibel diese Offenbarung als ein Geschehen inmitten der diesseitigen Geschichte bezeugt. Um daher auf das Ja zur Geschichte hinzuweisen, das in der von der Heiligen Schrift

---

[550] F. Traub. S. 49. Anm. 1. - Vgl. ders.: Theologie und Philosophie. Eine Untersuchung über das Verhältnis der theoretischen Philosophie zum Grundproblem der Theologie. Tübingen 1910.

[551] Siehe oben S. 119 ff.

[552] Vgl. dazu insbesondere die Versuche von R. Guardini. Näheres siehe unten S. 727-802.

[553] Hans Wilhelm Schmidt, Lic. theol. Kirchenrat, geb. 1903 in München, 1927 Dozent der Theologischen Schule in Bethel, 1934 in München, 1935 in Bonn, 1939 in Wien o. Prof. für neutestamentliche und systematische Theologie, 1962 emeritiert in Erlangen. - Schriften: Siehe LV.

[554] Zu W. Koepp siehe oben S. 382-389.

[555] H.W. Schmidt: Zeit und Ewigkeit. S.V. - Vgl. Ölsner. S. 111-113.

[556] Zu E. Brunner siehe unten S. 478-479.

bezeugten Fleischwerdung des göttlichen Logos beschlossen liegt, stellte er die dialektische Fassung der Ewigkeit als Zeitlosigkeit den Gedanken eines Vollzeitlich-Ewigen gegenüber[557]. Diese Antithese sollte dazu anregen, die theologische Relevanz des Zeitbegriffs erneut zu prüfen und nach einer Begriffsbildung zu streben, die mehr als die bisherige auch innerhalb der wissenschaftlichen Theologie dem johanneischen Bekenntnis einen Ausdruck verschafft: λόγος σὰρξ ἐγέννετο[558].

Bevor wir uns den Ausführungen H.W. Schmidts im einzelnen zuwenden, sei bemerkt, daß sein Werk als ganzes gewürdigt werden will. Es geht nicht an, die darin gebotene Analyse der dialektischen Theologie als trefflich zu loben, jedoch den eigenen Beitrag, den der Autor zur Lösung der hier aufgeworfenen Probleme gab, als unerheblich oder gar mißglückt beiseite zu schieben. Um genau zu erfassen, wie der Denkprozeß verlief, muß allerdings zur Kenntnis genommen werden, welche Aporien der Kritiker in den eschatologischen Entwürfen von P. Althaus und K. Barth vorfand.

Um das Entstehen der dialektischen Theologie verständlich zu machen, verwies H.W. Schmidt im ersten Teil seines umfangreichen Werkes darauf, daß der Kampf gegen den geschichtlichen Charakter des Offenbarungsgedankens schon in den ersten Jahrhunderten von einer zeitlosen Religionsphilosophie begonnen wurde. Er behauptete, daß seitdem jede Spekulation in einem unversöhnlichen Gegensatz zur Geschichte steht, da die Vernunft ihre Souveränität nicht an geschichtliche Offenbarungstatsachen, an kontingente Gegebenheiten abtreten will. Man finde es vermessen, wenn die Geschichte, die doch immer das ärmliche Gewand der Zufälligkeit trägt, den Absolutheitsanspruch erhebt: nicht das Einmalige, sondern nur das Allgemeine könne als das Absolute gelten; wer von Geschichte rede, spreche immer von Relativität. H. W. Schmidt stellte fest, daß die Versuche, einen freieren und höheren Standpunkt über der Geschichte zu erringen, niemals aussetzten. Dabei galt jede Religion, die als alleinige Wahrheit angesehen werden will, obwohl sie doch geschichtlich in Erscheinung tritt, als intolerant. Viele hielten den Absolutheitsanspruch für erträglich, wenn er seitens der Ratio erhoben wurde; hingegen wirkte er als Ärgernis, wenn er von einem Geschichtlichen herkam[559].

Von diesem Ausgangspunkt sah H. W. Schmidt, wie die Not, die das spekulative Denken der Historie bereitet, besonders für die Offenbarungsreligion des Christentums brennend wurde, insofern sich diese auf eine Geschichte begründen wollte. Er stellte fest, daß eine kurzsichtige Apologetik deshalb oft unter dem Schutze der Vernunft Sicherheit und Gewißheit zu erlangen suchte. Dabei wurde zuerst in dem Gedanken an ein religiöses Apriori ein neues Fundament geschaffen, auf dem man dann mutig das Gebäude der Religion dem Himmel entgegentürmte. H. W. Schmidt verwies darauf, daß nach W. Bousset z.B. Religion als ein zentrales Grundgesetz des Lebens, etwas dem menschlichen Wesen Ureigenes, aus der Notwendigkeit seiner Vernunftanlage zu Begreifendes ist[560]. Dieser »dogmatische, unkriti-

---

[557] Vgl. H.W. Schmidt: Zeit und Ewigkeit. S.V.

[558] Ebd. S. VI.

[559] Ebd. S. 1.

[560] Vgl. W. Bousset: Die Bedeutung der Person Jesu für den Glauben. Historische und rationale Grundlagen des Glaubens. Vortrag. (Sonderdruck aus: Protokoll des 5. Weltkongresses für freies Christentum und religiösen Fortschritt.) Berlin-Schöneberg 1910. S. 10.

470

sche, undialektische Rationalismus«, der nicht die Relativität aller Erkenntnis zugab, der ein Stück der Zeit, der Immanenz als »sturmfreies Gebiet«, als Ort der Sicherheit und Gewißheit erklären wollte, wurde nun von einem neueren Typ bekämpft, nach dem die Vernunft ebensowenig wie die Geschichte einen Standpunkt bieten konnte, sondern nur einen »Gesichtspunkt«[561].

Hier nun zeigte H. W. Schmidt, daß auch die dialektische Theologie ein Teil des Schlachtfeldes war, auf dem der Kampf zwischen Leben und Denken, Geschichte und Vernunft zum Austrag kam. Zwar ging es dabei nicht mehr um eine Ratio, die als die letzte Richterin vor kein höheres Tribunal gezogen und die den Anspruch auf die schrankenlose Geltung ihres Urteils unangefochten erheben konnte, sondern um eine Ratio, die ihr absolutes Regiment selbst beschränkt hatte, die kritisch, ja dialektisch geworden war. H. W. Schmidt meinte, daß durch diese neue Wertung der Vernunft das strenge Entweder-Oder, das scheinbar zwischen Geschichte und Geist gilt, das die Sphäre des Kontingenten, Individuellen, Einmaligen und Zufälligen und das Reich des Allgemeinen und Notwendigen unvereinbar auseinanderreißt, nur wenig berührt wurde. Daher stellte er als seine These heraus, daß die Gegensätzlichkeit von Geschichte und Vernunft auch in der »Theologie der Krisis« eine Rolle spielte. Er konnte den Zweifel nicht zurückdrängen, ob der hier ernst genommene Gedanke der Ewigkeit, der zu jener Gleichgültigkeit oder gar ablehnenden Haltung einer Offenbarungsgeschichte führte, in der dialektischen Theologie rein aus einer religiösen Wurzel heraus wirksam wurde. Er meinte vielmehr zu sehen, daß auch hier der Stoß gegen die Geschichte von einer rationalistischen Front her geführt wurde, da der richtungsbestimmende, auflösende Gedanke der dialektischen Gegensätzlichkeit von Zeit und Ewigkeit einer Sphäre theoretischer und begrifflicher Nachbildlichkeit entstammte. Die Schwierigkeiten des dialektischen Problems lagen mithin in einem »Strukturkünstlichkeit und abstrakte Leerheit erzeugenden Denken«, in dessen Spiegel Zeit und Ewigkeit eine »ihrem Urbild und ihrer Wirklichkeit gegenüber entstellte und verzerrte Form annehmen«[562]. Es waren also spekulative Elemente, die nach H. W. Schmidt an der Auflösung einer Offenbarungsgeschichte arbeiteten und das Verständnis für eine Heilsgeschichte vernichteten.

Nach diesen mehr allgemeinen Ausführungen beschrieb H. W. Schmidt genauer die Situation, aus der die dialektische Theologie erwuchs. Er sah, daß die Theologie seiner Zeit vor allem unter dem Einfluß des Historismus und Psychologismus stand und daß das festgefügte Gebäude der alten, heilsgeschichtlichen Theologie von allen Seiten bedroht wurde, da der Glaube an absolute, geschichtliche Größen dem Relativismus verfiel, der alle Besonderheit und Einzigartigkeit auszutilgen suchte und von einem Einbruch supranaturalgewirkter Größen in die räumlich und zeitlich bestimmte Welt nichts wissen wollte. H. W. Schmidt verwies darauf, daß nur mehr mit der Sphäre des Immanenten und mit den in ihr ruhenden Kräften gerechnet, das Transzendente, Ewige, Göttliche ganz ausgeschaltet und gestrichen wurde. Klar erkannte er, daß sich durch die Behauptung, das Absolute sei nicht in der Geschichte - wobei höchstens die Frage zugelassen wurde, ob sie in

---

[561] H.W. Schmidt: Zeit und Ewigkeit. S. 3. - Vgl. ebd. Anm. 2.
[562] Ebd. S. 4-5.

ihrer Ganzheit vielleicht das Absolute darstelle - die radikale Säkularisation des Weltgeschehens durch den Historismus vollzog, wobei der Religion ihr Halt an der Geschichte genommen wurde. Indem sie nun aus der Welt der objektiven Tatsachen in die Innerlichkeit des persönlichen Lebens floh, konnte eine Gefühls- und eine Aprioritheologie entstehen; damit jedoch drohte als neue Gefahr, die neben dem Historismus auftrat, der Psychologismus. Hier setzte nach H. W. Schmidt der Versuch K. Barths und seiner Freunde ein, innerhalb der Theologie jeden Historismus und Psychologismus unschädlich zu machen mit der Behauptung, daß die Offenbarung nichts mit der Geschichte zu tun habe und die Religion alles andere sei als ein seelisches Erlebnis[563]. H. W. Schmidt sah, daß am ersten Anfang ihres Bemühens der Kampf für das eschatologische Weltbild der Bibel stand, im Gegensatz zu einem weltförmigen Evolutionismus, der im Vertrauen auf die Selbstgenügsamkeit der Geschichte jeden Einbruch von ewigen und göttlichen Kräften ablehnte, da für ihn die »Menschheitsgeschichte Menschensache sein sollte«[564]. Treffend bemerkte er auch, daß der Standpunkt der Immanenz, der seit der Aufklärung immer mehr die supranatural bestimmten Momente der Religion ausgeschieden hatte, nach einem Ersatz suchte für das, was man früher von den Wirkungen aus einer transzendenten, ewigen Welt erwartete[565]; das Entstehen einer naturalistischen Geschichtsphilosophie konnte somit nicht ausbleiben. Viel wichtiger und tiefer war für H. W. Schmidt jedoch jener idealistische Evolutionismus, der den modernen Fortschrittsgedanken am meisten beflügelte und auch dem sozialistischen Zukunftsbild des Marxismus oder der Religiös-Sozialen sein Bestes gab. Denn hier wurde mit der Trennung von Natur und Geschichte ernstgemacht, und behauptet, daß es wahrhafte Geschichte erst dort gibt, wo im zeitlichen Werden freie, sittliche Persönlichkeiten auftreten, die sich einer Verantwortung, einer Gewissensbildung bewußt sind. Der schöpferische Geist steht demnach am Anfang des Werdeprozesses und wirkt in dem geschichtlichen Leben[566].

H. W. Schmidt wertete es positiv, daß sich die Antithese K. Barths nicht nur gegen die verzerrten Formen des immanenten Evolutionismus richtete, sondern gerade die feinste und tiefste Form einer säkularisierten Eschatologie treffen wollte, wie sie der deutsche Idealismus als Ersatz für das zerstörte biblische Weltbild entwickelt hatte. Da K. Barth die Tiefe der Weltnot erfaßte, die Gewalt der Sünde und die Schwere des Übels verspürte, erkannte er - wie H. W. Schmidt heraushob - auch, daß kein Fortschritt nützt, der nicht absolut Neues setzt, sondern nur die Entfaltung und Verwirklichung immanenter Möglichkeiten bringt. Daher die Erkenntnis, daß nur die Wundertat einer überweltlichen Macht die Welt erlösen, daß nur eine Eschatologie, die Gottes Sache ist, einen Sinn für die Geschichte sichern kann. Aber nur da, wo man Gott und Welt nicht miteinander verwechselte, trat an die Stelle der säkularisierten Form der Eschatologie der Glaube an eine gottgewirk-

---

[563] Vgl. ebd. S. 5-6.

[564] E. Hirsch: Deutschlands Schicksal. Staat, Volk und Menschheit im Lichte einer ethischen Geschichtsansicht. Göttingen 1920. S. 20. - Hier nach H.W. Schmidt: Zeit und Ewigkeit. S. 7.

[565] Ebd. S. 7.

[566] Ebd. S. 9.

te Neugestaltung der Dinge und das Mißtrauen gegen alle Humanitätshoffnungen und Menschheitsideale[567].

In der älteren Theologie K. Barths sah H. W. Schmidt den »Durchbruch des kosmischen Erlösungslebens«[568], und er erklärte, daß es ein transzendent begründeter Evolutionismus war, der den ohnmächtigen Versuchen, mit menschlichen Kräften den Turm zu Babel aufzubauen, entgegengestellt wurde. Ging durch alle Gedanken die zweifelsfreie Gewißheit hindurch, daß in der Geschichte die Vollendung möglich sei, so konnte von da aus verstanden werden, warum K. Barth auch nach der totalen Änderung seiner Auffassung noch mit großem Verständnis auf die Gedanken der Schweitzer Religiös-Sozialen um L. Ragaz einging[569].

Dies alles sah H. W. Schmidt freilich noch einmal verändert von der zweiten Ausgestaltung der Theologie K. Barths, die mit der dritten Auflage des »Römerbriefs« einsetzte. Hinter der Umgestaltung stand die Erkenntnis, daß auf dem wankenden und gebrechlichen Grund der zeitlichen Welt der gewaltige Bau des Reiches Gottes nicht errichtet werden könne. »Die Ewigkeit kann die Zeit nicht erfüllen, sondern nur zerbrechen«, so faßte H. W. Schmidt die Theologie K. Barths in diesem Stadium zusammen; hier sei das Gewicht der Heilsgegenwart in der Geschichte beseitigt, das Schauen des Ewigen in der Zeit verneint, das »neue Leben« als Besitz des Menschen bestritten worden[570].

H. W. Schmidt versuchte nun den Ursprung der Dialektik in der Theologie der Krisis zu ergründen. Mit G. Heinzelmann stimmte er darin überein, daß K. Barth keinen logisch eindeutigen Begriff der Dialektik hatte. Das eigentliche Prinzip der Dialektik schien ihm aber nicht auf logischem, sondern auf ontologischem Gebiet zu liegen. So vertrat er die These, daß es sich bei K. Barth nicht um eine metaphysische Frage handelte, als er jener neuen Welt jede zeitliche Wirklichkeit absprach[571]. Dabei stellte H. W. Schmidt heraus, daß die Orientierung am Gottesgedanken für K. Barth der Anlaß war, zwischen Zeit und Ewigkeit die unüberschreitbare Todeslinie zu ziehen, so daß die Erkenntnis des »unendlichen qualitativen Unterschieds«[572] von Gott und Mensch den supranatural begründeten Evolutionismus und die chiliastische Geschichtsauffassung verdrängte und aufhob. Es ging H. W. Schmidt aber vor allem darum zu zeigen, daß das Verhältnis der Exklusivität zwischen Zeit und Ewigkeit nicht rein »religiös« begründet war, daß vielmehr ein philosophisches oder besser rationales Moment von außen hinzugetragen werden mußte, um den Gedanken der Erhabenheit Gottes über alles kreatürliche Wesen zu einer dialektischen Gegensätzlichkeit umzubiegen[573]. Dagegen wandte er wieder unter Berufung auf G. Heinzelmann ein[574], daß die Heilige Schrift sehr wohl den Unterschied zwischen Schöpfer und Geschöpf, Gott und Mensch, Geist und

---

[567] Ebd. S. 10-11.
[568] Ebd. S. 12.
[569] Ebd. S. 13.
[570] Ebd. S. 15. - Zu L. Ragaz siehe oben S. S. 88, Anm. 43.
[571] H.W. Schmidt: Zeit und Ewigkeit. S. 19. - Zu G. Heinzelmann siehe oben S. 366-370.
[572] Vgl. K. Barth: Der Römerbrief. 2. und 3. Abdruck der neuen Bearbeitung. München 1923 und 1924. S. XIII.
[573] H.W. Schmidt: Zeit und Ewigkeit. S. 20.
[574] Vgl. Heinzelmann. In: NKZ 35 (1924) 551.

Fleisch kennt, nicht aber die radikale Exklusivität zwischen Zeit und Ewigkeit. Dabei ging es nicht um eine Dialektik der Erkenntnis, sondern um eine Dialektik der zeitlichen und der ewigen Wirklichkeit, deren Schema eine Geschichtswerdung nicht zuließ. So sprach H. W. Schmidt von einer »metaphysischen Dialektik«, die man jedoch nicht als ein starres Gegeneinander mißverstehen dürfe, da für K. Barth das Ewige das allein Positive sei: Gott wird den Sieg behalten[575].

Nach dieser mehr allgemeinen Einführung stand H. W. Schmidt vor der Aufgabe, ein genaues Bild der dialektisch-eschatologischen Theologie zu entwerfen. Dabei wollte er nicht nur die Gedanken K. Barths berücksichtigen, sondern auch die besonderen Ausprägungen ins Auge fassen, die der dialektische Grundgedanke bei F. Gogarten und E. Thurneysen, vor allen aber bei E. Brunner und P. Althaus gefunden hatte.

Das erste Kapitel beschrieb K. Barths konsequente Durchführung des dialektischen Gesichtspunktes am Offenbarungsgedanken. Noch einmal stellte H. W. Schmidt heraus, daß K. Barth trotz des dialektischen Gegensatzes von Ewigkeit und Zeit keine Zweiweltentheorie kannte, die von einer ruhenden Gleichgewichtslage redete. Statt einer starren, metaphysischen Dualität vertrat er einen dialektisch bewegten Dualismus, der jedoch eine Veranschaulichung des Verhältnisses von Zeit und Ewigkeit antithetisch nicht mehr zuließ. Bei genauerer Betrachtung glaubte H. W. Schmidt zu erkennen, daß in dieser Vorstellung eines dialektisch bewegten Dualismus zwei Linien zusammengebracht werden sollten, die sich in Wirklichkeit nie zu einem Schnittpunkt vereinen ließen: Der christliche Schöpfungsglaube und der »ontologische« Dualismus einer Zweiweltentheorie; die Dynamik des Zeit-Ewigkeitsverhältnisses und die unbewegliche Gleichgewichtslage antithetischer Gegensätzlichkeit; lebendige Bewegtheit und logische Starrheit[576].

Nach einer Analyse der christlich-biblischen Komponente kam H. W. Schmidt zu dem Ergebnis, daß K. Barth die Sünde metaphysierte. An die Stelle der konkreten persönlichen Schuld und der konkreten göttlichen Gnade sah er die zeitlose Dialektik von Endlichkeit und Unendlichkeit gestellt. Dadurch daß die Sünde den eigentlichen Wesenskern der jetztgegebenen Wirklichkeit bildete, wurde das Band des schöpferischen Wirkens Gottes zwischen Zeit und Ewigkeit zerrissen. K. Barth gab für H. W. Schmidt dieser Anschauung Ausdruck, wenn er die Ewigkeit als Aufhebung der sündhaften Zeit betrachtete[577]. Als Konsequenz ergab sich, daß der Schöpfungsgedanke nahezu völlig eliminiert wurde. »Die Zeit wird auf einen Generalnenner gebracht, und der heißt Sünde. Es bleibt unverständlich, warum man diese Welt noch Schöpfung Gottes nennen soll«[578].

Ebenso unerklärlich blieb H. W. Schmidt die Aussage, daß die Ewigkeit Aufhebung der Zeit bedeutet. Wie kann die Zeit überhaupt neben einer Ewigkeit bestehen, die ihre Aufhebung ist? Wenn sie wirklich Ewigkeit ist, dann ist sie doch immer Aufhebung. Für eine Existenz der Zeit wäre dann gar kein Ermöglichungsgrund gegeben. Es hätte dann auch keinen Sinn mehr, mit Paulus von einer οἰκονομία

---

575 H.W. Schmidt: Zeit und Ewigkeit. S. 21.
576 Ebd. S. 26.
577 Ebd. S. 27-28.
578 Ebd. S. 28.

Gottes zu reden, die das Schicksal der Geschichte bestimmt bzw. sie einer Bestimmung zuführt. H. W. Schmidt kam daher zu dem Schluß, daß das Dasein der Welt im Hinblick auf die Ewigkeit, die ihre Aufhebung sein soll, ein dunkles und sinnloses Rätsel werde[579].

In einem dritten Ansatz stellte H. W. Schmidt fest, daß Gott bei K. Barth nicht so vor uns steht, wie er sich offenbart hat. Der Gottesgedanke werde nicht der Offenbarung entnommen, sondern was »Offenbarung« bedeuten kann, werde von einem vorausgegebenen, selbstsicheren Gottesgedanken aus entschieden. Philosophische Anschauungen über Gottes Transzendenz verdrängten die einfachen biblischen Worte über Gottes Gegenwart in der Zeit. Zwar erkannte H. W. Schmidt an, daß sich K. Barth bemühte, den Offenbarungsgedanken nicht ganz preiszugeben; da er aber auch die Jesusgestalt einer allgemeinen, zeitlosen Offenbarung der »Krisis« untergeordnet sah, befürchtete er, daß die Bibel mit ihrer Botschaft nicht mehr zu ihrem Recht komme. Aus diesem Grunde beklagte er, daß das Ewige uns nie dinglich oder anschaulich werde, nie in der Zeit oder der Geschichte gegenübertrete; alles Irdische könne dann nur als Gleichnis, Zeugnis und Erinnerung Gottes gelten, »es gibt keine besondere Gottesgeschichte in der Sphäre der Zeitlichkeit, welche Heilsgegenwart bedeutet«[580].

Von diesem Gottesgedanken aus sah H. W. Schmidt nun auch das Wesen und den Begriff der Offenbarung bei K. Barth bestimmt. Die Offenbarungsfrage hielt er für die Schicksalsfrage der Theologie der Krisis[581], da zugleich mit ihr nach dem Verständnis von Jesus Christus gefragt werden mußte. Hier nun behauptete H. W. Schmidt, daß die dialektische Theologie keine Christologie kenne, und er verwies darauf, daß K. Barth in seinem Römerbrief von einer »abnehmenden Tendenz des Lebens Jesu« sprach[582]. Bedeutete das nicht, daß Gott nicht im historischen Jesus Mensch geworden ist? Wenn es in der Geschichte und in der Zeit keine Offenbarung des Ewigen gibt, dann ist Jesus von Nazareth nur eine »Andeutung« des Schnittpunktes von Zeit und Ewigkeit[583]. H. W. Schmidt bemerkte, daß Jesus als Offenbarungszeuge mit uns, die wir von Offenbarung hören, auf einer Stufe steht. Erst mit der Auferstehung betreten wir nach K. Barth den heiligen Boden ungebrochener Offenbarung; denn Auferstehung der Toten bedeutet das Ende der Geschichte, den Sieg des Lebens über den Tod, das Ende der Zeit, den Anbruch der Ewigkeit; ähnlich bedeutet Parusie Aufhebung der Zeit und alles Zeitinhaltes[584]. Hier sah H. W. Schmidt klar und einleuchtend hervortreten, was K. Barth unter Offenbarung verstand. Zuerst negativ: Die geschichtlichen Dinge und Geschehnisse, die wir mit der Gotteswelt in Zusammenhang bringen wollen, haben nichts mit Offenbarung zu tun; sie können auf das Ewige nur hinweisen; das Vergängliche kann nur ein Gleichnis des Unvergänglichen sein. Positiv: Jeder Augenblick der

---

[579] Ebd. S. 28.
[580] Ebd. S. 33.
[581] Ebd. S. 34.
[582] Vgl. K. Barth: Der Römerbrief. 3. Auflage. S. 264.
[583] H.W. Schmidt: Zeit und Ewigkeit. S. 34.
[584] Ebd. S. 37-38.

Zeit »trägt das Geheimnis der Offenbarung ungeboren in sich, jeder kann qualifizierter Augenblick werden«[585]. H. W. Schmidt kritisierte, daß K. Barth gleichgültig alle angeblich besonders ausgezeichneten Zeitstellen beiseite schob, da die Offenbarung nicht als das historische Faktum, das an einem bestimmten Punkt der Zeitlinie steht, sondern als etwas Übergeschichtliches und Überzeitliches, als das Unanschauliche und Unbegreifliche gewertet wurde. Daraus ergab sich, daß alle »Offenbarungstatsachen« nur als Gleichnisse und Hinweise, nie als Tatsachen an sich Heilsbedeutung haben, zeitlose Offenbarung hingegen das Objektive und Absolute ist, nach dem die Theologie in der Sphäre des Relativen, unter historischen und psychologischen Gegebenheiten so lange vergeblich suchte[586].

Aus der These, daß die Offenbarung die Wahrheit der geschichtlichen Gegebenheiten der Offenbarungstatsachen und der Offenbarungseindrücke, aber eben deshalb auf keinen Fall mit ihrer Wirklichkeit gleichzusetzen sind, ergab sich für den Bereich der Soteriologie, daß die Rechtfertigung bei K. Barth ganz in die Transzendenz abgeschoben und rein forensisch gefaßt wurde. Wiedergeburt, Erneuerung und Heiligung waren dann keine zeitlichen Wirklichkeiten oder Geschehnisse. Das Ewige, das als Offenbarung nie Vergangenheit wurde und als Parusie nie Zukunft sein wird, weil es überhaupt nicht in die Zeit eintritt, sondern nur das Ende der Zeit bedeutet, kann für den »religiösen« Menschen auch nicht Gegenwart sein[587].

H. W. Schmidt sah, daß bei K. Barth die Offenbarungsfrage nach ihrer objektiven Seite durch die Auseinanderreißung eines zeitlichen Diesseits und eines ewigen Jenseits entschieden wurde: Nicht die Geschichte, sondern die Grenze der Geschichte wurde zum Ort, wo die Offenbarung Gottes aufleuchtet. Sie schien allem geschichtlichen Relativismus, aller zeitlichen Partikularität, aller Unzulänglichkeit und Halbheit des Lebens enthoben. Für K. Barth war deshalb die Offenbarung, von der die Theologie redet, nicht dialektisch; als solche galt ihm nur die Form unseres menschlichen Redens, weil es - wie er meinte - immer im Banne der Zeit bleibt und doch mit endlichen Formen das Unendliche erfassen will[588].

Hier zeigte H. W. Schmidt auf, daß bei dieser Fassung der Offenbarungswirklichkeit die große Schwierigkeit entstand, wie denn der Vollzug der Offenbarung beschrieben werden soll. Er fragte daher, ob es eine »geistige« Gegenwart des Offenbarungslogos, ob es göttlichen Anspruch und göttliche Verheißung in der Zeitimmanenz geben könne, wenn nicht zugleich eine wesenhafte Gegenwart des Ewigen gegeben sei. H. W. Schmidt wußte wohl, daß es für K. Barth das Offenbarungswort in der Zeit geben kann, auch wenn sein »Sinn« oder sein internationaler »Gegenstand« keine zeitliche, sondern nur eine ewige Wirklichkeit besitzt[589]. Aber dies ist nur ein »Aufleuchten der Offenbarung in der Krisis des endlichen Kosmos«, am Ende der Dinge, an der Wende von Zeit und Ewigkeit, wo wir auf das Unübersehbare und Unüberhörbare stoßen; dort wo die Welt mit allem, was sie umfaßt, stirbt,

---

[585] Ebd. S. 39. - Vgl. Barth: Der Römerbrief. 3. Auflage. S. 481.
[586] H.W. Schmidt: Zeit und Ewigkeit. S. 39-40.
[587] Ebd. S. 42-46.
[588] Ebd. S. 48. - Vgl. K. Barth. In: ZZ 4 (1926) 32.
[589] Vgl. H.W. Schmidt: Zeit und Ewigkeit. S. 49.

wo sie ihre Begrenzung, Bestimmung und Aufhebung erfährt; erscheint das Leben, meldet sich »das absolute Wunder, der reine Anfang, die ursprüngliche Schöpfung«[590].

H. W. Schmidt erkannte, daß in dieser Theologie der Vollzug der Offenbarung nicht an eine besondere geschichtliche Offenbarung geheftet war, daß er vielmehr universalen, stets gleichzeitigen Charakter trug, mithin keine partikular-geschichtliche, sondern eine allgemein-kosmische Form des Offenbarungsgedankens vorlag. Er strich heraus, daß so der ganze zeitliche Kosmos in seiner gebrechlichen Gestalt als »Offenbarung« aufgefaßt werden konnte[591]. Es gab keine historisch ausgezeichneten Zeiten, die die Würde empfingen, ewiger Augenblick zu sein; vielmehr ruhte das Geheimnis aller Zeiten unanschaulich, ungegeben, vorausgegeben zwischen den Zeiten. H. W. Schmidt zeigte, wie K. Barth diesen Gedanken konsequent zu Ende führte. Wenn die Offenbarung nichts Gegebenes war, sondern erst an der Grenze der Zeit als Vorausgegebenes auftauchte, dann hatte es keinen Sinn mehr, besondere Heilsgeschichten und Offenbarungsträger herauszuheben und zu isolieren. Weil an der Krisis der Zeit, an der Krankheit zum Tode alle endliche Wirklichkeit teilnahm, deshalb führte bei K. Barth jede Zeit an die Pforte Ewigkeit. Ebenso ewig-gleichzeitig wie die Krisis schien ihm aber auch die Charis, die positive Seite an dem Offenbarungsvollzug. Danach war der Christus keine einmalige, kontingente, sondern eine zeitlos gegenwärtige Größe, eine Offenbarung dessen, was wahrlich auch schon Abraham und Plato sahen[592].

H. W. Schmidt kritisierte, daß K. Barth die Wirklichkeit der Offenbarung dem »Ursprung«-Gedanken und dem Transzendentalismus des Kritizismus angeglichen hatte. Mit G. Heinzelmann wendete er ein, daß eine solche »Ursprungsphilosophie«[593] dem λόγος σὰρξ ἐγέννετο widersprach. Zur theologischen Begründung stellte er die Frage, woher bei K. Barth das Wissen um die Krisis kam. Für ihn lag der Fehler K. Barths darin, daß er unbemerkt den Gerichtsgedanken mit der Tatsache der Unvollkommenheit und Endlichkeit der Welt verbunden hatte. Demgegenüber behauptete er unter Berufung auf die Bibel, daß das Gericht ebenso wie das Heil nur unter der Kategorie der Offenbarung zu begreifen sei[594]. Die Bibel, so betonte H. W. Schmidt, kennt keine andere Offenbarung als eine solche, die auf Menschen abzielt und sie ansprechen will. Wird aber - wie in der dialektischen Theologie - die Offenbarung des Ewigen ganz der Sphäre zeitlichen Seins und menschlichen Erkennens und Erfahrens entrückt, so hört die Offenbarung eigentlich auf, das zu sein, was sie sein will[595]. Da nach K. Barth eine Offenbarung an Menschen sie immer auflösen muß, blieb sie bei ihm im Grunde immer nur Selbstgespräch Gottes[596]. Als Ergebnis seiner Untersuchung hielt H. W. Schmidt fest,

---

[590] Barth: Der Römerbrief. 3. Auflage. S. 121. - Nach H.W. Schmidt: Zeit und Ewigkeit. S. 51.

[591] Ebd. S. 51.

[592] Ebd. S. 52. - Barth: Der Römerbrief. 3. Auflage. S. 260.

[593] Heinzelmann. In: NKZ 35 (1924) 539.

[594] H.W. Schmidt: Zeit und Ewigkeit. S. 55.

[595] Ebd. S. 66.

[596] Ebd. S. 70.

daß die Dialektik des Zeit-Ewigkeitsverhältnisses die positiv geschichtlichen Größen zersetzte und ihre Besonderheiten relativierte[597].

Bei dieser Kritik verkannte H. W. Schmidt nicht, daß K. Barth in einer neuen Phase seiner Theologie zunehmend vom »Wort Gottes« sprach und seine Bedeutung für das Zeit-Ewigkeitsverhältnis herausstrich. Er führte dies auf den Einfluß von E. Brunner zurück, dessen Offenbarungsgedanken er in einem zweiten Kapitel unter den Stichworten »Geist, Sinn und Wort« analysierte[598].

H. W. Schmidt bemerkte, daß durch das Problem der Offenbarungserkenntnis eine Verschiebung in der Wesensstruktur der dialektischen Theologie auftrat. Offenbarung - so habe man erkannt - sei eine Wahrheit, die uns im Wort anspricht. Mit dieser Erkenntnis habe man aber weiterhin an der These festgehalten, daß Wahrheit und Geschichte sich nie verbinden lassen. Während K. Barth es jedoch immer wieder mit einem Kompromiß zwischen Dialektik und Geschichte versuchte, habe E. Brunner die Geschichte konsequent ganz beiseite geschoben und die Dialektik mit einer ganz neuen Größe, nämlich mit einer »Geistphilosophie«, deren Voraussetzung und Grundlage er bei dem Marburger Logismus fand, verbunden[599].

Die Möglichkeit einer solchen Synthese wurde nun von H. W. Schmidt überprüft. Dabei kam er zu dem Ergebnis, daß E. Brunner die Offenbarungsfrage mit dem Mittel einer »Evidenzmystik« zu lösen versuchte. Der Kern lag hier in einer Geisttheologie, bei der das Intentionale am Glauben die entscheidende Rolle spielte. Wie H. W. Schmidt aufzeigte, gründet es im »Ursprung«, das heißt in der begründenden Wahrheit, und es tendiert auf den abstrakten Logos hin, das heißt auf den »Sinnmagneten« der die Gedankenteile aus verschiedenen Richtungen in eine Einheit zusammenzieht[600]. Kritisch bemerkte H. W. Schmidt, daß bei E. Brunner das Diesseits nur eine geistige, dialektische Bewegtheit zwischen den beiden Polen der begründenden und erstrebten Wahrheit ist. Daraus folgerte er nun, daß die Evidenzmystik zweierlei zu geben bemüht sei: die Mittelbarkeit des geschichtlichen Weges, auf dem die Wahrheit zu uns kommt, und die Unmittelbarkeit als »Gottes-in-mir-Reden« mit der »Ausschaltung des Ich« und dem »Aufhören aller Partnerschaft«[601]. Allerdings so meinte H. W. Schmidt, sei dieser Dualismus zwischen relativer und absoluter Wahrheit längst nicht so ausschließlich wie der zwischen Zeit und Ewigkeit. Das Absolute »manifestiere« sich ja in der geistigen Bewegtheit des endlichen Subjekts, im »Geistschaffen, in der Geistherrschaft, in der Geistüberordnung«; es »wohne« in jedem fertigen Resultat, wenn auch in absoluter Unerreichbarkeit[602].

---

[597] Ebd. S. 70.
[598] Ebd. S. 76-107. - Vgl. Emil Brunner: Erlebnis, Erkenntnis und Glaube. Tübingen 1921. - Dass. 2. und 3. neubearbeitete Auflage. Ebd. S. 1923. - Ders.: Die Mystik und das Wort. Der Gegensatz zwischen moderner Religionsauffassung und christlichem Glauben dargestellt an der Theologie Schleiermachers. Tübingen 1924. - Ders.: Philosophie und Offenbarung. Tübingen 1925. - Vgl. Ölsner. S. 102-103.
[599] H.W. Schmidt: Zeit und Ewigkeit. S. 78.
[600] Nach Brunner: Erlebnis, Erkenntnis und Glaube. S. 100.
[601] H.W. Schmidt: Zeit und Ewigkeit. S. 102.
[602] Nach Brunner: Die Mystik und das Wort. S. 339.

Für H. W. Schmidt näherte sich E. Brunner damit in bedenklicher Weise einem Idealismus Hegelscher Prägung. Sein schlimmster Vorwurf: Der konsequente Charakter des Evangeliums werde dabei vergessen[603]. Abschließend hielt er fest, daß die Brunnersche Theologie mit einem zweideutigen Begriff der Dialektik arbeite: Neben dem Dualismus von Zeit und Ewigkeit, der zwei Wirklichkeiten berührungslos gegeneinanderstellte, und in der Aufhebung dieser gebrechlichen Weltgestalt sein Ende fand, stand der in dem Geistzusammenhang seine übergreifende Synthesis findende Dualismus von endlichem und unendlichem Logos[604]. In diesem Versuch einer Synthese von dialektischer Theologie und idealistischer Geistphilosophie lag letztlich auch der Grund dafür, daß bei E. Brunner die Eschatologie nicht mehr die zentrale, beherrschende Stelle einnahm, wie bei K. Barth[605].

H. W. Schmidt hatte somit dargelegt, in welche Schwierigkeiten die Theologie geriet, wenn zur Bestimmung des Verhältnisses von Zeit und Ewigkeit ein dialektisches Schema angewendet wurde. An dem Ringen zwischen einer rein geschichtlichen und einer dialektischen Auffassusng von Eschatologie nahm damals jedoch auch P. Althaus teil, der von Hause aus einen anderen Ausgangspunkt hatte. Seine Auffassung von Geschichte und Offenbarung wurde von H. W. Schmidt in einem dritten Kapitel eingehend analysiert. Wir müssen auch dies aufmerksam zur Kenntnis nehmen, da sich H. W. Schmidts eigenes Offenbarungsverständnis vor allem in der Auseinandersetzung mit diesem lutherischen Theologen entwickelte.

H.W. Schmidt stellte fest, daß P. Althaus in seiner Geschichtsphilosophie um einen Kompromiß zwischen Dialektik und Geschichte bemüht war. Mit K. Barth und F. Gogarten[606] war der Erlanger Systematiker sich durchaus einig, daß alle geschichtlichen Werte und Verhältnisse als geschichtliche ausnahmslos zum Tode bestimmt sind und unter der Krisis der Ewigkeit stehen[607]. Gegen die Geradlinigkeit eines siegessicheren Evolutionismus stellte er die These, daß unsere Welt bis ans Ende unter Todesgesetzen steht[608]. Gemäß lutherischer Tradition wurde bei dieser Auffassung Geschichte und Sünde eng miteinander verknüpft. Dies hieß, wie H. W. Schmidt herausarbeitete, zugleich: Wenn das Historische Momente an sich trägt, die nicht anders als gottlose und sündige Äußerungen der »Welt« und des satanischen Willens zu deuten sind, dann hindert uns die Einsicht in das endliche und unvollkommene Wesen alles Werdens und Geschehens daran, die Geschichte und die Zeit als Schauplatz einer direkten und eindeutigen Offenbarung des Ewigen zu betrachten[609].

Gab es demnach bei P. Althaus keine ungebrochene praesentia salutis, so bestand er aber auf der Einsicht, daß über der Geschichte nicht nur ein Nein, sondern auch ein Ja ruht[610]. Nach H. W. Schmidt war dies nicht ein Ja, das nur dialektisch

---

[603] H.W. Schmidt: Zeit und Ewigkeit. S. 106.
[604] Ebd. S. 106.
[605] Vgl. ebd. S. 104.
[606] Zu F. Gogarten siehe oben S. 399, Anm. 251. - Schriften: Siehe LV.
[607] Nach H.W. Schmidt: Zeit und Ewigkeit. S. 110. - Vgl. P. Althaus: Theologie und Geschichte. In: ZSTh 1 (1923) 742.
[608] Nach P. Althaus. In: ZSTh 2 (1924) 646.
[609] H.W. Schmidt: Zeit und Ewigkeit. S. 110.
[610] Ebd. S. 111.

aus dem Nein herausleuchtet, sondern ein Ja, das synthetisch zum Nein hinzukommt. Es zeigte sich auch, daß P. Althaus unbedingt an der Inhaltlichkeit der
Offenbarung Gottes festhalten wollte. Zwar lehnte er die Theologie der Krisis nicht
durchweg ab, aber er wandte sich dagegen, daß die Offenbarung in der Krisis aufgeht. H. W. Schmidt erinnerte an den Satz: »Es ist unmöglich, mit dem Relativismus alle positive Offenbarung zu bestreiten und dann den Relativismus selber als
Gottesbeweis zu verwenden«[611].

Um das Verständnis von Offenbarung bei P. Althaus zu ergründen, versuchte
H. W. Schmidt zunächst, sich über dessen Eschatologie Klarheit zu verschaffen. Er
sah, daß im Mittelpunkt die Frage stand: Haben wir die Parusie und die Vollendung der Geschichte Gottes mit den Menschen als eine Endgeschichte auf der Linie
der Zeit zu suchen, oder meint die Eschatologie immer die Aufhebung aller Zeit
und Geschichte? Die Antwort lautete bei P. Althaus, daß das Ziel der Geschichte
nicht in ihrer Endzeit zu suchen sei[612]. Nach genauerer Prüfung stellte H. W.
Schmidt fest, daß die Ablehnung einer endgeschichtlich gefärbten Eschatologie ihre gewichtigsten und wirksamsten Argumente vor allem aus dem letzten und beherrschenden Leitgedanken schöpfte, daß die Struktur des geschichtlichen Wesens
sich der Annahme einer vollendeten Gegenwart des Heils in der Zeit widersetzt.
Kritisch wandte er jedoch ein, daß der Satz »Finitum non capax infiniti« so dem
biblischen Weltbild nicht entspricht; daß die Wahrheit, die er seiner biblischen
Wurzel vielleicht entnimmt, in dem begrifflichen, philosophisch-spekulativen Gewand entstellt und verzerrt wird[613]. Es wunderte H. W. Schmidt daher nicht, daß P.
Althaus die geschichtliche Offenbarung und die Eschatologie durch ein unge-
schichtliches Ereignis trennte, das die gegenwärtige Weltform beseitgt und aufhebt.
Auch hier sah er hinter der systematischen Besinnung, durch die P. Althaus die
endgeschichtliche Zukunftshoffnung der Bibel klären wollte, jenen geschichtsphilosophischen Glauben stehen, nach dem die ewige Vollendung in der Zeit keine
ungebrochene Darstellung finden kann[614].

Die Vermittlung, die von P. Althaus erstrebt wurde, lag nach H. W. Schmidt in
dem Versuch, in Anbetracht der Christustatsache die geschichtliche Offenbarung
als Kenose zu begreifen. In der Behauptung, daß geschichtliche Offenbarung stets
zugleich auch Verhüllung sei, sollte ein »Ineinander von Exklusivität und Immanenz in dem Verhältnis des Göttlichen« gefunden werden[615]. Wenn dabei nun die
These: das Ewige wurde Zeit, mit der Antithese: das Ewige bleibt immer im Jenseits
der Zeit, zu einer Antinomie zusammengefaßt werden sollte, so lehnte H. W.
Schmidt diesen Kompromiß ab, da er nirgendwo ein Faktum fand, das dies Ineinander von These und Antithese real darstellen konnte[616]. Er wendete ein, daß eine
ewige Größe aufhört, ein Stück Ewigkeit zu sein, sobald sie durch eine Kenose oder
eine Begrenzung ihres Wesens hindurchgegangen ist; denn - so lautete seine Argumentation - sie könnte nur in ihrer unberührten Ganzheit, nicht in einer geschmä-

[611] Althaus. In: ZSTh 1 (1923) 753.
[612] Vgl. ZSTh 2 (1924) 611, 668.
[613] H.W. Schmidt: Zeit und Ewigkeit. S. 117.
[614] Ebd. S. 118-119.
[615] Vgl. Althaus. In: ZSTh 1 (1923) 767. - Nach H.W. Schmidt: Zeit und Ewigkeit. S. 121.
[616] Ebd. S. 123.

lerten Halbheit ein Ewiges und Göttliches sein; entsprechend gehörte zu der endlichen Form der Zeit auch nur ein endlicher Inhalt[617]. H. W. Schmidt sah darin unentrinnbar die Gefahr einer Verdoppelung des Offenbarungsgedankens drohen: Was ganz in die Geschichte eingegangen ist und zu einer empirischen Tatsache wurde, so erklärte er, sei nicht mehr Offenbarung des Ewigen, was aber in der Situation der Transzendenz verharrt und seine Jenseitigkeit nicht aufgibt, sei noch nicht Offenbarung[618].

Den Versuch, Geschichte und Offenbarung durch eine Sinnbeziehung zu verknüpfen, um dadurch den Gedanken einer geschichtlichen Offenbarung zu retten, wurde von H. W. Schmidt ebenfalls abgelehnt, da sie sich ihm bei schärferem Zusehen auflöste und vor ein unentrinnbares Entweder-Oder stellte; denn wo die Geschichte nur Trägerin für den übergeschichtlichen Sinn ist, beschreibt - wie H. W. Schmidt deutlich sah - der Begriff einer geschichtlichen Offenbarung nur eine von einer Geschichte bezeugte, gemeinte, transzendent bleibende »Offenbarung«; es tritt eine Trennung von Geschichte und Übergeschichte ein. Eine Übertragung des intentionalen Verhältnisses, in dem der Begriff zu seinem »Gegenstand« steht, auf das Verhältnis von Geschichte und Offenbarung war für H. W. Schmidt eine Unmöglichkeit. Er wandte ein, daß von einer unlösbaren Verbindung der »Offenbarung« mit einem konkreten Geschichtsmoment nur dann geredet werden könne, wenn das zeitliche Korrelat des zeitlos-ewigen Geschehens eine Leistung innerhalb des Offenbarungsvollzugs übernehme. Demgemäß hielt er es für sinnlos, von einem Medium zu sprechen, das keine Leistung übernimmt, sondern im Grunde nur Anstoß, Ärgernis, Hemmung und Verhüllung ist. Anders wäre dies erst, wenn sich ein einzigartig qualifiziertes Medium der Offenbarung finden ließe. Dann aber dürfte das Göttliche - wie H. W. Schmidt richtig erkannte - mit dem sinnbetonten Punkt der Zeitlichkeit nicht nur in einer unsichtbaren, verhüllten Beziehung stehen, die ungegenständlich bleibt und nie erkannt und erfahren werden kann. Ein solches, mit dem »Akzent der Ewigkeit ausgezeichnetes Stück historischer Tatsächlichkeit« muß für ihn ein »Signal« sein, »das auf Offenbarung hinweist«, ein »Zeichen, das die Offenbarung stellt«. Erst eine solche Geschichte wäre nicht nur Verhüllung sondern schon ein Stück Offenbarung selbst[619].

Für H. W. Schmidt verhüllte der Gedanke einer »Sinnbeziehung der Geschichte auf eine Übergeschichte« nur eine dialektische Gegensätzlichkeit und Spannung, die nach einer eindeutigen Aufhebung verlangte. Gerade das, was P. Althaus mit seiner Synthese von Dialektik und Geschichte erreichen wollte, nämlich die Inhaltlichkeit der geschichtlichen Offenbarung Gottes, sah H. W. Schmidt in Frage gestellt. Gegenüber diesem Vermittlungsversuch erkannte er ganz klar, daß die Dialektik der geschichtlichen Offenbarung in eine geschichtliche und übergeschichtliche Seite weiterdrängt, nach der der Historie nur das Moment des Hinweises, der Übergeschichte aber nur die Sache und die Inhaltlichkeit zugewiesen wird. Aber selbst dieser Standpunkt erwies sich H. W. Schmidt zuletzt als unhalt-

---

[617] Ebd. S. 124.
[618] Ebd. S. 125.
[619] Ebd. S. 129-130.

bar, denn er sah, daß die Dialektik zu einer vollkommenen Entkleidung der Geschichte von allen Momenten führt, die »für den Offenbarungsvollzug etwas leisten könnten«[620].

Die Analyse H. W. Schmidts war damit an jenem Punkt angelangt, an dem die Entscheidung über die Möglichkeit jeder dialektisch bestimmten Theologie fallen mußte: Die Frage nach dem Verhältnis von Offenbarung und Offenbarungserkenntnis. Er sah, daß ähnlich wie bei K. Barth so auch bei P. Althaus die Bestimmung des »Wortes« in den Mittelpunkt der Theologie rückte. In Form einer Anmerkung legte er dar, daß die Fassung der Offenbarung als Wort viele Schwierigkeiten beseitigt, mit der eine »Theologie der Heilstatsachen« zu kämpfen hat. Denn für H. W. Schmidt entschwindet eine Tatsache bei ihrer Einmaligkeit und Kontingenz im Verlaufe der Zeit immer mehr in der Ferne der Vergangenheit, ihre Konturen werden immer undeutlicher, ihre Eigenart immer unbestimmter und für das Erkennen unzugänglicher. Ganz anders lag dies beim Wort, das nach H. W. Schmidt in einzigartiger Weise Konkretheit und Allgegenwärtigkeit, Geschichtlichkeit und übergeschichtliche Geistigkeit in sich birgt. Allerdings wußte er auch, daß dies nicht ganz uneingeschränkt gelten konnte, hatte doch die exegetische Wissenschaft mit großen Schwierigkeiten zu kämpfen, wenn sie sich in die umgebende Geistigkeit des biblischen Wortes versetzen wollte. Obwohl H. W. Schmidt demnach wußte, daß jedem Wortkonkretum eine zeitgeschichtliche Hülle anhaftet, glaubte er doch seine Behauptung aufrecht erhalten zu können, daß das »Wort« im Vergleich zur »Tatsache« eine überragende, zeitüberwindende Kraft hat. Das eigentliche Wesen des Wortes lag für ihn nicht in seiner äußeren Erscheinung, sondern in seinem Sinn und seiner Bedeutung, wobei die konkrete, sinntragende und die übersinnliche, geistige Seite am Wort ein innigeres Verhältnis umschließt als Geschichte und Übergeschichte in der Sphäre des Wirklichen. Sobald man nun die Worterscheinung von ihrer geistigen Bedeutung löst, verliert sie nach H. W. Schmidt die Eigenart, die ihr in Folge ihrer Verbindung mit der Welt des Geistes eigentümlich ist. So behauptete er, daß das Wortkonkretum neben dem Wortgehalt keine Selbständigkeit habe, daß es vielmehr an der zeitlosen Gegenwart des Sinnes teilnehme[621].

In diesen Momenten, die das Wesen des Wortes charakterisieren, sah H. W. Schmidt den Grund für die Bestrebungen, die Offenbarung in »Worte« aufgehen zu lassen. Er hielt aber dagegen, daß das Wort, wenn es nicht nur Ausdruck einer evident zu machenden Wahrheit ist, immer geschichtsgebunden bleibt und aus der Korrelation zwischen einem Ich und einem Du nicht herauszulösen ist. So war das Wort für ihn ein soziologisches Gebilde, das zwar jede »Wortmetaphysik« ausschloß, als Anruf aber in eine Theologie der Geschichte gehörte[622].

Mit dieser Auffassung wandte sich H. W. Schmidt vor allem gegen den Wortbegriff E. Brunners, von dem er meinte, daß er seine Geschichtslosigkeit mit dem Verlust seines persönlichen Charakters bezahlte. Positiv formuliert blieb für H. W. Schmidt das Gotteswort immer ein Wort des Gottes, der jenseits der Geschichte

---

[620] Ebd. S. 134.
[621] Ebd. S. 135-136. Anm. 1.
[622] Ebd. S. 136.

steht; insofern war es auch für ihn übergeschichtlich. Trotzdem hielt er seine Geschichtswerdung nicht nur für einen Umweg, wenn es nicht nur übergeschichtlich , sondern auch persönlich sein sollte. Als Gedanke lag dem zugrunde, daß das Übergeschichtliche ein Jenseits des Menschen ist, an sich unbekannt und nicht gegenständlich; eine Ich-Du-Beziehung hingegen ein gegenständliches Verhältnis, eine Partnerschaft zwischen zwei Personen. Das hieß für H. W. Schmidt konkret: »Gott spricht den Menschen als ein 'Du' nur an, wenn er in die Geschichte herabgekommen ist, und sein Wort als Anspruch bleibt nur, wenn auch sein geschichtlicher Mund bleibt«[623].

Damit stand H.W. Schmidt vor dem christologischen Problem, von dem er meinte, daß es nicht ohne die Geschichte gelöst werden könne. Für ihn war klar, daß Jesus das Wort Gottes nicht nur als persönliches Wort mitteilt, daß er für dasselbe nicht nur ein Umweg ist, der später wieder überflüssig wird, sondern »er ist als Sprecher des Wortes selbst das Wort in wesenhaft metaphysischer Bedeutung; er ist die 'Person' , die es zu einem 'soziologischen' Worte macht ... Er bringt nicht nur die Wahrheit, sondern er ist sie«[624]. Für H.W. Schmidt folgte aus dieser Erkenntnis, daß das Gotteswort an eine kontingente Größe der Geschichte gebunden bleibt, wenn es persönlicher Anspruch sein soll. Scharf formuliert: »Sein Charakter äußert sich den zeitlichen Personen gegenüber als persönlicher, weil es als Gotteswort zugleich Jesuswort ist und an den Heiland gebunden bleibt, zu dem wir in das Gegenüber eines Ich-Du-Verhältnisses treten können«[625].

Aus der Tatsache, daß Jesus eine Größe der Geschichte ist, folgte für H.W. Schmidt auch, daß er etwas »Gegenständliches« geworden ist, so daß sich ihm nicht nur der persönlichgeartete innerliche Glaube nahen darf, sondern auch das »uninteressierte« historische Erkennen. Weil diese Gegenständlichkeit aber keine tote und starre Objektivität ist, sondern eine besondere Gegenständlichkeit, nämlich eine Persönlichkeit, die Tatsächliches und Geistig-Tathaftes in wunderbarer Einheit verbindet, gehen für H.W. Schmidt Historie und Glauben nicht getrennte Wege oder treten gar in ein Spannungsfeld. »Das historische Erkennen wird 'interessiert' und gläubig und der Glaube geschichtlich orientiert«[626].

In dieser entscheidenden These gipfelten die Analysen, die H.W. Schmidt im ersten Teil seines Buches durchführte. Wir lassen hier beiseite, was er gegen den Versuch von P. Althaus, den Glauben als kritisches »Prinzip der Erkenntnis und der Darstellungsmethode« zu verstehen, einzuwenden hatte[627]. Vor allem war ihm der Glaube nicht der Indifferenzpunkt von Denken und Wollen[628], da Gott beides setzt, das Wollen und das Erkennen[629]. Auch schien ihm die Frage nach dem Verhältnis von Glaube und Verantwortung ein wunder Punkt in der Offenbarungslehre von P. Althaus zu sein[630]. H.W. Schmidt selbst hielt mit Entschiedenheit an jenem biblisch begründeten Glauben fest, nach dem sich Gott in einer Geschichte

---

[623] Ebd. S. 153.
[624] Ebd. S. 153.
[625] Ebd. S. 154.
[626] Ebd. S. 154.
[627] Ebd. S. 137. - Althaus. In: ZSTh 2 (1924) 282.
[628] Vgl. ebd. S. 307. - H.W. Schmidt: Zeit und Ewigkeit. S. 148.
[629] Ebd. S. 149.
[630] Ebd. S. 150.

offenbart hat. Damit zugleich wies er die ausschließende Allgemeinheit jener These zurück, die behauptet, das Ewige könne uns nie in der Form gegenständlicher Beziehungen gegenübertreten. Freilich betonte H.W. Schmidt auch, daß sich Gott nicht in einem gegenständlichen Gegenüber, das die Momente des Geistig-Tathaften vermissen läßt, gegenübertritt; daß er vielmehr in der Person Jesu Christi Geschichte wurde, so daß zu dem Konstituiren des historischen Erkennens notwendig das Anerkennen, das Sichentscheiden und das Hören des Anspruchs hinzukommt[631].

Nun sah H.W. Schmidt die Eigenart des Geschichtlichen und Persönlichen gerade darin, daß es diese beiden Seiten in einer unvergleichlichen Einheit zusammenbindet. Er bemühte sich daher, in seinem Werk zu zeigen, daß eben wegen dieser Doppelseitigkeit die Offenbarung nicht nur »Wort«, sondern auch »Eschatologie« sein muß und daß eben aus demselben Grund Glaube und historisches Erkennen nicht in einem dauernden Spannungsverhältnis zueinander stehen. Die Spannung war für ihn nicht mehr das Letzte, vielmehr drängte sie ihn - nicht zu einer Überwindung der Historie - sondern zu der Eingliederung des geschichtlichen Sehens in den geistgewirkten Glauben, so daß in dieser Sicht schließlich die beiden Linien nicht mehr gegeneinander standen, sondern parallel in derselben Richtung verliefen[632].

Um das Problem des Verhältnisses von Zeit und Ewigkeit auf eine nicht-dialektische Weise zu lösen, bemühte sich H.W. Schmidt im zweiten Teil seiner Arbeit vor allem um das Verständnis der Zeit. Die größte Schwierigkeit sah er in der Belastung des Zeitwesens mit dem Formcharakter. Wenn die Zeit nichts anderes ist als die allgemeine Bedingung der Möglichkeit endlicher Wirklichkeit, so folgerte er, daß dann die Zeit alles umschließen müsse und nie einen Ort für eine Offenbarung der Ewigkeit freilasse. Wenn der Relativismus die Zeit so begriff, daß sie als Form dem endlichen Material entsprach, so war damit das Unendliche, das Wunder und die Vollendung von aller Zeit und Geschichte ausgeschlossen[633].

Bei genauerem Hinsehen fand H.W. Schmidt den Grund für die Strukturkomplikationen alles Gedachten darin, daß die erkennende Subjektivität mit ihrem Eingriff die Zeit in Zeitpunkte zerschlägt, um danach aus den Trümmern das Ganze wieder herzustellen. Aber die Synthese, die so gestiftet wird, ergab für H.W. Schmidt nicht jenen bruchlosen Zusammenhang der vortheoretischen Wirklichkeit. Daher erklärte er, daß die Kontinuität, als ein Phänomen sui generis jenseits von Analyse und Synthese liege, jenseits der Sphäre logischer Nachbildlichkeit und theoretischer Betroffenheit[634]. Ihm kam es vor allem darauf an, das Gebiet der unmittelbaren Zeiterfahrung und das der logischen Zeit reinlich zu trennen. K. Heim hielt er vor, daß von ihm die Aussagen der Anschauung und des Erlebens unterschiedslos mit den Aussagen des denkenden Erkennens zusammengeworfen würden. Dagegen behauptete er, daß auf Grund des Erkenntnisbegriffes das disjunktive Verhältnis nur in der formallogischen Sphäre, das konjunktive bzw. kontinuierliche aber dort, wo die Intuition und das Erleben herrsche, seinen Ort habe[635].

---

[631] Ebd. S. 154. Anm. 1.
[632] Ebd. S. 155.
[633] Ebd. S. 193.
[634] Ebd. S. 199.
[635] Ebd. S. 201.

Bei der Frage, in wie weit der Zeit Formcharakter zukomme, unterschied H.W. Schmidt im Anschluß an H. Rickert konstitutive Wirklichkeitsformen und methodologische Erkenntnisformen[636]. In kritischer Auseinandersetzung mit dem »Begriffsrealismus« I. Kants behauptete er, daß die Kategorien in das Gebiet des Einmaligen, Individuellen gehören und deshalb nicht unverändert in das Gebiet der Wissenschaft eingehen können. Das Hereinwachsen der konstitutiven Wirklichkeitsformen in eine irrationale Schicht bedeutete für H.W. Schmidt den Verlust und die Entleerung ihres theoretischen und logischen Bestandes. Er wollte daher, daß das Erkennen, dem die Kategorien zugehören, und das wissenschaftliche Erkennen des wirklichen Subjekts auseinander gehalten werden. Das Ergebnis seiner kritischen Einsicht in das Wesen der Wirklichkeitsform faßte er so zusammen: »Die konstitutiven Wirklichkeitsformen erscheinen für uns als Bearbeitungsformen der erkennenden Subjektivität, als Umprägungen von Wirklichem in Geltendes, als nachbildliche Umformungen von Wirklichkeitsdaten , die ihre unnahbare Unberührtheit durch das Denken nicht aufgeben wollten. Wir fassen die 'Form' als ein Symptom theoretischer Nachbildlichkeit«[637].

Seine weitere Aufgabe erblickte H.W. Schmidt darin, von der Zeitform zu dem vorformalen »Etwas« vorzudringen, in dem er die wirkliche, atheoretische Zeit zu finden hoffte. Mit Berufung auf die Logik und Kategorienlehre von E. Lask[638] formulierte er die These: Das Verhältnis der logisch-notwendigen Zuordnung, wie es zwischen Form und Inhalt besteht, gilt...nicht für das vortheoretische Urverhältnis von Zeit und Inhalt, für das reale, ganz anders geartete Zusammen dieser beiden Momente. Erst durch die Erhebung in die logische Region wurde dieses Zusammen in die Form = Inhaltsbeziehung verwandelt«[639].

Entscheidend für die Eschatologie H.W. Schmidts wurde es nun, daß er alle vergangene Zeit als »von dem gegenwärtigen Augenblick total verschieden« betrachtete[640]. Er radikalisierte damit einen Ansatz von A. Marty und J. Volkelt, die die sekundäre Natur des Unterschiedes von früher und später betonten[641]. Wenn demnach die Gegenwart allein die Zeit repräsentiert, dann ist Vergangenheit im Unterschied zur Gegenwart nie gegeben, sondern aufgegeben; und das heißt nach H.W. Schmidt: ohne die Aktivität des vorstellenden Subjekts überhaupt nicht da. Er vermutete daher, daß die »Brücke« zwischen einzelnen Jetztpunkten nur ein sekundäres, nicht im eigentlichen Zeitwesen selbst liegendes Moment sein könne, da sie Größen verschiedener Sphären verbindet und allein von der Aktivität menschlicher Vorstellung errichtet und erbaut wird. H.W. Schmidt sah, daß eine solche

---

[636] Ebd. S. 203. - Vgl. H. Rickert: Der Gegenstand der Erkenntnis. Einführung in die Transzendental-Philosophie. 3. völlig umgearbeitete und erweiterte Auflage. Tübingen 1915.

[637] H.W. Schmidt: Zeit und Ewigkeit. S. 209.

[638] Den Begriff „Vorformales Etwas" hatte Schmidt übernommen aus E. Lask: Die Logik der Philosophie und die Kategorienlehre. Eine Studie über den Herrschaftsbereich der logischen Formen. Tübingen 1911.

[639] H.W. Schmidt: Zeit und Ewigkeit. S. 220.

[640] Ebd. S. 223.

[641] Vgl. A. Marty: Raum und Zeit. Aus dem Nachlaß des Verfassers hrsg. von J. Eisenmeier, A. Kastil, O. Kraus. Halle 1916. - J. Volkelt: Phänomenologie und Metaphysik der Zeit. München 1925.

»Form« über das eigentliche Zeitwesen, wie es sich dem Menschen im gegenwärtigen Zeiterlebnis darbietet, hinausgreift. Um ein Umgreifen, nicht um ein Begreifen war es ihm daher zu tun, und er betonte, daß bei allen phänomenologischen und metaphysischen Ausführungen unser »Wissen« durch das unmittelbare Erlebnis der Zeit, die intuitive Schau ihres Wesens in einer vortheoretischen Sphäre der »Unwissenheit« korrigiert werden müsse[642].

Ist die Vergangenheit nur ein Produkt des vorstellenden Geistes, so fehlt ihr nach H.W. Schmidt insbesondere die schicksalhafte, zwingende Gewalt des Jetzt. Die Art ihrer Wirklichkeit war ihm daher total verschieden von der Gegenwart. Den Versuch, sie als eine Linie darzustellen, lehnte er ab, weil man dabei die tiefe Kluft zwischen zwei ganz verschiedenen Sphären übersieht. Wohl sah er ein, daß die Restriktion des Zeitwesens auf das ausdehnungslose Jetzt das Fließen der Zeit auszutilgen und zu einem starren nunc stans zu führen scheine. Durch diese Schwierigkeit wollte er sich jedoch nicht zu einem Rückfall in die extensive Zeit verleiten lassen. Es blieb für ihn ausgeschlossen, die fließende Bewegtheit auf eine aus Vergangenheit, Gegenwart und Zukunft zusammengesetzte Zeit zu übertragen. Mit dem »Fließen« konnte für ihn nur ein Merkmal der erlebbaren Zeit gemeint sein. Erlebbar war für ihn nur die Gegenwart. So redete er im folgenden von einer »ständigen Wiedergeburt«, von einer »ununterbrochenen Neuschöpfung des immer identischen Jetzt«. Alle Bilder, die zur Beschreibung dieses Phänomens benutzt werden, blieben für ihn unzulänglich, da sie nur auf jenes Geheimnis hindeuten können, das nach H.W. Schmidt zwar erlebt, aber nie in die Sphäre begrifflicher Klarheit erhoben werden kann. »Das wunderbare Wesen der Zeit läßt sich nicht seines Geheimnisses entkleiden, das nunc aeternum läßt sich nicht vor das Tribunal des Erkennens schleppen«[643].

Mit der Erwähnung des nunc aeternum ist das Stichwort gefallen, das die Zeitauffassung H.W. Schmidts in besonderer Weise charakterisiert. Wegen der Möglichkeit, in die Situation der Vergangenheit einzugehen, suchte er in der Zeit, das heißt in dem erlebbaren, gegenwärtigen Augenblick, eine dazu gegebene Anlage. Erlebbar war ihm ja mit J. Volkelt nur die Gegenwart in ihrer distanzlosen Unmittelbarkeit[644]. Das drängte ihn dazu, der vorgestellten Vergangenheit in einem Moment des gegenwärtigen Zeiterlebnisses seinen objektiven Ursprung zuzuweisen. Er kam zu dem Ergebnis, daß das Jetzt in sich den »Ursprung« oder den »Grund« von Vergangenheit, Gegenwart und Zukunft zugleich in sich birgt, und daß, wenn eines dieser Momente fehlt, es sich nicht mehr um Zeit handelt. Er behauptete, daß nur wenn die Urphänomene dieser drei Größen in dem unmittelbar erlebten Jetzt enthalten sind, das Fließen der Zeit zustande kommt. Die Ausscheidung und die Verselbständigung eines dieser Merkmale am erlebten Augenblick zerstört nach H.W. Schmidt sein Zeitwesen, weil ihm damit ein notwendiges Moment des Fließens genommen wird. So behauptete er: »Vergangenheit und Zukunft können deshalb nur Besonderheiten innerhalb des erlebten Augenblicks sein«[645].

---

[642] H.W. Schmidt: Zeit und Ewigkeit. S. 226.
[643] Ebd. S. 229.
[644] Vgl. Volkelt. S. 20.
[645] H.W. Schmidt: Zeit und Ewigkeit. S. 231.

Das aber bedeutete, daß die Zeit nicht das sekundäre Produkt einer Zusammensetzung des unmittelbar gegebenen Jetzt mit den unendlich vielen verflossenen und noch kommenden Jetztpunkten ist. Nach H.W. Schmidt kann man sie nicht durch Konstruktion entstehen lassen. Ausdrücklich betonte er daher, daß jeder Augenblick uns die ganze Zeit gibt und daß ein anderes Zeiterlebnis unmöglich ist. Eine unendliche Zeitlinie kann bei dieser Auffassung nie den Inhalt unseres Bewußtseins bilden. »Der naive Begriff einer unendlichen Zeit ist nichts anderes als eine Entstellung und falsche Deutung des unmittelbar Erlebten durch die vorstellende Tätigkeit der erkennenden Subjektivität«[646].

Mit der Frage nach der Zerlegbarkeit der Zeit war für H.W. Schmidt ein Problem von größter metaphysischer Tragweite angeschnitten, das vor allem für die Bestimmung seines Ewigkeitsbegriffs Bedeutung gewann. Die Analyse hatte ergeben, daß die Zeit ein Wesen ist, dem nie eine vollkommene Darstellung seiner Ganzheit in der Wirklichkeit vergönnt sein kann. Alle Schwierigkeiten, mit denen auch die Theologie zu ringen hat, lagen für ihn in dem falschen Gedanken, daß man die Zeit für etwas Teilbares hält und das erlebte Jetzt nur als Zeitteil betrachtet. Demgegenüber fand er in dem nunc aeternum, in dem gegebenen Augenblick die ganze Zeit. Seine These lautete: »Zeit ist ewige Gegenwart«[647]. Alle extensiven Bestimmungen, die dem räumlichen Vorstellungskreis entnommen sind, wollte er von ihr ferngehalten wissen, so daß es müßig schien, von ihrem Anfang oder Ende, von ihrer Endlichkeit oder Unendlichkeit zu reden. Hinter aller ausgedehnten Zeit sah er als eine notwendige Voraussetzung ein Etwas, das er zur Unterscheidung »Ewigkeit« nannte, das für ihn aber in Wirklichkeit die eigentliche Zeit als die Bedingung aller möglichen Zeitformen war. Das wahrhaft Ewige suchte er mithin in der Gegenwart. Mit all diesen Erwägungen war er bemüht, den Geheimnischarakter der Zeit zu sichern. Er gab den Versuch auf, sie logisch zu begreifen; denn: »nur umgreifen, umgrenzen können wir sie«[648].

Mit der Fernhaltung aller extensiven Formen wollte H.W. Schmidt jedoch die Zeit keineswegs als eine rein intensive Größe verstanden wissen. Gegen H. Bergson wandte er ein, daß bei ihm die Dauer so sehr in die inneren Bewußtseinsvorgänge eingeschmolzen werde, daß mehr eine intrasubjektive, keine transsubjektive Zeit möglich sei[649].

H.W. Schmidt war sich klar, daß die Korrektur, die er an den wissenschaftlichen Zeitbegriff herantrug, dem Zeiterlebnis entstammte, also nicht direkt der Zeit an sich, sondern einer Zeit für uns. Mit der Behauptung einer transsubjektiven Zeit wollte er indes den »Bannkreis der Bewußtseinsimmanenz« überschreiten. Im folgenden suchte er nach einem Rechtsgrund, wenn er über die psychologische und

---

[646] Ebd. S. 232.

[647] Ebd. S. 237.

[648] Ebd. S. 237.

[649] Ebd. S. 239. - Vgl. H. Bergson: Essai sur les données immédiates de la conscience. Paris 1889, [23]1924. - Dass. deutsch: Zeit und Freiheit. Eine Abhandlung über die unmittelbaren Bewußtseinstatsachen. Berechtigte Übersetzung (von P. Fohr). Jena 1911, [2]1920. - Dass. Lizenzausgabe. Meisenheim a. Gl. 1949. - Ders.: Introduction à la Métaphysique. Paris 1889. - Dass. deutsch: Einführung in die Metaphysik. Jena 1909, [2]1920.

phänomenologische Beschreibung und Darstellung des Wesensgefüges der Zeitgegebenheit hinaus zu metaphysischen Aussagen weiterschreiten wollte. Mit J. Volkelt erfaßte er dabei die Zeit zunächst als die »Existenzweise meines Ich«[650]. Er erkannte jedoch, daß trotz Nähe und Unmittelbarkeit, mit der die Zeit uns umflutet, sie doch als etwas Unabhängiges dasteht. Phänomenologisch geschult, beschrieb er, daß dem Empfindungseindruck immer das Merkmal der Zufälligkeit anhafte, der Zeit aber das der Notwendigkeit. Die unvergleichliche Besonderheit des menschlichen Verhältnisses zur Zeit sah er darin, daß der Mensch zugleich mit der Unabhängigkeit der Zeit von seinem Ich-Wesen die Abhängigkeit des Ich-Wesens von der Zeit ahnt. Von hieraus sah er ihre Transsubjektivität darin begründet, daß sie als der »Ermöglichungsgrund unseres Personenlebens« das »Allerinnerlichste« und zugleich die »schicksalhafte Macht über uns« ist. Dieser Schicksalscharakter der Zeit signalisierte ihm ein Jenseits des Ich, eine Zeit, die nicht nur im Ich, sondern auch über dem Ich schwebt[651]. Für H.W. Schmidt war die Konstatierung von Wirklichem überhaupt immer Sache des Erlebens, erst in zweiter Linie die des Logos. Er kam daher zu dem Schluß, daß sich nur auf dem Wege des Erlebens der transsubjektive Charakter der Zeit ganz deutlich machen lasse. Ein streng wissenschaftlicher Beweis werde schon wegen der logischen Undurchdringlichkeit der Zeit nie ein überzeugendes und einleuchtendes Wort sprechen können[652].

Allerdings gab H.W. Schmidt zu, daß das Subjekt sich niemals rein intuitiv, vielmehr immer auch erkennend und wollend verhält. Daher bildete für ihn die erlebte und die erkannte Zeit, das gegenwärtige Jetzt und der ausgedehnte Zeitraum zusammen das perspektivische Zeitbild. Das bedeutete für H.W. Schmidt zugleich, daß die Zeit in ihrer erlebten Gegebenheit schon immer einem Inhalt eingeschmolzen ist. Die Inhaltlichkeit des perspektivischen Zeitbildes war ihm der Grund, daß überhaupt sinnvoll von einem Noch-nicht geredet werden kann. Dies schien ihm jedoch nur möglich, wenn es sich um eine bewußte und inhaltlich gefüllte Zeit handelt[653].

Mit der Frage nach dem Verhältnis der Zeit zu ihrem Inhalt stehen wir an jenem Punkt, um dessentwillen H.W. Schmidt die Untersuchung des Zeitbegriffs durchgeführt hatte: Seine Frage lautete: »Steht hinter dem finitum capax infiniti der Lutheraner doch eine Wahrheit?«; »Kann die Zeit zum Schauplatz der Ewigkeit werden und die Vollendung sehen?«[654].

Zur Lösung des Problems versuchte H.W. Schmidt noch einmal das Verhältnis der Zeit zu den Formen unserer Zeitvorstellung so zu erklären, daß wir die Zeit nicht als eine Sukzessionsordnung, sondern als das ordnende Prinzip, als die Möglichkeit für die Stiftung und Setzung von »zeitlichen« Verhältnissen und Relationen verstehen. Mit einem räumlichen Bild sprach er davon, daß die Zeit den notwendigen »Hintergrund« aller Dinge bilde, der zur Hergabe bestimmter Formen gezwungen werde. Die Zeit erteilt somit dem Inhalt seine Form zu. »Form« aber war für

---

[650] Volkelt: Phänomenologie und Metaphysik der Zeit. S. 18.
[651] H.W. Schmidt: Zeit und Ewigkeit. S. 242.
[652] Ebd. S. 245.
[653] Ebd. S. 252.
[654] Ebd. S. 253.

H.W. Schmidt das »sekundäre Ergebnis des Zusammenseins von Zeit und Ding«. Solange sie jedoch noch in der Sphäre des lebendigen Zeit-Ichverhältnisses beharrt, war sie ihm noch nicht identisch mit den Formen reproduzierender Vorstellungen. Das Phänomen, das dem Zusammen und Ineinander von Zeit und Inhalt entspringt und in der Sphäre theoretischer Nachbildlichkeit als Relation, Sukzessionsordnung oder Zeitstrecke sich darstellt, die im Wirklichen auftretende »Urform« der nachbildenden Formen, zeigte H.W. Schmidt dieselbe Irrationalität wie die Zeit selbst. Er konnte daher nur mit unzulänglichen Bildern, Symbolen und Worten versuchen, auf das Gemeinte hinzudeuten, ohne es in einem Erkenntniszusammenhang einzuordnen. Unter Berufung auf W. Wundt erklärte er: »Das Gegebene, das wir wirklich und unmittelbar besitzen, ist nicht meßbar und durch keine Größenbestimmung zu bezeichnen. Erst das Erkennen und Vorstellen reiht die vergehenden Stadien und Zustände in ein gleichzeitiges Nebeneinander und macht es möglich, daß der Raum zum 'Maß der Zeit' wird«[655].

Das alles galt für H.W. Schmidt noch nicht von der »Urform«. Sie war ihm mit der wirklichen Zeit, mit dem Vorformalen Etwas, unlösbar verwachsen. Deshalb sah er sie mit dem nunc aeternum jenseits aller Relationen und Zusammenhänge stehen, die der Logos zu binden vermag. Die Differenzierung der Formen versuchte er mit E. Lask vom Material her zu verstehen. Wenn bei jenem das Material mit einer Machtfülle ausgestattet wird, die für die Vielheit der Gestalten und Formen verantwortlich ist, dann näherte man sich der Anschauung, die für H.W. Schmidt bestimmend wurde: »dem vorformalen Etwas der Zeit und dem vormaterialen Etwas des Inhalts kommt in gleicherweise eine in gewissem Sinne unabhängige Bedeutung zu«[656].

Obwohl nach H.W. Schmidt die Zeit die notwendige Vorbedingung alles Seins und Werdens bildet, so ließ er doch auch dem Inhalt seine selbstständige Bedeutung. Er sah ihn im Besitz einer Machtfülle, die eine absolute Tyrannei von Seiten der formgebenden Zeit verhindert. »Zeit und Inhalt, das vorformale und das vormateriale Etwas, schaffen zusammen und mit gemeinsamer Beteiligung jenes Phänomen, das sich im Erkennen und Vorstellen als eine bestimmte 'Form' widerspiegelt«[657]. H.W. Schmidt kam zu dem Schluß, daß sich der Inhalt selbst in seinem Zusammen mit der lebendigen Zeit eine Situation schaffen muß, die sich im Zeitraum nur durch eine bestimmte Form mit einer bestimmten Ausdehnung darstellen läßt. Sonst hätten die nachbildenden Formen für ihn keine »Erkenntnisbedeutung« mehr. »Der Inhalt«, so folgerte H.W. Schmidt, »zwingt die Zeit zur Hergabe einer Gestalt, die ihm angemessen ist. Das ist seine Stärke und auch seine Schwäche«[658].

Die Zeit ist demnach keine Form, die den Inhalt preßt, vielmehr gibt sie Formen, und zwar solche, die zum Inhalt passen. Liegt darin die begrenzte Macht des Inhalts über die Zeit, so sah H. W. Schmidt, daß die Macht der Zeit beginnt, wo die Macht des Inhalts aufhört. Er verstand die Zeit als eine Richterin über das Wesen und das Gewicht des Lebens und Seins, des Werdens und Geschehens, das in sie

[655] Ebd. S. 262. - W. Wundt: System der Philosophie. 3., umgearbeitete Auflage. Bd. 1. Leipzig 1907. S. 117.
[656] H.W. Schmidt: Zeit und Ewigkeit. S. 263.
[657] Ebd. S. 264.
[658] Ebd. S. 265.

eintritt. Wenn es nicht ein Leben ist, das ins Grenzenlose weist, das eine unendliche Kraftfülle in sich birgt, dann wird nach H. W. Schmidt die Zeit seine Nichtigkeit offenbaren und es in Schranken bannen, die es nicht überwinden und niederreißen kann. Sie wird die Wesenlosigkeit, die Wesensschwäche mit dem Stempel der Endlichkeit, der Beschränktheit brandmarken. Sie wird eine Form hergeben, die nicht Kraft vortäuscht, wo Schwäche zu finden ist. So wird die Zeit zur Herrin, wo der Inhalt ein beschränkter und endlicher ist, und deshalb auch zeitliche Beschränktheit und Endlichkeit verdient[659].

Wie aber ist es, so fragte H. W. Schmidt weiter, wenn ein Leben der Totalität in die Zeit eintritt, ein Leben, dessen Macht und Reichtum so unendlich ist, daß es keine Grenzen gibt, an der die Macht der Zeit ihren Anspruch erheben könnte, ein Inhalt, dem gegenüber die Zeit nur dienen, aber nicht herrschen kann? Ein solches »ewiges« Leben wird sich nach H. W. Schmidt in keine Form des Vergehens einsperren lassen, sondern die Zeit zur Hergabe einer Form zwingen, die zu ihm paßt. Die Frage ist also, ob die Zeit solche Formen hat, die der Ewigkeit nicht zum Hemmnis, einem unendlichen Leben nicht zur Beschränkung, der Vollendung nicht zur Grenze werden. »Gibt es eine 'zeitüberlegene Gegenwart', eine Überwindung der 'Zeit' in der Zeit?«[660].

Zur Beantwortung verwies H. W. Schmidt noch einmal darauf, daß das nunc aeternum, in dem er das atheoretische, wirkliche Zeitwesen sah, keine Form ist. Wenn es eine Form wäre, dann müßte er die Frage negativ beantworten. Nicht nur, daß es keine Form gibt, die sowohl für Endliches und Unendliches paßt; vielmehr: die Zeit ist nach H. W. Schmidt gar keine Form, sie gibt nur Formen. Wie wir bereits hörten, teilt sie diese nicht willkürlich aus, vielmehr finden sich auf Seiten des Inhalts Momente, die für die Differenzierung der Formen verantwortlich gemacht werden können. Nun ist nach H. W. Schmidt die Zeit nur für das »Daß« der Form verantwortlich, nicht für das »Wie«. Deshalb kann für ihn die Zeit auch nicht eine geschichtliche Vollendung unmöglich machen, »die Vollendung zeichnet vielmehr, bildlich gesprochen, die ihr entsprechende Form in die an sich formlose Zeit ein«[661].

Das Formproblem der Ewigkeit wurde daher für H. W. Schmidt vom Inhalt her gelöst. Bevor er seine Lehre von der »vollzeitlichen Ewigkeit« vortrug, setzte er sich noch einmal intensiv mit der »zeitlosen Ewigkeit« der dialektischen Theologie auseinander. In diesem Punkt distanzierte er sich auch formal von der Definition seines Lehrers W. Koepp[662]. Er verwies darauf, daß der Ursprung des Ewigkeitsgedankens nicht der Sphäre der wissenschaftlichen Theologie als vielmehr dem Boden der lebendigen Frömmigkeit entstammte. Solange die »andere Welt« ein Hoffnungsgut der naiven, reflexionslosen Frömmigkeit gewesen sei, habe man das Neue immer in erster Linie inhaltlich gedacht. Die Vollendung, die Weltverwandlung sei dabei ein zeitlicher, geschichtlicher Akt gewesen; die Zeit habe das Band gebildet, das die beiden »Welten« verknüpfte[663]. Anders wurde dies indes, als bei verschiede-

---

[659] Ebd. S. 265.
[660] Ebd. S. 265.
[661] Ebd. S. 268.
[662] Zu W. Koepp siehe oben S. 382-389.
[663] H.W. Schmidt: Zeit und Ewigkeit. S. 270.

nen Theologen die Zeit schlechthin zum Ausdruck der Sünde wurde. Da erwartete man vom Jenseits eine Befreiung vom Bann der Zeit. Als Folge davon sah H. W. Schmidt die Fassung der Ewigkeit als Zeitlosigkeit, durch die die Theologie der Krisis das Drückende und Bindende des zeitlichen Daseins und seiner Formen überwinden wollte. H. W. Schmidt kritisierte, daß man sich im Zeitlos-Ewigen eine Welt baute, die zuletzt die Zeitlichkeit und Endlichkeit erdrückte, aufhob, vernichtete. Als Konsequenz dieses Ewigkeitsbegriffs ergab sich, daß eine Kluft Zeit und Ewigkeit, die Form des Endlichen und des Ewigen auseinanderriß. Scharf wandte sich H. W. Schmidt dagegen, daß die Ewigkeit die Aufhebung der Zeit sei. Dieser Gedanke reiße alle Brücken ab, die Zeit und Ewigkeit verbinden können, er verschließe »alle Fenster der Zeit in die Ewigkeit«[664].

Im Interesse der Offenbarung und Erlösung setzte H. W. Schmidt daher alles daran, daß der durch einen verzerrten Zeitbegriff und durch einen starren Ewigkeitsgedanken geschaffene Graben verschwinde. Auch er bejahte den unendlichen qualitativen Unterschied zwischen Himmel und Erde, aber er glaubte daran, daß sich beide ohne Einbuße ihres Wesens in der Zeit begegnen können. Er selbst kannte kein Formproblem der Ewigkeit als Zeitlosigkeit, wohl aber ein Formproblem der Zeit. Wie die Zeitform sein wird, die die Vollendung sich schafft, wußte er nicht zu sagen. Er meinte jedoch, daß wir es dunkel ahnten, wenn wir neben dem Endlichen, das im Zeitfluß zerrinnt und vergeht, schon jetzt in unserem Persönlichkeitsleben eine gewisse »Überwindung der Zeit« in der Zeit erlebten. Zudem handelte es sich für H. W. Schmidt um eine Geschichtsfrage; wenn der Begriff einer zeitlosen Ewigkeit konsequent zu Relativismus, Historismus und Psychologismus führte[665], so stellte er dagegen seine These, daß nur dort, wo man durch richtiges Verständnis der Zeitgegebenheit die Konstruktion eines toten Ewigkeitsbegriffs überflüssig macht, die Geschichte innerhalb eines wissenschaftlichen Denkens zu ihrem Recht kommt. Für den Theologen, der an einer Offenbarung Gottes in der Zeit und einer Vollendung der Erlösungstat Gottes in der Geschichte festhielt, bedeutete dies zugleich ein Bekenntnis zur Heilsgeschichte[666].

Nun spielte gerade die Offenbarung bei der Bestimmung des Wesensbegriffes der Ewigkeit für H. W. Schmidt eine gewichtige Rolle. Was Ewigkeit an sich bedeutet, wußte er nicht zu sagen, aber die Offenbarung stellte ihn vor ihre Wirklichkeit. So erklärte er, als Offenbarung trage die Ewigkeit immer die »Form« der Zeit, und nur so gelange der Theologe zur wirklichen Erkenntnis Gottes[667].

An dieser Stelle setzte H. W. Schmidt das Wort »Gott« für den Begriff der Ewigkeit ein. Diese Identifikation bedeutete für ihn eine Klärung und Aufhellung, eine Unterscheidung und Ausscheidung von Momenten, die sonst unter dem Begriff der Ewigkeit zusammengefaßt werden. Er verwies darauf, daß die Theologie das Prädikat der Ewigkeit nicht nur Gott zuschreibt, sondern auch der Welt der Vollendung, dem kommenden Äon, den »letzten Dingen«. Hier aber bestand für ihn ein großer Unterschied. Weil die neue Welt in ihrer Ewigkeit immer noch Kreatur, Schöpfung und Werk Gottes ist, wollte er bei ihr statt von Ewigkeit lieber von

---

[664] Ebd. S. 285.
[665] Vgl. ebd. S. 275.
[666] Vgl. ebd. S. 293.
[667] Ebd. S. 301.

Vollendung sprechen. Ewig war sie ihm nur insoweit, als aus ihrem Wesen die Merkmale der Endlichkeit, Vergänglichkeit und Unvollkommenheit, die jetzt für die in der Zeit seiende Kreatur charakteristisch sind, ausgeschlossen bleiben. Er erklärte jedoch, daß diese Vollendung als Schöpfung der Zeit ein- und untergeordnet ist, wohingegen bei Gottes Ewigkeit der Schöpfer sowohl der »ewigen« wie der »zeitlichen« Welt transzendent oder besser überlegen bleibt[668].

Gott war für H. W. Schmidt aber auch die »Bedingung aller Zeit«. Gerade die Zeitimmanenz Gottes, die er im Hintergrund seiner absoluten Zeitüberlegenheit stehen sah, machte es ihm unmöglich, Ewigkeit als Aufhebung der Zeit zu deuten. Stimmte er hinsichtlich der Immanenz des Transzendenten mit seinem verehrten Lehrer W. Koepp überein, so war es ihm jedoch unmöglich, mit diesem von einer Zeitlosigkeit des Ewigen zu sprechen[669]. Aus der Offenbarungstatsache glaubte er Gott als den Zeitüberlegenen und vielleicht noch als den Zeitbegründenden erfassen zu können; aber neben diesem Ja zur Zeitgegebenheit hörte er nicht wie die Dialektiker ein aufhebendes Nein. Schwierig blieb allerdings, neben dem »Daß« der Zeitimmanenz des Ewigen auch eine Antwort auf die Frage nach dem »Wie« zu finden. Zum Teil schien es ihm statthaft, sich mit der Unzulänglichkeit eines an Raum und Zeit gebundenen Erkennens zu entschuldigen. Für H. W. Schmidt war jedenfalls die Gegenwart des Ewigen keine Zeitwerdung. Er betonte, daß das Ewige auch bei seinem Eingehen in die Zeit nicht aufhöre, Ewigkeit zu sein. Dies bedeutete, daß das logische Denken, das ansonsten nur mit zeitlich-endlichen Größen zu tun hat, dieses Gebiet des Irrationalen zwar umschreiben und umgreifen, aber nicht durchdringen kann[670].

Mit diesem Unterschied der Zeitimmanenz Gottes und der der kreatürlichen Wesenheiten stand H. W. Schmidt vor der Grenze des menschlichen Erkennens. Denn dem Geschöpf Gottes - so erkannte er wohl - eignet nicht Zeitüberlegenheit, sondern Zeitgebundenheit. Daran, so meinte er, werde auch der Zustand der Vollendung nichts ändern. Während der ewige Gott sowohl in der Situation der Transzendenz wie in der der Immanenz die unabhängige, ungebundene, die Zeit selbst bedingende Macht sei, gehöre die Gebundenheit an die Zeit zum Wesen des Menschen als Kreatur Gottes[671].

Ist mit der Kreatürlichkeit die Zeitgebundenheit gesetzt, so erkannte H. W. Schmidt zu Recht, daß die Zeitenthobenheit für jedes kreatürliche Wesen den Tod bedeutet. Nur in Gott sah er jenes zeitüberlegene Sein, das seinen Grund nicht in der Zeit hat und nur mit der Zeit besteht, sondern vielmehr die Zeit bedingt. Deshalb konnte H. W. Schmidt ja sagen, daß Gott in der Zeit zugleich überzeitlich bleibt, was etwas anderes ist als zeitlos. Für Gott bedeutet das Sein in der Zeit nur eine selbst gewählte Situation, für den Menschen hingegen, wie H. W. Schmidt lehrte, eine Schicksalssetzung und Wesensverbundenheit. Schon deshalb kann für ihn die Eschatologie nie auf ein Jenseits der Zeit hindeuten, wenn sie nicht in der neuen Welt eine zweite Schöpfung sehen will, die ganz zusammenhanglos neben

---

[668] Ebd. S. 302.
[669] Dazu vgl. oben S. 386.
[670] H.W. Schmidt: Zeit und Ewigkeit. S. 304.
[671] Ebd. S. 305.

der ersten steht. Zur Begründung führte er an, daß die Erlösung von der Zeit für die Art unserer menschlichen Existenz den Tod bedeutet. Auch in der tiefsten Tiefe unseres Wesens gebe es keinen Ichheitskern, der nicht beim Schritt über die Grenze der Zeit sterben müßte[672].

So sehr also H. W. Schmidt die Zeit als unser Lebenselement verstand, so wollte er darin jedoch keinen Zwang, keine Hemmung oder drückende Bindung sehen; da sie untrennbar von unserem Wesen sei, so müßten wir mit der Bejahung unseres Ichs, unserer Persönlichkeit, unseres Lebens auch ein Ja zur Zeit sagen. Im Drang nach Freiheit von der Zeit sah er hingegen den frevelhaften Wunsch, das Kreaturverhältnis zu zerreißen und wie Gott sein zu wollen, dem allein absolutes Sein zukommt. Freilich wußte auch H.W. Schmidt, daß in unserem gegenwärtigen, sündhaften Zustand die Zeit etwas Drückendes ist. Aber entschieden lehnte er die Vorstellung ab, in ihr einen Ausdruck der Sünde zu sehen. Sie ist eine Gottesordnung, die »notwendig mit der Sünde und dem Übel, die sich in das Menschenwesen und in das Ganze der Schöpfung eingefressen haben, in Konflikt geraten muß«[673]. Dieser Kampf äußert sich nach H.W. Schmidt dadurch, daß die Zeit »zur Krisis der Sünde« wird. Die »Nichtumkehrbarkeit der Zeit« begründete für ihn die Untilgbarkeit der Schuld. Auch die Zukunft bekam damit für den Menschen, der in ein Reich der Sünde und des Übels eingeschlossen ist, ein anderes Gesicht. Sie wurde zu jener schweigenden, unheilsschwangeren Macht, die auf keine unserer Fragen antwortet, und ihre tödlichen, unentrinnbaren Pfeile aus ihrer Dunkelheit gegen uns sendet. Die Zeit wurde nach H.W. Schmidt für die gefallene, sündige Menschheit etwas Unheimliches und Schreckliches. Wenn wir auf eine andere Welt hoffen, so lehrte er, bedeute das die Erwartung eines neuen καιρός-Bewußtseins, die Sehnsucht nach einem sündlosen und vollkommenen Menschenwesen, für das die Zeit nicht Gericht, sondern Gnade ist[674].

In dieser Hinsicht betrachtete H.W. Schmidt die Zeit nicht mehr als Richterin, sondern als »Dienerin des Inhalts«, als »Form der Gnade«. Wie er der Zeitlosigkeit das zeitliche nunc aeternum gegenübergestellt hatte, so ersetzte er jetzt die Ewigkeit als zeitloses Geschehen durch den Gedanken der Vollzeitlichkeit . Wieder erinnerte er daran, daß die wahre, logisch noch unbetroffene Zeit keine Form, sondern das vorformale Etwas, das nunc aeternum ist, das dem Inhalt erst die Form gibt. Deshalb ist bei H.W. Schmidt die Zeit nicht mehr Richterin, wenn ein Leben der Totalität in sie eintritt, dessen Reichtum so unendlich ist, daß die Zeit nur dienen, aber nicht herrschen kann[675].

So zeigte H.W. Schmidt, daß die Zerrissenheit des Auseinander nicht die letzte Möglichkeit der Zeitlichkeit ist. Wenn bereits die Innerlichkeit des Ich zu einer gewissen Überwindung der Zeit in der Zeit kommt, so findet nach der hier dargelegten Theologie erst recht ein vollendetes Wesen, dessen Machtfülle nur ein einheitliches Insichbleiben zuläßt, in der Zeit die Situation der Vollzeitlichkeit. Wenn die Zeit selbst in ihrem innersten Wesenskern das harmonische Gleichgewicht bewegter Lebendigkeit ist, so ermöglicht nach H.W. Schmidt die Spannung, die das nunc

---

[672] Ebd. S. 305.
[673] Ebd. S. 305.
[674] Ebd. S. 306.
[675] Ebd. S. 306.

aeternum enthält, dem zeitlich Ewigen Lebendigkeit. So erklärte er: »Vollzeitlichkeit ist die Vollendung, die in sich bleibt und nicht mehr über sich hinausweist, trotzdem aber nicht in toter Ruhe erstarrt«[676].

Mit diesem Ausblick auf die Vollendung hatte H.W. Schmidt seine Erörterung über das Verhältnis von Zeit und Ewigkeit zum Höhepunkt geführt. Abschließend erklärte er noch, daß mit dem Festhalten an einer der Vollendung entgegenreifenden Geschichte die metaphysische Fassung des Bösen in eine geschichtliche und persönliche abgewandelt werde: »Sie ist freie Tat der kreatürlichen Persönlichkeit«[677]. Im folgenden Teil der Arbeit sollte näher darauf eingegangen werden; aber schon jetzt erklärte er, daß die biblischen Gedanken von Offenbarung und Erlösung mit ihrer unverkennbar geschichtlichen Färbung, vor allem der Gedanke einer Heilsgeschichte widerspruchslos festgehalten werden könne, wenn man den zeitlosen Ewigkeitsbegriff durch die andere Vorstellung einer vollzeitlichen Vollendung ersetzt. Für H.W. Schmidt eröffnete sich hier eine »Kontinuität«, die er nicht im Sinne eines immanenten und kausalbestimmten Evolutionismus mißverstanden wissen wollte. Er schloß mit der These: »Die Halbzeitlichkeit der abgefallenen und sündigen Kreatur mündet kraft Gottes wundermächtiger Gegenwart ein in die Herrlichkeit der Vollzeitlichkeit«[678].

Den dritten Teil des umfangreichen Werkes bildete eine »Theologie der Geschichte«. Als Hauptproblem ging es auch hier um die Wirklichkeit einer vollendeten Zeitimmanenz: Trat bei dem »Wunder« der Auferstehung Jesu eschatologisch Vollzeitliches in der Welt hervor? Wie ist im übrigen die Partikularität und Periodizität der Offenbarungstatsachen zu verstehen?[679]

Bei der Suche nach dem geschichtlichen Ort für eine zeitüberlegene Gegenwart des Ewigen wurde der evangelische Theologe vor allem durch die Bibel vor die Christustatsache geführt. Damit stand er vor dem christologischen Problem, das Verhältnis zwischen der menschlichen und der göttlichen Seite der Offenbarung zu bestimmen. Von der Zeitimmanenz Gottes hatte er gesagt, daß sie ebenso wie seine Zeittranszendenz eine freigewählte »Situation« bedeute, die gerade in besonderer Weise seine unbeschränkte Zeitüberlegenheit zum Ausdruck bringe[680]. Er war der Ansicht, daß es wirkliche Geschichte überhaupt nur dort gibt, wo Entscheidungen fallen und die Taten in Freiheit geschehen. »Das ist aber das Große an der christlichen Anschauung«, so erklärte er, »daß sie vor dem 'Ende' eine andere Heilsgeschichte kennt, in welcher der Mensch als freies Wesen sich der angebotenen göttlichen Gnade gegenüber entscheiden kann«[681]. Hier lag für ihn der Grund dafür, daß die Partikularität der Ewigkeitsoffenbarung Gottes, seine Gegenwart in der Form der Offenbarungs-Kenose[682], der Heilsökonomie Gottes, seiner Liebe und Gnade

---

[676] Ebd. S. 307.
[677] Ebd. S. 309.
[678] Ebd. S. 309.
[679] Ebd. S. 313.
[680] Ebd. S. 316.
[681] Ebd. S. 319.
[682] Eine Wesenskenose wurde von H.W. Schmidt ausdrücklich abgelehnt. - Vgl. ebd. S. 319.

494

entsprang. Gott wollte es so, daß im Anfang seine Offenbarung auch Verhüllung war; es entsprach demnach seinem Willen, sich in einem durch Freiheit und Entscheidung bestimmten Verkehr den Sündern zu nahen. Allerdings ließ H.W. Schmidt auch keinen Zweifel daran, daß die Niedrigkeit und das Ärgernis der Geschichtlichkeit Jesu mit konsequenter religiöser und theologischer Notwendigkeit eine Offenbarung seiner Herrlichkeit in derselben Geschichte erfordert. Entsprechend lehrte er im engen Anschluß an M. Kähler: Gerade weil die geschichtliche Person Jesu von Nazareth sowohl die Offenbarung wie die Verhüllung ihrer Gottheit darstellt, kenne das Neue Testament in der Parusie des Christus noch eine höhere Form seiner geschichtlichen Offenbarung, die erst die ganze Offenbarungsfrage zur Ruhe bringe[683]. In Jesus Christus fand daher H.W. Schmidt den Mittelpunkt und Höhepunkt der Geschichte, wobei der Gekreuzigte mit dem Auferstandenen und Wiederkommenden identisch war. »In ihm ist der Sinn der Geschichte Wirklichkeit geworden, mit ihm hat die Welterlösung begonnen, durch ihn wird sie vollendet«[684].

Wie H.W. Schmidt erklärte, kam es ihm nur darauf an, das christologische Problem als eine innergeschichtliche Frage zu bestimmen. Das Band, das »Menschheit und Gottheit an der Christustatsache verbindet«, lag für ihn ganz innerhalb der Zeit; es ging ihm also nicht darum, eine zeitliche Tatsächlichkeit mit einer unzeitlichen, übergeschichtlichen Größe zu verknüpfen. Gegenüber der dialektischen Theologie behauptete er, die Heilsgeschichte bedeute, daß das Göttlich-Vollzeitliche immer mehr die verhüllenden Momente seiner Offenbarung ausscheidet, bis zuletzt mit der Parusie des Christus das zeitimmanente Ewige alle Zurückhaltung innerhalb des Offenbarungsvollzugs fallen läßt und sein ungebrochenes Wesen eindeutig »veranschaulicht«[685]. Partikularität der Offenbarung war somit für H.W. Schmidt nicht mehr eine in der inneren Struktur der Zeitlichkeit begründete Notwendigkeit, sondern eine frei geübte Zurückhaltung des Deus absconditus, der bei seiner Zeitimmanenz sich nur soweit offenbart, daß der persönliche, geschichtliche, freie und entscheidungsvolle Charakter seines Verkehrs mit den Menschen nicht aufgehoben wird[686]. Damit ordnete er den Offenbarungsvollzug in den geschichtlich bewegten Rhythmus von göttlicher Gnade und menschlicher Freiheit ein. Durch diesen »eschatologischen Rhythmus der Heilsgeschichte« versuchte er, das ausschließende Entweder-Oder von Gnade und sittlicher Religion, Wunder und freier Entscheidung, göttlicher Gabe und menschlicher Aufgabe zu überwinden.

Es war für H.W. Schmidt nach all dem klar, daß die Eschatologie nicht nur zukünftig sein darf. Richtig erkannte er, daß schon das Neue Testament eine abstrakte Isolierung der »letzten Dinge« verwehrt. Wichtig war ihm insbesondere, daß die biblischen Zukunftsaussagen keine Postulate sind, die nur am Mangel entstanden sind; sonst wären sie - wie er zugestand - in der Tat nur das Phantasieprodukt einer Sehnsucht, der alle Gewißheit fehlt. Für H.W. Schmidt hingegen gründete die Erwartung letzter Dinge auf erfahrener Offenbarung. Dies ergab vor allem

---

[683] Ebd. S. 320.
[684] Ebd. S. 321.
[685] Ebd. S. 321.
[686] Ebd. S. 322.

das Studium der paulinischen Theologie[687]: Wenn Paulus den Blick auf die zukünftige Welt der Vollendung lenkt, dann schöpft er den Mut zur Hoffnung immer aus einer Tatsache der Vergangenheit: der Herr ist auferstanden! In der Lebensgemeinschaft mit ihm werden auch wir zum Leben erweckt werden. Der Besitz des Geistes ist das Angeld der zukünftigen Vollendung. Die vergangene Christustatsache, von der die Gegenwart ausgeht, bürgt für die Zukunft[688].

Scharf wandte sich H.W. Schmidt gegen eine Ignorierung der praesentia salutis und der damit gegebenen Trennung zwischen Offenbarung und Eschatologie. Die letzten Dinge konnten für ihn kein novum sein, das bei der Wiederkunft des Herrn plötzlich und mirakelmäßig hereinbricht. Andererseits jedoch traf er im Wunder auf ein Phänomen, das ihm für das Verständnis der Eschatologie und der Offenbarung gleich wichtig und bedeutungsvoll zu sein schien. Wunder besteht nach H.W. Schmidt als Faktum in einem Ereignis, das aus dem Zusammenwirkung weltimmanenter Faktoren nicht erklärt werden kann, sondern die Geschichtswerdung einer transzendenten Macht voraussetzt. Es ist als solches »Setzung einer Wirklichkeit, objektives Geschehen, Schöpfung«[689]. Dabei geht es nicht nur um vereinzelte, sporadisch und demonstrativ auftretende Einbrüche supranaturaler Kräfte in die »Fläche der Zeit« und der Menschengeschichte, nein, H.W. Schmidt legte Wert auf die Erkenntnis, daß die Geschichte Gottes mit den Menschen keine Pausen hat; daß sie vielmehr alle Zeit erfüllt und Wunder setzt, nicht nur dort, wo der Gekreuzigte aus dem Grab ersteht, sondern auch heute noch, im Gebetsleben des Christen, das Erhörung findet, im Sakrament, in der Kirche, in den Gaben des Heiligen Geistes. Nach H.W. Schmidt hört der Christ nicht nur von Wundern, sondern er erlebt sie selbst in der Gegenwart des Heils; in der Begegnung mit dem Heiligen Geist, die sich in geschichtlichen, freisittlichen Formen vollzieht. Um das Wunder als Geschichte zu fassen, beschrieb er seine persönliche Relevanz, seine Bezogenheit auf das menschliche Entscheidungsleben, seine Inhaltlichkeit und seinen Wortcharakter. Es ging ihm jedoch nicht nur darum, in seinem Vollzug den Deus praesens zu finden; im Wunder offenbarte sich vor allem der Deus creator. Dabei handelte es sich für ihn im Wunder nicht um eine Durchbrechung der Schöpfungsordnung, sondern um eine Wiederherstellung derselben: um die Aufhebung der Todes- und Sündengesetze und um die Durchsetzung der Gesetze des Lebens und der Erlösung. Weil im Wunder das ἔσχατον mitten in der vergänglichen Todeswelt siegend aufleuchtet, sah H.W. Schmidt es immer in engem Zusammenhang mit dem Gericht und der Vergebung Gottes. »Wunder ist Schöpfung, Setzung von Neuem, nicht nur in der Welt des Geistes und des persönlichen Lebens, sondern auch im Bereiche der Natur«[690].

Mit der eschatologischen Bestimmung des Wunders wollte H.W. Schmidt den

---

[687] Vgl. dazu den späteren Handkommentar zum Brief des Paulus an die Römer. (ThHKNT. 6.) Berlin 1962, ²1966.

[688] Ders.: Zeit und Ewigkeit. S. 324. - Schmidt berief sich hier auf Kurt Deißner: Auferstehungshoffnung und Pneumagedanke bei Paulus. (Theol. Diss. Greifswald 1912. - Referent: J. Haußleiter.) Naumburg und Leipzig 1912. - Ders.: Paulus und die Mystik seiner Zeit. Leipzig 1918.

[689] H.W. Schmidt: Zeit und Ewigkeit. S. 326.

[690] Ebd. S. 327.

biblischen Realismus wieder zur Geltung bringen. Wichtig aber ist, daß er im Wunder die Stelle fand, wo es Erlösung in der Geschichte gibt. Das partikulare Wunder muß sich allerdings in den »eschatologischen Rhythmus der Heilsgeschichte« einordnen. Insofern bleibt es auf Glauben angewiesen; erst wenn das Wunder universalen Charakter angenommen hat, bewirkt es nach H.W. Schmidt nicht mehr Glauben, der Erfüllung und Verheißung zusammenfaßt; vielmehr entspricht ihm dann ein zweifelsfreies, unmittelbares Schauen[691].

Die Tatsache der Partikularität des Wunders hinderte H.W. Schmidt nicht an der Aussage, daß »an einem räumlich und zeitlich bestimmten Punkt ein wirklicher Durchbruch der Ewigkeit sich vollzog und in der Gegenwart ewig-vollzeitlichen Wesens Erlösung geschah«[692]. Vor allem wollte er mit Entschiedenheit festhalten, daß der Auferstandene der Vollendete war und als solcher sich in der Geschichte seinen Jüngern offenbarte. Für ihn war der auferstandene Christus der in der Zeit und in der Geschichte gegenwärtige. Gegen P. Althaus vertrat er die These, daß eine »Auferstehung der Toten in ein geschichtliches Endreich hinein« nicht ohne weiteres als »Mythologie« bezeichnet werden könne[693].

Bei der Verhältnisbestimmung von Offenbarung und Eschatologie wandte sich H.W. Schmidt noch einmal gegen eine rein endgeschichtlich orientierte Eschatologie. Ihr gegenüber verwies er auf das Johannesevangelium, in dem die Welt der Ewigkeit, in der charakteristischen Spannung von zukünftig erwartet und doch schon als gegenwärtig erlebt, beschrieben wird. Nach H.W. Schmidt bedingt der Geschichtscharakter der Eschatologie und der Offenbarung diese Polarität: Der Anfang der Geschichte ist schon da, der Abschluß ist noch Inhalt der Hoffnung. H.W. Schmidt fand »die werdende Welt der Ewigkeit unmittelbar in der gegenwärtigen Geschichte«[694]. Auf Grund dieser Tatsache empfahl er, jede Zweiwelten-Theorie abzulehnen. Zwischen dieser Welt und der Vollendung gab es für ihn keinen Bruch, der Zeit und Geschichte zerbricht. So kam er zu seiner Definition: »Eschatologie meint eine Geschichte von wunderbaren Taten Gottes, welche diesen Aion mit dem kommenden verbindet«[695].

Wenn die ewige Welt »das Ergebnis einer wunderbaren Geschichte ist, die schon in der Vergangenheit begann und in der Gegenwart weiterläuft, um in der Zukunft die Vollendung zu finden«, dann darf - wie H.W. Schmidt erklärte - die Eschatologie nicht nur das letzte Kapitel der Dogmatik bilden. Vielmehr darf nur das Ende und der Höhepunkt der Heilsgeschichte, nur die Vollendung der Heilsverwirklichung und der Offenbarung beleuchtet werden. Daneben gilt es - wie H.W. Schmidt richtig sah - die eschatologischen Gesichtspunkte schon bei den vorausliegenden Lehrstücken geltend zu machen. Für den Fall, daß diese Notwendigkeit übersehen wird, befürchtete er, daß man das Wunder, die Auferstehung Jesu, die Lehre vom Heiligen Geist, vom Gebet, vom Sakrament, vom ordo salutis und von der Kirche nicht voll wirksam machen kann. Vor allem wollte H.W. Schmidt,

---

[691] Ebd. S. 329.
[692] Ebd. S. 329.
[693] Ebd. S. 330. - Vgl. Althaus. In: ZSTh 2 (1924) 658.
[694] H.W. Schmidt: Zeit und Ewigkeit. S. 331.
[695] Ebd. S. 332.

daß die Kirche als eine geschichtliche Größe gefaßt werde[696]. Nur wenn am Ende
der Kirchengeschichte das Reich Gottes in seiner reinen Vollendung als das Ergebnis einer wunderbaren Geschichte Gottes mit der Menschheit stehe, könne man
von einem ewigen Sinn und einer göttlichen Bestimmung der geschichtlich gegebenen Kirche reden. »Die Welt der Vollendung ist zwar transzendent und wunderbar
begründet, erlebt aber in der Zeit ihre Verwirklichung«[697].

Mit dieser These grenzte sich H.W. Schmidt ab gegenüber jedem Evolutionismus, der nur mit weltimmanenten Faktoren rechnet; zugleich auch gegen jede dia-
lektisch-eschatologische Theologie, die das Telos nur als transzendent-wirkliches
gelten läßt. Indem er sich von einer endgeschichtlichen Theologie, die nach dem
vollkommenen Bankrott der Menschheitsgeschichte als rettende Tat durch ein einziges Wunder plötzlich die neue Welt entstehen läßt, abgrenzte, fand er eine positive Würdigung der geschichtlichen Werte und der Kulturgüter, eine Bejahung der
christlichen Missionsarbeit und der humanistischen Bemühungen um soziale, na-
tionale und internationale Reformen möglich. Der theoretische Grund dafür ergab
die Tatsache, daß Eschatologie - so wie er sie verstand - nicht vollkommene Neuschöpfung, sondern Wiederherstellung der verletzten, ursprünglichen Schöpfungsordnung ist. Gerade in diesem Punkt stand H.W. Schmidt einer katholisch-thomi-
stischen Auffassung sehr nahe. Indem er erkannte, daß Vollendung sich auf Unvoll-
lendetes und Erlösung auf Unerlöstes bezog, gewahrte er jene Kontinuität, die er
dem Gedanken radikaler Neuschöpfung absprach[698]. Die Hoffnung auf eine Vollendung der Geschichte und die Gewißheit von ihrer Bestimmung zu »ewiger Verklärung« sah er in der Tatsache der Geschichtswerdung Gottes begründet. »Die
Geschichtswerdung des Logos bedeutete ein Ja zur Geschichte«[699]. Dies brachte
H.W. Schmidt nun eben auch in der Eschatologie zum Ausdruck, indem er erklärte: »Die wohl verstandene Christus-Tatsache fordert keine ungeschichtliche, sondern eine geschichtliche Eschatologie ... Nicht die Aufhebung des Leibes, der Geschichte, der Welt, der Zeit ist Inhalt der Hoffnung, sondern die Verklärung dieser Wirklichkeit«[700].

Mit dieser Auffassung vertrat H.W. Schmidt auch die Lehre, daß jede Welle
unmittelbar an den Strand der Ewigkeit schlägt. Da Ewigkeit nicht nur in Jesus
Christus und in der Tatsache seiner Parusie zeitlich gegenwärtig ist, gab es für H.W.
Schmidt keine Zeit, die nur Endlichkeit und Unvollkommenheit, aber keine Got-
tesgegenwart kennt. Gott verkehrt in jeder Zeit mit den Menschen, kommt jedem
Volk und jedem einzelnen entgegen. Heilsgeschichte meint daher die Geschichte
des Heils schaffenden, persönlichen Gottes, das Werden der Erlösung und Vollendung. »Eben weil die Eschatologie eine in der Zeit verlaufende Geschichte von Taten und Wundern Gottes meint, steht jede Zeit vor dem Angesicht der Ewigkeit«[701].

Allerdings wollte H.W. Schmidt zwischen dem Tod des Menschen und seiner
»Auferstehung« beim Eintritt der Parusie einen Mittelzustand eingeschoben wis-

---

[696] Ebd. S. 333.
[697] Ebd. S. 334.
[698] Ebd. S. 341.
[699] Ebd. S. 342.
[700] Ebd. S. 343.
[701] Ebd. S. 344.

sen. Dabei galt ihm der Gedanke der Läuterung und Entwicklung als unentbehrlich. Innerhalb der von ihm vorgetragenen, geschichtlichen Auffassung von Offenbarung und Vollendung dachte er ihn betont zeitlich. Nach dem Tode setzte sich also für H.W. Schmidt die Geschichte zwischen Mensch und Gott fort; und zwar als Heilsgeschichte, die den Zustand der Heiligung zum Ziel hat[702]. So erschien ihm der Tod nicht als das Eingehen in eine gähnende Leere, auch nicht als der Schritt in die zeitlose Ewigkeit, sondern - wie sein Lehrer Koepp schon gesagt hatte - , als das »Höherhinauf-Entrücktwerden der der Ewigkeit genäherten Persönlichkeit in die ewige Welt Gottes«[703]. Demnach verhilft der Tod ohne Unterbrechung zu dem σύν χριστῷ εἶναι[704]. Aber auch dieses Stadium erscheint nicht das letzte; zum Abschluß der universalen Heilsgeschichte folgt die Auferstehung der Toten in leiblicher Existenz als neue Stufe der Vollendungsgeschichte[705].

In der hier vorgetragenen Auffassung suchte H.W. Schmidt nach der Synthese. Er wollte der Einzelpersönlichkeit wie der Gesamtgeschichte Recht geben. Tritt der Einzelmensch mit dem Tod nur in eine höhere Form der Geschichte ein, so kommt bereits im Einzelnen die Heilsgeschichte ans Ziel, während sie andererseits darüber hinaus auch der Gesamtgeschichte der Menschheit ihr Telos gibt[706].

Als protestantischer Theologe sah sich H.W. Schmidt besonders verpflichtet zu erklären, worauf die Glaubensgewißheit der praesentia salutis beruht. In diesem Zusammenhang kam der pneumatische Aspekt seiner Theologie besonders zur Geltung. Dabei rühmte er, daß durch E. Schäder das Geistproblem wieder stärker in den Mittelpunkt der theologischen Probleme gerückt wurde[707].

Mit dem schon in W. Koepps induktiver Theologie zentralen Begriff der praesentia salutis umschrieb H.W. Schmidt einen Ausschnitt aus der werdenden Heilsgeschichte. Wenn er ihn mit der Kategorie der Geschichte zu bestimmen versuchte, so wollte er damit zum Ausdruck bringen, daß es sich um ein persönlich und geschichtlich geartetes, soziologisch bestimmtes Verhältnis, um einen freisittlichen, entscheidungsmäßigen Verkehr Gottes mit der Menschenseele handelt, um eine »Ich-Du-Beziehung«[708]. Nun war auch für H.W. Schmidt nicht zu bezweifeln, daß uns die Christustatsache anders als den Aposteln zunächst nur mittelbar zugänglich ist. Aber gerade deshalb, weil wir zu der Tatsache der Vergangenheit kein unmittelbares Verhältnis gewinnen können, müssen wir - wie H.W. Schmidt betonte - die Unmittelbarkeit in dem Erlebnis einer gegenwärtigen Gegebenheit suchen. Bei dieser »Suche« stieß er auf das testimonium spiritus sancti, auf das schon die Reformatoren und die altprotestantische Orthodoxie die Gewißheit des Glaubens gründeten. H.W. Schmidt ging es hierbei nun nicht um ein Zeugnis für die Wahrheit von Schriftaussagen, sondern, da er den Heiligen Geist als Person verstand, erfaßte er

---

[702] Ebd. S. 346.
[703] Ebd. S. 347. - Vgl. Koepp: Die Welt der Ewigkeit. S. 33.
[704] Phil. 1, 23. - Vgl. Röm. 6, 8; 8, 32; 2. Kor. 4, 14; 13, 4; Kol. 2, 13.20; 3, 3; 1. Thess. 4, 14.17; 5, 10.
[705] H.W. Schmidt: Zeit und Ewigkeit. S. 346.
[706] Ebd. S. 349.
[707] Zu E. Schaeder siehe oben S. 387, Anm. 204.
[708] H.W. Schmidt: Zeit und Ewigkeit. S. 351.

dessen testimonium als ein geschichtliches Wirken in der Zeit, so daß die Glaubensgewißheit in einer Gegenwartsgeschichte göttlicher Wunder und Heilstaten ihren
Grund hatte[709].

Auch hier war für H.W. Schmidt die schöpfungsmäßige Bestimmtheit des
menschlichen Erkennens auf Gott hin das religiöse Apriori des Glaubens. Er verstand es nicht als integrierendes Moment am Offenbarungsvollzug, sondern als Anknüpfungspunkt, als das schöpfungsmäßig begründete Angelegtsein auf die Geschichtswerdung des Ewigen. Als dogmatisches Lehrstück gehörte es für ihn der
allgemeinen Anthropologie an, und er wollte nicht, daß es durch Verwandlung in
ein Wunder zum Aposteriori gemacht werde. »Die Offenbarung knüpft an ein
Stück des kreatürlichen Bestandes an, nicht an ein Stück schon erfolgter Heilsverwirklichung«[710]. So verlangte es jedenfalls nach Schmidt ihr geschichtlicher Charakter. Es umschloß in seinem weiteren Umfang die ganze subjektive Zuständlichkeit, in der der Lebensbestand des Menschen durch die eindringenden Eindrücke
einer umgebenden Welt versetzt ist[711]. Allerdings sah H.W. Schmidt wohl, daß die
ursprüngliche Gottbezogenheit des menschlichen Erkennens und die durch die Not
der Welt erzeugte Hilfsbedürftigkeit von sich aus nicht zur Gottesgewißheit führen
kann. Daher hielt er an der Selbstbezeugung Gottes fest, mit der nach seinem Verständnis aber für das erkennende Erfassen eine Aufgabe entsteht[711]. Da das Heil,
von dem die Bibel spricht, nur in einer Geschichte gegeben sein kann, ist seine Vollendung eine werdende, »der Anfang ist noch nicht das Ende, jedes 'Schon' weist
auf ein 'Noch-nicht' hin, jede Erfüllung ist zugleich Verheißung«[713]. Da Erlösung
bei H.W. Schmidt noch unter dem Zeichen von Partikularität und Beschränktheit
stand, weil sie nicht in einer einmaligen Katastrophe, sondern in einer Geschichte
verwirklicht und die Entscheidung der menschlichen Freiheit nicht erzwingen will,
so galt die Offenbarungserkenntnis ihm als unfertig, eben weil auch die Heilsgeschichte unfertig ist[714]. Diese Auffassung hatte Konsequenzen für den Glaubensbegriff H.W. Schmidts. Er bestimmte: »Glaube heißt die vertrauensvolle Anerkennung der Treue Gottes, der sein begonnenes Werk auch vollenden wird«[715].

H.W. Schmidt bekannte, daß das Persönliche ihn noch tiefer als das Sittliche
in das Wesen der Heilsgeschichte hineinführte. Es wies ihn auf jene Region hin, wo
der Gegensatz von Gnade und Freiheit überwunden ist, wo nicht mehr die »Gerechtigkeit« den Hauptakzent trägt, sondern die Liebe und das Vertrauen. Die eigenartige Relation, die Gottesgeschichte und Menschengeschichte, Gnade und
Ethik, Eschatologie und Glauben verbindet, nannte er den »eschatologischen
Rhythmus der Heilsgeschichte«[716]. Darunter wollte er dasselbe verstanden wissen,
das Paulus Phil. 2, 13 aussprach, jenes Ineinander von Gottes- und Menschenliebe,
Wunder und Verantwortung, Gabe und Aufgabe. Er meinte damit jenen eigenarti-

---

[709] Ebd. S. 357.
[710] Ebd. S. 374.
[711] Ebd. S. 376.
[712] Ebd. S. 372.
[713] Ebd. S. 376.
[714] Ebd. S. 376.
[715] Ebd. S. 377.
[716] Ebd. S. 384.

gen Verkehr der geschichtlichen »Übergeschichte« und der übergeschichtlich bestimmten menschlichen »Gewissensgeschichte«[717].

H.W. Schmidt beschrieb, wie sich an einer Geschichte, an einem Wunder, an der Offenbarung der Glaube entzündet und so der Verkehr zwischen Gott und Mensch beginnt; wie er sich in einem lebendigen und wachsenden Geschehen, das menschliche Frage und göttliche Antwort, persönliche Entscheidung und göttliche Scheidung, Empfang der supranaturalen Gabe und gehorsamen Dienst an der ewigen Aufgabe aufeinander folgen läßt, nicht in einem zeitlichen oder gar mechanischen Nacheinander, sondern in persönlich-lebendigem Ineinander. So gebrauchte er den Begriff des »eschatologischen Rhythmus der Heilsgeschichte«, um die geschichtliche Verwurzelung der Eschatologie verständlich zu machen. Dogmatisch wollte er ihn wirksam machen, um sich mit seiner Hilfe vor dem einseitigen, mechanischen, metaethischen und metapersönlichen Extrem einer Rationalisierung der Heilsgeschichte durch die Lehre von der Prädestination oder vor dem andern Extrem einer Umkehrung des persönlichen Verkehrs zwischen Mensch und Gott in einem »sachlichen« Moralismus zu schützen. Vor das Rätsel der Begrenztheit der Offenbarung, selbst der »Partikularität« der Auferstehung Christi gestellt, begriff H.W. Schmidt, daß der Gedanke der Heilsökonomie Gottes die Lösung erbringt. So erklärte er, daß Gott die Liebe ist und daß der Tod nicht nur Gericht bedeutet, auch nicht nur Gnade, sondern beides. Ihm wurde klar, daß man nicht in die Welt der »letzten Dinge« hineinschreiten kann, wenn man nicht aus dem Reich der Sünde und des Übels herausschreitet[718].

Am Schluß seines Werkes gab H.W. Schmidt ein kurzes Resumée seiner gesamten Arbeit. Ausganspunkt war die Frage nach dem Sinn der Geschichte; Antwort gab ihm eine Theologie der Geschichte, wobei er im wahrhaft zeitlichen nunc aeternum einen neuen Zeitbegriff und in dem Gedaken ewig-vollzeitlichen Wesens einen neuen Ewigkeitsbegriff fand, von dem aus er mit Paulus bekennen konnte: Gott alles in allem[719]. Eine Geschichte des heilschaffenden Gottes, die Zeitwerdung des Ewigen, die Menschwerdung des Logos, brachte ihm die Lösung, nach der er fragte. Als seine letzte Antwort formulierte er: »Der Sinn der Geschichte ist eine Geschichte, die Geschichte des menschgewordenen, gekreuzigten, auferstandenen und wiederkehrenden Christus«[720].

Wenige Jahre nach der Veröffentlichung seines Hauptwerkes nahm H.W. Schmidt als Dozent an der Theologischen Schule Bethel noch einmal ausführlich zum Problem der »ersten und letzten Dinge« Stellung[721]. Bereits das Motto aus dem ersten Korintherbrief ließ erkennen, worauf es ihm in diesem Artikel ankam: »Nicht das Geistliche kommt zuerst, sondern erst das Seelische, und hernach das Geistliche. Der erste Mensch ist von der Erde und irdisch, der zweite Mensch ist

---

[717] Ebd. S. 386.
[718] Ebd. S. 389.
[719] 1. Kor. 15, 28.
[720] H.W. Schmidt: Zeit und Ewigkeit. S. 390.
[721] Ders.: Die ersten und die letzten Dinge. In: Jahrbuch der Theologischen Schule Bethel erstmals zur Feier ihres 25jährigen Bestehens hrsg. von Th. Schlatter. Bethel bei Bielefeld 1930. S. 177-237.

vom Himmel«[722]. Ähnlich fand er im 1. Johannesbrief: »Es ist noch nicht erschienen, was wir sein werden«, und im Hebräerbrief: »Wir haben hier keine bleibende Stadt, sondern die zukünftige suchen wir«[723]. H.W. Schmidt schloß daraus, daß der Christ nicht in einem Raum lebe, in dem der sich »zu Hause« fühlen dürfte; daß, bei aller Danksagung für empfangene Gaben, das Warten und Hoffen auf »letzte Dinge«, auf einen neuen Himmel und eine neue Erde, die Grundhaltung des Glaubens in statu viatoris sei. Der Mensch erschien ihm daher als »Wanderer zwischen zwei Welten«[724]. Das Paulinische »Wir wandeln im Glauben und nicht im Schauen«[725] bewies ihm die Vorläufigkeit unserer Existenz; das irdische Leben war für ihn insgesamt »Adventszeit«; »hier und jetzt existieren wir noch ... im Raum der Weissagung und der Verheißung«[726]. Ausdrücklich berief sich H.W. Schmidt auf Luthers Kampf gegen eine theologia gloriae und seine entschlossene Hinwendung und Beschränkung auf eine theologia crucis[727]. Dem entsprach nach seiner Auffassung die zu damaliger Zeit erneuerte reformatorische Erkenntnis, daß Gott sich gerade in seiner Offenbarung so verberge, daß der Mensch nur in der Entscheidung seines Glaubens, nicht aber in einem entscheidungslosen Schauen dem Deus revelatus begegnen könne. Unter Berufung auf H. M. Müller erklärte er: »Glaube und Entscheidung, Glaube und Anfechtung gehören zusammen«[728].

Ähnlich wie in seinem ersten Buch legte H.W. Schmidt erneut dar, daß die Kluft zwischen Zeit und Ewigkeit nicht von der Zeit her zu überbrücken sei; das irdische Leben könne sich nicht in einer ungebrochenen, geradlinig fortschreitenden Entwicklung zu einem himmlischen Leben emporsteigern. Mit Hinweis auf Paulus, daß Fleisch und Blut das Reich Gottes nicht erben können[729], erklärte er, daß der Tod zwischen Zeit und Ewigkeit stehe, und nur das Wunder der Auferweckung von den Toten eine Kontinuität zwischen der irdischen und der himmlischen Welt schaffe[730]; im Tod erschöpften sich die eigenen Existenzmöglichkeiten des Menschen, und nur das Wunder Gottes, das Tote auferweckt, schenke das höhere Leben[731]. H.W. Schmidt sprach hier von dem »Wissen des Glaubens«, daß »der Tod ein wirkliches Ende des ganzen Menschen ist, das die Ohnmacht des kreatürlichen Daseins enthüllt« und allen eigenen Lebens- und Existenzmöglichkeiten Halt gebietet; daß »die Auferstehung eine Tat Gottes ist jenseits aller irdischen

---

[722] 1. Kor. 15, 16.

[723] 1. Joh. 3, 2; Heb. 13, 14.

[724] Walter Flex (1887-1917): Der Wanderer zwischen beiden Welten. Ein Kriegserlebnis von Walter Flex. München 1917. - Dass. Der Gesamtauflage 683-686. Tausend. Ebd. 1940.

[725] 2. Kor. 5, 7.

[726] H.W. Schmidt: Die ersten und die letzten Dinge. S. 177.

[727] Nach P. Althaus: Die Bedeutung des Kreuzes in Luthers Denken. In: Luther 8 (1926) 97-107. - W. von Loewenich: Luthers theologia crucis. (FGLP. R. 2.2.) München 1929.

[728] H.W. Schmidt: Die ersten und die letzten Dinge. S. 178. - H.M. Müller: Erfahrung und Glaube bei Luther. Leipzig 1929. - Hans Michael Müller, geb. 1901, war Privatdozent in Jena, o. Prof. in Königsberg. - Vgl. zu seiner Habilitationsschrift die kritische Rez. von E. Przywara. In: StZ 118. Bd. 60 (1930) 73.

[729] 1. Kor. 15, 50.

[730] H.W. Schmidt: Die ersten und die letzten Dinge. S. 180.

[731] Ebd. S. 181.

Möglichkeiten«; daß »Gott bei der Auferweckung Tote, nur Totes vor Augen hat«[732].

Diesem Verständnis des Todes hinsichtlich des einzelnen Menschen entsprach bei H.W. Schmidt die Reflexion auf die Geschichte der ganzen Menschheit. Weil der Tod zwischen den ersten und den letzten Dingen des Menschen steht, deshalb sei die Vollendung der Geschichte eine der Geschichte nicht selbst mögliche Neuschöpfung: Auferweckung vom Tode. Die letzten Dinge kommen demnach nicht aus den ersten Dingen heraus, sie sind vielmehr durchaus transzendent, das heißt, sie kommen in einem neuen Schöpfungswunder des gebenden Gottes. Nach H.W. Schmidt ist also in der Vorläufigkeit der Geschichte nicht schon das Endgültige verborgen: »Das Eschaton ist durchweg, schlechthin erst im Kommen, es steht noch aus und entzieht sich in absoluter Distanz jeder Selbstbestimmung der Existenz«[733].

Angesichts der positiven »Theologie der Geschichte«, die H.W. Schmidt in »Zeit und Ewigkeit« vorlegte, konnte leicht übersehen werden, daß auch für ihn das kreatürliche Dasein in seiner Ganzheit nur als »Vorläufigkeit« gewertet wurde. Bei dieser neuen Darstellung seiner Eschatologie ließ er jedoch keinen Zweifel daran, daß für ihn diese Zeit überall vorletzte Zeit ist, die vergehen muß, ohne daß ein konstantes, invariables Moment die Kontinuität des Geschehens retten könnte. In einer Neuanwendung der lutherischen Sola-fides-Lehre betonte er, daß der Mensch nur im Glauben an den letzten Dingen teil habe, das heißt im Glauben an das Wunder der Auferstehung von den Toten, das sich nur von Gott her ereignen kann. Die Geschichte muß daher für H.W. Schmidt in ihrer ungelösten Spannung stehen bleiben, weil nur im Glauben an die Verheißung die Prolepse des Seins und der Bestimmung dieser Geschichte möglich ist. Noch einmal betonte er, daß die letzten Dinge nicht aus dem Schoß der Geschichte selbst kommen, sondern im Ereignis des Wunders, so daß aus dem Raum dieses Todesgrabens keine Brücke zu den letzten Dingen geschlagen werden könne. Ohne den Glauben an ein neues Schaffen Gottes jenseits des Todesgrabens dürfe man nicht einmal von der Vorläufigkeit der Geschichte reden; sie trägt nicht in sich selbst den Hinweis auf die Auferweckung aus dem Tode zu einem ewigen Leben; nur im Glauben an die durch nichts Irdisches gesicherte Verheißung Gottes sei sie als Adventszeit über den Tod hinweg auf die Erfüllungszeit hin ausgerichtet. »Wo sie nicht im Licht der Verheißung stehen darf, trägt sie nur die Signatur der Vergänglichkeit und Sterblichkeit«[734].

Damit H.W. Schmidt nicht mißverstanden werde, halten wir fest, daß er in seinem Artikel jede hamartozentrisch geprägte Restitutionslehre verwarf. Stattdessen wünschte er, daß gerade im Gerichtsgedanken der Schöpfungsgedanke wiederkehre. Wie schon in seiner Schrift zur Christusfrage[735] erklärte er auch hier den Gedanken, daß der Schöpfer sein Werk inmitten der Sündennot und trotz der Sün-

---

[732] Ebd. S. 182.
[733] Ebd. S. 186.
[734] Ebd. S. 186-187.
[735] Vgl. ders.: Die Christusfrage. Beitrag zu einer christlichen Geschichtsphilosophie. Gütersloh 1929. - Vgl. dazu die Rez. von F. Sawicki. In: ThRv 29 (1930) 388-389.

de erhalte, zum Leitfaden einer rechten Lehre über den Zorn und das Gericht Gottes[736]. Der Gerichtsgedanke verdrängt nach H.W. Schmidt nicht den Schöpfungsgedanken, sondern gerade in der Schöpfung und durch die Schöpfung wurde ihm das Gericht über die Sünder offenbar, noch nicht in der Gestalt der Endgültigkeit, sondern in der der Vorläufigkeit; denn wie das ewige Leben für die Welt der »ersten« Dinge erst im Kommen ist, so blieb auch für ihn das Gericht eine eschatologische Wirklichkeit[737].

Wie wir bereits sahen, »entdeckte« H.W. Schmidt von einer theozentrischen Geschichtsbetrachtung aus das Thema der Geschichte schon in der Lehre von der Schöpfung und vom Urstand aus. In seinem neuen Entwurf war ihm nun darum zu tun, daß der Urstand eschatologisch gefaßt werde als der status viatoris einer Geschichte, in der Gott den Menschen nicht nur als Kreatur, sondern auch als sein Kind haben will, weil er in seiner Liebe nicht nur Schöpfer, sondern auch Vater sein möchte. »Weil die endgültige Schöpfung ein Reich der Freiheit der Kinder Gottes sein soll, ein Reich der Gemeinschaft mit Gott und der Liebe zu Gott, deshalb gewährt Gott dem Menschen die 'Vorläufigkeit' der Entscheidung, er gewährt ihm zunächst Raum im Vorhof zum Heiligtum seiner letzten Schöpfungsgedanken, um die ungefragt geschaffene Kreatur zu fragen und vor die Entscheidung zu stellen, ob sie sich vor der anklopfenden ... und werbenden Liebe Gottes im Glauben öffnen oder ungläubig in sich selbst verschließen will«[738].

War somit nach H.W. Schmidt das Wesen der Geschichte erst dann zutreffend erfaßt, wenn man ihr tiefstes Thema schon in der Schöpfungs- und Urstandslehre, nicht erst in der Sündenlehre entdeckt, so war für ihn auch die Grundfrage der Christologie und der Eschatologie erst dann richtig gestellt, wenn sie schon im Lehrstück von der Schöpfung und vom Urstand gestellt wird. Andererseits ergab sich aus der Vorläufigkeit und dem Warten auf die Endgültigkeit der Erlösung die Frage nach dem Logos, das heißt nach dem Sinn und der Bestimmung der Geschichte[739]. Für H.W. Schmidt war damit zugleich die Frage nach dem Wesen des Glaubens gestellt, da auch am Anfang die schöpferische Tat Gottes steht. Er verstand sie als einen »Monolog«, da der Mensch keine Macht über seinen Ursprung hat, so daß nicht Freiheit sondern »schlechthinnige Abhängigkeit« das erste Wort ist, das von seiner Existenz gilt[740]. Nun war H.W. Schmidt allerdings der Ansicht, daß das Wunder Gottes, das das Dasein der Kreatur begründet, dem Geschöpf durchaus transzendent bleibt; daß es sich erst durch ein »zweites Wunder« das Deus dixit (nihil ad nos) in ein Deus loquitur cum homine, das heißt der nicht fragende Schöpferwille Gottes in einen fragenden verwandeln muß[741].

Gottes Gnade eröffnet somit nach H.W. Schmidt eine neue Existenzmöglichkeit, die mit der bloßen Kreatürlichkeit keineswegs schon gegeben oder mitgegeben ist. Erst in einem zweiten Wunder der Liebe Gottes offenbart sich, daß der Schöpfer nicht nur will, daß etwas da sei, sondern daß diese Setzung mit ihm in persönli-

---

[736] H.W. Schmidt: Die ersten und die letzten Dinge. S. 200.
[737] Ebd. S. 201.
[738] Ebd. S. 204.
[739] Ebd. S. 211.
[740] Ebd. S. 212.
[741] Ebd. S. 213.

cher Gemeinschaft, im Raum seiner Liebe existiere. »Gott schafft nicht nur, sondern er will das Geschaffene lieben; sein heiliges, übermächtiges Ich schenkt dem Geschöpf die Mündigkeit eines 'Du', das von ihm der Frage gewürdigt wird, Fragwürdigkeit haben und antworten darf«[742]. Im folgenden erklärte H.W. Schmidt, daß der Vorzug der Gottebenbildlichkeit darin besteht, daß Gott vor seinem heiligen Ich das Geschöpf als ein der Zwiesprache würdiges »Du« gelten läßt, ihm also seinen heiligen Geist schenkt. Hierin lag für ihn der »Vorzug der analogia entis mit Gott, der wahrlich mehr ist als Kreatürlichkeit, nämlich Begabung mit dem heiligen Geist Gottes «[743].

H.W. Schmidt begründete damit seine Anthropologie auf der Unterscheidung eines ersten und zweiten Wunders der schaffenden Gottesliebe. Zugleich verwahrte er sich dagegen, daß man die analogia entis zwischen Mensch und Gott in derselben Weise gegeben sein lasse wie die bloße Kreatürlichkeit und das »natürliche« Sein des Menschen. Er befürchtete, daß jene Verwechslung der Gottebenbildlichkeit mit einer »inneren Anlage«, mit einem existentiellen Apriori, mit einem charakter indelebilis stattfinde; daß ohne scharfe Unterscheidung die Möglichkeit einer Humanisierung, einer Metaphysierung, einer Naturalisierung der analogia entis zwischen Gott und Mensch drohe[744].

Galt also für H.W. Schmidt im Verhältnis von Geschöpf zum Schöpfer das totaliter aliter, von dem aus er prinzipiell jede analogia entis auf dieser Ebene für unmöglich hielt, so glaubte er daran, daß die Begabung mit dem Heiligen Geist jene Gottebenbildlichkeit schafft, die mehr ist als bloße Kreatürlichkeit. In streng reformatorischer Tradition lehrte er, daß die »Ausgießung« des Geistes durchs Wort geschah: »Die unendliche Ferne ist aufgehoben in einer unendlichen Nähe, aber nicht metaphysisch, mystisch, naturhaft, sondern durch das Wort, also so, daß in dieser innigsten Nähe die klaffende Ferne erhalten ist«[745]. Im Worte, so erklärte H.W. Schmidt weiter, frage Gott den Menschen. Diese Frage schaue jedoch nicht zurück, - als ob der Mensch nachträglich noch zu der bereits vollzogenen Tat der Schöpfung Ja sagen solle - , sie weise vielmehr nach vorwärts und sei sowohl christologisch als auch eschatologisch orientiert: »Gott fragt den Menschen, weil er ihn nicht nur als Kreatur will, sondern weil er ihm seine Liebe schenken will«[746].

Hier berührte H.W. Schmidt erneut das Thema der Geschichte, das er vom Liebeswillen Gottes her bestimmt sah. Die ersten Dinge - so erklärte er - haben »keinen Eingang«. Denn ungefragt ward die Welt ins Dasein gerufen, und auch der Mensch ist als Kreatur Gottes ungefragt. Wenn er aber zur Kindschaft vorausbestimmt ist, dann bedarf es eines »Entscheidungslebens«, denn der Mensch kann nicht ungefragt Kind Gottes sein[747]. Für H.W. Schmidt setzt somit die Liebe zwischen Gott und Mensch eine Geschichte voraus, in der die Liebe ihren Eingang findet. Damit zugleich finden jedoch die letzten Dinge ihren Eingang, das Reich der

---

[742] Ebd. S. 214.
[743] Ebd. S. 215.
[744] Vgl. ebd. S. 216.
[745] Ebd. S. 218.
[746] Ebd. S. 220.
[747] Ebd. S. 220.

Liebe zu Gott und der Gemeinschaft mit Gott: »den gefragten Willen des Menschen führt Gott in die ewige Heimat seiner Liebe«[748]. Noch einmal betonte er, daß das Problem der Eschatologie nicht in der Lehre vom Sündenfall wurzelt, daß es nicht durch den Gedanken an das verlorene Paradies gestellt ist, daß es vielmehr in dem Willen Gottes wurzelt, der »auf dem Weg über die Entscheidung die Menschheit in das Reich seiner Liebe heim-suchen will«[749].

In der hier aufgezeigten Spannung zwischen den ersten und den letzten Dingen sah H.W. Schmidt das gesamte Leben der Menschen gestellt. Die ersten Dinge waren für ihn eine Schöpfung in der Gestalt der Fragwürdigkeit, eine Welt der Heimsuchung »auf Hoffnung« hin, somit ein Leben der Entscheidung in statu viatoris. H.W. Schmidt fand sie gut, weil sie »auf Christus hin geschaffen ist, in dem Gott alles zu seinem Bestand bringen will«[750]. Allerdings verwies er auch hier auf die Vorläufigkeit ihrer Existenz, die sich für ihn im Todesgesetz alles irdischen Lebens sichtbar aussprach. Er vergaß auch nicht die richtende Seite des Todes; zugleich erinnerte er aber daran, daß Paulus von einem beseligenden Gesetz des Sterbens spricht, von einer Vergänglichkeit, die zu den ersten Dingen gehört, weil sie ja nur eine Welt vor den Toren des ewigen Lebens sind[751]; Paulus rede hier nicht von einem Schaffen des richtenden Gottes, sondern von dem gnädigen Schaffen Gottes, der die Welt zuerst der Vorläufigkeit und Vergänglichkeit unterwarf, um ihr Eingang in das Reich der letzten Dinge zu gewähren. Er erklärte: »Die Sterblichkeit und Vergänglichkeit der Kreatur ist für den Glauben ein Ausdruck der Frage Gottes, durch die er das Geschöpf vor die Entscheidung stellt. Der Fragwürdigkeit der Existenz, die im Glauben nicht Aufenthalt bei sich selbst nehmen, sondern aus sich heraustreten und der kommenden Heimat entgegensehen soll, entspricht die Vergänglichkeit und Endlichkeit alles irdischen Seins«[752].

Aus all dem ergab sich für H.W. Schmidt, daß die Lehre von der Schöpfung nicht nur die ersten Dinge, sondern vor allem die letzten umfassen muß. Schroff ausgedrückt: »Der erste Glaubensartikel ist eigentlich der letzte. Die vollendete Schöpfung ist das Kommende; die letzten Dinge erst sind die Erfüllung der Schöpfungsgedanken Gottes. Die ersten Dinge sind nur das Angeld der Schöpfung, nur die Adventszeit, die der Erfüllungszeit des Schöpfungswunders vorausläuft, nicht nur das Endgültige, sondern das Vorläufige«[753].

Trat somit für H.W. Schmidt die Schöpfungslehre ganz in das Licht der Eschatologie, so bleibt zu fragen, welche Bedeutung er der Christologie in seinem Entwurf beimaß. Mit Hinblick auf die Paulinische Theologie legte er dar, daß der Sinn und die Bestimmung der Geschichte jener Christus ist, der zweite Adam, der Sohn Gottes, der Erstgeborene unter vielen Brüdern, nach dessen Bild wir verwandelt werden sollen. Christus war für ihn der Anbruch eines neuen Schöpfungstages, nicht nur Wiederhersteller einer verlorenen Schöpfungsgnade[754]. Die anthropologische Bedeutung Christi sah er vor allem darin, daß in ihm die Frage Gottes an den

---

[748] Ebd. S. 221.
[749] Ebd. S. 222.
[750] Ebd. S. 225.
[751] Vgl. 1. Kor. 15, 34-35.
[752] H.W. Schmidt: Die ersten und die letzten Dinge. S. 230.
[753] Ebd. S. 231.
[754] Vgl. ebd. S. 232.

Menschen beantwortet ist. »Christus«, so lautete seine These, »ist die Antwort Gottes«, da der Mensch ja die Antwort nicht selbst zu geben vermag; er kann im Glauben nur die von Gott selbst gegebene Antwort ergreifen[755].

Abschließend legte H.W. Schmidt dar, daß die Gottmenschheit Christi das Ziel der Geschichte ist. Mit E. Hirsch bekannte er: »Gottessohnschaft in Glaube und Geist, das allein ist die Erfüllung des Gedankens, den der Schöpfer bei der Erschaffung des Menschen gedacht hat«[756]. Im Christus also lag für ihn das Ziel und die Bestimmung der Geschichte beschlossen: die Gottebenbildlichkeit des Menschen. Er verwahrte sich dagegen, daß dies die Verwandlung des Menschen in einen Gott bedeute, wie es die Monophysiten gemeint hätten[757]; vielmehr bedeutete für ihn Gottmenschheit die Menschwerdung Gottes, wenngleich nicht in dem doketischen Sinne, daß eine göttliche Substanz vom Himmel herabsteigt und sich mit irdischem Fleisch umkleidet oder die verhüllende Gestalt eines Menschen als Verkleidung wählt. Die Kenose als die »Entleerung« einer göttlichen Substanz lehnte er ebenfalls ab, da er das Heil des Menschen ganz und gar davon abhängig wußte, daß sich Gott als Gott und nicht als »entleerter Gott« offenbart[758]. So wollte H.W. Schmidt an den »Antinomien« des Chalkedonense festhalten, die für ihn den Gedanken an eine dinglich-physische Offenbarung ausschlossen und stattdessen auf das Geheimnis einer »persönlichen Geistes- und Lebensgemeinschaft mit Gott« hinwiesen. In ihnen sah er die Wahrheit der Bibel zum Ausdruck gebracht, daß der heilige Geist Gottes als Person dem Menschen begegnet und überall dort, wo Gehorsam, Glaube und Liebe wirkt, ein persönliches Leben schafft, das mit Gott Gemeinschaft und vor Gott einen »Namen« haben darf[759].

Die Menschwerdung des Wortes im Christus ist somit die Verheißung für die ganze Menschheit, daß auch sie in ihrer Geschöpflichkeit Gemeinschaft mit Gott haben darf. Wenn H.W. Schmidt betonte, daß der Mensch als Kreatur nur sterbliches Fleisch, Gott hingegen heiliger Geist sei, so ergab sich freilich die Schwierigkeit, daß nach reformatorischer Theologie niemand auf Grund seiner Kreatürlichkeit ein commercium mit der Heiligkeit Gottes haben kann. Gemeinschaft zwischen Mensch und Gott ist dann nur im heiligen Geist möglich, das heißt nur dort, wo der Schöpfer dem Geschöpf Anteil an seinem Leben gewährt. Wenn H.W. Schmidt nun behauptete, daß persönliche Gemeinschaft nur zwischen zwei Personen möglich ist, die wesenseins und wesensgleich sind, so sah er sich vor das Problem der Trinitätslehre gestellt. Er behauptete: »Nur dort, wo Gott seinen Geist durch den Christus ausgießt, nur dort, wo er der Kreatur seine Gottheit gibt, dem Menschen einen Namen schenkt, mit dem er vor Gott bestehen kann, nur dort, wo Gott den Menschen vor seinem heiligen Ich als 'Du' gelten läßt, ihn zu seinem Wort, zu seinem Ebenbild macht, ist Gemeinschaft des Geschöpfs mit dem Schöpfer möglich«[760].

Wenn jedoch nur Wesensgleiches miteinander persönlich verkehren kann, so

---

[755] Ebd. S. 232.
[756] Ebd. S. 232. - E. Hirsch: Jesus Christus der Herr. Theologische Vorlesungen. Göttingen 1926. S. 79.
[757] H.W. Schmidt: Die ersten und die letzten Dinge. S. 233.
[758] Ebd. S. 233.
[759] Ebd. S. 234.
[760] Ebd. S. 235.

darf nach H.W. Schmidt der heilige Geist, den die menschliche »Natur« empfängt, nicht ein abgeschwächtes, entleertes oder entkräftetes Abbild des Gottesgeistes sein - dann wäre es ja nicht mehr Gottes Geist! Wo von Gemeinschaft mit Gott geredet werde, komme alles »auf die Integrität der Gabe Gottes an, in der er sich selbst hingibt«[761]. Bei dem unendlichen Abstand, bei dem der Mensch als Kreatur vor Gott steht, kann daher nach H.W. Schmidt nur trinitarisch von einer Gemeinschaft der Kreatur mit Gott geredet werden: »Nur dort, wo Gott den Menschen mit seinem Geist ausstattet, kann der Mensch mit Gott ein commercium haben«[762]. Ein Leben in der Einheit mit Gott hielt H.W. Schmidt nur dort für möglich, wo Gott dem Menschen Gottmenschheit schenkt, ihm seinen heiligen Geist gibt, ihn zu seinem Bilde macht. »Das Geschöpf«, so erklärte er, »das den Grund seines Daseins nicht in sich selbst trägt und deshalb sich selber fremd ist, darf sich im Liebeswillen Gottes begründen, seiner Anhypostasie durch Enhypostasie im göttlichen Geist Halt und Bestand geben«[763].

Wir kommen zum Schluß: Weil Gott der Kreatur seine Liebe schenken will und die Wirklichkeit dieser Liebe der Sinn und die Bestimmung der Heilsgeschichte ist, deshalb enthüllte die Trinitätslehre H.W. Schmidt das tiefste Geheimnis der Geschichte und ihrer eschatologischen Vollendung.

(15) Ernst Sommerlath (geb. 1889)

Warum reden wir wieder von der christlichen Hoffnung?, so fragte E. Sommerlath[764] in einem Vortrag, den er 1927 auf der Tagung des Lutherischen Einigungswerkes in Marburg zur Frage nach den letzten Dingen hielt[765]. Eingangs verwies er darauf, daß die Kirche niemals die Verkündigung der zukünftigen Vollendung außer acht gelassen hat. Wenn dennoch zu seiner Zeit mit neuem Ernst vom Ende der Dinge gesprochen wurde, so schien ihm eine rein psychologische Begründung nicht auszureichen, um den hier bemerkten Wandel zu erklären. Zwar wußte er um Versuche, das Zurücktreten der Zukunftserwartung in der jüngsten Vergangenheit auf die Kulturseligkeit der Vorkriegsjahre zurückzuführen und entsprechend das neu erwachte Interesse an den letzten Dingen aus der Katastrophe des Weltkriegs und der niederdrückenden Unsicherheit und Hilflosigkeit der folgenden Jahre zu verstehen; so daß von dort aus der Blick auf das Kommende gelenkt wurde, um wie nach einer Hoffnung auszuschauen, die die schweren Schatten der Gegenwart überwindet. Er erinnerte jedoch daran, wie erschreckend schnell der Ernst der damaligen Jahre in weiten Schichten des Volkes vergessen wurde. Außerdem bemerkte auch er, daß die Abwendung von den Lebensformen der Gesellschaft und Kritik an den Erscheinungen der Zeit schon vor dem Kriege einsetzte, auch wenn die Katastrophe dieser Kritik erst die volle Stoßkraft gab. So verwies er

---

[761] Ebd. S. 235.
[762] Ebd. S. 235.
[763] Ebd. S. 236.
[764] Ernst Sommerlath, geb. am 23.1.1899 in Hannover, wirkte seit 1921 als Privatdozent, seit 1926 als o. Prof. für systematische Theologie in Leipzig. - Schriften: Siehe LV.
[765] E. Sommerlath: Unsere Zukunftshoffnung. Zur Frage nach den letzten Dingen. (Vortrag, gehalten auf der Tagung des Lutherischen Einigungswerkes in Marburg. Sonderdruck aus: AELKZ. Nr. 47-50.) Leipzig 1928.

auf die große Ernüchterung, die seit der Jahrhundertwende um sich griff: Ein Zweifel an allem, was als höchste Errungenschaft gepriesen wurde - eine grundsätzliche Kritik an der gesamten Kultur; die Furcht vor Untergang und der Sinnlosigkeit des Geschehens, die viele zur Resignation oder - zur Hoffnung führte.

E. Sommerlath nannte jedoch noch einen tieferen Grund dafür, daß in der Kirche wieder von der Zukunftshoffnung geredet wurde. Er verwies darauf, daß Luther auf die Wiederkunft des Herrn wartete, obwohl er nicht in einer Zeit allgemeiner Skepsis, sondern des erwachenden Selbstbewußtseins und Vorwärtsdrängens lebte. Er erklärte, daß dem Reformator die Einsicht in die Macht des Bösen, die auch in einer aufsteigenden Kultur am Werke ist, zum Hoffen auf die Vollendung trieb. Wer wird mich erlösen? Das trieb zum Gebet: »Ach, Herr, komm!« - Sommerlath behauptete, daß nicht einmal die Ereignisse jener krisenvollen Jahre als Offenbarung dunkler Gewalten und als Gericht Gottes über diese Mächte erlebt wurden; aufs Ganze des Volkes gesehen, sei man weit entfernt von der Erkenntnis gewesen, daß Gott beugt und in die Tiefe der Einkehr und Umkehr führen will. Der Christ aber sollte das Satanische, das den Hintergrund des Geschehens abgibt, nüchtern sehen und dann - von der Hoffnung reden[766].

In solcher Nüchternheit von der christlichen Hoffnung zu reden, schien E. Sommerlath besonders geboten in jener Zeit innerer Gärung, da alte und neue Sekten mit ihren Berechnungen und laut verkündeten Verheißungen Anhänger heranzuziehen versuchten. Hier lag der praktische Ansatzpunkt für seine Reflexionen. Er versuchte, Klarheit darüber zu gewinnen, was wir von der Enderwartung aussagen dürfen und was nicht. Vor allem wollte er dabei aufzeigen, wie wir zu unseren Aussagen kommen. P. Althaus sprach er das Verdienst zu, die grundsätzliche Frage mit unerbittlicher Eindringlichkeit gestellt zu haben. Wenn er sich dennoch von manchen Gedanken des Erlanger Systematikers abgrenzte, so wollte er jedoch ebenfalls deutlich machen, wie christliche Zukunftshoffnung mit dem ganzen Heilsbesitz »in einer unlöslichen Verbindung steht und aus ihm heraus erwächst«[767].

Auch E. Sommerlath ging davon aus, daß wir keine Erfahrung besitzen von dem, was kommt. Aus diesem Grund sah er sich ganz und gar auf die Schrift verwiesen. Seine erste These lautete: »Das Zukünftige, das uns durch Verheißung und Offenbarung gesagt werden kann, findet allein in der Schrift, dem Zeugnis von der Offenbarung, seine Aufhellung«[768]. Nun hat jedoch gemäß lutherischer Tradition alles Verstehen der Schrift an die Christuserfahrung anzuknüpfen. Mit Luther war auch E. Sommerlath des Glaubens: Was Christum treibt, ist von Gott und bedeutet sein Wort an uns. Daher erklärte er: »Was das Heil in Christus, so wie es als das Zentrum aller christlichen Erfahrung erlebt wird, entfaltet, steht im Mittelpunkt der Schrift«[769]. Folglich sollten auch die Aussagen über die Zukunftshoffnung daran gemessen werden, wie nah oder wie verhältnismäßig fern sie von dem Mittelpunkt der Christuserfahrung stehen: Erst dann werde Wesentliches und weniger Zentrales erkannt. Zugleich aber schien unserem Theologen wie überall, so auch

---

[766] Vgl. ebd. S. 4.
[767] Ebd. S. 5.
[768] Ebd. S. 5.
[769] Ebd. S. 6.

den eschatologischen Aussagen gegenüber, eine Stellung geboten, die bei aller Freiheit des Erfahrungsurteils darum weiß, daß die Schrift über alle Erfahrung hinaus ist[770].

Nachdem E. Sommerlath abgegrenzt hatte, was es heißt, die Eschatologie an die gegenwärtige Erfahrung des Heils in Christus anzuknüpfen, kam es ihm darauf an, so deutlich wie nur möglich die Verbindung zwischen dem, was wir besitzen, und dem, was wir erwarten, zu ziehen. Entschieden wandte er sich gegen die Meinung, es handle sich bei den letzten Dingen um einen Schlußabschnitt der göttlichen Geschichte, der zu dem, was wir erleben, gleichsam hinzuaddiert wird. Stattdessen vertrat er die Ansicht: Wo nicht verstanden werde, daß alle Zukunftserwartung ihren Grund in einer Krise, wie der gegenwärtig durchlebten, habe, da werde diese Hoffnung nicht lebendig werden[771].

E. Sommerlath versuchte zunächst deutlich zu machen, wie durch Sünde und Tod aus dem gegenwärtigen Heilsbesitz heraus das hoffende Verstehen der verheißenden Vollendung wird[772]. Sodann erörterte er, wie das Zukünftige wirklich Vollendung des Gegenwärtigen ist. Er argumentierte: Da es sich um eine geschichtliche Tat Gottes handelt und wir auch in der Geschichte unseres eigenen Lebens an dieser Gabe Anteil erhalten, so liege alles an der richtigen Stellung der Geschichte gegenüber, in die Gott in Christus eingetreten ist. Je nach dem man über die Geschichte als Ort der Gottesoffenbarung urteile, werde auch das Urteil über die Endvollendung ausfallen[773].

Die Fleischwerdung des Logos war für E. Sommerlath Ausgangspunkt seiner Überlegung. Die Gotteswirklichkeit in Christus bezeugte ihm: »Die Geschichte ist geweiht, sie ist in der Person Jesu volle Gegenwart Gottes«[774]. Zur näheren Deutung verwies er darauf, daß für die Geschichte wie für das Wort Jesu charakteristisch ist, daß dem Kreuz und der Auferstehung ein besonderes Schwergewicht zukommt. Von hier aus war zu verstehen, daß nicht durch die Aufhebung des Todesgesetzes, nicht durch Aufhebung der Geschichte das Leben freie Bahn gewinnt, sondern gerade durch Vollendung des Sterbens und durch Ablauf der Geschichte. Daher seine These: »Die Geschichte in ihrer Todeshaftung ist Mittel des Lebens, Gegenwart Gottes«[775]. Insofern stimmte er auch H.W. Schmidt zu, daß die Kirche als neue Menschheit, daß die Vollmacht zum Gebet, die Gemeinschaft der Sakramente, das Leben aus dem Geist den Beginn der neuen Zeit bedeute. »In der Tat ist die Geschichte schon jetzt Trägerin der Offenbarung, in sie eingebettet ist bereits die neue Welt«[776].

Ist somit die Geschichte der Kirche wie die Geschichte des einzelnen ein Gefäß der Doxa Gottes, so gelangte E. Sommerlath im folgenden von dieser Auffassung der geschichtlichen Offenbarung zu dem entsprechenden Verständnis der Vollendung als einer Endgeschichte. Das Entscheidende seiner Gedankenführung war,

---

[770] Ebd. S. 7.
[771] Ebd. S. 9.
[772] Vgl. ebd. S. 10.
[773] Ebd. S. 11.
[774] Ebd. S. 14.
[775] Ebd. S. 15.
[776] Ebd. S. 16.

daß wir nicht Endgeschichte postulieren, daß wir vielmehr a posteriori um sie wissen. Er war sich darüber klar, daß der Endzustand, den der Herr heraufführen wird, alle Begriffe, die uns jetzt zur Verfügung stehen, hinter sich läßt. Wenn Sünde und Tod aufgehoben werden, so ist das eine neue Welt. Aber eben doch nicht ganz eine neue, sondern »die Epiphanie des Neuen, das jetzt schon in die Geschichte eingetreten ist«[777]. So verstand E. Sommerlath, daß Christus, wie er sein Heilswerk in der Geschichte vollbrachte, so auch in der Geschichte dies Werk zur Vollendung bringt. »Seine Parusie enthüllt, was in der Geschichte vorhanden war, und ist selbst das Ende der Geschichte«[778].

Nachdem E. Sommerlath die Zukunftserwartung in ihrem Verhältnis zur Schrift und zur Geschichte gekennzeichnet hatte, war es ihm darum zu tun, die konkret-inhaltliche Bedeutung christlicher Zukunftshoffnung darzustellen. Dabei beschränkte er sich auf jene Seiten, die im Hinblick auf die gegenwärtige Aufgabe der Kirche besondere Erwähnung verdienten. Hervorgehoben wurden folgende Aspekte:

1. Wo immer die christliche Hoffnung entfaltet wird, muß es zu einer Weckung des Sinnes für Geschichte kommen. Das wird nach E. Sommerlath jedenfalls überall da der Fall sein, wo man sich bewußt ist, daß Gott die Geschichte in all ihrer Beschränktheit und selbst in ihrer Todverhaftung zum Ort neuer Offenbarung gemacht hat, indem er in Christus in sie einging und in ihr zeitlich gegenwärtig wurde. Die Hoffnung verweist hier auf das Endziel der Geschichte, von dem her ein doppeltes Licht auf alles Geschehen fällt: Einmal wird die tiefe Tragik deutlich, die über der Menschheitsgeschichte liegt. Indem Christus seine Wiederkunft hält, die ein Kommen zum Gericht ist, wird er zum Fall für Viele, die doch von Gott geschaffen und für Gott bestimmt sind. Sodann wird aber zugleich das verborgene Thema der Geschichte vom Ende her deutlich: indem zuletzt das verborgene Leben der Christen offenbar wird, erscheint die Gründung einer neuen Schöpfung, die die alte wiederherstellt und vollendet, als Inbegriff des göttlichen Wirkens in allem Geschehen[779].

2. Wird die Hoffnung des Christen immer wieder zu einer eindrucksvollen Deutung der Geschichte, dann sind alle, die an der christlichen Hoffnung teilhaben, Menschen einer zukunftsfreudigen Erwartung. Das heißt freilich nicht, daß durch die Aussicht in die Zukunft der Blick in die Vergangenheit verengt wird. Da alles Heil geschichtlich vermittelt ist, bleiben wir angewiesen auf seine großen Heilstaten, die Gott im Verlauf der Geschichte vollbracht hat. Andererseits spürte besonders der lutherische Christ das Unzulängliche des irdischen Zeitlaufs, so daß er nicht davon träumen konnte, in aufsteigender Evolution werde eine Entwicklung auf das Ende hin eintreten, so »daß der Zustand der künftigen Welt nur die reife Frucht an dem immer herrlichere Blüten treibenden Baum der Menschheit wäre«[780]. Von Pessimismus konnte dennoch für E. Sommerlath nicht die Rede sein. Er war überzeugt:

---

[777] Ebd. S. 17.
[778] Ebd. S. 17.
[779] Vgl. ebd. S. 17-18.
[780] Ebd. S. 19.

Der Herr, der die Gegenwart mit seinem Leben erfüllt, wird auch das Ende der Geschichte heraufführen, an dem das, was ist, sich vollendet[781].

3. Diese Hoffnung ist die eindrucksvollste Erziehung zur Gemeinschaft, denn sie hält das Bewußtsein davon wach, daß der Einzelne nur in Gemeinschaft mit der Christenheit aller Zeiten vollendet wird. Das bedeutet nach E. Sommerlath nicht, daß der Gedanke an das Ende vom Einzelnen und seiner Besonderheit ablenkt. Die Gewißheit, einst vor das Gericht Gottes treten zu müssen, geht ja den Einzelnen ganz für sich an. Das zukünftige Gericht wird aber insbesondere die Gemeinsamkeit alles menschlichen Handelns aufdecken. Dies hat auch Konsequenzen für die Verstorbenen. Denn auch sie sind noch nicht vollendet; niemand kommt zur Auferstehung und zum letzten Ziel, ohne daß für alle der Tag anbricht[782].

Zuletzt ging E. Sommerlath mit einzelnen Hinweisen auf einige spezielle Seiten der christlichen Zukunftshoffnung ein. Er legte dar, daß es für das biblisch-reformatorische Verständnis keine »Metaphysik des Todes« geben kann; nach der Tod irgendwie in die Gesamtanschauung vom Leben eingeordnet wird, so daß im Sterben nur das Endliche abgetan wird, die Seele aber gerade dadurch in das höhere, wahre Sein durchbricht. Gerade im Sterben übt Gott Gericht. E. Sommerlath berief sich auf M. Luther, um zu betonen, wie ernst dieses Gerichtstun Gottes den Menschen berührt; das heißt wie es nicht nur seine Leiblichkeit betrifft, die im Sterben aufgelöst wird, sondern vor allem seine persönliche Existenz und sein ganzes Leben. So wurde der Tod als letzte Vollstreckung verstanden, als Vollzug des über dem ganzen Leben stehenden Urteils Gottes. »Der Tod ist für den Christen das Sterben, das von der Taufe her durch das ganze Leben weht: Gericht«[783].

Nun verurteilt jedoch nach E. Sommerlath die Taufe nicht nur zum Tode; vielmehr gibt sie durch das Sterben hindurch auch Befreiung, Auferstehung, Anteil am Leben, und dies wiederum nicht in einem einmaligen Vorgang, sondern »in jenem ständigen von Gott gewirkten Aufsteigen des Tauflebens aus dem Gerichtswust des Sterbens«[784]. Freilich bringt auch hier zunächst der Tod einen Abschluß. Je ernster jedoch E. Sommerlath den Tod im Blick auf das Gericht und auf das ewige Leben ins Auge faßte, desto notwendiger wurde für ihn die Annahme eines Zwischenzustandes. Darin lag für ihn zunächst die negative Aussage, daß die Verstorbenen nicht mehr in dem Zustand irdischer Daseinsweise, aber auch noch nicht im Zustand der Vollendung sich befinden. »Nicht mehr im Zustande irdischen Daseins«, damit wollte E. Sommerlath dem Tod seine Bedeutung als Entscheidung belassen, zumal er den Einwand kannte, daß durch die Annahme eines Mittelzustandes zwischen Tod und Endvollendung dem Entscheidungsernst des Todes Abbruch getan werde. Daher hielt er an dem Ernst der Todesstunde in ihrer entscheidenden Bedeutung fest, indem er erklärte: Der Tod sei eine klare Grenze; er schließe das irdische Leben ab und mit ihm die Möglichkeit der Umkehr und Hinkehr zu Gott, »die die Vaterführung Gottes in das Leben gelegt hat«[785]. Das Leben wurde damit zur

---

[781] Vgl. ebd. S. 18-20.
[782] Vgl. ebd. S. 20-22.
[783] Ebd. S. 23.
[784] Ebd. S. 24.
[785] Ebd. S. 24.

»Frist«, zur »Gnadenzeit für die Ewigkeit«. Zugleich jedoch erwog E. Sommerlath den anderen Gedanken, daß die Entschlafenen noch nicht vollendet sind. Sind sie auch in eine andere Seinsweise (!) eingegangen, so doch noch nicht in die der letzten Vollendung, die erst die letzte Erscheinung Christi bringt[786].

Die Zurückhaltung, die die Schrift in dieser Hinsicht übt, verwehrte es E. Sommerlath, zu näheren positiven Aussagen fortzuschreiten; nur mit großer Vorsicht glaubte er einige Gedanken wagen zu können. So erklärte er: Die Andeutungen der Schrift, daß Jesus nach seinem Tod den Geistern im Gefängnis gepredigt habe[787], lasse die Möglichkeit offen, daß nach dem Tod eine Entscheidung für oder gegen Christus da gewährt ist, wo im Verlauf des irdischen Lebens diese Entscheidung nicht oder nur unvollkommen möglich war. Weiter lege es sich nahe, für den Zwischenzustand eine Entwicklung bzw. ein Ausreifen anzunehmen. Dafür sprach ihm der Umstand, daß das neue Leben des Christen schon während seiner irdischen Existenz in der Gemeinschaft mit Christus steht. Dies Leben sah er nicht nur als das in der Rechtfertigung zugesprochene, sondern als das eigene in der Christusverbundenheit gegründete und immer aus ihr strömende Leben. Da er sah, daß im gegenwärtigen Leben die Kraft, die von Christus ausgeht, nicht abreißt, nahm er an, daß sie auch nach dem Tode nicht unterbrochen werde. Mit Hinweis auf Matthäus 13, 24 ff. vertrat er die These, daß das Gesetz von Saat und Ernte die irdische Lebenszeit mit der Vollendung in einem großen Zusammenhang verbinde, so daß in diesem Sinn von »Ausreifen« gesprochen werden dürfe; und zwar als ein Fruchtbringen aus der Gnade heraus, die in der Vergebung beruht. Wo aber Vergebung ist, da soll nach E. Sommerlath auch Leben sein. »Daß dies oft so geringe, aber immer auf Wachstum angelegte Leben nicht abreißt, auch dann nicht, wenn es durch den Tod hindurchgeht, das ist die Hoffnung, die wir mit dem Zwischenzustand verbinden«[788].

Mit besonderem Ernst glaubte E. Sommerlath zur damaligen Zeit auf das Wirken des Antichristen hinweisen zu müssen. Er hielt es für notwendig, daß die Gemeinde nicht vergißt, daß der letzte, gewaltigste Ansturm der christusfeindlichen Mächte noch vor ihr liegt. In diesem Punkt unterschied er sich ausdrücklich von der Meinung P. Althausens, daß das Ende der Geschichte keine besondere Offenbarung des Bösen heraufführen werde. Zwar betonte auch er, daß das Böse zu jeder Zeit, nicht nur am Ende der Geschichte mächtig ist; er bestritt jedoch, daß das Wesen der Geschichte nötige, den Antichristen als übergeschichtliche Geistesmacht, nicht aber als endgeschichtliches Ereignis zu verstehen. Ebenso lehnte er es ab, die Entwicklung des Bösen als eine stetig fortschreitende Evolution bis zur letzten Steigerung zu sehen. Auch in dieser Hinsicht galt für ihn das Gesetz des Sterbens, daß jeder Entfaltung des Bösen seine Schranken setzt. Er legte dar, daß die Sünde letztlich an sich selber stirbt. Hinsichtlich der Steigerung der Sünde konnte für ihn die Verwerfung Jesu durch sein Volk, die Ausstoßung und Kreuzigung des Heiligen selbst, die Absage an den in die Welt gekommenen Gottessohn, überhaupt nicht mehr überboten werden. Dennoch hat es nach E. Sommerlath durchaus einen

---

[786] Ebd. S. 25.
[787] Vgl. 1. Petr. 3, 19.
[788] Sommerlath: Unsere Zukunftshoffnung. S. 26.

guten Sinn, von einem besonderen Erweis der Gottesfeindschaft am Ende der Geschichte zu reden, insofern das Antichristentum vor allem Enthüllung des Bösen ist. Das Hauptmerkmal der Sünde sah er in der Lüge: Je mehr sie zunimmt, so daß am Ende das ganze Leben eine große, zusammenhängende Lüge ist, desto mehr dämmert auch eine Erkenntnis des Bösen auf, die Enthüllung jener Lüge bedeuten wird[789].

E. Sommerlath versuchte, die Bedeutung des Endes für die Sünde noch tiefer zu begründen, indem er darauf verwies, daß das Böse als Verletzung Gottes absolut ist. In allem Wechsel der größeren und geringeren Verfehlung erschien ihm alle Sünde immer gleich. Daraus folgerte er, daß die Zeitdauer eine unheimliche Gewalt gewinnt, da die Sünde, die Gott gegenüber gleichmäßig dauernd festgehalten wird, zur Verhärtung führt. So übte für ihn die geschichtliche Dauer als solche eine mächtige Wirkung aus. Die Krankheit dauert fort und erweist sich darin als »Krankheit zum Tode«[790]. So drängt sich nach E. Sommerlath die immer gleiche Sünde, eben weil sie durch die Geschichte hindurch gleichbleibt, zu dem Zustand, dem nicht mehr geholfen werden kann, das heißt dem Welttod entgegen. Er erklärte, daß Sünde, gerade weil sie immer gleich ist, sich verfestigen und zu einem Ende kommen will; daß sie darauf drängt, endgültig zu werden und sich eine letzte, unwiderrufliche Fassung zu geben. Im Antichrist sah er daher die Verkörperung dieses letzten Stadiums, eine Erscheinung des Endes[791].

Aus dem bisher Gesagten gewann E. Sommerlath nun das Verständnis für die Wiederkunft Christi . Die Verheißung mit der Jesus sein Kommen am Ende der Geschichte aussagt, schien ihm der Erwartung unserer gegenwärtigen Erfahrung zu entsprechen. Wenn P. Althaus glaubte, die Parusie als ein endgeschichtliches Ereignis bestreiten zu müssen, so hielt der Leipziger Systematiker daran fest, daß der Sinn der Geschichte eine innergeschichtliche - keineswegs nur eine übergeschichtliche - Wirklichkeit ist. Wenngleich nur vom Glauben erfaßt, so war sie ihm doch eine »Gegenwart Gottes in der Geschichte«, die sich trotz aller Knechtsgestalt, ja in dieser bezeugt, so daß sie für E. Sommerlath eine Nötigung zum Glauben einschloß. Er war der Überzeugung, daß es schon im zeitlichen Geschichtsverlauf nicht möglich ist, sich der Anforderung zum Glauben zu entziehen außer mit einer Wunde im Gewissen. Wenn die Verheißung Jesu von seiner Wiederkehr am Ende der Tage spricht, so war das für E. Sommerlath ein Bekenntnis des Herzens zu dem, »was an neuer Lebensgemeinschaft in der Geschichte von ihm gegründet, durch die Geschichte bewahrt wurde und nun am Ende der Geschichte auch offenbart werden soll«[792].

Für die Gemeinde schloß dieses Warten auf den Kommenden die Forderung der Wachsamkeit in sich. Die Bereitschaft, in der jeder im Blick auf den eigenen Tod zu stehen hat, vertiefte sich zu der allen gemeinsamen Bereitschaft auf das Ster-

---

[789] Vgl. ebd. S. 28.
[790] Vgl. Sören A. Kierkegaard (1813-1855): Die Krankheit zum Tode. Eine christlich-psychologische Entwicklung zur Erbauung und Erweckung von Anti-Climacus. Hrsg. von S. Kierkegaard (1849).
[791] Sommerlath: Unsere Zukunftshoffnung. S. 30.
[792] Ebd. S. 31.

ben der Welt und das Kommen des ewigen Reiches. Die Person Jesu verbindet - wie E. Sommerlath ausführte - Gegenwart und Zukunft, schließt Besitz und Hoffnung zusammen, vereint den Einzelnen und die Gesamtheit. Nach dem Künftigen ausschauen, hieß somit, auf den kommenden Herrn warten[793].

Ein kurzes Wort wollte E. Sommerlath auch über die Auferweckung des Leibes sagen. Zunächst galt es, jenen Irrtum eines falschen Spiritualismus zu überwinden, nach dem der Leib nur als lästige, drückende Hemmung der Seele galt. Auf der anderen Seite beobachtete er beim Erwachen eines neuen Körpergefühls eine Überschätzung des Leibes. Demgegenüber verwies er auf die enge Verbundenheit von Leib und Seele, auf die Beobachtung, daß all unser Leben und Handeln nur aus der Einheit von Geist und Leib heraus möglich ist. Da augenscheinlich der Leib des Geistes als des ihm Formenden bedarf, der Geist des Leibes als des Organs, das Ausdruck seiner selbst sein soll, so fand es E. Sommerlath als diesem Tatbestand nur entsprechend, wenn das Erlösungswerk Jesu sich an Leib und Seele in gleicher Weise wendet. Er erklärte daher, daß unser Leib, der ein Glied des Leibes Christi geworden ist, völlig durchseelt werden soll zum Mittel und Ausdruck der ewigen Gemeinschaft, der wir entgegengehen[794].

Dies alles schien E. Sommerlath freilich nur möglich zu sein durch die letzte Entscheidung des Gerichts. Die Gewißheit von der verzeihenden Güte Gottes sollte dabei nicht vergessen werden; indes befürchtete er, daß dort, wo der Gedanke an das Gericht vernachlässigt wird, zumeist schon ein irreführendes Verständnis der gegenwärtigen Heilserfahrung vorliegt. Aus diesem Grund machte er darauf aufmerksam, daß das Erleben der verzeihenden Güte Gottes nur unter dem Gericht und durch das Gericht zustande kommt. Aus dem stets gegenwärtigen Vollzug dieses Gerichts war zu erkennen, daß es nach einer letzten endgültigen Entscheidung Gottes verlangt[795]. Eindringlich betonte er, daß der Charakter der Entscheidung immer auch Scheidung bedeutet; daß indes der schicksalsschwere Ernst, der das Leben eines jeden Christen bewegt, verloren geht, wo nicht an einem doppelten Ausgang der Geschichte Gottes mit den Menschen festgehalten wird. Daher lehnte er sowohl die These von der Vernichtung der Verworfenen als auch jene von der Apokatastasis, der Wiederbringung aller, entschieden ab[796].

Diesem »Entweder-Oder« wollte E. Sommerlath in keiner Weise ausweichen, wenngleich er glaubte, daß Gott, der über unsere Gegenwart das Wort der Vergebung spricht, auch imstande ist, uns durch Tod und Gericht hindurchzuführen. So griff er die Rede von der »fröhlichen Eschatologie« auf. Er schloß mit jenem Wort aus dem 1. Petrusbrief, in dem im Dank die gegenwärtige Gemeinschaft mit dem Auferstandenen und die Hoffnung des Künftigen in eins zusammengefügt ist: »Gelobt sei Gott und der Vater unseres Herrn Jesus Christus, der uns nach seiner großen Barmherzigkeit wiedergeboren hat zu einer lebendigen Hoffnung durch die Auferstehung Jesu Christi von den Toten«[797].

---

[793] Ebd. S. 31.
[794] Ebd. S. 32.
[795] Ebd. S. 34.
[796] Ebd. S. 34-35.
[797] 1. Petr. 1, 3.

(16) Hans Emil Weber (1882-1950)

Unter den Theologen, die die Abkehr vom Subjektivismus, Psychologismus und Historismus zum Ausgangspunkt ihrer Überlegung machten, verdient der in Bonn wirkende H.E. Weber[798] insofern unsere Beachtung, als er im Zusammenhang mit der Eschatologie seine besondere Aufmerksamkeit der Kirche zuwandte[799]. Allerdings wußte er auch, daß es leichter ist, mit Leidenschaft und dem Glanz schneidender Dialektik aller bisherigen Theologie das Urteil zu künden, als eine neue Theologie zu schaffen. Um den Ernst und die Tiefe der »eschatologischen Wendung« aufzuzeigen, griff er das neue Losungswort vom »Theozentrismus« auf[800]. Bevor er jedoch seine systematische Erklärung darbot, hielt er es für angebracht, in einem kurzen theologiegeschichtlichen Rückblick zu zeigen, wie es zu der genannten Wende kam. H.E. Weber stellte heraus, daß »die Stunde der Eschatologie« im Bereich der historischen Theologie begann, indem durch die Wahrhaftigkeit historischen Forschens die Eigenart des urchristlichen Glaubens erkannt wurde. Allerdings zeigte er am Beispiel von E. Troeltsch[801], daß die führende Theologie zunächst uneschatologisch blieb, obwohl man durch die bahnbrechenden Untersuchungen von J. Weiß[802] auf den eschatologischen Zug der Predigt Jesu aufmerksam wurde. Diese Erkenntnis führte jedoch nach H.E. Weber im Gebiet der neutestamentlichen Forschung nicht zu jenen gefährlichen Konsequenzen, die sich in der Folgezeit herausstellten. So blieb auch das Werk des schwäbischen Pietisten O. Schmoller[803], in dem der eschatologische Charakter der Reichspredigt Jesu herausgearbeitet wurde, unbeachtet, ebenso wie der Ruf M. Kählers[804].

H.E. Weber bemerkte, daß die Fragen, die A. Schweitzer[805] mit seiner radikalen Eschatologie an das Kulturleben stellte, zunächst achselzuckend übergangen wurden, bis die Weltkatastrophe zur furchtbaren Enthüllung und Entfesselung der immer drängenderen Problematik des Kulturlebens wurde, die Geschichte selbst somit zu einem »Schrei nach dem eschatologischen Evangelium«. H.E. Weber sah das Anschwellen, die erfolgreiche Propaganda der eschatologischen Sekten; kein Wunder, da die Not der Zeit die Menschen in jene Bewegungen trieb, die Erfüllung verheißen. Für ihn lag neben diesem Sehnen und Verlangen nach transzendenter Eschatologie zugleich das leidenschaftliche Drängen auf die heilbringende Zukunft, der Schrei nach der neuen, besseren Welt, der geschichtliche Eschatologismus in der sozialistischen Weltbewegung. In der Folge kam es selbst bei Theologen, die von einer weniger eschatologischen Auffassung des Christentums ausgegangen

---

[798] Hans Emil Weber, geb. am 8.3.1882 zu Mönchen-Gladbach, seit 1912 Prof. für Neues Testament und systematische Theologie in Bonn. - Schriften: Siehe LV.

[799] H.E. Weber: Die Kirche im Lichte der Eschatologie. In: NKZ 37 (1926) 299-339.

[800] Siehe oben S. 387, Anm. 204.

[801] H.E. Weber: Die Kirche im Lichte der Eschatologie. S. 301. - Vgl. Troeltsch: Glaubenslehre. S. 36.

[802] Zu J. Weiß siehe oben S. 115-119.

[803] Otto Schmoller (1826-1894): Die Lehre vom Reich Gottes in den Schriften des Neuen Testaments. Bearbeitung einer von der Haager Gesellschaft zur Verteidigung der christlichen Religion gestellten Aufgabe. Leiden 1891.

[804] Zu M. Kähler siehe oben S. 100-107.

[805] Zu A. Schweitzer siehe oben S. 119-124.

waren, zu einer neuen Würdigung eschatologischer Glaubenshaltung[806]. Wenn M. Kähler einst behauptet hatte: Ohne Eschatologie keine Christologie, keine Soteriologie, keine Ethik des Glaubens, keine Theodizee, keine Antwort auf die Frage nach dem Sinn der Geschichte[807], so fügte H.E. Weber in diesem Zusammenhang hinzu: »Ohne Eschatologie auch keine Lehre von der Kirche!«[808].

Damit war H.E. Weber bei seinem speziellen Thema angelangt. Für ihn hatte die Kirche ihren Dienst, ihre Wirklichkeit zunächst voll und ganz in der Geschichte; selbst wenn sie darüber hinaus Wegführerin zu einem Jenseits der Geschichte sein will, so gehört sie dennoch ihr, bzw. der Welt an; sie stellt sich nach H.E. Weber gewissermaßen als die Organisierung des Christentums in der Welt dar. Hier lag für ihn auch die schleichende Gefahr der Verweltlichung begründet, von der er nicht nur die römische Kirche bedroht sah[809].

Zur Bestätigung seiner These berief sich H. E. Weber auf das Neue Testament. So hob er hervor, daß dort bei der Ekklesia der Anspruch, das Hinzielen auf Vollendung, auf die Zukunft Gottes, garnicht zu verkennen sei. Allerdings wußte er auch, daß der Blick zugleich auf das Reich fällt, zu dem Gott seine Gemeinde berufen hat. Muß damit nicht die eschatologische Einstellung zurücktreten, indem die Kirche ihrer geschichtlichen Aufgabe folgt? H. E. Weber stand hier vor dem Dilemma: Die Kirche bürgert sich ein in der Welt, gestaltet sich, wirkt sich aus, - aber damit verhüllt und verfälscht sie in reformatorischer Sicht fortschreitend ihre Wesenswahrheit. Daher muß sich der Glaube im Kampf mit der empirisch-geschichtlichen, mit der Weltkirche die Wesenswahrheit von der entscheidenden Erkenntnis des Evangeliums aus neu erarbeiten; »an den Begriffen, die evangelisches Glaubensdenken entwickelt, ist das unvergängliche Recht der eschatologischen Ausschau zu erheben«[810].

Der Kampf wider die empirische Kirche, die mit ihrem Anspruch, mit ihrer Gewalt sich einer Predigt des Evangeliums widersetzt, zwingt nach H. E. Weber den Reformator zur scharfen Unterscheidung zwischen der empirischen und der wesenhaften Kirche, zwischen Erscheinung und Wesen. An der empirischen Kirche war zuviel Menschliches und so behauptete er, es werde in ihr im Widerspruch zu Gottes Wort menschlich allzumenschliche Religion gepflegt. Dagegen stellte er die These: »Was die Kirche ist, ist sie als Gottes Kirche, als Gemeinschaft der Gläubigen, die Gottes Wort herstellt«[811]. Diese Kirche ist für den Glauben da trotz allem antichristlichen Geist in der empirischen Kirche.

Im folgenden legte H. E. Weber dar, wieso der Gedanke der unsichtbaren Kirche Geltung gewann. Er hielt ihn für unabhängig von der Formel der ecclesia invisibilis, da er notwendig aus der Auseinandersetzung mit dem sich selber in all seiner

---

[806] H.E. Weber: Die Kirche im Lichte der Eschatologie. S. 303. Dort der Hinweis auf G. Wobbermin: Wesen und Wahrheit des Christentums. (= Ders.: Systematische Theologie nach religionspsychologischer Methode. Bd. 3.) Leipzig 1925. - M. Dibelius: Geschichtliche und übergeschichtliche Religion im Christentum. Göttingen 1925.

[807] M. Kähler. In: Dogmatische Zeitfragen. Bd. 2. ²1908. S. 487 ff.

[808] H.E. Weber: Die Kirche im Lichte der Eschatologie. S. 304.

[809] Ebd. S. 304.

[810] Ebd. S. 305.

[811] Ebd. S. 305.

Verkehrung vergötternden Kirchentum hervorwächst[812]. Allerdings war die lutherische Auffassung mit einer einseitigen Interpretation jener gefährlichen Formel nach H. E. Weber nicht richtig wiedergegeben; denn da gilt, daß die Einheit, die Verbundenheit (von empirischer und geistlicher Kirche) durch das Wort gewährleistet ist, durch das die Kirche als Gemeinschaft des Glaubens wie als äußere Anstalt begründet wird und von dem sie lebt. Mit Hinweis auf Melanchton hielt H. E. Weber selbst daran fest, daß das Unsichtbare sich im Sichtbaren auswirken will und muß[813]. Das Drängen auf das Sichtbarwerden der unsichtbaren Kirche fand er bei vielen »kirchenfrohen Neulutheranern«, aber auch bei R. Rothe[814], Fr.H. R. Frank[815] und A. Schlatter[816], ebenso in dem Verlangen nach der Bekenntniskirche und in den Proklamationen der Freiwilligkeitskirche, im Streben zur Kirche der Heiligen. Auch im bewußten und entschlossenen Festhalten an der Volkskirche als Missions- oder als Erziehungskirche, in der die Gemeinschaft der Glaubenden sich als Kampf- und Arbeitsgemeinschaft zu betätigen hat, sah er die Erkenntnis wirksam, daß die unsichtbare Kirche sich auswirken muß. Allerdings hat die Sichtbarkeit doch ihre Grenze, und so zitierte er das Wort Schleiermachers, daß das meiste an dem, was man sichtbare Kirche nennt, nicht Kirche ist[817]. Aber trotz dieser Schwierigkeiten hielt er daran fest, daß in der sichtbaren die unsichtbare Kirche zu schauen ist, indem der Glaubensblick auf Gottes Wirken gerichtet wird. Dies Wirken bleibt freilich als solches Glaubensgeheimnis, aber mit dem Blick auf das ewige Ziel wird es in seiner Wirksamkeit vergegenwärtigt. Dabei ist zu beachten, daß Gottes Werk sich in der Menschheit durchsetzen muß. Die Kirche soll werden, was sie im letzten Sinn ist. Darin hatte für H. E. Weber der Gedanke an die unsichtbar-sichtbare Kirche seinen eschatologischen Zug[818].

Um diese Erkenntnis weiter zu vertiefen, lenkte H. E. Weber die Besinnung auf die Vermittlung, den Träger des Gotteswirkens, auf die lebendige Bildungskraft der geschichtlichen Kirche. Nach reformatorischer Grunderkenntnis handelt es sich um das Wort, das »Gemeinschaft« vermittelt als personhafte Willensverbundenheit. Aber diese Gemeinschaft bleibt Glaubensgemeinschaft, anders kann sie für H. E. Weber geschichtliches Menschenleben nicht heben. Als Berufung zu ewigem Leben und zum ewigen Reich ist es auch Verheißung, die über die Geschichte hinausweist. Dieses Wort gilt der Gemeinschaft, der Kirche Gottes, denn der Einzelne weiß sich im Glauben mit der Gemeinschaft, mit der versöhnten Menschheit, in der Kirche Christi berufen zum ewigen Ziel. Auch im Sakrament wird das Wort der Gemeinde des Glaubens »sichtbar«. Nach H. E. Weber sind die Sakramente der Kirche, der Gemeinschaft des Glaubens gegeben zur Verbürgung des Heils. Sie haben von ihrer urchristlichen Gestalt her deutlich eine eschatologische Beziehung

---

[812] Ebd. S. 306.

[813] Ebd. S. 307.

[814] Zu R. Rothe siehe oben S. 86-93.

[815] H.E. Weber verweist auf Fr. H.R. Frank: System der christlichen Wahrheit. Zweite Hälfte. Erlangen 1894. - Dass. 3., verbesserte Auflage. 2. Hälfte. Leipzig 1894. S. 399, 423, 420.

[816] H.E. Weber verweist auf A. Schlatter: Das christliche Dogma. Stuttgart 1911. S. 423.

[817] Schleiermacher: Der christliche Glaube. § 148. [2]1831-1832. S. 423.

[818] Vgl. H.E. Weber: Die Kirche im Lichte der Eschatologie. S. 308-309.

auf die Zukunft Gottes und können diese Beziehung nicht verleugnen, ohne entleert zu werden. Daher sieht H. E. Weber auch durch das verbum visibile die Kirche gemahnt, in ihrem Wesensverständnis nicht den eschatologischen Zug zu verlieren, die Einstellung Gottes auf die Zukunft[819].

Die einzelnen Elemente dieser Konzeption wurden im folgenden verdeutlicht, als H. E. Weber die Begriffe und Anschauungen, die die wesenhafte Wirklichkeit der Kirche zu fassen suchen, erörterte. Zunächst die Kirche als Gemeinschaft, communio und congregatio sanctorum. Er bedauerte, daß im Bereich der evangelischen Kirche der Individualismus einer lebendigen Gemeinschaft im Wege steht; daß eine weltbezogene Kulturfrömmigkeit keine Kirche als besondere Welt mit eigenem Gesellschaftszusammenhang sehen möchte; daß nicht minder die Erwartung einer zerrissenen Welt, daß die Kirche von innen her Gemeinschaft stifte, nicht erfüllt wird. Dagegen bejahte er die Gemeinschaft als Gabe und Aufgabe. Gegenüber allen Grenzen, Schranken und Bindungen, die durch schicksalhafte Verschiedenartigkeit, Natur und Geschichte, Blut, Herkunft, Gemeinschaft, individuelles und gemeinsames Erleben, durch das »Konkurrenzgesetz« als Weltgesetz bedingt sind, verstand er das Glaubenswort von der congregatio sanctorum als Verheißungswort des hoffenden, sehnenden Glaubens[820].

Als nächstes stellte H. E. Weber heraus, daß Glaubensverbundenheit Christusverbundenheit ist. Nachdem er mit scharfen Worten den reformatorischen Protest gegen den päpstlichen Primatsanspruch erneuert hatte, beschwor er das Erleben der Kirche als einer »mystischen« Gemeinschaft. Das Bewußtsein um die Kirche als das corpus mysticum Christi umschloß für ihn notwendig »sehnende Ausschau auf Offenbarung, auf Kommen Christi , auf Durchbruch der Christusherrschaft, auf Sichtbarwerden des Unsichtbaren, in der Geschichte und jenseits aller 'Geschichte'«[821].

Der eschatologische Aspekt dieses Kirchenverständnisses wurde vertieft, indem H. E. Weber unter Berufung auf das Neue Testament die Christusverbundenheit als Gottverbundenheit beschrieb. Allerdings wandte er sich gegen jede Gleichsetzung von Kirche und Gottesreich. Gegenüber der Auffassung M. Kählers, derzufolge im geschichtlichen Leben der Kirche das Reich Gottes in diese Welt kommt, so daß die Kirche die »jeweilige irdische Gegenwart des Gottesreiches« ist[822], erneuerte er die Vorbehalte evangelischer Dogmatiker, die darauf hinauslaufen, die sichtbare, geschichtliche Kirche rein instrumental zu verstehen. »Kirche ist Werkzeug der Gottesherrschaft, Kirche hat ihr Ziel in allumfassender Gottesherrschaft«[823]. Aber gerade darum trieb der Gedanke des Reiches Gottes die Besinnung des Dogmatikers über die Kirche zur eschatologischen Blickrichtung in die geschichtliche und übergeschichtliche Zukunft des Gottesreiches. Nach H. E. Weber gibt es Kirche, weil das Reich Gottes verborgene Gegenwart ist. »Reich Gottes ist

[819] Ebd. S. 310.
[820] Ebd. S. 311.
[821] Ebd. S. 312.
[822] Vgl. M. Kähler: Die Wissenschaft der christlichen Lehre, von den evangelischen Grundartikeln aus dem Abriß dargestellt. 3. Auflage, sorgfältig durchgearbeitet und durch Anführungen aus der heiligen Schrift vermehrt. Leipzig 1905. S. 398, 413.
[823] H.E. Weber: Die Kirche im Lichte der Eschatologie. S. 312.

Verheißung, Losungswort für den Glauben, über der geschichtlichen Zukunft stehend und zugleich über alle Geschichte hinausweisend in Gottes Ewigkeit, Hoffnung des Glaubens an den, der da ist, der da war, der kommt«[824].

So war der Gedanke der Kirche für H. E. Weber nicht durchzudenken ohne eschatologische Wendung und Ausschau. Letzte Probe und überführende Bewährung lieferten ihm die »Eigenschaften«, in denen das Bekenntnis die Wesenswirklichkeit der Kirche spiegelt. In dem credo unam sanctam catholicam ecclesiam hörte er den Klang der Ewigkeit hindurchtönen, das Lied der großen Hoffnung einer überweltlichen Erfüllung. Die Kirche ist eine - und doch nicht eine . Wesen und Erscheinung stehen in einer schmerzlichen Spannung, die eine Lösung über unsere Zeit hinaus fordert. Una ecclesia, das ist nach H. E. Weber Forderung und Leitziel, tiefste Gewißheit, unzertrennlich verbunden mit dem Gottesgedanken; es ist Hoffnung, wunderbare Verheißung, Erhebung, Aufrichtung der glaubenden Seele, die an der Zerrissenheit und dem Streit der Kirchen schwer trägt[825]. Ebenso verhielt es sich für ihn auch mit dem Bekenntnis der sancta ecclesia. Auch hier ist das Unheilige der Gegenstand von fortgehendem Gericht und unermüdlichem Kampf; »die Heiligkeit als erscheinendes Wesen ist Gegenstand der Hoffnung, die weiß, daß, der es angefangen, auch das gute Werk vollenden wird«[826].

Die una, sancta, catholica ecclesia war für H. E. Weber eine Glaubensgewißheit, bei der nach seinem Dafürhalten deutlich zwischen der ecclesia militans und der ecclesia triumphans unterschieden werden sollte. In diesem Zusammenhang wandte er sich noch einmal gegen die Einheitsvorstellung der römisch-katholischen Kirche und stellte gegen diese den evangelischen Glauben, daß Gott überall seine Kinder, das heißt seine Kirche habe. Das umschloß für ihn freilich auch die geschichtliche Aufgabe eines echten Einigungswerkes, bei dem die Fernsicht, die eschatologische Richtung beibehalten werden muß: »Der Glaube, der die eine, heilige, allgemeine Kirche bejaht, hängt an dem Glauben an den Gott, der da war, der da ist, der da kommt, und an sein kommendes, sein ewiges Reich«[827].

So bekam für H. E. Weber der Gedanke, der Begriff Kirche mit Notwendigkeit einen eschatologischen Zug. Er betonte jedoch, daß es nicht nur um die Notwendigkeit bloßer Begriffserörterung, theoretische, dogmatische Spekulation geht; daß vielmehr niemand sich in der praktischen Arbeit kirchlicher Gegenwartsaufgaben des eschatologischen Ausblicks verschließen kann um der Wahrheit willen, daß die Wesenswirklichkeit der Kirche in die Zukunft weist. Er war davon überzeugt, daß jener »eschatologische Ausblick« die kirchliche Arbeit nicht lähmt, daß im Gegenteil durch die eschatologische Blickrichtung aller Selbstgenügsamkeit und Selbstherrlichkeit der Gegenwart gewehrt werde. Der kirchliche Dienst bekam daher für ihn seinen tiefen Ernst, seine volle Verantwortung, seine heilige Begeisterung durch den Gedanken, daß es um Ewiges geht. Diese eschatologische Einstellung konnte ihm zum vertieften »Erlebnis« der Kirche verhelfen. So vertrat er die Ansicht, daß an dem, was die Kirche werden soll, wieder deutlich wird, was sie von Gott aus ist .

---

[824] Ebd. S. 313.
[825] Ebd. S. 313.
[826] Ebd. S. 314.
[827] Ebd. S. 315. - Vgl. H.E. Weber, E. Wolf: Begegnung. Theologische Aufsätze zur Frage nach der Una Sancta. (BETh. 4.) München 1941.

Zwar meinte er zu der Zeit, da er diesen Artikel schrieb, daß der innere Zusammenhang von Eschatologie und Mystik des Glaubens noch der Durchleuchtung bedürfe[828], aber schon hier behauptete er: »Die mystische Wirklichkeit der Kirche ist gerade dem eine Tatsache, der die Kirche im Lichte der Zukunft Gottes sehen kann«[829].

Für H. E. Weber stellten sich an diesem Punkt, da er den »Lebenswert«, die praktische Bedeutung der Eschatologie erörterte, gewichtige Fragen. Er ging davon aus, daß »Glaube« immer über die Greifbarkeit unmittelbar überführender »objektiver« Erfahrung hinausgeht; daß er darum aber nicht ohne jede Erfahrung ist, so daß sich eine Erfahrungstheologie durchaus bilden kann. Wie steht es aber bei der Eschatologie? Schwindet da alle Erfahrung, und mit dem Erfahrungsboden alle Anschaulichkeit und Faßlichkeit des Gedankens? Soll die Vollendung noch irgendwie geschichtlich gefaßt werden oder ist sie rein »übergeschichtlich«? Ist vor allem die Kirche in der Vollendung der Ewigkeit noch irgend etwas Faßbares oder hört sie in der Ewigkeit auf? Ist Ewigkeit für das menschliche Denken nicht wesentlich nur »Grenze«, die wir nicht wirklich überschreiten können? Auch hier führte ihn der Kirchengedanke in den Brennpunkt der eschatologischen Frage. Er erinnerte daran, daß F. Schleiermacher die ganze Eschatologie unter der Überschrift »Von der Vollendung der Kirche« behandelt hat. Er sah darin einen tiefen Sinn, den er in seiner Eschatologie wahren und herausarbeiten wollte.

Nach dieser grundlegenden Erörterung stellte sich H. E. Weber im einzelnen zunächst die Frage nach der »universalen« Eschatologie bzw. der »heilsgeschichtlichen« Eschatologie. Er beschrieb die Kirche als eine weltumfassende Gemeinschaft, die hineingepflanzt ist in die Menschheit; sie will und soll die neue Menschheit sein. Von hieraus sah H. E. Weber, daß die Frage nach der Vollendung der Kirche mit der Frage nach Schicksalbestimmung und Ziel der Menschheit verwachsen ist. So erkklärte er: »Der eschatologische Ausblick des Kirchengedankens muß menschheitsumfassende, muß Weltweite annehmen«[830]. Das ergab sich schon daraus, daß die Kirche eine geschichtliche Größe ist, in ihrer Entstehung und in ihrem in die Menschheitsgeschichte verflochtenen Werden Ergebnis einer göttlichen Heilsgeschichte; die Frage nach dem Ziel der Kirche war daher nicht loszulösen von der Frage nach dem Sinn und Ziel der Geschichte.

Entsprechend dieser allgemeinen Überlegung fand H. E. Weber aber auch, daß die neutestamentliche Eschatologie universal ist, menschheitsumspannend, ja kosmisch: Der Blick ist auf das Ende der Geschichte, das Ende der Welt gerichtet; das Ziel ist die Gottesherrschaft, der alles unterworfen ist. Dieses Ziel nun - so legte H. E. Weber dar - werde heraufgeführt durch die Endgeschichte. Er betonte, daß das Bewußtsein der Nähe, die Naherwartung, auch der Endgeschichte unmittelbare Bedeutung sichere; sie greife jeden unmittelbar an als hereinbrechende Gegenwart: es ist letzte Zeit, Geschichte und Welt eilen dem Ende zu[831].

---

[828] Vgl. H.E. Weber: Glaube und Mystik. (StASW. 21.) Gütersloh 1927. - Ders.: „Eschatologie" und „Mystik" im Neuen Testament. Ein Versuch zum Verständnis des Glaubens. (BFChTh. 2, 20.) Gütersloh 1930. - Vgl. die Rez. von H. Vogels. In: ThRv 31 (1932) 14.

[829] H.E. Weber: Die Kirche im Lichte der Eschatologie. S. 317.

[830] Ebd. S. 319.

[831] Ebd. S. 319.

H. E. Weber sah aber, daß die individuelle Lebensfrage schon in der Zeit der Kirche ihre Selbständigkeit anmeldete, da auch der Urgemeinde die Erfahrung des Todes nicht erspart bleib. So konnte sich bereits im Neuen Testament eine individuelle Eschatologie ausbilden, die zunächst den Rahmen der universalen Eschatologie kaum verließ. Die Fortentwicklung allerdings sah H. E. Weber beherrscht durch einen individualistischen Grundzug. »Die ersehnte Parusie verzog; das Ende schob sich hinaus ... mit der Naherwartung mußte die endgeschichtliche Eschatologie mehr und mehr zurücktreten. Aber die individuelle Frage blieb; sie gewinnt an Gewicht«[832]. H. E. Weber verwies darauf, daß das Evangelium Antwort bietet mit dem Bewußtsein der Verbundenheit mit Christus, mit Gott. Aber diese Überzeugung verschmolz für ihn mit der Vorstellung des antiken Weltbildes und des antiken Denkens von der anderen Welt, der Welt der Seelen. Von dort aus - so meinte er - ziehe der Individualismus auch die Vorstellung des allgemeinen Gerichts und der allgemeinen Auferweckung mehr oder minder ausschließlich in die persönliche Lebensfrage hinein; der Blick sei, mit Furcht und Zittern oder auch mit Anspruch und Erwartung, auf die Ewigkeitsentscheidung hingebannt, die durch den Tod heraufgeführt werde. Von der katholischen Dogmatik behauptete er, sie sei gekennzeichnet durch das Bild der jenseitigen Welt und seine mythologische Ausgestaltung, oder aber auch durch »platonische« Transzendenz, jedenfalls nicht durch endgeschichtliche Spannung. In der orthodoxen Dogmatik schien ihm dadurch, daß mit scharfer Bestreitung der Fegfeuergedanke die Ewigkeitsentscheidung unmittelbar an den Tod als dem Eingang in die Ewigkeit gebunden wird, der Individualismus noch stärker betont[833].

Den neuen Ansatz brachte nach H. E. Weber ein um »geschichtliche Anschauung« ringender Biblizismus: Die heilsgeschichtliche Theologie des 18. und 19. Jahrhunderts wurde zur Entdeckerin der heilsgeschichtlichen Eschatologie der Bibel[834]. Freilich erkannte H. E. Weber auch, daß durch die »Ausweitung« und das »Hinausschieben der Endgeschichte« eine merkliche Veränderung eingetreten war. Dennoch wollte er darum nicht das ganze heiße Bemühen um heilsgeschichtliche Eschatologie, das die alten Vorstellungen von Antichristentum, letzter Zeit, Parusie, nicht zuletzt von der Rolle des auserwählten Volkes in der Endentwicklung neu zu Ehren bringt, kurzerhand als Künstelei einer »verstiegenen Schrifttheologie« ansehen. Er sah, daß darin, in sichtlichem Zusammenhang mit der Geistesbewegung der Zeit, lebendige Triebkräfte, Fragen, Ahnungen, Forderungen des Glaubensdenkens wirkten. Die Bibel förderte den geschichtlichen Sinn der Zeit, da heilsgeschichtliche Eschatologie beansprucht, krönender Abschluß der Geschichte Gottes mit der Menschheit zu sein. Freilich war andererseits nicht zu übersehen, daß ein »dem geschichtlichen Leben mit voller Freude zugewandter Idealismus« das ewige Leben in dem erfüllten und beseligten Jetzt ergreifen will. Aber dadurch verfiel nach H. E. Weber gerade die individualistische Eschatologie der Auflösung, wohingegen die »geschichtliche« gerade in neuer Zeit vermehrte Aufmerksamkeit fand. »Mag kritischer Sinn die endgeschichtliche Eschatologie der Bibel als mythi-

---

[832] Ebd. S. 320.
[833] Ebd. S. 320.
[834] Ebd. S. 321.

sche Deutung abstoßen, man empfindet das Problem, das Rätsel, die Verwicklung der Menschheitsgeschichte. Und dafür zeigt heilsgeschichtliche Bibeltheologie Aufhellung in der heilsgeschichtlichen Eschatologie der Bibel«[835].

H. E. Weber legte dar, daß sich die »heilsgeschichtliche Eschatologie« im 19. Jh. nicht durchsetzen konnte; daß sich vielmehr der Individualismus behauptete, so daß seine Lebensfrage im Blick auf den Tod die Gedanken, das Empfinden, die praktische Haltung beherrschten. Hinzu kam, daß gerade die Zeit der Massenbewegung die Unumgänglichkeit und die unersetzliche Bedeutung persönlicher Entscheidung ins Licht rückte. So gestaltete sich die »individuelle Eschatologie« im Hinblick auf die Ewigkeitsentscheidung als »persönliche Zukunftsaussicht«. H. E. Weber beachtete wohl, daß der Individualismus damit seine unmittelbare Bezogenheit auf die Ewigkeit gewann, wohingegen die heilsgeschichtliche Eschatologie ihren Blick allzuleicht über die gesamte Menschheitsgeschichte schweifen ließ und das Ende, von dem sie handelte, als Geschichtsende und Endgeschichte immer nur hinausschob. H. E. Weber wertete es daher als positiv, daß die »individuelle Eschatologie« jeden unter die Ewigkeitsaussicht stellt, ihr Gericht, ihre Verheißung. Da alles persönliche geschichtliche Leben seine Grenze, sein Ende vor sich hat, ist alle Zeit »letzte Zeit«. Hellsichtig erkannte er, daß gerade die »individuelle Eschatologie« die Naherwartung des Urchristentums, die entscheidende Frömmigkeitshaltung, das Hingespanntsein auf die Ewigkeitsentscheidung festhalten und pflegen konnte, im Gegensatz zu einer heilsgeschichtlichen Eschatologie, in deren geschichtlicher Ausschau das Ende als Endgeschichte notwendig seine andrängende Nähe weiterhin einbüßte[836].

Ein weiteres kam hinzu. Wie H. E. Weber feststellte, erwuchs dem Individualismus ein mächtiger Bundesgenosse aus dem Kritizismus als einer allmächtigen modernen Grundstimmung. Und gerade er sprach der heilsgeschichtlichen Eschatologie das Urteil, indem die historische Kritik ihr biblisches Ansehen durch Bloßlegen der zeitgeschichtlichen Bedingtheit erschütterte: Sie stellte den Irrtum der urchristlichen Erwartung der nahen Parusie heraus[837]. Skeptisch erhob sich die Frage, ob überhaupt etwas über die Zukunft, den Ausgang der Geschichte gesagt werden kann. Die »individuelle Eschatologie« kann immerhin den Ausgang zeigen, der in der unentwirrbaren Erfahrung des Todes liegt. Er ist das Ende, in dem das Glaubensdenken Anfang, Eingang in die Ewigkeit sehen kann, die Grenze, die zur Offenbarung des Jenseits wird. Wo aber - so fragte H. E. Weber - findet sich in der »Geschichte«, die die heilsgeschichtliche Eschatologie in die ewige Zukunft hineingeleiten will, etwas Entsprechendes?[838]

H. E. Weber sah allerdings, daß all diese kritischen Erwägungen etwas stark Rationalistisches haben. Er wunderte sich daher nicht über das Widerstreben des religiösen Empfindens. Hier nun war theologiegeschichtlich interessant, daß die Kritik ihre ganze Durchschlagskraft dadurch empfing, daß sie religiös wurde, daß

---

[835] Ebd. S. 322.
[836] Ebd. S. 323.
[837] Ebd. S. 324.
[838] Ebd. S. 325.

eine religiöse Wahrheit wider die heilsgeschichtliche Eschatologie aufgeboten wurde. Für H. E. Weber lag darin das eigentlich Charakteristische der eschatologischen Verhandlung, wie sie von K. Barth und P. Althaus geführt wurde. Hier zeigte sich ihm vor allem, daß die heilsgeschichtliche Eschatologie durch die Dialektik des Ewigkeitsgedankens zerrieben wurde. Geschichte kann nicht - auch nicht als Endgeschichte - das Reich Gottes mit seiner ewigen Vollendung bringen. Die endgültige Scheidung von Gottes Reich und Satanswerk konnte ihm kein »geschichtliches« Ereignis sein. Die Pflicht der Wahrhaftigkeit schien daher als Ergebnis eine tiefere Besinnung zu erfordern, die Wendung, die - wie H. E. Weber behauptete - die eschatologische Frömmigkeit längst genommen hatte, in klarer Ablehnung der heilsgeschichtlichen Theologie zu voller Bewußtheit und Entschiedenheit zu erheben[839].

Als Ergebnis für den Kirchengedanken beschrieb H. E. Weber, daß sich der eschatologische Ausblick in ungezählte senkrechte Linien auflöse, die von der Geschichte zu dem überzeitlichen Jenseits der Geschichte aufsteigen. Die Kirche mündete bei dieser Auffassung in der Ewigkeit, sofern und indem alles persönliche Leben in die Ewigkeit mündet. Dies »Ausmünden in die Zukunft der Ewigkeit« erschien H. E. Weber der Begründung in der Ewigkeit zu entsprechen, wie sie der Gedanke des numerus praedestinatorum oder electorum darstellt. Allerdings: Wenn die Erwählten, die die ecclesia invisibilis bilden, in die ewige Vollendung eingehen, weil sie erwählt sind, so lösen sie sich aus der geschichtlichen Gemeinschaft als solcher heraus. Für H. E. Weber stellte sich damit die Frage, ob es dann noch Sinn habe, von einer »eschatologischen« Zukunft der Kirche zu sprechen. Es schien ihm keineswegs zufällig, daß die »eschatologische Wendung des Kirchengedankens« in dem kirchlichen Leben, das vom eschatologischen Individualismus beherrscht ist, stark zurücktrat[840]. Hier offenbarte sich ihm ein Mangel, dem eben die heilsgeschichtliche Theologie auf ihre Weise entgegentreten wollte.

Um einer gerechten Würdigung näher zu kommen, verwies H. E. Weber darauf, daß dem »spekulativen« R. Seeberg[841] heilsgeschichtliche Eschatologie für die Durchführung seiner Gottes-, seiner Welt-, seiner Heilsanschauung, seiner Philosophie des Christentums unentbehrlich war. Ebenso gab er zu bedenken, daß bei K. Heim[842] der Kritizismus die Aufnahme der großen biblischen Intuitionen unmöglich machte. Wenn diese beiden »modernen« christlichen Denker die Wahrheit in dem heilsgeschichtlichen Zukunftsbild sahen, so konnte es sich für H. E. Weber nicht einfach um Biblizismus oder gar Traditionalismus handeln. Vielmehr legten sie ihm nahe, das biblische Zeugnis ernst zu nehmen und noch einmal die Frage zu stellen, ob die zuvor erhobene Kritik der heilsgeschichtlichen Eschatologie genug getan hat.

Um zu einem selbständigen Erfassen der Wahrheit zu gelangen, knüpfte er noch einmal daran an, daß die heilsgeschichtliche Eschatologie das Problem der

---

[839] Vgl. ebd. S. 327.
[840] Ebd. S. 328.
[841] Zu R. Seeberg siehe oben S. 350-366.
[842] Zu K. Heim siehe oben S. 425-430. - H.E. Weber zitiert: K. Heim: Die Weltanschauung der Bibel. (VEB. 2.) Leipzig 1920. S. 64 ff. - Ders.: Das Wesen des evangelischen Christentums. (WuB. 209.) Leipzig 1925. S. 51-52. - Ders.: Glaube und Leben. Berlin 1926. S. 287-288.

Geschichtlichkeit aufgriff. Es schien ihm für das Glaubensleben nicht damit erledigt, daß »Gott als der Überweltliche, der Ewige fortgehend aus der Geschichte erlöst in seine ewige Welt, und daß er das Auf und Ab, das Hin und Her der geschichtlichen Bewegung seinen Erlösten zur Erlösung dienen läßt«[843]. Die weltlichen eschatologischen Bewegungen, die sich nicht abfinden wollen mit der Welt, wie sie ist, waren für ihn eine ernste Mahnung. Es schien ihm notwendig, daß auch die Kirche offen ist für das Sehnen und Hoffen der Welt, zumal auch die Sektenbewegungen für ihren eschatologischen Enthusiasmus ihre Kraft gerade aus dem Eindruck dieses Weltlaufs, der göttlicher Gerichtsentscheidung und göttlicher Zukunft entgegenreift, ihre Kraft ziehen. Außerdem blieb zu bedenken, daß das Individuum, das zu ewigem Leben berufen ist, seine Verwurzelung in der Geschichte nicht verleugnen kann, da es dem Lebensgrund der Gemeinschaft entstammt. H. E. Weber erkannte, daß das Geschick, die Zukunft der Gemeinschaft, mit der es verwachsen ist, dem Individuum nicht gleichgültig sein konnte. So kam er zu der These: »Das Individuum kann seine Vollendung nicht haben in seiner Vereinzelung, sondern nur im Lebenszusammenhang der Gemeinschaft«[844].

Der zweite Ansatz, von dem aus H. E. Weber seine Erklärung vorwärts trieb, lag in der Erkenntnis, daß die Wirklichkeit einer wider Gott streitenden Welt ohne eine Eschatologie gerade auch für den Gottesglauben ein schweres Problem bleibt. So kam er zu seiner nächsten These: »Die heilsgeschichtliche Eschatologie ist die Durchführung des Gottesgedankens gegenüber dem Eindruck der Wirklichkeit einer wider Gott streitenden Welt«[845]. Es handelte sich für ihn hierbei um eine Eschatologie, die den endgültigen Sieg, die abschließende Aufrichtung der alleinigen Herrschaft Gottes besagt. Dieses Ende fand er auch in der Apokalypse angekündigt[846], und er erklärte, der heilsgeschichtlichen Eschatologie komme es darauf an, daß »sie sieht, was kommen muß, weil Gott Gott ist«[847]. In diesem Sinne verstand er auch das Zeugnis Jesu, seine Ankündigung des kommenden Menschensohnes, sein Anspruch auf das Gericht, seine Erwartung des Endlaufs, seine »heilsgeschichtliche« Eschatologie. Ebenso fand er, daß sich der Glaube der Jünger nach dem Willen des Meisters bekennt zu dem Ziel, das für den Sohn selber die Königsstellung einschließt. Gegenüber der Auffassung, Gottes Herrschaft komme auch dann zur Geltung, wenn alles geschichtliche Leben fortdauernd sein Ende finde in dem Gericht der Ewigkeit, erhob er mit Recht den Einwand, daß dann praktisch vor der Ewigkeitswelt die Welt der Geschichte in ihrer fortdauernden Gottgeschiedenheit, Gottlosigkeit vor Augen stehe, als ständiger Anstoß und nie ganz gelöstes Problem. Daher forderte er, daß die Geschichte als Ganzes zusammengeschaut werde mit ihrem Ende, ihrem Ziel der Gottesherrschaft, weil sie durch Gericht hindurch aufgerichtet werde. Hier lautete seine abschließende These: »Die heilsgeschichtliche Eschatologie bringt mit dem Ende den abschließenden und endgültigen Sieg Gottes zur Darstellung, indem sie im Gedanken des Gerichts alle Genera-

---

[843] H.E. Weber: Die Kirche im Lichte der Eschatologie. S. 332.
[844] Ebd. S. 334.
[845] Ebd. S. 334.
[846] Apk. 11, 15.17.
[847] H.E. Weber: Die Kirche im Lichte der Eschatologie. S. 335.

tionen der Menschheit mit der letzten, die geschichtliche Menschheit als Ganzes umfaßt«[848].

In einem letzten Wort stellte H. E. Weber fest, daß die Eschatologie nur »in der Gestalt von Glaubensausblicken « erstehen kann. Dieser Glaube hatte für ihn keine Anerkennung und Erfüllung für die uferlosen Fragen der Neugier. Er glaubte aber an jenen Gott, der der Herr unendlicher Möglichkeiten ist. Aus diesem Grunde waren für ihn die Schwierigkeiten der Vorstellung, die Antinomien des Denkens, kein Hemmnis. Diese Bescheidung des Glaubens schloß für ihn die Zuversicht ein. Der Gottesgedanke, der den Glauben zum Glauben macht, ist nach H. E. Weber mit »Erleben«, »Erfahrung« verwachsen. Darin lag für ihn das Recht, auf Erfahrung zurückzugehen, von der her er bekannte: »Offenbarung, die nahe gekommen, weckt Zuversicht; Gottesheil, das geschenkt ist, gibt Hoffnung auf Vollendung«[849]. H. E. Weber vergaß nicht, daß der Glaube über alles Erfahren hinausgreift und - daß Glaube nicht ist ohne das Wort. Daher stellte er die Bibel in das Werden der eschatologischen Überzeugung hinein, als »Gnadenmittel«, das Glauben weckt, als Buch prophetischer Schauung, das prophetisches »Ja« gibt zu den Ahnungen. Ausdrücklich wollte H. E. Weber die Offenbarung Gottes nicht beschränkt wissen auf das, was die vielen »nacherleben« können. Allerdings meinte er, daß wir nur das aneignen können, was zusammenhängt und verwachsen kann mit dem Bestand unseres Lebens, mit dem Eigenbewußtsein des Glaubens, daher werde die Aneignung und Verarbeitung der prophetischen Intuition des Neuen Testaments ihre individuelle Freiheit und Mannigfaltigkeit behalten[850].

War mit dieser Auffassung nicht doch dem Subjektivismus das Wort geredet? Was hatten diese Lebensfragen persönlichen Glaubens mit dem Leben der Kirche zu tun? Am Schluß seiner Erörterung kam H. E. Weber noch einmal auf die Kirche zu sprechen, wie er sie im Lichte der Eschatologie als »geschichtliche Gemeinschaft des Ewigkeitssinnes und Ewigkeitszieles« sah. Aber seltsam blaß bleiben seine Ausführungen, wenn er von der negativen Bestimmung ausgeht, daß wir uns die Kirche der Zukunft nicht ausmalen könnten; der Glaube solle auf Gottes Zukunft warten. »Er braucht nicht in sichtbarer Kirchenherrlichkeit einen Ersatz zu suchen, der doch kein Ersatz ist. Er braucht sich auch nicht aus der schlechten, oft wohl gar fast trostlosen Wirklichkeit in einen mystischen Individualismus zu retten. Er bedarf, ob ihm auch Wissen und Schauen versagt ist, dennoch im vollen Bewußtsein der überschwenglichen Verheißung bekennen: Ich glaube eine heilige allgemeine Kirche, die Gemeinschaft der Heiligen«[851].

Wie kommt es, daß der Artikel H. E. Webers, trotz mancher theologiegeschichtlich interessanter Hinweise und trotz der ausdrücklichen Berufung auf das Bekenntnis, am Ende doch einen faden Geschmack hinterläßt. Ließe sich zum Thema »Die Kirche im Lichte der Eschatologie« nicht mehr und anderes sagen? Wir werden daraufhin die katholigsche Theologie befragen müssen. Lehrt sie in damaliger Zeit etwa nur »anders« in dem Sinne, wie es als typisch katholisch von H. E. Weber abgewiesen wurde, oder bietet sie eine weiterführende Antwort auf die Pro-

---

[848] Ebd. S. 336.
[849] Ebd. S. 338.
[850] Ebd. S. 339.
[851] Ebd. S. 339.

blematik von »individueller« und »heilsgeschichtlicher« Eschatologie? Für den, der die Kirche in der Offenbarung Gottes voll ernst nimmt, kann nicht die Reduktion der Theologie auf den persönlichen Glaubensakt das letzte Wort sein.

(17) Georg Hoffmann

Die eschatologische Neubesinnung, die bereits im vorigen Jahrhundert einsetzte[852], im 20. unter dem Eindruck einer gewaltigen Krise zu ihrem Höhepunkt kam, fand zu Beginn der 30er Jahre einen gewissen Abschluß. Im Bereich der Theologie war von den verschiedensten Standpunkten aus alles Wesentliche gesagt, große Entwürfe vorgelegt, die Bedeutung »welche den letzten Dingen für Theologie und Kirche zukommt«[853], allenthalben anerkannt worden. Von einer einheitlichen Auffassung konnte zwar keine Rede sein; jedoch legte es der status quaestionis nahe, in einer möglichst umfassenden Übersicht Bilanz zu ziehen.

Hinsichtlich der neueren evangelischen Theologie widmete sich der Licenciat G. Hoffmann, ein Schüler von G. Wobbermin in Göttingen, dieser Aufgabe[854]. Dabei fragte er nach der dem Wesen des Glaubens angemessenen Behandlung der Eschatologie, um in dem Vielerlei verschiedener eschatologischer Lehrformen eine klare Entscheidung treffen zu können. Zugleich versuchte er, die der Eschatologie gebührende Bedeutung für die gesamte Dogmatik allseitig und rein zum Ausdruck zu bringen[855].

G. Hoffmann begann mit einer kritischen Darstellung der wichtigsten seit Schleiermacher vertretenen Eschatologien. Er bemühte sich, immer wiederkehrende Typen der Lehrbildung voneinander abzuheben; dabei stellte er eine endzeitliche Eschatologie, die herkömmlich das behandelt, was »zuletzt« kommt, also die künftige Vollendung der Einzelnen wie der Menschheit, einer überzeitlichen Eschatologie, die die Vollendung nicht in der Verlängerung der Zeitstrecke sucht, sondern »senkrecht zu ihr«, in der unmittelbaren Beziehung des gegenwärtigen Augenblicks auf die Ewigkeit Gottes, gegenüber. In der endzeitlichen Eschatologie unterschied er zwei Haupttypen: 1. solche, die die Gewißheit hatten, objektiv gültige Aussagen nicht nur über das »Daß«, sondern auch über das »Wie« der Vollendung und über die Zustände der neuen Welt machen zu können, so daß sie eine wissenschaftliche Beschreibung der letzten Dinge in Analogie zu den Erfahrungswissenschaften ermöglichten; 2. solche, die objektive eschatologische Aussagen für unmöglich hielten und die daher die Ansicht vertraten, man könne nur bildlich von den letzten Dingen reden und müsse auf ihre zutreffende Beschreibung verzichten[856].

---

[852] Theodor Kliefoth (1810-1895) gilt als der erste, der den Versuch einer umfassenden Darstellung der „Christlichen Eschatologie" machte. Leipzig 1886.

[853] M. Kähler: Dogmatische Zeitfragen. Bd. 2. ²1908. S. 487.

[854] Georg Hoffmann, geb. am 2.3.1902, Dr. theol., Dr. theol. h.c., 1933-1945 Privatdozent in Göttingen, Habilitation für systematische Theologie, 1952-1956 Rektor des Pastoralkollegs in Loccum, 1956-1970 Prof. für praktische Theologie in Kiel, Vorsitzender des Theologischen Ausschusses der VELKD.

[855] G. Hoffmann: Das Problem der letzten Dinge in der neueren evangelischen Theologie. (StSTh. 2.) Göttingen 1929.

[856] Ebd. S. 4.

G. Hoffmann charakterisierte diese Gruppen als »beschreibende« bzw. »beschränkende« Eschatologie. Er eröffnete den Reigen, indem er in der ersten Gruppe zunächst die Vertreter einer »biblizistischen Eschatologie« vorstellte; zu ihnen rechnete er F. A. Philippi[857], Th. Kliefoth, in etwa auch A. Schlatter[858]. Als Vertreter der »spekulativen Eschatologie« erschien ihm vor allen R. Rothe[859], aber auch A. E. Biedermann[860] und D. Fr. Strauß[861]. Eine »unterbauende Eschatologie« fand er bei solchen Theologen, die zwar die Unzulänglichkeit aller Aussagen über die letzten Dinge zugestanden, gleichwohl aber an der Möglichkeit einer »beschreibenden Eschatologie« festhalten wollten; zu diesen rechnete er H. Martensen[862], aber auch M. Kähler[863], E. Troeltsch[864], Fr. H. R. Frank[865], I. A. Dorner[866], R. Seeberg[867], K. Heim[868]. Zu der Gruppe der »beschränkenden Eschatologie« faßte er Theologen wie Th. Haering, M. Schulze[869], K. Giergensohn[870], J. Kaftan[871], O. Kirn[872], W. Herrmann[873], H. Stephan[874], z.T. auch E. Troeltsch, K. Heim und G. Wobbermin. Kein Zweifel, daß zu dieser Gruppe auch K. Barth gehörte, wenngleich G. Hoffmann mit ihm zu jenen Theologen, die eine »überzeitliche Eschatolo-

[857] Friedrich Adolph Philippi (1809-1882), ab 1842 Prof. für Dogmatik und theologische Moral in Dorpat, ab 1852 Prof. für neutestamentliche Exegese in Rostock. Er verfaßte u.a.: Kirchliche Glaubenslehre. 6 Bde. Stuttgart 1854-1857-1859-1861-1863-1871-1873. - Dass. hrsg. von F. Philippi. Gütersloh 1883-1890.

[858] Adolf Schlatter (1852-1938): Das christliche Dogma. Stuttgart 1911, ²1923.

[859] Zu R. Rothe siehe oben S. 86-93.

[860] Alois Emanuel Biedermann (1819-1885): Christliche Dogmatik. Zürich 1869. - Dass. 2. Auflage. 2 Bde. Berlin 1884-1885. - Vgl. oben S. 19, Anm. 60.

[861] David Friedrich Strauß (1808-1874): Die christliche Glaubenslehre in ihrer geschichtlichen Entwicklung und im Kampfe mit der modernen Wissenschaft dargestellt. 2 Bde. Tübingen, Stuttgart 1840-1841. - Vgl. oben S. 103, Anm. 123.

[862] Hans Larsen Martensen (1808-1884): Die christliche Dogmatik (1849). Aus dem Dänischen. Kiel 1850. - Dass. 4. verbesserte Auflage 1858. - Martensen stand unter den Einfluß von Schleiermacher, Hegel und Baader. 1840-1854 Prof. in Kopenhagen, 1854-1884 Bischof von Seeland. Gegen ihn richteten sich die heftigen Angriffe S. Kierkegaards (1813-1855).

[863] M. Kähler: Die Wissenschaft der christlichen Lehre. ³1905.

[864] Troeltsch: Glaubenslehre.

[865] Franz Hermann Reinhold Frank (1827-1894), war seit 1858 Prof. der Theologie in Erlangen, Schriften: Siehe LV.

[866] Isaak August Dorner war zuletzt (1862-1883) Prof. für systematische Theologie in Berlin. Zu ihm siehe oben S. 102, Anm. 118.

[867] Zu R. Seeberg siehe oben S. 350-366.

[868] Zu K. Heim siehe oben S. 425-430.

[869] Zu Th. von Haering siehe oben S. 97, Anm. 93.
- Martin Schulze (1866-1943) war ab 1904 Prof. für systematische Theologie in Königsberg. Er schrieb u.a.: Grundriß der evangelischen Dogmatik. Leipzig 1918.

[870] Karl Girgensohn (1875-1925) war Prof. für systematische Theologie in Dorpat, Greifswald, ab 1922 in Leipzig. Auch er verfaßte einen: Grundriß der Dogmatik. Leipzig 1924.

[871] Zu J. Kaftan siehe oben S. 97-99.

[872] Zu O. Kirn siehe oben S. 313, Anm. 188.

[873] Zu W. Herrmann siehe oben S. 99-100.

[874] Horst Stephan (1873-1954) wirkte in Leipzig, ab 1907 in Marburg, ab 1922 in Halle, ab 1929 wieder in Leipzig. Schrieb u.a.: Glaubenslehre. Der evangelische Glaube und seine Weltanschauung. In zwei Teilen. (Sammlung Töpelmann. Gruppe 1: Die Theologie im Abriß. Bd. 3.) Gießen 1920-1921. - Dass. 2. völlig neubearbeitete Auflage. Erste (und) Zweite Hälfte. Ebd. 1927-1928.

gie« vertraten, überleitete. Der »konsequenten Ausprägung der überzeitlichen Eschatologie« in der dialektischen Theologie wurde ein eigener Abschnitt gewidmet, in dem außer den Werken K. Barths die Schriften von E. Brunner[875], F. Gogarten[876] und E. Thurneysen kritisch geprüft wurden. G. Hoffmann kritisierte, daß bei ihnen der Gedanke der Verwirklichung des Heils weitgehend außer Betracht blieb[877]. Er sah jedoch darin einen berechtigten Kern, daß in der dialektischen Theologie die Unmöglichkeit der Hoffnung aller menschlichen Haltung hervorgehoben wurde; denn - so meinte er - jede Hoffnung, die der Mensch aus sich erzeugt, unterliege dem Verdacht des Illusionismus; Gott selbst müsse die Ewigkeit dem Menschen ins Herz geben. Aber - und hier setzte seine Kritik ein - Gott müsse sie dem Menschen wirklich ins Herz geben; neben der objektiven Wahrheit müsse auch die subjektive Gewißheit zu ihrem Recht kommen. Er hielt dafür, daß das Moment der Gewißheit, der Gedanke, daß das Ziel erreicht werden wird, mit der Ewigkeitshoffnung unlöslich verbunden sein muß. Das Hoffen des Christen schien ihm mehr als ein bloßes Sehnen; es galt ihm als ein Warten, das den Vorgeschmack der künftigen Erfüllung bereits in sich trägt. So erklärte er: »Die christliche Hoffnung spricht ein rundes, volles Ja zur Ewigkeit, das selbständig neben dem Nein steht«[878].

Bevor G. Hoffmann seine eigene Auffassung näher erläuterte, ging er in einem besonderen Abschnitt auf die »vermittelnd überzeitliche Eschatologie« bei P. Althaus ein. Er stellte fest, daß dieser, im Gegensatz zu K. Barth, eine Heilsgegenwart kannte, das heißt den Gegenwartsbesitz ewigen Lebens, an dem sich die Ewigkeitshoffnung des Christen entzündet[879]. Außerdem wies er darauf hin, daß sich P. Althaus um eine positive Wertung der Geschichte bemühte[880]. Es blieb aber zu fragen, ob und wie sich die endzeitliche und die überzeitliche Eschatologie miteinander verbinden lasse, so daß die beiderseitigen Wahrheitsmomente voll zur Auswirkung kommen, ihre Einseitigkeiten jedoch vermieden werden. Als solche Wahrheitsmomente hielt er fest:
- bei der endzeitlichen Eschatologie die Erwartung des Endes als eines wirklichen Übergangs der Zeit in die Ewigkeit und die teleologische Beziehung der Geschichte auf dieses Ziel;
- bei der überzeitlichen Eschatologie die Betonung der eschatologischen Spannung des ganzen Christenlebens, der Überzeitlichkeit des Endes und des unendlichen Abstandes zwischen Ewigkeit und Zeit. Im folgenden versuchte er zunächst das Gott-Weltverhältnis möglichst rein und genau darzustellen, sodann den Ort der Ewigkeitshoffnung im Gesamtbestand des christlichen Glaubens zu bestimmen, und schließlich die sich daraus ergebenden Folgerungen für das Verhältnis dieses Weltlaufs zur kommenden Gotteswelt zu ziehen[881].

---

[875] Zu E. Brunner siehe oben S. 478-479.

[876] Zu F. Gogarten siehe oben S. 399, Anm. 251. - Zu E. Thurneysen siehe oben S. 457-463.

[877] Hoffmann: Das Problem der letzten Dinge. S. 32.

[878] Ebd. S. 35.

[879] Ebd. S. 43.

[880] Ebd. S. 44. - Vgl. Ahlbrecht: Tod und Unsterblichkeit in der evangelischen Theologie der Gegenwart. S. 108.

[881] Hoffmann: Das Problem der letzten Dinge. S. 49.

G. Hoffmann stellte an die Spitze seiner Ausführungen eine These, die für sein Verständnis des Ewigkeitsgedankens grundlegend war: »Die ewige Zukunft, auf die sich der Glaube des Menschen und der Menschheit richtet, ist nichts anderes als die volle, uneingeschränkte Gemeinschaft mit Gott, das Teilhaben an Gottes überweltlicher Lebensfülle, Herrschaft Gottes über alle und in allen«[882].

Ähnlich wie W. Koepp betonte auch G. Hoffmann, daß die Welt der Ewigkeit kein Zustand für sich ist, abgesondert und unterschieden von Gott; daß er vielmehr nur in und durch Gott gedacht werden darf. Er erklärte, Gott selbst sei die Ewigkeit, wie der Ursprung so auch das Ende alles von ihm geschaffenen Lebens[883]; aus diesem Tatbestand ergebe sich, daß die rechte Bestimmung des Gott-Weltverhältnisses für das Verständnis der Eschatologie von größter Bedeutung sei. Von den Ausdrücken »Transzendenz« und »Immanenz« zur Kennzeichnung dieses Verhältnisses wollte er absehen, da sie ihm wegen ihrer philosophischen Herkunft nicht geeignet schienen, den christlichen Ewigkeitsgedanken rein wiederzugeben. Speziell sah er die Gefahr darin, daß der Transzendenzgedanke zur Zerreißung von Gott und Welt, der Immanenzgedanke zu ihrer Vereinerleiung führt. So zog er es vor, von der »Ewigkeit« und »Allgegenwart« Gottes zu sprechen. Er hielt diese Ausdrücke für angemessen und sachentsprechend, da sie unmittelbar der Sprache des Glaubens entnommen sind[884].

Bei der Entfaltung des Ewigkeitsgedankens wies er die naive Vorstellung der Ewigkeit als einer endlosen Zeitdauer zurück, ebenso auch den philosophischen Ewigkeitsbegriff der Zeitlosigkeit. Ewigkeit im Sinne des christlichen Glaubens war für ihn nicht bloß Gegensatz zur Zeit als der einen Form des raumzeitlichen Daseins, sondern Gegensatz zur Zeit als Zeitlichkeit, das heißt als Ausdruck der Endlichkeit und Bedingtheit des raumzeitlichen Daseins überhaupt. Er erklärte: »Das Überzeitliche, in diesem Sinn Unendliche und das Zeitliche, Endliche stehen sich gegenüber«[885].

Nach G. Hoffmann ist es nun unmöglich, via negationis zum Ewigkeitsgedanken vorzudringen, da es - wie er darlegte - zum Wesen der Negation gehört, zwischen sich und dem Negierten eine unüberwindbare Schranke aufzurichten. Wäre daher die Ewigkeit Verneinung der Zeit, so wäre jede positive Beziehung zur Zeit unmöglich. G. Hoffmann sah, daß solche Ausschließlichkeit dem Glaubensgedanken der Ewigkeit fremd ist; daher kritisierte er, daß K. Barth nur auf diesem Wege seinen Ewigkeitsgedanken gewann. Um dessen Einseitigkeit und Unzulänglichkeit zu vermeiden, wollte er zunächst einmal von aller Weltbeziehung absehen. Er erklärte, daß Gott als der Ewige der schlechthin Selbständige und Unbedingte ist; daß Ewigkeit mithin all das ausdrückt, was sonst mit dem Begriff des Absoluten gemeint wird[886].

Der Begriff Ewigkeit schien G. Hoffmann jedoch viel inhaltlicher zu sein, da die Ewigkeit Gottes nicht die »starre Monotonie des absoluten Seins«, sondern

---

[882] Ebd. S. 53.
[883] Ebd. S. 53.
[884] Ebd. S. 54.
[885] Ebd. S. 55.
[886] Ebd. S. 56.

»unendliche Fülle«, »eine sich bei aller Mannigfaltigkeit doch immer gleichbleibende Lebendigkeit«, die freilich immer nur in unzureichenden Bildern ausgedrückt werden kann. Bezogen auf die Welt erschien ihm von hier aus die unbedingte Selbständigkeit des Ewigen als »Erhabenheit« und »Überlegenheit Gottes« über alles raumzeitliche Geschehen, mithin als »Überweltlichkeit« oder »Überzeitlichkeit«[887].

Näher bestimmt drückte der Gedanke der Überzeitlichkeit Gottes für Hoffmann zunächst ein negatives Verhältnis zur Zeitlichkeit aus. Die Überzeitlichkeit Gottes ist seine Zeitentnommenheit: »Als der Ewige ist Gott unabhängig von dem gesamten Weltdasein und ihm deshalb schlechterdings entnommen; er ist nie in die Schranken von Raum und Zeit zu fassen, sondern steht immer jenseits von ihnen; Gott ist der Raum- und Zeitlose«[888]. Damit war für G. Hoffmann ein weiterer Zug der Überzeitlichkeit Gottes gegeben, seine Unwandelbarkeit. Diese wollte er zwar unterschieden wissen von der »Unveränderlichkeit des absoluten Seins«, aber er erklärte: Weil Gott allen raumzeitlichen Schranken entnommen ist, unterliege er auch nicht dem Wechsel und der Veränderlichkeit, in denen sich das Wesen der Endlichkeit ausprägt. Ohne Wandel, unveränderlich stehe Gott der Ewige immer gleich über dem gleitenden Fluß der Zeiten. Diese Unwandelbarkeit Gottes meine die naive Ewigkeitsvorstellung, wenn sie die Ewigkeit als die dem Ablauf der Zeit gegenüber beharrende Dauer versteht[889].

Indem G. Hoffmann den Unterschied von Zeit und Ewigkeit nicht von der Welt, sondern von Gott aus bestimmte, gewann er Raum für die Überbrückung der Kluft zwischen Ewigkeit und Zeit. Denn neben der Zeitentnommenheit sah er auch die Zeitmächtigkeit Gottes stehen, die für ihn die Möglichkeit eines positiven Gott-Weltverhältnisses bezeichnete. Er war überzeugt, daß Gott als der Unbedingte der Welt nicht nur jenseitig, sondern auch »inseitig« sein kann. »Die Welt steht in ihrem gesamten Umfang der göttlichen Einwirkung offen; Gott hat das Vermögen, unbeschadet seiner Gottheit, in die Zeit einzugehen und sich auf jeden Punkt des raumzeitlichen Geschehens wirksam zu beziehen. Er ist der Raum- und Zeitbeherrschende«[890].

Beide Seiten der Überweltlichkeit, die negative und die positive, Zeitentnommenheit und Zeitmächtigkeit müssen nach G. Hoffmann zusammengenommen werden, weil sie nur dann dem voll gerecht werden, was der Glaube meint, wenn er von der Ewigkeit im Gegensatz zur Zeit redet. Er befürchtete, daß der Begriff der Ewigkeit versteinert, sobald man das positive Moment der Zeitmächtigkeit außer acht läßt; daß andererseits die Ewigkeit in die Zeitlichkeit gezogen und damit ihrer Reinheit beraubt wird, wenn der Gedanke der Zeitmächtigkeit auf Kosten der Zeitentnommenheit betont wird. Vor allem wandte er sich, mit Hinweis auf die Ritschl'sche Verwendung des Begriffs, dagegen, Gottes Ewigkeit als gesteigerte Analogie zur Zeitmächtigkeit des menschlichen Geistes zu sehen, da so der wesenhafte Unterschied von Ewigkeit und Zeit verwischt werde. Noch einmal betonte er, daß nur

---

887 Ebd. S. 56.
888 Ebd. S. 56.
889 Ebd. S. 56.
890 Ebd. S. 57.

Zeitentnommenheit und Zeitmächtigkeit in unlöslicher Verbindung den Ewigkeitsgedanken erschöpfen. »Ewigkeit«, so stellte er gesperrt heraus, »ist die unbedingte, raum- und zeitlose, aber raum- und zeitbeherrschende Überweltlichkeit Gottes«[891].

Mit dieser Klarstellung war das Gott-Weltverhältnis für G. Hoffmann aber noch nicht genügend beschrieben, neben den Gedanken der Ewigkeit stellte er den der Allgegenwart Gottes: »Der raum- und zeitbeherrschende ewige Gott ist auch der raum- und zeitdurchwaltende«[892]. Der Gedanke der Allgegenwart Gottes besagte demnach, daß der ewige Gott in allem raumzeitlichen Geschehen wirksam gegenwärtig ist. Er beruhte auf jener biblischen Überzeugung, daß Gott die tiefste Lebenskraft des Universums ist, daß unser Leben von ihm umfaßt und getragen wird[893]. Auch an dieser Stelle wies G. Hoffmann jenen Immanenzgedanken, der konsequent gefaßt zum Pantheismus führt, zurück: Wenn Gott die gesamte Wirklichkeit durchwaltet, dann geht er dabei eben nicht in ihr auf, sondern bleibt ihr an jedem Punkt überlegen. Der Begriff der Kausalität wurde ebenfalls abgelehnt, da er nie über den Weltzusammenhang hinauszuführen vermag und geradezu die Freiheit Gottes einschränken würde. Wie G. Hoffmann hinzufügte, hatte er die Allgegenwart und Zeitmächtigkeit nebeneinander gestellt und damit in Gott Potentialität und Aktualität unterschieden, um so die Freiheit Gottes zu wahren. Der voluntaristische Zug, der auch seiner Theologie zugrunde lag, kam zum Ausdruck, in dem er erklärte: »Gott muß nicht allgegenwärtig sein, wie es beim Begriff der Ursächlichkeit der Fall wäre, sondern kann es; er ist es, weil er es will «[894].

Hatte G. Hoffmann mit dem Gedanken der Allgegenwart Gottes eine wirksame Beziehung Gottes auf die Welt und damit auf die Menschen ausgesagt, so sah er damit aber nicht ohne weiteres eine Beziehung des Menschen auf Gott gegeben. Vom Menschen aus blieb Gott immer der Fremde und Unzugängliche, und G. Hoffmann hielt daran fest, daß es zur Gotteserkenntnis und damit zu einem Gottverhältnis des Menschen nur dann kommen kann, wenn Gott selbst sich dem Menschen erschließt. Hier nun kam G. Hoffmann auf die Gewißheit des christlichen Glaubens zu sprechen, daß diese Selbsterschließung Gottes, die Offenbarung des Ewigen an die endliche Menschheit, in der Person Jesu Christi stattgefunden hat. Das Vorhandensein anderweitiger göttlicher Offenbarung leugnete er nicht, aber er behauptete, daß in Christus die abschließende, volle Offenbarung Gottes vorliegt, in deren Licht alle andere Offenbarung erst voll verstanden werden kann. Wie G. Hoffmann darlegte, wird in Christus die Allgegenwart Gottes zur Gegenwart im prägnantesten Sinn; wird, mitten in Raum und Zeit, an einem festumschriebenen Punkt, die Ewigkeit Zeit, das heißt volle, reale Gegenwart. »Das Wort ward Fleisch«, das heißt nach G. Hoffmann, daß die Gestalt des Menschen Jesus zum Transparent wird, hinter dem die ewige Kraft und Gottheit sichtbar werden; daß der Deus absconditus hier der Deus revelatus ist ; daß sich in Christus der unendlich Ferne zugleich als der unmittelbar Nahe, der Ewige als der Allgegenwärtige erschließt. Damit spitzte sich für Hoffmann in der Gegenwart Gottes in Christus

---

[891] Ebd. S. 58.
[892] Ebd. S. 58.
[893] Vgl. Apg. 17, 28.
[894] Hoffmann: Das Problem der letzten Dinge. S. 58.

das Verhältnis von Zeit und Ewigkeit aufs schärfste zu. Denn vom Menschen aus gesehen wird Gott Mensch und bleibt doch Gott, ein Paradox, ebenso wie jenes, daß die Ewigkeit Zeit wird und doch nicht aufhört, Ewigkeit zu sein. Wie das möglich ist, konnte auch G. Hoffmann nicht erklären. Er verwies auf die Formel des Chalcedonense und gab der Überzeugung Ausdruck, daß hiermit der unendliche, qualitative Unterschied von Zeit und Ewigkeit überwunden wird und zugleich voll gewahrt bleibt[895].

Für G. Hoffmann war klar: Wenn Gott real in die Zeit eingeht und in der Geschichte mit der Menschheit handelt, bekommt die Geschichte Ewigkeitsgehalt und damit eine zielstrebige Richtung. Das durch die Stichworte: Ewigkeit - Allgegenwart - Gegenwart Gottes bestimmte Gott-Weltverhältnis bildete somit den Rahmen, in den er nunmehr die Eschatologie einzuspannen gedachte. Es ging ihm vor allem darum, darzutun, wie sich die christliche Ewigkeitshoffnung in den Gesamtbestand des Glaubens eingegliedert, und welche Folgerungen sich hieraus für die Bedeutung und Behandlung der Eschatologie ergeben[896].

Um den Ort aufzuweisen, an dem die christliche Ewigkeitshoffnung entsteht, wollte G. Hoffmann bis auf das Grundverhältnis von Gott und Mensch zurückgehen. Er erklärte, daß die Offenbarung Gottes den Abstand zwischen Mensch und Gott, Zeit und Ewigkeit in voller Schärfe zum Ausdruck bringt, weil sich in der Gegenwart Gottes in Jesus Christus der Ewige, das heißt der über Raum und Zeit unendlich erhabene Herr, sich dem Menschen und damit aller raum- und zeitgebundenen Kreatur erschließt. »Im Angesicht des Ewigen enthüllt sich das Wesen der Welt, damit auch das menschliche Wesen, in seiner ohnmächtigen Scheinwirklichkeit, als endlich, vergänglich, nichtig. Die Offenbarung des Ewigen ist zugleich die Aufdeckung der Todesgrenze, die Gott und Mensch scheidet«[897].

Das Grundverhältnis von Gott und Mensch bestand nach G. Hoffmann jedoch nicht nur in dem Gegensatz von Ewigkeit und Vergänglichkeit, sondern auch in dem von Heiligkeit und Sünde. Angesichts der Heiligkeit und Gerechtigkeit Gottes enthüllte sich ihm das menschliche Wesen in seiner Grundverkehrtheit als gottwidrig und sündig. So kam er zu der These: »Erst hierdurch, daß neben dem Gegensatz von ewig und endlich immer auch der andere von heilig und sündig steht, bekommt das Gott-Weltverhältnis seine volle inhaltliche Bestimmtheit, die es über die bloß formale Dialektik von Zeit und Ewigkeit hinaushebt«[898].

Nun ist zu fragen, ob die Theologie G. Hoffmanns lediglich von einer Beschreibung der Situation des Menschen in einer konkret der Sünde verfallenen Welt ausging, oder ob für ihn Sünde als Ausdruck von Vergänglichkeit und Unzulänglichkeit gleichsam von Natur aus zum Wesen des Menschen ja der Kreatur schlechthin gehörte. Es scheint, daß er die Macht der Sünde und die Todverfallenheit zu den Gesetzen alles endlichen Daseins zählte, denen der Mensch unterliegt, solange er in dieser Welt lebt[899]. Entsprechend bedeutete nach seiner Auffassung die Offenbarung Gottes das Gericht über die Welt und damit über alles Menschentum, »die

---

[895] Ebd. S. 60.
[896] Ebd. S. 61.
[897] Ebd. S. 61.
[898] Ebd. S. 61.
[899] Vgl. ebd. S. 67.

Enthüllung des Widerstreites, in dem sich das Wesen des Menschen zu dem ewigen, heiligen Leben Gottes befindet«[900].

Das war freilich für G. Hoffmann nur die eine Seite der Offenbarung. Der ewige, heilige Gott, dessen Nachkommen dem Menschen seine Sündigkeit und Todverfallenheit enthüllt, offenbarte sich ihm als der, der dem Menschen das Heil schenken und ihm Anteil an seiner Heiligkeit gewähren will, ja, in diesem Heilsangebot sah er die eigentliche Absicht der Selbsterschließung Gottes. Seine nächste These lautete: »Der ewige Gott offenbart sich als ewiger Heilswille; seine Menschwerdung erfolgt zu dem Zwecke der Heilsmitteilung an die Menschheit«[901].

Gottesgedanke und Heilsgedanke gehörten somit für G. Hoffmann unlösbar zusammen; allerdings behauptete er, daß sich hierin die Paradoxie des Gott-Weltverhältnisses zu äußerster Schärfe vollende, daß in diesem Punkt die eigentliche Grundantinomie des christlichen Glaubens liege: Der ewige Gott bietet dem Menschen seine Gemeinschaft an, beruft ihn zur Teilnahme an seinem Reich; redet den Menschen an, würdigt ihn eines persönlichen Verhältnisses; läßt sich zum Menschen herab; stellt sich auf die Stufe mit ihm, und bleibt doch in jedem Augenblick der Ewige, an dem gemessen der Mensch ein Nichts ist, und der Heilige, vor dem der Sünder vergehen muß; oder auf die Menschheit ausgeweitet: »Der jenseits alles raumzeitlichen Geschehens Stehende handelt in der Zeit, in der Geschichte mit der Menschheit, um sie dem ewigen Ziele des Gottesreiches zuzuführen«[902].

An dieser Stelle wies G. Hoffmann darauf hin, daß Gott immer beides zugleich ist: die ewige Liebe, die um den Menschen wirbt, ihm ihre Gemeinschaft anbietet, und der ewige Herr, der den Gehorsam des Menschen fordert. So erschien ihm das Heilsangebot Gottes als Anspruch in einem doppelten Sinne, als Anrede und Forderung, und er stellte heraus: »Das Wort Gottes, das das Heil zusagt, fordert schlichte Unterwerfung«[903]. Die Betonung dieser Seite schien ihm unerläßlich, um den christlichen Heilsbegriff gegen den Eudämonismus einer Bedürfnisreligion zu sichern.

Indem G. Hoffmann den Inhalt der Heilszusage als »Gemeinschaft mit Gott«, als »Teilhaben an Gottes Ewigkeit und Heiligkeit« bestimmte, sah er sich bereits auf das Gebiet der Eschatologie gestellt; denn im Begriff der »Gottesgemeinschaft« lag für ihn, wie er versicherte, immer schon ein eschatologischer Zug. Als Kern dieser Auffassung finden wir die Erkenntnis, daß Gott etwas Ganzes verheißt, »die völlige Gemeinschaft des Menschen mit ihm in seinem Reiche«, »die Teilnahme an seiner unerschöpflichen Lebensfülle«, »das ewige Leben«[904]. Mit dieser Erkenntnis sah sich G. Hoffmann über den Umkreis des raumzeitlichen Daseins hinausgeführt, denn es schien ihm unabweisbar, daß es volle Gemeinschaft mit Gott in Raum und Zeit nicht geben könne, weil Gott in Raum und Zeit nicht aufgeht sondern auch als der Gegenwärtige der ganz Andere, Überweltliche bleibt. Er hielt es für unmöglich, Gott in diesem Leben zu schauen, wie er ist, weil dazu eine völlige reale Gemeinschaft mit ihm nötig wäre. Dasselbe galt für ihn auch von dem

---

[900] Ebd. S. 61.
[901] Ebd. S. 62.
[902] Ebd. S. 62.
[903] Ebd. S. 62.
[904] Ebd. S. 63.

Heilsziel der Menschheit; das Reich Gottes - so behauptete er - setze das Aufhören dieses Weltbestandes voraus, da es sich unter den raumzeitlichen Daseinsbedingungen nicht verwirklichen lasse. Seine Begründung: »Solange diese Welt währt, kann von einer unumschränkten Herrschaft Gottes nicht geredet werden«[905].

Somit war für G. Hoffmann in dem Inhalt der Heilsoffenbarung, den er in der bürgenden Zusage vollkommener Gottesgemeinschaft ewigen Lebens im Gottesreich erblickte, die eschatologische Beziehung primär enthalten. Daran konnte für ihn auch der Umstand nichts ändern, daß er das Heil nicht nur als ewiges Leben, sondern auch als Vergebung der Sünden bestimmt sah. Allerdings wollte er die Rechtfertigung des Sünders nicht als selbständige, abgeschlossene Heilsmitteilung verstanden, sondern dem Gedanken des ewigen Lebens untergeordnet wissen, da sie für ihn Vorbedingung und Voraussetzung für die Erlangung des ewigen Lebens und die Teilnahme am Reiche Gottes war. Er begründete seine Auffassung mit der Erklärung, daß Gerechtsprechung des Sünders nur die Vorwegnahme der künftigen Gerechtmachung sei; mit R. Seeberg war er der Ansicht, daß Gott den Menschen, weil er ihn zur Vollendung führen will, als schon vollendet beurteilt[906].

Es lag in der Konsequenz dieser Rechtfertigungslehre, daß - verglichen mit dem gegenwärtigen Lebensstand des Christen - nur das zukünftige Heil, das den Inhalt der göttlichen Verheißung bildet, als Erlösung bezeichnet werden konnte. So definierte G. Hoffmann: »Erlösung ist die göttliche Tat, durch die Gott dem Menschen die völlige Gemeinschaft mit sich gewährt und ihn endgültig von seiner Gebundenheit an Welt, Sünde und Übel befreit«[907]. Das lag für G. Hoffmann in der Zukunft, war mithin Gegenstand der Eschatologie. Allerdings sah er in der Grundtatsache der Gegenwart Gottes bereits eine »Beziehung auf die ewige Heilsverwirklichung« gegeben. Diese bestand für ihn darin, daß die Ewigkeitshoffnung aus dem Wort Gottes, das heißt aus der in Jesus Christus dargebotenen und in der Verkündigung von ihm bezeugten göttlichen Heilszusage bürgend zugesichert ist. Freilich muß dazu auf Seiten des Menschen der Glaube hinzukommen, damit die »im Wort Gottes objektiv dargebotene Heilsverheißung zum Besitz des Menschen, mithin zur subjektiven Heilsgewißheit« werden kann. Daß in Christus wirklich der ewige Gott selbst in die Zeitlichkeit eingetreten ist und mit seiner Vollmacht hinter der Heilszusage steht, entzieht sich nach G. Hoffmann »jedem möglichen direkten Nachweis«. So behauptete er: »Die Gegenwart Gottes in Christus kann nur geglaubt, das heißt auf Grund gottgewirkter innerlicher Überführung bejaht werden«[908].

Der Glaube war nach dieser Auffassung die einzige Möglichkeit, in der Zeit Zugang zur Ewigkeit zu gewinnen, aber darin, daß der Glaube »Aneignung der Heilsverheißung« ist, lag für G. Hoffmann bereits seine unablösbare eschatologische Bestimmtheit. Da er den maßgebenden objektiven göttlichen Faktor der Verheißung wesentlich eschatologisch bestimmt sah, mußte auch der subjektive Faktor des Glaubens für ihn ein eschatologisches Gepräge haben. Er erklärte: »In dem

---

[905] Ebd. S. 63.
[906] Ebd. S. 64. - Vgl. Seeberg: Christliche Dogmatik. Bd. 2. S. 595.
[907] Hoffmann: Das Problem der letzten Dinge. S. 64.
[908] Ebd. S. 65.

die Heilszusage bejahenden Glauben, den wir den Heilsglauben schlechthin nennen wollen, liegt die Hoffnung, die Beziehung auf die ewige Zukunft bereits beschlossen«[909].

In Heb. 11 fand G. Hoffmann trefflich zum Ausdruck gebracht, daß der Glaube selbst zu einem wesentlichen Teil Hoffnung ist. Wenn er nun betonte, daß der Heilsglaube immer auch Ewigkeitsglaube, Glaube an die ewige Zukunft der vollen Gottesgemeinschaft ist, so beanstandete er jedoch mit E. Schaeder und P. Althaus am Glaubensbegriff K. Barths, daß dort der Glaube restlos zum Hoffen werde und rein in Zukunftsbeziehung aufgehe. Dagegen betonte er, daß es sich im Glauben durchaus um eine Gegenwartsbeziehung handle; daß der Glaubende nicht nur Erbe der ewigen Herrlichkeit sein werde, sondern auch in diesem Leben schon Gottes Kind sei. Insofern konnte auch bei G. Hoffmann von einem Glaubens-»Besitz«, von einer »Gegenwart« des Heils die Rede sein. Die Heilsgewißheit erschien ihm - auf dieses Leben bezogen - als »Rechtfertigungsgewißheit«, als die Gewißheit, daß Gott dem Menschen gnädig ist, daß der Mensch Gott recht ist«[910].

War der Glaube im engeren Sinne, der »Gegenwartsglaube« bzw. der »Rechtfertigungsglaube«, der »Vollzug der verheißenden Gottesgemeinschaft im zeitlichen Leben«, so sah G. Hoffmann eben darin auch das eschatologische Moment; denn die Verheißung, die den Glauben trägt, verstand er als die Zusage völliger Gottesgemeinschaft, die über Raum und Zeit hinausweist. Allerdings: die endgültige Erfüllung der Heilszusage, die völlige Verwirklichung der Gottesgemeinschaft, die ungehemmte, ungetrübte Teilnahme an Gottes Herrlichkeit kann erst »dann« und »dort« statthaben, wo die Ewigkeit allein Wirklichkeit ist und nicht mehr die »Scheinwirklichkeit der raumzeitlichen Welt« neben sich hat[911]. Daher erschien ihm die Gegenwart des Christenstandes immer nur als Vorwegnahme des vollen Heils, als Anzahlung auf die eigentliche Erfüllung. Freilich erweiterte sich ihm der rechtfertigende Glaube von selbst zum Ewigkeitsglauben, weil für ihn die Heilsgewißheit immer schon Ewigkeitsgewißheit war. Noch einmal erklärte er: »Die Rechtfertigungsgewißheit, die Gewißheit der Heilsgegenwart, ist nur die der Zeitlichkeit zugewendete Seite der Ewigkeitsgewißheit, die Form, in der sich die Ewigkeitsgewißheit auf die Gegenwart bezogen, äußert«[912].

So waren für G. Hoffmann Rechtfertigungsglaube und Ewigkeitsglaube wesensmäßig ineinander verflochten und konnten in ihrer Verbindung nicht gelöst werden. Er gab zu, daß man beides sagen könne: Der Ewigkeitsglaube liege in der Verlängerung des rechtfertigenden Glaubens, oder der rechtfertigende Glaube falle in die perspektivische Verkürzung des Ewigkeitsglaubens; beides treffe zu, da man sich beide Male auf der einen, gleichen Linie des Heilsglaubens bewege, die notwendig über diese Zeitlichkeit auf die ewige Erfüllung hinausführe. Hieraus zog G. Hoffmann die Konsequenz, daß dem Glauben die Tendenz zur Selbstaufhebung innewohne, da er stets auf den ewigen Augenblick bezogen ist, wo aus dem Glauben das Schauen wird. Dieses Moment wurde von ihm nachdrücklich betont, da es ihm häufig über Gebühr vernachlässigt schien. Gegenüber der älteren Dogmatik

---

[909] Ebd. S. 66.
[910] Ebd. S. 67.
[911] Ebd. S. 67.
[912] Ebd. S. 68.

erhob er den Vorwurf, daß in ihr die gegenwärtige Glaubensgemeinschaft mit Gott bereits als Verwirklichung des Heils verstanden wurde, so daß das eschatologische Moment zu kurz kam. Wenn er selbst auch den Glauben nicht völlig in der Hoffnung aufgehen lassen, sondern die Gegenwartsbeziehung des rechtfertigenden Glaubens voll anerkennen wollte, so behauptete er jedoch mit Entschiedenheit, daß die Hoffnung, die Beziehung auf die ewige Zukunft der Erfüllung, das schlechthin entscheidende Merkmal am Glauben ausmache[913]. Praktisch ergab sich aus dieser Auffassung, daß G. Hoffmann ein »der Erfüllung gewisses Warten« als Grundhaltung des Christen ansah[914].

Nach dieser positiven Darlegung, in der G. Hoffmann den Nachweis versuchte, daß die christliche Ewigkeitshoffnung unmittelbar in der göttlichen Heilsverheißung und dem sie aneignenden Glauben begründet liegt, grenzte er sich kritisch von allen Entwürfen ab, die von einer Begründung der Eschatologie in der Heilsgegenwart ausgingen. Er präzisierte vor allem drei Formen:

a) die Eschatologie als Postulat der Unzerstörbarkeit des Heilsbesitzes,

b) die Eschatologie als Postulat der Vollendung des Heilsbesitzes, bzw. der Spannungslösung,

c) die Eschatologie als Postulat der Rechtfertigungsgewißheit.

Außerdem kritisierte er

d) die Ableitung der Eschatologie aus der verborgenen »Logik« der Christustatsache, wie sie P. Althaus vertreten hatte[915].

Wir können diese Auseinandersetzung hier im einzelnen nicht verfolgen. Stattdessen wenden wir uns zum Schluß den Folgerungen zu, die G. Hoffmann aus seiner Beschäftigung mit dem Problem der letzten Dinge gezogen hat.

1. Die Eschatologie als bestimmende Blickrichtung

Wie G. Hoffmann fand, ist die Ewigkeitshoffnung im innersten Kern des Christentums verankert; bereits im Grundverhältnis zu Gott und Mensch erkannte er eine wesensmäßige Beziehung auf die Zukunft. Die Gottesgewißheit des Glaubens schien ihm sofort ohne weiteres auch Ewigkeitsgewißheit zu sein; er erklärte, daß sich der Glaube ohne seine eschatologische Bestimmtheit gar nicht verstehen lasse, und daß damit der Ewigkeitshoffnung grundlegende Bedeutung für den gegenwärtigen Christenstand zukomme. Die dem Menschen im Glauben geschenkte Heilsgewißheit trägt nach G. Hoffmann stets die Erwartung des realen, uneingeschränkten Heilsbesitzes in sich; in der gegenwärtigen Glaubensgemeinschaft mit Gott war für ihn der Hinweis auf ihre künftige Erfüllung immer schon enthalten. Gemäß dieser Auffassung war die Heilsgegenwart für ihn nichts weiter als ein Provisorium[916].

Von besonderer Wichtigkeit sind für uns die Folgerungen, die der Licenciat an dieser Stelle für die christliche Dogmatik zog. Er bestimmte: »Die Aufgabe der Dogmatik ist die Erhebung des im christlichen Glauben beschlossenen Sinngehaltes, ... die Sinndeutung der vom Glauben in Christus bejahten Gotteswirklichkeit

---

[913] Hoffmann verweist auf E. Schaeder: Das Geistproblem der Theologie. Leipzig 1924. S. 149.

[914] Hoffmann: Das Problem der letzten Dinge. S. 68.

[915] Vgl. Althaus: Die letzten Dinge. ³1926. S. 55.

[916] Hoffmann: Das Problem der letzten Dinge. S. 91.

des 'Wortes'«[917]. Die Dogmatik bietet nach G. Hoffmann kein abgeschlossenes System sich folgerichtig aufeinander aufbauender Gedanken; sie hat es vielmehr immer mit derselben, in sich einheitlichen Größe zu tun, die sie in jedem Lehrstück nur von verschiedenen Seiten aus betrachtet: dem Gottesglauben, der zugleich auch Heilsglaube ist. Da nun G. Hoffmann von der wesensmäßig eschatologischen Ausprägung des christlichen Glaubens überzeugt war - Gottesglaube war für ihn immer schon Ewigkeitsglaube -, so forderte er, daß diesem Sachverhalt an allen Punkten der Dogmatik Rechnung getragen werde: Wie jede dogmatische Aussage letzten Endes eine Aussage von Gott sei, so müsse sie auch auf die ewige Zukunft des Heils bezogen sein. Hatte schon G. Wobbermin verlangt, daß die Eschatologie sich gleichmäßig in der ganzen Dogmatik zur Geltung bringen müsse[918], so lesen wir auch bei seinem Schüler: »Die Eschatologie muß die bestimmende Blickrichtung in der Dogmatik sein, Norm und Richtschnur für alle dogmatischen Aussagen«[919]. Nur damit schien ihm das provisorische Gepräge der Heilsgegenwart in den dogmatischen Ausführungen gewahrt und dem eschatologischen Moment Genüge geleistet.

Dadurch, daß die Eschatologie zur bestimmenden Blickrichtung wurde, verschob sich bei G. Hoffmann ihr Schwergewicht und ihre Aufgabe. Als Teildisziplin der systematischen Theologie für die Behandlung der letzten Dinge hatte sie nun nicht so sehr die Darstellung und Entfaltung der Glaubensaussagen über die ewige Zukunft zu ihrem Gegenstand, als vielmehr die »Ausprägung der eschatologischen Bestimmtheit aller Glaubensaussagen«. Hoffmann bestimmte: »Eschatologie ist nicht Lehre von den letzten Dingen, sondern Lehre von der Bezogenheit des Glaubens auf die letzten Dinge«[920]. Dieser »bestimmenden Eschatologie« kam es nicht so sehr darauf an, die wenigen inhaltlichen Aussagen über die ewige Zukunft zu entwickeln. Gewiß sollte sie das auch tun, aber, da G. Hoffmann eine inhaltliche Näherbestimmung der ewigen Zukunft unmöglich schien, mußte sie für ihn ein »Grenzbegriff« bleiben. Entscheidend war für ihn nicht das, was der Glaube über die ewige Zukunft weiß, sondern daß er an allen Punkten auf sie bezogen ist. Er erklärte: »Die Bezogenheit aller Glaubensaussagen auf die ewige Zukunft, und nicht so sehr die Glaubensaussagen über diese Zukunft selbst bilden also den Gegenstand der bestimmenden Eschatologie«[921]. Wenn die Eschatologie in dieser Weise als die bestimmende Blickrichtung die ganze Dogmatik beherrscht, kann sie nach G. Hoffmann die Bedeutung, die der christlichen Ewigkeitshoffnung im Gesamtbestande des Glaubens zukommt, in vollem Umfang in der Dogmatik zur Ausprägung bringen. Der Forderung: Intensität statt Extensität in der Behandlung der Eschatologie schien ihm damit Genüge geleistet, die Beschränkung ihres Umfangs durch die Herausarbeitung der eschatologischen Spannung in allen dogmatischen Lehrstücken wettgemacht[922].

---

[917] Ebd. S. 92.

[918] Vgl. Wobbermin: Systematische Theologie nach religionspsychologischer Methode. Bd. 3: Wesen und Wahrheit des Christentums. S. 253 und S. 3.

[919] Hoffmann: Das Problem der letzten Dinge. S. 92.

[920] Ebd. S. 93.

[921] Ebd. S. 94.

[922] Ebd. S. 94. - Vgl. ebd. S. 117-118: Anhang. Die Eschatologie als gesondertes Lehrstück der Dogmatik.

Im nächsten Abschnitt versuchte G. Hoffmann näher auszuführen, wieso die Eschatologie Norm und Maßstab für die dogmatischen Aussagen sein soll, in welcher Weise die eschatologische Norm die dogmatischen Aussagen zu bestimmen hat. Zu diesem Zweck fragte er danach, wie sich das Verhältnis der ewigen Zukunft des Heils zur zeitlichen Gegenwart des Christenstandes im einzelnen gestaltet, und zwar unter dem doppelten Aspekt:

a) inhaltlich: Wie verhält sich die Heilsverwirklichung in der Ewigkeit zum Heilsanbruch in der Zeit?

b) formal: Wie verhält sich die ewige Zukunft zur Zukunft im zeitlichen Sinne und damit zur Zeit überhaupt; wie vollzieht sich der Übergang der Zeit in die Ewigkeit?

In der Reihe der Folgerungen ergab sich:

2. Das Verhältnis der ewigen Heilsverwirklichung zum gegenwärtigen Heilsbesitz: Abbruch und Erfüllung.

Die Gegenüberstellung der verschiedenen Eschatologien hatte ergeben, daß das Verhältnis der ewigen Heilsverwirklichung zum zeitlichen Christenstand verschieden bestimmt wurde. Wie G. Hoffmann herausgearbeitet hatte, konnte man entweder die Zusammengehörigkeit betonen oder den Abstand zwischen Zeit und Ewigkeit in den Vordergrund rücken. Um das Verhältnis dieser verschiedenen Auffassungen zu klären, griff er auf die Grundantinomie des Gott-Weltverhältnisses zurück.

Wie wir sahen, war die ewige Zukunft des Glaubens für G. Hoffmann nichts anderes als die Ewigkeit Gottes, als Gott selbst in seiner Ewigkeit, erhaben schlechterdings über die Welt und doch nicht in allen Punkten wirksam gegenwärtig. Von daher ergab sich, daß G. Hoffmann auch die ewige Zukunft sowohl im Verhältnis des Gegensatzes als in dem des Zusammenhangs zur Zeit stehen sah. Er stimmte zu: »Die Ewigkeit steht der Zeit immer als das ganz Andere gegenüber; deshalb muß die ewige Zukunft unvermittelt, als schlechthinniges Wunder, als das ganz Neue in die Zeit einbrechen«[923]. So sah er die Gegenwart unter dem negativen Vorzeichen des göttlichen Neins, des Noch nicht . Zugleich glaubte er jedoch, daß die Ewigkeit in die Zeit eingegangen ist, daß diese daraus ihren Sinn und Ewigkeitsgehalt gewinnt; daß sie somit unter das positive Vorzeichen des göttlichen Ja, des Und doch schon tritt. Da aber dieses Und doch schon der Heilsgegenwart immer das Noch nicht zur Seite hat und nur auf seinem Hintergrund gesehen werden soll, kann es nach G. Hoffmann keine endgültige Setzung des Heils bedeuten, sondern nur als Anbahnung des Einst aber der vollen Heilsverwirklichung, als Vorbereitung der Ewigkeit gewertet werden. Von der Ewigkeit wollte er daher beides zugleich sagen: »Sie ist einerseits der Abbruch der Zeit, der völlige Untergang alles in Raum und Zeit Gegebenen, auch in seiner höchstentwickelten, reinsten Geistigkeit; und andererseits ist sie doch auch die Erfüllung , die volle Verwirklichung, der Ertrag des in der Zeit keimhaft Angebahnten«[924].

Beides muß nach G. Hoffmann unverkürzt nebeneinander behauptet werden. Auf der Suche nach einer umfassenden Bezeichnung für diesen paradoxen Sachverhalt sprach er davon, daß die Ewigkeit die »Auflösung« der Zeit sei. In diesem Ausdruck hörte er die Doppelseitigkeit anklingen, denn als Auflösung der Zeit war die

---

[923] Ebd. S. 95.
[924] Ebd. S. 95.

Ewigkeit für ihn einerseits die Auflösung der Welt in das Nichts, aus dem sie hervorging, andererseits die Auflösung aller Rätsel und Spannungen, die den Weltlauf begleiten. So wollte er dem Wahrheitsmoment der überzeitlichen Eschatologie Rechnung tragen und zugleich den berechtigten Kern einer am Entwicklungsgedanken orientierten Eschatologie zum Ausdruck bringen, wenngleich er sorgsam darüber wachte, daß nicht die Zielstrebigkeit gottdurchwalteter Wirklichkeit mit dem Entwicklungsgedanken gleichgesetzt werde. Er erklärte: »Die Zielstrebigkeit des Weltgeschehens wird vom Glauben nicht auf Grund eines sei es noch so weit gefaßten Entwicklungsgesetzes, sondern im Hinblick auf die Stetigkeit der göttlichen Weltregierung behaupet. Weil der Glaube die Erfüllung immer mit dem Abbruch zusammen sieht, kennt er sie nur als Gottes schöpferische Tat«[925]. Nicht um die Vollendung, die Menschen erreichen, sondern um die Erfüllung, die Gott schafft, handelt es sich nach G. Hoffmann. Er behauptete, daß sich die Zielstrebigkeit der Geschichte ebenso wie die Allgegenwart Gottes der natürlichen Weltbetrachtung entziehe und daher rational nicht zu fassen sei. Alle Versuche einer philosophischen Theodizee galten ihm von vornherein als zum Scheitern verurteilt. Für G. Hoffmann ließ es sich nur als Glaubensaussage behaupten, daß die Zeit der Ewigkeit zustrebt, daß es eine Anbahnung des Reiches Gottes auf Erden gibt. Er begrüßte es ohne Zweifel, daß damit der Glaube schlechthin von allen empirischen Beurteilungen und Bewertungen des Geschichtsverlaufes unabhängig wird[926].

War all dies im Hinblick auf die Menschheitserwartung insgesamt gesagt, so galt dasselbe von jedem Einzelleben. Auch hier war für G. Hoffmann die Ewigkeit die Erfüllung des in der Zeit gewordenen. Er anerkannte ein geistliches Wachstum, eine zunehmende Heiligung der christlichen Persönlichkeit, aber auch hier stand für ihn neben der Erfüllung der Abbruch, der es dem Menschen nicht erlaubte, das Heilsziel auf dem Wege fortschreitender Emporläuterung nach organischen Werdegesetzen zu erreichen. Mit Berufung auf den Ewigkeitsgedanken lehnte er die Annahme einer jenseitigen Fortentwicklung in einem »Zwischenzustand«, einem »Purgatorium der Gnade« ab[927], die völlige Reinigung und Verklärung des Christen kann nur in der Auferstehung erfolgen als »königliche, den Bestand des Menschen neu gründende Allmachtstat Gottes«, als eine »von allen Werdegesetzen unabhängiges und sie durchkreuzendes Wunder der göttlichen Gnade«[928].

Das negative Moment des Abbruchs bedeutete für G. Hoffmann nicht nur ein kritisches Prinzip für die Abgrenzung der Teleologie des Glaubens von dem Entwicklungsgedanken, sondern auch die Bewahrung der christlichen Ewigkeitshoffnung vor der Verquickung mit »eudämonistischen« Motiven. So war es für ihn ausgemacht, daß das ewige Leben nur durch den Abbruch hindurch erreicht werden kann. Er behauptete: »Im Tode wird das menschliche Wesen völlig zerbrochen, nach Seele und Leib«[929]. Deshalb richtet sich nach G. Hoffmann die christliche Hoffnung niemals auf eine »der Seele als Naturqualität anhaftende« Unsterblich-

---

[925] Ebd. S. 97.
[926] Ebd. S. 97.
[927] Ebd. S. 98. - Hoffmann verweist auf Seeberg: Christliche Dogmatik. Bd. 2. S. 587-590, 604-605, 642.
[928] Hoffmann: Das Problem der letzten Dinge. S. 98.
[929] Ebd. S. 98.

keit, sondern immer nur auf die Auferstehung von den Toten, das heißt auf die Wundertat Gottes, die »das im Tod zerfallene Wesen des Menschen erneut zum Leben ruft«[930].

Das Verhältnis der ewigen Verwirklichung des Heils zu ihrem Anbruch in der Zeit ließ sich also für Hoffmann nur durch die paradoxe Doppelaussage beschreiben: völliger Abbruch und trotzdem Erfüllung. Da er die Aufgabe der Eschatologie dahin bestimmt hatte, die »Bezogenheit der Heilsgegenwart auf die ewige Zukunft« als Norm der Dogmatik in den einzelnen Glaubenssätzen voll auszuprägen, so mußte nun die Eschatologie einerseits den »Abstand der Heilsgegenwart von der ewigen Heilszukunft zur Geltung bringen, indem sie alle Glaubenssätze auf den Abbruch, das Gericht, bezieht und ihnen damit das Gepräge der Vorläufigkeit verleiht«, - andererseits »die Zusammengehörigkeit von Heilsgegenwart und Heilszukunft betonen, indem sie alle Glaubensaussagen unter den Gesichtspunkt der ewigen Erfüllung rückt und damit die dem Glauben eignende Zielstrebigkeit zur Ausprägung bringt«[931]. G. Hoffmann unterschied diese beiden Seiten als »kritische« und »teleologische« Funktion der eschatologischen Norm: die eine sollte die Vorläufigkeit des gegenwärtigen Heilsstandes in den dogmatischen Aussagen zur Geltung bringen, die andere die Zielstrebigkeit des Glaubens, seine Richtung auf die ewige Erfüllung des in der Zeit angebahnten, ausprägen. An dieser Stelle wandte er sich der Überlegung zu, vor die ihn das Verhältnis der ewigen Heilsverwirklichung zum zeitlichen Heilsanbruch stellt, um daraus eine weitere Konsequenz zu ziehen.

3. Das Verhältnis der ewigen Zukunft zum gegenwärtigen Zeitlauf: Die Frage des »Endes«.

Wie vollzieht sich der Übergang aus dem Provisorium der Zeit in die dem Glauben verheißene ewige Zukunft? Nach G. Hoffmann handelt es sich bei dieser Frage um das alte Problem der Wiederkunft Christi, um die Frage nach dem »Wann« des Endes. Nachdem er die Unzulänglichkeiten der endgeschichtlichen Auffassung erörtert hatte, sah er sich genötigt, den Gedanken der ewigen Heilsverwirklichung als eines einmaligen Geschehens am Ende der Zeit fallen zu lassen. Gemäß der These, daß die ewige Zukunft nichts anderes ist, als die volle Teilnahme des Menschen und der Menschheit an der Ewigkeit Gottes, die Ewigkeit Gottes aber seine Zeitentnommenheit bedeutet, zog er nun die Konsequenz, daß man die mit dem Begriff der Zeit gegebenen Unterschiede nicht in die Ewigkeit hineintragen darf. So bekannte er sich zu der Auffassung, daß die Ewigkeit gleichmäßig die ganze Zeitlinie in ihrer gesamten Länge umfaßt, weil sie über der Zeit steht und somit jedem Augenblick in der Zeit gleich nahe oder gleich fern ist. Als Begründung führte er an, daß wir uns dies Verhältnis der Ewigkeit zur Zeit mit unserem an die Vorstellungsformen von Raum und Zeit gebundenen Denken nur unter dem Bild der Gleichzeitigkeit vergegenwärtigen können, so daß »was der endlichen Betrachtung als das Nacheinander der Zeitfolge erscheint, als der Wechsel von Gestern zum Heute und Morgen, von der Ewigkeit aus gesehen in eins zusammenfällt, ein ewiger Augenblick ist«[932]!

Nach dieser Begründung war es für G. Hoffmann völlig klar, daß man das

---

[930] Ebd. S. 98.
[931] Ebd. S. 99.
[932] Ebd. S. 101.

Weltende unmöglich auf einen Augenblick in der Zeit, auf den »jüngsten Tag« beschränkt denken kann. Daher verstand er das Weltende als die von Gott aus »gleichzeitige« Aufhebung des gesamten Weltprozesses. Der Eintritt der Ewigkeit, die Auferweckung der Toten, war für ihn ein »unzeitlich - überzeitliches Geschehen, das sich jenseits der Zeitlinie vollziehend, den Weltlauf in der Einheit aller seiner Momente begrenzt und jeden Augenblick der Zeit unmittelbar in sich aufnimmt«[933]. Bei dieser Auffassung der ewigen Zukunft schien ihm die Eigenbedeutung und Selbstzwecklichkeit eines jeden Zeitraumes aufs stärkste hervorgehoben zu werden, jede Zeit als letzte Zeit, jedes Geschlecht als dem Ende und dem Gewicht gleich nahestehend, so daß es die Wiederkunft des Herrn »erlebt«, weil der Ertrag eines jeden Geschichtsabschnitts unmittelbar in die Ewigkeit einmündet. Ebenso glaubte er, das Problem des Nebeneinanders von individueller und universaler Erwartung lösen zu können. Er erklärte, daß das iudicium particulare in agone mortis und das iudicium universale nur vom Menschen aus gesehen verschieden sei. Wenn für den einzelnen Menschen der Tod den Übergang aus der Zeit in die Ewigkeit bedeutet, in der Ewigkeit aber kein Unterschied der Zeit mehr besteht, dann werden im Tod alle Menschen »gleichzeitig«; »die in der Zeitlinie auseinanderfallenden Tode der einzelnen bilden von der Ewigkeit her betrachtet ein einziges Geschehen, und das ist eben die Wiederkunft, das Gericht«[934]. Bei diesen Aussagen blieb sich G. Hoffmann bewußt, daß es sich nicht um ein adäquates Erfassen, sondern nur um einen Versuch handeln konnte, das Verhältnis der individuellen und der universalen Vollendung vorstellig zu machen. Er sah ein, daß auch im Ausdruck »Gleichzeitigkeit« noch die Beziehung auf die Zeit liegt. Dennoch war er überzeugt, daß die Vorstellung der Gleichzeitigkeit aller in der Parusie ihr gutes Recht hat und die Annahme eines »Zwischenzustandes« überflüssig macht[935].

So sehr G. Hoffmann der von K. Barth und P. Althaus geäußerten Kritik der endzeitlichen Eschatologie zustimmte, so hielt er es dennoch für ungerechtfertigt, das endzeitliche Verständnis der Wiederkunft Christi völlig zu verwerfen. Seine These lautete allgemein: »Der Eintritt der Ewigkeit darf weder rein überzeitlich, noch rein endzeitlich, sondern muß sowohl überzeitlich als endzeitlich verstanden werden«[936].

Die Notwendigkeit dieser doppelten Betrachtung des Endes lag für ihn im Wesen des Grundverhältnisses von Gott und Welt begründet, auf das er auch hier zurückging. Er hatte anerkannt, daß das überzeitliche Verständnis des Endes sich auf die Zeitentnommenheit Gottes berief, für den die Unterschiede der Zeit nicht bestehen, da er alles in einem ewigen Akt wirkt und umfaßt. Daneben aber hielt es G. Hoffmann auch für notwendig, die andere Seite des Gott-Weltverhältnisses zur Geltung zu bringen, indem er darauf verwies, daß Gott als der Allgegenwärtige in der Welt wirksam gegenwärtig ist, in der Zeit mit dem Menschen handelt und in die Geschichte mit der Menschheit eingeht. Daraus schloß G. Hoffmann, daß insofern auch für Gott die Abfolge der Zeit nicht bedeutungslos sein könne, da sonst sein

---

[933] Ebd. S. 102.
[934] Ebd. S. 102.
[935] Vgl. ebd. S. 102-103.
[936] Ebd. S. 103.

Eingehen in die Zeit, sein Handeln in der Geschichte, nicht Wirklichkeit, sondern bloßer Schein wäre. Er begründete dies damit, daß sich das menschliche Dasein, die Geschichte der Menschheit von der Zeitform nicht ablösen lasse, daß alles geschichtliche Handeln vielmehr die Zeit zur Voraussetzung habe. Daher, so schloß er weiter, könne ein wirkliches Handeln Gottes mit dem Menschen nur behauptet werden, wenn das Nacheinander, der Wechsel der Zeit etwas vor Gott gilt. Von hieraus ergab sich die Forderung der endzeitlichen Betrachtung neben der überzeitlichen. »Weil Gott als der Ewige über der Zeit steht und doch auch wirksam - gegenwärtig in ihr handelt, muß auch die ewige Zukunft überzeitlich und endzeitlich in einem sein«[937].

Genau dasselbe Verflochtensein von Zeitlichem und Überzeitlichem zeigte sich G. Hoffmann wie an der Heilsoffenbarung so auch an der ewigen Heilsverwirklichung. Im Zentrum seiner Überlegung stand der Gedanke, daß Gottes Heilsratschluß ewig ist. Der Glaube, so folgerte der Licenciat, der in der Heilszusage den ewigen Heilswillen Gottes auf sich gerichtet sieht, hat es mit der schlechthin zeitlosen Gegenwart Gottes zu tun, und doch ist er - daran war für G. Hoffmann kein Zweifel - zugleich auf einen festen Punkt der Vergangenheit gerichtet, auf die Gestalt des geschichtlichen Menschen Jesus Christus, in dem sich der göttliche Heilswille erschließt. Ebenso verhält es sich mit der ewigen Heilszukunft. Der Glaube ist nach G. Hoffmann gewiß, daß die ewige Heilsverwirklichung als Gotteswirklichkeit in jedem Augenblick der Zeit überzeitlich gegenwärtig ist, daß das Endgericht bereits angefangen hat, sich ständig zu vollziehen, - und doch weiß er, daß das Reich Gottes noch nicht da ist, so lange die Geschichte währt, und muß sich deshalb jederzeit hoffend auf den künftigen Zeitpunkt der Wiederkunft des Herrn richten, der den Abschluß der irdischen Menschheitsentwicklung bringt[938].

Besonders klar erhellte G. Hoffmann die Notwendigkeit der endzeitlichen Auffassung neben der überzeitlichen, wenn er die Wiederkunft Christi mit seiner Auferstehung zusammenfaßte; denn sie war ihm die entscheidende Heilstat Gottes, das Siegel auf die Heilszusage, das Unterpfand des ewigen Lebens. Er verwies darauf, daß zwar nach Gemeingut christlicher Lehrüberlieferung die Auferstehung Christi und allgemeine Totenauferstehung am jüngsten Tag eng zusammengehören, die überzeitliche Betrachtung aber darüber hinausgeht. So war er überzeugt, daß sub specie aeternitatis Auferstehung und Wiederkunft Christi überhaupt zusammenfallen. Dies hatte nun zur Konsequenz, daß - wenn alle Menschen die Auferstehung »gleichzeitig« erleben, von Adam beginnend bis hin zum Letztgeborenen - auch die Auferstehung des Menschen Jesus in diese Reihe gehört. Mithin vertrat er die These: »Die Auferstehung Christi ist lediglich ein in der Zeit sichtbar gewordener Teilausschnitt der Auferstehung aller, der als solcher ihre Wahrheit verbürgt«[939].

Mit dieser Auffassung stimmte G. Hoffmann der Barthschen Gleichsetzung von Wiederkunft und Auferstehung Christi völlig zu[940]. Im Gegensatz zu K. Barth

---

[937] Ebd. S. 104.
[938] Ebd. S. 104.
[939] Ebd. S. 105.
[940] Vgl. K. Barth: Die Auferstehung der Toten. ²1926. S. 99. - Ders.: Der Römerbrief. ²1924. S. 183 ff.

betonte er jedoch, daß dies Sichtbarwerden an einem bestimmten Punkt der Zeit stattgefunden hat. Daher seine zweite These: »Die Auferstehung Christi ist auch ein geschichtliches Ereignis«[941], denn nur dadurch, daß der Auferstandene wahrhaftig den Jüngern erschien und sich ihnen als der Lebendige bezeugte, sah G. Hoffmann an diesem einen bestimmten Ort der Geschichte offenbar geworden, daß nicht der Tod das Letzte ist, sondern jene Lebensmacht, die alles zu überwinden vermag. Darüber jedoch ging G. Hoffmann einen Schritt weiter. Als geschichtliches Ereignis war für ihn die Auferstehung Christi nicht identisch mit dessen Wiederkunft, da das, was sich überzeitlich deckt, in der Zeit auseinander tritt. Hier war für ihn die Auferstehung ein einzigartiger Vorgang, nicht mehr im Ausschnitt aus der allgemeinen Totenauferstehung, sondern ihre Vorwegnahme und darin ihre Verbürgung. Deshalb forderte die Auferstehung Christi den Ausblick auf seine Wiederkunft als ein ihr in der Zeit entsprechendes Ereignis. Er argumentierte: Da die Auferstehung Christi als geschichtliches Ereignis von singulärer Bedeutung und doch überzeitlich mit der allgemeinen Auferstehung eins ist, muß auch die Wiederkunft Christi nicht nur das überzeitlich-gleichzeitige Geschehen der Totenauferstehung, sondern auch ein endzeitlich ausstehendes Ereignis sein, das Ziel der irdischen Menschheitsgeschichte[942].

So forderten sich nach G. Hoffmann Geschichtlichkeit des Ostervorganges und endzeitliches Verständnis der Wiederkunft Christi gegenseitig. Er sah klar, daß man folgerichtig auf die Ostertatsache verzichten muß, wenn man das endzeitliche Verständnis der Wiederkunft Jesu zugunsten des überzeitlichen völlig preisgibt, bzw. daß man umgekehrt von der Behauptung der Geschichtlichkeit des Ostervorgangs zur Annahme einer endzeitlichen Fassung der Parusie fortschreiten muß[943].

Die Unentbehrlichkeit der endzeitlichen Betrachtung der ewigen Zukunft neben der überzeitlichen lag also bei G. Hoffmann darin begründet, daß erst beide zusammen in ihrer wechselseitigen Ergänzung den zutreffenden Ausdruck für die Eigenart des Gott-Weltverhältnisses ergaben: »Gott steht jenseits der Geschichte und handelt doch in der Geschichte mit persönlichen Geistern«[944]. Dadurch, daß G. Hoffmann die Notwendigkeit der endzeitlichen Betrachtung neben der überzeitlichen aus dem antinomischen Wesen des Gott-Weltverhältnisses und nicht nur aus der Unvollkommenheit unseres Vorstellungsvermögens folgerte, hatte für ihn die endzeitliche Betrachtung volle Gleichberechtigung mit der überzeitlichen gewonnen und damit ihr Heimatrecht in der Dogmatik erwiesen. Eigens betonte er, daß es sich in der endzeitlichen Betrachtungsweise keinesfalls nur eine naive Übertragung eines überzeitlichen Geschehens auf die Zeitlinie handelt, sondern um ein wirkliches, zukünftiges Geschehen. Um dies klar herauszustellen, empfahl er, im Unterschied zu P. Althaus den Ausdruck »Wiederkunft Christi« nicht einfach als Bezeichnung für den Eintritt der ewigen Zukunft überhaupt zu gebrauchen, sondern ihn auf die endzeitliche Seite zu beschränken und von dem - sub specie aeterni betrachtet - überzeitlich-gleichzeitigem Geschehen der Totenauferstehung zu unter-

---

[941] Hoffman: Das Problem der letzten Dinge. S. 105.
[942] Ebd. S. 105.
[943] Ebd. S. 105.
[944] Ebd. S. 106.

scheiden. Hingegen betonte er, daß die ewige Tatsache der allgemeinen Auferstehung als Übergang der Zeit in die Ewigkeit, von der alten zur neuen Welt, in der Zeit durch die Auferstehung Christi verbürgt und dem Ende der Tage durch seine Wiederkunft abschließend gesetzt werde[945].

Nur bei solcher doppelseitigen Betrachtungsweise kann man nach G. Hoffmann der Bedeutung voll gerecht werden, die der Geschichte als Menschheitsgeschichte im christlichen Glauben zukommt. Daher hielt er es für unerläßlich, daß neben dem Wechselnden auch das Bleibende, neben dem Selbstwert jeder Epoche auch der sich durch die Zeiten hindurchziehende geschichtliche Zusammenhang zur Anerkennung kommt. Für ihn gehörte es zum Wesen der geschichtlichen Tat, daß sie nicht nur Bedeutung für die Gegenwart hat, sondern auch den Ernst der Verantwortung für künftige Zeiten in sich trägt. Ausdrücklich betonte er noch einmal, daß die Anerkennung des geschichtlichen Zusammenhangs mit einer Bejahung des Fortschrittsgedankens nichts zu tun hat. Wohl aber, so fuhr er fort, erfordere der christliche Glaube die Annahme eines einheitlichen, die Menschheitsgeschichte durchwaltenden Sinnes, in dessen Licht der oft so rätselhafte Geschichtsverlauf sich als ein planvolles Ganzes erschließt. Diesen Sinn erkenne der Glaube in dem Reich Gottes[946].

Mit diesem Hinweis kam G. Hoffmann zum Abschluß seines Entwurfs auch auf die eschatologische Bedeutung der Kirche zu sprechen. Wenn die Aufrichtung der Gottesherrschaft niemals als Ergebnis der geschichtlichen Entwicklung angesehen werden kann, sondern dem Eingriff der göttlichen Majestät vorbehalten bleibt, so bahnte sich für G. Hoffmann dennoch das Reich Gottes als Kirche in der Zeit an und nimmt den Ertrag der Menschheitsgeschichte in sich auf. Ähnlich wie R. Seeberg erschien ihm die Geschichte als der Boden, auf dem sich fortgehend die Auslese der Glieder des Gottesreiches vollzieht, aus dem damit das Reich Gottes hervorwächst[947]. Von hieraus ergab sich für G. Hoffmann die Bedeutung des »Endes« für den Sinn der Geschichte. Er argumentierte: Weil das Reich Gottes den Ertrag der Menschheitsgeschichte bildet, kann es - mag es auch der überzeitlichen Betrachtung bereits allzeit gegenwärtig sein, - vom Menschen aus betrachtet doch nicht eher anbrechen als bis die Menschheitsgeschichte in der Zeit ihren Abschluß erreicht hat, weil erst dann ihr voller Ertrag vorliegt. »Die Hoffnung auf die Verwirklichung der neuen Menschheit im Reiche Gottes muß ihren Blick stets auf die zeitlich zuletzt lebende Generation richten, mit ihr die im Tode vorangegangene Menschengeschlechter zusammenfassend, weil sie nur dann wahrhaft menschheitsumspannend ist«[948].

Auch hier betonte G. Hoffmann, daß dem Glauben die ewige Heilsverwirklichung immer in doppelter Beleuchtung erscheint: Sub specie aeterni ist das Ende jederzeit gegenwärtig - in zeitlicher Betrachtung gilt immer nur: Das Ende ist noch nicht da, so lange dieser Weltlauf währt[949]. Weil nun in der ewigen Zukunft der

---

[945] Ebd. S. 107.
[946] Ebd. S. 108.
[947] Ebd. S. 109.
[948] Ebd. S. 109.
[949] Ebd. S. 109.

Heilsverwirklichung das Heil des einzelnen und das der Gesamtheit schlechthin ineinander liegen, mußte diese doppelseitige überzeitlich-endzeitliche Betrachtungsweise auch für die Hoffnung des einzelnen angewendet werden. Für G. Hoffmann war auch jeder einzelne Augenblick des menschlichen Lebens unmittelbar zu Gott, so daß der Gesamtertrag jedes Lebens allzeit abgeschlossen vor Gottes Augen daliegt. Er erklärte, von der Ewigkeit her gesehen sei der Mensch in jedem Augenblick bereits vollendet; denn als volle Teilnahme an der Ewigkeit Gottes müsse auch das ewige Leben schlechthin zeitlos gedacht werden, könne also nicht nur auf die Zukunft, auf das Jenseits des Todes beschränkt werden. Vom Glauben her sah sich G. Hoffmann daher berechtigt, sub specie aeterni jederzeit die volle Gegenwart des Heils zu behaupten[950]. »Wenn der Glaube auf Gott, den Geber der Heilszusage sieht, für den das Wollen und Vollbringen, das Verheißen und Erfüllen zusammenfallen, kann er sagen, er sei bereits mit Christus auferstanden, sei bei ihm im Paradies, habe das ewige Leben, genieße die ewige Seligkeit. Aber diese Aussagen gelten von dort aus, sind wirklich nur in der Ewigkeit als Gotteswirklichkeit«[951].

Auf die vorliegende zeitliche Wirklichkeit treffen allerdings diese Aussagen für G. Hoffmann nicht zu; denn nach seiner Meinung lebt der Mensch tatsächlich das ewige Leben vollkommener Gottesgemeinschaft noch nicht, so lange er dieser Welt und diesem Leben angehört, weil ewiges Leben die Befreiung von der raumzeitlichen Daseinsform voraussetzt. Er behauptete, daß deshalb die überzeitliche Betrachtung unter dem Gesichtspunkt der wirklichen Lage des Menschen Alsob-Charakter habe, die überzeitliche Gegenwart des vollen Heils in der Zeit nur die Vorwegnahme des künftigen Heils sei, Ausdruck der unerschütterlichen, sich auf die göttliche Heilszusage gründenden Gewißheit des Glaubens. Darum wollte er streng darauf geachtet wissen, daß dieser »Gegenwartsbesitz« des vollen Heils in der Wirklichkeit dieses irdischen Lebens immer nur Verheißung bleibt und nicht die volle Erfüllung in sich trägt. So formulierte er die These: »Nur als Gotteswirklichkeit ist das volle Heil da, die überzeitliche Gegenwart des vollen Heils ist nur die gegenwartszugewandte Seite der ewigen Zukunft, auf die der Glaube hofft«[952].

Allerdings, gegenüber K. Barth bestand G. Hoffmann darauf, daß der Christ auch in diesem Leben schon Gemeinschaft mit Gott im Glauben hat, und er strich heraus, daß der Christ nicht nur ein Wartender, sondern auch ein Werdender sei, der dem Ziel entgegenreift. Eben deshalb wollte er in der Heilsgegenwart des Christen eine doppelte Beziehung unterscheiden: die glaubende Vorwegnahme der künftigen Heilsverwirklichung und die glaubende Aussage des gegenwärtigen Heilsbesitzes. In beiden Fällen konnte das Heil gemäß seinem Vorverständnis nur im Glauben erschlossen werden. Wieder zeigte sich der fideistische Standpunkt, indem er behauptete, auch die gegenwärtige Gottesgemeinschaft, die Wirksamkeit des Heiligen Geistes im Menschen könne als solche nicht wahrgenommen, sondern nur glaubend auf Grund der göttlichen Heilszusage behauptet werden. Aber auch in diesem Falle sagte der Glaube ihm doch etwas aus, was in diesem zeitlichen Leben wirksam wird und wirklich ist, während er ihm im anderen Fall nur die

---

[950] Ebd. S. 109.
[951] Ebd. S. 110.
[952] Ebd. S. 110-111.

546

ewige Gotteswirklichkeit zum Ausdruck brachte, die als solche für G. Hoffmann nicht in den Bereich des irdischen Lebens fiel[953].

Aus dieser Doppelseitigkeit von überzeitlicher Gegenwart und endzeitlichem Ausstehen der ewigen Zukunft des Heils - nicht aus dem Nebeneinander von zeitlicher Gegenwart und endzeitlicher Zukunft - glaubte G.Hoffmann die »kühnen Antithesen« des Neuen Testaments zu verstehen[954]. Für die Eschatologie als »bestimmende Blickrichtung der gesamten Dogmatik« ergab sich von hier aus als Aufgabe die Durchführung dieser doppelten Betrachtungsweise in den dogmatischen Einzelaussagen und damit das Geltendmachen des antinomischen Gepräges der Heilsgegenwart, das im Moment der Vorwegnahme des vollen künftigen Heils zum Ausdruck kommen sollte[955].

Zusammenfassung:

Schauen wir von hier aus noch einmal auf die eschatologischen Entwürfe und Trostschriften evangelischer Theologie zurück, so erkennen wir deutlich, daß der Umbruch, der sich mit dem ersten Weltkrieg vollzog, keineswegs absolut gesehen werden darf. Wie der Krieg selber keine kosmische Katastrophe, sondern Teil eines geschichtlichen Prozesses war, dessen Verantwortung sich die Beteiligten nicht entziehen konnten, so lassen sich auch in den Bereichen des Denkens und Wollens, des Fühlens und Glaubens Faktoren aufzeigen, die bereits vor allen entscheidenden Ereignissen wirksam waren, den Umbruch herbeiführten und den Fortgang bestimmten. A. Schweitzer hat in seiner Kulturphilosophie die bestimmenden Linien rückwärts bis zur Renaissance ausgezogen[956], und R. Guardini ist ihm darin später nachgefolgt[957]. Hinsichtlich der radikalen Eschatologie haben wir bereits festgestellt, daß sie nicht erst mit dem Krieg begann, sondern daß sie schon zuvor seit dem Ausgang des 19. Jahrhunderts im Denken führender Theologen konzipiert wurde. Zur Breitenwirkung gelangte sie jedoch erst durch die Todeserfahrung der kriegerischen Jahre, die zugleich die Augen für den allgemeinen Kulturverfall öffneten. A. Schweitzer vertrat damals die Ansicht, daß der Krieg diese Situation nicht geschaffen habe; er sei vielmehr nur eine Erscheinung davon gewesen. Was geistig bereits

---

[953] Ebd. S. 111.

[954] Nach Th. Haering: Der christliche Glaube. ²1922. S. 660.

[955] Hoffmann: Das Problem der letzten Dinge. S. 113.

[956] A. Schweitzer: Verfall und Wiederaufbau der Kultur. Kulturphilosophie. I. Teil. (Olaus Vorlesungen an der Universität Upsala.) München 1923. - Ders.: Kultur und Ethik. Kulturphilosophie. II. Teil. München 1923. - Vgl. dort besonders Kap. 1: Die Krise der Kultur und ihre geistige Ursache. - Vgl. H.J. Hermann: Albert Schweitzers Analyse dieses Zeitalters und seine Kultur. In: Albert Schweitzer. Sein Denken und sein Weg. S. 511-543.

[957] Vgl. u.a. R. Guardini: Das Ende der Neuzeit. Ein Versuch zur Orientierung. Würzburg 1950. - Vgl. aber auch Darlegungen wie z. B. E. Krebs: Der Weltkrieg und die Grundlagen unserer geistigsittlichen Kultur. In: Deutschland und der Katholizismus. Gedanken zur Neugestaltung des deutschen Geistes- und Gesellschaftslebens. Hrsg. von Dr. Max Meinertz ... und Dr. Hermann Sacher. (Arbeitsausschuß zur Verteidigung deutscher und katholischer Interessen im Weltkrieg.) Erster Band. Das Geistesleben. Freiburg im Breisgau 1918. S. 1-28.

gegeben war, habe sich in Tatsachen umgesetzt, die nun ihrerseits wieder in jeder Hinsicht verschlechternd auf das Geistige zurück wirkten[958].

Fragen wir nun, durch welches philosophische Vorverständnis die hier vorgestellten Entwürfe gekennzeichnet sind, so fällt am ehesten auf, wie weit verbreitet der voluntaristische Ansatz des Denkens im Bereich der evangelischen Theologie war. Da zumeist jede metaphysische Spekulation argwöhnisch zurückgewiesen wurde, war man bestrebt, die eschatologischen Aussagen von einer Glaubenserfahrung aus zu begründen. So bemühte sich R. Seeberg, der Empirie Beachtung zu schenken, wobei er vom Transzendentalismus I. Kants und dem Intellektualismus A. Schopenhauers zu einer voluntaristischen Lebensauffassung kam[959]. E. W. Zeeden hat treffend herausgestellt, wie dieser in seiner Zeit führende Repräsentant der konservativ-modernen Richtung innerhalb des Protestantismus Christentum als Lebensprozeß, voluntaristisch akzentuiert, mit den Traditionsströmen des Deutschen Idealismus und der lutherischen Reformation zu vereinigen suchte[960]. Anders als R. Seeberg lehnte indes G. Heinzelmann jedes verstandesmäßige Erfassen transzendenter Wahrheit radikal ab; der voluntaristische Aktivismus seiner Lebensphilosophie war daher mit einem empirischen Agnostizismus[961] verbunden, der nur eine fideistische Möglichkeit eschatologischer Aussagen zuließ.

Der voluntaristische Ansatz zeigte sich insbesondere in den Entwürfen, mit denen C. Stange seine lutherische Auffassung vortrug. Gegen E. von Hartmann hob er hervor, daß die sittliche Persönlichkeit durch die Willenseinheit mit Gott begründet wird. Diese ethische Begründung, die dem Einfluß, den sie von I. Kant erfahren hatte, nicht verleugnen wollte, wurde indes durch M. Luther interpretiert, für den - nach Stanges Darstellung - der Mensch als solcher nur »fleischlicher« Wille war. Diese Auffassung führte bei C. Stange im Bereich der Eschatologie zu einer Ganztodlehre, wie sie u. a. auch von F. Traub vertreten wurde. Das Unsterblichkeitsproblem wurde damit freilich allzu schnell abgetan. Daß die Religionsphilosophie keineswegs zu dieser radikalen Vereinfachung Anlaß gab, zeigte die Untersuchung, die H. Scholz dem Unsterblichkeitsgedanken widmete. Positiv äußerte sich insbesondere Ph. Bachmann, der sich bemühte, die Grundwahrheiten des Glaubens auch metaphysisch - aufgrund der Erfahrung des »Ich« - gegenüber der monistischen Weltanschauung zu verteidigen. In dieser Hinsicht berührte er sich mit R. Seeberg, der an einem empirischen Dualismus von Materie und Seele festhielt.

Daß der theologische Voluntarismus nahezu unausweichlich zu einem fideistischen Standpunkt führt, zeigte auch der Entwurf von G. Hoffmann, der eine Glaubenserkenntnis nur auf Grund gottgewirkter innerlicher Überführung zuließ. So hörten wir bei ihm, daß die gegenwärtige Gottesgemeinschaft und Wirksamkeit des Heiligen Geistes als solche nicht wahrgenommen werden, sondern nur glaubend aufgrund der göttlichen Heilszusage behauptet werden könne. Das führte in letzter Konsequenz zu einem Standpunkt, der Eschatologie nicht als Lehre von den letzten

---

[958] Schweitzer: Verfall und Wiederaufbau der Kultur. S. 1.
[959] Siehe oben S. 355.
[960] E.W. Zeeden: Reinhold Seeberg. In: LThK[2] 9 (1964) 564-565.
[961] Zum theologischen Agnostizismus vgl. Ahlbrecht: Tod und Unsterblichkeit in der evangelischen Theologie der Gegenwart. S. 92-94.

Dingen, sondern nur als Lehre von der Bezogenheit des Glaubens auf die letzten Dinge gelten läßt.

Die starke Verbindung von Eschatologie und Ethik, die uns bei C. Stange auffiel, kennzeichnet auch das Werk von P. Althaus. Seine Lehre von der Polarität axiologischer und teleologischer Eschatologie im Christenleben läßt sich mit der Gegensatzlehre Guardinis vergleichen. Aufgrund der Berührung mit der Wertphilosophie W. Windelbands bestimmte Althaus die axiologische Eschatologie als Ewigkeitserfahrung aus Begegnung mit der Norm. In ihrer teleologischen Gestalt hingegen nahm die christliche Hoffnung die logische Form von Postulaten an; von der erfahrenen Gotteswirklichkeit her wurde die eschatologische Wirklichkeit postuliert[962]. Waren diese Postulate bei P. Althaus streng theozentrisch bzw. christozentrisch bestimmt, so war dies anders bei C. Clemen, bei dem die Frage nach Sinn und Zweck des Weltganzen Ausgangspunkt der theologischen Überlegung war. Aus praktischen Gründen, nicht aus formal-logischer Denknotwendigkeit hielt er ein Leben nach dem Tode für möglich und wahrscheinlich. Er glaubte, sich mit dieser Annahme nicht nur in Übereinstimmung mit der religionsgeschichtlichen Überlieferung der Menschheit, sondern auch mit der biblischen Glaubenswahrheit, wenngleich seine Auffassung zu einem guten Teil auf einer evolutionistischen Weltsicht beruhte. Hiergegen wandten sich jedoch biblisch orientierte Theologen wie P. Feine.

Den Grundgedanken evangelischer Theologie faßte G. Hoffmann in der These zusammen, nach der sich der ewige Gott als ewiger Heilswille offenbart, und zwar konkret in Jesus, dessen geschichtliche Menschwerdung zum Zweck der Heilsmitteilung an die Menschheit erfolgte[963]. Auch nach H. W. Schmidt bestand die Offenbarung Gottes im Wort als konkreter Anruf an die Menschheit. Daraus ergab sich sowohl eine Theologie der Geschichte als auch eine personale Begründung des Glaubens; die Ich-Du-Beziehung als Eigenart sowohl des Geschichtlichen als auch des Persönlichen. Die Eingliederung des geschichtlichen Sehens in den geistgewirkten Glauben führte zu dem Versuch, das Verhältnis von Zeit und Ewigkeit nun zu bestimmen, und zwar in einer nichtdialektischen Weise, mit der jede radikale Trennung von Gott und Welt, Zeit und Ewigkeit vermieden werden sollte. Abgesehen vom umstrittenen Zeitbegriff eines nunc-aeternum fand H. W. Schmidt mancherlei Zustimmung bei dem Versuch, die Glaubensgewißheit der praesentia salutis durch das testimonium spiritus sancti zu begründen, dieses jedoch verstanden als ein geschichtliches Wirken. Eine solche positive Wertung der Geschichte fanden wir auch bei E. Sommerlath. Er verlangte, daß in der evangelischen Theologie Endgeschichte nicht postuliert, sondern a posteriori beschrieben werde - aufgrund der Aufhebung von Sünde und Tod und der Epiphanie der neuen Welt.

Zu fragen bleibt, ob solche eschatologischen Aussagen unanfechtbar auf rein dekutivem Wege zu gewinnen sind, wie dies schon zuvor W. Koepp in seiner Auseinandersetzung mit dem Skeptizismus der Nachkriegszeit versuchte. Er hatte gefordert, daß das Zeit-Ewigkeitsverhältnis rein spekulativ erfaßt werden solle, ohne den induktiven Nachweis der Möglichkeit einer Erfahrung des Ewigen in der Zeit.

---

[962] Vgl. U. Kühn: In: KuD 9 (1963) 5-7.
[963] Siehe oben S. 532-533.

Mußte man nicht - gerade um eine radikal-dialektische Theologie zu vermeiden - die Glaubenserfahrung zum Ausgangspunkt der Spekulation machen? So versuchte F. Traub an der dogmatischen Wahrheit, wie sie im Glaubensbekenntnis ausgesagt ist, festzuhalten; dabei aber wurde die biblische Begründung durch die subjektive Erfahrung legitimiert. Ewiges Leben mithin existentiell und personal begründet. Dasselbe fanden wir auch bei H. E. Weber. In seiner Ablehnung von Subjektivismus, Psychologismus und Historismus folgte er H. W. Schmidt, aber trotz der ausdrücklichen Berufung auf das Bekennnis der Kirche lag die letzte Grundlage seiner Eschatologie dennoch in der Glaubenserfahrung[964].

Überblicken wir nun noch einmal das gesamte Problemfeld, so ergibt sich, daß Voluntarismus und Empirismus jene Faktoren waren, die die Ausprägung evangelischer Entwürfe zur Eschatologie hauptsächlich bestimmten. Dabei kam es neben einer personalen Begründung des Glaubens teilweise auch zu einer positiven Wertung des Geschichtlichen. Ganz am Rande wurde dabei gestreift, welche Bedeutung dem wechselseitigen Verhältnis von Kirche und Eschatologie zukommt.

Damit sind die Stichworte genannt, die beim Sichten der katholischen Entwürfe zur Eschatologie im Auge zu behalten sind: Tod und Leben, Offenbarung und Erfahrung, Glauben und Erkennen, personale Begründung und geschichtliche Vollendung, Kirche und Menschheit.

2. Katholische Antwort auf die Frage nach den letzten Dingen

Die bisherige Untersuchung ergab, daß der erste Weltkrieg im geistigen Bereich keinen so radikalen Umbruch bewirkt hatte, als daß für die Theologiegeschichte ein absoluter Neubeginn anzusetzen wäre. Als J. Zahn im Kriegsjahr 1916 seine Vorlesung aus der Vorkriegszeit herausgab, erschien vielen diese Veröffentlichung als zur rechten Zeit erfolgt. So schrieb L. Baur[1] in einer Rezension: »In einer Zeit, da Tausende junger Menschenleben grausam vernichtet, das Lebensglück einzelner und ganzer Familien mit jähem Schlag geknickt und in tausend und abertausend Herzen schwerste Kümmernisse hineingeschleudert werden, lenkt sich Gemüt und Verstand der unter den Wehen des männermordenden Krieges seufzenden Menschheit mehr als je immer wieder die Frage nach der Ewigkeit und dem Jenseits zu; da sucht das zitternde Herz Trost in den Glaubenswahrheiten, die in die Todesgrüfte und dunkle Kammern der Massengräber hineinleuchten; da fragt die von Zweifeln erschütterte Seele wie mit verhaltenem Atem nach Grundlagen, Recht und Sinn des 11. und 12. Glaubensartikels«[2]. J. Zahn selber wies in seinem Vorwort darauf hin, daß das Evangelium aufhören müßte, Frohbotschaft zu sein, wenn es den Kämpfenden und Duldenden, den Mühseligen und Beladenen,

---

[964] Zur „Erfahrungstheologie" vgl. die Ausführungen von Ahlbrecht: Tod und Unsterblichkeit in der evangelischen Theologie der Gegenwart. S. 94-99, 113.

---

[1] Ludwig Baur (1871-1943), seit 1903 Prof. für scholastische Philosophie in Tübingen, ab 1925 in Breslau. - Vgl. J.Koch: Ludwig Baur. In: HJ 62-69/II (1949) 903-905.
[2] L. Baur in: ThQ 98 (1916) 127-128. Rez. zu J. Zahn: Das Jenseits.

den Trauernden und Verwaisten nichts zu sagen hätte. Er vermutete daher mit Recht, daß gerade im Krieg eine Orientierung über die Frage der Ewigkeit doppelt willkommen wäre, da manches Gemüt mehr als früher nach dem Trost dürstet, der aus dem Wort der Ewigkeit quillt[3].

(1) Engelbert Krebs (1881-1950)

Aus den soeben genannten Gründen legte zu Beginn des vierten Kriegsjahres der Freiburger Dogmatiker E. Krebs[4] in einer Studie unter dem Titel »Was kein Auge gesehen« die Ewigkeitshoffnung der Kirche nach ihren Lehrentscheidungen und Gebeten dar[5].

Daß auch diese Schrift, die bereits mit ihrem Untertitel deutlich auf die spezifisch katholische Form des Jenseitsglaubens hinwies, vielen Menschen Antwort auf die drängenden Fragen ihres Lebens geben konnte, zeigt die Tatsache, daß später im Kriegsjahr 1940 eine vierzehnte Auflage erschien[6].

Die Frage nach dem eigentlichen Inhalt des ewigen Lebens wurde dem Theologen an der Bahre seiner engsten Verwandten und im Krankenzimmer gestellt. Als Erwiederung begann er, überall vom Wortlaut der kirchlichen Lehrentscheidungen ausgehend, den Gehalt des Dogmas verständlich zu machen, in der Erwartung, daß sich dann sein sittlich-religiöser Wert von selbst erschließt. So wollte E. Krebs dazu beitragen, daß die Sehnsucht nach dem himmlischen Vaterland immer reiner und kräftiger unser Erdenleben durchdringe und sich uns immer tröstlicher am Grabe unserer Lieben aufrichte. Zugleich erhoffte er als Nebenfrucht, daß sich dem Leser ein tieferes Verständnis für die kirchlich dogmatisierte Seelenlehre eröffnet. In einer Zeit der allgemeinen Todesbereitschaft und Todestrauer geschrieben, aus vielem Leid um liebe Tote und aus ernstem Hinblick auf das eigene Ende geboren,

---

[3] Zahn: Das Jenseits. S. III. - Vgl. A. Schenz: Der Zeitpunkt der Wiederkunft Jesu nach den Synoptikern. (Kath. theol. Diss. Straßburg. - Referent: I. Rohr.) O.O.O.J. (Imprimatur: Augustae Vindel. 1921.) S.V: Die Frage nach dem Zeitpunkt der Parusie dürfte gerade „in der gegenwärtigen Zeit des (unheilvollen Krieges), in der wir eine starke adventistische Strömung gewahren und eine gewisse 'eschatologische Atmosphäre' auch in Werken von Nichttheologen sich zu entspannen sucht, in streng wissenschaftlicher, biblisch-exegetischer Form willkommen sein. Der Theologe, der Prediger, folgt der großen Zeitwende mit größtem Interesse. Er ist genötigt, den gewaltig sich aufdrängenden Stoff von Ereignissen, die mit der 'Endzeit' viele Ähnlichkeiten aufzuweisen scheinen, pädagogisch und paränetisch zu verarbeiten, muß sich jedoch vor Übertreibungen und Einseitigkeiten hüten. Für ihn als Fachmann kann nur maßgebend sein, was Christus, der Herr, dem menschlichen 'Wissen von Zeit und Zeitverhältnissen' eingeräumt hat".
[4] Engelbert Krebs (1881-1950), seit 1919 Prof. für Dogmatik in Freiburg im Breisgau. - Ders.: Studien über Meister Dietrich genannt von Freiberg. (Phil. Diss. Freiburg 1903). Freiburg 1903. (Teildruck.) - Dass. vollständig: Meister Dietrich [Teutonicus de Vriberg.] (BGPhMA. Bd. 5. H. 5-6.) Münster 1906.
[5] Ders.: Was kein Auge gesehen. Die Ewigkeitshoffnung der Kirche nach ihren Lehrentscheidungen und Gebeten dargelegt. Freiburg 1917. - Zitiert wird die zweite und dritte Auflage. Ebd. 1918. - Vgl. dazu die Rez. zur 12. Auflage von I. Backes in: PastBon 48 (1937) 115.
[6] Vgl. E. Krebs: Dogma und Sterben. Erfahrungen und Erwägungen des Verfassers von „Dogma und Leben" (1940). In: ORhPBl 52 (1951) 88-98, 113-118. - Ders.: Dogma und Leben. Die kirchliche Glaubenslehre als Wertquelle für das Geistesleben. (KLW. Bd. 5. T. 1.) Paderborn 1921.

sollte »dieses schlichte Erzeugnis des Glaubens, Hoffens und Liebens einer Christenseele zu anderen denselben Trost und diesselbe Stärke tragen, die sein Inhalt dem Verfasser stets gewährte«[7].

E. Krebs stellte zunächst das Erdenleben und das ewige Leben einander gegenüber. Er sprach vom lebendigen Gott und beschrieb unsere Teilnahme an Gottes Leben, so wie sie von der Kirche geglaubt wird. Eingehend beschäftigte er sich mit dem Licht der Glorie, wobei er die Ansichten H. Schells zurückwies. Das Wiedersehen in der Gemeinschaft der Heiligen, die Auferstehung des Fleisches und das Übermaß der Seligkeit waren die weiteren Hauptpunkte, mit denen er sich befaßte. Vom Menschen erörterte er die Sehnsucht nach dem Himmel, die Reinigung der Seele, die Möglichkeit eines Verlustes des Himmels; ebenso dann den Wert der Zeit, die Weihe des Leidens und den Sieg über den Tod. In einem letzten Abschnitt ging es ihm - entgegen der Tendenz einer eschatologischen Verflüchtigung - um den Himmel auf Erden.

Nach dieser kurzen Übersicht wollen wir die wichtigsten Aussagen des Freiburger Theologen vortragen.

Gleich im ersten Abschnitt seiner Schrift erörterte E. Krebs das Verhältnis von Seele und Leib: Sie ist das Gestaltende und Bestimmende im Menschenleib, er das Gestaltete; sie die Geberin der Wirklichkeit des Lebens, er deren Empfänger[8]. Die Seele selbst ist Wirklichkeit, aber sie trägt Möglichkeiten vielfältiger Art in sich, und erst die Verwirklichung dieser Möglichkeiten bestimmt den Reichtum ihres Lebens. In Eigenbewegung und selbstmächtiger Tat sah E. Krebs dieses Leben; mit dem heiligen Thomas bestimmte er es als Ausgestaltung jener Möglichkeiten, die über die Wirklichkeit des bloßen Daseins hinaus dem Menschen gegeben sind, um als zweite Wirklichkeiten zu jenen ersten hinzuzutreten[9]. Freilich, dieses Leben ist beschränkt, und darin lag für E. Krebs die Tragik des Lebens: Unübersehbar sind die Möglichkeiten - und gar gering an Zahl ihre Verwirklichungen, »nur über die Leichen unterdrückter Regungen und Betätigungen können neue emportauchen«[10].

Die Möglichkeiten, die in uns liegen und nach der Verwirklichung sich sehnen, bedrängen nach E. Krebs einander und nehmen sich die Luft; die Kunst des Lebens bestand für ihn darin, die vornehmsten Möglichkeiten herauszulesen und sie zur höchstmöglichen Vollendung zu führen. Doch da begegnete ihm eine zweite Beschränkung: Selbst auf dem einen freigewählten Arbeitsfeld lassen sich die Früchte nur gewinnen, wenn der Boden stets neu gedüngt wird mit den Leichen früher gezogener Früchte und unvollendet verwelkter Blüten. Dennoch sieht der Mensch das Ziel winken, die Vollendung, aber da begegnet ihm als letzte Beschränkung der Tod. »Das ist die tiefste Tragik des menschlichen Lebens: sein Streben ins Unge-

---

[7] Ders.: Was kein Auge gesehen. S. X.
[8] Ebd. S. 5. - Vgl. Concilium Viennense. Sess. III (6.5.1312). Const. „Fidei catholica" - De anima ut forma corporis. DS 902 = NR 329. - Siehe oben S. 185, Anm. 251. - Thomas von Aquin: S. th.I. 77. a.6; I. 66, a.1.
[9] Krebs: Was kein Auge gesehen. S. 6-7. - Vgl. Thomas von Aquin: S. th. I. 18. a. 1; I. 77. a. 1-2.
[10] Krebs: Was kein Auge gesehen. S. 9.

messene, - und sein Hinsterben vor der Erreichung, ohne Erreichung des Zieles!«[11].

Die Gewißheit des Todes zwingt nun nach E. Krebs dazu, zu bekennen, ob wir die Ziele, für die wir zu leben behaupten, in Wahrheit lieben, oder ob wir uns diese Liebe nur vortäuschen. »Wer an Ziele glaubt«, so erklärte er, »die wert sind, erstrebt zu werden, und zu deren vollkommener Erreichung das Menschenleben doch nicht ausreicht, der muß den Tod als das Feindlichste und Widersinnigste hassen, was es gibt, oder er muß an ein Fortleben nach dem Tode glauben«[12].

Das letztere ist für den Christen mit dem Glauben an das ewige Leben gegeben. Nachdem E. Krebs die Lehre der Kirche vorgetragen hatte, warnte er davor, sich über den Himmel Gedanken machen zu wollen, ohne sich vorher über das Wesen Gottes von der Kirche den nötigen Aufschluß zu erbitten. Unter Berufung auf das Erste Vatikanische Konzil legte der Dogmatiker dar, daß die Kirche sich zu Gott als dem »einzigen, wahren und lebendigen« bekennt[13], und daß sie von ihm desweiteren sagt, er sei allmächtig und ewig, unermeßlich und unbegreiflich, an Verstand und Willen und jeglicher Vollkommenheit unendlich. E. Krebs erinnerte daran, daß all diese Begriffe aus der Betrachtung begrenzter Wesen gewonnen sind, daß sie daher das Herz zunächst sehr wenig ergreifen und erwärmen. Eine gewisse Denkarbeit ist aber notwendig, um vom Leben und Wesen Gottes einen inhaltreichen Begriff zu bekommen. Darüber hinaus bleibt die Sehnsucht aller wahrhaft Frommen, Gott wirklich kennenzulernen. Der Weg führt - wie der Theologe wieder mit Hinweis auf das erste Vaticanum erklärte - über Verstand und Willen durch eigenes Erlebnis; er kann aber letztlich der Liebe nicht entraten. Weil Gott »eine unendliche Liebe besitzt, die sich ganz an alle seine Geschöpfe mitteilen will, weil umgekehrt alles Edle und Große im Menschen rein und nur von Gottes Liebe herstammt, darum soll die vollkommenste und reinste Liebe aller Menschenseelen diesem unendlich liebereichen Gott gewidmet sein -, und der Schoß der Liebe Gottes ist weit genug, alle und jede einzelne Seele mit jener Liebe zu umfangen, deren schwacher Abglanz uns in der Liebe eines Bräutigams zu seiner Braut entgegenschimmert«[14].

An dem Maße unseres begrenzten und beschränkten Denkens und Liebens können wir nach E. Krebs das Unmaß und Übermaß göttlichen Geisteslebens und göttlicher Liebe ahnen lernen, und an diesem Leben sollen wir durch die Anschauung Gottes dereinst lebensvollen Anteil haben. Unser Hingang zu Gott wird daher nicht das Eintauchen in eine seelenlose Unermeßlichkeit sein, sondern die Heimkehr zu einem Vater, dessen Liebe sich in der Menschwerdung seines eingeborenen Sohnes am weitesten geöffnet hat[15].

Die Menschwerdung Gottes hat - nach E. Krebs - uns den Reichtum der göttlichen Liebe offenbart, sie hat uns aber darüber hinaus den Einblick in das dreifaltige

---

[11] Ebd. S. 10.
[12] Ebd. S. 11.
[13] Ebd. S. 23. - Vgl. Concilium Vaticanum I. Sess. III (24.4.1870). Const. dogmatica „Dei Filius" de fide catholica. Cap. I. De Deo rerum omnium creatore. DS 3001 = NR 315.
[14] Krebs: Was kein Auge gesehen. S. 28-29.
[15] Vgl. ebd. S. 30-31.

Innenleben des einen wahren Gottes gebracht. Freilich stehen wir zunächst sprachlos anbetend vor dem Geheimnis seliger Dreifaltigkeit, aber - und damit wies er erneut auf das entscheidende Ziel hin, wir sollen in diesen Ozean hineinblicken dürfen im himmlischen ewigen Leben, ja »hineintauchen sollen wir dürfen und in eine unaussprechliche Lebensgemeinschaft treten mit diesem göttlichen Innenleben«[16]. Der Theologe zitierte die biblischen Worte vom ewigen Leben und behauptete, daß die Kirche in ihren dogmatischen Erklärungen nichts anderes getan habe, als den Inhalt dieser Verheißungen uns nochmals klar vorzulegen[17].

Was wird also unser Leben im Himmel, welches unsere Seligkeit dort sein? E. Krebs legte zuerst dar, daß alles Stückwerk aufhören wird. Er wußte wohl, daß dieser Ausdruck zunächst von Paulus nur im Hinblick auf unser stückwerkartiges Wissen und seine Vollendung in der jenseitigen Erkenntnis gebraucht wird. Aber er hörte auch andere biblische Aussagen, die davon sprechen, daß wir seiner Natur werden sollen. Daraus folgerte er, daß eben alles Stückwerk in allen unseren Vollkommenheiten aufhören wird[18]. Dann erst wird der Lebensbesitz überhaupt erst Besitz, unantastbarer, unwiderruflicher, unverlierbarer, seliger Besitz. Das Stückwerkdasein der Zeit nach hat aufgehört. »Jetzt erst erfüllt die Seele die uneingeschränkte Wonne des Bewußtseins: Ich bin. Ich lebe«[19]. - Und »es wird keine Zeit mehr sein«[20]. Ebenso entschwindet aber auch die Beschränkung im Raum; die zerstückelnden Hemmnisse unseres Erkennens[21]. Hier auf Erden, so führte E. Krebs näher aus, ist nirgendwo, wenn wir etwas erkennen, das Wesen des Erkannten der unmittelbar und eigentlich angeschaute Gegenstand, sondern nur Sinneseindrücke und Begriffe stellen sich als Zeichen und Mittel der Erkenntnis zwischen uns und das Wesen. Ganz besonders gilt dies von unserer Gotteserkenntnis[22]. Von Gott allerdings sind wir ohne dazwischenstehendes Mittel direkt selber erkannt, im göttlichen Wesen, von dem wir teilweise eine Nachbildung sind. Einst jedoch sollen auch wir Gott so erkennen, ohne Sinneseindrücke und Begriffe, das göttliche Wesen selber als unmittelbarer klarer, unverhüllter offen geschauter Gegenstand unserer Erkenntnis: »höchste Lebendigkeit des Erkennens und gleichzeitig tiefste Ruhe sind an Stelle des Bruchstückerkennens und des Forttastens und Forthastens von Bruchstück zu Bruchstück getreten«[23]. Weiter erklärte E. Krebs: Die Kräfte der Seele, die Seele selber werde in ihrem ganzen Wesen ohne Unterbrechung beständig und in höchster Lebendigkeit Gott lieben, dieser Liebe sich freuen, den unermeßlichen Reichtum des göttlichen Innenlebens mitleben, seine Schönheit in sich hineintrinken, seine Größe und Unermeßlichkeit genießen. Denn die Seligen werden »das göttliche Wesen durch und durch genießen - und in diesem Genusse wahrhaft selig sein und Leben und zugleich ewige Ruhe haben«[24].

---

[16] Ebd. S. 33.
[17] Ebd. S. 37-38.
[18] Ebd. S. 38.
[19] Ebd. S. 40.
[20] Off. 10, 6.
[21] Krebs: Was kein Auge gesehen. S. 41.
[22] Ebd. S. 43.
[23] Ebd. S. 44.
[24] Ebd. S. 46. - Vgl. Benedikt XII. Const. „Benedictus Deus" (29.1.1336) De sorte hominis post mortem - Visio Dei beatifica. DS 1000-1001 = NR. 901-904.

Dieses Zusammenbestehen von höchstem Leben, also höchster Betätigung unserer Kräfte, mit tiefster seligster Ruhe gehörte für E. Krebs zu den Geheimnissen, die wir hier nie ganz verstehen können, zumal ein Genuß in Tätigkeit vom modernen Zeitgeist einem Genuß in Ruhe vorgezogen wird und gerade dadurch für tatkräftige Männer der Gedanke an die Himmelsseligkeit als etwas Fremdartiges und nicht sehr Einladendes erscheint. Ihnen versuchte der Theologe klarzumachen, daß in der Freude des Erreichens eine Art bruchstückweisen Vorgeschmackes dessen liegt, was jene höchste Lebendigkeit und gleichzeitige Ruhe bedeuten wird[25].

Für unsere Auffassung vom Himmel ist es nach E. Krebs unendlich wichtig, daß wir dieses hier so selten uns zuteil werdende und immer nur vorübergehende Glück des Erreichens uns in seinem Wesen recht deutlich machen, denn nur so können wir das richtige Verständnis dafür gewinnen, wie die ewige Ruhe zugleich höchste Lebensfreudigkeit sein kann. Und nur dadurch, so versicherte er, entgehen wir den unrichtigen anthropomorphen Vorstellungen von Himmelsseligkeit, wie er sie vor allem in die apologetische Dogmatik H. Schells eingedrungen sah. Gegenüber einem Hineintragen unserer irdischen, unvollkommenen Lebenserfahrung in das himmlische Leben behauptete E. Krebs: »Diese Wonne des Erreichens, diese gleichzeitig höchste Geistestat und tiefste, friedvollste Ruhe läßt keine Steigerung, keinen Fortschritt mehr zu. Immer von Anfang an werden wir die ganze Seligkeit genießen«[26].

Es bedeutete also für E. Krebs ein Hineintragen unserer irdischen, unvollkommenen Lebenserfahrung in das himmlische Leben, wenn H. Schell über die Gottschauung der Seligen den Satz aufstellte: »In seligem und belebendem Fortschritt steigen sie von Erkenntnis zu Erkenntnis, von Einsicht zu Einsicht zu immer vollkommenerem und allseitigerem Verständnis Gottes, in Gott erleuchtet und gehoben von Gottes Lebens- und Liebesgeist: a claritate in claritatem tamquam a Domini Spiritu«[27]. Das Irrtümliche in diesem Satz wird nach E. Krebs auch dadurch nicht aufgehoben, daß der Würzburger Apologet ihn auf die Lebendigkeit des Gottesbegriffs begründete[28]. So stellte er als seine These dagegen:

»Das Einzigartige des Himmelsglücks besteht eben in der vollkommensten Verähnlichung mit der Einzigartigkeit des göttlichen Lebens gegenüber allem anderen Leben: Wie jenes göttliche Leben stets unveränderte höchste Entfaltung aller Vollkommenheit des Erkennens und Liebens, des Tuns und Seins ist, während hier alles Leben nur nacheinander und stückweise gelebt wird, so wird auch die Seele in der ewigen Vereinigung mit Gott steten Besitz des Ganzen mit steter Betätigung aller ihrer Kräfte und Vollkommenheiten sich vereinigen sehen - eine Seligkeit, deren schwacher Vorgeschmack ... das Erlebnis des Erreichens eines heißerstrittenen Zieles ist«[29].

Richtig ist nach E. Krebs, daß die Seele am Ziel und im Ziel angelangt ist, wenn sie zur seligen Vereinigung mit Gott gekommen ist; richtig, daß dieses Zielgut

---

[25] Krebs: Was kein Auge gesehen. S. 47.
[26] Ebd. S. 49.
[27] 2. Kor. 3, 18. - Schell: D III/2. S. 917.
[28] Vgl. ebd. S. 922-923.
[29] Krebs: Was kein Auge gesehen. S. 51.

unendlich ist, und das eine fortgesetzte, das heißt ununterbrochene selige Betätigung des Schauens und Liebens aus diesem Im-Ziel-sein sich ergibt. Aber unrichtig und mit dem kirchlichen Lehrbegriff Ruhe wie auch mit dem paulinischen »Aufhören des Stückwerks« unvereinbar, daß nun die Seele sich »anstrengen« müsse, um nach und nach, das heißt von Stück zu Stück fortschreitend, »dem Unendlichen möglichst gerecht zu werden«. Diese Vorstellung hielt er für die glatte Übertragung des irdischen, unvollkommenen Strebens und zeitlichen Genießens auf die Ewigkeit. Das ist zugleich die stärkste Verkennung des wesentlichen Unterschiedes von jenseitiger und diesseitiger Seligkeit[30]. H. Schells Versuch, den heiligen Thomas im Grunde derselben Meinung zu finden, zeigte für E. Krebs deutlich, daß er die von ihm zitierten Worte aus der Summa contra gentiles schon ganz mit voreingenommenem Denken gelesen habe. Jene Worte dienen nach E. Krebs einzig dazu, um zu zeigen, wie unmöglich in sich die vollkommene Gottanschauung für jedes Geschöpf überhaupt ist und wie nötig eben deshalb die durchaus übernatürliche Erhebung des Geistes durch das Licht der Glorie. In einer Anmerkung zum Text schrieb der Freiburger Dogmatiker: »Als ich zum erstenmal diese Berufung H. Schells auf Thomas las, kam mir sofort der Gedanke: Dann muß H. Schell die thomistische Lehre vom Glorienlicht garnicht erfaßt haben. Ich schlug seine Abhandlung über das Glorienlicht auf - und stand vor der schwächsten Partie seiner sonst so schönen und mit hinreißender Begeisterung geschriebenen Eschatologie ... Obwohl H. Schell vorher die absolute Übernatürlichkeit der Gottschauung sehr klar entwickelt hat, und somit die Grundlage für Notwendigkeit und Wesen des Glorienlichtes erkannt und dargelegt ist, so begründet er in den dürftigen fünfviertel Seiten, die er ihm widmet, die Notwendigkeit desselben nur auf die 'sehr verschieden abgestufte' Beschränkung der geistigen Fähigkeiten«[31].

Wenn es menschlich unmöglich erschien, daß höchste Betätigung ohne mühevolle Anstrengung, allseitiges Leben ohne Wechsel und Fortschritt, daß also ewiges Leben und ewige Ruhe miteinander vereinbar seien und die ewige Seligkeit ausmachen, so bewies dies E. Krebs nur, daß kein Geschöpf aus sich zu einer solchen Seligkeit fähig ist; es bewies dagegen nicht, daß wir diese Unfähigkeit durch die Annahme eines unendlichen Fortschritts zu »ungeahnten«, immer neuen Stückwerksseligkeiten zu erklären haben. Wie das Unbegreifliche dennoch möglich ist, das sollte im nächsten Abschnitt, der vom Licht der Glorie handelt, eigens begründet werden[32].

E. Krebs begann mit der negativen Feststellung, daß das Leben in der Anschauung Gottes und im gleichzeitigen tätigen und ruhigen Genusse Gottes ein für jedes Geschöpf in sich unerreichbares Leben ist. Positiv: Es ist das Teilnehmen und Mitleben in einem unendlichen Leben, in sich ganz übernatürlich, es sprengt die Grenzen alles endlichen Lebens. Unserer Natur fehlt die hinreichende Fähigkeit, dieses ewige Leben zu erfassen; nur Gott - so führte der Dogmatiker aus - kann unserem Geist eine über alle Natur hinausgehende Befähigung schenken, durch die diese instandgesetzt wird, Gottes Wesenheit zu schauen und dadurch an Gottes Seligkeit, mitkostend und mittätig und mitruhend teilzunehmen. Wenn daher - so fol-

---

[30] Ebd. S. 51.
[31] Ebd. S. 193-194.
[32] Ebd. S. 52.

gerte er - jenes Leben uns verheißen ist, so kann es nur verwirklicht werden durch eine solche von Gott verliehene Erhöhung unseres Geisteslebens, und diese wird von der Heiligen Schrift als Licht bezeichnet, von der Kirche als »Licht der Glorie«[33].

Über die Geschichte der Lehrstreitigkeiten hinsichtlich des lumen gloriae hatte sich E. Krebs schon in einer frühen Studie geäußert[34]. Jetzt verwies er erneut auf die Lehraussagen des Konzils von Vienne und erklärte: Indem das Konzil den Ausdruck Licht der Glorie anwendet, lasse es erkennen, daß es unter der Erhebung der Seele nicht die bloße Vermehrung vorhandener Kräfte in der Seele meint, sondern die Mitteilung einer Fähigkeit, die als ein ganz neues Wirkprinzip in der Seele wirksam wird. In der Kraft dieser neuen Fähigkeit schaue nun die Seele den Unendlichen, verbinde sich auf unaussprechliche Weise mit ihm, gewinne Anteil an seinem Leben. »Dieses Licht entzündet sich am ungeschaffenen ewigen Licht, an Gott selber. Es ist ein geschaffenes Licht; aber für alle Ewigkeit leuchtet es von nun an in der Seele des Verklärten«[35].

Die Lehre über das Glorienlicht besagt nun aber nach E. Krebs nicht, daß die von ihm erleuchtete Seele Gott völlig begreift. Aber - so fügte er hinzu - wenn auch das Schauen Gottes kein Begreifen ist, so heißt dies doch nicht, daß es für die Seligen in Gott einiges gibt, was sie erkennen, und anderes, was unerkannt bleibt, weil Gott ein durchaus einfaches Wesen ist und keine Teile hat. »Wer also Gott schaut ... und erkennt ..., der schaut und erkennt die ganze Wesenheit Gottes. Aber sein Erkennen ist kein restloses Begreifen«[36].

Aus der Glaubenslehre über die Gottschauung im Jenseits ergab sich für E. Krebs auch, daß und warum dieselbe für jeden Geist, der einmal zu ihr erhoben wurde, ewig dauert. Mit dem heiligen Thomas erklärte er, daß die Seligkeit nicht in einem bloßen Zustand besteht, der die Möglichkeit zu künftigen Verwirklichungen in sich birgt, sondern in einer tätigen Wirklichkeit selber. Die durch das Glorienlicht dem geschaffenen Geist ermöglichte Gottschauung ist das Hineinsehen in ein Unendliches, ist die lebensvolle Teilnahme an einem unendlichen Leben. Es kann aber nun - wie E. Krebs weiter ausführte - das Ganze eines Unendlichen nicht nach und nach erkannt, sondern nur in einer einzigen Tat geschaut werden, denn - so argumentierte er mit Thomas - ein unendliches Gebiet kann nie im Fortschreiten durchmessen werden[37]. Wenn wir also Gottes Wesen ganz schauen werden, so kann das nur in einem einzigen gleichzeitigen Geistesblick geschehen, der uns alles auf einmal gibt. So wurde E. Krebs klar, daß ein geschaffener Geist durch die Anschauung Gottes aus der Zeit heraus - und in die Ewigkeit hineingerissen wird. Zur Begründung verwies er darauf, daß eben dadurch sich die Ewigkeit von der Zeit unterscheidet, daß die Zeit ihr Sein nur in der Aufeinanderfolge besitzt, während

---

[33] Ebd. S. 55.
[34] Vgl. ders.: Meister Dietrich von Freiberg. S. 116 ff.
[35] Ders.: Was kein Auge gesehen. S. 59.
[36] Ebd. S. 60.
[37] Vgl. Thomas von Aquin: S. c. G. l. III. cap. LV: Quod intellectus creatus non comprehendit divinam essentiam. - Deus incomprehensibilis. Vgl. Concilium Lateranense IV (11.-30.11.1215). Cap. I. De fide catholica. DS 800 = NR 277, 295, 918. - Concilium Vaticanum I. Sess. III (24.4.1870). Const. dogmatica „Dei Filius" de fide catholica. Cap. I. De Deo rerum omnium creatore. DS 3001 = NR 315.

das Sein der Ewigkeit auf einmal und immer ganz ist. Jene Schauung also, die ihrem Wesen nach ein Erschauen des Ganzen durch einen einzigen, die unendliche Gottheit erfassenden Blick ist, kann deshalb - so erklärte der Theologe - gar nicht zeitlich, sondern nur als ewige Tat und Wirklichkeit sich vollziehen. »So ist also jene Schauung nichts anderes als eine ewige Geistestat von höchster Lebendigkeit, sie ist ewiges Leben«[38].

Bei dieser Überlegung wurde dem Freiburger Dogmatiker von neuem deutlich, was die Kirche über das Wesen dieses seligen Lebens sagt: Es ist ein Anteilhaben an Gottes Natur, das heißt an der Ewigkeit als einem immerwährenden Nun und Jetzt. »Ewig leben heißt also an Gott teilhaben, und an Gott teilhaben heißt ewiges Leben«[39]. Nur durch dieses Teilnehmen an der Natur und dem eigentümlichen göttlichen Leben, zu dem uns das Glorienlicht erhebt, wird es uns nach E. Krebs auch möglich werden, Gott in seiner Dreieinigkeit, diesem tiefsten Geheimnis eines Innenlebens, anzuschauen. Freilich, hinfällig, veränderlich und trübe ist das Gottesbild in unserer Seele, solange wir in diesem Erdendasein mit der Sünde ringen. Wenn wir aber »mit entschleiertem Antlitz die Glorie Gottes widerspiegeln, werden wir in das nämliche Bild umgestaltet werden, von Glorie zu Glorie, als vom Geist des Herrn«[40]. Daraus schloß E. Krebs: »Die Gleichartigkeit des geistigen Innenlebens mit dem dreifaltigen Innenleben Gottes wird also dort durch die Klarheit des von Gott in uns hineinstrahlenden Lichtes zur höchsten Vollendung gebracht werden«[41].

Vom Glorienlicht her erläuterte E. Krebs auch das Wiedersehen in der Gemeinschaft der Heiligen. »Die Seele wird das Wesen Gottes und seine Vollkommenheiten schauen, sie wird aber in und mit dieser Schauung zugleich die Werke der göttlichen Allmacht schauen, sie wird vor allem jene schönsten Werke der Allmacht, nämlich die gleich ihr vom Glorienlicht umflossenen Seelen ihrer miterlösten Brüder und Schwestern, schauen«[42]. So war für E. Krebs mit der seligen Gemeinschaft der Seele und ihres Gottes eine ebenso selige Gemeinschaft der Heiligen verbunden, aber - auf Erden beginnend mit der Gemeinschaft des kirchlichen Gnadenlebens, wird diese Gemeinschaft ihre Vollendung erst im Jenseits erfahren; es wird die Vollendung der Erkenntnis, des Besitzes und der Liebe sein[43].

Des weiteren stellte E. Krebs heraus, daß das Erkennen der Seligen untereinander unabhängig von den hemmenden Schranken des Raumes und der Zeit sein wird. Er begründete die These damit, daß an die Stelle der Zeit die Ewigkeit getreten sei, jenes ununterbrochene Jetzt, das es uns möglich macht, den liebenden Blick immerfort in das klar und offen vor uns liegende Wesen unserer Lieben zu versenken. Dieses Wegfallen der Schranken von Raum und Zeit wird nach E. Krebs unser gegenseitiges Erkennen im höchsten Maße vervollkommnen; ja, er betonte, daß unser Erkennen im Himmel überhaupt das erste gegenseitige Erkennen sein wird, das

---

[38] Krebs: Was kein Auge gesehen. S. 63. - Vgl. ders.: Grundfragen der kirchlichen Mystik. Freiburg 1921.
[39] Ders.: Was kein Auge gesehen. S. 64.
[40] 2. Kor. 3, 18.
[41] Krebs: Was kein Auge gesehen. S. 66.
[42] Ebd. S. 70.
[43] Ebd. S. 70.

diesen Namen in Wahrheit verdient[44]. Wenn jene selige Wirklichkeit der Gemeinschaft aller Heiligen für den Heimgegangenen beginnt, dann schaut nach unserem Theologen der vom Glorienlicht erleuchtete Geist nicht mehr in ausschnittartigen Begriffen, sondern in Gott selber die Seelen seiner Mitbrüder und Schwestern und erkennt sie, so wie er selbst von Gott erkannt ist[45].

Ausführlich schilderte E. Krebs, wie wir in die vollkommene Liebesgemeinschaft der Heiligen aufgenommen werden und dabei Anteil an der Gemeinschaft der Himmelsgüter erhalten[46]. In diesem Sinne erklärte er auch die Verheißung, daß die Heiligen mit Christus herrschen werden in Ewigkeit[47], das heißt: Sie werden mitverfügen über die geistigen Güter aller in einem freien Schalten und Genießen im ganzen Gottesreich. Ein Untertanverhältnis wird es dabei nicht mehr geben, denn an Stelle des Untertanengehorsams tritt die Liebe, mit der alle Seligen einander den Mitgenuß und die Mitfreude an ihrer Seligkeit gewähren. Es wird also wohl ein Herrschen über Mitmenschen sein, da Herrschen - nach E. Krebs - immer ein Verhältnis von Mensch zu Mensch einschließt; aber - so versicherte er - an Stelle der freien Verfügung des einen über den anderen durch Gewalt, welche Gehorsam fordert, tritt das freie Verfügen, das Hineingreifen der Lebenstätigkeit des einen in die Sphäre des andern durch die Rechte, welche die Gemeinschaft der Liebe gibt. »Es ist also ein Herrschen aller über alle, getragen von dem Rechte der Liebe und von der Ordnung des Himmelreiches, während hier immer nur ein Herrschen eines einzigen über die andern möglich ist, getragen vom Recht der Gewalt oder der Vereinbarung«[48].

Erst im folgenden Abschnitt kam E. Krebs auf die Auferstehung des Fleisches zu sprechen. Nachdem er kurz die Lehre der Kirche vorgestellt hatte[49], erörterte er, wie es möglich sei, daß wir in demselben Leibe auferstehen, den wir getragen, obwohl doch viele Stoffe unserer Leiber im Laufe der Zeiten verschiedenen Leibern angehört haben. Auf Grund der früher dargelegten Kirchenlehre über das Verhältnis der Seele zum Leib schien ihm die Frage leicht zu beantworten. Ist die Seele das innere Gestaltungsprinzip des Leibes, so wird deutlich, wie überhaupt unser Leib aus den toten Stoffen, die ihm zum Aufbau dienen, ein lebendiges Wesen und eine Einheit mit der Seele sein kann .. Leib war daher für ihn immer nur der Stoff, der unter dem gestaltenden Einfluß und Gesetz der Seele steht. Er erklärte: »So wird auch der Leib der Auferstehenden der eigene Leib derselben sein, den sie im Leben getragen, wenn nur die Stoffe, aus denen er gebildet wird, gleichartig sind mit den Stoffen, die auf Erden zum Aufbau der Leiber taugen, und wenn diese Stoffe unter dem gestaltenden Einfluß derselben Seele sich zusammenfügen«[50].

---

[44] Ebd. S. 71.

[45] Ebd. S. 72. - Vgl. 1. Kor. 13, 12.

[46] Vgl. Krebs: Was kein Auge gesehen. S. 72-84.

[47] Off. 22, 5. - Vgl. Clemens VI. Bulla iubilaei „Unigenitus Dei Filius" (25.1.1343): De thesauro meritorum Christi per Ecclesiam dispensando. DS 1025-1027 = NR 677-679.

[49] Krebs: Was kein Auge gesehen. S. 84. - Er verwies u.a. auf Thomas von Aquin: In IV Sent. d. 49. q. 5. a. 1 ad 3. - Petrus von Blois (ungefähr 1135-1204). In: Maxima Bibliotheca Patrum. Bd. 24. Lyon 1672. S. 1242. - Meister Eckhart: Predigten. Hrsg. von F. Pfeiffer. Göttingen (1857), ³1914. S. 56.

[49] Vgl. Krebs: Was kein Auge gesehen. S. 87-88.

[50] Ebd. S. 89. - Vgl. ebd. S. 198. Anm. 62 zu Thomas von Aquin: S. c. g. l. IV. cap. LXXXI.

Das Wunder der Auferstehung besteht also nach E. Krebs darin, daß die Seele zum zweitenmal als Gestaltungsprinzip sich mit dem Leibe vereinen und aus Erde sich einen Leib aufbauen darf; daß aber in diesem Falle der neue Leib innerlich der nämliche ist, den die Seele auf Erden verlassen hat, das ist nur die natürliche Folge jenes Wunders. Der Dogmatiker wies darauf hin, daß die Kirche über die himmlischen Eigenschaften des Auferstehungsleibes keine Lehrentscheidungen veröffentlicht hat; lediglich das Mißverständnis, als ob der von Paulus als »geistiger« und »himmlischer« Leib bezeichnete Auferstehungsleib ein anderer wäre als der irdische, den wir hier tragen, habe ferngehalten werden müssen. E. Krebs gab zu, daß der Leib seinen Eigenschaften nach allerdings ein anderer sei, aber »dem Sein und Wesen nach wird, wie die ... mehrmals wiederholten Entscheidungen der Kirche zeigen, der nämliche Leib uns wieder umgeben in der Herrlichkeit, den wir getragen in Schwachheit«[51].

Mit beredten Worten verstand es E. Krebs, den »Lebenswert« des kirchlichen Dogmas zu erschließen[52]. Wir werden alle lieben Gestalten mit sinnlichen Augen wiedersehen, deren Hingang und Verschwinden nur so bitteres Leid bereitet hat. Wie unendlich tröstet und erhebt uns deshalb der Glaube an die Auferstehung des Fleisches[53]. Ein Übermaß der Seligkeit erwartet uns[54], weil wir Gott schauen, an seinem Leben teilnehmen und dadurch ein unendliches, allseitig vollendetes Leben des Geistes des Erkennens, der Liebe, des Erreichens, des Besitzes, des Ruhens und Tuns zugleich führen sollen. Dabei wird das unaussprechlich beglückende Hineintauchen in die Vaterliebe des von Ewigkeit her uns liebenden Schöpfers, Erlösers und Heiligmachers durch keine Furcht vor der eigenen Untreue und Unzuverlässigkeit mehr getrübt. »Vereinigtsein mit dem Unendlichen[55], teilhaben an seiner geistigen Allseitigkeit, nie mehr durch die Liebe zu anderen Geistern und Gütern von ihm abgelenkt werden, sondern in ihm alle wahrhaft liebenswerten Seelen und Engel lieben dürfen, in ihm die längstbekannten Teuren unseres Erdenlebens und die ungezählten Brüder und Schwestern aus allen Jahrhunderten und allen Ländern der Erde erkennen, lieben und liebend umfangen dürfen - das ist es, was der Seele den unbegrenzten Reichtum Gottes in ewigem Urbild und in Millionen herrlicher, köstlicher Spiegelbilder zeigen und zur liebenden Durchdringung mitteilen wird«[56]. Die Kürze der Zeit wird diese Freude nicht trüben, ebenso wenig die Unzulänglichkeiten, die unseren Fehlern entspringen. An Stelle des animalischen, von tierischen Leidenschaften bedrohten und beherrschten Leibes tritt ein »geistiger« Leib, das heißt ein Leib, über den die geistlose Sinnlichkeit keine hemmende und verführende Gewalt mehr ausüben kann. Der geistige Leib wird erst in Wahrheit das sein, was er sein soll: ein mitschwingendes Werkzeug der Seele, dessen sie sich in Tun und Ruhen, in Liebe und Freude leicht und mühelos bedient. »Der Triumph des Geistes über das Fleisch, um den wir ringen müssen, so lange wir leben, wird vollendet sein und dauern, wenn die Auferstehung unsere Leiber verklärt haben

---

51 Krebs: Was kein Auge gesehen. S. 89.
52 Vgl. das positive Urteil von W. Koch zur Methode von Krebs. In: DLZ 39 (1918) 445.
53 Krebs: Was kein Auge gesehen. S. 89.
54 Vgl. 1. Kor. 2, 9; Jes. 64, 4; 2. Kor. 4, 17.
55 F. Schleiermacher: Über Religion (1799). S. 133. - Vgl. oben S. 85.
56 Krebs: Was kein Auge gesehen. S. 100.

wird«[57]. E. Krebs vergaß auch nicht die ästhetische Seite des Lebens. So versicherte er: »Wenn alles Edle, das Stückwerk war im Leben, durch den Eingang in die Seligkeit zur Vollendung kommt, und wenn nach der Lehre der Kirche der Leib deshalb auferweckt wird, um teilzuhaben am Lohn der Seligkeit, dann muß das Edelste im Leibesleben, der künstlerische Schauer, in vollster Übereinstimmung mit dem Geistesjubel auch seine Vollendung erfahren«[58]. Nicht umsonst spricht nach E. Krebs die Schrift und die Liturgie der Kirche vom ewigen Lobgesang der Seligen. Von aller Himmelsfreude hat Gott den Menschen eine Vorahnung im Erdenleben gegeben. In diesem Tatbestand sah der Dogmatiker den Grund dafür, daß wir von Gott und der Kirche die Belehrungen über die Seligkeit empfangen[59].

Der Blick auf die Freuden der Seligkeit erklärt auch die Sehnsucht des Gläubigen nach dem Himmel, die in einer Fülle von Gebeten zum Ausdruck kommt. E. Krebs verwies u. a. auf die Weihnachtspräfation in der es heißt: Durch das Geheimnis des fleischgewordenen Wortes ist ein neues Licht deiner herrlichen Klarheit den Augen unseres Geistes aufgestrahlt, daß, während wir Gott sichtbar erkennen, wir durch ihn zur Liebe des Unsichtbaren hingerissen werden«. Hier wird deutlich gesagt, worum es im Leben der Menschen geht. Nach E. Krebs: Nicht irdische Ziele dürfen als ständige Richtschnur unser Trachten und Handeln bestimmen; denn die irdischen Bestrebungen sind bunt und wechselnd, darum nicht imstande, uns eine ruhige und gerade Linie für alle Lagen und Wechselfälle unseres Lebens zu bringen. Eines nur vermag dies: die lebendige, glühende Sehnsucht nach jener vollendeten Fülle des Seinsbesitzes und nach der tätigen und zugleich ruhenden ewigen Lebendigkeit. Daher gilt es denn auch zu erkennen, daß die Blendwerke der Sinnenwelt groß sind und daß unser Sinn ihren Einflüssen allzusehr offen steht. Die Kirche jedenfalls bittet darum, daß inmitten aller Wechselfälle des Lebens unsere Herzen dort sich anheften, wo die wahren Freuden sind[60]. »Alles, was Erdenerlebnis ist, soll uns nicht fesseln, sondern befreien: die Seele nicht festhalten auf dieser Erde, sondern sie immer leichter zum Ewigen sich aufschwingen lassen. Das ist die Lebensweisheit der Kirche, um die sie jahraus jahrein uns beten lehrt«[61].

Nach dieser Erkenntnis war es für E. Krebs unabweisbar, daß die Seele des Menschen der ständigen Reinigung bedarf[62]. Es konnte für ihn keinem Zweifel unterliegen, daß die meisten Seelen vor Gottes durch-und-durch-dringendem Auge einst mit Beschämung erkennen werden, wieviel Sünden auf ihnen lasten, die sie in ihrem Erdenleben aus Stolz und Eigenliebe nicht sehen wollen. Wenn nun der Schleier fällt, den diese »trügerischen Schützer einer falschen Ruhe« um uns gesponnen haben; wenn das Kind vor dem Auge des Richters - und Vaters steht, mit dem brennenden Verlangen, rein zu werden durch freiwillige Buße und Sühne dann ist die Zeit des Wirkens vorbei, die vollständige Ergebung und Unterwerfung des Eigenwillens, die auf Erden versäumt wurde, kann durch keine neuen Taten

[57] Ebd. S. 105.
[58] Ebd. S. 107.
[59] Ebd. S. 108.
[60] Ebd. S. 114-115.
[61] Ebd. S. 117.
[62] Vgl. Off. 21, 27. - 1. Kor. 3, 11-15.

und Werke mehr geübt werden. Was nun? Der Theologe weiß, daß eines noch möglich ist: Den Weg der Unterwerfung im Leiden kann die Seele noch gehen, und so ist im Abbüßen, ein Sühneleiden noch offen, um die ungetilgten Flecken hinwegzutilgen aus der Seele. »Trostreiche Hoffnung, trostreicher Glaube, uns gelehrt von der Offenbarung, uns vorgelegt durch die Lehrentscheidung der Kirche!«[63].

Wie E. Krebs weiter ausführte, folgt ein Mensch im Zustand dieser Erkenntnis mit Dankbarkeit dem Winke des strengen, aber unendlich liebevollen Vaters und eilt mit der tröstlichsten Hoffnung auf vollständige innerliche Läuterung dem Bußleiden entgegen, das die letzten Schlacken von der Seele tilgen wird. Der Theologe war überzeugt, daß ein Mensch, der diese Freude der büßenden Seele sich nicht vorzustellen vermag, noch nie die tiefe Sehnsucht nach sittlicher Reinigung, nach Sühneleistung trotz empfangener Verzeihung - nein, gerade wegen der empfangenen Verzeihung - in sich getragen. Nach E. Krebs ist ein solcher Mensch aber noch weit von der wahren Auffassung der Sittlichkeit und ihres heiligen Ernstes entfernt, und um so mehr wird die Seele einst dessen bedürfen, daß die Schleier der Oberflächlichkeit und Selbstsucht von ihr genommen werden, und daß ihr Gelegenheit zuteil wird, die immer versäumte Sühne im Jenseits zu leisten[64].

Energisch wies E. Krebs darauf hin, daß die Kirche über die Dauer der Fegfeuerleiden und über die Art derselben nichts weiß. Nach dem Glauben, den das Trienter Konzil bekräftigt, muß es genügen, daß wir dankbar die Möglichkeit einer Reinigung nach dem Tode erkennen, und uns einerseits während dieses Lebens schon aufs eifrigste befleißigen, durch würdige Früchte der Buße uns und den Unsrigen die Frist der jenseitigen Reinigung und Ausschließung von der ersehnten Seligkeit abzukürzen[65].

E. Krebs ließ es aber nicht dabei bewenden, die Lehre der Kirche positiv darzustellen. Er begründete vielmehr das Dogma mit folgenden Worten, die wir hier ein wenig gerafft wiedergeben. Danach ist jede Sünde ein Mangel an Liebe. Wer Gott in allen seinen Gedanken und Entschlüssen sucht, wer Gott aus ganzem Herzen, aus ganzem Gemüt, aus ganzer Seele und aus allen seinen Kräften liebt, der ist heilig. Wer es daran irgendwo hat fehlen lassen, schuldet Gott Ersatz. Diesen zu leisten, ist er nach diesem Leben durch demütig und bußwillig getragene Leiden allein noch imstande; sie geben Gelegenheit, den Willen in demütiger Liebe zu beugen unter Gottes Willen, obgleich es weh tut, so wie die Sünde den Willen in Widerspruch setzte mit Gott, weil es wohl tat. Dennoch ist nach der Lehre der Kirche das jenseitige Bußleiden nicht das einzige Mittel der Sühne. Die Werke der Liebe und die Gebete der Liebe, die die Lebenden für die abgeschiedenen Seelen dem himmlischen Vater und Richter darbringen, sind eben deshalb, weil sie Äußerungen der Liebe sind, auch imstande, vor Gott die Mängel der Liebe zu ersetzen, die jene Seelen noch zu ersetzen hätten. E. Krebs verwies auf 1 Petrus 4,8, wo es heißt: »Die

---

[63] Krebs: Was kein Auge gesehen. S. 129. - Vgl. Concilium Tridentinum. Sess. 6. Decretum de iustificatione. Cap. 5: De necessitate praeparationis ad iustificationem in adultis, et unde sit. DS 1525 = NR 795. - Eugen IV. Concilium Florentinum. Bulla unionis Graecorum „Laetentur coeli" (6.7.1439): De sorte defunctorum. DS 1304.

[64] Krebs: Was kein Auge gesehen. S. 132.

[65] Ebd. S. 135. - Vgl. Concilium Tridentinum. Sess. 25. Decretum de purgatorio (3.12.1563). DS 1820 = NR 907-908.

Liebe deckt eine Menge Sünden zu«. Dazu erklärte er: Seitdem Christus uns fähig gemacht habe, kraft seiner Gnade Werke der übernatürlichen Liebe zu wirken, seitdem seien wir auch imstande, diese Werke und Gebete füreinander aufzuopfern und füreinander dadurch Sühne und Ersatz vor Gott zu leisten; denn wir alle sind Zweige eines einzigen geistigen Rebstockes und Glieder eines einzigen Leibes. »Eine einzige Gnadenkraft, ein einziges Urverdienst, nämlich die Gnade Christi und sein unermeßliches Verdienst, ist uns allen geschenkt und belebt uns alle und setzt uns instand, füreinander zu wirken und zu beten und zu sühnen und so auch die Flammen des Reinigungsfeuers der Abgeschiedenen zu mildern durch Fürbitte und Aufopferungen der Liebe«[66].

Diese Einstimmung der Seele war für den Dogmatiker die richtige Vorbereitung, um nun auch ohne viele Erläuterungen ein Verständnis für die furchtbare Wahrheit vom Verlust des Himmels, das heißt von der Hölle zu gewinnen[67]. Als Ausgangspunkt wählte er die Lehre von der Todsünde, weil sie uns solcher furchtbaren Ewigkeit ausliefert. Nach der Lehre des Tridentinums besteht sie in einem freiwilligen »Verlassen Gottes«, der mit seiner Gnade den Menschen an sich zu ziehen sucht; ein freiwilliges Wählen der Knechtschaft unter der Sünde und unter der Gewalt des Widersachers Gottes, des Satans[68].

Wer einmal den Sinn der Todsünde erfaßt hat, der begreift nach E. Krebs auch, daß und warum es eine Hölle gibt. Er erklärte sie nach der Lehre der Kirche als Ausschluß von jenem vollkommenen Leben, das unserem Stückwerksleben allererst seine Fülle, seinen allseitigen Reichtum folgen läßt; es ist das ewige Verdammtsein zum Stückwerk, das ewige Ausgeschlossensein aus der Liebe des Allerliebevollsten, das ewige Verbanntsein unter die Geister des Hasses, der Unordnung, der Widersetzlichkeit; es ist mit einem Wort »der Inbegriff der Unseligkeit, so wie der Himmel der Inbegriff aller nur erdenkbaren und sogar der über alles Begreifen hinausgehenden Seligkeit ist«[69]. Wohlverständlicherweise bleibt nach E. Krebs im Verdammten jener Hunger nach Leben, der aus dem Stückwerk und der Beschränktheit herausverlangt; ja, er wird - so versicherte er - eben nun, da die Aussicht auf Erfüllung endgültig dahin ist, zur bittersten Qual. »Und diese Qual ist nicht mehr gehindert durch die Hoffnung auf die Zukunft, sondern sie wird mit jedem Gedanken an die Zukunft nur aussichtsloser, quälender, peinigender«[70].

In dieser »Strafe des Ausschlusses« sah der Dogmatiker das Gemeinsame und Wesentliche an der Höllenstrafe. Es war für ihn klar, daß nur eine falsche Beurteilung in der Verhängung dieser Qual eine Grausamkeit sehen kann. Er gab zu bedenken, wer derjenige ist, den der Sünder von sich gestoßen hat: der liebevolle Schöpfer, der dem Menschen Macht über alle Geschöpfe gegeben hat, damit er an diesen das Vorrecht des vernünftigen und liebenden Gottesdieners ausübe, die Geschöpfe der Verherrlichung des Schöpfers dienstbar zu machen. Es ist der liebevolle

---

[66] Krebs: Was kein Auge gesehen. S. 133.
[67] Vgl. Benedikt XII. Constitutio „Benedictus Deus" (29.1.1336): De sorte hominis post mortem. DS 1002 = NR 905.
[68] Vgl. Concilium Tridentinum. Sess. 14: Doctrina de sacramento paenitentiae. DS 1668-1669 = NR 642-643. - Vgl. Thomas von Aquin: S. th. I/II. 72. a. 5; 87. a. 5 ad 1.
[69] Krebs: Was kein Auge gesehen. S. 144.
[70] Ebd. S. 144.

Erlöser und Heiligmacher, der dem Menschen alle nötigen Gnaden überreich zur Verfügung gestellt hat, um zum Leben einzugehen. Er hat den Menschen mit reichen Gaben ausgestattet, - der Todsünder aber mißbraucht gerade diese Gaben gegen Gott, und so wenden sie sich nun gegen ihn selber und werden ihm zur ewigen Qual. Nicht Gott ist es eigentlich, der dem Sünder zur Qual wird - so erklärte E. Krebs - , sondern die mißbrauchte Natur, die von dem gottgewollten, willigen Zusammenhang mit Gott gelöst ist, wird durch diese Unordnung für den zur bitteren Pein, der von der Quelle des Lebens sich getrennt hat. »Der Umkreis der Erde kämpft mit Gott gegen den Unsinnigen«[71], der geglaubt hat, es sei im Wohlleben möglich, ohne die Wahrung der Ordnung, die der Schöpfer des Lebens angeordnet hat[72]. Nach E. Krebs verdient Gott angesichts der Existenz der Hölle nicht das Mißtrauen derer, für die er selbst den eingeborenen Sohn dahingegeben hat, um sie für sich zurückzugewinnen. Aber dies soll die Frucht unseres Glaubens sein, daß wir uns den ganzen Ernst der göttlichen Sittenordnung in ihrer für die Ewigkeit entscheidenden Strenge stets vor Augen halten und dafür danken, daß er uns diesen Ernst durch die Offenbarung des Geheimnisses vom ewigen Leben und ewigen Tode zum hellen Bewußtsein gebracht hat[73].

Die abschließenden Überlegungen des Theologen zielten zunächst darauf, den Wert der Zeit deutlich werden zu lassen. Er verwahrte sich gegen den Vorwurf, das Christentum mache seine Anhänger zu weltflüchtigen Menschen ohne Unternehmungslust und tatkräftigem Eifer. Nach E. Krebs bedeutet die Verachtung der Welt, die aus der Betrachtung des ewigen Lebens entspringt, nicht ein Für-wertloshalten dieser Zeitlichkeit; sie lehrt uns nur, klar einzusehen, daß dem diesseitigen Leben kein selbständiger Wert innewohnt, und daß es ganz wertlos wird, wenn es nicht als Vorbereitung auf das ewige Leben erkannt wird[74]. Dagegen schien dem Theologen das Lebensideal vieler Humanitätsapostel eitel zu sein. Er argumentierte: Wenn sie den Wert des Lebens im Dienst an dem Aufbau der Menschheit erblicken, zugleich aber fürchten müssen, daß der Tag kommt, an dem die ganze Menschheit aufgehört haben wird zu leben, welch eine hinfällige Arbeit leisten sie dann? »Überzeugt sein zu müssen, daß eines Tages die Abkühlung der Erde jedes Menschenleben auf Erden unmöglich machen wird; verdammt sein zu müssen nicht nur zum einzelnen Tode, sondern zum Tode der ganzen Menschheit überhaupt; sich sagen zu müssen, daß alle Anhäufung von Kulturgütern ... nur einem schließlichen Verwesungsprozeß dienen wird; daran denken müssen, daß alle unsere Wissenschaften, alle unsere technischen Errungenschaften, alle unsere schönen Kunstwerke nur zum schließlichen Zerfall und Moder aufgestapelt werden; sich sagen zu müssen, daß einmal gar keine Spur, auch nicht die leiseste und fernste Nachwirkung unseres Lebens und unserer Arbeit mehr dasein wird - das ist so namenlos traurig, daß nur die tiefste Schwermut die Folge solches unseligen Ausblickes sein könnte, wenn nicht die Oberflächlichkeit vieler Menschen zu groß wäre«[75]. Solche

---

[71] Weish. 5, 21.
[72] Krebs: Was kein Auge gesehen. S. 146.
[73] Ebd. S. 148.
[74] Ebd. S. 151.
[75] Ebd. S. 152.

Schwermut müßte nach E. Krebs folgerichtig die Tatkraft lähmen, solche Weltanschauung zu Verzweiflung und Selbstmord treiben. Andererseits sah der Seelsorger, daß leichtfertige Menschen sich durch sie zum Genuß der flüchtigen Vergnügungen anspornen ließen. Zustände, wie sie schon im Weisheitsbuch des Alten Testaments beschrieben wurden, sah er wiederkehren als Folge des Zweifels an der Ewigkeit. Sein Urteil lautete: »Wer nicht glaubt an die Unsterblichkeit der Menschen, für den sind Schwermut, Verzweiflung oder blinder Genuß des Augenblicks die einzigen Folgen, die möglich sind«[76].

Wie ganz anders stellt sich nun nach E. Krebs das Leben und der Wert der Zeit dar, wenn wir überzeugt sind vom Fortleben nach dem Tode und vom Wachstum der Vollendung und Seligkeit drüben mit dem Wachstum unserer Bemühungen um die Tugend in diesem Dasein. So wird das Erdenleben ein Streben nach möglichst hoher Vollendung, ein Dienen um den ewigen Lohn, der in der Teilnahme am Gottesleben besteht. Dadurch, so betonte er, werde jede Minute Zeit, die sonst so nichtig vorübereilt, trächtig und fruchtbar für die Ewigkeit«[77] ... jede Minute unseres Erdenlebens, zugebracht im Dienste Gottes, vermehre unseren Schatz im Himmel. »Wer in solcher Gesinnung mitarbeitet am Heile der Mitmenschen, der weiß, daß er nicht nur Stückwerk liefert, sondern Werk von ewiger Dauer. Mag das Werk seiner Hand zufallen: die Wirkung, die der treue Dienst vor Gott in der eigenen Seele und in fremden Seelen hervorgerufen hat, wird dauern in Ewigkeit, weil diese Seelen ewig dauern«[78]. Der Theologe war überzeugt, daß diese Erkenntnis die Seele eifrig macht; daß sie dankbar den göttlichen Auftraggeber preist, der ihr Wirken nicht zur Vergänglichkeit und ihre Werke nicht zum Untergang bestimmt hat. Mit Eifer dient - nach E. Krebs - dem Herrn des Lebens, wer an das Leben glaubt, denn er weiß, daß die Gnade dieses Herrn den zeitlichen Werken ewiges Verdienst zugesichert hat. Daher vertrat er die These, daß durch diese Lehre vom ewigen Verdienst die Zeit erst ihren wirklichen Wert erhält; daß ohne sie die Beschränkung in die Zeitlichkeit nichts anderes ist, als Verurteilung zur Nichtigkeit[79].

All das, was über den Wert der Arbeit in der Zeit für die Ewigkeit gesagt wurde, gilt nach E. Krebs in verstärktem Maße, wenn der gläubige Mensch sein Leben auch im Leiden mit Christus weiht und somit am Sieg über den Tod Anteil gewinnt. In diesem Zusammenhang brachte der Dogmatiker zur Sprache, was sonst oft im Rahmen der Theodizee behandelt wird. Er erklärte, daß die Sünde darin besteht, daß der Mensch die Herrschaft Gottes nicht anerkennen wollte, sondern in der Selbstherrschaft über die Dinge seine Seligkeit suchte. Da sich aber die Ordnung Gottes nicht umstoßen läßt, so werden eben die mißbrauchten Geschöpfe und Gaben der Menschennatur dem Menschen selber zur Qual. Diese Qual hat nach der Darlegung des Dogmatikers einen doppelten Sinn: sie ist zugleich Strafe wie auch Zuchtrute und Heimsuchung. Kehrt schließlich der Mensch, der der Gnade Gottes nicht widersteht, zur Liebe Gottes zurück, dann erhält das Leiden eine dritte, heilige Bedeutung. Es wird zum Weg der freiwilligen, von der Gnade geleiteten Sühne

---

[76] Ebd. S. 154.
[77] Ebd. S. 155.
[78] Ebd. S. 157.
[79] Ebd. S. 158.

und Buße, zum Heilmittel der Selbsterziehung[80]. Diese Weihe erhält das Leiden durch den ewigen Sohn Gottes in Menschengestalt. E. Krebs erklärte: Da Christus die Brüder in Sünde sich den Geschöpfen hingeben sah, machte er sich auf, der den Vater ewig ohne Kampf und Leiden geliebt hatte, da er eines Wesens mit dem Vater war. Er nahm Menschengestalt an und häufte Leiden und Tod zwischen sich und dem heiligen Willen des Vaters, damit er durch Leiden und Todesfurcht die sündige Lust der Menschen zähme und durch Erfüllung des väterlichen Willens um solchen Preis den Ungehorsam der Sünde aufwiege. So ist das Leiden zähmkräftig geworden, weil Christus das Haupt der ganzen Menschheit ist und nicht für sich, sondern für uns dies getan hat; so ist für E. Krebs auch unser Leiden geweiht worden, und er betonte, daß wir von nun an unser Leiden und Sterben sühnekräftig machen können durch Vereinigung desselben mit Christi Leiden und Sterben[81].

Den letzten Abschnitt seines kleinen Werkes widmete der Theologe der heiligen Eucharistie. Unter dem Titel »Der Himmel auf Erden« knüpfte er an dem Wort des Johannes-Evangeliums an: »Wer mein Fleisch ißt und mein Blut trinkt, der hat das ewige Leben, und ich werde ihn auferwecken am Jüngsten Tage«[82] und erklärte: »Das ewige Leben, wie wir es durch die Lehre der Kirche kennengelernt haben, ist die ewige, untrennbare und innigste Teilnahme an Gottes reichem unendlichen Leben«[83]. So war es ihm begreiflich, daß nichts auf Erden so sehr dem Leben im Himmel gleicht als jene Augenblicke, in denen die Seele hier schon in Lebensgemeinschaft tritt mit ihrem Gott. Die heilige Kommunion ist die irdische Form des ewigen Lebens. Daher hat der Heiland so sehr danach verlangt, dieses Abendmahl mit seinen Jüngern zu essen[84]: Er wollte den Menschen den Himmel schon auf Erden bereiten. Der Dogmatiker zitierte die Lehraussagen des Trienter Konzils, nach denen wir häufig und mit Ehrfurcht dies heilige Sakrament empfangen sollen[85], um so beständig in der Vereinigung mit Christus zu wachsen, hineinzuwachsen in die Lebensgemeinschaft mit ihm, Wurzel zu fassen im ewigen Leben. In diesem Zusammenhang hob E. Krebs besonders die läuternde Kraft der heiligen Eucharistie hervor. Da läßliche Sünden durch das heilige Mahl getilgt werden, wenn nur eine tiefe Reue und lebendige Ehrfurcht den Tischgenossen erfüllt, so bildet es für die reumütige Seele ein »liebliches Fegfeuer heilsamer Reue und Beschämung und zugleich ein irdisches Paradies süßester Lebensgemeinschaft mit Gott«[86]. Ziel dieser Kommunion ist demnach, daß Christus immer Gast unserer Seele bleibt, daß wir mit ihm ununterbrochen in lebendiger Beziehung stehen, daher die Aufforderung: »Suchen wir durch den treuen Gebrauch der eucharistischen Gnaden in steter Übung jenen Zustand dauernder Vereinigung mit Gott zu erlangen, den manche besonders begnadete Heilige durch mystische Erhebung bis zum fühlbaren Erlebnis geschenkt erhielten«[87]. Als Musterbeispiel einer solchen perma-

---

[80] Ebd. S. 162.
[81] Ebd. S. 163.
[82] Joh. 6, 55.
[83] Krebs: Was kein Auge gesehen. S. 171.
[84] Luk. 22, 15.
[85] Concilium Tridentinum. Sess. 13. Decretum de sacratissima Eucharistia (11.10.1551). Cap. 8: De usu admirabilis huius sacramenti. DS 1648-1650 = NR 576-577.
[86] Krebs: Was kein Auge gesehen. S. 174.
[87] Ebd. S. 177.

nenten Verbindung eines Menschen mit Gott diente E. Krebs das Lebensbekennt-
nis des heiligen Augustinus. Er schloß mit den Worten aus der Nachfolge Christi:
»Du bist in mir, und ich bin in dir; verleihe, daß wir so zusammen vereinigt
bleiben! ... Dann wird mein ganzes Inneres frohlocken, wenn meine Seele vollkommen mit Gott vereinigt sein wird. Dann wird er zu mir sagen: 'Wenn du mit mir sein
willst, dann will ich mit dir sein'. Und ich werde ihm antworten: Bleibe bei mir,
Herr, und ich will gerne bei dir bleiben; dahin geht all meine Sehnsucht, daß mein
Herz mit dir vereinigt sei«[88].

(2) Wilhelm Götzmann

Ähnlich der Studie von E. Krebs erschienen während der Kriegsjahre zahlreiche weitere allgemeinverständliche Erklärungen und Trostschriften. Es ist jedoch
zu bemerken, daß die philosophie- und dogmengeschichtliche Reflexion erst im folgenden Jahrzehnt intensiver wurde. Das zeigt uns u.a. eine Studie, in der W. Götzmann die Beweise für den Unsterblichkeitsglauben einer erneuten Prüfung unterzog[89].

Ebenso wie die bereits vorgestellten Theologen ging auch W. Götzmann von
den geistigen Umwälzungen aus, die der erste Weltkrieg mit sich brachte. Er hob
hervor, daß die Massengräber im Osten wie im Westen den Unsterblichkeitsglauben in vielen Herzen neu belebte, in denen er zuvor erloschen oder wenigstens geschwächt war. W. Götzmann stellte fest, daß viele nach den Gründen für diesen
Glauben forschten, daß jedoch die darüber entstandene Literatur nicht immer vom
Geist strenger Wissenschaftlichkeit erfüllt war und dem nicht entsprach, was eine
kirchlich orientierte Denkarbeit auf diesem Gebiet in früheren Jahren geleistet hatte. So bewegte ihn der Wunsch, eine Untersuchung darüber anzustellen, in welcher
Weise die christliche Vorzeit den Glauben an die Unsterblichkeit zu beweisen
suchte[90].

Es kann uns nicht verwundern, daß bei diesem Programm keinerlei zeitgenössische Schriften zitiert wurden[91], daß vielmehr sämtliche von unserem Autor ange-
führte Literatur aus der Zeit vor dem Krieg stammte. Immerhin läßt sein Werk erkennen, wie ein der neuscholastischen Tradition verpflichteter Theologe sich den
Fragen der Zeit stellte, indem er die Probleme der Vergangenheit aus der Sicht seiner Gegenwart neu aufgriff. Dabei wollte er dem flüchtigen Geist der Zeit das
Ethos hoher Wissenschaftlichkeit entgegenstellen. Das gleiche Anliegen erfüllte
damals auch viele andere katholische Theologen.

---

[88] Thomas v. Kempis: Vier Bücher von der Nachfolge Christi. Nach der Reuter'schen
Übersetzung bearbeitet und mit praktischen Zugaben versehen von P. Weber. Domvicar in
Trier. Saarlouis [1901]. Buch IV. Kap. 13.

[89] W. Götzmann: Die Unsterblichkeitsbeweise in der Väterzeit und Scholastik bis zum
Ende des 13. Jahrhunderts. Eine philosophie- und dogmengeschichtliche Studie. Karlsruhe
1927.

[90] Vgl. ebd. S. III. - Dazu die Rez. von E. Rolfes. In: ThRv 27 (1928) 337.

[91] Zum Vorwurf, Götzmann habe die individuelle Unsterblichkeit nicht genügend zu
Wort kommen lassen, nebst anderen kritischen Einzelbemerkungen vgl. die Rez. von J.N.
Espenberger. In: ThPQ 81 (1928) 658-659. - Uneingeschränkt positiv die Rezensionen von H.
Spettmann. In: PhJ 41 (1928) 491-493. - H. Kiessler. In: DTh 8 (1930) 348. - F. Pelster. In:
Scholastik 4 (1929) 291-292.

Man muß sich freilich hüten, von einer Bewertung dieser neuscholastischen Richtung aus ein allgemeines Urteil über die Theologie jener Epoche zu fällen. Niemals war das katholische Denken so einseitig formiert, daß es nicht auch andere Tendenzen zu beachtlichen Neuansätzen aufzuweisen hatte. Daß die katholische Theologie in Deutschland nach dem ersten Weltkrieg keineswegs nur retrospektiv arbeitete, zeigt uns unter anderem z.B. Th. Steinbüchel[92], der - nach einem Wort von P. Hadrossek - die personalistische Grundhaltung des christlichen Ethos, Freiheit und Verantwortung in der Situation herausarbeitete[93] und auch auf dem eschatologischen Sektor neue Impulse zu geben vermochte. Dies wird uns deutlich, wenn wir uns die Arbeit einer seiner Schülerinnen näher ansehen.

(3) Clara Hartmann

Geboren 1904 in Dorstfeld, Bezirk Dortmund, hatte Cl. Hartmann 1922 - 1924 an der Sozialpolitischen Frauenschule und Caritasschule Freiburg studiert, war 1924 - 1925 Gasthörerin an der Rechts- und Staatswissenschaftlichen Fakultät der Universität Münster, 1927 - 1929 an der Philosophischen Fakultät in Bonn und schließlich 1929 - 1932 an der Philosophischen Fakultät der Hessischen Landesuniversität in Gießen. 1932 veröffentlichte sie eine Studie, die in ihrem Titel zunächst wiederum die Verwurzelung in der theologischen Tradition andeutet: »Der Tod in seiner Beziehung zum menschlichen Dasein bei Augustin«[94]. Diese Dissertation hatte ihr Entstehen einer anregenden Vorlesung zu verdanken, die Th. Steinbüchel im W. S. 1929/30 gehalten hatte: »Die Philosophie des Mittelalters in problemgeschichtlicher Entfaltung mit besonderer Berücksichtigung des Geisteslebens und der Religion des Mittelalters«.

Für Cl. Hartmann forderte das Todesverständnis eine Blickrichtung auf zwei Grundweisen des menschlichen Daseins: auf seine Zeitlichkeit und seine Geschichtlichkeit, denn »das menschliche Dasein hat als seine ursprüngliche Bestimmbarkeit, sein Sein in dem modus der Zeitlichkeit, das heißt in dem Nacheinander seines Seinsbesitzes, in der Erstreckung von seinem zeitlichen Anfang zu seinem zeitlichen Ende, in der Seinsspanne zwischen Geburt und Tod«[95]. Die Zeitlichkeit bestimmte sie als die Möglichkeit der Geschichtlichkeit des menschlichen Daseins, »sie erweist sich in der Geschichtlichkeit als die Grundlage einer möglichen sinnhaften Ganzheit der zwischen Geburt und Tod liegenden Bewegtheit des Daseins«[96]. Geschichtlichkeit bedeutete für sie »die Möglichkeit der Freilegung eines Zusammenhanges des in der Bewegtheit des Daseins gegebenen Geschehens«[97].

---

[92] Theodor Steinbüchel (1888-1949), Schüler von Cl. Bauemker und F. Tillmann, 1926 Prof. in Gießen, 1935 Prof. für Moraltheologie in München, 1941 in Tübingen. Beeindruckt von der Wertethik M. Schelers und der Hegelschen Dialektik.

[93] P. Hadrossek. In: LThK² 9 (1964) 1031. - Vgl. H. Fries: Steinbüchel. In: RGG³ 6 (1962) 348. - Bibliographie: Der Mensch vor Gott. Beiträge zum Verständnis der menschlichen Gottesbegegnung. Theodor Steinbüchel zum 60. Geburtstag. Hrsg. von Philipp Weindel und Rudolf Hofmann. Düsseldorf 1948. S. 429-431.

[94] Cl. Hartmann: Der Tod in seiner Beziehung zum menschlichen Dasein bei Augustinus. (Phil. Diss. Gießen 1932. Referenten: Th. Steinbüchel, E. von Aster.) In: Cath 1 (1932) H. 4. - Dass. Sonderdruck. Gießen 1932.

[95] Ebd. S. 159.

[96] Ebd. S. 159.

Wir sehen, daß in dieser Bestimmung die von M. Heidegger[98] entwickelten Kategorien und Existenzialien benutzt wurden. Ausdrücklich wies jedoch die Autorin darauf hin, daß diese in ihrer Untersuchung nur formalen Wert haben, da sich die religiöse Bestimmung der Geschichtlichkeit des menschlichen Daseins durch Augustinus inhaltlich in dieselben nicht voll fassen lassen könne[99]. Wenn der Mensch auf Grund seiner ihm eigentümlichen Fähigkeit, sich selbst und zu der sich ihm darbietenden übrigen Welt des Seienden fragend verhalten zu können, das verständnissuchende Fragen mit Augustinus unternehme, so empfange er eine Beantwortung, die sich als christliches Daseinsverständnis enthülle[100]. So werde in dieser augustinischen Sicht das Dasein in seiner Bezogenheit zu Gott als seinen Ursprung und Ziel verstanden und damit eine rein ontologische Interpretation im Sinne einer rein immanenten Erklärung der Weltlichkeit, Zeitlichkeit und Geschichtlichkeit des menschlichen Daseins und damit auch des Todesphänomens, ohne Bezugnahme auf die Transzendenz eines göttlichen Daseins und der damit gegebenen Korrelation von Gott und Mensch, durchbrochen[101]. Insofern sah Cl. Hartmann die Wirklichkeit des Todes auf Grund der Zugehörigkeit zum genus humanum bestimmt[102], zugleich faßte sie jedoch die Möglichkeit einer Aufhebung des Todes durch die Versöhnung von Gott und Mensch ins Auge[103]. Bei Augustinus habe das zu einem Verhaftetbleiben im Tod oder die Befreiung von ihm auf Grund der Zugehörigkeit des Menschen zur civitas Dei oder der civitas terrena geführt[104].

Zusammenfassend legte die Verfasserin dar, daß nach Augustinus der Mensch seine Existenz nicht aus sich selbst hat; mit allem innerweltlich Seienden ist er creatura Dei. Diese Grundbestimmung werde ihm durch die Erfahrung seiner Endlichkeit, wie sie sich dem kreatürlichen Menschen im Ereignis des Todes enthülle, zur Un-ruhe seines Daseins. Der Mensch sei von seiner End-lichkeit zu seiner ihm zugesprochenen Voll-endung hingespannt. In der Zeitlichkeit dieser Endlichkeit habe er nicht nur eine innerweltliche Zukunft, aus der er seinen Existenzbesitz faktisch entgegennehme, er habe auch eine Zukunft, die ihn aus dem Weltzusammenhang heraustreten lasse, »die Zukunft als eschatologische Zukunft, die ihm in seiner Innerweltlichkeit noch verborgenes Neues bedeutet, die er als Vollendung seiner Endlichkeit, als Ruhe seiner Un-ruhe jenseits des endlichen innerweltlich-zeitlichen Daseins, jenseits des Todes erhofft - aber erhofft von dem Anderen seiner selbst, von Gott«[105].

So zeigte Cl. Hartmann Augustinus in seiner Analyse des Menschseins als einen bedeutsamen Interpreten der religiösen Existenz. Erstaunlich ist, mit welch spekulativer Kraft die junge Autorin unter der Führung Th. Steinbüchels sich des

[97] Ebd. S. 159.
[98] Zu M. Heidegger siehe oben S. 62-70. - Vgl. u.a. Heidegger: Sein und Zeit, besonders S. 250-266, 376-386. - Außerdem: Vgl. die oben S. 62, Anm. 324 genannte Literatur.
[99] Cl. Hartmann. S. 160. Anm. 1.
[100] Ebd. S. 159.
[101] Ebd. S. 159.
[102] Ebd. S. 165.
[103] Ebd. S. 176.
[104] Ebd. S. 185.
[105] Ebd. S. 190.

wichtigen Todesproblems annahm. Mag ihre Sprache auch deutlich zeitgebunden sein, hier begegnet uns ein Ton, der sich im Bereich der fachgebundenen Eschatologie selten findet und der daher aufhorchen läßt.

(3) K. Adam - R. Guardini - B. Bartmann

Im weiteren Verlauf unserer Untersuchung werden wir uns mit einigen Theologen befassen, deren Werk über den dogmatischen Fachbereich hinaus großen Einfluß auf das Denken der Zeitgenossen ausübte; so z. B. der Dogmatiker K. Adam, der mit seinem bekannten Buch über das »Wesen des Katholizismus« bewies, daß die Lebenskraft der Tübinger auch in einer gewandeltenWelt erneut fruchtbar werden konnte[106].

Zu den Theologen, die mit einer starken philosophischen Reflexion zentrale Anliegen ihrer Zeit aufgegriffen und die christlichen Glaubenswahrheiten in neuen »Versuchen« oder »Entwürfen« weiten Kreisen verständlich und annehmbar machen wollten, gehörten des weiteren R. Guardini. Ähnlich wie bei K. Adam und Th. Steinbüchel eröffneten theologiegeschichtliche Studien sein systematisches Werk[107]. Seine Schrift von den »Letzten Dingen« erschien im Kriegsjahr 1940, muß jedoch im Zusammenhang mit einer zuvor veröffentlichten Studie über »Welt und Person« (1939) gesehen werden. Diese Versuche einer christlichen Lehre vom Menschen zeigten R. Guardini als bedeutenden Vertreter des christlichen Personalismus, der aus der Begegnung, aber auch aus der Auseinandersetzung mit der Anthropologie und Kosmologie M. Schelers[108] wesentliche Impulse empfangen hatte. R. Guardini hatte den Kölner Philosophen vor seiner eigenen Berufung auf den Lehrstuhl für katholische Weltanschauung an der Universtiät Berlin kennen und schätzen gelernt[109]. Zuvor schon hatte der junge Theologe eigenständig eine Philosophie des Lebendig-Konkreten entworfen, in der der »Gegensatz« zur Grundform des gesamten Denkens wurde. Diese ermöglichte ihm, das Ganzheitsdenken auch für den eschatologischen Bereich der Theologie fruchtbar zu machen. Seine Schriften verdienen es, heute - gut dreißig Jahre nach ihrem ersten Erscheinen - erneut gewürdigt zu werden.

Der Entwurf R. Guardinis zeigt, daß die Befruchtung der katholischen Eschatologie zwischen den Weltkriegen nicht so sehr aus einer Begegnung mit der evangelischen Theologie, als vielmehr aus der Vertrautheit mit der zeitgenössischen Philosophie entstanden ist[110]. Allerdings ist zu berücksichtigen, daß auch die Schriften evangelischer Theologen von den gleichen philosophischen Zeitströmungen geprägt wurden, so daß sich von hier aus im gesamten Bereich der Theologie interkonfessionell zahlreiche Berührungspunkte ergaben, ohne daß von einer direkten Abhängigkeit gesprochen werden kann. Wir werden auf die Zusammenhänge jeweils an Ort und Stelle aufmerksam machen. Hier jedoch ist für uns der Umstand von größter Wichtigkeit, daß die Entwürfe einer lebendigen Theologie, die sich

---

[106] Zu K. Adam siehe unten S. 683-725.
[107] Zu R. Guardini siehe unten S. 727-802.
[108] Zu M. Scheler siehe oben S. 52-60.
[109] Vgl. H. Kuhn: Romano Guardini. S. 26-27.
[110] Gegen Müller-Goldkuhle. S. 216.

nicht in einer Wiedergabe abstrakter Lehrpunkte allein erschöpft, nur auf dem Hintergrund der jeweiligen Zeitgeschichte recht verstanden werden können. Dies gilt auch für R. Guardini, obwohl er in seinem Lebenswerk auf jede vordergründige Polemik bewußt verzichtet hat. Um deutlich zu machen, worum es geht, sei an dieser Stelle auf die Schrift eines evangelischen Pfarrers verwiesen.

Im November 1933 griff die evangelische Reichskirche in den zur Bearbeitung ihres Volksmissionarischen Programms herausgegebenen Studien das akut gewordene Problem »Völkische Zukunftserwartung und christlicher Ewigkeitsglaube« auf. In dieser Situation versuchte der Essener Pfarrer R. Löwe unter der wissenschaftlichen Führung von Schmitz[111] in seiner Dissertation »Kosmos und Aion«[112] den neutestamentlichen Weltbegriff zeitgerecht zu erfassen. Bewußt verzichtete er darauf, die mannigfachen Probleme in einen systematischen Rahmen zu spannen. Mit dem Hinweis auf die »heilsgeschichtliche Dialektik«, worunter er die durch das Handeln des ewigen Gottes in der gegenwärtigen Welt hervorgerufenen Sach- und Denkspannung sowie den Ausblick auf deren Lösung verstand, wollte er vorläufig den Ort und die Form dieses eigentlich unbegrenzten Problemkomplexes benennen[113]. Da ihm nur die dialektische Gesamtschau das Wesen des Glaubens, aus dem wir leben, reden und handeln müssen, zu offenbaren schien, definierte er Eschatologie als »die in der Geschichte erscheinende Spannung zwischen Gott und Welt, Ewigkeit und Zeit«[114].

Wir werden sehen, daß genau diese Thematik auch von R. Guardini behandelt wurde. Hier interessiert uns aber besonders, wie ernst R. Löwe die Situation von Christ und Welt im Jahre 1935 sah. Am Ende seiner Studie wies er darauf hin, daß ein heidnisches Weltverständnis den Versuch einer Sammlung »eschatologisch entspannter, offenbarungsloser Gedankenkreise und in ihrer inneren Existenz unerschütterter Menschenkreise« machte[115]. Dem sei nur mit dem vollen Zeugnis biblischer Offenbarung zu begegnen, und dieses gegenwartsnahe Zeugnis sowie die ganze Haltung seiner Träger müsse eschatologisch sein. Er kam zu dem Schluß, daß das Schicksal der Kirche in ihrer Eschatologie liegt[116].

Es ist vielleicht überraschend, daß genau diese Auffassung und dieses Programm uns bei einem katholischen Theologen begegnet, und zwar bei einem führenden Vertreter der dogmatischen Theologie, bei B. Bartmann. Im Vorwort zur dritten, durchgesehenen Auflage seines Trostbuches »Das Fegfeuer« sprach er 1934 von den modernen Propheten, die gegen den christlichen Glauben anrennen. Heftig lehnte sich sein christliches Bewußtsein auf gegen jene, die den Glauben an den persönlichen Gott, die Erlösung und die Unsterblichkeit vernichten wollten und es wagten, an dessen Stelle drei wertlose Schemen anzubieten: Gott aus eigenem Blut, Erlösung durch eigene Kräfte, Unsterblichkeit durch Ein- und Aufgehen

---

[111] Otto Schmitz (1883-1957) war u.a. Prof. für Neues Testament in Münster, 1934-1938 in Bethel.

[112] R. Löwe: Kosmos und Aion. Ein Beitrag zur heilsgeschichtlichen Dialektik des urchristlichen Weltverständnisses. (NTF. R. 3. H. 5.) Gütersloh 1935. - Vgl. die Rezensionen von J. Schmid. In: ThRv 35 (1936) 889. - K. Prümm. In: Scholastik 11 (1936) 186.

[113] Löwe. S. 6.

[114] Ebd. S. 5.

[115] Ebd. S. 160.

[116] Ebd. S. 161.

in den allgemeinen Weltstoff. Dagegen protestierte er: »Wir lassen uns unseren Gott nicht rauben, der von sich sagte: 'Ich bin der Anfang und das Ende!' Wir lassen uns unseren Erlösungsgedanken nicht schmähen, er ist der Christentrost seit zweitausend Jahren. Wir lassen uns unseren Untsterblichkeitsglauben nicht verwässern. Wir betten unsere Toten in den Schoß der Erde, aber nur dem Leibe nach, dem Geist nach wissen wir sie bei Gott, weil sie uns 'mit dem Zeichen des Glaubens vorausgegangen sind'«[117]. So stellte er dem rein diesseitsgerichteten, kollektivistischen Gemeinschaftsgeist seiner Epoche das Bild von der einen Familie Gottes entgegen, die Gemeinschaft der Heiligen, die in einer einzigen großen Gütergemeinschaft leben, in der die einen den anderen mitteilen und helfen können[118]. So betrachtet, ging es dem Paderborner Dogmatiker um weitaus mehr als um das »Fegfeuer«, und wir tun gut daran, diese Schrift der Vergessenheit zu entreißen, indem wir die in ihr gegebenen theologischen Grundlagen auf ihre Tragfähigkeit prüfen.

Mit diesen ersten Hinweisen beschließen wir den Blick auf die Stellungnahme der katholischen Theologie zu den eschatologischen Fragen, die zwischen den beiden großen Weltkriegen erörtert wurden. Wegen der Bedeutung, die die theologischen Aussagen von B. Bartmann, K. Adam und R. Guardini gewannen, werden wir uns nun mit deren Entwürfen einzeln befassen.

---

[117] B. Bartmann: Das Fegfeuer. Ein christliches Trostbuch. Paderborn 1929. - Hier dass. 3. Auflage mit einem neuen Vorwort. Ebd. 1934. S. 4.
[118] Ebd. S. 5.

ZWEITES KAPITEL

Bernhard Bartmann - Christlicher Glaube als ethischer Anruf und menschlicher Trost

Das zweite Kapitel unseres Hauptteils gilt einem der einflußreichsten deutschen Dogmatiker jener Epoche: Bernhard Bartmann. Zusammen mit dem Entwurf von J. Zahn ergibt sich aus seinen Schriften und Lehrbüchern ein vollständiges Bild dessen, was im Bereich der katholischen Theologie damals als kirchliche Eschatologie gelten konnte. Ähnlich wie J.Zahn verarbeitete der Paderborner Theologe weitgehend die Ergebnisse der religionswissenschaftlichen Forschung wie auch deren Interpretationen durch die zumeist liberale protestantische Theologie. Dies geschah ohne billige Polemik, vielmehr maßvoll und sachgerecht. Beiden Autoren wurde daher auch bei der Besprechung ihrer Werke seitens evangelischer Theologen eine umfassende Kenntnis protestantischer Literatur bestätigt. So diente ihr Werk der authentischen Vermittlung konfessionell verschiedenartiger Theologie und förderte die Zusammenarbeit, die sich heute mancherorts als fruchtbar erwiesen hat. Nicht von ungefähr wurde das katholische konfessionskundliche Johann-Adam-Möhler-Institut an der Stätte errichtet, an der B. Bartmann lange Jahre hindurch unermüdlich wirkte. Die große Zahl von Rezensionen, die dieser Dogmatiker in der Zeitschrift »Theologie und Glaube« veröffentlichte, spiegelt die mühevolle Kleinarbeit wieder, auf der nicht zuletzt der theologische Fortschritt beruht. Der selbstlose Dienst ist der Wahrheit oft förderlicher als jede geniale Spekulation, - obwohl auch diese nicht fehlen darf, damit der Reichtum göttlicher Offenbarung sich zur allgemeinen Kenntnis entfaltet und nicht in einem trockenen Positivismus zugrunde geht.

1. Die Ansatzpunkte der Theologie Bartmanns

a) Herkunft und pädagogische Befähigung

Bernhard Bartmann wurde am 26. Mai 1860 zu Madfeld (Kreis Brilon) in einer Handwerkerfamilie geboren, die sich auch auf etwas Ackerwirtschaft stützen konnte. In einer späten Erinnerung hob er hervor, daß er zu seiner Mutter ein besonders intimes Verhältnis hatte, da der Vater als Anführer eines Bautrupps von Maurern oft auswärts arbeitete[1].

Geradezu schicksalhaft war die frühe Begegnung des Knaben mit der Schule. Um ihn vor den »Gefahren der Straße« zu bewahren, wurde er im Alter von fünf Jahren kurzerhand vom Pfarrer seines Heimatortes in die Schar der »Lernanfänger« eingereiht, uns so begann seine »wissenschaftliche Laufbahn«, bei der er von Anfang an nicht nur Lesen und Schreiben, sondern auch Biblische Geschichte und Katechismus gründlich lernte. Die pädagogische Haltung und lebhafte Unterrichtsweise des Lehrers hatten für ihn etwas Anziehendes. Dennoch behagte es ihm wenig, daß er während der Schulzeit zu Helferdiensten herangezogen wurde; es war seine »Schulnot«, den Lernstoff mit schwächeren Schülern unter schwierigen Bedingungen memorieren zu müssen. Auch vom Pfarrer wurde er daraus nicht erlöst, obwohl er den Wunsch äußerte, den höheren Studien nachzugehen. Da er nämlich keine bündigen Aussichten auf einen etwaigen späteren Priesterberuf geben konnte und wollte, nahm man sich seiner nicht besonders an. Allerdings mußte nach der Feier der ersten heiligen Kommunion, mit der der Schulabschluß verbunden war, die Berufsfrage gelöst werden. Man kam überein, daß der Junge Lehrer werden sollte. Damit begann für ihn die unerquickliche Aspirantenzeit. Sowohl beim eigenen Lernen als auch beim Unterrichten der kleineren Kinder herrschte das »Auswendiglernen« vor. Obwohl der Junge die Unzulänglichkeit dieser Methode deutlich verspürte, wurde er dennoch von ihr geprägt; in seinen späteren Werken hatte die positive Wissensvermittlung Vorrang vor der spekulativen Durchdringung des Stoffes.

Zunächst besuchte B. Bartmann bis 1880 das Lehrerseminar in Büren[2]. Nach Abschluß seiner Studien wurde er seitens der Regierung angewiesen, an einer Simultanschule des Kreises Bochum eine Stelle als Lehrer anzutreten, und zwar als einzige katholische Kraft neben den sieben protestantischen. Damit trat der Protestantismus, den er bisher nur dem Namen nach kannte, zum erstenmal deutlich in sein Blickfeld. Rückschauend stellte er später fest, daß er mit allen Kollegen gut auskam, mit den übergeordneten ebenso wie mit den gleichrangigen[3].

---

[1] Zur Biographie vgl.: Die Religionswissenschaft der Gegenwart in Selbstdarstellungen. Hrsg. von E. Stange. Leipzig 1927. S. 1-35: Bernhard Bartmann. Zitiert: Bartmann: Selbstdarstellung. - Außerdem B. Bartmann: Aus meinem Leben. Fragment einer Autobiographie, veröffentlicht zum 15. Jahrestag seines Todes (1.8.1938). In: ThGl 43 (1953) 359-373. - E. Stakemeier: Bernhard Bartmann. In: ThGl 30 (1938) 481-484. - Ders.: Bernhard Bartmann. Leben, Werk und theologische Bedeutung. In: ThGl 44 (1954) 81-113.

[2] Direktor des Lehrerseminars in Büren war Joh. Kayser; später Peter Langen (1835-1897) der bei den Auseinandersetzungen des Kulturkampfes suspendiert worden war. - Vgl. dazu Bartmann: Aus meinem Leben. S. 367-369.

[3] Vgl. Bartmann: Selbstdarstellung. S. 5. - Ders.: Aus meinem Leben. S. 369-370.

Nach dreijähriger Tätigkeit gelang es ihm schließlich, dem angestrebten Ziel des höheren Studiums näher zu kommen. Er bat um seine Entlassung aus dem Schuldienst, um sich auf die Reifeprüfung vorbereiten zu können. Zu Ostern 1884 begann er die theologischen Studien, die mit seiner Ordination 1888 ihren Abschluß fanden.

B. Bartmann studierte Theologie in Münster, Würzburg, Eichstätt und Paderborn, und zwar - wie damals üblich - ohne feste, vorgeschriebene Studienordnung, so daß beim Besuch der Universitäten »manches dem Zufall überlassen« blieb[4]. Auffallend war für den jungen Theologen besonders das lose, ja kühle Verhältnis, das zwischen Professoren und Studenten bestand; wissenschaftliche Seminarien gab es nicht. Zu seinem späteren Bedauern lernte er Wesen und Werkzeug des wissenschaftlichen Arbeitens, den streng methodischen Betrieb des theologischen Studiums nicht gründlch kennen; so daß er sich auf den langen Weg des »selbsteigenen Tastens und Bildens nach fremdem Muster« verwiesen sah[5]. Theologische Lehrer, deren der Dogmatiker später dankbar gedachte, waren in Münster (1884-85): G. Hagemann[6], B. Schäfer[7], M. Sdralek[8], B. Niehues[9], G. Körting[10], J. Schwane[11]; in Würzburg (1885): F. Hettinger[12], J. Grimm[13], J. Nirschl[14]. H. Schell, dessen Name später so viel genannt wurde, war gerade erst Professor geworden; zu ihm schrieb B. Bartmann: »Ich erinnere mich nicht, daß ich jemals in seinem Kolleg war«[15].

---

[4] Ders.: Selbstdarstellung. S. 6.

[5] Ebd. S. 7.

[6] Georg Hagemann (1832-1903) war Prof. für Philosophie in Münster (1860-1884). Hauptwerk: Elemente der Philosophie. Ein Leitfaden für akademische Vorlesungen, sowie zum Selbstunterricht. 3 Bde. Münster 1868-1870.

[7] Bernhard Schäfer (1841-1926), Prof. für Altes Testament in Münster (1876-1893). Schrieb u.a.: Die religiösen Altertümer der Bibel. Leitfaden für akademische Vorlesungen und zum Selbstunterricht. Münster 1878. - Ders.: Bibel und Wissenschaft. Zehn Abhandlungen über das Verhältnis der heiligen Schrift zu den Wissenschaften. Münster 1881. - Zu seiner Tätigkeit in Münster vgl. E. Hegel: Geschichte der Katholisch-Theologischen Fakultät Münster 1773-1964. Bd. I. Münster 1966. S. 325-326.

[8] Max Sdralek (1855-1913) war Ordinarius für Kirchengeschichte in Münster. Vgl. F.X. Seppelt: Max Sdralek. In: LThK[1] 9 (1937) 389. - J. Gottschalk: Max Sdralek. In: LThK[2] 9 (1964) 554-555. - E. Hegel. S. 340-341.

[9] Bernhard Niehues (1831-1909). - Vgl. KathD. Bd. 2. Sp: 3257-3258.

[10] Gustav Körting (1845-1913), Philologe.

[11] Joseph Schwane (1824-1892) studierte nach seiner Priesterweihe 1848-1850 in Bonn und Tübingen; war beeinflußt von Franz Xaver Dieringer (1811-1876) und Johann Evangelist von Kuhn (1806-1887); wirkte seit 1853 als Dozent, danach als Prof. für Kirchengeschichte, Dogmengeschichte und Moral, seit 1881 auch für Dogmatik. Hauptwerk: Dogmengeschichte. 4 Bde. Freiburg im Breisgau 1882-1895. - Vgl. außerdem ders: Über die Auferstehungslehre Tertullians und die Identität des Auferstehungsleibes im Besonderen. In: Der Katholik N.F. 3. Bd. 40/1 (1860) 299-323. - Vgl. F. Lauchert: Joseph Schwane. In: ADB 54 (1908) 268-269. - J. Mausbach: Joseph Schwane. In: KL[2] 10 (1897) 2042-2043. - E. Hegel. S. 221-223.

[12] Zu F.S. Hettinger siehe oben S. 129, Anm. 27.

[13] Zu Joseph Grimm siehe oben S. 331, Anm. 273.

[14] Joseph Nirschl (1823-1904) war seit 1879 Prof. für Kirchengeschichte in Würzburg. Hauptwerk: Lehrbuch der Patrologie und Patristik. 3 Bde. Mainz 1881-1885.

[15] Bartmann: Selbstdarstellung. S. 8. - Zu H. Schell siehe oben S. 126-275.

Besonders viel verdankte der Student den Professoren von Eichstätt: dem Thomisten und Philosophiehistoriker A. Stöckl[16], dem Neuthomisten M. Schneid[17], dem Dogmatiker F. Morgott[18] und dem Liturgiker V. Thalhofer[19]. Von F. Morgott berichet B. Bartmann, daß jener die Dogmatik streng thomistisch vortrug. Dazu wurden die Traktate sorgfältig ausgearbeitet, mundiert und mechanisch vervielfältigt, so daß jeder seiner Zuhörer ein Exemplar schon bei den Vorlesungen in Händen hatte. Von Morgott wird berichtet, daß er sich streng an seine Vorlage hielt; B. Bartmann jedoch liebte es nach den Fesseln seiner Kindheit mehr, Themen und Texte frei und losgelöst vom Manuskript zu erläutern. Später dozierte er selbst nach dieser Regel, wobei er sich durchaus an jene Grenzen hielt, die nach seiner Auffassung in der Dogmatik beachtet werden müssen, wenn keine Verwirrung entstehen soll. Gemäß dieser Erkenntnis schrieb er: »Es gibt in ihr Wendungen, die nicht allein inhaltlich richtig, sondern auch formell in kirchlich geprägten Ausdrücken wiedergegeben werden müssen. Jeder irgendwie theologisch Gebildete weiß, daß sich im Laufe der ersten Jahrhunderte schon eine kirchliche wissenschaftliche Sprache gebildet hat. Schon Augustin betont ihre Existenz und Notwendigkeit«[20]. Er fügte hinzu: »Daß diese Einheit der Sprache der modernen Philosophie und Theologie verloren gegangen ist, ist ein Schaden, den deren Vertreter des öfteren mit Bedauern feststellen«[21]. - Neben F. Morgott hinterließ V. Thalhofer großen Eindruck auf den Theologen, da er die bislang wenig bekannte Liturgik quellenmäßig betrieb und mit sprudelnder, begeisterter Beredsamkeit vortrug, wozu er durch eine mehrjährige exegetische Herausgabe der Kirchenväter methodisch bestens geschult war. B. Bartmann bedauerte, daß Thalhofer nie in die Lage kam, Dogmengeschichte zu lesen. »Er wäre dafür wie kaum ein anderer befähigt gewesen und würde bei seinem hohen kirchlichen Ansehen das Fach ohne jedes Mißtrauen, dem es nach einem Urteil von Albert Ehrhard noch heute in gewissen Kreisen begegnet, haben vertreten können. Welch schickliche Ergänzung wäre das zu dem vorzüglichen Systematiker Morgott gewesen«[22].

Dieser Bemerkung, die B. Bartmann nicht als junger Student, sondern 1926 bei der Rückschau auf sein eigenes Lebenswerk niederschrieb, enthält ein programmatisches Ziel, dem er selbst als Dogmatiker zustrebte.

---

[16] Albert Stöckl (1823-1895) war Prof. für Ethik und Philosophiegeschichte in Eichstätt. - Zu seinen Werken vgl. M. Grabmann: Albert Stöckl. In: LThK[1] 9 (1937) 834.

[17] Mathias Schneid (1840-1893). - Zu seinen Werken vgl. M. Grabmann: Mathias Schneid. In: LThK[1] 9 (1937) 290. - F. Lauchert: Mathias Schneid. In: ADB 54 (1908) 135.

[18] Franz Morgott (1829-1900) war 1857-1869 Prof. der Philosophie, 1869-1900 der Dogmatik. - Zu seinen Werken vgl. M. Grabmann: Franz Morgott. In: LThK[1] 7 (1935) 326. - Ders.: Franz Morgott als Thomist. In: JPhSTh 15 (1901) 46-79. - L. Ott: Franz Morgott. In: LThK[2] 7 (1962) 635.

[19] Valentin Thalhofer (1825-1891) war Prof. der Exegese in Dillingen (1850-1863), der Pastoral in München (1863-1876), der Liturgik in Eichstätt (seit 1876). Hauptwerk: Handbuch der katholischen Liturgik. 2 Bde. Freiburg 1883-1893. - Vgl. L. Eisenhofer. In: Lebensläufe aus Franken. Bd. 2. S. 445-449. - A. Knöpfler: Valentin Thalhofer. In: ADB37(1894) 646-648. - J.E. von Pruner: Valentin Thalhofer. In: KL[2] 11 (1899) 1451-1453. - A. Schmid: Valentin Thalhofer, Dompropst in Eichstätt. Lebensskizze. Kempten 1892.

[20] Bartmann: Selbstdarstellung. S. 10.

[21] Ebd. S. 10.

[22] Ebd. S. 11.

b) Die Brennpunkte seiner theologischen Arbeit

(1) Die Rechtfertigungslehre

Ehe B. Bartmann jedoch damit beginnen konnte, die empfangene theologische Lehre nach eigener Art an jüngere Studenten weiterzugeben, hatte er als Vikar Dienst zu tun und außerdem 24 Wochenstunden Religionsunterricht in verschiedenen Schulen zu geben. In der knappen Zeit, die ihm zum Studieren verblieb, beschäftigte er sich vor allem mit Dogmatik und Exegese. Paulus zog ihn mächtig an; unter seiner Führung kam er zur Gnaden- oder Rechtfertigungslehre, und er beschloß, eine Dissertation über das Thema »Paulus und Jakobus in ihren Anschauungen über die Rechtfertigung« zu schreiben, zumal sich in ihrem Verhältnis die unterschiedliche katholische und protestantische Schriftauffassung widerspiegelte und durch die Vergleichung beider Apostel der Kernpunkt der Kontroverse ob »Glaube und Werke« oder »Glaube allein« seine beste Beleuchtung und - wie er meinte - seine wissenschaftlich klarste Entscheidung erhalten konnte[23]. Bei dieser Arbeit blieb der Vikar weiterhin dem Dienst in Schule und Seelsorge verpflichtet. Bekennend schrieb er: »Vieles habe ich in dieser Zeit aus den Büchern gelernt; vielleicht noch mehr aus dem flutenden, strömenden Leben der Großstadt«[24].

Bevor wir uns eingehender mit dem Erstlingswerk B. Bartmanns beschäftigen, tun wir gut daran, sorgfältig die verschiedenen Komponenten zu beachten, die das Schaffen dieses Theologen bestimmten. Ausgangspunkt seiner Theologie war nicht die abstrakte Spekulation[25], sondern das Leben des Menschen, und zwar des von Gott geschaffenen und begnadeten Menschen. In dieser Hinsicht war B. Bartmann immer, auch bei der Ausübung des Lehrberufes, Seelsorger. Daher interessierte ihn an der Rechtfertigungslehre keineswegs in erster Linie der kontrovers-theologische Aspekt, sondern die Sache selbst. Hier liegt auch der innere Grund dafür, daß B. Bartmann - bei aller Berührung mit der modernen Welt seiner Zeit - nicht zu einem katholischen Apologeten wurde, sondern zu einem Dogmatiker. Insofern handelt es sich bei seiner Dissertation auch nicht so sehr um eine exegetische Untersuchung, als vielmehr um die systematische Erörterung eines speziellen Themas der biblischen Theologie[26].

Die Arbeit an der Dissertation führte B. Bartmann allerdings ganz von selbst zur protestantischen Literatur. Gewiß kam ihm hier zustatten, daß er bereits während seiner Lehrzeit die Enge eines rein katholischen Milieus zurückgelassen hatte. Fleißig las er die Bücher protestantischer Autoren, und bekannte, daß er sich keineswegs nur polemisch mit ihnen beschäftigte, sondern daß er - vor allem in methodischer Hinsicht - sehr vieles ihnen danke. Ebenso bekannte er jedoch auch, daß er die Grenzlinie zwischen Katholizismus und Protestantismus immer gleichsam instinktiv empfunden habe und daß er diesem innerlich auch dann reserviert gegenüberstand, wenn er ihm auf seine scharf formulierten Fragen nicht immer sofort

---

[23] Ders.: St. Paulus und St. Jakobus über die Rechtfertigung. (BSt. II/1.) Freiburg 1897. (Zitiert: Rechtfertigung.) - Zur Würdigung der Abhandlung vgl. E. Schürer. In: ThLZ 22 (1897) 481-482.

[24] Bartmann: Selbstdarstellung. S. 11.

[25] Vgl. R. Bäumer: Bernhard Bartmann. In: LThK[2] 2 (1958) 16.

[26] Vgl. Stakemeier. In: ThGl 44 (1954) 86-87.

antworten konnte. Er führte dies auf die gründliche, tief religiöse Erziehung des Elternhauses, der Schule und der Kirche zurück[27]. Obwohl also B. Bartmann kein »Ökumeniker« im modischen Sinne des Wortes war, begegnen wir in der Dissertation des jungen Theologen dennoch einer Spur jenes Bemühens, das der späteren ökumenischen Begegnung den Weg eröffnete. Angenommen wurde die Studie von der katholisch-theologischen Fakultät in jenem Tübingen, wo immer noch der Geist J. A. Möhlers wehte. Dankbar gedachte B. Bartmann später der Professoren P. Schanz[28] und J. Belser[29], sowie der Herren F. X. Funk[30], P. Vetter[31] und A. Koch[32], die ihm Freundlichkeit erwiesen, obwohl er am Ort nicht studiert hatte[33]. Wir müssen darauf verzichten, den Inhalt der Dissertation im ganzen wiederzugeben. Wichtig ist für uns aber vor allem, was über die δικαιοσύνη gesagt wurde[34].

B. Bartmann ging davon aus, daß Paulus das Evangelium δύναμις θεοῦ nennt, und zwar insofern, als darin Gottesgerechtigkeit zu Tage tritt. Die δικαιοσύνη ist demnach »eine Wirkung der göttlichen Macht im Menschen, welche zum Ziel hat die σωτηρία für jeden, der sich durch die πίστις für diese göttliche Wirkung disponiert«[35]. Wie aber jeder andere göttliche Machtakt reale Wirkungen hat, und zwar solche, die der immanenten Machtpotenz entsprechen, so bringt auch der dynamische Akt der göttlichen Gerechtigkeit in der Seele des Glaubenden reale Gerechtigkeit hervor. B. Bartmann zitierte J. T. Beck: »So wenig die im Evangelium sich offenbarende Gottesgerechtigkeit als bloße innere Eigenschaft Gottes oder als bloße Gesetzgebung und äußere Anstalt Gottes zu denken ist, sondern als göttliche

---

[27] Bartmann: Selbstdarstellung. S. 12.
[28] Paul von Schanz (1841-1905) war seit 1876 Prof. für neutestamentliche Exegese, ab 1883 für Dogmatik und Apologetik in Tübingen; in seiner Apologetik stützte er sich stark auf naturwissenschaftliche und geschichtliche Erfahrung; in der Exegese arbeitete er mit der philologisch-historischen Methode, in der Dogmatik mit einer positiven, biblisch-dogmengeschichtlichen. Vgl. W. Koch: Paul von Schanz. In: LThK[1] 9 (1937) 218-219. - A. Koch: Zur Erinnerung an Paul von Schanz. In: ThQ 88 (1906) 102-123.
[29] Johannes Evangelist von Belser (1850-1916) war seit 1890 Prof. für Neues Testament in Tübingen.
[30] Franz Xaver von Funk (1840-1907) lehrte in Tübingen Kirchengeschichte, Patrologie und christliche Archäologie. - Vgl. K. Bihlmeyer: F.X. von Funk. In: LThK[1] 4 (1932) 235. - H. Tüchle: F.X. von Funk. In: LThK[2] 4 (1960) 460. - A. Koch: Zur Erinnerung an Franz Xaver von Funk. In: ThQ 90 (1908) 95-137. - H. Schiel: Franz Xaver Kraus und die katholische Tübinger Schule. Ellwangen [Jagst] (1958). S. 73-83.
[31] Paul Vetter (1850-1906) war seit 1893 Prof. der alttestamentlichen Einleitung und Exegese in Tübingen. - Vgl. A. Koch: Zur Erinnerung an Paul Vetter. In: ThQ 89 (1907) 585-612. - J. Goettsberger: Vetters Stellung zur Pentateuchkritik. In: BZ 5 (1907) 113-125. Vgl. ebd. S. 114: „In einem Punkte ist sich Vetter immer gleich geblieben...: Der evolutionistischen Auffassung von Geschichte und Religion Israels, welche die rationalistische Exegese mit der Pentateuchfrage in enge Verbindung brachte, hat er allzeit seinen Widerstand entgegengesetzt".
[32] Anton Koch (1859-1915) war seit 1894 Prof. für Moraltheologie in Tübingen. - Vgl. O. Schilling: Zur Erinnerung an Dr. Anton Koch. In: ThQ 99 (1917/18) 440-448.
[33] Bei Abfassung seiner Dissertation benutzte Bartmann einen Aufsatz von P. Schanz: Jakobus und Paulus. In: ThQ 62 (1880) 3-46, 247-286. - Außerdem J. Belser: Die Selbstverteidigung des hl. Paulus. Biblisch-patristische Studie. (BSt. I. 3.) Freiburg 1896.
[34] Zum folgenden vgl. Bartmann: Rechtfertigung. S. 61-63. - Wir geben hier seine Ausführungen gerafft wieder.
[35] Bartmann: Rechtfertigung. S. 61.

578

Kraft, ebensowenig ist demgemäß die evangelische Gottesgerechtigkeit zu denken als bloß äußerliche Bestimmung des menschlichen Verhältnisses zu Gott wie durch richterliche Gerechterklärung. Letztere ist äußerer Machtakt, ist aber nicht dynamischer Akt - die δικαιοσύνη muß als in den glaubenden Menschen hineingehend gedacht werden, als energische Gotteskraft - als eine aus der Sünde rettende Heilskraft, wodurch der Mensch lebendig wird in ebenso realem Sinn, als er vorher in der Sünde tot ist. - Dieser dynamisch eingehende Akt der göttlichen δικαιοσύνη heißt bei Paulus δικαιοῦν«[36].

Die Gerechtigkeit, wodurch Gott den Menschen gerecht macht, gleicht somit nach B. Bartmann innerlich und wesentlich der Gerechtigkeit, wodurch er selbst gerecht ist. Der junge Theologe führte aus, daß Paulus wegen dieser wesenhaften Gleichartigkeit der menschlichen Gerechtigkeit mit der göttlichen auch der ersteren mit der letzteren den gleichen Namen gibt[37]. Das eigentliche Wesen der δικαιοσύνη besteht nach dem Apostel in der Lebendigmachung des vordem in der Sünde toten Menschen. Die Lebendigmachung geschieht durch Christus mittels der δικαιοσύνη, und das Resultat derselben ist das Leben. Wie nun nach Röm. 6,10 der leibliche Tod die Folge der Sünde ist, so erscheint die ζωή als Frucht des Gnadenstandes; der Gegensatz aber zwischen Sünde und Gerechtigkeit besagte für B. Bartmann, daß mit letzterer die wirkliche sittliche Rechtschaffenheit vor Gott gemeint ist. Eine typische Vorbildlichkeit dieser inneren Erneuerung und Neubelebung, sowie auch eine kausale Vermittlung derselben, fand er bei Paulus in den zwei Haupttatsachen der Erlösung Jesu Christi: In seiner Hingabe in den Tod liegt die eine, negative Seite der Rechtfertigung vorgebildet, die Tilgung der Sünden; in der Auferstehung die andere, positive Seite, die Erneuerung des Geistes. Der Apostel setzt beides in Parallele: Kreuzestod und Sündentod, Auferstehungsleben und Gnadenleben. An dieser Umwandlung aus dem Zustand des Todes in den des Lebens nimmt jeder teil, der mit gläubiger Gesinnung in den Kreuzestod Christi eingeht durch die Taufe; er wird eins mit Christus, und in dieser Union »stirbt« der alte Mensch der Sünde und entsteht der neue Mensch der Gerechtigkeit[38]. Dieser von Gott geschaffene Mensch ist auch nach Gott geschaffen in Gerechtigkeit und Heiligkeit der Wahrheit; in seinem Inneren ist dadurch die Neuschöpfung die Ebenbildlichkeit mit Gott, näherhin mit dem menschgewordenen Sohn Gottes, wiederhergestellt[39]. Es konnte daher für B. Bartmann nicht zweifelhaft sein, daß das Wesen der δικαιοσύνη in einer im Menschen von Gott gewirkten Umwandlung, Neuschöpfung und Wiedergeburt besteht.

Ohne Zweifel ging es B. Bartmann schon bei seiner Dissertation in erster Linie um das richtige Erfassen der paulinischen Theologie. Sein Bemühen zielte darauf ab, die Rechtfertigungslehre aus jener unfruchtbaren Kontroverse herauszuführen, in die sie durch die Übersteigerung einer absoluten Sola-Fides-Doktrin geraten war. Der Vergleich mit der Rechtfertigungslehre des Jakobus sollte zeigen, daß die Wahrheit des Glaubens in der Lehreinheit beider Apostel zu suchen und zu finden

---

[36] J.T. Beck: Erklärung des Briefes Pauli an die Römer. Hrsg. von J. Lindenmeyer. Bd. 1. Gütersloh 1884. S. 85-86.
[37] Vgl. 2. Kor. 5, 21.
[38] Vgl. 2. Kor, 5, 17; Eph. 2, 10; Gal. 6, 15.
[39] Vgl. Eph. 4, 24.

ist. Man darf ein solches Unterfangen keineswegs vorschnell als »Harmonisie-rungsversuch« abtun, da es B. Bartmann nicht um ein Verwischen der Lehrunter-schiede, sondern um deren präzises Erfassen ging. Dabei, so hoffte er, werde sich gegenüber allen polemischen Einseitigkeiten die gemeinsame Wahrheit heraus-stellen.

In den folgenden Jahren mußte B. Bartmann neu erkennen, daß es gegenüber der protestantischen Theologie keineswegs mit einer Rehabilitierung des Jakobus-briefes getan war. Nach seiner Feststellung waren die Zeiten vorbei, in denen Pau-lus als der Hauptapostel Jesu Christi galt und zum Stützpunkt der ganzen reforma-torischen Glaubenslehre gemacht wurde; von seiten der Religionsgeschichte wurde vielmehr der Versuch unternommen, den Apostel in innere wesentliche Abhängig-keit zu seiner religiösen Umwelt zu bringen; es wurde der Vorwurf laut, daß in der Doktrin des Apostels das genuine Evangelium Jesu entartet sei. B. Bartmann ver-wies darauf, daß in der katholischen Theolgie Paulus stets als derjenige galt, der von allen Männern der Urkirche am lebhaftesten von Christi Person und Werk er-faßt wurde; der also in vorzüglicher Weise den Titel »Diener« und »Apostel Jesu Christi« verdiente. Gerade weil es in der Verkündigung des Paulus, das heißt folg-lich auch in der paulinischen Theologie vornehmlich um das Evangelium Jesu Christi ging, darum war es wichtig, diese Theologie in ihren Grundzügen erneut richtig zu erkennen und gegen den Vorwurf der »Entartung« zu verteidigen. B. Bartmann unternahm diesen Versuch in den Jahren jener lebhaften Kontroversen, die das geistige Klima vor dem ersten Weltkrieg bestimmten. Das apologetische Interesse veranlaßte damals den Dogmatiker ein weiteres Mal, die Grundzüge pau-linischer Theologie systematisch zu erfassen[40].

Im Zusammenhang mit der Erlösungslehre erörterte B. Bartmann nun die Frage, die für die Eschatologie von großer Bedeutung war, die andererseits aber wiederum mit der Rechtfertigungslehre verbunden blieb: Hat nach Paulus auch die Auferstehung Christi neben seinem Tod Heilsbedeutung, und wenn ja, wie ist sie zu fassen? Es ging ihm nicht darum, was sie für Christus selbst ist und für den Glau-ben an ihn und an unsere eigene Auferstehung[41], es kam ihm einzig darauf an, fest-zustellen, ob sie objektiven Erlösungswert hat. Der Theologe bejahte dies. Nach Röm. 4,25 faßt der Apostel Tod und Auferstehung Jesu zu einer Einheit zusam-men, weil dieser Tod erst sein Licht, seinen Wert und seine Gültigkeit durch die Auferstehung oder Auferweckung empfangen hat, folglich der Glaube an densel-ben erst in der Auferstehung sein eigentliches Fundament besitzt. In dieser Einheit lag für B. Bartmann zugleich der objektive Verpflichtungsgrund zu dem neuen Le-ben der Gläubigen, wie es Paulus so gerne darstellt[42]. Tod und Auferstehung gehö-ren, wie B. Bartmann betonte, real und kausal so eng zusammen, daß sie erst die eine Erlösungstat ausmachen. Daher kann Paulus auch in der in sich ungeteilten einen Taufe die mystisch-reale Wiederholung des Todes und der Auferstehung

---

[40] Zum Vorhergehenden vgl. B. Bartmann: Paulus. Die Grundzüge seiner Lehre und die moderne Religionsgeschichte. Paderborn 1914. Vorwort. S. V-VII.
[41] Vgl. 1. Kor. 15, 12-18; 1. Thess. 4, 13.
[42] Vgl. Röm. 7, 4; 6, 5-12; 2. Kor, 5, 15.

Christi an den Gläubigen sehen[43]. Es ist wahr, daß er wegen der Vorbildlichkeit und Ähnlichkeit die beiden Rechtfertigungsmomente auf die beiden Erlösungstatsachen verteilt, aber wie wenig er sie innerlich trennt, folgte für B. Bartmann daraus, daß er sowohl Sündenerlaß und Heiligung mit dem Begriff der Rechtfertigung umfassen als auch die Sündenvergebung von dem Glauben an die Auferstehung abhängig machen kann[44].

Damit war B. Bartmann wieder zu der These gelangt, die er schon in seiner Dissertation verteidigt hatte. Hier erklärte er, daß Ostertag und Karfreitag voneinander untrennbar sind; erst im Ostertag vollendet sich der Karfreitag, und in diesem schon liegt die Einleitung und Absicht zu jenem. Es ist klar, daß Paulus deshalb auch das ganze Erlösungswerk kurz in der Auferstehung zusammenfassen kann[45]. Hinsichtlich des Menschen jedoch ergab sich erneut ein doppelter Aspekt: Obwohl Gott die Lebendigmachung an uns im Anschluß an Christi Auferstehung in ebenso vollkommener Weise wie an ihm vollzieht, so geschieht sie jedoch in zwei Etappen; vorläufig hier auf Erden durch Einführung des neuen übernatürlichen Lebensprinzips, des heiligen Pneumas; endgültig aber erst durch unsere leibliche Auferstehung. Eben deshalb ist unsere Erlösung sowohl Sache des gegenwärtigen Besitzes, als auch der zukünftigen Hoffnung[46]. Die Auferstehung ist somit im Sinne Pauli ganz gewiß von ursächlicher Heilsbedeutung für uns, nicht etwa bloß von vorbildlicher. Freilich - so fügte der Paderborner Theologe hinzu - auch nicht von verdienstlicher Natur. Aber wie für Christus selbst in der Auferstehung der sittliche Wert seines Todes zu wirken begann[47], so auch für seine Glieder[48]. Seine Auferstehung bewirkt in uns vorläufig die geistige Erneuerung oder Neuschöpfung durch Vermittlung des Pneumas, das in seiner Lebenskraft auf unsere dereinstige Auferstehung angelegt ist, auf dieses Ziel hinwirkt und endlich den Tod als letzten Feind abtut[49]. B. Bartmann faßte diese Erkenntnis zusammen in der These: »Durch die Auferstehung Christi ist somit das neue Leben in die Menschheit eingeführt, und das ist nach Paulus letztlich der Hauptteil der Erlösung, weil die Möglichkeit der Eingliederung in unser mystisches Haupt und in sein gottförmiges Leben«[50].

Anschließend kam B. Bartmann auf die Wirkungen der Erlösung zu sprechen. Diese versuchte er möglichst in ihrer objektiven Gestalt und Wertigkeit anzusehen, sowie sie sachlich von Gott an den Tod Christi geknüpft sind, und wie sie außer uns und unabhängig von unserer Aneignung bestehen. Er ordnete diese paulinischen Erlösungsgüter in zwei Klassen, negative und positive. Die negativen Heilsgüter umfassen alles das, wovon wir durch Christus befreit wurden, mithin Sündenvergebung und äquivalent zu ihr die Versöhnung. Mit der Sünde fiel auch die Verdammung, das Gesetz, das Fleisch. Befreit von ihr sind wir dann auch befreit vom

---

[43] Vgl. Röm. 6, 4-12; Kol. 2, 21; Phil. 3, 10.
[44] Vgl. 1. Kor. 15, 17. - Zum ganzen Abschnitt vgl. Bartmann: Paulus. S. 61-63; dieses hier zusammengefaßt wiedergegeben.
[45] Vgl. 1. Kor. 15, 21-22.
[46] Vgl. Röm. 8, 23-24.
[47] Vgl. Phil, 2, 9; Röm. 1, 4; Apg. 2, 34-35; Heb. 1, 3-5.
[48] Vgl. Eph. 2, 4.
[49] Vgl. 1. Kor. 15, 26.
[50] Bartmann: Paulus. S. 64.

Tode , und zwar sowohl vom geistigen Sündentod als auch vom Leibestod. Durch F. Tillmann sah er sich in der Erkenntnis bestärkt, daß Paulus den Tod in diesem zweifachen und nicht nur - wie behauptet wurde - in physischem Sinne versteht[51]: Der Sündentod wird in der Taufe überwunden[52], der physische Tod in der Auferstehung des Fleisches, auf die wir hoffen; so wird er als letzter Feind abgetan[53]. Von der paulinischen Theologie her gewann B. Bartmann die Erkenntnis: Früher war der Tod das Mittel, wodurch der Teufel über den Menschen herrschte, indem er dadurch in dessen vollen Besitz kam[54], jetzt ist der Tod, der freilich erfahrungsgemäß auch für alle in Christus Lebenden verbleibt, doch in Wahrheit die Pforte zum ewigen Leben. B. Bartmann wußte wohl, daß sich Paulus die natürlichen Schrecken des Todes nicht verhehlte, vielmehr sich gelegentlich selber vor ihm entsetzte[55]; daß er aber dennoch Mut und guten Willen hatte, lieber aus dem Leibe auszuwandern und beim Herrn daheim zu sein[56]. Das Ergebnis: Hinter dem Tod lauert nicht mehr das Verderben ἀπώλεια, sondern winkt uns das Leben (ζωὴ αἰώνιος). In ihm sah B. Bartmann die christliche Hoffnung verkörpert für alle, die mit Paulus von dieser ganzen gegenwärtigen argen Welt erlöst sein möchten[57]. Es blieb also dabei: Unser Heiland Jesus Christus hat den Tod vernichtet[58], und zwar in seiner doppelten Gestalt, als geistigen und leiblichen Tod. Christus, der Auferstandene, herrscht deshalb über die Lebenden und die Verstorbenen[59].

Im Zusammenhang mit der Erlösungslehre kam B. Bartmann auch auf die Theologie der zwei Reiche zu sprechen, in die Paulus die ganze Menschheit gespalten sah: Das Reich Satans[60], der Finsternis und Sünde, und das Reich Gottes, der Wahrheit und Gerechtigkeit, das Reich der Erlösung[61]. Er erklärte: Das Reich Gottes ist zuletzt identisch mit jenem Zustand, in dem Gott alles in allem ist[62]. Dieser Reich-Gottes-Zustand ist es, in den uns die erlösende Rechtfertigungstat (δικαιοσύνη) »versetzt« (μετέστησεν), indem sie uns innerlich von Sünden »abwäscht«, aber darüber hinaus zugleich auch uns »heiligt« und somit gänzlich »rechtfertigt«[63], jene »Gerechtigkeit« (δικαιοσύνη) schenkt, die wahrhaft Wert vor Gott hat, weil sie von ihm kommt und ihn uns ähnlich macht. Daher heißt sie »Gottesgerechtigkeit« (δικαιοσύνη θεοῦ)im Gegensatz zu aller Eigengerechtigkeit (ἡ ἰδία δικαιο-

---

[51] Vgl. Tillmann: Die Wiederkunft Christi nach den paulinischen Briefen. S. 198-199. - Zu diesem Werk vgl. die Rez. von Bartmann in: ThGl 1 (1909) 404-405.

[52] Vgl. Röm. 6, 7-8; Eph. 2, 1-5; Kol. 2, 13.

[53] 1. Kor. 15, 26.

[54] Vgl. Röm. 5, 21; vgl. Heb. 2, 14.

[55] Vgl. Röm. 8, 23; 2. Kor. 5, 1-5; 1. Thess. 4, 17; 1. Kor. 15, 51.

[56] Vgl. 2. Kor. 5, 8.

[57] Vgl. Gal. 1, 4.

[58] Vgl. 2. Tim. 1, 10; 1. Kor. 15, 25-26; 1. Thess. 4, 14-18.

[59] Vgl. Röm. 14, 9. - Das ganze nach Bartmann: Paulus. S. 67.

[60] Vgl. 2. Kor. 4, 4.

[61] Vgl. Kol, 1, 13; Röm. 14, 17; 1. Kor. 4, 20; vgl. dazu 1. Kor. 1, 16-17; 1. Kor. 6, 9-10; Gal. 5, 9-21; Eph. 5, 5; 1. Kor. 1, 30; vgl. dazu 1. Kor. 1, 2; 1. Kor. 6, 11; Eph. 5, 26. - Zitate bei Bartmann: Paulus S. 69.

[62] Vgl. 1. Kor. 15, 28.

[63] Vgl. 1. Kor. 6, 11.

582

σύνη). Der Mensch ist eben von sich selbst, von seiner Natur aus unfähig zu dieser Gerechtigkeit. Daher schenkt sie ihm Gott aus Gnade durch Mitteilung seines Heiligen Geistes (πνεῦμα ἅγιον). Dieser senkt sich in die Seele des Menschen ein, verleiht ihr eine neue Kraft und macht so den ganzen Menschen neu, zu einer neuen Schöpfung[64] . Für B. Bartmann vollzieht sich damit an unserem geistigen Wesen das, was Johannes mit dem charakteristischen Ausdruck der »Wiedergeburt« bezeichnet, und das sachlich bei Paulus in dem Bild von der Taufe als eines mystischen Sterbens und Auferstehens gleichkommt[65]. Indem Paulus dabei auf die göttliche Gnadenerbarmung sowohl als auch auf des Menschen Unwürdigkeit sieht, kommt ihm das Ganze der Erlösung dann auch als ein juristischer Adoptionsakt Gottes vor, als eine Kindschaftsnahme (υἱοθεσία), so daß wir unserem Erlöserhaupte, dem zweiten Adam, dem »eigenen Sohn« (ἴδιος υἱός) ähnlich werden. Eine Gleichwerdung - so fügte B. Bartmann hinzu - ist freilich nicht möglich. Er betonte, daß all das schon jetzt in der Gegenwart geschieht, daß jedoch dieser Zustand erst am Ende bei der Parousie des Herrn vollendet wird. Für B. Bartmann trägt daher die Erlösung deutlich einen Doppelcharakter: Sie hat eine präsentische Form und eine eschatologische; aber in sich ist sie eine reale Einheit, wie Keim und Pflanze, Beginn und Vollendung[66]. Dazwischen freilich lag für ihn ein Entwicklungsprozeß mit verschiedenen Etappen. In einem Abschnitt über die paulinische Ethik machte er darüber spätere nähere Angaben[67], - doch soll dies in unserer Arbeit nicht weiter verfolgt werden. Als Ergebnis halten wir fest, daß die paulinische Rechtfertigungslehre der Ausgangspunkt für die lebendige, weltzugewandte, ja man kann sagen missionarische Theologie B. Bartmanns war[68]. Wie schon seine Dissertation, so waren alle seine späteren Schriften auf die Verkündigung des christlichen Glaubens angelegt. Wir werden prüfen, wie weit die Grundgedanken paulinischer Theologie auch in den dogmatischen Lehrbüchern B. Bartmanns zum Tragen kamen.

(2) Christus und das Reich Gottes

Im Herbst 1898 wurde B. Bartmann mit einem Lehrauftrag für Dogmatik von Bischof H. Th. Simar[69] nach Paderborn berufen. Nachdem er seine akademische Lehrtätigkeit aufgenommen hatte, sah er sich alsbald vor große und schwierige Aufgaben gestellt.

Am Anfang des neuen Jahrhunderts hatte der Berliner Kirchenhistoriker A.

---

[64] Vgl. 2. Kor. 5, 17; Gal. 6, 15; Eph. 2, 10; 4, 24.
[65] Vgl. Röm. 6, 3 ff; doch Tit. 3, 5: παλιγγενεσία
[66] Nach Bartmann: Paulus. S. 70.
[67] Vgl. ebd. S. 113-152.
[68] Zum Thema vgl. auch die Rez. von Bartmann zu: E. Ménégoz. Die Rechtfertigungslehre nach Paulus und nach Jakobus. Gießen 1903. In: ThRv 2 (1903) 198-199.
[69] Hubert Theophil Simar (1835-1902) war seit 1860 Privatdozent für Neues Testament in Bonn, seit 1864 a.o. Prof. für systematische Theologie (Moral), 1880-1891 o. Prof. für Dogmatik und Apologetik in Bonn, danach Bischof von Paderborn, dann ab 1899 Erzbischof von Köln. Hier wichtig sein Werk: Lehrbuch der Dogmatik. Freiburg im Breisgau 1880. - Dass. Dritte verbesserte Auflage. Ebd. 1893. - Vgl. in unserem Zusammenhang auch ders.: Die Theologie des heiligen Paulus. Übersichtlich dargestellt. Freiburg 1864, ²1883.

von Harnack[70] mit seinen Vorlesungen über das »Wesen des Christentums« weithin Aufsehen erregt. Als seine Ausführungen 1901 im Druck erschienen, sahen sich die katholischen Theologen zur Stellungnahme herausgefordert. In Frankreich äußerte sich A. Loisy mit seiner Schrift »L'Evangile et l'Eglise«[71]. In Deutschland gehörte B. Bartmann zu den Theologen, die die Gefährlichkeit dieses Buches sofort erkannten. Vor allem forderte das, was im zweiten und dritten Kapitel vom Himmelreich und vom Gottessohn gesagt wurde, die Kritik des Dogmatikers heraus. Handelte es sich hier nicht um einen eklatanten Fall von »Modernismus«?[72] B. Bartmann ließ sich nicht zu einer hitzigen Polemik hinreißen, aber er veröffentlichte sofort eine sorgfältig ausgearbeitete Studie, die im Titel deutlich sagte, worum es ging: »Das Himmelreich und sein König nach den Synoptikern biblisch-dogmatisch dargestellt«[73].

In seiner späteren Selbstdarstellung gab B. Bartmann Auskunft darüber, welche Thesen insbesondere seine Kritik herausgefordert hatten. Da war einmal die Behauptung: »Nicht der Sohn, sondern allein der Vater gehört in das Evangelium,

---

[70] Adolf von Harnack (1851-1930): Das Wesen des Christentums. Sechzehn Vorlesungen vor Studierenden aller Fakultäten im Wintersemester 1899/1900 an der Universität Berlin gehalten. Leipzig 1900. - Zu A. von Harnack siehe oben S. 102, Anm. 119. - Aus den zahlreichen Rez. zu dem genannten Werk vgl. G. Grupp. In: HPBl 128 (1901) 660-665. - A. Knöpfler. In: HJ 22 (1901) 338-342. - J. Adloff. In: Der Katholik 3. F. 23 (1901) 20-35, 125-138, 248-264. - Chr. Pesch. In: StML 60 (1900) 48-62, 154-169, 257-273. - L. Fonck: Harnacks Evangelium. In: ZKTh 25 (1901) 420-435. - J. Disteldorf. In: PastBon 13 (1901) 448-453; 14 (1901) 1-9. - Außerdem W. Walther: Adolf Harnacks Wesen des Christentums. Leipzig 1901. - E. Rupprecht: Das Christentum von D. Adolf Harnack nach dessen 16 Vorlesungen. Gütersloh 1901. - G. Reinhold: Das Wesen des Christentums: Eine Entgegnung auf Harnacks gleichnamiges Buch. Wien, Stuttgart 1901.

[71] Alfred Loisy (1857-1940) lehrte 1889-1893 Bibelwissenschaft am Institut catholique von Paris, 1893 amtsenthoben, 1909 bis 1926 am Collège de France, 1924-1927 an der Ecole des Hautes Etudes Religionsgeschichte. - Zur Kontroverse vgl.: A. Loisy: L'Evangile et l'Eglise. Paris 1902. - Dass. Evangelium und Kirche. Autorisierte Übersetzung nach der 2. verm., bisher unveröffentlichten Auflage des Originals von Joh. Grière-Becker. München, Mainz 1904. - Aus den zahlreichen Rezensionen zu diesem Werk vgl. M. Gloßner. In: JPhSTh 19 (1904) 135-145. - A. von Harnack. In: ThLZ 29 (1904) 59-60. - P. von Schanz. In: ThQ 86 (1904) 472-475. - J. Sickenberger. In: BZ 2 (1904) 191-194.

[72] Zum Modernismus siehe unten S. 696, Anm. 85; S. 749, Anm. 149.

[73] B. Bartmann: Das Himmelreich und sein König nach den Synoptikern biblisch-dogmatisch dargestellt. Paderborn 1904. Zitiert: Himmelreich. - Von den Rezensionen zu diesem Werk vgl. J. Belser. In: ThQ 87 (1905) 445-447. - V. Hartl. In: ThPQ 58 (1905) 637-638. - H. Holtzmann. In: ThLZ 32 (1907) 199-200. - M. Meinertz. In: ThRv 4 (1905) 406-409. - Zum Thema vgl. u.a. O. Schmoller: Die Lehre vom Reich Gottes in den Schriften des Neuen Testaments. Bearbeitung einer von der Haager Gesellschaft zur Verteidigung der christlichen Religion gestellten Aufgabe. Leiden 1891. - J. Weiß: Die Predigt Jesu vom Reiche Gottes. Göttingen 1892, ²1900. - Dass. Neudruck 1964. - Ders.: Die Idee des Reiches Gottes in der Theologie. (VThKGi. 16. F.) Gießen 1900. - G. Schnedermann: Jesu Verkündigung und Lehre vom Reiche Gottes, in ihrer geschichtlichen Bedeutung dargestellt. 1. und 2. Hälfte. Leipzig 1893-1895. - Ders.: Wie der Israelit Jesus der Weltheiland wurde. Leipzig 1913. - Dazu die Rez. von B. Bartmann. In: ThGl 5 (1913) 769. - J. Böhmer: Der alttestamentliche Unterbau des Reiches Gottes. Leipzig 1902. - Ders.: Reichgottesspuren in der Völkerwelt. (BFChTh. X.1.) Gütersloh 1906. - Ders.: Das Reich Gottes in Schrift und Kirchengeschichte. (BKFG. 1.) Helmstedt 1908. - Ders.: Der religionsgeschichtliche Rahmen des Reiches Gottes. Leipzig 1909. - Vgl. dazu die Rez. von B. Bartmann. In: ThGl 1 (1909) 671.

wie es Jesus verkündet hat, hinein«[74]. Daran an schloß sich die These: »Der Satz 'Ich bin der Sohn Gottes' ist von Jesus selbst nicht in sein Evangelium eingerückt, und wer ihn als einen Satz neben andern dort einstellt, fügt dem Evangelium etwas hinzu«[75]. B. Bartmann erkannte, daß hier mit einem Schlage die Christologie, wenigstens aus dem Evangelium verwiesen wurde.

In seiner Antwort beschäftigte sich der Dogmatiker zunächst mit dem biblischen Begriff vom Himmelreich. Zur Frage nach der Herkunft der Formel stellte er unter Berufung auf P. Schanz[76] und L. Fonck[77] kurz fest: »Wie Christus das religiöse Erbe der alttestamentlichen Vergangenheit überhaupt übernimmt, so auch die Lehre vom Himmelreich«[78]. Inhaltlich schien ihm der Terminus »Himmelreich« mit jenem anderen »Gottesreich« gleich zu sein.

Ungleich wichtiger jedoch als die Herkunft der Formel und ihr sprachliches Verhältnis zueinander war für B. Bartmann der Inhalt, den Christus damit verband. Hier stellte er fest, daß gerade in seiner Zeit über die sogenannten Reich-Gottes-Aussagen größte Meinungsverschiedenheit herrschte. Der Kardinalpunkt, den es zu erörtern galt, lag in der Frage, ob Christus das, was er als Reich Gottes verkündigte, als eine bereits gegenwärtige oder rein zukünftige Größe ansah! Wenn er seinem Volke zurief: »Tut Buße, denn das Himmelreich ist nahe«[79], welche Vorstellung hatte er dann selbst von dieser Nähe? Will er es jetzt sofort begründen, ist seine Tätigkeit einzig darauf gerichtet, erachtet er es als mit ihm, in seiner Person, als gekommen, hofft er ganz Israel dafür zu gewinnen, und ist er selbst dieses Reiches Messias und König, oder ist dieses Reich von ihm als rein eschatologisches, endzeitliches gedacht, wird es dereinst (bald) auf des Vaters Willen und Wirken plötzlich mit Macht und Herrlichkeit hereinbrechen, und wird dann er an jenem Tage von Gott zum Messias jenes Reiches erhoben werden, dessen prophetischer Herold er jetzt nur ist? Ist es nur eine »große Hoffnung«, die Jesus in seinem Volke angeregt hat, und die er selbst mit ihm teilte und gläubig festhielt, oder ist es ein Gegenwartsgut, das er zur sofortigen Ergreifung und religiösen Belehrung darbot? Unterstützt die apostolische Predigt die Auffassung, daß Christus erst durch seine Auferstehung und Erhöhung zum Herrn (κύριος) der Messias seiner Gemeinde geworden sei? Kennt sie kein diesseitiges Reich Gottes, ein Himmelreich auf Erden? Und da die zweite Ankunft des Herrn bis heute verzieht, hat er die βασιλεία τοῦ θεοῦ in nahe Aussicht gestellt, und ist dafür die ἐκκλεσία τοῦ θεοῦ (an die er garnicht dachte) gekommen?

Das waren die Fragen, denen B. Bartmann im Hinblick auf die Schrift A. Loisy's nachging[80]. Deutlich stellte er heraus, worauf es bei der Kontroverse ankam: Die traditionell katholische Auffassung, die auch von orthodoxen protestantischen

---

[74] Harnack: Das Wesen des Christentums. S. 91.
[75] Ebd. - Zum Ganzen vgl. Loisy: Evangelium und Kirche. S. 61-94: Der Gottessohn. - Bartmann: Selbstdarstellung. S. 21.
[76] P. Schanz: Das Evangelium des heiligen Matthäus. Freiburg 1879.
[77] L. Fonck: Die Parabeln des Herrn. Innsbruck 1902. - Vgl. J. Schäfer: Das Reich Gottes im Lichte der Parabeln des Herrn wie im Hinblick auf Vorbild und Verheißung. Eine exegetisch-apologetische Studie. Mainz 1897.
[78] Bartmann: Himmelreich. S. 2.
[79] Mark. 1, 15; Mat. 4, 17.
[80] Vgl. Bartmann: Himmelreich. S. 3. - Loisy: Evangelium und Kirche. S. 112-113.

Theologen vertreten wurde, lautete dahin, daß Christi Werk die Einführung des Reiches Gottes auf Erden war und sein sollte. Dagegen verwarfen die meisten modernen Kritiker die herkömmliche Meinung entweder ganz, indem sie dem Herrn nur die Rolle der prophetischen Ankündigung des bald anbrechenden Reiches zuerteilten, oder indem sie ihn mit sich selbst in Widerspruch brachten dadurch, daß sie einen angeblichen Optimismus Jesu, der im Anfang alles rasch zum glücklichen Ende führen zu können vermeinte, einem späteren Pessimismus entgegensetzten, der nicht ganz hoffnungslos nun von des Vaters Allmacht erwartete, daß sie das Unerreichte vollbringe. B. Bartmann sah, daß sich A. Loisy dieser modernen Auffassung anschloß und sie als die Grundlehre Jesu mit allen verhängnisvollen Folgen für das katholische Dogma verteidigte. Er urteilte: »Das Christentum wird damit einfach auf den alttestamentlichen Standpunkt zurückgesetzt und unterscheidet sich...dadurch von jenem, daß es etwas sehr voreilig den Anbruch des von den Propheten verheißenen Reiches annahm, auf das das Judentum mit etwas mehr Ruhe und Besonnenheit bis heute noch wartet«[81].

Zur Lösung der Kontroverse schien es dem Dogmatiker unumgänglich, das einschlägige Material einzeln zu prüfen. Ohne Zweifel lagen Aussagen von einem eschatologischen Reich vor, die wenigstens dem Schein nach seine Gegenwart aussprechen. Er ordnete die Textstellen und behandelte dann das gesamte Material so, daß er zunächst die präsentisch lautenden, dann die futurisch klingenden Aussagen erörterte. Da das Ergebnis für die Eschatologie B. Bartmanns wichtig ist, wollen wir hier seine Erörterung kurz in groben Zügen nachzeichnen.

— Die Gegenwart des Himmelreiches

B. Bartmann führte aus: Christus nennt seine Predigt vom Reiche Gottes eine »frohe Botschaft«. Die gegenwärtige Generation, an die er sich wendet, soll diese Freude erfahren, den Grund derselben erkennen. Es ist nicht eine Freude der Hoffnung nur, die er bereiten möchte, sondern des Genusses, dem man sofort auf die vernommene Botschaft hin sich hingeben soll. Grund derselben ist das Reich Gottes. Gott ist dem Israeliten das große Eine seiner Religion; er soll von nun an in seinem Volke Herrscher, König sein. Zwar war er es stets, aber in der Transzendenz seines Wesens, nicht in der seit den Propheten gehofften fühlbaren Realität und unmittelbaren Wirklichkeit. Jetzt wird Gott zu einer von jedem wahrnehmbaren Macht werden. Es steht dem Zuhörer Christi frei, sich diese Gottesmacht im Sinne der Propheten bis ins Höchste zu steigern. Die Zeit ist erfüllt! So hebt Jesus seine Verkündigung an. Kurz vorher hatte auch der Täufer vor seinem Volk gestanden. Aber als Vorläufer, wie einer von den Propheten, hatte er nur auf den »Kommenden« hingewiesen; er selbst blieb noch außerhalb des Himmelreiches. Es war aber das letzte Warten. Johannes weiß, daß es die elfte Stunde ist, in der er steht. Christus ergänzt nun diese Vorstellung durch die Kunde von der »erfüllten Zeit«: Die alte Zeit des Hoffens ist vorüber, die nun der Erfüllung ist angebrochen. Christus weist niemals über sich hinaus zu einem Größeren, es sei denn zum Vater in der Höhe, dessen vollen Auftrag an die Welt er erhalten hat. Vom Reiche Gottes sagt er

---

[81] Bartmann: Himmelreich. S. 4. - Vgl. ders.: Der Glaubensgegensatz zwischen Judentum und Christentum. Paderborn 1938.

an der angezogenen Stelle[82] zwar nur, es habe sich genaht, noch nicht formell, es sei da. Streng genommen läßt sich daraus die Gegenwart nicht erweisen. Auch die Propheten hatten seine Nähe in Aussicht gestellt, ohne daß es sofort gekommen war. Eine Ankündigung ohne Hinweis auf nahe Erfüllung verliert alle Kraft des Eindrucks. Indessen setzt sich Christus in bewußten und scharfen Gegensatz zu den Propheten und dem Alten Testament überhaupt. Glückselig sind die Jünger wegen ihrer Erfahrung an Christus. Der Grund dieser Seligpreisungen[83] seiner Jünger vor allen Frommen des Alten Bundes liegt dem Zusammenhang nach in der Tatsache, daß sie mit Gottes Gnade eine ganz einzige Erkenntnis vom Geheimnis des Reiches Gottes gewonnen haben ... sie allein erkennen, was Gott in seinem Sohne gegeben hat, die βασιλεία τοῦ θεοῦ. B. Bartmann schloß: »Das Himmelreich, mit seinem geheimnisvollen Inhalte ist den Jüngern so wirklich nahe getreten, daß sie im Gegensatz zu den Heiligen der Vorzeit, die nur in den dunklen Schilderungen der Propheten schauten, es sehen und hören, sein Dasein und seine Macht erfahren konnten. Daß es in dem den Menschen möglichen Wahrheitsgrade geschah, bezeugte ihnen Jesus ausdrücklich«[84].

Für B. Bartmann folgte aus der Tatsache, daß das Reich Gottes seinem Wesen nach ein »Geheimnis« und vor irdisch beschwerten Sinnen unsichtbar ist, daß es nicht gleichsam mit elementarer Massigkeit und Unwidersprechlichkeit hereinbricht, sondern daß zu seiner Erkenntnis und Aufnahme die Gnade Gottes und der eigene gute Wille, der »offene« Sinn notwendig ist. Er sah darin nicht nur einen Fingerzeig für die Wirklichkeit des Reiches Gottes, sondern auch für sein Wesen. In der von den Juden erwarteten Weise bricht es nicht an, das neue Jerusalem läßt sich nicht wie ein rein objektives Gut auf einmal vom Himmel hernieder, es will ins Dasein treten auf subjektive Bedingungen hin. Damit war für B. Bartmann nun auch klargestellt, warum Christus mit der Frohbotschaft vom Himmelreich die Forderung der Buße und des Glaubens verbindet. Die geforderte sittliche Zuständlichkeit ist zwar nicht das Himmelreich selbst, wohl aber die subjektive Bedingung für seinen Eintritt[85].

Nach dieser ersten Einführung ging B. Bartmann einen Schritt weiter: Verwandt mit dem angeführten Gedanken, daß Christus die Sehnsucht der Propheten, Könige und Heiligen bildet, war für ihn der anderer, daß Jesus der ist, von dem die Propheten geweissagt haben[86]. Christus verweist auf seine Taten, deren jedermann Augenzeuge ist, und charakterisiert sie mit dem Text aus Jesaja, ein Beweis, daß er der Erwartete ist und sich dafür hält. Von der βασιλεία τοῦ θεοῦ ist zwar formell nicht die Rede, aber es ist ein Stück ihres Inhaltes kenntlich gemacht, wonach auf das Ganze geschlossen werden kann. Es ist ein äußeres objektives Stück des Himmelreiches, von allen wahrnehmbar und zu bewerten, nichtsdetoweniger steht sein Zusammenhang mit dem Himmelreich nicht ohne weiteres für jeden, auch den Hartsinnigen, fest; er wird von Christus aber ausdrücklich behauptet und erklärt,

---

[82] Mat. 4, 17. - Vgl. Mark. 1, 15; Mat. 3, 2.
[83] Mat. 13, 17; Luk. 10, 23-24.
[84] Bartmann: Himmelreich. S. 6.
[85] Ebd. S. 7.
[86] Vgl. Luk. 4, 17-21.

doch mit der Einschränkung: »Glückselig, wer an mir kein Ärgernis nimmt«[87]. Daraus folgerte B. Bartmann: Das Himmelreich drängt sich nicht mit Gewalt Sinn und Erkenntnis auf, es wird in einem freien Glaubensakt aufgenommen. Sein Träger ist wie seine Daseinsform so beschaffen, daß man es eben wegen dieser Erscheinungsform auch ablehnen kann. Andererseits aber ist es auch wieder von objektiver Selbständigkeit[88].

Mit Christus war somit für B. Bartmann das Reich Gottes zur objektiven Wirklichkeit geworden; erst mit ihm, so daß Johannes dessen Glied und Bürger noch nicht werden konnte; aber auch mit ihm gewiß, so daß von nun an ein jeder, der glaubt und büßt, eine erhabenere Stellung gewinnen konnte als der größte der Propheten. Hatten jene nur die Verheißung, so war hier die Erfüllung. Für B. Bartmann gab es somit keine Frage: Christus findet zwischen seiner Zeit und der vergangenen einen wesentlichen, objektiven Unterschied, der durch keine subjektive Disposition aufzuheben ist. Dieser Unterschied aber - so erklärte er - liege darin, daß mit ihm das Reich Gottes ins Dasein trat, daß ein jeder von uns von nun an dessen Glied werden konnte[89].

B. Bartmann führte noch andere Stellen an, die nach seiner Auffassung für die Gegenwart des Reiches sprechen, so u. a. auch die enge Verbindung von βασιλεία und δικαιοσύνη. Damit erklärte er auch das vielberufene Wort von dem »Reiche Gottes in uns«[90]. Gerade an dieser Stelle hatte sich die Kontroverse entzündet, Joh. Weiß, der die Botschaft vom Reich rein eschatologisch verstehen wollte, mußte konstatieren, daß dieses Wort ohne weitere Erläuterung einfach die Gegenwart des Gottesreiches behauptet[91]. G. Dalman hatte sich ausführlich mit dem Wort Jesu befaßt, A. von Harnack gar die fragliche Stelle zur Grundlage seiner Vorlesung und seines Buches »Vom Wesen des Christentums« gemacht. Wenn A. Loisy die Authentität der Stelle in Zweifel zog, so gechah dies für den Paderborner Theologen grundlos. Stattdessen glaubte er nicht nur für das Dasein, sondern auch für das Wesen der βασιλεία einiges aus dem umstrittenen Wort feststellen zu können. Ausgeschlossen würde - anders als beim eschatologischen Anbruch der βασιλείαein Kommen mit Pomp und Beobachtung. Also dachte Christus an ein inneres, geistiges Kommen. Daraus ergab sich: »Er ist die Gottesherrschaft in uns, in den Herzen, die Wirksamkeit göttlicher Kräfte in der Seele, die gehorsame Hingabe an sein heiliges Regiment«[92]. Für B. Bartmann war sie nicht rein geistig und einseitig ethisch, aber auch nicht rein objektive göttliche Tätigkeit und Schenkung, sondern beides; denn: »wo ein König, sind auch Untertanen ... wo die βασιλεία, ist auch die δικαιοσύνη«[93].

B. Bartmann führte dann Stellen an, an denen von der Arbeit am Reiche oder für das Reich gesprochen wird; sie haben nur dann einen Sinn, wenn Jesus die βασι-

---

[87] Vgl. Mat. 11, 2-6; Luk. 7, 18-23.
[88] Bartmann: Himmelreich. S. 8.
[89] Ebd. S. 9.
[90] Vgl. Luk. 17, 20-21.
[91] Vgl. J. Weiß: Die Predigt Jesu vom Reiche Gottes (1892). S. 85. - Die Kritik beanstandete, daß Bartmann nicht die zweite, völlig neubearbeitete Auflage benutzte. So Meinertz. In: ThRv 4 (1905) 406-409.
[92] Bartmann: Himmelreich. S. 13.
[93] Ebd. S. 14.

588

λεία nicht einzig eschatologisch als eine später von oben herniederkommende Größe ansieht, sondern sie schon jetzt in der Menschheit begründet weiß[94]. Entsprechend wertete er auch die Gleichnisse, worin Jesus die Begründung des Himmelreiches auf Erden schildert; gegen A. Loisy[95] war es ihm unzweifelhaft, daß Jesus der Ansicht war, er begründe durch seine Lehrtätigkeit auf Erden das Reich Gottes[96].

Da es hier nicht unsere Aufgabe ist, die Interpretation B. Bartmanns mit dem neuesten Stand der exegetischen Forschung zu vergleichen, übergehen wir die nächsten Abschnitte, in denen er sich weiter mit den einschlägigen Parabeln vom Gottesreich beschäftigte. Zusammenfassend stellte er fest: Sowohl in den zuerst untersuchten einzelnen Sprüchen als auch in den vielen Gleichnissen Jesu ist die Rede von der in der Gegenwart vorhandenen βασιλεία. Mit Christi öffentlichem Auftreten ist die Zeit des Wartens abgelaufen. Und wie sich mit ihm die gottgeordnete Zeit erfüllt, so erfüllte er die echte Erwartung des Volkes ... durch die Begründung des Himmelreiches. Angesichts des weit in der Welt herrschenden Teufelsreiches richtete er das Reich Gottes auf; er im Bund mit seinen Jüngern, denen er dazu Auftrag und Kräfte besonders verlieh. So war eine höchst reale Gegenwartsmacht in die Menschheit eingetreten, eine neue, nie gekannte Wirklichkeit. Gott hat den längst verheißenen neuen Bundesschluß vollzogen, so real, als der alte war, aber mit anderen Mitteln, zu einem höheren Zweck, für ein ewiges Ziel. Das nennt Christus mit einem Wort, das den Juden anfangs mehr ein Rahmen als ein Inhalt war: ἡ βασιλεία τοῦ θεοῦ[97].

Allerdings: So klar nun Christus sich bewußt ist, daß er das Himmelreich auf Erden begründen soll, so bestimmt weiß er, daß das nicht in einer Stunde, auf einen Schlag geschehen kann. Es braucht Zeit, lange Zeit, so daß sie wohl manchem allzulange erscheinen und ihn einschläfern lassen könnte. Diese Wahrheit, daß das Reich Gottes nicht von oben her plötzlich mit Gewalt, mechanisch wie ein Weltreich, sich einbürgert, sondern in seiner Eigenart auf ein organisches Zusammenwirken mit dem freien Mensch angewiesen ist, tritt nach B. Bartmann besonders in den Parabeln hervor, zumal in denen, die dem Naturleben entnommen sind. Hier sah er einen starken Unterschied gemacht zwischen dem Anfange in der Gegenwart und dem Ende in der Zukunft. B. Bartmann gab zu: Die gegenwärtige βασιλεία ist im Vergleich zu der eschatologischen in manchen Punkten unvollkommen, aber an sich, ihrer Gegenwartsform nach keineswegs ... Ihrem objektiven Wesen nach war sie von Anfang an, was sie sein sollte, und damals so wirkkräftig wie heute[98].

Hier drängte sich B. Bartmann eine neue Frage auf: Was war denn nun das Gottesreich in seiner Gegenwartsform? Das von den Juden erwartete Reich charakterisiert sich durch gewaltige kosmische Umwandlungen, durch nationalen Partikularismus, endlich durch eine individuelle Sittlichkeit und Seligkeit. Bei Jesus steht das Dritte deutlich im Vordergrund. Noch einmal betonte B. Bartmann, daß die βασιλεία τοῦ θεοῦ stets in Verbindung mit der δικαιοσύνη τοῦ θεοῦ auftritt.

---

[94] Ebd. S. 15.
[95] Vgl. Loisy: Evangelium und Kirche. S. 46.
[96] Bartmann: Himmelreich. S. 17.
[97] Ebd. S. 27.
[98] Ebd. S. 23.

Jesu βασιλεία ist mithin die Verwirklichung des religiösen und sittlichen Ideals, wofür die Propheten so eifrig gekämpft hatten. Um kein Mißverständnis aufkommen zu lassen, fügte der Theologe einschränkend hinzu: Nicht als wenn die Menschennatur eine neue geworden oder auf dem Wege des natürlichen Fortschritts für diese neue Ordnung langsam aus sich selbst heraus herangereift wäre, nein, die βασιλεία τοῦ θεοῦ ist niemals »Aufgabe« im eigentlichen Sinne, nie das Produkt sittlichen Ringens und Strebens, am wenigsten des Kulturstrebens, sie ist und bleibt »Gabe«. Aber nicht eine mechanisch zu empfangende Gabe, sondern Gabe, deren Empfang eine sittliche Aufgabe bedeutet. Sie ist dieses vor allem deshalb, weil sie nicht außerhalb des Menschen sich verwirklichen soll, sondern im Innersten, das es gibt, im Geist. Es ist wirklich die Meinung Jesu: Das Himmelreich ist in euch! Deshalb die Forderung der Buße, der Gerechtigkeit, des Glaubens, des reinen Herzens, deshalb die innige Verbindung von Himmelreich und Sündenvergebung und Gotteskindschaft[99].

Die gottähnliche Persönlichkeit in der Gemeinschaft mit Gott. Wir sehen, wie an dieser Stelle der Erörterung bei B. Bartmann erneut die Rechtfertigungslehre zu Buche schlug. Nun folgerte er weiter: Ist durch das Himmelreich und seine Gerechtigkeit die Gottähnlichkeit in uns hergestellt, dann umgibt es uns mit einer Reihe von Gütern besonderer, übernatürlicher Art. Vor allem schenkt es das Bewußtsein einer innigsten Verbindung mit Gott, der zu der Sorge, die er schon im Naturverhältnis für Leib und Seele trug, noch die aus dem übernatürlichen Kindschaftsverhältnis sich ergebende Vaterliebe hinzufügt[100]. Diese Verbindung ist stärker als alle trennenden Mächte. Diese Wahrheit gibt dem Herzen ein unerschütterliches Vertrauen, daß Gott sein Reich in uns vollende[101]. Ruhe und Erquickung wird die Seele erfüllen, mögen auch draußen die Wetterzeichen des Kampfes und der Kriegsnot aufleuchten[102].

War diese Fassung des Himmelreiches richtig, so ergab sie für den Theologen das Verständnis jener ganz auffallenden, gegen die altweltliche Praxis verstoßenden Wertschätzung des Einzelnen, den starken religiösen Individualismus. Die Seele war hier geborene Stätte des Reiches Gottes, dessen eigentliche Heimat. Die Begründung, die Christus gibt, jeder sei ein Träger des Himmelreiches, - das machte die Einzelseele so wichtig und wertvoll. Hieraus ergab sich die eigentliche Unsterblichkeit im Sinne Jesu[103], nicht ihre natürliche Geistbeschaffenheit, die auch dem Teufel die bloße Fortexistenz sichert. Eine ohne Himmelreich fortlebende Seele ist nach B. Bartmann nicht Unsterblichkeit, sondern Tod und Vernichtung[104]. Das Himmelreich ist der Seele wirksames φάρμακον ἀθανασίας, ihr einziges Gut; sein Verlust ihr einziger und deshalb auch durch nichts zu ersetzender Schaden. In diesem Punkt gab B. Bartmann A. Loisy gegen A. von Harnack recht: Daß Christus nicht der Seele an sich einen unendlichen Wert beimißt, sondern nur auf Grund

---

[99] Ebd. S. 24.
[100] Vgl. Mat. 6, 8.24-25.32; 10, 29-31; Luk. 12, 22-31.
[101] Vgl. Luk. 12, 32.
[102] Vgl. Mat. 11, 29; 24, 22.
[103] Vgl. Mat. 22, 32; Mark. 12, 27; Luk. 20, 38.
[104] Vgl. Mat. 8, 22; Luk. 9, 60.

ihrer Bestimmung für das Reich, das Gott ihr gewährt und das sie verdienen soll«[105]. Die Seele ist die Heimat des Gottesreiches, deshalb auch die persönliche Forderung des Glaubens, der Buße, der Gerechtigkeit; deshalb die Taufe nicht mit Wasser, sondern mit dem Hl. Geist, die Eintauchung in die unendliche Gottheit, um, von ihr durchglüht und gereinigt, eine neue Art des Seins und Wirkens zu empfangen. Nun kann die Seele die Früchte des Himmelreiches zeitigen[106].

Unter der Beleuchtung dieses Himmelreichsbegriffes konnte für B. Bartmann auch die Ethik Christi verständlicher werden. Scharf wendete er sich gegen die Anschauung der rein eschatologischen Interpretation des Neuen Testaments, derzufolge der Herr alles in Schutt und Asche sinken sieht, so daß sich erst auf den Trümmern sein kosmisch neugeordnetes Reich erheben wird. Was soll da noch ein weltlicher Besitz, Ehre, Vater und Mutter, Familie und Staat! Eine Welt, die reif ist zum Untergang, hat allen Wert verloren. Deshalb ist die »Weltflucht« sein einziger Rat, die Darangabe der Güter sein Hauptbefehl. Nach Meinung B. Bartmanns hat es Christus jedoch so eilig mit dem Ende nicht. Daß er jeden Einzelnen, der doch nach der allgemeinen Erfahrung nur über eine kurze und dazu noch unsichere Spanne Zeit verfügt, mit aller Energie vor ein Entweder - Oder stellt und zu rascher Entscheidung drängt, hielt er für eine richtige Beobachtung; ebenso, daß er mit aller Kraft auf die innere Befreiung von der Welt, ihren Gütern und Lüsten dringt ... nicht deshalb, weil das Ende vor der Tür steht, sondern weil das Himmelreich, das er begründet, an sich alles wert ist und ihm gegenüber, und wäre es die ganze Welt, wertlos. Aus dieser Sicht heraus suchte B. Bartmann vergeblich nach jenen harten und düsteren Sittensprüchen, die - nach einer Behauptung von Joh. Weiß - aus »der vom nahen Untergang der Welt aufgeregten und verwirrten Seele Jesu mit stoßender Kraft hervorbrechen«[107]. Ihm war unverständlich, wieso überhaupt ein bloß kosmisch gedachter Vorgang die Grenzen des Erlaubten und Unerlaubten verschieben könnte. Er sah nicht ein, was die tellurischen Veränderungen der Endzeit mit Gut und Böse gemein haben sollten. Für ihn erklärte sich die Sittenlehre Christi, wenn man sie als Forderung des gegenwärtigen Gottesreiches versteht, das seinen Sitz im Geiste hat, und an dem tiefsten Wesen dieses Geistes zwar sein schaffendes Organ, aber an dem verkehrten Welt- und Selbstsein auch seine Hemmungskräfte, die mit Gewalt gebrochen werden müssen, wenn das Himmelreich entstehen soll. Nirgend deutet nach B. Bartmann Christus an, daß diese ganz außerordentliche Kraftanstrengung nur eine kurze Zeit dauert, weil die Ablösung durch das glückliche, selige Ende so nahe sei, vielmehr dringt der Herr auf den unscheinbaren, schweren, langen weil langsamen Weg des täglichen Kleinkampfes, der im Wachen und Beten zu führen ist, wenn der Sieg erlangt sein will[108].

Für B. Bartmann kann daher keine Rede davon sein, daß Christus den Menschen aus den normalen Bedingungen des zeitlichen Lebens herausreißt, weil er - nach der Meinung A. Loisy's an die radikale eschatologische Umbildung des Weltganzen

---

[105] Loisy: Evangelium und Kirche. S. 48.
[106] Bartmann: Himmelreich. S. 26.
[107] Ebd. S. 28; nach J. Weiß: Die Predigt Jesu vom Reiche Gottes (1892). S. 134 ff.
[108] Bartmann: Himmelreich. S. 30.

geglaubt haben soll[109]. Richtig wäre nach B. Bartmann zu sagen: »aus den unnormalen Bedingungen«, unnormal, weil der Harmonie in der Gott-Menschverbindung des Himmelreichs entgegen[110].

Abschließend kam B. Bartmann auf den Geheimnischarakter dieses »Himmelreichs« zu sprechen. Bevor es von Christus verkündet wurde, war wohl sein Name bekannt, nicht jedoch sein Inhalt in seiner eigentümlichen Wesensbestimmtheit. Als er kam, mußte es entdeckt werden, - konnte aber auch entdeckt werden, wenn der Vater dabei half. So legte denn Jesus seinen Jüngern ein Verstehen jenes Mysteriums des Reiches zu. Von einer eschatologischen βασιλεία - so meinte B. Bartmann - ließ sich das in keiner Weise behaupten, da sie aus den Propheten längst bekannt war. Das allgemein erwartete eschatologische Reich hätte Christus in keiner Richtung hin ein μυστήριον nennen können, das nur den »Kleinen« vom Vater enthüllt worden sei[111].

»Das Himmelreich ist in euch« es ist von geistiger Natur, hat sein Organ am Geiste, will die Geistnatur des Menschen zur gottähnlichen Persönlichkeit erziehen«[112]. Damit ist nach B. Bartmann nicht gesagt, daß es als geistiges Reich sich garnicht äußerlich offenbare. Vielmehr war er der Ansicht: Wie alles Geistige, solange der Mensch durch den Leib an die Materie gebunden ist, sofort eine stoffliche Form annimmt, so auch in diesem Fall. Freilich betonte er auch, daß für sich diese äußere Form nicht das Reich Gottes ist; er hielt es für unmöglich, daß jemand, der in den Dingen des Himmelreiches mangels des inneren Sinnes »nicht hört und sieht«, hinter dieser Form das geistige Reich entdecken wird. Er behauptete, daß auch sie notwendig an dem Charakter des »μυστήριον« teilnimmt[113] - doch wollte er darüber nicht a priori reden, ohne die Predigt Jesu auf die äußere Form des Himmelreiches hin zu prüfen.

— Das Himmelreich und die Kirche

B. Bartmann sah, daß ein Theologe, der wie Joh. Weiß das Himmelreich als nur eschatologisch verteidigte, folgerichtig zu der Annahme kommen mußte, daß Jesu Blick in die Zukunft eine irdische Entwicklung seiner Sache durch eine längere Folgezeit oder gar durch Jahrhunderte der Weltgeschichte nicht umfaßt haben könnte[114]. Joh. Weiß selbst hielt die Kirche für einen gewissen Notbehelf, womit sich Christus mit seiner Gemeinde, von der Synagoge hinausgedrängt, behauptet habe; er konnte daher der Kirchlichkeit nur eine vorübergehende geschichtliche Bedeutung zuerkennen[115]. A. von Harnack sah zwar, daß das Himmelreich vom Neuen Testament her als gegenwärtig verstanden werden muß, doch ließ er nur seine geistige Erklärung gelten und hielt folglich Christentum und »staturarische Religion« für reine Gegensätze. Demgegenüber versuchte bereits H. Schell nachzuwei-

---

[109] Vgl. Loisy: Evangelium und Kirche. S. 57-59.
[110] Bartmann: Himmelreich. S. 31.
[111] Ebd. S. 32.
[112] Ebd. S. 32.
[113] Ebd. S. 32.
[114] Nach Holtzmann: Lehrbuch der neutestamentlichen Theologie (1897). Bd. 1. S. 213.
[115] Vgl. J. Weiß: Die Nachfolge Christi und die Predigt der Gegenwart. Göttingen 1895. S. 31. (Nach Holtzmann.)

sen, daß die Kirche zwar die äußere, aber wesenhafte Form ist, in der nach Jesu Willen das geistige Reich Gottes in der Welt die Jahrhunderte hindurch sich manifestieren und auswirken soll[116].

Für B. Bartmann wurzelte der Ursprung der Kirche vor allem in der Tatsache, daß sich durch die neue Botschaft Christi, die vom Menschen freien Glauben fordert, mit moralischer Notwendigkeit eine Unterscheidung von Gläubigen und Ungläubigen ergab[117]. Nach dem Zeugnis des Evangeliums mußte der Glaube zum Bekenntnis führen, das Bekenntnis zur Gemeinde der Bekenner, zur Kirche[118]. Für einen katholischen Theologen konnte das freilich nicht der einzige Grund für eine Kirchenbildung gewesen sein. Daher betonte B. Bartmann, daß sie nach dem Zeugnis der Schrift so wenig Produkt sinnenden Nachdenkens wie äußerer aufdringlicher Lehrnot sei, vielmehr »freier Heilsratschluß des Vaters und deshalb wie die geistige βασιλεία ein μυστήριον«[119].

Im folgenden versuchte der Theologe nachzuweisen, daß die Kirche auf den positiven Ratschluß des himmlischen Vaters, der das Reich jetzt offenbaren will, zurückzuführen sei. Die neutestamentliche Ekklesiologie, die der Dogmatiker an dieser Stelle erarbeitete, können wir im Rahmen unserer Arbeit übergehen, zumal da sie in erster Linie die Kirche als eine Konkretisierung des Himmelreiches auf Erden verstand. Erst im nächsten Abschnitt kam er ausführlich auf das eschatologische Himmelreich zu sprechen.

— Das eschatologische Himmelreich

Das Reich Gottes zog ein in diese Welt mit der Verkündigung Jesu ... als Reich der Gerechtigkeit und der Gemeinschaft der Gerechten[120]. B. Bartmann wußte wohl, daß dies nicht die volle Verwirklichung dessen ist, was die Propheten davon vorausgesagt hatten. Die Gerechtigkeit war noch nicht die gesamte δικαιοσύνη τοῦ θεοῦ, da sie weiterhin unter der Möglichkeit der Verunreinigung blieb[121]. Faßte man außerdem die Kirche nicht einfach soziologisch als die Gemeinde der Gläubigen, sondern sakramental als Inbegriff der Wahrheit und Gnade, so hafteten ihr auch als solcher noch Unvollkommenheiten an. Die Wahrheit - so erläuterte B. Bartmann - offenbart sich noch nicht selbst[122]; ebenso ist Gott noch nicht in eigener Person der Hirte seiner Herde, er lehrt und weidet sie durch Stellvertreter[123]; schließlich feiert die Kirche noch nicht den vollkommenen Kultus im Geiste und in der Wahrheit[124]. So bot sich ihm von allen Seiten das Himmelreich auf Erden zwar in wesentlicher Wirklichkeit, aber dennoch nicht in gänzlicher Vollkommenheit dar. Daher behauptete er: »Das vollkommene Himmelreich steht noch aus, es wird

---

[116] Vgl. Schell: Christus. S. 118-120.
[117] Bartmann: Himmelreich. S. 36.
[118] Ebd. S. 37.
[119] Ebd. S. 38.
[120] Ebd. S. 55.
[121] Vgl. Mat. 6, 12-13; 13, 24-30; 26, 41; Luk. 21, 34-36.
[122] Vgl. Mat. 13, 11; 5, 8; 1. Kor. 13, 9-12; im Unterschied zu Jer. 31, 34; Jes. 11, 9; 54, 13.
[123] Joh. 4, 24.
[124] Joh. 21, 15-17.

noch kommen. Das ideale Himmelreich in seiner Vollendung ist das eschatologische!«[125].

Zum Beweis seiner These trug B. Bartmann nun mit Akribie die Aussagen Jesu über das zukünftige Reich zusammen. Hierzu rechnete er die Makarismen[126], die Bitte im Vaterunser[127], sowie alle Aussprüche in denen das Reich Gottes als eine zukünftige Zuständlichkeit bezeichnet wird, in die die Tauglichen eingehen werden[128]; Parabeln, in denen die Beziehung auf das Ende klar zutage tritt[129]. Er legte dar, daß in solchen Stellen die βασιλεία τοῦ θεοῦ als eine auf eine bestimmte Stunde hereinbrechende überweltliche Größe erscheint. Sie ist so wenig diesseitig, daß der Vater allein, weder Engel noch der Sohn ihr Herniedersteigen auf diese Welt kennt. Sie ist mit gewaltigen kosmischen Störungen und Umwälzungen verbunden[130]. Jetzt erst ist alle Schwäche und Unvollkommenheit von ihr gewichen; ein Tag der Macht und Herrlichkeit bricht an[131]. Die sittliche Schwäche der Reichsbürger, der Kampf mit feindlichen Gewalten, die Gefahr des Unterliegens wird dann nicht mehr sein. Die Engel haben alles geschieden und ausgelesen, nur Weizen ist in die Scheuer Gottes gesammelt[132] ... Dann wird es sich zeigen, ob man reich war für Gott, ob man sich unvergängliche Schätze gesammelt hat ...[133]. Ein Tag der »Wiedergeburt« im Vollsinn des Wortes wird dann sein[134]. Umgewandelt die ganze Schöpfung; - ein gänzlich Neues wird herniedersteigen.

B. Bartmann richtete seine Fragestellung besonders auf das Leben in jenem eschatologischen Reich. Welches ist sein Inhalt, welches sind seine Kräfte? Christus hebt zunächst die Tatsächlichkeit des Lebens hervor: Wer an ihn glaubt und das diesseitige Reich Gottes gegen die Welt eintauscht, der hat im zukünftigen Zeitalter das ewige Leben[135]. Auf dieser großen Wahrheit baut nach B. Bartmann Jesus seine ganze Wirksamkeit und Verkündigung auf. Mit ihr ist das alttestamentliche Grauen vor dem Tod zerstört, Licht und Erklärung in das Dasein derer gebracht, die sich zu seiner Nachfolge entschließen[136]. Nachdrücklich hob der Theologe hervor, daß das jenseitige Leben in der innigsten Gemeinschaft mit Gott verläuft. Die kurze Gleichung des Johannes-Evangeliums[137]: vita aeterna = cognitio, visio Dei finde sich zwar bei den Synoptikern nicht formell, wenn man sich nicht auf den sechsten Makarismus[138] beziehen will. Sachlich aber hebe der Herr auch bei den Synoptikern in allerlei Bildern und Vergleichen diese wichtige Wahrheit hervor; sie

---

[125] Bartmann: Himmelreich. S. 57.
[126] Mat. 5, 3-12; vgl. Luk. 6, 20-26.
[127] Mat. 6, 10; vgl. Luk. 11, 2.
[128] Mat. 7, 21; 19, 28; Luk. 22, 30.
[129] Vgl. Mat. 13, 39; 20, 8; 22, 1-14; 25, 10.14-30; Luk. 12, 36.
[130] Vgl. Mat. 24; Mark. 13; Luk. 21.
[131] Vgl. Mat. 16, 27; Mark. 8, 38; Luk. 21, 27. - Dan. 7, 13.
[132] Mat. 13, 30.
[133] Mat. 6, 20; 19, 21; Luk. 12, 33.
[134] Mat. 19, 28.
[135] Luk. 18, 30.
[136] Bartmann: Himmelreich. S. 61.
[137] Joh. 17, 3; vgl. ebd. 14, 20.
[138] Mat. 5, 8.

liege auch den meisten Gleichnissen zugrunde[139]. Nach B. Bartmann ist es ein wohl für immer vergebliches Bemühen, hinter jedem Bild die betreffende Realität des Jenseits zu erforschen. Er verwies darauf, daß selbst Paulus, der sich Verzückungen bis in den dritten Himmel rühmen konnte, mit einer negativen Fassung dieser transzendenten Dinge sich begnügen mußte. Dennoch ergab sich als Wesenskern aller Bilderreden Jesu: »Man lebt dort mit dem Vater-Gott gemeinsam, und dieser läßt den Seligen zur Teilnahme an seinem eigenen Gottesleben zu. Alle Schranken zwischen ihm und den Menschen sind gefallen: höchste Herablassung einerseits, volles Recht auf jede Familiariät andererseits!«[140].

Es ist der Gott-Vater-Begriff Jesu, der nach B. Bartmann auf alle diese Dinge hinreichendes Licht wirft. Er meinte: Erst wer den erhabenen und zugleich lieblichen Gottesbegriff Jesu kenne, könne ermessen, was der Auserwählte an seinem Gott dereinst haben werde. Dieser Gott ist zunächst der überlieferte alttestamentliche Schöpfergott[141], aber nicht mehr der in kalter Unnahbarkeit über dem Weltall Thronende, dessen Erhabenheit zu groß ist, als daß man ihn nennen dürfte; nein, er ist zwar der Überweltliche, aber mehr noch »unser Vater«, der nicht nur für alle Naturbedürfnisse die Schöpfersorge gern trägt[142], sondern auch unsere tiefste Geistessehnsucht nach Vereinigung mit ihm in der Offenbarung seines Himmelreiches entgegenkommt und für diese Vereinigung ein neues, übernatürliches Kindschaftsverhältnis zu ihm geschaffen hat. Nach B. Bartmann ist es aber nicht nur die Liebe, die Gott zum Vater macht, sondern auch seine vorbildliche Vollkommenheit und Heiligkeit[143]. Er hob daher als wichtige Wahrheit hervor, daß nur die geistige Wesensverwandschaft Recht auf den Kindesnamen verleiht[144].

»Niemand erkennt den Vater als nur der Sohn, und wem der Sohn es offenbaren will«[145]. B. Bartmann wußte, daß die eigene Gotteserkenntnis des Sohnes bis hin zu einem gewissen Grade inkommunikabel ist, unübertragbar wie seine singuläre Gottessohnschaft. Aber dennoch trat für ihn der Vater der Liebe und der sittlichen Vollkommenheit hinreichend deutlich in dem hervor, was der Sohn in seinem Namen[146] im diesseitigen Himmelreich dem Typus des jenseitigen, auf dem Gebiet der Natur wie der Übernatur vollzieht. Leibesheilung und Dämonenvertreibung, Sündenvergebung und Heiligung, Gotteserkenntnis und Gottesgemeinschaft, das sind nach Auskunft des Neuen Testaments die Erfahrungen, die der Jünger Jesu schon in diesem Leben an seinem Gott macht. Er kann hier entnehmen, was es heißt, mit einem solchen Gott in persönliche, durch nichts mehr gehemmte Gemeinschaft des Lebens zu treten[147].

Wenn nun das Leben in dem eschatologischen Reich so gänzlich auf eine neue, wesentlich andere Stufe des Seins gestellt wird, hat dann nicht Christus wenigstens

---

[139] Bartmann: Himmelreich. S. 62.
[140] Ebd. S. 63.
[141] Mat. 11, 25; Luk. 10, 21.
[142] Mat. 6, 8.25 u.ö.
[143] Mat. 5, 48; Luk. 6, 36.
[144] Bartmann: Himmelreich. S. 63.
[145] Mat. 11, 27.
[146] Luk. 13, 35. - Vgl. Ps. 118, 26.
[147] Bartmann: Himmelreich. S. 64.

die Konsequenzen daraus für uns gezogen, daß wir vorher in der Auferstehung völlig umgewandelt, zu einem neuen Geist-Wesen werden müssen, ehe wir für den Genuß eines solchen Lebens fähig werden? B. Bartman verwies auf die berühmte Antwort, die Jesus auf eine Frage der Sadduzäer gab: »In der Auferstehung werden wir sein wie die Engel im Himmel«, das heißt unsterblich[148]. Der Theologe erklärte: Durch die Aufnahme in das Vaterhaus werden die Menschen umgewandelt, auch in ihrer Leibesnatur. Der Körper wird ja doch vergeistigt; wie könnte er sonst auch leben?[149].

Sind die Menschen engelgleich (ἰσάγγελοι) geworden, dann dürfen auch wir annehmen, daß sie, wie zum Verkehr mit dem Vater, so auch zu dem mit seinen Geistern zugelassen werden, die immerfort vor dem Angesicht des Vaters stehen. B. Bartmann erklärte: Das Reich der Geister werde sich dann an jenem Tage mit dem eschatologischen Reich zu einer einzigen Gottesherrschaft zusammenschließen. »Dann wird sein Wille von beiden Geistnaturen, von Engel und Mensch, gleichmäßig geschehen, wie es hier unten der Gegenstand des Bittens und das Ziel des sittlichen Strebens war«[150]. Söhne des Lichts seien die Gläubigen schon auf Erden genannt[151]. Diese Lichtnatur werde dort noch gesteigert bis zur höchsten Vollendung[152] ... Dann werden alle Rätsel gelöst, die Schatten schwinden. Gott, der Inbegriff aller Wahrheit, werde dann ganz Lichtnatur für unseren Intellekt sein, wir werden ihn »sehen«[153].

Wir brauchen an dieser Stelle nicht zu befürchten, daß sich die Eschatologie B. Bartmanns am Ende in einen reinen Intellektualismus verflüchtigt. Die starke ethische Komponente, die er aus der biblischen Theologie gewann, und die vor allem im ersten Abschnitt seiner Erörterung deutlich zutage trat, meldete sich auch jetzt wieder zu Wort. Licht, so betonte er, ist das Bild der Heiligkeit. Schon hier sollen die Jünger ihre guten Werke, ihre sittliche Tüchtigkeit leuchten lassen ... Droben aber bedeutet das keine Forderung, kein Gebot mehr, droben leuchtet diese Heiligkeit der Gerechten von selbst. Unverhüllt ist die Wahrheit, der bloße Schein kann nicht mehr täuschen; frei ist die Heiligkeit, das Böse ist für sie kein Hemmnis mehr - Gott ist dann alles in allem. Deshalb, so schloß der Theologe, werden dann die Söhne Gottes durch Erkenntnis und Willen so fest an ihn gekettet, wie es der Sohn Gottes schon im diesseitigen Reich Gottes war[154].

Am Ende der Untersuchung ergab sich für B. Bartmann, daß die traditionelle katholische Auffassung von einem Reiche Gottes in dreifacher Gestalt - einem inneren geistigen, einem äußeren kirchlichen und einem eschatologischen sich mit unwidersprechlicher Gewißheit auf das Evangelium gründet und dessen genauer Ausdruck ist. Nichtsdestoweniger war er der Meinung, daß diese Dreifachheit nicht so stark betont werden darf, bis sich eine Drei-Verschiedenheit ergibt. Mit

---

[148] Mat. 22, 23-33; Mark. 12, 18-27; Luk. 20, 27-40.
[149] Bartmann: Himmelreich. S. 65.
[150] Ebd. S. 66. - Vgl. Mat. 6, 10.
[151] Vgl. Luk. 16, 8.
[152] Vgl. Mat. 13, 43.
[153] Bartmann: Himmelreich. S. 66.
[154] Ebd. S. 66-67.
[155] Ebd. S. 67.

dem sicheren Instinkt des Systematikers hielt er daran fest, daß es zuletzt doch eine Größe sein muß, womit Christus so gleichmäßig von Anfang bis Ende operiert. »Es kann nur ein Gut sein, wodurch er die religiöse Hoffnung seines Volkes und der ganzen Welt erfüllen will«[155].

Nach B. Bartmann läßt sich diese Einheit ebenso ungezwungen dartun, wie früher sich die Dreiheit ergab. So verwies er darauf, daß schon die Propheten das Endreich mit der subjektiven Gerechtigkeit eng verknüpft hatten. Wenn Christus sie in jeder Menschenseele herzustellen sucht, dann hat diese nicht nur ein gegebenes Recht auf das Endreich, - der Lohngedanke Jesu -, sondern »die Kräfte desselben, Wahrheit und Gerechtigkeit, sind schon in eine solche Seele eingezogen und tun ihre große Wirkung«[156]. Die Gerechten wissen daher ihr Los in der Hand des Vaters gut aufgehoben; sie haben Ruhe gefunden[157], obschon sie sich noch in der Welt der Sorge befinden, der die anderen erliegen[158]. Sie tragen somit das Reich Gottes wirklich mit all seinen Kräften und Seligkeitswirkungen in sich, soweit das in diesem Leben möglich ist. Dazu kommt nach B. Bartmann dann die große Bürgschaft, daß das diesseitige Reich mit dem jenseitigen unmittelbar verknüpft ist; alles, was man hier leidet oder tut, erhält sofort seine Bedeutung fürs Jenseits. Man lebt überhaupt nur für das Reich Gottes und aus ihm; aus den entsprechenden Aussagen der H. Schrift schloß der Theologe, daß dieser individuelle Zustand droben fortbestehen werde; allerdings entspreche dann der Sittlichkeit die Seligkeit[159].

Zum Schluß kam B. Bartmann noch einmal auf die Kirche zu sprechen. Er sah sie »mitten inne stehen«, zeitlich und sachlich; sie nimmt den von der Natur geborenen Menschen auf und verhilft ihm zur geistigen Wiedergeburt. Mit V. Thalhofer ist sie ihm der »in Zeit und Raum erscheinende und (fort-)wirkende Christus als Erlöser der Menschheit«[160]. Weit entfernt, sich zwischen Gott und den Menschen zu drängen und zu trennen, führt sie vielmehr den einzelnen zu Gott hin und hilft ihm, ins rechte religiöse Verhältnis zu gelangen. Daher wird sie nach B. Bartmann fortbestehen, solange es Menschen zu »retten« (σωζεῖν) gibt, das heißt bis zum Ende der Welt[161]. Dann freilich wird sie als Heils- und Errettungsgestalt von Gott angehoben; denn wo der Zweck erreicht ist, bedarf es nicht mehr der Mittel. Wohl war die Kirche für B. Bartmann nicht nur Mittel; er legte dar, daß sie auch einen gewissen Selbstzweck habe, so, wie sie als Ordnung von Gnade und Wahrheit auch einen gewissen Selbstwert besitze. Doch an jenem letzten Tage - so führte er aus - werde das Ideal in ihr in die ewige βασιλεία aufgenommen und zwar in ihr, aber nicht mehr für sich fortbestehen[162]. »Die vollendete unio cum Deo ist erreicht; es bedarf der Bindemittel nicht mehr; Gott selbst ist zum Innenbestand des Menschen geworden für Intellekt und Herz und Willen: Ecce Tabernaculum Dei cum hominbus!«[163].

---

[156] Ebd. S. 67.
[157] Mat. 11, 29.
[158] Mat. 13, 22.
[159] Vgl. Mat. 7, 19; 12, 33; Luk. 13, 6-9.
[160] Vgl. Thalhofer: Handbuch der katholischen Liturgik. S. 13.
[161] Vgl. Mat. 28, 29.
[162] Vgl. 1. Kor. 13, 10.
[163] Bartmann: Himmelreich. S. 69; vgl. Off. 21, 3.

Als Ergebnis unserer Untersuchung halten wir fest, daß sich hinter der Studie, die B. Bartmann in Auseinandersetzung mit A. Loisy, H. J. Holtzmann, J. Weiß und A. von Harnack veröffentlichte, einen Entwurf zu einer umfassenden Eschatologie enthielt, in dem die Christologie, besonders die Soteriologie, sowie die Ekklesiologie eine bedeutende Rolle spielte. Wir werden sehen, wie weit dieser Entwurf in späteren Monographien des Verfassers eine Ergänzung und außerdem in den Lehrbüchern der Dogmatik seine theologische Einordnung fand.

— Die Frage nach dem Anbruch des eschatologischen Reiches und der Parusie

Die gleichbleibende Aktualität biblischer Zeitfragen gab dem Paderborner Systematiker nach einigen Jahren erneut Gelegenheit, sich in einer Studie zum Thema »Das Reich Gottes in der Heiligen Schrift« zu äußern[164]. Dabei behandelte er besonders eingehend die Frage nach dem Anbruch des Gottesreiches und dem Zeitpunkt der Parusie des Herrn.

Am Anfang dieser zweiten Untersuchung ging B. Bartmann wieder davon aus, daß der Himmelreichbegriff in der liberalen Theolgie seiner Zeit eine sehr große Rolle spielte. Auch hier bedauerte er, daß sie ihn ungefähr seit einem Jahrzehnt zum Ausgangspunkt, ja zum Fundament ihrer bekannten negativen Christologie gemacht habe, indem man den Himmelreichbegriff rein eschatologisch auffaßte und von diesem Betrachtungspunkte aus fast alle christologischen Säulen der Schrifttheologie umstürzte[165].

Auch in seinem zweiten Entwurf erläuterte B. Bartmann zunächst, in wieweit dem Reiche Gottes ein Gegenwartscharakter und eine Diesseitsform zukommt[166]. Mit der biblischen Theologie zeigte er auf, daß seine ersten Wurzeln in der Gnade Gottes und in dem in ihr gegründeten guten Willen liegen[167], daß jedoch die Taufe das wirksame Mittel zu diesem neuen Leben ist. Es konnte nach Auskunft der Hl. Schrift keinem Zweifel unterliegen, daß Christus dieses Leben als ein geistiges, geheimnisvolles geschildert hat[168]; nichtsdestoweniger war es für B. Bartmann ein physisch-reales Leben, das wahrhaft und ontologisch Dasein und Wirkung hat und sich in tätiger Weise im Menschen äußert und offenbart. Daher erhob er Einspruch gegen die verkehrte Auffassung von Römer 1-7, nach der die Gnade ihres »dinglichen Charakters entkleidet« und zu einem rein »transzendentalen Urteil Gottes über den gläubigen Sünder« sublimiert wird[169]. Dagegen stellte der Theologe die katholische Gnadenlehre, die er in der Lehre Christi vom Leben bereits in nuce ganz gegeben sah. Noch einmal stellte er scharf heraus: »Es ist ein schon jetzt gegenwärtig gelebtes Leben und sein Prinzip ist eine innere Realität, eine 'dingliche Größe', der in der Taufe empfangene Geist Gottes oder, wie die spätere Theologie sagt,

---

[164] B. Bartmann: Das Reich Gottes in der Heiligen Schrift. (BZfr. 5. F. H.4/5.) Münster 1912. (Zitiert: Reich Gottes.) Vgl. u.a. P. Metzger: Der Begriff des Reiches Gottes im Neuen Testament. Stuttgart 1910. - Dazu die Rez. von Bartmann. In: ThGl 3 (1911) 162. - B. Duhm: Das kommende Reich Gottes. Vortrag. Tübingen 1910.

[165] Vgl. Bartmann: Reich Gottes. S. 54.

[166] Vgl. besonders ebd. S. 30-32.

[167] Ebd. S. 32.

[168] Vgl. Joh. 3, 4-13.

[169] Bartmann: Reich Gottes. S. 33.

die heiligmachende Gnade. Und weil dieser Geist eine wahrhafte Neubegründung der Natur bewirkt, eine Wiedergeburt, deshalb heißt der wiedergeborene Mensch folgerichtig Kind Gottes und sein Zustand ist Gotteskindschaft«[170].

Trotz dieser starken Verwurzelung des Gottesreiches in Diesseits und Gegenwart zeigte B. Bartmann jedoch auch wiederum die Vollendung des Gnadenlebens der sittlichen Persönlichkeit im eschatologischen Himmelreich. Bei seiner Erläuterung brachte er jetzt auch den Entwicklungsbegriff ins Spiel, indem er versicherte: »Das Reich Gottes ist Leben, Leben aber ist Entwicklung von einem unvollkommenen Anfang zu einem vollendeten Ende«[171].

Das Reich Gottes bewegt sich daher nach B. Bartmann auf Erden zwischen Beginn und Vollendung. Da bei jeder Entwicklung der hauptsächliche Wert in der Vollendung liegt, war es für B. Bartmann kein Wunder, daß auch Christus Blick und Urteil von dem gegenwärtigen Anfang weg dem dereinstigen Ende zuwandte. Hier sah der Theologe den Grund dafür, daß das Reich Gottes in den Reden und Gleichnissen Christi sehr oft als ein erst kommendes, zukünftiges, eschatologisches erscheint. Wie schon in seiner ersten Abhandlung, so verwies er darauf, daß das religiöse Leben aus Wahrheit und Gnade[172] hier auf Erden der Schwäche und vielfacher Hemmung ausgesetzt ist: Die Wahrheit wird nur erst dunkel erkannt, noch nicht geschaut; die Gnade wird fortwährend durch den Widerspruch einer noch nicht ganz erlösten, sündigen Natur in ihrer Vollwirkung gehindert. So erklärte B. Bartmann: »Die volle Gottesgemeinschaft wird erst in der Zukunft zur Tat und Wirklichkeit werden. Das ideale Himmelreich in seiner Vollendung ist das eschatologische«[173].

Im einzelnen legte B. Bartmann dar, daß jenes Endreich Gottes durch die unter großen Naturereignissen sich vollziehende Umwandlung dieser Welt in eine andere, verklärte, ewige (παλιγγενεσία) eingeleitet wird. Wegen des ewigen, entscheidenden Charakters dieses eschatologischen Reiches soll man sich auf seine Ankunft und sein Eintreffen hin ständig bereithalten. Es gibt zwar eine Reihe von Vorzeichen, aber letztlich kommt jener Tag doch plötzlich. Der Theologe führte sodann eine Reihe von Texten an, in denen das kommende Reich zunächst seine Bedeutung für Jesus selbst hat[174]; alles übrige jedoch, was Christus vom Endreich berichtet, hat Bedeutung für den Menschen, näherhin für die auserwählten Kinder des Reiches. Das erste und grundlegende, was sie erfahren, ist die Auferweckung oder Auferstehung des Fleisches[175], wobei aber nur die Auferstehung der Gerechten ein Heilsgut ist[176]. - Auf die Auferstehung folgt das Gericht, das nach den Werken stattfindet[177]. Ist das Reich Gottes eine auf einer Gabe Gottes beruhende sittliche Aufgabe, so folgte für B. Bartmann von selbst, daß die Vollendung desselben

---

[170] Ebd. S. 35.
[171] Ebd. S. 44.
[172] Joh. 1, 17.
[173] Bartmann: Reich Gottes. S. 45.
[174] Bartmann verwies auf Mat. 24, 30; 25, 31; 26, 64; vgl. Ex. 19, 9; Jes. 19, 1; Ps. 18 (17), 10-16; - Mat. 4, 1-11; Mark. 1, 12-13; Luk. 4, 1-13; Mat. 24, 30; vgl. Sach. 12, 10-12; Dan. 7, 13-14; Luk. 24, 26.
[175] Mat. 24, 31; Mark. 13, 27; Luk. 21, 27-28; vgl. Sach. 2, 6; 5. Mos. 30, 4; - Luk. 14, 14; 20, 36-37; Joh. 5, 28-29.
[176] Luk. 30, 36.
[177] Mat. 7, 22-27; 10, 15; 11, 20-24; 12, 36-37. 41-42; 16, 24-27; Luk. 6, 21-26; 11, 31-32.

eine Beurteilung der Kinder des Reiches ist, wie sie dieser Aufgabe gerecht geworden sind. Aus den Gerichtsreden und Gerichtsparabeln Jesu[178] glaubte er deutlich zu erkennen, daß das Reich Gottes auf Erden richtig bestimmt ist, wenn es als eine neue Gottesherrschaft über die Menschen, als eine neue sittliche Heilsordnung, als ein Zustand der Sündenreinheit und des übernatürlichen Gnadenlebens beschrieben wurde. Sittliche Bewährung schien ihm auch jetzt die einzige Pforte zu dem Reich Gottes der Vollendung, der seligen Endzeit zu sein. Er verwies darauf, daß Christus dieses sittliche Ringen den »Weg zum Leben« nennt[179].

Was ist dieses »ewige Leben« im eschatologischen Endreich an sich? Vor allem wollte B. Bartmann festgehalten wissen, daß dieses ewige Leben nicht in einer einfachen ontologischen Fortexistenz besteht, in einer Unzerstörbarkeit seines Wesens, wie sie Platon lehrte. Diese kommt ja auch dem Bösen zu, ist jedoch so wenig ein Inbegriff des Lebens, daß sie vielmehr ein Begrabensein in der Hölle, ein durch Gott bewirktes Verderben von Leib und Seele in der Hölle, ein Verlust des Lebens genannt werden muß[180]. Es blieb dabei: »Positiv besteht dieses ewige Leben in der vollendeten vollkommenen Gottesgemeinschaft«[181]. Konkret enthält diese Tatsache nach B. Bartmann zweierlei: Einmal besteht das ewige Leben in einem Erfassen Gottes mit allen menschlichen Fähigkeiten und Kräften, - aber dieser Gedanke findet sich auch in seiner Umkehrung und ist dann noch tiefer und intensiver: Nicht der Mensch wird Gott erfassen, sondern vielmehr wird Gott den Menschen erfassen, ihn durchdringen und mit seinem göttlichen Leben durchtränken[182].

Schwierigkeiten bereitete B. Bartmann die Frage nach dem Anbruch des eschatologischen Reiches, denn hier hatte er sich wiederum mit der rein eschatologischen Interpretation der liberalen Evangeliumskritik auseinanderzusetzen. In der katholischen Theologie wurde wohl die Irrtumsfähigkeit Jesu abgelehnt und die Erfüllung seiner Weissagung behauptet. Die Versuche jedoch, die P. Dausch[183] und I. Rohr[184] vorlegten, um die Erfüllung der nahen Wiederkunft Christi plausibel zu machen, befriedigten ihn nicht, vor allem deshalb nicht, weil sie die Wiederkunft Jesu sofort mit seiner Auferstehung beginnen ließen. Wir lebten dann folglich jetzt schon im eschatologischen Endreich, in der Periode der Vollendung. Der Paderborner Theologe sah in dieser Vorstellung einen verwerflichen Spiritualismus, der die Tatsachen verfälschte. Da somit in seiner Sicht eine rein exegetische Erörterung der mit der Parusie verbundenen Probleme zu keiner befriedigenden Erklärung führte, versuchte er die Lösung dadurch herbeizuführen, daß er das ganze Problem in den »dogmatischen Rahmen« spannte[185].

---

[178] Mat. 13, 24-30.47-50; 25, 1-13; 18, 23-25; 20, 1-16; 25, 14-30; Luk. 19, 11-28; Mat. 22, 1-14; 24 und 25; Mark. 13; Luk. 21.

[179] Mat. 7, 14; 18, 8-9; 19, 17; 25, 46.

[180] Vgl. Mat. 10, 39; Mat. 16, 25.

[181] Bartmann: Reich Gottes. S. 49, ebenso S. 50.

[182] Ebd. S. 52. - Vgl. Joh. 6, 58; 14, 10.17.20.23; 15, 4.6-7; 17, 23.26.

[183] Vgl. P. Dausch: Kirche und Papsttum eine Stiftung Jesu. (BZfr. 4. F. H. 2.) Münster 1911. S. 11.

[184] Vgl. I. Rohr: Die Geheime Offenbarung und die Zukunftserwartungen des Urchristentums. (BZfr. 4. F. H. 2.) Münster 1911.

[185] Vgl. Bartmann: Reich Gottes. S. 56.

B. Bartmann ging davon aus, daß die Dogmatik zwischen einem allgemeinen und einem besonderen Gericht unterscheidet[186]. Beide sind verwandt, ihrem Wesen nach gleich, und zeigen doch auch mancherlei Verschiedenheiten. So sicher es nun ist, daß die Kirche beide Gerichtsformen auf Grund der Offenbarung dogmatisiert hat, so historisch gewiß ist es, daß es zu ihrer klaren Unterscheidung erst eine geraume Zeit bedurfte[187]. Der Grund dafür ist nach B. Bartmann darin zu sehen, daß die Offenbarungsaussagen über beide Gerichtsformen nicht ausdrücklich und formell getrennt sind und für den ersten Blick vielfach ineinander überfließen. Der Hauptton freilich, so stellte er fest, habe zu allen Zeiten auf dem allgemeinen Gericht gelegen, was aber Christus angehe, so habe dieser den Vorgang in prophetischer Unbestimmtheit und Dunkelheit gelassen, so daß die Angabe eines festen Zeitpunkts für den Anbruch des eschatologischen Gottesreiches ausgeschlossen sei[188]. B. Bartmann benutzte nun dieses Argument, um die von der eschatologischen Schule behauptete Naherwartung Jesu abzuweisen, obgleich er an den Texten, die von einer nicht fernen Nähe des Kommens des Herrn und von einem persönlichen Erleben des jüngsten Tages zu reden scheinen, nicht vorbeisehen konnte. Für unmöglich hielt er es, daß Christus mit seinen bejahenden Äußerungen die ausdrücklich und kategorisch verneinenden, wieder aufheben oder lockern wollte. Das widerspricht nach B. Bartmann seinem geschlossenen, fertigen Charakter und seiner Ehrfurcht vor dem Vaterwillen. Andererseits mußte der Theologe aber zugestehen, daß die in Frage stehenden Äußerungen eschatologischen Charakter tragen, daß sie im Zusammenhang mit Ausführungen über das Ende der Stadt und auch der Welt gesprochen wurden. B. Bartmann hielt es daher für gegeben, daß sie in irgendeiner Form, und zwar im eschatologischen Sinn, an jenen in Erfüllung gegangen sein müssen, zu denen sie gesprochen waren. Er überlegte, zu wem sie eigentlich gesprochen wurden und erkannte: Zu Freunden und Feinden, zu Aposteln und Pharisäern, und zwar vor dem Gericht; zu den einen als Ermunterung, zu messianischem Eifer, zu den anderen als Bedrohung mit dem göttlichen Zorn. B. Bartmann schloß daraus, daß in den gedachten Worten also ganz gewiß eschatologische Erfahrungen angekündigt sind, die dem Zukunftsreich schon angehören oder doch verwandt sind, jedoch sind sie - wie er festzustellen meinte - partikulär, nur für jene bestimmt, zu denen sie persönlich gesprochen wurden, und auch nur für diese von eschatologischer Bedeutung. Vom Standpunkt der späteren Dogmatik aus glaubte er, sagen zu können, es sei ein besonderes Gericht, das über Jesu Zuhörer ergehen werde, nicht das allgemeine, eigentlich endgeschichtliche. Diese spätere Unterscheidung glaubte er hier um so mehr anbringen zu dürfen, als er diese deutlich in der Gesamtlehre Jesu hervortreten sah[189]. Er resümierte: Christus tritt aus dem allgemeinen eschatologischen Rahmen heraus und beurteilt im voraus bestimmte konkrete Einzelfälle im Lichte des jüngsten Tages. Hierin zeigt sich eine spezielle Anwendung der allgemeinen Wahrheit auf konkrete Fälle, und ebenso ist daher

[186] Näheres siehe unten S. 633-634, 647.
[187] Vgl. Bartmann: Lehrbuch der Dogmatik. Freiburg ²1911. S. 827-829.
[188] Ders.: Reich Gottes. S. 56-57.
[189] Vgl. Luk. 16, 1-27; Mat. 18, 23-35; 25, 14-30; Joh. 3, 17-19; 5, 24; 12, 31; auch Heb. 9, 27

das besondere Gericht für jeden, der es erlebt, von der Wahrheit und Entscheidung des allgemeinen[190].

Christus verbindet also nach B. Bartmann in gewisser Weise die zwei Wahrheiten vom allgemeinen und besonderen Gericht; er zieht für bestimmte Fälle aus der allgemeinen Wahrheit die besonderen Folgerungen, macht aus ihr die praktische Anwendung, zeigt, daß die dennoch theoretische Wahrheit doch für den Einzelnen ihre sofortige Beobachtung fordert und nahe Wirkung hat und nicht einzig eine Sache der fernen unberechenbaren Zukunft ist. In vielen Gleichnissen Jesu[191] werden daher nach B. Bartmann nicht nur schon vorzeitige, definitive Urteile gefällt, sondern auch meist in den Formen und Farben ausgesprochen, wie sie der Schilderung des großen eschatologischen Enddramas eigentümlich sind.

Nach diesem Lösungsversuch des Paderborner Dogmatikers liegt also zwischen den unbestimmt gehaltenen Äußerungen über den allgemeinen Gerichtstag und den bestimmter lautenden an die zur Mission ausgesandten Jünger und an das ungläubige Synedrium so wenig ein Widerspruch, wie zwischen der dogmatischen Lehre vom allgemeinen und besonderen Gericht. Grundsätzlich hielt B. Bartmann eine Wahrheit, die nur allgemein und theoretisch ausgesprochen würde und keine sofortige spezielle Anwendung für besondere Fälle zuließe, für unfruchtbar. Entsprechend erklärte er: Christus habe zwar keinen Auftrag, den jüngsten Tag zu offenbaren, wohl aber habe ihm der Vater jetzt bereits die Vollmacht gegeben, Gericht zu halten, weil er der Menschensohn ist. Freilich konnte der Theologe nicht übersehen, daß durch die Annahme einer antizipierten besonderen Anwendung des Endgerichts eine gewisse Doppelseitigkeit und Doppelsichtigkeit in die eschatologische Verkündigung Jesu kam, aber der Unterschied war für ihn letztlich eben kein anderer als der zwischen dem Allgemeinen und Besonderen[192].

In dieser von Christus selbst beliebten zweifachen Art, den Parusiegedanken zu handhaben, lag für B. Bartmann auch die Lösung für die zukünftige Entwicklung des Christentums: Christus selbst erinnert energisch an das nahe Ende und baut doch eine Kirche für die kommende Zeit; er gründet das Himmelreich für die Kinder Gottes und rechnet doch damit, daß es auch Sünder beherbergt, die stets der Sündenvergebung bedürfen... Er verspricht den Jüngern, daß sie ihn gleich nach dem Tode wiedersehen werden, und setzt doch Stellvertreter für sich ein; er verknüpft jeden Gläubigen unmittelbar mit Gott und ordnete doch dauernde objektive Sakramente an; er sagt, er sei nur zu den verlorenen Schafen des Hauses Israel gesandt und nimmt sich doch selbst auch bisweilen der Heiden an und stellt ihnen allen grundsätzlich sein Reich in Aussicht. Das alles waren für B. Bartmann keine Widersprüche, sondern die göttliche Wahrheit in verschiedener praktischer Beleuchtung und Anwendung. Denn auch später, so glaubte er zu erkennen, handeln die Apostel und die Kirche ebenso. Sie glauben an das nahe Ende und richten doch energisch und zielbewußt ihren Blick auf die Bekehrung der ganzen Welt. Sie wollen den Tag Christi erleben und gehen doch vor dessen Anbruch für ihre Lehre

---

[190] Bartmann: Reich Gottes. S. 61.
[191] Bartmann verweist auf Luk. 19, 11-28 (= Mat. 25, 14-30); Luk. 16, 1-13.19-31; Mat. 18, 23-35; 22, 1-14; 8, 11-12; 21, 18-19.
[192] Bartmann: Reich Gottes. S. 62.

in den Tod; sie sagen, der Richter steht vor der Tür und geben doch Anleitung, wie fortan die Christen unter sich ihre Streitigkeiten schlichten sollen; sie wissen, daß das Reich Gottes die vollkommene Gerechtigkeit bringt und fordert und empfehlen doch immerfort die Buße für die Glieder; sie wissen, daß sie in der »letzten Stunde« leben, erinnern aber doch daran, daß »beim Herrn ein Tag wie tausend Jahre« ist. Und wie die Apostel, so urteilen auch die Väter. Nach B. Bartmann wiederholen sie alle bis hinab in die mittelalterliche Zeit, daß das Ende nahe ist und der Herr kommt, um Gericht zu halten, - und leben und arbeiten doch im Reiche Gottes und an der Bekehrung der Welt, als wenn jener Tag noch in weiter Ferne stände. Der Theologe erinnerte daran, daß Chiliasten, Montanisten und andere schwärmerische Sekten, wenn sie die Menschheit vor der Zeit mit eschatologischen Brandreden beunruhigten oder auch in quietistischer Trägheit von den wahren Aufgaben der steten Selbst- und Welterneuerung abwenden wollten, allezeit durch die Kirche scharfen Widerspruch und kühle Zurückweisung erfahren haben. Gegen die These, die lebhafte Erwartung der Wiederkunft Christi habe dem Urchristentum die Herzen der bedrängten Menschheit zugewendet und seine Ausbreitung begründet, erwiderte er, daß diese Erwartung nur ein verursachendes Moment des raschen Erfolges war - und nicht einmal das wichtigste; denn, so erklärte er, wäre es das gewesen, so hätte es die Probe der Verfolgungen, die sofort seine Einführung in die Welt dauernd begleiteten, nicht so glänzend bestanden. Aus der Tatsache, daß die ersten Christen für ihren Glauben scharenweise den Tod freudig erduldeten und alle Opfer auf sich nahmen, obschon sie die Wiederkunft Christi so wenig erfuhren wie wir heutigen, folgerte B. Bartmann, daß ihr Glaube nicht hauptsächlich auf einer eschatologischen Hoffnung begründet gewesen sein könne; er wäre bald elendig zusammengesunken. Freilich, das gestand er zu; ein Recht zu dieser Hoffnung hatten sie: in der Lehre Christi; aber sie beschieden sich über den Zeitpunkt der Erfüllung: wegen der Lehre Christi[193].

In einem weiteren Abschnitt erörterte B. Bartmann den Reich-Gottes-Begriff in der Predigt der Apostel[194]. Hinsichtlich der paulinischen Theologie faßte er zusammen, daß auch nach Paulus das Reich Gottes eine geistige Größe, ein Reich der Wahrheit und Gnade, der Gotteserkenntnis und Sündenvergebung ist, schon im Diesseits in gewissem Grade existierend, aber erst bei der Parusie im Jenseits vollendet. Freilich, auch das sah B. Bartmann, diese Parusie wird von Paulus als nicht mehr fern gedacht[195].

Bei einem Rückblick über die gefundenen Resultate hielt B. Bartmann fest, daß der Grundton der Reich-Gottes-Predigt bei Christus allerdings eschatologisch klinge: Die vollkommene Form des Reiches gehört der Zukunft an; sie ist gänzlich transzendent, jenseitig, himmlisch. Weil die präsentische, diesseitige Form derselben sich im Kampfe gegen Satan und eine gottfeindliche Welt durchsetzen muß, was zugleich für die Reichsglieder die Bedeutung einer Bewährung hat, erscheint das eschatologische Reich wesentlich als Lohn und Vergeltung. Das Reich Gottes ist also zunächst Gnade, aber es ist in seiner Diesseitsform auch eigene Tätigkeit,

---

[193] Ebd. S. 64.
[194] Ebd. S. 64-79.
[195] Ebd. S. 66. - Vgl. auch die Rez. von Bartmann zu: F. Guntermann. Die Eschatologie des hl. Paulus. (NTA. 13. 4/5.) Münster 1932. In: ThGl 26 (1934) 502.

Gabe aber auch zugleich Aufgabe[196]. Das Ziel dieser übernatürlichen Befruchtung des Menschengeistes und seiner sittlichen Kräfte ist nach B. Bartmann die »bessere Gerechtigkeit« die Verähnlichung mit Gott oder das Werden zum Kinde Gottes[197]. Erst in dem eschatologischen Himmelreich wird dieses Ziel vollkommen und gänzlich erreicht: Volle Gottebenbildlichkeit und ganze Gotteskindschaft, vollendetes Leben in und aus Gott in überschäumender Fülle[198], Gottesgemeinschaft - in der Sprache der scholastischen Theologie »participatio divinae naturae«[199].

Als dogmatische Summe zog B. Bartmann aus dem biblischen Reich-Gottes-Begriff die Erkenntnis, daß er wegen seiner Vielseitigkeit mit einem dogmatischen Terminus nicht adäquat wiederzugeben ist; daß er jedoch die gesamten Fundamentalwahrheiten der Dogmatik umklammert und über alle Partien der Glaubens- und Sittenlehre sein Licht wirft. In dieser summarischen Fülle des Inhaltes sah der Paderborner Dogmatiker den Hauptgrund dafür, weshalb der Himmelreichsbegriff sich in der späteren Theologie nicht zu einem dogmatischen Traktat entwickelt hat: »Er war zu groß für spätere Generationen«[200].

Zum Schluß kam B. Bartmann auch bei dieser Studie auf das Verhältnis ἐκκλεσκκλεσία und βασιλεία zu sprechen. Er verwies darauf, daß auch der Begriff »Kirche« eine ähnlich umfassende Ausdeutung erhalten hatte, obwohl sie niemals mit dem Himmelreich schlechthin in eins gesetzt wurde. Er erklärte: Wenn man später den Begriff der Kirche auch auf das jenseitige Reich Gottes ausgedehnt habe, so sei zwar der Kirchenbegriff in erweitertem Sinne genommen, aber in seiner engeren und eigentlichen Bedeutung keineswegs aufgegeben. B. Bartmann wollte daher der Deutlichkeit halber jeweils von der »streitenden«, »leidenden« und »triumphierenden Kirche« sprechen, und er betonte, daß diese drei Begriffe in der katholischen Theologie keineswegs »konfundiert« werden. Gegenüber der These der radikalen Eschatologie, daß zwischen der Kirche und dem Reich Gottes jede Beziehung und Verwandtschaft, jede inhaltsreiche Übereinstimmung fehle, verwies er noch einmal auf das Wort Christi[201], wonach zwischen der Kirche und dem Himmelreich auf Erden der innigste Zusammenhang und die lebhafteste Einheit besteht[202].

Schlußbemerkung: Es soll nicht verschwiegen werden, daß nach einem Wort von P. Dausch - »viele Leser« sich darüber enttäuscht sahen, wie der Paderborner Dogmatiker in seiner Studie über das Reich Gottes die aktuelle Parusie-Frage behandelt hatte. Der Exeget hielt nichts davon, das schwierige Problem »in einen dogmatischen Rahmen einzuspannen«. Kritisch bewertete er vor allem das Bestreben, den Übergang von der universalen Vollendung zur besonderen, wie er sich bei Matthäus andeutet, zu verallgemeinern. Wegen der Verschiedenheit der Objekte, die sich in der eschatologischen Verkündigung deutlich zeigt, wies er den Lösungsversuch B. Bartmanns als nicht akzeptabel zurück. Sein Urteil: »Die allgemeine und

---

[196] Bartmann: Reich Gottes. S. 76.
[197] Vgl. Mat. 5, 20; Luk. 6, 36; Joh. 3, 3.5; 15, 1-8.
[198] Vgl. Joh. 7, 38-39; 10, 10.
[199] Bartmann: Reich Gottes. S. 77. - Vgl. ders.: Lehrbuch der Dogmatik. [2]1911. S. 499-503.
[200] Ders.: Reich Gottes. S. 78.
[201] Mat. 16, 17-18.
[202] Bartmann: Reich Gottes. S. 79.

besondere Vollendung verhält sich nicht wie das Allgemeine zum Besonderen«[203]. - Von dieser Detailfrage abgesehen, bei der P. Dausch meinte, daß die Exegeten das letzte Wort behalten werden, bezeugte der Kritiker jedoch, daß diesem Reich-Gottes-Buch Anerkennung und Dank zu zollen sei. Ähnlich positiv äußerten sich verschiedene Stimmen zu der ersten Schrift über das Himmelreich[204]. Bemerkenswert bleibt in jedem Fall, daß B. Bartmann sich bemühte, die Detailfragen der Eschatologie in ihrem Zusammenhang mit der gesamten katholischen Glaubenswahrheit zu sehen. Schon von hier aus wird deutlich, daß für diesen Dogmatiker die Eschatologie niemals ein isolierter Traktat »Von den letzten Dingen« am Ende eines Lehrbuchs war.

Bevor wir dies im folgenden Kapitel verdeutlichen, sei an dieser Stelle noch aufgezeigt, welche Stellung Christus als dem König im Gottesreich nach den Untersuchungen B. Bartmanns zukommt.

— Der König des Himmelreiches

Das messianische Reich ist da, wo aber ist sein Messias? B. Bartmann ging davon aus, daß beide stets zusammengedacht wurden, ja daß man von dem einen nicht reden könne ohne das andere zu nennen, - die Schwierigkeit aber bestand darin, daß die moderne Kritik Jesus ein Messiasbewußtsein gänzlich absprach[205]. Nach A. Loisy war Jesus nicht der Messias, weil das neue Jerusalem noch nicht existierte und somit die messianische Macht gar nicht ausgeübt werden konnte; daher seine These, daß zu einem erst kommenden Reich auch nur ein erst zukünftiger Messias passe[206].

Gegenüber einer solchen »negativen Christologie« stellte B. Bartmann heraus, daß Jesus sich in seiner Lehre ausdrücklich auf die alttestamtentliche Prophetie bezogen hat und daß er in den Evangelien mit Recht als der Erlöser und Retter Israels gepriesen wird, als Davidssohn, König und Herr des Gottesvolkes[207]. Der Dogmatiker hielt es für ein leichtes, aus dem Leben Jesu jene Charakteristika zusammenzustellen, die Christus selbst zwar nicht formell mit dem Messiastitel verknüpft hat, die sich jedoch aus dem dreifachen Gesichtspunkt ergeben, daß er als prophetischer Lehrer, König und Priester auftritt; das heißt als ein solcher, der das »praeceptum Dei« zur Anerkennung bringen will und dabei als Rex Judaeorum am Kreuz stirbt - paradox genug, jedoch deshalb auch wiederkommend als der Judex vivorum et mortuorum[208]. In diesem Sinne muß Jesus auch in seiner gebräuchlichsten Selbstbezeichnung als ὁ υἱὸς τοῦ ἀνθρώπου verstanden werden: Dies ist keine »Neuprä-

---

[203] Vgl. die Rez. von P. Dausch zu: Bartmann. Reich Gottes. In: ThRv 11 (1912) 399-400. - Zitat ebd. S. 400.

[204] So im ganzen H. Holtzmann. Dazu siehe oben S. 584, Anm. 73.

[205] Vgl. Harnack: Das Wesen des Christentums. S. 82.

[206] Loisy: Evangelium und Kirche. S. 68-73.

[207] Vgl. u.a. H. Felder: Jesus Christus. Apologie seiner Messianität und Gottheit gegenüber der neuesten ungläubigen Jesusforschung. 2 Bde. Paderborn 1911-1914. - J. Döller: Die Messiaserwartungen im Alten Testament. (BZfr. 4. F. H. 6-7.) Münster 1911. - E. Sellin: Die israelitisch-jüdische Heilandserwartung. (BZSF. Ser. 5. H. 2/3.) Groß-Lichterfelde 1909. - A. von Gall: Βασιλεία τοῦ θεοῦ. Eine religionsgeschichtliche Studie zur vorkirchlichen Eschatologie. (RWB. 7.) Heidelberg 1926. - Vgl. dazu die Rez. von Bartmann in: ThGl 19 (1927) 125.

[208] Vgl. Bartmann: Himmelreich. S. 83-85.

gung«, sondern die bewußte Übernahme der Daniel-Vision, bei der die feierliche Belehnung mit der Gottesherrschaft eine bedeutende Rolle spielt[209]. B. Bartmann versuchte nachzuweisen, daß selbst die demütige Menschlichkeit Jesu nicht verhindern konnte, das in Erscheinung treten zu lassen, was er wirklich ist. Mit der Selbstbezeichnung Jesu verhält es sich nach B. Bartmann wie mit dem Titel vom Reiche Gottes oder vom Himmelreich: Er wird in wirklichem Sinne gebraucht, aber er enthält vor der Hand noch ein Geheimnis, weil er erst allmählich, in einem Prozeß, nicht plötzlich und auf einmal ganz zu seiner Entfaltung und Wirklichkeit kommt. So bestand B. Bartmann darauf, daß Jesus trotz dieses geschichtlichen Nacheinander in der vollen Offenbarung als Menschen- wie übrigens auch als Messias und Gottessohn - von Anfang an der wahre bleibende triumphierende υἱὸς τοῦ ἀνθρώπου der Propheten ist. »Die Allmählichkeit des Offenbarwerdens ist zwar ein Geheimnis für jene, die auf eine plötzliche Erfüllung hoffen, aber sie hebt den Begriff und die Wirklichkeit der Sache nicht auf«[210].

Bei einer Überprüfung der gesamten Summe der mit dem Menschensohn verbundenen Aussagen bemerkte B. Bartmann die große Anzahl der Stellen, in denen Jesus seine Wiederkunft in Herrlichkeit auf den Wolken des Himmels verkündigt[211]. Aus all dem schien ihm ganz klar hervorzugehen, daß Jesus sich in seinen Parusiereden ganz zweifellos auf das danielische Gesicht bezieht. Dabei äußerte er grundsätzlich: Niemand werde erwarten, daß Jesus sich in der Wiederholung dieses Bildes ängstlich an den engen Rahmen halte, in dem es bei Daniel erscheint ... »Christus hängt nie sklavisch am Buchstaben und die Prophetie erhält ihr Licht von der Erfüllung, nicht aber bleibt die Erfüllung in die Fessel der Verheißung geschlagen«[212]. Wir verlassen hier den ersten Entwurf, in dem B. Bartmann sich um den Nachweis mühte, daß der »König des Himmelreiches« Messias, Menschensohn und Gottessohn ist, und wenden uns der Monographie zu, in der er Jahre später das gleiche Thema ausführlicher besprach.

Die Veröffentlichung des Buches »Jesus Christus unser König und Heiland«[213] fiel zusammen und der Einführung des Christkönigfestes durch Papst Pius XI. bei Abschluß des Heiligen Jahres 1925[214]. Der Dogmatiker, der inzwischen 1924 - wie das Titelblatt erwähnte - »Hausprälat Sr.Heiligkeit« geworden war[215], verwies darauf, daß auch der Papst Christus als Heiland und König, als Herrn und Gebieter der Christenheit, ja der gesamten Menschheit darstellt. Nach der Zusammenfassung B. Bartmanns ist die Herrschaft durch die geheimnisvolle Vereinigung der menschlichen Natur mit der zweiten göttlichen Person begründet, weshalb sei-

---

[209] Dan. 2; 7.

[210] Bartmann: Himmelreich. S. 69.

[211] Bartmann verwies u.a. auf Mat. 16, 27; Mark. 8, 38; Luk. 9, 26. - Mat. 24, 27.30; Mark. 13, 26; Luk. 17, 24; 21, 27. - Mat. 25, 31. - Mat. 26, 64; Luk. 12, 8-9; 17, 30.

[212] Bartmann: Himmelreich. S. 93.

[213] Ders.: Jesus Christus unser König und Heiland. (KLW.) Paderborn 1-21926. (Zitiert: Jesus Christus.) - Vgl. dazu die Rez. von M. Meinertz. In: ThRv 26 (1927) 325-327. - A. Merk. In: Scholastik 2 (1927) 423-424. - Vgl. zum Thema „Das Königtum Christi" Bartmann: Lehrbuch der Dogmatik. 21911. S. 375-384. - Dass. 81932. Bd. 1. S. 406-418.

[214] Vgl. Pius XI.: Enz. „Quas primas" (11.12.1925). In: AAS 17 (1925) 593-610. - Dass. deutsch in: HLK. S. 55-76.

[215] Vgl. Bartmann: Selbstdarstellung. S. 31.

ne Gewalt so weit reicht wie die göttliche überhaupt: sie ist allgemein. Ein anderer Rechtsgrund liegt nach B. Bartmann in seinem Erlösungswerk. Er erklärte: Alle Menschen sind von ihm erkauft um den teuren Preis seines Blutes. Also herrscht Christus nicht bloß kraft angeborenen, sondern auch kraft selbsterworbenen Rechtes. Und zwar umfaßt die Herrschaft Christi eine dreifache Gewalt: die gesetzgeberische, die richterliche und die vollziehende. Doch ist sie wesentlich geistiger Natur, obwohl bei dieser Feststellung nicht geleugnet werden darf, daß sie sich auch auf das Irdische bezieht. Unschätzbar sind die Vorteile, die sich aus der Herrschaft Christi für den Staat, die Familie, die Gesellschaft und den Einzelmenschen ergeben. Wo das Königtum Christi anerkannt wird, da herrscht Freiheit und Recht, Ordnung und Ruhe, Eintracht und Frieden[216].

B. Bartmann begrüßte es als eine mutige Tat, daß der Papst gleich eingangs mit Nachdruck auf den göttlichen Grund der Herrschaft Christi hinwies. Damit, so erläuterte er, werde zugleich die Hauptthese der liberalen Theologie getroffen, nach der der Logoschristus abgetan sei, um dem menschlichen Jesus seinen Siegeslauf zu eröffnen (M. Rade[217]). Demgegenüber erinnere der Papst kraftvoll an den Christus des Nizänums (325), dessen sechshundertster Jahrestag gerade in der Kirche gefeiert wurde[218]. So stehe der Christus der katholischen Kirche fest und unerschütterlich in klarem und eindeutigem Glaubensverständnis: »Jesus Christus gestern und heute, derselbe auch in Ewigkeit!«[219].

Obwohl sich B. Bartmann in voller Übereinstimmung mit den Ausführungen des Papstes wußte, so muß sein Buch doch in seiner Eigenständigkeit gesehen werden. Es war in der Tat kein Kommentar zur päpstlichen Enzyklika, sondern setzte in direkter Linie die Bemühung fort, die B. Bartmann mehr als zwanzig Jahre zuvor in Auseinandersetzung mit dem Christusverständnis der liberalen oder radikal eschatologischen Theologie begonnen hatte. Immer noch war es der gleiche Gegner, dem der Paderborner Theologe ruhig und sachlich begegnete, freilich auch mit jener überlegenen Zuversicht, die ihm ein sicheres Glaubensfundament gab, und die zugenommen hatte, nachdem die modernistische Krise abgeklungen war. Im übrigen verdankte der Dogmatiker seine Sicherheit nicht nur der überlieferten Glaubenslehre der Kirche, sondern ganz ursprünglich auch der Quellenlage. M. Meinertz machte ihn allerdings darauf aufmerksam, daß es leichtfertig sei zu glauben, die Evangelienkritik von H. S. Reimarus[220], D. F. Strauß[221], F. Chr. Baur[222]

---

[216] Ders.: Jesus Christus. S. XVI-XVIII. - Vgl. ders.: Selbstdarstellung. S. 31-32.
[217] Bartmann verwies auf M. Rade: Glaubenslehre. 3 Bde. (BChW.) Gotha, Stuttgart 1914-1926-1927. - Martin Rade (1857-1940) begegnete während seines Studium in Leipzig A. Harnack. Ab 1900 lehrte er in Marburg systematische Theologie. - Vgl. K. Kupisch: Martin Rade. In: RGG³ 5 (1961) 762-763. - J. Rathje: Die Welt des freien Protestantismus. Ein Beitrag zur deutsch-evangelischen Geistesgeschichte. Dargestellt am Leben und Werk von Martin Rade. Stuttgart 1952.
[218] Vgl. Pius XI.: Enz. „Lux veritatis" (25.12.1931.) Zur 15. Zentenarfeier des Konzils von Ephesus. In: AAS 23 (1931) 511-517. - Schlußteil davon deutsch in: HLK. S. 279-285. - A. d'Alès: Le dogme de Nicée. Paris 1926. - Vgl. Bartmann: Jesus Christus. S. 604-605.
[219] Heb. 13, 8. - Bartmann: Jesus Christus. S. XVIII.
[220] H.S. Reimarus siehe oben S. 278.
[221] Zu D.F. Strauß siehe oben S. 103.
[222] Zu F. Chr. Baur siehe oben S. 93.

sowie die phantastischen Hypothesen von A. Drews[223] seien durch die Darstellung von Ursprung und Anfang des Christentums, wie sie E. Meyer vorgetragen hatte, hinfällig geworden[224].

In einem Abschnitt über die religiöse Weltlage kam B. Bartmann auch auf den Geschichtsbegriff zu sprechen, den er für seine Theologie als maßgebend erachtete. Dabei griff er die These christlicher Geschichtsphilosophie auf, daß in der alten Welt nur Israel und der Parsismus einen echten Geschichtsbegriff hatten, weil ihre Religion eschatologisch bestimmt, das heißt auf ein Ende hin gerichtet war, - alle anderen Religionen zeigten sich mehr oder weniger durchtränkt von dem pantheistischen Gedanken der Ewigkeit der Welt und der steten Wiederkehr aller Dinge. Wirkliche Geschichte schien daher auch B. Bartmann nur begreiflich vom Standpunkt des theistischen Schöpfungsbegriffes aus, nach dem Gott die Welt frei hervorbringt und ihr ein Ziel gibt, das sie im Ablauf von Zeitepochen erreichen soll[225]. Soweit die Menschheit, die Krone der Schöpfung in Frage kommt, sah der Dogmatiker dieses Ziel in der Vereinigung mit der Gottheit, durch die sie ins Dasein gesetzt worden war. Er erinnerte daran, daß sie - statt sich durch eine freie sittliche Tat des Gehorsams entschlossen diesem Ziel zuzuwenden - in einem verhängnisvollen Augenblick, in einem raschen Zugreifen sich eine eigene Bestimmung zu geben versucht, und zwar eine direkt dem Schöpfer feindlich entgegengesetzte. Nicht, daß sie Gott gleich werden wollte, war ihre Sünde, - es war ja das ihr von Gott gegebene Ziel - aber daß sie es unter Abwendung von Gott im Bunde mit Satan in selbstischer Weise zu erreichen suchte, das war - wie B. Bartmann hervorhob - ihre große Sünde, ihre schwere Schuld, ihr Todesverhängnis. Dennoch: Es hätte der Güte Gottes nicht entsprochen, wenn er die verirrte Menschheit ihrem Verhängnis überlassen hätte. Schon bei seinem harten Gericht über den gefallenen Menschen deutete er an, er werde die guten Absichten, die er mit ihm habe, nicht aufgeben, sondern in neuer Weise verwirklichen. So erscheint bereits im »Proto-evangelium« - wenn auch erst in schwachen Umrissen - die Gestalt des Erlösers. Für B. Bartmann wurde damit deutlich, daß die Erlösung eine freie Schenkung Gottes ist, aber auch, daß sie geschichtlich verlaufen soll, eschatologisch bestimmt und mit der Ankunft des Schlangenzertreters verwirklicht. Das Gericht über ihn sah er grundsätzlich schon im Paradies geschehen. Aber freilich: Ehe die Menschheit unter Anführung und Anleitung ihres Erlösers ihrerseits den Kampf gegen das Böse, in das sie nun verstrickt ist, ausgekämpft hat, verfließen lange Zeitepochen der Vorbereitung und Erfüllung. »Aber alles wird sich vollziehen in einem irdischen Geschehen, in einer Geschichte, die man die Heilsgeschichte der Menschheit genannt hat«[226].

Es ist, so sagte B. Bartmann, wie um alle menschliche Geschichte so auch um die Heilsgeschichte ein »geheimnisvolles Ding«: Zuletzt ist auch die Profange-

---

[223] Zu A. Drews siehe oben S. 20.

[224] E. Meyer: Ursprung und Anfänge des Christentums. 3 Bde. Stuttgart 1921-1923. - Vgl. Bartmann: Selbstdarstellung. S. 24. - M. Meinertz. In: ThRv 26 (1927) 326-327. - Bartmann: Jesus Christus. S. 7-11.

[225] Ebd. S. 23.

[226] Ebd. S. 24.

schichte ein Stück Heilsgeschichte, auch wenn es nicht so deutlich zutage tritt. B. Bartmann war überzeugt: »Alles irdische Geschehen vollzieht sich auf Erden durch Menschen und ist zunächst ein Streben nach Verwirklichung irdischer Pläne. Aber ihre Leistung und Gestaltung liegt doch zuletzt in den unsichtbaren Händen Gottes, der alles auf ein von ihm gekanntes und von ihm gewolltes Ziel hinlenkt«[227]. Schon von den Tagen des Paradieses an ist Christus das Ziel der Menschengeschichte, der Weltgeschichte. In dieser Glaubenswahrheit sah sich der Theologe in Übereinstimmung mit dem Geschichtsphilosophen N. Berdjajew, der schrieb: »Die Geschichte bewegt sich auf ein Faktum hin, das Erscheinen Christi und sie geht von einem Faktum aus, von dem Erscheinen Christi. Damit war der allertiefste Dynamismus der Geschichte bezeichnet: die Bewegung der Geschichte nach dem Herzen des Weltprozesses hin und ihre Bewegung vom Herzen dieses Prozesses aus«[228]. Diese geschichtsphilosophischen Gedanken sah B. Bartmann von der paulinischen Theologie her bestätigt[229].

Bei Abfassung seines Buches benutzte der Dogmatiker wiederum das Verfahren, das er schon früher erfolgreich angewandt hatte: Jesus Christus wurde als unser Heiland und König biblisch-dogmatisch dargestellt, das heißt in einer Analyse aller Aussagen des Alten und Neuen Testaments im Zusammenhang der gesamten katholischen Glaubenslehre. Der Stoff wurde nach systematischen Gesichtspunkten geordnet; soweit wie es ging, folgte der Theologe bei dieser Arbeit dem Zeitschema, wie es in dem synoptischen Evangelium hinsichtlich des Lebens und Wirkens Jesu Christi aufgestellt war. In einem Vorwort stellte er eine kurze Zusammenfassung dessen vor, was er bereits in seinen ersten Büchern über das Reich Gottes und seinen König dargelegt hatte[230]. Eigens erörterte er noch einmal die »Entscheidungsfragen«: Ist Jesus der Messiaskönig, ist er Gottes Sohn? Wieder bemühte er sich um den Nachweis, daß Jesus sich als Menschensohn im Sinne der Vision des Danielbuches verstanden hat[231]. Es war ihm danach völlig gewiß, daß Jesus von Anfang an ein messianisches Bewußtsein hatte, wenngleich er sein messianisches Selbstzeugnis nur langsam und vorsichtig ablegte[232]. Die Wunder laufen nach B. Bartmann diesem Selbstzeugnis parallel[233]. Auf die erste Phase seines Daseins in Niedrigkeit, Leid und Tod folgt die zweite Periode, wie sie Daniel geweissagt hat und wie sie im Apostolischen Glaubensbekenntnis ihren Ausdruck fand: »Sitzet zur Rechten Hand Gottes, des allmächtigen Vaters, von wo er wiederkommen wird zu richten die Lebendigen und die Toten«[234]. Von dieser Erkenntnis aus erörterte er die Frage nach der Gottessohnschaft Jesu[235].

---

[227] Ebd. S. 24.
[228] Ebd. S. 25. - N. Berdjajew: Der Sinn der Geschichte. Versuch einer Philosophie des Menschengeschicks. Mit einer Einleitung des Grafen H. Keyserling. Darmstadt 1925. S. 63.
[229] Bartmann verwies auf Gal. 4, 4.
[230] Vgl. besonders Bartmann: Jesus Christus. S. XIV-XV.
[231] Ebd. S. 413-414.
[232] Ebd. S. 416.
[233] Ebd. S. 418.
[234] Ebd. S. 419-420.
[235] Ebd. S. 421-438.

B. Bartmann schloß sein Buch mit einem Anhang über den fortlebenden Christus[236], in dem er ganz zuletzt den Herrn noch einmal als den rex gloriae vorstellte[237]. Mit dem Ruf von der Nähe des Himmelreiches begann der Herr sein messianisches Wirken - nun galt es, zu zeigen, wie es mit der von ihm ausgerufenen Königsherrschaft geworden ist. Wieder zitierte der Theologe die Prophetenstimmen Jesaja und Daniel, und das Bekenntnis des Neuen Testaments, nachdem diese Prophezeiungen in Jesus Christus ihre Erfüllung fanden[238]. Gegenüber den Theologen, für die Jesus sein Königtum als Mensch empfangen hat, erklärte der Dogmatiker, daß die tiefste Berechtigung zu dieser Herrschaft nicht schon in der menschlichen Natur des Herrn lag, auch nicht in einer bloßen äußeren Bestellung, sondern in der hypostatischen Union; in ihr empfing er vom Vater die Königssalbung. Weil Christi Königtum in dieser hypostatischen Union, also in einer Salbung mit der Gottheit selbst, seinen tiefsten Grund hat, so erkennt man nach B. Bartmann leicht, daß nur er allein König ist über die Menschheit, daß neben ihm kein anderer in derselben Weise König sein kann, sondern nur »von Gottes Gnaden« aus an seinem Königtum teilnimmt, und endlich, daß keiner sich diesem Königtum, dem Bereich dieser Herrschaft entziehen kann[239]. Frage blieb allerdings, ob denn Jesus diese Herrschaft wirklich für sich gefordert, oder ob sie eine spätere kirchliche Zeit aus Freude an ihrem Religionsstifter frei erfunden oder von weltlichen Einrichtungen entnommen und auf ihn übertragen hat.

Trotz aller liberaler, kritischer Theologie bejahte B. Bartmann die Frage auf Grund des Zeugnisses, das das Neue Testament ihm gab[240]. Er gab Pius XI. recht, wenn dieser konstatierte: »Die katholische Kirche ist Christi Königtum auf Erden, das schlechterdings die ganze Menschheit und die gesamte Welt umfassen soll«[241]. Er stimmte zu, daß die katholische Kirche die Pflicht hat, durch den Jahreskreis des heiligen Gottesdienstes hindurch ihren Urheber und Stifter immer wieder als den König und Herrscher in schuldiger Verehrung huldigend zu grüßen. So wies er darauf hin, daß schon die Urkirche in dem festen Glauben lebte, daß bei jeder liturgischen Feier Christus in unsichtbarer, aber geheimnisvoll realer Weise vom Himmel herniedersteigt und unter den Seinigen weilt, um ihnen immer aufs neue die Versicherung der Treue und der Anbetung, der Hingabe und der Danksagung entgegenzunehmen. So war jede Eucharistiefeier eine Huldigung, die die Gemeinde ihrem König darbrachte[242].

Für B. Bartmann stand also fest: Jesus war ein König. Während seines Lebens hielt der Herr aus politischen Gründen mit dem glänzenden Königstitel zurück[243]. Nach seiner Auferstehung aber konnten die Jünger mit der Verkündigung seines Herrschertitels und mit dem Herrscherkult vollen Ernst machen. Jetzt konnten sie

---

[236] Ebd. S. 576-634.
[237] Ebd. S. 624-634.
[238] Jes. 9, 6-7; Dan. 7, 13-14; vgl. Luk. 1, 32.
[239] Bartmann: Jesus Christus. S. 626.
[240] Bartmann verwies auf Mat. 22, 44; vgl. Mat. 7, 21-22; Joh. 14, 15; 13, 34; Mat. 28, 29-30; vgl. Apg. 2, 36.
[241] Bartmann: Jesus Christus. S. 628.
[242] Ebd. S. 628-629.
[243] Ebd. S. 630.

ihn verkünden als den Gründer eines neuen Bundes, als den Gesetzgeber einer neuen Sittlichkeit und konsequent als den Weltenrichter[244]. Damit verband sich wie von selbst der Gedanke an die Wiederkunft. Als der »König der Könige«, »Herr der Herrscher« schreitet er durch die Geschichte der Kirche, wird gegenwärtig bei den liturgischen Feiern der heiligen Eucharistie und nimmt die Gebete und Verherrlichungsformeln, die Loblieder und Danksagungen entgegen, die die gläubige Gemeinde ihm darbringt. Als Herrscher wird er empfunden in seiner Erlöserstellung, da er durch die Erlösung die Menschheit als sein Eigentum erworben hat[245].

Wir verlassen an dieser Stelle den Entwurf B. Bartmanns. Rückschauend ergibt sich: So, wie schon das eschatologische Reich Gottes bei B. Bartmann hinter dem gegenwärtigen zurücktrat, so trat auch in seinem Christusbild der gegenwärtig fortlebende und als König herrschende Herr stärker hervor als der zukünftig wiederkehrende. Ganz vergessen konnte ihn freilich der katholische Theologe nie; bekannte er sich doch geschichtstheologisch klar zu einer eschatologischen Ausrichtung des Christentums wie der ganzen Heils- und Weltgeschichte. Dennoch hatte in seiner stark ethisch-pädagogisch ausgerichteten Theologie die Verwirklichung der Erlösung des Menschen durch Christus in der Aktualität der Gnade und Aufgabe den Vorrang vor aller kommenden Vollendung. Als er nach dem Ersten Weltkrieg seine Vorträge über »Des Christen Gnadenleben« veröffentlichte, hob er in seinem Vorwort hervor, daß das Ganze der Gnadenlehre die Summe dessen ist, was Gott in seiner Weisheit und Güte von Ewigkeit geplant und in der Abfolge der Zeiten getan hat, um der Menschheit ihr Teil an seinem göttlichen Gnadenleben zu geben. Programmatisch forderte er, daß die Botschaft von der Gnade - die zu allen Zeiten das Hauptstück der Gottesoffenbarung gewesen sei - wieder in den Mittelpunkt der christlichen Verkündigung gestellt werden müsse[246].

Die starke Betonung der Gnadenlehre zeigt, wie sehr die Theologie B. Bartmanns auf den konkret lebenden Menschen ausgerichtet war. Von einer Vorherrschaft der Anthropologie kann indes keine Rede sein, vielmehr hatte das gesamte dogmatische Bemühen des Paderborner Gelehrten in der Christologie ihren Angelpunkt. Dies trat schon in seiner Erstlingsschrift über die Rechtfertigung zutage, wurde aber auch in späteren Erörterungen immer wieder herausgestellt[247].

Nun hatte B. Bartmann erkannt, daß die Christologie in den synoptischen Selbstaussagen Jesu wurzelt und daß sie von da aus mit der Frage nach dem Wesen und der Natur des Himmelreiches zusammenhängt. Jeder Versuch, die Christologie zu stürzen, mußte daher die schlimmsten Auswirkungen haben. B. Bartmann erklärte: »Wer die Christologie untergräbt, macht, daß dem ganzen Christentum die Wurzeln absterben«[248].

---

[244] Vgl. Joh. 5, 23.
[245] Vgl. 1. Kor. 6, 20.
[246] Vgl. B. Bartmann: Des Christen Gnadenleben. Biblisch dogmatisch aszetisch dargestellt in sechsundvierzig Vorträgen. 2. und 3. vermehrte und verbesserte Auflage. Paderborn 1922. S.V. - Vgl. W. Breuning: Systematische Entfaltung der eschatologischen Aussagen. In: MS. Bd. 5. S. 827. Anm. 65. - H.Volk: Gott alles in allem. (Gesammelte Schriften. Bd. 1.) Mainz ²1967.
[247] Vgl. u.a. Bartmann: Paulus. S. 16-42: Die paulinische Christologie.
[248] Ders.: Selbstdarstellung. S. 22.

An einer besonders empfindlichen Stelle sah er Christus getroffen, wo man jenen in Gegensatz zu seiner hl. Mutter bringen wollte. Herausgefordert durch die liberale Position, bemühte sich daher der Dogmatiker um eine katholische Lösung des Problems[249].

Die Auseinandersetzung ging freilich noch weiter, da die liberale Theologie alle christlichen Hauptdogmen in religionsgeschichtliche »Analogien« aufzulösen schien. B. Bartmann erkannte wohl an, daß es Analogien zu manchen christlichen Vorstellungen gab, war indes nicht gewillt, christliche Anleihen im Heidentum zuzugeben, noch weniger, eine wesentliche Verwandtschaft oder Gleichheit der beiderseitigen Riten anzunehmen. In der Kirche sah er das starke Bollwerk gegen jede Erweichung und Zerfließung des Dogmas, daher war er überzeugt, die Religionsgeschichte werde es nie dahin bringen, das kirchliche Dogma im Relativismus aufzulösen[250].

Bevor wir uns nun verschiedenen methodischen Fragen, die mit dieser Auffassung B. Bartmanns eng verbunden waren zuwenden, wollen wir zunächst nachprüfen, wie das Dogma selbst in den verschiedenen Lehrbüchern des Paderborner Dogmatikers seine Darstellung fand. Dabei bleibt von vorn herein zu vermuten, daß die Eigenart des theologischen Denkens, wie wir sie bei B. Bartmann kennengelernt haben, zum Charakteristikum seiner Werke wurde.

2. Die katholische Eschatologie in den dogmatischen Lehrbüchern Bartmanns

a) *Gliederung und Schwerpunkte der Darstellung*

B. Bartmann betrachtete sein »Lehrbuch der Dogmatik« als sein eigentliches Lebenswerk. Schon 1905 - 1907 hatte er seine dogmatischen Vorlesungen für die Zuhörer als Manuskript drucken lassen[251]. Dabei ergab sich folgende Gliederung:
I. Die Lehre von Gott dem Einen und Dreipersönlichen. - Mit Einleitung in die Dogmatik.
II. Die Lehre von der Erschaffung und Erhaltung der Welt. Kosmologie, Christologie, Soteriologie, Mariologie.
III. Die Lehre von der Heiligung des Menschen. Gnade und Kirche.
IV. Die Lehre von den Sakramenten und den letzten Dingen.
Bald darauf bot sich dem Paderborner Dogmatiker die einmalige Gelegenheit, über den engen Kreis der bischöflichen Fakultät hinaus in die gesamte Breite des

---

[249] Ders.: Christus, ein Gegner des Marienkultes? Jesus und seine Mutter in den heiligen Evangelien. Gemeinverständlich dargestellt. Freiburg 1909. - Vgl. ders.: Maria im Anfang der Scholastik. In: ThGl 5 (1913) 705-715. - Ders.: Maria im Lichte des Glaubens und der Frömmigkeit. (KLW. 8.) Paderborn 1922, ³-⁴1925. - Ders.: Mater divinae gratiae. In: ThGl 17 (1925) 16-38. - Ders.: Maria. Mutter des Erlösers. Eine dogmatische Maibetrachtung. In: ThGl 26 (1934) 265-273. - Ders.: Moderne Marienideale. In: ThGl 27 (1935) 30-43.
[250] Ders.: Selbstdarstellung. S. 31-32.
[251] Ders.: Dogmatische Vorlesungen, gehalten an der Bischöflichen Fakultät zu Paderborn und für die Zuhörer als Manuskript gedruckt. (S.-S. 1905 - W.-S. 1906/07.) Paderborn 1905-1907. (Zitiert: Dogmatische Vorlesungen.)

deutschen Sprachraumes, ja sogar in andere Länder hinaus wirken zu können. Als der Verlag Herder das Lehrbuch der Dogmatik von H. Th. Simar[252] durch ein neues ersetzen wollte, wurde der Entwurf von B. Bartmann als zweite, vermehrte und verbesserte Auflage in die theologische Bibliothek aufgenommen[253]. Es erlebte gut 20 Auflagen (8-9 deutsche, 7 französische, 4 italienische) und wurde somit zu der bis zum Zweiten Weltkrieg am meisten verbreiteten deutschsprachigen Dogmatik.

Die Kritik bescheinigte B. Bartmann, daß er ein ungemein fleißiger Arbeiter war[254]. Da er ständig die neueste Literatur rezipierte, ging er auch in seinem dogmatischen Lehrbuch immer auf die veränderte Fragestellung ein. Vor allem auf eschatologischem Gebiet mußte er auf die Einsprüche der »sehr selbstbewußt auftretenden und trotz eingestandenen Mangels an materiellen Unterlagen vielfach mit den kühnsten Behauptungen operierenden liberalen Religionsgeschichte« Rücksicht nehmen[255]. Daher bemühte er sich, den Einwänden der Kritik nachzukommen und den Text seiner Lehraussagen soviel wie möglich zu glätten und zu verdeutlichen. Insofern ergaben sich im Laufe der Jahre in fast allen Auflagen Verbesserungen und Erweiterungen, wenngleich die einmal getroffene Gliederung des Stoffes nicht mehr von Grund auf umgearbeitet wurde.

Wie schon bei früheren Autoren, legen wir auch jetzt bei der Wiedergabe der Eschatologie B. Bartmanns jenen Entwurf zu Grunde, mit dem der Theologe zuerst in eine größere Öffentlichkeit trat. Auf diese Weise wird die Eigenart der Gedankenführung, die Geschlossenheit der Darstellung und der mitreißende Schwung seiner ethischen Impule besonders gut erkennbar. Auf Änderungen, die in späteren Auflagen durchgeführt wurden, machen wir so weit wie erforderlich an Ort und Stelle aufmerksam. Allerdings lassen wir vieles beiseite von dem, was der Dogmatiker aus seiner großen Schriftkenntnis und seinem dogmen- bzw. theologiegeschichtlichem Wissen jeweils zur Stützung seiner Thesen anführte. Hingegen verweisen wir auf jene Ergänzungen und Veränderungen, die B. Bartmann in seinem »Grundriß der Dogmatik« vornahm[256].

---

[252] Zu H.Th. Simar siehe oben S. 583, Anm. 69.

[253] Bartmann: Lehrbuch der Dogmatik. - Die verschiedenen Auflagen siehe LV.

[254] Von den zahlreichen Rezensionen vgl. besonders: K. Adam. In: ThQ 111 (1930) 147-150. - L. Atzberger. In: LR 38 (1912) 325-326. - M. Benz. In: DTh 2 (1924) 108-109. - K. Braig. In: LH 54 (1918) 222; 55 (1919) 158. - A. Cohnen. In: KPBl 48 (1914) 21-23. - A. Deneffe. In: Scholastik 4 (1929) 614. - J. Forget. In: RHE 13/I (1912) 331-337. - J. Gotthardt. In: LZD 73 (1923) 569-570. - J. Chr. Gspann. In: ThPQ 65 (1912) 898-899. - W. Koch. In: ThQ 95 (1913) 273-274. - E. Krebs. In: DLZ 40 (1919) 550-551. - Ders. Ebd. 42 (1921) 9. - J. Kunze. In: ThLBl 39 (1918) 358. - L. Lemme. In: ThLBl 33 (1912) 295-297. - A. Mitschelitsch. In: JPhSTh 6 (1922) 405-408. - F. Mitzka. In: ZKTh 57 (1933) 316-317. - C. Moser. In: DTh 8 (1930) 220-223. - B. Poschmann. In: ThRv 11 (1912) 490-494. - M. Rackl. In: ThRv 17 (1918) 271-273. - Ders. Ebd. 18 (1919) 275-276. - W. Stockums. In: KPBl 52 (1918) 40-52. - J. Stufler. In: ZKTh 43 (1918) 112-116. - J. Wendland. In: ThLZ 37 (1912) 759-760. - Ders. Ebd. 44 (1919) 182. - Ders. Ebd. 54 (1929) 454.

[255] Bartmann: Lehrbuch der Dogmatik. ³1917. Bd. 1. S. V.

[256] Ders.: Grundriß der Dogmatik. (HThGr.) Freiburg 1923. - Dass. Zweite, neubearbeitete Auflage. Ebd. 1931. - Von den zahlreichen Rez. vgl.: M. Benz. In: DTh 2 (1924) 108-109. - J. Bilz. In: ThRv 31 (1932) 167-168. - O. Casel. In: JLW 12 (1932) 232. - A. Deneffe. In: Scholastik 7 (1932) 293-294. - E. Krebs. In: LH 60 (1923) 77. - J. Kunze. In: ThLBl 46 (1925) 12. - O. Piper. In: ThLZ 58 (1933) 19. - Priegel. In: ThLBl 53 (1932) 222.

Die Dogmatik war für B. Bartmann an erster Stelle die Lehre von Gott und seinem Wirken. So betrachtete er das Wesen Gottes an sich und darauffolgend die einzelnen Wirkungen Gottes in der Welt, speziell in der Menschheit, eine Einteilung, wie er sie im »ersten wissenschaftlich konstruierten Symbolum«, dem Athanasianum, zu Grunde gelegt sah[257].

An der Spitze der göttlichen Wirkungen stand demnach die Schöpfungstatsache, deren »Hauptprodukt« der Mensch mit seiner ewigen übernatürlichen Bestimmung ist. Entsprechend einer biblisch und damit geschichtlich orientierten Theologie wurde dargelegt, daß der Mensch in der ihm von Gott gestellten Freiheitsprobe von seiner ursprünglichen Bestimmung abfiel und der Sünde erlag. Wollte Gott ihn dennoch dieser Bestimmung zurückgeben - erklärte der Theologe -, so bedurfte es der Erlösung, die, falls sie in vollkommenster Weise geschehen sollte, ihrerseits die Inkarnation bedingte. Es war aber über die objektive Erlösung hinaus notwendig, ihre Wirkungen dem Einzelmenschen auch subjektiv zuzuwenden, und das geschieht - wie B. Bartmann erneut hervorhob -, durch die persönliche Rechtfertigung und Heiligung des gefallenen Menschen in der Heilsanstalt der Kirche durch die Sakramente als die ihr anvertrauten Heiligungsmittel. Letztes Ziel des göttlichen Erlösungswirkens aber sah der Dogmatiker in der Vollendung des Menschen durch die persönliche Vergeltung. So ergaben sich für die Dogmatik im ganzen folgende Teile, wobei allerdings - wie er bemerkte - der Unterschied zwischen Haupt- und Unterabteilungen äußerlich zurücktrat:

1. Von Gott, dem Einen und Dreieinen.
2. Von der Schöpfung der Welt und Prüfung der freien Kreatur.
3. Von der Erlösung der Welt in ihrer objektiven Weise[258].
4. Von der Gnade als der subjektiven Erlösungsform.
5. Von der Kirche als der Heiligungsanstalt und der Gemeinschaft der Heiligen.
6. Von den Sakramenten als den Heiligungsmitteln.
7. Von der Vollendung des erlösten Menschen oder von den letzten Dingen.

Diese Gliederung und Einteilung ergab sich aus dem Stoff selbst und gemäß dem inneren Verhältnis seiner Teile zueinander wie auch aus einer gewissen Denknotwendigkeit, so daß B. Bartmann von einem »organischen Ganzen« sprechen konnte, »worin ein beherrschender Gedanke, Gott und seine Güte konsequent die Einzelteile bestimmt, miteinander verknüpft und der Hauptwahrheit unterordnet, so daß auch hier zuletzt Gott alles in allem ist«[259].

Nach dieser allgemeinen Übersicht achten wir nun darauf, wo B. Bartmann die einzelnen Elemente der christlichen Eschatologie zur Sprache brachte.

---

[257] Bartmann: Lehrbuch der Dogmatik. ²1911. S. 69. - Diese Bemerkung wurde in den späteren Auflagen getilgt.

[258] Bartmann: Lehrbuch der Dogmatik. ³1917. Bd. 1. S. 71: Von der Erlösung in ihrem objektiven Vollzuge.

[259] Ders. Lehrbuch der Dogmatik. ²1911. S. 69. - Vgl. 1. Kor. 15, 28. - Dazu vgl. oben S. 582. - Dieser Abschnitt über den organischen Zusammenhang der Dogmen wurde bereits in der 3. Auflage fortgelassen. Konsequenzen für die Gliederung und Behandlung des Stoffes ergaben sich daraus aber nicht. - Über die Stellung der Eschatologie in den theologischen Systemen der Hochscholastik vgl. H.J. Weber. S. 45-47.

— Teilnahme des Menschen an der Ewigkeit Gottes

Den ersten Hinweis finden wir in der Gotteslehre, wo B. Bartmann das Dogma »Gott ist ewig« mit der These erläuterte: »Gott besitzt sein ganzes unendlich vollkommenes Sein und Leben in unwandelbarer Größe und Intensität aus und durch sich selbst in jedem gedachten Momente seines ewigen Daseins«[260]. Verdeutlichend fügte er später hinzu: »Die Ewigkeit ist »sachlich gleich mit der Aseität und mit ihr gegeben«[261], bzw. sie ist »sachlich gleich mit der Unveränderlichkeit und Aseität«[262], oder mit der Eigenschaft der »Ungewordenheit, des ewigen Durch-sich-selbst-seins«[263].

Zum besseren Verständnis dieser Auffassung schauen wir nach, wie sich die Erklärung der These in den Werken B. Bartmanns entwickelte.

In seinen dogmatischen Vorlesungen ging er davon aus, daß wir das Attribut der Ewigkeit erlangen, wenn wir von Gott die Zeit negieren; - Zeit verstanden als Veränderung an den Dingen, nicht nur als eine subjektive Anschauungsform. B. Bartmann ließ es jedoch bei dieser negativen Bestimmung nicht bewenden; er gewann eine positive Vorstellung, indem er die Zeit als Dauer faßte und sie von allen Unvollkommenheiten gereinigt auf den immer Seienden übertrug. Genauer hieß das: Die Zeit ist zu reinigen von dem Merkmal des Nacheinander (successio), dann fällt die Vergangenheit und Zukunft, und es bleibt die Gegenwart. Die Ewigkeit, so versicherte er, ist stete Gegenwart. Zugleich war jedoch diese Gegenwart für ihn nur ein Bild der Ewigkeit, denn diese Gegenwart verstand er als die von Gott an den Dingen bewirkte Dauer, als ein Attribut an den Dingen; oder - wenn man lieber will - als ihre Existenz. B. Bartmann verwies auf den großen Unterschied: Gottes Existenz, Dauer braucht nicht bewirkt zu werden, nicht erstmalig, nicht in der Folge, er ist a se ; Gottes Ewigkeit ist seine Aseität. Hingegen ist der Geschöpfe Dauer ihre Geschöpflichkeit. Daraus folgerte der Theologe: »Zeit (Gegenwart) und Ewigkeit sind so verschieden wie Gott und das Geschöpf!«[264]

B. Bartmann erinnerte in diesem Zusammenhang an die bekannte Formulierung des Boethius: »Aeternitas est interminabilis vitae tota simul et perfecta possessio«[265]. Auf Gott bezogen, sah er das Entscheidende mit den Wörtern »simul« und »perfectum« ausgesprochen, denn ein Leben ohne Anfang und ohne Ende könnte auch einem von Ewigkeit her geschaffenen Engel zukommen, obgleich dieser immer noch das geschöpfliche Merkmal haben würde, daß der Inhalt dieses anfang- und endlosen Lebens, das Denken und Wollen, im zeitlichen Nacheinander verläuft. Das unbegreifliche Wesen der Ewigkeit Gottes aber lag für den Theologen gerade darin, daß Gott den ganzen Inhalt dieses seines geschöpflichen Lebens in einem unzeitlichen einzigen Akt genießt, erschöpft, im Denken und Wollen. »Alles ist in diesem Leben simul und dennoch perfectum, in der ganzen denkbaren Fülle!«[266]

---

[260] Bartmann: Lehrbuch der Dogmatik. ²1911. S. 129.
[261] Ders.: Lehrbuch der Dogmatik. ⁴⁻⁵1920. Bd. 1. S. 135.
[262] Ebd. ⁶1923. Bd. 1. S. 135.
[263] Ders.: Grundriß der Dogmatik. ²1931. S. 22.
[264] Ders.: Dogmatische Vorlesungen. Bd. 1. S. 106.
[265] Boethius: De consolatione philosophiae 5, 6. - Siehe oben S. 164, Anm. 176.
[266] Bartmann: Dogmatische Vorlesungen. Bd. 1. S. 107. - Vgl. ders.: Grundriß der Dogmatik. ¹1923. S. 48; ²1931. S. 22.

Wie sehr der Theologe mit den hier anliegenden Problemen gerungen hat, zeigen die Veränderungen, die der Abschnitt über die Ewigkeit Gottes in den verschiedenen Auflagen seiner dogmatischen Lehrbücher erfuhr. Entsprechend der Diskussion, die allgemein über das Problem von Ewigkeit und Zeit geführt wurde[267], machte B. Bartmann 1920 darauf aufmerksam, daß der antike Philosoph das Wesentliche der aeternitas in dem nunc stans sah. Wieder versicherte der Dogmatiker, daß es unmöglich sei, dieses als eine geschöpfliche Gegenwart zu fassen, es gelte eben nur von der unerschaffenen Dauer Gottes. Zur Erläuterung verwies er auf die Definition Plotins, nach der Ewigkeit jenes Leben ist, das identisch ist und das Ganze stets gegenwärtig hat[268]. Vom christlichen Standpunkt aus hörte er dazu das Wort Augustins: Zeit ist Wechsel, in der Ewigkeit aber gibt es keinerlei Veränderung[269].

Schon früher hatte B. Bartmann erklärt, daß sich gerade hierdurch die Zeit von der Ewigkeit und Gott vom Zeitlichen unterscheidet. Selbst wenn die Zeit nach Anfang und Ende ins Unendliche verlängert gedacht würde, wäre sie dennoch wesentlich von der Ewigkeit verschieden. »Die Zeit ist begrifflich der Wechsel, die Ewigkeit das Gegenteil. Jedes kreatürliche Leben ist nicht nur ein stetes Ringen um seinen Bestand, sondern es ist auch innerlich und notwendig von solcher Schwäche, daß es nicht einmal seinen ihm verliehenen Inhalt, auch wenn es ungehemmt verläuft, zu irgend einer Zeit ganz erschöpfen kann; es verfließt notwendig in Teilen, im Nacheinander«[270].

Genau hier liegt nach B. Bartmann der Grund dafür, daß Ewigkeit und Zeit so wenig vergleichbar sind wie Aseität und Kontingenz. Es war für ihn folglich durchaus falsch, sich die Ewigkeit als recht lange Zeit vorzustellen. »Zeit ist stets in sich endlich, und wäre sie noch so lange, Ewigkeit ist stets unteilbar und kann deshalb mit dem Maß der Zeit nicht erfaßt werden«[271].

In einer späteren Auflage verwies B. Bartmann verstärkt auf den Geheimnischarakter der Zeit: die Vergangenheit vorüber, die Zukunft noch nicht, die Gegenwart ein stets fließender Punkt. Von hieraus eröffnete sich ihm das Verständnis für die scholastische Bestimmung, nach der die Zeit ein ens fluens ist, ein stetes Werden, kein dauerhaftes Sein. Hinsichtlich der kommenden Ewigkeit zitierte er das Buch der Offenbarung, in dem es heißt: tempus non erit amplius[272].

In diesem Zusammenhang kam B. Bartmann auch auf ein spezielles Problem zu sprechen, das in der neuscholastischen Theologie disputiert wurde, die Frage nämlich, ob man sagen dürfe, alle Dinge koexistierten der ganzen Ewigkeit. Nach

---

[267] Zum Verhältnis von Ewigkeit und Zeit vgl. oben S. 386-389, 409-410, 453-456, 470-508, 530-547.
[268] Plotinos: Enneaden 2, 7, 3.
[269] Vgl. Augustinus: De civitate Dei. l. XI. cap. IV und VI. De conditione mundi, quod nec intemporalis sit, nec nova Dei ordinato consilio, quasi postea voluerit, quod antea noluerit. - Creationis mundi et temporum unum esse principium, nec aliud alio praevenari. PL-SL 41 (1846) 319-320, 321-322. = CCL. XLVIII (MCMLV) 323-326. - Ders.: Confessones. l. XI. cap. 11 (Obiectioni respondet quod aeternitas Dei nescit tempora.) PL-SL 32 (1845) 814. = C/B. S. 620/621-622/623.
[270] Bartmann: Lehrbuch der Dogmatik. ²1911. S. 129.
[271] Ebd. S. 129.
[272] Vgl. Off. 10, 6. - Bartmann: Lehrbuch der Dogmatik. ⁷1928. Bd. 1. S. 126.

Meinung des Paderborner Theologen spricht nur ein Schein dafür, insofern die Ewigkeit unteilbar ist und die Dinge somit nur der ganzen Ewigkeit koexistieren können. Um den Dingen keine Ewigkeit beizulegen, habe man gesagt: creaturae coexistent quidem toti aeternitati sed non totaliter. Bei näherem Zusehen schien B. Bartmann diese Definition jedoch kaum haltbar, weil das existere von beiden in ganz ungleichem Sinn ausgesagt werde, von Gott im absoluten, aseitarischen, von den Dingen im kontingenten. Dagegen behauptete er: »Gottes Ewigkeit = Dauer ist inkommunikabel, und kann deshalb auch nicht von Gott und den Geschöpfen vergleichsweise als Dauer, Existenz ausgesagt werden. Zeit und Ewigkeit sind disparate Größen und lassen sich auch nicht unter den gemeinsamen Begriff Dauer fassen«[273]

Ähnlich ablehnend äußerte sich der Dogmatiker auch in der zweiten Auflage seines Lehrbuches. Selbstverständlich, so erklärte er nun zu der »Vexierfrage«, gehören die Dinge ihrem idealen , möglichen Sein der Ewigkeit, dem Wesen Gottes an; aber in ihrem realen Sein sind sie in der Zeit von Gott hervorgebracht und »koexistieren« der Ewigkeit nur solange, als sie »existieren«. »Die Zeit ist mit ihrem Inhalt ein Geschöpf des ewigen Gottes und sollte mit der Ewigkeit überhaupt nicht parallelisiert werden. Gott steht nur in einer Beziehung zur Zeit: er ist ihre Ursache, er schuf sie und die Dinge in und mit ihr«[274]. Gegenüber dem Dogmatiker Th. Specht[275] wandte er ein, daß mit der Formel »res creatae coexistent toti aeternitati sed non totaliter« über das Verhältnis von Zeit und Ewigkeit wenig ausgesagt, vielmehr die Schwierigkeit nur wiederholt sei[276].

Später hat B. Bartmann diese Lehrmeinung korrigiert. Er schloß sich dem Aquinaten an, wenn dieser sagte: »Nunc aeternitatis invariatum adest omnibus partibus temporis«[277]. Wenn also die Dinge wirklich (actu) existieren, koexistieren sie der ganzen Ewigkeit: toti aeternitati (indivisibili), sed non totaliter. Jenes »indivisibile« fügte B. Bartmann später ausdrücklich hinzu, zugleich mit der nochmaligen Begründung: »denn sie (die Ewigkeit) ist unteilbar«[278].

Nachdem B. Bartmann seine Erklärung mit der Theologie der Schrift und der Lehre der Väter erläutert hatte, zeigte er, wie die Vernunft die Ewigkeit unmittelbar aus der Aseität Gottes erschließt. Wenn Gott das durch sich selbst mit Notwendigkeit existierende Wesen ist, dann - so folgerte er - kann er nie als nicht existierend gedacht werden; er muß immer gewesen sein und immer sein. Das bedeutete für B. Bartmann wiederum, daß Ewigkeit sachlich identisch ist mit der Unveränderlichkeit[279]. Begründend fügte er später hinzu, was er schon in seinen ersten dogmatischen Vorlesungen festgestellt hatte: Das Wesen der Zeit ist die Veränderung der

---

[273] Ders.: Dogmatische Vorlesungen. Bd. 1. S. 108.

[274] Ders.: Lehrbuch der Dogmatik. ²1911. S. 131.

[275] Thomas Specht (1847-1918): Lehrbuch der Dogmatik. 2 Bde. Regensburg 1907-1908. - Dass. 2. Auflage. Ebd. S. 1912. - Vgl. dazu die Rez. von Bartmann. In: ThRv 12 (1913) 578-579.

[276] Bartmann: Lehrbuch der Dogmatik. ²1911. S. 131. - Vgl. Specht: Lehrbuch der Dogmatik. ¹1907. Bd. 1. S. 64-65.

[277] Thomas von Aquin: In I Sent. d. 37 q. 2 a. 1 ad 4.

[278] Bartmann: Lehrbuch der Dogmatik. ⁷1928. Bd. 1. S. 127. - Vgl. ders.: Grundriß der Dogmatik. ¹1923. S. 49; dieses jedoch weggelassen in der zweiten Auflage. S. 23.

[279] Ders.: Lehrbuch der Dogmatik. ²1911. S. 130-131.

Dinge; die Ewigkeit folglich das göttliche Sein in seiner Dauer und Unveränderlichkeit[280]. Erkennt somit unsere Vernunft, daß Gottes Ewigkeit seine Aseität ist, so weiß sie auch, daß unsere Zeit nichts anderes ist als unsere Geschöpflichkeit. In diesem Sinne konnte B. Bartmann sagen: Gott ist die Ur- Dauer, weil Dauer a se; er ist die All- Dauer oder All- Zeitlichkeit (sempiternitas), weil er jede Zeit noch immerfort erschafft; er ist die Über- zeitlichkeit, weil er von keiner Zeit gemessen werden kann. Deshalb war für ihn die Ewigkeit zunächst inkommunikabel, weil - wie er richtig sah - die Zeit nicht einfach als das Produkt der Ewigkeit verstanden werden kann. Er sah es so: Die Vergangenheit ist nicht mehr Zeit, die Zukunft noch keine Zeit; Zeit ist nur der flüchtige Moment der Gegenwart, der jeden Augenblick neu zu erschaffen ist. Es scheint uns, als flösse die Zeit aus einem festen Punkte der Vergangenheit, etwa aus dem Anfang. Doch das ist Schein: Aus der Vergangenheit kann sie so wenig fließen wie aus der Zukunft; beide sind real gesehen ein Nichts; sie existieren nur in unserer Vorstellung, also fließt die Zeit aus der Ewigkeit als ein Geschöpf. »Dauer«, so hob B. Bartmann hervor, »ist einzig die Ewigkeit, Gottes Dasein; die Dauer der Dinge ist ein stetes Gehobensein über dem Abgrund des Nichts«[281]. Von da aus verstand er auch den Begriff der »Erhaltung«, das Dogma: Gott erhält die Welt[282].

Wir haben bereits festgestellt, daß B. Bartmann später stärker die Analogie sah, die in dem Moment der Dauer liegt, wobei sich beide Arten von »Dauer« freilich unterscheiden in ihrem Sein (aseitarisches und kontingentes Sein). Er erklärte nun, daß die Vollkommenheit der zeitlichen Dauer in der ewigen Dauer in unendlich eminenter Weise vorhanden ist, und betonte im Anschluß an Augustin, daß die Zeit als das Schöpfungsprodukt des Ewigen erkannt werden kann. »Gottes Wirkung fällt in die Zeit, er selbst ist über den Fluß der Dinge erhaben«[283].

Hinsichtlich der Terminologie machte B. Bartmann in seinem Lehrbuch noch darauf aufmerksam, daß nach eingebürgerter Sitte in der Theologie mit aeternitas, aeternum die Ewigkeit in strengem Sinne, dagegen mit sempiternitas und aeviternitas, aevum eine recht lange Zeitdauer, z.B. der glückseligen Engel und Menschen, bezeichnet wird. Er definierte demnach: »Allzeitlichkeit (sempiternitas) heißt die Ewigkeit mit Rücksicht auf die Zeit, sofern sie alles, was zeitliche Dauer und Kraft des Daseins enthält, in sich als deren Ursache beschließt«[284]. Das Ävum (aeviternitas) hingegen verstand B. Bartmann als ein für die Dauer derjenigen Wesen geprägter Ausdruck, die in ihrem substantiellen Sein nach Gottes freiem Willen beharren sollen, aber ihr Leben doch in akzidenteller Veränderung in einem notwendigen Nacheinander genießen müssen (die Engel und Seligen). Wir hörten bereits: Auch wenn die Engel von Ewigkeit her geschaffen wären - die Möglichkeit hier vorausgesetzt - , würden sie doch des eigentlichen Wesens der Ewigkeit, des actus purus, durchaus entbehren. Da aber die Ewigkeit unsere Seligkeit sein wird,

[280] Ebd. ³1917. Bd. 1. S. 128.
[281] Ders.: Dogmatische Vorlesungen. Bd. 1. S. 108.
[282] Vgl. ebd. Bd. 2. S. 14-17: Die Erhaltung der Welt.
[283] Ders.: Lehrbuch der Dogmatik. ³1917. Bd. 1. S. 128.
[284] Ebd. ²1911. S. 131.

konnte er sagen, daß wir Teilnehmer der Ewigkeit, des »Alleinunsterblichen«[285] werden sollen, und zwar in vorzüglicherem Sinne als alles, was sonst noch unzerstörbare Dauer hat. Darin besteht nach dem Paderborner Dogmatiker das Wesen des geschenkten ewigen Lebens[286], doch betonte er noch einmal nachdrücklich, daß die Ewigkeit im strengen Sinne inkommunikabel und damit alleiniges Attribut Gottes ist[287].

In der dritten Auflage seines Werkes verwies B. Bartmann noch darauf, daß sich die Scholastik über den Begriff des Ävum nicht einig werden konnte. Thomas näherte das Ävum der Ewigkeit an, weil es ganz auf einmal ist ohne die Sukzession der Zeit; es hat nach ihm einen Anfang, aber kein Ende; Gott aber kann a parte ante es verewigen, und a parte post es verzeitlichen[288]. Nach Bonaventura gehört zum Ävum die Sukzession. Bei Albert finden sich beide Ansichten. Nach Thomas (Albert) gibt es nur ein Ävum, nach Bonaventura viele Äva[289].

»Von Ewigkeit zu Ewigkeit«. In seinem Grundriß der Dogmatik wies B. Bartmann darauf hin, daß in dieser Formel jenes große Geheimnis von Gottes Dauer ausgesprochen wird, das der Mensch immer wieder durch den Begriff der Zeit verständlich zu machen sucht, obschon auch die Zeit unbegreiflich ist. Aber wenn wir auch das eine wie das andere nicht begreifen, so fühlen und wissen wir nach B. Bartmann doch, daß wir ein brennendes Verlangen in uns haben, ewig fortzuleben; - nicht einfach fortzuexistieren, sondern mit Gott, unserem Ursprung, zusammenzuleben. Für den Paderborner Dogmatiker war dies die christliche Form der »Wiederkehr aller Dinge«, bei der zuletzt »Gott alles in allem« ist, aber - so fügte er einschränkend hinzu - nur für die, welche durch Christus in die Einheit mit Gott zurückgeführt werden[290]; wenn Gott der »Fels der Ewigkeit« ist, so nur für die, welche mit rückhaltlosem Gottesglauben sich an ihn klammern, - im Leben und im Tode[291].

— Gottes Vorsehung und das Endziel des Menschen

Ergab sich schon aus der Gotteslehre, daß der Mensch dazu berufen ist, an Gottes Ewigkeit teilzunehmen, so wurde alsbald bei der Lehre von der Schöpfung der Beweis geführt, daß Gott in seiner Vorsehung alle Geschöpfe zu einem gewissen letzten Ziel hinlenkt (finis operis). Das Erste Vatikanische Konzil lehrte: »Universa vero, quae condidit, Deus providentia sua tuetur atque gubernat«[292], und der Theo-

---

[285] Vgl. 1. Tim. 6, 16.
[286] Vgl. Joh. 17, 3.
[287] Bartmann: Lehrbuch der Dogmatik. ²1911. S. 131.
[288] Vgl. Thomas von Aquin: S. th. I q. 10 a. 5 ad 2 und 6 corp.
[289] Vgl. F. Beemelmans: Zeit und Ewigkeit nach Thomas von Aquino. (BGPhMA. Bd. 17. H. 1.) Münster 1914. S. 55-56; 57-61. - F. Zigon: Das Ävum. In: PhJ 21 (1908) 483-496. - H.J. Weber. S. 82-101: Exkurs zum Zeit- und Geschichtsverständnis; besonders S. 88-89. - Greshake: Der Begriff des aevum als Denkanstoß. In: Greshake, Lohfink: Naherwartung - Auferstehung - Unsterblichkeit. S. 64-67.
[290] Vgl. 1. Kor. 15, 28. - Vgl. MS. Bd. 5. S. 18.
[291] Bartmann: Grundriß der Dogmatik. ¹1923. S. 49.
[292] Concilium Vaticanum I. Sess. III. (24.4.1870): Constitutio dogmatica „Dei Filius". Cap. I: De Deo rerum omnium creatore. DS 3003. = NR 317.

loge verdeutlichte dieses Dogma in seiner These: »Alles, was Gott erschaffen hat, regiert er und führt es zu seinem Endziele«[293].

Bei seiner Erläuterung legte B. Bartmann dar, daß die Vernunft die Entwicklung des Weltalls von einem unvollkommenen Anfang zu einem bestimmten Ziel hin erkennt. Er war überzeugt, daß diese Entwicklung mit Hilfe fester Naturgesetze geschieht, daß aber über diesen eine ordnende Hand walten muß. Zur Begründung führte er an, daß sich die Materie weder selbst Gesetze schafft, noch deren harmonische Zusammenwirkung auf ein höheres Entwicklungsziel hin verursacht[294].

Es fällt auf, daß B. Bartmann bereits in der nächsten Auflage die positiven Äußerungen hinsichtlich des Entwicklungsgedankens durch andere Vorstellungen ersetzte, die stärker an der Theologie des heiligen Thomas orientiert waren. So erklärte er nun mit dem Aquinaten, daß Gott, wenn er den Kreaturen ein Ziel vorsteckt und sie dafür erschaffen hat, sie auch dahin bewegen muß[295]. Das könne unmittelbar geschehen, werde aber oft auch unter Mitwirkung der Kreaturen selbst geschehen, die er aus Güte an der Ausführung seines Weltplanes teilnehmen läßt[296]. Da Gott alles nach der Natur der Kreaturen vollbringe, so leite er die materiellen Dinge durch eingeschaffene Gesetze, die geistigen freien Wesen durch verliehene Kräfte der Vernunft, des Willens, des Gewissens; daneben durch äußere Fügungen, Schickungen, Führungen; durch gesetzte Autoritäten, besonders religiöse (Kirche)[297]. Hinsichtlich des übernatürlichen Zieles stellte B. Bartmann heraus, daß gerade hier die Gnadenleitung in vollem Umfang und in ganz persönlicher Angemessenheit in Wirkung tritt. So stand für den Dogmatiker fest, daß sich keine Kreatur dem allgemeinen Weltenplane zu entziehen vermag; daß jede bewußt oder unbewußt, gut oder böse, ihn verwirklichen helfen muß. Freilich ergab sich aus der Tatsache, daß das letzte Ziel der Schöpfung, zumal des Menschen, im Jenseits liegt, das Geheimnis der Vorsehung. Hier auf Erden war für B. Bartmann ein vollkommenes Urteil über die Einzelleitung unmöglich. Daher betonte er, daß selbst bei den übernatürlichen Führungen uns Gottes Gedanken nicht immer durchsichtig und seine Wege nicht stets klar und deutlich sind[298].

In späterer Zeit, als B. Bartmann sah, wieviele Menschen nach dem Sinn der Welt und mehr noch dem Sinn des Lebens fragten, behandelte er das Thema »Un-

---

[293] Bartmann: Lehrbuch der Dogmatik. [2]1911. S. 239. - Vgl. ebd. S. 263: Die Einheit des Endziels aller Menschen. - Ders.: Grundriß der Dogmatik. [1]1923. S. 140. - Vgl. ders.: Dogmatische Vorlesungen. Bd. 2. S. 20: „Gott regiert die Welt, führt das Ganze und das Einzelne zu seinem Ziele, besonders aber die Geistkreatur".

[294] Ders.: Lehrbuch der Dogmatik. [2]1911. S. 240.

[295] Vgl. Thomas von Aquin: S. c. g. l. 3 q. 64.

[296] Vgl. ders.: S. th. I q. 22 a. 3; q. 103 a. 6.

[297] Bartmann: Lehrbuch der Dogmatik. [3]1917. S. 254. - Vgl. ebd. [2]1911. S. 240-241.

[298] Ebd. S. 241. - Vgl. Jes. 55, 8. - Ausführlicher Bartmann: Lehrbuch der Dogmatik. [3]1917. Bd. 1. S. 254-255. - Zum Thema vgl. A. Lehmkuhl: Die göttliche Vorsehung. Neu durchgesehen. (RdG. 2.) 9.-11. Tausend. Köln 1910. - Dass. Neu durchgesehen von F. Ehrenborg. Ebd. [12-16][1923]. - August Lehmkuhl S.J. (1834-1918), Moraltheologe. - G. Esser: Krieg und göttliche Vorsehung. (FZB. Bd. 34. H. 5.) Hamm 1915. - J. Schmitt: Die göttliche Vorsehung oder die liebevolle Führung des Menschen von Seiten Gottes und das Glück jener, welche sich dieser Führung anvertrauen, so wie es recht und billig ist. Nach der Schrift des R.P. de la Colombière. Dritte verbesserte Auflage. Mainz 1904.

ser Vorsehungsglaube« erneut in einer Monographie[299]. Er war überzeugt, daß sich die genannte Doppelfrage ohne den Gottesgedanken nicht lösen lasse. Daher verteidigte er die Wahrheit, daß die Welt und zumal das Leben, worin wir uns zunächst scheinbar wie zufällig vorfinden, doch zuletzt und zueigenst von dem göttlichen Urheber nicht nur einen tiefen Sinn und Inhalt empfangen hat, sondern auch von ihm sehend und wollend, leitend und bestimmend einem vollen Endsinn und überreichen Endinhalt zugeführt werden soll, wenn nur Mensch und Menschheit sich dieser obersten Führung unterwerfen und sie nicht durchkreuzen[300].

— Die natürliche Beschaffenheit des Menschen und das praeternaturale donum immortalitatis

An den Anfang seiner theologischen Anthropologie stellte B. Bartmann den Satz: »Gott hat die ersten Menschen nach Leib und Seele geschaffen«[301]. Dieses Dogma war für ihn unvereinbar mit jeder materialistischen, pantheistischen Auffassung von der natürlichen Entstehung des Menschen wie sie der Darwinismus aufstellte[302]. Er erklärte: »Wie die ganze Schöpfung, so ist auch der Mensch von Gott frei hervorgebracht. Aber seine Entstehung fällt innerhalb der zweiten Schöpfung (creatio secunda), nachdem bereits der Weltstoff aus nichts in der ersten Schöpfung ins Dasein gebracht war. Zur Erschaffung des Leibes benutzte Gott also die bereits fertig gestellte Materie. Er schuf die Seele völlig aus nichts, den Leib aus vorhandenem Stoffe«[303].

Wie diese Bildung des Leibes näherhin vor sich ging, das entzieht sich nach B. Bartmann unserer Erkenntnis. Das plötzliche Auftreten des Menschen auf Erden vor einer Reihe von Jahrtausenden war ihm ein ebenso großes Geheimnis wie

---

[299] B. Bartmann: Unser Vorsehungsglaube. Paderborn 1931. - Vgl. ders.: Dogmatische Vorlesungen. Bd. 2. S. 20-23.

[300] Ders.: Vorsehungsglaube. S. III-IV.

[301] Ders.: Lehrbuch der Dogmatik. ²1911. S. 251. - Vgl. ders.: Dogmatische Vorlesungen. Bd. 2. S. 27. - Ders.: Grundriß der Dogmatik. ¹1923. S. 152.

[302] Vgl. F.L. Graßmann: Die Schöpfungslehre des heiligen Augustinus und Darwins. Gekrönte Preisschrift. Regensburg 1889. - E. Wasmann: Die moderne Biologie und die Entwicklungslehre. Dritte stark vermehrte Auflage. Freiburg 1906. - Außerdem die Arbeiten von K.C. Schneider. Dazu siehe LV.

[303] Bartmann: Lehrbuch der Dogmatik. ²1911. S. 251. - Vgl. K. Gutberlet: Der Mensch, sein Ursprung und seine Entwicklung. Eine Kritik der mechanisch-monistischen Anthropologie. Zweite vermehrte und verbesserte Auflage. Paderborn 1903. - Dass. Dritte vermehrte und verbesserte Auflage. Ebd. 1911. - Weitere Literatur, z.T. in späteren Auflagen von Bartmann genannt: A. Ruf: Wie steht es mit dem naturwissenschaftlichen Beweis für die tierische Abstammung des Menschen? In: MVA 14 (1916) 193-256. - J. Ude: Kann der Mensch vom Tier abstammen? Graz, Wien 1914, ²1926. - Ders.: Materie und Leben. (GlW. 21.) Kevelaer 1909. - Ders.: Metaphysischer Beweis für die Unmöglichkeit der Tierabstammung des Menschenleibes. Ein Beitrag zum Deszendensproblem und Nachwort zu meiner Schrift: „Kann der Mensch vom Tier abstammen?" (NuK. 10.) München 1917. - Vgl. dazu die Rez. von F. Hatheyer. In: ZKTh 41 (1917) 796-798. - Vgl. ders.: Vom Wesen der Entwicklung. Ebd. S. 504-533. - A. Schmitt: Katholizismus und Entwicklungsgedanke. (KLW. 9.) Paderborn ¹-²1923. - O. Hertwig: Das Werden des Organismus. Eine Widerlegung von Darwins Zufallstheorie durch das Gesetz der Entwicklung. Jena 1916. - Dass. Dritte verbesserte Auflage. Ebd. 1922. - Ders.: Zur Abwehr des ehtischen, des sozialen, des politischen Darwinismus. Jena 1918, ²1921. - Vgl. R. Hertwig: Abstammungslehre und neuere Biologie. Jena 1927.

die Entstehung der Welt überhaupt. Wie er feststellte, galt es zwar der modernen Entwicklungslehre[304] als ausgemacht, daß der ganze Mensch wie alles andere eben auch ein Produkt der natürlichen Entwicklung der Welt sei, - allein von dieser Behauptung bis zum Beweis war es doch ein weiter Weg. Für B. Bartmann jedenfalls zeigte Geschichte und Paläontologie, daß der jetzige Mensch kein Übergangswesen ist. Zwar hielt er die These für erwägenswert, nach der der menschliche Leib verschiedene Entwicklungsstufen durchlaufen haben könnte; in jedem Fall jedoch, so erklärte er, müsse an der unmittelbaren Erschaffung der Seele als einer von der Materie wesentlich verschiedenen Natur festgehalten werden. Er verwies darauf, daß die Mehrzahl der Theologen auch eine »natürliche« Entwicklungslehre ablehnten, weil nicht einzusehen sei, wie sich ein menschlicher Leib ohne menschliche Seele entwickeln könne. Er argumentierte: Auch abgesehen davon, daß die Seele »die Form des Leibes« ist[305], könne man es kaum begreifen, wie ein wahrer menschlicher Leib sich ohne Seele aufbauen soll. Es müßte dann die Seele mit in jene Evolution hinabzuziehen sein und eine Gestaltung derselben aus einer »Urform« angenommen werden. Damit jedoch verliere sich die Spekulation ins rein Willkürliche[306].

Da B. Bartmann keine Apologetik sondern eine Dogmatik schrieb, ging er auf die mit der Evolutionstheorie verbundenen Fragen nur dann ein, wenn sie das dogmatische Interesse direkt berührten. Aus diesem Grunde fügte er der dritten Auflage seines Werkes einen Abschnitt ein, in dem er sich speziell mit der Theorie von den Präadamiten auseinandersetzte. Das Interesse an dieser Frage schien ihm zuletzt kein kosmologisch-anthropologisches, sondern ein eschatologisches zu sein; insofern die Wiederherstellungstheorie (ἀποκατάστασις πάντων) die alte Lehre von der Hölle ersetzen sollte. Um diese Theorien recht plausibel für das Ende zu machen, bringe man sie schon in den Anfang hinein, indem man behaupte, die Schöpfung, von der in der Genesis berichtet wird, sei keine absolute Neuschöpfung, sondern schon »Wiederherstellung« gewesen[307]. Bei seiner Beurteilung er-

[304] Bartmann verwies in: Lehrbuch der Dogmatik. ⁴1920. Bd. 1. S. 281 auf: Ch.R. Darwin, K. Vogt, E. Haeckel, W. Bölsche. - Dazu siehe oben S. 11-14.
Wilhelm Bölsche (1861-1939) popularisierte als Schriftsteller naturwissenschaftliche Erkenntnisse. Hier sein Werk: Die Abstammung des Menschen. Stuttgart 1904. - Dass. Jubiläumsausgabe. Ebd. 1921. - Vgl. R. Magnus: Wilhelm Bölsche. Ein biographisch-kritischer Beitrag zur modernen Weltanschauung. Berlin 1909.
[305] G. von Hertling: Materie und Form und die Definition der Seele bei Aristoteles. Ein Beitrag zur Geschichte der Philosophie. Bonn 1871. - E. Rolfes: Die substantiale Form und der Begriff der Seele bei Aristoteles. Paderborn 1896. - Ders.: Des Aristoteles Schrift über die Seele übersetzt und erklärt. Bonn 1901.
[306] Bartmann: Lehrbuch der Dogmatik. ²1911. S. 252. - Vgl. die Veränderung dieses Abschnittes in der 7. Auflage. Bd. 1. S. 270.
[307] Vgl. E.F. Ströter: Das Evangelium Gottes von der Allversöhnung in Christus. Chemnitz (1916). - Dazu die Rez. von Bartmann. In: ThGl 9 (1917) 179. - Außerdem E.F. Ströter: Unseres Leibes Erlösung. Bremen 1905. - Ernst Ferdinand Ströter (1846-1922), geb. in Barmen, war Prof. der Kirchengeschichte und Praktischen Theologie in Warrenton und Denver (USA), 1899-1912 in Wernigerode, 1912-1922 in Zürich. - Vgl. K. Kupisch: Ernst Ferdinand Ströter. In: RGG³ 6 (1962) 419. --- I. de La Peyrère: Praeadamitae sive exercitatio super versibus 12, 13 et 14 capitis V Epistolae D. Pauli ad Romanos. O. O. 1655. - Ders.: Systema theologicum ex Praeadamitorum hypotesi. I. O. O. 1655. - A. Winchell: Praeadamites or, A demonstration of the existence of men before Adam; together with a study of their condition,

klärte der Dogmatiker kurz: Abgesehen davon, daß die Schrift über die Existenz von Präadamiten garnichts aussage, sei die von Origenes im Anschluß an Platon verbreitete Wiederherstellungstheorie von der Kirche als unvereinbar mit den eschatologischen Aussagen der Schrift zurückgewiesen worden[308].

Vom Ursprung des Menschen her kam B. Bartmann im folgenden auf die Natur des Menschen zu sprechen. Diese besteht - und das war für ihn ein Glaubenssatz - aus Leib und Seele[309]. In diesem Dogma galten dem Theologen zwei Momente als wesentlich; einmal, daß dem irrigen Trichotomismus der Dualismus der menschlichen Naturbestandteile entgegengesetzt wird; sodann, daß diese zwei Bestandteile die eine Menschennatur ausmachen, die Zweiheit sich also wieder zur wahren Einheit zusammenschließt. Dabei verwies der Dogmatiker auf die berühmte Definition des Konzils von Vienne: »Die vernünftige Seele ist durch sich selbst und ihr Wesen die Form des Körpers«[310].

B. Bartmann legte dar, daß dieses Dogma gegen Petrus Olivi gerichtet war, dem man die Behauptung zuschrieb, die Seele sei nur nach ihrer sensitiven, nicht auch intellektiven Seite das Lebensprinzip des Leibes[311], oder wie es in der dritten Auflage hieß: die niedere Seele sei die Wesensform des Körpers. Das Konzil habe demgegenüber gelehrt, daß die geistige Seele durch sich selbst und ohne andere Formen und Kräfte das Seins- und Lebensprinzip des Leibes sei; es verwerfe also die Annahme von zwei oder mehreren selbständigen Seelen im Menschen und lasse auch die niederen psychischen Funktionen von der einen Seele sich vollziehen (anima vegetativa, sensitiva, intellectiva)[312]. Erklärend fügte er hinzu: Die Scholastik sei sich in der Lehre von der Zweiheit der menschlichen Wesensbestandteile einig gewesen; verschiedene Meinungen herrschten nur in Bezug auf das Wie ihrer geheimnisvollen Verbindung, worüber aber die Kirche freie Disputation gestattete. Hierüber lehre die Schule des Aquinaten, daß die Seele den Körper informiere wie die substantiale Form den Urstoff (materia prima). Nach der Skotistenschule dagegen habe der Körper für sich eine eigene Form (forma corporeitatis), und die Seele verbinden sich durch diese mit dem Leibe (nicht mit der Materia prima) und mache diesen zu ihrem Organ. Diese Auffassung sei nach der Erklärung des Viennense freigelassen und werde auch heute vielfach vertreten, obschon ein müßiger Streit über deren Erlaubtheit fortwährend noch geführt werde[313]. Es sei klar, daß sich das Konzil an den Thomismus anlehnte, wonach der Körper aus materia prima und anima = forma corporis besteht; es habe damit aber nicht die aristotelische Naturphilosophie dogmatisieren, noch die skotistische Lehre verwerfen wollen[314].

---

antiquity, racial affinities, and progressive dispersion over the earth. With charts and other illustrations. Chicago 1890. - H. Pissarek-Hudelist: Präadamitismus. In: LThK² 8 (1963) 652-653. - A. Esser: Präadamiten. In: KL² 10 (1897) 252-254.

[308] Bartmann: Lehrbuch der Dogmatik. ³1917. Bd. 1. S. 273.

[309] Ebd. ²1911. S. 253. - Vgl. ders.: Dogmatische Vorlesungen. Bd. 2. S. 31.

[310] Concilium Viennense. Sess. III (6.5.1312): Constitutio „Fidei catholicae" contra errores Petro Johannis Olivio attributi. DS 900, 902. = NR 329.

[311] Bartmann: Lehrbuch der Dogmatik. ²1911. S. 254.

[312] Ebd. ³1917. Bd. 1. S. 274.

[313] Ebd. ²1911. S. 255.

[314] Ebd. ³1917. Bd. 1. S. 275.

Gegen die Formulierung B. Bartmanns, das Viennense verwerfe die Annahme von zwei oder mehreren selbständigen Seelen im Menschen und lehne sich an den Thomismus an, wonach der Körper aus materia prima und anima = forma corporis bestehe, richtete sich die Kritik von J. Stufler[315]. Hinsichtlich des ersteren hatte bereits B. Jansen klargestellt, daß dieses Problem den Theologen des Konzils garnicht vor Augen gestanden hat; von einer Dogmatisierung der aristotelisch-thomistischen Seelenlehre jedoch insofern keine Rede sein könne, da die Formulierung für die in der franziskanischen Theologie üblichen Vorstellungen offen blieb[316]. B. Bartmann tilgte daraufhin in der nächsten Auflage seine Behauptung, daß sich das Viennense an den Thomismus angelehnt habe und präzisierte die Thesen Olivis, wobei er auch B. Jansen zu Wort kommen ließ[317].

Die Natur des Menschen besteht also aus Leib und Seele. Daß diese Bestimmung ein de fide gegebenes Dogma sei, daran hielt B. Bartmann bis zur letzten Auflage seines Lehrbuches unverbrüchlich fest[318]. A. Deneffe hat bereits darauf aufmerksam gemacht, daß B. Bartmann in seinem dogmatischen Grundriß an einer Stelle die Unsterblichkeit der Seele jenen Wahrheiten zuzurechnen scheint, die nur fide ecclesiastica zu glauben seien[319]. In einer Auseinandersetzung mit protestanti-

---

[315] J. Stufler: Rez. zu Bartmann. Lehrbuch der Dogmatik. ³1917-1918. In: ZKTh 43 (1919) 114. - Vgl. Th. Schneider: Die Einheit des Menschen. Die anthropologische Formel „anima forma corporis" im sog. Korrektionsstreit und bei Petrus Johannis Olivi. Ein Beitrag zur Vorgeschichte des Konzils von Vienne. (BGPhThMA. N.F. 8.) Münster 1973.

[316] Vgl. B. Jansen: Die Definition des Konzils von Vienne: Substantia animae rationalis seu intellectivae vere ac per se humani corporis forma. In: ZKTh 32 (1908) 289-306, 471-487. - Ders.: Die Lehre Olivis über das Verhältnis von Leib und Seele (Nach Cod. Vat. Lat. 1116). In: FSt 5 (1918) 153-175, 233-258. - Vgl. Ders.: Quonam spectet definitio Concilii Viennensis de anima. In: Greg 1 (1920) 78-90. - Ders.: Die Seelenlehre Olivis und ihre Verurteilung auf dem Vienner Konzil. In: FSt 21 (1934) 297-314. - Dass. in: Scholastik 10 (1935) 241-244. - Vgl. A. Emmen: Die Eschatologie des Petrus Johannis Olivi. In: WiWei 24 (1961) 113-144. - T.M. Zigliara: De mente Concilii Viennensis in definiendo dogmate unionis animae cum corpore, deque unitate formae substantialis in homine iuxta doctrinam S. Thomae, praemissa theoria scholastica de corporum compositione. Romae 1878.

[317] Bartmann: Lehrbuch der Dogmatik. ⁴⁻⁵1920. Bd. 1. S. 283. - Vgl. die von Bartmann genannte Literatur: J. Soffner: Dogmatische Begründung der kirchlichen Lehre von den Bestandteilen des Menschen. Ein offener Brief an Herrn Christian Franke, mit Rücksicht auf dessen Vademecum. Regensburg 1861. - A. Vraetz: Spekulative Begründung der Lehre der katholischen Kiche über das Wesen der menschlichen Seele und ihr Verhältnis zum Körper. Köln, Neuß 1866. - L. Busse: Geist und Körper, Seele und Leib (1903). Zweite Auflage mit einem ergänzenden und neue Literatur zusammenfassenden Anhang von E. Dürr. Leipzig 1913. - D. Günther: Leib und Seele. Ihre Wechselwirkung nach der heutigen Naturanschauung. Paderborn 1925. - Zum gegenwärtigen Stand der Forschung vgl. H.J. Weber. S. 155-157. Dort u.a. der Text aus Olivi: Quaestiones in Sent. II q. 59. Hinweis auch auf E. Müller: Das Konzil von Vienne (1311-1312). Seine Quellen und seine Geschichte. (VRF. 12.) Münster 1934. Vgl. besonders S. 236-386; S. 369. Anm. 314. - E. Müller stützt sich auf L. Jarreaux: Un philosophe languedocien méconnu. Essai sur la philosophie de Pierre Olivi, Franciscain du XIIIe siècle. I. La Métaphysique. II. La Psychologie. III. La doctrine de la Connaissance. (Diss. Toulouse 1929.) - Vgl. M. Schmaus: Katholische Dogmatik. Vierter Band. Zweiter Halbband. Von den Letzten Dingen. Fünfte stark vermehrte und umgearbeitete Auflage. München 1959. S. 337. - F.P. Fiorenza, J.B. Metz. In: MS 2 (1967) 616. - C. Partee: Peter John Olivi. Historica and doctrinal study. In: FStudies 20 (1960) 215-260.

[318] Vgl. Bartmann: Lehrbuch der Dogmatik. ⁸1932. Bd. 1. S. 271.

[319] Deneffe. In: Scholastik 7 (1932) 294. - Vgl. Bartmann: Grundriß der Dogmatik. ²1931. S. 2, Zusatz zur Einleitung.

schen Theologen trug der Paderborner Dogmatiker aber eine differenzierte Sicht vor. Die natürliche Unsterblichkeit der Seele, so sagte er dort, sei keine Offenbarungswahrheit; man brauche nicht zu glauben, daß die Seele von Natur schon unsterblich sei; die Bibel lehre es nicht, die Kirche habe es nicht definiert und das gewöhnliche Magisterium trage es nicht als katholische Lehre vor. Im Unterschied dazu sah der Theologe jedoch die übernatürlich bewirkte Unsterblichkeit in der Bibel durchaus klar bezeugt und kirchlich dogmatisiert[320]. Hinsichtlich der Natur der Seele zitierte er das 5. Laterankonzil :» Damnamus et reprobamus omnes asserentes animam intellectivam mortalem esse aut unicam cunctis hominibus«[321]. Die Unsterblichkeit der Seele war daher für ihn definierte Glaubenswahrheit, wohingegen er die Geistigkeit der Seele nur als allgemeine Glaubenslehre qualifizierte, da sie vom 4. Laterankonzil nur beiläufig ausgesprochen wurde[322]. Er verwies darauf, daß das Lateranense V gegen den wiederauflebenden Arabismus gerichtet war, der die Einheit des Intellekts aller Menschen (Monopsychismus) und in diesem allgemeinen Sinn den Fortbestand nur der pantheistisch gedachten Weltseele (νοῦς), nicht der Einzelseele, lehrte[323]. Für B. Bartmann waren dies nicht einfach Ideen einer vergangenen Epoche, mit denen man sich heute nur noch aus dogmenhistorischem Interesse beschäftigen kann. Vielmehr sah er die gleichen Vorstellungen wieder aufgelebt im materialistischen und monistischen Denken der Gegenwart; es war für ihn höchst aktuell, daß G. Th. Fechner, F. Paulsen und K. Laßwitz[324] ein Weiterleben nur im Gesamtbewußtsein Gottes lehrten[325].

Bei seinem »Beweis« konnte der Theologe nicht übersehen, daß im Alten Testament anfangs die Unsterblichkeit im oben genannten Sinne zurücktrat, weil man von dem Inhalt des jenseitigen Zustandes noch wenig zu sagen wußte[326]. Er betonte jedoch, daß sie keineswegs geleugnet wurde. Im übrigen werde nur die Sterblichkeit des sinnlichen Lebens, nicht die der Seele ausgesprochen, und in diesem Sinne spreche man auch im Christentum noch von der Sterblichkeit des Menschen, von seiner Vergänglichkeit und kurzen Dauer. Unter Vorwegnahme einiger Punkte der Eschatologie legte B. Bartmann schon an dieser Stelle klar, daß der Unsterblichkeitsgedanke in der exilischen und nachexilischen Zeit deutlicher wurde. Indem ein bestimmter religiöser Individualismus hervortrat, stellte sich von selbst auch der stärkere Hinweis auf ein verschiedenes Los des Guten und Bösen im Jenseits ein, da ja im Diesseits keineswegs Verdienst und Vergeltung immer verbunden sind. Was

---

[320] Ders. In: ThGl 8 (1916) 710.

[321] Vgl. Leo X.: Bulla „Apostolici regiminis" (19.12.1513). Concilium Lateranense V: De anima humana doctrina contra Neo-Aristotelicos. DS 1440. = NR 331.

[322] Vgl. Concilium Lateranense IV (11.-30.11.1215). Cap. 1: De fide catholica (Definitio contra Albingenses et Catharos): ... creator ... condidit creaturam ... humanam, quasi communem ex spiritu et corpore constitutam. DS 800. = NR 295, 918.

[323] Vgl. oben S. 185, 285. - Vgl. H.J. Weber. S. 162, Anm. 251.

[324] Zu G.Th. Fechner, F. Paulsen, K. Laßwitz siehe oben S. 8-14.

[325] Vgl. Bartmann: Lehrbuch der Dogmatik. ³1917. Bd. 1. S. 275-276.

[326] Vgl. F. Schmid: Der Unsterblichkeits- und Auferstehungsglaube in der Bibel. Brixen 1902. - M. Flunk: Die Eschatologie Altisraels. Argumente und Dokumente für die Existenz des Unsterblichkeitsglaubens in Altisrael. I. Argumente und allgemeine Grundlagen. Innsbruck 1908. - P. Torge: Seelenglauben und Unsterblichkeitshoffnung im Alten Testament. Leipzig 1909. - Dazu die Rez. von Bartmann. In: ThGl 1 (1909) 842-843. - Ders.: In: ThGl 8 (1916) 711.

Christus betrifft, so setzte er die Unsterblichkeit als ein Dogma seines Volkes einfach voraus und gründete auf sie seine ganze Wirksamkeit[327].

Nachdem B. Bartmann die neutestamentliche Theologie, die Ansicht der Väter und die Lehren der Scholastik[328] vorgetragen hatte, verwies er hinsichtlich der philosophischen Beweise für die Unsterblichkeit auf die Apologetik[329]. In seinen Dogmatischen Vorlesungen hatte er kurz vier Gründe genannt, auf denen der Vernunftbeweis für die Unsterblichkeit beruht. (1) Zunächst legte er dar, daß die Vernunft die Unsterblichkeit aus der Geistigkeit und diese aus den immateriellen Akten des Denkens und Wollens schließt. Die Seele hat nach B. Bartmann eine Anlage für unbegrenzte Vollkommenheit des Erkennes und Wollens, für Wahrheit und Sittlichkeit. Diese Anlage wird bei keinem Menschen hienieden zur vollen Reife gebracht, nicht bei den größten Virtuosen der Wahrheit und Sittlichkeit; ergo muß der Schöpfer sie in der Ewigkeit vollenden. Der Trieb nach Unsterblichkeit und ewigem Leben muß wie jeder Trieb erfüllt werden. (2) An zweiter Stelle nannte B. Bartmann den Vergeltungsgedanken, der fordert, daß einmal Sittlichkeit und Seligkeit, Tugend und Anerkennung derselben zusammenfallen. (3) An dritter Stelle erscheint ein sehr unvollständiger Beweisgang: Seele und Leib sind zwei; die Seele ist in ihrem Sein und Wirken an die Schwäche und Entwicklung des Körpers gebunden...(4) An vierter Stelle verwies er nur auf den Konsens der Völker. Offensichtlich hat der Dogmatiker auf die Entwicklung dieser Beweise keinen großen Wert gelegt. Er deutete nur an, daß Duns Skotus den Vernunftbeweis für die Unsterblichkeit leugnete, und zitierte einen Satz von K. Braig, mit dem dieser seiner Überzeugung Ausdruck gab, daß die Schwierigkeiten der aristotelisch-scholastischen Körperlehre auch auf den Beweis für die Unsterblichkeit drücken[330].

Erwähnt sei noch, daß B. Bartmann im Abschnitt über die Erhebung des Menschen die kirchliche Lehre vom praeternaturalen domum immortalitatis vortrug und erklärte, bei der Unterscheidung des hl. Augustinus zwischen der Möglichkeit des Nichtsterbens (posse non mori) und der Unmöglichkeit des Sterbens (non-posse mori)[331] sei es bis heute geblieben[332].

Wir verlassen hier die Anthropologie B. Bartmanns und wenden uns der christologischen Fundierung seiner Eschatologie zu.

---

[327] Vgl. ders.: Lehrbuch der Dogmatik. ²1911. S. 256.

[328] Ebd. ³1917. Bd. 1. S. 277. - Hinweis auf Thomas von Aquin: Quodlib. 3, 20; De anima 3 lect. 7; S. th. I, 75, 5.

[329] Vgl. die Schriften von Ph. Kneib. Dazu siehe LV.

[330] Bartmann: Dogmatische Vorlesungen. Bd. 2. S. 37. - Vgl. B. Echevería Ruiz: John Duns Scotus and Immortality of the Soul. In: De doctrina Ioannis Duns Scoti. Acta Congressus Scotistici Internationalis Oxonii et Edimburgi 11-17 sept. 1966 celebrati. Vol. II: Problemata philosophica. (Studia Scholastico-Scotistica. 2.) Romae 1968. S. 577-587. - Zur Frage nach der Unsterblichkeit der Seele, Lehrverschiedenheit zwischen Aristoteles und Alexander von Aphrodisias in dieser Frage, vgl. M. Grabmann: Mittelalterliches Geistesleben. Abhandlungen zur Geschichte der Scholastik und Mystik. Bd. II. München 1936. S. 134-136. - H.J. Weber. S. 150, 161, 178-179, 195.

[331] Augustinus: De Genesi ad litteram. l.VI. cap. XXV. Z. 36 (Adae corpus mortale simul et immortale.) PL-SL 34 (1845) 354. - Vgl. H.J. Weber. S. 186.

[332] Bartmann: Lehrbuch der Dogmatik. ²1911. S. 266.

— Christi Auferstehung zu ewigem Leben in verklärter Leiblichkeit in ihrer christologischen und soteriologischen Bedeutung

»Christus ist in verklärter Leiblichkeit zu ewigem Leben von den Toten auferstanden«[333]. Nach B. Bartmann lehrt das Dogma, daß der ewige Logos die im Tod getrennten Wesensteile seiner Menschheit, Seele und Leib, womit er während der Grabesruhe selbst verbunden geblieben war, auch ihrerseits zu einer Natur wieder vereinigte und zugleich verklärte. Er erinnerte daran, daß A. von Harnack zwischen der Osterbotschaft vom leeren Grab und dem Osterglauben an den »Auferstandenen« unterscheiden wollte. Nach modernistischer Erklärung solle der ursprüngliche Glaube dabei nur an ein ewiges Fortleben des Herrn bei Gott gedacht haben und in seiner erstmaligen Begründung rein subjektiver Natur gewesen sein. Dagegen wollte der Paderborner Dogmatiker beweisen, daß die Jünger für ihren Osterglauben eine reale geschichtliche Unterlage hatten, wenn auch diese Unterlage nur die notwendige Voraussetzung, nicht der Grund des Glaubens war. B. Bartmann machte darauf aufmerksam, daß der Osterglaube wie aller Glaube eine Gnade ist, keine natürliche Einsicht; daß er sich auf eine übernatürliche Tatsache, nicht auf einen natürlichen Erfahrungsgegenstand bezieht. Hier lag mithin der Grund dafür, daß die Auferstehung Christi ein Dogma ist.

Wir übergehen die Beweise, die B. Bartmann seiner These anfügte. Als theologische Gründe für die Auferstehung des Herrn führte er folgende an:

1. ein ontologischer, die hypostatische Union, die unauflöslich ist und keinen Wesensanteil der menschlichen Natur dauernd ohne den andern lassen kann, ohne diese Natur selbst aufzulösen;

2. ein ethischer, weil das Verdienst nicht ohne Lohn, die Gerechtigkeit nicht ohne Krone bleiben kann;

3. ein apologetischer, sofern Gott seinem äußerlich unterliegenden Sohne eine äußere Rechtfertigung und Verteidigung schuldig ist.

Die christologische Bedeutung der Auferstehung sah B. Bartmann darin liegen, daß durch sie Christus auf Erden die größte Verherrlichung und Rechtfertigung erfuhr, und daß er zugleich in seine Rechte im Himmel eingesetzt wurde, wo er fortan als »Menschensohn« thronend in der Majestät des Vaters an der Weltregierung und am Völkergericht teilnehmen soll. Die soteriologische Bedeutung beruhte für ihn darin, daß sich in ihr die Wirkung der Erlösung auf den Leib offenbart.

---

[333] Ebd. S. 379. - Ders.: Grundriß der Dogmatik. [1]1923. S. 247. - Ebd. [2]1931. S. 106. - Ders.: Dogmatische Vorlesungen. Bd. 2. S. 207. - Vgl. C. Chauvin: Jésus-Christ est-il ressuscité? (SeR. 151.) Paris [2]1901. - J.B. Disteldorf: Die Auferstehung Christi. Eine apologetisch-biblische Studie. Trier 1906. - L. Ihmels: Die Auferstehung Jesu Christi. Leipzig 1906. - Dass. 5. durchgesehene und ergänzte Auflage. Ebd. 1921. - Vgl. dazu die positive Rez. von Bartmann. In: ThGl 14 (1922) 119. - E. Dentler: Die Auferstehung Jesu nach den Berichten des Neuen Testaments. (BZfr. I. 6.) Münster 1908, [3]1910, [4]1920. - J.-E. Mangenot: La résurrection de Jesus. Paris 1910. - J. Muser: Die Auferstehung Jesu und ihre neuesten Kritiker. Eine apologetische Studie. Kempten 1911. - Dass. Zweite völlig neu bearbeitete Auflage. Mit einem Anhang: Die Auferstehungsberichte in deutscher Übersetzung. Paderborn 1914. - S. Göbel: Auferstehungsgeschichte Jesu. Eine öffentliche akademische Vorlesung. Stuttgart 1922. - Vgl. dazu die Rez. von Bartmann. In: ThGl 14 (1922) 376.

Zuletzt wird der Tod abgetan[334]; er wird in der Auferstehung Christi prinzipiell besiegt und beseitigt[335].

Im Zusammenhang mit der Himmelfahrt Jesu erörterte der Theologe dessen Wiederkunft und die Erwartung des Weltgerichts. Christologisch erklärte er die Bedeutung der Himmelfahrt als die gänzliche Vollendung der Erlöserlaufbahn Christi und als die dauernde Besitzergreifung seiner Herrlichkeit; die soteriologische Bedeutung lag für ihn darin, daß Christus jetzt in seiner himmlischen Gestalt erst so recht »der Sohn Gottes in Kraft«[336], als lebendiger und lebendigmachender Geist vom Himmel her mit der Macht des Denkens und Wollens als Haupt seine Glieder durchherrscht und belebt, mit seinem Pneuma und der heiligmachenden Gnade erfüllt und stärkt, mit seinem verklärten Fleisch in der Eucharistie die Kraft und das Unterpfand des Lebens und der Unsterblichkeit, die Bürgschaft eigener zukünftiger Herrlichkeit verleiht[337]. Jetzt erst - so fuhr er fort - werde sein Wort zur vollen Wahrheit: »Wenn ich von der Erde erhöht sein werde, werde ich alles an mich ziehen«[338]; jetzt habe er den Namen über alle Namen empfangen, damit jedes Knie vor ihm sich beuge und jede Zunge bekenne, daß der Herr Jesus Christus in der Herrlichkeit Gottes des Vaters ist[339].

Himmlische Ausübung seiner Herrschaft in Wahrheit und Gnade in Erleuchtung und Kraft, und irdische Anerkennung dieser Herrschaft im Geist und in der Wahrheit, in Anbetung und Danksagung, das sind nach B. Bartmann fortan die beiden Brennpunkte der soteriologischen Bedeutung der Erhöhung des Sohnes zur Rechten des Vaters. Nicht ein neues Verdienst begründet diese Erhöhung, nicht eine Ergänzung des Erlösungswerkes, aber eine »Zuwendung dieses Verdienstes als himmlischer Hoherpriester, dessen Erscheinen vor Gott eine fortwährende reale Fürbitte für uns bedeutet«[340]. Die Sendung seines Heiligen Geistes am Pfingsttage war mithin die erste Frucht dieser Erlöserbitte an Gott und zugleich der erste Akt seines neuen Herrscheramtes. Durch diesen seinen Geist - so versicherte der Dogmatiker - werde der Herr bis ans Weltende als das unsichtbare Haupt seiner Jünger und seiner Kirche als Erlöser tätig sein[341].

Wiederkunft und Weltgericht werden der letzte Akt der Königsherrschaft Christi sein. Hier ist der Ort, wo die Soteriologie B. Bartmanns in die Eschatologie einmündet. Bevor der Dogmatiker zu diesem Kapitel Näheres ausführte, faßte er den Ertrag seiner bisherigen Analysen in einem kurzen Abschnitt zusammen. Danach wird das Werk der Erlösung, wie es Christus in seinem dreifachen Amt vom Beginn seiner Menschwerdung bis zum Ende der Weltzeiten übernommen und ausgeführt hat, bei seiner Wiederkunft zum gänzlichen objektiven und subjektiven Abschluß kommen. Diese hat nach B. Bartmann nicht den Zweck, an der Erlösung

---

[334] Vgl. 1. Kor. 15, 26.
[335] Bartmann: Lehrbuch der Dogmatik. ²1911. S. 381.
[336] Röm. 1, 4.
[337] Vgl. Bartmann: Lehrbuch der Dogmatik. ²1911. S. 726: Die Auferstehung als Wirkung der Eucharistie. - Vgl. Joh. 6, 55.
[338] Joh. 12, 32.
[339] Phil. 2, 9-11.
[340] Bartmann: Lehrbuch der Dogmatik. ²1911. S. 383. - Vgl. Heb. 7, 24-25.
[341] Bartmann: Lehrbuch der Dogmatik. ²1911. S. 383.

selbst etwas zu ergänzen. Daher versicherte er, Christus komme wieder wie der König, der in ein fernes Land verreiste, nachdem er den Seinigen die Verwaltung seiner Güter übertragen hatte: er will die Früchte davon sehen und die Treue der Verwaltung prüfen. Nach diesem Schlußakt der Erlösungstätigkeit werde er in seiner verklärten und verherrlichten Menschheit die Seinigen, die würdig befunden sind, dem Vater, nach dessen ewigem Heilsratschluß die Erlösung begonnen, vollzogen und vollendet wurde, zuführen, so daß am Ende wie am Anfang »Gott alles in allem sei«[342]. Für Christus selbst hat nach dieser Auffassung das allgemeine Weltgericht die Bedeutung der letzten Offenbarung seiner Herrlichkeit, indem er die Guten in das Reich seines Vaters als die Früchte seiner Erlösung einheimst in Begleitung der dabei dienenden Engel, und über die Bösen seinen letzten, endgültigen Triumph feiert. Für die Erlösten aber, so versicherte der Dogmatiker, ist das Gericht das »ewige Amen des ganzen Werkes, das nie verklingende Alleluja der Erretteten, die Umgestaltung des ganzen Universums zum Schauplatz eines großen Sabbattages der ewigen Gottesanbetung und Gottesliebe«[343].

— Die Eschatologie - Geschichtlicher Überblick

Dem letzten Buch seiner Dogmatik gab B. Bartmann den Titel: Die Eschatologie. Da es sich genau um das siebte Buch handelt, drängt sich die Frage auf, ob die Verteilung des gesamten dogmatischen Stoffes auf sieben Haupttraktate mehr oder weniger zufällig geschah oder ob sie einer besonderen Absicht entsprang. Der Dogmatiker gab darüber keine Auskunft, wies jedoch darauf hin, daß man die letzten Dinge unter dem Gesichtspunkt der göttlichen Erlösungstat auch die »Vollendung der Welt« nennt[344]. Die Vollendung (Beseligung) war für B. Bartmann das letzte der Werke Gottes; er sah sie in Einheit mit Schöpfung und Erlösung (Heiligung). Die Vollendung betrifft alles Erschaffene. Da aber die Engel bereits ihre Vollendung erreicht haben und die Vollendung des Kosmos für den Paderborner Theologen nur von sekundärer Bedeutung war - zumal er sie von der Offenbarung nur spärlich beleuchtet fand -, so ging es ihm in seiner Dogmatik vornehmlich um die Eschatologie des Einzelmenschen und der Gesamtmenschheit[345].

Wie wichtig B. Bartmann gerade dieses Gebiet der kirchlichen Glaubenslehre nahm, geht daraus hervor, daß er in die dritte Auflage seines Lehrbuches einen Abschnitt einfügte, in dem er mit einem geschichtlichen Überblick in die Eschatologie einleitete.

B. Bartmann ging davon aus, daß die Vorstellung von einem Anfang und einem Ende alle höheren Religionen beherrscht, daß sie Weltentstehung und Weltuntergang wie Geburt und Tod des einzelnen kennen; das letztere sind Dinge der täglichen Erfahrung, das erstere läßt sich nur auf dem Weg der Reflexion gewinnen. Unterschiedliche Vorstellungen sind nach B. Bartmann darauf zurückzuführen, daß das Denken bei den verschiedenen Völkern ungleichmäßig entwickelt ist, ebenso wie auch das sittliche Empfinden, das besonders bei den Gedanken an das

---

[342] Ebd. S. 384. - 1. Kor. 15, 28. - Vgl. oben S. 582, 614.
[343] Bartmann: Dogmatische Vorlesungen. Bd. 2. S. 213.
[344] Ders.: Lehrbuch der Dogmatik. ²1911. S. 825.
[345] Ders.: Dogmatische Vorlesungen. Bd. 4. S. 347.

Ende stark mitspricht. Nach dieser Erklärung liefert das Gewissen in seinen Äußerungen die Farben und Formen, die Elemente und Vorstellungen speziell über das Ende des Menschen, der Völker, der Menschheit; der Gerichts- und Vergeltungsgedanke spielt in den Anschuungen und Ahnungen der Völker vom Ende eine bedeutende, nicht selten entscheidende Rolle[346]. B. Bartmann skizzierte anschließend kurz, welche Vorstellungen sich die Menschen in den verschiedenen Kulturreligionen vom Fortleben nach dem Tode machten, und er kam zu dem Schluß, daß von allen Völkern die außerhalb der übernatürlichen Offenbarung stehen, die gleichen Grundlinien der Eschatologie wie der ihr entsprechenden Vorstellungen von Gut und Bös, Verdienst und Strafe nachgewiesen werden[347].

Hinsichtlich der Religionsgeschichte Israels ging B. Bartmann auf die These ein, in der behauptet wurde, sie habe Anleihen beim Parsismus gemacht. Er fragte, warum sie nicht durch den Kontakt profitieren sollte. Ist es nicht so, daß von da ab ihm die Dinge des Jenseits ein außerordentliches Interesse abgewinnen? Warum sollte Gott nicht die äußeren eschatologischen Anregungen und Bedürfnisse benutzt haben, um seinem Volke dann eine neue Offenbarung zu geben, wenn es dafür reif geworden ist?[348]. B. Bartmann ging auch auf die Frage ein, ob Einheitlichkeit oder Zweispältigkeit die jüdische Eschatologie kennzeichnet. Er skizzierte kurz die unterschiedliche Auffassung in der protestantischen Theologie. Demzufolge behaupteten die einen, die altisraelitische Eschatologie sei einfach rational gefärbt gewesen und habe nichts anderes erwartet als die Wiederherstellung des jüdischen Volkes zu neuer politischer Freiheit und ungeahnter Weltmacht; die spätjüdische habe sich dagegen in überirdische, transzendentale Sphären und zu geistiger, ethischer Höhe geklärt; andere dagegen vertraten wie N. Messel[349] gegen A. Bertholet, W. Bousset, P. Volz[350] die These von der Einheitlichkeit des eschatologischen Glaubens der Juden, wobei sie den rein irdischen Diesseitszustand der verschiedenen eschatologischen Momente behaupteten. B. Bartmann lehnte diese These ab und erklärte, daß den Juden wohl die Klarheit von der christlichen visio beata und die aus ihr vorzüglich resultierende Glückseligkeit gefehlt habe, daß aber Israel doch wenigstens auf dem Wege dahin war und somit seine eschatologischen Hoffnungen wohl kaum alle als in einem irdischen Seligkeitszustand realisierbar ansehen konnte[351].

Entschieden wandte sich B. Bartmann noch einmal dagegen, daß die liberale Kritik das ganze Urchristentum mit Einschluß der Evangelien und der Paulinen eschatologisch erklären möchte. Nach A. Loisy, J. Schnitzer, J. Weiß, A. Schweitzer[352] u.a. wäre das Urchristentum nichts gewesen als eine gewaltig große Hoffnung

---

[346] Ders.: Lehrbuch der Dogmatik. ³1918. Bd. 2. S. 475.

[347] Vgl. V. Cathrein: Die Einheit des sittlichen Bewußtseins der Menschheit. Eine ethnographische Untersuchung. 3 Bde. Freiburg 1914.

[348] Bartmann: Lehrbuch der Dogmatik. ³1918. Bd. 2. S. 477.

[349] N. Messel: Die Einheitlichkeit der jüdischen Eschatologie. (ZAW. Beiheft 30.) Gießen 1915.

[350] Zu A. Bertholet, W. Bousset, P. Volz siehe oben S. 108.

[351] Bartmann: Lehrbuch der Dogmatik. ³1918. S. 478. - Ebd. der Hinweis auf W. Schneider: Das andere Leben. Paderborn 1923. - Vgl. ebenso Bartmann in: ThGl 27 (1935) 640.

[352] Zu A. Loisy, J. Weiß, A. Schweitzer siehe oben S. 119-124, 588, 591-592, 598. Der von Bartmann genannte Schnitzer wahrscheinlich Josef Schnitzer (1859-1939), seit 1902 Prof.

auf den Eintritt der messianischen Endzeit. Erst als man sich hierin getäuscht gesehen, habe man den Kirchenbegriff an ihre Stelle gesetzt. Man habe nun nicht mehr von dem geredet, was Christus in der nächsten Zeit den Seinen bringen werde, sondern von dem, was er in seinem Erdenleben der Welt bereits gebracht habe. Der synoptische Menschensohn sei allmählich verschwunden vor dem johanneischen, metaphysischen Gottessohn. Zur Widerlegung verwies der Dogmatiker auf das, was er schon in den Einzeltraktaten, besonders in der Christologie und der Lehre von der Kirche gesagt hatte[353].

Dieser Hinweis wurde in der 4. Auflage getilgt. Stattdessen trat die Auseinandersetzung mit Theosophie und Anthroposophie stärker hervor. Unter Berufung auf die Glaubenslehre von L. Lemme[354] warnte er jedoch auch vor jenen monistischen Strömungen, bei denen keinerlei Eschatologie mehr möglich ist. Etwas zu pauschal erinnerte er daran, daß die um F.D.E. Schleiermacher, G.F.W. Hegel, D.F. Strauß, A.E. Biedermann und A. Ritschl Jenseitsfragen für müßig hielten[355]. Dagegen erklärte er: »Wer die Eschatologie aus dem Christentum streicht, der hebt es auf und zerstört es völlig«[356], der »gräbt ihm die Lebenswurzel ab«[357]. Immer deutlicher reifte daher die Erkenntnis, daß gerade im Eschatologie-Glauben der Glaube überhaupt seine Probe bestehen muß[358]. Entsprechend lautete seine Klage schon im Jahre 1911: »Man hätte das eschatologische Problem, das seitens der Protestanten schon längst eifrig erörtert ist... auch auf unserer Seite furchtlos angreifen sollen. Es ist das wichtigste im ganzen Neuen Testament; von seiner Lösung hängt Sein und Nichtsein des ganzen Christentums ab, zumindest des katholischen«[359].

---

für Dogmengeschichte, Symbolik und Pädagogik in München, 1908 wegen scharfer Kritik an der Enz. „Pascendi" beurlaubt. Schriften siehe LV. - Außerdem vgl. F. Heiler: Josef Schnitzer. In: Eine heilige Kirche 21 (1939) 297-313. - G. Maron: Josef Schnitzer. In: RGG³ 5 (1961) 1468. - Th. Engert: Josef Schnitzer. In: RGG² 5 (1931) 220. - In seiner theol. Diss. „Berengar von Tours - Sein Leben und seine Lehre. Ein Beitrag zur Abendmahlslehre des Mittelalters" (München 1890) bekannte sich J. Schnitzer in einer Widmung zu dem Kanonisten Isidor Silbernagl, der in München seit 1872 als Nachfolger von I. Döllinger auf dem Lehrstuhl für Kirchengeschichte wirkte. - Weiteres zu J. Schnitzer siehe unten S. 690.

[353] Bartmann: Lehrbuch der Dogmatik. ³1917. Bd. 1. S. 478. - Dieser Hinweis wurde in der 4. Auflage wieder fortgelassen.

[354] Ludwig Lemme (1847-1927), ab 1876 Priv.-doz. und a.o. Prof. für systematische Theologie in Breslau, 1884-1891 in Bonn, 1891-1919 in Heidelberg, schrieb u.a.: Christliche Glaubenslehre. 2 Bde. Berlin-Lichterfelde 1918. - Vgl. dazu die Rez. von Bartmann. In: ThGl 12 (1920) 50. - Weitere Schriften von L. Lemme siehe LV. - Vgl. die von Bartmann erwähnten Schriften protestantischer Autoren: M. Braun (Hrsg.): Die Fragen ans Jenseits! Neue Antworten über Tod, Endzeit, Ewigkeit. Hamburg [1920]. - M. Hennig: Die Welt des Jenseits. (AGFr. 1.) Hamburg 1920. - Dazu die Rez. von Bartmann. In: ThGl 13 (1921) 185. - A. Stern: Das Jenseits. Der Zustand der Verstorbenen bis zur Auferstehung nach der Lehre der Bibel und den Ergebnissen der Erfahrung. 2. umgearbeitete und vermehrte Auflage. Gotha 1906. - Dass. 8. verbesserte Auflage. Ebd. 1920. - Dazu die Rez. von Bartmann. In: ThGl 13 (1921) 243-244. - Koepp: Die Welt der Ewigkeit. - Dazu die Rez. von Bartmann. In: ThGl 14 (1922) 119. - L. Reinhardt: Kennt die Bibel ein Jenseits? und Woher stammt der Glaube an die Unsterblichkeit der Seele, an Hölle, Fegfeuer (Zwischenzustand) und Himmel? München 1900, ²1925. - Dazu die Rez. von Bartmann. In: ThGl 18 (1926) 441.

[355] Bartmann: Lehrbuch der Dogmatik. ³1918. Bd. 2. S. 480.

[356] Ebd. S. 479.

[357] Ebd. ⁷1928. Bd. 2. S. 468.

[358] Ebd. ⁸1932. Bd. 2. S. 468.

[359] Ders. In: ThGl 3 (1911) 68.

— Die Eschatologie des Einzelmenschen

Im ersten Kapitel seines Lehrbuches behandelte B. Bartmann die Eschatologie des Einzelmenschen: Tod, besonderes Gericht, Himmel, Hölle und Fegfeuer. Er änderte damit die Reihenfolge der Themen, die er in seinem ersten Entwurf vorgelegt hatte. Dort folgte auf das besondere Gericht zunächst Hölle und Fegfeuer, um dann mit der Erörterung des Himmels in einen Artikel über die Verehrung der Heiligen einzumünden. Bei dieser Umordnung hatte der Systematiker die Heiligenverehrung in dem Zusammenhang dort zur Sprache gebracht, wo er von der Kirche als der Gemeinschaft der Heiligen handelte. Denn so lautete das Dogma in seiner Formulierung: »Alle wahrhaft erlösten und geheiligten Christen stehen mit Christus ihrem Haupte und untereinander in einer übernatürlichen Lebensgemeinschaft«[360]. Selbstverständlich kommen in diesem Zusammenhang jene Glaubenswahrheiten erneut zur Geltung, die schon mit der christlichen Anthropologie bzw. Psychologie besprochen wurden.

Auch die Eschatologie des Einzelmenschen eröffnete B. Bartmann mit der Definition: »Der Tod ist die Trennung der Seele von dem Leibe und das dadurch bewirkte Aufhören des physischen Lebens«[361]. In seinem ersten Entwurf unterschied er gemäß dem dreifachen Leben des Menschen auch einen dreifachen Tod: den natürlichen Tod als Aufhören des natürlichen Lebens, den übernatürlichen als das Entweichen der heiligmachenden Gnade[362], den ewigen als den endgültigen Verlust des Wohlgefallens Gottes und der steten Pein der Verdammnis[363]. In diesem ersten Lehrstück beschäftigte er sich nur mit dem natürlichen Tod, und zwar wollte er einschränkend nur das Dogma über den Tod behandeln. Dieses lautete in seiner Formulierung: »In der gegenwärtigen Heilsordnung ist der Tod insofern Folge der Sünde, als die Gabe der leiblichen Unsterblichkeit durch Adams Sündenfall verlorengegangen ist«[364].

In seiner Erklärung stellte B. Bartmann fest, daß der leibliche Tod an sich dem Menschen natürlich ist, daß aber anfänglich in der Urgerechtigkeit dieser Zerfall des menschlichen Leibes durch die präternaturale Gabe der Unsterblichkeit aufgehoben war. Diese ging dann durch die Sünde verloren, sodaß nun die natürliche Sterblichkeit des Menschen in ihre Rechte und Wirkungen trat[365]. Für B. Bartmann war es daher nicht inkonsequent, wenn die Schrift den Tod sowohl in der Geschöpflichkeit als auch in der Sünde begründet sein läßt; beides war ja der Fall. Zur Begründung verwies er auf das, was er schon zuvor über Gabe und Verlust der Unsterblichkeit gesagt hatte[366]. Wichtig war ihm nur eins: daß mit dem Tod für den Menschen die Zeit für Verdienst und Mißverdienst abgelaufen ist; daß eine prinzipielle Änderung seiner Gesinnung und wesentliche Umgestaltung seines Loses

[360] Ders.: Lehrbuch der Dogmatik. ²1911. S. 611.
[361] Ders.: Dogmatische Vorlesungen. Bd. 4. S. 347.
[362] Vgl. Eph. 2, 1.
[363] Vgl. Off. 20, 14.
[364] Bartmann: Lehrbuch der Dogmatik. ²1911. S. 825. - Vgl. ders.: Dogmatische Vorlesungen. Bd. 4. S. 348. - Ders.: Grundriß der Dogmatik. ¹1923. S. 561.
[365] Vgl. P.L. Landsberg: Die Erfahrung des Todes. Luzern 1937. - Dazu die positive Rez. von Bartmann. In: ThGl 29 (1937) 468.
[366] Vgl. ders.: Lehrbuch der Dogmatik. ²1911. S. 266.

nachher nicht mehr stattfindet[367]. Dieser Satz ist nach B. Bartmann zwar nicht ausdrücklich definierte Glaubenswahrheit; dennoch war er überzeugt, daß die These den kirchlichen Glauben richtig ausspricht und mit den wiederholt gegebenen Erklärungen der Kirche zusammenhängt, daß sofort nach dem Tod die Vergeltung stattfindet und daß diese ewig ist. Als abweichend von dieser Lehre schienen ihm Origenes und Gregor von Nyssa, insofern sie an eine jenseitige Bekehrung und Läuterung der Bösen glaubten und konsequent dann auch eine Umwandlung ihres Loses annahmen. B. Bartmann vergaß nicht, kurz darauf hinzuweisen, daß diese Theorie sogar auf die bösen Geister ausgedehnt wurde, so daß in ungemessenen Äonen am Ende alle Geschöpfe wieder zu Gott, ihrem Ursprung zurückkehren: ἀποκατάστασις πάντων, - eine Theorie, von der er meinte, daß sich ihr »einige wenige neuere Theologen wie H. Schell[368] und Hirscher angeschlossen haben«[369]. Zu einer näheren Auseinandersetzung kam es vorerst nicht. Später behandelte B. Bartmann die Apokatastasis differenzierter. Mit Hinweis auf J. Zahn[370] gab er zu, daß J. B. Hirscher, H. Schell und Mivart nicht die alte Apokatastase annahmen, sondern nur eine Bekehrungsmöglichkeit nach dem Tode[371].

Als nächste behandelte B. Bartmann die kirchliche Lehre vom besonderen Gericht. Den Glaubenssatz: »Jeder Mensch wird gleich nach dem Tode in einem besonderen Gericht von Gott in unabänderlichem Richterspruch beurteilt«[372], fand er indirekt darin ausgesprochen, daß die Kirche erklärt, die Seele gehe alsbald nach dem Tode in ihre ewige definitive Bestimmung ein[373]. Daraus folgerte er, daß dieser dann die gerichtliche Entscheidung vorangehen müsse.

Schon in den Dogmatischen Vorlesungen hatte der Paderborner Dogmatiker dargelegt, daß der hier genannte Glaubenssatz eine lange erregte dogmatische Entwicklung gehabt habe, ehe ihn Benedikt XII. durch die Konstitution »Benedictus Deus« (1336) feierlich ex cathedra definierte[374]. Mit dieser Entscheidung sah er alle

---

[367] Ebd. S. 826.

[368] Zu H. Schell siehe oben S. 250.

[369] Bartmann: Lehrbuch der Dogmaik. ²1911. S. 827.

[370] Zu J. Zahn und seine Beurteilung der Lehre Schells vgl. oben S. 305.

[371] Bartmann: Lehrbuch der Dogmatik. ³1918. Bd. 2. S. 480. - Vgl. auch die Kritik bei E. Brunner: Der Mittler. S. 423. - Von Bartmann angezogen in: Lehrbuch der Dogmatik. ⁷1928. Bd. 2. S. 473. - Zur protestantischen Auffassung vgl. weiterhin G. Zietlow: Der Tod. Biblische Studie. Gütersloh 1913. - Vgl. dazu die Rez. von Bartmann. In: ThRv 12 (1913) 579-580. - Vgl. auch H. Cremer: Über den Zustand nach dem Tode. Nebst einigen Andeutungen über das Kindersterben und über den Spiritismus. Gütersloh 1883. - Dass. Ebd. ⁸1923. - Vgl. dazu die im ganzen positive Rez. von Bartmann. In: ThGl 17 (1925) 132. - J. Witte: Das Jenseits im Glauben der Völker. (WuB. 257.) Leipzig 1929. - Dazu die Rez. von Bartmann. In: ThGl 21 (1929) 667.

[372] Bartmann: Lehrbuch der Dogmatik. ²1911. S. 827. - Vgl. ders.: Grundriß der Dogmatik. ¹1923. S. 563; ²1931. S. 240.

[373] Vgl. Concilium Lugdunense II. Sess. IV (6.7.1274). Michaelis imp. Ep. ad Gregorium pp.: De sorte defunctorum. DS 856-859. = NR 926-927. - Johannes XXII.: Ep. „Nequaquam sine dolore" ad Armenios (21.11.1321): De sorte defunctorum. DS 925-926. - Concilium Florentinum: Bulla unionis Graecorum „Laetentur caeli" (6.7.1439): De sorte defunctorum. DS 1304-1306.

[374] Bartman: Dogmatische Vorlesungen. Bd. 4. S. 352. - Vgl. Benedikt XII.: Constitutio „Benedictus Deus" (29.1.1336): De sorte hominis post mortem. DS 1000-1002. = NR 901-905. - Vgl. auch Bartmann: Dogmatische Vorlesungen. Bd. 1. S. 64: Die intuitive Gotteserkenntnis im Jenseits. - Zur Constitutio vgl. H.J. Weber. S. 215-216.

unklaren Vorstellungen über das Los der abgeleibten Seelen endgültig abgewiesen: Die Annahme eines Seelenschlafes (Psychopannychie) bis zum Weltende, die sich bei einzelnen Vätern, Nestorianern, Armeniern, Arminianern, Sozianern und Calvin findet; die Behauptung der Photinianer, Wiedertäufer und anderer, die Seele sterbe mit dem Leibe und werde erst am Ende wieder aufstehen; die Vorstellung einer Seelenwanderung (Metempsychose) bei Manichäern und Priszillianisten[375].

Die eigenen positiven Vorstellungen hatte B. Bartmann schon in seiner Anthropologie dargelegt, indem er erklärte, daß die ersten Menschen ihre Urstandsgerechtigkeit nicht als unveräußerliches Gut empfingen, sondern als Gnadengabe zur Erwerbung eines vollkommeneren Endzustandes der Seligkeit[376]. Nach der erneuten Begnadigung, die der in Sünde gefallene Mensch dem Erlöser-wirken Christi zu verdanken hat, wird er wiederum zur Teilnahme an der göttlichen Natur und am göttlichen Leben befähigt[377]. Bleibt während des ganzen Erdenlebens trotz Rechtfertigung die Ungewißheit des Gnadenstandes für den Menschen bestehen[378], so öffnet ihm nach dem Tode das Gericht die Augen zur Erkenntnis und den Weg zu jenem Ziel des ewigen Lebens, wo der Gerechte endlos an der Seligkeit Gottes teilnehmen wird[379]. Himmel war für B. Bartmann entsprechend weniger ein Raum als vielmehr ein Zustand der ewigen Belohnung des Gerechten[380].

Der Frage nach dem Ort des Himmels widmete B. Bartmann bereits in der 3. Auflage breiten Raum, da die liberale Kritik behauptete, Jesus habe seine Aussagen vom Standpunkt des antiken Weltbildes aus gemacht, und da dies seit Kopernikus vernichtet sei, hätten somit auch jene Aussagen ihren Boden verloren[381].

Gegenüber den Einwürfen E. Haeckels und anderer Monisten zeigte der Theologe zunächst, daß im biblischen Schöpfungsbericht nur von Himmel und Erde, nicht aber von »drei« Stockwerken die Rede ist[382]. Gewiß, später kam die Scheol dazu, aber erst langsam wurde Israel zum Glauben an einen nach der sittlichen Güte differenzierten Lebensinhalt der Seelen geführt. Weiterhin gab B. Bartmann zu bedenken, daß der Begriff »Himmel« in der Heiligen Schrift sehr differenziert gebraucht werde. Zwar hätten die spätjüdischen Apokryphen mit einem ganz auffallenden Interesse die Jenseitsorte zu bestimmen gesucht, aber ebenso sei Christus an allen diesen dem Volk so geläufigen Vorstellungen vorübergegangen; sein ganzer

---

[375] Bartmann: Lehrbuch der Dogmatik. ²1911. S. 827.

[376] Ebd. S. 268.

[377] Vgl. ebd. S. 499.

[378] Vgl. ebd. S. 503.

[379] Vgl. ders. Dogmatische Vorlesungen. Bd. 4. S. 363. - Ders.: Grundriß der Dogmatik. ¹1923. S. 565; ²1931. S. 242.

[380] Ders.: Lehrbuch der Dogmatik. ²1911. S. 829. - Vgl. ders.: Positives Christentum in katholischer Wesensschau. Paderborn 1934. S. 30.

[381] Bartmann nannte K. Girgensohn: Der Schriftbeweis in der evangelischen Dogmatik einst und jetzt. Leipzig 1914. - Vgl. dazu die Rez. von Bartmann. In: ThGl 7 (1915) 330. - Ders.: In: ThRv 14 (1915) 217-219. - H. Lubenow: Woran man nicht zu glauben braucht. Eine Richtigstellung falscher Auffassungen. Gütersloh 1911. - Dagegen E. Hoppe: Glauben und Wissen. Antworten auf Weltanschauungsfragen. Gütersloh 1915. - Ders.: Leben nach dem Tode? Berlin-Lichterfelde 1915. - K. Holzhey: Das Bild der Erde bei den Kirchenvätern. In: Festgabe Alois Knöpfler zur Vollendung des 70. Lebensjahres von seinen Freunden und Schülern hrsg. von Heinrich M. Gietl und Georg Pfeilschifter. Freiburg 1917. S. 177-187.

[382] Vgl. Bartmann: Grundriß der Dogmatik. ¹1923. S. 567. - Zu E. Haeckel siehe oben S. 11-14.

Akzent ruhe auf dem sittlichen Zustand als Disposition für den Himmel und auf dem, was wir die himmlische Seligkeit nennen. Daher seien die Zustandsschilderungen bei ihm sehr reichhaltig, die Örtlichkeitsbestimmungen jedoch leer und arm. Auch nach Übersicht über das gesamte biblisch-patristische-scholastische Material kam er zu dem Schluß, daß man das »dreistöckige Weltbild«, womit angeblich die ganze dogmatische Eschatologie stehen und fallen solle, für eine kühne Konstruktion der Kritik halten müsse, die den Zweck verfolgt, Glauben und Wissen in Widerspruch zu setzen. Nach dem Glauben aber, so erklärte der Dogmatiker, ist der Himmel dort, wo die Seele ihre Glückseligkeit genießt, diese besteht in der Gottanschauung oder in der Teilnahme an dem Sein und Leben Gottes. Beides sind Zustandsbegriffe, für die sich allerdings auch die fließenden Lokalausdrücke Himmel und Hölle finden[383].

Wir übergehen die »Beweise«, die der Dogmatiker aus der Hl.Schrift und den Werken der Kirchenväter anführte, und heben nur das hervor, was den eigenen Standpunkt B. Bartmanns verdeutlicht.

Dazu gehört der Hinweis, daß die scholastische Theologie die Seligkeit unter dem Gesichtspunkt der Gottschauung behandelte; da diese streng übernatürlich ist, so bedürfen die Seligen eines besonderen Erkenntnislichtes, des lumen gloriae. Nach B. Bartmann ist die Existenz des Glorienlichtes definiertes Dogma[384],- wenngleich die besondere Natur desselben geheimnisvoll und nicht näher dogmatisiert ist. Seine Notwendigkeit ergab sich ihm aus dem unendlichen Abstand des geschaffenen Geistes von dem absoluten Wesen Gottes. »Gott ist für jede Kreatur übernatürlich«[385]. Hinsichtlich der Natur des Glorienlichtes erklärte B. Bartmann, die Spekulation habe gesucht, dasselbe als eine übernatürliche Erkenntniskraft zu bestimmen, die Gott den Seligen aus freier Güte zu dem Zweck schenkt, daß sie ihn unmittelbar anschauen, seine vollkommene Natur erkennen und dadurch selig sind. Näherhin sei diese Kraft ähnlich wie die eingegossenen Tugenden ein der Seele dauernd inhärierender Habitus, wodurch die Seele gottförmig und zur Teilnahme an der Erkenntnis Gottes befähigt werde[386].

In der dritten Auflage verwies B. Bartmann darauf, daß der Ausdruck »lumen gloriae« zuerst bei Thomas und Bonaventura auftauchte[387], wohl im Anschluß an Ps. 35,10[388]. Im Unterschied zu den Vorstellungen dialektischer Theologie betonte der katholische Theologe jedoch, daß die Übernatürlichkeit der Gottschauung nicht als Gegensätzlichkeit von Gott und Mensch verstanden werden darf. Nach Thomas sei Gott wie der Urheber so das Ziel der Kreaturen, zumal für die vernünftige Kreatur, den Menschen, der dies sein Ziel mit seiner vorzüglichen Geisteskraft, dem Intellekt anstreben und besitzen soll[389].

---

[383] Bartmann: Lehrbuch der Dogmatik. ³1918. Bd. 2. S. 488. - Vgl. ders.: Dogmatische Vorlesungen. Bd. 4. S. 355.

[384] Concilium Viennense. Sess. III (6.5.1312): Const. „Ad nostrum qui" - Errores Beguardorum et Beguinarum de statu perfectionis. DS 895. = NR 900. - Zum Thema vgl. Bartmann: Die intuitive Gotteserkenntnis im Jenseits. In: Dogmatische Vorlesungenen. Bd. 1. S. 64-66.

[385] Ders.: Lehrbuch der Dogmatik. ²1911. S. 830.

[386] Ebd. S. 831. - Vgl. A. Stockmann: Licht der Verklärung. In: ThGl 1 (1909) 513-527.

[387] Bartmann: Lehrbuch der Dogmatik. ³1918. Bd. 2. S. 484.

[388] Vgl. ebd. Bd. 1. S. 93-97: Das Schauen Gottes.

[389] Vgl. Thomas von Aquin: S. c. g.: l. 3 q. 25. - Ders.: S. th. III q. 9 a. 2 ad 3; q. 11 a.1.

B. Bartmann hielt es für nötig, eigens darauf hinzuweisen, daß selbstverständlich diese primär im Intellekt gründende Seligkeit auf den Willen »redundiert« und in ihm gleichzeitig eine nie erlöschende Anhänglichkeit an ihn entzündet. Damit sah er jenen Streit der Scholastiker, ob die Glorie primär und formell in der Tätigkeit des Intellekts oder des Willens bestehe, geschlichtet[390].

Nach dieser Feststellung kam B. Bartmann sodann auf ein spezielles Thema der mystischen Theologie zu sprechen. Er legte dar, daß nach Augustin die Gemeinde der Seligen zu verstehen ist als die ordinatissima et concordissima societas fruendi Deo et invicem in Deo[391]. Diese Auffasung, so versicherte er, die der Lehre des Kirchenvaters entspringt,daß antizipierter Genuß des höchsten Gutes die Wirkung der Gnade auf den Erdenmenschen sei, habe nichts zu tun mit jener heidnischen Mystik, nach der die Erlösung und Seligkeit in jener Gnosis besteht, wodurch die Seele vergöttlicht wird; und zwar in der Weise, daß sie in der Ekstase aus sich selbst heraustritt, ihre Erkenntnisschranken durchbricht und den Zugang zur Gottheit selbst erlangt, in deren ruhendem, schweigendem Anschauen sie verharrt, auf Erden intermittierend, im Himmel für immer. In der neuplatonischen, das heißt durch Plotin und Porphyrius mit orphisch-pythagoreischen Mitteln ausgebildeten Mystik vollzieht sich eine Auflösung der Seele in der Gottheit; ganz anders nach B. Bartmann in der christlichen Mystik, dort fällt die visio et contemplatio veritatis in Gott mit der perfruitio summi et veri boni zusammen[392]; wie der Theologe erklärte, wurde Augustinus vor der Vermischung des Menschlichen mit dem Göttlichen durch das Dogma der persönlichen Unsterblichkeit geschützt[393].

B. Bartmann wußte, daß in der religiös-interessierten Welt seiner Zeit viel von »Mystik« die Rede war; er sah jedoch, daß die Vorstellungen meistens nur auf einen seichten Monismus hinausliefen. Man sprach - wie etwa E. Troeltsch - von einem Aufgehen in der Gottheit bis zur völligen Auflösung der eigenen Persönlichkeit[394]. B. Bartmann erkannte darin jene heidnische Mystik, wie sie in fast allen alten Kulturreligionen hervorgetreten war - besonders in den verschiedenen Religionen Ostasiens - , und die - wie er meinte - durch F. Schleiermacher ihren Eingang in die

---

[390] Bartmann: Lehrbuch der Dogmatik. ²1911. S. 831.
[391] Augustinus: De civitate Dei. l. XIX cap. 13 und 17: (De pace universali, quae inter quos libet perturbationes privari non potest lege naturae, dum iusto iudice ad id quisque pervenit ordinatione, quod meruit voluntate. - Unde coelestis societas cum terrena civitate pacem habeat, et unde discordiam.) PL-SL 41 (1846) 640-642; 645-646. = CCL. XLVIII (MCMLV) 678-680; 683-685.
[392] Vgl. ders.: De quantitate animae. cap. XXXIII (Vis animae in corpore, in seipsa, et apud Deum, septem eius magnitudinis gradus constituit.) Z. 76 (Septimus gradus animae.) PL-SL 32 (1845) 1076-1077. - Ders.: De vita beata. cap. IV. Z. 34. PL-SL 32 (1845) 975-976. = CCL. XXIX (MCMLXX) 84. - Ders.: De civitate Dei. l. XXII. cap. 29: (De qualitate visionis qua in futuro saeculo sancti Deum videbunt.) PL-SL 41 (1846) 796-801. = CCL. XLVIII (MCMLV) 856-862. - Bernhard von Clairvaux: De diligendo Deo. PL-SL 182 (1854) 973-1000. - Hugo von St. Victor: De arca Noe morali libri IV. PL-SL 176 (1854) 618-680. - Albertus Magnus: De adhaerendo Deo. Beati Alberti Magni ... libellus aureus de adhaerendo Deo (Bibliotheca mystica et ascetica. N⁰ 7.) Coloniae 1851. Dazu vgl. jedoch M. Grabmann: Der Benediktinermystiker Johannes von Kastl, der Verfasser des Büchleins De adhaerendo Deo. In: ThQ 109 (1920) 186-235.
[393] Bartmann: Lehrbuch der Dogmatik. ³1918. Bd. 2. S. 485.
[394] Zu E. Troeltsch siehe oben S. 109-115.

Theologie des liberalen Protestantismus gefunden hat. Dem wollte er mit der katholischen Dogmatik jene uranfänglich christliche Mystik entgegenstellen, die durch einen reinen theistischen Gottesbegriff gekennzeichnet ist. Begründet war sie ihm in Jesus selbst, am deutlichsten ausgesprochen im Johannesevangelium, wo er eine Einwohnung Gottes im begnadeten Menschen und ein Ineinanderleben mit ihm lehrt. Der Dogmatiker behandelte dies eigens in der Gnadenlehre; hier machte er darauf aufmerksam, daß die Nachwirkung dieses Gedankens sich in der vielbehandelten»Mystik des Apostels Paulus« zeigt[395].

Nach diesem Exkurs in das Gebiet der mystischen Theologie kehren wir zum Hauptgedanken B. Bartmanns zurück: Primäres Erkenntnisobjekt der Gottschauung ist Gott selbst - sekundäres die Kreaturen, doch ist ihre Erkenntnis in erster Hinsicht keine komprehensive (videbunt Deum totum, sed non totaliter); und in letzter Hinsicht keine Allwissenheit. Außer dem wesentlichen Gut der Seligkeit, der Gottschauung, gibt es nach B. Bartmann noch die akzidentellen Freuden des Himmels: den Verkehr mit Christus und seiner glorreichen Mutter, mit den Engeln und Heiligen, das Bewußtsein überwundener Gefahren, erfochtener Siege, die Freiheit vom Leiden und aller Art Übel und nicht zuletzt volle Sicherheit im erlangten Besitz. B. Bartmann erklärte, daß dies die Schrift und die Kirchensprache »ewigen Frieden« nennt, daß dieser also keineswegs in ertötender Untätigkeit besteht, sondern im ewig gleichen, aber ebenso stetig fortschreitenden Leben in Gott, der für die Seele alles ist[396].

Wir berühren hiermit einen Punkt, in dem der Paderborner Dogmatiker eine ausgeprägte Sondermeinung vertrat. Diese wurde in seiner Schrift über das Gnadenleben des Christen[397] noch deutlicher. Dort erklärte er, daß kein Wort in heutiger Zeit einen besseren Klang habe als das vom Fortschritt ... dieser sei an sich nichts Böses, sondern an sich gut und gottgewollt. Nach B. Bartmann gilt dies nicht nur für den rein natürlichen Bereich; er äußerte vielmehr unter Berufung auf Mat. 5,48 die Ansicht, daß Gott auch für die rein innere Welt des Geistes das Gesetz des Fortschritts feierlich aufgestellt habe. In eschatologischer Hinsicht ergab sich für ihn aus dieser Erkenntnis eine wichtige Wahrheit, die er in der These zum Ausdruck brachte: »Der Fortschritt des Christen im Guten kann auf Erden nie abgeschlossen werden«[398].

B. Bartmann legte drei Gründe dar, weshalb wir in diesem Leben mit unserer Arbeit an der persönlichen Vollkommenheit nicht zu Ende kommen. Es lag für ihn zuerst und zunächst an dem Gegenstand der vollkommenen Liebe. Diese ist Gott

---

[395] Bartmann: Maria im Lichte des Glaubens und der Frömmigkeit. [1]1922. S. V-VI. - Vgl. ders.: Paulus. S. 74-112: Die paulinische Mystik. - Zum Thema vgl. auch die positive Rez. von Bartmann zu E. Brunner. Die Mystik und das Wort. In: ThGl 17 (1925) 132. - Außerdem ders.: Rez. zu H.E. Weber. „Eschatologie" und „Mystik" im neuen Testament. Ein Versuch zum Verständnis des Glaubens. Gütersloh 1930. In: ThGl 23 (1931) 404. Dort irrtümlich als Autor der besprochenen Schrift „E. Weberitz" genannt. - Ders.: Rez. zu A. Schweitzer. Die Mystik des Apostels Paulus. In: ThGl 23 (1931) 654-656. - Zu der „mystischen Neigung Bartmanns" vgl. O. Piper. In: ThLZ 58 (1933) 19.

[396] Vgl. Off. 14, 13. - R. Baxter: Die ewige Ruhe der Heiligen (= The saints everlasting rest.) Deutsch mit einem Vorwort von S.K. von Kapff. Stuttgart [10]1924. - Dazu die positive Rez. von Bartmann. In: ThGl 17 (1925) 732.

[397] Vgl. Bartmann: Des Christen Gnadenleben.

[398] Dass. [1]1921. S. 293.

selber, und da Gott unendlich ist, so folgerte er, daß jene Liebe, die ihn liebt, wie er es verdient, möglichst unendlich sein müsse[399]. Daraus ergab sich die Auffasssung, daß selbst in der Ewigkeit unser Streben nach Vollkommenheit noch nicht zur vollen Ruhe komme. Wir hörten bereits, daß auch für den Himmel das Gesetz des Fortschritts in der Liebe gilt. Freilich sollte jener Fortschritt in der Seligkeit als sehr verschieden von dem hier auf Erden angesehen werden. Er vollzieht sich nach B. Bartmann nicht mehr gegenüber Hindernissen und Hemmungen, ist nicht mit Mühen und Opfern, Entsagung und Überwindung verbunden, sondern geschieht leicht und freudig, begleitet von einem Gefühl des Glückes und der Seligkeit. Gott ist danach in seinem heiligen und gütigen Wesen der »große Magnet«, der alle Herzen mit der Gewalt einer inneren Notwendigkeit an sich zieht. Die Heiligen - so führte er weiter aus - werden von dem grundguten göttlichen Wesen gleichsam gezwungen, es mit immer größerer Liebe zu erfassen und zu umfassen; gezwungen nicht wider Willen, sondern gemäß ihres eigenen Willens, so daß das Wachstum in der Liebe nicht länger ein Werk der Anstrengung, vielmehr höchste Glückseligkeit jedes Heiligen ist. Ja, gerade in diesem ständigen und stetigen Hinwachsen der Seligen in die Gottheit, in dieser »nimmerruhenden lebendigen Erfassung seines Wesens und seiner unendlichen Vollkommenheiten«, besteht nach B. Bartmann die Seligkeit selbst[400].

Der Theologe brachte in diesem Zusammenhang auch den patristischen Gedanken einer Vergöttlichung des Menschen erneut zur Geltung, indem er erklärte, daß der Geist der Seligen um so gottgemäßer und vergöttlichter werde, je länger und je tiefer er in das Wesen Gottes hineingetaucht wird, bzw. je kräftiger Gott den seligen Geist in sein Wesen aufnimmt und daran teilnehmen läßt[401]. Zur Verdeutlichung erklärte er in der zweiten Auflage, daß das Leben Gottes nicht in starrer Ruhe und unlebendiger Bewegungslosigkeit besteht, so auch nicht die »ewige Ruhe« der Seligen. Nur bestand für B. Bartmann ein Unterschied darin, daß Gott in jedem Augenblick der Ewigkeit sein ganzes Leben genießt und erschöpft, die Seele des Heiligen hingegen ihr Leben, das in einer geschöpflichen Teilnahme am Leben Gottes besteht, immer nur in einer begrenzten Vollkommenheit besitzt. Und da - nach einer christlichen Grundwahrheit - Gottes Leben für jede Kreatur unendlich und unerreichbar bleibt, so ergab sich, daß der geschöpfliche Geist immer nur in steter Wiederholung sich dem Ziel seiner Gotteserfassung nähern kann. Dies verstand B. Bartmann aber nicht als schematische monotone Gleichmäßigkeit, sondern als eine Wiederholung der Lebensakte, die zugleich Steigerung der sie begleitenden Freude, eine immer wachsende Einsicht in ihren Wert und somit einen Fortschritt ohne Ende bedeutet. »Gnade um Gnade«[402], das blieb für ihn auch das Gesetz der Seligkeit; das Gegenteil wäre nach B. Bartmann »unnatürlich«, aber auch jeder übernatürliche Lebensakt bedeutete für ihn zugleich eine Befähigung für einen höhergearteten. Es schien ihm ganz undenkbar, daß die Seele, die ständig und ungehemmt unter dem stärksten Einfluß der göttlichen Erkenntnis und Liebe steht, davon nicht auch eine fortwährend sich steigernde Befähigung zum seligen Genuß

---

[399] Ebd. S. 294. - Vgl. ders.: Dogmatische Vorlesungen. Bd. 4. S. 367.
[400] Ders.: Des Christen Gnadenleben. ¹1921. S. 295.
[401] Ebd. S. 295.
[402] Joh. 1, 16.

Gottes empfangen soll. Das wäre nach B. Bartmann die Aufhebung des Gesetzes von Ursache und Wirkung[403].

Der zweite Grund, den der Theologie für die Möglichkeit einer endlosen Zunahme in der Liebe anführte, liegt im Menschen selbst, näherhin in der Grundbefindlichkeit, daß unsere Seele vermöge ihrer geistigen Natur fähig ist, unendlich in der Liebe zu wachsen. So erklärte er unter Berufung auf Augustinus und Thomas, daß unsere Seele in dem Sinne groß genug für Gott ist, als sie sich immerfort im Verstande mit Gott beschäftigen und in der Liebe ohne Unterlaß ihn genießen und dadurch ohne Ende selber wachsen kann. Dabei erweitert sich nach B. Bartmann die Seele mit ihrem göttlichen Inhalt selbst[404].

Die Kraft, wodurch der Fortschritt der Seele in der Liebe und Gerechtigkeit unendlich bewirkt wird, ist nach B. Bartmann deshalb unendlich, weil sie ihre Ursache im Heiligen Geist selbst hat. Diese Wahrheit unseres Glaubens nannte B. Bartmann als den dritten Grund, auf den er seine These stützte. In der Tatsache, daß der Heilige Geist selbst wie der Ursprung so auch das bleibende Prinzip unseres Fortschritts ist, lag die tiefste Erklärung dafür, daß dieser unser Fortschritt endlos sein kann und sein soll[405].

In einer Kritik zu der hier wiedergegebenen Auffassung schrieb der Jesuit H. Lange[406] in der Theologischen Revue, daß diese Lehre in der katholischen Theologie so gut wie neu sei. Berief sich B. Bartmann zur Stützung seiner Theorie auf 2 Kor. 3,18, so wandte der Dogmatiker aus Valkenburg dagegen ein, daß Paulus an der angezogenen Stelle nicht vom Jenseits rede. Auch die Berufung auf Thomas war ihm nicht stichhaltig; er verwies darauf, daß es die katholischen Theologen stets als selbstverständlich ansahen, daß im Himmel der Grad der Gnade, Liebe und beseligenden Gottesschau und damit auch der wesentlichen Freude und Seligkeit unverändert bleibt. H. Lange argumentierte: Ist die visio beatifica, wie die Theologen mit dem hl. Thomas durchweg lehren, wirklich eine Anteilnahme auch an der Ewigkeit und Unveränderlichkeit der göttlichen Erkenntnis, dann besteht das Leben der Seligen ebensowenig wie das Leben Gottes in starrer Ruhe und unlebendiger Bewegungslosigkeit, aber es hat in seinem höchsten Lebensakt gleich Gottes Leben keine Wiederholung und Steigerung mehr. Eine Steigerung der wesentlichen Liebe und Freude kann nach H. Lange nicht stattfinden, weil diese Akte vom ersten Augenblick der visio Dei intuitiva an mit der ganzen Intensität, zu der eben dieser Grad der visio befähigt, aus der Seele hervorbrechen[407]. Seine Kritik ging demnach dahin, daß B. Bartmann sich die intuitive Erkenntnis Gottes in der Seligkeit viel zu sehr nach Art unseres diesseitigen Erkennens vorgestellt habe. Dagegen behauptete der Valkenburger Theologe: »Ein ewiges, unwandelbares, sich

---

[403] Bartmann: Des Christen Gnadenleben. ²1922. S. 386.

[404] Ebd. ¹1921. S. 296.

[405] Ebd. S. 297.

[406] Hermann Lange (1878-1936): De gratia. Tractatus dogmaticus. Ed. 3. Friburgi Brisgoviae 1929. - Ders.: Im Reiche der Gnade. Regensburg 1934. - Zu H. Lange vgl. J. Gummersbach in: LThK² 6 (1961) 784-785. - Pater Hermann Lange †. In: Scholastik 11 (1936) 161-162.

[407] Vgl. auch F. Wetter: Die Lehre Benedikts XII. vom intensiven Wachstum der Gottesschau. (AnGr. 92.) Romae 1958. - H.J. Weber. S. 202-217. - Chr. Schütz: Anmerkungen zur Geschichte der Eschatologie. In: MS. Bd. 5. S. 597-599: Wachstum der Seligkeit.

ewig gleichbleibendes Schauen Gottes ist keine Aufhebung des Gesetzes von Ursache und Wirkung, ist ebensowenig unnatürlich, sondern es ist durch und durch geheimnisvolle Erhebung des geschöpflichen Verstandes zu jener Art von Erkenntnis, die dem göttliche Verstande allein von Natur aus eignet, und darum im höchsten Sinne übernatürlich«[408].

Abgesehen von dieser Kontroverse in einem wichtigen Punkt der Eschatologie, bei der die Auffassung B. Bartmanns von einer fortschrittsgläubigen Lebensphilosophie und einem evolutiven Geistverständnis beeinflußt wurde, bestimmte er in seinem Lehrbuch der Dogmatik die Eigenschaften der Seligkeit abschließend als ewig, dem Wesen oder der Sache nach für alle gleich, jedoch nach dem Verdienst akzidentell verschieden. Zum Beweis erinnerte er für den letzten Punkt an die Lehre vom Verdienst[409]. Den »Lebenswert« des Dogmas sah er darin, daß in keiner anderen Wahrheit soviel sittliche Kraft liegt als in der vom Himmel. Sie enthält für uns alles, worauf wir hoffen, wonach wir verlangen. Er erklärte: »Wir gehen in den Himmel ein, das heißt wir gehen ein in die Gottheit«[410].

Hatte B. Bartmann den Himmel mehr als Zustand denn als einen Ort dargestellt, so definierte er auch die Hölle als einen »jenseitigen Strafzustand, in welchem die von Gott abgewandten Bösen ihre ewige Vergeltung empfangen«[411].

Wir haben bereits gehört, wie der Theologe das Verhältnis von Hölle und Tod sah. Bei einer späteren Auseinandersetzung hat er kurz vor Ende seines Lebens den ganzen Zusammenhang noch einmal klar dargelegt. Danach ändert der Tod an uns nichts, als daß er uns fürs Diesseits die physische Existenzmöglichkeit nimmt und damit die Seele in ihrer religiösen Verfassung genau so, wie sie in Wirklichkeit ist, vor den allwissenden Richter hinstellt. Hat sie sich nun im Leben bewußt und frei von ihrem Schöpfer und Erlöser losgesagt, so hat sie sich damit selbst ihr Urteil gesprochen. Und so dauert dann eben nach B. Bartmann fort, was hier begonnen wurde. Er betonte nachdrücklich, daß die aversio a Deo und die conversio ad creaturam ganz des Menschen eigenes freies Werk ist, und daß sie auch im Jenseits des Menschen eigenes Werk bleibt, - nur daß dann der furchtbare Zwiespalt zwischen Mensch und Gott, Geschöpf und Schöpfer, der im Diesseits durch die conversio ad creaturas bloß erst theoretisch empfunden wurde, nunmehr, wo aller Lärm der Kreatur mit Erlöschen der Sinne stille geworden ist und die Seele sich in ihrer totalen Einsamkeit sich selbst überlassen und allein findet, zur grauenvollen Wirklichkeit wird: Vollkommen allein, trotz dem allgegenwärtigen Gott, dem der Mensch verhaftet ist und von dem er nicht loskommen kann, selbst wenn er sich von ihm losgesagt hat. B. Bartmann erinnerte daran, daß Augustinus diesen furchtbaren Zwiespalt zwischen Bestimmung und Sein einen »Tod, der nicht sterben kann« nennt[412].

---

[408] H. Lange: Rez. zu Bartmann. Des Christen Gnadenleben. ²-³1922. In: ThRv 23 (1924) 106-108. - Vgl. dazu passend die Kritik von Krebs; siehe oben S. 555.

[409] Vgl. Bartmann: Lehrbuch der Dogmatik. ²1911. S. 513-521.

[410] Ders.: Grundriß der Dogmatik. ¹1923. S. 570; ²1931. S. 245.

[411] Ders.: Lehrbuch der Dogmatik. ²1911. S. 832. - Vgl. ders.: Grundriß der Dogmatik. ¹1923. S. 571; ²1931. S. 246.

[412] Bartmann. In: ThGl 30 (1938) 143. (Auseinandersetzung mit: Der Katholizismus. Sein Stirb und Werde. Von katholischen Theologen und Laien, hrsg. von G. Mensching. Leipzig

In seinem Lehrbuch bemühte sich der Dogmatiker gegenüber zahllosen Gegnern dieses Dogmas nachzuweisen, daß nach der Lehre Christi und der Apostel die Existenz der Hölle als eines Strafzustandes feststeht, wie auch, daß die Strafen dort endlos, ewig sind, allerdings ungleich entsprechend der Schuld. Wohl wußte er, daß bei einigen Vätern Schwierigkeiten betreffs der Ewigkeit der Hölle vorliegen[413]. Diese versuchte er in einer dogmengeschichtlichen Übersicht zu verdeutlichen, ansonsten aber verwies er die Theodicee der Hölle in die Apologetik[414]. Über den Doppelcharakter der Höllenstrafe (poena sensus - poena damni) referierte er ebenfalls die kirchliche Lehrtradition; dabei erwähnte er auch die verschiedenen Auffassungen jenes ewigen Feuers. Gegenüber den neueren Versuchen von F. Schmid[415] und K. Gutberlet[416] hielt er selbst es für das beste, mit Augustinus und Thomas zu bekennen, daß wir von der Art jenes Feuers nichts wüßten. Statt dessen sollte die Strafe des Verlustes betont werden, zumal dieser Gottesverlust nach B. Bartmann die Seele um so grauenvoller ergreifen muß, als es dann ihre einzige Tendenz ist, mit Gott verbunden zu werden, - was ihrer einzigen Zweckbestimmung entspricht. Diese kann sie dann in Ewigkeit nicht erreichen, und zwar aus eigener Schuld[417].

Das Fegfeuer bestimmte der Paderborner Dogmatiker als einen vorübergehenden Zwischenzustand, der sich eben durch seinen transitorischen Charakter von den beiden definitiven Vergeltungszuständen, im Himmel und in der Hölle, wesentlich unterscheidet. Wird er wegen seiner poenalen Natur mit der Hölle irgendwie in Verbindung gebracht, so sollte er aber nach B. Bartmann wegen seines Zweckes und letzten Zieles vor allem auch zum Himmel in Beziehung gesetzt werden. Das Dogma, das wiederum mit biblischen Texten und kirchlicher Lehr- und Glaubenstradition erläutert wurde, lautete in der Formulierung B. Bartmanns: »Es gibt ein Fegfeuer oder einen Zustand der sittlichen Läuterung, in welchem die noch

---

1937.) - Dass. in: Reform-Katholizismus? Eine Antwort auf das Buch: Der Katholizismus. Sein Stirb und Werde. Von B. Bartmann (u.a.) [1. und] 2. unveränderte Auflage. Paderborn (1938). S. 25.

[413] Bartmann: Lehrbuch der Dogmatik. ²1911. S. 833. - Vgl. u.a. Sachs: Die ewige Dauer der Höllenstrafen. Dazu siehe oben S. 250, Anm. 480. - F.X. Kiefl: Herman Schell und die Ewigkeit der Höllenstrafe. Eine Kritik der Darstellung der Lehre Schells in Joh. Stuflers Schrift: „Die Heiligkeit Gottes und der ewige Tod". (Sonderdruck aus: ThPM.) Passau 1904. - J. Kroll: Gott und Hölle. Der Mythos vom Deszensuskampfe. (StBW. 20.) Leipzig, Berlin 1932. - Dass. Reprographischer Nachdruck. Darmstadt 1968. - Dazu die Rez. von Bartmann in: ThGl 25 (1933) 645-646. - Außerdem: Verzeichnis der Vorlesungen an der Akademie von Braunsberg Winter 1922/23. Mit einer Abhandlung von J. Kroll: Beiträge zum Deszensus ad inferos. Königsberg-Braunsberg 1922.

[414] Vgl. Bartmann: Dogmatische Vorlesungen. Bd. 4. S. 356-357. - Ders.: Grundriß der Dogmatik. ¹1923. S. 575-576; ²1931. S. 247-248.

[415] F. Schmid: Quaestiones selectae ex theologia dogmatica. S. 145-228: Quaestio III. De poena ignis in angelis apostaticis.

[416] K. Gutberlet: De poena sensus. In: Der Katholik 81 (1901) 305-316, 385-401.

[417] Bartmann: Lehrbuch der Dogmatik. ²1911. S. 836. - Vgl. ders.: Dogmatische Vorlesungen. Bd. 4. S. 355-356. - Ders.: Lehrbuch der Dogmatik. ⁴1921. Bd. 2. S. 497: Hinweis auf die Bestimmung der Hölle als Selbstverdammnis von H. Schell. Positiv dazu K. Gutberlet. In: PhJ 32 (1919) 122.

nicht gänzlich reinen Seelen durch Strafen gereinigt und für den Himmel geeignet werden«[418].

B. Bartmann verkannte nicht, daß unsere heutige Fegfeuerlehre wie auch andere Dogmen eine Entwicklung durchgemacht haben. Die Schrift selbst sprach zwar nicht formell und deutlich, indes entwickelte sich nach seiner Feststellung dennoch sowohl unter dem Einfluß der allgemeinen Glaubens- und Sittenlehre als auch des Judentums, vielleicht in etwa sogar des antiken Totenkultes, die urchristliche und patristische Reinigungslehre ganz folgerichtig. In ihr - so erklärte er weiter - offenbare sich fast die ganze Glaubens- und Sittenlehre. »Wie ernst mußte der alten Kirche die Heiligkeit und Gerechtigkeit Gottes vor Augen stehen, wie schwer das Gewicht seiner Gebote und Drohungen sie drücken, wie erhaben ihr die Reinheit der Himmelsbewohner erscheinen, wenn sie für fast alle Gläubigen mit Ausnahme der Märtyrer, Apostel und Propheten ein Reinigungsbedürfnis und eine Läuterungsnotwendigkeit nach dem Tode annahm«[419].

Abgesehen von allen positiven Beweisstellen forderte nach B. Bartmann auch die theologische Vernunft das Fegfeuer mit unerbittlicher Konsequenz. Wenn einmal feststehend galt, daß nichts Unreines in den Himmel eingehen kann[420], dann mußte es anderseits als ungerecht und »unheilig« angesehen werden, für leichtere Vergehen eine ewige Höllenstrafe zu fordern. Also blieb nur die Konsequenz des Zwischenzustandes, in dem die Läuterung und Vorbereitung für den Himmel vor sich gehen kann. Angesichts der infolge des Sündenfalls herrschenden sittlichen Unvollkommenheit auch in den Reihen der wahrhaft Gläubigen, war die Fegfeuerlehre für B. Bartmann eine der tröstlichsten Lehren des Christentums. In diesem Sinne schrieb er später sein Buch vom Fegfeuer als ein »christliches Trostbuch«[421].

Wir werden bei Gelegenheit darauf näher eingehen; ein Punkt sei aber schon jetzt herausgehoben. B. Bartmann wußte, daß die Strafen im Zustand der Läuterung durch einfache Ertragung abgebüßt werden (satispassio), die Leiden daher nicht mehr den Charakter eines Verdienstes haben (satisfactio). Dennoch kann nach seiner Überzeugung nicht geleugnet werden, daß im Fegfeuer auch eine sittliche Besserung der Seelen stattfindet. Ihnen komme zustatten, daß sie von sündhaften Neigungen der Sinnlichkeit nicht mehr beschwert werden, da diese mit dem Körper erstorben sind. Die psychischen bösen Neigungen freilich sah B. Bartmann nicht so mechanisch abgetan; da sie aus der Seele, in der sie eingewurzelt waren, frei ausgestoßen werden müssen, kann dies - nach seiner Meinung - wie im Diesseits nur durch sittliche übernatürliche Akte geschehen. Es war für ihn unbestreitbar, daß die armen Seelen im Fegfeuer einen ihrem Zustand entsprechenden Gottesdienst üben durch die geistigen Akte der Anbetung, der Danksagung, des Lobpreises. Al-

---

[418] Bartmann: Lehrbuch der Dogmatik. ²1911. S. 836. - Vgl. ders.: Dogmatische Vorlesungen. Bd. 4. S. 358: „Es gibt ein Fegfeuer, worin die noch nicht gänzlich Reinen ihrer Vollendung entgegengehen".

[419] Ders.: Lehrbuch der Dogmatik. ³1918. Bd. 2. S. 497.

[420] Vgl. Weish. 7, 25; Jes. 35, 8.

[421] Vgl. Bartmann: Lehrbuch der Dogmatik. ⁴⁻⁵1921. Bd. 2. S. 507-508. - Zu einem speziellen Problem vgl. J.B. Walz: Die Fürbitte der Armen Seelen und ihre Anrufung durch die Gläubigen auf Erden. Ein Problem des Jenseits dogmatisch untersucht und dargestellt. Würzburg ²1933. - Dazu die Rez. von Bartmann. In: ThGl 26 (1934) 378.

les das muß nach seiner Auffassung die Sittlichkeit dieser Seelen steigern und mehren, wenn auch die Akte derselben keine Verdienste begründen und die Seligkeit nicht erhöhen[422].

— Die allgemeine Eschatologie

Weil die volle Erlösungstat Christi an der Gesamtheit sich noch nicht erfüllt hat, war das Christentum für B. Bartmann eine große Hoffnung. Es fehlte in seiner Sicht noch das Wichtigste: Die Einführung der Erlösten in die Vollendung. Darüber handelte er im zweiten Teil seiner Eschatologie in vier Artikeln: Von der Wiederkunft Christ am jüngsten Tage, von der Auferstehung des Fleisches, vom Gesamtgericht und vom Weltende[423].

B. Bartmann begann mit dem Satz: »Christus wird am Ende der Welt wiederkommen, um das von ihm begonnene Reich Gottes zu vollenden«[424]. Bei seiner Erklärung erörterte er zunächst nur die Tatsache der Wiederkunft, noch nicht deren Zweck, wenngleich dieser in den einschlägigen Zeugnissen meist mitangegeben wird. Zweitrangig war ihm die Frage nach der Zeit und den Anzeichen der Wiederkunft, aber auch die sollte kurz im Zusammenhang mit der Frage nach der Tatsache erörtert werden.

Entscheidend war für B. Bartmann die enge Verbindung zwischen dem im alttestamentlichen Prophetismus angekündigten Kommen Gottes und der Ankunft des ewigen Logos auf Erden, in der jene Verheißungen ihre Erfüllung fanden. Gemäß seiner stark ethisch ausgerichteten Theologie betonte B. Bartmann auch hier, daß Christus durch sein erstmaliges Kommen den von Gott beabsichtigten großen sittlichen Scheidungsprozeß nur erst einleiten wollte; daß er aber nach seiner Himmelfahrt zum zweitenmal wiederkommt, um seinem begonnenen Werk die letzte Vollendung zu geben. Von dieser Wiederkunft redeten dann Christus und die Apostel im Tone der Propheten wiederholt und in grellen Farben, in Form der Drohung wie der Verheißung. Von der biblischen Theologie sah B. Bartmann, daß der Parusiegedanke bei Christus schon früh auftauchte; daß er seine zweite Ankunft wiederholt und deutlich ausgesprochen hat, meist in Anspielung an Dan. 7,13. Entsprechend legte er dar, daß in der Lehre der Apostel der Glaube an Christi Parusie eine hervorragende Stelle einnimmt[425].

Die Tradition verfolgte er in diesem Lehrpunkt nicht weiter, da sie ihm bei so klarer Schriftlehre als selbstverständlich galt. Hingegen schien ihm ein anderer sekundärer Punkt der Erörterung wert: Die Frage nach dem Zeitpunkt und seinen Vorzeichen. Vorzeichen der Parusie - hat Christus solche gegeben, oder lehnte er sie ab? Schon das schien ihm ein Problem. Er nannte Stellen, die für Bejahung, und solche, die für Verneinung der Frage sprechen, und erklärte: Abgelehnt habe Christus zunächst ein bestimmtes Wissen um den »Tag und die Stunde«[426]; positiv aber

---

[422] Vgl. ders.: Lehrbuch der Dogmatik. ²1911. S. 840.
[423] Ders.: Dogmatische Vorlesungen. Bd. 4. S. 371.
[424] Ders.: Lehrbuch der Dogmatik. ²1911. S. 840. - Vgl. ders.: Grundriß der Dogmatik. ¹1923. S. 379; ²1931. S. 250.
[425] Ders.: Lehrbuch der Dogmatik. ²1911. S. 841-842.
[426] Die Belege siehe ebd. S. 840.

habe er behauptet, daß der Tag plötzlich und wie ein unsichtbarer Dieb in der Nacht kommt ..., daß nur der Vater den genauen Zeitpunkt kennt, da Gott allein ihn bestimmt. Bei all dem habe Christus nicht vergessen, ganz allgemein und gleichsam ferne, dunkle Vorzeichen anzugeben, aus deren Erfüllung die christliche Wachsamkeit einen neuen Ansporn erhält. Sieben solcher Vorzeichen zählte er auf, die auch die Apostel in ihrer Parusiepredigt wiederholten:

1. Die allgemeine Verkündigung des Evangeliums,
2. die Bekehrung der Juden,
3. die Wiederkunft des Elias,
4. u. 5. der Antichrist und der große Abfall,
6. große Drangsale,
7. der Weltenbrand[427].

Zum Problem des Chiliasmus verwies B. Bartmann nur auf die einschlägige Literatur[428], machte jedoch selbst keine weiteren Aussagen.

Als nächstes behandelte B. Bartmann das Dogma von der Auferstehung der Toten, die allgemeine Auferstehung. Wiederum zeigte er, daß gemäß der eschatologischen Entwicklung im Alten Testament die biblische Auferstehung erst später hervortrat, zumal im »Mosaismus« das ganze Volk zunächst als ein Individuum angesehen worden sei und ganz Israel mithin erwartete, aus dem Tode und der Vernichtung wieder errettet und zu neuem politisch-religiösen Leben geführt zu werden. Daniel redet nach B. Bartmann von einem persönlichen »Erwachen« derer, die im Staube schlafen, jedoch erwähnt auch er nicht ausdrücklich die Auferstehung des Fleisches. Ein klares und formelles Zeugnis über die Auferstehung ließ sich erst im zweiten Makkabäerbuch finden, und zwar schien diese verbunden mit dem realistischen Glauben an eine unveränderte Identität. Es schien B. Bartmann, daß dort nur an eine Auferstehung der Gerechten geglaubt wurde; im Weisheitsbuch fand er wohl die doppelte Vergeltung betont, die Fleischesauferstehung aber ignoriert. Zur Zeit Jesu glaubte der größte Teil der Juden an dieses Dogma - nur die Sadduzäer lehnten es bekanntlich ab. B. Bartmann meinte nun, da Christus diesen Glauben in seinem Volk vorgefunden habe, habe er ihn nicht besonders stark betont; nur habe er die übliche grobe Auffassung vergeistigt, indem er sagte, daß die Söhne der Auferstehung »den Engeln ähnlich sein werden«[429].

Im Johannesevangelium sah B. Bartmann eine zweifache Auferstehung unterschieden, eine geistige, die auf die Predigt Jesu jetzt stattfindet, und eine biblische am Weltende. Hinsichtlich der Apostel bemerkte er, daß sie die Auferstehung aus einem doppelten Grunde betonten, einmal, weil sie bereits in Christus sich verwirklichte, und dann, weil der Auferstehungsglaube das Christentum besonders vom Heidentum unterschied.

Die meisten Zeugnisse für das Dogma fand er bei Paulus[430]; aus der Menge der

---

[427] Vgl. so auch Bartmann: Dogmatische Vorlesungen. Bd. 4. S. 373-374. - Ders.: Grundriß der Dogmatik. [1]1923. S. 580; - so jedoch nicht in [2]1931. S. 251.

[428] Bartmann verwies auf H. Klee: De Chiliasmo primorum saeculorum. (Theol. Diss. Würzburg 1825.) Mainz 1825. - J.N. Schneider: Die chiliastische Doktrin und ihr Verhältnis zur christlichen Glaubenslehre. Schaffhausen 1859. - L.-P.-F. Gry: Le Millénarisme dans ses origines et son développement. Paris 1904.

[429] Vgl. Luk. 20, 36.

[430] Belege bei Bartmann: Lehrbuch der Dogmatik. [2]1911. S. 844.

Stellen erhellte die Bedeutung, die der Apostel der Auferstehung beilegte: Er lehrte die Tatsache der Auferstehung, aber auch deren Wie oder die Beschaffenheit des Auferstehungsleibes. Zur spekulativen Durchdringung verwies der Theologe auf die Vernunftgründe, die Thomas von Aquin nannte: Der Leib gehört zur Einheit des Menschen, ohne ihn ist der Mensch kein ganzer Mensch; eine ewige Trennung von Leib und Seele ist Unnatur, daher kann jene ohne diesen auch nicht wahrhaft glücklich sein; also ist die Auferstehung gewissermaßen natürlich; natürlich als Forderung der Menschennatur; übernatürlich, sofern sie von Gottes Allmacht bewirkt wird[431].

Zwei Punkte wurden von B. Bartmann besonders erörtert: die Allgemeinheit der Auferstehung und die Beschaffenheit des Auferstehungsleibes.

1. Die Allgemeinheit ist ein Dogma[432]. Christus lehrte sie ausdrücklich [433], Paulus spricht sie nach der Apostelgeschichte als seinen Glauben aus[434], auch Johannes redet allgemein davon, daß die Toten aus dem Meer und aus dem Totenreich zurückkommen werden, um nach ihren Werken gerichtet zu werden[435]. Die Väter lehrten nach B. Bartmann anfangs zwar eine doppelte Auferstehung - für den Paderborner Theologen hing dies mit ihrem Millenniarismus zusammen, deshalb meinte er, daß nach dem allmählichen Abflauen dieser Theorie nur noch von einer allgemeinen Auferstehung am Ende der Welt geredet wurde. - Wenn nun die Schrift gewöhnlich die Auferstehung ignoriert, so liegt das nach B. Bartmann daran, daß die eigentliche Auferstehung ein Heilsgut ist, das wir der Erlösung Christi, dem ersten der Erstandenen, verdanken, und das man unmöglich den Gottlosen beilegen kann. Im Gegenteil sollen diese mit dem ewigen Verderben und Untergang, mit dem ewigen Tod bestraft werden. Unter Berufung auf F. Tillmann versicherte er, daß man dem hl. Paulus zu Unrecht den Glauben an die völlige Vernichtung der Bösen zuschreibe, denn dieser habe gelehrt, daß wir alle vor Gottes Gericht erscheinen müssen, um unsere Vergeltung zu empfangen; dieses Erscheinen könne nur als in leiblicher Gestalt vollzogen gedacht sein, und demgemäß müßten die angeführten Stellen vom geistigen Tod und Untergang verstanden werden[436].

2. Hinsichtlich der numerischen Identität der Leiber verwies B. Bartmann darauf, daß sie in »etwas stark realistischer Weise« vom 4. Lateran-Konzil ausgesprochen wurden: »Omnes cum suis propriis corporibus resurgent, quae nunc gestant«[437].

Selbstverständlich schien B. Bartmann mit dieser Definition zunächst die spezifische Identität gemeint zu sein; deshalb erklärte er, der Auferstehungsleib werde ein menschlicher Leib sein, geformt aus den bekannten Substanzen des Menschenleibes, nicht etwa aus Luft, Äther, Licht, wie manche Irrlehrer wähnten. Den Hauptton sah er allerdings nicht auf dieser spezifischen sondern auf der individuellen oder numerischen Identität liegen. Hier stellte sich für ihn die Frage nach dem

---

[431] Vgl. Thomas von Aquin: S. th. Suppl. q. 75 a. 1-3. - Ders.: S. c. g. l. 4 c. 49.
[432] Vgl. Bartmann: Dogmatische Vorlesungen. Bd. 4. S. 382-383.
[433] Vgl. Joh. 5, 28-29.
[434] Apg. 24, 15.
[435] Off. 20, 12-14.
[436] Vgl. Tillmann: Die Wiederkunft Christi. S. 182-192.
[437] Vgl. Concilium Lateranense IV (11.-30.11.1215): De fide catholica. Definitio contra Albingenses et Catharos. DS 801. = NR 896, 919.

Maß des Stoffes, wodurch eine solche numerische Identität herzustellen sein wird. Er wußte um die biologische Tatsache, daß die Quantität der Substanz des Leibes alle sieben Jahre einem gänzlichen Wechsel unterliegt; folglich gab es keinen Zwang dafür, die Identität allein in die Materie zu legen. In diesem Punkt unterschied sich B. Bartmann von Thomas, der zwar erklärt hatte: materia de se nullam habet identitatem vel diversitatem nisi quam habet a forma; et sic manente eadem forma est eadem materia undecunque veniat et per consequens est idem compositum[438] - aber Thomas sprach von der spezifischen Identität, da die numerische ja allein in der Materie liegen soll. Dagegen hielt es B. Bartmann für konsequenter, wenn nach Skotus das Individuationsprinzip in der Form liegt. Er erklärte: »Diejenigen Theologen, die das Individuationsprinzip nicht in die Materie verlegen, weil dadurch die Geistigkeit der Menschennatur gefährdet erscheint, suchen es in der Geistform und halten die Wiederaufnahme des Stoffes somit überhaupt nicht für notwendig«[439].

B. Bartmann zählte Origenes, Durandus, Lacordaire und H. Schell zu den Theologen, die an eine spezifische Identität der Substanz des Leibes, aber an eine numerische in bezug auf das ihn individuierende Ich oder die Seele als forma corporis denken[440]. Er fand, daß ihre Auffassung die Erklärung des Dogmas sehr erleichtert, da ohne Zweifel der tote Leib dieselbe Zerstiebung in den Strom des kosmischen Stoffwechsels erleidet wie der lebendige. Bei mancherlei Fragen, die sich in diesem Zusammenhang erhoben, hielt er es für das beste, sie auf sich beruhen zu lassen und zu gestehen, daß sie zu den vielen gehören, wovon wir trotz aller theologischen Schulgelehrsamkeit rein garnichts wissen und sagen können. Das jedenfalls stand für ihn fest: »Es gehört nicht zum Dogma, zu bestimmen, wie Gott die Auferstehung des Fleisches am Ende bewirken wird«[441].

Gegenüber der Theorie von einem völlig fremden spiritualen Auferstehungsleib (Origines und seine Schüler) machte er auf die Einwände aufmerksam, die schon Hieronymus vorgetragen hatte. Demnach folgte über die Beschaffenheit des Auferstehungsleibes:
- Er muß ein wahrer Menschenleib sein;
- verschieden zwar von dem jetzigen, denn der Leib wird verklärt, umgewandelt;
- er ist leidensunfähig, behende, geistig und klar.

---

[438] Thomas von Aquin: In IV Sent. dist. 44, 1. - Nach Bartmann: Dogmatische Vorlesungen. Bd. 4. S. 380. - Zum ganzen vgl. H.J. Weber. S. 226-234.

[439] Bartmann: Dogmatische Vorlesungen. Bd. 4. S. 380.

[440] Zu Origines vgl. H.J. Weber. S. 228. - Durandus de S. Porciano O.P. (um 1275-1334). - Vgl. u.a. K. Werner: Die nominalisierende Psychologie der Scholastik des späteren Mittelalters. In: WSB 99 (1882) 214-254. - Durandus: De visione Dei quam habent animae sanctorum ante iudicium generale. In: C. Baronius. Annales ecclesiastici. [Hrsg. von J.D. Mansi und D. Georgius.] Luccae 1738-1759. Tom. XV. - Vgl. auch Schmaus: Katholische Dogmatik. Bd. 4/II. ⁵1959. S. 240-241. - Zu Durandus vgl. H.J. Weber. S. 241-243. - Jean-Baptist-Henri (Dominique) Lacordaire O.P. (1802-1861): Conférences des effets de la doctrine catholique sur l'âme. In: Conférences de Notre-Dame de Paris, par le R.P. Henri-Dominique Lacordaire, des Fréres Prêcheurs. Tome deuxième. Années 1844-1845-1846. Paris 1847. S. 5-199. - Dass. Oeuvres. Tome III. Paris 1912. S. 3-182. - Vgl. H.-D. Noble O.P.: Lacordaire. In: DThC 8,2 (1925) 2394-2424.

[441] Bartmann: Dogmatische Vorlesungen. Bd. 4. S. 381.

Diese vier Eigenschaften befähigen nach B. Bartmann zugleich den Leib, daß er in seiner Weise an den Genüssen der ewigen Seligkeit, die sich für die Seele in der Gottschauung konzentriert, teilnehmen kann. Als solche Genüsse galten B. Bartmann: die Freuden der fünf Sinne, der Phantasie, der Affekte, des Gemütes und der intellektuellen Betrachtung der Schönheiten der Schöpfung[442]. Entsprechend - so versicherte er - werden die Leiber der Verdammten in ihrer Weise an der Verdammungsstrafe teilnehmen; weil aber die Offenbarung völlig von den Eigenschaften dieser Leiber schweigt, war es ihm unmöglich, darüber etwas Sicheres auszusagen. Also unterließ er es.

Statt dessen wandte sich B. Bartmann nun dem Dogma vom Weltgericht zu: »Nach der Auferstehung der Toten findet am Ende der Welt das allgemeine Weltgericht statt«[443]. Hier konnte er darauf verweisen, daß im Alten Testament von Anfang an der Gerichts- oder Vergeltungsglaube im Vordergrund stand. Eine Entwicklung war ihm mit dem Aufkommen des religiösen Individualismus gegeben. Wenn Gott anfangs ganze Völker und Städte summarisch strafte, dann war das zunächst ein Gericht im Diesseits; über das jenseitige Los der so Gestraften, bei denen auch Unschuldige sein konnten, war damit für B. Bartmann noch nichts gesagt. Bei den Propheten drängte sich, wie B. Bartmann bereits gezeigt hatte[444], das Gericht auf einen großen Tag zusammen; es findet statt für Juden wie für Heiden... Während der Täufer das Gericht Gottes im Sinne der Propheten androhte, verkündigte Christus das Reich der Gnade und das Erbarmen Gottes - freilich daneben auch das Gericht. Die Apostel, so führte B. Bartmann weiter aus, haben das Gericht zu einem Hauptpunkt ihrer Predigt gemacht. Die Väter brauchten nach seiner Meinung nicht verhört zu werden, da ihre zustimmende Lehre selbstverständlich war[445].

Etwas anders lagen freilich die Dinge, wenn die Umstände des Gerichts erläutert werden sollten. Zunächst: Gott ist Richter, aber er vollzieht es durch den Menschensohn, bzw. durch Christus. Kongruenzgründe für das Gericht durch Christus lagen für den Dogmatiker in der Tatsache, daß Christus unser Gesetzgeber, unser irdisches Vorbild, vor allem unser Herr und Erlöser ist, Stellvertreter Gottes auf Erden. Die Befähigung dazu, Allwissenheit und Gerechtigkeit, ergab sich aus seiner Gottmenschlichen Natur. Als Mitrichter und Beisassen des Gerichts wurden die Engel, die Apostel, die Heiligen erwähnt; Gegenstand des Gerichts waren nach Auskunft der Schrift wie Gut und Böse allgemein so auch die guten und bösen Werke des Geistes und des Leibes. Die Entscheidung wird nach den Werken vollzogen und ewig sein. Daraus folgte für B. Bartmann, daß somit die katholische Werktheologie oder Verdienstlehre, die soviel angefeindet wurde, zuletzt doch noch die Probe besteht[446].

---

[442] Ders.: Lehrbuch der Dogmatik. ²1911. S. 846.

[443] Ebd. S. 847. - Ders.: Dogmatische Vorlesungen. Bd. 4. S. 383. - Ders.: Grundriß der Dogmatik. ¹1923. S. 583; ²1931. S. 253. - Vgl. auch J.M. Michael: Von der Auferstehung der Toten, dem jüngsten Gericht und dem Weltende. Zwickau 1924. - Dazu die Rez. von Bartmann in: ThGl 18 (1926) 137.

[444] Ders.: Lehrbuch der Dogmatik. ²1911. S. 841. - Vgl. die Veränderung dieses Abschnitts in: ³1918. Bd. 2. S. 510.

[445] Ebd. ²1911. S. 848.

[446] Ebd. S. 849.

In diesem Zusammenhang ging B. Bartmann kurz auf die Naherwartung der Parusie ein. Er ließ es als eine Tatsache gelten, daß man in den ersten christlichen Jahrhunderten diesen Tag des Herrn als sehr nahe angenommen hatte. Die Beweisstellen für den Glauben an die Nähe des Gerichtes waren so klar und so zahlreich, daß sich die Tatsache nicht verkennen ließ. Der Grund dafür, daß die Apostel die Nähe der Parusie annahmen, lag nach B. Bartmann darin, daß sie das Ende der Welt mit dem vom Herrn angedrohten Ende der Stadt Jerusalem zusammenlegten, da sie diese für den wichtigsten Punkt der Welt hielten. Weiter führte er an, daß die eschatologischen Worte Christi zudem in prophetischer Perspektive zu betrachten waren, wobei sich die Ereignisse leicht ineinanderschoben. B. Bartmann meinte, daß ihre lebhafte Hoffnung und Sehnsucht nach dem vollen Reich Gottes die Apostel in ein rasches Tempo führte, das sich dem ganzen patristischen Zeitalter mitteilte: Es bedurfte erst langer Erfahrung und weiter Ausbreitung des Christentums, bis man das Wort Christi verstand: »Es steht euch nicht zu, Zeit und Augenblick zu wissen, die der Vater in seiner eigenen Macht festgesetzt hat«[447]. B. Bartmann gab demnach den Irrtum der Apostel zu, aber er war für ihn nur ein akzidenteller, sekundärer, der nur den Zeitumstand betraf, nicht die Substanz der Lehre[448].

Mit dem Thema Weltende und Welterneuerung kommen wir zum letzten Abschnitt der Eschatologie B. Bartmanns. In seinen Dogmatischen Vorlesungen stellte er an den Anfang den Glaubenssatz: »Das Weltende ist nicht die völlige Vernichtung der Welt«[449], in seinem Lehrbuch verzichtete der Theologe später auf die Herausstellung dieser These. Gegenüber der negativen Formulierung schob er positiv die Welterneuerung in den Vordergrund. Er verwies dabei auf entsprechende Aussagen in der heiligen Schrift und in den Lehren der Väter, eine offizielle kirchliche Erklärung aber fand er nicht vorliegend. Bei den Vätern handelte es sich um eine Umwandlung, Erneuerung, Verjüngung und Verschönerung der Welt durch Gottes Allmacht; z.T. wiesen sie auf den unter den Heiden verbreiteten Glauben an einen eschatologischen Weltbrand hin. Es verwunderte ihn daher nicht, daß die chiliastisch gesinnten Väter sich diese Erneuerung in den Farben der spätjüdischen Apokalyptik auszumalen versuchen und das auf die Erde herniedergestiegene »himmlische Jerusalem« als eine möglichst ideal, aber immerhin diesseitige menschliche Wohnstätte der Heiligen denken, worauf denn freilich der vollkommene, rein transzendente Endzustand folgen wird. Das Weltende fassen die Väter nach B. Bartmann als ein definitives auf; er tadelte, daß nur Origenes, gestützt auf platonische Ideen, von einer ewigen Wiederkehr aller Dinge träumte. Dagegen betonte er aufs Neue: »Nur die Wirklichkeit, nicht das Wie der Weltvernichtung und Welterneuerung läßt sich aus der Schrift dartun«[450].

Eines aber war für den Dogmatiker sicher: Der eschatologische Weltzustand ist gekennzeichnet durch die Eigentümlichkeit der Scheidung von Gut und Bös, Glück und Unglück, Harmonie und Disharmonie. Nicht mehr wohnt nebeneinander Tugend und Laster, Wahrheit und Irrtum, Liebe und Haß, vielmehr kennzeich-

---

[447] Apg. 1, 7.

[448] Bartmann: Lehrbuch der Dogmatik. ²1911. S. 849. - Vgl. ders.: Rez. zu A. Schenz: Der Zeitpunkt der Wiederkunft Jesu nach den Synoptikern. In: ThGl 14 (1922) 58.

[449] Bartmann: Dogmatische Vorlesungen. Bd. 4. S. 387.

[450] Ders.: Lehrbuch der Dogmatik. ²1911. S. 850.

net volle Harmonie die neue Welt und ihre Bewohner. So stellte sich B. Bartmann mit Hinweis auf Paulus den Schlußakt des Weltdramas vor: Alle gottfeindlichen Elemente und Momente sind verschwunden, Christus hat alle Bosheit vernichtet und beseitigte; das »Kleinod der neuen Menschheit« führt er seinem Vater zum ewigen Eigentum vor; sich selbst als glorreiches Haupt derselben unterwirft er in Demut seinem Vater, so wie Paulus sagt: »Wenn ihm alles unterworfen sein wird, dann wird auch der Sohn selbst dem unterworfen sein, der ihm alles unterworfen hat, damit Gott alles in allem sei«[451].

B. Bartmann schrieb keine abstrakt spekulative Dogmatik. Was waren nun die praktischen Folgerungen, die der Paderborner Dogmatiker aus der kirchlichen Glaubenslehre gezogen wissen wollte? An erster Stelle verwies er auf den sittlichen Wert des Dogmas von Tod, Gericht, Himmel und Hölle, den er schon im Buch Sirach angedeutet fand: »In all deinen Dingen gedenke deines Endes und du wirst in Ewigkeit nicht sündigen«[452].

Der heilige Augustinus und St.Bernhard hatten diese Worte bereits auf das Andenken an den Tod, das Gericht und die Hölle bezogen, und B. Bartmann bestätigte, daß diese drei letzten Dinge in der Tat sehr kräftige Mittel sind, um uns von der Sünde abzuschrecken. Er folgerte: Ist die Sünde, wie Thomas sagt, wesentlich Anhänglichkeit an die Kreatur, dann entreißt uns der Tod ihr Objekt; das Gericht führt uns ihre Torheit und ihr Unglück vor die Seele; die Hölle peinigt uns ewig für ihre Bosheit und Schuld. Diese Gedanken schienen daher auch dem praktischen Seelsorger, der der gelehrte Theologe immer geblieben war, sehr geeignet in der Stunde, wo die Versuchung zur Sünde lockt, uns heilsam zu erschüttern und zu Gott hinzuwenden. Er hielt es für möglich, daß in manchen Momenten vielleicht der Gedanke an die Hölle allein uns die nötige Kraft gibt, die Versuchung zu überwinden. Andererseits aber hatte er schon angedeutet, daß die Lehre vom Fegefeuer sehr tröstlich sein kann, da sie gleichsam ein Gegengewicht gegen die Schrecken der Hölle bildet, die uns in Verzweiflung bringen könnte, wenn wir bedenken, daß vor Gott niemand rein und sündenlos ist. Daher betonte er noch einmal, daß Gott nicht jede Sünde mit der Hölle züchtigt, sondern nur die Todsünde, in der sich der Mensch gänzlich von ihm abwendet und die Kreatur vergöttert, - daß er die gewöhnliche oder läßliche Sünde dagegen im Fegefeuer straft, wobei er zugleich die Seele von jeder letzten freiwilligen Unvollkommenheit läutert.

Hölle, Fegefeuer - das letzte Wort B. Bartmanns, das wahrhaft eschatologische galt dem Himmel. Er erinnerte daran, wie oft Christus und die Apostel in dem Aufblick zum Himmel den religiösen Mut zur Erfüllung ihres Lebenswerkes fanden und gestärkt haben. So erklärte auch er zum Schluß: Wie uns das Andenken an Tod, Gericht und Hölle mit Gottesfurcht erfüllt und von der Sünde abschreckt, so entzündet der Gedanke an den Himmel und die Anschauung Gottes in uns die reine Gottesliebe, zieht uns hin zu den wahren ewigen Gütern der Tugenden und guten Werken, und lehrt uns den hohen Wert der heiligmachenden Gnade erkennen, wodurch allein wir den Himmel und seine Seligkeit uns sicherstellen können«[453].

---

[451] 1. Kor. 15, 28. - Vgl. die kritische Rez. von Bartman zu K. Heim. Jesus der Weltvollender. Berlin 1938. In: ThGl 30 (1938) 337.
[452] Sir. 7, 40.
[453] Bartmann: Lehrbuch der Dogmatik. ²1911. S. 851.

b) Charakteristische Eigenart in Zielsetzung und Ausführung

— Auseinandersetzung mit den geistigen Strömungen der Zeit

Die Analyse der wichtigsten Schriften B. Bartmanns hat bereits gezeigt, daß sich der Dogmatiker von Anfang an in lebhafter Auseinandersetzung mit jenen geistigen Strömungen befand, die das Denken der Menschen weithin beherrschten. Gegenüber allen monistischen Tendenzen galt es, das christliche Welt- und Menschenbild im Zusammenhang der gesamten Glaubenslehre positiv darzulegen. Dabei mußte gegen den Rationalismus auf der einen Seite der Ursprung des Glaubens in der göttlichen Offenbarung begründet werden; andererseits jedoch war die Einsicht der Vernunft in die Gründe des Glaubens gegenüber einem irrationalen Mystizismus neu zu rechtfertigen. Zu prüfen war fernerhin, wie weit der Entwicklungsgedanke mit den Glaubenswahrheiten in Einklang gebracht werden konnte, ohne dem »Modernismus« zu verfallen. Gegenüber den relativierenden Tendenzen des Historismus war der Eigenwert und das gültig Bleibende des Geschichtlichen herauszustellen. In diesem Zusammenhang mußte aber auch untersucht werden, in wie weit die Ausbildung des kirchlichen Dogmas unter dem Einfluß fremder Religion und heidnischer Weltanschauung stand. B. Bartmann wußte wohl, welche Rolle die Ergebnisse religionsgeschichtlicher Forschung in der mit historisch-kritischer Methode arbeitenden liberalen protestantischen Theologie spielte. Da er die Glaubenswahrheiten der Kirche den Menschen seiner Zeit in verständlicher Weise neu darbieten wollte, mußte er auf die wichtigsten Fragen und Lösungsversuche eingehen, die in der damaligen Zeit vorgelegt wurden. Diese Auseinandersetzungen prägten entscheidend den dogmatischen Stil des Theologen.

Verweilen wir zunächst bei der religionsgeschichtlichen Komponente, die für die Werke B. Bartmanns chrakteristisch ist[454]. In seiner Selbstdarstellung schrieb er: Wer die theologische Entwicklung der letzten Jahrzehnte mit Bewußtsein erlebt habe, der wisse, in welch lauter, geräuschvoller Weise die Religionsgeschichte in sie eingriff, ja sie fast ganz an sich zu ziehen suchte... und wie die liberale Theologie alle christlichen Hauptdogmen in religionsgeschichtliche »Analogien« aufzulösen trachtete. Da er vermutete, daß die Religionsgeschichte »noch lange ihre Wellen schlagen und der Dogmatik ihre Wasser zu trüben« versuchen werde, forderte er jüngere Kräfte auf, sich auf diesem notwendigen Gebiet einzuarbeiten[455].

In einer Vorbemerkung zu seiner Abhandlung »Dogma und Religionsgeschichte«[456] wies B. Bartmann darauf hin, daß die religionsgeschichtliche Vergleichung des Christentums mit anderen Religionen so alt ist wie das Christentum selbst. Ähnlich wie später H.W. Schmidt sah er den Anlaß dazu gegeben in der Lehre Christi und der Apostel, daß das Christentum die eine, wahre, absolute Religion ist, auf Grund deren alle Menschen ihre Vereinigung mit Gott erstreben sollten[457]. Für B. Bartmann stellte sich damit sofort die Frage, welchen Wert die anderen Reli-

---

[454] Vgl. dazu ders.: Selbstdarstellung. S. 31-32.
[455] Ebd. S. 23-24. - Vgl. Stakemeier. In: ThGl 44 (1954) 90-93.
[456] B. Bartmann: Dogma und Religionsgeschichte. In: Verzeichnis der Vorlesungen, die an der Bischöflich philos.-theol. Akademie zu Paderborn im Wintersemester 1922/23 gehalten werden. Mit einer Abhandlung. Paderborn 1922.
[457] Zu H.W. Schmidt siehe oben S. 469-508.

gionen haben, die schon vor und neben dem Christentum bestanden[458]. Da mit dieser Frage eine Vergleichung und Abschätzung ihrer einzelnen Hauptmomente notwendig verbunden war, wäre es interessant zu prüfen, in wie weit jeweils eschatologische Vorstellungen berührt wurden. Da es uns jedoch in diesem Abschnitt vornehmlich um die dogmatische Methode B. Bartmanns geht, halten wir an dieser Stelle fest, daß nach Meinung unseres Theologen die Dogmatik keinen Grund hat, den wahren Ergebnissen der Religionsgeschichte mit Mißtrauen zu begegnen. Ebenso äußerte er, daß das Dogma der Religionsgeschichte gegenüber der Apologetik kaum bedarf, da es sich durch seine Existenz, sein Wesen und seine Wirkung selbst rechtfertigt. Es schien ihm daher passend, so zu verfahren, daß er das Dogma in seiner katholischen Auffassung einfach kurz an die Spitze stellte und dann jedesmal die religionsgeschichtlichen Parallelen daneben setzte. Er war überzeugt, daß dann von selbst die Unmöglichkeit, das Dogma geschichtlich aus den antiken Religionen abzuleiten, in die Augen springen werde; er versicherte, gerade die einfache Gegenüberstellung beider Formen werde die Einzigartigkeit, Tiefe, Erhabenheit und darum Übernatürlichkeit des Dogmas gegenüber der Naturverehrung, dem Mythos und dem Philosophismus der Antike erweisen[459].

Nun darf man freilich nicht meinen, der Theologe würde die verschiedenartigen Äußerungen heidnischer und christlicher Religion einfach nebeneinander gestellt haben; dafür war B. Bartmann viel zu sehr Systematiker, als daß er nur eine so simple Zuordnung betrieben hätte[460]. Er führte die gesamte Auseinandersetzung auf dem Grundriß, den er bereits in seiner Dogmatik angewandt hatte. Die Eschatologie wurde dabei unter dem Gesichtspunkt der Vergeltungslehre behandelt[461]. An den Anfang stellte er die Auseinandersetzung über den Offenbarungsbegriff. Gestützt auf die Forschungen von O. Piper[462] und Th. Simon[463] warf er F. Schleiermacher[464] vor, jenen neuen Offenbarungsbegriff, womit die Religionshistorik operiert, in die liberale Theologie eingeführt zu haben. Da jener die Religion einzig und allein in der Provinz des Gefühls und des religiösen Erlebnisses wohnen lasse, sei die Einzigkeit und Absolutheit des Christentums gefallen, ebenso die übernatürliche Offenbarung, das Dogma, der Theismus, ja der Wahrheitscharakter jeder Religion. Infolge dessen gelte die Beschreibung solcher religiösen Erfahrungen als die einzige Möglichkeit, heute noch »wissenschaftliche Theologie« zu treiben[465]. Hier liegt nach B. Bartmann dann der tiefere Grund für das Interesse an der Religionsgeschichte.

---

[458] Bartmann: Dogma und Religionsgeschichte. S. 1.

[459] Ebd. S. 6.

[460] Vgl. ders.: Selbstdarstellung. S. 13.

[461] Ders.: Dogma und Religionsgeschichte. S. 94-100.

[462] Otto Alfred Piper (geb. 1891) war seit 1920 Privatdozent, später Prof. für Systematische Theologie; 1933 aus dem Staatsdienst entlassen, danach in den USA Prof. für Neues Testament. Schrieb u.a.: Das religiöse Erlebnis. Eine kritische Analyse der Schleiermacherschen Rede über die Religion. Göttingen 1920. - Bartmann zitiert fälschlich Pieper (!). Siehe die oben S. 637, Anm. 395 erwähnte Rez. von Piper zu Bartmanns Grundriß der Dogmatik (²1933).

[463] Theodor Simon (1860-1925) war seit 1911 Dozent für Religionswissenschaft an der Universität Münster. Schriften siehe LV.

[464] Vgl. Bartmann: Lehrbuch der Dogmatik. ²1911. S. 6; ⁷1928. S. 4.

[465] Ders.: Dogma und Religionsgeschichte. S. 10-11.

Über die hier angeschnittenen Fragen hatte sich der Paderborner Theologe bereits prinzipiell in der Einleitung zu seinem »Lehrbuch der Dogmatik« geäußert. Dort stellte er fest, daß die wissenschaftliche Methode einer Disziplin nicht apriorisch festgestellt werden kann, da sie außer von allgemeinen wissenschaftlichen Regeln und Prinzipien auch von dem zu behandelnden Stoff mit abhängt. Die Dogmatik speziell war für B. Bartmann eine positive Wissenschaft, da ihr Stoff in der Offenbarung gegeben ist. Das hieß für ihn: Sie hat ihn nicht zu erfinden oder zu erforschen, sondern nur zu ordnen und zu systematisieren[466]. So sah er seine Aufgabe nur darin, die Offenbarungswahrheiten, die ihm in einem abgeschlossenen Komplex vorlagen und an den er sich gebunden wußte, in geordneter Weise vorzutragen. Kategorisch lehnte er es ab, den Stoff der Dogmatik etwa durch wissenschaftliche Forschungen religionspsychologische bzw. religionshistorische Untersuchungen zu vermehren; ihre Betrachtung auf Gebiete auszudehnen, die dem Gebiet der positiven Offenbarung fremd sind; religionsgeschichtliche Analogien waren demnach für die Dogmatik höchstens von äußerer Bedeutung[467].

— Aufgabe und Methode der katholischen Dogmatik

Nach dieser allgemeinen Grundlegung führte B. Bartmann im einzelnen näher aus, daß die Theologie bei der Behandlung eines jeden Dogmas eine dreifache Aufgabe zu lösen hat:
1. das Dogma aus den symbolischen Quellen der Kirche auszuheben;
2. aus Schrift und Tradition positiv zu erweisen;
3. soweit als möglich spekulativ zu durchdringen[468].
Hinsichtlich des Beweises legte er Wert auf die Feststellung, daß sich dieser aus den kirchlichen Lehrentscheidungen nicht entnehmen läßt. Diese verwendete er daher nur als historische Dokumente, aus denen ersichtlich wird, was in der Kirche als Dogma zu gelten hat. Für den Beweis dagegen sah er sich an die übernatürliche Quelle der Offenbarung gewiesen, wie sie in Schrift und Tradition fließen[469].

Der Schriftbeweis stand für B. Bartmann an der Spitze. Warum dies so ist, hatte er bereits in einem Abschnitt über die Bedeutung der Schrift als Glaubensquelle erörtert[470]. Für die Erhebung des Dogmas aus den Schrifttexten hielt er es für unabdingbar, daß sie nach den wissenschaftlichen Regeln zu geschehen hat, wie sie in der heutigen Exegese üblich, allgemein anerkannt und auch von der Kirche selbst empfohlen sind. Danach ist der Text zunächst nach der Offenbarungsstufe zu bewerten, die dem biblischen Buch, dem er entnommen ist, eignet, - eine ungeschichtliche Stellenmethode lehnte er nachdrücklich ab. Sodann muß der Beweistext in seinem nächsten Zusammenhang betrachtet und schließlich bei seiner Auslegung der Buchstabe respektiert werden. Von apologetischem Wert schien es ihm, wenn

---

[466] Ders.: Lehrbuch der Dogmatik. ²1911. S. 67.

[467] Ebd. S. 67. - Bartmann verwies auf C. Clemen: Religionsgeschichtliche Erklärung des Neuen Testaments. Gießen 1909.

[468] Bartmann: Lehrbuch der Dogmatik. ²1911. S. 70, 30.

[469] Ebd. S. 71.

[470] Ebd. S. 17-29.

die Beweisstellen möglichst vollständig und in historischer Reihenfolge angeführt werden[471].

Was den patristischen Beweis betrifft, so dient er nach B. Bartmann dazu, in Bezug auf jedes einzelne Dogma den Väterkonsens nachzuweisen. Er hatte für ihn eine zweifache Bedeutung: Er ist Hauptzeugenquelle für die Tradition, läßt aber auch die bei fast allen Dogmen vorliegende Entwicklung erkennen. B. Bartmann warnte davor, diesen patristischen Beweis mit der Dogmengeschichte zu verwechseln. Er soll, so erklärte er, nicht wie diese jedesmal in ausführlicher Weise alle geschichtlichen Umstände erwägen, die den dogmatischen Fortschritt begründen und begleiten; aber er soll doch die Resultate der Dogmengeschichte berücksichtigen, so gut wie beim Schriftbeweis die Resultate der Exegese[472].

Die spekulative Behandlung des Dogmas hat nach B. Bartmann mit dem Verhältnis des Wissens zum Glauben nichts zu tun, wohl aber mit der Frage, ob die übernatürlichen Wahrheiten der Dogmatik auch eine Vernunftbetrachtung, eine spekulative Durchdringung, eine dialektische und logische Behandlung ertragen können oder gar fordern, wie es ähnlich der Fall ist mit den philosophischen Wahrheiten. Es handelte sich für ihn um die technische Anwendung der Philosophie auf die dogmatische Theologie. Daher fragte er nur nach ihrem formalen, nicht jedoch nach ihrem materiellen Gebrauch. Es war für ihn selbstverständlich, daß die Dogmatik nicht einen rein philosophischen Stoff aufnimmt und ihn zum kirchlichen Dogma stempelt. Entgegen der Behauptung A. von Harnacks, in der das katholische Dogma als das Produkt der mit den Apologeten und Antignostikern anhebenden »Hellenisierung des Christentums« hingestellt wird, bemühte er sich aufzuzeigen, daß nicht ein einziges Dogma aus der Philosophie hergeleitet wird. Nur ein formeller Gebrauch der Philosophie oder eine Anwendung der philosophischen Kategorien auf die übernatürlichen Offenbarungswahrheiten sollte gemacht werden, und B. Bartmann war der Ansicht, daß das Recht eines solchen formalen Gebrauchs vernünftigerweise nicht bestritten werden kann. Zu den unabdingbaren Prinzipien einer solchen philosophischen Behandlung der Offenbarungswahrheiten zählte er jedoch, daß der Glaube allein Ausgangspunkt, Richtschnur und Ziel aller Spekulation bleibt. So forderte er, daß sich die dogmatische Spekulation nie von den zwei früher genannten Glaubensquellen entfernt, sondern sich stets am Offenbarungswort orientiert, kontrolliert und nährt. Außerdem vertrat er die Ansicht, daß nicht jede Philosophie eine gewisse Vermählung mit der Theologie gestattet. Die Grenzen der Spekulation, die ohne Gefahr für das Dogma nicht überschritten werden dürfen, sah er vor allem in der Tatsache, daß es um Geheimnisse geht, die sich nicht restlos in Vernunftwahrheiten auflösen lassen; zweitens in der Tatsache, daß das Christentum wesentlich einen geschichtlichen Charakter hat, geschichtliche Ereignisse sich aber für die Spekulation spröder und weniger geeignet erweisen als allgemeine Wahrheiten. B. Bartmann gab zu, daß die gläubige Vernunft unfähig ist, die Wirklichkeit und Denknotwendigkeit der Offenbarungs-

---

[471] Ebd. S. 72. - Vgl. ders.: Selbstdarstellung. S. 27. - Stakemeier. In: ThGl 44 (1954) 100-102.

[472] Bartmann: Lehrbuch der Dogmatik. ²1911. S. 72. - Vgl. Stakemeier. In: ThGl 44 (1954) 102-104.

wahrheiten schlüssig nachzuweisen; wohl aber glaubte er sie im stande, die Einwürfe, die der Unglaube im Namen der Vernunft erhebt, als haltlos und unberechtigt darzutun. Freilich ließ es der Dogmatiker nicht allein bei dieser negativen Zielsetzung bewenden; mit dem ersten Vaticanum glaubte er positiv, daß die gläubige Vernunft einigen, furchtreichen Einblick in die Geheimnisse zu erlangen vermag[473].

Als B. Bartmann zu einem späteren Zeitpunkt erneut Rechenschaft über die Methode und Aufgabe seiner Dogmatik gab, verwies er darauf, daß nach Thomas eine Disputation den Zweck erfüllen muß, die Wirklichkeit der Wahrheit festzustellen (an ita sit), wohin dann der Ton auf die Autoritäten (Schrift und Väter) fällt, oder ihr Wie zu untersuchen (quomodo sit verum), wobei dann der Ton auf die Vernunftgründe fällt, sofern sie die Wurzeln der Wahrheit bloßlegen[474]. B. Bartmann stimmte dem Aquinaten zu, daß die erste Methode für sich allein ungenügend ist, weil der Schüler - wie Thomas sagte - daraus nichts an Wissenschaft und Weisheit erwirbt, sondern leer abzieht. Er gab jedoch zu bedenken, daß 1. bei den großen Mysterien ihre Erhebung aus den Offenbarungsquellen äußerst wertvoll, ja entscheidend ist; daß 2. der positive Beweis, wo er gut geführt wird, schon einen gewissen Aufschluß über den Sinn des Dogmas gibt; und daß somit 3. schon das Wissen um die Quellen und um das Werden des Dogmas seinen hohen Reiz hat; der Mensch von heute, so fügte B. Bartmann hinzu, interessiert sich ebenso für das Werden wie für das Sein[475].

— Die Bedeutung des Dogmas für das christliche Leben

Zum Schluß dieser prinzipiellen Darlegung der dogmatischen Methode B. Bartmanns kommen wir zu den Bemerkungen, die er für die praktische seelsorgliche Unterweisung der Gläubigen machte. Da bei weitem die meisten Gläubigen in der philosophischen, wissenschaftlichen Terminologie, ohne die die Spekulation nicht auskommen kann, fast gänzlich unbewandert und unerfahren sind, forderte er, den Hauptton auf die positive Darlegung und Begründung des Dogmas zu legen. Hierin sah B. Bartmann schon 1911 ein ökumenisches Anliegen, weil auf dieser positiven Verkündigung und Erklärung der gemeinsame Glaube aller Christen und der Kirche beruht. Die spekulative Betrachtung kommt nach seiner Meinung doch nur den Theologen, und vielleicht nur den Gelehrten unter ihnen, zunutze.

Ein zweiter Wink ging dahin, daß der praktische religiöse Unterricht es niemals unterlassen sollte, das vorgetragene Dogma auch nach seiner sittlichen Seite hin anzuschauen und auszubeuten. Kein Dogma hielt der Paderborner Theologe um seiner selbst willen zu rein theoretischen Zwecken geoffenbart. Zwar beschäftigt jedes zunächst den Verstand, zuletzt aber will es das Herz erobern und die sittlichen Kräfte in den Dienst nehmen. Daher versuchte B. Bartmann jedesmal die lebendige Bedeutung des Dogmas für den christlichen Wandel hervorzuheben, die

---

[473] Bartmann: Lehrbuch der Dogmatik. ²1911. S. 73. - Vgl. Concilium Vaticanum I. Sess. III (24.4.1870): Const. dogmatica „Dei Filius". Cap. 4: De fide et ratione. DS 3015-3020, besonders 3016. = NR 39.

[474] Thomas von Aquin: Quodlib. 4 a. 18.

[475] Bartmann: Lehrbuch der Dogmatik. ⁷1928. Bd. 1. S. 66. - Vgl. ders.: Selbstdarstellung. S. 26.

Impulse, die für den Willen darin liegen, kenntlich und fühlbar zu machen, der Trost und die Kraft, die für die bestimmten Lebenslagen aus ihm quellen, zugänglich und lebendig werden zu lassen. »Das Dogma soll in seiner Darlegung zwar zunächst Erkenntnis begründen, zuletzt aber Leben schaffen«[476]. So war es nach B. Bartmann bei Christus, dem ersten »Theologen« so bei den Aposteln, seinen ersten Schülern. Diese praktische Auffassung des Dogmas fand der Theologe besonders in 2 Petr. 1,19 ausgesprochen: »Wir haben den Ruf vom Himmel her erschallen hören, als wir mit ihm auf dem heiligen Berge waren, und um so fester steht uns das prophetische Wort, das wir besitzen, und ihr tut wohl, auf dieses acht zu geben als auf ein Licht, das an einem dunklen Ort scheint, bis der volle Tag anbricht und der Morgenstern in euren Herzen aufgeht«.

3. »Das Fegfeuer« - Christlicher Glaube als menschlicher Trost

Dogma und Leben. Nach den Schrecken des ersten Weltkrieges erkannte B. Bartmann immer mehr, daß jeder, der über ein Dogma handeln will, dessen Beziehung zum Leben in das Thema hineinziehen muß. Von der ersten dogmatischen Belehrung im Religionsunterrricht an sah er es als entscheidend, daß die Glaubenswahrheit keine tote Formel sein darf, die man dem Gedächtnis einverleibt, um sie für gewisse praktische Zwecke, etwa ein Examen oder einen Vortrag zur Hand zu haben; er verlangte vielmehr, daß sie dem Funken gleichen muß, der »aus dem feurigen Strom des religiösen Lebens der Kirche auf ihn überspringt und sofort in der Tiefe seiner Geistnatur neues Leben entzündet«[477]. Der richtige Glaube war für B. Bartmann Leben an sich; von seinem Elternhaus her wußte er bereits, daß man dem, der ihn hat, seine Bedeutung fürs Leben nicht theoretisch andozieren muß. Er war überzeugt, daß die gegenwärtige kühle Stellung zum Dogma sich wieder heben wird durch eine warmherzige Behandlung der Glaubenswahrheiten, wobei es den Beteiligten zum Bewußtsein kommen muß, daß der Glaube kein Gesetz ist, das man zu erfüllen hat, sondern »Quell einer geistigen Kraft, aus der man schöpfen soll«[478].

In den Lehrbüchern der Dogmatik deutet der Abschnitt »Lebenswert« jeweils an, wie der Theologe sich die Konkretisierung dieser Aufgabe dachte. Darüber hinaus veröffentlichte er jedoch auch eine eigene allgemein verständlich gehaltene Schriftenreihe, die der Verwirklichung seines Anliegens in einer größeren Öffentlichkeit über den theologischen Fachbereich hinaus dienen sollte. Es begann bereits mit den Schriften »Das Himmelreich und sein König«, »Jesus und seine Mutter«, wurde fortgeführt in der Studie über »das Reich Gottes in der Heiligen Schrift«, später vor allem in den Entwürfen zur Gotteslehre, die unter dem programmatischen Generaltitel »Dogma und Kanzel« erschienen[479]. In die gleiche Reihe gehör-

---

[476] Ders.: Lehrbuch der Dogmatik. ²1911. S. 74.
[477] Ders.: Selbstdarstellung. S. 33.
[478] Ebd. S. 33.
[479] B. Bartmann: Dogma und Kanzel. Einleitung und Gotteslehre in 54 Entwürfen. Paderborn 1921.

ten die Vorträge über »des Christen Gnadenleben«, sowie die Monographien »Maria im Lichte des Glaubens und der Frömmigkeit«, und »Jesus Christus, unser Heiland und König«; »Unser Vorsehungsglaube«[480], sowie das Werk über »Erlösung, Sünde und Sühne«[481]. Es wäre verwunderlich, wenn B. Bartmann im Rahmen dieses die ganze Glaubenslehre umfassenden Versuchs nicht auch die eschatologischen Dogmen der Kirche gemeinverständlich erörtert hätte. Er tat dies in einer Schrift, die unter dem Titel »Das Fegfeuer. Ein christliches Trostbuch«[482] erschien. Zuvor jedoch veröffentlichte er einen Band, in dem die »Schöpfung, Gott, Welt, Mensch«[483] gemeinverständlich dargestellt wurde. In diesem finden sich Ausführungen über Seele und Unsterblichkeit, die zusammen mit den eigentlich eschatologischen Aussagen eine Einheit bilden und die wir daher hier gerafft wiedergeben.

Die Anthropologie B. Bartmanns beginnt damit, daß der Mensch als Gottes Ebenbild beschrieben wird[484]. Als selbstverständlich wird vorausgesetzt, daß der Mensch aus Leib und Seele besteht, beide aufeinander bezogen und angewiesen, bilden sie eine Natur, den einen Menschen. »Der Leib ist nicht der Mensch, und die Seele allein ist nicht der Mensch; erst beide in ihrer Einheit machen den einen Menschen aus«[485]. Er erinnerte daran, daß entgegen der pantheistischen Behauptung der Einheit aller höheren Menschenseelen ein intellectus agens für den christlichen Theologen und Philosophen feststeht, daß zunächst jede Seele ein in und für sich bestehendes, selbständiges Dasein hat; ein geistiges persönliches Dasein, das sie sowohl von anderen Geistwesen unterscheidet als auch von ihrem Leibe, den sie belebt und formiert. »Der Schöpfer hat beide sehr weise zu einer Einheit verbunden, damit die Seele durch den Leib ein irdisches Leben führen kann, was ihr ohne Körper ja nicht möglich wäre«[486].

Von hier aus gesehen ist der Tod das Bitterste, was die menschliche Natur zu schmecken bekommt. Jedoch: Leib und Seele sollen ewig miteinander verbunden bleiben, so stark hat sie Gott aufeinander hingeordnet. Und sie sollen ewig verbunden werden am Tage der seligen Auferstehung. Insofern kann man nach B. Bartmann sagen, daß die Auferstehung eine natürliche Forderung der Seele, der menschlichen Natur ist. Er erklärte es als eine gewisse Naturnotwendigkeit, daß die Seele ihren Leib nachholt; beide verlangen nach Wiedervereinigung. B. Bartmann hielt es für einen »großen Zug« in der antiken Philosophie der Griechen, daß sie eine Unsterblichkeit der Seele lehrte (Platon); aber für Unnatur, daß sie lehrte, der Leib müsse davon ausgeschlossen werden, weil er die Seele wieder von neuem »beschwere«. Diese Auffassung, die aller Seelenwanderungslehre zugrunde liegt, lehnte der Dogmatiker erneut strikt ab; aber er gestand zu, daß der Leib, wenn er mit

[480] Ders.: Unser Vorsehungsglaube. Paderborn 1931.
[481] Ders.: Die Erlösung. Sünde und Sühne. Paderborn 1933.
[482] Ders.: Das Fegfeuer. Ein christliches Trostbuch. Paderborn 1929. - Vgl. die Rez. von K. Feckes. In: ThRv 29 (1930) 213-214.
[483] B. Bartmann: Die Schöpfung. Gott, Welt, Mensch. Gemeinverständlich dargestellt. Paderborn 1928.
[484] Ebd. S. 90-100.
[485] Ebd. S. 93-94.
[486] Ebd. S. 94.

der Seele ein ewiges Leben führen soll, dieser bei der Auferstehung mehr angeglichen werden muß, als es jetzt der Fall ist[487].

Ähnlich wie in seinem Lehrbuch betonte B. Bartmann auch jetzt, daß nach katholischer Auffassung der Mensch aus Leib und Seele besteht, und zwar aus einem Leib und einer Seele, nicht aus mehreren Leibern und mehreren Seelen, wie der Theologe mit Nachdruck hinzufügte, um die sektiererischen Vorstellungen abzuwehren, die in Folge des großen Krieges und der schauerlichen Todesopfer viele in ihren Bann zogen. B. Bartmann sah, daß Massenmord und Massentod die Menschen aufregte und verwirrte; ein neuer Messias wurde erwartet, von dem man glaubte, er werde das von den Propheten verkündete Friedensreich unter den Völkern, das »tausendjährige Reich« errichten. Nach Meinung einiger Sektenanhänger wird Christus mit seinen Freunden herrschen; sie werden nicht den jetzt irdischen Leib tragen, auch noch nicht den endgeschichtlichen der Verklärung, sondern einen »Zwischenleib«, halb diesseitig und halb jenseitig konstruiert[488]. Für noch unsinniger hielt der christliche Theologe die Annahme der Theosophen, daß der Mensch mehrere Seelen besitze und mehrere Leiber haben werde. Eben dagegen stellte er die christliche Wahrheit, wie sie der Offenbarung entspricht und durch das Selbstbewußtsein bestätigt wird, daß der Mensch aus Leib und Seele besteht und beide eine Einheit bilden und keine Mehrheit. »Wir sind ein Wesen, eine Natur, eine Einheit, keine Mehrheit von Wesen«[489]. Und dieses Wesen wurde insgesamt von Gott erschaffen, und zwar nach Leib und Seele.

Mit dieser Grundlehre christlicher Anthropologie war zugleich klar gesagt, daß der Mensch nicht unerschaffen ist, daß er nicht immer bestanden hat, daß er nicht ewig ist[490]. Nun wußte B. Bartmann wohl, daß es so leicht keinem Vernünftigen einfallen wird, zu sagen, der Mensch sei als solcher ewig. Aber da gab es die Behauptung, daß der Geist ewig sei, der eine große Weltgeist, aus dem die Seelen geworden, wovon sie ein Teil seien. Gegenüber all diesen Lehren berief sich B. Bartmann auf die Offenbarungswahrheit von der Erschaffung des Menschen, wie wir sie in der Heiligen Schrift ausgesprochen finden. In Auseinandersetzung mit der Evolutionstheorie berief er sich auf Aussagen von R. Virchow und Schieser, nach denen der Mensch von Anfang an als Mensch aufgetreten ist. Zudem hielt er eine Entwicklung »aus sich selbst« für völlig unvernünftig, da gemäß der philosophia perennis die Wirkungen niemals größer als ihre Ursachen sein können[491]. »Seele« erklärte der Theologe in diesem Zusammenhang mit dem Bilde vom »Hauch Gottes«. Dieses besagt jedoch nicht, daß Gott dem Menschen ein »Stück von sich selber« mitteilt, denn er ist nach der Lehre der Kirche schlechthin einfach, unteilbar, unmittelbar, incommunicabilis. Richtig muß man daher sagen, daß Gott die Seele - eben wie den Leib - geschaffen hat, mit dem Unterschied, daß der Leib aus Erde, die Seele jedoch aus nichts, durch sein bloßes Wort, geschaffen wurde, beide freilich in ein und demselben Willensakt[492].

---

[487] Ebd. S. 96.
[488] Ebd. S. 98.
[489] Ebd. S. 99.
[490] Vgl. ebd. S. 102.
[491] Ebd. S. 110.
[492] Vgl. ebd. S. 113.

Im nächsten Abschnitt erläuterte B. Bartmann allgemein verständlich das Dogma von der Unsterblichkeit der vernünftigen Seele. Leugner der individuellen Unsterblichkeit gab es nicht nur im Mittelalter bei den arabischen Philosophen, sondern auch in der Gegenwart. Gewiß, die Zeit des groben Materialismus, wie er in der Mitte des 19. Jahrhunderts herrschte[493], war vorüber, aber im Sozialismus A. Bebels wollte man bewußt leben, als wenn es kein Jenseits gebe. Dagegen bemühte sich B. Bartmann zu zeigen, daß Jesus in ganz einzigartiger Klarheit und mit vollkommener Bestimmtheit das Evangelium von der ewigen Fortdauer jedes Menschen gelehrt hat, ja daß auf dieser ewigen Fortexistenz der Menschenseele überhaupt alles beruht, was Jesus getan, gelitten und gelehrt hat: Überall macht er einen scharfen Schnitt zwischen dem diesseitigen und dem jenseitigen Leben und hebt hervor, daß das eigentliche, kraftvolle, starke Leben erst nach dem Tode beginnt. B. Bartmann sagte kurz, daß jeder, der die Unsterblichkeit leugnet, die ganze Lehre Jesu und all seine Taten zunichte macht. »Jesus und sein Evangelium verlieren für ihn allen Sinn. Jedes Wort, das Jesus gesprochen, und jede gute Tat, die er vollbracht hat, hat zur Voraussetzung, daß es ein ewiges Leben gibt«[494].

Resümieren wir kurz, was B. Bartmann hier zu diesem Thema weiter ausführte, obwohl wir es im wesentlichen bereits aus seinen dogmatischen Lehrbüchern kennen.

1. Es gibt ein ewiges Leben für die Guten und auch für die Bösen; dies lehrt der Glaube, es entspricht jedoch auch der menschlichen Vernunft[495].

2. Die Tätigkeit der Seele ist geistig, folglich muß auch ihre Natur geistig sein. Sie hat ihren Sitz im Körper, lebt jedoch nicht aus ihm, sondern aus sich, das heißt aus dem geistigen Eigenleben, das ihr der Schöpfer verlieh. Sie ist unkörperlich. Mag auch der Leib sterben, die Seele, die eine andere Natur hat als er, kann ohne ihn weiterbestehen[496].

3. Deshalb liegt jeder Seele der Zug und die Sehnsucht zum ewigen Leben der Trieb zum Fortbestehen, desiderium naturale in Deum. Alle Völker hoffen auf ein ewiges Leben nach dem Tode; sie glauben an eine Fortsetzung in einem anderen Leben[497].

4. Das ganze diesseitige Leben ist ohne ein jenseitiges nicht zu verstehen, es ist sinnlos, wenn es keine Fortexistenz im Jenseits findet[498].

5. B. Bartmann meint, wir dürften ein unsterbliches Leben sogar von Gott fordern, er sei vermöge seiner Gerechtigkeit verpflichtet, es uns zu geben[499].

Man mag in diesen Lehrpunkten des Paderborner Theologen nicht viel Neues finden. Es wurde hier nur skizziert als Verständnisgrund für das Folgende, das der Seelsorger den Menschen mit der Kraft seiner Persönlichkeit zurief: »Wir glauben an ein ewiges Leben. Wir lassen uns durch keine kalte Beredsamkeit diesen Glauben aus unserem Herzen reißen. Es ist der letzte Glaubensartikel im Kredo; vielleicht haben wir ihn, weil er am Ende steht, bisher am wenigsten betont. Beten wir

---

[493] Siehe oben S. 11.
[494] Bartmann: Die Schöpfung. S. 117.
[495] Ebd. S. 118.
[496] Ebd. S. 119-121.
[497] Ebd. S. 121-122.
[498] Ebd. S. 122-123.
[499] Ebd. S. 123-124.

ihn von jetzt ab langsam. Es sind nur zwei Worte, »Leben« und »ewig«; aber sie sind von gewaltiger Bedeutung. Für uns Christen gehören sie zusammen. Unser Leben soll ewig sein. Es ist gewissermaßen der wichtigste Glaubensartikel im Kredo. Streicht man ihn aus, dann haben alle anderen für uns keinen Sinn mehr. Es bleibt uns nichts mehr vom ganzen Kredo, wenn mit dem Tode alles für uns vorbei ist. Was nützt uns Gott, was nützt uns die Schöpfung, was nützt uns die Erlösung, was nützen uns Kirche und Sakrament: Alle diese Wahrheiten bekommen erst Licht und Gewicht durch die letzte Wahrheit: Ich glaube an ein ewiges Leben«[500].

B. Bartmann wußte sehr wohl, daß der zuversichtliche Glaube, der aus diesen Worten spricht, nach dem furchtbaren Ringen des Krieges, nach den drückenden Erfahrungen jenes gewaltigen Sterbens von Millionen junger Männer, nicht unangefochten blieb. Schon während des Krieges hatte er auf die bangen Fragen, die vor allem die Menschen quälten, denen Todesnachricht ins Haus kam, Antwort zu geben versucht. »Wo sind unsere Toten?«[501]

Anlaß zu dieser Schrift war eine Broschüre, in der ein bibelgläubiger Arzt den Standpunkt des Millenniarismus und den Glauben an die völlige Vernichtung der Gottlosen vertrat[502]. B. Bartmann antwortete mit der nun schon bekannten Tatsache, daß die natürliche Unsterblichkeit der Seele keine Offenbarungswahrheit sei; man brauche nicht zu glauben, daß die Seele von Natur schon unsterblich sei; die Bibel lehre es nicht, die Kirche habe es nicht definiert und das gewöhnliche Magisterium trage es nicht als katholische Lehre vor; die theologischen Schulen teilten sich in der Frage der philosophischen Beweisbarkeit. Anders indes hinsichtlich der übernatürlich bewirkten Unsterblichkeit, diese sei in der Bibel klar bezeugt und kirchlich dogmatisiert[503]. Auch die Behauptung, daß die Seelen der Verstorbenen im bewußtlosen »Todeszustand« seien (Thnetopsychismus), lehnte er zusammen mit der Theorie des Seelenschlafes (Psychopannychie) auf Grund seiner Analysen der biblischen Aussagen ab[504]. Entsprechend wies er die chiliastischen Mißdeutungen der Bibel ab[505].Zu der Tatsache, daß die Wahrheiten von Himmel und Hölle zum Grundbestand christlicher Lehre gehört, berief er sich diesmal auf A. von Harnack[506].

Nach dieser kurzen Darlegung einiger eschatologischer Grundwahrheiten des Christentums blieb allerdings die Frage bestehen:»Wo sind unsere Toten?« B. Bartmann antwortete positiv: Sie sind gestorben, das heißt die beiden Bestandteile von Leib und Seele sind real im Tode getrennt. Dadurch verlor der Leib sein Lebensprinzip: er ist tot, leblos und verfällt der Verwesung. Die Seele aber lebt fort, weil Gott es will, weil Gott sie unsterblich gemacht hat. Sie ist nicht durch Naturnotwendigkeit unsterblich, sondern durch einen freien Akt Gottes... Gott selbst ist der

[500] Ebd. S. 125.
[501] B. Bartmann: Wo sind unsere Toten? In: ThGl 8 (1916) 708-717.
[502] John Edgar: Where are the Dead. An address etc. Glasgow 1918. - Dass (Deutsch von E. Lanz: Wo sind unsere Toten? Religiös-psychologische Studie auf positiv biblischer Grundlage. 6. deutsche Auflage. Barmen (1919).
[503] Bartmann. In: ThGl 8 (1916) 710.
[504] Ebd. S. 711-712.
[505] Ebd. S. 712.
[506] A. von Harnack: Lehrbuch der Dogmengeschichte. ⁴1909. Bd. 1. S. 194.

Allein- Unsterbliche, weil er notwendig, durch sich selbst, kraft seines Wesens besteht (Aseität). Die Seele aber besitzt nur mitgeteilte, kreatürliche Unsterblichkeit, angeschaffene und stets von Gottes Willen abhängige Fortexistenz. Sie mag im Himmel oder in der Hölle existieren, sie besteht nur durch einen freien Willensakt des Allein-Unsterblichen. Interessant ist, was B. Bartmann an dieser Stelle über das Verhältnis von Natur und Übernatur sagte. Er meinte, die Schrift lehre diese Unsterblichkeit bestimmt und deutlich, sie unterscheide aber nicht, ob dieser erhaltende Akt Gottes ein natürlicher oder erst ein übernatürlicher sei; sie stelle die Akte Gottes fast stets unterschiedslos nebeneinander: die Schöpfung neben die Erlösung, die gewöhnliche Erhaltung neben das außergewöhnliche Wunder, die tägliche Ernährung neben das Brot des Lebens, die Schenkung des Gelobten Landes neben die Verheißung des messianischen Reiches. Vor Gott ist alles gleich schwer und gleich leicht. Alle guten Gaben kommen ja von ihm, dem Vater des Lichtes, mag's Natur oder Übernatur sein. Entsprechend unterscheidet die Schrift nach B. Bartmann nicht, ob die Seele von Natur oder erst durch Gnade unsterblich ist. Aber, so meinte er, sie gebe an einigen Stellen doch Andeutungen, daß sie es schon durch den Schöpfungsakt ist[507].

Wo also bleiben die Toten, wenn die menschliche Seele unsterblich ist? Zwei Aussagen sind bei B. Bartmann wichtig: 1. Die Seelen der Toten gehen sofort durch Gottes Gericht, 2. sie leben bis zur leiblichen Auferstehung als bewußte Geister. Er erklärte: »Unsere Toten sind tot für uns, weil sie abgeleibte Wesen geworden sind, aber sie sind es nicht an sich und nicht für Gott und untereinander, weil sie sich selber kennen, Selbstbewußtsein haben, Gott kennen, ihren Urheber und Erlöser, weil sie alles kennen, was sie im Pilgerstande an und von ihm erfahren haben, weil sie im Tode und Gerichte eine unendliche Fülle neuer Kenntnisse in sich aufgenommen haben und täglich deren Mehrung und Vervollkommnung erfahren«[508].

Wo sind unsere Toten? Der Katholik gibt nach B. Bartmann eine zweifache Antwort: eine bestimmte aus dem Glauben, eine unbestimmte aus der Hoffnung, weil die göttliche Offenbarung keinen Aufschluß gibt über das Schicksal der Einzelseele. Gegenüber einer unchristlichen Verherrlichung des Soldatentodes wies B. Bartmann nachdrücklich darauf hin, daß für den Endzustand nicht die äußere Art des Sterbens entscheidend oder wesentlich ist (Todesbett, Unglücksfall, Schlachtfeld usw.), sondern einzig die sittliche Verfassung des Sterbenden[509].

Die christliche Hoffnung kennt also eine tröstliche Antwort: Unsere Toten sind im Herrn gestorben und deshalb nicht vom Herrn getrennt. Die katholische Kirche vermutet nach B. Bartmann, daß fast alle ihre Toten am Ort der sittlichen Läuterung und Reinigung weilen: Sie wagt nicht, ihre Toten sofort in den Himmel eingehen zu lassen, denn sie kennt genau ihre diesseitige Gebrechlichkeit; sie entsetzt sich aber ebenso vor der Annahme, daß ihre Toten, die im Herrn lebten und starben, wegen dieser Gebrechlichkeit zur Hölle verdammt wurden. Sie kennt ein mittleres, den Weg der Rettung durch den Reinigungsort. Sie nennt ihre Toten nicht sofort »Heilige«, aber auch nicht »Verlorene«, sondern »arme« Seelen[510].

---

507 Bartmann. In: ThGl 8 (1916) 713-714.
508 Ebd. S. 714.
509 Ebd. S. 715.
510 Ebd. S. 715.

In dem Wort »Armeseelen« fand B. Bartmann eine eigentümliche Mischung von Leid und Freude, von Strafe und Lohn, von Unglück und Glück; nachdrücklich verlangte der Theologe, daß dieser Doppelcharakter des Fegfeuers in der populären Darstellung in Katechese und Predigt gewahrt und hervorgehoben werde. »Es ist ein Zustand zwischen Himmel und Hölle und darf nicht mit dem ersten, aber noch weniger mit dem letzten identifiziert werden. Seine Bewohner sind begnadete Seelen, keine Verworfenen«[511]. Es ist ein Wartezustand, der nicht nur Peinen kennt, sondern auch Tröstungen. B. Bartmann zählte auf:

1. Die Gewißheit der Errettung;
2. die Unmöglichkeit, fernerhin zu sündigen;
3. die völlige Harmonie mit dem göttlichen Willen;
4. der Fortschritt in der Läuterung als eine Annäherung an die Seligkeit des Himmels und als Quelle neuen Eifers und neuer Liebesakte[512].

B. Bartmann wünschte, daß durch solche Erwägungen über die Freuden des Fegfeuers unser Eifer, den Armenseelen durch Opfer und Gebet zu helfen, keineswegs erkalten, sich vielmehr zu höchster Glut entzünden solle, damit sie des von ihnen so klar erkannten und so rein gewollten Glücks der unio cum Deo möglichst rasch teilhaftig werden[513]. Zum Schluß äußerte der Theologe die Hoffnung: »Wer die katholische Lehre vom Fegfeuer objektiv und unbefangen aufnimmt und in konkreten Fällen gläubig auf sich anwendet, wird darin so viel Trost und Hoffnung, Zufriedenheit und Herzensstärkung finden, wie sie keine andere Religion in der Welt zu bieten vermag«[514].

Der Lebenswert des Dogmas, der in diesen Worten aufleuchtet, veranlaßte den Theologen später, sein Trostbuch vom Fegfeuer zu schreiben. Es wäre völlig verfehlt, gegen B. Bartmann den Vorwurf zu erheben, daß er die Glaubenswahrheiten zu sehr aus dem Aspekt individualistischer Heilssehnsucht betrachtet habe. In seiner Einführung machte er vielmehr eindeutig klar, daß die Gemeinschaft der Kirche ebenso wie der einzelne Gerechte aus dem Glauben lebt. Wir hören von ihm, daß die Kirche in ihrer Liturgie die Worte der heiligen Schrift hervorhebt und zum Träger ihrer eigenen Heilszuversicht macht; daß sie in ihren Glaubensgebeten alle Äonen des Diesseits wie des Jenseits umspannt; daß sich ihr Heilsinteresse soweit erstreckt wie die geistige Gliedschaft an ihrem mystischen Leibe, dessen Haupt Christus, unser Erlöser ist, der alle Glieder lebendig macht und durch den alle Einzelglieder leben wie Zweige durch den sie tragenden und nährenden Stamm. B. Bartmann sah ihn nicht nur als dieses mystischen Leibes krönendes Haupt, sondern auch dessen Herz, das in ständigem Pulsschlag den Lebenssaft der Gnade durch alle Glieder leitet[515]. So war er ihm der sichtbare Bürge der ewigen und unendlichen Erbarmungen Gottes, unseres gemeinsamen Vaters, der nicht will, daß eines seiner Kinder verloren geht, sondern daß alle das Heil erlangen. In diesem urchristlichen, in der Offenbarung festbegründeten Heilsoptimismus verfaßte der

---

[511] Ebd. S. 715.
[512] Ebd. S. 716.
[513] Ebd. S. 716.
[514] Ebd. S. 717.
[515] Ders.: Fegfeuer. S. X.

Theologe seine Schrift, die ein Trostbuch für den gläubigen Christen sein wollte. Lautet gerade für den Sterbenden die Parole »Näher zu Gott hin«, dann war gerade in der richtig verstandenen Fegfeuerlehre als der Lehre von einer nach dem Tode uns von Gott gnädig verstatteten und verbreiteten Läuterung durch Vergebung der Sünden und Abbüßen der Strafen ein außerordentlicher Trost. Die Fegfeuerlehre war für den Dogmatiker die praktische Anwendung von der Barmherzigkeit und Langmut Gottes gegen den Sünder, wie sie Jesus in seinen Gleichnissen gepredigt hat[516].

Gewiß, B. Bartmann sah auch die Grenzen, die jener Mensch selber zieht, der sich so weit von Gott entfernt hat, daß er in keiner Weise mehr mit ihm verbunden ist; wer diesen gottlosen Zustand bewußt und frei herbeiführt und in sich herstellt, dessen Jenseits kann nur die Hölle sein, das heißt die Verewigung jenes Zustandes[517]. Mit Energie und Nachdruck wehrte sich der Theologe jedoch gegen jeden Versuch des Rigorismus, aus dem Fegfeuer eine Hölle zu machen, als wenn sich beide in nichts als in der Dauer voneinader unterscheiden[518]. Ebenso wurde der heidnische Dämonenglaube, wonach die abgeleibten Seelen der Bosheit und Tücke der bösen Geister schutzlos verfallen sind und ihrer sich nicht einmal im Gericht zu erwehren wissen, entschieden als überwunden erklärt. B. Bartmann meinte, daß der düstere Dämonismus, der in beinahe allen Fegfeuerschilderungen der vergangenen Zeiten sein arges Wesen treibt, nur volkspsychopathisch erklärt werden kann. Daher forderte er: »Es ist die höchste Zeit, daß die Fegfeuerlehre sich entschlossen auf den rein dogmatischen Standpunkt stellt, wie er für jedwedes Dogma vom Vaticanum aus normiert ist«[519].

B. Bartmann nannte im folgenden drei in der Schrift und in der religiösen Erfahrung fest begründete Wahrheiten, aus denen der Gedanke einer Läuterung nach dem Tode entstanden ist:

1. Aus der unerschütterlichen Überzeugung von Gottes Heiligkeit die keine Verbindung mit Unreinem und Unheiligem eingehen kann.

2. Der klare Blick in die Wirklichkeit des Lebens, der nüchtern erkennen ließ, daß nicht alle Toten das Ideal dieser vollen Reinheit erlangten.

3. Die lebendige Überzeugung vom corpus Christi mysticum oder von der geheimnisvollen Einheit aller Gläubigen mit Christus, der die christliche Fürbitte für jene anregte, die bereits hinübergegangen waren[520].

Beachten wir jedoch, daß B. Bartmann nicht einfach eine Abhandlung über ein spezielles Thema der Eschatologie schrieb; er wollte vielmehr die Leser bei der Lektüre seiner Schrift in einem wichtigen Punkt in die katholische Gedankenwelt einführen.

Bei den »Vorfragen« wies B. Bartmann zunächst darauf hin, daß man wie bei allen wissenschaftlichen Darstellungen der Wahrheit überhaupt so besonders bei

---

[516] Ebd. S. XII.
[517] Ebd. S. XII.
[518] So nach Bartmann Lessius (=2 Leonhard Leys S.J. 1554-1623). - Vgl. H. Lange: Lessius. In: LThK[1] 6 (1934) 522-523. - R. Bäumer: Lessius. In: LThK[2] 6 (1961) 981-982.
[519] Bartmann: Fegfeuer. S. XV.
[520] Ebd. S. XV.

den religiösen Wahrheiten auf die Quellen zurückgehen muß[521]. Der Gläubige findet sie in der Offenbarung, die Gott seiner Kirche gab, die er zur Lehrerin der Völker machte[522]. Was das Fegfeuer betrifft, so gehört es nach B. Bartmann nicht nur zu den religiösen Wahrheiten überhaupt, sondern bildet mit den »vier letzten Dingen« einen äußerst wichtigen Wahrheitskomplex, denn in der Lehre vom Ende muß sich der Wert des ganzen Christentums offenbaren. Diese Eschatologie kann nach B. Bartmann keine andere Quelle haben als die christliche Wahrheit überhaupt, die übernatürliche Offenbarung, wie sie durch das kirchliche Lehramt aus Schrift und Tradition den Gläubigen verkündigt und erklärt wird[523]. Privatoffenbarungen wurden dabei nachdrücklich ausgeschlossen, selbstverständlich auch alle abergläubisch-heidnischen Vorstellungen, die Jenseitslehre der jüdischen Apokryphen und die Ansichten der Theosophen und Anthroposophen H. P. Blawatsky und R. Steiner[524].

In kurzen Zügen zeigte B. Bartmann, daß der Tod der Weg ins Jenseits ist; daß er zunächst für den Menschen ein natürliches Ende bedeutet. Nach B. Bartmann gilt es, diese Erkenntnis der Naturphilosophie rückhaltlos zu bejahen und auf alles Geschaffene anzuwenden, auch auf den Menschen. Gott allein, der Ungewordene, kann nicht aufhören zu sein, er hat weder Anfang noch Ende: Deus solus aeternus[525]. Der Mensch ist dagegen nach den Worten der Bibel nur Staub. Der Theologe erinnerte aber daran, daß die Bibel noch eine zweite Seite des Todes kennt: Mors stipendium peccati[526]. Sie scheint der natürlichen Betrachtung zu widersprechen, doch löst sich für den Gläubigen das Problem, wenn er die Unsterblichkeit als ein Gnadengeschenk Gottes für Treue im Dienst versteht, eine Gnade also, die der Mensch sich durch den Sündenfall verscherzt hat. Nachdem uns Gott jedoch in Christus Erlösung von der Sünde schenkt, gilt: Mors ultra non erit[527].

Zu den Vorfragen, die B. Bartmann zu Eingang seiner Schrift behandelte, gehörte auch die nach dem Ort, wo das Jenseits zu finden sei. Ähnlich wie in seinen dogmatischen Lehrbüchern erklärte er auch jetzt, daß wir heute statt von »Orten« besser von geistigen Zuständen sprechen. Ergänzend trug er vor, daß nach christlicher Philosophie Geister Daseinsformen sind, die in sich selbst existieren. Wenn das Wesen des Körpers Ausdehnung ist, dann ist dementgegen »das Wesen des Geistes die Innerlichkeit, das In-sich-selbst-sein und das In-sich-selbst-ruhen«[528]. Nach B. Bartmann können wir das Verhältnis des Geistes zu einem körperlichen Ort nicht näher bestimmen, obwohl wir annehmen müssen, daß der Geist, wie immer sein Verhältnis zum Raum beschaffen sein mag, doch irgendwo in der Schöpfung

---

[521] Ebd. S. 1.
[522] Ebd. S. 2.
[523] Ebd. S. 3.
[524] Helene Petrovna Blavatzky (Hahn-Hahn) (1831-1891) Gründerin der „Theosophischen Gesellschaft". Schriften: Siehe LV. - Außerdem vgl. E. Wolf: Blavatzky. In: RGG³ 1 (1957) 1320. - Ph. Schmidt: Blavatzky. In: LThK² 2 (1958) 527-528. - Zu R. Steiner vgl. oben S. 302, Anm. 138.
[525] Bartmann: Fegfeuer. S. 22.
[526] Röm. 6, 23.
[527] Off. 21, 4. - Bartmann: Fegfeuer. S. 26.
[528] Ebd. S. 34.

existiert. Von einer »Topographie« oder »Geographie des Jenseits« wie er nach dem Weltbild des Mittelalters vertreten wurde, wollte der Theologe nach den umstürzenden Erkenntnissen des Kopernikus nichts mehr wissen[529].

Wie steht es aber mit der Psychologie des Jenseits? Nichts schien B. Bartmann so sicher, als daß die Verstorbenen für sich existierende Psychen sind, animae separatae; man könnte sagen, daß sie im Jenseits reine Seelen sind, während sie hier auf Erden eine körperlich-geistige Mischung sind. Wie kommt es aber - so fragte er -, daß dennoch uns die Geistseele zugänglicher ist im Körper, als sie es ohne diesen im Jenseits ist? Der Theologe gab zu, daß auf dem Problem, wie die körperlose Seele ihre Außenwelt erführe, eine große Dunkelheit liegt, verwahrte sich aber dagegen, den leiblosen Geistern einfach die Erkenntnis so wie das Bedürfnis dafür wegen der Schwierigkeit abzusprechen. Wegen der katholischen Lehre, daß die Seele nach dem Tode vor ihren Richter tritt und von ihm die Entscheidung empfängt, ist die Theorie des Seelenschlafes nicht haltbar. Aber auch die Ansicht, die der Seele unterstellt, daß sie sofort nach dem Tode einen neuen Jenseitsleib oder eine Art »Zwischenleib« erhielte, in dem sie dann nach der Analogie des Diesseits weiterlebte, ging B. Bartmann über die Aussagen der Hl. Schrift hinaus, da Paulus nur an einen Auferstehungsleib dachte, den die Seligen am Jüngsten Tag empfangen werden, nicht aber an einen Zwischenleib und noch weniger an ein Definitivum oder gleichsam an eine Vorwegnahme der Auferstehung[530].

Bei der Frage nach der psychologischen Verfassung der Seelen im Jenseits versuchte B. Bartmann deutlich zu machen, auf welche Art die leiblosen Seelen im Jenseits Erkenntnisse gewinnen und wie sie geistige Lebensakte vollziehen. Er verwies darauf, daß Jesus die Seelen des Jenseits zu den Engel-Geistern gesellte und daß er von einem Geist sagte, daß er kein Fleisch und Bein habe[531]. Wenn nun die Philosophie lehre, daß auf Erden alle Geisteserkenntnis die körperliche Erfahrung zur Voraussetzung hat, dann - so schloß er - können die Seelen drüben keine Erkenntnisse mehr sammeln. Von den Engeln und Heiligen aber lehrte er mit den anderen Theologen, daß sie alles in Gott, im Lichte der ewigen Seligkeit (visio beatifica), erkennen. Da nun die Seelen im Fegfeuer dieses Licht noch entbehren, muß sie - so argumentierte er weiter - Gott bei ihrer Erkenntnis in anderer, besonderer Weise unterstützen. Er hielt es für natürlich, anzunehmen, daß die Seelen alle Erfahrungskenntnisse ihres Lebens mit hinübernehmen; er berief sich darauf, daß nach Thomas der Tod die Natur der Seele nicht ändert, sondern nur ihre Verbindung mit dem Leibe löst, und daß die leibfreien Seelen, weil sie ohne Leib existieren können, auch ohne ihn etwas zu erkennen vermögen, und zwar ihre geistige Umgebung, soweit diese mit ihnen auf gleicher Seinsstufe steht. B. Bartmann selber verzichtete weitgehend auf eine spekulative Durchdringung der anstehenden Fragen; er beschied sich wiederum auf das, was »am meisten der H. Schrift und der gesunden Vernunft entspricht«, ohne zu vergessen, daß uns das Dogma hier nichts auflegt und die Theologie uns nur beraten möchte. Allerdings betonte er nachdrücklich, daß es sich hier nur um die natürliche Erkenntnis der Verstorbenen handle; auf

---

[529] Vgl. ebd. S. 37.
[530] Vgl. 1. Thess. 4, 13-17; 1. Kor. 7, 39; 11, 30; 15, 18.
[531] Luk. 24, 39.

dieser baue sich dann, wie in diesem Leben, so im Fegfeuer die übernatürliche, aus dem irdischen Glaubenszustand gewonnene und mitgebrachte Erkenntnis auf; in dieser erkannten sie die großen Geheimnisse, vor allem die heiligste Dreifaltigkeit. Der Theologe gab aber noch zu bedenken, daß sie an Gott im Gericht eine persönliche Begegnung erlebt haben[532].

Nach dem Tode das Gericht. Sterben und Gericht waren für B. Bartmann eng verknüpft; er beschrieb, daß das eine sofort nach dem anderen geschehe, wenngleich dazwischen ein Szenenwechsel liege, der eine ganze Weltwandlung bedeute. »Das eine ist das letzte Datum in dieser irdischen Welt, das andere ist das erste Datum in der jenseitigen Welt. Das eine ist eine tägliche Erfahrungstatsache, das andere ist ein geheimnisvolles Ereignis, wovon nur diejenigen wissen, die es bereits erlebt haben. Das eine ist ein Vorgang, bei dem meist Verwandte und Bekannte, auch wohl ein Priester teilnahmsvoll zugegen sind, das andere ist ein Geschehen, das sich gleichsam unter vier Augen, zwischen Gott und der ankommenden Seele allein, vollzieht«[533].

Worum handelt es sich? B. Bartmann meinte, wir seien gewöhnt, auch die Tugenden dazuzurechnen. Er gab jedoch zu bedenken, daß im Sinne der Offenbarung das Gericht im eigentlichen Sinn die Verurteilung der Sünde ist. Auch hier wies er die Auffassung zurück, nach der die Weltgeschichte das Weltgericht ist und stellte dagegen die Lehre des Katechismus, daß die vollkommene Vergeltung erst im Jenseits stattfindet[534].

B. Bartmann erinnerte daran, daß die Kirche zu allen Zeiten die Gläubigen auf das Weltgericht am Jüngsten Tag hingewiesen hat; mit heißem Verlangen erwartete die alte Christenheit diese Wiederkunft des Herrn, denn sie galt ihr als Erlösung aus dieser verkehrten, bösen Welt. Allerdings wurde sie bisweilen auch des Wartens überdrüssig. Nach B. Bartmann hatte Jesus aber die Schwierigkeit, die sich aus dem Herbeiwünschen seiner Wiederkunft und dem langen Warten darauf, schon gekennzeichnet in der Parabel von den zehn Jungfrauen[535]. Die Kirche mußte ebenso dem gefährlichen Zustand der sittlichen Schläfrigkeit, der zum geistigen Todesschlaf werden konnte, entgegenarbeiten. Nach B. Bartmann rüttelte sie die schläfrige Christenheit auf und hielt sie wach auf dreifache Weise:

1. Sie betonte statt des Weltgerichts am Jüngsten Tag mehr und mehr das besondere Einzelgericht gleich nach dem Tode. Das konnte sie - nach der Erklärung unseres Theologen - um so nachdrücklicher und eindringlicher tun, als auch alle alten Kulturen der Heiden ein solches Gericht nach dem Tode annahmen.

2. Die Bußpraxis der alten Kirche sprach die Sünder erst los und reichte ihnen wieder die Kommunion im Tode, damit sie als Vollchristen versöhnt im anderen Leben ankämen. Das Bußgericht, das die Kirche im Diesseits an vielen Gläubigen vollzog, mußte als eine Art »Vorwegnahme des Gerichtes Gottes an ihnen im Jenseits« erscheinen, oder das Jenseitsgericht als eine »Vollendung und Bestätigung des Diesseitsgerichtes«[536].

---

[532] Bartmann: Fegfeuer. S. 43.
[533] Ebd. S. 43-44.
[534] Ebd. S. 46.
[535] Mat. 25, 5.
[536] Bartmann: Fegfeuer. S. 48.

3. B. Bartmann verwies darauf, daß gegen die falsche Vorstellung, daß nur den Ungläubigen das Verdammungsgericht angedroht sei, schon Augustinus klarstellte, daß als Christ nur jener nicht ins Gericht komme, der einen lebendigen, in Werken der Liebe tätigen Glauben habe, denn nur vom lebendigen Glauben lehre Christus betimmt und eindeutig, daß er vor dem Gericht rettet[537].

Nachdem B. Bartmann einige Züge der biblischen Erlösungslehre dargestellt hatte, faßte er die Gerichtsworte Jesu bei Johannes kurz zusammen:
Der Vater richtet niemand, er hat alles Gericht dem Sohn übergeben. Der Sohn ist in die Welt gekommen, um zu retten, nicht um zu richten. Dennoch gereicht er den Menschen zum Gericht; er scheidet sie in zwei Teile, je nachdem sie an ihn glauben oder ihm den Glauben versagen. Also kommt es zuletzt darauf hinaus, daß unser Gericht ein Selbstgericht wird. Jeder einzelne vollzieht es an sich selbst schon auf Erden. »Wenn der Mensch im Tode ankommt, dann ändert sich nichts an ihm. Er erscheint vor Gott, so wie er in Wirklichkeit ist. Der Tod enthüllt an ihm nur, was er nach seinem innersten Wesen ist, was er vor Gott bedeutet«[538]. Nach B. Bartmann wird auch bei den Synoptikern Gott und sein Gebot so zum Gericht, daß der Mensch sich selber richtet. »Gott spricht nur den Tatbestand aus, wie er ihn vorfindet. Auch hier liegt der Schwerpunkt des Gerichtes auf dem Verhalten des Knechtes im Diesseits. Der Tod fügt nichts Neues hinzu ... Gott nimmt dich im Gericht, wie er dich im Tode findet. Der Lebensabschluß ist entscheidend für die Ewigkeit«[539].

Zum Beweis dafür, daß Gott im Gericht mehr die Barmherzigkeit walten läßt als die zürnende Gerechtigkeit, fügte er die Lehre der Kirche an, nach der Sünden, die einmal vergeben sind, nicht wieder aufleben, wenn der Mensch erneut sündigt; daß jedoch die Verdienste, die sich ein Mensch erworben hat, wieder aufleben und von Gott angerechnet werden, wenn der Sünder sich vom bösen Tun bekehrt[540].

Es kann bei all dem nach B. Bartmann keine Rede davon sein, daß Gott einst nach ganz neuen und uns unbekannten Maßstäben messen wird. Wenn irgend etwas aus der Offenbarung feststeht, dann war es für unseren Theologen dies: Daß wir im Guten wie im Bösen auch nach unserer eigenen Erkenntnis, die wir hier auf Erden, und zwar im Augenblick des Tuns oder Lassens von der Sache hatten, von Gott beurteilt werden. Daher wiederholte er: »Die Würfel fallen im Diesseits, nicht im Jenseits. Der Tag des Jenseits erhellt nur den Tatbestand«[541].

Nach diesen Präliminarien kam der Theologe zu dem eigentlichen Thema seiner Schrift, zunächst: Gibt es ein Fegfeuer? B. Bartmann fand, daß keine Wissenschaft der Welt diese Frage beantworten kann. Vom Jenseits weiß nur Gott; wenn wir Menschen etwas davon sicher wissen sollen, dann muß er es uns mitteilen, offenbaren. Der Theologe gab zu, daß es menschliche Mutmaßungen, Meinungen, Annahmen, Ansichten, Ahnungen gibt; festes Wissen schien ihm aber nur auf Grund der Offenbarung möglich, und - da wir das Offenbarte nicht schauen kön-

---

537 Ebd. S. 49.
538 Ebd. S. 51.
539 Ebd. S. 53.
540 Ebd. S. 54.
541 Ebd. S. 57.

nen, sondern glauben müssen, - so ist unser Jenseitswissen ein geglaubtes Wissen, kein geschautes, kein Wissen, sondern eben Glauben. »Daß es ein Jenseits gibt, lehrt uns der Glaube, und den Glaubensinhalt empfangen wir aus der Hand der Kirche«[542].

Mit diesen Worten kommt der positive Ansatz der theologischen Methode B. Bartmanns besonders deutlich zum Ausdruck. Der Theologe wußte wohl, daß die Fegfeuerlehre der Kirche vor allem von M. Luther bestritten wurde. Er stellte nun fest, daß die Kirche auf dem Tridentinum gegenüber allen Widersprüchen, Verdrehungen oder Verstümmelungen des Glaubens nicht selbst eine Lehrbegründung für das Fegfeuer gab, sondern nur die Bischöfe ermahnte, sorgfältig dahin zu streben, daß die von den Vätern und heiligen Konzilien überlieferte wahre Lehre über das Fegfeuer von den Christgläubigen geglaubt werde. Für B. Bartmann ergab sich daraus, daß sich der Fegfeuergedanke auf zwei Quellen stützt: auf den lebendigen kirchlichen Brauch und auf die heilige Schrift. Der Gang seiner Gedanken war also dieser: Die Kirche weist uns an die Väter, und jene weisen uns an die Heiligen Schriften. Daher stellte er jene Bibelstellen zusammen, auf die sich die Väter durchgängig berufen. Es waren nach seiner Durchsicht wesentlich drei:
1. Die Worte Jesu von der Sündenvergebung in diesem wie in jenem Leben[543];
2. jene Worte über den Knecht, der in den Kerker geworfen werden soll, weil er seinem Mitbruder nicht vergeben wollte[544];
3. ein Mahnwort, in dem Paulus daran erinnert, den festen Grund nicht zu verlassen, da der Tag des Herrn kommt, an dem das Werk des Menschen geprüft wird durch Feuer - für den Menschen selbst ist Rettung möglich - jedoch wie durch Feuer[545].

Nach B. Bartmann verwendet der Apostel ein altisraelitisches, prophetisches Bild: Der Herr kommt in Feuer, um Gericht zu halten. Das Feuer macht alles schlechte Tun offenbar und brennt es zu Asche, jedoch so, daß der Urheber persönlich dabei gerettet wird. Für B. Bartmann war es unbezweifelbar, daß Paulus das Feuer des Jüngsten Gerichtes meint, schon wegen der Wendung: »der Tag des Herrn«. Er rechnete daher auch mit dem Einwand, das Feuer der paulinischen Stelle habe mit dem Fegfeuer deshalb nichts zu tun, weil es erst am Jüngsten Tag zu brennen und zu wirken anfange; am Jüngsten Tage aber gebe es nach der Lehre der Kirche kein Fegfeuer mehr, sondern nur noch Himmel und Hölle, in ewiger Dauer. B. Bartmann gab zu, daß jeder, der so denkt, die paulinischen Worte in ihrem ursprünglichsten und engsten Sinn genommen und somit richtig verstanden hat. Da nun aber die Worte des Apostels auch einen recht passenden Sinn ergaben, wenn man sie auf das Fegfeuer anwendet, hielt er es für möglich, sie mit den Vätern und Theologen von Augustin an auf den aus der Tradition bekannten Reinigungsort zu

---

[542] Ebd. S. 58.

[543] Vgl. Mat. 12, 31-32.

[544] Vgl. Mat. 5, 26. - Tertullianus: De anima. 58, 8. PL-SL 2 (1844) 752. = CCL II (MCMLIV) 869.
- Ders.: De resurrectione mortuorum. 42, 3. PL-SL 2 (1844) 853-854. = CCL II (MCMLIV) 976.

[545] Vgl. 1. Kor. 3, 11-15.

beziehen, dessen Existenz in die große Zeitspanne von Christi Himmelfahrt bis zum Tage des Jüngsten Gerichtes fällt[546].

Auch wenn die bisher aus der Heiligen Schrift zusammengestellten Worte Jesu und der Apostel nicht dazu angeregt hätten, wäre nach B. Bartmann die Kirche aus eigener religiöser Empfindung sowie durch die Konkurrenz des Heidentums dazu gedrängt worden, über das Los ihrer Toten nachzudenken. Er sah dies vor allem darin begründet, daß Jesus so oft vom »ewigen Leben« gesprochen hatte, auch von den Bedingungen des Eintritts darin, daß die christliche Empfindung und das kirchliche Gewissen bei den täglichen Todesfällen immerfort vor dem Problem stand: »Was wird in der anderen Welt aus unseren Toten, haben sie alle Bedingungen erfüllt?«[546]. B. Bartmann bemerkte, daß der paulinische Gedanke vom corpus Christi mysticum insofern eine wichtige Rolle spielte, als durch ihn alle im Glauben Verstorbenen mitumfaßt werden. Er stellte fest: »Daß man auf Erden schon im Glauben ein Glied der jenseitigen Kirche, der Gemeinde der Vollendeten sei, war also bewußte Glaubensüberzeugung schon der apostolischen Christenheit«[547]. Es war für B. Bartmann gerade der stark eschatologisch empfindende Völkerapostel, dem sich die beiden Hemisphären der Kirche, die diesseitige und die jenseitige, leicht zusammenschlossen.

Dem Theologen war es darum zu tun, die ganze Frage auf einer viel breiteren sachlichen Grundlage aufzubauen als auf der schmalen Basis der einen und anderen Bibelstelle. Deshalb legte er ausführlich dar, daß Juden wie Heiden unabhängig von der neutestamentlichen Offenbarung ihrer Toten in eigenen Kulten gedachten. Die Forschungen von E. Freistedt und A.M. Schneider hatten gezeigt[548], daß die aus dem Heidentum kommenden Christen eine starke eschatologische Stimmung mitbrachten und daß gerade der Gerichtsgedanke in der Form des Einzelgerichtes, der in den antiken Religionen besonders populär war, Tausende zu den Pforten der Kirche führte, zumal er dort auf Grund des kirchlichen Bußgerichts selbst wieder Nahrung und Stärkung fand. B. Bartmann erklärte, daß das Bußgericht in der Kirche als eine Vorwegnahme des Gerichtes Gottes im Jenseits galt. Der historisch versierte Theologe wußte, daß die kirchlichen Toten »in zwei Klassen zerfielen«: in solche, zu denen man betete, und solche, für die man betete; die einen galten als bereits bei Christus im Paradies lebend[549], die anderen waren noch nicht bei ihm. Der Gebetsausdruck der Kirche lautete: Gott möge den Toten ein Refrigerium verleihen, was nach B. Bartmann soviel heißt wie Erfrischung, geistlich verstandene Ruhe, Trost, zuletzt Inbegriff alles dessen, was wir die »ewige Seligkeit« nennen. Unter Berufung auf A.M. Schneider erklärte er, wir könnten heute die Refrigeriumsbitte einfach als Bitte um die himmliche Seligkeit oder den Inbegriff der ewigen Freude verstehen[550].

---

[546] Vgl. Bartmann: Fegfeuer. S. 68.
[547] Ebd. S. 70.
[548] Ebd. S. 72.
[549] E. Freistedt: Altchristliche Totengedächtnistage und ihre Beziehung zum Jenseitsglauben und Totenkultus der Antike. (LQF. 24.) Münster 1928. - A.M. Schneider: Refrigerium I. Nach literarischen Quellen und Inschriften. Freiburg 1928. (Theol. Diss. Freiburg 1926.) [Teildruck] Freiburg im Breisgau 1928.
[550] Vgl. Luk. 23, 43.

Der stark eschatologische Zug der heiligen Eucharistie, den E. Krebs bereits herausgestellt hatte, wurde von dem Paderborner Theologen vor allem hinsichtlich der Verstorbenen herausgearbeitet; denn die Fürbitte der Christen für ihre Toten geschah seit den ersten Jahrhunderten des Christentums vor allem beim gemeinsamen Gottesdienst. Der Dogmatiker wußte, daß das an Gott gerichtete Opfer des Neuen Bundes zunächst und dem Namen gemäß Dankcharakter hat: es wollte Gott Dank sagen für die Gaben der Schöpfung und der Erlösung. Da aber die Christen felsenfest überzeugt waren, so erklärte B. Bartmann, daß der erhöhte Herr und Heiland unter ihnen zugegen war und sie von ihm glaubten, daß er der große ständige Fürbitter für sie sei, so verbanden sie auch von Anfang an mit dem Dankopfer ihre Bitten[551]. Allerdings gab es in der Praxis der Kirche eine Unterscheidung zwischen Christen, die des Mahles würdig erachtet wurden, und solchen, die bis zur völlig abgeleisteten Buße fern bleiben mußten. Dieser Unterschied wurde nun - wie B. Bartmann feststellte - auch ins Jenseits verlegt: Auch dort gab es Seelen, die so gottgefällig erschienen, daß Gott sie sofort in seine ewigen Wohnungen aufnahm, und solche, die in bedenklichem Zustand hinübergegangen waren. Für alle diese betete die Kirche beim Opfer. Sie grübelte nicht - wie B. Bartmann betonte -, wo die Seelen der Toten seien; auch nicht darüber, wie ihre Gebete diesen Seelen nützlich sein würden, - der Heiland hatte darüber nichts gesagt[552]. Eine Einschränkung gab es freilich: Die Christen beteten nicht für alle Toten, sondern nur für die Angehörigen der Kirche. Das Opfer Christi nützt nach B. Bartmann nur jenen, die mit ihm einen Leib ausmachen. In den Schriften der Kirchenväter[553] fand der Theologe seine These bestätigt, daß der Gedanke vom corpus Christi mysticum eine der Grundwurzeln gewesen sei, aus der sich die Sitte der Bitten für die Verstorbenen entwickelte[554].

Rückschauend stellte B. Bartmann fest, daß der Fegfeuerglaube der alten Kirche zunächst ein werdender, kein fertiger Glaube war, eine lebendige Übung oder Praxis, keine Lehre, noch weniger ein sich zusammenschließendes Gedankengefüge oder System; nicht einmal ein fester Name war zu finden, wenngleich in der lateinischen Kirche seit dem 3. Jh. das Wort »Purgatorium« aufkam. Mit dem, was damit inhaltlich gemeint war, das heißt was geläutert werden muß, befaßte sich der folgende Abschnitt.

Ausführlich und gemeinverständlich legte B. Bartmann zunächst die Entwicklung der dogmatischen Lehrentscheidung der Kirche durch Benedikt XII. dar[555], dann stellte er die Zurückhaltung Augustins in der Frage nach der Art der Sünden, die im Fegfeuer gebüßt werden müssen, heraus. Schließlich stellte er fest, daß die Klassifizierung der Sünden bei den Vätern weithin arbiträr und nach persönlicher Beurteilung geschah: Wenngleich sie alle an dem wesentlichen Unterschied von

---

[551] Bartmann: Fegfeuer. S. 75.

[552] Ebd. S. 76.

[553] Ebd. S. 77.

[554] Vgl. Johannes Chrysostomus: Homilia 41 in epist. 1 ad Cor. PL-SG 61 (1862) 361. - Augustinus: De anima et eius origine. l. I. cap. IX. PL-SL 44 (1845) 480. - Vgl. auch Bartmann: Fegfeuer. S. 137.

[555] Ebd. S. 82.

Tod- und läßlichen Sünden festhielten, so gingen sie doch in Beurteilung der einzelnen Sünden auseinander[556]. Jedenfalls, daß eine Läuterung stattfindet, lehren alle Väter; wie, darüber machen sie sich zunächst wenig Gedanken, nur halten sie daran fest, daß es durch Strafen geschieht[557].

Eine genauere Bestimmung des Wie wurde in der Fegfeuerlehre erst durch die scholastische Theologie herbeigeführt. B. Bartmann erläuterte die wichtige Unterscheidung von Schuld und Strafe: Durch beides sei die Seele in ein Mißverhältnis zu Gott geraten; solle dieses beseitigt werden, dann müsse Schuld wie Strafe getilgt werden; die Schuld werde getilgt durch Reue und Umsinnung, die Strafe durch Ertragung von etwas, das dem Willen peinvoll und schmerzlich ist[558]. Der Theologe verwies auf die Erklärung des heiligen Thomas, nach der die Seele sich im Fegfeuer in etwa noch in via befindet, insofern sie ihren terminus noch nicht erreicht hat. Bis dahin kann die läßliche Sünde mit Rücksicht auf die Schuld vergeben werden durch die Strafe des Fegfeuers; denn da diese Strafe in etwa freiwillig ist, hat sie in Verbindung mit der Kraft der Gnade die Gewalt, alle Schuld zu tilgen, die zugleich mit der Gnade zu bestehen vermag[559]. B. Bartmann folgerte daraus, daß man das Fegfeuer nur verstehen kann als einen Gnadenort, wo Gott Verzeihung der Schuld gewährt wie auf Erden[560]. Das Fegfeuer hat daher, wie B. Bartmann versicherte, keinen Höllencharakter. Er verglich es in diesem Zusammenhang mit einem Lazarett, in dem Kranke in Geduld ihre volle Genesung erwarten[561].

Die Frage, wann die Vergebung der Sündenschuld stattfindet, beantwortete B. Bartmann mit dem Hinweis, daß kaum ein anderer Moment anzunehmen sei als der sofort beim Eintritt in den Läuterungsort. Zur Erklärung führte er an, daß uns die läßliche Sünde im Diesseits oft verborgen bleibt und sich daher leicht und unbemerkt mit unserem inneren Wesen vermischt; daß es uns hier schwer fällt, ihr Mißverhältnis zum heiligen Willen Gottes zu erkennen, obwohl diese Erkenntnis die notwendige Voraussetzung der Reue ist. Dagegen nun stellte B. Bartmann, daß wir mit dem Eintritt in die Ewigkeit alles in schärferem Licht sehen und daß der neuen Erkenntnis unseres Selbst sofort der Entschluß folgt, es mit dem Willen Gottes vollkommen in Einklang zu bringen und auch das Letzte von uns zu stoßen, was dem entgegenstehen könnte. Diese Umsinnung oder Umstellung bis in die letzten Kräfte und Tiefen des Herzens und Gemütes muß sich nach B. Bartmann mit innerer Notwendigkeit sofort beim Beginn des neuen Daseins vollziehen. Der Theologe war überzeugt, daß diese Seelen nie vorher aufrichtiger und wahrer das erste Stück des Vaterunsers gebetet haben: »Dein Wille geschehe, wie im Himmel, also auf der

---

[556] Ebd. S. 86-92. - Mit Hinweis auf K.J. Hefele: Conciliengeschichte. Bd. 6. Freiburg [2]1890. S. 557. - Vgl. DS 1000-1002. = NR 901-905.
[557] Bartmann: Fegfeuer. S. 93.
[558] Ebd. S. 97.
[559] Ebd. S. 99.
[560] Ebd. S. 100. - Vgl. ebd. S. 160. - Thomas von Aquin: S. th. III. Suppl. q. 98 a. 6. - Ebd. Append. q. 2 (De qualitate animarum quae in purgatorio propter peccatum actuale, vel eius poenam, expiantur) a. 4: Utrum per poenam purgatorii expietur peccatum veniale quoad culpam. PL-SL 217 d (1845) 1451-1453.
[561] Vgl. Thomas von Aquin: S.th. III q. 87 a. 4.

Erden - sowie auch im Fegfeuer«! Er schloß daraus, daß der Zustand im Fegfeuer ein steter Gottesdienst ist mit allen Kräften des Herzens und Gemütes[562].

Als nächstes beschäftigte sich B. Bartmann mit der Tilgung der Strafe. Er meinte, bei den Christgläubigen sei das Fegfeuer nicht so sehr als Ort der Sündenvergebung bekannt denn als Strafort; es sei auch leichter zu verstehen und zu erklären, daß die Seelen mit unbezahlten Strafen dort belastet seien als mit unbereuten Sündenschulden, zumal die zeitliche Strafe bleiben könnte, wenn auch die Schuld auf Erden schon vergeben sei[563]. Freilich bedachte der Theologe wohl, daß nichts Gott nötigt, eine Sünde die bereut und vergeben wurde, auch zu strafen; er war allerdings der Auffassung, daß es sich schickt, dem Übertreter der göttlichen Gebote für seinen Ungehorsam auch eine gewisse Strafe aufzuerlegen[564]. Zweierlei ist aber nach B. Bartmann in bezug auf die zeitlichen Strafen, die wir im Fegfeuer abzubüßen haben, offenbar völlig unbekannt:

1. wie hoch ihre Summe für den einzelnen Gläubigen aufgelaufen ist, und
2. wie beschaffen das Maß ist, daß Gott für ihre jenseitige Abbüßung festgesetzt hat.

Er erklärte, darüber gebe es keine Offenbarung. »Gott hat nur die allgemeinen, für alle Christen gültigen Grundsätze geoffenbart, nicht aber deren Anwendung und persönliche Gestaltung am einzelnen«[565].

Nach B. Bartmann liegt es im Begriff der Strafe, daß sie peinvoll als Schmerz empfunden wird. Da die Theologie nun das Fegfeuer als Strafzustand zu erklären hat, so hielt es der Paderborner Dogmatiker für eine Pflicht, zu untersuchen, worin für die körperlosen Seelen das Peinvolle liegen könnte. Weil die Offenbarung schweigt, so erklärte er, habe die Scholastik die Fegfeuerstrafen nach einem Schema klarzumachen gesucht, das für die Höllenstrafen üblich geworden war; wenigstens habe man gewagt, dieselben Wörter oder Begriffe zu gebrauchen, wenngleich man sehr wohl wußte, daß deren Bedeutung beidemal so verschieden gedacht werden müsse wie eben Hölle und Fegfeuer selber[566].

Ausgangspunkt war der Ausspruch Jesu: »Weichet von mir, ihr Verfluchten, in das höllische Feuer«[567]. Für B. Bartmann lag darin eine doppelte Strafe ausgesprochen: zunächst die Verweisung von seinem Angesicht; und dann die Verurteilung zu einer positiven Pein. Nach der Theologie des heiligen Thomas unterschied er die Strafe der Verwerfung und die Strafe der Sinne: poena damni und poena sensus. Für die Fegfeuerlehre ergab sich daraus:

1. Die Strafe der vorenthaltenen Gottanschauung. B. Bartmann erklärte: Hier auf Erden könne die Seele, wenn sie von Gott abfällt, ersatzweise sich an der Kreatur ergötzen; aber in der Ewigkeit wende sich die Kreatur nicht nur ab vom Menschen, sie wende sich sogar gegen ihn als Strafmittel. So entstehe in der Menschenseele ein Bedürfnis, ja ein Hungern und Lechzen nach Glückseligkeit in der

---

[562] Bartmann: Fegfeuer. S. 102. - Vgl. ebd. S. 191.
[563] Ebd. S. 103.
[564] Ebd. S. 104.
[565] Ebd. S. 105.
[566] Ebd. S. 106.
[567] Ebd. S. 109.

von allen Gütern entblößten jenseitigen Welt, wie sie es auf Erden im Genuß der Welt nicht ahnen konnte. »Nirgends zeigt sich eine Möglichkeit, diesen Hunger zu stillen. Innerlich als Geistwesen für Gott veranlagt zu sein und niemals das dieser inneren Veranlagung und Bestimmung gemäße Ziel erreichen zu können, ja überhaupt kein Ziel des Lebens mehr zu erkennen und keinen anderen Zweck des Daseins mehr zu haben als gestraft zu werden, das ist die Hauptstrafe der Verdammten. Zu sterben, das wäre in diesem Falle eine große Gnade, eine Erlösung. Aber Geistseelen können von sich aus nicht sterben: und Gott wird sie nicht vernichten, weil er nichts vernichtet von dem, was er erschaffen hat«[568].

B. Bartmann benutzte diese in wenigen Strichen gezeichnete Höllenpsychologie, um vor diesem Hintergrund die in allem ganz anders geartete Fegfeuerstimmung abzuheben. Hier schon klang in seiner Darstellung das Motiv von den »Freuden des Fegfeuers« an, das er im Schlußabschnitt breit entfaltete. Über dem Eingang ins Purgatorium sah er das paulinische Wort: Spe salvi facti sumus[569] - Wir leben in Erlösungshoffnung. Dennoch blieb das Fegfeuer eine strafvolle Zurückhaltung von dem Ziel, für dessen Besitz die Geistseele nicht nur die natürliche Bestimmung und Veranlagung, sondern auch die wesentliche übernatürliche Ausstattung und Befähigung in der heiligmachenden Gnade erlangt hat. »Der Heilige Geist hat an ihr bereits das Hauptwerk der Heiligung getan in der Eingießung der göttlichen Liebe. Aber es fehlt noch die Zahlung der 'letzten Heller', die die Seele Gott schuldig geblieben ist. Bis diese entrichtet sind, bleibt sie zurückgewiesen«[570]. Das war nach B. Bartmann die sog. poena damni, auf das Fegfeuer ausgelegt.

2. Die Strafe der Sinne. B. Bartmann legte dar, daß der naive Standpunkt materieller Strafmöglichkeit, der im Heidentum vorherrschend war, auch vom späteren Judentum wie vom Christentum übernommen wurde[571]. Er beschrieb sodann, daß die Geschichte vom Gerichtsfeuer in der Väterkirche nicht eindeutig und gradlinig verlief. So machte er darauf aufmerksam, daß Origenes als erster auf das Feuer zurückgriff, um zu erklären, wodurch die nicht völlig von Gott Getrennten bestraft werden, wenn sie in ihrer sittlichen Halbheit ins Jenseits hinübergehen. Es kam aber nach B. Bartmann einer Verfälschung gleich, wenn das biblische Feuer mit dem Reinigungsfeuer Platons gedeutet wird. Obwohl Origenes kirchlich verurteilt wurde, habe sich dennoch die Vorstellung eines reinigenden Tuns - biblisch gestützt durch Paulus - erhalten, wobei freilich an dem paulinischen Reinigungs- oder Rettungsfeuer noch eine Umdeutung vorgenommen worden sei. Paulus habe an das bekannte Feuer des Endgerichts gedacht; aber mit dem Jüngsten Tag fiel nach Anschauung der Väterkirche die Entscheidung für alle Ewigkeit. Es sei somit notwendig gewesen, das Feuer vor dem Endgericht anzusetzen. Augustinus verlegte nach B. Bartmann das Feuer ins Diesseits und erklärte es als Verlust der irdischen Dinge im Tode; Caesarius von Arles predigte das Fegfeuer formell; Gregor I. lehrte ein ignis purgatorius vor dem Gericht[572]; mit ihm und mit Beda begann die

---

[568] Mat. 25, 41.
[569] Bartmann: Fegfeuer. S. 111. - Zum Wesen der Todsünde vgl. ebd. S. 168.
[570] Röm. 8, 24.
[571] Bartmann: Fegfeuer. S. 112.
[572] Ebd. S. 114-118.

Eschatologie in Nachahmung der jüdischen Apokalyptik mit »Visionen« zu operieren, in denen die Geheimnisse des Jenseits entschleiert werden[573], - ein Vorgang, von dem B. Bartmann bekanntlich garnichts hielt. Gegenüber der mittelalterlichen Theologie[574] bestand der Paderborner Dogmatiker darauf, daß wir durch keine Offenbarung etwas von der Wirklichkeit der Feuerstrafe des Fegfeuers wissen, - was nach B. Bartmann auch kein Scholastiker behauptet hat -, sie sei also weder einschlußweise noch virtuell in einer anderen katholischen Wahrheit enthalten. Bei den neueren Theologen fand der Paderborner, daß Chr. Pesch die sichere Behauptung einer probablen Meinung in dieser Frage verwarf[575], während J.A. Möhler, H. Klee und F. X. Dieringer eine Feuerstrafe rundheraus ablehnten. Gegenüber der positiven Neigung bei K. Gutberlet und P.W. Keppler brachte unser Theologe starke seelsorgliche Bedenken vor[576]. Kurz, B. Bartmann legte dar, daß das materielle Feuer von Anfang an eine große Schwierigkeit in seiner theoretischen Anwendung auf Geistnaturen bildete, und daß andererseits alle Väter und Scholastiker, die das Feuer körperlich verstehen, in ihrer Erklärung doch darauf hinauskommen, daß der Schmerz ein geistiger sei[577]. - Im Anschluß an diese Darlegung führte B. Bartmann noch aus, daß er eine Einigung mit den Griechen in der Fegfeuerlehre für möglich hielt, da von den Orthodoxen Strafen der Reinigung einschließlich ihrer sühnenden Kraft anerkannt werden[578].

Die Auswertung der Väterquellen ergab, daß die Entwicklungsgeschichte des Fegfeuerglaubens in der Kirche mit dem Gebet, der Fürbitte und dem Meßopfer für die Verstorbenen begann. Nach B. Bartmann legten die Väter auf die Frage nach der Existens des Fegfeuers kaum den Ton, sie galt ihnen fast als selbstverständlich, und die von ihnen angerufenen Bibelstellen waren nicht so sehr als »biblische Beweise« denn als Erklärungen und Beleuchtungen und vor allem als moralische Erwägungen gemeint. Der Ton lag hingegen von Anfang an auf den Suffragien oder Fürbitten. Er erklärte: »Stets herrschte in der Kirche die Sitte, der Verstorbenen im Gebet zu gedenken, und damit verband sich der mehr stillschweigende, später auch bewußt ausgesprochene Glaube, daß das fromme Totengedächtnis bei der Eucharistiefeier den Seelen auch zugute kommen und ihnen Nutzen bringe in ihrer Lage«[579]. Diese Überzeugung fand der Dogmatiker auch in den Definitionen der Konzilien gespiegelt[580]. Es stellte sich ihm jedoch die Frage, wie diese den Seelen

[573] Ebd. S. 121. - Vgl. Augustinus: Enchiridion. cap. LXIX (Ignis etiam purgatorius quidam post hanc vitam.) PL-SL 40 (1845) 265. = CCL XLVI (MCMLIX) 87. = E/H. S. 128-129. - Caesarius von Arles: Sermo 104, 1. PL-SL 39 (1841) 1946: De verbis Apostoli, I Cor. cap. III, 11-15, Fundamentum aliud nemo potest ponere etc.: Igne minuta tantum peccata purgantur. = Sermo 179, 1 in CCL. CIV (MCMLIII) 724: Admonitio sancti Caesarii Episcopi Arelatensis de lectione apostalica, ubi ait: cuius opus manserit mercedem accipiet; si cuius opus arserit detrimentum patietur. 1: Transitoris igne non capitalia sed minuta peccata purgantur. - Gregor I: Dialogorum l. 4 cap. 39. PL-SL 77 (1849) 393-396.

[574] Bartmann: Fegfeuer. S. 122.

[575] A. d'Alès nennt u.a. Albert, Thomas, Bonaventura, Suarez. - Vgl. ders.: La communion des Saints. In: DAFC 4 (1928) 1145-1156.

[576] Vgl. Chr. Pesch: Compendium theologiae dogmaticae. Bd.II. Freiburg 1913. S. 422.

[577] Bartmann: Fegfeuer. S. 125.

[578] Vgl. ebd. S. 127.

[579] Ebd. S. 127-130.

[580] Ebd. S. 131.

der Verstorbenen von den Lebenden geleistete Hilfe theologisch zu erklären sei.

Als vorherrschenden Gedanken fand B. Bartmann die Idee von der Einheit und Gemeinschaft der Gläubigen[581]. Hierbei wurden gleich anfangs die Toten nach ihrer sittlichen Verfassung unterschieden; die Gedanken und Urteile, Freuden und Sorgen über das jenseitige Los der Mitchristen waren von Anfang an sehr lebhaft und innig. Der Theologe verkannte nicht, daß es in der Väterkirche später auch hier und da Bedenken über die Zweckmäßigkeit und Wirkung dieser Fürbitten gab, zumal diese vom Evangelium und von den Aposteln nicht ausdrücklich angeordnet oder gefordert waren. Auch wurden sie - wie B. Bartmann weiter darlegte - in das geheimnisvolle Jenseits gesandt und an den heiligen und gerechten Richter gerichtet, der die Entscheidungen selbstmächtig in seiner Hand behielt. Die Texte jedoch, die der Theologe hier anführte, zeigten, daß die Väter wie Cyrill von Jerusalem[582], Johannes Chrysostomus[583] und Augustinus[584] die vorgebrachten Einwände zu entkräften versuchten. Er kam zu dem Ergebnis: »Genau beurteilt glaubt die Väterkirche, daß unsere Fürbitten die göttliche Barmherzigkeit, die sie an sich schon als sehr groß ansieht, noch williger machen zur Vergebung, um so mehr, als sie sich zusammenschließen mit den steten mittlerischen Bitten Christi zur Rechten Gottes, so daß nun die Vergebung rascher und die Strafzeit kürzer ist«[585]. Die Schwierigkeiten freilich, die für die Väter in dieser »vom Jenseitsdunkel bedeckten Frage« nach dem Wie und dem Maß unserer Hilfe bestehen, fand B. Bartmann auch bei uns. Er schloß sich daher dem Theologen N. Gihr[586] an, der bei guter Kenntnis der Väter und Scholastiker zu dem Urteil kam, daß die Frage, auf welche Weise und in welchem Maße das Meßopfer den Verstorbenen Trost und Hilfe bringt, sich nicht vollständig beantworten läßt[587].

Diese Feststellung nahm B. Bartmann zum Anlaß, im nächsten Abschnitt seiner Arbeit über die »Grenzen unserer Hilfe« gegenüber den Verstorbenen zu spre-

---

[581] Vgl. Concilium Tridentinum. Sess. VI (13.1.1547): Decretum de iustificatione. can. 30. DS 1580. = NR 848. - Sess. XIV (25.11.1551): Doctrina de sacramento paenitentiae. DS 1667. = NR 641. Dazu: Doctrina de sanctissimae Missae sacrificio, besonders cap. 2: Sacrificium visibile esse propitiatorium pro vivis et defunctis. DS 1743. = NR 599. - Dazu can. 3. DS 1753. = NR 608.

[582] Bartmann: Fegfeuer. S. 132.

[583] Kyrillos von Jerusalem (etwa 313-387): Catechesis V: De fide et symbolo 9-10. PL-SG 33 (1857) 515-518.

[584] Johannes Chrysostomos (etwa 344/354-407). - Bartmann zitiert nach A. Naegle: Die Eucharistielehre des heiligen Johannes Chrysostomus, des Doctor Eucharistiae. (SThSt. Bd. 3. H. 4-5.) (Theol. Diss. Würzburg 1900.) Freiburg, Straßburg 1900. S. 224 ff. - L.J. Tixeron: Histoires des dogmes dans l'antiquité chrétienne. Bd. 3. Paris 1912. S. 512-513. - G. Rauschen: Grundriß der Patrologie mit besonderer Rücksicht des Lehrgehalts der Väterschriften. Neubearbeitet von J. Wittig. Freiburg 6-71921. S. 316.

[585] Augustinus: Sermo 172: De verbis Apostoli, I Thess. cap. 4, 12. cap. II (2.): Orationes et sacrificium et eleemosynae pro defunctis. PL-SL 38 (1845) 936.
- Ders.: Confessiones. l. IX. cap. XIII. Z. 35. PL-SL 32 (1841) 778. = C/B. S. 480/485.
- Ders.: Enchiridion. CX (Sacrificium altaris et eleemosynae pro defunctis, quatenus et quibus nam prosint). PL-SL 40 (1845) 283. = CCL. XLVI (MCMLIX) 108-109. = E/H. S. 182/183-184/185. - Dass. (mit deutscher Übersetzung). Düsseldorf (1960). S. 182-185.

[586] Bartmann: Fegfeuer. S. 136.

[587] Nikolaus Gihr (1839-1924). - Vgl. O. Schölling: Nikolaus Gihr. Eine Skizze seines Lebens und Wirkens. Karlsruhe 1925. - A. Manser: Nikolaus Gihr. In: LThK[1] 4 (1932) 494.

chen[588]. Zunächst stellte er heraus, daß Väter und Konzilien entschieden die Ansicht ablehnten, daß wir allen Sündern helfen könnten, wenngleich die Praxis bestand, für alle zu beten, da niemandem negativ das ewige Leben abgesprochen werden kann[589]. Was den Ablaß betraf, so legte B. Bartmann Wert auf die Feststellung, daß die Kirche keine Jurisdiktion mehr über die Toten hat, also keinerlei Rechtsakte mehr über sie auszuüben vermag, daß sie also nur Bitten aussprechen kann. »Alles, was für die Verstorbenen geschieht, sind Wort- oder Werkbitten, die man in die Hand Gottes legt, damit er ihren Wert den Verstorbenen zuwende«[590]. Es gibt also Grenzen unserer Hilfe. Nach B. Bartmann liegen sie begründet in der Freiheit des göttlichen Erbarmens, dem sittlichen Zustand der Verstorbenen und in unserem eigenen sittlichen Zustand. Daher können unsere Hilfen nur »Beihilfen« sein[591].

Wichtiger noch als die Grenzen unserer Hilfe aufzuzeigen, war für B. Bartmann, den Jenseitsglauben von Entstellungen und Übertreibungen zu reinigen. Wieder warnte er eindringlich davor, aus dem Fegfeuer eine Hölle zu machen, und er bedauerte, daß es in der deutschsprachigen Theologie nicht bei dem Wort »Purgatorium« = Reinigungsort geblieben ist; schon in der Bezeichnung »Fegfeuer« sah er eine »Grenzüberschreitung«[592]. Entschieden wandte er sich dagegen, daß - z.B. nach J. Bautz - für Hölle und Reinigungsort nur ein einziges Feuer als Strafmittel notwendig sei, selbst wenn diese Auffassung von Thomas her begründet wird[593]. Ähnlich zieh er auch die Theologen K. Gutberlet[594], P.W. Keppler[595] der Übertreibung und Entstellung der kirchlichen Tradition. Starke Bedenken hatte er auch gegenüber der von keinem »echten« Fegfeuertheologen vergessenen These, daß die Fegfeuerpeinen alle anderen Strafen der Welt einzeln und zusammengenommen übertreffen, zumal wenn diese Autoren nicht zuerst an die poena damni, sondern an die poena sensus denken. Das rechte Verständnis hielt er nur dann für gegeben, wenn man hinsichtlich der Entstehung des Begriffs die Auseinandersetzung Augustins mit den Origenisten berücksichtigt. Außerdem blieb zu bemerken, daß Augustinus die Sünder zur Buße anregen wollte, der sie sich oft leichtsinnig und lax entzogen. Allerdings warnte der große Bischof vor dem Feuer des Endgerichts mit seinen Drangsalen und Trübsalen. Das Wort »Feuer« ist daher nach B. Bartmann in Anführungszeichen zu setzen. Auch die Bezeichnung »arme Seelen« unterzog der Paderborner Theologe einer scharfen Kritik. Gewiß sind sie hilfsbedürftig, jedoch haben sie weder ihre Gnadengüter noch Gott selbst verloren; sie sind ihm nicht ferner gerückt, sondern näher. Positiv zählte er weiter auf: Daß sie im Jenseits keine neue Sündenschuld machen können; daß sie von den Versuchungen des Leibes befreit sind, daß sich ihr Geist vielmehr mit aller Sehnsucht auf dem Weg zu Gott

---

[588] Vgl. N. Gihr: Die heiligen Sakramente der katholischen Kirche. Für die Seelsorger dogmatisch dargestellt. (ThBib. Ser. 2. Bd. 1.) Freiburg 1897. S. 686.

[589] Bartmann: Fegfeuer. S. 142-148.

[590] Ebd. S. 142-143.

[591] Ebd. S. 147.

[592] Ebd. S. 148.

[593] Ebd. S. 141.

[594] Thomas von Aquin: In IV. Sent. dist. 21. q. 1. a. 1. sol. 2. - J. Bautz: Das Fegfeuer. Mainz 1883. S. 151.

[595] Vgl. Gutberlet in: Heinrich. Dogmatische Theologie. Fortgeführt durch Const. Gutberlet. Bd. X. 1902-1904. S. 585.

befindet, ohne sich noch durch kleine Anhänglichkeiten an andere Güter aufhalten zu lassen. Er kam daher zu dem Schluß: »Die Seelen im Reinigungsorte sind nicht ärmer geworden an Gott, sondern reicher«[596].

Nachdrücklich warnte der Theologe auch vor einer Entstellung des christlichen Gottesbildes; er verwies darauf, daß schon Augustinus, aber auch Thomas und die Hochscholastik sich gegen jeden unüberlegten Versuch wandten, Gott der Welt gegenüber in eine Art Zwangszustand zu bringen[597]. Die »armen Seelen« sind aber ebensowenig wie von Gott auch »von sich selbst« nicht verlassen. Können sie auch nichts mehr »verdienen«, so sind sie doch im Besitz ihrer sittlichen Kräfte, die voll durch die caritas oder die heiligmachende Gnade mit Gott verbunden und übernatürlich erhöht sind. Das Gebet ist möglich, das sich nicht auf eigenes Verdienst sondern auf Gottes Barmherzigkeit stützt[598].

Ein »lichtvoller Gedanke« und ein »erfreulicher Fortschritt« kam für B. Bartmann in der heute weitverbreiteten theologischen Meinung zum Ausdruck, daß die Seelen nicht nur für sich, sondern auch für uns bitten können. Abgesehen von der Ansicht der Theologen in dieser Frage hat die älteste Christenheit - nach B. Bartmann - ihre Überzeugung gleichsam »aus dem katholischen Instinkt geschöpft und praktisch betätigt, indem sie die Verstorbenen, auch wenn sie nicht Märtyrer waren, um ihre Fürbitte anrief«[599]. Gegenüber der These, die Seelen im Fegfeuer wüßten nicht, wo sie sind; sie hätten keinerlei Gewißheit, ob sie begnadet sind oder zu den Verworfenen zählen; sie seien gänzlich unsicher in bezug auf ihr Endgeschick und ihr ewiges Heil, berief sich der Paderborner Theologe auf die Ausführungen Cajetans. Danach sind die Seelen gerichtet und haben den Urteilsspruch der göttlichen Gerechtigkeit gehört, der nicht auf Verdammung sondern auf Errettung lautete. Gottes Spruch aber, so wissen und glauben sie, läßt kein Deuteln und kein Zweifeln zu. Zweitens: Sie kennen ihren Seelenzustand selbst durch unmittelbare Innenschau, also auch ihren Gnadenstand. Während des Leibeslebens war ihnen das nicht möglich, aber mit der Ablegung des Leibes liegt ihr inneres Wesen nackt vor ihrem Geistesblick. Also sind sie ihres Heils gewiß[600].

Wir übergehen die weiteren Auseinandersetzungen, die B. Bartmann mit der volkstümlichen Belehrung und künstlerischen Darstellung führte. Erwähnt sei noch, daß er auch hier erklärte: »Von der Dauer der Fegfeuerstrafen für den einzelnen wissen wir lediglich nichts, und wir können deshalb auch nichts davon aussagen, auch nicht einmal annähernd«[601].

---

[596] Paul Wilhelm Keppler (1852-1926) war seit 1883 Prof. der neutestamentlichen Exegese in Tübingen, seit 1889 der Moral und Pastoral in Tübingen ebd., seit 1894 in Freiburg, 1898 Bischof von Rottenburg. - Vgl. Schiel: Franz Xaver Kraus und die katholische Tübinger Schule. S. 84-118. - P. Bormann: Paul Wilhelm Keppler. In: LThK[2] 6 (1961) 118-119. - Vgl. P.W. Keppler: Die Armenseelenpredigt. Freiburg 1913, [8]1928. - Bartmann: Fegfeuer. S. 188.

[597] Ebd. S. 156.

[598] Vgl. ebd. S. 157.

[599] Ebd. S. 158.

[600] Ebd. S. 160.

[601] Ebd. S. 161. - Thomas Cajetan de Vio O.P. (1469-1534). - Bartmann zitiert von diesem: De purgatorio, q. 2. - Vgl.: Cajetan: An omnes animae in purgatorio sint certae de suo salute. Augsburg 25.9.1518. - Vgl. ders.: Utrum in purgatorio possit esse meritum. Augsburg 27.10.1518. - Vgl. P. Mandonnet: Cajétan. In: DThC 2,2 (1923) 1313-1329. - J.F. Groner: Kar-

Von besonderem Interesse war für B. Bartmann die Frage, wie sich der Mensch selbst vor dem Fegfeuer schützen könne. Nach dem Glauben der Kirche blieb Maria vom Fegfeuer verschont, aber nicht nur sie - so lehrte der Paderborner Theologe -, sondern auch der reuige Schächer, die Märtyrer und die in ihrer Taufunschuld gestorbenen Kinder[602]. Hinsichtlich der großen Menge der Gläubigen, von denen bei unserer allgemeinen sittlichen Schwäche vermutet werden muß, daß sie nach der Taufe irgendwie in Sünde gefallen sind, hielt er es für möglich, daß ein normalsterbender Christ, der sich auf den Tod vorbereitet hat, einen solchen Stand sittlicher Reinheit besitzt, daß er sofort, ohne das Fegfeuer zu durchschreiten, seine Aufnahme bei Gott findet. Er sprach daher ein volles Ja bezüglich der Möglichkeit und äußerte ebenso die überzeugte Vermutung, daß die Wirklichkeit eines solchen Falles viel häufiger ist, als gemeinhin angenommen wird[603].

Bestätigung für diesen Optimismus fand B. Bartmann in der Väterkirche; er betonte, daß dieser von jenem öden Rigorismus, wie er nach dem Tridentinum im Jansenismus und hier und da auch im Katholizismus aufgekommen ist, weit entfernt war[604]. Anhand der Sterbezeit Augustins erläuterte er, mit welchem Vertrauen auf die bereits auf Erden empfangenen Güter ihres Christenstandes und zugleich auf die Barmherzigkeit Gottes damals die normal sterbenden Gläubigen aus dieser Welt in eine »bessere Welt« schieden. Auch im Wesen des Sakramentes der Sterbenden (Sacramentum exeuntium) fand er die Glaubensüberzeugung begründet und zum Ausdruck gebracht, daß der gewöhnliche Christ sündenrein aus dieser Welt scheiden könne[605]; daher lehrte er mit dem heiligen Thomas, daß dieses Sakrament den Menschen unmittelbar zur Herrlichkeit disponiert[606]. Abschließend führte er die Lehre des Trienter Konzils an, indem er sie bezüglich der Wirkung der Ölung in drei Punkten zusammenfaßte:

1. die Vermehrung bzw. Erteilung der heiligmachenden Gnade zu ihrer Erleichterung und Stärkung;

2. die Nachlassung der Sünden und ihr Überbleibsel, besonders der zeitlichen Sündenstrafen;

3. die Gesundheit des Leibes bisweilen, sofern diese nämlich dem Heil der Seele dienlich ist[607].

Für die Frage, ob es möglich sei, dem Fegfeuer zu entgehen, hielt B. Bartmann den zweiten Punkt für den wichtigsten. Hierbei betonte er, daß das Sakrament diese Wirkung unmittelbar und durch sich selbst hervorbringe, weil es gerade unsere persönlich mangelhaften Bußakte ergänzen, um nicht zu sagen ersetzen will[608]. Hinsichtlich der zeitlichen Sündenstrafen war zu bemerken, daß die Kirche selbst ihren

---

dinal Cajetan. Eine Gestalt aus der Reformationszeit. Fribourg, Louvain 1951. - E. Verga: L'immortalità dell'anima nel pensiero del Card. Gaetano. In: RFN 27 (1935) Suppl. 21-46.

[602] Bartmann: Fegfeuer. S. 164.

[603] Vgl. ebd. S. 170-171.

[604] Ebd. S. 171.

[605] Ebd. S. 172.

[606] Ebd. S. 179.

[607] Ebd. S. 180. - Vgl. Thomas von Aquin: S. th. Suppl. 29, 1: immediate disponit ad gloriam.

[608] Vgl. Concilium Tridentinum. Sess. XIV (25.11.1551): Doctrina de sacramento extremae unctionis. Cap. 2: De effectu huius sacramenti. DS 1696. = NR 698.

Erlaß spendet. B. Bartmann schloß: »So gereinigt und mit allen kirchlichen Gnadenmitteln versehen tritt der normal sterbende katholische Christ die Reise zum Vatergott an, und es bleibt nach dem gläubigen Ermessen kein Hindernis mehr für seinen Eintritt in den Himmel«[609]. Wie steht es aber mit den Christen, die nicht so normal sterben, die der Tod so plötzlich überfällt, wie ein Dieb kommt in der Nacht[610]? Zunächst: Auch den bewußtlosen bleibt nach der Lehre der Kirche der Trost des Sakramentes der Sterbenden, wenn sie innerlich positiv auf Gott ausgerichtet sind und der Gnade keinen Riegel vorgeschoben haben[611]. Im übrigen verwies der Theologe darauf, daß Gott auch im letzten Augenblick noch die Gnade zur Rettung schenken kann, vielleicht in einem blitzschnellen Gedenken: »Mein Herr und mein Gott« - eine Umwandlung ähnlich der des heiligen Paulus vor Damaskus[612].

Zum Schluß kam B. Bartmann erneut auf die Freuden des Fegfeuers zu sprechen. Wenn P.W. Keppler sie allerdings in sinnlichen Bildern schilderte, dann lehnte dies der Paderborner Dogmatiker ebenso konsequent ab wie zuvor die sinnliche Schilderung der Pein[613]. Der erste, hauptsächlichste, ja in gewissem Sinn einzige Quellgrund der Fegfeuerfreuden war ihm der Gottesgedanke. Daher versicherte er: Das Bewußtsein der Gotteskindschaft belebe die Seele - auch im Fegfeuer, das die leidenden Seelen unter dem Gesichtspunkt der Güte Gottes empfange und erfasse. So entstehe ein Bußenthusiasmus, der zu einem Habitus führe, der nach Thomas selbst im Himmel noch bleibt, wo er sich in den Akten der Dankbarkeit und Liebe zu Gott, der die Seele von aller Sünde gereinigt hat, betätigt. Im Fegfeuer herrscht daher nach B. Bartmann auch eine himmlische Geduld, die erleuchtet ist mit der Kraft aus der Höhe; ebenso wahre Gottergebenheit. Die Verheißungen Jesu[614], die Worte des heiligen Paulus[615] galten dem Theologen nicht nur für das Diesseits gesprochen, vielmehr glaubte er, daß ihre Kraft auch bis in die Ewigkeit reicht[616].

So sah B. Bartmann das Fegfeuer erleuchtet durch das Licht des Glaubens, wie die alte Kirche wußte, das der Glaube die Leuchte des Christen ist auf dem Weg in die Ewigkeit, wie auch im Gericht und in der Erfüllung des Gerichtsspruches. Zwar wußte er, daß der Glaube beim Eintritt in den Himmel schwindet, indem er ins Schauen übergeht. Aber im Fegfeuer herrscht nach B. Bartmann noch die Tugend des Glaubens, wie sie auf Erden geübt wird, und in ihm besitzt die Seele eine Fülle der beseligendsten Erkenntnisse. Er war überzeugt, daß darin das ganze Erlösungsgeheimnis beschlossen liegt mitsamt der Tatsache, daß Christus auch das verklärte mystische Haupt der Seelen im Fegfeuer ist, dem sie in Glaube und Liebe verbunden sind, - noch viel fester als auf Erden[617].

Den zweiten Grund des christlichen Rühmens fand B. Bartmann mit dem hei-

---

[609] Bartmann: Fegfeuer. S. 182.
[610] Ebd. S. 184.
[611] Vgl. Mat. 24, 43; Luk. 12, 39.
[612] Bartmann: Fegfeuer. S. 185.
[613] Vgl. ebd. S. 186.
[614] Ebd. S. 189.
[615] Vgl. Mat. 5, 4.6; Luk. 6, 21.
[616] Röm. 5, 1-5; 1. Kor. 13, 13.
[617] Bartmann: Fegfeuer. S. 193.

ligen Paulus in der Hoffnung auf die Herrlichkeit der Kinder Gottes[618]. Hier war er überzeugt, daß sie das ganze Fegfeuer erfüllt und zwar viel lebendiger und auch viel begründeter, als sie auf Erden erlebt wird; denn - so führte er zur Begründung an - »die Armen Seelen haben das Verheißene schon fast in Händen, so nahe sind sie ihm«[619].

Von der Liebe sagte B. Bartmann mit Paulus, daß sie in besonderer Weise den Charakter der ewigen Dauer habe. Sie sei von Anfang an etwas Definitives, Bleibendes, weil sie am innigsten und reinsten mit Gott verbinde. Er erklärte: Durch Liebe nimmt die Seele am unmittelbarsten und formellsten am Wesen Gottes teil. »Wer Gott liebt, der hat schon teil an ihm. Eine solche Seele hat den besten Teil erwählt, der ihr nicht wird genommen werden. Auch nicht im Fegfeuer«[620].

Diese Liebe aber ist nach B. Bartmann ihre Seligkeit, Freude, Glück. Er erinnerte daran, daß Paulus unter den Früchten des Geistes Liebe, Freude und Frieden nennt[621]. Pax - hier fand er das Wort wieder, das die Christen von Anfang an auf die Grabsteine ihrer Toten schrieben, die ihnen mit dem Zeichen des Glaubens vorangegangen waren. Und wenn dieser Friede auch noch nicht der vollendete Friede des Himmels ist, so fuhr er fort, lebe das Dreigestirn »Liebe, Freude, Friede« doch in Wahrheit und Wirklichkeit auch schon im »Vorhimmel des Fegfeuers«[622].

Außer den allen Armen Seelen »wesentlichen und allzeit gleichen Freuden« gab es für B. Bartmann auch noch andere. Er erinnerte an ein Wort Fénélons, nach dem »alle Tage für die Seelen Festtage sind, die dahin streben, in der Vereinigung ihres Willens mit dem Willen Gottes zu leben«[623]. Daraus schloß er, daß für die Seelen auch alle Tage des Fegfeuers Festtage sein müßten, denn außer den himmlischen Seelen lebe niemand so sehr in der Vereinigung mit dem Willen Gottes als die im Fegfeuer lebenden. Neben diesen »täglichen Festtagen« sah er dann noch die großen Erlösungsfeste der Kirche treten. Weil wir alle auf Erden, im Fegfeuer und im Himmel, Glieder ein und desselben Leibes sind, so teilen wir nach dem Paderborner Theologen auch alle Freuden des gesamten mystischen Leibes Christi, der Kirche. So nahm er hinsichtlich der Seelen im Fegfeuer an, daß der helle Schimmer der großen Glaubensfeste, die wir hier auf Erden feiern, auch im Fegfeuer strahlt und den jenseitigen Tag verklärt, ja daß das ganze Jenseits, soweit darin die Kinder des Himmelreichs wohnen, die Feste mitfeiern, die die Kirche im Diesseits zu Ehren Christi, ihres Hauptes und Erlösers begeht. Alle unsere Feste sind Gnadenfeste, und »wo die Gnade aufleuchtet, da jauchzt auch die erlöste Seele auf: einerlei, wie weit sie bereits auf dem Weg der Erlösung gediehen ist«[624].

Die Seele im Fegfeuer ist nach B. Bartmann darin aber weiter gediehen als wir hier auf Erden. Zudem: Der Himmel freut sich über die Mehrung des Reiches Gottes auf Erden[625], - wieder ein Grund für unseren Theologen, daß auch die Seelen im

---

[618] Ebd. S. 195.
[619] Röm. 5, 2.
[620] Bartmann: Fegfeuer. S. 196.
[621] Ebd. S. 197.
[622] Gal. 5, 22.
[623] Bartmann: Fegfeuer. S. 198.
[624] François Fénelon de Salignac de la Mothe (1651-1715).
[625] Bartmann: Fegfeuer. S. 200.

Fegfeuer teilnehmen, und zwar besonders an jenen großen Festen, an denen sich die ganze Christenheit bewußt wird, was sie an ihrem Erlöser hat. Noch einmal erklärte B. Bartmann: Jeder neue Ankömmling im Fegfeuer komme mit diesem Gefühl des Dankes und der Freude dort an. Trotz der Hemmung, die ihm noch anhafte, wisse er, daß seine Erlösung der Substanz und Wesenheit nach beendet und vollendet ist. Für ihn sei grundsätzlich das Los bereits ins Herrliche gefallen[626]. Daher dürfe man sich jenes Pauluswort als Überschrift zum Fegfeuer denken: Spe salvi facti sumus[627].

In dieser Hoffnung sah B. Bartmann die eigentliche Welt des Fegfeuers; er meinte die übernatürliche Hoffnung auf die Seligkeit in Gott. So schloß er das Buch des christlichen Trostes mit dem Pauluswort: »Wir erwarten die glückselige Hoffnung und die Ankunft der Herrlichkeit unseres großen Gottes und Heilandes Jesus Christus«[628].

4. Kurze Würdigung

Wir wollen nicht versäumen, zum Abschluß unserer Analyse eine kurze Würdigung der theologischen Leistung des Paderborner Gelehrten nachzuschicken.

Wie wir sahen, fristete die Eschatologie bei B. Bartmann weder ein unbedeutendes Randdasein, noch wurde sie von ihm zu einem alles beherrschenden Zentralthema der Dogmatik gemacht. Der Theologe räumte ihr jedoch genau den Platz ein, der ihr im Gesamtgefüge der katholischen Glaubenslehre zukommt: Am Ende der Dogmatik, aber als Siebtes Buch alles Vorherige wahrhaft beschließend.

Zum rechten Verständnis genügt es freilich nicht, einige Sätze dieser Dogmatik herauszugreifen und sie als charakteristisch für ihren Verfasser vorzustellen, mit einer ungeschichtlichen Methode, die heute aus vielen Gründen mit Recht verpönt ist. Wir haben uns daher bemüht, den Autor selbst erneut das sagen zu lassen, was er sagen wollte; dabei war es wichtig, auch auf das zu hören, was er außerhalb seines streng geformten Lehrbuches gesprochen hat. So erkannten wir denn z.B. bei Analyse der frühen Schriften, wie wenig es zutrifft, wenn behauptet wird, daß erst neuere Theologen wie M. Schmaus[629] und E. Walter[630] »Gottesreich« und »Messias« in den Vordergrund des eschatologischen Denkens stellten[631]. Gewiß können

---

[626] Vgl. Luk. 15, 10.

[627] Vgl. Ps. 15, 6.

[628] Vgl. Röm. 8, 24.

[629] Bartmann: Fegfeuer. S. 201. - Tit. 2, 13.

[630] Michael Schmaus (geb. 1897): Von den letzten Dingen. Münster 1948. - Ders.: Das Eschatologische im Christentum. In: Aus der Theologie der Zeit. Hrsg. im Auftrag der Theologischen Fakultät München von Gottlieb Söhngen. Regensburg 1948. S. 56-84. - Ders.: Katholische Dogmatik. Bd. 4/2: Von den letzten Dingen. München [5]1959. - Ders.: Der Glaube der Kirche. Handbuch katholischer Dogmatik. Bd. 2. München 1970. S. 699-813: Die Eschatologie.

[631] Eugen Walter: Das Kommen des Herrn. (= Leben aus dem Wort.) 1. die endzeitgemäße Haltung des Christen nach den Briefen der heiligen Apostel Paulus und Petrus. Maranatha. 1. Kor. 16, 22. Freiburg (1941), [3]1948. - Dass. 2. Die eschatologische Situation nach den synoptischen Evangelien. Ebd. 1947.

wir nicht sagen, daß B. Bartmann diese Begriffe zur zentralen Idee seiner Dogmatik bzw. seiner Eschatologie machte. Dies wäre freilich auch verfehlt gewesen und hätte bei voller Konsequenz in jenen Eschatologismus geführt, den B. Bartmann als völlig unbiblisch abzulehnen wußte. Immerhin gehörte der Paderborner Dogmatiker zu den Theologen, die die Herausforderung der Thesen von J. Weiß, A. von Harnack und A. Loisy annahmen, indem sie Wert und Grenzen eschatologischer Vorstellungen erneut anhand der biblischen Schriften und der kirchlichen Lehre prüften, und so, von allen Einseitigkeiten gereinigt, erneut für das Glaubensleben fruchtbar machten. Dazu gehörten gerade bei B. Bartmann die Lehren vom Himmelreich und von Jesus Christus, dem Heiland und König. Bei all dem wurde besonders deutlich, daß B. Bartmann nie ein »Höllenprofessor« war[632]; bei aller Rechtgläubigkeit und sittlichen Verantwortung des christlichen Lebens lag ihm jeder Rigorismus fern. Ihm ging es um die Freude und die Seligkeit des Himmelreiches; um die Erlösung des einzelnen Menschen ebenso wie um die der ganzen Menschheit. Die Eschatologie war bei ihm daher nur ein Aspekt in jenem Heilsuniversalismus, dem es darum geht, daß letztlich hier wie dort, jetzt wie einst Gott alles in allem sei.

Um die Eigenart und die spezifische Leistung unseres Theologen zu verstehen, hörten wir auf das, was in seinen verschiedenen Einzelschriften allgemeinverständlich gesagt wurde. Die »Wissenschaftlichkeit« kann ihnen keineswegs abgesprochen werden, da sie trotz ihres Gelegenheitscharakters von jener strengen Systematik seines Hauptwerkes begleitet wurden. Dieses ermöglicht es, all das, was in lebendiger Verkündigung geäußert wurde, in einem umfassenden Zusammenhang zu sehen. Bei diesem Verfahren ergab sich für uns von selbst, daß das Gesamtwerk B. Bartmanns einen ungewöhnlich geschlossenen Eindruck hinterläßt, obwohl der Autor immer aufs Neue den Problemen der Zeit gegenüber hellhörig blieb und die verschiedensten geistigen Strömungen berücksichtigte. Die schon früh ausgereifte Leistung seines Hauptwerkes wurde freilich grundsätzlich nie in Frage gestellt und nie mehr umgeworfen. Seine Methode verlor bis heute nichts an ihrem Wert; in etwa wurde sie in den dogmatischen Lehrbüchern von L. Ott fortgesetzt, wenngleich dort der direkte Bezug zum aktuellen Leben fehlt[633]. Von den Einzelschriften B. Bartmanns verdient das christliche Trostbuch vom Purgatorium eine Neuauflage.

[632] J. Auer: Das Eschatologische, eine christliche Grundbefindlichkeit. In: Festschrift Kardinal Faulhaber zum 80. Geburtstag dargebracht vom Professorenkollegium der Phil.-theol. Hochschule Freising. München 1949. S. 78. Abschnitt c.

[633] So eine Bezeichnung für Josef Bautz (1843-1917), Prof. für Dogmatik und Apologetik in Münster.

[634] Ludwig Ott (geb. 1906), war seit 1936 Prof. für Dogmatik in Eichstätt. Sein hier gemeintes Werk: Grundriß der katholischen Dogmatik. Achte, verbesserte Auflage. Freiburg 1970.

DRITTES KAPITEL

Karl Adam - Die organische Einheit von individueller und universeller Eschatologie auf Grund der Vorstellung von der Kirche als dem Leib Christi und der Gemeinschaft der Heiligen

1. Eschatologie im Geist der Tübinger Schule - Theologiegeschichtlicher
Zusammenhang

Zu den Theologen, die in der Zeit der Neubesinnung größten Einfluß auf das Denken und Handeln breiter Bevölkerungsschichten ausübten, muß der Tübinger Dogmatiker K. Adam gezählt werden[1]. Zwar stammte er nicht unmittelbar aus der Tradition der sogenannten »Tübinger Schule«[2], auch verfaßte er keinen ausführlichen Entwurf zu den speziellen Fragen der christlichen Eschatologie, aber in seinem berühmten Buch »Das Wesen des Katholizismus«[3], das - nach dem Urteil von R. Aubert - in unkonventioneller Form einen regelrechten Traktat über die Kirche darstellte[4], brachte er auch die eschatologische Dimension der Kirche zur Sprache. Insofern K. Adam - wenn auch nicht in historischer Abhängigkeit, so jedoch in

---

[1] Karl Adam (1876-1966) studierte in Regensburg und München, wurde 1917 Prof. für Moraltheologie in Straßburg, 1919 für Dogmatik in Tübingen. - Vgl. R. Aubert: Karl Adam. In: TdTh. S. 156-162. - W. Kasper: Karl Adam. Zu seinem 100. Geburtstag und 10. Todestag. In: ThQ 156 (1976) 251-258.

[2] K. Bihlmeyer: Tübingen. Kath.-theol. Fakultät. In: LThK[1] 10 (1938) 322-323. - H. Fries: Kath. Tübinger Schule. In: LThK[2] 10 (1965) 390-392. - M. Haug: Tübinger Theologie (2.). In: EKL 3 (1959) 1517-1518. - H. Dannenbauer: Tübingen. Universität (3.). In: RGG[2] 5 (1931) 1306-1307. - M. Elze: Tübingen. Universität (3.). In: RGG[3] 6 (1962) 1068-1069. - K. Adam: Die katholische Tübinger Schule. Zur 450-Jahr-Feier der Universität Tübingen. In: Hochland 24/II (1927) 581-601. - Dass. in: Karl Adam. Gesammelte Aufsätze zur Dogmengeschichte und zur Theologie der Gegenwart. Hrsg. von Fritz Hofmann. Augsburg 1936. S. 389-412. - P. Schanz: Die katholische Tübinger Schule. In: ThQ 80 (1898) 1-49. - M. Gloßner: Tübinger katholisch-theologische Schule, vom spekulativen Standpunkt kritisch beleuchtet. In: JPhSTh 15 (1900) 166-194; 16 (1901) 1-50, 309-329; 17 (1902) 2-42. - J.R. Geiselmann: Die katholische Tübinger Schule. Ihre theologische Eigenart. Freiburg 1964.

[3] K. Adam: Das Wesen des Katholizismus. Augsburg 1924.

[4] Aubert. S. 158-159.

geistiger Verwandtschaft der Tübinger Lehrtradition nahe stand[5], wollen wir zunächst einige Grundzüge der Eschatologie dieser Schule vorstellen. Wir stützen uns dabei auf die Untersuchung, die P. Müller-Goldkuhle über die Eschatologie in der Dogmatik des 19. Jahrhunderts durchgeführt hat[6].

Wie die Analysen ergaben, gehörte zu den markantesten Charakteristika der Tübinger Schule der Gedanke der Einheit, in der »der lebendige Zusammenhang des Heilsgeschehens und der Offenbarung und damit der Theologie ihren schönsten Ausdruck fand«[7]. P. Müller-Goldkuhle stellte heraus, daß dadurch die Dogmatik nicht eine Aneinanderreihung von Einzelaussagen ist, auch nicht eine künstliche Systematisierung der Heilsfakten, sondern die Darstellung des einen Glaubensgutes, des natürlichen Zusammenhanges des einen Heilsgeschehens. Alles ist demnach ein einziger lebensvoller Organismus, und von diesem Gedanken organischer Einheit aus sollen alle Traktate der Dogmatik aus dem inneren Lebensgefüge des ganzen und der organischen Kontinuität des Heilsgeschehens Gestalt und Sinngebung erhalten. Zugleich kommen mit diesem Organismusgedanken auch die Vielgestaltigkeit und die harmonische Zuordnung von Einheit und Vielheit zum Ausdruck. Nach P. Müller-Goldkuhle war damit nicht nur für die Eschatologie im Gesamt der Glaubenslehre ein Hinweis zur rechten Eingliederung gegeben, sondern auch das Problem zwischen individueller und allgemeiner Eschatologie sowie die entsprechenden Beziehungen zur Erbsündenlehre, Soteriologie und Ekklesiologie neu beantwortet[8].

Als weiteres ergab sich, daß die Tübinger Theologen insgesamt das Christentum in seiner lebendigen Beweglichkeit, in organischem Wachstum, dynamischer Entwicklung und vielstrebiger Reifung verstehen wollten. »Christentum, Erlösungsgeschehen, Kirche, das ganze ist ein lebendiger Organismus, in beständiger dialektischer Bewegung und Fortentwicklung, dessen Vitalprinzip der Heilige Geist Gottes selber ist, ein Lebensprozeß, der die beteiligten Gläubigen ... immer von neuem in ein existentielles Engagement hineinstellt«[9]. Wie P. Müller-Goldkuhle fand, wurden so die stetige geistige Entwicklung von innen heraus, die lebendige Überlieferung des Glaubensgutes zu Prinzipien der neuen Dogmatik. Von hier aus lag für ihn auch der Schritt zu dem formalen Hauptcharakteristikum der Tübinger Dogmatik nahe: Die innige Verbindung von positiver und spekulativer Theologie[10].

Als weiteres gewichtiges Charakteristikum ergab sich das Bemühen, die Anthropologie in ein theozentrisches Gesamtbild einzuordnen; die entscheidende Aussage über den Menschen wurde auf Grund der Offenbarung getroffen, die den Menschen in seinem Angesprochensein von Gott her, in seiner übernatürlichen Be-

---

[5] Vgl. ders. in: BdTh. Bd. 2. S. 25 (Die katholische Theologie in der ersten Hälfte des 20. Jahrhunderts). - F. Hofmann: Geleitwort zu K. Adam. Gesammelte Aufsätze. S. 14. - Ders.: Theologie aus dem Geist der Tübinger Schule. (Rede zur akademischen Gedenkfeier für K. Adam in der Universität Tübingen.) In: ThQ 146 (1966) 262-284.

[6] P. Müller-Goldkuhle: Die Eschatologie in der Dogmatik des 19. Jahrhunderts. (BNGKTh. 10.) Essen 1966.

[7] Ebd. S. 116. Ziffer 2.

[8] Ebd. S. 117. Ziffer 4.

[9] Ebd. S. 117.

[10] Ebd. S. 117.

stimmung und gnadenhaften Erhöhung in Christus zu verstehen weiß[11]. In diesem Zusammenhang stellte P. Müller-Goldkuhle heraus, daß die Tübinger das Individuelle als solches schätzten; daß sie um die Unergründlichkeit der menschlichen Existenz, um das Dunkel und den Wert seiner Je-Einmaligkeit, um Schuld und Sühne, um Eigenständigkeit und freie Entscheidung wußten; daß Individualität, Personhaftigkeit und Freiheit des einzelnen Menschen darum wesentliche Bestandteile aller richtig verstandenen Anthropologie wurden; daß andererseits jedoch die umfassende Betrachtungsweise der Romantiker nicht weniger deutlich auch die Verflechtung des einzelnen in der Gesamtheit der Menschen erfaßte. Indem der Einzelmensch im gesamtmenschlichen Zusammenhang gesehen wurde, lernte man, ihn als Geschichtswesen zu verstehen. P. Müller-Goldkuhle erklärte dazu: »Im Gegensatz zu Schelling und Hegel erschienen Schöpfung, Erlösung, Heiligung und Vollendung ... nicht als notwendige Naturprozesse, sondern als Ereignisse der personhaften freien Entscheidung Gottes und der Einzelmenschen, welche Eigenständigkeit und Geschichtsbezogenheit des Menschen voll zur Geltung kommen ließen«[12].

Das geschichtliche Verständnis des Christentums, das heißt die Hochschätzung der Tradition für die kirchliche Vermittlung der göttlichen Offenbarung[13] führte dazu, daß die historisch positive Arbeit als »Ausgangspunkt aller rechten Dogmatik« angesehen wurde[14]. Nach P. Müller-Goldkuhle ging es dabei nicht um einen Beweis für etwas in der Spekulation bereits Vorgedachtes und schon Verstandenes, sondern um Elemente und Hilfen auf dem Weg zum eigentlichen Verständnis[15].

Diese Methode blieb aber keineswegs auf den engen Bereich der »Tübinger Schule« beschränkt, vielmehr machte sich die Wertschätzung und Förderung patristischer und scholastischer Studien allenthalben bemerkbar. Der Einfluß J.A. Möhlers kam nur kurz im Bereich der Münchener Universität zur Geltung, wirkte jedoch insgesamt nachhaltig weiter[16]. Er erstreckte sich nicht nur auf die Theologen des deutschen Sprachgebietes, sondern auch auf die der sog. »Römischen Schule«[17]

---

[11] Ebd. S. 118. Ziffer 1. - Vgl. Geiselmann: Die katholische Tübinger Schule. S. 44-48: Die Offenbarung als geschichtlicher Vorgang.

[12] Müller-Goldkuhle. S. 120. Ziffer 4. - Vgl. ebd. S. 127-143: Das neue Geschichtsverständnis.

[13] J.R. Geiselmann: Lebendiger Glaube aus geheiligter Überlieferung. Der Grundgedanke der Theologie Johann Adam Möhlers und der katholischen Tübinger Schule. Mainz 1942. - Ders.: Die katholische Tübinger Schule. S. 74-76: Das Traditionsprinzip als Ausgangspunkt der Möhlerschen Entwicklungslehre. - Vgl. K. Adam: Rez. zu A. Deneffe. Der Traditionsbegriff. Studie zur Theologie. (MBTh. 18.) Münster 1931. In: ThQ 112 (1931) 251-252.

[14] Müller-Goldkuhle. S. 117. Ziffer 5.

[15] Ebd. S. 118.

[16] Johann Adam Möhler (1796-1838) wirkte von 1823-1835 als Dozent und Prof. für Kirchengeschichte in Tübingen, 1835-1838 ebenso in München.

[17] Vgl. W. Kasper: Die Lehre von der Tradition in der Römischen Schule. Freiburg 1962. - Zur „Römischen Schule" werden gezählt: Giovanni Perrone (1794-1876). - Vgl. W. Kasper: Perrone. In: LThK[2] 8 (1963) 282. - J. Perrone: Kompendium der katholischen Dogmatik. 4 Bde. Landshut 1852-1854. - Carlo Passaglia (1827-1859). - Johann Baptist Franzelin (1816-1885). - Clemens Schrader (1820-1875).

und der sog. Neuscholastik[18]. Die zahlreichen dogmengeschichtlichen Untersuchungen jener Epoche sind daher nicht einfach als »historische Studien« zu betrachten; sie müssen vielmehr immer im Gesamtrahmen der hier kurz skizzierten theologiegeschichtlichen Bewegung gewertet werden[19].

In einem Artikel zur 450-Jahrfeier der Universität Tübingen erläuterte K. Adam, daß das Wesen der katholischen Tübinger Schule in der innigsten Synthese von spekulativer und historischer Theologie besteht. Mit Recht warnte er aber davor, ihr Besonderes ausschließlich in der Pflege der historischen Theologie oder gar einem platten historischen Positivismus zu suchen; es gehe vielmehr um »die Verbindung eines kritisch gereinigten, in die Zusammenhänge der Glaubenswirklichkeit eindringenden spekulativen Denkens mit einer die Gegebenheiten in Christentum und Kirche sauber erfassenden historischen Methode«[20].

Auch der junge Theologe Karl Adam wandte sich zunächst in München der Erforschung dogmengeschichtlicher Fragen aus der Zeit der Patristik zu. Besonders interessierte ihn der Kirchenbegriff Tertullians[21]. Er stellte fest, daß bei diesem die Furcht das Geheimnis alles Christentums und das Motiv aller christlichen Tugenden ist; die Furcht bebt vor der Gerechtigkeit Gottes, über die der Herr in eifernder Liebe wacht. Und weil diese Gerechtigkeit erst bei dem letzten Gericht zur vollen Offenbarung gelangen kann, darum gewinnt das Furchtprinzip des Tertullian fast durchweg eschatologischen Charakter: Der Christ zittert vor der Zukunft, vor dem Herrn der letzten Dinge[22].

Diese schreckbare Zukunft der Wiederkehr Christi rückt Tertullian in unmittelbare Nähe. In den zur Zeit lebenden Christen stirbt die Welt geistig wie leiblich ab. Allerdings ist die baldige Wiederkunft des Herrn für die wahren Christen auch tröstlich, weil sie die harte Dienstzeit beenden und die harrenden Seelen der Märtyrer rächen wird. Unter diesem Gesichtspunkt wird dem echten Christen die heilsame Furcht zur beseligenden Hoffnung[23].

Von da aus gesehen war es für K. Adam vollkommen erklärlich, daß Tertullian für eine stabile Kirchenorganisation, für ein Kirchenamt nie ein volles Verständnis hatte. Eine derartige Kirchenverfassung, so folgerte er, hätte ja einen lan-

---

[18] So Joseph Kleutgen (1811-1883) ebenfalls im Bereich der „Römischen Schule". Nach L. Gilen war sein Hauptanliegen der quellenmäßige und positive Aufbau aus dem Gedankengut der Patristik und Scholastik, kritisch gesichtet, methodisch und sachlich bereichert, auch weitergeführt nach den Bedürfnissen der Gegenwart. Vgl.: LThK[2] 6 (1961) 340. - Über die Eschatologie der neuscholastischen Strömung vgl. Müller-Goldkuhle. S. 177-216. - Zum Ganzen vgl. jedoch die kritischen Ausführungen von G. Söhngen: Neuscholastik. In: LThK[2] 7 (1962) 923-926. - Aubert. In: BdTh. Bd. 2. S. 17. - Dort auch Hinweis auf eine Untersuchung von M. Pellegrino: Un cinquantennio di Studi patristici in Italia. In: ScCat 80 (1952) 424-452.
[19] K. Adam: Die katholische Tübinger Schule. In: Hochland 24/II (1927) 589-592.
[20] Ebd. S. 583.
[21] Ders.: Der Kirchenbegriff Tertullians. Eine dogmengeschichtliche Studie. (FCLDG. VI/4.) Paderborn 1907. - Es handelt sich um die theol. Diss. von K. Adam vom 10.12.1904. Referent war an der kath.-theol. Fakultät der Universität München Josef Schnitzer. - Zu J. Schnitzer siehe oben S. 630, Anm. 352.
[22] K. Adam: Der Kirchenbegriff Tertullians. S. 19.
[23] Ebd. S. 20.

gen Bestand der christlichen Weltzeit zur Voraussetzung gehabt und damit sein oberstes Prinzip umgestoßen. Andererseits war es ihm auch wieder von Anfang an verständlich, wenn Tertullian stets die Heiligkeit der Kirchenglieder so sehr beton- te, wenn er sie zuletzt selbst als das Wesenskonstitutiv der Kirche gefaßt wissen wollte: Das baldige Weltende mit seinem ohne Ansehen der Person urteilenden Weltgericht schien ihm ausschließlich eine solche Heiligkeit des Subjekts zu fordern[24].

Auch mit seinen folgenden Arbeiten über die Eucharistielehre Augustins[25] und die Bußlehre der alten Kirche[26] blieb K. Adam in dem gleichen patristischen Themenbereich. Nach Jahren praktischer Seelsorgetätigkeit im Pfarrdienst wurde er schließlich gegen Ende des Weltkrieges in der Nachfolge von W. Koch[27] als Pro- fessor für Moraltheologie nach Straßburg berufen; doch war die Zeit seines Wir- kens dort nicht lange. 1919 konnte er den Lehrstuhl für Dogmatik in Tübingen übernehmen, wo er bis zu seiner Emeritierung im Jahre 1946 nachhaltig wirkte.

Gemäß der Tradition der Tübinger Schule war auch K. Adam erfüllt vom Wil- len zur Begegnung und Auseinandersetzung mit dem Geist der Zeit; mit dem Be- streben, die Wahrheit der Offenbarung mit den Kategorien und dem Vokabular der Gegenwart auszusagen und zum Verstehen zu bringen, so wie H. Fries von der Ka- tholischen Tübinger Schule sagte, nicht so sehr in der Absicht »modern und zeitge- mäß zu sein, als aus Einsicht, daß die Offenbarung für die Menschen der jeweiligen geschichtlichen Stunde zugesprochen und ausgelegt und verständlich gemacht wer- den muß«[28].

Diesem Ziel diente bereits die Antrittsvorlesung, die K. Adam über das Thema »Glaube und Glaubenswissenschaft« hielt[29]. Wie er in einer Vorbemerkung zur zweiten Auflage schrieb, wollte er nicht die gesamte katholische Lehre über den

---

[24] Ebd. S. 22.

[25] Ders.: Die Eucharistielehre des heiligen Augustinus. (FCLDG. VIII/1.) Paderborn 1908. - Vgl. ders.: Zur Eucharistielehre des heiligen Augustinus. In: ThQ 112 (1931) 490-536.

[26] Ders.: Zum außerkanonischen und kanonischen Sprachgebrauch von Binden und Lö- sen. In: ThQ 96 (1914) 161-197. - Dass. in: Gesammelte Aufsätze. S. 17-52. - Ders.: Das soge- nannte Bußedikt des Papstes Kallistus. (VKSM. IV/2.) Kempten 1917. - Ders.: Die kirchliche Sündenvergebung nach dem heiligen Augustin. (FCLDG. XIV/1.) Paderborn 1917. - Ders.: Die geheime Kirchenbuße nach dem heiligen Augustin. (MStHTh. 2.) Kempten 1921. - Ders.: Die abendländische Kirchenbuße im Ausgang des christlichen Altertums. Kritische Bemer- kungen zu Poschmanns Untersuchung. In: ThQ 109 (1928) 1-66. - Dass. in: Gesammelte Auf- sätze. S. 268-312. - Ders.: Bußdisziplin. In: LThK[1] 2 (1931) 657-661. - Dass. in: Gesammelte Aufsätze. S. 313-318.

[27] Wilhelm Koch (1874-1955) war seit 1905 Prof. in Tübingen, verzichtete am 25. Janu- ar 1916 auf seine Professur nach Schwierigkeiten mit dem bischöflichen Ordinariat in der An- ti-Modernisten-Frage. Zum Einfluß auf R. Guardini siehe unten S. 748.
Werke von W. Koch: Siehe LV. - Vgl. H. Mulert: Wilhelm Koch. In: RGG[2] 3 (1929) 1112. - K. Färber: Erinnerungen an Wilhelm Koch. In: ThQ 150 (1970) 102-112.

[28] H. Fries. In: LThK[2] 10 (1965) 391.

[29] K. Adam: Glaube und Glaubenswissenschaft im Katholizismus. Akademische An- trittsrede. Rottenburg 1920. - Vgl. die Rez. von J.N. Espenberger. In: ThRv 20 (1921) 193-195. - J. Wendland. In: ThLZ 47 (1922) 554. - M. Waldmann. In: ThGl 13 (1921) 103. - E. Krebs. In: LH 57 (1921) 541.

Glauben in sauberen Schulbegriffen systematisch verarbeiten, sondern in sorgfältiger Berücksichtigung der modernen Mentalität die Wesensstruktur des katholischen Glaubens und das Gefüge der Akte bloßlegen, durch die sich der Glaube in die wahrheitswillige Seele einbaut[30].

Die erste These, die der neue Tübinger Dogmatiker den Menschen seiner Zeit vorlegte, lautete: »Der Grundkern des katholischen Glaubensbewußtseins ist der Glaube an Christus, den Herrn, den Sohn Gottes und Seligmacher«[31]. Nach K. Adam liegt dieses Zentraldogma seiner Natur nach jenseits aller menschlichen Erfahrungsmöglichkeit. Er bestimmte es als schlechthin übernatürlich und erklärte, die philosophische Spekulation vermöge es weder in seiner Tatsächlichkeit noch in seinem Wesen aufzuhellen, ohne daß sein Sinn entstellt würde; etwas Irrationales, Unbegreifliches, Überbegreifliches, etwas wesenhaft Übernatürliches liege darin vor, und deshalb finde nicht das Denken, sondern nur der Glaube zu ihm[32]. Insofern gab K. Adam R. Otto[33] recht, wenngleich er dessen These ablehnte, daß das »Heilige« eine a priori aus irrationalen und rationalen Bestandteilen zusammengesetzte Kategorie sei, wobei das Irrationale seine eigenen selbständigen Wurzeln in den verborgenen Tiefen des Geistes habe[34]. Die natürliche Glaubensgewißheit beruhte für K. Adam in einem Postulat der geistig sittlichen Menschennatur[35]. Er berief sich auf die dogmatische Konstitution des 1. Vatikanischen Konzils[36] und erläuterte: »Nur der, dessen Seelengrund von Gott selbst berührt ist, vermag das gewaltige in Christus erschienene Neue, die Fülle der christlichen Verkündigung, in ihrer überzeugenden Kraft zu erfahren und mit einer Gewißheit ohnegleichen zu bekennen«[37].

Ist somit der Glaubensakt nach katholischer Lehre Gotteskraft und Gottesgabe, so war er für K. Adam übernatürlich und eben deshalb einer höheren Gewiß-

---

[30] K. Adam: Glaube und Glaubenswissenschaft im Katholizismus. Vorträge und Aufsätze. Zweite erweiterte Auflage. Rottenburg 1923. S. 6. - Vgl. die Rez. von F. Sawicki. In: ThRv 22 (1923) 306-310.

[31] K. Adam: Glaube und Glaubenswissenschaft. ¹1920. S. 5.

[32] Ebd. S. 6.

[33] Rudolf Otto (1869-1937) war Prof. für systematische Theologie u.a. 1917-1929 in Marburg. Schriften: Siehe LV. - Vgl. F.K. Feigel: „Das Heilige". Kritische Abhandlung über Rudolf Ottos gleichnamiges Buch. Haarlem 1929. - Dass. 2. durchgesehene Auflage. Tübingen 1948. - Th. Siegfried: Grundfragen der Theologie bei Rudolf Otto. Gotha 1931. - E. Gaede: Die Lehre von den Heiligen und der Divination bei Rudolf Otto. Ochersleben 1932. - J.W.E. Sommer: Der heilige Gott und der Gott der Gnade bei Rudolf Otto. Frankfurt 1950. - W. Link: Rudolf Otto. In: EKL 2 (1958) 1784-1785. - G. Wünsch: Rudolf Otto. In: RGG³ 4 (1960) 1749-1750.

[34] K. Adam: Glaube und Glaubenswissenschaft. ¹1920. S. 4. - Vgl. ders.: Jesus Christus. Augsburg 1933. S. 43. - R. Otto: Das Heilige. ³1919. S. 123 ff. - Vgl. G. Wünsch in: RGG² 4 (1930) 842: Nach R. Otto ist Religion ein Sachverhalt sui generis, in seinem eigentlichsten Wesen irrational (Numinos), der durch ein besonderes menschliches Vermögen im „Innern", im „Seelengrund", im schauenden Geiste „aufleuchtet" (Anamnesis), wobei „Gefühl", „Ahndung", „Divination" dieses eigentümliche Vermögen religiöser Realitätserkenntnis bezeichnen.

[35] Vgl. K. Adam: Christus unser Bruder. (Seele-Bücherei. 6.) 2. verbesserte Auflage. 1930. S. 253.

[36] Vgl. Concilium Vaticanum I. Sess. 3 (24.4.1870). Constitutio dogmatica „Dei Filius". Cap. 4: De fide et ratione. DS 3015-3020. = NR 38-44, 386.

[37] K. Adam: Glaube und Glaubenswissenschaft. ¹1920. S. 6.

heits- und Erlebnisordnung angehörend. Als praktische Frage blieb aber: »Wie gelange ich nach katholischer Lehre zur Erfahrung des göttlichen Glaubens, zur Erfahrung einer unbedingten Glaubensgewißheit?«[38]

Der Theologe antwortete folgendermaßen: Christus trug sein gottmenschliches Selbstbewußtsein in seiner Brust, es war sein Geheimnis. In der Kraft des heiligen Geistes, im gottgewirkten, alle rationalen Bedenken niederbrechenden Erlebnis haben es seine Jünger von ihm übernommen. So war das erste Credo ein Geisterzeugnis. In demselben Geist übernahmen die ersten Christen das Geheimnis Jesu. Das Leben entzündete sich am Leben, der Geist am Geist. Der urchristliche Gemeindeglaube war Niederschlag eines elementaren Geisterlebnisses. Und mit dem urchristlichen Gemeindeglauben war die Gemeinde selbst gesetzt. Sie war die sichtbare Verkörperung der Geistwirkung, der Leib, in dem sich der Geist offenbarte[39].

K. Adam gestand: Als er sich mit der altchristlichen Gedankenwelt vertraut zu machen begann, waren es zwei Erkenntnisse, die sich ihm aufdrängten: Einmal das klare Bewußtsein der Gläubigen von dem ihnen wesenhaft einwohnenden heiligen Geist; zum anderen die Hochschätzung der ἐκκλησία, das Solidarische des altchristlichen Glaubensbewußtseins. So kam er zu dem Schluß, daß nicht das »Ich«, sondern das »Wir« Träger des Geistes ist. Er berief sich auf J.A. Möhler, den »Stifter der katholischen Tübinger Schule«[40], der sagte: »Wie das Leben des sinnlichen Menschen nur einmal unmittelbar aus der Hand des Schöpfers kam und, wo nun sinnliches Leben werden soll, es durch die Mitteilung der Lebenskraft eines schon Lebenden bedingt ist, so sollte das neue göttliche Leben ein Ausströmen aus dem schon Belebten, die Erzeugung desselben sollte eine Überzeugung sein«[41]. Im Anschluß daran betonte K. Adam, daß für einen Katholiken die geistbelebte Gemeinde, die Kirche als lebendige Einheit der Gläubigen, die Mutter des Lebens und die Grundfeste der Wahrheit[42] ist. »Ihr Glauben und Lieben, ihr lebendiges Wort ist das erste, der Buchstabe in Schrift und Tradition das zweite«[43].

Jesus Christus und die Kirche - das war das große Thema dem das Lebenswerk des Tübingers gewidmet war[44]. Beachtenswert ist dabei, wie auch der vom J.A. Möhler herführende pneumatische Aspekt der Theologie zur Geltung gebracht wurde[45]. Wir begegnen ihm heute noch in den neuesten Entwürfen unserer Zeit, so in der von W. Breuning kürzlich vorgelegten Eschatologie[46].

---

[38] Ebd. S. 16.

[39] Ders.: Christus unser Bruder. ²1930. S. 177-214: Komm, Heiliger Geist.

[40] Vgl. ders. in: Hochland 24/II (1924) 584.

[41] J.A. Möhler: Die Einheit in der Kirche oder das Princip des Katholizismus. Tübingen 1825. S. 9.

[42] Vgl. 1. Tim. 3, 15.

[43] K. Adam: Glaube und Glaubenswissenschaft. ¹1920. S. 18. - Vgl. ders.: Von der lebendigen Kirche als Quellort meines Christusglaubens. In: Schildgenossen 8 (1928) 490-502. - Ders.: Die katholische Tübinger Schule. In: Hochland 24/II (1927) 587, 591.

[44] Vgl. F. Hofmann. In: ThQ 146 (1966) 273.

[45] Geiselmann: Die katholische Tübinger Schule. S. 186-190: Der Christ und sein Innesein im Heiligen Geist. - Vgl. K. Adam: Die Lehre vom Heiligen Geist bei Hermas und Tertullian. In: ThQ 88 (1906) 36-61. - Dass. in: Gesammelte Aufsätze. S. 53-69. - Ders.: Pfingstgedanken. Drei Vorträge. München 1915, ²1933. - Ders.: Pfingsten. In: Seele 5 (1924) 161-175.

[46] Vgl. W. Breuning: Systematische Entfaltung der eschatologischen Aussagen. In: MS. Bd. 5. S. 798-803: Der Geist als Angeld und Vollendung.

Im Jahre 1924 veröffentlichte K. Adam sein berühmtes Buch über »Das Wesen des Katholizismus«[47], das allein im deutschen Bereich bis 1957 dreizehn Auflagen erlebte. Im Vorwort zur vierten Auflage bekannte der Theologe, daß er die erste Anregung zur Abfassung dieser Schrift durch seinen Heimatbischof Antonius von Henle[48] empfangen habe, der ein »feinsinniger Interpret des Epheserbriefes« gewesen sei[49]. Im Titel des Werkes von K. Adam mag der Kundige den Anklang an eine Schrift von F.A. Staudenmaier hören[50]; näher liegt der Vergleich mit den Vorlesungen A. von Harnacks über »Das Wesen des Christentums«[51]. Die Schrift entstand jedoch in direkter Auseinandersetzung mit einer Veröffentlichung des ursprünglich katholischen Religionshistorikers Fr. Heiler[52], der zuerst in München Schüler von K. Adam und J. Schnitzer[53] war, sich dann jedoch unter dem Einfluß der Reformbewegung und der liberalen Theologie einem hochkirchlichen Protestantismus zuwandte[54].

Als Privatdozent für allgemeine Religionsgeschichte in München hielt Fr. Heiler 1919 auf Einladung N. Söderbloms[55] Gastvorlesungen in Schweden, die er zuerst unter dem Titel »Das Wesen des Katholizismus« veröffentlichte[56]. 1920 wurde er zum Professor für vergleichende Religionsgeschichte und Religionsphilosophie

---

[47] K. Adam: Das Wesen des Katholizismus. Augsburg 1924.

[48] Anton von Henle (1851-1927): Der Evangelist Johannes und die Antichristen seiner Zeit. Eine historisch-exegetische Abhandlung. (Theol. Diss. München.) München 1884. - Vgl. A. Doeberl: Anton von Henle. In: LThK[1] 4 (1932) 959-960. - KathD. Bd. 1. Sp. 1506-1507.

[49] K. Adam: Das Wesen des Katholizismus. [4]1927. S. 10. - Vgl. A. von Henle: Der Ephesierbrief des heiligen Apostels Paulus. Augsburg 1890, [2]1908.

[50] Vgl. F.A. Staudenmaier: Das Wesen der katholischen Kirche mit Rücksicht auf ihre Gegner. Freiburg 1845. - Zu Franz Anton Staudenmaier (1800-1856) vgl. J. König. In: KL[2] 11 (1899) 744-746. - F. Lauchert: Franz Anton Staudenmaier in seinem Leben und Wirken dargestellt. Freiburg 1901. - P. Hünermann: Franz Anton Staudenmaier. In: LThK[2] 9 (1964) 1024. - Ders.: Trinitarische Anthropologie bei Franz Anton Staudenmaier. (Symposion. 10.) Freiburg, München 1962.

[51] Siehe oben S. 584.

[52] Johann Friedrich Heiler (1892-1967). - Vgl. C.M. Schröder: Friedrich Heiler. In: RGG[3] 3 (1959) 145. - In Deo omnia unum. Eine Sammlung von Aufsätzen, Friedrich Heiler zum 50. Geburtstag dargebracht. (Hrsg. Christel Matthias Schröder.) (Sonderausgabe der Zeitschrift "Eine Heilige Kirche". Jg. 23.) München 1942. - E. Dammann: Johann Friedrich Heiler. In: NDB 8 (1969) 259-260. - W. Philipp: Friedrich Heiler. In: TdTh. S. 387-391. - Zum Zusammenhang unserer Arbeit vgl. F. Heiler: Unsterblichkeitsglaube und Jenseitshoffnung in der Geschichte der Religion. (GuW. 2.) München, Basel 1950. - Vgl. dazu die kritische Bemerkung von H.J. Weber: Auferstehung. S. 82. Anm. 205.

[53] Zu J. Schnitzer siehe oben S. 630, Anm. 352.

[54] Vgl. F. Heiler: Zum Tod von Karl Adam. (Brief an die Kath.-Theol. Fakultät der Universität Tübingen.) In: ThQ 146 (1966) 257-262. - Vgl. F. Hofmann. In: ThQ 146 (1966) 275.

[55] Lars Olof Jonathan (gen. Nathan) Söderblom (1866-1931), evangelischer Theologe und Religionshistoriker, ab 1914 Erzbischof von Uppsala. Theol. Diss. Paris 1901: La vie future d'après le mazdéisme. - Vgl. C.-M. Edsmann: Söderblom. In: LThK[2] 9 (1964) 844-845.

[56] F. Heiler: Das Wesen des Katholizismus. Sechs Vorträge. München 1920. - Vgl. dazu die Rez. u.a. von P. Lippert. In: StZ 99 (1920) 455-464. - G. Wunderle. In: Augsburger Postzeitung Nr. 24 (1920). - Ders. in: LH 56 (1920) 409. - R. Guardini: Universalität und Synkretismus. (Rez. zu F. Heiler. Das Wesen des Katholizismus.) In: JVVKA. 1920/21. S. 150-155. - Vgl. auch Ph. Funk: Der Historismus und die Religion. In: Hochland 17/II (1921) 497. - D. Feuling: Das Wesen des Katholizismus. Grundsätzliches zu Heilers gleichnamiger Schrift. Beuron 1920.

nach Marburg berufen. Dort überarbeitete er seine schwedischen Vorträge, und so entstand das Werk über Idee und Erscheinung des Katholizismus[57], das K. Adam zu seiner vielgelesenen Antwort veranlaßte[58].

Nach einem Urteil von R. Aubert zeigte der katholische Dogmatiker eine für die deutschen Katholiken der 20er Jahre charakteristische optimistisch-selbstbewußte Art. Es wurde gerühmt, daß K. Adam die seit dem 16. Jahrhundert übliche Abwehr-Perspektive aufgab; daß er sein Werk aus einer davon weithin freien, rein dogmatischen Sicht schrieb; daß er dabei auch zu einer vornehmlich kerygmatischen Theologie fand, die von aller Begriffssprache befreit, auf den wesentlichen Glaubensaussagen aufbauen konnte[59].

Freilich ergaben sich in dieser Hinsicht später auch Schwierigkeiten[60]. Unbestritten ist jedoch, daß K. Adam seine Antwort in einem der Tübinger Schule kongenialen Geist schrieb, wenn er gegenüber dem Religionshistoriker betonte, daß eine bloße Beschreibung noch lange keine schöpferische Erklärung sei, und daß darum die rein beschreibende religionsgeschichtliche Forschung über sich selbst hinaus zu einer wissenschaftlichen Wesensforschung des Katholizismus dränge[61]. Gerade in Hinblick auf Fr. Heiler wußte K. Adam, daß Katholizismus und Kirche nicht ein und dasselbe sind[62]. Dennoch glaubte er seinen Hörern in Tübingen, von denen ein Großteil altkatholischen Bekenntnisses war, das katholische Wesen nicht deutlicher machen zu können, als wenn er jene dogmatischen Grundgedanken herausschälte, die die katholische Kirche, ihren Glauben, ihren Kult und ihre Verfassung beherrschen. Es waren für ihn bei der Geschlossenheit und Lebenskraft des katholischen Systems letzten Endes doch diese Grundgedanken, die dem Katholizismus auch dort wo er auf die menschliche Kultur ausstrahlt, seine bestimmende Eigenart und sein erschöpfendes Verständnis geben[63].

Kein Zweifel also, daß K. Adam mit seiner Schrift das Werk J.A. Möhlers und F.A. Staudenmaiers fortsetzte. Im Zusammenhang unserer Untersuchung interessiert uns besonders, welche Rolle der eschatologische Gedanke im Gesamtgefüge des Katholizismus nach der Vorstellung des Tübinger Dogmatikers spielte. Zunächst jedoch seien einige Grundzüge des Denkens hervorgehoben, wie sie uns schon in der Einführung des Werkes entgegentreten.

---

[57] F. Heiler: Der Katholizismus. Seine Idee und seine Erscheinung. Völlige Neubearbeitung der schwedischen Vorträge über "Das Wesen des Katholizismus". München 1923. - Vgl. dazu die Rez. u.a. von E. Przywara. In: StZ 105. Bd. 53 (1923) 353-355. - Dass. in: Ders. Das Ringen der Gegenwart. Bd. 2. S. 560-564. - J. Schnitzer. In: AZM 126 (1923) 714. - G. Wunderle. In: LKZ 13 (1923) 64-72. - J. Bernhart. In: ÖRR 19 (1923) 1107-1117. - E. Krebs. In: KVZ 8. 2. 1923.

[58] Vgl. K. Adam: Eine merkwürdige Streitschrift gegen den Katholizismus. (Rez. zu F. Heiler. Das Wesen des Katholizismus.) In: WuGl 18 (1920) 193-201.

[59] Aubert. In: TdTh. S. 159.

[60] Vgl. Heiler. In: ThQ 146 (1966) 259. - A. Auer: Karl Adam. In: ThQ 150 (1970) 131-140.

[61] K. Adam: Das Wesen des Katholizismus. 2. vermehrte Auflage. (Aus Gottes Reich.) Düsseldorf 1925. S. 15. - Zitiert wird im folgenden - wenn nicht anders vermerkt - nach dieser Auflage.

[62] Vgl. das Programm Söderbloms von der „Evangelisk katolicitet" (1919). - F. Heiler: Gesammelte Aufsätze und Vorträge. 1. Evangelische Katholizität. München 1926.

[63] K. Adam: Das Wesen des Katholizismus. Vorwort zur ersten Auflage.

Dem Vorwurf, daß der Katholizismus ein ungeheurer Synkretismus sei, entschärfte der Tübinger Theologe mit einer positiven Wertung der complexio oppositorum. Unter dem Aspekt einer organischen Identität erschien ihm der Katholizismus als eine Verbindung von Gegensätzen: Der Widerspruch blieb dabei ausgeschlossen; aber das wußte K. Adam: »Wo Leben ist, da muß Spannung, da muß Gegensatz sein«[64].

Zur Identität sagte der Tübinger, der Katholizismus halte es als teuerstes Bewußtsein fest, daß er immer derselbe ist, gestern und heute, daß sein Wesen bereits fertig und anschaulich gegeben war, als er den Gang durch die Welt antrat, daß Christus selbst ihm den Odem des Lebens einhauchte, und daß er selbst dem jugendlichen Organismus all die Keimanlagen mitgab, die sich im Laufe der Jahrhunderte in selbstregulatorischer Anpassung an die umliegenden Bedürfnisse und Forderungen entfaltete[65].

Was die jetzige Gestalt des Katholizismus betrifft, so billigte K. Adam der Religionshistorik die Möglichkeit einer Wesensforschung zu, - insofern stand er positiv zu einer Anwendung der von M. Scheler[66] entwickelten phänomenologischen Methode auf dem Gebiet der Religionsgeschichte und Religionsphilosophie[67]. Er war aber überzeugt, daß bloße Sachlichkeit, der kalte Sinn für die Wirklichkeit nicht genügt, und so betonte er, daß die Wesensschau nur gelingen könne, wenn das Herz dabei sei; daß die ganze Wirklichkeit nur der zu erfahren vermöge, der selber in dem katholischen Lebensstrom eingetaucht sei; ihm werde die Wesensforschung des Katholizismus von selbst zu einem Bekenntnis (vgl. Augustinus), zu einem Ausdruck des katholischen Bewußtseins[68].

Den konkreten Grund dafür, daß die Kirche allgemein in den Vordergrund des Interesses trat, sah K. Adam in der unmittelbaren erschütternden Wahrnehmung der entsetzlichen Folgen des Weltkrieges, des ungeheuren Zusammenbruchs von glänzenden Staaten und Kulturen. »Von den auf der Walstatt des Weltkrieges herumliegenden Trümmern einstiger politischer und wirtschaftlicher Herrlichkeit wendet sich der Blick wie von selbst zu jener weltumfassenden Gemeinschaft, die sich wie ein hochragender, ungebrochener Fels mitten aus dem Trümmerfeld erhebt, unberührt vom Wetterschlag, die allein von allen irdischen politischen, wirtschaftlichen und religiösen Gebilden keinen Zusammenbruch erlitten hat, sondern jung ist wie am ersten Tag«[69].

Man mag gegen diese Darstellung der Kirche einwenden, daß sie zu »triumphalistisch« sei; daß in ihr die Kirche zu einer Idealgestalt verklärt werde, weil das Geheimnis des Kreuzes auch im Leben der Kirche nicht genügend zur Geltung gebracht sei[70], dennoch können nicht jene Gründe bestritten werden, die damals viele

---

[64] Ders.: Das Wesen des Katholizismus. [2]1925. S. 14. - Vgl. ders.: Christus unser Bruder. [9]1960. S. 250. - Vgl. ders. in der Auseinandersetzung mit K. Heim. In: Hochland 23/II (1925/26). - Dass. in: Gesammelte Aufsätze. S. 342.

[65] Ders.: Das Wesen des Katholizismus. S. 15.

[66] Zu M. Scheler siehe oben S. 52-60.

[67] Vgl. z.B. K. Adam: Jesus Christus. [1]1933. S. 43. - Aubert. In: TdTh. S. 157. - Przywara. In: Das Ringen der Gegenwart. Bd. 2. S. 710-712. (Aus: StZ. Jg. 1926.)

[68] K. Adam: Das Wesen des Katholizismus. S. 16.

[69] Ebd. S. 18.

[70] Vgl. Heiler. In: ThQ 146 (1966) 258. - Dort auch Hinweis auf ein Urteil von G. von le Fort.

692

Menschen veranlaßten, sich dem Katholizismus aufmerksam zuzuwenden. Gewiß, es gab eine Abfall-Bewegung, die den Kirchenaustritt propagierte; es gab aber auch eine Konversions-Bewegung von Menschen, die bedauerten, von der modernen Geistigkeit aus dem tiefsten und wichtigsten Lebenszusammenhang herausgerissen zu sein: aus ihrem Verwurzeltsein im Absoluten, im Selbststand des Seins, im Wert der Werte. K. Adam sah, daß das Leben für sie seinen großen Sinn verloren hatte, seine innere Spannung und Höhenbewegung, seinen kraftvollen, durchgreifenden Eros, den nur das Göttliche zu entzünden vermag. Das Übel lag demnach darin, daß dem im Absoluten verankerten, in Gott geborgenen ... Menschen ein auf sich selbst gestellter, autonomer Mensch wurde, daß dieser von seiner religiösen Umstellung aus nicht der kirchlichen Gemeinschaft, der communio fidelium, dem Ineinander und Miteinander der Gläubigen entsagte, sondern dadurch auch seine zweite Lebenswurzel, den Zusammenhang mit der Volksgemeinschaft zerriß. Für den Tübinger verlor der Mensch damit das in Freud und Leid, in Beten und Lieben sich bewährende Verwobensein mit dem »Du« und dem »Wir«, mit jener ursprünglich überpersönlichen Einheit und Fülle, aus der der einzelne seine Kraft immer wieder saugen und regulieren kann, und ohne die er steril und vertrocknet wird[71]. Als ein guter Menschenkenner wußte der Theologe, daß kein Mensch auf die Dauer in einer blutleeren, sterilen Verneinung leben kann. »Der Mensch will leben; sein Lebensdrang ist stärker als alle lebensfremde graue Philosophie; er schreit nach dem Leben, nach dem vollen, ganzen, persönlichen Leben. Das Verneinen hat er satt, bejahen will er. Denn nur in der entschlossenen Bejahung, in der kühnen Setzung, liegt die Tat und das Leben«[72]. Für K. Adam, der selbst so stark nach gegenwärtigem göttlichem Leben verlangte[73], war es daher nicht verwunderlich, daß gerade von dieser Geisteshaltung aus der Mensch seiner Zeit dem Katholizismus ein lebendiges Interesse entgegenbrachte.

Bevor wir uns der positiven Beschreibung zuwenden, die der Tübinger Dogmatiker von der Kirche gab, müssen wir noch verdeutlichen, wie stark er in einer Auseinandersetzung mit der sogenannten »kritischen Theologie« stand.

K. Adam erkannte klar, daß hinter der Frage nach der Wirklichkeit des katholischen Wesens notwendig die Frage nach dem Geheimnis Jesu lag. Für den katholischen Christen stand fest, daß sich die Glaubensgewißheit auf die heilige Dreiheit gründet: Gott-Christus-Kirche. Zu dieser Gewißheit kommt der Katholik - wie der Tübinger erklärte - in vollendeter Form auf dem Wege der Offenbarung und der Gnade, vorbereitend, - oder »grundlegend«, wie es in späteren Auflagen hieß -[74], auch schon auf dem Wege des natürlichen Erkennens. Nach dem Vaticanum I kann Gott als Urgrund und Ende aller Dinge aus der sichtbaren Welt mit Gewißheit erkannt werden. Bedeutsam für diese klare Gotteserkenntnis schien die klare Einsicht, daß die Frage nach Gott, also das religiöse Fragen und Forschen, ein spezifisch anderes ist denn ein profanes Fragen. Dieser spezifische Charakter der religiösen Frage sah K. Adam mit der Bedingtheit, Endlichkeit, Unvollkommenheit seines Wesens von selbst gegeben. »Beschaue ich mich selbst, so ist mir ohne weiteres

---

[71] K. Adam: Das Wesen des Katholizismus. S. 20.
[72] Ebd. S. 21.
[73] Vgl. ders. in: Christus unser Bruder. ²1930. S. 237.
[74] Ders.: Das Wesen des Katholizismus. S. 58; vgl. ebd. ⁶1931. S. 62.

einleuchtend, daß ich nicht absolut bin«, oder, wie es später hieß, »daß ich mein Sein nicht in unbedingter Selbstmacht und Vollkommenheit besitze«[75], »sondern daß ich ein durch und durch bedingtes Wesen bin«[76]. Phänomenologisch erkannte er: Überall Grenzen und Enden; überall Linien, die plötzlich abbrechen. Die Tatsache, daß es ein Absolutes gibt, war für ihn nicht das mühsame Ergebnis einer grübelnden Philosophie, sondern folgte aus einer eigenen, unmittelbaren Wesensschau. Das Absolute war deshalb eine Urgegebenheit; sein Dasein nicht Gegenstand sondern Voraussetzung aller Philosophie. K. Adam erklärte: »Indem ich mich selbst als ein bedingtes Sein setze, setze ich eo ipso auch das Dasein des Absoluten«[77]. Später sagte er vorsichtiger[78]: Ohne über die Natur dieses Unbedingten, Absoluten schon von hieraus nähere Aussagen machen zu wollen, müsse doch zum mindesten aus seinem bloßen Dasein das praktische Urteil folgern: »Mein durch und durch bedingtes Wesen ist somit auf ein Absolutes hingeordnet und ihm verhaftet«[79]. Da ich nicht mit ihm auf derselben Ebene stehe, müsse - so folgerte K. Adam - die Geisteshaltung diesem Absoluten gegenüber religiös sittlich betont, das heißt von Demut, Ehrfurcht, Reinheit und Liebe getragen sein.

In diesem Zusammenhang legte K. Adam dar, daß der Katholik den Deus incarnatus, den menschgewordenen Gott[80], endgültig und entscheidend in dem strömenden Leben seiner Kirche, das heißt in Jesu mystischem Leib ergreift und bejaht. Wir werden auf diese Grundwahrheit unseres Glaubens im nächsten Abschnitt näher eingehen. Wichtig ist hier, daß der Tübinger Theologe in dieser Feststellung die schärfste Linie gezogen sah, die die katholische Glaubensbegründung von einer rein rationalistischen Beurteilung Christi unterscheidet, die sich in der sog. »kritischen Theologie« durchzusetzen versuchte. Er hielt es für verkehrt, wenn diese kritische Theologie als ein Kind der Aufklärung und in falscher Abhängigkeit von dem Wissenschaftsbetrieb, der für die weltliche Forschung durch ihr besonderes Gegenstandsgebiet vorgeschrieben ist, so verfährt als ob das Christentum rein erkenntnismäßig erfaßt werden könne und müsse, als ob sich der christliche Glaube in die Einzelposten einer Summe von Ideen und Begriffen auflösen lasse, die man auf ihre Herkunft befragen und auf ihren Zusammenhang mit dem ursprünglichen Christentum prüfen müsse. Dieser rationalistische Grundzug wurde als eine »böse Verkennung des Wesens der Religion im allgemeinen und des Christentums im besonderen« von K. Adam abgelehnt[81].

Der Tübinger verwies auf die neueste Religionspsychologie, die in ihren bedeutendsten Vertretern - W. James, T.K. Oesterreich, R. Otto, M. Scheler, H. Scholz - auch für Außenstehende zur Gewißheit erhoben habe, daß die Religion etwas ursprünglich Gegebenes, nicht etwas Abgeleitetes sei, eine Grundtatsache der menschlichen Geistigkeit und darum ursprüngliches, einheitliches Leben, nicht

---

[75] Ebd. [6]1931. S. 63.
[76] Ebd. S. 59.
[77] Ebd. S. 59.
[78] Ebd. S. 78.
[79] Ebd. S. 59.
[80] Ebd. S. 62; vgl. [6]1931. S. 65. - Vgl. ders.: Christus unser Bruder. [2]1930. S. 159-162; [9]1964. S. 177, 213. - Vgl. F. Hofmann. In: K. Adam. Gesammelte Aufsätze. S. 8.
[81] K. Adam: Das Wesen des Katholizismus. S. 72.

694

bloß Denken. Er erklärte, es sei durchaus verkehrt, ein religiöses Gebilde lediglich nach seinem gedanklichen Gehalt oder gar nur nach diesen oder jenen vorwalten- den Ideen zu prüfen und nicht vielmehr die Fülle all der Lebensformen, die es in Vergangenheit, Gegenwart und Zukunft aus sich heraus gestaltet; gelte dies vom religiösen Leben schlechthin, so noch ungleich mehr vom Leben Christi und des Christentums. Weil das Christentum für K. Adam nicht blasser Gedanke, sondern einheitliches religiöses Leben in Fülle war, schien ihm jeder Versuch, dieses Leben in schale Begriffe und Schlagworte einzuengen, von einem Christentum Christi, der Urgemeinde, der hellenistischen Gemeinde, von einem johanneischen und paulini- schen Christentum in dem Sinne zu reden, als ob hier nicht Ausprägungen, Ausfor- mungen des einen Urlebens Christi vorlägen, für verfehlt. In Wirklichkeit, so er- klärte er, sei das Christentum eine innere organische Einheit, eine Lebenseinheit, die sich zwar in ihrer Fülle fortschreitend entfaltet, die aber in allen Stufen ihrer Entfaltung eine Einheit, eine Ganzheit bleibt. Er schrieb: »Wie ich die Fülle der Lebensmöglichkeiten, die im Keim des Eichenbaumes liegen, erst überschauen kann, wenn ich den ausgereiften, voll entwickelten Eichbaum kraftstrotzend vor mir sehe, wie es ein bloßes Untersuchen des Eichelkeimes nicht tut, so vermag ich die Fülle der Botschaft Christi, den ganzen ungeheuren Reichtum Seines Selbstbe- wußtseins und Seiner Verkündigung, Sein Pleroma erst festzustellen, wenn ich das ausgereifte Christentum, so wie es mir als innere Einheit sichtbar wird, vor mir ha- be«[82].

Mit dieser Argumentation griff K. Adam wieder auf den Organismusgedan- ken zurück, wie er seit den Tagen der romantischen Naturphilosophie von den Theologen der Tübinger Schule zur Geltung gebracht wurde. Es ist aber zu bemer- ken, daß der neue Vertreter im allgemeinen nicht über den durch die biblischen Bildworte und Gleichnisse abgesteckten Rahmen hinausging. Auch sind die gele- gentlich zur Erläuterung theologischer Sachverhalte herangezogenen Vergleiche mit biologischen Vorgängen kein Indiz dafür, daß der Tübinger einer organologi- schen Ideologie verfallen war. Wohl wurde deutlich, daß K. Adam jene neukantia- nische Denkrichtung ablehnte, in der das transzendentale Subjekt zum autonomen Gesetzgeber der Objektwelt, ja auch des eigenen empirischen Bewußtseins erhoben wurde und an Stelle der Objektivität der Dinge und des eigenen Selbst nur mehr von einer logisch objektiven Gültigkeit, von einem »rein logischen Subjekt« zu sprechen wagte[83]. Als katholischer Theologe verteidigte er allerdings die Fähigkeit der Vernunft, die über die sinnliche Erfahrung hinausreichende Wirklichkeit der Geistigkeit der Menschenseele und des Daseins Gottes zu erkennen und die Glaub- würdigkeit der Offenbarung mit den Mitteln des geschichtlichen und philosophi- schen Denkens nachzuweisen[84]. Er war der Hoffnung, daß die Welt, je mehr sie des erkenntnistheoretischen Idealismus müde werde und den Durchbruch vom Sub- jekt zum Objekt versuche, desto mehr es Pius X. zu danken wisse, daß er in seiner

[82] Ebd. S. 74. - Vgl. ders. Rez. zu H. Meyer. Geschichte der Lehre von den Keimkräften von der Stoa bis zum Ausgang der Patristik. Bonn 1914. In: ThRv 14 (1915) 303-307.
[83] Ders.: Das Wesen des Katholizismus. S. 21. - K. Adam verwies auf E. Przywara: Vom Gottgeheimnis der Welt. Drei Vorträge über die geistige Krisis der Gegenwart. (Der katholi- sche Gedanke.) München 1923. S. 120-121.
[84] Vgl. K. Adam: Das Wesen des Katholizismus. S. 174; vgl. ⁶1931. S. 192-194.

vielverlästerten Antimodernisten Enzyklika[85] allem Positivismus, Pragmatismus und Phänomenalismus[86] zu Trotz die übergreifende, über das Erfahrungsmäßige hinausreichende Kraft der Vernunft geschützt und damit das der gesamten Wissenschaft drohende Gespenst des Solipsismus und der Als-ob-Betrachtung[87] beschwören half[88].

Lehnte K. Adam somit den logischen Idealismus[89] entschieden ab, so vermied er es ebenfalls, in einer oberflächlichen Beschreibung der Kirche auf Grund ihrer Diesseitigkeit stecken zu bleiben. Indem er konkret immer wieder von der Situation des Menschen in der Verbindung mit Gott und im Leben der kirchlichen Gemeinschaft ausging, gelang es ihm, »eine sozusagen ideale Zeichnung der Kirche durch die reale« auszugleichen[90]. Damit ließ er freilich jede nur äußerlich vergleichende Religionsgeschichte und jede rein phänomenologisch beschreibende Religionsphilosophie weit hinter sich, um im Lichte der Verkündigung Jesu in unkonventioneller Form einen Traktat über die Kirche zu schreiben, der - nach dem Urteil von R. Aubert - an der Erneuerung der katholischen Ekklesiologie im 20. Jahrhundert wesentlich Anteil hatte[91].

---

[85] Pius X: Enz. "Pascendi dominici gregis" (8.9.1907). In: ASS 40 (1907) 593-650. DS 3475-3500. - Vgl. dazu u.a. F.X. Kiefl: Die Enzyklika "Pascendi" im Lichte der philosophischen Entwicklung in Deutschland. In: Hochland 5 (1907/08) 445-464. - Dass. in: Ders.: Katholische Weltanschauung und modernes Denken. S. 401-418. - H.J. Cladder: Die Enzyklika "Pascendi" und der Modernismus. In: StML 74 (1908) 266-269. - K. Braig: Wie sorgt die Enzyklika gegen den Modernismus für die Reinerhaltung der christlich-kirchlichen Lehre? In: Ders. Jesus Christus. Vorträge auf dem Hochschulkurs zu Freiburg im Breisgau 1908, gehalten von Dr. Karl Braig, Dr. Gottfried Hoberg, Dr. Cornelius Krieg, Dr. Simon Weber, Professoren an der Universität Freiburg im Breisgau, und von Dr. Gerhard Esser, Professor an der Universität Bonn. Freiburg im Breisgau 1908. S. 389-440. - Dass. Zweite verbesserte Auflage. Ebd. S. 523-577. - Ph. Kneib: Wesen und Bedeutung der Enzyklika gegen den Modernismus. Dargestellt im Anschluß an ihre Kritiker. Mainz 1908. - J. Beßmer: Philosophie und Theologie des Modernismus. Erklärung des Lehrgehalts der Enzyklika Pascendi, des Dekretes Lamentabili und des Eides wider den Modernismus. Freiburg 1912. - H. Stirnimann: Zur Enzyklika "Pascendi". Eigenart und Gültigkeit. In: FZThPh 8 (1961) 254-274. - Weiteres zum Modernismus siehe unten S. 749, Anm. 149.

[86] Phänomenalismus ist von Phänomenologie streng zu unterscheiden. Vgl. J. Hirschberger: GPh. ²1951. Bd. 2. S. 482-497; ⁸1969. S. 527-544. Als Hauptvertreter des Phänomenalismus und seiner Spielarten gelten: A. Comte, J.-M. Guyau; J.St. Mill, H. Spencer, E. Laas, W. Schuppe, R. Avenarius, E. Mach; H. Cohen, P. Natorp, A. Liebert, E. Cassierer, N. Hartmann, W. Windelband, H. Rickert, F.A. Lange, H. Vaihinger, W. James, F.C.S. Schiller, J. Dewey. - Philipp Kneib (1870-1915) war als Fundamentaltheologe Schüler und Nachfolger von H. Schell. Im Rahmen unserer Fragestellung vgl. Ph. Kneib: Die Unsterblichkeit der Seele, bewiesen aus dem höheren Erkennen und Wollen. Ein Beitrag zur Apologetik und Würdigung der Thomistischen Philosophie. (ApStLG. I/4.) Wien 1900. - Ders.: Die Beweise für die Unsterblichkeit der Seele aus allgemeinen psychologischen Tatsachen neu geprüft. (SThSt. 5, 2.) Freiburg 1903. - Ders.: Die Jenseitsmoral im Kampfe um ihre Grundlagen. Freiburg 1906. - Vgl. V. Berning: Das Denken Herman Schells. S. 233.

[87] Vgl. H. Vaihinger: Die Philosophie des Als-ob. System der theoretischen, praktischen und religiösen Fiktion der Menschheit auf Grund eines idealistischen Positivismus. Mit einem Anhang über Kant und Nietzsche. Berlin 1911, ¹⁰1927.

[88] K. Adam: Das Wesen des Katholizismus. S. 174.

[89] Vgl. Hessen: Die Religionsphilosophie des Neukantianismus. S. 8, 14, 178-182.

[90] Vgl. Przywara: Das Ringen der Gegenwart. Bd. 2. S. 587.

[91] Aubert: TdTh. S. 159.

696

2. Die eschatologische Vollendung der Kirche als des Leibes Christi

Christus in der Kirche - das war bei K. Adam der Ausgangspunkt der Darlegung[92]. Seine These lautete: »Die Kirche ist die Verwirklichung des Gottesreiches auf Erden«[93].

Zur Begründung stütze sich der Theologe auf Augustinus, für den die jetzige Kirche das Reich Christi und das Reich der Himmel ist[94]. In der Tradition der Tübinger Schule formulierte K. Adam: »Christus, der Herr, ist das eigentliche Ich der Kirche, ihr lebender Geist, ihr beseelendes Pneuma. Die Kirche ist der von den Heilandskräften Jesu durchrieselte (später: durchwirkte) Leib«[95].

Diese Überzeugung von der Christusdurchlebtheit, von der Wesensverbindung der Kirche mit Christus, war für den Tübinger Theologen ein Grundstück christlicher Verkündigung. Gerade hier berief er sich auf J.A. Möhler[96] und legte dann selbst mit Berufung auf den Epheserbrief[97] ein Kapitel vor: Die Kirche, der Leib Christi[98].

In seiner Erläuterung trat zutage, daß K. Adam das Wesen der Kirche als etwas Organisches verstand, »ein Füreinander und Zueinander, ein sichtbarer Organismus«[99]. Aber nicht um eine Organologie ging es ihm; sondern darum, das Anliegen J.A. Möhlers in das Fragen und Suchen des 20. Jahrhunderts hineinzustellen und, wie J.R. Geiselmann sagte, »den tiefen Gedanken der Einheit, daß nur die Gesamtheit der Gläubigen, die Kirche, weit genug ist, um die Größe Christi, des Gottmenschen, zu erfassen«, zum Grundmotiv auch der Christus-Bücher machte[100].

Mit dieser Grundausrichtung wandte sich K. Adam gegen einen mit der Renaissance einsetzenden Individualismus[101]; daher betonte er, daß die übernatürliche Erlösermacht Jesu nicht an eine Einzelperson gebunden werde, insofern sie

---

[92] K. Adam: Das Wesen des Katholizismus. S. 26-42.

[93] Ebd. S. 26.

[94] Augustinus: De civitate Dei. l. 20. c. 9: (Quod sit regnum sanctorum cum Christo per mille annos, et in quo discernatur a regno aeterno). PL-SL 41 (1846) 673 = CCL. XLVIII (MCMLV) 716: "Ergo et nunc ecclesia regnum Christi est regnumque caelorum".

[95] K. Adam: Das Wesen des Katholizismus. S. 26-27.

[96] Ebd. S. 27, und öfter.

[97] Eph. 1, 23.

[98] K. Adam: Das Wesen des Katholizismus. S. 43-57.

[99] Ebd. S. 43.

[100] J.A. Möhler: Die Einheit in der Kirche oder das Prinzip des Katholizismus. Dargestellt im Geiste der Kirchenväter der ersten drei Jahrhunderte. (1825.) Hrsg. eingeleitet und kommentiert von Josef Rupert Geiselmann. Köln und Olten (1956). S. [84] (Zur Einführung). - Vgl. K. Adam: Christus unser Bruder. Regensburg 1926, ⁹1960. - Ders.: Christus und der Geist des Abendlandes. (BKG. 1.) München 1928, ²1935. - Ders.: Glaube an Christus. In: KKZ 71 (1931) 318. - Ders.: Wie Jesus die Menschen sah. Ebd. 73 (1933) 43. - Ders.: Jesus Christus. Augsburg 1933, ¹⁰1945. - Ders.: Jesus Christus und der Geist unserer Zeit. Ein Vortrag. Augsburg 1935. - Ders.: Religion und Christus. In: ABK 50 (1936) 153-156. - Ders.: Jesu menschliches Wesen im Licht der urchristlichen Verkündigung. In: WiWei 6 (1939) 111-120. - Ders.: Jesus, der Christus und wir Deutschen. In: WiWei 10 (1943) 73-103; 11 (1944) 10-23. - Ders.: Wie der Mensch zu Christus kommt. In: Der Mensch vor Gott. S. 365-377. - Ders.: Der Christus des Glaubens. Vorlesungen über die kirchliche Christologie. Düsseldorf 1954.

[101] Ders.: Das Wesen des Katholizismus. S. 46.

Person sei, sondern nur, insofern sie gottbestelltes Organ der Gemeinschaft sei. Träger des Geistes Jesu war für ihn daher die Kirche nicht als Vielheit von Einzelwesen, nicht als Summe von geistbelebten Einzelpersönlichkeiten, sondern die Kirche als geschlossene, geordnete Einheit der Gläubigen, als eine über den Persönlichkeiten webende, in heiligen Ordnungen und Ämtern sich auswirkende Gemeinschaft. Diese organisierte Einheit, mit dem Haupt Christus keimhaft gesetzte und im Stiftungswillen Jesu begründete Gemeinschaft bezeichnete er als eine »christliche Urgegebenheit«, eine »überpersönliche Wesenheit, eine übergreifende Einheit, welche die christlichen Persönlichkeiten nicht etwa voraussetzt, sondern erst schafft, erst erzeugt«[102]. Kirche war ihm daher »die durch die heilige Menschheit Jesu mitgesetzte Einheit des erlösungsbedürftigen Menschen«[103], oder wie es in der überarbeiteten Fassung hieß, »die durch die heilige Menschwerdung des Gottessohnes keimgelegte Einheit der zur Erlösung berufenen Menschen«[104], der Kosmos der Menschen, die Menschheit als Ganzes, die Vielen als Einheit[105].

Der Tübinger Theologe bedauerte, daß wir durch eine mit der Aufklärungszeit anhebende Zergliederung und Zerlegung des Menschen und seiner Ordnungen, nicht zuletzt durch die mit Kant in die europäische Geistigkeit eindringende Flucht vor dem Ding, vor dem Objekt, vor der transsubjektiven Wirklichkeit und der damit heraufbeschworene uferlose Subjektivismus von unseren Wesenszusammenhängen losgerissen worden seien. Dadurch sei die Kategorie der »Menschheit« unserem Denken fremd geworden. »Wir dachten und lebten nur mehr in den Kategorien des Ichs. Die Menschheit als Ganzheit, als Fülle, der totus homo, mußte wieder neu entdeckt werden«[106]. K. Adam begrüßte es daher, daß sich unter dem Fortwirken urchristlicher Ideen und unter dem Einfluß des machtvoll vordringenden Kollektivismus eine Umschichtung der ganzen Geistigkeit anbahnte. »Wir entdecken, daß wir nicht allein sind, mit uns, um uns, in uns die ganze Menschheit. Wir nehmen mit Staunen wahr, daß wir zu dieser Menschheit innerlich gehören, daß uns eine Seins- und Schicksalsgemeinschaft und eine solidarische Haftpflicht mit ihr verbindet, daß wir erst durch sie zu unserem ganzen Selbst kommen, daß sich unser Wesen erst in ihr und durch sie zum totus homo ausweitet«[107].

Von dieser neuen Geisteshaltung aus, die zur gleichen Zeit auch von anderen Denkern wie z.B. Th. Steinbüchel und R. Guardini konstatiert wurde, versuchte K. Adam die christlichen Grundideen vom Urmenschen (= Adam) und vom neuen Menschen (=Christus) in ihrer ganzen Bedeutsamkeit zu würdigen. In Adam, als dem zur gnadenvollen Teilnahme am göttlichen Leben berufenen Urmenschen, sah er für Gott, den Schöpfer, die ganze Menschheit gesetzt; Adams Fall war für ihn daher der Fall der ganzen Menschheit, und darin eingebettet sah er auch das Schicksal jedes einzelnen Menschen. Denn, so erklärte er, das eigene Ich sei zwar zum Mittelpunkt allen Strebens und Begehrens geworden, aber da der autonome

---

[102] Ebd. S. 44.
[103] Ebd. S. 44.
[104] Ebd. ⁷1934. S. 45. - Zu den Textänderungen vgl. den Hinweis auf die Einwände des H. Offiziums durch A. Auer. In: ThQ 150 (1970) 133.
[105] K. Adam: Das Wesen des Katholizismus. ²1925. S. 44.
[106] Ebd. S. 46.
[107] Ebd. S. 46.

Mensch schließlich nichts mehr hatte als das eigene kleine Ich, aus dem er neue Kraft holen konnte, sei er an seinem Ich erkrankt und gestorben. Hier nun sah K. Adam nach Gottes ewigem Liebesratschluß den neuen Menschen auftreten, Christus, der Mensch der neuen, dauernden, unlöslichen Gottverbundenheit, in dessen Ich die in die Irre gegangene Menschheit, der von seiner göttlichen Lebenswurzel völlig losgerissene Mensch ein für allemal dauernd wieder mit der Gottheit, mit dem Leben aller Leben, mit dem Selbstand aller Kraft, Wahrheit und Liebe verbunden wurde. »Der ganze Mensch war wieder da, ... dauernd verbunden mit der Gottheit, derart verbunden, daß er - o felix culpa! - als ganzer Mensch, als Menschheitseinheit nie mehr und durch keine Schuld von seinem göttlichen Lebensgrund abgerissen werden konnte«[108], oder - wie es später besser hieß, »daß für die Menschheit als Ganzes die Erlösungsgnade unverlierbar ist, wenn auch der einzelne aus dieser Verbindung sich lösen kann«[109]. Jedenfalls: »So ist Christus in seiner gottmenschlichen Person die neue Menschheit, der neue Anfang, der ganze Mensch im Vollsinn des Wortes«[110].

Das katholische Kirchenverständnis, wie es hier von K. Adam auf einer christologischen Fundierung entfaltet wurde, enthielt keinerlei immanentistische Mystik, wie sie von der Richtung K. Barth und Fr. Gogarten etwa an den Vorstellungen Fr. Heilers entdeckt und folgerichtig abgelehnt wurde[111]. Auf die bemerkenswerte Parallelität von K. Adams Bemühen, die Unabhängigkeit eines übernatürlichen Glaubens von einer natürlichen Erkenntnis zu betonen, mit K. Barths Reaktion gegen die liberale Theologie, hatte schon R. Aubert aufmerksam gemacht[112]. Obwohl der Tübinger Theologe unter Berufung auf Augustin die mystische Einheit von Christus und den Gläubigen betonte, beschrieb er doch zugleich die Kirche in ihrer realen Gestalt und wies dadurch jeden falschen charismatischen Mystizismus zurück. Dabei ging es ihm nie um eine abstrakte Ekklesiologie; vielmehr wollte er selbst als Seelsorger den Menschen durch die Kirche zu Christus und durch ihn zum lebendigen Gott führen[113]. Daher umfaßte diese Ekklesiologie auch eine universale Erlösungslehre, - eine Einheit, die wir bei der Frage nach der eschatologischen Ausrichtung dieser Theologie im Auge behalten müssen.

Der Tübinger Dogmatiker selbst würdigte das Wesen der Kirche im Lichte der

---

[108] Ebd. S. 47.

[109] Ebd. ⁷1934. S. 49.

[110] Ebd. ²1925. S. 48. - Ebd. Anm. 14: Hinweise auf die Theologie der mystischen Einheit in den Schriften Augustins und - später - auf die Metaphysik der Gemeinschaft bei Dietrich von Hildebrand (1890-1977). - Vgl. D. von Hildebrand: Metaphysik der Gemeinschaft. Untersuchungen über Wesen und Wert der Gemeinschaft. (KuG. 1.) Augsburg 1930.

[111] Vgl. K. Barth. In: ZZ 1 (1921) 13. - F. Gogarten: Die religiöse Entscheidung. Jena 1921. S. 55, 63. - Przywara: Das Ringen der Gegenwart. Bd. 2. S. 561-562. - Vgl. auch F. Heiler: Alfred Loisy. Der Vater des katholischen Modernismus. München 1947. - V. Berning: Modernismus und Reformkatholizismus in ihrer prospektiven Tendenz. In: Die Zukunft der Glaubensunterweisung. Hrsg. von Franz Pöggeler. (Herrn Professor D. Dr. Adolf Heuser zur Vollendung des 70. Lebensjahres am 27. Oktober 1970.) Freiburg (1971) S. 9-32.

[112] Aubert: TdTh. S. 157. - Vgl. K. Adam: Die Theologie der Krisis. In: Hochland 23/II (1925/26) 271-286. - Dass. in: Gesammelte Aufsätze. S. 319-337. - Ders.: Rez. zu A. Schweitzer. Die Mystik des Apostels Paulus. Tübingen 1930. In: ThQ 111 (1930) 438-441.

[113] Ders.: Das Wesen des Katholizismus. S. 58-75.

eschatologischen Verkündigung Jesu[114]. In Auseinandersetzung mit der sogenannten »eschatologischen Schule«[115], die behauptete, Jesus habe nur an ein rein jenseitiges, vom Himmel herniedersteigendes Reich gedacht, wies er zuvor schon darauf hin, daß nach der Predigt Jesu vom Reiche Gottes dieses Reich bereits gegenwärtig sei, daß es sich jedoch bis zum vollen Tag durch alle Finsternis hindurchkämpfen müsse. Gerade in diesem Sichdurchkämpfen müssen verrate sich die Eigenart des Gottesreiches in der Gegenwart. »Es ist noch nicht vollendet. Es hat noch mit den bösen Mächten der Welt zu ringen ... Es ist nichts Fertiges, sondern etwas, das noch mit Unwertigem gemischt der vollendeten Auslese, der Ernte, der Scheidung der Geister entgegenharrt«[116].

Hier wurde für K. Adam die eschatologische Seite der Reichspredigt Jesu mit ihrer auf die Endzeit, auf das Gericht hindrängenden Absicht sichtbar. Er gab zu, daß das gegenwärtige Gottesreich durch seine ganze innere Unfertigkeit über sich selbst hinaus auf jene Weltzeit hinweist, wo alles Unkraut entfernt, wo das Reich Gottes sich rein darstellen wird als das neue vollendete Reich der Liebenden. Über diese eschatologische Zuspitzung der Reichsbotschaft konnte keine ernste Debatte bestehen[117]. Später betonte er hinsichtlich des eschatolgischen Charakters des Christentums verstärkt, daß das Christentum nichts Fertiges, Vollendetes ist. Es ist ein Wachsendes und Werdendes, weil auch der Christus der Fülle, der mystische Christus ein Wachsender und Werdender ist«[118].

Die eschatologische Spannung war für K. Adam stets auch eine christologische, zumal er von einer Inkarnationstheologie aus das Christentum als die raumzeitliche Entfaltung der Menschheit Jesu verstand[119]. So erklärte er: Immerzu, durch alle Zeiten und Orte, füge sich der Menschgewordene, das Haupt des Leibes, neue Glieder ein. Immerzu wachse Er, vollende Er Sich, bis Seine Ganzheit, Seine Fülle, Sein Pleroma erreicht sei[120]. Und immer trage Er in Seinen Gliedern die Knechtsgestalt. Erst wenn nach dem Willen des Vaters diese Weltzeit, die messianische Zwischenzeit, abgeschlossen sei, wenn der Tag der Ernte, die neue Weltzeit anhebe, die ewige unvergängliche, erst dann sei mit der eschatologischen Spannung auch die christologische vorbei. An Stelle der messianischen, der christlichen Zeit, trete die trinitarische Zeit, die Zeit des dreifaltigen Gottes[121]. Als Haupt des Leibes werde Christus Seine messianische Gewalt dem Vater zurückgeben[122]. Zum Schluß

---

[114] Ebd. S. 92-94.
[115] K. Adam erwähnte H.S. Reimarus, J. Weiß und A. Schweitzer. Ebd. S. 84. - Vgl. besonders Hermann Samuel Reimarus (1694-1768): Von dem Zwecke Jesu und seiner Jünger. Noch ein Fragment des Wolfenbüttelschen Ungenannten. Hrsg. von G.E. Lessing. Braunschweig 1778. - Vgl. dazu die phil. Diss. eines Schülers von H. Schell: J. Engert: Hermann Samuel Reimarus als Metaphysiker. Paderborn 1908. - Zu J. Engert vgl. V. Berning: Das Denken Herman Schells. S. 234-235.
[116] K. Adam: Das Wesen des Katholizismus. S. 86. - Vgl. ders.: Christus unser Bruder. S. 51, 62, 86-87.
[117] Ders.: Das Wesen des Katholizismus. S. 87.
[118] Ders.: Jesus Christus. S. 22.
[119] Vgl. ders.: Christus unser Bruder. ²1930. S. 79-80.
[120] Vgl. Eph. 1, 23.
[121] Vgl. K. Adam: Der Christus des Glaubens. S. 384.
[122] Vgl. 1. Kor. 15, 28.

stellte er fest: »Das Christentum ist wesenhaft ein Hin-zu, ein Drängen auf zukünftige Vollendung, Eschatologie«[123].

Für ungleich schwieriger als diese Feststellung hielt K. Adam es, anhand der evangelischen Texte die Frage zu entscheiden, wie sich Jesus das Kommen des Endtages im einzelnen gedacht habe; etwa als ein plötzliches Hereinbrechen des Gerichtes oder als eine allmähliche Entfaltung göttlicher, umstürzender, das »Gericht« vollziehender Kräfte[124]. Die Lehre Jesu sagte ihm aber deutlich, daß das von ihm in die unmittelbare Gegenwart hineingepflanzte Reich noch wie ein neuer Keim sei und daß es erst nach Seinem Tod und auf Grund Seines Todes durch ein wunderbares Eingreifen vom Himmel her aus diesem keimhaften Zustand zu einem lebensmächtigen Gebilde erstehen werde. Nach seiner Kenntnis war es zudem die einhellige Überzeugung des Urchristentums, daß sich diese Verheißung im Sturm und Brausen des Pfingstfestes erfüllt und daß erst von dieser Stunde an der kleine Keimling des Gottesreiches zu vollem fruchtbaren, die ganze Welt erfüllendem Leben erweckt wurde. Von hier aus folgerte K. Adam:

Jesu Zukunftspredigt habe nicht den Endtag für sich allein genommen, sondern die damit innerlich, sachlich zusammenhängenden, die große Scheidung der Geister einleitenden Ereignisse, vor allem Seinen Tod und Seine Auferstehung, die Ausgießung des Heiligen Geistes, die Begründung der Weltkirche und - in notwendigem Zusammenhang damit - die Entwurzelung des Alten Bundes und der Untergang Jerusalems betroffen. Gerade weil Jesus das Gottesreich bereits in Seiner Person grundgelegt wisse, weil es ein Kernstück seines Bewußtseins sei, daß mit seiner eigenen Person die große Scheidung der Geister, das Gericht der Welt, bereits beginne, bereits da sei, stellten sich Ihm notwendig alle von Seiner Person ausgehenden folgenden Ereignisse als Teilmomente des mit Seiner Person grundsätzlich und tatsächlich gesetzten Weltgerichts dar. Seine prophetische Verkündigung habe darum nicht immer zwischen dem Heute und Morgen unterschieden, sie gehe nicht in erster Linie auf das zeitliche Nacheinander der Ereignisse, sondern umspanne in einer einzigen gewaltigen Schau ihr Wesenhaftes, ihre innere sachliche Einheit und ihre Zugehörigkeit zu Seiner Person. Da die ganze Zukunft, der Untergang Jerusalems so gut wie die Aufrichtung und Ausbreitung Seiner Kirche die Gegenwart Seines Gerichtes war, begreife es sich, daß Seine Enderwartung auch die Zukunft der gegenwärtigen Generation einschloß und daß Er ihr mit dem Kommen des Menschensohnes drohen konnte[125].

Es fällt auf, daß K. Adam hier den phänomenologischen Begriff der Wesenschau benutzte, um die Einheit von Gegenwart und Zukunft, daß mit Seiner Person das Gottesreich gekommen sei, zu begründen[126]. Bei den Jüngern allerdings ließ der Theologe als Gefahr gelten,daß die einzelnen Hauptstücke der Verkündigung Jesu nicht nach ihrem inneren, wesenhaften Zusammenhang - so wie Jesus sie schaute -, sondern unter rein chronologischem Gesichtspunkt zusammengenommen und dadurch die ganze Wucht seiner Verkündigung abgeschwächt wurde. Er

---

[123] K. Adam: Jesus Christus. S. 23.
[124] Ders.: Das Wesen des Katholizismus. S. 87.
[125] Ebd. S. 88.
[126] Vgl. ebenso ders.: Jesus Christus. S. 191-194. - M. Schmaus: Die letzten Dinge. Münster 1948. S. 160.

hielt es für psychologisch wohl begreiflich, daß viele der von dem apokalyptischen Aberglauben ihrer Zeit angesteckten Jünger, (die nicht so tief wie die Zwölf in die Grundgedanken ihres Meisters eingedrungen waren)[127], das Plötzliche, Unerwartete der Wiederkunft Jesu auch noch nach seiner Auferstehung im Sinne einer baldigen, nächst bevorstehenden Ankunft deuteten, und daß dieses Mißverständnis, getragen von den Wünschen und Hoffnungen der Zeit, sich noch lange in ihren Kreisen erhalten konnte. Dennoch seien sie sich bewußt gewesen, daß Jesus selbst nicht von einer baldigen, sondern von einer plötzlichen Parusie sprach, und so habe dann die junge Christengemeinde - über alle Enttäuschungen und Fährlichkeiten hinweg, die ihnen sonst das Ausbleiben der Wiederkunft des Herrn hätte bereiten müssen -, die Überzeugung getragen, daß die Mär von einer baldigen Ankunft des Weltenrichters nicht auf klaren Verheißungen des Herrn beruhte[128].

Im Licht dieser eschatologischen Verkündigung Jesu würdigte K. Adam nun das Wesen der Kirche. Zunächst betonte er, daß die Stiftung einer Kirche durchaus in der Linie der Gedanken Jesu lag. Gerade weil Sein Himmelreich eine gegenwärtige Größe sei, brauche der Geist der Gottesherrschaft einen Leib; weil aber dieses gegenwärtige Reich erst in der Zukunft vollendet werde, weise auch das kirchliche Leben nach der Zukunft. Die Kirche sah der Theologe insofern als die dem Kommen ihres Bräutigams entgegenharrende Jesusgemeinde; ihr Grundzug mithin eschatologisch bestimmt. Er erklärte: Darum wolle auch ihr Dogma nichts anderes sein als eine Keimlegung des dereinstigen Schauens ... Darum schließe ihr Glaubenssymbol mit dem Bekenntnis zur vita aeterna. »Ihr Kult will in sichtbaren vergänglichen Zeichen die ewigen Güter andeuten und vorwegnehmen. Ihre Sakramente sind signa prognostica, ahnende Vorzeichen künftiger Erfüllung[129]. Sie wollen das lumen gratiae bereiten, das dereinst in das lumen gloriae übergehen wird. All ihr Beten und Büßen und Danken ist von großer Hoffnung getragen: der Herr kommt«[130].

Aus all diesen Feststellungen kam K. Adam zu der Einsicht, daß die Lebensstimmung der Kirche jenseitig und nicht diesseitig sei. Er ließ gelten, daß sie Diesseitswerte erkennt und pflegt, aber nur in ihrer inneren Bezogenheit auf das Jenseitige und Ewige. So wie ihr Herr und Meister alles zeitgenössische Geschehen nur in seinem inneren wesenhaften Zusammenhang mit dem großen Kommen sah und wertete, so bejahe auch sie in allem Gegenwärtigen das Zukünftige, Ewige. Sie erweitere ihren Lebensraum aus dem Vergänglichen ins Unvergängliche. Sie ergreife in der Gegenwart die Zukunft, in der Zeit die Ewigkeit. Der betende Christ kenne keine Zeit, insofern sie Zeit sei; er lasse sich von der Zeit und ihren Bewegungen nicht »vergewaltigen«. Er werde nicht gelebt, sondern lebe im Ewigen. Seine Haltung sei bewußt überzeitlich. Er »gebraucht die Welt, als gebrauche er sie nicht, denn die Gestalt dieser Welt vergeht«[131].

---

127 Später hinzugefügt. Vgl. K. Adam: Das Wesen des Katholizismus. ⁶1931. S. 98.
128 Ebd. ²1925. S. 91.
129 Vgl. ders. in: ThQ 111 (1930) 440.
130 Ders.: Das Wesen des Katholizismus. S. 92.
131 1. Kor. 7, 31. - K. Adam: Das Wesen des Katholizismus. S. 93.

In diesem Zusammenhang kam der Tübinger Theologe auch auf die aktuelle Kulturfrage zu sprechen. Er behauptete: Die Kirche kenne keine dem Zeitlichen verhaftete Kultur, sondern nur »Ewigkeitskultur«, das heißt die Aufrichtung der Gottesherrschaft im inwendigen Menschen. Da, wo sich eine reine Diesseitskultur auftun wolle, wo nicht die letzten, sondern nur vorletzte Werte den Menschen gefangen nehmen, da erweise sich die Kirche als ihre unversöhnliche Gegnerin. Hier war für K. Adam der Punkt, wo sie sich am tiefsten von der Welt scheidet: Sie kann nicht in der Zeit ruhen. Daher versicherte er: Niemals werde sie aufhören, ihr »parati estote«[132] überallhin zu schleudern, wo eine reine Diesseitskultur emporwuchern möchte, in die Hörsäle der Akademien, den geschäftigen Marktplatz, selbst in die lärmende Kinderstube. Darin lag für den Theologen das Spannungsmoment des kirchlichen Wesens. Es berührte sich hier mit dem Anliegen K. Barths und der »diaiektischen Theologie«, wenn er erklärte: »Wo immer die Kirche mit der Welt zusammentrifft in Philosophie und Wissenschaft, in Politik und Recht, in Kunst und Literatur, da prallt das Ewige auf das Zeitliche, das Göttliche auf das Menschliche, das Reich Christi auf das Reich der Welt«[133].

Man würde fehlgehen, wollte man diese Ausführungen als triumphalistische Anmaßung einer militanten Kirche verstehen. Ebenso wenig waren es jedoch die ängstlichen Äußerungen eines Kulturpessimismus, der jeden mit dieser Kirche lebenden Christen in ein Ghetto zwingen würde[134]. Die Worte zeigen vielmehr, daß der Tübinger den kritischen Forderungen einer radikal-eschatologischen oder dialektischen Theologie nicht nachstand. Allerdings stand er positiv zu den Lebensäußerungen der von Christus gegründeten Kirche und vermied als katholischer Theologe alle Einseitigkeiten eines radikal dogmatistischen Standpunktes. E. Przywara rühmte an ihm, daß er in großer Unvoreingenommenheit das Leben der Kirche in ihrer Spannungseinheit zeichnete[135]. Also doch eine Theologie vom Kreuz. Eines ist sicher, für K. Adam erschien der Gekreuzigte immer als der Auferstandene. Die eschatologische Spannung bestand bei dieser Sicht gerade darin, daß im Lichte der Parusiebotschaft Jesu das wahrhaft Unfertige und Unvollkommene der Kirche sichtbar wird. So erklärte er denn auch: »Die Gegenwartskirche ist noch nicht das ganze, volle Gottesreich«[136]. Wohl war für ihn der Geist, der sie durchherrscht, der Geist Jesu; die Kräfte, die sie durchpulsen, die Lebensmächte des Auferstandenen. Aber die Menschen, in denen sich dieses Göttliche auswirkt, sah er sehr wohl ihrem

---

[132] Mat. 24, 44; Luk. 12, 40. - Vgl. dazu K. Adam in seinem Aufsatz über K. Heim und das Wesen des Katholizismus. In: Hochland 23/II (1925/26). - Dass. in: Gesammelte Aufsätze. S. 342.

[133] Ders.: Das Wesen des Katholizismus. S. 93.

[134] Zum Verständnis des Tübinger Theologen von Askese als Weg zur Vollkommenheit vgl. ebd. S. 223-230. - Über die Weltoffenheit und Weltbejahung des Katholizismus vgl. ebd. S. 175-177. Gegen den kulturellen Pessimismus vgl. ders.: Die Theologie der Krisis. In: Hochland 23/II (1925/26). - Dass. in: Gesammelte Aufsätze. S. 336, u.ö. - Ders.: Rez. zu F.J. von Rintelen. Pessimistische Religionsphilosophie der Gegenwart. München 1924. In: ThQ 106 (1925) 158-159.

[135] Przywara: Das Ringen der Gegenwart. Bd. 2. S. 588.

[136] K. Adam: Das Wesen des Katholizismus. S. 93; vgl. ebd. S. 246.

verderbten Fleisch und Blut verhaftet; sie blieben für ihn auch unfertige Menschen, bis der Herr kommt[137].

Diese Äußerungen, die den Einsichten reformatorischen Christentums äußerst nahe kommen, wurden auch in späteren Auflagen nicht zurückgezogen, ja nicht einmal abgeschwächt. Inklusive zeigt es sich an dieser Stelle, daß das ökumenische Problem letztlich ein eschatologisches ist[138], - eine Wahrheit, auf die E. Przywara nachdrücklich verwiesen hat[139]. Ähnlich sah K. Adam das Tragische an der Kirche und dem Gottesreich der Gegenwart in dem Abstand ihrer zeitlichen Erscheinung von ihrer göttlichen Idee und von dem Großen und Heiligen, das in ihr lebt. Allerdings erinnerte er an die untrügliche Hoffnung, daß diese Tragik an jenem Tag ihre befreiende Auflösung finden wird, da Christus erscheint[140]. »Von allem Unvollkommenen und Kläglichen, von aller Sünde hinweg, die der Gläubige schmerzvoll an sich und an den übrigen Gliedern Seiner Kirche wahrnimmt, richtet er seinen Blick - genau wie die ersten Christen von Korinth und Thessalonich - hoffnungsbeschwingt auf jenen Tag, da der Bräutigam kommt. Maranathâ - komme, Herr Jesus!«[141]

3. Die Kirche als Lebens- und Liebesgemeinschaft der Heiligen

Nachdem K. Adam in der ersten Ausgabe seines Werkes die Stiftung der Kirche im Licht der Verkündigung Jesu beschrieben hatte, fügte er in der zweiten Auflage einen Artikel über die Gemeinschaft der Heiligen ein, - ein Thema, das in einer katholischen Erörterung der Eschatologie nie fehlen darf.

Der Tübinger Dogmatiker hatte zuvor dargelegt, daß Papst und Bischöfe die eigentlichen Aufbauorgane der raumzeitlichen Erscheinung des Leibes Christi sind. »Geboren aus der den Leib Christi als Einheit setzenden und bewährenden Kraft der Liebe und legitimiert durch den besonderen Einsetzungsakt des Herrn, üben sie die für den Bestand des Leibes Christi wichtigste Gliedfunktion aus, die ordnende Kirchengewalt«[142].

In diesem ihren ordnenden Liebesdienst erschöpft sich aber nach K. Adam die organische Tätigkeit des Leibes nicht. Mit Hinweis auf 1 Kor. 12, 19 erklärte er, daß die Kirche als Leib Christi auf Erden nicht bloß Kirchenamt, Papst und Bischof ist; daß es vielmehr eine reiche Fülle von Gliedfunktionen gibt und daß eine jede von ihnen ihre Bedeutsamkeit für das Gedeihen des Leibes hat. Gerade in dieser engeren Bezogenheit auf den Gesamtorganismus, in diesem solidarischen Charakter je-

[137] Vgl. ders.: Das Geheimnis der Inkarnation Christi und seines mystischen Leibes. Von Ärgernis zum sieghaften Glauben. In: Die Eine Kirche. Zum Gedenken J.A. Möhlers 1838-1938 dargereicht von ... K. Adam (u.a.) besorgt von Hermann Tüchle. Paderborn 1939. S. 33-54. - Dass. separat unter dem Titel: Kirchenmüdigkeit? Vom Ärgernis zum sieghaften Glauben. Paderborn 1940.
[138] Vgl. ders.: Una Sancta in katholischer Sicht. Drei Vorträge über die Frage einer Wiedervereinigung der getrennten christlichen Bekenntnisse. Düsseldorf 1948.
[139] E. Przywara: Kirche in Gegensätzen. Düsseldorf (1962).
[140] K. Adam: Das Wesen des Katholizismus. S. 247.
[141] Ebd. S. 94.
[142] Ebd. S. 112.

der christlichen Lebensfunktion sah er ihren letzten Sinn innerhalb des Leibes Christi. Alle Glieder sind also für den Leib Christi notwendig, wenn auch in verschiedener Hinsicht: »Die einen, wie Papst und Bischof dienen der äußeren Struktur, der Statik des Leibes Christi, die übrigen seiner inneren Dynamik«[143].

Kein Wunder, da eine solche Formulierung höheren kirchlichen Ortes Anstoß erregte! Der Tübinger änderte sie in einer späteren Auflage dahingehend ab, daß Papst und Bischof für den Wesensbestand des Leibes Christi »grundlegend und schlechthin unentbehrlich« seien. »Sie dienen der äußeren und inneren Gliederung, der festen Geschlossenheit und ruhigen Stetigkeit sowie der lebendigen Fruchtbarkeit der Kirche. Die übrigen Glieder, aus dem Überschwang der den Leib Christi durchfeuernden Kräfte des Heiligen Geistes geboren, dienen seiner inneren Dynamik und Bewegtheit«[144].

Mit dieser Korrektur wurde wohl die Orthodoxie hinsichtlich der katholischen Lehre vom kirchlichen Amt gerettet; nicht beseitigt wurde jedoch die unzutreffende Schematisierung von Statik und Dynamik, die K. Adam bis zur letzten Ausgabe seines Werkes beibehielt. Auf eine nähere Auseinandersetzung in diesem Punkt können wir uns im Rahmen der hier geführten Untersuchung nicht einlassen; wir wollen daher jetzt nur den Ansatz verdeutlichen, von dem aus K. Adam seine Lehre von der Gemeinschaft der Heiligen entwickelte.

Der Dogmatiker behauptete - und diese These scheint unbestritten geblieben zu sein, daß im Licht der letzten Zweckbestimmung von einer eigentlichen Rangordnung der Gnadengaben nicht gesprochen werden könne; daß, wenn auch für die äußere Geschichte des Leibes Christi das Wirken der Aufbauorgane, die Amtshandlung von Papst und Bischof, in die Augen springender sei, für seine innere Geschichte, für die Ausgestaltung der Fülle Christi, das fröhliche Betteln eines Franz von Assisi, die Nachtwachen eines Ignatius von Loyola und die Krankenpflege eines Vinzenz von Paul größere Bedeutsamkeit beanspruchen mögen[145].

Lassen wir beiseite, daß auch hier die schematisierende Aufteilung von äußerer und innerer Geschichte höchst fragwürdig bleibt, - ganz zu schweigen von der Identifizierung der genannten Heiligen mit den »schwächeren Gliedern des Leibes« von denen 1. Kor. 12, 21-22 die Rede ist; von dem aufbauenden Wirken dieser »schwächeren« Glieder[146] sollte im folgenden die Rede sein.

Ausgangspunkt der Frage war also: In welchem Sinn und Umfang bauen nicht bloß Bischof und Papst, sondern auch die übrigen Gläubigen am Leibe Christi mit? Inwiefern kommen die besonderen Gaben jedes einzelnen Gläubigen dem Gesamtorganismus zugute? Die Antwort fand K. Adam im Dogma von der communio sanctorum. Er erklärte, unter der Gemeinschaft der Heiligen verstehe die Kirche in erster Linie die Geistes- und Gütergemeinschaft der Heiligen auf Erden, das heißt jener, die in Glaube und Liebe dem einen Haupt Christus eingegliedert sind, weiterhin aber auch die lebensvolle Verbindung dieser Christgläubigen mit all jenen Seelen, die in der Liebe Christi aus der Welt geschieden sind, und die entweder als Selige bereits im Zustand der Verklärung ihren Gott schauen dürfen oder im Zustand

---

[143] Ebd. S. 113.
[144] Ebd. [7]1934. S. 127.
[145] Ebd. [2]1925. S. 113.
[146] Von K. Adam gesperrt und in Anführungszeichen gesetzt.

der Läuterung diesem Schauen entgegenharren. »Es ist die Welt aller in Christus Erlösten, die in den verschiedenen Stadien ihrer Entfaltung als streitende, leidende und triumphierende Kirche zu einer einzigen Familiengemeinschaft zusammengeschlossen sind«[147].

Wir werden sehen, daß in diesem universalen Rahmen verschiedene Fragen der Eschatologie mitbehandelt wurden. Zur ecclesia militans nur kurz: K. Adam erläuterte diese Beziehung anhand der Seligpreisungen; Kirche verstand er im Sinne von 1 Petr. 2, 9 als das »heilige Volk«; die »Heiligen« Christi kämpfen in der Stille; in Wort und Schrift, Lehre und Beispiel geben sie Zeugnis für Sinn und Wahrheit, sei es gelegen oder ungelegen[148]; sie suchen nur Seelen, und darum ist ihr Schicksal Schmähung, Verfolgung und Haß, denn an ihrem Wirken entzündet sich der Kampf der Geister, der Hohn und das Gelächter der Weisen in dieser Welt[149].

Wichtiger ist für uns, was K. Adam über die leidende Kirche sagte. Zunächst wies er die Auffassung der alten und neuen Schwärmersekten zurück, als ob die Menschenseele nach ihrer Trennung vom Leib neue Möglichkeiten innerer Ausreifung, neue Gelegenheit des Wachstums im Guten vorfände, oder als ob sie gar Neubildungen, Metamorphosen und Wiedergeburten erfahren könnte, die sich von der auf Erden eingeschlagenen Lebensrichtung wesenhaft unterschieden. Alle diese Theorien haben nach K. Adam zur Voraussetzung, daß das Leben auf Erden und im Leib ein böses Verhängnis, etwas der Geistseele Wesensfremdes und Unnatürliches wäre, die traurige Folge etwa irgendeines vorweltlichen Sündenfalls; daß sich somit der menschliche Geist erst mit dem Tod des Leibes wieder selbst geschenkt würde und seine ursprünglichen reichen Kräfte ungehemmt zu entfalten vermöchte. Diesem dualistischen Weltbild gegenüber hob er hervor, daß die Kirche im Licht des Schöpfungsberichtes von jeher die Wahrheit vertreten habe, daß der Menschengeist wesenhaft auf seinen Leib hingeordnet und daß folglich sein irdisches Wesen nichts weniger als strafverschuldet sei. Er erklärte: »Das reine, volle Menschentum kann sich nur solange zu erschöpfender Auswirkung bringen, als Leib und Seele, Geistiges und Sinnliches in ihrer orgnischen Einheit verbunden bleiben, also einstweilen, solange die Auferstehung nur süße Hoffnung ist, in der Zeit der irdischen Pilgerschaft«[150].

Die Trennung der Seele vom Leib bedeutete daher für K. Adam in sich gesehen, nicht eine Vervollkommnung des Menschengeistes, sondern in gewisser Hinsicht seine Denaturierung, eine Lähmung der rein menschlichen Tätigkeit. Daher erinnerte er an das in der Offenbarung überreich bezeugte kirchliche Dogma, daß der Mensch nur im Diesseits (in statu viae), nicht im Jenseits (in statu termini) für das ewige Leben wahrhaft Frucht bringen könne. In diesem Zusammenhang kam er auf das besondere Gericht zu sprechen: Vor Gott stehend, sieht der Mensch sich durch das Urteil des eigenen Gewissens ein für allemal den Verfluchten oder den Gesegneten des himmlischen Vaters zugewiesen; ein für allemal wird seine Geistigkeit jene Wesenszüge tragen, die sie während ihres irdischen Tagewerks im Ringen

[147] K. Adam: Das Wesen des Katholizismus. S. 114.
[148] 2. Tim. 4, 2.
[149] K. Adam: Das Wesen des Katholizismus. S. 115.
[150] Ebd. S. 116.

mit Gott, mit dem, was im Licht der Gnade als Gewissensforderung vor ihr stand, erworben hat[151].

Die katholische Lehre von der leidenden Kirche hat also nach K. Adam nicht mit jenen vom Orient her gespeisten platonisch-origenistischen Ideen zu tun, wonach nach dem Tod ein neues Entwicklungsstadium für die Menschenseele einsetzt. Andererseits verwies er auf den katholischen Glauben, daß nicht jede Seele, wenn sie anders im Zustand der heiligmachenden Liebe von hinnen geschieden sei, sofort der ewigen Seligkeit, der Gottschauung teilhaft werde. Die heiligmachende Liebe - so erklärte er - gebe zwar ein Anrecht auf den Gottesbesitz, ja sie sei bereits keimhaft die Teilnahme am göttlichen Leben, allein da sie nach dem katholischen Rechtfertigungsbegriff[152] nicht in einer äußeren Zurechnung der Verdienste Christi, in einem äußeren Anziehen Seiner Gerechtigkeit bestehe, sondern in einem gnadenvollen Aufquellen der schöpferische Liebe Christi in uns, im übernatürlichen Aufbrechen eines neuen Willens zum Guten und Heiligen, so sei ihr das Drängen auf Heiligung und Vollendung wesentlich, und erst in dieser Heiligung komme sie zur Ruhe[153].

Ob es allerdings auf Erden einen von Gottes- und Nächstenliebe in allen Bezirken seines Wesens durchfeuerten, verklärten Menschen, der dann Gott schauen darf, geben kann, schien dem Tübinger Dogmatiker fraglich. Er befürchtete, ein Großteil der Menschen werde sterben, nur im Kern ihres Seins auf Gott, den höchsten Wert[154] bezogen und ihm hingegeben, an ihrer Randzone aber noch unfertig und unausgereift ... Gott herrschte noch nicht, als sie starben, in allen Räumen und Winkeln ihres Wesens. Nun hielt er es wohl für denkbar, daß das Todeserlebnis selbst für manche die letzte Reinigung bringe, je inniger und vertrauender sich der Mensch in seinem Todesschrecken an den barmherzigen Gott klammere und dabei in der Glut solcher Liebe alle Sünde und böse Neigung absterbe. Er hielt es jedoch nicht für wahrscheinlich, daß allen ein solch glückseliger Tod beschieden sei. Wollte man nun nicht annehmen, daß diese ohne vollkommenen Liebesakt dahinsterbenden sozusagen auf rein magischem Weg, ohne jedes persönliche Zutun, durch unmittelbares Eingreifen der göttlichen Barmherzigkeit von ihren Mängeln gereinigt und für die Gottschauung befähigt werden, und wollte man andererseits daran festhalten, daß diese Sterbenden, weil im Kern ihres Wesens Gott verbunden, nicht ewig von Gottes Anschauung getrennt sein können, mußte auch nach ihrem Tod irgend eine Möglichkeit seelischer Läuterung als gegeben angenommen werden.[155].

Der Theologe zeigte nun, daß verschiedene biblische Aussagen eine solche Annahme rechtfertigen[156] und daß die Kirche, von dieser Grundlage aus, auf den Konzilien von Lyon, Florenz und Trient das Dogma formulierte, daß es einen Läuterungszustand (purgatorium) nach dem Tode gebe und daß die ihm unterworfenen

---

[151] Ebd. S. 116.

[152] Vgl. ebd. S. 197-205.

[153] Ebd. S. 117.

[154] Die Bezeichnung Gottes als "Höchsten Wert", die K. Adam hier beiläufig aufgriff, entsprach den Vorstellungen der damals stark verbreiteten Wertethik.

[155] Ders.: Das Wesen des Katholizismus. S. 119.

[156] Vgl. 2. Makk. 12, 43-44. - Mat. 5, 25; 12; 32. - 1. Kor. 3, 11-12.

Seelen durch die Fürbitte der Gläubigen Hilfe finden könnten[157]. Deutlich sagte der Tübinger Dogmatiker, daß es sich hierbei nur um eine Läuterung handle, um ein Negatives, das Abtun jener Schäden, die ihr aus der Unvollkommenheit ihres Wandels auf Erden noch verblieben seien, nicht um eine positive Erhöhung, Vervollkommnung ihres inneren Wertes. Und weil mit dem Tode alle Entscheidung, alle schöpferischen Initiativen, alles verdienstliche Werk dahin sei, könne dieses Abtun der alten Unzulänglichkeiten nur passiven Strafcharakter haben: Es erfolge auf dem Wege des genugtuenden Leidens(satispassio), nicht der aktiven Genugtuung (satisfactio). Er erklärte weiter, daß die Kirche deshalb auch von reinigenden und läuternden Strafen spreche: Alle bitteren Wirkungen und harten Straffolgen, die nach dem unverbrüchlichen Gesetz der göttlichen Gerechtigkeit selbst mit dem geringsten Bösen noch innerlich verknüpft seien, müsse die abgeschiedene Seele nun mehr, da sie die glücklichen Möglichkeiten freiwilliger leichter Herzensbuße im Diesseits nicht hinreichend ausgeschöpft habe, über sich ergehen lassen, bis daß sie das Unselige der Sünde in ihrem letzten bitteren Kern verkostet und auch die leiseste Anhänglichkeit an sie verloren habe, bis alles Halbe und Fragmentarische in ihr Ganzheit geworden sei, die Vollkommenheit der Liebe Christi[158].

Dies ist nach K. Adam ein langer schmerzvoller Weg, »so wie durch Feuer«[159]. Auf die Frage, ob es ein wirkliches Feuer sei, antwortete der Theologe, sein eigentliches Wesen werde uns hier auf Erden wohl immer verborgen bleiben; nur soviel könnten wir wissen, daß nichts die »armen« Seelen härter drücke als das Bewußtsein, durch eigene Schuld der beseligenden Anschauung Gottes für geraume Zeit entbehren zu müssen. Je mehr sie sich ihrer engen Ichbezogenheit allmählich im ganzen Umkreis ihres Lebenswillens entwinden, je freier und ungehemmter sich ihr ganzes Herz den Tiefen und Weiten Gottes öffne, desto mehr verinnerliche, verkläre sich dieser Schmerz der Gottesferne. » Es ist das Heimweh nach dem Vater, das wie mit feurigen Ruten die Seele um so schmerzlicher geißelt, je weiter der Läuterungsprozeß fortschreitet«[160].

Das Kennzeichen jenes Zustandes ist also darin zu sehen, daß nicht bloß Strafe und Leid in ihm ist wie in der Hölle, sondern noch viel mehr drängende Liebe, frohe Hoffnung und sichere Erwartung. »Zwischen Sündenleiden und Hoffnungslosigkeit schwingt der heilige Rhythmus des Lebensgefühls dieser Seelen«[161]. Der Theologe versicherte: Es werde der Augenblick kommen, da kein Fegfeuer mehr für sie sei, sondern nur der Himmel der Seligen. Da es nur Durchgangsweg zum Vater sei, mühselig zwar, aber doch nur ein Weg, auf dem es kein Stehenbleiben gebe, sei es ein Weg froher Hoffnung, denn jeder Schritt bringe sie dem Vater näher. Er verglich das Fegfeuer mit dem Vorfrühling: »Schon huschen warme Strahlen über die harte Scholle und wecken hier und dort schüchternes Leben. Immer reicher strömt Gnade um Gnade, Kraft um Kraft, Trost um Trost vom Haupt Christus in seine leidenden Glieder. Auf immer weitere Bezirke der ecclesia patiens fällt seliges Ver-

---

[157] Hinweis auf Trid. sess. 25: De purgat. - K. Adam: Das Wesen des Katholizismus. S. 120.
[158] Ebd. S. 20.
[159] Vgl. 1. Kor. 3, 15.
[160] K. Adam: Das Wesen des Katholizismus. S. 121.
[161] Ebd. S. 121.

klärungslicht. schon erwachen Unzählige zum vollen Lebenstag und singen das neue Lied: Heil unserem Gott, der auf dem Thron sitzt, und dem Lamme«[162].

Mit diesem Blick auf das Buch der Offenbarung war der Tübinger Theologe zu seinem nächsten Thema gelangt: Ecclasia triumphans. Er sah: Immerzu strömen unmittelbar oder über den Läuterungsweg der ecclesia patiens Scharen von Erlösten in den Himmel hinein, hin zum Lamme und zu dem, der auf dem Thron sitzt, um von Angesicht zu Angesicht - nicht mehr im bloßen Gleichnis und Abbild - den Dreifaltigen zu schauen, der alle Möglichkeiten und Wirklichkeiten in seinem Schoß trägt, den Ungeborenen, aus dessen ewigen Lebensfluten alle Wesen Dasein und Kraft, Bewegung und Schönheit, Wahrheit und Liebe trinken. Alle sind sie Erlöste ... Befreit von aller selbstischen Engheit, hinausgewachsen über alle irdische Beklommenheit, leben sie innerhalb der Liebessphäre, die ihr Wandel auf Erden ihnen vorgezeichnet hat, das große Leben Gottes. K. Adam beschrieb es als ein wahrhaftes Leben, das heißt kein Stillstehen, sondern stete Bewegung der Sinne, des Geistes und des Herzens. Er räumte ein, daß es kein neues Verdienst mehr gibt, kein Fruchtbringen für das Himmelreich, denn - so fügte er begründend hinzu - das Himmelreich ist schon da, und die Gnade hat ihr Werk getan. Dies bedeutete für ihn aber keine Lebensminderung, vielmehr, daß das Leben der Glorie viel reicher ist, als das Leben der Gnade: Die menschlichen Weiten und Tiefen des göttlichen Wesens sind die neuen Lebensräume, in denen die Seele die Erfüllung ihres heimlichsten Begehrens sucht und findet. Immer neue Ziele öffnen sich, immer neue Einsichten tun sich auf, immer neue Freudenquellen brechen hervor. Der Grund für dieses Leben liegt darin, daß die Seele, eingegliedert in die Menschheit Jesu, in geheimnisvoller Innigkeit der Gottheit selbst verbunden ist. »Sie spürt den Herzschlag Gottes, seine innergöttlichen Lebensbewegungen. Dort steht sie, und dort lebt sie, wo die Quellen alles Lebens rauschen, wo der Sinn alles Seins im dreifaltigen Gott aufleuchtet, wo alle Kraft und Schönheit, aller Friede und alle Selgkeit reine Wirklichkeit und lauterste Gegenwart, ein Nunc aeternum geworden sind«[163].

In diesem in unerschöpflicher Fruchtbarkeit überquellenden Leben der Heiligen sah K. Adam zugleich ein Leben der reichsten Mannigfaltigkeit und Fülle. Auch bei dieser Sicht war entscheidend, daß der eine Geist Jesu, des Hauptes und Mittlers, sich in all dem Reichtum offenbart, in dem jede einzelne Seele, je nach ihrer besonderen natürlichen Veranlagung und je nach dem besonderen Ruf Gottes, die göttlichen Gnadenheimsuchungen in sich aufgenommen und verarbeitet hat. Es war die eine Idee des homo sanctus, des δοῦλος τοῦ Χριστοῦ, die er in abertausend Entfaltungen und Formen abgewandelt sah. Er verwies auf die Allerheiligenlitanei, mit der uns die Kirche in raschem Gang durch diese hierarchia caelestis führt: So viele Namen, so viele Besonderheiten der Anlagen, des Temperaments und des Schicksals, und doch nur eine einzige Liebe und frohe Botschaft. Es ist die große Schar, die »niemand zählen kann aus allen Völkern und Stämmen, Ländern und Sprachen. Sie stehen vor dem Thron und vor dem Lamm, mit weißen Kleidern angetan und mit Palmen in den Händen«[164].

---

[162] Ebd. S. 121. - (Off. 7, 10).
[163] K. Adam: Das Wesen des Katholizismus. S. 122.
[164] Off. 7, 9.

Nachdem der Tübinger die besondere Stellung erwähnt hatte, die Maria als der Mutter Gottes zukommt, hob er, um Mißverständnisse abzuwehren, hervor, daß es nach katholischer Lehre nur einen Gott gibt, in dessen mysterium tremendum alle Engel und Heiligen wesen. Aber dieser Gott ist ein Gott des Lebens und der Liebe, und der Dogmatiker erklärte, daß diese Liebe so groß und überschäumend ist, daß sie die Menschen nicht bloß durch die natürliche Mitgift des freien Vernunftwillens zum Bild und Gleichnis seiner eigenen Schöpfermacht erhebt, sondern auch diese derart verselbständigten Wesen durch das kostbare Geschenk der heiligmachenden Gnade, durch eine unvergleichliche Teilnahme an der göttlichen Natur und ihren Segenskräften, zu einer Art schöpferischen Mitwirkung am Werk Gottes, zu heilbringender Initiative in der Aufrichtung des Gottesreiches beruft. Das ist nach K. Adam der tiefste Sinn und der größte Reichtum der Erlösung, daß sie das vernunftbegabte Geschöpf aus der unendlichen Ferne seiner Seinsohnmacht und aus der abgründigen Verlorenheit seiner Sünde in die göttliche Lebensflut erhebt und eben dadurch fähigt macht - secundum analogia entis, das heißt unter Wahrung seiner wesenhaften geschöpflichen Bedingtheit - am Werk der Erlösung mitzuwirken[165].

Auch in eschatologischer Sicht ist wichtig, daß nach dem Tübinger Theologen in gewissem Ausmaß die ganze erlöste Menschheit in den Kreis der göttlichen Lebenskräfte eintritt. Er erklärte, daß sie insofern nicht bloß Objekt, sondern auch Subjekt der göttlichen Heilswirksamkeit ist. Nicht Gott allein, nicht das göttliche »Eins« (ἕν)) allein, sondern das »Eins und Alles« (ἓν καὶ πᾶν), oder vielmehr: »die Fülle der durch das Haupt Christus in den göttlichen Lebensstrom aufgenommenen Glieder, der in seinen Heiligen fruchtbare Gott ist das eigentliche Reich, von wannen aller Segen kommt«[166].

Für K. Adam wurde an diesem Punkt erneut der Wesensunterschied von Katholizismus und Protestantismus sichtbar. Als katholische Lehre stellte er heraus, daß Gott nicht zu denken ist, ohne zugleich den Menschgewordenen und alle mit ihm durch Glaube und Liebe zur physischen Einheit verbundenen Glieder mitzudenken. Der Gott des Katholizismus war demnach der menschgewordene Gott und eben darum auch der Gott der Engel und Heiligen; nicht der einsame Gott der Fruchtbarkeit und Fülle, der Gott, der »wie in heiligem Wahnsinn, in wahrhaft göttlicher Torheit die gesamte in der Menschenatur gipfelnde Schöpfung in sich aufnimmt«[167]. Nach der später verlangten Korrektur hieß es genauer: »der jenseitige absolute Gott, der für uns in seinem Sohn Mensch geworden ist«, ... »der wie in wahrhaft göttlicher Torheit aus dem unbegreiflichen Ratschluß Seines freiesten Willens die gesamte in der Menschennatur gipfelnde Schöpfung in sich aufnimmt«[168], - und der auf neue,unerhörte übernatürliche Weise in ihr »lebt«, in ihr »sich bewegt« und in ihr »ist«[169].

Auf dieser christologischen Grundlage würdigte der Tübinger Theologe die Heiligen- und Marienverehrung der katholischen Kirche. Sie alle sah er in ihrer

---

[165] K. Adam: Das Wesen des Katholizismus. S. 124.
[166] Ebd. S. 125.
[167] Ebd. S. 126. - Vgl. ders.: Christus unser Bruder. ²1930. S. 159-162.
[168] Ders.: Das Wesen des Katholizismus. ⁷1934. S. 139.
[169] Vgl. Apg. 17, 28.

dauernden inneren Bezogenheit, in ihrem realen lebendigen Zusammenhang mit dem totus Christus, so zwar, daß sie je nach ihrer besonderen Gliedschaft im Organismus des Leibes Christi für das Gedeihen des ganzen Leibes in Betracht kommen[170]. Er beschrieb, wie ihr Weg über den Reinigungsort zum Himmel führt: Ein Dahinschreiten in der Gemeinschaft des Leibes Jesu, ein Wachsen und Blühen in der Fülle Christi, im wechselseitigen Geben und Nehmen, wodurch sie eben im Organismus des Leibes Christi nach bestimmten Ausmaß eine aktive Bedeutung gewinnen. Wenn die Kirche von der communio sanctorum spricht, dann denkt sie nach K. Adam in erster Linie an dieses Aufeinanderwirken, Ineinanderfluten der Lebenskräfte Jesu in seinen Heiligen, an diesen übernatürlichen Wechselverkehr und Güteraustausch, an das Solidarische ihres Lebens und Wesens. Nach dem heiligen Paulus erschien es nicht so, als ob die Gemeinschaft der Heiligen lediglich darin bestünde, daß jedes Glied des Leibes Christi seine Gliedfunktionen getreu zum Besten des Leibes ausübt, daß also jeder Heilige dadurch allein, daß er seiner persönlichen Aufgabe innerhalb des Leibes Christi genügt, auch schon Heiligengemeinschaft pflegt. Daher betonte der Theologe, daß über den persönlichen Aufgabenbereich hinaus alle Heiligen ein solidarisches Lebensgefühl verbindet, das Ineinander und Miteinander ihrer persönlichen Sorgen und Freuden. Mit Nachdruck wandte er sich gegen die Auffassung, die Glieder Christi als einzelne Seelenmonaden vor Gott zu verstehen. Vielmehr: »So individuell auch ihr Heiligenleben beschaffen sein mag, es ist doch das Leben des Gliedes Christi, das heißt ein Leben, das allen zumal gehört«[171].

Mag sonach das Dogma von dem übernatürlichen Wechselverkehr und Güteraustausch aller Heiligen auch ausdrücklich erst um die Mitte des 5. Jahrhunderts dem apostolischen Glaubensbekenntnis eingefügt worden sein, nach K. Adam merkt es im Licht der uralten kirchlichen Gebetspraxis nur näherhin an, worin diese solidarische Gemeinschaft des Lebens im einzelnen besteht. Im folgenden war es ihm darum zu tun, die besonderen Weisen und Wege dieser solidarischen Gemeinschaft vor Augen zu führen. Er hoffte, daß dadurch von neuem das Weltweite, ja Gottweite der katholischen Betrachtung sichtbar werde, wie sie Gott und Mensch in einem einzigen gewaltigen Lebenskreis zusammenspannt, auf das Gott »alles in allem« sei[172]; wie sie aber andererseits in keuschester Ehrfurcht vor der Erhabenheit des Göttlichen stehe und peinlich sorgsam die Grenze beachte, die allem Geschöpflichen wesensmäßig gesteckt sei[173].

Nach K. Adam sind es drei große Lebensbewegungen, die der Gemeinschaft der Heiligen ihre seligen Spannungen und ihre reiche Fruchtbarkeit geben: Von der triumphierenden Kirche fließt der Strom der schenkenden Liebe zu den Gliedern Christi auf Erden, und von da ... zurück zu den Seligen im Himmel. Einen ähnlichen Liebesaustausch sah er wiederholt zwischen den Gliedern der leidenden und streitenden Kirche; ein dritter Gemeinschaftskreis umfängt die Glieder der streitenden Kirche auf Erden und schafft nach den Worten unseres Theologen hier jene

---

[170] K. Adam: Das Wesen des Katholizismus. ²1925. S. 126.
[171] Ebd. S. 131.
[172] 1. Kor. 15, 28.
[173] K. Adam: Das Wesen des Katholizismus. S. 131.

fruchtbaren Lebenszentren, aus denen sich das Leben der irdischen Glaubensgemeischaft fort und fort erneuert[174].

Ausführlich behandelte der Tübinger zunächst das Verhältnis von triumphierender und streitender Kirche: Ihre Lebensbeziehungen äußern sich in der Verehrung der Engel und Heiligen einerseits, in ihrer Fürbitte und in der Zuwendung ihrer Verdienste andererseits. Auch hier ließ er keinen Zweifel daran, daß sich der Katholik nicht bloß im Kern seines natürlichen, sondern auch seines übernatürlichen Lebens Gott allein verhaftet weiß, auf ihn allein bezogen und aus ihm allein lebendig, aber, »es steht bei den Engeln und Heiligen, das große Werk unserer Erlösung mit ihrer sorgenden Liebe zu begleiten und durch ihr 'Dazwischentreten' (intercessio) unsere Bitte um Hilfe zu einer solidarischen Bitte des ganzen Leibes Christi zu steigern«[175].

Auch hier zeigte sich wieder der christologische Bezug, wenn der Dogmatiker erklärte: Selbstverständlich wisse Gott ohne die Heiligen von unserer Not; auch habe es uns Sein eingeborener Sohn durch seine Selbsthingabe am Kreuz ein für allemal verdient, daß uns Seine Gnade und Barmherzigkeit immer gleich nahe sei; aber gerade deswegen,weil der Gottmensch Jesus Christus unsere Erlösung vermittelt, seien auch die Heiligen beteiligt, denn sie seien diesem Erlöser Christus eingegliedert. Nach K. Adam erfüllt sich hierbei das große Strukturgesetz des Gottesreiches: Gott erlöst die Menschen so, daß alle Liebeskraft des Leibes Christi daran ihren besonderen Anteil hat. Er erklärte: Weil das solidarische Ineinander und Füreinander zur Wesenheit des Leibes Christi gehöre, darum wirke der göttliche Segen niemals ohne, sondern immer nur durch die Einheit der Glieder. »Gott kann uns helfen ohne die Heiligen. Aber er will uns nicht helfen ohne ihre Mitwirkung, weil sein Wesen und Wollen mitteilende Liebe ist«[176].

Nun beschrieb K. Adam,wie sich das »Eintreten« der Heiligen vor allem durch ihre »Fürsprache« bei Gott, vollzieht, das heißt durch die besondere Liebeshaltung, mit der sie unser Schicksal, wie sie es in Gott unmittelbar schauen, verfolgen und Gott anempfehlen. Wie Onias, der Hohepriester, und Jeremias, der Prophet, »als Freunde der Brüder auf Erden viel für das Volk und für die heilige Stadt beten«[177], so flehe die Gemeinde der Heiligen für die bedrängten Glieder Christi auf Erden. In diesem fürbittenden Gebet offenbare sich ihr heißes Verlangen, daß der Name geheiligt und sein Wille wie im Himmel also auch auf Erden erfüllt werde. Tätige Gottesliebe ist somit der eigentliche Atem der Seligen und K. Adam erklärte: Indem die Kirche auf dieses Atmen lausche, empfehle sie sich immer wieder ihrer Fürbitte; sie könne nicht ihres Hauptes gedenken, ohne nicht auch seine heiligen Glieder zu nennen; ihre ganze Liturgie ist ein »Hinzutreten zum Berg Sion und zur Stadt des lebendigen Gottes, dem himmlischen Jerusalem, zu den seligen Engeln, der Festversammlung der Gemeinde der Erstgeborenen, die in den Himmel niedergeschrieben sind, zu Gott dem Richter aller, zu den Geistern der vollendeten

---

[174] Ebd. S. 132.
[175] Ebd. S. 133.
[176] Ebd. S. 134.
[177] Vgl. 2. Makk. 15, 12-13.

Gerechten, und zu Jesus, dem Mittler des Neuen Bundes, und zum Blut der Besprengung, das besser redet als Abel«[178].

Ein weiteres kam hinzu. K. Adam erläuterte, daß der Dienst der Heiligen an den Gläubigen auf Erden nach katholischem Verständnis nicht bloß fürbittende, sondern auch opfernde Liebe ist, bereit, den eigenen Reichtum allen bedrängten Gliedern des Leibes Christi so weit mitzuteilen, als er seiner Wesenheit nach mitteilbar ist. Er dachte hier an den Reichtum all jener in das Blut Christi getauchten Opferwerte, die die Heiligen über das sittliche Pflichtmaß hinaus während ihres Erdenwandels hervorgebracht haben. »Herausquellend aus dem Überfluß der Verdienste Christi, bilden sie durch diese Verdienste den Grundstock jenes »kirchlichen Gnadenschatzes« (thesaurus ecclesiae), jenes heiligen Familienguts, das allen Gliedern des Leibes Christi gehört und dessen Segen vor allem den schwachen, kranken Gliedern zugute kommt«[179].

Ein zweiter Kreis lebensvoller Beziehungen umfängt nach K. Adam die leidende und die streitende Kirche. Weil in die Nacht eingetreten, »da niemand mehr wirken kann«[180], vermag die leidende Kirche nicht aus eigener gnadengewirkter Kraft, sondern allein durch fremde Hilfe ihrer endlichen Beseligung entgegenzureifen - durch die fürbittenden Gebete und Opfer (Suffragien) jener lebendigen Glieder des Leibes Christe, die noch auf Erden wandeln und deshalb fähig sind »im Blut Christi Genugtuungswerte zu prägen«[181]. Deshalb, so erklärte der Dogmatiker, sei es dem Katholiken ein teures Anliegen, für die »armen« Seelen mit zu sühnen und mit zu leiden, zumal im eucharistischen Opfer, wo sich die unendliche Genugtuung des Kreuzesopfers Christi sakramental vergegenwärtigt und, den eigenen Sühnewillen der Gläubigen entzündend und sich verbindend, nach dem Ausmaß der göttlichen Weisheit und Barmherzigkeit der leidenden Kirche zufließt[182].

Den vielfachen Lebensbeziehungen, die irdische und überirdische Kirche miteinander verbinden, entspricht nach K. Adam die Liebes- und Lebensgemeinschaft der irdischen Glieder des Leibes Christi. Wir brauchen darauf nicht näher einzugehen, da sich hieraus für den eschatologischen Aspekt der Kirche nichts Neues ergibt.

Halten wir abschließend fest: In der communio sanctorum sah der Tübinger Theologe den verborgenen Schatz, die heimliche Freude des Katholiken. Dachte er an die Gemeinschaft der Heiligen, so weitete sich sein Herz. Er trat - mit seinen eigenen Worten - aus der Einsamkeit des Hier und des Dort und des Morgen, des Ich und des Du, und seine Bedürfnisse und heimlichen Wünsche unendlich übersteigende, unsagbar innige Geistes- und Lebensgemeinschaft mit all jenen Großen, die Gottes Gnade aus dem spröden Stoff des Menschentums bis zu seiner Höhe,bis zur Teilnahme an Seinem Wesen emporgebildet hat, umfing ihn. Hier gab es für ihn

---

[178] Heb. 12, 22-23. Zur Liturgie vgl. K. Adam: Christus unser Bruder. ²1930. S. 90-93. - Ders.: Die dogmatischen Grundlagen der Liturgie. In: WiWei 4 (1937) 43-54. - Dass. in: Theologie der Zeit. Theologische Beihefte zum "Seelsorger" 4 (Wien 1937) 193-219.

[179] Ders.: Das Wesen des Katholizismus. S. 136.

[180] Joh. 9, 4.

[181] K. Adam: Das Wesen des Katholizismus. S. 139.

[182] Ebd. S. 139.

keine Schranken der Zeit und des Raumes. Aus den Jahrtausenden der Vergangenheit, aus Kulturen und Ländern, deren Gedächtnis nur mehr in der Sage leise nachklingt, traten sie in seine Gegenwart herein und nannten ihn Bruder. Daher versicherte er, der Katholik sei niemals allein[183]; immerdar sei Christus, das Haupt bei ihm und mit diesem Haupt alle heiligen Glieder Seines Leibes im Himmel und auf Erden. Ströme unsichtbaren geheimnisvollen Lebens sah er von dort durch die katholische Gemeinschaft gehen, Kräfte befruchtender, segnender Liebe, der Erneuerung, der immer wieder aufblühenden Jugend. Da er sie von der hierarchischen Wirksamkeit der Kirche unterschieden annahm, so erklärte er noch einmal, sie würden zu den natürlichen, sichtbaren Kräften des katholischen Gemeinschaftslebens, insbesondere zu Papst und Bischof ergänzend und vollendend hinzutreten. Wer sie nicht sieht und nicht würdigt, vermag nach K. Adam den Katholizismus, sein Wesen und Wirken nicht (restlos)[184] zu begreifen. Dagegen nimmt der schlichte Kinderglaube sie wahr, und nur er findet nach der Überzeugung unseres Dogmatikers den Weg ins Heiligtum[185].

4. Die eschatologische Bedeutung der Epiphanie Christi

Bevor wir die Eschatologie K. Adams abschließend würdigen, bleibt noch darzulegen, welche eschatologische Bedeutung er der Epiphanie Christi beimaß.

In seinem Buch »Jesus Christus« setzte sich der Tübinger Dogmatiker mit dem Bild auseinander, wie es von den Vertretern einer rationalistisch liberalen, einer konsequent eschatologischen und einer dialektisch protestantischen Theologie gezeichnet worden war. Vor allem kritisierte er, daß ihre historisch-kritische Methode den Weg des Glaubens zur Erkenntnis des Christus nahezu völlig ausschloß. Die Tatsache, daß soviele Theorien, wie z.B. die vom rein literarischen und anonymen Ursprung des Christentums, vom Gegensatz des synoptischen und paulinischen Christusbildes, vom rein eschatologischen Charakter der Botschaft Jesu zerbröckelten; daß die Maßlosigkeit der Textkritik ein Verständnis des historischen Christentums nicht bloß erschwerte, sondern gänzlich unmöglich machte, so daß - wie K. Adam sagte - die Kritik selbst an ihren eigenen Leistungen nachgerade irre wurde und vom Trümmerfeld des historischen Jesusbildes zum metahistorischen Christus flüchten zu müssen glaubte, legten ihm den Verdacht nahe, daß die kritische Theologie in der Sichtung und Beurteilung der biblischen Texte nicht jene Sorgfalt und Gewissenhaftigkeit walten ließ, die der Erforschung des Heiligen gebührt. Von daher schien es ihm verständlich, daß Männer wie A. Kalthoff[186], W. B. Smith[187], P. Jensen[188], A. Drews[189] nur in ihrer Weise zu Ende führten, was die »kritische« Theologie angebahnt hatte[190].

---

[183] Vgl. ders.: Christus unser Bruder. ²1930. S. 162.
[184] Ders.: Das Wesen des Katholizismus. ⁶1931. S. 65.
[185] Ebd. ²1925. S. 157.
[186] Vgl. A. Kalthoff: Die Entstehung des Christentums. Neue Beiträge zum Christusproblem. Leipzig 1904. - Zu A. Kalthoff siehe oben S. 13, Anm. 30.
[187] William Benjamin Smith (1850-1934) war Mathematiker, 1893-1906 Prof. für Philosophie in New Orleans. In unserem Zusammenhang wichtig seine Schrift: Der vorchristliche Jesus. Nebst weiteren Vorstudien zur Entwicklungsgeschichte des Urchristentums. Mit einem

Dagegen verwies der katholische Theologe auf die Tatsache, daß das »dogmatische« Christusbild allein objektiv nachweisbar in der Geschichte und durch die Geschichte gewirkt habe. Er folgerte daraus, daß auch für den Menschen der Gegenwart nur der gottmenschliche Christus ernsthaft in Frage kommen könne, da eben dieser Christus allein der tragende Grund und Inhalt des geschichtlichen Christentums gewesen sei[191].

Mit den Selbstaussagen Jesu brachte der Dogmatiker auch das eschatologische Problem zur Sprache. Was meinte Jesus mit seiner Predigt vom Gottesreich? Kein Zweifel, es war der eschatologische Jesus, der da sprach, Jesus in seiner »existentiellen Hinwendung auf die eben herankommende Gottesherrschaft«[192]. Aber wie war das zu verstehen? War vielleicht auch Jesus gleich den Apokalyptikern seiner Zeit von dem Wahn beherrscht, daß das Allerletzte, die Endzeit mit ihrem Zusammenbruch des alten Äon, mit ihrem Weltuntergang und ihrem Gericht, mit ihrem Himmel und mit ihrer Hölle unmittelbar vor der Tür stehe? Verknüpfte auch Jesus gleich so vielen Seiner Zeitgenossen das Weltende mit dem nahen Untergang Jerusalems? Erklärt sich vielleicht gerade aus dieser engen zeitlichen Verknüpfung des Weltuntergangs mit dem Untergang Jerusalems das Heldisch-Heroische Seiner Verkündigung, das herbe Pathos Seiner Forderungen und die aufrüttelnde Wucht, mit der Er in die Menschheit hineinruft: »Seid bereit«? Für K. Adam war die Zeit noch lange nicht vergangen, wo man unter dem Eindruck der Untersuchung von A. Schweitzer[193] diese Frage glatt bejahte und in Jesus nichts anderes als einen ekstatischen Propheten sah, der sich gerade in der Substanz seiner Verkündigung geirrt hatte[194].

Vorwort von P.W. Schmiedel. Gießen 1906. - Ders.: Ecce Deus. Die urchristliche Lehre des reingöttlichen Jesus. Jena 1911. - A. Drews: Die Christusmythe. 2. Teil: Die Zeugnisse für die Geschichtlichkeit Jesu. Eine Antwort an die Schriftgelehrten mit besonderer Berücksichtigung der theologischen Methode. Nebst einem Anhang: Ist der vorchristliche Jesus widerlegt? Eine Auseinandersetzung mit Weinel von W.B. Smith, Jena 1911, ²1924. - Paul Wilhelm Schmiedel (1851-1935), seit 1893 Prof. für Neues Testament in Zürich. Schrieb u.a.: Die Person Jesu im Streit der Meinungen der Gegenwart. Vortrag, und erstes Votum von J.G. Hosang, samt Schlußwort des Referenten. Zürich 1906. - Vgl. W.G. Kümmel: Paul Wilhelm Schmiedel. In: RGG³ 5 (1961) 1460.

[188] Peter Jensen (1861-1936), Assyriologe, seit 1892 Prof. für semitische Sprachen in Marburg. Schrieb u.a.: Das Gilgameschepos in der Weltliteratur. Bd. 1: Die Ursprünge der alttestamentlichen Patriarchen-, Propheten- und Befreier-Sage und der neutestamentlichen Jesus-Sage. Straßburg 1906. - Ders.: Moses, Jesus, Paulus. Drei Varianten des babylonischen Gottmenschen Gilgamesch. Eine Anklage wider die Theologen, ein Appell auch an die Laien. Frankfurt 1909, ³1910. - Ders.: Hat der Jesus der Evangelien wirklich gelebt? Eine Antwort an Prof. Dr. Jülicher. Frankfurt 1910. - Vgl. J. Weiß: Jesus von Nazareth. Mythos oder Geschichte? Tübingen 1910.

[189] Zu A. Drews siehe oben S. 20.
Vgl. auch hier das bereits genannte Werk: Die Christusmythe. Teil 1. Jena 1909. - Dass. Teil 2. Ebd. 1911. - Dass. völlig umgearbeitete Ausgabe. Ebd. 1924.

[190] K. Adam: Jesus Christus. ¹1933. S. 38. - Vgl. ders.: Der Christus des Glaubens. S. 58-59. - Dort nannte K. Adam Kalthoff, Smith und Drews im Zusammenhang mit der mythologischen Schule.

[191] K. Adam: Jesus Christus. S. 25.

[192] Ebd. S. 187.

[193] Zu A. Schweitzer siehe oben S. 119-123. - Hier sein Werk: Von Reimarus zu Wrede. Eine Geschichte der Leben-Jesu-Forschung. Tübingen 1906.

[194] K. Adam: Jesus Christus. S. 187.

Der katholische Theologe hielt dagegen, daß man Jesu Äußerungen vom nahen Reich und vom baldigen Kommen des Menschensohnes nicht lediglich als ein Kommen des Herrn zum Weltende[195] und zum Weltgericht deuten dürfe. Er begründete diese These mit dem Hinweis auf Jesu klare Aussage, daß niemand über »Tag und Stunde« des Weltendes etwas Bestimmtes aussagen kann[196]. Daraus ergab sich: »Die genaue Zeit und Stunde des Weltgerichtes ist für die Verkündigung Jesu ohne jeden Belang. Die Frage nach Tag und Stunde des Gerichtes hat für Seine Botschaft kein Gewicht«[197].

Die evangelischen Quellen nötigten K. Adam aber noch zu einer weiteren Feststellung: Jesus schweige sich nicht nur über den genauen Tag und die Stunde des Endgerichtes aus, Er rechne vielmehr nachdrücklich mit der Möglichkeit, ja Wahrscheinlichkeit, daß der Wille des Vaters das Kommen des Endtages noch lange verzögern werde. In derselben eschatologischen Rede, in der Er noch für dieses Geschlecht das Weltende auszusagen scheint, spreche Er doch zugleich ausführlich von inneren und äußeren Erschütterungen, weise auf die vorausgehende Verkündigung des Gottesreiches, auf den Haß, den der christliche Name bei den Völkern ernten werde, auf den allmählich anhebenden Prozeß einer geistigen Zersetzung im Christentum, - unmöglich, daß sich all diese ihrer Natur nach länger währenden Ereignisse innerhalb einer einzigen Generation abspielen würden. Auch bei den sogenannten eschatologischen Gleichnissen Jesu fand K. Adam, daß sie nicht das angebliche sofortige, sondern nur das plötzliche, unerwartete Kommen des Menschensohnes hervorheben; sie holen ihre antreibende Gewalt gerade aus der Ungewißheit des Endtages[198]. Aus diesen Gründen erkannte der Theologe als das Anliegen Jesu, jedes Menschenleben gerade in das ungewisse Dämmerlicht des Endtages und Endgerichts zu stellen. Sein Urteil: »Jeder Augenblick eines jeden Menschenlebens steht unter der Krise, unter der ungeheuren Möglichkeit des Gerichts. Aber er steht nur unter der Möglichkeit. Wann diese ... Wirklichkeit wird, darüber vermeidet es Jesus grundsätzlich, Sich auszusprechen«[199].

Man müßte nach K. Adam die evangelischen Texte, die hiervon sprechen, glattweg streichen oder gewaltsam verstümmeln, wollte man im Ernst daran festhalten, daß Jesus selbst mit dem baldigen Hereinbrechen der Endzeit, mit dem Kommen des Weltgerichts noch in dieser Generation bestimmt gerechnet und daß er das »Kommen des Menschensohnes«, das er verkündet, ausschließlich in diesem engen chronologischen Sinn gemeint habe. Andererseits schien es ihm freilich nicht minder gewiß, daß sein Blick auf die nächste Zukunft gerichtet war, daß er »mit der ganzen Wucht Seines innersten Menschen« ein Eingreifen Gottes vom Himmel her, ein Kommen des Menschensohnes für die allernächste Zeit erwartete. Diese Antinomie löste sich für K. Adam im Licht Seines Sendungsbewußtseins. Daher erklärte er: Jesus wisse sich hier und jetzt als den, der das Dereinst und das Jetzt, die Endzeit und die jetzige Generation in Seiner Person zugleich umgreift; Er wisse sich schon jetzt im konkreten Augenblick als den, der dereinst, umgeben von allen Sei-

---

[195] Ebd. - Gesperrt von K. Adam.
[196] Vgl. Mark. 13, 32. - Vgl. K. Adam: Der Christus des Glaubens. S. 292-298, 302-303.
[197] Ders.: Jesus Christus. S. 188-189.
[198] Ebd. S. 190. - Vgl. ders.: Der Christus des Glaubens. S. 303-304.
[199] Ebd. S. 190.

nen Engeln, auf dem Thron der Herrlichkeit sitzen, der alle Völker vor sich versammeln und sie voneinander scheiden wird; Er wisse sich schon jetzt und hier als den »König« des neuen Reiches. »Indem sich Jesus selbst als den dereinstigen Weltrichter und als den König des neuen Reiches bezeugt, tritt für sein Bewußtsein dieses kommende Reich bereits irgendwie in Seine Gegenwart herein«[200].

K. Adam hielt es somit für gegeben, daß sich im Selbstbewußtsein Jesu Gegenwart und Zukunft, ja Zeit und Ewigkeit begegnen[201], da Er in einer für uns gewöhnlich Sterblichen unfaßbaren, prophetischen Schau den gegenwärtigen Richter und das kommende Gericht, den gegenwärtigen König und Sein kommendes Reich, das gegenwärtige Geschlecht und den heranbrechenden neuen Äon zu einem einzigen Wirklichkeitserlebnis zusammenfaßt. Er erklärte: Das große Kommende sei für Jesus irgendwie schon da, in seiner Person; die Kräfte des neuen Reiches würden in seiner Person schon in der allernächsten Zukunft mit wahrhaft schöpferischer Neuheit aufzubrechen und zu wirken beginnen. Wohl stehe die äußere Herrlichkeit und der volle Endsieg, der endgültige Durchbruch der Gottesherrschaft noch aus; Sein Reich sei insofern wesenhaft ein Werdendes, immerzu Kommendes. Darum ist und bleibt Jesus nach K. Adam in einer steten inneren Spannung und Bewegung auf die Zukunft hin; Er ist und bleibt eschatologisch ausgerichtet. Aber weil er sich als den weiß, in dem dieses große Kommen schon in allernächster Zukunft in immer neuen Offenbarungen und Machttaten aufquillt, als den, von dem jenes letzte Gericht und jene Gottesherrschaft schon in dieser Generation ihren Ausgang und Fortgang nimmt, darum kann er in der Sicht unseres Theologen in einem wahren, tiefen Sinn das Kommen des Reiches für die allernächste Zeit verkünden. Sein Wort vom Reich und vom Kommen in Kraft erschien eben deshalb als doppelsinnig. Nach K. Adam gilt es gleichmäßig von der Endzeit wie von der Gegenwart oder vielmehr: es gilt von der auf die Endzeit innerlich hinbezogenen, in sie aufgenommenen Gegenwart. »Seiner prophetisch-messianischen Absicht entsprach es, nicht so sehr ihr chronologisches Nacheinander als vielmehr ihr wesenhaftes Ineinander und Zueinander zu offenbaren«[202].

Wir kommen nach K. Adam nicht um die Tatsache herum, daß Jesu ganze Verkündigung und gerade ihr heimliches Paradox in seinem Sendungsbewußtsein wurzelt, daß Er, der Mensch, zugleich der künftige Richter der Welt und zugleich der König des herankommenden Gottesreiches ist. Ausführlich behandelte der Theologe den Zusammenhang, der mit dem Selbstverständnis Jesu als »Menschensohn« gegeben war[203]. Er erklärte: »Mit einer Selbstsicherheit ohnegleichen weiß Er von Anfang an diese Prophetie in seiner Person erfüllt«[204]. So offenbarte Sich Jesus denn im Bild Daniels vom Menschensohn der Welt als den kommenden Weltrichter und als den König des neuen, vom Himmel herabsteigenden Reiches. Nach K. Adam kulminiert Sein Berufungs- und Sendungsbewußtsein im Überzeitlichen und Ewigen. »Sein zeitliches Wirken vollzieht sich in engstem Zusammenhang mit einer

---

[200] Ebd. S. 192.
[201] Ebd. S. 192. - Von mir gesperrt.
[202] K. Adam: Der Christus des Glaubens. ⁴1935. S. 180. - Vgl. ebd. ¹1933. S. 194.
[203] Dan. 7, 13. - Vgl. K. Adam: Der Christus des Glaubens. S. 123-130. - Ders. in: ThQ 119 (1938) 239.
[204] Ders.: Jesus Christus. ¹1933. S. 196.

Mission, die in der reinen Transzendenz, jenseits aller Zeit einsetzt, und deren Inhalt die absolute Herrschaft Gottes ist«[205].

Das irdische Leben Jesu war von da aus für K. Adam nur das Vorspiel, der Vordergrund oder vielmehr das raumzeitliche Transparent dieser ewigen, letzten Wirklichkeit; Sein eigentlich tiefstes Wirkungsfeld erschien ihm das Reich des Unsichtbaren, des Überirdischen, des Göttlichen, dort, wo der Thron des Altbetagten ist. Er erkannte: In Seiner Person bricht die Ewigkeit in die Zeit herein, das Übergeschichtliche in die Ebene der Geschichte, das Göttliche ins Menschliche. Insofern sah er den Anspruch Jesu, der Menschensohn im Sinne Daniels zu sein, in derselben Linie wie das johanneische Wort von der Fleischwerdung des Gottessohnes. Mit Recht sagte daher K. Adam, es handle sich um eine Epiphanie[206] von der Rechten der Kraft Gottes her, um eine »Erscheinung des Himmlischen im Gewand des Menschlichen«[207]. Sie wurde hier im Rahmen der Prophetie Daniels vom Gottesreich nicht von der Gegenwart, sondern von der Zukunft her in ihrer soziologischen Auswirkung gesehen, als Erscheinung des Gottesreiches, das im Menschensohn herniedersteigt. Darum war sie für K. Adam auch nicht Epiphanie des Gotteswortes im allgemeinen, sondern des richtenden Gotteswortes im besonderen. »In ihm, dem Menschensohn, ist das ewige Gottesgericht und das ewige Königtum bereits erschienen«[208].

So tritt nach K. Adam der Jesus der Geschichte mit dem klaren deutlichen Bewußtsein einer überzeitlichen Berufung und Sendung, ja einer himmlischen Seinsweise und Existenz auf; Sein ganzes irdisches Wesen empfängt von diesem Jenseitigen und Eschatologischen seine Weihe und seine erlösende Kraft. Das eigentlich Neue, um das es ihm zu tun war, sah unser Theologe in der Frohbotschaft, daß in Seinem Kommen das Ewige in die Zeit tritt, daß die Erlösung nahe, das »angenehme Jahr des Herrn«[209] erschienen ist.

Auch das Drama von Golgatha hatte daher für K. Adam im Letzten seine ewigen Hintergründe im Himmel, dort, wo der Sohn vom Vater ausgeht. Unter Berufung auf Heb. 10, 5 ff. erklärte er, Jesu freiwillige Hingabe auf Erden sei nur die Verwirklichung jenes ewigen Erlösungsratschlusses im Himmel, der aus dem unendlichen Abgrund der göttlichen Liebe hervorquillt. Derart unbegreiflich und über alle menschlichen Möglichkeiten offenbare sich Gottes Vollkommenheit, daß sie in freiester Tat von Ewigkeit her nicht bloß schöpferisch wirkt und eine Fülle geschaffener Güter mildreich verschenkt, sich selbst opfert, sich selbst preisgibt. »Wie also der Dreifaltige von Ewigkeit her frei schöpferische Tat ist, so ist Er nicht weniger von Ewigkeit her in derselben unendlichen Kraft Seines freien Wollens Hingabe bis zum Äußersten«[210]. Und diese freie Hingabe wiederum wurzelt nach K. Adam in jener geheimnisvollen, wesenhaften Hingabe des Vaters an den Sohn,

---

[205] Ebd. S. 196. - Vgl. ders.: Rez. zu J. Sachs. Das Gottessohnbewußtsein Jesu. Regensburg 1914. In: ThRv 16 (1917) 316-317.

[206] K. Adam: Jesus Christus. S. 197. - Von mir gesperrt. - Vgl. K. Adam: Der Christus des Glaubens. S. 306.

[207] Ders.: Jesus Christus. S. 197.

[208] Ebd. S. 197.

[209] Vgl. Luk. 4, 19.

[210] K. Adam: Jesus Christus. S. 298. - Vgl. ders.: Rez. zu M. Ten Hompel. Das Opfer als Selbsthingabe und seine ideale Verwirklichung im Opfer Christi. Freiburg 1920. In: ThQ 102 (1921) 237-239.

des Sohnes an den Vater, die von Ewigkeit her im Heiligen Geist geschieht, und aus der der Heilige Geist Sein ewiges Leben nimmt. So leuchtete für den Tübinger Theologen gerade in der Person des Heiligen Geistes jenes dem göttlichen Wesen eigentümliche, über die Schranken des Personseins, über alle denkbaren Grenzen und Maße hinausdrängende unbegreifliche Ekstatische des göttlichen Lebenswillens in substantialer Selbstheit auf[211].

Das Geheimnis des Kreuzes Christi stand also für K. Adam mit dem Geheimnis der Dreifaltigkeit, im besonderen mit dem des Heiligen Geistes in innigstem Zusammenhang. Der letzte, tiefste Sinn des Kreuzestodes Jesu konnte in dieser Sicht kein anderer als Gott selbst sein, die Offenbarung seiner Liebesherrlichkeit[212]. Welche Bedeutung maß nun aber danach der Tübinger Theologe der Auferstehung Jesu zu?[213] Um diese Frage zu klären, müssen wir ein wenig weiter ausholen. Für K. Adam war der Mensch nicht reiner Geist, sondern ein leibgebundener Geist, der verlangt, das Geistige im Sichtbaren, Sinnlichen zu ergreifen[214]. In dieser »umfassenden Bejahung des ganzen Menschen, das Ja zur gesamten Menschennatur, zu ihrem Leib wie zu ihrer Seele, zu ihrer Sinnlichkeit wie zu ihrem Geist« sah er ein Merkmal ihrer inneren Katholizität[215]. Er verwies darauf, daß die katholische Lehre der Erbsünde keine die Naturanlage des Menschen zerstörende Wirkung zuerkennt, wenn auch der Mensch seiner ursprünglichen Lebens- und Liebesgemeinschaft beraubt und eben dadurch in seinem ganzen Wesensbestand, also auch in seinem Denken und Wollen, aus seiner ursprünglichen übernatürlichen Zielrichtung gerissen wurde. Aber da die hier eintretende Schwächung der Natur keine physische Verschlechterung oder gar Verderbung der leiblichen und geistigen Kräfte des Menschen mit sich brachte[216], sah K. Adam für die kirchliche Verkündigung die Möglichkeit, die Natur des Menschen, seine ganze Leiblichkeit, seine sinnlichen Anlagen und Bedürfnisse, seine Vernunft, seine Willensfreiheit in den Dienst des Gottesreiches einzustellen. Diese Erlösung des ganzen Menschen geschah für ihn bereits in der irdischen Leiblichkeit, wenn der Mensch »durch die Taufgnade wieder in sein anfängliches, lebendiges Verhältnis zu Gott eingesetzt wird«[217]

---

[211] K. Adam: Jesus Christus. S. 98-299.

[212] Ebd. S. 299. - Vgl. ebd. S. 303-304, 318-334. - Ders.: Der Christus des Glaubens. S. 327-340: Der Heilstod des Christus. - Ebd. S. 354-357: Jesu Tod als mysterium tremendum et fascinosum.

[213] Vgl. ebd. S. 381-382: Die religiöse Bedeutung der Auferstehung (Jesu). - Ders.: Das Problem der Entmythologisierung und die Auferstehung des Christus. In: ThQ 132 (1952) 385-410. - Dass. in: KuM. Bd. 5. S. 101-119.

[214] K. Adam: Das Wesen des Katholizismus. S. 172-173.

[215] Ebd. S. 170.

[216] Vgl. ders.: Christus unser Bruder. ⁹1960. S. 256, 258. - Vgl. jedoch ders.: Rez. zu E. Brunner. Natur und Gnade. Zum Gespräch mit K. Barth. Tübingen 1934. In: ThQ 116 (1935) 260. Dort betonte K. Adam, daß nach katholischer Auffassung es sich bei der Frage nach der Einwirkung der Erbschuld auf die natürliche Gottebenbildlichkeit des Menschen nicht bloß um einen Verlust der dona superaddita handelt, sondern um die schädigende, verschlechternde Urschuld von Leib und Seele des Menschen. - Vgl. auch K. Adam: Rez. zu Th. Rüther. Die Lehre von der Erbsünde bei Clemens von Alexandrien. Freiburg 1922. In: ThQ 103 (1922) 293-294. - Ders.: Rez. zu H. Volk. Emil Brunners Lehre von der ursprünglichen Gottebenbildlichkeit des Menschen. Emsdetten 1939. In: ThQ 121 (1940) 122-123.

[217] K. Adam: Das Wesen des Katholizismus. S. 171. - Über Erbsünde und Erlösung vgl. ders.: Der Christus des Glaubens. S. 320-321.

Charakteristisch ist, daß es sich auch hier nach Aussage unseres Theologen nicht um ein Geschehen am isolierten Menschen handelt; vielmehr betonte er, die Kirche als Leib Christi ergreife alles, was Gottes ist, also auch den Leib des Menschen, mit seinen Bedürfnissen und Leidenschaften, Verstand und Willen, und erlöse ihn aus zielwidriger Erdgebundenheit und Ichbezogenheit, erwerbe ihn nicht bloß für das Gottesreich zurück, sondern gebe ihm Veredelung und Vertiefung. Von hieraus gewann K. Adam das liebende Verständnis für das Naturhafte im Menschen. Der Leib war ihm nicht ein »Kleid der Schande«, sondern Gottes heilige, köstliche Schöpfung. »So köstlich ist diese Gabe und so notwendig für den Menschen, daß der im Tod verwesende Leib von Gott dereinst wieder auferweckt wird, um der unsterblichen Seele dienendes Organ zu sein«[218].

Mehr sagte der Tübinger Dogmatiker an dieser Stelle nicht zum Thema, doch behandelte er das katholische Verständnis leiblicher Auferstehung eingehender in seinem Buch »Jesus Christus«[219]. Dort legte er im Kapitel über die Auferstehung des Christus dar, wie erst der Tod Jesu die Bahn für ein wahrhaft pneumatisches Christentum freimachte[220]. Deutlich sah er den Unterschied, der in der christlichen Erkenntnis gegenüber der griechisch-hellenistischen Denkweise, aber auch gegenüber den jüdischen Vorstellungen liegt. Für erstere sei die Unsterblichkeit des Geistes kein Problem gewesen. Man habe sich vielmehr an der Auferstehung des Leibes gestoßen. Da das sinnlich Stoffliche, das Irdische für das vom platonischen Dualismus beherrschte Denken in schroffem Gegensatz zum Geiste stand, wehrte man sich gegen die Möglichkeit, daß dieser geistfeindliche, den Geist hemmende Leib wieder auferstehen und in Verbundenheit mit dem Geist ewig leben werde. Dagegen habe Paulus die leibliche Auferstehung Christi von den Toten als historisches Faktum nachzuweisen versucht. Mit Bedacht wollte er hervorgehoben haben, daß Christus ein Auferweckter, ein aus dem Grab erstandener ist, daß Er nicht etwa nur als leibfreier Geist wie alle anderen abgestorbenen Seelen weiterlebt[221].

Nach dieser grundlegenden Feststellung durchmusterte der Theologe nun den gesamten Bestand biblischer Zeugnisse und setzte sich dabei mit den verschiedensten Erklärungshypothesen auseinander. Er erläuterte auch, daß das Judentum z. Zt. Christi in bedeutsamem Unterschied zum abendländisch-griechischen Denken das Verhältnis von Seele und Leib nicht dualistisch, sondern monistisch beurteilt habe. »Der Jude«, so lehrte er, »sah Geist und Leib immer in einem zusammen. Lebendiger Geist ist ihm immer zugleich lebendiger Leib; Geist vermag sich nur im Leib und durch den Leib wirksam zu offenbaren«[222]. Die Vorstellung, es könnte der Geist eines Abgeschiedenen für sich selbst, losgelöst also von seinem Leib, lebendig und tätig sein, wäre dem jüdischen Denken unfaßbar gewesen, so daß auch die Jünger Jesu niemals den Eindruck hätten gewinnen können, daß er wahrhaft auferstanden und ein Lebendiger sei, wenn sie nicht zugleich Seine leibliche Erscheinung und Seine leibliche Funktion unmittelbar gesehen hätten. Der Geist Jesu

---

[218] Ders.: Das Wesen des Katholizismus. S. 172.
[219] Ders.: Jesus Christus. Augsburg 1933.
[220] Ebd. S. 238.
[221] Ebd. S. 243.
[222] Ebd. S. 262.

ohne Jesu Leib wäre für die jüdisch empfindenden Apostel etwas völlig Abnormes gewesen[223].

Nachdem K. Adam so das hellenistische wie auch das jüdische Denken zur Zeit Jesu einander gegenüber gestellt hatte, wies er nun aber auch die besondere Eigenart des christlichen Glaubens auf. Danach erfuhren die Jünger, daß die Kraft des Auferstandenen zutiefst hinab in die innersten Wurzeln des Seins drang, dorthin, wo das Leben aus tausend Brunnen quillt und der Tod lauert. Hierin sah der Theologe das durchgreifendste der Erfahrung, die die Begegnung mit dem Auferstandenen in das Bewußtsein der Jünger grub, daß sie nunmehr in seinem neuen Leben des eigenen ewigen Lebens gewiß sind. Er erklärte, die Auferstehung des Herrn sei für sie in dem Sinn ein wahrhaft kosmisches Ereignis gewesen, so daß sie ihnen die eigene Auferstehung, die Auferstehung aller Toten, ja der ganzen Welt verbürgen konnte. »Die Tatsache, daß der, 'den Gott von den Toten auferweckt hat, die Verwesung nicht sah'[224], umschloß für sie die Erkenntnis, daß im Auferstandenen, die Auferstehung aller gesetzt ist«[225]. Wie nirgends, so fuhr er fort, sprenge gerade die Ostererfahrung der Apostel alle übernommenen jüdischen Vorstellungen vom Messias. Den Glauben der Christen faßte er dahingehend zusammen: »Jesus ist nicht nur der Erlöser Israels und nicht nur der Erlöser von Sünde und Schuld. Er ist der Erlöser aller Toten zum Leben«[226].

In der Sicht der Jünger, die der Tübinger Dogmatiker verdeutlichte, handelte es sich somit bei Jesus nicht um die Auferweckung eines bloßen Menschen, sondern um die Auferstehung des Christus; nicht um ein bloßes Aufflammen des erstorbenen natürlichen Lebens, sondern um den schöpferischen Durchbruch jenes gottheitlichen Lebens, das Jesus Christus von Anfang an in der gebrechlichen Hülle des sterblichen Leibes Sein eigen wußte, ja, das Er selbst war und das nunmehr am dritten Tag nach seinem Tod, Leib und Seele vereinend, Seine ganze menschliche Natur mit der Herrlichkeit Gottes umkleidete, durchglühte, verklärte«[227].

Nach dieser Darlegung erkennen wir deutlich, welche Vertiefung der Naturbegriff durch die Lehre des christlichen Glaubens erfährt[228]. K. Adam bestand darauf, daß das Verhältnis der Natur zur Übernatur weder ein feindliches Gegeneinander noch ein gleichgültiges Nebeneinander ist, er beschrieb es vielmehr als ein fruchtbares Zueinander und Ineinander[229]. Daher versicherte er auch, die katholische Lebensform strebe keine Naturvernichtung, sondern eine Naturverklärung an; sie bewege sich zwischen den zwei Polen Natur und Übernatur, Diesseits und Jenseits und beide gehörten in das Leben der katholischen Gläubigen; alles Natürliche sei eine Gabe Gottes und damit ein Wert, - ein Wert aber, der vergänglich ist

---

[223] Ebd. S. 263.

[224] Apg. 13, 37.

[225] K. Adam: Jesus Christus. S. 279. - Vgl. ders.: Der Christus des Glaubens. S. 382.

[226] Ders.: Jesus Christus. S. 279.

[227] Ebd. S. 281-282.

[228] Schon hier sei verwiesen auf die Analyse des Naturbegriffs bei R. Guardini: Welt und Person. Versuche zur christlichen Lehre vom Menschen. Würzburg [4]1955. S. 15-44. - Ders.: Das Ende der Neuzeit. Ein Versuch zur Orientierung. Würzburg (1950). S. 46-53. - Näheres siehe unten S. 760-773.

[229] Vgl. K. Adam: Das Wesen des Katholizismus. [9]1940. S. 173.

und der darum über sich selbst hinausweist. »Erst wenn er in Gott bejaht wird, gewinnt er Ewigkeitsgehalt«[230].

Die Einheit von Diesseits und Jenseits erwies sich somit auch in den Ausführungen K. Adams als der Kerngedanke, der den Bereich der Eschatologie weithin bestimmt. Hier lag der wesentliche Unterschied zu jenem eschatologischen Dualismus, wie ihn der Tübinger Theologe bei seinem Kollegen K. Heim und auch in der Dialektik bei K. Barth vorfand[231]. Im Zusammenhang damit war aber auch höchst bedeutsam, wie das Verhältnis von Natur und Übernatur bestimmt wurde. Für den Tübinger Dogmatiker handelte es sich nicht um ein Problem abstrakter theologischer Spekulation als vielmehr um ein entscheidendes Moment für den christlichen Glaubens- und Lebensvollzug. Daher fiel immer schon in Zeiten, wo mit Ernst um den wahren Heilweg des Menschen zu Gott gerungen wurde, der Rechtfertigungslehre große Gewichtigkeit zu. Selbst dort, wo sie nicht zum Hauptpunkt konfessioneller Differenzierung gemacht wurde, bestimmte sie die verschiedenen Positionen so stark, daß der Kulturhistoriker noch heute die Spuren dieser Auseinandersetzung im Lebensbereich christlicher Völker aufzeigen kann. In einer Zeit, da M. Weber[232] und E. Troeltsch[233] ihre Forschungsergebnisse vorlegten, hat K. Adam dies deutlich gesehen. Er betonte daher, daß die Lehre über das Wesen und Werden des wiedergeborenen Menschen für die Würdigung der »kirchlichen Heilandsmacht« grundlegend ist. Die kirchliche Rechtfertigungslehre ruhte für ihn auf der Voraussetzung, daß der Mensch nicht zu einem bloß natürlichen Endziel, zur Erfüllung seines natürlichen Wesens, zur Auswirkung seiner natürlichen Kräfte und Anlagen berufen ist, sondern zu einer übernatürlichen, das heißt alle geschöpflichen Anlagen und Kräfte schlechthin überschreitenden Wesenserhöhung, zur Gotteskindschaft und zur Teilnahme am göttlichen Leben selbst[234].

In dieser besonderen Betonung des Jenseitigen und Übernatürlichen, des Eschatologischen, wie nachdrücklich hervorgehoben wurde, sah K. Adam die erzieherische Kraft der Kirche. Er erkannte, daß sich das kirchliche Erziehungsideal nicht mit der Herausformung einer bloßen Humanitätskultur bescheiden kann. Das kirchliche Erziehungsideal hieß daher bei ihm: Übernatur, Vergöttlichung

---

[230] Ebd. ²1925. S. 222.
[231] Vgl. ders. in: Hochland 23/II (1925/26). - Dass. in: Gesammelte Aufsätze. S. 340-343. - Ders.: Christus unser Bruder. ²1930. S. 157.
[232] Vgl. Max Weber (1864-1920): Die protestantische Ethik und der Geist des Kapitalismus. In: ASWSP 20-21 (1904-1905). - Dass. in ders.: Gesammelte Aufsätze zur Religionssoziologie. Bd. 1. Tübingen 1921. S. 17-206. - Ders.: Die protestantischen Sekten und der Geist des Kapitalismus (1906). In: Gesammelte Aufsätze zur Religionssoziologie. Bd. 1. S. 207-236. - Vgl. G. Jahn: Max Weber. In: RGG² 5 (1931) 1776-1777. - R. Lennert: Die Religionstheorie Max Webers. Versuch einer Analyse seines religionsgeschichtlichen Verstehens. (Phil. Diss. Leipzig 1935.) (RuG. 2.) Stuttgart 1935. - J. Hasenfuß: Die moderne Religionssoziologie und ihre Bedeutung für die religiöse Problematik. Paderborn 1937. - K. Hoeber: Max Weber. In: LThK¹ 10 (1938) 769. - R. König: Max Weber. In: GroD. Bd. 4. S. 408-420. - H.W. Gerhard: Max Weber. RGG³ 6 (1962) 1553-1554. - W. Dadek: Max Weber. In: LThK² 10 (1965) 973. - F.H. Tenbruck, G. Stavenhagen, J. Winckelmann: Max Weber. In: StL⁶ 8 (1963) 466-478.
[233] E. Troeltsch: Politische Ethik und Christentum. Göttingen 1904. - Ders.: Soziallehren der christlichen Kirchen und Gruppen. Tübingen 1912. - Zu E. Troeltsch siehe oben S. 109-115.
[234] Vgl. K. Adam: Das Wesen des Katholizismus. S. 222.

(θειοποίησις)[235]. Er berief sich gelegentlich auf H. André, der die Kirche als die Keimzelle der Weltvergöttlichung verstand[236]. Der Drang über sich selbst hinaus, der Zug zum höchsten Wert, die Bewegung in die unergründlichen Tiefen des göttlichen Mysteriums, die Liebe zum Heroischen, zu dem Nicht-mehr-Begreiflichen, Unfaßbaren, zu den Weiten des Unendlichen war für ihn gerade dem kirchlichen Ethos wesentlich. Er lehrte, daß sich im Leben des Einzelchristen auf dem Weg der Gnade immer schon wiederholt, was sich im Leben Christi naturhaft und ein für allemal vollzogen hat: Die Inkarnation Gottes im Menschen[237]. Später sagte er korrigierend: Es wiederhole sich von neuem jenes Geheimnis der Erhebung des Menschen zu Gott, das in Christus einzigartige, höchste Wirklichkeit wurde, als der dreifaltige Gott ein für allemal die menschliche Natur mit der göttlichen zur Einheit der Person verband[238]. Daraus ergab sich, daß das Endziel nicht im bloßen Menschentum selbst zu suchen ist, sondern in einer »Erhöhung und Erhebung des Daseins, welche alle geschöpflichen Kräfte wesensmäßig überschreitet und in eine schlechthin neue Seins- und Lebenssphäre emporträgt, in die Lebensfülle Gottes«[239]. Darin erwies sich für K. Adam Gott als der absolute, sich selbst wahrhaft besitzende, aller Weltbezogenheit entrückte Persönlichkeit, »daß er sich uns persönlich erschließt als ein Ich dem Du. Und gerade dadurch bezeugte er sich als wesenhafte Güte, daß er sich uns erschließt wie der Freund dem Freund, nein, wie der Vater dem Kind; daß wir Kraft Seiner Liebesmacht Seines Geblütes werden und rufen dürfen: Abba, Vater«[240].

5. Zusammenfassung und Würdigung

Fassen wir als Ergebnis unserer Untersuchung zusammen: Im Bereich der individuellen Eschatologie vermied der Tübinger Theologe jegliche Aussagen, die einen materialisierenden Charakter haben könnten. Er sprach dem Menschen eine bleibende Geistigkeit zu, die jene Wesenszüge trägt, die sie während ihres Erdenlebens erwarb. Andere metaphysische Aussagen - etwa eine ausführliche Lehre von der Unsterblichkeit der Geistseele - finden wir in diesem Zusammenhang bei K. Adam nicht. Der Mensch ist berufen zur seligen Schau Gottes. Bevor ihm diese ewige Seligkeit zuteil wird, steht er vor Gottes besonderem Gericht, in dem er jedoch seinen Status durch das Urteil des eigenen Gewissens erkennt. Um den Zustand der Seele und den Prozeß ihrer Läuterung zu beschreiben, benutzte der Theologe eine Sprache, die ihre Beziehung zur modernen Psychologie und Lebensphilosophie nicht verleugnet[241]. Dabei kam es auch zu Aussagen in räumlichen und

[235] Ebd. S. 198. - Vgl. die positive Rez. von K. Adam zu W. Völker. Das Vollkommenheitsideal des Origenes. (BHTh. 7.) Tübingen 1931. In: ThQ 113 (1932) 417-418.
[236] K. Adam: Christus unser Bruder. ²1930. S. 245. - Vgl. H. André: Die Kirche als Keimzelle der Weltvergöttlichung. Ein Ordnungsbauriß im Lichte biologischer Betrachtung. Leipzig 1921.
[237] K. Adam: Das Wesen des Katholizismus. S. 198.
[238] Ebd. ⁷1934. S. 222.
[239] Ebd. ²1925. S. 198.
[240] Ebd. S. 198.
[241] Vgl. z.B. ders.: Christus unser Bruder. ²1930. S. 48. - Ebd. ⁹1960. S. 197. - Ders.: Jesus Christus. S. 40 (Lebensgefühl); S. 261-262. - Vgl. Aubert. In: TdTh. S. 161 (Lebenstheologie).

zeitlichen Kategorien, ohne die menschliches Denken in unserer gegenwärtigen Raum-Zeit-Welt nicht auskommen kann[242].

In späteren Jahren erklärte K. Adam einmal, daß sich gerade in der Unzahl der Jahrtausende für den Apostel Paulus Gottes Herrlichkeit spiegele. Sie sei ihm das irdische Gleichnis seiner himmlischen Herrlichkeit δόξα und darum ebenso endlos wie diese selbst. Da sie als geschöpfliches Sein einen Anfang genommen habe - so argumentierte der Theologe - könne ihre Dauer nur in Zeitbegriffen gefaßt werden nicht in dem Begriff jener Ewigkeit, die Gott allein zukommt. Nach K. Adam sind alle diese temporalen Formulierungen aus derselben Einsicht erwachsen, aus der die heutigen Theologen dem geschaffenen Sein nicht eine aeternitas, sondern nur eine aeviternitas zueignen[243]. Für den Apostel - so erläuterte er - sind sie die gegebene Kategorie, um im Licht der Endlosigkeit des geschaffenen Seins die Ewigkeit des göttlichen Seins zu erfassen[244].

Was die Seele des Menschen betrifft, so hat sie nach K. Adam im Zustand des eschatologischen Gerichts und der Seligkeit Bewußtsein; sie schwingt im Rhythmus psychischer Befindlichkeiten[245]. Sie hat Wert- und Seligkeitsstufen[246], einen Kern und Randzonen, Räume, Winkel und Bezirke[247]. Es gibt für sie eine Gottesferne oder Gottesnähe; sie kann ihr Herz den Tiefen und Weiten Gottes öffnen[248]. Sie befindet sich auf einem Durchgangsweg, wobei das Vorübergehende, der Wechsel ihres Zustandes im Prozeß der satispassio durch die biblische Kategorie der »kleinen Weile« zum Ausdruck kommt[249].

Bei all diesen Aussagen müssen wir freilich bedenken, daß K. Adam nie den Menschen in seiner Vereinzelung vor Gott sah, sondern immer zugleich in der Gemeinschaft der Kirche, in der der Erlöste in Christus eingegliedert ist. So wundert es uns nicht, daß der Theologe an einer Stelle, wo er sich anschickte, den Blick von der leidenden auf die triumphierende Kirche zu richten, davon sprach, daß durch die Kraft und Gnade, die vom Haupt Christus in Seine leidenden Glieder strömt, auf immer weitere Bezirke der leidenden Kirche seliges Verklärungslicht fällt[250].

Von dieser eschatologischen Ausrichtung aus wurde die gesamte Theologie des Tübinger Theologen bestimmt. Allerdings erscheint die Eschatologie eingebettet in eine Ekklesiologie, für die Christus Mittelpunkt allen Denkens ist. Denn dieser ist es - wie K. Adam klar sah -, der die Menschen erlöst, indem er sie mit sich vereint und sie teilhaben läßt am Leben des dreifaltigen Gottes.

Die eschatologische Wesensbestimmung hatte bei K. Adam keinen rein statischen Charakter, als ob sie, einmal vollzogen, nun zugleich und sofort für alle

---

[242] Vgl. R. Guardini: Die Existenz des Christen. Hrsg. aus dem Nachlaß. Paderborn 1976. S. 81. Dort wird freilich kritisch dargelegt, daß es die Kategorienlehre Kants unmöglich macht, einen echten Anfang zu denken.

[243] Vgl. oben. S. 619.

[244] K. Adam. In: ThQ 131 (1951) 133.

[245] Vgl. ders.: Das Wesen des Katholizismus. S. 121.

[246] Vgl. ebd. S. 115.

[247] Vgl. ebd. S. 117-119.

[248] Vgl. ebd. S. 121.

[249] Vgl. Joh. 7, 33; 12, 35; 13, 33; 14, 19; 16, 16.18. - Zur Exegese des Textes vgl. R. Schnackenburg: Das Johannesevangelium. (HThKNT. IV/3.) Freiburg 1975. S. 175-176.

[250] K. Adam: Das Wesen des Katholizismus. S. 121.

Ewigkeit vollendet wäre. Es entfaltete sich vielmehr in seiner Darstellung ein Lebensprozeß, der die ganze in Raum und Zeit lebende Menschheit ergreift und somit in echtem Sinne als geschichtlich bezeichnet werden kann. Er vollzieht sich jedoch nicht nur in dieser Weltzeit, sondern auch jenseits der vorfindlichen Ordnung unseres irdischen Lebens in der Weite und Tiefe göttlichen Lebens, in Dimensionen, die wir hier nur ahnen können. Jedenfalls aber eröffnet sich schon jetzt im Geheimnis der Gott-menschlichen Vereinigung die Unendlichkeit ewigen seligen Lebens.

Zu würdigen bleibt, wie sehr in diesem Entwurf neuerer katholischer Theologie aus den 20er Jahren unseres Jahrhunderts die individuelle Eschatologie des Menschen in das universale Leben der Kirche, auch in ihrer überzeitlichen Vollendung eingebettet wurde. Für die irdische Laufbahn des Christen verstand es der Dogmatiker, die eschatologischen Heilswahrheiten als ein ethisches Ziel darzustellen; in einer Sprache, die vom Glaubensleben der Kirche geformt wurde, die jedoch zugleich den christlichen Personalismus[251] und das Dialogische als Prinzip der christlichen Existenz[252] bezeugt.

---

[251] Vgl. z.B. ders.: Christus unser Bruder. ^{9}1964. S. 220. (Warum ich an Christus glaube).
[252] Vgl. u.a. ders.: Der Christus des Glaubens. S. 26.

VIERTES KAPITEL

Romano Guardini - Die pneumatische Gemeinschaft personalen Lebens des in Christus erlösten Menschen mit Gott

Im Kriegsjahr 1940 veöffentlichte R. Guardini eine Schrift,in der er die Letzten Dinge im Leben des Menschen - Tod, Auferstehung, Läuterung, Gericht und Ewigkeit erörterte. Wie er eingangs betonte,kam es ihm dabei nicht so sehr auf Vollständigkeit an, als vielmehr darauf, den Zusammenhang zwischen der überzeitlichen Lehre der Offenbarung und unserer seelisch-geistigen Situation herzustellen. Wir finden daher bei ihm keinen umfassenden Traktat katholischer Eschatologie, sondern nur einen »Versuch«, in dem bestimmte Gesichtspunkte herausgehoben werden, unter denen der Gegenstand deutlicher und verständlicher werden kann[1].

Zur Methode sei an dieser Stelle unserer Arbeit folgendes angemerkt:

Da es R. Guardini stets um das konkrete Lebensganze einer Gestalt ging, sollen auch hier seine Schriften nicht schematisch nach begrifflichen Gesichtspunkten aufgegliedert und analysiert werden. Vielmehr wollen wir seine Entwürfe zunächst in ihrer Ganzheit darstellen und erläutern, um so das Verständnis für die Eigenart seines Denkens zu gewinnen.

1. Die Philosophie des Lebendig-Konkreten als grundlegende Denkform für das gesamte Lebenswerk R. Guardinis

Das philosophische Denken R. Guardinis kreiste schon früh um das Problem des Gegensatzes. Im Winter 1905, also zu Anfang seines theologischen Studiums,

---

[1] R. Guardini: Die letzten Dinge. Die christliche Lehre vom Tode, der Läuterung nach dem Tode, Auferstehung, Gericht und Ewigkeit. Würzburg (Sechste unveränderte Auflage. 1952). S. VII.

begann er zusammmen mit seinem Freund K. Neundörfer[2] dieser Frage in einer ganz bestimmtem Richtung nachzugehen[3].

In ihrer Studienzeit war den beiden Freunden gemeinsam die Wirklichkeit der Kirche aufgegangen. Von da an zielte ihr Lebensprogramm darauf hin, diese kirchlich-christliche Wirklichkeit in Gesellschaft und Geschichte in ihrer ganzen Tiefe, das heißt nicht nur als formale Ordnung zu erfassen; und zwar durch R. Guardini von der kontemplativen Seite ihres Lebens her, während bei K. Neundörfer ihr aktives Leben als kämpfende, arbeitende, herrschende Kirche im Vordergrund

---

[2] Zu Karl Neundörfer (1885-1926) vgl.: Karl Neundörfer zum Gedächtnis. Von seinen Freunden. (Joseph Weiger. S. 7-12. - Romano Guardini. S. 13-24. - Walter Dirks. S. 25-30. - G. Krabbel. S. 31-36.) Mainz 1926. - Ph. Funk. In: Hochland 24/I (1926/27) 111-114. - W. Becker: Karl Neundörfer. In: LThK[1] 7 (1935) 519-520. - Zur Bibliographie vgl. K. Neundörfer: Zwischen Kirche und Welt. Ausgewählte Aufsätze aus seinem Nachlaß. Hrsg. von L. Neundörfer und W. Dirks. Frankfurt a.M. 1927.

[3] Vgl. R. Guardini: Der Gegensatz. Versuch zu einer Philosophie des Lebendig-Konkreten. Mainz 1925. S. XI. -
Neundörfer und Guardini erhielten beide 1903 ihr Reifezeugnis in Mainz. Neundörfer studierte Jura, und zwar zwei Semester (1903-1904) in Freiburg i.B., ein Semester (1904) in Berlin, vier Semester (1904-1906) in Gießen. Seine juristische Dissertation datiert vom 20.3.1909: Der ältere deutsche Liberalismus und die Forderung der Trennung von Staat und Kirche. Mainz 1909. Referent war A.B. Schmidt. - Vgl. Jahres-Verzeichnis der an den deutschen Universitäten erschienenen Schriften. Bd. XXIV. Reprint Nendeln/Liechtenstein 1967. S. 181. - Schon am 28. Mai 1910 wurde Neundörfer zum Priester geweiht, nachdem er in Freiburg und Tübingen Theologie studiert hatte. Zu seinem Freundeskreis gehörte damals außer R. Guardini und J. Weiger Herman Hefele (1885-1936), Philipp Funk (1884-1937) und Ludwig Zoepf (geb. 1880). - Vgl. K. Neundörfer: Zwischen Kirche und Welt. Anhang S. 173. - J. Spörl: Zeitgeschichtliches Dokument als bleibender Anruf. Zum Geleit. In: R. Guardini: Vom Sinn der Kirche. Fünf Vorträge. Mainz [4]1955. S. 10. -
H. Hefele und Ph. Funk standen, durch Herman Schell (1850-1906) und Franz Xaver Kraus (1840-1901) vermittelt, in der Tradition, die von Johann Michael Sailer (1751-1832), Johann Adam Möhler (1796-1838) und Johann Baptist Hirscher (1788-1865) ausging. - Vgl. V. Berning: Das Denken Herman Schells. S. 56. Anm. 352. - Die Schriften Hefeles berühren sich z.T. mit denen von R. Guardini behandelten Themen. Vgl. H. Hefele: Das Gesetz der Form. Briefe an Tote. (Dante, Petrarca, Michelangelo, Erasmus, Macchiavelli, Lorenzo Valla, Benedikt, Cäsar, Napoleon, Schiller, Goethe, Hugo Wolf). Jena 1919. - Des Heiligen Augustinus Bekenntnisse, übersetzt von H. Hefele. Jena 1919. - Augustinus. Der Sabbat Gottes. Eingeleitet und hrsg. von H. Hefele. (FPhT. III/2.) Stuttgart 1923. - Ders.: Dante. Stuttgart 1921. - Ders.: Das Wesen der Dichtung. Stuttgart 1923.-
Die Dante-Studien Guardinis, die zwischen 1931 und 1956 entstanden, sind zusammengefaßt in R. Guardini: Landschaft der Ewigkeit. München 1958. - Vgl. außerdem ders.: Der Engel in Dantes Göttlicher Komödie. Leipzig 1937. - Zu Augustinus vgl. R. Guardini: Die Bekehrung des Heiligen Aurelius Augustinus. Der innere Vorgang in seinen Bekenntnissen. Leipzig 1935. - Dieses Buch widmete Guardini seinem Freund Joseph Weiger. -
Über Gemeinsamkeiten und Unterschiede zwischen R. Guardini und H. Hefele vgl. U. Berning-Baldeaux: Person und Bildung im Denken Romano Guardinis. Würzburg 1968. S. 21-24. - Außerdem vgl. L. Hänsel: Herman Hefele. In: Hochland 26/II (1929) 358-374, 516-533, 631-645. - Ph. Funk: Herman Hefele. In: HJ 56 (1936) 208-213. -
R. Guardini studierte 1903-1904 in Tübingen Naturwissenschaften, 1904-1905 in München und 1905 in Berlin Nationalökonomie. Im Wintersemester 1905/06 begann er das theologische Studium in Freiburg, das er anschließend bis 1908 in Tübingen fortsetzte. Nach der weiteren Ausbildung im Priesterseminar zu Mainz wurde er 1910 geweiht. Vor seiner Promotion (Rigorosum am 14.5.1915) studierte er weitere vier Semester in Freiburg. Dazu siehe unten S. 748-750.

728

stand[4]. Mitgetragen von der hohen dialektischen Begabung K. Neundörfers formulierte R. Guardini 1912, zwei Jahre nach seiner Priesterweihe, den ersten Entwurf, den er 1914 als Manuskript gedruckt veröffentlichte, um durch Fixierung des augenblicklichen Standes der Untersuchung das Recht auf spätere Fortführung zu sichern[5].

Die philosophische Untersuchung »Gegensatz und Gegensätze« wurde von R. Guardini als ein System der Typenlehre (Charaktereologie[6]) konzipiert. Vielleicht kannte er und K. Neundörfer die Antrittsvorlesung über »Charakter und Weltanschauung«, die E. Adickes am 12. Januar 1905 in Tübingen hielt[7]. Dieser versuchte in einer allgemeinen Betrachtung, »Typen von Weltanschauungen aufzustellen, die gegenseitig aufeinander hinweisen und gewisse Gemeinsamkeiten und Gesetzmäßigkeiten geistigen Seins und Werdens zum Ausdruck bringen«[8]. Er verwies dabei auf einen Aufsatz über »Unterschiede der Individualitäten« seines Vorgängers Chr. Sigwart[9]. So sei auch für ihn das Verhältnis von Charakter und Weltanschau-

Vgl. Jahres-Verzeichnis der an den deutschen Universitäten erschienen Schriften. Bd. XXXVII/1 (1921). Reprint Nendeln/Liechtenstein 1970. S. 25. - Zum Universitätsleben in Freiburg 1906-1914 vgl. F. Meinecke: Straßburg/Freiburg/Berlin 1901-1919. Stuttgart 1949. S. 59-140.

[4] Guardini. In: Karl Neundörfer zum Gedächtnis. S. 20. - Vgl. ders.: Vom Sinn der Kirche. Fünf Vorträge. Mainz 1922. - Ders.: Das Erwachen der Kirche in der Seele. In: Hochland 19/II (1922) 257-267. - K. Neundörfer: Die Kirche als gesellschaftliche Notwendigkeit. In: Hochland 20/I (1922/23) 225-238. - Dass. in K. Neundörfer: Zwischen Kirche und Welt. S. 77-94. - K. Neundörfer bearbeitete auch die nach seinem Tode von W. Becker fortgeführte Neuausgabe von F. Pilgram: Physiologie der Kirche. Forschungen über die geistigen Gesetze, in denen die Kirche nach ihrer natürlichen Seite besteht. Mainz 1860. - Dass. (DKKTh. III. Bd. Hrsg. von Dr. Heinrich Getzeny.) Mainz 1931. - Vgl. ebd. S. VII (Vorwort des Hrsg.) - Auf die Ähnlichkeit, die zwischen der Auffassung Guardinis vom Organischen und der Kirchenlehre Pilgrams besteht, hat bereits V. Berning aufmerksam gemacht. Vgl. ders.: Das Denken Herman Schells. S. 56. Anm. 352.

[5] Guardini: Gegensatz und Gegensätze. S. 3 (Vorwort).

[6] Vgl. ebd. S. 19.

[7] E. Adickes: Charakter und Weltanschauung. Akademische Antrittsrede gehalten am 12. Januar 1905. Tübingen 1905, ²1907. - Vgl. dazu die Rez. von L. Baur. In: ThQ 87 (1905) 643-645. - Zu E. Adickes siehe oben S. 17-18, Anm. 53.

[8] Adickes: Charakter und Weltanschauung. ¹1905. S. 6.

[9] Ch. Sigwart: Die Unterschiede der Individualitäten. In: Ders.: Kleine Schriften. Zweite Reihe: Zur Erkenntnislehre und Psychologie. Freiburg i.B. ²1889. S. 212-259. - Christoph von Sigwart (1830-1904) war Philosoph in der Tradition der Tübinger Schule, besonders von Ferdinand Christian Baur (1792-1860). Von seinen Werken gewann die „Logik" für die Wissenschaft universelle Bedeutung, zumal er mit der zweiten Auflage (1889-1893) auch die Methodenlehre der Psychologie und der historischen Wissenschaften erörterte. Nach H. Maier konnte sich keine der philosophischen Disziplinen dem bestimmenden Einfluß dieser Logik entziehen. - Vgl. Chr. Sigwart: Logik. 2 Bde. Fünfte, durchgesehene Auflage. Mit Anmerkungen von H. Maier. Tübingen 1924. S. III-XVI. - Nach Ziegenfuß (Bd. 2. S. 534-538) verstand Sigwart Logik als eine psychologisch fundierte, normative Diszplin. - Vgl. außerdem: J. Engel: Christoph Sigwart's Lehre vom Wesen des Erkennens. Ein Beitrag zur Geschichte der Erkenntnistheorie. (Phil. Diss. Erlangen 1908. - Ref.: P. Hensel.) Bamberg 1908. - G. Schilling: Die Berechtigung der teleologischen Betrachtungsweise der Natur nach Paulsen und Sigwart. (Phil. Diss. Erlangen 1919. - Ref.: P. Hensel.) Neudamm 1919. - E. Husserl: Der Anthropologismus in Sigwarts Logik. In: Ders. Logische Untersuchungen. I. Bd.: Prolegomena zu einer reinen Logik. Halle ⁴1928. S. 125-136. - Th. L. Haering: Christoph Sigwart. (PhG. 27.) Tübingen 1930. - L. Buchhorn: Evidenz und Axiome im Aufbau von Sigwarts Logik. (Phil. Diss. Berlin 1931. - Ref.: H. Maier, E. Spranger.) Berlin-Charlottenburg 1931.

ung ein Problem, das tief hineingreift »in die geheimnisvollen Dunkel individuellen Seelenlebens, deren Erforschung auch dem Verewigten eine so reizvolle und wiederholt mit Meisterschaft gelöste Aufgabe war«[10].

Um die geistige Umwelt, in der jener erste Entwurf R. Guardinis erschien, deutlich zu vergegenwärtigen, sei auch daran erinnert, daß ein Jahr zuvor die »Allgemeine Psychopathologie« von K. Jaspers erschienen war[11]. In diesem Werk, das über ein psychiatrisches Fachbuch hinausging, verwies der junge Dozent darauf, daß der Zusammenhang durch den Gegensatz in der damaligen Psychologie ein oft besprochenes Thema war[12]. Aus der Tatsache, daß Vorstellungen Gegenvorstellungen, Tendenzen Gegentendenzen, Gefühle Kontragefühle wachrufen, zog er Schlüsse auf die Phänomene des Abnormen. Von größter methodologischer Bedeutung war für ihn der Begriff des Idealtypus, den er von M. Weber übernahm[13]. Er war sich bewußt, daß diese Idealtypen zwar bei Gelegenheit der Erfahrung, aber nicht durch die Erfahrung, sondern aus wenigen gegebenen Voraussetzungen mit apriorischen Mitteln konstruiert wurden, sah aber, daß man mit ihrer Hilfe seelische Zustände und Entwicklungen in concreto nicht durch zusammenhangloses Aufzählen ad infinitum, sondern durch Aufdeckung der idealtypischen Zusammenhänge, soweit sie wirklich vorhanden sind, geordnet und sinnvoll machen kann[14].

K. Jaspers sah, daß mit ähnlichen Begriffen und ähnlichen Methoden seit langem das Erfassen und Analysieren von Persönlichkeiten von Psychologen, Menschenkennern, Psychiatern und Philosophen geübt wurde. Bei ihnen fand er bereits eine verstehende Psychologie niederlegt, die er in diesem Zusammenhang mit Hinweis auf I. Kant, J. Bahnsen[15], F. Paulhan[16] und L. Klages[17] Charaktereologie[18]

---

[10] Adickes: Charakter und Weltanschauung. S. 2.

[11] Zu K. Jaspers und seinem hier genannten Werk siehe oben S. 70, Anm. 368. f.

[12] Jaspers: Allgemeine Psychopathologie (1913). S. 154. - Jaspers verwies u.a. auf Th. Lipps: Vom Fühlen, Wollen und Denken. Versuch einer Theorie des Willens. (SGPsF. III/13-14.) 2., völlig umgearbeitete Auflage. Leipzig 1907.

[13] Jaspers: Allgemeine Psychopathologie. [1]1913. S. 270; [4]1946. S. 469. - Vgl. M. Weber: Die "Objektivität" sozialwissenschaftlicher und sozialpolitischer Erkenntnis. In: ASWSP N.F. 1 (1904) 22-87. - Dass. in M. Weber: Gesammelte Aufsätze zur Wissenschaftslehre. Tübingen 1922. S. 146-214. - B. Pfister: Die Entwicklung zum Idealtypus. Eine methodologische Untersuchung über das Verhältnis von Theorie und Geschichte bei Menger, Schmoller und M. Weber. Tübingen 1928.

[14] Jaspers: Allgemeine Psychopathologie. [1]1913. S. 270.

[15] Vgl. J.F.A. Bahnsen: Beiträge zur Charaktereologie mit besonderer Berücksichtigung pädagogischer Fragen. In: Höhere Bürgerschule in Lauenburg i.P. - Vierter Jahresbericht, durch welchen zur öffentlichen Prüfung, Schlußfeierlichkeit und Abiturienten-Entlassung auf Donnerstag den 29. und Freitag den 30. September ehrerbietigst einladet Der Rector Dr. H.A. Bahrdt. Lauenburg 1864. S. 3-22. - Ders.: Beiträge zur Charaktereologie. Mit besonderer Berücksichtigung pädagogischer Fragen. 2 Bde. Leipzig 1867. - Dass. Mit Zusätzen aus dem handschriftlichen Nachlaß neu hrsg. und eingeleitet von Joh. Rudert. 2 Bde. Leipzig 1932. - Julius Friedrich August Bahnsen (1830-1881) vertrag eine Lehre von der unlösbaren Widersprüchlichkeit des Seienden (Realdialektik), womit er an Schopenhauer und Hegel anknüpfte. - Vgl. H.-J. Heydorn: Julius Bahnsen. Eine Untersuchung und Vorgeschichte der modernen Existenz. Göttingen, Frankfurt [1953]. - P. Fechter: Grundlagen der Realdialektik. Ein Beitrag zur Kenntnis der Bahnsen'schen Willensmetaphysik. (Phil. Diss. Erlangen 1906. - Ref.: R. Falckenberg.) München, Leipzig 1906. - H. Leiste: Die Charaktereologie von Julius Bahnsen. (Phil. Diss. Halle 1928.) Köln-Mühlheim 1928. - H. Kern: Von Paracelsus bis Klages. Studien

nannte. In allen charaktereologischen Untersuchungen fand er - im Unterschied von der biographischen Erfassung einzelner Persönlichkeiten - die Richtung auf das Typische, das heißt auf das allgemein Formulierbare. Bei der Persönlichkeitsforschung kam es ihm auf ein Verstehen umfassender Zusammenhänge an. So sollte aus der Analyse immer wieder die Synthese des eigentlichen Ganzen, das wir Persönlichkeit nennen, hervorgehen[19]

K. Jaspers hat diesen ersten Ansatz später philosophisch weiter ausgebaut[20]. Ausführlich beschrieb er die Methoden der charaktereologischen Analyse. Dabei führte er erneut aus, daß alle verstehende Psychologie Charaktereologie sei, sofern sie auf die allseitigen Zusammenhänge der Verstehbarkeiten im ganzen Menschen sich richte und das besondere Sosein einzelner Menschen auffassen möchte. Entsprechend der gleichmäßigen Verstehbarkeit des Gegensätzlichen in aller verstehenden Psychologie erkannte er Entgegengesetztes gerade als aneinandergebunden. Daher vertrat er die These, daß das verstehbare Leben sich in den Gegensätzen vollzieht. Das Verstandene war für ihn gleichsam abgestorben, wenn es einseitig, ausschließlich aus dem einen Pol sich fixiert. Die Kraft des Lebendigen hingegen fand er als das Zusammenhalten der Gegensätze, das Überwinden zum Ganzen, nicht nur zur endlichen Einseitigkeit. Die Folge dieses Grundverhältnisses der Gegensätzlichkeit war, daß für ihn alle idealtypische Konstruktion von Charaktereigenschaften oder Charakteren in Gegensatzpaaren erfolgt. Während empirische

---

zur Philosophie des Lebens. Berlin 1942. S. 168-178: Julius Bahnsens tragische Weltsicht. - A. Vetter: Julius Friedrich August Bahnsen. In: NDB 1 (1953) 540-541.

[16] Frédéric Paulhan (1856-1931). Schriften: Siehe LV.

[17] L. Klages: Prinzipien der Charaktereologie. Leipzig 1910. - Ders.: Die Grundlegung der Charakterkunde. 4. Auflage der Prinzipien der Charaktereologie. Leipzig 1926. - Das Buch geht auf Vorlesungen zurück, die Klages 1905-1907 in München hielt; siehe 4. Auflage. S. III. - R. Guardini war bis zum Winterhalbjahr 1904/05 in München. - Zur Charaktereologie von L. Klages vgl. Th. Lessing: Einmal und nie wieder. Lebenserinnerungen mit einem Vorwort von Hans Mayer. (Gütersloh 1969). S. 442.

[18] Vgl. W. Stern: Über Psychologie der individuellen Differenzen. Leipzig 1900. - Ders.: Die differentielle Psychologie in ihren methodischen Grundlagen. Leipzig 1911. - Ders.: Die Psychologie und der Personalismus. Leipzig 1917. - Ders.: Grundgedanken der personalistischen Philosophie. Berlin 1918. - E. Lucka: Das Problem einer Charaktereologie. In: AGPs 22 (1908) 211-241. - R. Friedmann: Vorwort zur Charaktereologie. In: AGPs 27 (1913) 195-203. - Vgl. in diesem Zusammenhang auch J. Mausbach: Grundlage und Ausbildung des Charakters nach dem Heiligen Thomas von Aquin. Freiburg i.B. 1911. - Außerdem vgl. aus der späteren Literatur: R. Allers: Charakter als Ausdruck. Ein Versuch über psychoanalytische Charaktereologie. I. Berlin 1924. - F. Seifert: Psychologie - Metaphysik der Seele. (Aus: HPh. Bd. III F.) München 1928. - R. Heiß: Die Lehre vom Charakter. Berlin 1936. - Dass. Eine Einführung in die Probleme und Methoden der diagnostischen Psychologie. 2., durchgesehene und erweiterte Auflage. Ebd. 1949. - Ph. Lersch: Der Aufbau des Charakters. Leipzig 1938. - Ders.: Der Aufbau der Person. 4., völlig umgearbeitete Auflage. München 1951. - Dass. 6., erweiterte und verbesserte Auflage. Ebd. 1954. - R. Thiele: Person und Charakter. Leipzig 1940. - J. Rudert: Charakter und Schicksal. (Potzdamer Vorträge. 5.) Potzdam 1944. - A. Wellek: Die Polarität im Aufbau des Charakters. System der Charakterkunde. Bern 1950. - L.J. Pongratz: Charaktereologie. In: HWPh 1 (1971) 994-996.

[19] Jaspers: Allgemeine Psychopathologie. ¹1913. S. 245.

[20] Ders.: Allgemeine Psychopathologie. Ein Leitfaden für Studierende, Ärzte und Psychologen. Vierte völlig neubearbeitete Auflage. Berlin, Heidelberg 1946. - Dass. Siebte unveränderte Auflage. Berlin, Göttingen, Heidelberg 1959.

Charakteranalyse in der unendlichen Verwicklung jedes einzelnen Menschen jederzeit das Wort bestätigt findet: er sei kein ausgeklügeltes Buch, vielmehr ein Mensch mit seinem Widerspruch, bezeichnete er es als Merkmal konstruierter Aufstellungen - die ihrerseits das unvermeidliche Mittel empirischer Forschung sind -, daß sie sich in solchen polaren Gegensätzen bewegen. Das jedoch bedeutete für Jaspers, daß sie nicht Wirklichkeiten von Gattungen der Charaktere, sondern ideale Konstruktionen von Typen sind, mit denen man jeweils gewisse Zusammenhänge verstehen kann. Sie treffen also Gesichtspunkte des Verstehens, nicht Substanzen des Seins. Die durchgeführte charakterisierende Konstruktion ist darum der Wirklichkeit des Menschen gegenüber offen. Für K. Jaspers gab es keine »geschlossenen Charaktere«[21]. Gegenüber C.G. Jung sah er seine Aufgabe darin, die Gegensatzpaare möglichst präzise zu erfassen, sie nicht mit der Wirklichkeit des Menschen zu verwechseln und vor allem, sie nicht in einen einzigen großen Gegensatz verschwommen ineinanderfließen zu lassen[22].

Blicken wir nun von hier aus auf den ersten Entwurf R. Guardinis, so stellen wir gleich zu Anfang fest, daß auch für ihn die Typologie der Seelenvorgänge der eigentliche Ausgangspunkt seiner ganzen Überlegung war. Die Charaktereologie, die von ihm ins Auge gefaßt wurde, gehörte demnach ebenfalls in das Gebiet der Psychologie, die - wie wir eingangs zeigten - zu Beginn unseres Jahrhunderts vielfach als allumfassende Grundwissenschaft angesehen wurde[23].

Der Bannkreis einer rein naturwissenschaftlich-experimentellen Psychologie war jedoch bereits gesprengt, bevor R. Guardini mit seinen Überlegungen begann. So kann es nicht als seine besondere Leistung gelten, wenn er die Probleme der Psychologie auf ihre ontologischen Grundlagen hinzuklären versuchte. Es ist jedoch interessant, daß er die Anwendung der typologischen Grundbegriffe auf die Einzelgebiete des Seins als einer speziellen Auswirkung der Gegensatzidee zu verstehen suchte[24]. Hierin sah er ihre besondere Bedeutung sowohl für die individuelle als auch für die soziale Psychologie. Daß R. Guardini beides zugleich anvisierte, ist bemerkenswert, versteht sich aber aus dem allgemeinen Trend der damaligen Zeit, in der man vielfach bestrebt war, den Individualismus durch den Aufweis allgemeiner, typischer Erscheinungsformen des geistigen Lebens (W. Dilthey), einer Völkerpsychologie (W. Wundt) oder einer Gesamtperson (M. Scheler) zu überwinden[25].

---

[21] Ebd. S. 361-362. - Über die Typologie als Methode siehe ebd. S. 262-363. - Über die Methoden der Typologie ebd. S. 469-470.

[22] Vgl. Jaspers: Allgemeine Psychopathologie. ³1923. S. 347-348; ⁴⁻⁷1946-1957. S. 364. - Vgl. C.G. Jung: Psychologische Typen. Zürich 1921. - Grundformen menschlichen Seins. [Mit Berücksichtigung ihrer Beziehungen zu Biologie und Medizin, zur Kulturphilosophie und Pädagogik] Von Erich Jaensch [und Mitarbeitern] (MGPhAW. 2. = SGBGNW. 17.) Berlin 1929. - G. Pfahler: System der Typenlehren: Grundlegung einer pädagogischen Typenlehre... mit 20 Abbildungen im Text. Leipzig 1929, ⁴1943.

[23] Siehe oben S. 8-9.

[24] Guardini: Gegensatz und Gegensätze. S. 19. - Weitgehende Übereinstimmung zwischen den Typensystemen Guardinis und den gegensätzlichen Polen der psychologischen Typensysteme konstatiert K. Wucherer-Huldenfeld: Die Gegensatzphilosophie Romano Guardinis, in ihren Grundlagen und Folgerungen. (Phil. Diss. Wien 1953. - Ref.: L. Gabriel und F. Kainz.) (DUW. 11.) Wien 1968. S. 294.

[25] Zu W. Dilthey und M. Scheler siehe S. 31-36, 52-60.
Zu W. Wundt siehe oben S. 9-17. - In unserem Zusammenhang vgl. besonders W. Wundt:

R. Guardini verwies in diesem Zusammenhang auch auf die Bedeutung, die die Typenlehre für die Diskussion der wissenschaftlichen Fragestellung an sich gewinnen kann. Wir erkennen bei ihm deutlich ein phänomenologisches Verständnis, wenn er fragte: »Gibt es Gesetze, die jedem Problem, abgesehen von seinem näheren sachlichen Inhalt, eine bestimmte Form der Entfaltung vorschreiben?«[26] Er vermutete, daß sich eine Lehre von den Typen der Problemstellung an sich und damit der Wissenschaft als solcher aufstellen lasse, also einer »Problematik« und »typologischen Wissenschaftslehre«[27]. Er sah, daß diese Frage eine systematische und eine historische Seite hat und war der Ansicht, daß die Untersuchung der ersteren aus der erkenntnistheoretischen Natur des Problems an sich dessen Typik ableiten, die letztere in der historischen Abfolge des menschlichen Denkens (des Individuums und der Gesamtheit) die Periodik ihres Hervortretens auffinden könne.

So versuchte R. Guardini von der Typologie einzelner Seelenvorgänge zu allgemeinen, wissenschaftlichen Gesetzen zu kommen. Dabei wurde die Frage ihres Apriori nicht ausdrücklich gestellt, wie er auch die kritische Seite der Frage, das heißt das Verhältnis der Gegensatzidee zu den logischen Kategorien, nur ganz kurz streifte[28]. Immerhin erklärte er, die Idee des Gegensatzes sei keine »inhaltliche«, »sachliche« Bestimmung, sondern eine Kategorie der Gestaltung, des Typus, in der alle sachlichinhaltlichen Bestimmungen stehen[29]. Nach dieser Auffassung läßt jede Disziplin außer ihrer inhaltlichen Untersuchung noch eine »typologische« zu, weil nach Feststellung des Sachgehalts eines Gegenstandes stets nach dessen Typik gefragt werden kann.

Bei der Frage nach der allgemeinen Typik und Gesetzmäßigkeit darf jedoch nicht übersehen werden, daß für R. Guardini die Gegensatzlehre im letzten Grunde eine wissenschaftliche Lehre vom Konkreten war[30]. Wie das möglich sein könne, versuchte er bei der späteren Ausarbeitung seines Entwurfs aufzuzeigen[31]. Von

---

Über Ziele und Wege der Völkerpsychologie. In: PhSt 4 (1887/88) 1-27. - Ders.: Völkerpsychologie. Eine Untersuchung der Entwicklungsgesetze von Sprache, Mythos und Sitte. Leipzig 1900-1909, [2]1904-1911. -
Als Begründer der Völkerpsychologie gelten Moritz Lazarus (1824-1903) und Heymann Steinthal (1823-1899). - Vgl. M. Lazarus: Über den Begriff und die Möglichkeit einer Völkerpsychologie. In: DMus 1 (1851) 113-126. - Ders.: Das Leben der Seele in Monographien. Bd. I: 1. Bildung und Wissenschaft. 2. Ehre und Ruhm. 3. Der Humor als psychologisches Phänomen. Bd. II: 1. Geist und Sprache. 2. Der Tact. 3. Die Vermischung und Zusammenwirkung der Künste. Berlin 1856-1857. - Dass. 3. Auflage: Das Leben der Seele in Monographien über seine Erscheinungen und Gesetze. Berlin 1883-1885. - Dass. Bd. III. Ebd. 1897. - Ders.: Einige synthetische Gedanken zur Völkerpsychologie. In: ZVPsSpW 3 (1865) 1-94. - M. Lazarus, H. Steinthal: Einleitende Gedanken über Völkerpsychologie als Einladung zu einer Zeitschrift für Völkerpsychologie und Sprachwissenschaft. In: ZVPsSpW 1 (1860) 1-73. - H. Steinthal: Charakteristik der hauptsächlichsten Typen des Sprachbaues. Berlin 1860. - Ders.: Der Begriff der Völkerpsychologie. In: ZVPs 17 (1887) 233-264. - Dazu vgl. A. Leicht: Lazarus als Begründer der Völkerpsychologie. Leipzig 1904. - Moritz Lazarus und Heymann Steinthal. Die Begründer der Völkerpsychologie in ihren Briefen. Mit einer Einleitung hrsg. von Ingrid Belke. (SWALBI. 21.) Tübingen 1971.
[26] Guardini: Gegensatz und Gegensätze. S. 19.
[27] Ebd. S. 20.
[28] Ebd. S. 4, 18.
[29] Ebd. S. 16.
[30] Ebd. S. 18.
[31] Siehe unten S. 734-736.

den ersten Überlegungen an beschäftigte ihn jedenfalls die Frage, wie die Phänomene der Struktur, Tätigkeit usw. mit Rücksicht auf das Zusammensein am konkreten Ding - freilich nicht an diesem bestimmten Ding, aber doch stets in Beziehung zur Tatsache der Konkretheit - zu fassen sei. In der Idee der Allseitigkeit des Seins fand R. Guardini die entscheidende ontologische Grundlage. Auf Grund des von ihm gesammelten Erfahrungsmaterials (das er allerdings zunächst nicht veröffentlichen konnte), kam er zu der Erkenntnis, daß das Sein stets den ganzen Gegensatz seiner Struktur verwirklicht, nicht nur eine Seite von ihm. Es ist demnach allseitig, wirkliche Einseitigkeit wäre der Tod eines jeden Dings. So formulierte er als ontologische Grundbefindlichkeit: »Diese Tatsache geeinter Gegensätzlichkeit, gefaßt als Grundgesetz des Seins und als Regulativ alles Denkens, ist die Idee der Allseitigkeit«[32].

Wie wir sehen, nahm R. Guardini von Anfang an lebhaften Anteil am denkerischen Bemühen seiner Zeit. Ein Blick in die Philosophiegeschichte und auf den ersten Entwurf des jungen Theologen zeigt, daß er nicht irgend jemandes Schüler war oder unter jemandes Einfluß stand. Vielmehr dachte er von sich aus unmittelbar selbständig mit bei den besonders von W. Wundt, W. Dilthey, G. Simmel, E. Husserl und M. Scheler erörterten Problemen. Die »Versuche« und »Entwürfe« mit denen er später hervortrat und die wir im Rahmen des von uns gewählten Themas untersuchen, entsprangen nicht einer abstrakten theologischen Spekulation, sondern waren Antworten auf die Lebensfragen, die die Menschen seiner Zeit ebenso

Im Wintersemester 1923/24 hatte R. Guardini die Gelegenheit, seine Gedanken in einer Vorlesung an der Berliner Universität erneut zu entwickeln. Nach dieser Erprobung veröffentlichte er 1925 die Schrift unter dem Titel: Der Gegensatz. Versuche zu einer Philosophie des Lebendig-Konkreten. In einer Vorbemerkung wies er darauf hin, daß auch seine übrigen Schriften die Gegensatzidee als Richtung und Maß in sich tragen[33]. Wir müssen daher diese Darlegung auch als Prolegomena zu seiner Lehre von den letzten Dingen lesen.

Zunächst sei bemerkt, daß es R. Guardini nicht in erster Linie um ein metaphysisches Problem ging. Mit manchen anderen Denkern seiner Zeit bewegte ihn vielmehr die Frage nach der Bedeutung des Begrifflichen und des Lebendigen in der Erkenntnis[34]. Wie kann überhaupt das Konkret-Lebendige erkenntnismäßig gefaßt werden? Er wußte, daß dem mittelalterlichen Denken das Individuum als nicht faßbar, das Lebendige als nicht aussprechbar galt[35]. Ebenso betonte auch er, daß

---

[32] Guardini: Gegensatz und Gegensätze. S. 19.

[33] Guardini: Der Gegensatz. S. XI (Vorbemerkung). - Vgl. ders.: Religiöse Gestalten in Dostojewskijs Werk. Studien über den Glauben (1932). (Vierte Auflage.) München (1951). S. 423 (Nachwort). - Treffend das Urteil von Przywara in: Humanitas. S. 887. Nr. 11: "Die schön ausgeformten Arbeiten Romano Guardinis über Dichter und Denker oder über den Sinn der Neuzeit sind ... nur Anwendungsbeispiele des Kategorien-Gefüges, das er in seinem 'Gegensatz' geistvoll zeichnete und später erweiterte: im Anschluß an Georg Simmel, Ferdinand Ebner, Erik Peterson, Karl Barth".

[34] Guardini: Der Gegensatz. S. XII. - Vgl. F. Wechsler: Romano Guardini als Kerygmatiker. (SPK. 22.) Paderborn 1973. S. 15-29: "Der Gegensatz" als Schlüssel zur Einführung in Guardinis Denken und Werk.

[35] Guardini: Der Gegensatz. S. 5.

das Lebendig-Konkrete mit Begriffen, die sich ihrer Natur nach auf das Allgemeine richten, nicht zu fassen sei[36], daß es vielmehr durch ein rationalistisches Wissenschaftsverfahren zerstört werden könnte[37]. Andererseits war zuzugeben, daß sich eine unmittelbare, intuitive Schau dem Gemeinten, Unaussprechbaren nähert; aber er sah sehr wohl, daß diese Erkenntnis wissenschaftlich wertlos bleibt, solange diese Erkenntnisakte zu Begriff, Urteil und Beweis in Widerspruch gestellt werden[38].

R. Guardinis Bemühen zielte nun darauf hin, die Aporie, die in der gegensätzlichen Struktur menschlichen Erkennens zu liegen scheint, zu überwinden. Gefaßt werden könnte das Lebendig-Konkrete nur - so überlegte er - wenn Begriff und Intuition zugleich auf es angewendet würden; und, von dieser Spannung getragen, in ihr verwirklicht, sich ein spezifisch konkreter Erkenntnisakt auf das Konkrete als solches richtete. Reine Begriffskraft würde das Konkrete zum Abstrakten zerstören, reine Intuition würde es ins Unfaßbare zerfließen lassen[39]. Er suchte daher nach der Möglichkeit, ein Moment durch das andere zu binden, aber nicht äußerlich »synthetisch«, sondern in der Konkretheit eines Aktes, dessen Struktur der Konkretheit des Gegenstandes zugeordnet wäre[40].

Hier nun verband R. Guardini die »Gegensatzidee« mit dem erkenntnistheoretischen Problem des Konkreten. In vielfachen Erörterungen phänomenologischer Art[41] deckte er auf, daß alles Lebendige eine gegensätzliche Struktur habe. Dann wies er nach, daß dazu auch das Erkennen gehöre, insofern es ein bestimmtes lebendiges Verhalten des konkreten Menschen gegenüber dem konkreten Gegenstand sei[42]. Erkenntnis als konkreter Akt des lebendigen Subjekts stehe in beiden Haltungen oder Sinnsphären, der der Intuition und der des Begriffs. Beide dürften nicht verwischt werden, wie man auch keine von der andern ableiten könne, jede stehe unableitbar in sich, auf eine ihr spezifisch zugeordnete Seite im Erkenntnisgegenstand gerichtet[43]. Andererseits aber dürften beide Gebiete auch nicht fremd nebeneinander gestellt werden. Beide seien aufeinander bezogen, setzten sich voraus, bedingten sich, seien im Tiefsten verwandt[44]. Zum Schluß beantwortete R. Guardini die Frage, ob das Lebendig-Konkrete wissenschaftlich erfaßt werden könne, wie folgt: »Bedeutet wissenschaftliches Erfassen soviel wie: Unmittelbar durch Begriffe erfassen, dann kann es nicht sein. Denn unmittelbar kann das Konkrete nur von der Intuition erfaßt werden. Wohl aber können der Intuition durch wissenschaftliche Mittel eben durch Begriffe, Gegenstand, Richtung und Weg vorgeschrieben werden. Dann tritt an Stelle freischwebender Intuition wissenschaftlich geformte Anschauung. Damit ist der Gegenstand indirekt begrifflich erfaßt und wissenschaftlich eingeordnet«[45].

---

[36] Ebd. S. 197
[37] Ebd. S. 7.
[38] Ebd. S. 9.
[39] Ebd. S. 208.
[40] Ebd. S. 209.
[41] Vgl. Berning-Baldeaux. S. 17-22: Phänomenologie und das Denken Guardinis.
[42] Guardini: Der Gegensatz. S. 197.
[43] Ebd. S. 206.
[44] Ebd. S. 207.
[45] Ebd. S. 222.

Die Bedeutung des Gegensatzgedankens sah R. Guardini vor allem darin, daß er einem besonderen Tatbestand gerecht werde[46]. Demgemäß hielt er es für wichtig, die Tatsache der Konkretheit als solche innerhalb der Sonderwissenschaften zur Geltung zu bringen. Er wandte sich damit gegen den »Geist der Abstraktheit«, dessen Stigma das Denken der vorausliegenden Jahrzehnte getragen habe, und sah den Wert des Gegensatzgedankens darin, in allen Bereichen das Auge für die besondere Tatsache des Dinghaft-Konkreten zu öffnen und von ihm her die Begriffe zu bilden[47].

Welche Auswirkung diese Forderung R. Guardinis für das Denken im Bereich der Eschatologie haben kann, werden wir später am entsprechenden Ort zu prüfen haben. Verbleiben wir einstweilen noch bei den Prolegomena seiner Gegensatzlehre.

R. Guardini zeigte auf, daß die formale Strukur des Erkennens der tatsächlichen Struktur des Konkret-Lebendigen entspricht. Er begann damit zu beschreiben, wie sich das Lebendig-Konkrete dem Menschen in seiner Selbsterfahrung darbietet[48]. Die Erkenntnis, die er dabei gewann, war die der leib-seelischen Einheit des Menschen, in der alles Einzelne geschlossen, das Ganze von innen her und auf Grund eines ordnenden Planes aufgebaut ist. Er erkannte aber zugleich, daß der Mensch nicht nur statisch in sich selber steht, daß vielmehr darüber hinaus in ihm Antriebe entspringen und Akte beginnen, die ihn auch dymnamisch als eigenständige Wirkeinheit zeigen. So erschien ihm der Mensch in eigenwesenhafter Gestalt als ein Konkretes, das in sich steht, aber ebenso sich selbst aufbaut und aus eigenem Ursprung heraus wirkt[49].

In dieser Erkenntnis fand R. Guardini wiederum seine Gegensatzidee bestätigt. Er wies darauf hin, daß auch hier beide Aussagen zunächst einander aufheben; sofern etwas Akt ist, könne es nicht Bau sein. Jedoch gehe diese Ausschließung nicht bis an die Wurzeln, sie sei nur relativ, und zwar dann, wenn wir sie wesensmäßig nehmen, das heißt nicht abstrakt, sondern am konkreten Ding vollzogen denken. Denn das »Ding« sei offenbar eines und das andere zugleich, Akt und Bau; nicht durch Verwischung der beiden spezifischen Bedeutungen; nicht durch deren Ausgleich oder Synthese in einem höheren Dritten. Hier liege eine Einheit offenbar besonderer Art vor, ein eigentümliches Verhältnis, in dem jeweils zwei Momente einander ausschließen und doch wieder verbunden seien, ja, einander geradezu voraussetzen, - eben das des Gegensatzes[50].

Gerade auf dieser Tatsache wechselseitiger Ausschließung und Einschließung zugleich legte R. Guardini größten Wert. Nicht »Synthese« also zweier Momente in einem Dritten. Auch nicht ein Ganzes, von dem jene beiden Seiten »Teile« darstellen. Noch weniger Verwischung zu irgendwelchem Ausgleich. Es handelte sich für

---

[46] Ebd. S. 226.

[47] Ebd. S. 227.

[48] Wechsler. S. 22-25: Die menschliche Selbsterfahrung als Ansatzpunkt der Gegensatzlehre Guardinis.

[49] Vgl. Guardini: Der Gegensatz. S. 3-5.

[50] Ebd. S. 22-23. - Vgl. dazu aber F.M. Sladaczek: Zur Gegensatzlehre. Gedanken zu Romano Guardinis Buch vom Gegensatz. In: Scholastik 3 (1928) 244-249; besonders S. 248.

ihn vielmehr um ein Urphänomen, und er bestand darauf, daß die eine Gegensatz-seite nicht aus der anderen abgeleitet, nicht von der andern her aufgefunden werden könne[51]. Nachdrücklich wandte er sich gegen jede romantische Auffassung des Gegensatzverhältnisses, die für ihn darin bestand, daß das Ähnlichkeitsverhältnis der beiden Seiten, ihre Zusammengehörigkeit überspannt werde. Dem Romantiker warf er vor, daß ihm stets eine Seite in die andere umschlage; er übersehe ihre spezifische Verschiedenheit; er verwische die Grenzen; er nehme ihre Eigenbedeutung, ihre Eigenständigkeit nicht ernst. Er treibe ein Spiel mit dem tragischen Ernst dieser Zweiheit; und das könne er nur, weil ihm alle Bedeutungen und Wesenheiten monistisch in Eins laufen. Für R. Guardini bestand keine Möglichkeit, »Bau« aus »Akt« abzuleiten. Dem Romantiker sei es hingegen möglich, kontinuierlich von der Struktur weiterschreitend, auf einmal in die Dynamik zu geraten. Anders R. Guardini. Er erklärte, die beiden Gegensatzseiten seien wesenhaft eigenständig, und deshalb bestehe zwischen ihnen eine wirkliche, qualitative Grenze. Aber beide Seiten seien immer zugleich gegeben; eine nur möglich und denkbar an der anderen. »Das ist der Gegensatz: Daß zwei Momente, deren jedes unableitbar, unüberführbar, unverwischbar in sich steht, doch unablöslich miteinander verbunden sind; ja gedacht nur werden können an und durch einander«[52].

In diesem Zusammenhang verwies R. Guardini auf die Forderung einer qualitativen Dialektik, mit der sich S. Kierkegaard gegen die hegelisch-romantische Aufhebung aller Wesensunterschiede in einer Meditationsdialektik wandte[53]. Wenige Seiten später kam er bei einer Erörterung der Lebensphänomene noch einmal auf dieses Thema zu sprechen. Leben, so erklärte er jetzt, müsse sich als Form und Fülle zugleich erfassen und bejahen, zwei Tatsachen, die nach ihrer nächsten Sinnrichtung einander ausschließen. Es sei romantischer Un-Ernst, Form unmerklich in Fülle umschlagen zu lassen; monistische Unsauberkeit, sie zu verselbigen. Fülle sei nicht Form. Mit tragischer Eindeutigkeit stehe jedes im eigenen Wesen. Dennoch sei diese Autonomie nur relativ und eines unlösbar an das andere gebunden. Ontisch wie logisch nur möglich aus andern, in andern, durch das andere, und der Akt, durch den eines erfaßt werde, setze voraus, daß zugleich das andere mitgefaßt werde. Freilich enthalte dieser Akt eine unvermischte Zweiheit und komme vom einen nur so zum Andern, daß er es eben als qualitativ Anderes erfasse, durch einen »Schritt«, nicht durch unmerklichen Übergang. Dieser Schritt, so präzisierte er

---

[51] Guardini: Der Gegensatz. S. 41. - Diese Auffassung Guardinis entspricht der Methode G. Simmels. - Vgl. dazu M. Adler: Georg Simmels Bedeutung für die Geistesgeschichte. Wien, Leipzig 1919. S. 39.

[52] Guardini: Der Gegensatz. S. 42.

[53] Ebd. S. 42. Anm. 11. - Über den Unterschied zur Dialektik Hegels und Schleiermachers vgl. Wucherer-Huldenfeld: Die Gegensatzphilosophie Romano Guardinis in ihren Grundlagen und Folgerungen. S. 60-64, 64-67. - Wechsler. S. 25-26: Die dialektische Struktur des Lebendig-Konkreten bei R. Guardini. - Ebd. S. 29-42: Dialektische Phänomenologie. - Über den grundlegenden Unterschied in der Dialektik Hegels und G. Simmels vgl. M. Adler. S. 26: "Bei Hegel ist die innere Gegensätzlichkeit der Denkinhalte eine Eigenschaft des absoluten Geistes selbst, der im metaphysischen Vernunftprozeß sich auf diese Weise entfaltet; bei Simmel dagegen ist das Absolute, das Leben, ohne jeden Widerspruch und gehört daher die Gegensätzlichkeit nur der empirischen Betrachtung an".

weiter, führe jedoch in ein Gefordert-Anderes, in ein Verwandt-Verschiedenes hinüber, nicht in ein absolut Anderes. Hier liege der Fehler einer tragizistischen Haltung, auch der S. Kierkegaards[54]. Abschließend stellte er fest: »Leben ist nicht Synthese dieser Verschiedenheit; nicht ihre Vermischung; nicht ihre Identität. Sondern das Eine, das in dieser gebundenen Zweiheit besteht«[55].

Je mehr wir nun mit R. Guardini unseren Blick von der formalen Struktur des Lebendig-Konkreten auf unseren menschlichen Seinsbestand richten, wie er sich in innerer und äußerer Erfahrung darbietet, um so mehr ist zu erkennen, daß diese Lehre vom Gegensatz eine ganze Philosophie des Lebens enthält. Dieser Eindruck verstärkte sich noch, wenn wir den empfehlenden Hinweis R. Guardinis auf Schriften G. Simmels beachten[56]. Es ist auf dessen Einfluß zurückzuführen, daß R. Guardini das Leben als Träger des ganzen Gegensatzsystems bezeichnete[57]. Auch E. Przywara, der sich wiederholt mit dem Lebenswerk G. Simmels beschäftigte, sah in ihm einen wesentlichen Brunnen für die Philosophie R. Guardinis[58]. Er stellte allerdings fest, daß bei G. Simmel alles um das alte Grundproblem zwischen »Leben« und «Form« kreist; aber - so sagte er rückschauend - »es ist bei ihm, im scharfen Unterschied zu R. Guardini, nicht ein Problem des Stils, das in einem Letzt-Aphoristischen bleibt, sondern aus ihm blickt abgründig das Gesicht des Urgegensatzes zwischen 'Fließen' des Heraklit und dem 'Sein' des Parmenides«[59].

Dies Urteil, das für die Position E. Przywaras selbst bezeichnend ist[60], bringt eine starke Abneigung gegen R. Guardini zum Ausdruck. Obwohl er mit Recht Schwächen bei R. Guardini aufzeigte[61], wird er doch in dem oben zitierten Urteil

---

[54] Guardini: Der Gegensatz. S. 48. - Vgl. ders.: Der Ausgangspunkt der Denkbewegung Sören Kierkegaards. In: Hochland 24/II (1926/27) 12-33, besonders S. 26-27. - Dass. in: Ders. Unterscheidung des Christlichen. Mainz 1935. S. 486-487. -
Vgl. in diesem Zusammenhang H. Fries: Die katholische Religionsphilosophie der Gegenwart. Heidelberg 1949. S. 273. Der dortige Hinweis, Guardini sei nicht am Polaritätsgedanken der Romantik, sondern an der Dialektik Kierkegaards orientiert, ist nur bedingt richtig. Genauere Kenntnis zeigt, daß Guardini zwar die romantische Gegensatzauffassung mit den Augen Kierkegaards sah, selbst aber zu diesem in kritischer Distanz blieb. Auf den grundlegenden Unterschied zwischen der Gegensatzlehre Guardinis und Kierkegaards verweist auch Berning-Baldeaux. S. 44-45. - Vgl. H.U. von Balthasar: Romano Guardini. Reform aus dem Ursprung. München 1970. S. 80-81. - Wucherer-Huldenfeld: Die Gegensatzphilosophie Romano Guardinis in ihren Grundlagen und Folgerungen. S. 208. Anm. 30.
[55] Guardini: Der Gegensatz. S. 48-49. - Kritisch dazu Sladeczek. In: Scholastik 3 (1928) 249.
[56] Guardini: Der Gegensatz. S. 34. Anm. 7; S. 82. Anm. 23. - Vgl. J. Heiler: Zu Romano Guardinis Buch "Der Gegensatz". In: Abendland 2 (1926/27) 342.
[57] Guardini: Der Gegensatz. S. 171. - Vgl. P. Wust: Guardinis Metaphysik des Gegensatzes. In: KVZ. Beilage zu Nr. 875 (28.11.1926) S. 2. - A. Babolin: Romano Guardini, filosofo dell'alterità. Realità e persona. Bologna 1961. S. 50-51.
[58] E. Przywara. In: Buch des Dankes an Georg Simmel. Briefe, Erinnerungen, Bibliographie. Zu seinem 100. Geburtstag hrsg. von Kurt Gassen und Michael Landmann. Berlin 1958. S. 224-225.
[59] Ebd. S. 226.
[60] Ebd. S. 226. - Przywara sah sein eigenes Werk unlöslich mit dem Simmels verknüpft, da dessen gegenständliche Aporetik der Gegebenheiten selbst nach ihrer Überwindung durch die eine alle Gebiete durchformende Metaphysik der "analogia entis" schreie. - Vgl. E. Przywara: Gott. München 1926.
[61] Vgl. ders.: Das Ringen der Gegenwart. Bd. I. S. 360-362. Anm. 12. (Aus: StZ Juni 1926.)

dessen geistiger Leistung nicht gerecht. R. Guardini ging es gewiß nicht darum, mit Hilfe der Gegensatzidee »nur ein Problem des Stils« zu lösen. Er war vielmehr darum bemüht, die Fülle der Gegensätze nicht nur in ihrem Phänomenencharakter[62] zu beschreiben und strukturell zu ordnen, sondern soweit geistig zu durchdringen, daß ein fruchtbares Gesamtverständnis der Wirklichkeit möglich wird. Seine ganze Anstrengung zielte darauf hin, eine Fehlentwicklung zu vermeiden, die H. M. Baumgartner im Zusammenhang mit G. Simmel bemängelt, nämlich daß die kritische Frage nach dem Sinn des Lebens, selbst im Begriff der Selbsttranszendenz des Lebens »wieder zurückgebogen wird in die Unergründlichkeit und Unerklärbarkeit des schöpferischen Allebens«[63]. Jene Tendenz zur Auflösung aller festen Aussagen in eine zuletzt skeptische Aporetik oder zu einer Ballung des rein empirisch geschichtlichen Fließens sowohl in die Struktur von Typen wie in eine allgemeine Struktur geschichtlichen Werdens, wie sie E. Przywara bei G. Simmel und W. Dilthey bemerkte[64], tritt bei R. Guardini nicht in Erscheinung, weil sie dank eines übergeordneten, alles formenden Zielpunktes überwunden wurde. Um dies klar zu erkennen, dürfen wir freilich unsere Lektüre nicht nur auf das eine philosophische Buch unseres Autors beschränken. Wenn seit den Versuchen A. Trendelenburgs, W. Diltheys und G. Simmels die Frage nicht mehr zur Ruhe kam, wie der unüberbrückbare Gegensatz der philosophischen Systeme zueinander zu lösen sei[65], so bietet der Entwurf R. Guardinis den Versuch einer möglichen Antwort aus christlichem Geist.

R. Guardini sah also das Leben als den Träger eines ganzen Systems von Gegensätzen. Als erstes kam er in einer Analyse der kategorischen Gegensätze auf das Gegensatzverhältnis von »Dynamik« und »Statik« zu sprechen[66]. Der Ausgangspunkt: »Wir erfahren unser Leben als Akt. Wir erfahren den ganzen Bestand unseres Seins als Wirksamkeit«[67]. Die nämliche Tatsache versuchte er von einer anderen Seite her zu erfassen, indem er darauf hinwies, daß wir unseren Lebensbestand als in fortwährendem Wandel begriffen erfahren[68]. Hier nun konnte er sich an G. Simmel anschließen: »Wir erfahren das Leben als Strom. Die Form des Strömens gehört zur Erlebnisweise unseres Daseins«[69]. Aber R. Guardini wußte auch, daß Leben nicht nur Strömen ist. Einen einseitigen Aktualismus, bei dem das Bewußtsein, Leben sei Akt und Strom, so beherrschend wird, daß von ihm das gesamte

---

[62] Vgl. H.M. Baumgartner: Lebensphilosophie. In: SM 3 (1969) 176. - Über den Unterschied von Phänomenologie und Philosophie vgl. Jaspers: Rechenschaft und Ausblick. S. 387. - Jaspers sah das Problem ähnlich wie Guardini, intendierte jedoch eine andere Lösung.

[63] Baumgartner. S. 176.

[64] Przywara: Humanitas. S. 437.

[65] Ebd. S. 448.

[66] Guardini: Der Gegensatz. S. 31-42.

[67] Ebd. S. 31.

[68] Ebd. S. 33.

[69] Ebd. S. 34. - Vgl. G. Simmel: Lebensanschauung. Vier metaphysische Kapitel. (I. Die Transzendenz des Lebens. S. 1-27. - II. Die Wendung zur Idee. S. 28-29. - III. Tod und Unsterblichkeit. S. 99-153. - IV. Das individuelle Gesetz. S. 154-245.) München, Leipzig [2]1922. S. 13, 23. - Vgl. zu diesem Werk Simmels die Rez. von St. von Dunin-Borkowski. In: StZ 98 (1920) 322-323.

Seinsbild geprägt wird, lehnte er ab. Dabei dachte er an Heraklit; an den Aktivismus, Pragmatismus und dynamischen Personalismus neuerer Zeit[70]. Dagegen stellte er fest, daß es keinen reinen Akt gebe. Die Selbsterfahrung des Lebens gehe auch nach der anderen Seite: »Wir finden uns als Gebautes; als stehende Struktur«[71]. Wir erfahren uns »als etwas Dauerndes; als ruhende Selbigkeit im Wandel; als beharrende Stetigkeit im Ablauf; als bleibende Grundgestalt in aller Veränderung. Gerade das ist Lebenskraft und Lebensbewährung, sich nicht zu wandeln, die Vergänglichkeit zu bezwingen; sich zu behaupten im Strom; sich gleich zu bleiben im Wechsel. Und um so stärker die Kraft des Lebens, je voller es sich aufrechthält«[72].

Der hier aufgezeigten gegensätzlichen Struktur des Lebens folgte bei R. Guardini ein weiterer Gegensatz, der dem dargelegten verwandt ist: Form und Fülle[73]. Ein dritter schloß sich an: Integrierende und differenzierende Tendenz unseres Lebensaktes; Richtung auf das Ganze und auf das Einzelne, auf das Allgemeine und das Besondere[74]. Wichtig ist nun, daß R. Guardini an dieser Stelle den »Begriff des Innern« in seine Überlegung einbezog. Einer metaphysischen Benennung ging R. Guardini aus dem Wege. Es lag ihm nur daran, festzustellen: In der Selbsterfahrung zeige sich das Leben so geartet, daß es von außen nach innen »geschichtet« sei und über den Bestand des Erfahrbaren hinaus auf ein letztes »Innen« weise. Dieses selbst werde nicht erfahren; wohl aber werde wahrgenommen, daß es dasein müsse. Die Tatsache »Leben« bedeute, daß es einen nach innen, »jenseits« des Erfahrbarkeitsbereichs liegenden Ursprungspunkt habe. Lebender Akt sei so geartet, daß er seiner ganzen Struktur nach auf ein Innen weise. Jeder lebendige Akt zeige sich als etwas, das aus einem Innen hervorgehe...[75]. »Das ganze Aktwesen des Lebens zeigt sich so geartet, daß es auf ein transempirisches Zentrum hinweist«[76].

Hier tauchte für R. Guardini ein neuer Fragenbereich auf: Wie verhält sich dieser Innenpunkt des Lebendigen zum Erfahrbaren? Wie geht dieses auf ihn zurück? Wie kommt er im Erfahrbaren zur Geltung?[77] Die Gegensätze, die sich in diesem Verhältnis entfalten, nannte er »transempirische«. Gerade sie sind äußerst wichtig für das Lebensverständnis R. Guardinis. Erkenntnisse, die hier gewonnen wurden, finden sich später auch in der Lehre von den letzten Dingen.

Den ersten transempirischen Gegensatz fand R. Guardini in dem Verhältnis von Produktion und Disposition, Schaffen und Verfügen. Schaffen sah er aus dem Innern hervorsteigen. Überall werde ein »Neues«, dessen Bezug in ihm selbst liegt,

[70] Guardini: Der Gegensatz. S. 34-35.
[71] Ebd. S. 36.
[72] Ebd. S. 38.
[73] Ebd. S. 42-49. - Vgl. Sladeczek. In: Scholastik 3 (1928) 247.
[74] Guardini: Der Gegensatz. S. 49-55.
[75] Ebd. S. 58.
[76] Ebd. S. 59. - Guardini verwies in diesem Zusammenhang auf H. Driesch: Philosophie des Organischen. Leipzig ²1921. Dazu siehe oben. S. 14-15. - Vgl. aber auch R. Guardini: Christliche Innerlichkeit. In: Ders. Unterscheidung des Christlichen. Mainz 1935. S. 305-316. - Dass. neu durchgearbeitet in: Ders. Welt und Person. Versuche zur christlichen Lehre vom Menschen. Würzburg 1939. S. 49-59.
[77] Ders.: Der Gegensatz. S. 60. - Vgl. ders.: Der Tod des Sokrates. Eine Interpretation der Platonischen Schriften Euthyphron, Apologie, Kriton und Phaidon (1943). (RDE. 27.) Hamburg 1956. S. 168.

in der Kraft eigener Seinswahrheit. Jedes Lebendige sei zuletzt ein Neues[78]. »Leben heißt Schaffen. Und umso lebendiger das Leben, je schaffender es ist. Je ursprünglicher, je mehr Ursprung, erster Heraussprung aus dem schaffenden Grund. Leben ist Fruchtbarkeit. Und um so lebendiger das Leben, je größer seine Kraft, hinzustellen, was noch nicht war. Je voller Tat und Gestalt neue Schöpfung ist, herausgebracht von innen her. Um so lebendiger das Leben, je reiner neu jeder Augenblick; je mehr Anfang ist alles ... Letztes Siegel der Lebendigkeit ist die Kraft, jeden Augenblick neu zu sein«[79]. Andererseits sah R. Guardini aber auch, daß es im Menschlichen kein bloß hervorbringendes Schaffen gibt. Unter Ablehnung jeder idealistischen Absolutheitsdialektik erklärte er, daß die »reine« Verwirklichung der gegensätzlichen Lebensfunktionen nie im Endlichen, nur im absoluten Leben Gottes möglich sei; nur Gott schaffe »aus Nichts«, - alles andere Schaffen brauche Stoff. Lebendiges Schaffen enthalte immer auch ein Gegebenes: Aufgenommene Stoffe, empfangene Anregungen, tragende Umgebung[80]. In diesem Gegenbereich zum schaffenden Akt hieß Leben für R. Guardini: Gegebenes bewältigen, in eine neue Ordnung bringen, unter die Gewalt neuer Zwecke, Pläne, Strukturen ... Ordnen, Verarbeiten, Bauen, Meistern, Herrschen[81]. Das alles sah er in einem bestimmten Verhältnis jenes Innenpunktes zum Bereich des Erfahrbaren verwurzelt. »Das Leben«, so schloß er, »erfährt seinen Grundakt als Selbst-Verfügung von einem herrschenden Punkt her«[82].

Ein ähnliches Spannungsverhältnis »transempirischer Gegensätze« fand R. Guardini auch bei den Begriffen »Regel« und »Ursprünglichkeit«[83]. Wichtig für seinen Lebensbegriff und wichtig auch für unsere Frage nach seinem Verständnis von »Leben« nach dem Tode ist seine Feststellung, daß der schöpferische Akt weder vorausgesehen noch erzwungen werden kann. »Der schöpferische Akt untersteht nicht einer Regel, die vorher da wäre und nun verwirklicht würde, sondern setzt Regel ... Schaffendes Leben stellt sich selber hin ... Wirkliches Schaffen öffnet neue Möglichkeiten, richtet Neu-Gültiges auf. Schaffendes Leben bricht aus, es geht, es strömt, es quillt[84] ... Das Leben bindet sich nicht; es setzt sich immer neues Gesetz. Das Leben wiederholt sich nicht; es setzt sich stets einen neuen Anfang. Nie bietet es der Erfahrung das Recht zu sagen: So war es; demnach wird es so sein«[85]. Dieser Erkenntnis stellte R. Guardini wiederum eine zweite gegenüber. Er sah ein Zeichen von Krankheit darin, wenn die Ursprünglichkeit der seelischen Akte und Vorgänge in Unberechenbarkeit ausarte. Lebendige, mögliche Ursprünglichkeit sei nicht Sprunghaftigkeit. Nur auf Ursprüngliches gestellt, würde das Leben sich entgleiten und sich nicht mehr selber gehören[86]. So fand er im schöpferischen Bereich des Lebens auch einen Gegenpol: »Leben weiß sich in angebbaren Zusammenhang eingeordnet. Weiß, daß Regel und Gesetz besteht, dem es gehorcht, Maß

---

[78] Ders.: Der Gegensatz. S. 62.
[79] Ebd. S. 63.
[80] Ebd. S. 63-65.
[81] Ebd. S. 66.
[82] Ebd. S. 67.
[83] Ebd. S. 71-79.
[84] Ebd. S. 71.
[85] Ebd. S. 72.
[86] Ebd. S. 75.

und Gestalt«[87]. Ähnlich wie G. Simmel sagte auch R. Guardini: »Leben ist Rhythmus«[88]. Aber er begründete diese Erkenntnis nicht vom Ende her, vom Tode, wie dies Simmel tat[89], sondern wiederum vom Anfang her: Wiederkehr im Wechsel, Dauer im Wandel, Stetigkeit vom Zweck, Gestalt und Verhältnis in aller Veränderung bedeute, daß der Eintritt eines Aktes, eines Vorgangs, einer Veränderung erwartet werden könne. So hieß »Leben« für ihn auch an einer Gestalt schaffen, die dauert[90], Kraft zur Konsequenz haben, das heißt über sich selbst verfügen und sich festlegen können. Dazu aber muß das Leben wiederum Herr sein über sich selbst[91]. Die Folgerung daraus war für ihn, daß das Leben in dieser Hinsicht wesensgemäß auch Regel ist[92].

Der Dritte »transempirische Gegensatz« brachte den Zielpunkt R. Guardinis wieder stärker in den Blick. Zum letzten Wesen des Lebens gehöre es, daß es eine »Mitte« habe[93], nach der alles Geschehen gerichtet sei und von der es herkomme. Das Leben erfahre sich als sich selber innewohnend[94]. Aber auch hier spürte er eine Grenze auf. Er sah die Gefahr, daß dieses In-Sich-Stehen das Leben zum Stocken bringen könnte. Leben sei aber Strom, Zusammenhang nach vorn und rückwärts, und nach allen Seiten des Außen hin. So fand er, daß das Leben eine rätselhafte Kraft habe, »außer sich« zu stehen. Wieder verwies er auf G. Simmels Anschauung von der Transzendenz des Lebens[95], als er darlegte, daß etwas im Leben die Grenze[96] des zeitlichen Vorn und Hinten überschreite: »Das Wesen der Gegenwart ist ein Stehen auf schmaler Schneide, zwischen dem Nicht-Mehr und Noch-Nicht; ein Schritt aus dem Gewesenen ins Kommende. Tatsächlich leben wir noch in dem, was noch nicht ist; aber bereits als zum Jetzt gehörig empfunden wird; weil es auf dieses - aber auf dieses, auf mein Jetzt zu-kommt, Zu-kunft ist. Es steht im Ziel und

---

[87] Ebd. S. 76. - L.A. Winterswyl verweist darauf, daß Odilo Wolff in Beuron den jungen Studenten die platonische Idee als lebendige Gestalt, als Bild verstehen lehrte. Vgl.: Hochland 34/II (1937) 363-383: Romano Guardini, Eigenart und Ertrag seines theologischen Werkes; hier: S. 365.

[88] Guardini: Der Gegensatz. S. 76. - Vgl. ders.: Systembildende Elemente in der Theologie Bonaventuras. Die Lehre vom Lumen mentis, von der Gradatio Entium und der Influentia Sensus et Motus. Hrsg. von W. Dettloff. (StDF. 3.) Leiden 1964. S. 218: "Das organische Prinzip des Zeitlichen aber ist der Rhythmus, wie das bereits Augustin im sechsten Buch seiner Schrift 'De musica' dargelegt und wie es seine Civitas Dei im einzelnen durchgeführt hat. Der circulus des Ausgehens und Zurückkehrens ist der Rhythmus der Heilsgeschichte". - Vgl. G. Simmel. In: Logos 1 (1910/11) 62, 66. - Ders.: Lebensanschauungen. S. 116, 151.

[89] G. Simmel: Zur Metaphysik des Todes. In: Logos 1 (1910/11) 57-70; besonders S. 59: Die formgebende Bedeutung des Todes. - Ders.: Tod und Unsterblichkeit. In: Lebensanschauung. S. 99-153, besonders S. 102. - Ders.: Zur Metaphysik des Todes. In: Ders. Brücke und Tür. Essays des Philosophen zur Geschichte, Religion, Kunst und Gesellschaft. Im Verein mit Margarete Susman hrsg. von Michael Landmann. Stuttgart 1957. S. 29-36.

[90] Guardini: Der Gegensatz. S. 76.

[91] Ebd. S. 77.

[92] Ebd. S. 78.

[93] Vgl. G. Simmel: Lebensanschauung. S. 13.

[94] Guardini: Der Gegensatz. S. 79.

[95] G. Simmel: Lebensanschauung. S. 1-27, besonders S. 6-8, 10, 20: Selbsttranszendenz des Lebens.

[96] Über die Bedeutung des Grenzcharakters unserer Existenz vgl. G. Simmel: Lebensanschauung. S. 2.

zieht von dort das gegenwärtige Leben an's Ziel heran«[97]. Entsprechendes sah R. Guardini auch in den räumlichen Beziehungen. Er stellte fest, daß die Fähigkeit des Transzendierens schon darin liege, daß mein Leben nicht nur in einem Punkt gesammelt, sondern als das eine und gleiche, in einem ganzen Leib, in vielen Gliedern ausgebreitet ist. »Bloß innerliches Leben wäre nicht nur reines Jetzt, sondern auch bloßer Punkt. Daß es aber Mitte ist und zugleich Umfang; Lebens-Innen-Punkt und zugleich dieses Glied, und das, und jene Funktion, und so fort, das ist bereits Transzendenz. Schon das Phänomen der 'Mitte' bedeutet Transzendenz; ist sie doch auf Umkreis, Fläche und Körper bezogen«[98]. Die Folgerung aus dieser Erkenntnis war, daß der anfangs genannte Innenpunkt auch »Außenpunkt« sei und Außenhaltung begründe[99]. In dieser gegensätzlichen Spannungseinheit sah R. Guardini den Kern des Lebens.

Im Unterschied zu den bisher genannten »Kategorischen Gegensätzen« behandelte R. Guardini zuletzt die von ihm so genannten »transzendentalen Gegensätze«: Verwandtschaft und Besonderung; Einheit und Mannigfaltigkeit[100]. Er hielt es für möglich, sie rein dialektisch aus der Tatsache der Gegensätze als solcher zu entwickeln, wichtiger aber war ihm auch hier, sie auf Grund einer Erfahrungsfülle deutlich zu machen[101]. Dabei konnte er seinen Lebensbegriff weiter vertiefen. »Das Leben«, so erklärte er, »erfährt sich als sich selbst durchgehendes verwandt«[102]. Durch alle Einzelmomente des ganzen Körperbereichs wie auch des Seelischen hindurch gehe der einheitliche Strom dieses individuellen Lebens, so daß sie als Teilakte eines geschlossenen Gesamtlebens erfahren werden und dessen allgemein menschlichen wie auch besonderen Charakter zeigen. In jedem erkenne sich der sie tragende Mensch wieder[103]. Diese »Homogeneität der Lebenseinzelheiten«, die es möglich macht, daß sie in sachlichem Zusammenhang stehen, fand er auch im gesellschaftlichen Gesamtleben als überindividueller Einheit[104]. Wieder hören wir den Einfluß G. Simmels in den Worten R. Guardinis: »So erfährt sich das Leben als qualitative Einheit. Lebendig sein bedeutet, mitschwingen können mit dem, was lebt. Verwandt sein der andern lebendigen Gestalt. Anklingen auf die Bewegungen draußen[105]. Aber auch hier erkannte R. Guardini gleich wieder die Grenze: Verwandtschaft bedeute nicht Gleichheit. Immer müsse ein Mindestmaß an spannungserzeugender Andersartigkeit gegeben sein, sonst bedeute Gleichheit Einförmigkeit, Tod[106]. Er sah daher in der Kraft zur Selbstunterscheidung einen Maßstab für den Rang von Lebensäußerungen und erklärte: Edles Leben wahre klare Sonderart, es verwechsle sich nicht und dulde keine Verwechslung; es habe einen tiefen Widerwillen gegen alles Verfließen[107]. Das bedeute seinsmäßig eine Abwehr gegen

---

[97] Guardini: Der Gegensatz. S. 82. - Vgl. G. Simmel: Lebensanschauung. S. 8-12.
[98] Guardini: Der Gegensatz. S. 83.
[99] Ebd. S. 87.
[100] Ebd. S. 88-99.
[101] Ebd. S. 88-89.
[102] Ebd. S. 89.
[103] Ebd. S. 90.
[104] Ebd. S. 90.
[105] Ebd. S. 91.
[106] Ebd. S. 92.
[107] Ebd. S. 93.

Zerstörung, wie Treue gegen Wert und Norm. »Leben ist Charakter, Leben ist Wille zu klarer Gestalt und eindeutiger Sinnbeziehung«[108]. In diesem Grundzug des Lebens sah R. Guardini den Weltanschauungstypus des »Pluralismus« begründet. Scharf wandte er sich gegen eine »monistische Verschlämmung der Bedeutungsgestalten«. Er fand, daß »alle Monismen im Letzten etwas Charakterloses an sich haben«[109].

Die nämliche Tatsache, die er hier von ihrer qualitativen Seite erfaßte, stellte sich ihm auch von der »struktiven Seite« her dar[110]. Das Leben erfahre sich als Zusammenhang, ... »zuletzt als Einheit leibgeistigen Seins, die in geschlossener Entwicklung auf- und abgebaut wird; als Gesamtzug eines umfassenden Lebensaktes, der nie abbricht; als Offenbarung einer einheitlichen Gestalt und zusammenhängenden Ordnung«[111]. Aber auch dieser »Kontinuitätscharakter des Lebens« war für R. Guardini nicht absolut gegeben. Wenn lebendiger Zusammenhang nicht Selbigkeit sein solle, müsse immer ein Mindestmaß an Scheidung wirksam sein[112]. Allerdings, da es sich um eine Spannungseinheit von Zusammenhang und Gliederung handelt, lehnte er einen psychologischen Atomismus und kulturellen Anatomismus ebenso ab[113].

In all diesen Gegensätzen sah R. Guardini das Lebendig-Konkrete als Einheit gegeben, geordnet nach »Maß und Rhythmus«[114]. Darunter verstand er nicht eine starre mechanische Regel[115], sondern ein lebendiges Gegensatzsystem, das sich keineswegs in einem dauernden Gleichgewicht befindet[116]. Endliches Leben ist nach R. Guardini nie ausgeglichen, sondern, eben hierin, nach außen gewendet, offen stehend, strebend, erwartend[117]. Im System des Gegensatzes fand er daher einen Überschuß an nicht gebundener Gegensatzkraft, der den Weg öffnet aus der in sich stehenden Haltung nach außen; aus der »Individualstellung in die Verknüpfung«[118]. Wichtig war ihm dabei die Verbindung von Individualsystemen zu Gruppen[119], die von Gruppen zu Gruppengefügen[120]. Allerdings ging es ihm nicht um eine soziologische Mechanik, sondern um die Gemeinschaftsknüpfung aus personaler Hingabe in Liebe und Treue[121]. Vom Standpunkt der Gegensatzlehre wurde er zum »entschiedensten Solidarismus« gedrängt. Der besagt: »Einzelner und Gruppe können, soweit sie im Gegensatzverhältnis stehen, voneinander nicht abgeleitet werden. Jedes hat sein ursprünglich in sich selbst stehendes Wesen; aber keines kann ohne das andere sein, sondern ist von vorneherein im anderen mitgege-

---

[108] Ebd. S. 95.
[109] Ebd. S. 95.
[110] Ebd. S. 96.
[111] Ebd. S. 97.
[112] Ebd. S. 98.
[113] Ebd. S. 99.
[114] Ebd. S. 118-167.
[115] Vgl. z.B. ebd. S. 138.
[116] Ebd. S. 148.
[117] Ebd. S. 150.
[118] Ebd. S. 151.
[119] Ebd. S. 153-155.
[120] Ebd. S. 155-158.
[121] Ebd. S. 161.

ben«[122]. Hier schon stellte R. Guardini fest, was er später in einer eigenen Schrift[123] breit entfaltete:»'Person', um den eigentlichen Kern des menschlichen Einzelseins zu nennen, ist zugleich auf Gesamtheit bezogene Eigenständigkeit ... Sie entsteht nicht durch die Gemeinschaft, sondern ist in sich selbst gegeben. Aber wesentlich auf diese bezogen«[124]. Ebenso gilt jedoch: »Daß die Gemeinschaft von vorneherein und wesenhaft auf den eigenständigen Einzelnen bezogen ist«[125]. Zum Schluß griff R. Guardini noch die Frage auf, ob auch die übergeordneten Gegensatzgebilde etwas wie einen »transempirischen Punkt« haben[126]. Er war der Ansicht, vielerlei deute darauf hin, daß es sich so verhalte. Besonders stark trete uns diese Annahme von der Kirche her nahe. Sie habe von Anfang an und bis zur Stunde sich in ganz eindeutiger Weise als von einem Lebensprinzip und Wesensbild geformt gewußt, das von innen - oder von außen - her die erfahrbare Wirklichkeit forme. Die Ideen des corpus mysticum und der Hierarchie sprächen das aus. Die erste trete bewußt entwickelt bereits bei Paulus auf, mit dem Gleichnis vom Weinstock und den Rebzweigen in Verbindung stehend, um sich von da an durch die ganze Geschichte des christlichen Denkens hindurch zu ziehen. Die zweite finde sich voll ausgebaut bereits im 6. Jahrhundert - bei Dionysius, dem sog. Areopagiten - und wirke ebenfalls bis zur Stunde weiter. »Beide fassen die Kirche als eine metaphysisch gegründete Einheit«[127].

In seinem philosophischen Entwurf ließ R. Guardini diese Probleme auf sich beruhen. Vielleicht zeigt sich hier schon eine Schwäche, die E. Przywara sehr scharfsichtig bei einem anderen, weitbekannten Werk unseres Autors bemerkte. Zwar lobte er, daß R. Guardini in seinem Büchlein »Vom Sinn der Kirche« der Einseitigkeit eines Umschlages von Vereinzelung zur Gemeinschaft nicht nachgab, sondern ausdrücklich die Rechte der persönlichen Individualität betonte. Er forderte aber, eine letzte Verankerung doch nicht in der Gemeinschaft zu suchen, sondern mehr noch als es bei R. Guardini geschah in der Persönlichkeit Gottes, der aufgeleuchtet ist im Antlitz Jesu Christi, dessen Leib die Kirche ist. Innerhalb dieser letzten Objektivität der Kirche könne sich dann der ganze Reichtum des Menschenlebens entfalten, vom Einsamkeits-Menschen bis zum ausgeprägten Gemeinschafts-Menschen, »weil eben der entscheidende Wesensgrund (ihre übernatürliche Wurzel) der Kirche weder 'Einzelmensch' noch 'Gemeinschaft' ist, sondern Gott, der kraft seines Wesens sozusagen Gemeinschaft als Persönlichkeit ist und Persönlichkeit als Gemeinschaft, da diese Gegensätze in Ihm, der der Unendliche und Einzige zugleich ist, widersinnig ist«[128]. Später stellte E. Przywara fest, daß R. Guardini fortschritt »vom Ideal einer irgendwelchen Harmonie zum reifen Verzicht der Gegensatzeinheit«[129]. Er habe sich von einem einseitigen Form- und Gemeinschaftsideal abgewandt zugunsten der »Weite des Blickes und Aufgelockertheit der

---

[122] Ebd. S. 165.
[123] Ders.: Welt und Person. - Dazu siehe unten S. 760-773.
[124] Ders.: Der Gegensatz. S. 165.
[125] Ebd. S. 166.
[126] Ebd. S. 166.
[127] Ebd. S. 167.
[128] Przywara: Das Ringen der Gegenwart. Bd. I. S. 10. (Aus: StZ. März 1923.)
[129] Ebd. S. 238. (Aus: StZ. April 1924.) - Hinsichtlich unserer Fragestellung vgl. Guardini: Der Tod des Sokrates. S. 121.

Seele im Angesicht des Gottes der Unendlichkeit, der in allem als der Eine sich spiegelt und in jedem in besonderer Weise»[130]. Darin sah E. Przywara die »heilsame Überwindung alles einseitigen Individualismus und alles einseitigen Formalismus und aller einseitigen mystischen Unmittelbarkeit«[131].

Wie R. Guardini diesen Weg beschritt, soll im folgenden die Erörterung seiner theologischen Grundansichten zeigen. Im ersten Entwurf seiner Typenlehre hatte er versichert, daß das Gegensatzsystem, das er ergründet hatte, von absoluter Bedeutung sei und für alle Gegenstände der Erfahrung gelte. Die Frage, ob dies Prinzip des Gegensatzes auch in der Erörterung des Problems des Absoluten Anwendung finden dürfe, und, gegebenenfalls, wie weit und unter welchen Einschränkungen, konnte er zunächst nicht beantworten. Stattdessen behandelte er den Gegensatz nur als Grundlage einer Typik des bedingten Seins[132]. In seinen späteren Versuchen gab der Verfasser der Gegensatzlehre den Hinweis, daß er das »ewige Leben« als eine religiöse, geoffenbarte Tatsache gegeben sah. Der Begriff enthalte aber als natürlichen Unterbau die Vorstellung vollkommener Lebendigkeit. Dieser werde von der Theologie als einziger, unser ganzes Sein enthaltender Akt beschrieben; als Aktwerdung unseres gesamten Seins in einer einzigen, stehenden Lebensspannung: Der Gotteserkenntnis und Gottesliebe. Er verwies darauf, daß Thomas von Aquin den Begriff des Lebens als »Sein in Bewegung« faßte[133]. Die Wesensbestimmung von der Ewigkeit gewinne er im Anschluß an Boethius vom Begriff des ganz vollendeten Lebens her. Nach diesem bedeute 'Ewigkeit' »nicht endenden Lebens voller, gleichzeitiger und erschöpfender Besitz«[134]. Gott nun sei lauteres, ja wesenhaftes Leben[135]. Er stehe wesenhaft »semper in actu«; Gottes Leben sei daher wesenhaft Ewigkeit, unsere Ewigkeit werde Teilnahme an Gottes Leben sein, durch Schauen und Lieben, worin unser ganzes Sein zum einfachen Akt werde[136].

---

[130] Przywara: Das Ringen der Gegenwart. Bd. I. S. 238.

[131] Ebd. - Bemerkungen zu R. Guradini: Auf dem Wege. Versuche. Mainz 1923.

[132] Guardini: Gegensatz und Gegensätze. S. 9.

[133] Ders.: Der Gegensatz. S. 32-33. Anm. 6. - Vgl. Thomas von Aquin: S. th. I. 18: De vita. a. 2: Utrum vita sit quaedam operatio: Vitae nomen est impositum ad significandam substantiam cui convenit secundum suam naturam movere se ipsam, vel agere se quocumque modo ad operationem. - Vgl. M. Grabmann: Die Idee des Lebens in der Theologie des hl. Thomas von Aquin. Paderborn 1922.

[134] Vgl. Thomas von Aquin: S. th. I. 10: De Dei aeternitate. a. 1: aeternitas est interminabilis vitae tota simul et perfecta possessio. - Boethius: De consolatione philosophiae. V. 6. PL-SL 63 (1847) 858.

[135] Vgl. Thomas von Aquin: S. th. I. 18. 3 ad 2: Sicut Deus est ipsum suum esse, et suum intelligere, ita est suum vivere.

[136] Vgl. ebd. a. 2: Deus ... est sua aeternitas. - Ebd. a. 3: Aeternitas vere et proprie in solo Deo est, quia aeternitas immutabilitatem consequitur ... Secundum tamen quod aliquae ab ipso immutabilitatem percipiunt, secundum hoc aliqua eius aeternitatem participant. - Guardini verwies in diesem Zusammenhang auf J. Tissot (Hrsg.): La vie intérieure, simplifié et ramené à son fondement. Paris, Lyon 1894, [15]1920. - Dass. deutsch: Das innerliche Leben muß vereinfacht und wieder auf seine Grundlage zurückgeführt werden. Hrsg. und aus dem Französischen übersetzt von F.X. Kerer. Regensburg 1899, [4]1919, [6]1925.

Zusammenfassend können wir sagen:

Schon in seiner Philosophie des Lebendig-Konkreten kam R. Guardini zu einer Metaphysik der Person, indem er den philosophischen Ansatz G. Simmels im Rahmen einer theistischen Weltsicht neu durchdachte und vertiefte. Es ging ihm nicht um die bloße Natur, sondern um den Menschen als Kreuzungspunkt von Natur und Geschichte, Ewigkeit und augenblickshafter Zeit[137]. Der Begriff des Lebens, den er zunächst aus einer phänomenologischen Beschreibung der Wirklichkeit gewann, klärte er teilweise auf den Grundlagen der antik-christlichen Philosophie[138]. Zugang zur Wirklichkeit erhält der Mensch nach R. Guardini durch die Erfahrung[139]. K. Wucherer-Huldenfeld stellt fest, daß in dieser irrationalen Gegebenheitsweise der Wirklichkeit R. Guardini mit M. Scheler übereinstimmte, wenngleich er sich von diesem dort unterschied, wo der Geist entmächtigt wurde. Durch seine Beschäftigung mit Bonaventura festigte sich R. Guardinis Auffassung, daß nach platonisch-augustinischer Tradition der Geist wirklicher ist als das Körperding[140]. Auch E. Przywara wußte, daß hinter der Lebenslehre R. Guardinis die alte scholastische Metaphysik stand. Kritisch meinte er allerdings, daß erst eine Neubelebung dieser Metaphysik aus unseren heutigen Problemen heraus die letzten Fragen des Guardini-Buches beantworten könnten, wobei dann allerdings das unbestimmte »Leben« dem »Sein« weichen müsse[141]. Mit dieser Einschränkung können wir K. Wucherer-Huldenfeld zustimmen, daß die Gegensatzphilosophie R. Guardinis den Versuch einer Ontologie des lebendig-konkreten Seins darstellt, das dabei unter einem speziellen, nämlich dem anthropologischen Gesichtspunkt betrachtet wird[142].

Wie das Denken R. Guardinis auf dieser philosophischen Grundlage in der Erlösungslehre Bonaventuras seinen theologischen Ansatz fand, soll im folgenden Abschnitt gezeigt werden. Wenn wir später erneut fragen, welche Bedeutung der »Lebenslehre« R. Guardinis hinsichtlich einer Eschatologie des Lebens nach dem Tode zukommt, ist zu vermuten, daß sein Blick fest auf das Konkrete der menschlichen Person ausgerichtet blieb. Im Lichte der Offenbarung sah er ihre Vollendung in der Teilnahme am Leben des dreifaltigen Gottes.

---

[137] Wucherer-Huldenfeld: Die Gegensatzphilosophie Romano Guardinis in ihren Grundlagen und Folgerungen. S. 10.

[138] Vgl. P. Wust: Romano Guardinis Metaphysik des Gegensatzes. In: KVZ Nr. 894 (5.12.1926) S. 2.

[139] Vgl. auch andere Schriften Guardinis, z.B.: Unterscheidung des Christlichen. ¹1935. S. 112. - Ders.: Die letzten Dinge. S. 88-89, 93.

[140] Wucherer-Huldenfeld: Die Gegensatzphilosophie Romano Guardinis in ihren Grundlagen und Folgerungen. S. 160.

[141] Przywara: Das Ringen der Gegenwart. Bd. I. S. 362. (Aus: StZ. Juni 1926.)

[142] K. Wucherer-Huldenfeld: Die Gegensatzphilosophie Romano Guardinis. In: WuW 8 (1955) 288-301; hier besonders S. 288.

2. Die Erlösungslehre des heiligen Bonaventura als theologischer Ausgangspunkt für die systematischen Versuche R. Guardinis

Die theologischen Elemente im Denken R. Guardinis erschließen sich uns am besten, wenn wir seinen Beitrag zur Geschichte und zum System der Erlösungslehre zur Hand nehmen. Diese Studie über die Lehre des heiligen Bonaventura von der Erlösung wurde bereits vor 1915 erarbeitet, also zur gleichen Zeit, da R. Guardini auch die ersten methodischen Überlegungen seiner Gegensatzlehre zu formen versuchte. Die Erkenntnisse, die er dabei gewann, kamen in seiner Dissertation bereits voll zur Anwendung[143].

Wir haben gezeigt, wie R. Guardini sich um die Erfassung des Lebendig-Konkreten bemühte, wobei es ihm vor allem um das menschliche Personleben ging[144]. Diese anthropologische Ausrichtung bestätigt sich auch in der Themenwahl der ersten systematischen Studie, mit der R. Guardini sich der Theologie Bonaventuras zuwandte. Hier zeigte es sich zudem, daß er selber im Entscheidenden Theologe war[145]. Wohl hatte er früh die Anregungen der Phänomenologie und Lebensphilosophie aufgegriffen. Er hatte die Bedeutung der Ansätze, die hier vorlagen, erkannt, aber er nahm auch deren Unzulänglichkeit wahr. Daher hielt er fest an der Gestalthaftigkeit des Seins und bezog einen Standort, von dem aus er die lebendige Wirklichkeit erkennen konnte, und zwar nicht nur im Lichte der natürlichen Erkenntnis, sondern vor allem im Lichte der göttlichen Offenbarung. Auch hierbei ging es ihm um das Lebendig-Konkrete: Er entschied sich für Jesus Christus, in dem Gott der Welt das Heil schenkt, und für die Kirche, in der die konkrete Gestalt des Christentums in Erscheinung tritt.

R. Guardini wurde also »Theologe«. Er studierte in Freiburg und Tübingen, bevor er 1910 zum Priester geweiht wurde[146]. Dankbar gedachte er später vor allem seiner Lehrer K. Braig, E. Krebs und E. Göller[147]. Noch im hohen Alter erinnerte er sich der dogmatischen Vorlesungen, die er einst in Tübingen hörte, als W. Koch darum bemüht war, die theologische Durchdringung des Wahrheitsgehaltes an das Leben heranzubringen[148]. Ihr Einfluß auf auf das Lebenswerk R. Guardinis ist nur indirekt zu erfassen. H. Kuhn beschreibt die Zeit, in der R. Guardini seine Studien begann, als keine glückliche Epoche in der deutschen Kirchengeschichte: Eine satte

---

[143] Vgl. den Hinweis von H.U. von Balthasar: Romano Guardini. S. 63.

[144] Vgl. Wust. In: KVZ Beilage zu Nr. 894 (5.12.1926).

[145] Vgl. die Würdigung Guardinis durch W. Dirks. In: TdTh. S. 248-252.

[146] Vgl. u.a. J. Spörl: Guardinis geistiger Werdegang. In: ChG/ChS 21 (1969) 333-335.

[147] R. Guardini: Die Lehre des heiligen Bonaventura von der Erlösung. Ein Beitrag zur Geschichte und zum System der Erlösungslehre. Düsseldorf 1921. S. VII. - Guardini benutzte vorzüglich: Doctoris Seraphici S. Bonaventurae ... Opera omnia ... edita studio et cura PP. Collegii a S. Bonaventura ad plurimos codices MSS. emendata, anecdotis aucta prolegomenis scholiis notisque illustrata. 10 tom. Ad Claras Aquas MDCCCLXXXII-MCMII.

[148] Vgl. ders.: Die Existenz des Christen. Hrsg. aus dem Nachlaß. Paderborn 1976. S. 3-4. - Schon 1935 widmete Guardini seine Versuche über Pascal, die er unter dem Titel "Christliches Bewußtsein" veröffentlichte, Herrn Prof. D. Wilhelm Koch in dankbarer Verehrung. - Über die Beziehung von R. Guardini zu W. Koch vgl. auch K. Färber: Erinnerungen an Wilhelm Koch. In: ThQ 150 (1970) 107.

bürgerliche Gesellschaft, in deren Bewußtsein die Kirche vor allem als eine Rechts-
institution existierte, daneben, autonom sich fühlend, Wissenschaft, Kunst und
Staat; der Modernismus[149] und die Enzyklika »Pascendi«[150]; die akademische Atmosphäre vom Positivismus bestimmt[151]. In dieser Darstellung kommt ein Reflex
jenes kritischen Protestes zum Ausdruck, wie er in der Zeit der Jugendbewegung
laut wurde. Wir wollen uns indessen unser Verständnis von keinem existentiellen
Vorurteil trüben lassen und können daher nicht zustimmen, wenn H. Kuhn behauptet, R. Guardini habe zwar akademische Lehrer gefunden, die ihm halfen und
deren er sich später in Dankbarkeit erinnerte, keinen aber, der sein Denken geformt oder ihn in seinem wesentlichen Anliegen gefördert hätte[152]. Ein genaueres
Hinsehen läßt vielmehr erkennen, daß R. Guardini durch seine theologischen Lehrer Anschluß an den Geist der alten Tübinger Schule gewann. So empfing er in
Freiburg zahlreiche wertvolle Anregungen in dem von E. Göller[153] geleiteten Colle-
gium Sapientiae[154]. Warum sollte er nicht diesem Kirchen- und Rechtshistoriker
aus der Schule F. X. Kraus[155] und H. Finkes[156] verdanken, wenn er später als neuer-
nannter Professor für Religionsphilosophie und christliche Weltanschauung suchte »nach der wesenhaften Ordnung von Sein und Leben, darin alle Wirklichkeiten
stehen, wie sie sind, an dem Ort und in dem Rang, wie er ihnen zukommt«[157]?

---

[149] Aus der Fülle der einschlägigen Literatur seien besonders genannt: Ch. Pesch: Theologische Zeitfragen. Vierte Folge: Glaube, Dogmen und geschichtliche Tatsachen. Eine Untersuchung über den Modernismus. Freiburg i.B. 1908. - K. Braig: Was soll der Gebildete von
dem Modernismus wissen? (FZB.) Hamm 1908. - Ders.: Der Modernismus und die Freiheit
der Wissenschaft. Freiburg 1911. - G. Tyrrell: Zwischen Scylla und Charybdis oder Die alte
und die neue Theologie. Aus dem Englischen von E. Wolff. Jena 1909. - A. Schäffler: Vergangenheit und Zukunft des Modernismus. In: NJh 2 (1910) 121-124. - P.H. Loyson: Der Modernismus. Ebd. S. 373-375. - J. Mausbach: Der Eid wider den Modernismus und die theologische
Wissenschaft. Köln 1911.
[150] Zur Enzyklika "Pascendi" siehe oben S. 696, Anm. 85.
[151] H. Kuhn: Romano Guardini. S. 19-20.
[152] Kritisch zu H. Kuhn auch H.R. Schlette: Aporie und Glaube. Schriften zur Philosophie und Theologie. München 1970. S. 247-287: Romano Guardini - Versuch einer
Würdigung.
[153] Emil Göller (1874-1933) war seit 1909 in Freiburg. - Vgl. H.Finke: Emil Göller (Ne-
krologe). In: HJ 53 (1933) 277-279. - J.P. Kirsch: Emil Göller †. In: RQ 41 (1933) 1-7. - K.A.
Fink: Verzeichnis der Schriften Emil Göllers. In: RQ 41 (1933) 9-13. - J. Sauer: Nekrolog über
Prälat Emil Göller. In: FDA 61 N.F. 34 (1933) VII-XXXI. - R. Bäumer: Emil Göller. In:
LThK² 4 (1960) 1048.
[154] Guardini: Die Lehre des hl. Bonaventura von der Erlösung. S. VII.
[155] Franz Xaver Kraus (1840-1901) erstrebte als Kirchenpolitiker die Aussöhnung zwi-
schen Katholizismus und moderner Kultur. - Vgl. das schon erwähnte Buch von H. Schiel:
Franz Xaver Kraus und die katholische Tübinger Schule. Ellwangen [Jagst] (1958). - Ders.:
Im Spannungsfeld von Kirche und Politik. Franz Xaver Kraus. Trier 1951. - Ders.: Franz
Xaver Kraus. In: LThK² 6 (1961) 596. - K. Braig: Zur Erinnerung an Franz Xaver Kraus.
Freiburg 1902. - Ph. Funk: Das geistige Erbe von F.X. Kraus. In: NJh 4 (1912) 1-4, 16-19,
30-34.
[156] Vgl. J. Spörl: Heinrich Finke (1855-1938). In: HJ 58 (1938) 241-248. - H. Heimpel:
Heinrich Finke. Ein Nachruf. In: HZ 160 (1939) 534-545. - Meinecke: Straßburg/Freiburg/
Berlin. S. 79-81.
[157] Guardini: Auf dem Wege. S. 7.

Außer durch E. Göller stand R. Guardini insbesondere durch seinen Lehrer K. Braig[158] in der Tradition der Tübinger Schule[159]. Dieser Freiburger Dogmatiker, der als Referent die theologische Erstlingsarbeit R. Guardinis betreute und beurteilte, war ein Schüler J. E. Kuhns[160]. Noch heute gilt er als ein scharfblickender Apologet, der sich mit den philosophischen Tendenzen seiner Zeit, so vor allen mit den Anschauungen E. von Hartmanns[161] und R. H. Lotzes[162] intensiv auseinandersetzte. Dabei stand er jedoch auch der Neuscholastik zum Teil kritisch gegenüber. Zur Zeit, da R. Guardini in Freiburg studierte, las er außer den traditionellen Traktaten der Dogmatik vor allem theologische Anthropologie[163]. Verdankte sein Schüler ihm die Intensität des metaphysischen Denkens[164], so können wir gerade von K. Braig her das richtige Verständnis für die Dissertation R. Guardinis gewinnen. Dem äußeren Eindruck nach wird man sie der dogmengeschichtlichen Erforschung scholastischer Theologie zuzählen, wie sie zu Beginn unseres Jahrhunderts mancherorts in Blüte stand. Dabei dürfen wir jedoch nicht übersehen, daß Dogmengeschichte nie um ihrerselbst willen getrieben wurde. Es wäre völlig verfehlt, in den hervorragenden Einzelstudien jener Epoche nur eine Äußerung des Historismus oder eine Flucht in die Vergangenheit zu sehen, zu einer Zeit, da »die Temperatur bis nahe an den Nullpunkt gesunken« war und es überdies so schien, als sollten »die Funken neuer Glut ausgetreten werden«[165]. Es handelte sich vielmehr um eine sachgemäße Antwort katholischer Theologie, die ganz bewußt auf die vielfältigen Fragen der Zeit gegeben wurde. Freilich genügte es nicht, Wissen und Weisheit vergangener Zeit ohne Rücksicht auf die geistigen Probleme der Gegenwart zu repetieren. Gerade den jungen Theologen schien damals das Zurückverfolgen eines dogmatisch-spekulativen Problems bis in seine biblischen Anfänge und religionsgeschichtlichen Parallelen ein »Umgraben des Wurzelbodens unserer Glaubensbegriffe« zu sein, woraus sich dem Dogmatiker »viele lebendige Keime für das speku-

---

[158] Karl Braig (1853-1923) war seit 1893 Prof. für phil.-theol. Propädeutik, seit 1897 für Dogmatik in Freiburg. Seinem Andenken widmete R. Guardini 1936 die Schrift: Vom Leben des Glaubens. - Vgl. J. Bilz: Karl Braig: In: LThK¹ 2 (1931) 513-514. - F. Stegmüller: Karl Braig. In: LThK² 2 (1958) 642. - Ders.: Karl Braig. In: ORhPBl 54 (1953) 120-128. - Schriften von K. Braig: Siehe LV. - Über den Einfluß von K. Braig auf M. Heidegger vgl. Heidegger: Frühe Schriften. S. X-XI (Vorwort): "Die entscheidende und darum in Worten nicht faßbare Bestimmung für die spätere eigene akademische Lehrtätigkeit ging von zwei Männern aus, die zu Gedächtnis und Dank hier eigens genannt seien: Der eine war der Professor für systematische Theologie, Carl Braig, der letzte aus der Überlieferung der Tübinger spekulativen Schule, die durch die Auseinandersetzung mit Hegel und Schelling der katholischen Theologie Rang und Weite gab ...".
[159] Vgl. Berning: Das Denken Herman Schells. S. 56. Anm. 352.
[160] Zu J.E. von Kuhn siehe oben S. 129, Anm. 29.
[161] Vgl. K. Braig: Die Zukunftsreligion des Unbewußten und das Prinzip des Subjektivismus. Ein apologetischer Versuch. Freiburg 1882. - Zu E. von Hartmann siehe oben S. 18.
[162] Vgl. K. Braig: Das philosophische System von Lotze. Freiburg 1884. - Zu R.H. Lotze siehe oben S. 20-23.
[163] Vgl. Ankündigungen der Vorlesungen der Großherzoglich Badischen Albert Ludwigs-Universität zu Freiburg im Breisgau. Freiburg 1905 ff.
[164] Winterswyl. In: Hochland 34/II (1937) 365.
[165] H. Kuhn: Romano Guardini. S. 20.

lative Denken ergeben, welche sich sehr entwicklungsfähig und fruchtbar erweisen«[166]. So betonte E. Krebs immer wieder die »Lebenswerte des Dogmas«[167].

Wie sehr auch der dogmengeschichtliche Beitrag R. Guardinis ganz aktuell den Fragen der Zeit zugewandt war, erkennen wir am besten, wenn wir mit H. Stirnimann den Modernismus im Grunde als eine christologische Irrlehre, nämlich die Leugnung der Erlöserwürde Jesu ansehen[168]. Dann ist es nicht verwunderlich, daß sowohl E. Krebs als auch R. Guardini jeweils eine dogmengeschichtliche Studie zur Erlösungslehre schrieben[169]. Der Logos als Heiland, dieses Problem gehörte seinen beiden Hauptbegriffen nach zu den in der religionsgeschichtlichen und liberaltheologischen Literatur jener Zeit am meisten behandelten Fragen[170]. Die Rezensionen zur Dissertation R. Guardinis[171] deuten zwar nicht darauf hin, daß seine Arbeit als epochemachend hervorstach. Und doch wurde hier der Grund gelegt für ein Lebenswerk, das durch 50 Jahre hindurch sowohl in seinem architektonichen Umfang als auch in seiner Breiten- und Tiefenwirkung im Bereich katholischer Theologie in Deutschland kaum seinesgleichen hat. Dabei erschien R. Guardini als ein von Anfang an Entschlossener, beinahe Fertiger, bei dem eine namhafte Entwicklung seiner Gedanken, gar eine Änderung der Grundposition nicht mehr stattfand. Und doch war dieses Lebenswerk auf Reform ausgerichtet, so daß man seinen Autor mit

---

[166] E. Krebs: Der Logos als Heiland im ersten Jahrhundert. Ein religions- und dogmengeschichtlicher Beitrag zur Erlösungslehre. Mit einem Anhang: Poimandres und Johannes. Kritisches Referat über Reitzensteins religionsgeschichtliche Logosstudien. (FThSt. 2.) Freiburg i.B. 1910. S. VII. - Krebs verweist dort auch auf die Förderung, die seine Arbeit durch Gespräche mit Dr. Dölger und Dr. Pfeilschifter erhielt. -
Franz Joseph Dölger (1879-1940) studierte damals im Camposanto zu Rom, nachdem er sich von der Dogmengeschichte aus stärker den religions- und kulturgeschichtlichen Studien zugewandt hatte. - Vgl. Th. Klauser: Franz Joseph Dölger, Leben und Werk. Münster 1956. - Ders.: Franz Joseph Dölger. In: LThK[2] 3 (1959) 473-474. - Ders.: Franz Joseph Dölger 1879-1940. In: Bonner Gelehrte. Beiträge zur Geschichte der Wissenschaften in Bonn. Katholische Theologie. (150 Jahre Rheinische Friedrich-Wilhelms-Universität zu Bonn 1818-1968.) Bonn 1968. S. 123-130. -
Georg Pfeilschifter (1870-1936), Prof. für Kirchengeschichte und Patrologie, in Freiburg 1903-1917. - Vgl. J. Oswald: Georg Pfeilschifter. In: HJ 56 (1936) 437-440.
[167] E. Krebs: Dogma und Leben. 2 Bde. Paderborn 1921-1925. - Engelbert Krebs (1881-1950) wirkte als Nachfolger K. Braigs seit 1919 als Prof. für Dogmatik in Freiburg. - Vgl. F. Stegmüller: Engelbert Krebs (1881-1950). Ein Nachruf. In: ORhPBl 52 (1951) 10-19. - L. Bopp: Dr. Engelbert Krebs. Necrologium Friburgense, Nr. 36. In: FDA 3. F.3. Bd. 71 (1951) 260-265.
[168] Stirnimann. S. 273-274. - Der Ausdruck "Modernismus" wurde bereits 1889 von K. Braig geprägt. - Vgl. F. Stegmüller. In: LThK[2] 2 (1958) 642.
[169] Während der Vorbereitungszeit Guardinis auf seine Promotion in Freiburg hielt E. Krebs als Privatdozent u.a. folgende Vorlesungen und Übungen: Bonaventura und seine Schule (WS 1911/12; WS 1912/13); Materie und Form in der Philosophie und Theologie des hl. Thomas (WS 1911/12); Dantes Commedia und die Scholastik (SS 1913); Metaphysik - Grundfragen der Ontologie und Naturphilosophie (SS 1914); Erkenntnis und Gotteserkenntnis (SS 1914); Der Lebenswert der Dogmen (WS 1913/14). Außerdem traditionelle Traktate der Dogmatik. - Vgl. Ankündigungen der Vorlesungen der Großherzoglich Badischen Albert Ludwigs-Universität zu Freiburg i.B.
[170] Krebs: Der Logos als Heiland. S. VII-VIII.
[171] Vgl. F. Pelster. In: ThRv 22 (1923) 366-368. - O. Scheel. In: ThLZ 46 (1921) 322-323.

Recht dem Kreis des Reformkatholizismus beizählen kann, - »Reform aus dem Ursprung« freilich, wie H.U. von Balthasar treffend sagt[172]. Fragen wir daher, welchen theologischen Standort R. Guardini mit seiner Dissertation gewann.

In einem Abschnitt der allgemeinen Erlösungslehre behandelte R. Guardini den Begriff der Mittlerschaft und die Person des Mittlers[173]. Als Erlösungsmittel trat das irdische Leben Jesu wie auch sein Abstieg zur Hölle, seine Auferstehung und Himmelfahrt in ihrer soteriologischen Bedeutung hervor[174]. Er zitierte Bonaventura: Von der Auferstehung Jesu an datiere eine neue Zeit, das 6. Zeitalter, das bis zur allgemeinen Auferstehung geht; die Auferstehung Jesu sei der Beginn unserer eigenen Auferstehung in unserem Haupte[175].

In einem Abschnitt der speziellen Erlösungslehre erläuterte R. Guardini zunächst den moralisch-rechtlichen Erlösungsbegriff, die Erlösung als Genugtuung, als Belehrung und Erziehung, Ansichten, die auf Anselm von Canterbury zurückgehen. Wichtiger für unseren Zusammenhang ist jedoch der physisch-mystische Erlösungsbegriff, der besonders bei den griechischen Vätern anzutreffen ist. Hier zeigte R. Guardini, wie Bonaventura die Erlösung als Neuschöpfung versteht[176],als deren einzelne Momente Reinigung, Heiligung, Auferweckung zum Leben, Wiederherstellung in neuem übernatürlichem Sein, Wiedergeburt, Kindschaft Gottes und Gottebenbildlichkeit hervortreten[177].

R. Guardini gewann hier die für sein ganzes Lebenswerk entscheidende Erkenntnis, daß Christus, der Herr, die in der Sünde Toten geistig auferweckt[178]. Er bringt die Seelen aus dem Stand des Todes, der Schuld, in den des Lebens, der Gnade. Neuschöpfung besteht damit wesentlich in einer »influentia gratiae«[179]. Jedoch sah R. Guardini auch, daß der physisch-mystische Erlösungsbegriff bei Bonaventura in der Wiederherstellung der Seele im übernatürlichen Sein seinen Gipfel erreicht[180]. Das Erneuertwerden im geistigen Leben, in einem neuen Sein der Gnade, werde bei Bonaventura plastisch durch den Begriff der »regeneratio« ausgedrückt. Es sei ein geistiger Vorgang, in dem die Seele durch Christi Gnadenwirkung ergriffen und in ein neues übernatürliches Leben hineinversetzt werde. Das geschehe durch die persönliche Glaubenshinwendung und das Sakrament der Taufe. Wie alles Zeitliche von Christus durch beständiges Hervorbringen erneuert werde, so alles Geistige durch die geistige Wiedergeburt[181].

[172] Von Balthasar: Romano Guardini. S. 11.

[173] Guardini: Die Lehre des heiligen Bonaventura von der Erlösung. S. 48-60. - Vgl. ders.: Die Existenz des Christen. S. 197-339: Die Erlösung und die Person Christi.

[174] Ders.: Die Lehre des heiligen Bonaventura von der Erlösung. S. 60-71.

[175] Ebd. S. 68. - Vgl. Bonaventura: Breviloquium. Prol. § 2 (V 203 b). - Ders.: Comm. in Luc. c. 24 n. 2 (VII 587 b).

[176] Guardini: Die Lehre des hl. Bonaventura von der Erlösung. S. 119-136.

[177] Ebd. S. 132-136.

[178] Bonaventura: Comm. in Ev. S. Jo. c. 5 n. 40 (VI 309 b): De suscitatione in animo. - Ders.: Collationes in Ev. S. Jo. 5 c. 25 n. 1 (VI 563 b): Ordo spiritualis resuscitationis. - Guardini: Die Lehre des hl. Bonaventura von der Erlösung. S. 133.

[179] Ebd. S. 123-127.

[180] Vgl. Bonaventura: III. Sent. d. 13 a. 2 q. 3 f. 1 (III 288 a). - Ders.: Breviloquium p. 6 c. 7 (V 272 a).

[181] Guardini: Die Lehre des hl. Bonaventura von der Erlösung. S. 134. - Bonaventura: Comm. in Sap. c. 7 n. 27 (VI 159 a). - Ders.: Sermo 1 Epiphan. 1 (IX 146 b). - Ders.: Comm. in Luc. Prooem. Expos. Prol. S. Hieron. 9 (VII 9 b).

R. Guardini betonte in diesem Zusammenhang noch einmal, daß die Gotteskindschaft die Frucht des Kommens Christi sei[182]. Auf die Frage aber, worin die Gotteskindschaft bestehe und wie das neue Leben zum Ausdruck komme, fand er daß die Antwort bei Bonaventura im Begriff der Gottebenbildlichkeit liegt. Die Vernichtung der Schuld bestehe in der Wiederherstellung des Gottesbildes, in der reformatio durch die gleiche Wesenheit, die auch die formatio vollzogen habe, so daß Christus unser Bildner und Neubildner sei[183]. Diese imago recreationis, mit der der Mensch geistig aus Gott geboren werde, besteht genauer in der reformatio der drei Grundkräfte durch die drei göttlichen Tugenden und die Einheit der Gnade[184].

Dies war nach R. Guardini die Lehre von der Neuschöpfung in ihrer allgemeinen Form, wie sie auch sonst sehr oft wiederkehrt. Er sah jedoch, daß sie bei Bonaventura außerdem noch in zwei eigenartigen Gedankengruppen auftritt, deren Mittelpunkt die beiden Begriffe »corpus mysticum« und »lumen mentis« bilden. Die erste faßt die Neuschöpfung nach ihrer sozialen, kollektiven, die zweite nach ihrer individuellen Seite[185]. Im einzelnen wies R. Guardini nach, daß nach Bonaventura die mystische Gemeinschaft des Leibes Christi auf der Gnadeninfluenz beruht, die die Menschen in wirklicher, wenn auch geheimnisvoller Weise mit Christus und durch ihn mit dem Vater verbindet. Da dies bei jedem Gerechtfertigten geschehe, so treten durch Christus auch alle untereinander in eine Einheit zusammen. Christus, der ihnen das Gnadensein und Gnadenleben einflößt, sei ihrer aller Mittelpunkt. Es handle sich also um eine Lebenseinheit, in der eine Gliederung nach lebenspendenden Teilen stattfinde, die sich aus ihrem Mittelpunkt heraus aufbaue und erhalte, eine organische Einheit, ein Leib, dessen Haupt Christus ist, dessen Glieder die einzelnen Gerechtfertigten sind. Christus erlöse uns, indem er uns die neugestaltende Gnade einflößt, die uns mit ihrem Ursprung verbindet und uns so zu Gliedern macht[186].

Des weiteren legte R. Guardini dar, wie sich bei Bonaventura zwei Ideenkreise durchdringen: Einmal die oben dargelegte physiologisch fundierte Theorie des Corpus Mysticum, dessen Lebensvorgang als »influentia sensus et motus« beschrieben werde, dann die physikalisch - kosmologische Theorie der Welt, die als fließende, aus einheitlichem Mittelpunkt emanierende Einheit gefaßt werde, deren Ursprinzip das Licht sei und in der die Abstufungen des Seins als stufenweise Ausbreitungen, Effusionen des Lichts zu begreifen seien. Die Vorstellungen von der Lichtaffluenz und die von der physiologischen Einflößung der sensus et motus verschmölzen im Begriff der Gnadenmitteilung zu dem der »influentia gratiae«; die

[182] Guardini: Die Lehre des hl. Bonaventura von der Erlösung. S. 135. - Vgl. Bonaventura: Comm. in Jo. c. 1 n. 27 (VI 252 a).

[183] Guardini: Die Lehre des hl. Bonaventura von der Erlösung. S. 135. - Vgl. Bonaventura: III. Sent. d. 20 a. q. 4 sol. 5 (III 426 b). - Ders. Comm. in Sap. Prooem. Intr. gen. 1 (VI 107 a). - Ders.: Itin. c. 4 n. 5 (V 307 b).

[184] Guardini: Die Lehre des hl. Bonaventura von der Erlösung. S. 135. - Vgl. Bonaventura: Sermo 3 de Via Veritatis 1 (IX 730 a). - Ders.: Breviloquium p. 5 c. 3 (V 256 b). - Ders.: p. 6 c. 1 (V 265 b).

[185] Guardini: Die Lehre des hl. Bonaventura von der Erlösung. S. 136.

[186] Ebd. S. 136-137. - Vgl. Bonaventura: Breviloquium. p. 5 c. 3 (V 255 a). - Vgl. Guardini: Die Existenz des Christen. S. 393-397.

Vorstellung vom Welt - Licht - Zentrum und die vom körperlichen Haupt im Begriff der universalen Gnadenmittlerschaft Christi zu dem des »hierarcha«; die Vorstellung vom Weltganzen und die vom Körperganzen im Begriff der Gnadeneinheit aller Erlösten zu dem der »hierarchia«[187].

In einer kritischen Würdigung dieser Lehre Bonaventuras von der Neuschöpfung erklärte R. Guardini, daß ihr Wesenszug in ihrer Richtung auf die physische Wirkung der Erlösung liege. Sie frage nicht nach den individuellen, moralisch - rechtlichen Verhältnissen, die durch die Sünde erzeugt und durch die Erlösung wieder geordnet werden, sondern fasse das Sein der Seele und ihre physischen, realen Beziehungen zu Gott ins Auge und forsche nach den Veränderungen, die hierhin durch Sünde und Erlösung bewirkt werden. Sie bilde nicht einen Widerspruch, sondern eine Ergänzung zur moralisch - rechtlichen Erlösungslehre[188].

Zum Schluß blieb für R. Guardini die Frage, in welchem Verhältnis vor und nach der Erlösung die persönliche Seele zum persönlichen Gott stehe, also das Problem der Gemeinschaft des Menschen mit Gott. Dies ist für das Denken R. Guardinis äußerst kennzeichnend, und wir werden sogleich darauf näher eingehen. Schon hier, in seiner ersten theologischen Dissertation, legte er dar, wie die Gemeinschaft der Seele mit Gott voraussetze, daß die Schuld getilgt, die Gerechtigkeit objektiver hergestellt und subjektiv durch gutes Leben geübt werde; ebenso, daß das übernatürliche Leben und die übernatürliche Ordnung in der Seele erneuert sei. Wenn die Erlösung also als die Herstellung der Gemeinschaft des Menschen mit Gott gefaßt werde, so nehme dieser Gedanke die beiden ersten zusammen. Allein er füge noch etwas Neues hinzu, das ihnen einen besonderen Charakter gebe, indem er sie unter den Gesichtspunkt der lebendigen, persönlichen Gemeinschaft zwischen Gott und Seele stelle[189]. In diesem Verhältnis sei Christus unser Freund[190]. Seine Vollendung finde dieser Gemeinschaftsgedanke in der Lehre Bonaventuras von der mystischen Vereinigung mit Christus[191].

Nachdem R. Guardini seine Dissertation über die Lehre des hl. Bonaventura von der Erlösung abgeschlossen hatte, setzte er seine Beschäftigung mit den Ideengruppen der »lex mentis«, der »gradatio entium« und der »influentia sensus et motus« fort. Wenngleich er betonte, daß er jene Gedankengruppen nicht um ihrer selbstwillen, sondern wegen ihrer Bedeutung für das theologische System Bonaventuras untersuche[192],so erfuhren doch seine eigenen Grundvorstellungen eine weitere Vertiefung, indem er das Gedankengebäude des großen Franziskaner - Theologen interpretierend nachzeichnete. Bei der »unverkennbaren starken geistigen Verwandtschaft R. Guardinis mit dem Denken Bonaventuras«[193] ergibt sich daraus, daß wir keine seiner späteren Schriften recht verstehen können, ohne auf diese früheren theologischen Studien zurückzugreifen. Allerdings brauchen wir in unserem

---

[187] Ders.: Die Lehre des hl. Bonaventura von der Erlösung. S. 144.
[188] Ebd. S. 156.
[189] Ebd. S. 159.
[190] Ebd. S. 163.
[191] Ebd. S. 164. - Vgl. Bonaventura: Itin. c. 6.
[192] Guardini: Systembildende Elemente in der Theologie Bonaventuras. S. XXIV.
[193] Ebd. S. XI (W. Dettloff).

Zusammenhang nicht den gesamten Gedankengang der Habilitationsschrift R. Guardinis zu entwickeln. Wir wollen nur solche Elemente herausschälen, die für seine eschatologischen Vorstellungen bedeutsam sind.

R. Guardini begann seine Erörterung wieder mit einem erkenntnistheoretischen Problem, indem er feststellte, daß nach Bonaventura das Erkenntnisvermögen, weil bedingt und veränderlich, aus den ebenfalls veränderlichen Dingen und Dingvorstellungen keine notwendige und gewisse Erkenntnis gewinnen könne[194]. Frage man dennoch danach, woher die Notwendigkeit der Erkenntnisinhalte gewonnen werde, so genüge es Bonaventura nicht, auf die logische Notwenigkeit des Abstraktionsprozesses zu verweisen, vielmehr sei er der Ansicht, daß das Absolute selbst in den Erkenntnisprozeß bzw. den betreffenden Geistesbereich hineinragen müsse[195]. Auf die Frage, ob es eine Vermittlung oder doch eine Verknüpfung zwischen dem Endlichen = Vielfachen und dem Unendlichen = Einfachen gebe, fand er bei Bonaventura die Antwort in einer Lehre von den Ideen[196]. »Die Ideen suchen die Dinge ihrem Dasein und ihren Eigenschaften nach zu Gott in Beziehung zu setzen, ohne aber den Unterschied zwischen dem Absoluten und dem Bedingten zu verwischen«[197]. So kam R. Guardini sehr schnell zu der Einsicht, daß die erkenntnistheoretische Überlegung, solle sie fortgeführt werden, eine metaphysische voraussetze. Allerdings wiesen ihn die Texte Bonaventuras darauf hin, daß der Mittelbegriff »Idee« zur Ordnung des Erkennens gehört. »Die Idee ist in erster Linie Ausdruck der Tatsache, daß Gott ein Ding als ihm ähnlich bzw. sich als dessen Urbild erkennt«[198].

In diesem Zusammenhang kam R. Guardini sogleich zu dem schöpferischen Akt, der in diesem Erkennen mitgesetzt ist, da es die Abbildlichkeit nicht nur konstatiert, sondern konstitutiv festlegt[199]. Er zeigte, daß nach Bonaventura die Ideen ernstlich in Gott, dann aber auch, als im Endlichen verwirklichte Urbilder, im letzteren sind. Der Ausdruck für diese Tatsache sei der für Bonaventuras Weltbild grundlegende Begriff der Ähnlichkeit[200]. Wichtig war hier, daß trotz der realen Vielheit der objektiven Abbildungs- und Erkenntnismöglichkeiten eine reale Einheit der Ideen aufgrund der Identität des göttlichen Wesens gegeben ist[201]. Hinsichtlich des Menschen erkannte R. Guardini, daß er die Ähnlichkeitsbeziehungen in sich zusammenfasse, nach Bonaventura einmal seiner Anlage nach, insofern er als Leib - geistiges Wesen alle Stufen der Ähnlichkeit mit Gott und dadurch auch mit den übrigen Dingen besitzt, dann aber auch in seinem Geistesleben, insofern er fähig ist, mit der ganzen Welt in Beziehung zu treten[202].

------

[194] Guardini: Ebd. S. 3. - Die von Guardini sehr zahlreich angeführten Belegstellen aus den Schriften Bonaventuras werden im folgenden nicht nochmals wiedergegeben. Sie sind dem genannten Buch zu entnehmen.
[195] Guardini: Systembildende Elemente in der Theologie Bonaventuras. S. 6.
[196] Ebd. S. 6-17.
[197] Ebd. S. 6.
[198] Ebd. S. 7.
[199] Ebd. S. 8.
[200] Ebd. S. 13.
[201] Ebd. S. 9.
[202] Ebd. S. 16.

Nach dieser ersten Grundlegung entwickelte R. Guardini ausführlich die Theorie vom Seelenlicht[203]. Wir brauchen darauf nicht näher einzugehen, vermerken jedoch, daß das lumen mentis nicht losgelöst von der gradatio entium und der influentia sensus et motus gesehen werden darf[204].

Bei der Frage, welche Bedeutung der Theorie vom Seelenlicht im System Bonaventuras zukomme, begann R. Guardini mit einer Untersuchung der Trinitätslehre Bonaventuras. Er hatte nämlich gefunden, daß bei Bonaventura die Lehre über das lumen mentis in unmittelbarer Beziehung zur Lehre vom Verbum als lux mentis steht und daß Eigenart und Stellung der zweiten Person von Gottes Erkennen und Schaffen, also von der Ideenlehre her bestimmt werden[205]. Auch hier stellte R. Guardini das Moment der Ähnlichkeit heraus: Gott erkenne sich durch ein ihm absolut ähnliches Bild, der Sohn sei das ganz ausdruckskräftige Ebenbild des Vaters. Diese Ähnlichkeit erstrecke sich zunächst auf den Vergleich zwischen Gott und seinem sich selbst erfassenden Erkenntnisinhalt, dann auf den Vergleich zwischen ihm und seinen möglichen Abbildern im Geschöpflichen. So sei dieser Erkenntnisinhalt, das Verbum increatum, imago Patris und zugleich exemplar creaturum. In Beziehung auf die zu verwirklichenden Geschöpfe erhalte der Begriff des Verbum exemplar eine aktive Bedeutung[206].

Wir sehen bereits aus diesen knappen Sätzen, welche zentrale Stellung dem Sohn als Verbum Patris zukommt. Zusammenfassend formulierte R. Guardini die Lehre Bonaventuras: »Christus ist Verbum Patris, ars aeterna, mundus archetypus, mundus intelligibilis, Inbegriff der Ideen, Urbild der wirklichen Dinge. Durch es hat Gott die Welt geschaffen. Dieses Verbum ist ratio exemplans, medium creationis und regula gubernationis der Welt. Auf Grund dieser Verwandtschaft kann es in ein umfassendes Verhältnis zu ihr treten ... Durch die Menschwerdung tritt es realiter in die Schöpfung als deren Glied ein. Und zwar als Mensch, der die Welt in seinem Sein zusammenfaßt. Diese Universalität wird nun bei Christus im einzelnen in seinem ganzen Leben aufgezeigt. Er erschöpft in sich alle Möglichkeiten des Menschendaseins. So ist er imstande, die ganze Schöpfung zu erfassen und die neuschaffende Gnade in sie zu leiten«[207].

Im nächsten Kapitel legte R. Guardini dar, daß die Lehre vom Verbum - ars und vom Verbum - lux - mentis ihre eigentliche Bedeutung in der Theorie des Gnadenlebens entfaltet[208]. Für unsere Fragestellung ist wichtig, daß von hier aus zuerst die Vollendung des Menschen in den Blick kommt. R. Guardini erinnerte noch einmal daran, daß der Gedanke des lumen mentis zwar zuerst als noetischer Hilfsbe-

---

[203] Ebd. S. 18-39.
[204] Ebd. S. 20. - Vgl. Wechsler. S. 31. Anm. 93: Guardini steht in der Tradition der Lichtmetaphysik, die von der griechischen Philosophie über den Neuplatonismus und besonders Augustin durch das ganze Mittelalter führt, im Platonismus der Renaissance weitergeht und noch in der Phänomenologie Husserls und Schelers wirksam wird. Nach ihr ist Erkenntnis ein Lichtvorgang. Hinter oder über dem Ding steht eine "regula aeterna", ein ewiges Urbild. Es strahlt mit seiner Seinsmacht, dem "lumen mentis", in den schauenden Geist und hebt ihn zusammen mit dem Ding in jene Offenheit, die "Wahrheit" heißt.
[205] Guardini: Systembildende Elemente in der Theologie Bonaventuras. S. 40.
[206] Ebd. S. 43.
[207] Ebd. S. 49-50.
[208] Ebd. S. 51-73.

griff erscheint, in Wahrheit aber ein metaphysischer Begriff ist. »Er soll ausdrücken, wie das Absolute ins Geistesleben hineinragt«[209]. Dieser Begriff, so fuhr er fort, werde durch die Gnadenlehre ins Übernatürliche getragen, auch dort habe er die gleiche Bedeutung: »Das lumen wendet sich an alle Seelenkräfte und trägt das Ewige in ihr Leben hinein«[210]. R. Guardini wies darauf hin, daß die Exemplarität des Verbum an sich nichts im eigentlichen Sinne Übernatürliches sei, wenn sie auch erst im Lichte der Offenbarung aus der Idee der Trinität her voll erfaßt werde. Aber diese Vorstellung werde zu einer Grundlage für eine Theorie der Gnade, und zwar dadurch, daß letztere selbst als Licht angesehen werde. »Gott ist Licht, das Verbum ebenfalls, und ein übernatürliches Licht ist auch die Gnade, die vom Verbum her in die Seele einströmt: influentia lucis gratiae«[211]. Wichtig war für R. Guardini, was Bonaventura dabei über den character baptismalis sagt. Er sei der Sache nach eine gewisse Qualität, »welche die Seele nicht ganz vollendet, sondern sie zu weiterer Vervollkommnung...disponiert«[212].

Ergibt sich somit für den Geist des Menschen die Möglichkeit aufzusteigen[213], so findet die Theorie des Gnadenlichts ihre Vollendung in der Lehre Bonaventuras von der Glorie. Dieser sagt im Sentenzenkommentar: »Ich kann unmöglich das ewige Licht sehen, es sei denn, ich werde ihm ähnlich durch den Einfluß des Lichtes. Gott ist Licht und Urbild der übrigen Dinge. Das Glorienlicht befähigt die Seele, das ewige Wort zu erkennen, insofern das Seelenlicht sub ratione lucis mit dem Verbum selbst vergleichbar ist; es befähigt darüber hinaus die Seele, im Verbum auch das übrige zu erkennen, insofern es zum Verbum selbst, als dem Urbild des übrigen, Beziehung hat«[214]. Erläuternd fügte R. Guardini hinzu, daß hier der Gedanke des Seelenlichtes auf Grund der Exemplarität für den Glorienzustand fortgeführt wird[215].

R. Guardini sah, daß die bisher erörterte Theorie des Lichtes bei Bonaventura mit zwei anderen Ideenkomplexen verschmolzen war, dem der gradatio entium und der influentia sensus et motus. Er versuchte zunächst, die philosophischen Grundlagen dieser Theorie darzustellen, um dann ihre theologische Bedeutung voll würdigen zu können[216]. Als Ausgangspunkt fand er bei Bonaventura den Begriff des höchsten Seienden. Von ihm werde gesagt, daß es sich trotz seiner absoluten Transzendenz mitteile. Das geschehe in vollkommener Weise im trinitarischen Leben, in unvollkommener Weise durch Schöpfung und Gnade. Die Voraussetzungen für diese diffusio lägen einmal in seiner absoluten Akutalität als der unendlichen Fülle alles Möglichen, ferner in seiner unendlichen Gutheit als dem festen Willen zur diffusio sui[217]. Die Ablehnung jeglichen Pantheismus im Sinne einer neuplatonischen Emanationslehre sah R. Guardini in der Feststellung Bonaventuras, das Geschaffene gehe vom Schöpfer aus, aber nicht per naturam, sondern per

---

[209] Ebd. S. 55.
[210] Ebd. S. 55.
[211] Ebd. S. 53.
[212] Ebd. S. 54.
[213] Ebd. S. 64.
[214] Ebd. S. 66.
[215] Ebd. S. 66.
[216] Ebd. S. 93.
[217] Ebd. S. 96.

artem[218]; dabei werde die Kluft der absoluten Transzendenz Gottes durch keine Seinsvermittlung, sondern durch dessen eigenes Schaffen aus dem Nichts überbrückt[219].

Im weiteren Fortgang seiner Abhandlung wies R. Guardini darauf hin, daß nach Bonaventura außer der Ordnung des Seins und Tuns, die sich bei Betrachtung der geschaffenen Dinge erkennen lasse, der ganze Komplex des Seienden als in Bewegung begriffen gedacht werde. Damit sei jedoch keine physisch-äußere, sondern eine metaphysisch-innere Bewegung gemeint, die sich dann in eine solche des sittlich-religiösen Strebens umsetze. Sie bestehe in einer Sinnrichtung des Seins und Geschehens von Gott her zu Gott hin und sei ein genetisches, kausales Kommen und ein teleologisches, intentionales Gehen[220]. R. Guardini erkannte, daß hier auch subjektiv die Seele bestimmt ist, den Weg zu gehen, der für sie in diesem Ähnlichkeitsaufstieg liegt. »Diese Fähigkeit, den Weg der objektiven Ähnlichkeitsstufen auch subjektiv erkennend zu gehen, gehört selbst zur Begriffsbestimmung der menschlichen Gottähnlichkeit: Gottähnlichkeit hat das vernünftige Geschöpf, das im Stande ist, durch Gedächtnis, Verstand und Wille zu seinem Ursprung zurückzugehen. Darin liegt das natürliche Gesetz der Seele, weil von Natur jedes Ding zu seinem Ursprung zurückstrebt«[221].

Für R. Guardinis ganzes Lebenswerk war die Erkenntnis entscheidend, daß zu der »rein ontischen, im Maß der Wesensähnlichkeit mit Gott gegebenen Nähe die ethisch-religiöse, bewußte, freie Annäherung an Gott«[222] kommt. Für die Fragestellung unserer Arbeit wollen wir festhalten, daß sich nach dieser Auffassung eine wirkliche, aktive Rückkehr des Geschöpfs zu Gott ergibt, welche dem Ausgang durch die Schöpfung entspricht; ein Streben, wie R. Guardini ausdrücklich betonte, »nicht naturhaft gegebener, sondern sittlich erworbener Gottähnlichkeit«[223]. Wir werden fragen, welche Bedeutung diese Erkenntnis für die Lehre R. Guardinis von den letzten Dingen hat.

Im Zusammenhang mit der Lehre von der influentia sensus et motus erörterte R. Guardini auch den Lebensbegriff Bonaventuras. Danach ist »Leben ein Fluß, der dauernd von einem produktiven Ursprung ausgeht, dessen Seinsweise in diesem steten Fließen besteht«[224]. Die Quelle, aus dem dieses Leben kommt, ist für Bonaventura die Seele; als Leben des Leibes ist sie sowohl formendes als auch stets influierendes Prinzip; ihre Aufgabe demnach die organisatio und die complexio[225]. »Die organisatio ist eine Anordnung der Körperteile, kraft deren diese ein einheitliches System bilden, von einem Zentrum her ihre Lebensimpulse empfangen und in ihrer Tätigkeit auf eine einheitliche Gesamtwirkung hingeordnet sind«[226]. Mittelpunkt der organisatio war für Bonaventura das Haupt insofern, als von ihm die sensus und motus in die Glieder fließen. Dabei wurden durch die scharfe platoni-

[218] Ebd. S. 97.
[219] Ebd. S. 103
[220] Ebd. S. 105.
[221] Ebd. S. 107.
[222] Ebd. S. 106.
[223] Ebd. S. 106.
[224] Ebd. S. 125.
[225] Ebd. S. 126.
[226] Ebd. S. 127.

sch-augustinische Scheidung zwischen Leib und Seele Lebensgeister als Vermittler dieses Einflusses angenommen[227], eine Theorie, die erst entbehrlich wurde, als Albert der Große und Thomas von Aquin den aristotelischen Entelechiebegriff auf das Verhältnis von Seele und Leib anwandten[228].

Neben der organisatio war eben so die complexio von Wichtigkeit, das heißt die ausgewogene Verbindung der Elemente, die den Körper konstituieren[229]. Sie ist eine Harmonie, ein von Geist und Zweck bestimmtes Verhältnis[230]. Complexio und organisatio sind für Bonaventura die zwei Seiten jener Körperverfassung, die für den Einfluß der Seele empfänglich sind: »Die Seele bewegt den Leib vermöge ihrer Potenz und vermöge einer Disposition des Leibes, welche diesen für die Influenz der Seele geeignet macht«[231].

R. Guardini vertrat nun die These, daß die Vorstellung der complexio und organisatio die physiologische Ausdrucksform für die Tatsache des Organischen im weiteren Sinne bilde. Letzteres besage, daß ein Ganzes nach Struktur und Wirksamkeit aus verschiedenen, sinnvoll ineinander gefügten und ineinander wirkenden Teilen bestehe. Dieser Gedanke sei für Bonaventura von grundlegender Bedeutung. Der Begriff des Organischen sei deutlich entwickelt: »Ein einheitliches produktives Wirkprinzip, eine Mannigfaltigkeit von Teilen und eine Einheit, in die sie sich zur Hervorbringung einer Gesamtwirkung einfügen«[232]. Dieser Begriff liege auch Bonaventuras Anschauung vom Weltall zugrunde. Sogar die Welt des Unbelebten werde als eine Einheit gesehen, in welcher die Urstoffe, die Elemente, durch höhere Kräfte geformt werden. Innerhalb derselben habe jedes Ding einen Einfluß auf das andere, die höheren einen besonderen auf die tieferen, die gleichstehenden aufeinander[233].

So sah R. Guardini, wie in der Auffassung des Bonaventura das Einzelne überall als Glied einer übergreifenden Einheit angesehen wird[234]. Im weiteren Gang seiner Untersuchung legte er dar, wie in der Theorie des Corpus mysticum die organische Grundvorstellung des Leibes ganz rein zum Ausdruck kommt, gefördert durch das paulinische Bild vom mystischen Leibe Christi[235].

Es bleibt zu prüfen, welche Rolle diese theologischen Grundvorstellungen aus der Gedankenwelt Bonaventuras in den späteren Schriften R. Guardinis spielen. H. U. von Balthasar hat bereits darauf verwiesen, daß R. Guardini von Bonaventura die aufsteigende Bewegung der erzieherischen Hinführung auf die Transzendenz des Glaubens, der Umschwung in die absteigende Bewegung der Liebe Gottes in Christus, die Ermöglichung einer solchen (das Ärgernis in Kauf nehmenden) Methode aus der biblischen Einsicht gewann, daß die Welt umgriffen sei in der Existenz Christi und daß in dieser der Schlüssel zu ihren Rätseln liege. Wohl als erster

---

[227] Ebd. S. 130.
[228] Ebd. S. 143. - Vgl. K. Werner: Der Entwicklungsgang der mittelalterlichen Psychologie von Alcuin bis Albertus Magnus. Wien 1876. - A. Schneider: Die Psychologie Alberts des Großen. (BGPhThMA. IV. 5/6.) Münster 1903-1906.
[229] Guardini: Systembildende Elemente in der Theologie Bonaventuras. S. 132.
[230] Ebd. S. 133.
[231] Ebd. S. 133-134.
[232] Ebd. S. 134.
[233] Ebd. S. 134-135.
[234] Ebd. S. 136.
[235] Ebd. S. 212. - Vgl. ebd. S. 184-205.

in der neueren Theologie habe er den Finger darauf gelegt, daß für die Frühscholastik das gesamte Leben Jesu Heilsbedeutung habe, ein Gedanke, der geradewegs zu seinem Werk »Der Herr« führe. Daher werde das Thema vom Seinsfluß fallen gelassen. Ebenso entfalle die ganze Theorie einer analogen (gestuften) Identität des Lichtes vom Physischen bis zum Höchstgeistigen. Was die Schau der Welt im Lichte Gottes angehe, so werde hervorgehoben, wie frei Gott ist, die Dinge in seinem Licht schauen zu lassen, wie frei auch der Mensch, in das bereitgestellte Gnadenlicht einzutreten oder sich ihm zu verweigern. Zusammen mit Bonaventura stehe R. Guardini gegen jeden Automatismus einer (Gesamt-)Erlösung und für die Möglichkeit, daß Menschen in Freiheit sich der ewigen Seligkeit bei Gott verweigern[236].

Als Ergebnis halten wir fest: Die frühe Hinwendung zur theologischen Erlösungslehre und von dort aus zu den systembildenden Elementen in der Theologie Bonaventuras zeigt uns deutlich den anthropologischen Ausgangspunkt im Denken R. Guardinis. Seine weiteren Schriften bestätigen das Urteil Winterswyls: »Das eigentliche Arbeitsziel R. Guardinis ist eine christliche Anthropologie«[237].

3. R. Guardinis Anschauung von Welt und Person im Rahmen einer pneumatischen Christologie

Eine weitere Studie, in der philosophische und theologische Grundlagen für R. Guardinis Lehre von den letzten Dingen zu finden sind, ist sein Buch »Welt und Person«. Er selbst bezeichnete diese Schrift, die 1939 zum ersten Mal erschien, als »Versuch zu einer christlichen Lehre vom Menschen«.

»Wie empfindet der Mensch das Sein der Welt, in der er lebt? In welcher Weise ist sie da? Mit welchen Begriffen wird diese Weise ihres Daseins ausgedrückt?« Mit diesen Fragen begann R. Guardini den ersten Teil seiner Arbeit[238]. Im Sinne seiner Gegensatzlehre erschien ihm die Welt im Spannungsverhältnis von Natur und Schöpfung. Zunächst erläuterte er den neuzeitlichen Begriff der Natur als Gegenstandsbegriff, der das meint, was sich im Denken und Tun darbietet, und als Wertbegriff, der eine für dieses Denken und Tun gültige Norm meint[239]. Er erkannte, daß dieser Begriff der »Natur« seit der Renaissance etwas Letztes ausdrückte, hinter das nicht mehr zurückgegriffen werden könne. Sobald etwas aus ihr abzuleiten sei, gelte es als endgültig verstanden; sobald etwas als »natürlich« begründet werden könne, sei es gerechtfertigt; sobald sich das Bewußtsein der Naturgemäßheit

---

[236] Von Balthasar: Romano Guardini. S. 67-68.
[237] Winterswyl. In: Hochland 34/II (1937) 375.
[238] Guardini: Welt und Person. 4. unveränderte Auflage. S. 15. - "Fragen" war für Guardini kein beiläufiges Phänomen, sondern ein geistiger Grundakt des Menschen. Vgl. dazu ders.: Über den christlichen Sinn des Erkennens (1951). In: Unterscheidung des Christlichen. ²1963. S. 251, 252: "Der Mensch ... tritt den Dingen gegenüber, betrachtet und fragt. Dadurch öffnet sich ihm ein zweiter Raum, außer dem des unmittelbaren Seins: Der Raum der Frage und der Antwort, des Bewußtseins und des Sinnes. Darin erscheinen die gleichen Dinge wie in der Natur, aber anders. Sie werden durchsichtig auf das hin, was 'Wesen' heißt. Sie öffnen sich auf das hin, was 'Sinn' heißt. Sie treten in eine Nähe zum Geist. Sie werden für den Geist bewohnbar".
[239] Ders.: Welt und Person. S. 15. - Vgl. Wechsler. S. 68-70.

einstelle, verschwinde die Frage[240]. Damit sei jedoch nicht gemeint, die Natur selbst könne im Letzten und Ganzen verstanden werden. Im Gegenteil, sie werde als etwas derart Tiefes und Reiches empfunden, daß das Denken mit ihr an kein Ende komme[241]. Sie sei schöpferisch und könne daher in kein System eingefangen werden. Grundsätzlich geheimnisvoll trage sie den Geheimnischarakter des Anfangs und des Endes, des Urgrundes, des Wesenhaft-Undurchdringbaren. Eben damit stelle sie ein letztes dar, das befragt werden könne; soweit sie Antwort gebe, sei diese endgültig und unmittelbar einsichtig[242].

Schon in dieser allgemeinen Betrachtung ist zu erkennen, wie sehr der Mensch selbst als Leib-seelische Wirklichkeit durch seine organische Anlage zu dieser Natur gehört[243]. Aber er ist nicht einfach Teil der Natur. Nachdrücklich verwies R. Guardini darauf, daß der Mensch ihr auch gegenüberstehe, sofern er sie betrachte, durchforsche, in Besitz nehme und gestalte, ja daß er sich aus ihrem unmittelbaren Zusammenhang herauslösen könne. Aus dieser Erfahrung bilde sich eine zweite Grundform der Daseinsgestaltung, die des Subjekts[244]. Es sei »der Träger der gültigkeitshaltigen Akte und die Einheit der diese Gültigkeit bestimmenden Kategorien«[245] und finde seine klarste Bestimmung in der Philosophie Kants. Unter dem logischen, ethischen, ästhetischen Subjekt meine sie ein Letztes, das die geistige Welt trägt. Hinter es könne nicht mehr zurückgegriffen werden, weil ja jeder Versuch eines Rückgriffs selbst nur mit den Kategorien eben dieser Subjektivität vollzogen werden könnte. Das »Subjekt« bilde den logischen Ausdruck der »Persönlichkeit«. Mit Leidenschaft werde für dieses der Charakter der Autonomie in Anspruch genommen. »Autonomie« bedeute das In - sich - selbst - Stehen, die Anfangshaftigkeit und Ursprünglichkeit des Subjekts; den gleichen Anspruch, den, ins Lebendig-Schöpferische gewendet, der Begriff der Persönlichkeit und, im Bereich des Dinglich-Gegenständlichen, jener der Natur ausdrücke[246].

R. Guardini zeigte, wie somit im neuzeitlichen Denken Natur und Subjekt einander als letzte Tatsache gegenüberstehen. »Das Dasein ist als Natur und Subjekt gegeben«[247]. Zwischen ihnen entstehe die Welt der Menschentat und des Menschenwerkes mit einer eigentümlichen Selbstständigkeit, von der Neuzeit durch einen eigenen Begriff bestimmt, den der »Kultur«[248]. Auf die eingangs gestellte Frage, in welcher Weise das Daseiende da sei, faßte R. Guardini die neuzeitliche Antwort dahingehend zusammen:»...als Natur, als Subjekt und als Kultur. Das Gefüge

---

[240] Vgl. Guardini: Über den Sinn des christlichen Erkennens. In: Unterscheidung des Christlichen. ²1963. S. 251.

[241] Vgl. ebd. S. 251.

[242] Ders.: Welt und Person. S. 16. - Vgl. ders.: Das Ende der Neuzeit. ⁴1950. S. 46-53. - Über das Verhältnis des Menschen zur Natur vgl. ders: Die Situation des Menschen. In: Unterscheidung des Christlichen. ²1963. S. 220-229.

[243] Ders.: Die Bereiche des menschlichen Schaffens (1938). In: Unterscheidung des Christlichen. ²1963. S. 202. - Ders.: Die Existenz des Christen. S. 143-144.

[244] Ders.: Welt und Person. S. 17.

[245] Ebd. S. 19.

[246] Ebd. S. 19.

[247] Ebd. S. 20.

[248] Ebd. S. 21. - Vgl. Wechsler. S. 74-76.

dieser Momente bedeutet ein Letztes, hinter das nicht zurückgegriffen werden kann«[249].

Dem Daseinsgefühl kosmologischer und anthropologischer Autonomie stellte R. Guardini das biblische Daseinsbewußtsein vom Geschaffensein der Welt und des Menschen gegenüber[250]. Damit diese christliche Aussage ihre volle Tragweite habe, erläuterte er zuerst den Begriff des göttlichen Schaffens als eines Aktes, der den Charakter der »Gnade« habe. Das Entscheidende dieses Weltverständnisses sah er darin, daß die Welt durch eine Tat begründet werde, die »keine Verlängerung der Weltwirksamkeit über den Anfang der Welt hinaus« ist, sondern »aus einer ihr selbst vollkommenen mächtigen Freiheit« entspringt[251]. Gegenüber dem neuzeitlichen Denken wird eigens betont, daß sie nicht wie ein physikalischer oder biologischer Effekt eintrete, sobald seine Ursachen gegeben seien, sondern wie die Handlung eines Menschen, nachdem dieser sich in Freiheit entschieden hat. Damit wies R. Guardini auch die Vorstellung zurück, nach der Gott von außen wie ein Baumeister und Beherrscher an die Welt herantrete. Eine solche Vorstellung habe mit der Genesis nichts zu tun. Eine nur transzendente Gottheit wäre das genaue Widerspiel zu einer bloßen immanenten, die nicht über die Welt hinausreichte, sondern nur deren Innerlichkeit darstellte. Mit den Begriffen »transzendent« und »immanent« könne die Schöpfung garnicht erfaßt werden; sie sei nur als die Gott allein vorbehaltene Weise des Wirkens zu verstehen[252]. Als Motiv der Schöpfungstat nannte R. Guardini die Liebe, betonte jedoch, daß dies nicht wieder selbst wie im neuplatonischen Denken durch die Kategorie der Natürlichkeit bestimmt werden dürfe. Der Offenbarung gemäß sei sie vielmehr die Gesinnung des freien Gottes, der allem von der Welt her bestimmbaren Warum entzogen sei. Die Folgerungen, die aus dieser biblischen Weltsicht zu ziehen sind, formulierte R. Guardini so: »Die Welt hat nicht den Charakter der Natur, sondern einer von Gott vollbrachten Geschichte. Der Mensch hat nicht den Charakter des Subjekts..., sondern ist dadurch er selbst, daß Gott ihn angerufen hat und im Anruf hält. Das Dasein als Ganzes, Dinge, Mensch und Werk kommen aus Gottes Gnade«[253].

Was Geschichte ist im Unterschied zu biologisch-kausaler Entwicklung und zufälligem Nacheinander wurde R. Guardini klar aus der Botschaft der Offenbarung, daß Gott in die Zeit eintritt und so durch ein heilsbegründendes Ereignis heilige Geschichte konstituiert wird. Dies geschieht nach R. Guardini in zweifache Richtung, »rückwärts auf den göttlichen Akt der Welterschaffung, nach vorwärts auf das Ereignis des Weltgerichts bezogen; das Ganze durch göttliche Vorsehung und menschliche Entscheidung getragen«[254]. So hatte für ihn die Unterscheidung

---

[249] Guardini: Welt und Person. S. 23. - Vgl. dazu aber auch ders.: Die Kultur als Werk und Gefährdung. In: Ders. Sorge um den Menschen. Würzburg 1962. S. 14 ff. - Über den neuzeitlichen Autonomismus vgl. ders.: Die Existenz der Christen. S. 29, 69, 90.

[250] Vgl. ders.: Unterscheidung des Christlichen. ²1963. S. 255: "Die Welt ist nicht 'Natur', sondern sie ist 'Werk'".

[251] Ders.: Welt und Person. S. 28.

[252] Ebd. S. 29.

[253] Ebd. S. 31.

[254] Ders.: Lebendiger Geist (1927). In: Unterscheidung des Christlichen. ¹1935. S. 163-164. - Dass. Zürich 1953. S. 123-124. - Über Offenbarung als Geschichte vgl. u.a. ders.: Glaubenserkenntnis. Versuche zur Unterscheidung und Vertiefung. Würzburg 1949. S. 62-76. -

von Natur und Geschichte, mit denen wir unsere Daseinsdeutung gliedern, erst innerhalb jener allumfassenden und in ihrem ersten Beginn freien Geschichte, die Gott vollbringt, Geltung. Der Offenbarung entnahm er, daß unser religiöses Bewußtsein, wenn es mit der Unterscheidung von Natur und Gnade arbeitet, seine Stelle erst innerhalb einer alles umgreifenden Gnadenentscheidung hat, »aus welcher das ganze Dasein hervorgeht und der es gefallen hat, daß überhaupt Welt sei«[255].

Zum Schluß verwies R. Guardini auf die positive Seite des neuzeitlichen Autonomieempfindens: Nur weil das göttliche Schaffen ein wirkliches Schaffen sei, könne das Seiende als »Natur«, das heißt als Eigenseiendes und Eigenverständliches aufgefaßt werden[256]. Nur weil der Mensch aus dem Anruf Gottes hervorgehe und in seinem Anruf bestehe; weil er das »Du« sei, von dem errufen, der sich selbst der »Ich-bin« nenne, habe er überhaupt die Möglichkeit, sich als autonomes Selbst zu verstehen[257].

Dieser Sachverhalt führt nach R. Guardini auch zu der Entscheidung, ob der Mensch sich selbst aus Gottes souveränem Akt entgegennehmen und sein Leben im Raum dieses Aktes führen wolle[258]. Die Schwierigkeit, die diesem Akt der Selbstannahme entgegensteht, sah R. Guardini darin, daß der neuzeitliche Mensch Gott als »den Anderen« empfindet. R. Guardini gab zu, daß die Heteronomie im Verhältnis zu Gott genau so falsch sei, wie die Autonomie[259]. Dagegen stellte er seine These: »Gott ist nicht 'der Andere', sondern Gott«[260]. Daran, daß dies erkannt werde, hing für ihn die Erkenntnis der Schöpfung und das Selbstverständnis der Menschen. »Gott ist aber nicht der Andere, deshalb, weil er Gott ist«, sagte R. Guardini. »Als Gott steht er dem Geschöpf so gegenüber, daß die Kategorie des Anderer-Seins auf ihn ebenso wenig angewendet werden kann wie die des Gleicher-Seins«[261]. Wenn Gott ein endliches Wesen schaffe, dann stelle er nicht - wie etwa eine Gebärende - ein anderes neben sich. »Gott...schafft den Menschen. Die schöpferische Energie seines Aktes macht mich zu mir selbst. Dadurch, daß er sich mir mit der rufenden Macht der Liebe zuwendet, werde Ich und stehe in mir. Meine Eigentümlichkeit wurzelt in ihm, nicht in mir selbst. Wenn Gott mich sieht, dann ist es nicht so, wie wenn ein Mensch auf einen anderen Menschen blickt, ein fertiges Wesen auf ein fertiges Wesen, sondern Gottes Sehen schafft mich«[262].

Der Begriff des Andern hat also im Verhältnis des Menschen zu Gott nach R. Guardini keinen Sinn..Wohl meinte er, daß wir denkend ihn nicht entbehren könnten. Wenn wir nicht den Menschen mit Gott identisch setzen wollten, dann müßten

---

Über die Wirklichkeit der Geschichte, die durch Personalität Gottes bestimmt ist, und das Verhältnis von Geschichte und Kultur vgl. ders.: Die Existenz des Christen. S. 57.

[255] Ders.: Welt und Person. S. 31. - Vgl. ders.: Die Existenz des Christen. S. 63.

[256] Ders.: Welt und Person. S. 34.

[257] Ebd. S. 35. - Die positive Wertung der Autonomie durch Guardini hat H.R. Schlette in seiner kritischen Würdigung m.E. zu sehr vernachlässigt. - Vgl. Schlette: Aporie und Glaube. S. 247-287.

[258] Guardini: Welt und Person. S. 36.

[259] Ebd. S. 38.

[260] Ebd. S. 40. - Vgl. ders.: Johanneische Botschaft. Meditation über Worte aus den Abschiedsreden und dem 1. Johannes-Brief. Würzburg 1962. S. 68.

[261] Ders.: Welt und Person. S. 40.

[262] Ebd. S. 41.

wir das Verhältnis zu ihm mit dem Begriff des Anderen denken. So bilde dieser die logische Garantie dafür, daß wir nicht in den bösen Widersinn der Identität verfielen. Zugleich aber müßten wir uns bewußt sein, daß der Begriff des Andern eigentlich ausgeschieden werden müßte. Ganz im Sinne seiner Gegensatzlehre stellte R. Guardini auch hier fest, daß der Begriff der Schöpfungskraft, der das Verhältnis Gottes zum Menschen ausdrückt, ein Doppeltes aussagt: Einmal, daß der Mensch wirklich in eigenes Sein gestellt sei; dann aber und zugleich, daß Gott kein Anderer neben ihm, sondern die schlechthinnige Quelle seines Seins sei und ihm näher, als er sich selbst[263]. »Schaffen«, so faßte R. Guardini zusammen, »besagt, daß Gott den Menschen zu sich selbst in jenes Verhältnis stellt, bei dessen Vollzug das Denken zunächst sagt: 'Gott ist nicht ich'; dann hinzufügt: 'er ist aber auch nicht ein Anderer' - um mit diesem scheinbaren Widerspruch auf ein Unsagbares hinzudeuten, das sich der begrifflichen Auffassung entzieht«[264].

R. Guardini war der Ansicht, daß dieses »Unsagbare« dem religiösen Bewußtsein unmittelbar einsichtig sei, ja daß man vermuten dürfe, eben diese Einsichtigkeit mache das Wesen dieses Bewußtseins aus. Im Begriff der eigentlichen Gnade finde das Verhältnis dann seine letzte Klarheit und Erfüllung[265].

Aus diesen Worten R. Guardinis ist zu ersehen, daß seine Auffassung mit einem religiösen Intuitionismus verbunden war, auf dessen Grundlage er bereits bei der Analyse des biblischen Schöpfungsberichtes eine personale Sicht des Menschen voll zur Geltung brachte. So konnte er schreiben: »Gott liebt den Menschen...Er macht ihn zu dem, was letztlich allein geliebt werden kann, zur Person. Er, der Personale schlechthin, macht den Menschen zu seinem Du«[266]. Im Schöpfungsbericht werde deutlich, daß Gott dem Menschen gegenüber nicht ein Anderer ist, denn der Mensch lebt aus Gottes Kraft und Hauch. »Derselbe Gott aber steht zum Menschen in der Haltung, welche Person setzt und ihr den zugeordneten Wertraum gibt, das heißt, in Achtung«[267].

Im Hauptteil seiner Untersuchung ging R. Guardini dieser biblischen Erkenntnis weiter nach. Er fragte dabei nicht nach dem abstrakten Wesen der Person, sondern nach dem konkreten, personal existierenden Menschen. Als unterste Seins- und Sinnschicht dessen, was personales Dasein bedeutet, fand er die Bestimmung der Person als Gestalt. »Indem der Mensch Gestalt ist, steht er als Geformtes unter Geformtheiten; als Vorgangseinheit unter anderen Einheiten; als Ding unter Dingen«[268]. Die nächste Schicht des Personseins bildete für ihn die Individualität als das »Lebendige, sofern es eine geschlossene Einheit des Aufbaues und der Funktion darstellt«[269]. Eine dritte Schicht des personalen Gesamtphänomens lag für R. Guardini in dem, was Persönlichkeit heißt. »Sie bedeutet die Gestalt der lebendigen Individualität, sofern sie vom Geiste her bestimmt ist«[270]. Mit Hinweis

---

[263] Ebd. S. 41.
[264] Ebd. S. 42.
[265] Ebd. S. 42.
[266] Ebd. S. 42.
[267] Ebd. S. 43.
[268] Ebd. S. 111.
[269] Ebd. S. 111. - Vgl. S. 111-114.
[270] Ebd. S. 115. - Vgl. ders.: Die Existenz des Christen. S. 113.

auf die Innerlichkeit des Selbstbewußtseins betonte er, daß im Menschen konkrete Geistwirklichkeit lebe; individueller Geist, der in diesem Organismus seine Wirkbasis und die Stelle seiner geschichtlichen Verantwortung habe[271].

Mit den Begriffen »Gestalt«, »Individualität«, »Persönlichkeit« war aber für R. Guardini noch nicht gesagt, was Person im letzten Sinn bedeutet. Das Wesentliche der Person sah er darin, daß ich mit mir selbst einig bin und mich in der Hand habe. So kam er zu folgender Bestimmung: Person ist »das gestalthafte, innerliche, geistig-schöpferische Wesen, sofern es - mit den Einschränkungen, von welchen noch die Rede sein wird - in sich selbst steht und über sich selbst verfügt«[272].

Nachdem R. Guardini so versuchte, das »innere System« der Person aufzubauen, ging er anschließend der Frage nach, ob und wie diese Person nach außen hin bedingt sei[273]. Nach seiner Auffassung bilden die Stoffe und Kräfte der materiellen Welt nur die Sach- und Vorgangsbasis, auf der die Person beruht. Die biologischen Zusammenhänge der Gattung geben, insofern aus ihnen der Organismus stammt, ihr ebenso nur den Standort im Dasein. Auch durch die Welt des Geistes ist die Person nach R. Guardini nicht bedingt. Selbst das Verhältnis zu anderen Menschen »erzeugt nicht Person, sondern setzt sie voraus«[274]. Freilich beginnt hier für ihn der Mensch aus dem Subjekt-Objekt-Verhältnis herauszutreten. In der Ich-Du-Beziehung wird der Mensch offen und »zeigt« sich[275]. Aber noch einmal betonte R. Guardini gegen jeden aktualistischen Personalismus, daß die Person sich in der Ich-Du-Beziehung aktuiert, nicht aber aus ihr entsteht[276].

Wir würden erwarten, daß R. Guardini an dieser Stelle auf den Ursprung der Person zu sprechen kam. Indes verwies er zunächst nur auf die ontologisch einleuchtende Tatsache, daß es grundsätzlich die Person nicht in der Einzigkeit gibt. Damit wollte er zeigen, daß »der Mensch wesentlich im Dialog steht«[277]. Von daher erschien ihm Sprache als »objektiver Vorentwurf für das Zustandekommen der personalen Begegnung«[278].

Der erkenntnistheoretische Hintergrund dieser Auffassung wurde von ihm an anderer Stelle präzise klargelegt[279]. Der Sinn der Erkenntnis, so sagte er, gehe nicht auf Erfassung eines abgelösten Gegenstandes, sondern dieses bestimmten Gegenstandes durch diesen bestimmten Menschen; auf das Verständnis des Daseins, in dem der Mensch auf das Ding und das Ding auf den Menschen bezogen sind. Aus

---

[271] Ders.: Welt und Person. S. 116.

[272] Ebd. S. 121-122; vgl. S. 121-132. - Vgl. ders.: Die Existenz des Christen. S. 28, 464-468.

[273] Ders.: Welt und Person. S. 133-134.

[274] Ebd. S. 134.

[275] Ebd. S. 136.

[276] Ebd. S. 137. - Vgl. Wechsler. S. 85. Anm. 84: Guardini nimmt in seiner Personlehre eine mittlere Stellung zwischen der traditionellen ontologischen Personauffassung und dem aktualistischen Personalismus ein, wie er in schärfster Folgerichtigkeit von Kierkegaard entwickelt wurde.

[277] Guardini: Welt und Person. S. 138.

[278] Ebd. S. 139. - Guardini verweist auf M. Heidegger: Hölderlin und das Wesen der Dichtung. (Aus: Das Innere Reich.) München 1935.

[279] Guardini: Die Bereiche des menschlichen Schaffens (1938). In: Unterscheidung des Christlichen. 21963. S. 202-218.

dieser Begegnung entstehe Welt. »Welt« war daher für ihn nicht das einfach Vorhandene, sondern jenes, das aus der Erkenntnisbegegnung entsteht. Als Geistwesen hielt er den Menschen für beauftragt, zu erkennen; so daß er keine Ruhe finde, bis der Auftrag ausgeführt sei. Aber auch das Ding selbst ist nach R. Guardini so geartet, daß es erkannt sein will und seinen letzten Sinn erst erlangt, wenn das geschieht. Was aus dieser Begegnung entsteht, war für R. Guardini »Welt«, als durch den Menschen erkannte, in den Raum des Bewußtseins überführte, in Empfindung, Vorstellung, Urteil erfaßte, in der Sprache ausgedrückte Wirklichkeit. Diese Welt bestand für ihn aus Zeichen; Gefügen und Ordnungen von Zeichen. Sie meinen Wirklichkeit: Die Dinge und das lebendige, jeweilige Selbst; selber aber sind sie nicht wirklich, sondern eben »meinend«, »bedeutend«. Wirklich waren für ihn nur die Dinge; die Welt der Zeichen hingegen, in denen sich die Erkenntnis ausdrückt und weitergegeben wird, bezeichnete er als das Äquivalent der Wirklichkeit im Bewußtsein. Die Natur stand dabei für ihn »draußen«; Wissenschaft als Inbegriff von Zeichen »drinnen«; richtiger: »im Raum des Bedeutens und des Bedeutungsbewußtseins«[280]. Der Sinn der Erkenntnis ging für ihn im letzten darauf, »die Wirklichkeit in den Zustand des Verstandenseins zu übersetzen und im System der Zeichen auszudrücken; eine Welt zu bauen, die aus Erkenntnis besteht«[281].

Auf dieser noetischen Grundlage stand die These R. Guardinis, daß Sprache der objektive Vorentwurf für das Zustandekommen personaler Begegnung ist. Es findet sich bei ihm aber gelegentlich auch eine ontologische Begründung dieses Sachverhaltes. So legte er in einer späteren Schrift dar, daß der Mensch nicht aus sich allein wirklich Person zu sein vermag; die Klarheit seines Selbst erwache erst in der Begegnung mit dem Anderen. Dabei handelte es sich für R. Guardini um etwas »zutiefst Wesentliches ... Hier wird nicht aus einem individuellen Bedürfnis ein gefordertes Du konstruiert, sondern die Person erfährt sich als etwas, das wesenhaft auf ein anderes hingeordnet ist: ihr Ich-sein ist die ontologische Grundtatsache«[282]. Ebenso fundamental war für R. Guardini aber auch die andere, daß das Ich-sein ein »Korrelat-Phänomen« zu dem des entsprechenden Du ist. Hier vertrat er die Ansicht, daß das im Geschehen der Endlichkeit begegnende Du wohl genügt, um das schlummernde Ich zum aktuellen zu erwecken, nicht aber, um die ontologische Bestimmtheit zum Ich-Sein zu begründen. Er erkannte vielmehr, daß die Forderung personaler Bindung über jeden anderen Mitmenschen hinausgeht. Von daher folgerte er, daß das eigentliche Du des Menschen ein absolutes sein muß, dessen Realität nicht widerrechtlich auf Grund irgendwelcher Bedürfnisse hinzugedacht, sondern durch eine innere Bezogenheit selbst gewährleistet werde. Auf Grund einer Analyse der Person kam er somit zu dem Schluß, daß letztere nur auf die absolute

[280] Ebd. S. 205.
[281] Ebd. S. 205.
[282] R. Guardini: Religion und Offenbarung. Erster Band. Würzburg 1958. S. 173. - Vgl. ders.: Die Begegnung (1955). In: R. Guardini, O.F. Bollnow: Begegnung und Bildung. (WuE. 12.) Würzburg ³1962. S. 9-24. - Zum grundlegenden Unterschied in der Bedeutung der Begegnung für die Person bei Guardini und M. Buber vgl. Berning-Baldeaux. S. 53. - Vgl. M. Buber: Ich und Du. In: Ders. Werke. Erster Band. Schriften zur Philosophie. (München, Heidelberg 1962.) S. 77-170. - Ders.: Zwiesprache. Ebd. S. 171-214.

Person hin, von ihr angerufen und ihr antwortend, bestehen könne; dies liege dort, wo das Numinose ist[283].

Genau diese Auffassung vertrat R. Guardini in seinen Versuchen zur christlichen Lehre vom Menschen, indem er versicherte, die endliche Person könne nicht ohne die absolute Personalität Gottes sein. »Nicht nur, weil Gott mich geschaffen hat und ich letztlich in ihm allein den Sinn meines Lebens finde, sondern weil ich nur auf Gott hin bestehe. Meine Personalität ist nicht im Menschen vollendet, so daß sie wohl ihr Du in Gott setzen, aber auch darauf verzichten bzw. es ablehnen könnte und immer noch Person bliebe. Mein Ich-Sein besteht vielmehr wesenhaft darin, daß Gott mein Du ist«[284]. Wie das zu verstehen ist, erläuterte er anhand der Offenbarung vom Wort-Charakter der Schöpfung, wie sie sich durch das Alte Testament hinzieht und in der Logos-Lehre des Johannesevangeliums vollendet wird. Nach ihr bestehen die Dinge »in der Form der Wortlichkeit«[285]. Gerade hierin erkannte R. Guardini, daß die Person bestimmt ist, Ich eines Du zu werden, und daß es die grundsätzlich einsame Person nicht gibt[286]. Mit dem Satz, Gott habe die Person geschaffen, sei anderes gesagt als mit dem, er habe ein unpersönliches Wesen ins Sein gestellt. Das Unpersönliche, Lebloses wie Lebendiges, schaffe Gott einfach hin, als unmittelbares Objekt seines Wollens, die Person hingegen durch einen Akt, der ihre Würde vorwegnimmt und eben damit begründet, nämlich durch Anruf. Dieser aber bedeutet, daß Gott sie zu seinem Du beruft - richtiger, daß er sich selbst dem Menschen zum Du bestimmt. Gott ist das schlechthinige Du des Menschen[287].

In dieser wesenhaften Ich-Du-Beziehung bestand für R. Guardini die geschaffene Personalität des Menschen. Die Welt verstand er hier als von Gott zum Menschen hin gesprochen. Alle Dinge erschienen ihm als Worte Gottes zu jenem Geschöpf hin, das vom Wesen bestimmt ist, im Du-Verhältnis zu Gott zu stehen. »Der Mensch ist der zum Hörer des Welt-Wortes Bestellte. Er soll auch der Antwortende sein. Durch ihn sollen alle Dinge in der Form der Antwort zu Gott zurückkehren«[288].

Das Wesen der Person lag für R. Guardini also letztlich in ihrem Verhältnis zu Gott begründet. Nach dieser ersten theologisch-philosophischen Begründung ging er einen Schritt weiter und zeigte, wie das christliche Bewußtsein dieses Verhältnis von der Person Christi her bestimmt. Als grundlegend fand er jene eigentümliche Aussage der paulinischen Schriften, die nach dem Schema gebaut ist: »der Mensch ist in Christus, Christus ist im Menschen...«[289]. Nach der paulinischen Anschauung, so interpretierte er, werde das menschliche Ganze, Seele und Leib, Geist und Stoff, zum Material, worin sich ein neues, nicht von Natur gegebenes Wesensbild

---

[283] Guardini: Religion und Offenbarung. S. 173. - Vgl. ders.: Das Unendlich-Absolute und das Religiös-Sittliche (1958). In: Unterscheidung des Christlichen. ²1963. S. 260-276.
[284] Ders.: Welt und Person. S. 144. - Vgl. ders.: Die Existenz des Christen. S. 28: Der Mensch in seiner Beziehung zum Absoluten.
[285] Ders.: Welt und Person. S. 140.
[286] Ebd. S. 143.
[287] Ebd. S. 145. - Zum Ich-Du-Bezug auf Gott vgl. ders.: Die Existenz des Christen. S. 29.
[288] Ders.: Welt und Person. S. 146.
[289] Ebd. S. 147. - Vgl. Röm. 8, 1; 2. Kor. 5, 17.

ausdrückt. Der natürliche Mensch werde von einer neuen Wesensgestalt erfaßt, die ihn zu heiligem Dasein formen will, dem »Christus in uns«[290].

In diesem paulinischen Gedanken ist nach R. Guardini das Entscheidende über den christlichen Begriff vom Menschen gesagt. Er begnügte sich aber nicht mit einer biblizistischen Darstellung der paulinischen Anthropologie, sondern sah, daß diese aufgrund der göttlichen Offenbarung gewonnene Erkenntnis unser von der natürlichen Personalitätserfahrung ausgehendes Denken in große Schwierigkeiten bringt. Durch sie scheine schon die einfache Logik gefährdet, jedenfalls aber die Einheit des psychologischen Lebens, vor allem die des personalen Daseins, welches bei aller Kraft der Du-Beziehung voraussetze, daß das Ich ganz und nur in sich selbst verwurzelt sei. Er versuchte daher den von Paulus gemeinten Sinnverhalt so zu deuten, daß diese Schwierigkeiten ausgeräumt werden[291]. Ein Vergleich mit der pädagogischen Beziehung zwischen Menschen, wie sie zum Wesen lebendiger Bildung gehört, zeitigte jedoch ein negatives Ergebnis: Paulus meine eine reale Inexistenz des wirklichen Christus, von einer solchen sei im pädagogischen Bezug keine Rede[292]. Ebensowenig entsprach nach R. Guardini die Formkraft, die die körperlich-seelische Struktur eines Ahnen auf die Ausprägung eines Familientypus ausübt, dem von Paulus Behaupteten[293]. Auch einer dritten Parallele, die im Erlebnis religiöser Besitzergreifung oder Einwohnung zu liegen scheint, hielt R. Guardini entgegen, daß Paulus von einem wirklichen Innesein des pneumatischen Christus im Gläubigen rede, das Verhältnis aber so beschreibe, daß es weder in einem ekstatischen noch in einem pathologischen Zustand bestehe, vielmehr als dauernde Grundlage einer personalen Existenz von vollkommener Klarheit und höchstem Ernst erscheine[294].

Um zu verstehen, was Paulus gemeint habe, vertiefte sich R. Guardini in das 9. Kapitel der Apostelgeschichte. Aus dem Ereignis vor Damaskus gewann er die Einsicht, daß es bei der Erlösung nicht darum gehe, daß der Mensch innerhalb des gegebenen Daseins als Ganzes erlöst werde. Paulus habe dies in der Begegnung mit Christus erfahren. Dieser stellte ihn in den von Menschen nicht erringbaren Bezug zu Gott. Er löste ihn aus seiner Selbstbefangenheit, indem er sich selbst zum Inhalt seines Daseins machte. Und nicht nur so, daß Paulus sich diesen Inhalt denkend oder liebend anzueignen hätte, sondern wirklich; indem Christus, der als »Geist« Herr der Zeit, des Raumes, der Dinge und der Person ist, in ihn eingehe. Eben damit habe Paulus eine neue Mitte und Form des Daseins gewonnen, ihm eigentlich gehöriger als die frühere. Das alles sei ein Ganzes, aus dem kein Element herausgenommen werden könne. Es sei »Existenz«, in welcher Gegenstand, Subjekt, Verwirklichungskraft und Bezugsraum einander wechselseitig bedingen[295].

Der Punkt, von dem aus dieses Ganze verstanden werden könnte, sah R. Guardini im Begriff des Geistes liegen. Schon früher hatte er sich mit verschiedensten

---

[290] Guardini: Welt und Person. S. 147. - Vgl. Röm. 8, 29.
[291] Guardini: Welt und Person. S. 149.
[292] Ebd. S. 149.
[293] Ebd. S. 150.
[294] Ebd. S. 151.
[295] Ebd. S. 153.

Geistauffassungen auseinandergesetzt[296] und seinerseits Geist bestimmt als jenes im Menschen, das von Gott angerufen werden kann[297]. Geist war daher für ihn unmittelbar zu Gott. Er hat einen Auftrag in die Welt hinein, kommt jedoch nicht aus ihr und geht nicht einfach in ihr auf[298]. Im Hinblick auf 2 Kor. 3, 15-18 erklärte er nun, »Geist« bedeute nicht Spiritualität im Unterschied zur Leiblichkeit; vielmehr die lebendige Geistmacht Gottes, welche den Menschen ergreift und umschafft[299]. Von diesem Geist nun habe Paulus gesagt, Jesus habe schon, als er noch auf Erden war, in ihm existiert. Aus ihm habe Jesus Macht gehabt, gelehrt und gewirkt. Von ihm durchwaltet, habe er sein Schicksal durchlebt. Diese Geist- und Herrlichkeitsmacht sei aber während seines irdischen Daseins in die Enge seiner »Knechtsgestalt« eingeschlossen gewesen[300]. Als er starb, brach sie durch; erhob ihn aus dem Tod zu neuem Leben und verwandelte sein ganzes Wesen[301]. Der »Geist Gottes«, welcher der »Geist der Heiligkeit« ist, habe Jesu Menschlichkeit verwandelt und in pneumatischen Zustand gebracht; so ganz, daß geradezu gesagt werden könne: »Der Herr ist der Geist«[302]. »Dieser geistliche Christus wird zum Lebensprinzip derer, die an ihn glauben. Wiederum ist es der Heilige Geist, der Ihn in den Glaubenden trägt. Wir denken daran, daß nach biblischer Auffassung die Seele ein Hauch ist, der aus Gott kommt und den Leib belebt: hier geht ein neuer Hauch von Gott aus; jener, von welchem im Nikodemusgespräch die Rede ist[303]. Er dringt schöpferisch in den Menschen ein und hebt ihn in die neue Lebendigkeit, die nicht nur den Leib, sondern das menschliche Ganze durchwirken soll«[304].

R. Guardini verwies in diesem Zusammenhang auch darauf, daß der Begriff des Geistes eine Geschichte hat: jener der alttestamentlichen Prophetie[305]. Wenn man deren Geisterfahrung nachgehe, so scheine das Pneuma die Eingeschlossenheit der irdisch-geschichtlichen Existenz aufzuheben. Die Persönlichkeit ist nach R. Guardini in sich selbst begrenzt, freilich auch darin geborgen. »Der andere Mensch ist mir nicht ohne weiteres zugänglich. Ich muß sein Inneres aus den verschiedenen Formen des Ausdrucks heraus schauen; soweit das nicht möglich ist, bleibt er mir verschlossen. Der Versuch, den Eintritt unmittelbar zu erzwingen, wäre phantastisch oder magisch, auf jeden Fall Täuschung. Für den vom Geist ergriffenen aber wird der Andere offen. Im prophetischen Zustand sind Innen und Außen zu reiner Gegenwärtigkeit aufgehoben, ohne daß die Würde der Person angetastet wäre«[306].

Der gleiche Geist wirkt nach R. Guardini auch das Neuwerden. Dadurch, so sagte er, werde ebenfalls eine Eigenschaft der irdisch geschichtlichen Existenz aufgehoben, nämlich die Starrheit, kraft welcher ich wirklich Ich-selbst bin, aber auch

---

[296] Ders.: Lebendiger Geist (1927). In: Unterscheidung des Christlichen. ¹1935. S. 152-153. - Vgl. ders.: Die Existenz des Christen. S. 112.
[297] Ders.: Lebendiger Geist. S. 172.
[298] Ebd. S. 173.
[299] Vgl. 1. Kor. 15, 42-49.
[300] Vgl. Phil. 2, 7.
[301] Vgl. Röm. 1, 3-4.
[302] Vgl. 2. Kor. 3, 17.
[303] Vgl. Joh. 3, 3-8.
[304] Guardini: Welt und Person. S. 154-155. - Vgl. ders.: Die letzten Dinge. S. 96.
[305] Ders.: Welt und Person. S. 154. Anm. 1.
[306] Ebd. S. 155

Ich-allein bleiben muß. »Der Geist allein wirkt echtes Neuwerden, und so, daß er die Würde und Verantwortung der Person nicht antastet. Ein Neuwerden aus Gott dem Schöpfer; zugleich aus der personalen Verantwortung des Menschen«[307].

Durch den Vorgang des Neuwerdens schien R. Guardini der hier entwickelte Zusammenhang neu beleuchtet. Paulus habe erlebt, wie er, der vorher für Christus verschlossen war, durch den Geist offen wurde. Aber nicht nur im Sinne des Verstehens, sondern so, daß der geisthaft gewordene Christus in seine Existenzsphäre eintrat; er Paulus in die des Herrn gehoben wurde. Dadurch sei er ein Anderer geworden, aber ebendamit Er-selbst. »Indem Christus sich in ihm erhob und herrschend wurde, erwachte Paulus zu sich«[308]. R. Guardini betonte noch einmal, daß der Weg dorthin weder Phantastik noch Magie, sondern der im Geist gewährte und glaubend verwirklichte Mitvollzug des Erlöserdaseins gewesen sei. »Alle Paulusbriefe verkünden die Lehre von diesem Vorgang, worin der Glaubende mit dem gekreuzigten Christus stirbt, mit dem Begrabenen gleichsam ins Nichts eingeht, mit dem Auferstandenen ein neuer Mensch wird[309]. Es ist die Lehre von der Wiedergeburt«[310]. Der Ernst dieses Neuwerdens lag für R. Guardini darin, daß es durch ein Sterben geht. »Das Werden des neuen Menschen setzt ein Sterben des alten voraus«[311]. Im Unterschied zu E. Troeltsch[312] erklärte er jedoch, daß dabei der alte Mensch nicht ausgelöscht werde; Paulus selbst erfahre ja dessen Realität in bedrängendster Weise[313]. Die Sicherheit des alten Daseins werde aber auf den Tod versehrt. Durch den Glauben beginne ein Sterben, das sich dann im Fortgang des ferneren Lebens und im einstigen Tode auswirken muß, um aber dann zur endgültigen Neuwerdung zu führen[314].

Nach diesen paulinischen Aussagen über die »Struktur des christlichen Selbst« kam R. Guardini zu der Einsicht, daß der Mensch kein Wesen ist, das geschlossen in sich stünde. Er existiere vielmehr so, daß er über sich selbst hinausgeht. »Dieser Hinausgang geschieht schon immerfort innerhalb der Welt, in den verschiedenen Beziehungen zu Dingen, Ideen und Menschen...; eigentlicherweise geschieht er über die Welt hinaus auf Gott zu. Das erlöste Dasein wird dadurch begründet, daß das in Christus entgegentretende Gottes-Du das Ich des Menschen in sich zieht bzw. selbst in dieses eingeht«[315].

Nach dieser für die eschatologische Sicht grundlegenden Aussage war das Denken R. Guardinis noch nicht zu seinem Ziel gelangt. Vielmehr schien unserem Autor eine weitere Klärung nötig, die er allerdings nicht durch eine transzendental-ontologische, sondern durch eine theologische Reflexion gewann. Bis jetzt, so erklärte er, sei einfachhin die Rede von der Personalität Gottes gewesen, diese sei aber nach dem eindeutigen Sinn der Offenbarung besonders geartet. Gleich zu An-

---

[307] Ebd. S. 156.
[308] Ebd. S. 156. - Vgl. ders.: Die letzten Dinge. S. 60, 62.
[309] Vgl. Röm. 6, 3-4.
[310] Vgl. Gal. 6, 15; 2. Kor. 5, 17. - Guardini: Welt und Person. S. 156.
[311] Vgl. Gal. 2, 19-20. - Guardini: Welt und Person. S. 156.
[312] Zu E. Troeltsch siehe oben S. 109-115.
[313] Vgl. Röm. 6-8.
[314] Vgl. Phil. 3, 8-11. - Guardini: Welt und Person. S. 157.
[315] Ebd. S. 157.

fang wies er die Auffassung zurück, nach der Gott eine absolute Ein-Person sei, wie sie sich das neuzeitliche Bewußtsein - soweit es Gott überhaupt personal denke -, der Islam und das nachchristliche Judentum sie vorstellten. Dieser »Mono-Personalismus« sei nicht christlich. Den Kern der christlichen Botschaft bilde vielmehr gerade die Offenbarung der geheimnisvollen und überschwenglichen Weise, wie Gott Person sei. Diese Offenbarung erfolge durch ausdrückliche Aussagen Jesu; vor allem, aber durch die Weise, wie er selbst Gott gegenüber empfinde und das Werk der Erlösung vollziehe. Daß er nur ein Gott sei, werde überhaupt nicht erörtert, das bilde den sicheren Ertrag der alttestamentlichen Geschichte. Neu offenbart werde die Weise, wie dieser Gott »Ich« sagt. R. Guardini war der Ansicht, daß Christus, der in allem das menschliche Dasein teilt, sich im Zentrum seines religiösen Bewußtseins von den Menschen sonst trennt. Er stehe zu Gott anders als sie; er lehre sie, »Vater« zu sagen aus Glaube und Gnade; er selbst aber spreche es aus Sein und Vollmacht. Daraus schloß R. Guardini, daß Christus offen das Gottsein in Anspruch nehme; und nicht so, daß an ihm das eine göttliche Selbst sich in irgendeiner Form der Geistdialektik entfalte, sondern innerhalb des einen Gottseins ein entscheidendes Gegenüber deutlich werde. Dieses Verhältnis - »die Einheit des Gottseins und das Gegenüber der Existenz; die Selbigkeit des Lebens und die echte Spannung des Ich-Du« - erfährt nach R. Guardini im Neuen Testament zwei Deutungen. Die erste werde aus dem Verhältnis von Vater und Sohn genommen, sei repräsentativer Ausdruck des umfassenden Verhältnisses von Eltern und Kind. »Danach existiert Gott als Vater, aber dadurch, daß er einen Sohn hervorbringt; existiert als Sohn, aber dadurch, daß er von einem Vater ausgeht und ihm gegenübertritt«[316]. Die andere stehe bei Johannes und knüpfe an das Verhältnis zwischen dem geistig lebenden Menschen und Seinem Worte an. »Danach ist Gott sprechender, dadurch, daß er ein wesenhaftes Wort spricht; ist Gesprochener dadurch, daß es in Gott den sprechenden Mund gibt«[317]. Jener, der »Sohn« genannt werde, sei zugleich »Wort«. »Das Kind und Wort«, so schloß R. Guardini, »stehen ja wesentlich im Zusammenhang. Das Leben das an sich verborgen ist, wird offen, indem es zeugt und redet«[318].

R. Guardini erschien hier der Vorgang in seiner absoluten Urbildlichkeit. In ihm sah er das vollkommene Ich-Du-Verhältnis entfaltet; so vollkommen, daß das Ich sich nicht nur am Du aktuiert, sondern an ihm überhaupt erst werde - in jenem Du, das es nicht antreffe und anrufe, sondern selbst hervorbringe. Er fand hier eine Absolutheit des Einsseins und zugleich der Freigabe; eine Innigkeit der Nähe und auch eine Ehrfurcht der Distanz. Grundgelegt fand R. Guardini diese Auffassung in all jenen Stellen der Heiligen Schrift, an denen vom Geist gersprochen wird. Hier erkannte er den pneumatischen Charakter der christlichen Personalität. Denn dieser Geist macht, »daß Gott im Worte eine Selbstoffenbarung vollzieht, durch die er sich ganz hinausgibt, bis zur personalen Eigenständigkeit des Hinausgegebenen im Sohn - diese Freigabe aber kein Verlieren, keine Ablösung, sondern im Gegenteil

---

[316] Ebd. S. 158.
[317] Ebd. S. 158.
[318] Ebd. S. 158. - Vgl. Ders.: Glaubenserkenntnis. S. 88-89. - Ders.: Johanneische Botschaft. S. 68-69.

den Weg zur ebenso vollkommenen Gemeinschaft bildet, indem der Sohn sich zum Vater zurückwendet und bei ihm 'bleibt'«[319]. Er fügte hinzu, daß alles bedeute Liebe, denn deren Sinnlinie bestehe ja in der Freigabe und Einheit zugleich. Auch diese Liebe werde in Gott schöpferisch. Aus dem göttlichen Lieben gehe Person hervor: der Heilige Geist[320].

R. Guardini folgte mit dieser Darlegung den unmittelbaren Äußerungen des neutestamentlichen Bewußtseins. Er gestand ein, nichts »erklärt« zu haben. Gottes Dreieinigkeit war für ihn Geheimnis schlechthin, und er machte keinen Versuch, sie »abzuleiten«, weder »aus einer Dialektik des absoluten Lebens noch der absoluten Person«[321]. Es kam ihm darauf an zu zeigen, wo das Urbild dessen liegt, was wir menschliche Person nennen. Dabei galt ihm nicht die menschliche Person als das Ursprüngliche und Deutliche, so daß die Personalität Gottes daran die geheimnisvoll-ungeheure Ausgestaltung bildete, sondern umgekehrt, die Weise, wie Gott Ich sagt, war für ihn das Eigentliche und Grundlegende. »Wenn es möglich wäre«, so sagte er, »den Schritt in den Glauben ganz rein zu vollziehen, dann würde die Antwort auf die Frage, was Personalität einfachhin sei, lauten: Gottes Dreieinigkeit. Diese wäre zwar nicht evident im Sinne der Verstehbarkeit, da sie schlechthinniges Geheimnis ist, aber vertraut im Sinne der Wirklichkeit, da ihr Geheimnis den Ausdruck ihrer seligen Absolutheit selbst bildet«[322].

Von dieser Personalität des dreieinigen Gottes waren für R. Guardini die menschliche Person und ihre Ich-Du-Beziehung das abgeschwächte und auseinandergelegte Nachbild. Den Heiligen Geist beschrieb er als die »personale Selbst-Innewerdung Gottes in der Liebe, die zwischen Vater und Sohn ist. Gleichsam die 'capacitas Dei ipsius' ; Gottes Selbstermessung, Selbstinnewerdung, Selbstergreifung«[323]. Endlichen Geist verstand er dagegen als »jenes Geschöpf, das, in geschöpflicher Analogie, der Gotteserfahrung fähig ist, indem es Ihn als Inhalt seines Lebens erringt, erkennend, liebend, gehorchend, in persönlicher Gemeinschaft lebend, mit ihm und aus ihm. In der Welt stehend und doch aus ihr herausgenommen. Die eigentliche, von Gott gemeinte Welt aufzubauen berufen, aber eben dadurch die gegebene Welt, wie sie selbst genügsam und selbstherrlich sich zusammenzuschließen bestrebt ist, beständig beunruhigend - freilich damit aber auch jenes Geschöpf, das der Auflehnung gegen Gott fähig ist«[324].

Hier verwies R. Guardini auf das Moment, das vor allem in Gefahr kommt, sobald wir den Begriff des Geistes von der ihm Raum schaffenden Offenbarung des Heiligen Geistes loslösen: die Fähigkeit, den lebendigen Gott zu erfassen, vom persönlichen Gott angerufen zu werden und ihm zu antworten; die Unmittelbarkeit zu Gott, so daß der Geist nicht in der Welt aufgehen kann; das redliche Stehen in der Welt, als ein in deren Wirklichkeit gesandtes wirkliches Wesen. Damit werde der Geist logisiert, naturalisiert, funktionalisiert, und wie immer entwürdigt - oder aber vergötzt, übersteigert. Er war der Meinung, daß erst, wenn die genannten Ge-

---

[319] Ders.: Welt und Person. S. 159.
[320] Ebd. S. 159.
[321] Ebd. S. 159.
[322] Ebd. S. 159-160.
[323] Ders.: Lebendiger Geist. In: Unterscheidung des Christlichen. ¹1935. S. 173.
[324] Ebd. S. 173-174.

fahren gebannt seien, die andern Momente, um die sich eine Philosophie des Geistes müht, ihren Sinn erhalten: daß der Geist immateriell, einfach und unsterblich sei, auf Ideen und Werte bezogen; daß er sich in Werk und Ordnung objektivieren kann, objektives Werk und objektive Ordnung verstehen, ihren Sinn lesen, sie als Erbe empfangen und in Verantwortung weiterführen kann. Fehle es, so gleite der Geistbegriff in die Abstraktion des Idealismus[325] oder werde zum Gegenspieler von Blut und Erde, so daß seine eigentliche Wesensbestimmung zerstört werde[326]. Dieses Wesen des geschaffenen Geistes bestimmt R. Guardini mit Augustinus als capacitas Dei, die Fähigkeit, Gott zu fassen[327].

Von dieser Bestimmung des lebendigen Geistes her verstehen wir, wenn R. Guardini in seiner christlichen Lehre vom Menschen die These vertrat: »Das Ich-Du-Verhältnis des Menschen besteht im Mitvollzug des Gottesverhältnisses Christi«[328]. Christ werden hieß bei ihm, »in die Existentialität Christi einzutreten«[329]. Er wußte, das der Wiedergeborene »Du« zum Vater sagen kann, da er am Du-sagen Christi Anteil erhält. Diesem Christus folgt der gläubige Mensch nach, »er geht Ihm ein und vollzieht mit Ihm die Begegnung« und verwirklicht so das Wort des Herrn, wonach dieser sich selbst »den Weg, die Wahrheit und das Leben« nennt[330]. Noch einmal betonte R. Guardini den pneumatischen Charakter dieses Vorgangs: »Der Geist ... ist es, der den Menschen in die Innigkeit der personalen Relation bringt. Er fügt ihn in Christus ein und ruft ihn so zu seinem eigentlichen Ich-Sein. Er stellt ihn dem Vater gegenüber und befähigt ihn so, das eigentliche 'Du' zu sprechen«[331].

Von dieser theologischen Erkenntnis her, die R. Guardini aus der göttlichen Offenbarung, nicht auf Grund philosophischer Spekulation gewann, fiel für ihn die Entscheidung für einen christlichen Personalismus. Wir werden im folgenden prüfen, welche Bedeutung dieser Auffassung für die Lehre R. Guardinis von den letzten Dingen zukommt.

4. Die Vollendung des erlösten Menschen in der personalen Lebensgemeinschaft mit Gott

In der soeben besprochenen Schrift über die Person legte R. Guardini im August 1939 den Entwurf zu einem christlichen Menschenbild vor. In den einleitenden Abschnitten über die Welt fragte er nach dem Wirklichkeits- und Aufgabenzusammenhang, in dem der Mensch steht. Abschließend wollte er mit einem »Versuch« über die Vorsehung an einem besonders wichtigen Punkt zeigen, wie die christlich

---

[325] Vgl. dazu ders.: Der Tod des Sokrates. S. 169. Anm. 1.
[326] Ders.: Lebendiger Geist. In: Unterscheidung des Christlichen. [1]1935. S. 174.
[327] Ebd. S. 172.
[328] Ders.: Welt und Person. S. 160. - Vgl. ders.: Die Existenz des Christen. S. 29, 63. - Vgl. Berning-Baldeaux. S. 56-58: Christliche Personalität als Mitvollzug des Gottesverhältnisses Christi.
[329] Guardini: Welt und Person. S. 160.
[330] Ebd. S. 160. - Vgl. Joh. 14, 6. - Vgl. Guardini: Die letzten Dinge. S. 97-98.
[331] Ders.: Welt und Person. S. 160. - Vgl. ders.: Lebendiger Geist. In: Unterscheidung des Christlichen. [1]1935. S. 162-163. - Dass. [2]1950. S. 120-123.

gemeinte Einheit von Mensch und Welt, das christliche »Dasein« gedacht werden kann[332].

Genau an diesem Punkt setzte R. Guardini im Advent 1940, als mit dem Zweiten Weltkrieg erneut das große Sterben begann, sein Bemühen fort, indem er eine weitere Schrift veröffentlichte:

»Die letzten Dinge. Die christliche Lehre vom Tode, der Läuterung nach dem Tode, Auferstehung, Gericht und Ewigkeit«. Ausgangspunkt für seine Überlegungen bildete die These: »Das Dasein verwirklicht sich in der Zeit«[333].

In einer Vorbemerkung legte R. Guardini kurz dar, daß in dieser Zeithaftigkeit drei Bestimmung nicht nur deutlich sondern entscheidend hervortreten: der Anfang, das Ende und der Augenblick. Anfang und Ende begrenzen nach seiner Auffassung die Gesamtgestalt des Daseins; im Augenblick sammelt es sich, tritt an das Leben heran, gibt sich ihm in die Hand und empfängt aus seiner Freiheit den bleibenden Sinn. Als Theologe wußte er, daß sich daraus die Grundbegriffe einer christlichen Lehre von der Daseinszeit ergibt, wenn die genannten Bestimmungen aus der christlichen Botschaft heraus verstanden werden. »Vom Anfang: wie der Einzelne beginnt, und wie die Welt begonnen hat, in der er lebt und die sich in ihm vollendet. Vom Ende: wie das Leben des Einzelnen seinen Abschluß findet und wie ihn die Welt finden wird, die auf den Menschen hingeordnet ist. Endlich vom Augenblick: wie die laufende Zeit gegenwärtig und damit das Dasein in jeweils unwiederbringlicher Einmaligkeit dem Menschen anvertraut wird; abermals das Dasein des Einzelnen und der auf ihn hin bestehenden Welt«[334].

So waren für R. Guardini Archeologie, Eschatologie und Kairologie die drei Teile der christlichen Lehre von der Daseinszeit. Das Thema des Anfangs wurde von ihm wiederholt behandelt und in späteren Jahren unter theologischem Aspekt erneut geklärt[335]. Dabei wies er die Auffassung zurück, es gebe auf die ewige Menschenfrage »Was war im Anfang?« keine Antwort, oder genauer, es bedürfe keiner, weil die Frage falsch gestellt sei; es gebe keine beginnende Ursache und keine erste Macht, denn hinter jedem Ergründeten erhebe sich ein neues Rätsel, ja alles schließe sich selbst zu einem Ring, die Welt sei das Anfang- und Endlose, das Ganze und das Alles, der in sich geschlossene Ring, über den die Frage nicht hinauskomme[336]. Ebenso verwarf er auch die Ansicht, die Bewegung des Seins gehe von Unten nach Oben, aus dem Dunklen und Wirren ins Klare und Gestaltete; so stehe am Anfang das stumme Sein, die blinde Notwendigkeit, der unwissende Drang, die Urkraft[337]. Stattdessen verwies er auf die Antwort, die der Offenbarung zu entnehmen ist: »Es gibt einen Anfang, und da steht das Wort und seine schöpferische Tat«[338].

---

[332] Vgl. ders.: Welt und Person. S. 10-11. - Ders.: Vorsehung. In: Glaubenserkenntnis. S. 62-76. "Vorsehung ist auf eine Zukunft ausgerichtet ..., hat letztlich eschatologischen Charakter. Sie ist auf das Werden der neuen Welt bezogen". Ebd. S. 72. - Über Schöpfung und Vorsehung vgl. ders.: Die Bekehrung des Heiligen Aurelius Augustinus. S. 141-162. - Ders.: Die Existenz des Christen. S. 476.

[333] Ders.: Die letzten Dinge. S. VII.

[334] Ebd. S. VII.

[335] Ders.: Im Anfang war das Wort. Joh. 1, 1-18. In: Drei Schriftauslegungen. Würzburg 1949. S. 3-30.

[336] Ebd. S. 3.

[337] Ebd. S. 4.

[338] Ebd. S. 4.

Für eine christliche Anthropologie schien aber noch ein zweites wichtig, das R. Guardini immer wieder nachdrücklich hervorhob: »Die letzte Vollendung von Gottes Schaffen besteht darin, daß er sein Geschöpf nicht nur in wirkliches Sein stellt, sondern zu eigenem Stand und Schritt, zur Anfangskraft entscheidungsfähigen und verantwortlichen Handelns freigibt«[339]. Von hierher ergibt sich, daß Anfang nicht nur ein in der Rückwärtsschau feststellbares oder gar nur postuliertes Zeitfaktum ist, sondern die stets gegenwärtige Wirklichkeit einer »Neuheitskraft«, die jeden Augenblick das »Neue« nicht nur aus dem Vorgefundenen her fortsetzt, sondern sich aus der »inneren Tiefe« heraushebt[340]. Diese »Kraft des neuen Beginnens« ist es, was erst das Leben möglich macht[341].

Mit dieser gewichtigen Aussage kam R. Guardini noch in seinem Alter auf ein Thema der Lebensphilosophie zurück, die einmal am Anfang seines philosophischen Bemühens stand. In dieser Schrift, in der die wohlabgewogene Summe seiner Lebensweisheit zum Vorschein kam, erklärte er in einer Meditation, der jede polemische Schärfe fehlte, man denke sich das Leben gerne als einen Strom, der aus der Quelle entspringt und dann immerfort wachsend, weiterfließt, bis er ins Meer endet; das Bild sei gut, es sage aber nur die Hälfte der Wahrheit. »Das Leben entspringt nicht nur der ersten Stunde, gleichsam ein- für allemal, so daß es dann in gerader Richtung weiterginge; sondern es steigt immerfort aus der Tiefe herauf, aus dem Verborgenen ins Offene; aus dem, was noch nicht ist, ins Wirkliche«[342].

R. Guardini sah aber nun auch das andere Phänomen: Das Leben beginnt nicht nur ständig, es kommt auch ständig zum Ende; beides beginnt mit dem ersten Atemzug. Von dieser Erfahrung her verstand er Zeit als Vergehen[343]. Im Sinne seiner Gegensatzlehre gehören jedoch beide Wirklichkeiten zusammen. So erklärte er denn: Anfangen und Enden sind ... zwei Grundkräfte, aus denen das Leben hervorgeht - das Leben im Ganzen, aber auch jedes Stück davon, bis zum Kleinsten«[344]. Von hierher versteht es sich, daß das Enden für R. Guardini nicht nur den Charakter des Vergehens hatte, vielmehr zugleich den der Vollendung. Als Theologe vertrat er eine Ansicht, die auf der philosophischen Ebene von G. Simmel dargelegt wurde: In jedem Enden liegt »ein letzter formaler Abschluß, ein Voll-Werden«[345]. Sah G. Simmel stärker die dynamische Seite, nämlich daß erst vom Ende her der gesamte Lebensrhythmus bestimmt werde und zu sehen sei, so betonte R. Guardini stärker in seiner morphologischen Sicht das Herauskommen einer vollendeten Gestalt. Das Leben ist im Enden voll geworden; »seine Kontur hat sich geschlossen«[346].

---

[339] Ebd. S. 16. - Vgl. ders.: Gläubiges Dasein. Drei Meditationen. Würzburg 1961. S. 48. - Ders.: Die Situation des Menschen (1954). In: Unterscheidung des Christlichen. ²1963. S. 221. - Ders.: Theologische Briefe an einen Freund. Einsichten an der Grenze des Lebens. Hrsg. aus dem Nachlaß. Paderborn 1976. S. 15.

[340] Ders.: Anfangen und Enden. In: Nähe des Herrn. Würzburg 1960. S. 39-46; hier S. 42.

[341] Vgl. ebd. S. 41.

[342] Ebd. S. 40.

[343] Ebd. S. 43.

[344] Ebd. S. 40.

[345] Ebd. S. 44. - Über die Erfahrung des Endlichen vgl. u.a. auch ders.: Religion und Offenbarung. I. Bd. Würzburg 1958. S. 72-82.

[346] Ders.: Nähe des Herrn. S. 44. - Vgl. ders.: Der Tod des Sokrates. S. 120. Anm. 1.

Wir haben hier auf eine Altersschrift R. Guardinis zurückgegriffen, weil in ihr besonders klar wird, daß die Eschatologie unseres Theologen auf keinen Fall isoliert betrachtet werden darf. Schon seine Gegensatzidee enthielt im Grunde eine Philosophie der Ganzheit. Danach gehören Anfangen und Enden zusammen. Theologisch war er - über den philosophischen Ansatz hinaus - davon überzeugt, daß eine letzte Gestaltung, die dem Ernst des Endens entspricht, anders als im Verhältnis zu Gott nicht möglich sei[347]. Von daher ergeben sich die ethischen Impulse einer christlichen Eschatologie. Zugleich wird aber auch deutlich, wie theologische Aussagen von Schöpfung und Vollendung aufeinander bezogen sind.

Hinsichtlich der Eschatologie war sich R. Guardini bewußt, daß die christliche Theologie mit ihr von Dingen redet, die dem neuzeitlichen Empfinden zum Teil sehr fern sind[348]. Er sah, daß der Wandel des Weltbildes wie des Lebensgefühls hier besonders viele Fragen und Widerstände geweckt haben. So kam es ihm nicht auf Vollständigkeit an, sondern darauf, den Zusammenhang zwischen der überzeitlichen Lehre der Offenbarung und unserer seelisch-geistigen Situation herzustellen[349]. Welche Hauptgrundzüge das Denken R. Guardinis dabei kennzeichnen, haben wir zum Teil bereits in seinen früheren Schriften kennengelernt. Drei von diesen finden wir auch in seiner kurzen Einführung besonders ausgeprägt:

1. Besonders deutlich fällt die starke anthropologische Ausrichtung auf: Die Welt ist auf den Menschen hingeordnet, Zeit und Dasein sind ihm anvertraut.

2. Von daher wird selbstverständlich, daß R. Guardini keine »Physik der letzten Dinge«[350] betreibt. Anfang und Ende gehören zusammen, über das eine läßt sich nicht reden ohne das andere. Von der Schöpfung bis zur Vollendung spannt sich somit der Bogen christlicher Weltsicht. Daß in einem solchen Gesamtverständnis die Lehre von der Erlösung eine zentrale, alles durchdringende Bedeutung gewinnt, dürfte schon im Hinblick auf die Studien R. Guardinis zum Werk Bonaventuras unbezweifelbar sein, findet jedoch in der nun zu besprechenden Schrift erneut seine Bestätigung.

3. Die Gesamtschau R. Guardinis kommt deutlich zum Ausdruck in den beiden Begriffen Daseinszeit und Daseinsgestalt . Von ihnen aus gewinnen wir am besten den Zugang zum eschatologischen Denken R. Guardinis. Beides, Gestalt und Zeit, umfassen nach Ansicht unseres Theologen nicht nur das je gegenwärtige Leben, sondern auch seine Läuterung und Vollendung. Danach bildet unser Dasein eine »Vorgangsgestalt«, in welcher das Ende zum Ganzen gehört. »Der Tod ist das Letzte im Menschenleben; im Lebendigen ist aber 'das Letzte' wesentlich«[351].

---

[347] Ders.: Nähe des Herrn. S. 44.
[348] Vgl. Wechsler. S. 114-122. Zur Betonung des Eschatologischen am Ende der Neuzeit: Das Unendlichkeitsgefühl der Neuzeit und die Endlichkeitserfahrung der Gegenwart.
[349] Guardini: Die letzten Dinge. S. VIII.
[350] Vgl. Künzle. In: FZPhTh 8 (1961) 111.
[351] Vgl. auch L. Scheffczyk: Die Idee der Einheit von Schöpfung und Erlösung in ihrer theologischen Bedeutung. In: ThQ 140 (1960) 19-37.

a) Der Tod

R. Guardini ging also von der These aus, daß der Tod das Leben des Menschen zur Voll-Endung führt[352]. Daher besprach er zunächst das Phänomen des Todes und seine natürliche Deutung.

In einer phänomenologischen Beschreibung des physikalischen, biologischen, psychologischen und biographischen Todes zeigte er, welches Gewicht im Ganzen des Daseins der Tod hat und daß er in jede Stelle des Daseins eingeht[353]. Dann legte er die Frage vor, wie der Mensch mit diesem »Phänomen« fertig werde. Die Antworten des positivistischen, idealistischen oder »dionysischen« Denkens schienen ihm unzureichend, insofern als sie alle den Tod als etwas Letztes ansehen[354]. R. Guardini meinte, wenn wir unser Gefühl genau vor die Sache brächten, dann erkläre es alle diese Antworten für falsch. Nicht der Tod, sondern das Leben sei das Letzte[355]. Diese Bewußtsein fand er in jenen Antworten durchdringen, welche die verschiedenen Völker und Zeiten gegeben haben[356]. Bis auf eine einzige - die buddhistische in ihrer südlichen Form - scheinen sie auf die Frage nach dem Tode mit der Vorstellung der Ewigkeit zu erwidern. Bei genauerer Prüfung fand er jedoch, daß mit dieser »Ewigkeit« zumeist gemeint sei, das, was vorher von der Zeit eingeschränkt war, gehe nun unendlich weiter. Gegen alle religiösen Antworten, die in verschiedener Weise und mit verschiedener Vorstellung metaphysischer und mythologischer Art gegeben werden, erhob er den Einwand, daß sie den Leib preisgeben und die Überwindung des Todes mit der Unsterblichkeit der Seele gleichsetzen. Mit seiner ganzen Schrift bemühte sich R. Guardini zu zeigen, daß das Christentum so nicht denke; daß es ihm nicht um die »Seele« oder den »Geist«, sondern um den Menschen gehe. Daher gehe die echte Frage nach dem Tode nicht darauf, ob die Seele zerstört werde oder ewig lebe, sondern wie der Tod im Leben des konkreten Menschen stehe. Ob er wesensnotwendig sei oder nur faktisch und daher überwindbar[357].

In dieser Fragestellung zeigt sich sowohl Übereinstimmung als auch Unterschied zwischen R. Guardinis eigenem eschatologischen Entwurf und Ansatz- und Zielpunkt, wie sie unser Theologe in den Platonischen Schriften fand und später darstellte. Dort ging es einmal um die theoretische Frage, was Tod bedeute, wie weit die Todesmöglichkeit in das Sein des Menschen hineinreiche und ob es darin Unzerstörbares gibt - aber auch um die konkrete Haltung, die hinter dem Fragen und Aussagen steht, oder anders formuliert, um die Frage, ob das Existenzbewußtsein beim Tode halt machen muß und darüber hinaus nur ein Nichts steht, auf das die Angst wartet, oder ob ein positives Lebensbewußtsein über den Tod hinausgehen darf und muß[358].

---

[352] Guardini: Die letzten Dinge. S. 4. - Ders.: Der Tod des Sokrates. S. 76, 96.

[353] Vgl. auch ders.: Die Existenz des Christen. S. 15: Die Erfahrung der Begrenztheit - besonders durch den Tod.

[354] Vgl. dazu ders.: Der Tod des Sokrates. S. 76, 96, 115, 122.

[355] Ders.: Die letzten Dinge. S. 8. - Ders.: Der Tod des Sokrates. S. 76.

[356] Eine Zusammenstellung des religionsgeschichtlichen Materials bietet O. Karrer: Der Unsterblichkeitsglaube. Das menschliche Suchen und die göttliche Offenbarung über den ewigen Lebenssinn. München 1936.

[357] Guardini: Die letzten Dinge. S. 9.

[358] Ders.: Der Tod des Sokrates. S. 9 und S. 108.

Die Antwort, die die christliche Botschaft auf diese Frage gibt, fand R. Guardini seltsam, beunruhigend, zum Protest reizend und doch mit geheimnisvoller Hoffnung berührend. Nach christlicher Lehre sei der Tod für den Menschen weder selbstverständlich noch wesensnotwendig, vielmehr die Folge von etwas, was nicht sein durfte und vermieden werden konnte[359]. So vertrat R. Guardini die These: »Der Tod des Menschen ist kein Bestandteil seines Wesens, sondern die Folge einer Tat. Er hat keinen 'natürlichen' sondern einen 'geschichtlichen' Charakter«[360]. Diese Lehre vom Menschen setzt nach R. Guardini ein Menschenbild voraus, dessen Wesen nicht mit Hilfe des Naturbegriffs allein ausgedrückt werden kann. Im Unterschied zum Tier erfülle sich das Dasein des Menschen nicht in der Entfaltung und Vollendung einer «Natur», sondern im Vollzug einer »Geschichte«, indem er dem Seienden außer ihm begegnet, Stellung nimmt, wagt, handelt und schafft. In dieser Begegnung bestimme sich jeweils sein eigenes Sein. Die »Natur« des Menschen sei ebensoviel Ergebnis wie Voraussetzung der Begegnung. Ihr Ganzes stehe nicht am Anfang, sondern am Schluß. Die Gestalt des menschlichen Daseins wachse nicht aus sich selbst heraus, um schließlich endend, in sich zurückzukehren. Anders wiederum als das Tier habe der Mensch echte Anfangskraft. »Er ist Herr seiner Tat und in einer sonst nirgendwo möglichen Weise ins Offene gestellt. Er allein ist der Begegnung fähig; ja er vollendet sich immerfort aus ihr«[361].

Wie wir sehen, kommen hier in einer neuen Fragestellung jene Grundgedanken über das Wesen der menschlichen Person zum Tragen, die R. Guardini in seiner Schrift »Welt und Person« entwickelt hatte[362]. So brachte er denn auch in diesem Zusammenhang seine These zur Geltung, daß für den Menschen die entscheidende Begegnung die mit Gott sei, weil Gott allein der eigentlich Wirkliche und wesenhaft Gültige ist. Erst in dieser Begegnung, und wenn er sie richtig lebt, werde der Mensch zu jenem Wesen, als das sein Schöpfer ihn gewollt habe.

R. Guardini beschrieb im folgenden, wie der Mensch nach der Lehre der Schrift in hoher Vollkommenheit geschaffen, mit dieser Vollkommenheit aber auf eine Probe gestellt worden sei, ob er bereit wäre, den Bogen seines Daseins in Gehorsam und Kühnheit zu Gott hinüberzurichten. Hätte er die Prüfung bestanden, hätte er im Gehorsam und in der Großgesinntheit des Glaubens auf Gottes Gebot hinübergelebt, dann wäre der Tod nicht in sein Dasein getreten[363]. Er verwies dann auf die Mahnung Christi, »umzusinnen«, sich zu bekehren[364]. »Der Mensch soll erkennen, daß er sein Bild von der Welt und von sich selbst aus dem Eigenwillen heraus gebaut hat. Er soll die Offenbarung sehen als das, was sie ist: daß in ihr Gott, der größer ist als die Welt, ja allein in Wahrheit seiend und gültig, sich dem Menschen gegenüber aufrichtet und in einem Zusammenhang ruft, der über alles hinausgeht, was von ihm selbst oder der Welt her möglich ist«[365]. Das zu erkennen und

---

[359] Vgl. Gen. 2, 15-17; Röm. 5, 12.
[360] Guardini: Die letzten Dinge. S. 10. - Ders.: Der Tod des Sokrates. S. 122.
[361] Ders.: Die letzten Dinge. S. 11. - Zum Thema "Begegnung" siehe oben S. 766, Anm. 282.
[362] Siehe oben S. 760-773.
[363] Guardini: Die letzten Dinge. S. 11.
[364] Mat. 1, 17.
[365] Guardini: Die letzten Dinge. S. 12.

anzunehmen, ist nach R. Guardini der Glaube. Von da aus entsteht in seiner Sicht ein neues Bild des Daseins, zu dem auch ein neues Bild vom Menschen gehört. Ist er darin kein Lebewesen wie die andern sonst, in seiner Natur begründet und beschlossen, hat er vielmehr ein Dasein eigener Art, das sich auf Gott hin und von ihm her verwirklicht, so wußte R. Guardini, daß etwas, je höher es im Rang steigt, um so mehr gefährdet ist, so daß er darauf verweisen konnte, wie sehr dieses menschliche Dasein bis auf den Grund ins Spiel gestellt war[366]. Den Sündenfall des Menschen, jenes »sein wollen wie Gott« interpretierte er als aus sich heraus und zu sich hin bestehen wollen. So sei der Bogen zerbrochen, und Ausdruck dieses Zerbrechens sei der Tod[367]. Gegen einen möglichen Einwand erklärte R. Guardini, auch wenn der Mensch nicht gesündigt hätte, wäre sein Leben zu Ende gegangen, da es ja der Zeit angehöre; dieses Ende wäre aber nicht der Tod gewesen, wie wir ihn kennen. »Wir wissen nicht, wie er sich gestaltet hätte, denn es ist ja nicht wirklich geworden. So können wir nur sagen, daß es ein Ende gewesen wäre, das zugleich Beginn war, ein Überschritt, eine Verwandlung«[368].

Für R. Guardini waren solche Gedanken keine abstrakte Spekulation, weder idealistischer noch transzendental-ontologischer Art. Sie ergaben sich vielmehr aus der Sicht einer christlichen Personalität, wie er sie aufgrund der göttlichen Offenbarung gewann. Von daher kam er zu der Einsicht, daß der Tod an sich und als solcher - nicht das Ende - keinen eigenen Sinn habe. »Er kommt nicht aus der inneren Notwendigkeit des menschlichen Daseins, sondern aus der Sünde - der Sünde aller, welche auch die jedes Einzelnen ist - und rechtes Sterben bedeutet, sich dieser Tatsache zu stellen und die Rechnung zu Ende zu führen«[369].

R. Guardini wußte aber auch, daß die christliche Lehre von Sünde und Tod noch ein weiteres Ziel hat. Mit Hinweis auf Röm. 5, 17 - 19 erklärte er, daß mit dem Tode etwas vorsichgegangen sei, als Christus ihn starb. Jenen Tod, der aus der Sünde folgen müßte, wenn es bei dieser Konsequenz allein bliebe, habe es im Lebensbewußtsein Jesu nicht gegeben. Der seinige sei der Schritt gewesen, durch welchen sein Leben aus der Zeit in die Ewigkeit ginge. Und nicht nur seine Seele, sondern sein ganzes menschliches Sein, denn nachdem er gestorben, sei er zu neuem Leben auferstanden[370].

R. Guardini war sich bewußt, daß dies Wort von der Auferstehung dem neuzeitlichen Gefühl genau so fremd sei wie die Lehre, daß der Tod nicht notwendig gewesen sei. Dennoch versuchte er klarzulegen, daß die christliche Lehre von der Auferstehung Christi einen unerhörten Sinn habe, da mit ihr auch die Botschaft von der Auferstehung des durch Christus erlösten Menschen verbunden ist. Sie besage, daß Christus, nachdem er gestorben, sich in die Herrenmacht des lebendigen Gottes zu neuem, und zwar menschlichem Leben erhoben habe. »Nicht nur, daß seine Seele unsterblich war und in der Ewigkeit göttlichen Glanz empfing; auch

---

[366] Ebd. S. 12.
[367] Ebd. S. 12.
[368] Ebd. S. 12.
[369] Ebd. S. 14. Vgl. ders.: Die Existenz des Christen. S. 106, 143, 429.
[370] Ders.: Die letzten Dinge. S. 15. - Vgl. ders.: Der Anfang aller Dinge. Meditationen über Genesis. Kap. I-III. Würzburg 1961. S. 87.

nicht nur, daß sein Bild und seine Botschaft zu einer lebenschaffenden Kraft in den Herzen derer wurde, die an ihn glaubten, - sondern daß sein Leib, nachdem er gestorben, wieder, und nun in höherer Weise, lebendig wurde; seine Seele in der Kraft des Heiligen Geistes den Körper durchdrang und verwandelte; Er in der Fülle seines gottmenschlichen Seins zur ewigen Herrlichkeit einging«[371]. Mit Berufung auf 1 Kor. 15, 14 - 19 legte er dar, daß durch Christi Sterben und Auferstehen überhaupt etwas vor sich gegangen ist: er habe aufgehört, der bloße Tod, die bloße Vollstreckung der Gerechtigkeit Gottes, das harte Ende zu sein, hinter welchem nur noch eine »Unzerstörbarkeit der Seele« stehe. »Christi Tod hat ihm einen anderen Charakter gegeben, der ihn zwar nicht der Gestalt, aber dem Sinn nach wieder zu dem macht, was das Ende des ersten Menschen hätte sein sollen: zum Übergang in ein neues, ewigmenschliches Leben«[372].

So verstanden, stand für R. Guardini der Tod Christi als eine alles wendende Tatsache in der Welt. An diese kann der Mensch glauben, das hieß für R. Guardini: an ihr teilhaben.

An dieser Stelle zeigt sich uns besonders deutlich, wie sehr bei R. Guardini die Eschatologie ein Teil der Erlösungslehre ist. Er sah die Erlösung des Menschen darin, daß nach 1 Kor. 15, 55 der Tod den Charakter des »Stachels« verloren habe; objektiv - so lehrte R. Guardini - für Alle; für jeden Einzelnen aufgehoben, wenn er in die Glaubensgemeinschaft mit Christus eintritt[373]; schon jetzt, sofern das neue, Leib und Seele umfassende Leben bereits durch Glaube und Taufe in uns erwacht; einst offen und ganz, wenn es in der Auferstehung beherrschend durchbricht[374]. R. Guardini verneinte, daß mit dieser christlichen Lehre ein Heilmittel gegen den Tod gefunden oder eine neue Ethik des Sterbens gefunden sei. Wohl lehrte er, daß die Wirklichkeit des Todes in einen neuen Lebenszusammenhang hineingenommen sei und zum Durchgang in ein neues, göttlich erfülltes, ewig-menschliches Leben gemacht worden sei, so daß nun auch hinter unserem Sterben die Auferstehung stehe[375].

Zusammenfassend zog R. Guardini die Konsequenzen aus dieser biblischen Theologie: »Wer stirbt, erfährt die letzte Folge der Sünde. Er tritt unter die volle Verantwortung für das Tun des Menschen, nimmt Wahrheit und Gericht auf sich. Aber nicht bloß und verzweifelt, sondern aufgenommen in die durch die Liebe Gottes gewirkte Erlösung. Nun ist der Tod nicht mehr nur das Dunkel - Furchtbare, welches die Sünde zu ihrer letzten Konsequenz bringt; er läßt vielmehr den Menschen an der Verwandlung teilnehmen, mit welcher Gottes Großmut das Ende zu einem neuen Beginn gemacht hat, und wird Durchgang zum neuen Leben«[376]. So bestehe das Menschenwesen wieder zu Gott hinüber und von Gott her, und zwar in einer neuen, ungeheuren Weise, in der der Menschwerdung von Gottes Sohn. An ihr sollten auch wir im Glauben Anteil haben; nicht aus eigenem Sein und Recht, sondern aus Gnade. Aber wirklich; sage doch Paulus immer wieder, das christliche

---

[371] Ders.: Die letzten Dinge. S. 16.
[372] Ebd. S. 17.
[373] Vgl. 1. Kor. 15, 20-22.
[374] Vgl. Röm. 6, 3-4. - Guardini: Die letzten Dinge. S. 17.
[375] Ebd. S. 18.
[376] Ebd. S. 18.

Dasein sei ein Leben Christi im Menschen und des Menschen in Christus. In Ihm hebe sich wieder der Bogen hinüber vom Menschen zu Gott, der Tod aber sei das Dunkel, durch das dieser Bogen gehe. Noch einmal versicherte R. Guardini nachdrücklich: »Das neue Leben, das nach ihm kommen soll, ist nicht die bloße Fortdauer der Seele, die geistig und daher unzerstörbar ist«[377]. Im Unterschied zu der Auffassung Platons, daß der Tod die Befreiung von den Grenzen und Lasten des Körpers zur Freiheit rein geistigen Daseins sei, erklärte er als christlicher Theologe, das, was Christus errungen und verkündet habe, bedeute etwas anderes, von göttlicher Größe und unserem Innersten tief vertraut zugleich: »... die Rettung nicht nur der Seele, sondern des Menschen; die Neuwerdung des Menschen aus der schöpferischen Macht Gottes«[378]. Ohne Tod, so meinte R. Guardini, wäre der Inhalt dieser Botschaft Phantasie, der Tod gewährleiste den Ernst der Rettung und Neuwerdung. »Christi Tod ist die Weise, wie Er die Neuwerdung in der Wirklichkeit des Seins begründet hat; unser Tod die Weise, wie wir ihrer in Redlichkeit teilhaftig werden«[379].

Nachdem R. Guardini so die Auffassung zurückwies, nach der das neue Leben nur als die Verlängerung des irdischen Lebens in den Bereich der Jenseitigkeit hinüber erscheint, legte er noch einmal dar, daß das, was Christus erwirkt und verkündet hat, nicht Wesensnotwendigkeit, sondern Gnade ist. Das neue Dasein komme als Gabe aus Gottes freier Schöpfertat, eben damit aber auch als Erfüllung des Menschen, dessen Geheimnis darin besteht, im letzten nicht aus dem Gesetz, sondern aus der Begegnung mit Gott und dessen liebender Freiheit zu bestehen. Den Tod bezeichnete R. Guardini als die »harte Schranke, welche diese Liebesfreiheit von aller spielenden Willkür scheidet«[380].

Wie kaum ein anderer Autor sonst betonte R. Guardini, daß das Leben, das nach dem Tode kommen soll, in der persönlichen Beziehung zu Christus wurzelt. Das ewige Leben besteht demnach im Mitvollzug des Lebens Christi, zu dem er durch seinen Tod eingegangen ist. »Daß Er uns liebt und uns in seine Liebe hereinruft, macht das ewige Leben möglich. Daß Er uns die Gemeinschaft der Liebe schenkt, gibt und erhält jenes Leben. Er hat in der Liebe der Erlösung unser Schicksal auf sich genommen; in der gleichen Liebe gibt er uns Anteil am seinigen. Im Geheimnis des Glaubens und der Wiedergeburt treten wir in den Mitvollzug des Lebens, Sterbens und Auferstehens Christi ein«[381].

So war für R. Guardini der Tod das letzte Wagnis, an Christi Hand, in die große Verheißung hinüber. In aller Bedrängnis, Zerstörung, Hilflosigkeit und Qual, die das Sterben bedeuten kann, sah er das Sterben Christi enthalten. Das aber war für ihn »die uns zugewendete Seite jenes Ganzen, dessen andere Seite Auferstehung heißt«[382].

---

[377] Ebd. S. 19.
[378] Ebd. S. 19. - Vgl. ders.: Der Tod des Sokrates. S. 109, 111.
[379] Ders.: Die letzten Dinge. S. 19.
[380] Ebd. S. 19. - Vgl. ders.: Der Tod des Sokrates. S. 121: "Sterben ist das Ende des personellen Daseins in Raum und Zeit, Existenzgrenze mit ihrer ganzen Härte, etwas Einmaliges also ..., das auf keinen dialektischen Gegenpol bezogen ist".
[381] Ders.: Die letzten Dinge. S. 20.
[382] Ebd. S. 20.

b) Die Läuterung nach dem Tode

Im zweiten Kapitel seiner Untersuchung behandelte R. Guardini die Läuterung nach dem Tode[383]. Obwohl es uns nicht in erster Linie um diese spezielle Glaubenslehre geht, wollen wir nachprüfen, welche Vorstellungen von der Existenzweise des Menschen im Spannungsfeld von Zeit und Ewigkeit sich aus den Darlegungen R. Guardinis erheben lassen.

Mit dem Tod endet nach R. Guardini die Zeit des Wollens und Handelns. Das gelebte Leben trägt die vollzogene Entscheidung und was aus ihr in Tat und Werk hervorgegangen ist, in sich. Damit gerät der Mensch jedoch nicht in eine absolute Abgeschlossenheit, vielmehr tritt er, wie R. Guardini behauptete, aus dem »Raum der Geschichte«, aus der »Verschlossenheit des irdischen Daseins« vor Gottes Angesicht, wo er Sein Gericht erfährt[384]. Gott tritt dem Menschen »in seinem heiligen Ur-Sein« entgegen, ... sein Gericht ist endgültig, es ist die Wahrheit[385]. In der christlichen Lehre, daß der Spruch des Gerichts auf endgültige Erfüllung oder Verlorenheit geht, kam für R. Guardini zum Ausdruck, daß unser unzulängliches Leben einen absoluten Sinn hat und daß unsere irdischen Handlungen über ewiges Dasein entscheiden.

Um die Lehre R. Guardinis von der Läuterung richtig zu verstehen, müssen wir beachten, wie eng verbunden seine Anschauungen mit zeitlichen und räumlichen Kategorien ausgesprochen werden. Jeder Mensch ist für ihn eine weiträumige Welt, in welcher Gutes und Böses nebeneinander liegen, er geht einen langen Weg, auf welchem Rechtes und Unrechtes einander folgen. Es vollzieht sich nicht jeweils in gesonderten Zeiten, sondern »was jetzt ist, trägt das Gewesene in sich und lebt im Folgenden weiter«[386]. R. Guardini verwies auf die Lehre, nach der Gottes Gericht zwar endgültig sein, dem unfertigen und verworfenen Menschendasein aber die Möglichkeit der Bereinigung gegeben wird. »Die Zeit wird, wenn man sich so ausdrücken darf, noch so lange in die Ewigkeit hineinreichen, als nötig ist, um der wirklichen Gerechtigkeit Genüge zu tun«[387]. Vorausgesetzt wurde dabei selbstverständlich von R. Guardini, daß die Gesinnung eines solchen Menschen grundsätzlich von Gott angenommen wird, wenngleich das Lebensganze noch Böses enthält, und daher geläutert werden muß, damit es in einen der Ewigkeit fähigen Zustand gelangt. R. Guardini verwies auf 2 Makk. 12, 43 - 45; Mat. 12, 31 - 32; 18, 34; 1 Kor. 3, 11 - 15. Diese Äußerungen der Schrift waren für ihn jedoch nicht »Beweis«, vielmehr betonte er nachdrücklich, daß die hauptsächlichsten Wurzeln der kirchlichen Lehre im Selbstverständnis des christlichen Daseins liegen. Dies aber beruhte auf dem Glauben an die Offenbarung, daß der erlöste Mensch in die Gemeinschaft Gottes eingeht[388].

Mit diesem Hinweis kam R. Guardini auf die Gedankengänge des ersten Abschnitts zurück und wiederholte noch einmal die Lehre der Schrift, daß durch die Begegnung mit Christus, durch Gnade und Glaube im Menschen das neue Leben

---

[383] Vgl. den Abschnitt über das Fegfeuer in: Ders. Glaubenserkenntnis. S. 177-189.
[384] Ders.: Die letzten Dinge. S. 23, 34.
[385] Ebd. S. 24.
[386] Ebd. S. 25.
[387] Ebd. S. 25.
[388] Ebd. S. 28.

geboren wird. »Solange die Zeit währt«, sagte R. Guardini, »bleibt es verborgen; im Augenblick des Todes bricht es durch, 'Ewig' der Art nach war es von Anfang an, sofern es Leben von Gott her war; dann wird es ewig auch seiner Verwirklichungsform nach, nämlich frei von der Zeit, reine Gegenwart«[389].

Unschwer ist zu erkennen, von welchem anthropologischen Ansatz her R. Guardini das Problem der Läuterung bewältigte. Da sich im Leben des Menschen das Böse findet, Gott aber der Heilige, Reine, Gerechte, der Grund alles Guten ist, der das Böse, Verdorbene, Niedrige haßt und von sich stößt, kann der Mensch nicht zu der Gemeinschaft mit Gott gelangen ohne einen Akt der »Vergebung«. Aus souveräner Liebe entspringt das Sich - Herwenden und Lossprechen Gottes. Wir sehen, daß wiederum die Erlösungslehre Kernpunkt der Anthropologie R. Guardinis ist. Auf der Gesinntheit Gottes beruht nach ihm das neue Rechtsein des Menschen.

Das Anliegen R. Guardinis war nun zu zeigen, daß die Vergebung und Rechtfertigung nicht Zauber bedeutet. Deshalb betonte er, daß die Rechtfertigung dem Menschen nicht nur zugesprochen, sondern eigen werden soll, »nicht bloß über ihn gehängt, sondern mit ihm, mit seinem innersten Willen und Sein eins werden«[390]. So faßte er in dem lebendigen Ganzen, das die Namen »Rechtfertigung«, »Heiligung«, »neues Leben« trägt, vor allem das menschliche Moment ins Auge[391]. Der Mensch soll gut werden. Alles, was er ist, bildet nach R. Guardini dafür den Rohstoff: Seele und Leib, Verstand, Wille und Herz, Charakter und Möglichkeit, Kräfte und Schwächen, Eigensinn und Beziehung zu anderen, Besitz und Umgebung. In neuen Worten verkündete er die alte scholastische Lehre: »Das Tun soll in lebendige Haltung übergehen, so daß die einzelne Tat mit Sicherheit aus dieser entspringt. Die Haltung soll zur inneren Gestalt werden, welche das ganze Wesen prägt und das Gesollte in die schöne Natürlichkeit dessen überführt, das ganz zu eigen geworden ist«[392]. Dieser Mensch des göttlichen Wohlgefallens entsteht jedoch »nicht aus Leistung und Recht, sondern aus Gnade«[393].

So nachdrücklich R. Guardini darauf verwies, daß Gottes Liebe den Menschen umschafft, ebenso sehr bestand er darauf, daß der Mensch selber den Weg der Läuterung gehen muß. Dies geschieht nach der Lehre der Kirche auf dem Weg des Leidens. An dieser Stelle können wir erkennen, daß in den Darlegungen R. Guardinis ein zeitliches Moment ins Spiel kommt, das sich leider nicht scharf fassen läßt. Zwar erklärte er, daß der Mensch, wenn er stirbt, die Zeit verläßt. Aber das bedeutete für ihn nicht das Ende der Möglichkeit zur Veränderung. Wer freilich »vollendet« hinüber gegangen ist, der steht, vom Gericht Gottes bestätigt, in der reinen Gegenwärtigkeit ewigen Lebens oder ewigen Todes. Anders sah es R. Guardini bei den Menschen, dessen gute Gesinnung noch nicht genügend in die Tiefe seines Daseins hinabdrang, so daß eine Differenz zwischen Wollen und Sein bestand. Er wies die Anschauung zurück, nach der alles Irdisch - Zeitliche unwesentlich werde, wenn der Mensch vor Gott komme. Die Unzulänglichkeit und Verworrenheit des Daseins, Fehler, Mängel, Widersprüche und Lücken wurden für ihn

---

[389] Ebd. S. 28.
[390] Ebd. S. 29.
[391] Ebd. S. 30. Anm. 1.
[392] Ebd. S. 33.
[393] Ebd. S. 35.

nicht bedeutungslos, vor der als allein wesentlich gepriesenen Heiligkeitsmacht, Liebe und Gnade Gottes. Das Große war für ihn falsch gedacht, wenn es das Kleinere zum Verschwinden bringt. Gottes Gnade ist alles; aber seine Liebe besteht nicht darin, die endlichen Mängel wegzufegen, sondern in die Wahrheit zu bringen und aufzuarbeiten[394]. Das geschieht so, daß der Mensch, wenn er ins Licht Gottes tritt, sich selbst mit dessen Augen sieht. Schmerzvoll durchlebt er sich als den, der er vor Gott ist. Dabei läutert sich in ihm die Gesinnung und zieht ihre Konsequenzen, bis sie ihr Maß des guten Willens erreicht hat und das Sein durchwaltet.

In diesem Werden war für R. Guardini Sterben und Aufleben zu einem wunderbaren und erschreckenden Geheimnis verbunden. »Immerfort wird ein Tod erlitten, aus dem sich das neue Leben erhebt«[395]. Selbst auf die Leere des Nichtgetanen erstreckt sich nach R. Guardini dieses Geschehen. Er vertrat die Ansicht, daß in der Hingabe des Geschöpfes an den umschaffenden Willen Gottes das Versäumte nachgeholt wird, da sonst auf dem Grund von Allem Verzicht und Verzweiflung bleibt. »Das nicht bestandene Leiden muß nachbestanden, die nicht erkannte Wahrheit muß nacherkannt, die nicht vollbrachte Liebe muß nachvollbracht werden können«[396]. In der echten Reue, die kein bloßer Schmerz über das Verfehlte ist, sah er ein »Geheimnis der Nachholbarkeit«. »In der Reue nimmt der Mensch das Gewesene auf, durchdringt es erkennend und beurteilend, mit Verstand und Willen und Gesinnung - aber vor Gott, dem Lebendigen und Heiligen. Darin vollzieht sich mehr als nur eine Stellungnahme zum Geschehenen. Was geschehen ist, wird wieder in Freiheit aufgenommen und durch sie umbestimmt; es wird in den Anfang der neuen Schöpfung gezogen, welche durch die Macht des Heiligen Geistes geschieht, und von ihm umgeschaffen«[397].

Wir halten hier inne und fassen vorerst zusammen: Für R. Guardini endet das Leben des Menschen nicht mit dem Tode. Zwar wird der Tod in seinem vollen Ernst genommen, da er das vergangene Leben des Menschen vor das endgültige Gericht Gottes bringt. Der Mensch bleibt jedoch stets im Wirkbereich des göttlichen Lebensgeistes und seiner Gnade. Es gibt keinen Augenblick, wo er dem unmittelbaren Verhältnis zu Gott enthoben wäre. Schon im Tode steht er unter dem besonderen Gericht Gottes, in dessen Licht er Reue und Seligkeit empfinden und sich im Hinblick auf vergangene Fehler und Versäumnisse »verändern« kann. Dieses neue Leben nach dem Tode beruht nach der Lehre der Offenbarung wesentlich auf der schöpferischen Macht des göttlichen Geistes. Durch seine gnadenhafte Erleuchtung erkennen wir, daß sich durch die Auferstehung Christi der Charakter des Todes wesentlich verändert hat. In dem Maße, als uns Menschen Teilhabe am Leben Christi geschenkt wird, beruht auch unser Leben nach dem Tode auf »Auferstehung«.

Diesen Kernsatz christlicher Anthropologie behandelte R. Guardini im folgenden Kapitel seines Entwurfes.

---

[394] Ebd. S. 36.
[395] Ebd. S. 37.
[396] Ebd. S. 37.
[397] Ebd. S. 37-38.

c) Die Auferstehung

Aus der Offenbarung in Jesus Christus gewinnt der Christ die Erkenntnis, daß der Tod nur die eine Seite eines größeren Geschehens ist, dessen andere Seite Auferstehung heißt. So folgte auch für R. Guardini aus Off. 20, 11 - 13; 1 Thess. 4, 14 - 16; 1 Kor. 15, 16 - 19; Mat. 22, 29 - 32, daß der Tod nichts Endgültiges ist, sondern daß der Mensch einst, nachdem er gestorben, zu neuem Leben aufersteht[398]. Er hielt es für unmöglich, diese Lehre, die zum Grundbestand der Lehre Jesu gehört, aus dem christlichen Bewußtsein auszuräumen. Dennoch wußte er mit Paulus, daß es zu allen Zeiten Leute gibt, die behaupten, es gebe keine Auferstehung von den Toten[399]. Der heutige Mensch, so erklärte R. Guardini, hält die christliche Lehre für unsinnig, da er aus der Naturwissenschaft weiß, daß es im Bereich des Erfahrbaren keine Kraft gibt, welche einen zerstörten Organismus wieder herstellen kann. So sucht sein Lebensgefühl den Tod zu bejahen, weil es sich vorbehaltlos in den Strom des bloß irdischen Lebens werfen will, in welchem Geburt und Tod nichts sein dürfen, als Wellen eines immmer weiterfließenden Ganzen[400].

Nachdem R. Guardini so den Einwand der zeitgenössischen Lebensphilosophie zur Sprache gebracht hatte, versuchte er mit behutsamen Schritten einen Weg zum Verständnis der christlichen Botschaft zu öffnen. Er ging davon aus, daß die Erkenntnis Wahrheit will, und zwar die eine, umfassende Wahrheit. Sie bedeutet für den Geist des Menschen, daß ihm das, was ist, im Lichte der ewigen Wesenheiten aufgeht. Dazu aber stellte R. Guardini die Forderung, daß der Geist den verschiedenen Bereichen dessen, was ist, so begegnet, wie sie es verlangen. »Wahrheit leuchtet nur auf, wenn der Mensch der Wirklichkeit jeweils so gegenübertritt, wie sie selbst es verlangt«[401]. Entsprechend folgerte er, daß man sich, um die Wahrheit des Geistes zu erfassen, anders einstellen müsse, als wenn es um die der Maschine geht. Um die Wahrheit des Lebendigen zu erkennen, müsse man ihm mit einer anderen Haltung entgegentreten, als sie vor allen leblosen Dingen richtig ist. Aber damit nicht genug. Durch die Offenbarung trete dem Menschen eine ganz neue Wirklichkeit entgegen. Da durch sie der souveräne Gott in die Welt hineinspreche, sei sie dadurch gekennzeichnet, daß sie auf Wesensbilder und Möglichkeitsformen der Welt nicht zurückgeführt werden könne, vielmehr ihnen gegenüber selbständig sei, ja sie sprenge. Wir vermeinen S. Kierkegaard zu hören, wenn wir bei R. Guardini lesen: »Die Wahrheit, um die es hier geht, kann also nur von jenem erkannt werden, der darauf verzichtet, die neue Wirklichkeit von der Welt her zu beurteilen, und bereit ist, sie ganz aus ihr selbst heraus entgegenzunehmen«[402].

Dies war auch für den katholischen Theologen und Religionsphilosophen das Erste und Entscheidendste. Er fügte aber sogleich hinzu, daß der Gott, der sich offenbart, der nämliche ist, der auch diese Welt erschaffen hat, daß daher sein Wort, wenn es in diese Welt eintritt, nicht ins Fremde kommt, sondern ins Eigene[403]. Praktisch bedeutet das, daß das Wort Gottes zunächst ohne Legitimation

---

[398] Ebd. S. 43-44.
[399] Vgl. 1. Kor. 15, 12.
[400] Guardini: Die letzten Dinge. S. 46.
[401] Ebd. S. 47.
[402] Ebd. S. 47.
[403] Vgl. Joh. 1, 11.

von der Welt her rein aus ihm selbst heraus angenommen werden will. Nach Guardini wirft es dann aber sein Licht in eben diese Welt, ermutigt sie zu ihren eigentlichen Fragen und gibt eine Antwort, die von ihr selbst her nie möglich gewesen wäre. Dieser Vorgang ist ein »dialektischer« Prozeß besonderer Art. Es ist bezeichnend, daß R. Guardini nicht von einem »Sprung«, sondern von einer »Wende« sprach, die auf einer Bekehrung beruhe und, daraus folgend, einen Umbau des Denkens nach sich ziehe[404].

So kam in dieser Theorie einer religiösen Erkennntnis erneut die grundlegende Struktur seines Denkens zum Vorschein, wie R. Guardini sie bereits in seiner Gegensatzlehre entfaltet hatte. Die theologischen Aussagen kommen danach zustande, indem irdische Worte, irdische Erfahrungsinhalte so verwendet werden, daß damit, vermöge der Analogiekraft des geschöpflichen Seins und Denkens, höhere Wirklichkeiten ausgedrückt werden. Dabei gebrauchte er die verschiedensten Erfahrungsinhalte immer wieder so, daß »in lumine fidei« deutlich wird, »sie bedeuten, analogisch, mehr als das natürlich Erfahrbare«[405]. Auf dieser »Dialektik«, die durch das Gottähnlichkeitsverhältnis möglich wird, baute R. Guardini seine Lehre auf. Er war sich allerdings bewußt, daß in diesem Zusammenhang das erkennntnistheoretische Problem nicht gelöst war.

Kehren wir zum Hauptthema zurück. R. Guardini behauptete nachdrücklich, im Christentum gehe es nicht um den Geist, sondern um den Menschen[406]. Er erkannte, daß der Glaube an die bloße Unzerstörbarkeit der Seele einen Verzicht auf die Geschichte bedeutet und daß dadurch »die Wirklichkeit des Daseins sich ins Rhethorische auflöst«[407]. Dagegen stellte er die Bahauptung, dem Christen gehe es um die Erlösung der Wirklichkeit, um das ewige Schicksal der Person und ihrer Geschichte. Wenn er hinzufügte, Christentum sei »keine Metaphysik«[408], so dürfen wir ihn nicht falsch verstehen. Es wäre verfehlt, ihn in die Front eines anti - metaphysischen Philosophierens einzureihen und ihn von dort aus zu interpretieren. Es läßt sich vielmehr an den verschiedensten Stellen zeigen, daß R. Guardinis Denken sehr wohl auf einer metaphysischen Grundlage beruht. Schon P. Wust stellte fest, daß es in der neueren philosophischen Literatur keine Gedanken gibt, die mit solcher Strenge und Klarheit eine Metaphysik der Person herausarbeiten, wie es bei R. Guardini geschah[409]. Als Theologe wollte R. Guardini aber besonders herausstellen, daß es im Christentum um die Selbstbezeugung Gottes gehe; die Ankündigung, daß Er die irdische Wirklichkeit ergriffen habe und sie in ein neues Dasein führen wolle, worin nichts verloren gehen, vielmehr jedes seinen letzten Sinn empfangen werde.

R. Guardini sah, daß eine solche christliche Weltsicht am richtigen Verständnis des Leiblichen hängt und daß die letzte Klarheit hinsichtlich alles dessen, was Person und personales Dasein, Geschichte des Einzelnen und des Ganzen heißt,

---

[404] Guardini: Die letzten Dinge. S. 48. - Vgl. ders.: Die Sinne und die religiöse Erkenntnis. Würzburg 1950. S. 27, 37.

[405] Ders.: Lebendiger Geist. In: Unterscheidung des Christlichen. [1]1935. S. 158.

[406] Ders.: Die letzten Dinge. S. 48.

[407] Ebd. S. 48.

[408] Ebd. S. 49.

[409] Wust. In: KVZ Beilage zu Nr. 875 (28.11.1926) S. 2. - Vgl. Berning-Baldeaux. S. 37.

erst in der Stellungnahme zum Leib herauskommt. Eine bloß geistige Unsterblichkeit war ihm gleichgültig. Stattdessen verwies er darauf, daß es im Christentum weder um eine Idee noch um das Wesen gehe, sondern um die Wirklichkeit des Menschen, um seine Verantwortung und Würde, seine Handlungen und Schicksale, mit einem Wort: seine Geschichte. Alles das hing für R. Guardini unlöslich mit dem Leib zusammen. So formulierte er die These: »Die Auferstehung des Leibes wahrt den personalen und geschichtlichen Charakter des Menschen und grenzt die christliche Existenz gegen die Natur wie gegen Metaphysik und Mythos ab«[410].

Wenn R. Guardini dem nächsten Abschnitt seiner Erörterung die Überschrift »Der geistliche Leib« gab, so zeigte er bereits im Titel an, wie sehr seine Auffassung von der biblischen Anthropologie bestimmt war. Schon in einer frühen Schrift hatte er dargelegt, Menschsein bedeute nicht, daß die geistige Seele sich in einem fertigen Körper aufhält, sondern daß sie »aus Stoffen Leib macht«[411]. Entsprechend betonte er, Leib sei »schon Seele mit; sich ausdrückende Seele«[412]. In der Analogie dazu verwies er auf das innere Verhältnis des gottmenschlichen Seins, indem er erklärte: »Der Sohn Gottes wohnt nicht nur in einem Menschenwesen, sondern ist 'Mensch geworden'; Gottmensch«[413]. Das Menschenwesen Christi ist daher vom ersten Augenblick an mehr als nur menschliches Sein; es ist gottmenschlich. Nun sahen wir bereits im vorigen Kapitel, daß das Verständnis von Welt und Person bei R. Guardini letztlich in einer pneumatischen Christologie begründet war. Entsprechend finden wir hier in seiner pneumatischen Leiblehre die Formulierung: »Der Grund des leiblich - menschlichen Daseins ist Christus«[414].

Von dieser Grundthese aus entfaltete nun R. Guardini seine Eschatologie. Zunächst erklärte er, daß Auferstehung nicht eine weitere Phase im Fortgang des Lebens bedeutet, so etwa, daß sich aus dessen inneren Möglichkeiten nach dem Tode eine neue Form entwickelt, vielmehr ist sie »Antwort auf einen Ruf, der aus der Souveränität Gottes kommt«[415]. In diesem Zusammenhang sagte R. Guardini sodann ganz konzentriert, was er unter »Mensch« versteht: »Mensch ... ist der Geist, sofern er sich im Leibe ausdrückt und auswirkt. Mensch ist der körperliche Organismus, sofern er in der Wirksphäre des persönlichen Geistes steht und durch diesen zu einer Gestalt und Wirksamkeit geformt wird, die er aus sich nie gewinnen kann; zum Ort, wo der Geist mit seiner Würde und Verantwortung in der Geschichte steht«[416].

Nun glaubte R. Guardini, daß die Seele nach dem Tode nur durch die Auferstehung zum Werk der Leibgestaltung ganz frei und mächtig werden könne. Auferstehung bedeutete daher für ihn, daß die Geistseele wieder wird, wozu sie durch ihr Wesen bestimmt ist, nämlich Seele eines Leibes zu sein. Ebenso bedeutet Auferstehung dann aber auch, daß der entseelte Stoff wieder durchgeistet, personbestimmte

---

[410] Guardini: Die letzten Dinge. S. 49.
[411] Ders.: Lebendiger Geist. In: Unterscheidung des Christlichen. ¹1935. S. 157.
[412] Ebd. S. 157.
[413] Ebd. S. 157.
[414] Guardini: Die letzten Dinge. S. 49.
[415] Ebd. S. 49.
[416] Ebd. S. 49-50. - Zum Verhältnis von Geistseele und Körper vgl. auch Guardini: Johanneische Botschaft. S. 57. - Ders.: Die Existenz des Christen. S. 143-144.

Körperlichkeit, Menschenleib wird[417]. R. Guardini gestand ein, daß wir nicht wissen, wie geartet der Zustand dieses Leibes, den Paulus pneumatisch, »geistlich« nennt, sein wird. Die heilbringende Erfüllung, die der Apostel erwartet[418], ist »Gnade«. Darunter verstand R. Guardini, daß sie aus der reinen Freiheit Gottes kommt und daher weder von der Welt her beurteilt noch aus deren Voraussetzungen abgeleitet werden kann. Wichtig aber war ihm, daß eben doch diese Welt in ihr erfüllt wird. Daher hielt er es für selbstverständlich, daß in ihr überall Hinweise liegen, die »bewirken, daß das von Gott Kommende nicht ins Fremde gerät«[419], und er versuchte aufzuzeigen, daß in dem, was wir Körper nennen, Richtungen deutlich werden, welche über das von der Welt her Mögliche hinausliegen.

In phänomenologischer Beschreibung zeigte R. Guardini auf, wie sich in den verschiedenen Bereichen des Seienden - Kristall, Pflanze, Tier, Mensch - eine Körpergestalt jeweils neuer Art entsteht. Er schloß daraus, daß die Körperlichkeit jedesmal in den Dienst eines neuen Prinzips gestellt werde und dadurch nicht nur andere Eigenschaften und Verhaltensweisen, sondern jeweils einen neuen Charakter gewinne[420]. Es war in dieser Schau leicht zu sehen, daß das Moment des Schöpferischen, der Bereich des Möglichen wächst, so daß der Stoff immer mehr zum Material und Werkzeug des Geistes wird. R. Guardini sah hier im Geschöpflichen eine Linie begründet, von der das naive Empfinden sagt, sie müsse weitergehen, die Menschlichkeit, so wie wir sie zunächst kennen, sei kein Abschluß, die Möglichkeit dessen, was Leib heißt, könne in ihr noch nicht erschöpft sein. Einen unmittelbar einleuchtenden Hinweis dafür fand er in der Stufung der Leiblichkeit im Menschen selbst. Daraus ergab sich für ihn, daß der Menschenleib in entscheidender Weise vom Geiste her bestimmt ist[421]. An dieser Erkenntnis habe Paulus 1 Kor. 15, 33 - 49 angeknüpft. Ganz unwissenschaftlich, von der unmittelbaren Anschauung her, habe er etwas Grundlegendes klar und groß gesehen: das Wesen der Leiblichkeit, die nicht mit den Möglichkeiten der Welt endet, sondern jenseits des irdischen Bereichs weitergeht ins Geistliche, Himmlische. Allerdings muß man beachten, daß zwischen den verschiedenen Formen der Leiblichkeit jeweils eine Kluft liegt. Nach R. Guardini ist dabei die Möglichkeit unmittelbarer Entwicklung als Phasen eines lebendigen Zusammenhangs nicht ausgeschlossen. Dazwischen aber liegt das, was Paulus »Sterben« nennt, der Tod, das heißt für R. Guardini der Verlust der Form, damit Neues entsteht[422].

So sah denn R. Guardini mit Paulus im Menschen zwei Leiblichkeitsformen, die »irdische« und die »himmlische«, und auch zwischen ihnen liegt der Tod. Wie wir bereits hörten, wurde dieser von R. Guardini ganz ernst genommen. Daher gab es hier für ihn keinerlei Entwicklung oder Übergang. »Vom Menschenleib muß man sagen, er werde nach dem Tode auferweckt. Hier waltet eine andere Macht, nicht aus dem Innern der Anlage heraus, sondern von drüben her, aus der Freiheit

---

[417] Ders.: Die letzten Dinge. S. 50.
[418] Vgl. Röm. 8, 18-23.
[419] Guardini: Die letzten Dinge. S. 50.
[420] Ebd. S. 51.
[421] Ebd. S. 52.
[422] Ebd. S. 55.

Gottes herüber«[423]. Die Auferstehung Christi hat dem Menschen gezeigt, welche Macht das ist: Mit der gleichen Macht, durch welche einst Christus aus dem Grabe erstanden ist, weckt Er auch die Seinen vom Tode auf und gestaltet sie zu einer neuen himmlischen Lebendigkeit. Noch einmal betonte R. Guardini in diesem Zusammenhang, daß der Charakter, den sie trägt, das »Geistliche und Himmlische«, nicht einfach eine höhere Stufe im Sein bedeutet, sondern das Neue, aus der Souveränität Gottes Kommende ausdrückt. So beginnt nach 1 Kor. 15, 20 - 26 in Christus eine neue Ahnenreihe, die ihr Wesensbild und ihre Lebendigkeit von ihm empfängt[424].

Nachdem R. Guardini so die Lehre der Offenbarung von der Wiederherstellung des Menschen dargelgt hatte, schloß er noch eine andere Erwägung an.

»Leib«, so erkannte er, ist nicht nur eine einmal fest dastehende, räumliche Gestalt, sondern er hat auch Geschichte, denn er durchläuft auf seinem Weg vom ersten Entstehen bis zum letzten Zerfall eine unabsehliche Anzahl von Formen. Von diesen behauptete R. Guardini, daß jede von ihnen im Ganzen des Lebens unentbehrlich sei, so daß der »Leib« des Menschen eine unendliche Zahl von Gestalten sei, die alle im auferstandenen Leib enthalten sein müßten. Daher müsse er eine neue Dimension haben, in der Zeit, freilich der »in der Ewigkeit aufgehobenen Zeit«, so daß »in seiner Gegenwärtigkeit zugleich seine Geschichte, und in seinem reinen Jetzt das ganze durchlaufene Nacheinander liegt«[425].

Diese Geschichte war für R. Guardini aber nicht nur eine Funktion der Zeit; sie umfaßt vielmehr alles, was der Mensch getan hat und was ihm widerfahren ist. Das ganze, unabsehbare Geschehen der Seele hat sich im Leibe ausgedrückt, ist in sein Wesen eingegangen. Wird es somit den Augenblick überdauernd im Leib aufbewahrt, so muß es auch im auferstandenen Leib vorhanden sein. Aus all diesen verschiedenen Überlegungen schloß R. Guardini, daß der Leib des Menschen vielmehr bedeutet als nur anatomisch umgrenzte Körperlichkeit. Er ist »Inbegriff seines sichtbar gewordenen irdischen Daseins«[426]. Unter »Auferstehung« verstand R. Guardini also, »daß nicht nur die Gestalt, sondern auch die Geschichte, nicht nur die Substanz, sondern auch das Leben des Menschen aufersteht. Nichts, was darin gewesen ist, ist vernichtet. Der Inbegriff der Taten und Schicksale des Menschen liegt in ihm und wird einst aus der Eingeschränktheit der Geschichte befreit, in der Ewigkeit stehen«[427]. Aber noch einmal betonte er, daß dies nicht aus eigener Kraft geschehe, als letzte Phase einer inneren Entwicklung, sondern »auf den Ruf des Herrn des Allmächtigen hin, und durch die Kraft seines Geistes«[428].

Im Zusammenhang dieser Erörterung stand R. Guardini vor einem Dilemma, auf das er keine eigentliche Antwort zu geben vermochte: Wenn der Mensch nach seinem Tode der Läuterung bedarf, muß das auch von seinem Leib gelten. Wie soll

---

[423] Ebd. S. 56.
[424] Ebd. S. 56. - Vgl. ders.: Der Heilbringer in Mythos, Offenbarung und Politik. Eine theologisch-politische Besinnung (1946). In: Unterscheidung des Christlichen. ²1963. S. 411-456, besonders S. 429.
[425] Guardini: Die letzten Dinge. S. 57.
[426] Ebd. S. 58.
[427] Ebd. S. 58.
[428] Ebd. S. 58.

sich aber dessen Läuterung vollziehen, wenn er doch erst am Ende aller Zeit aufersteht? Bei dem Versuch, wenigstens die Richtung anzugeben, in welcher die Antwort liegen könnte, machte R. Guardini einige Aussagen über das Verhältnis von Seele und Leib, die das bisher gewonnene Bild seiner Auffassung ergänzen und noch einmal klarlegen:

»Seele und Leib sind keine rein abtrennbaren Größen. Der Leib wird ständig von der Geistseele her aufgebaut; ja, das, was Leib heißt, enthält an jeder Stelle und in jedem Akt seines Bestandes Seele mit ... Die Seele wiederum lebt nicht auf eigene Rechnung, sondern wirkt sich im Leibe und durch ihn aus, so sehr, daß man zweifeln darf, ob es im menschlichen Dasein überhaupt einen 'rein geistigen' Akt gibt, und nicht vielmehr alle geist - leiblich, daß heißt eben menschlich sind«[429].

Aus dieser anthropologischen Grundthese folgerte R. Guardini, daß die Seele, wenn sie sich beim Tode vom Körper trennt, den Leibesbereich nicht einfach von sich weg und aus sich hinaus streift. Nachdrücklich betonte er, sie werde kein Engel, sondern bleibe Menschenseele, die als solche den Leib in sich trägt. Daß sie die Voraussetzung seines Lebens war und ihrerseits sich in seinem Leben ausgewirkt hat, bleibe in ihr. So wiederholte er die Anschauung mittelalterlicher Philosophie, nach der die Seele Wesensgestalt des Leibes ist. Das hieß für ihn konkret: »Nicht eines allgemeinen, sondern dieses besonderen; ... nicht nur seiner Anlage, sondern auch seiner Geschichte; ... nicht nur so, daß sie in ihm tätig war, sondern auch, daß sie sich selbst in ihm verwirklicht und das, was geschehen ist, in ihre eigene Wirklichkeit aufgenommen hat«[430]. Daran, so meinte R. Guardini, werde die Auferweckung der Toten anknüpfen: indem Gott der leibgestaltenden Macht der Seele die Möglichkeit gibt, sich ihren Leib so zu bauen, wie er ihrer Wahrheit nach sein muß[431].

Zum Schluß dieses Abschnitts verwies R. Guardini noch darauf, daß das Werden des neuen Leibes kein plötzliches Geschehen sei. Es sei nicht so, daß der Mensch bis zu seinem Tode nur irdisch da wäre und dann, bei der Wiederkunft des Herrn, mit einem Ruck zum geistlichen und himmlischen würde. Paulus habe im Römerbrief Kapitel 6 - 8 gezeigt, wie das Geheimnis des Sterbens und der Auferstehung bereits in diesem Leben beginnt. Die Taufe ist demnach, in der Weise des Anfangs, schon Tod und Auferstehung zugleich. Aus ihr wird der neue Mensch geboren und lebt von da ab, freilich durch den alten verhüllt, im Innern des Glaubenden. Für R. Guardini beginnt damit ein »geheimnisvolles Ineinander von Untergang und Werden. Durch alles Tun und Geschehen hindurch vollzieht sich immer neu das Sterben des alten und das Auferstehen des neuen Menschen«[432].

d) Zeit und Ewigkeit

Für R. Guardini erfüllte sich das Dasein des Menschen im Vollzug einer »Geschichte«, indem ein jeder dem Seienden außer ihm begegnet, Stellung nimmt, wagt, handelt und schafft. Von daher kam er zu der These, daß der Tod keinen

---

[429] Ebd. S. 59.
[430] Ebd. S. 59.
[431] Ebd. S. 59.
[432] Ebd. S. 60.

»natürlichen«, sondern einen »geschichtlichen« Charakter habe[433]. Geht es dem Christen insbesondere um das ewige Schicksal der Person und ihrer Geschichte[434], so finden wir es sinnvoll, daß R. Guardini gerade zu Beginn eines Kapitels über das Gericht das Wesen der Geschichtlichkeit erläuterte.

Wir erinnern uns, daß R. Guardini im Zusammenhang mit der Läuterung von einer »Verschlossenheit der Geschichte« sprach, die sich erst mit dem Tode öffne[435]. Seine These, »Geschichtlichkeit heißt vor allem, daß das Dasein undurchsichtig und verschlossen ist«[436], muß daher auch hier im Sinne seiner Gegensatzlehre gelesen werden, wo er den Grenzcharakter des menschlichen Daseins mit einem Hinweis auf die Lebensanschauung G. Simmels von der Transzendenz des Lebens erläuterte[437]. In der Betonung des einen Pols ging er nun von der Feststellung aus, daß das Gewebe der Ursachen und Wirkungen weder überblickt noch durchschaut werden könne. Er wies auf, daß in jeder Handlung unzählige Voraussetzungen zusammenlaufen und die geschehene Handlung ihrerseits auf verschlungenen und verborgenen Wegen weiterwirkt. Andererseits kann man ein Geschehen jedoch nur dann richtig verstehen, wenn man es in seinem Zusammenhang sieht. Dieser aber, so bemerkte R. Guardini, breite sich ins Endlose aus und entgehe so der Überschau[438].

In ähnlicher Weise zeigte er den Zustand der Verschlossenheit im Hinblick auf den Ausdruckswillen des Lebendigen auf. Dieser sei beim Menschen widerspruchsvoll. So gerate zum Beispiel alles in Fragwürdigkeit, wenn das Innere verborgen bleibe, wo es offenbar werden sollte. Er war daher der Ansicht, daß bei aller Zweideutigkeit und Irreführung, dem das Urteil sich nicht anvertrauen kann, die Geschichte etwas Undurchsichtiges, Unverstehbares, ja Hinterhältiges und Tückisches bekommt[439].

In dieser Darstellung kam schon ein Zweites zum Vorschein, in dem R. Guardini das Wesen der Geschichtlichkeit begründet sah: Die Freiheit des menschlichen Willens. Darunter verstand er den Zustand, in welchem der Mensch das Gute wollen soll, aber auch das Böse wollen kann[440]. Das Gute war für ihn im Letzten die Heiligkeit Gottes selbst, die Forderung des Guten Sein Wille, daß die Welt Sein Reich sei; Geschichte als der Zusammenhang des menschlichen Handelns sollte in seiner Sicht immer der Vollzug des Gutens, das Werden des heiligen Reiches sein[441].

Von hier aus verwies R. Guardini auch auf das dritte Element, von dem er die Geschichte bestimmt sah. Durch die Feststellung, daß Wert nicht eins ist mit Macht, kam er zu der Erkenntnis, Geschichte sei daher »jener Zustand des Daseins, in welchem das Gute um so weniger unmittelbare Macht hat, je höheren Ranges es

---

[433] Ebd. S. 9-10.
[434] Ebd. S. 48. - Vgl. F. Leist: Um die Überwindung der Neuzeit. Zur geschichtsphilosophischen Konzeption im Werk R. Guardinis. In: PhJ 62 (1953) 60-85.
[435] Guardini: Die letzten Dinge. S. 23-24.
[436] Ebd. S. 67.
[437] Ders.: Der Gegensatz. S. 82.
[438] Ders.: Die letzten Dinge. S. 67.
[439] Ebd. S. 68.
[440] Ebd. S. 68.
[441] Ebd. S. 69.

ist«[442]. Dies bedeutete für ihn aber auch, daß Gott selbst in der Geschichte letztlich - in unmittelbarem Sinn - »machtlos« ist, eben weil er den Menschen frei gewollt hat und diese Freiheit achtet[443].

Diese drei in kurzen Strichen skizzierten Phänomene waren für R. Guardini Tatsachen, die das Wesen der Geschichte bestimmen. In einer transzendentalen Reflexion folgerte er daraus, daß die Geschichte sich nicht selbst erfüllt, sondern über sich hinausweist. »Der Mensch verlangt ..., daß die Verschlossenheit und Unwahrheit aufgehellt werde, daß die Möglichkeit zum Bösen in der echten Freiheit aufgehe, daß das Gute zur Ordnung und Wirklichkeit werde, und das Böse sich als das offenbare, was es ist, nämlich Sinnlosigkeit und Nichts«[444]. So fand R. Guardini im Menschen ein unausrottbares, mit seinem Wesen gegebenes Verlangen nach Gerechtigkeit. Der Mensch muß nach dem Gericht verlangen. Von diesem konkreten Ansatz her - nicht aufgrund einer abstrakten Spekulation - stellte sich nach R. Guardini für die christliche Weltanschauung das Problem von Zeit und Ewigkeit.

R. Guardini bedauerte, daß der neuzeitliche Sprachgebrauch das Wort »ewig« zerstört hat. Zur Klärung des Verständnisses legte er dar, daß Ewigkeit nicht »immer weitergehende Zeit« bedeuten könne, sondern »Aufhebung der Zeit« bedeute[445]. Er verwies auf die verschiedenen Erfahrungen von Zeit in menschlichen Leben. Der rein mechanischen Zeit stellte er die »lebendige Zeit« gegenüber, die auf unserem »Zeiterlebnis« beruht. Wenn es möglich wäre, die Geschwindigkeit dabei so zu steigern, daß ihre Ausdehnung sich auf einen Blitz hin zusammenzöge; zugleich die Bedeutung so anwachsen zu lassen, daß sie den Lebensraum immer mehr ausfüllte, dann - so schien es ihm - würde die Linie zwar kein Ende erreichen, aber auf das Eigentliche hindeuten. Unter Ewigkeit wäre dann jener Zustand des Lebens zu verstehen, in dem kein Vorübergehen mehr, sondern nur noch Gegenwart, kein Auseinander der Erlebnisse, sondern reines Beisammensein wäre[446].

Eine ähnliche Erfahrung macht der Mensch nach R. Guardini auch in der entgegengesetzten Erlebnisrichtung. Er verwies auf Augenblicke, in denen der Mensch innerlich immer stiller wird. »Man fühlt: noch ein Geringes, dann kommt der ruhelose Strom im vollendeten Augenblick zum Stehen, weil er ganz erfüllt«[447]. Auch darin sah R. Guardini den Versuch des Lebens, die Zeit zu überschreiten und in die reine Gegenwart zu gelangen. Aber er gab sich keinerlei Illusion hin. Er wußte, daß dieser Versuch nie gelingen kann, da jene Augenblicke immer wieder abgerissen werden, sei es durch ein Geschehen von außen oder ein Erschrecken von innen. Trotzdem fand er in diesem Zeiterlebnis die Richtung, die darauf hinweist, wo die Ewigkeit liegt.

Noch eine dritte Erfahrung schien ihm diese Erkenntnis zu bestätigen. Die Beobachtung ergab, daß der Mensch, in dem Maße er das Unbedingte will, selbst Teil erhält an dessen Charakter, daß er selbst in dessen Unbedingtheit hineinwächst, je

[442] Ebd. S. 70.
[443] Ebd. S. 71.
[444] Ebd. S. 71.
[445] Ebd. S. 88.
[446] Ebd. S. 90.
[447] Ebd. S. 90.

entschiedener und kraftvoller er nach dem Guten strebt. So - überlegte R. Guardini - könnte man sich denken, wenn es einem Menschen gelänge, etwas vollkommen Gutes zu wollen, und es zu wollen mit einer bis auf den Grund des Herzens gehenden Lauterkeit, und in dieses Wollen und Tun die ganze Kraft hineinzugeben, die er hat - dann würde etwas geheimnisvolles geschehen: er würde »verewigt« werden.

Aus diesen Erfahrungen gewann R. Guardini einen Begriff von dem, was Ewigkeit sein würde: die reine Gegenwärtigkeit vollkommenen Daseins, in dem es weder Werden noch Vergehen gäbe, das Lebendige in einem einfachen Akt sein ganzes Wesen verwirklichen würde, seine Gestalt und seine Kräfte ganz gültig, das Sein an jeder Stelle durch Wert gerechtfertigt wäre[448]. Aber wiederum sah R. Guardini, daß der Mensch von sich selbst her solche Ewigkeit nicht erreichen kann, daß er durch eigenes Vermögen nie in die ganz lebendige Gegenwärtigkeit gelangt.

Diese transzendentale Reflexion ließ darüber hinaus eine hypothetische Erwägung zu, die bei R. Guardini folgendermaßen aussah:

»Wenn es ein Wesen gäbe, dessen Sinngehalt das absolute Gute selber ausmachte, und dessen Sinngehalt ebenso mächtig wäre, wie sein Sinngehalt gültig, ein vollkommenes gutes und unendlich großes Wesen - dann gäbe es in dessen Dasein weder ein Werden noch ein Streben mehr. Sein Leben wäre einfachhin sinnerfüllt, und der Sinn seines Daseins schlechthin wirklich. Das Moment des Vorübergangs wäre verschwunden, die Gegenwart von absolutem Gewicht«[449].

Auf diese Erwägung des Religionsphilosophen folgte die Behauptung des Theologen, daß es ein solches Wesen gibt: Gott. Ohne hier auf das Problem der Gotteserkenntnis näher einzugehen, wurde Zeit und Ewigkeit von R. Guardini theologisch bestimmt, aber so, daß diese Antwort auch mit den Vorstellungen der Religionsphilosophie übereinstimme: Ewigkeit ist die Weise, wie Gott lebt, Zeit dagegen - nicht etwas einfach um uns her, kein Kanal, durch den wir hindurchfahren - sondern unsere Endlichkeit[450]. So blieb es bei der Feststellung, daß der Mensch aus sich keine Ewigkeit hat, außer der Hinordnung auf sie und die Sehnsucht nach ihr.

Als Theologe wußte R. Guardini freilich, daß unsere Teilhabe an der Ewigkeit nur aus dem Gottesverhältnis heraus geschehen kann. Um die falschen Vorstellungen pantheistischer Mystik abzuwehren, betonte er gleich zu Anfang, daß das Neue Testament auch hier den Schritt aus dem Allgemeinen ins Personhafte, aus dem Metaphysischen ins Geschichtliche tue. Von der »Grundwahrheit unseres Daseins« aus, »wonach Gott allein Gott ..., der Mensch aber durchaus Geschöpf« ist, verwies er auf Worte, mit denen das Evangelium von der Ewigkeit und unserem Sein in ihr spricht: Das ewige Dasein des Geschöpfes als Lobgesang sei ein Dienst vor Gott und eine Herrschaft zugleich[451]; es bestehe darin, daß Gott beim Menschen eintrete, Wohnung bei ihm nehme, Mahl mit ihm halte[452]; es sei eine Hochzeit, in die die ganze Welt einbezogen werde[453]. Das Eigentliche in diesen gleichnishaften Aussagen sah er darin, daß in ihnen »Ewigkeit kein metaphysischer Bezug

---

[448] Ebd. S. 91.
[449] Ebd. S. 91-92.
[450] Ebd. S. 92.
[451] Vgl. Apg. 14, 23; 22, 3-5.
[452] Vgl. Joh. 14, 23; Apk. 3, 20.
[453] Vgl. Apk. 21, 1.

ist, der mit Begriffen von 'Wahrheit', 'Wesen', 'Leben' ausgedrückt werden könnte, sondern ein Verhältnis von Personen«[454].

Um den Eintritt des Menschen in diese Ewigkeit verständlich zu machen, verwies R. Guardini auf das Verhältnis Jesu zum himmlischen Vater. In Joh. 1, 1 - 2, so erläuterte er, sei der »Anfang« nicht der erste in der Reihe der Zeitaugenblicke, sondern »Urbereich Gottes«; und zwar weder der körperliche noch der des unmittelbaren Lebens und Gemütes, auch nicht einfachhin der »geistige«, sondern jener »Raum des Existierens«, in dem das Wort auf Gott, der Sohn auf den Vater hingewendet erscheint. Dabei vergaß R. Guardini wiederum nicht die pneumatische Komponente, denn er versicherte, daß nur durch den Heiligen Geist Sohn und Vater einiger Gott sind. Kurz: Dieses, was da zwischen Vater und Sohn ist, der »Raum«, »in« dem Vater und Sohn einander zugewendet und beieinander sind - war für ihn die »letzte und eigentliche Ewigkeit«[455]. In einer späteren Meditation beschrieb R. Guardini noch einmal das Bild, das er in den johanneischen Schriften von Jesus Christus gezeichnet fand: »Aus der Ewigkeit in die Zeit gespannt; aus der umrissenen Gestalt, die da in den Straßen Palästinas geht, in das Weltall hinausgebreitet; im vorübergehenden Augenblick lebend und zugleich um den Anfang aller Dinge und um den Uranfang jenseits der Zeit wissend«[456].

In dieser konkreten Einheit von Zeit und Ewigkeit in der Person Christi fand R. Guardini auch den entscheidenden theologischen Bezugspunkt, von dem aus er den Eintritt des Menschen in die Ewigkeit verständlich zu machen versuchte. Die biblischen Aussagen über das christliche Dasein sah er auf dem Verhältnis »der Mensch in Christus - Christus im Menschen« aufgebaut. Es war für ihn jedoch nicht genug, lediglich anzunehmen, daß der Glaubende vom Bilde und von der Gesinnung des Herrn erleuchtet und durchwaltet werde. Vielmehr betonte er, daß Christus durch Tod und Auferstehung in einen neuen Zustand übergegangen sei. »Der Herr ist Geist«[457], und so könne er, ohne die Dichte der menschlichen Gestalt zu zerstören, ohne die Innerlichkeit des menschlichen Lebens aufzuheben, noch die Würde der Person anzutasten, »im« Glaubenden sein: als Gestalt, die ihn formt; als Macht, die ihn durchwaltet; als Halt und Standort, von dem aus er lebt. »In jedem Christen vollzieht sich, nach den Voraussetzungen und in der Weise seiner Persönlichkeit, das Christusleben neu. Immer ist es Christus, der da lebt; eben dadurch aber ist es der Mensch, der nun erst zu seinem eigentlichen Menschentum frei wird«[458].

R. Guardini führte es auf das Wirken des heiligen Geistes zurück, daß die lebendige Wirklichkeit Christi dem Glaubenden zu eigen werde. Wichtig war ihm sodann, daß der Glaubende, indem er in die Gemeinschaft mit Christus eintritt, durch diesen auch in dessen Verhältnis zum Vater aufgenommen wird. »Glauben« hieß damit für R. Guardini, »von Christus erfaßt werden, nicht nur psychologisch ..., sondern wirklich; von Ihm in Sein eigenes Leben hereingezogen und in die Be-

---

[454] Guardini: Die letzten Dinge. S. 93.
[455] Ebd. S. 95.
[456] Ders.: Drei Schriftauslegungen. Erste Auslegung: Im Anfang war das Wort. Joh. 1, 1-18. S. 3-30; hier das Zitat: S. 27.
[457] 1. Kor. 3, 17.
[458] Guardini: Die letzten Dinge. S. 96.

wegung, in welcher Er auf den Vater hin steht, mit genommen zu werden«[459]. Damit wird der Glaubende in das Ich - Du - Verhältnis zwischen Vater und Sohn hineingeholt, zunächst in der Form des Anfangs, des Kämpfens und Strebens, doch so, daß der Mensch weiß: »Jene Ewigkeit, die in der Eigenständigkeit und zugleich Einheit, in der Ehrfurcht und Liebe zwischen den Augen und Herzen des Vaters und des Sohnes liegt; jene Weite, Tiefe und heilige Innigkeit, jenes Umeinander - Wissen und Füreinander - Sein ist die Heimat, die uns verheißen ist«[460]. Noch einmal betonte R. Guardini, daß in diese Ewigkeit nicht nur »die Seele« oder »der Geist«, aufgenommen werde, sondern der lebendige Mensch, mit seinem leib - seelischen Sein, dem Inbegriff seines Schicksals, dem Zusammenhang seiner Taten und Werke, soweit das Gericht sie bestätigt hat[461]. Er wußte, daß diese Behauptung unerhört ist, gerade für einen Menschen, der sich von der pantheistischen Verworrenheit freigemacht und anerkannt hat, daß Gott allein Gott, der Mensch nur Geschöpf ist, und daß zwischen beiden eine Kluft schlechthinniger Verschiedenheit liegt. Insofern wurde von R. Guardini jenes Anliegen berücksichtigt, das den Vertretern einer dialektischen Theologie sehr am Herzen lag. Er versicherte auch, daß das Wort »Geist« nicht in der gleichen Weise von Gott und vom Menschen gebraucht werden dürfe; wenn die Seele des Menschen Geist sei, dann sei Gott es in einer so anderen und unbegreiflichen Weise, daß dazwischen die Kluft der Unvergleichlichkeit liege. Nun behaupte aber die Schrift, daß auch der Leib des Menschen und seine menschliche Geschichte, die sich in Raum und Zeit zugetragen hat, in Gottes Innigkeit aufgenommen werden solle[462]. Diese theologische Erkenntnis ergibt sich für den christlichen Glauben aus der Botschaft von der Auferstehung Jesu. So betonte R. Guardini gegen alle antike und neuzeitliche Spiritualisierung des christlichen Glaubens, das Er, der nun in der Ewigkeit beim Vater weilt, nicht der bloße Logos, sondern der Gottmensch Christus Jesus in der Fülle seines erlösenden Lebens ist[463].

Im Hinblick auf die Anthropologie ergab sich für R. Guardini daraus, daß Gott den Menschen so geschaffen und gewollt hat, daß das sein kann; hinsichtlich der Theologie, daß Gott so ist, daß er es will und von sich aus möglich macht. In diesem Blick auf Gott gipfelt der eschatologische Entwurf R. Guardinis. »Er ist nicht der Gott der Philosophie oder der Frömmigkeit des bloßen Geistes, sondern ein ganz Anderer, dem Menschen unbekannt gewesen und erst offenbar geworden in Chrisuts, Unbekannt ist aber auch das Geheimnis des Menschen gewesen und erst durch Christus kundgetan«[464].

Zum Schluß zeigte R. Guardini noch mit Hinweis auf Röm. 8, 19 - 22[465]; Eph. 1, 9 - 10; Kol. 1, 14 - 19, daß nicht nur der Mensch, sondern auch alles Geschaffene

---

[459] Ebd. S. 97-98.
[460] Ebd. S. 98.
[461] Vgl. ders.: Der Tod des Sokrates. S. 122.
[462] Ders.: Die letzten Dinge. S. 99.
[463] Ebd. S. 100.
[464] Ebd. S. 100.
[465] Vgl. ders.: Das Harren der Schöpfung. Röm. 8, 12-39. In: Drei Schriftauslegungen. S. 31-52. - Ders.: Die Bereiche des menschlichen Schaffens. In: Unterscheidung des Christlichen. [2]1963. S. 217.

in das heilige Verhältnis zu Gott hingezogen wird. So kommen wir zu der Erkenntnis, daß es nicht nur um die Erlösung des Menschen geht, sondern auch um die Welt, aber eben nicht unmittelbar - das wäre nach R. Guardini Mythos und Magie - sondern durch den Menschen. Diese These hatte R. Guardini schon zuvor in einem Kapitel über die Vorsehung entwickelt[466]. Zusammenfassend sagte er hier: Dies verkünde nicht eine höhere Stufe der Weltordnung, sondern sage, wenn der Mensch glaubend in das Einvernehmen mit dem Willen des Vaters trete, ordneten sich um ihn her die Dinge neu. Wo immer das geschehe, öffne sich ein neuer Anfang, und die neue Schöpfung verwirkliche sich[467]. So bewegt sich im Reich des Sohnes Seiner Liebe[468] die ganze Schöpfung auf die verborgene Ewigkeit zu, nicht unmittelbar, sondern »durch den Menschen, dessen erlöstes und verwandeltes Herz«[469].

5. Die philosophischen und theologischen Grundzüge der Eschatologie R. Guardinis - Zusammenfassung und Würdigung

Im vorigen Kapitel haben wir R. Guardinis Lehre von den letzten Dingen soweit ausführlich wiedergegeben, wie es dem Anliegen unserer Untersuchung entspricht. Es bleibt uns nun die Aufgabe, im Rückblick auf das Gesamtwerk die philosophischen und theologischen Grundzüge festzuhalten, von denen seine eschatologischen Versuche getragen wurden. Mit dieser Würdigung verbinden wir zugleich die Hoffnung, daß sich mit der Erhellung der Voraussetzungen, die dem Werk des einstmals sehr bekannten Theologen zugrunde liegen, auch dem Denken unserer Zeit der Zugang zu einem Kernpunkt des christlichen Glaubens erschließt.

Wie wir sahen, war R. Guardini einst ausgegangen von der Frage nach typischen Seelenvorgängen, die er in ihrer Gegensätzlichkeit sowohl im individuellen als auch im sozialen Bereich erfuhr. Er blieb jedoch nicht stehen bei einem Entwurf zur Charaktereologie, sondern wandte sich im Zusammenhang mit der Lebensphilosophie dem Lebendigen - Konkreten in seiner Gesamtheit zu. Von Anfang an hatte er dabei das Ziel vor Augen, einer mystisch - pantheistischen Interpretation des Lebens entgegenzuarbeiten. Zur genauen Erfassung der Wirklichkeitserfahrung bediente er sich der Methode der Phänomenologie, ohne sich jedoch einer bestimmten Schule anzuschließen. Den Begriff des Lebens, den er zunächst aus einer phänomenologischen Beschreibung gewann, klärte er auf der Grundlage der aristotelisch - christlichen Metaphysik, wiewohl er nochmals eindringlich betonte, daß es bei der christlichen Botschaft von der Auferstehung und Vollendung des Menschen nicht um Metaphysik, sondern um die Verkündigung der von Gott allein gewirkten Erlösung gehe. Erwies er sich in dieser Hinsicht dem Anliegen der dialektischen Theologie verbunden, so unterschied er sich von ihr durch sein Verständnis

---

[466] Ders.: Welt und Person. S. 171-198.
[467] Ders.: Die letzten Dinge. S. 100. - Vgl. ders.: Über die Wiederkunft Christi, den neuen Himmel, die neue Erde. In: Die Existenz des Christen. S. 508.
[468] Vgl. Kol. 1, 14.
[469] Guardini: Die letzten Dinge. S. 101.

der Dialektik des bedingten Seins und dessen Verhältnis zum Absoluten[470]. Ohne auf die Frage einzugehen, ob er den Ansatz S. Kierkegaards richtig verstanden hat[471], bleibt festzustellen, daß er jede tragizistische Haltung ablehnte. Darauf beruhte seine grundsätzlich optimistische Bewertung des Lebens, die den Ernst des Todes nicht verkannte, aber ihm dennoch selbst im Bereich des Denkens nicht das letzte Wort beließ. Zwar wußte er um die grundsätzliche, unerhörte Einmaligkeit der christlichen Verkündigung; wohl kannte er genau die neuzeitliche Entwicklung des philosophischen und weltanschaulichen Denkens. Gerade daher sah er seine Aufgabe darin, dem modernen Menschen die Botschaft der Offenbarung soweit nahezubringen, daß sie ihm nicht als etwas radikal Fremdes, dem blindes Glauben allein genügen könnte, begegnet, sondern als eine mögliche Antwort auf Fragen, die ihn vom eigenen Denken her bedrängen und nicht zur Ruhe kommen lassen.

Wo immer R. Guardini aus dem Bereich des erfahrbar bedingten Seins in den des ebenso erfahrbaren absoluten überwechselte, versuchte er in seiner Methode niemals abzuleiten und so zu beweisen, sondern zu verstehen[472], indem er die göttliche Offenbarung als Antwort auf die Zeitfragen der Menschen betrachtete. Von daher ergab sich, daß alle wesentlichen Aussagen R. Guardinis theologisch waren. Eine Untersuchung seiner Lehre von den letzten Dingen zeigte klar, daß in diesen eschatologischen Versuchen nicht der Religionsphilosoph, sondern der Theologe sprach. Auch beim Ausgang von der phänomenologischen Beschreibung menschlicher Erfahrung und philosophischen Bemühens behielt die Theologie im Werk R. Guardinis unverkürzt ihren Primat. Seine Anthropologie wurde von ihr getragen und erweist sich als nur von ihr aus verstehbar.

Theologie war für R. Guardini Lehre der göttlichen Offenbarung, als solche jedoch keine abstrakte Theorie zum Zwecke der Spekulation, sondern lebendig allein in der Verkündigung, im Glauben und Leben der Kirche. Ihr hatte er sich in den entscheidenden Jahren seiner Studienzeit zusammen mit seinem Freund K. Neundörfer zugewandt. Er stand dabei räumlich und ideell in Beziehung mit der schöpferischen Kraft jener Tübinger Schule, ohne die ein lebendiges Erfassen der kirchlichen Wirklichkeit gar nicht mehr gedacht werden kann. Ihre Einflüsse auf das Frühwerk R. Guardinis waren mannigfaltig. Die konkreten Ansatzpunkte lagen außer in der Gemeinschaft mit K. Neundörfer und anderen Freunden vor allem bei seinen Lehrern K. Braig und E. Göller. Sie standen im Verhältnis lebendiger Tradition zu F. X. Funk und J. E. Kuhn. Andere Theologen wie P. Schanz, A. Koch und W. Koch, mit denen R. Guardini in Berührung kam, sind Vertreter jener aufgeschlossenen Theologie, die sich in vielen Bereichen als sehr fruchtbar erwies. Die Anfänge R. Guardinis lagen also im Kreis jenes deutschen Reformkatholizismus, der nicht modernistisch war, wohl aber auf die Probleme, die andererseits den Modernismus hervorriefen, eine Antwort zu geben versuchte. Das gesamte Lebenswerk R. Guardinis kann als eine solche positive, von aller unnötigen Polemik freie Antwort verstanden werden. Es hat der Kirche in Deutschland - und wohl darüber hinaus - sehr viel Nutzen gebracht.

---

[470] Vgl. ders.: Die Existenz des Christen. S. 28.
[471] Vgl. von Balthasar: Romano Guardini. S. 80-81: Die Denkgestalt Kierkegaards kommt nicht in Sicht.
[472] Vgl. Guardini: Der Tod des Sokrates. S. 168.

Kennzeichen all der berühmten Tübinger Theologen war eine lebendige Kirchlichkeit. Diese gab auch dem Werk R. Guardinis seine tragende Kraft. Es war nicht die Schärfe der spekulativen Dialektik, die R. Gurdini für einige Generationen zum Kirchenlehrer werden ließ, sondern jene Bereitschaft des Denkens, die im Dienst der Verkündigung steht. Inhalt dieser Verkündigung war ihm nie etwas anderes als die Botschaft von der Erlösung des Menschen durch Gott in Jesus Christus.

Mit dieser klaren Erkenntnis vom Wesen des Christentums wurde R. Guardini Priester, Diener des Herrn und seiner Kirche. Als er sich in seinen Studien um die Erlösungslehre Bonaventuras mühte, hatte es sich bereits entschieden, daß der junge Denker kein Psychologe oder Nationalökonom, ja nicht einmal Religionsphilosoph, sondern Theologe wurde. Dabei blieb er allen geistigen Strömungen und Bewegungen seiner Zeit weit geöffnet, ohne ihnen je zu verfallen. Selbst die Jugendbewegung und die liturgische Bewegung, zu denen er in Beziehung trat, konnten ihn nicht gänzlich für sich beschlagnahmen; er gab ihnen mehr, als er von ihnen empfing. Wie weit gespannt sein geistiger Horizont war, zeigen seine zahlreichen Veröffentlichungen; aufschlußreich ist schon ein Blick in die Bände seiner Aufsatzsammlungen[473].

Bei der Erneuerung der Ekklesiologie, wie sie von der Tübinger Schule ausging, hatte der von der Romantik sehr geschätzte Organismus - Gedanke eine wichtige Rolle gespielt. Er förderte die Einsicht, das Wesen der Kirche in der Vorstellung des corpus Christi mysticum zu begreifen. Es wäre völlig verfehlt, das organische Denken heute einfach als romantisches Erbe im Traditionsgut katholischer Theologie abtun zu wollen. Verbietet dies schon der biblische Ursprung jener Wesensbeschreibung der Kirche, so verweisen uns die Studien R. Guardinis darauf, daß auch in der mittelalterlichen Theologie wie der des heiligen Bonaventura die Theorie des corpus mysticum rein zum Ausdruck kam. Obwohl R. Guardini selbst diesen theologischen Begriff nicht häufig verwendete, wurde er dennoch durch den großen Franziskanertheologen in der Auffassung bestärkt, daß das Einzelne überall als Glied einer übergreifenden Einheit angesehen werden muß. In diesem wichtigen Punkt fand R. Guardini seine eigene Anschauung bestätigt, wie er sie von Anfang an in seiner Gegensatzlehre konzipiert hatte.

Uns interessiert diese Feststellung im Hinblick auf die Versuche R. Guardinis zu einer christlichen Lehre vom Menschen, zu denen auch der besprochene eschatologische Entwurf gehörte. Wir sahen in R. Guardini den Exponenten eines christlichen Personalismus, der in Auseinandersetzung mit der neuzeitlichen Lehre von der Autonomie des Subjekts steht. Guardini selbst führt den christlichen Personalismus auf Augustin zurück[474]. Auf der Grundlage einer biblischen Theologie verwies er auf den Ursprung des Menschen aus Gott. Wir entnahmen seiner Darlegung, daß die Aussagen der Genesis für das volle Verständnis der christlichen Glaubenswahrheit jedoch nicht genügen. Erst durch die Offenbarung Gottes in Jesus Christus kann der Mensch die Personalität des dreieinigen Gottes erkennen.

---

[473] Vgl. - außer dem schon genannten Sammelband "Unterscheidung des Christlichen" - R. Guardini: Sorge um den Menschen. [Reden, Vorträge, Aufsätze.] 2 Bde. Würzburg 1962-1966.
[474] Ders.: Gläubiges Dasein. S. 41-42.

Gleichzeitig lehrt die heilige Schrift, daß diese Offenbarung nicht auf eine rein theoretische Erkenntnis intellektualer Anschauung zielt, sondern auf die Erlösung des Menschen. Diese freilich wirkt nie mechanisch, physisch oder mythisch - magisch, wie R. Guardini sagte, sondern spricht den Menschen sowohl in seinem Verstand als auch in seinem Gemüt und Willen an, und zwar so, daß er die Gnade Gottes, die in dem Geschenk eines neuen Lebens besteht, in voller Freiheit annehmen oder ablehnen kann.

Es zeigte sich hier, daß nach R. Guardini die ethische Ausrichtung des christlichen Personalismus unerläßlich ist. Wurde in der soeben beschriebenen Weise der Weg der Gnade markiert, auf dem dem Menschen die Rückkehr zu Gott ermöglicht wird, so muß hinsichtlich des Zieles hinzugefügt werden, daß die Erlösung als Wiederherstellung der Gemeinschaft des Menschen mit Gott verstanden werden muß. Diese kommt einer Neuschöpfung gleich, die der Mensch einzig und allein der freien Mächtigkeit Gottes, keinesfalls einer natürlichen Anlage oder eines sittlichen Anrechts zu verdanken hat.

Auf dieser Grundthese bauten alle weiteren Aussagen R. Guardinis auf. Dabei erwies sich die Imago - Lehre Bonaventuras erneut in ihrer Fruchtbarkeit. Wenn der Mensch als Abbild Gottes wiederhergestellt wird, dann ist dieser Vorgang christlich nur vom Leben des dreieinigen Gottes her zu verstehen. In Christus tritt dieser Gott selbst in die Welt und in die Geschichte des Menschen ein und zwar so, daß sich im menschgewordenen Sohn die gesamte Schöpfung erneut dem himmlischen Vater zuwendet. Erlösung des Menschen besteht darin, daß er die Möglichkeit erhält, in diese Bewegung des Sohnes zum Vater mit einzutreten. Diese Bewegung ist jedoch kein physisch - mechanischer Vorgang, sondern ein Austausch personaler Liebe. Schon in der Schöpfung wird der Mensch dadurch Person, daß er von Gott, dem Personalen schlechthin, geliebt wird. In der Neuschöpfung der Erlösung wird dem Menschen der Mitvollzug des Gottesverhältnisses Christi ermöglicht, so daß Christwerden für R. Guardini bedeutet, in die Existenzialität Christi einzutreten. Dabei übersah er nicht den pneumatischen Charakter dieses Vorgangs; die Erlösungslehre war bei ihm Korrelat zu einer pneumatischen Christologie.

Die entscheidenden Aussagen R. Guardinis lagen in dieser theologisch geformten Lehre vom Menschen. Es versteht sich von selbst, daß dabei nicht vom Ursprung der menschlichen Person in Gott, von Erlösung als einer Neuschöpfung der Beziehung des Menschen zu ihm, von der Teilnahme am personalen Leben des dreieinigen im Mitvollzug der Existenz Christi geredet werden konnte, ohne die Vollendung des Menschen zu bedenken, wie sie als Ziel nicht aufgrund der Natur seines Wesens, sondern aufgrund der göttlichen Offenbarung zu erheben ist. R. Guardini setzte daher seine Studien über Welt und Person mit einer Erörterung der letzten Dinge fort. Dabei kam er zu seiner Lehre, daß Gestalt und Zeit nicht nur das je gegenwärtige Leben, sondern auch seine Läuterung und Vollendung umfassen. Zeitlich gesehen bringt gerade der Tod das Leben zu seiner Vollendung. Schon darin fand er einen Hinweis dafür, daß nicht der Tod das Letzte ist, sondern das Leben. Freilich war dieses Verständnis, wie er es insbesondere aus der heiligen Schrift gewann, nur möglich, indem er den geschichtlichen Charakter des Todes hervorhob. Dieser beruht jedoch auf der Befähigung des Menschen zur Begegnung. Für den Gläubigen kann kein Zweifel sein, daß die Vollendung des menschlichen Lebens nur in der entscheidenden Begegnung mit Gott geschieht. Er ist der eigentlich Wirkliche und wesenhaft Gültige, der dem Menschen Anteil an seinem göttlichen Leben schenken kann. Als Gabe aus Gottes freier Schöpfertat empfängt der Mensch eine neues Dasein, das nicht nur Geist und leibfreie Seele bestehen läßt, sondern die gesamte menschliche Wirklichkeit in der leibhaften Gestaltung des personalen und geschichtlichen Seins umfaßt. Was dies für den Menschen konkret bedeutet, kann jetzt nur von der Auferstehung Christi her erfaßt werden. R. Guardini verstand jedoch die Botschaft der Offenbarung dahingehend, daß der gläubige Mensch jetzt schon, in seiner geschichtlich - irdischen Existenz, an der Auferstehungskraft Christi Anteil erhält. Nach Röm. 6, 3 - 8 verstand er die Taufe als Tod und Auferstehung zugleich, allerdings in der Weise des Anfangs, dessen Vollendung noch aussteht. Er betonte, daß hier der neue Mensch geboren wird, der von nun ab im Innern des Glaubenden lebt, - wenn auch verhüllt durch den alten.

R. Guardini fand damit im entscheidenden Punkt des christlichen Daseinsverständnisses eine Wirklichkeit, die den Phänomenen entsprach, die er in der Philosophie des Lebendig- Konkreten gesetzmäßig zu erfassen suchte: Ein geheimnisvolles Ineinander von Untergang und Werden. Diese Reihenfolge ist nicht beliebig vertauschbar; sie kann in einer christlichen Weltanschauung, in der durch die Auferstehung Jesu der Tod entmachtet wurde, nicht umgekehrt werden. Ebenso wenig ist sie nach R. Guardini begründbar als der fortschreitende dialektische Prozeß in der allgemeinen Entwicklung des Seins. Vielmehr sah R. Guardini durch alles Tun und Geschehen hindurch etwas, das nur aus der göttlichen Botschaft geschöpft und im Glauben ergriffen werden kann: Das immer neu sich vollziehende Sterben des alten und das Auferstehen des neuen Menschen. Sterben aber bestand für ihn in alldem, was Nachfolge Christi heißt, in der beständigen Umkehr zu Gott, im Gehorchen, Überwinden, Entsagen, Streben und Kämpfen[475]. Wir müssen verstehen, daß Auferstehen gerade so für ihn unbedingt ethisch ausgerichtet war, freilich als Vollzug des neuen geistigen Lebens in der Gemeinschaft mit Gott durch Jesus Christus. Dadurch, daß ein solches Leben nie endet, weil Gott seine Geschöpfe liebt und in Christus Jesus für immer angenommen hat, tritt das neue Leben des Menschen aus der Zeit in die Ewigkeit Gottes. Von ihm her erhält es seine Vollendung, getragen von der freien Schöpfermacht seiner Liebe endet es nie.

Überblicken wir nach dieser Zusammenfassung noch einmal das Werk unseres Theologen, so stellen wir fest, daß die einzelnen eschatologischen Versuche keineswegs Fragmente eines unvollendeten Traktats sind, daß sie vielmehr ein theologisches Gesamtkonzept bilden. Der Entwurf zeigt, wie heute in einer christlichen Lehre vom Menschen auch eine Theologie des Lebens nach dem Tode entfaltet werden kann. Nach R. Guardini beruht sie einerseits auf der Wirklichkeitserfassung des konkreten menschlichen Lebens, andererseits auf der Offenbarung göttlichen Lebens in Jesus Christus, wie sie von der Kirche erfahren und als Glaubenswahrheit verkündet wird. Sie ist demnach weder das Ergebnis noch das Postulat einer metaphysischen Spekulation; eher wäre zu fordern, daß jede Metaphysik nach diesen Erkenntnisquellen auszurichten ist.

Darin freilich hat R. Guardini keine besondere Aufgabe für sich gesehen. Er war der Ansicht, daß jeder, der im Denken ein Christ sein will, das Verhältnis Got-

---

[475] Ders.: Die letzten Dinge. S. 61.

tes zur Welt, zum Menschen und zu dem Ganzen des Daseins letztlich nicht mit Begriffen erfassen kann, die aus der Naturwissenschaft und der Metaphysik stammen, sondern nur mit solchen aus dem Bereich der Person[476]. Damit wird die Basis, auf der das Denken sich entfalten kann, äußerst schmal. Vielleicht glaubte R.Guardini, daß am Ende der Neuzeit kein anderer Weg übrig blieb. Um der tragizistischen Weltanschauung zu entgehen, entwarf er seine gesamte Anthropologie in einer dynamischen Bewegungsrichtung von Gott her, wie sie E. Przywara auch für M. Scheler[477], E. Dacqué[478] und Th. Haecker[479] anzeigte[480]. Er konnte jedoch die Kluft nur schwer schließen, die sich immer wieder bei der Gegenüberstellung von natürlicher Erfahrung und göttlicher Offenbarung auftat. Vom Standpunkt eines gläubigen Denkens aus verurteilte er jede dualistische wie auch monistische Weltsicht. Ebenso wies er die dialektische Vermittlung einer Gegensätzlichkeit von Gott und Welt, Natur und Gnade zurück. Aber vielleicht betonte er zu stark die Unvergleichlichkeit, die das Verhältnis beider Bereiche in der spezifisch christlichen Sicht beansprucht. So schlug bei ihm, bis in die Lehre von den letzten Dingen hinein, jene Konzeption des Gegensatzes durch, die er zunächst nur für den Erfahrungsbereich des bedingten Seins aufgestellt hatte. Da das Verhältnis zum Absoluten von ihm zu wenig philosophisch geklärt wurde, konnte gegen ihn der Vorwurf erhoben werden, seine Versuche intendierten einen Supranaturalismus, in dem die Natur nur Erscheinungsform werde, um freilich umgekehrt in einer supranatural begründeten weltlichen Autonomie sich zu zeigen[481]. E. Przywara hatte wohl nicht unrecht, wenn er diese Anthropologie als Gegentypus der Entwicklungstheorie sah, und von einer »Verabsolutierung der Ewigkeit« bei R. Guardini sprach[482]. R. Guardini selber forderte am Ende der Neuzeit eine religiöse Haltung, die dem eschatologischen Charakter dieser Epoche entspricht. Dabei wies er alle billige Apokalyptik zurück. Wenn er von der Nähe des Endes sprach, so wollte er das nicht zeithaft, sondern wesensmäßig verstanden wissen: »... daß unsere Existenz in die Nähe der absoluten Entscheidung und ihrer Konsequenzen gelangt«[483]. Wenn dazu aber der Mensch nur durch den personalen Anruf Gottes, so wie er in Jesus Christus ergangen ist, gebracht werden kann, so entfällt jede Möglichkeit einer Sinnerfüllung aus dem Lebensvollzug des Menschen selbst.

Auf Grund dieser Darlegung kommen wir zu dem Schluß, daß es für R. Guardini letztlich keine natürliche Eschatologie geben konnte. Wenn das Leben des Menschen nur nach seiner personalen Seite reflektiert wird, tritt ein ontologisch begründetes Verständnis des Lebensziels zumindest in den Hintergrund. Wenn die Frage nach dem Wesen des Menschen, das heißt nach seinem Ursprung und Ziel letzten Endes nicht anthropologisch, sondern nur theologisch beantwortet wird, gibt es keine philosophische Lehre von den letzten Dingen und von der Vollendung

---

[476] Ebd. S. 80.

[477] Zu M. Scheler siehe oben S. 52-60.

[478] Zu E. Dacqué siehe oben S. 43, Anm. 197.

[479] Zu Theodor Haecker (1879-1945) vgl. u.a. Przywara. In: Humanitas. S. 769-772, 780-782. Schriften: Siehe LV.

[480] Przywara: Humanitas. S. 750.

[481] Ebd. S. 750.

[482] Ebd. S. 750.

[483] Guardini: Das Ende der Neuzeit. S. 118.

menschlichen Lebens über den Tod hinaus. Man mag mit E. Przywara hier eine
Schwäche im Lebenswerk R. Guardinis sehen. Dennoch ist die Eschatologie R.
Guardinis ein beachtlicher Entwurf auf der Basis eines christlich personalen Den-
kens.

VIERTER TEIL

Schlußbetrachtung

1. Die Eschatologie im Licht des Zweiten Vatikanischen Konzils

Wenn wir nun zum Abschluß unserer Arbeit nach der Eschatologie des zweiten vatikanischen Konzils fragen, so sind wir uns wohl bewußt, daß die Kirche zu diesem Fragepunkt keinen geschlossenen Traktat vorlegen wollte[1]. Dennoch kann nicht behauptet werden, daß die Väter für die eschatologische Thematik taube Ohren hatten oder daß die Theologen gleichsam nur en passant und am Rande einige Bemerkungen zu den Fragen nach den letzten Dingen in die Texte einfließen ließen. Wie ein kurzer Überblick zeigt, tritt vielmehr bei vielen Lehraussagen des Konzils die eschatologische Dimension offen zutage. Sie wird in verschiedenem Zusammenhang öfters bewußt aufgezeigt, zumal eine heilsgeschichtlich denkende Theologie den Ausblick auf die Vollendung niemals vernachlässigen kann.

Man würde indes die Texte überfordern, wollte man aus ihnen abzulesen versuchen, welchen Stand das eschatologische Denken zwischen 1960 und 1965 allgemein innerhalb der katholischen Theologie erreicht hatte. Schon die gelegentlichen Hinweise der Kommentatoren auf die den Texten inhärente Problematik mahnt zur Vorsicht. Ohne Zweifel ist die Spannweite der die katholische Wahrheitsfülle umfassenden Theologie größer, als es die unter zeitgebundenen und speziellen Gesichtspunkten erfolgten Lehraussagen des zweiten Vaticanums zu bieten vermögen. Außerdem ist von einem einzelnen Fixpunkt aus der Fortschritt des Denkens und Lehrens schwerlich abzulesen. Nicht nur unter der Voraussetzung einer allgemeinen Geschichtlichkeit, sondern auch bei Annahme einer vorgegebenen Problematik, die nicht an eine bestimmte Zeit gebunden ist und der sich die sacra doctrina je aufs Neue zu stellen hat, wäre der Fortschritt des Denkens bzw. das Gelingen oder Nicht-Gelingen der Lehre nur aus einem exakten Vergleich zu ermitteln.

In unserer Arbeit geht es jedoch nicht darum, die Texte des Konzils einer umfassenden Analyse und Interpretation zu unterziehen. Stattdessen fragen wir bescheidener zunächst nur danach, welche eschatologischen Gesichtspunkte in seinen Aussagen vorzufinden sind. Da das zweite Vaticanum für das Leben der Kirche

---

[1] Bzgl. der pastoralen Konstitution über die Kirche in der Welt von heute "Gaudium et spes" vgl. A. Auer in: LThK - 2. V.K. Bd. 3. S. 395.

nicht nur eine Episode, sondern ein epochales Ereignis war, sehen wir uns - nicht nur aus doktrinären Gründen - berechtigt, es selber als einen Fixpunkt zu nehmen und daher einen Maßstab zu gewinnen, an dem andere Aussagen gemessen werden können.

1) Die Konstitution über die heilige Liturgie

Prüfen wir nun die Dokumente einzeln auf ihren eschatologischen Gehalt, so müssen wir stets in Erinnerung behalten, daß sich das Konzil zum Ziel gesetzt hatte, das christliche Leben unter den Gläubigen mehr und mehr zu vertiefen; die dem Wechsel unterworfenen Einrichtungen den Notwendigkeiten des Zeitalters besser anzupassen; zu fördern, was immer zur Einheit aller, die an Christus glauben, beitragen kann; und zu stärken, was immer helfen kann, alle in den Schoß der Kirche zu rufen[2]. Durch diese Ausrichtung wurden alle Aussagen des Konzils präformiert. Bedeutsam ist, daß es den Vätern von Anfang an weder um die Festschreibung eines bestimmten Zustandes noch um die Entfesselung eines ungeordneten Wachstumsprozesses ging; vielmehr sahen sie alle Bewegung und Veränderung, alle Vergrößerung und Anpassung auf das Werk der Einigung hingeordnet.

Entsprechend dieser Zielsetzung erklärte das Konzil, daß die Kirche unterwegs ist (peregrina), und zwar so, daß in ihr das, was menschlich ist, auf das Göttliche hingeordnet wird, ... das Sichtbare auf das Unsichtbare, die Tätigkeit auf die Beschauung, das Gegenwärtige auf die künftige Stadt, die wir suchen[3].

Nach Aussage der Väter geht es darum, daß das Leben der Gläubigen Ausdruck und Offenbarung des Mysteriums Christi wird, jenes Pascha-Mysteriums von Leiden, Auferstehung und Himmelfahrt dessen, der durch sein Sterben unseren Tod vernichtet und durch seine Auferstehung das Leben neu geschaffen hat[4]. Durch die Taufe werden die Menschen in das Pascha-Mysterium Christi eingefügt, mit ihm sind sie gestorben, begraben und auferweckt[5]. Ebenso verkünden sie, sooft sie das Herrenmahl genießen, den Tod des Herrn, bis er wiederkommt[6]. So nehmen sie vorauskostend an jener himmlischen Liturgie teil, die in der heiligen Stadt Jerusalem gefeiert wird, zu der sie pilgernd unterwegs sind; es ist der Ort, wo Christus zur Rechten Gottes sitzt; er (Christus) der Diener des Heiligtums und des wahren Zeltes[7]. So erwarten wir den Erlöser, unseren Herrn Jesus Christus, bis er selbst - unser Leben - erscheint und wir mit ihm erscheinen in Herrlichkeit[8].

Nach J. A. Jungmann ist mit diesen Aussagen jene heilsgeschichtliche Linie, die die gesamte Konstitution über die heilige Liturgie durchzieht, bis an ihren eschatologischen Zielpunkt fortgesetzt[9]. Es geht jedoch bei dieser Darstellung

---

[2] Vgl. SC. 1.
[3] Vgl. Heb. 13, 14.
[4] Vgl. Osterpräfation im Missale Romanum. - SC. 5. - Vgl. ebd. 6; 61; 106; 107; 109. - E. Walter: Das Paschamysterium. Der österliche Ursprung der Eucharistiefeier. Freiburg 1965.
[5] Vgl. Röm. 6, 4; Eph. 2, 6; Kol. 3, 1; 2. Tim. 2, 11.
[6] Vgl. 1. Kor. 11, 26. - SC. 6.
[7] Vgl. Apk. 21, 2; Kol. 3, 1; Heb. 8, 2. - SC. 8.
[8] Vgl. Phil. 3, 20; Kol. 3, 4.
[9] Vgl. J.A. Jungmann: Kommentar zur Konstitution über die heilige Liturgie. In: LThK - 2. V.K. Bd. 1. S. 23.

nicht um eine geschichtsphilosophische Konstruktion, sondern konkret darum, daß uns aus der Liturgie wie aus einer Quelle die Gnade Gottes zufließt. Denn in Christus wird sowohl jene Heiligung der Menschen durchgeführt als auch die Verherrlichung Gottes, auf die alle anderen Werke der Kirche als zu ihrem Ziel hinstreben[10]. An anderer Stelle ist dieses Ziel noch einmal genau genannt: Die Gläubigen sollen durch Christus, den Mittler, von Tag zu Tag zu immer vollerer Einheit mit Gott und untereinander gelangen, damit schließlich Gott alles in allem ist[11].

So sind nach der Lehre des Konzils die Sakramente hingeordnet auf die Heiligung der Menschen, den Aufbau des Leibes Christi, und schließlich auf den Gott dargebrachten Kult[12]. Die Wirkung der Sakramente ist also diese: Wenn die Gläubigen recht bereitet sind, wird ihnen nahezu jedes Ereignis ihres Lebens geheiligt durch die göttliche Gnade, die ausströmt vom Pascha-Mysterium des Leidens, des Todes und der Auferstehung Christi[13]. Noch einmal wird betont, daß er der Hohepriester des Neuen und Ewigen Bundes ist, Christus Jesus, der - indem er die Menschennatur annahm - in dieses irdische Exil jenen Hymnus einführte, der in der himmlischen Wohnstatt die ganze Ewigkeit hindurch (per omne aevum) erklingt. Er selbst schart die auf eins ausgerichtete Menschengemeinschaft um sich und vereint die so beschaffene zu dem gemeinsam zu singenden Loblied[14]. Entsprechend entfaltet im Kreislauf des Jahres die pia mater Ecclesia das ganze Mysterium Christi, von der Menschwerdung und Geburt bis zur Himmelfahrt, zum Pfingsttag und zur Erwartung der seligen Hoffnung und der Ankunft des Herrn[15]. Der Schluß des kirchlichen Jahres - so erklärt J. A. Jungmann - und dessen Wiederbeginn im Advent, ist somit neben dem immer geltenden rückschauenden Gedächtnis deutlich geprägt durch den Blick auf die Vollendung, in der endgültig »unser Erlöser naht«[16].

2) Die dogmatische Konstitution über die Kirche

Die Konstitution über die heilige Liturgie war gleichsam nur ein Präludium zu der dogmatischen Konstitution über die Kirche, in der die angeschnittenen Themen aufgegriffen und neu verarbeitet wurden.

Wie G. Philips in einer geschichtlichen Einführung in diese Konstitution erwähnt, forderte Kardinal Frings in den Diskussionsbeiträgen zum fundamentalen Thema Kirche, daß die eschatologische Schau, die der Hoffnung der pilgernden Kirche zugrunde liegt, angemessen zur Geltung komme[17]. Nach den ersten Textentwürfen stand zu befürchten, daß über dem gegenwärtigen Gnadenleben und Heilswirken der Kirche der eschatologische Aspekt stark verkürzt werde. Daß eine

---

[10] Sc. 10.

[11] Ebd. 48. - Vgl. 1. Kor. 12, 6; 15, 28. - Vgl. J.M.R. Tillard: Die Verherrlichung des Menschensohnes als Einssein von Kirche und Welt im Eschaton. In: KWH. S. 130-136.

[12] SC. 59.

[13] Ebd. 61.

[14] Ebd. 83. - Vgl. Pius XII.: Enz. "Mediator Dei" (20.11.1947). In: AAS 39 (1947) 573.

[15] Vgl. SC. 102.

[16] Vgl. Luk. 21, 28. - Jungmann. In: LThK - 2.V.K. Bd. 1. S. 89.

[17] Vgl. G. Philips: Die Geschichte der dogmatischen Konstitution über die Kirche. In: LThK - 2.V.K. Bd. 1. S. 139-155. Hier: S. 141.

solche Tendenz gegeben war, läßt sich deutlich ablesen, wenn es etwa im Dekret über die sozialen Kommunikationsmittel heißt, die Kirche sei vom Herrn gegründet, um allen Menschen das Heil zu bringen[18]; so werde der Name des Herrn, wie schon durch die Werke der Vergangenheit, so auch durch diese neue Erfindung verherrlicht, nach dem Wort des Apostels: Jesus Christus, gestern und heute, derselbe auch in Ewigkeit[19].

Bei dieser Sicht fehlt - würde sie verabsolutiert - die Ausrichtung des Heilsgeschehens auf eine künftige Vollendung hin; denn auch dort, wo von der Zukunft gesprochen wird, erscheint letztlich nichts anderes als die stets gleiche Praesentia des Heils. Entsprechend könnte auch verstanden werden, wenn G. Philips die theologische Absicht hinsichtlich der dogmatischen Konstitution über die Kirche dahingehend erklärt, daß im Neuen Testament das Mysterium der allgemeine Heilsplan ist, den der Vater beschlossen hat, der durch die erlösende Menschwerdung des Sohnes vollbracht wurde und der durch die Sendung des Geistes in der kirchlichen Gemeinschaft als sichtbarem Organ der Vereinigung mit der göttlichen Person vollendet wird[20]. Auch diese »Vollendung« könnte rein präsentisch verstanden werden. Allerdings sah auch G. Philips, daß an anderer Stelle die Kirche beschrieben wurde als eine, die in der Armut und unter dem Zeichen des Kreuzes bis zum Anbruch des himmlischen Reiches pilgert[21]. Er berichtet, daß Kardinal König gegen alle Vereinseitigung versuchte, die Einheit der Heilsökonomie in einer umfassenden Synthese darzulegen, wobei er vor allem darauf bestand, daß die Lehraussagen über die heilige Jungfrau dem zentralen Thema des Konzils zugeordnet werden, eben weil Maria jener Typus der Kirche ist, der sie auf ihrer irdischen Pilgerschaft zur eschatologischen Vollendung voranschreitet[22].

Die Ausrichtung auf die Vollendung in der Seligkeit ist nach G. Philips in der christlichen Kirche von erstrangiger Bedeutung. Wir werden aber zu prüfen haben, in wie weit die dogmatische Konstitution die Finalität der Kirche in der Heiligung aller Menschen sieht. Dient diese nicht auch jenem höheren Ziel, das in der Konstitution über die Liturgie richtig erfaßt und deutlich ausgesprochen wurde? Prüfen wir dazu den Text selbst.

Zunächst ist zu bemerken, daß die gesamte Kirchenlehre des Konzils christologisch verankert ist. Denn Christus ist das Licht der Völker; seine Herrlichkeit, die auf dem Antlitz der Kirche widerstrahlt, will alle Menschen erleuchten, indem sie das Evangelium allen Geschöpfen verkündet. Da die Kirche in Christus wie ein Sakrament oder Zeichen und Werkzeug für die innigste Vereinigung mit Gott und die Einheit des ganzen Menschengeschlechts ist, hat sie eine universale Sendung[23].

Diese Heilsökonomie wird in den folgenden Artikeln näher beschrieben: Der ewige Vater hat die ganze Welt nach dem völlig freien, verborgenen Ratschluß seiner Weisheit und Güte erschaffen. Er hat auch beschlossen, die Menschen zur Teil-

---

[18] Vgl. 2. Vatikanisches Konzil: Dekret über die sozialen Kommunikationsmittel (1963). Art. 3. - Vgl. die Kritik von J. Corbon und O. Clément. In: KWH. S. 498 und 527.

[19] Vgl. Heb. 13, 8. - 2.V.K.: Dekr. über die sozialen Kommunikationsmittel. Art. 24.

[20] Philips. S. 142.

[21] Ebd. S. 142.

[22] Ebd. S. 149. - Vgl. LG. 60-69: De beata Virgine et Ecclesia. - Vgl. J. Galot: Maria Typus und Urbild der Kirche. In: DE ECCL. Bd. 2. S. 477-492.

[23] Vgl. LG. 1.

habe an dem göttlichen Leben zu erheben. Als sie in Adam gefallen waren, verließ er sie nicht, sondern gewährte ihnen jederzeit Hilfen zum Heil um Christi, des Erlösers willen, der das Bild des unsichtbaren Gottes ist, der Erstgeborene vor aller Schöpfung[24]. Alle Erwählten aber hat der Vater vor aller Zeit vorhergekannt und vorherbestimmt, dem Bild seines Sohnes gleichförmig zu werden, auf daß dieser der Erstgeborene unter vielen Brüdern sei[25]. Die aber an Christus glauben, beschloß er, in der heiligen Kirche zusammenzurufen. Sie war schon seit dem Anfang der Welt vorausbedeutet; in der Geschichte des Volkes Israel und im Alten Bund wurde sie auf wunderbare Weise vorbereitet, in den letzten Zeiten gestiftet, durch die Ausgießung des Heiligen Geistes offenbart, und am Ende der Weltzeiten wird sie in Herrlichkeit vollendet werden. Dann werden alle in der allumfassenden Kirche beim Vater versammelt werden[26]. - Es kam also der Sohn, gesandt vom Vater, der uns in ihm vor Grundlegung der Welt erwählt und zur Sohnesannahme vorherbestimmt hat, weil es ihm gefiel, alles in Christus zu erneuern[27]. Um den Willen des Vaters zu erfüllen, hat Christus das Reich der Himmel auf Erden begründet, uns sein Geheimnis offenbart und durch seinen Gehorsam die Erlösung gewirkt. Die Kirche oder das im Mysterium schon gegenwärtige Reich Christi, wächst durch die Kraft Gottes sichtbar in die Welt. ... Alle Menschen werden zur Einheit mit Christus berufen. ... Von ihm kommen wir, durch ihn leben wir, zu ihm streben wir hin[28]. - Als das Werk vollendet war, das der Vater dem Sohn auf Erden aufgetragen hatte, wurde ... der Heilige Geist gesandt, auf daß er die Kirche immerfort heilige und die Gläubigen so durch Christus in einem Geist Zugang zum Vater hätten[29]. Er ist der Geist des Lebens, die Quelle des Wassers, das zu ewigem Leben aufsprudelt[30]; durch ihn macht der Vater die in der Sünde erstorbenen Menschen lebendig, um endlich ihre sterblichen Leiber in Christus aufzuerwecken[31]. ... Durch die Kraft des Evangeliums läßt er die Kirche allezeit sich verjüngen, erneut sie immerfort und geleitet sie zur vollkommenen Vereinigung mit ihrem Bräutigam ... So erscheint die auf eins gerichtete Kirche wie das von der Einheit des Vaters und des Sohnes und des Heiligen Geistes her geeinte Volk[32].

Handelt es sich bei all dem um das Geheimnis der Kirche, so wird dies nach der Lehre des Konzils schon in ihrer Gründung offenbar. Denn - so heißt es in Artikel 5 - der Herr Jesus machte den Anfang seiner Kirche, indem er frohe Botschaft verkündete, nämlich die Ankunft des Reiches Gottes. Dies leuchtete den Menschen

---

[24] Vgl. Kol. 1, 15.

[25] Vgl. Röm. 8, 29.

[26] Vgl. LG. 2.

[27] Vgl. Eph. 1, 4-5.10. - Pius X.: Motu proprio: De Ecclesiae legibus in unum redigendis "Arduum sane munus" (XIV Cal. April. die festo S. Iosephi = 19.3.1903). In: ASS 36 (1903-1904) 549-551. - Ders.: Ep. Enz. "E supremi apostolatus cathedra" (4.10.1903). In: ASS 36 (1903-1904) 129-139; besonders S. 131. Instaurare omnia in Christo. - Vgl. GSp. 45.

[28] LG. 3.

[29] Vgl. Eph. 2, 18.

[30] Vgl. Joh. 4, 14; 7, 38-39.

[31] Vgl. Röm. 8, 10-11.

[32] Vgl. LG. 4. - Hinweise auf Cyprian: De Oratione Dominica. 23. PL-SL 4 (1844) 535-536. = CCL. III A (MCMLXXVI) 104-105. Augustinus: Sermo 71. cap. XX. Z. 33 (Remissio peccatorum non extra ecclesiam. PL-SL 38 (1845) 463-464. Johannes von Damaskus: Adversus Iconoclastas 12. PL-SG 96 (1864) 1358 D.

auf im Wort, im Werk und in der Gegenwart Christi; die das Wort des Herrn im Glauben hören, haben das Reich selbst angenommen; aus eigener Kraft sproßt dann der Same und wächst bis zur Zeit der Ernte. Auch die Wunder Jesu erweisen, daß das Reich schon auf Erden gekommen ist ...[33]. Vor allem aber wird das Reich offenbar in der Person Christi selbst, des Sohnes Gottes und des Menschensohnes, der gekommen ist, um zu dienen und sein Leben hinzugeben als Lösegeld für die Vielen[34]. Als er nach seinem für die Menschen erlittenen Kreuzestod auferstanden war, ist er als der Herr, der Gesalbte und als der zum Priester auf immerdar Bestellte erschienen und hat den vom Vater verheißenen Geist auf die Jünger ausgegossen. Von daher empfängt die Kirche ... die Sendung, das Reich Christi und Gottes anzukündigen und in allen Völkern zu begründen. So stellt sie Keim und Anfang dieses Reiches auf Erden dar. Während sie allmählich wächst, streckt sie sich verlangend aus nach dem vollendeten Reich; mit allen Kräften hofft und sehnt sie sich danach, mit ihrem König in Herrlichkeit vereint zu werden[35].

Zur Erläuterung dieses letzten Satzes dienen dann auch die Bilder, in denen sich das innerste Wesen der Kirche erschließt. Mehr oder weniger haben die hierdurch erzeugten Vorstellungen fast immer einen eschatologischen Gehalt. Ob schon gegenwärtig oder noch zukünftig - immer verweisen die Aussagen vom Schafstall, von der Pflanzung, vom Bauwerk, von der Hochzeit des ewigen Bundes auf eine letzte Erfüllung[36]. Im einzelnen ist nicht näher ausgeführt, wie diese sich vollzieht, doch erklärt das Konzil auch an dieser Stelle, daß die Kirche - solange sie hier auf Erden in Pilgerschaft fern vom Herrn lebt[37], sich in der Fremde weiß; daß sie sucht und sinnt nach dem, was droben ist, wo Christus zur Rechten des Vaters sitzt, wo das Leben der Kirche mit Christus verborgen ist in Gott, bis sie mit ihrem Bräutigam vereint erscheint[38].

Diese unauflösliche Vereinigung mit Christus hebt der nächste Artikel besonders hervor, der die geheimnisvolle Lebenseinheit des Leibes Christi herausstellt. Es geht freilich auch hier darum, daß wir bei der Gleichgestaltung zunächst in die Mysterien seines Erdenlebens aufgenommen werden, denn solange wir auf Erden in Pilgerschaft sind und bedrängt und verfolgt werden, leiden wir mit ihm, um so auch mit ihm verherrlicht zu werden[39].

Damit kein Mißverständnis aufkommt, wird abschließend im 8. Artikel erklärt, daß die Kirche zugleich heilig ist und stets der Reinigung bedarf. So geht sie immmerfort den Weg der Buße und Erneuerung. Sie schreitet - wie Augustinus sagt - zwischen den Verfolgungen der Welt und den Tröstungen Gottes auf ihrem Pilgerweg dahin[40] und verkündet Kreuz und Tod des Herrn, bis er wiederkommt[41].

---

[33] Vgl. Luk. 11, 20. - Mat. 12, 28.

[34] Vgl. Mark. 10, 45.

[35] Vgl. LG. 5.

[36] Vgl. die Schrifthinweise in: LG.6.

[37] Vgl. 2. Kor. 5, 6.

[38] Hinweis auf Kol. 3, 1-4.

[39] Vgl. Röm. 8, 17. - LG. 7.

[40] Vgl. Augustinus: De civitate Dei. l. XVIII. cap. 51, 2. PL-SL 41 (1846) 614. = CCL. XLVIII (MCMCV) 650.

[41] Vgl. 1. Kor. 11, 26.

Von der Kraft des auferstandenen Herrn aber wird sie gestärkt, um Trübsal und Mühen durch Geduld und Liebe zu besiegen und sein Mysterium, wenn auch schattenhaft, so doch getreu in der Welt zu enthüllen, bis es am Ende im vollen Licht offenbar wird[42].

In diesem Aufriß heilsgeschichtlich-heilsökonomischer Dogmatik fügt sich auch die Vorstellung von der Kirche als dem Volk Gottes gut ein, wie sie im zweiten Kapitel der dogmatischen Konstitution dargelegt wurde. Die Ankündigung bei Jeremia, daß Gott einen neuen Bund schließen werde, ist erfüllt[43]. Das messianische Volk hat Christus zum Haupt, der jetzt voll Herrlichkeit im Himmel herrscht. Seine Bestimmung endlich - so lehrt das Konzil - ist das Reich Gottes, das von Gott selbst auf Erden grundgelegt wurde, das sich weiter entfalten muß, bis es am Ende der Zeiten von ihm auch vollendet werde, wenn Christus unser Leben erscheinen wird und die Schöpfung selbst von der Knechtschaft der Vergänglichkeit zur Freiheit der Herrlichkeit der Kinder Gottes befreien wird[44].

So ist denn dieses messianische Volk Keimzelle der Einheit, der Hoffnung und des Heils. Wiederum wird darauf verwiesen, daß dieses neue Israel auf der Suche nach der kommenden und bleibenden Stadt ist[45]. Es ist die Versammlung derer, die zu Christus als dem Urheber des Heils und dem Ursprung der Einheit und des Friedens glaubend aufschauen; bestimmt zur Verbreitung über alle Länder, tritt sie in die menschliche Geschichte ein und übersteigt doch zugleich Zeiten und Grenzen der Völker. Auf ihrem Weg durch Prüfungen und Trübsal wird die Kirche durch die Kraft der ihr vom Herrn verheißenen Gnade Gottes gestärkt, damit sie in der Schwachheit des Fleisches nicht abfalle von der vollkommenen Treue, sondern die würdige Braut ihres Herrn verbleibe und unter der Wirksamkeit des Heiligen Geistes nicht aufhöre, sich selbst zu erneuern, bis sie durch das Kreuz zum Licht gelangt, das keinen Untergang kennt[46]. ... Entsprechend werden alle Jünger Christi aufgefordert, im Gebet auszuharren und gemeinsam Gott zu loben und sich als lebendige, heilige, Gott wohlgefällige Opfergabe darzubringen[47]; überall auf Erden sollen sie für Christus Zeugnis geben und allen, die es fordern, Rechenschaft ablegen von der Hoffnung auf das ewige Leben, die in ihnen ist[48].

Hierzu paßt auch der spätere Hinweis, daß alle Christgläubigen zum Streben nach Heiligkeit und ihrem Stande entsprechender Vollkommenheit eingeladen und verpflichtet sind. Alle sollen deshalb ihre Willensantriebe richtig leiten, um nicht im Umgang mit Dingen der Welt und durch Anhänglichkeit an die Reichtümer wider den Geist der evangelischen Armut im Streben nach vollkommener Liebe gehindert zu werden. Mahnt doch der Apostel: Die mit dieser Welt umgehen, sollen sich in ihr nicht festsetzen; denn die Gestalt dieser Welt vergeht[49].

---

[42] Vgl. LG. 8.
[43] Vgl. Jer. 31, 31-34. - 1. Kor. 11, 25.
[44] Vgl. Röm. 8, 21. - LG. 9.
[45] Vgl. Heb. 13, 14.
[46] Vgl. LG. 9.
[47] Vgl. Röm. 12, 1.
[48] Vgl. 1. Petr. 3, 15.
[49] Vgl. 1. Kor. 7, 31. - LG. 42.

Die beiden letzten Kapitel der dogmatischen Konstitution gehörten nicht zum ursprünglichen Textbestand[50]. Wie O. Semmelroth bemerkte, haben sie sich dennoch als wichtiger Dienst an der Selbstdarstellung der Kirche erwiesen, da diese ohne die »eschatologische Dynamik« nicht zutreffend erfaßt werden kann. Nach unserem Frankfurter Theologen umfaßt das eschatologische Wesen der Kirche zwei Dimensionen. Die erste, mit der wir uns bisher befaßt haben, besteht darin, daß im Ablauf der Heilsgeschichte der Neue Bund, den Christus mit seinem Volk geschlossen hat und der in der Kirche seine konkrete Gestalt erhielt, der eschatologisch letzte, durch keinen neuen überbietbar ist. Die andere, um die es nun geht, liegt - wie O. Semmelroth ausführte - darin, daß die Kirche ihre diesseitig sakramentale Gestalt nicht endgültig besitzt, sondern ausgerichtet ist auf ihre »Aufhebung« im Eschaton, auf den Übergang in die himmlische Vollendung, wo es Kirche nur noch im analogen Sinn der triumphierenden Kirche gibt[51].

Dem Kommentar des Frankfurter Theologen entnehmen wir zunächst nur, daß das Konzil bemüht war, eine zu individualistische Betrachtung der Heilsvermittlung zu vermeiden. Lautete ursprünglich die Überschrift zum 7. Kapitel der Konstitution: Der eschatologische Charakter unserer Berufung und unsere Verbindung mit der himmlischen Kirche, so heißt sie in der endgültigen Fassung des Textes: Der endzeitliche Charakter der pilgernden Kirche und ihre Einheit mit der himmlischen Kirche. Entsprechend lehrt das Konzil: Die Kirche ... wird erst in der himmlischen Herrlichkeit vollendet werden, wenn die Zeit der allgemeinen Wiederherstellung kommt. Dann wird mit dem Menschengeschlecht auch die ganze Welt, die mit dem Menschen innigst verbunden ist und durch ihn ihrem Ziel entgegengeht, vollkommen in Christus erneuert werden[52]. Erläuternd fügten die Väter hinzu: Christus habe, von der Erde erhöht, alle an sich gezogen. Auferstanden von den Toten, habe er seinen lebendigmachenden Geist den Jüngern mitgeteilt und durch seinen Leib, die Kirche, zum allumfassenden Heilssakrament gemacht. Zur rechten des Vaters sitzend, wirke er beständig in der Welt, um die Menschen zur Kirche zu führen und durch sie enger mit sich zu verbinden, um sie mit seinem eigenen Leib und Blut zu ernähren und sie seines verherrlichten Leibes teilhaftig zu machen. Die Wiederherstellung also, die uns verheißen ist und die wir erwarten, habe in Christus schon begonnen, nehme ihren Fortgang in der Sendung des Heiligen Geistes und gehe durch ihn weiter in der Kirche, in der wir durch den Glauben auch über den Sinn unseres zeitlichen Lebens belehrt werden, bis wir das vom Vater uns in dieser

---

[50] Vgl. Philips. In: LThK - 2.V.K. Bd. 1. S. 153. - Semmelroth. Ebd. S. 314.

[51] Semmelroth. Ebd. S. 315. - Vgl. P. Molinari. In: DE ECCL. Bd. 2. S. 435-456. - Ders.: I Santi e il loro culto. Romae 1962. - Dass. deutsch: Die Heiligen und ihre Verehrung. Freiburg 1964. - Zum Gesamtthema vgl. außerdem: O. González Hernández: Das neue Selbstverständnis der Kirche und seine geschichtlichen und theologischen Voraussetzungen. d) Die endzeitliche Dimension. In: DE ECCL. Bd. 1. S. 177-178. - M. Philipon: Eschatologie und Dreifaltigkeit. In: DE ECCL. Bd. 1. S. 269-270. - Ch. Journet: Der gottmenschliche Charakter der Kirche Quelle dauernder Spannung. I. Eschatologische Spannung. In: DE ECCL. Bd. 1. S. 276-277. - G. Martelet: Zeitlich und Endzeitlich. In: DE ECCL. Bd. 1. S. 475-481. - M.-J. Le Guillou: Ein zur endzeitlichen Fülle gerufenes Volk. In: DE ECCL. Bd. 1. S. 622-628. - J. Galot: Die Nachahmung der Vollkommenheit Mariens durch die Kirche. 1. Die eschatologische Vollkommenheit. In: DE ECCL. Bd. 2. S. 485-486.

[52] Vgl. Eph. 1, 10; Kol. 1, 20; 2. Petr. 3, 10-13.

Welt übertragene Werk mit der Hoffnung auf die künftigen Güter zu Ende führen und unser Heil wirken[53].

Das Ende der Zeiten ist also nach der Aussage des Konzils bereits zu uns gekommen; die Erneuerung der Welt unwiderruflich schon begründet, wird in dieser Weltzeit in gewisser Weise wirklich vorausgenommen. Daher verweisen die Väter darauf, daß die Kirche schon auf Erden durch eine wahre, wenn auch unvollkommene Heiligkeit ausgezeichnet ist. Bis es aber einen neuen Himmel und eine neue Erde gibt, trägt die pilgernde Kirche in ihren Sakramenten und Einrichtungen, die noch zu dieser Weltzeit gehören, die Gestalt dieser Welt, die vergeht, und zählt selbst so zu der Schöpfung, die bis jetzt noch seufzt und in Wehen liegt und die Offenbarung der Kinder Gottes erwartet[54].

Weiter lehrt das Konzil: Mit Christus in der Kirche verbunden und mit dem Heiligen Geist gezeichnet, der das Angeld unserer Erbschaft ist, heißen wir wahrhaft Kinder Gottes und sind es. Aber noch sind wir nicht mit Christus in der Herrlichkeit erschienen, in der wir Gott ähnlich sein werden, da wir ihn schauen, wie er ist. Solange wir im Leibe sind, pilgern wir fern vom Herrn, und im Besitz der Erstlinge des Geistes seufzen wir in uns und wünschen mit Christus zu sein. ... Da wir aber weder Tag noch Stunde wissen, so müssen wir nach der Mahnung des Herrn standhaft wachen, damit wir am Ende unseres einmaligen Erdenlebens mit ihm zur Hochzeit einzutreten und den Gesegneten zugezählt zu werden verdienen und nicht wie böse und faule Knechte ins Feuer weichen müssen ... Denn bevor wir mit dem verherrlichten Christus herrschen können, werden wir alle vor dem Richterstuhl Christi erscheinen, damit ein jeder Rechenschaft ablege über das, was er in seinem leiblichen Leben getan hat. Hier verweisen die Väter auf die Worte der Schrift, daß am Ende der Welt die, welche Gutes getan haben, hervorgehen zur Auferstehung des Lebens, die aber Böses getan haben zur Auferstehung des Gerichts. Mit dem Apostel erklären sie: daß die Leiden dieser Zeit nicht zu vergleichen sind mit der künftigen Herrlichkeit, die an uns offenbar werden wird; daß wir tapfer im Glauben die selige Hoffnung und die Ankunft der Herrlichkeit unseres großen Gottes und Erlösers Jesus Christus erwarten, der unseren Leib der Niedrigkeit zur Gleichgestalt mit dem Leib seiner Herrlichkeit verwandeln wird. Er wird kommen, um verherrlicht zu werden in seinen Heiligen und wunderbar in allen, die geglaubt haben[55].

Bis also der Herr kommt in seiner Majestät und alle Engel mit ihm und nach der Vernichtung des Todes ihm alles unterworfen sein wird, pilgern die einen von seinen Jüngern auf Erden, die andern sind aus diesem Leben geschieden und werden gereinigt, wieder andere sind verherrlicht und schauen klar den dreieinigen Gott, wie er ist. Wieder klingt der starke Akkord der liturgischen Konstitution auf, wenn die Väter an dieser Stelle erklären: Wir alle jedoch, wenn auch in verschiedenem Grad und auf verschiedene Weise, haben Gemeinschaft in derselben Gottes- und Nächstenliebe und singen unserem Gott denselben Lobgesang der Herrlichkeit. Alle nämlich, - so fügten sie erläuternd hinzu -, die Christus angehören und

---

[53] LG. 48, 2. Abschnitt.
[54] Vgl. Röm. 8, 19-22.
[55] Verweise auf die entsprechenden Schriftstellen siehe in LG. 48.

seinen Geist haben, wachsen zu der einen Kirche zusammen und sind in ihm miteinander verbunden. Die Einheit der Erdenpilger mit den Brüdern, die im Frieden Christi entschlafen sind, hört keineswegs auf, wird vielmehr nach dem beständigen Glauben der Kirche gestärkt durch die Mitteilung geistlicher Güter. Gerade dadurch, daß die Seligen inniger mit Christus vereint sind, festigen sie die ganze Kirche stärker in der Heiligkeit, adeln den Kult, den sie auf Erden Gott darbringt und tragen vielfach zum weiteren Aufbau der Kirche bei. Denn in die Heimat aufgenommen und dem Herrn gegenwärtig, hören sie nicht auf, durch ihn und mit ihm und in ihm beim Vater Fürbitte einzulegen, indem sie die Verdienste darbringen, die sie durch den einen Mittler zwischen Gott und den Menschen, Christus Jesus, auf Erden erworben haben, zur Zeit, da sie in allem dem Herrn dienten und für seinen Leib, die Kirche, in ihrem Fleisch ergänzten, was an dem Leiden Christi noch fehlt[56].

Wir übergehen die Ausführung darüber, wie sich die Verehrung der Heiligen im Leben der Kirche im einzelnen gestaltet. Erwähnt sei nur, daß die Heilige Synode den Glauben an die lebendige Gemeinschaft mit den Brüdern, die in der himmlischen Herrlichkeit sind oder noch nach dem Tode gereinigt werden, übernimmt und die Beschlüsse der früheren Konzilien wiederum vorlegt[57]. Abschließend heißt es: Denn wir alle, die wir Kinder Gottes sind und in Christus eine Familie bilden, entsprechen der innnersten Berufung der Kirche und bekommen im voraus Anteil an der Liturgie der vollendeten Herrlichkeit, sofern wir in gegenseitiger Liebe und in einem Lob der Heiligsten Dreifaltigkeit miteinander Gemeinschaft haben. Wenn nämlich Christus erscheint und die Toten in Herrlichkeit auferstehen, wird der Lichtglanz Gottes die himmlische Stadt erhellen, und ihre Leuchte wird das Lamm sein. Dann wird die ganze Kirche der Heiligen in der höchsten Seligkeit der Liebe Gott und das Lamm, das geschlachtet ist, anbeten und mit einer Stimme rufen: Dem, der auf dem Thron sitzt, und dem Lamm: Lobpreis und Herrlichkeit und Macht in alle Ewigkeit[58].

3) Das Dekret über die Missionstätigkeit der Kirche und die Erklärung über das Verhältnis der Kirche zu den nichtchristlichen Religionen

Im engsten Anschluß an die dogmatische Konstitution über die Kirche knüpfte das zweite vatikanische Konzil in seinem Dekret über die Missstionstätigkeit daran an, daß die zur Völkerwelt (ad gentes) gesandte Kirche das allumfassende Sakrament des Heiles sein soll[59]. Dem entsprechend wurde gelehrt: Die pilgernde Kirche

---

[56] Vgl. Kol. 1, 24. - LG. 49.
[57] Hinweise auf das 2. Konzil von Nikaia. Actio 7 (13.10.787): Definitio de sacris imaginibus. DS 600. - Konzil von Florenz: Bulla unionis Graecorum" Laetentur caeli" (6.7.1439): Decretum pro Graecis. DS 1304. - Konzil von Trient. Sess. 25: De invocatione, veneratione et reliquiis Sanctorum et sacris imaginibus (3.12.1563). DS 1821-1824. - Dass.: Decretum de purgatorio (3.12.1563). DS 1820. - Dass. Sess. 6: Decretum de iustificatione (13.6.1547). Can. 30. DS 1580.
[58] Apk. 5, 13-14. - LG. 51 (Schluß des Kapitels). - Vgl. auch die Einleitung von J. Ratzinger. In: Zweites Vatikanisches Konzil. Dogmatische Konstitution über die Kirche. Münster 1965. - Es folgt das 8. Kapitel: Über die selige Jungfrau Gottesgebärerin Maria im Mysterium Christi und der Kirche.
[59] AG. 1. - Vgl. LG. 48.

ist ihrem Wesen nach missionarisch (gesandte), da sie selbst ihren Ursprung aus der Sendung des Sohnes und der Sendung des Heiligen Geistes herleitet gemäß dem Plan (Propositum) des Vaters[60].

Diese theologische Grundthese wurde von den Vätern dahingehend erklärt, daß der genannte Plan aus der quellhaften Liebe, der Caritas Gott Vaters hervorfließt. Er, der Ursprung ohne Anfang, aus dem der Sohn gezeugt und der Heilige Geist durch den Sohn hervorgeht, Er, der aus seiner übergroßen, barmherzigen Güte uns frei geschaffen und darüber hinaus uns gnadenhaft dazu berufen hat, daß wir mit ihm in Leben und Herrlichkeit vereint seien, ließ seine göttliche Güte frei ausströmen und hört nicht auf, sie zu verströmen, damit er so - wie er der Schöpfer von allem ist, endlich alles in allem sein wird[61], indem er zugleich seine Herrlichkeit und unsere Seligkeit besorgt[62].

Diesen universalen Plan für das menschliche Geschlecht führte Gott aus in seinem Sohn. Ihn, durch den er auch die Welten (saecula) schuf, bestimmte er zum Erben des Alls, auf daß er in ihm alles erneuere. Er wurde in die Welt (mundus) gesandt als wahrer Mittler Gottes und der Menschen. Da er Gott ist, so erklärten die Väter, mit dem Kolosserbrief, wohnt in ihm leibhaft die ganze Fülle der Gottheit[63], ... als neuer Adam wurde er zum Haupt der erneuerten Menschheit bestellt. Was aber von ihm ein für allemal verkündet oder in ihm für das Heil des Menschengeschlechts getan wurde, soll ausgerufen oder ausgesät werden, so daß jenes, das für alle einmal zum Heil vollzogen wurde, im Ablauf der Zeiten in allen seine Wirkung erzielt[64]. Um dies zu vollenden, sandte Christus vom Vater den Heiligen Geist, damit er sein heilbringendes Werk von innnen her wirke und die Kirche zu ihrer eigenen Verbreitung antreibe[65].

So ergibt sich nach den Worten des Konzils der Grund für die missionarische Tätigkeit der Kirche aus dem Plan Gottes, der will, daß alle Menschen heil werden und zur Erkenntnis der Wahrheit gelangen[66]. Die theologische Grundlegung des Dekrets schließt mit der Feststellung, daß die Zeit der missionarischen Tätigkeit der Kirche zwischen der ersten Ankunft des Herrn und seiner Wiederkunft liegt[67]. Sie ist nach Lehre der Väter nichts anderes und nichts weniger als Kundgabe oder Epiphanie und Erfüllung des Planes Gottes in der Welt und ihrer Geschichte, in der Gott durch die Mission die Geschichte des Heils offenkundig vollendet. Ausdrücklich wird gesagt, daß die missionarische Tätigkeit auf die eschatologische Fülle hinstrebt, denn durch sie wird bis zu dem Maß und der Zeit, die der Vater in seiner Vollmacht festgesetzt hat, das Volk Gottes ausgebreitet[68].

---

[60] AG. 2. Vgl. LG 2.
[61] Vgl. 1. Kor. 15, 28.
[62] AG. 2. Abschnitt 2.
[63] Vgl. Kol. 2, 9.
[64] AG. 3.
[65] AG. 4.
[66] AG. 7. - Vgl. 1. Tim. 2, 4-6.
[67] AG. 9.
[68] Ebd. 2. Abschnitt. - Vgl. L. Wiedenmann: Mission und Eschatologie. Eine Analyse der neueren deutschen evangelischen Missionstheologie. (KKSt. 15.) Paderborn (1965). - O. Cullmann: Le caractère eschatologique du devoir missionaire. In: RHPhR 16 (1936) 210-245. - Kommentar zum vorliegenden Dekret: S. Brechter. In: LThK - 2.V.K. Bd. 3. S. 44-45.

Hieraus ergeben sich nun die konkreten Aufgaben, die die Kirche in der Welt zu verwirklichen hat. Hinsichtlich der eigentlichen Missionsarbeit gibt das hier besprochene Dekret nähere Auskunft. In einer anderen Erklärung legte das Konzil gesondert das Verhältnis der Kirche zu den nichtchristlichen Religionen dar. Unübersehbar war für die Väter, daß sich in unserer Zeit (nostra aetate) die Menschheit von Tag zu Tag enger zusammenschließt. Entsprechend wurde erklärt: Alle Völker sind eine einzige Gemeinschaft; sie haben alle denselben Ursprung, da Gott das ganze Menschengeschlecht auf dem gesamten Erdkreis wohnen ließ; auch haben sie Gott als ein und dasselbe letzte Ziel. Seine Vorsehung, die Bezeugung seiner Güte und seine Heilsratschlüsse erstrecken sich auf alle Menschen, bis die Erwählten vereint sein werden in der Heiligen Stadt, die die Heiligkeit Gottes erleuchten wird, wo die Völker in seinem Licht wandeln[69].

Das Verhältnis der Kirche zu den Völkern der Welt wurde später über die hier beantwortete spezielle Frage hinaus noch einmal umfassend aufgegriffen und in einer pastoralen Konstitution vorgelegt.

4) Die pastorale Konstitution über die Kirche in der Welt von heute

Auch die pastorale Konstitution über die Kirche in der Welt von heute beschreibt die Kirche als eine eigene Gemeinschaft, die aus Menschen gebildet, in Christus geeint, vom Heiligen Geist auf ihrer Pilgerschaft zum Reich des Vaters geleitet werden und eine Heilsbotschaft empfangen haben, die allen vorgelegt werden soll[70].

In einem der wichtigsten Paragraphen der gesamten Konstitution[71] erklärte das Konzil, wen es ansprechen wollte. Vor seinen Augen stand die Welt der Menschen, das heißt die gesamte Menschheitsfamilie mit der Gesamtheit der Dinge, unter denen sie lebt; die Welt als einem Theater der Geschichte des Menschengeschlechts, von seiner Anstrengung, seinen Niederlagen und Siegen gekennzeichnet; die Welt von der die Christen glauben, daß sie aus der Liebe des Schöpfers gegründet und erhalten, unter die Knechtschaft der Sünde gestellt, jedoch von Christus, dem Gekreuzigten und Wiedererstandenem, dadurch, daß die Macht des Bösen gebrochen wurde, befreit ist, damit sie gemäß dem Vorsatz Gottes umgestaltet wird und zur Vollendung (consummatio) gelangt[72].

Die Situation des Menschen in dieser Welt wurde von den Vätern so gesehen, daß die Menschheit in unseren Tagen - obwohl voller Bewunderung für die eigenen Erfindungen und das eigene Können - dennoch ängstlich bedrückt wird durch die Frage nach der heutigen Entwicklung der Welt, nach Stellung und Aufgabe des Menschen im Universum, nach dem Sinn seines individuellen und kollektiven Schaffens, schließlich nach dem letzten Ziel der Dinge und Menschen. Ihnen gegenüber will das Konzil die Heilskräfte bieten, die die Kirche selbst, vom Heiligen Geist geleitet, von ihrem Gründer empfängt. Es geht also sowohl um die Rettung

---

[69] NAE. 1.
[70] GSp. 1. - Vgl. dazu den Kommentar von Ch. Moeller. In: LThK - 2. V.K. Bd. 3. S. 284-287. - Vgl. LG. 8.
[71] Moeller. S. 289
[72] GSp. 2.

der menschlichen Person als auch um den rechten Aufbau der menschlichen Gesellschaft. Der Mensch als einer und ganzer, mit Leib und Seele, Herz und Gewissen, Vernunft (mens) und Willen steht im Angelpunkt aller Ausführungen[73].

Weitere Einzelheiten dazu wurden in einer expositio introductiva dargelegt. Unter anderem sollte versucht werden, auf die bleibenden Fragen der Menschen nach dem Sinn (sensus) des gegenwärtigen wie des zukünftigen Lebens und nach dem wechselseitigen Verhältnis beider zueinander Antwort zu geben[74]. Die Analyse der Situation gipfelt in der Frage: Was ist der Mensch? Was ist der Sinn (sensus) des Schmerzes, des Bösen, des Todes - all dessen, was trotz solch großen Fortschritts fortfährt zu bestehen? Wozu jene Siege, zu einem solchen Preis errungen? Was kann der Mensch der Gesellschaft zufügen, was von ihr erwarten? Was folgt nach diesem irdischen Leben? Angesichts dieser Fragen verwies das Konzil auf den Glauben der Kirche: Christus, der für alle starb und auferstand, schenkt dem Menschen Licht und Kraft durch seinen Geist, damit er seiner höchsten Berufung nachkommen kann. In ihm glaubt sie, den Schlüssel, den Mittelpunkt und das Ziel der ganzen menschlichen Geschichte zu finden. Daher versichert die Kirche, daß in allen Veränderungen vieles ist, was sich nicht wandelt, was sein letztes Fundament in Christus hat, der ist gestern, heute, Er selbst auch in Ewigkeit[75]. So wollte das Konzil im Lichte Christi, des Bildes des unsichtbaren Gottes, des Erstgeborenen aller Kreatur, alle ansprechen, um das Geheimnis des Menschen zu erhellen und um mitzuarbeiten, damit in den wichtigsten Fragen unserer Zeit eine Lösung gefunden werde[76].

In einem ersten Hauptteil äußerte sich nun das Konzil zur Berufung des Menschen. Er ist Mensch nach dem Bilde Gottes[77] und darin liegt - wie das erste Kapitel ausführt - die Würde der menschlichen Person[78]. Obwohl jedoch in Gerechtigkeit von Gott begründet, hat der Mensch unter dem Einfluß des Bösen gleich von Anfang der Geschichte an seine Freiheit mißbraucht, indem er sich gegen Gott erhob und sein Ziel außerhalb Gottes zu erreichen begehrte. Das Konzil verwies auf Röm. 1, 21 - 25 und erklärte, was aus der Offenbarung bekannt sei, stehe mit der Erfahrung in Einklang: der Mensch erfahre sich, wenn er in sein Herz schaut, auch zum Bösen geneigt, verstrickt in vielfältige Übel, die nicht von seinem guten Schöpfer herkommen können. Indem er sich oftmals weigert, Gott als seinen Ursprung anzuerkennen, zerreißt er auch die geschuldete Hinordnung auf sein letztes Ziel zugleich mit der Ausrichtung seines Lebens auf sich selbst und auf die anderen Menschen und geschaffenen Dinge. Der Mensch ist daher in sich selbst geteilt, und eben hier liegt nach der Erkenntnis der Konzilsväter der Grund dafür, daß sich das ganze Leben der Menschen, sowohl das einzelne als auch das kollektive, als ein dramatischer Kampf zwischen Gut und Bös, Licht und Finsternis erweist. Der Mensch findet sich zutiefst unfähig, durch sich selbst die Angriffe des Bösen wirksam niederzukämpfen, so daß ein jeder sich gleichsam wie mit Ketten gebunden fühlt. Der

---

[73] GSp. 3.
[74] GSp. 4.
[75] Vgl. Hebr. 13, 8.
[76] GSp. 10.
[77] Vgl. Gen. 1, 26. - Weish. 2, 23.
[78] GSp. 12-22: De humanae personae dignitate.

Herr selbst jedoch kam, um den Menschen zu befreien und zu stärken, indem er ihn innerlich erneuerte und den Fürsten dieser Welt, der ihn in Sündenknechtschaft festhielt, hinauswarf[79].

In seinem Kommentar zu den hier vorgelegten Artikeln der pastoralen Konstitution berichtet J. Ratzinger[80], wie die Tatsache eine allgemeine Zustimmung fand, daß auf eine statisch - philosophische Anthropologie im Sinne der neuscholastischen Tradition verzichtet wurde. Das Konzil ließ das Aufbauschema Leib - Seele beiseite, und ohne den Versuch einer vollständigen, systematischen Anthropologie zu machen, baute es ein Mosaik von elementaren Grundaussagen auf, das zusammen ein dynamisches, geschichtsbezogenes und wesentlich aus den Gegebenheiten der Bibel geformtes Bild des Menschen ergab. Von J. Ratzinger nehmen wir desweiteren zur Kenntnis, daß vielen Theologen, besonders aus dem deutschen Sprachraum, die Abwendung von einer in Philosophie und Theologie geteilten Anthropologie längst nicht radikal genug erschien, da man nach ihrer Ansicht bei einer allzu sehr im Sinn eines bloßen Nebeneinanders verstandenen Natur-Übernatur-Schematik verblieben war und immer noch von der Fiktion ausging, als lasse sich zunächst ein rationales philosophisches Menschenbild von allgemeiner Einsichtigkeit konstruieren, auf das sich alle »Gutwilligen« einigen könnten, dem dann die eigentlich christlichen Aussagen als eine Art von krönendem Abschluß angefügt würden, der einigermaßen entbehrlich, sozusagen als das christliche Sondergut erschien, das einem die andern nicht streitig machen sollten, aber das im Grunde doch beiseite bleiben könnte[81].

Diese und ähnliche Einwände führten nach Auskunft unseres Experten dazu, daß man eingangs zwar auf die Gottebenbildlichkeit des Menschen verwies, jedoch in einem mehr phänomenologischen Vorgehen die ungeheure Spannung des Menschen aufwies. Indem Artikel 13 über die Sünde an dieser Stelle in den Text aufgenommen wurde, sieht J. Ratzinger eine von der Dialektik B. Pascals genommene, weiträumigere Sicht des Menschen gewonnen, die mit der Polarität seines Wesens zugleich die Spannung seiner Geschichte und die nur von da aus zu verstehende Dynamik des biblischen Geschichtsbildes aufgreift[82].

Die Problematik jedoch, den Ausgangspunkt bei der Idee der Gottebenbildlichkeit zu nehmen, besteht nach J. Ratzinger darin, daß dieser Begriff - im Alten Testament ganz unbestimmt - seine volle Spannung erst dadurch erhält, daß im Neuen Testament mit der Adam-Vorstellung auch die Gottebenbildlichkeitslehre auf Christus als den definitiven Adam übertragen wird, so daß dieser Gedanke über seinen schöpfungstheologischen Ursprung hinaus nun - wie der Theologe sagt - zu einem »eschatologischen Motiv« wird, das weniger von der Herkunft als von der Zukunft des Menschen handelt und so weniger als »statische Gabe« denn als »Dynamik der über den Menschen liegenden Verheißung« erscheint. J. Ratzinger bedauerte, daß man aus der Logik des einmal gewählten Ausgangspunktes die Christologie, die sich hier als eine unabweisbare Komponente der christlichen Anthro-

---

[79] Vgl. Joh. 8, 34. - GSp. 13: De peccato.
[80] J. Ratzinger: Kommentar zur Konstitution über die Kirche in der Welt von heute (Art. 11-22). In: LThK - 2.V.K. Bd. 3. S. 313-354.
[81] Ebd. S. 316.
[82] Ebd. S. 317.

pologie aufdrängte, in den Schluß verwies, und daß man so bei einer exklusiv schöpfungstheologischen Betrachtung blieb, die gerade auch den Reichtum einer christlichen Schöpfungstheologie nicht ausmißt, für die Schöpfungstheologie nur in Eschatologie verstehbar ist[83].

Kehren wir zum Text der Konstitution zurück. Artikel 14 beschreibt die Konstitution des Menschen: In Leib und Seele einer, vereint der Mensch durch seine leibliche Kondition selbst die Elemente der materiellen Welt in sich, und zwar so, daß sie durch ihn ihren Höhepunkt erreichen und ihre Stimme zum freien Lob des Schöpfers erheben. So muß der Mensch seinen Leib als den von Gott geschaffenen und am letzten Tag zu erweckenden gut durch Ehre würdig halten ... Erklärend fügte das Konzil in einem weiteren Abschnitt hinzu: Der Mensch irre nicht, wenn er seinen Vorrang vor den körperlichen Dingen bejahe und sich selbst nicht nur als einen Teil oder als anonymes Element der menschlichen Bürgerschaft betrachte. Durch seine Innerlichkeit falle er aus der Gesamtheit der Dinge heraus: Zu dieser tiefen Innerlichkeit kehre er zurück, wenn er sich dem Herzen zuwendet, wo Gott, der die Herzen erforscht, ihn erwartet, und wo der Mensch selbst unter den Augen Gottes, sein Schicksal entscheidet. Wenn er daher die Seele als geistig und unsterblich anerkenne, werde er nicht von einer trügerischen Einbildung, die nur von physischen und sozialen Bedingungen herfließt, getäuscht, sondern im Gegenteil erlange er die tiefe Wahrheit der Sache selbst[84].

So urteilt der Mensch in Teilnahme am Licht des göttlichen Geistes richtig, daß er mit seinem Intellekt die Gesamtheit der Dinge überragt. Indem er seinem Geist (ingenium) durch die Jahrhunderte fleißig übte, ist er selbst in den empirischen Wissenschaften, in den technischen und freien Künsten fürwahr fortgeschritten. In unseren Zeiten aber hat er vor allem ausgezeichnete Fortschritte gemacht, indem er die materielle Welt erforschte und sich unterwarf. Dennoch hat er immer eine tiefere Wahrheit gesucht und gefunden. Die Intelligenz kann nämlich nicht auf die bloßen Phänomene eingeengt werden, sondern vermag die intelligible Wirklichkeit mit wahrer Gewißheit zu erlangen, auch wenn sie infolge der Sünde zum Teil verdunkelt und geschwächt wird[85]. Weiter erklärte das Konzil: Die einsichtige (intellectuale) Natur der menschlichen Person werde vollendet und müsse vollendet werden durch die Weisheit, die den Geist (mens) des Menschen sanft dahinzieht, das Wahre und Gute zu suchen und zu lieben, und durch die entflammt, der Mensch durch das Sichtbare zum Unsichtbaren hingeleitet wird[86].

In seinem Kommentar zur angeführten Stelle bemerkt J. Ratzinger, daß der ganze Artikel »De hominis constitutione«, ursprünglich allein »von der Würde des menschlichen Leibes« handelte, während sich der folgende mit der »Würde der Seele und besonders des menschlichen Intellekts« befaßte. Bei einer späteren Neufassung des Textes wurde diese Einteilung jedoch aufgegeben und der Inhalt in einem einzigen Artikel zusammengefaßt. Wie J. Ratzinger erklärt, geschah dies, um möglichst jeder Art von Dualismus entgegenzutreten und die Einheit des Menschen

---

[83] Ebd. S. 318.
[84] GSp. 14: De hominibus constitutione.
[85] GSp. 15.
[86] Ebd. 2. Abschnitt.

auch äußerlich auszudrücken[87]. Obwohl dabei schon das Grundmotiv die untrennbare Einheit des leib-geistigen Menschen ausdrücken soll, findet der Theologe den einzigen Versuch, über die bloße Schematik des Leib-Seele-Dualismus hinauszukommen und eine neue Sprache zu gewinnen, die der Einheit des menschlichen Wesens gemäß ist, in dem Begriff der »interioritas« vorliegen, der im zweiten Abschnitt des Artikels eingeführt wurde. Nach J. Ratzinger wurde dabei das Konzil durch die Idee der intériorité von P. Teilhard de Chardin inspiriert, wenngleich inhaltlich die Aussage stärker von B. Pascal bestimmt wurde[88].

Im Hintergrund sieht der Kenner die geistliche Erfahrung Augustins, daß intimum und summum ineinanderfallen, daß der ferne Gott dem Menschen der Nächste ist, näher als er sich selbst, und daß der Mensch Gott nur ferne ist, weil er sich selber ferne ist; ebenso ist zu sehen die Einsicht des großen Kirchenvaters, daß der Mensch sich findet und Gott, indem er die Wanderschaft zu sich selbst in seine Innerlichkeit aus der Äußerlichkeit der Selbstentfremdung vollzieht. Damit wirken nach J. Ratzinger zwei Grundbegriffe augustinischen Denkens in den Text hinein, mit denen die Synthese der geschichtlich gestimmten Anthropologie der Bibel mit der metaphysischen Konzeption der Antike intendiert war. Der Experte erklärt, daß die Unterscheidung von homo interior und exterior, die gegenüber dem Schema Corpus - Anima mehr als Element der Existenzentscheidung und Existenzrichtung mit ins Spiel bringt, den Menschen mehr geschichtlich-dynamisch als metaphysisch »einteilt«, und daß die philosophia cordis[89], das heißt der biblische Begriff des Herzens, der bei Augustinus die Einheit von Innerlichkeit und Leiblichkeit ausdrückt und der dann wieder bei B. Pascal zu einem Schlüsselbegriff wird[90], hier in den Konzilstext eintritt[91].

Im nächsten Artikel beschrieb das Konzil nun die Würde des sittlichen Gewissens und die hohe Bedeutung der Freiheit[92]. J. Ratzinger bedauert, daß das Phänomen der Intersubjektivität, die Bestimmung des Menschen zur Liebe, nicht genannt wurde und daß so nicht nur die moderne Philosophie des Personalen, sondern sogar der Begriff Person weithin aus dem Spiel blieb, obwohl die moderne christliche Anthropologie in ihm ihr Zentrum sieht und die eigentliche christliche Entdeckung des Menschen findet. Dadurch daß der Begriff des Personalen so gut wie völlig ausfiel, ergab sich, daß nun die Philosophie der Liebe, der ganze Fragenkomplex von

[87] Ratzinger. In: LThK - 2.V.K. Bd. 3. S. 322.
[88] Ebd. S. 323; mit Hinweis auf P. Teilhard de Chardin: Der Mensch im Kosmos. München 1959. S. 30 ff. - Bl. Pascal: Pensées. Fragment 793. Ed. Brunschvicg. Paris 1904. T. 3 ème. S. 230-233. - Dass. (Texte de l'édition Brunschvicg. Edition précédée de la vie de Pascal par Mme Périer, sa soeur. Introduction et notes par Ch.-M. des Granges Docteur ès Lettres.) Paris (1958). S. 293-295. - Dass. deutsch: Pascals "Pensées" (Gedanken). Hrsg. von M. Laros. Kempten und München [1913]. S. 255-257. Vgl. dazu R. Guardini: Die christliche Innerlichkeit. In: Ders. Christliches Bewußtsein. Versuche über Pascal. München ²1950. S. 40-46, 101 ff.
[89] Vgl. A. Maxsein: PHILOSOPHIA CORDIS. Das Wesen der Personalität bei Augustinus. (Neues Forum.) Salzburg (1966).
[90] Hinweis auf Guardini: Christliches Bewußtsein. ²1950. S. 185-196.
[91] Ratzinger. In: LThK - 2.V.K. Bd. 3. S. 323-324. - Zum Thema vgl. W.J. Einhorn: Der Begriff der Innerlichkeit bei David von Augsburg und Grundzüge der Franziskanermystik. In: FSt 48 (1966) 330-376. - R. von Heydebrand: Innerlichkeit. In: HWPh 4 (1976) 386-388.
[92] GSp. 16 und 17.

Ich und Du in der anthropologischen Grundlegung praktisch ausfiel und damit der konstitutive Charakter dieser Realität für das menschliche Sein nicht in voller Schärfe in Erscheinung trat[93].

Die sittliche Verankerung allen menschlichen Tuns sah das Konzil auch darin gegeben, daß ein jeder vor dem Richterstuhl Gottes erscheinen muß, um über sein Leben Rechenschaft abzulegen[94]. Der Sache nach wurde damit doch wiederum das personale Moment in den Blick gerückt. Zugleich konnte an dieser Stelle der Konstitution das Geheimnis des Todes zur Sprache gebracht werden. Die Väter erklärten: Angesichts des Todes werde das Rätsel des menschlichen Daseins am größten; der Mensch erfahre die Furcht vor immerwährendem Verlöschen. Mit dem Instinkt seines Herzens urteile er aber richtig, wenn er den totalen Ruin und den definitiven Tod seiner Person mit Entsetzen verabscheue. Der Same der Ewigkeit, den er in sich trage, erhebe sich - da er auf bloße Materie nicht zurückzuführen ist - gegen den Tod ..., denn erbetene biologische Langlebigkeit könne jenem Verlangen nach einem jenseitigen Leben, das unaustreibbar in seinem Herzen ist, nicht genügen[95].

Obwohl nun die Kirche sehr wohl weiß, daß angesichts des Todes alle Einbildung (Imagination) versagt, bestätigt sie, von der göttlichen Offenbarung belehrt, daß der Mensch zu einem seligen Ende (finis), über die Grenzen des irdischen Elends hinaus, von Gott geschaffen ist. Darüber hinaus lehrt der christliche Glaube, daß der leibliche Tod - den der Mensch, hätte er nicht gesündigt, entzogen worden wäre[96] - besiegt wird, wenn der Mensch im Heil, das er durch seine Schuld verloren hatte, vom allmächtigen und erbarmenden Heiland wiederhergestellt wird. Zur Begründung des Dogmas fügte das Konzil hinzu, Gott habe den Menschen berufen und berufe ihn, daß er Ihm in der fortwährenden Gemeinschaft unzerstörbaren göttlichen Lebens mit seiner ganzen Natur anhange. Hierin sieht die Kirche den Sieg, den Christus - um den Menschen vom Tod durch seinen Tod zu befreien - errungen hat, indem er zum Leben erstand[97].

Die Väter des Konzils waren überzeugt, daß der Glaube, mit soliden Argumenten dargeboten, jeden nachdenkenden Menschen in seiner Angst hinsichtlich des zukünftigen Geschicks, eine Antwort entgegenbringt; daß er zugleich befähigt wird, mit den geliebten Brüdern, die der Tod schon dahingerafft hat, in Christus zu kommunizieren, wobei der Glaube die Hoffnung trägt, daß sie das wahre Leben bei Gott erlangt haben[98].

Der besondere Grund (ratio) der menschlichen Würde lag also in der Sicht des zweiten vatikanischen Konzils in der Berufung des Menschen zur Gemeinschaft mit Gott. Es lehrte daher, daß der Mensch schon von seinem Ursprung her zu einem gemeinsamen Gespräch mit Gott[99] berufen ist, und fügte begründend hinzu, daß er nämlich nur existiere, weil er von Gott aus Liebe geschaffen, immer aus Liebe erhalten wird. Daraus freilich wurde gefolgert, daß der Mensch nicht voll gemäß

---

[93] Ratzinger. In: LThK - 2.V.K. Bd. 3. S. 325-326.
[94] Vgl. 2. Kor. 5, 10.
[95] GSp. 18: De mysterio mortis.
[96] Ebd. Hinweis auf Weish. 1, 13; 2, 23-24. - Röm. 5, 21. - Jak. 1, 15.
[97] Vgl. 1. Kor. 15, 56-57.
[98] GSp. 18. - Vgl. Ratzinger. In: LThK - 2.V.K. Bd. 3. S. 333-335.
[99] Der lateinische Text verwendet das Wort colloquium, nicht dialogus.

der Wahrheit lebt, wenn er nicht jene Liebe frei anerkennt und sich seinem Schöpfer anheim gibt. Leider mußten die Väter feststellen, daß viele Zeitgenossen diese innige und lebensträchtige Verbindung mit Gott überhaupt nicht begreifen oder sie ausdrücklich zurückweisen. Deshalb hielten sie dafür, daß der Atheismus zu den schwerwiegendsten Dingen dieser Zeiten zu zählen ist und daß er einer sorgfältigen Prüfung unterzogen werden muß[100].

Hier stoßen wir innerhalb der Konzilstexte auf die Tatsache, daß die Eschatologie unabweisbar mit der Gottesfrage zusammenhängt. Die Kirche hält daran fest, daß die Anerkennung Gottes der Würde des Menschen keineswegs widerstreitet, da diese Würde eben in Gott selbst gegründet und vollendet wird. Noch einmal erklärten die Väter: Der Mensch sei vom schaffenden Gott intelligent und frei in Gemeinschaft konstituiert worden; insbesondere sei er aber als ein Sohn selbst zur Gemeinschaft mit Gott berufen, um an Dessen Glück teilzunehmen. Darüber hinaus lehre die Kirche, daß durch diese eschatologische Hoffnung die Bewegungskraft der irdischen Aufgaben nicht verkleinert, daß vielmehr durch neue Beweggründe deren Erfüllung umso mächtiger gestützt werde[101].

Das Geheimnis des Menschen klärt sich freilich nach der Feststellung der Väter wahrhaft nur im Geheimnis des fleischgewordenen Wortes auf. Hier setzt jene Christologie ein, deren Zurückstellung J. Ratzinger eingangs bedauert hatte. Nun wird erklärt, daß Adam, der erste Mensch, das Vorausbild (figura) des zukünftigen war, nämlich Christi des Herrn[102]. Er, der das Bild (imago) des unsichtbaren Gottes ist[103], ist zugleich der vollkommene Mensch, der den Söhnen Adams die Gottebenbildlichkeit wiedergibt. So empfängt der Christenmensch, gleichförmiggeworden dem Bild des Sohnes, der der Erstgeborene unter vielen Brüdern ist[104], die Erstlingsgabe des Geistes[105], durch die er fähig (capax) wird, das neue Gesetz der Liebe zu erfüllen[106]. Durch diesen Geist, der das Unterpfand der Erbschaft ist[107], wird der ganze Mensch innerlich erneuert bis zur Erlösung des Leibes[108]. Nach der Lehre des Konzils liegen ganz gewiß auf dem Christen auch Notwendigkeit und Pflicht, gegen das Böse anzukämpfen und sogar den Tod zu erleiden, aber - so heißt es weiter - dem österlichen Geheimnis verbunden und dem Tod Christi gleichgestaltet, geht er durch Hoffnung gestärkt der Auferstehung entgegen[109].

Das Konzil versicherte, daß dies nicht nur für den Christgläubigen, sondern für alle Menschen guten Willens gilt, in deren Herz die Gnade unsichtbar wirkt[110]. Zur Begründung des Dogmas wurde darauf verwiesen, daß Christus für alle gestorben ist[111] und daß es in Wahrheit nur eine letzte Berufung des Menschen gibt,

---

[100] GSp. 19. - Vgl. ebd. Art. 20-21.
[101] GSp. 21. 3. Abschnitt.
[102] Vgl. Kommentar von Ratzinger. In: LThK - 2.V.K. Bd. 3. S. 350-351.
[103] Vgl. Kol. 1, 15.
[104] Vgl. Röm. 8, 29. - Kol. 1, 18.
[105] Vgl. Röm. 8, 23.
[106] Vgl. Röm. 8, 1-11.
[107] Vgl. Eph. 1, 14.
[108] Vgl. Röm. 8, 23.
[109] GSp. 22: De Christo novo Homine.
[110] Vgl. LG. 16.
[111] Vgl. Röm. 8, 32.

nämlich die göttliche. Deshalb ist nach Aussage des Konzils daran festzuhalten, daß der Heilige Geist allen die Möglichkeit anbietet, diesem österlichen Geheimnis zugesellt zu werden in einer Weise, die Gott kennt[112].

Das zweite vatikanische Konzil sah also den Gemeinschaftscharakter der menschlichen Berufung im Ratschluß Gottes. Alle sind geschaffen nach dem Bilde Gottes und alle sind von Gott selbst berufen zu ein und demselben Ziel[113]. Aus dieser Glaubensgrundlage entspringt auch die Lehre des Konzils über die gegenseitige Abhängigkeit von menschlicher Person und menschlicher Gesellschaft[114]. Das menschgewordene Wort begründet insbesondere die menschliche Solidarität[115]. Diese - so heißt es abschließend - muß stetig wachsen bis zu jenem Tag, an dem sie vollendet sein wird und die aus Gnade geretteten Menschen als eine von Gott und Christus, ihrem Bruder, geliebte Familie Gott vollkommen verherrlichen werden[116]. Mit diesem Ausblick auf eine universale Liturgie schließt das zweite Kapitel.

Im folgenden nun wurde das Schaffen des Menschen in dieser Welt beschrieben[117], im vierten sodann die Aufgabe der Kirche in der Welt von heute[118]. Daraus ergeben sich zunächst keine neuen Gesichtspunkte für die Eschatologie. Der letzte Artikel jedoch spricht von Christus, dem Alpha und Omega allen Geschehens[119]. Dabei fällt Licht auf die eschatologische Dimension der Kirche. Es heißt: Während sie selbst der Welt hilft oder von dieser vieles empfängt, strebt die Kirche nach dem einen Ziel, nach der Ankunft des Reiches Gottes und der Verwirklichung des Heiles der ganzen Menschheit. Alles Gute aber, das das Volk Gottes in der Zeit seiner irdischen Pilgerschaft der Menschenfamilie darbieten kann, kommt daher, daß die Kirche das »universale Sakrament des Heils« ist[120], welches das Geheimnis der Liebe Gottes den Menschen offenbart und zugleich bewirkt. Zusammenfassend wird noch einmal erklärt, daß das Wort Gottes, durch das alles geschaffen wurde, selbst Fleisch geworden ist, so daß er, der vollkommene Mensch, alle heile und alles unter ein Haupt stelle. Der Herr ist das Endziel der menschlichen Geschichte, der Punkt, auf den alles Verlangen der Geschichte und der Zivilisation hinstrebt, das Zentrum des menschlichen Geschlechts, die Freude aller Herzen und die Fülle all ihrer Bestrebungen. Er ist jener, den der Vater von den Toten auferweckt, erhöht und zu seiner Rechten gestellt hat, indem er ihn zum Richter der Lebenden und der Toten einsetzte. In dessen Geist belebt und geeint, wandern wir der Vollendung (consummatio) der menschlichen Geschichte entgegen, die mit dem Plan Seiner Liebe voll

---

112 GSp. 22. Abschnitt 5. - Vgl. Kommentar von Ratzinger. In: LThK - 2. V.K. Bd. 3. S. 352-354.

113 GSp. 24.

114 GSp. 25. - Vgl. Kommentar von O. Semmelroth. In: LThK - 2.V.K. Bd. 3. S. 354-377.

115 GSp. 32.

116 Ebd.: perfectam gloriam Deo praestabunt.

117 GSp. 33-39.

118 GSp. 40-45.

119 GSp. 45. - Vgl. Kommentar von Y. Congar. In: LThK - 2.V.K. Bd. 3. S. 420-421.

120 Vgl. LG. 48. - O. Semmelroth: Die Kirche als "sichtbare Gestalt der unsichtbaren Gnade". In: Scholastik 18 (1953) 23-39. - Ders.: Die Kirche als Ursakrament. Frankfurt 1953. - B. Willems: Der sakramentale Kirchenbegriff. In: FZPhTh 5 (1958) 274-296. - Y.M.-J. Congar: L'Eglise, sacrement universel du salut. In: Eglise vivante 17 (1965) 339-355. - P. Smulders: Die Kirche als Sakrament des Heils. In: DE ECCL. Bd. 1. S. 289-312.

zusammenfällt: Alles, was im Himmel und was auf Erden ist, in Christus wieder aufzurichten[121]. Der Text schließt an dieser Stelle mit einem Zitat aus der Apokalypse: Sieh, ich komme bald, und mein Lohn ist mit mir, einem jeden zu vergelten nach seinen Werken. Ich bin das Alpha und das Omega, der Erste und der Letzte, Anfang und Ende[122].

5) Das Dekret über das Apostolat der Laien

Die Kirche ist dazu ins Leben getreten, daß sie zur Ehre Gott Vaters die Herrschaft Christi über die ganze Erde ausbreite und so alle Menschen der Heilserlösung teilhaftig mache. Durch diese Menschen soll die gesamte Welt in Wahrheit auf Christus hingeordnet werden. Jede Tätigkeit des mystischen Leibes, die auf dieses Ziel gerichtet ist, wird Apostolat genannt; die Kirche verwirklicht es, wenn auch auf verschiedene Weise, durch alle Glieder; dem Stand der Laien aber ist es eigen, inmitten der Welt und der weltlichen Aufgaben zu leben und dort, von Gott berufen und vom Geist Christi beseelt, nach Art des Sauerteigs ihr Apostolat in der Welt auszuüben[123]. Dieses Apostolat - so erklärte das Konzil weiter - verwirklicht sich in Glauben, Hoffnung und Liebe, die der Heilige Geist in den Herzen aller Glieder der Kirche ausgießt; es verwies darauf, daß das Gebot der Liebe, das der große Auftrag des Herrn ist, alle Christen drängt, für die Ehre Gottes, die durch das Kommen seines Reiches offenbar wird, zu wirken; ebenso für das ewige Leben aller Menschen, damit sie den einzigen wahren Gott erkennen und den, den er gesandt hat, Jesus Christus[124]. Die diesen Glauben haben, leben in der Hoffnung auf das Offenbarwerden der Kinder Gottes, da sie des Kreuzes und der Auferstehung des Herrn eingedenk bleiben. Mit Christus noch in Gott verborgen ... sind sie auf jene Güter bedacht, die ewig währen; weihen sie sich während der Pilgerschaft dieses Lebens großmütig der Aufgabe, die Herrschaft Gottes auszubreiten und die zeitliche Ordnung mit dem Geist Christi zu durchdringen und zu vervollkommnen. Dabei finden sie inmitten der Widrigkeiten dieses Lebens Kraft in der Hoffnung; sind sie doch wie der Apostel Paulus überzeugt, daß die Leiden dieser Zeit in keinem Verhältnis stehen zu der kommenden Herrlichkeit, die in ihnen offenbar werden soll[125]. Die eschatologische Dimension dieses Wirkens kommt zum Vorschein, wenn das Konzil auf Maria als das vollendete Vorbild eines solchen geistlichen und apostolischen Wirkens hinweist. Während sie auf Erden das gemeinsame Leben aller verbrachte ... war sie doch immer innigst mit ihrem Sohn verbunden und arbeitete auf ganz einzigartige Weise am Werk des Erlösers mit; jetzt aber, in den Himmel aufgenommen, sorgt sie in ihrer mütterlichen Liebe für die Brüder ihres Sohnes, die noch auf der Pilgerschaft sind und in Gefahren und Bedrängnissen weilen, bis sie zur seligen Heimat gelangen[126].

---

[121] Vgl. Eph. 1, 10. - Vgl. LG. 2. - Pius X.: Instaurare omnia in Christo. Dazu vgl. oben S. 807, Anm. 27.
[122] Vgl. Apk. 22, 12-13.
[123] AA. 2.
[124] Vgl. Joh. 17, 3. - AA. 3.
[125] Vgl. Röm. 8, 18. - AA. 4.
[126] AA. 4. - Vgl. LG. 63. - Auch LG. 65.

6) Die dogmatische Konstitution über die göttliche Offenbarung

Die Lehraussagen über Kirche und Liturgie haben gezeigt, welcher Ort der Eschatologie innerhalb einer heilsökonomisch orientierten Theologie zukommt. Indes bleibt noch zu fragen, woher die Kirche das Wissen nimmt, das sie in ihrer dogmatischen Verkündigung dem fragenden Intellekt als Glaubensgeheimnis vorlegt. Gleicherweise hat das zweite vatikanische Konzil nicht nur einzelne Lehren in den verschiedenen Teilgebieten vorgetragen, sondern diese grundsätzlich auf den Ursprung aller Wahrheit hin reflektiert. Das Ergebnis dieser Bemühung ist die dogmatische Konstitution über die göttliche Offenbarung, die am 18. November 1965 verabschiedet wurde.

Gleich im Vorwort sagt die Heilige Synode, daß die Kirche das Wort Gottes, das sie voll Zuversicht verkündigen will, zuvor voll Ehrfurcht hören muß. Ohne zunächst zu erörtern, auf welchem Wege das Wort zu ihr kommt, sagt sie sofort deutlich, daß es um jenes Wort geht, das das ewige Leben ist, das beim Vater war und das erschienen ist, damit auch wir Gemeinschaft (societas) haben mit dem Vater und mit seinem Sohn Jesus Christus[127].

Dieser theologische Ansatz wird im zweiten Artikel vertieft. Das Konzil lehrt: Gott hat in seiner Güte und Weisheit beschlossen, sich selbst zu offenbaren und das Geheimnis seines Willens kundzutun: daß die Menschen durch Christus, das fleischgewordene Wort, im Heiligen Geist Zugang haben zum Vater und teilhaft werden der göttlichen Natur[128] ... um sie in seine Gemeinschaft einzuladen und aufzunehmen. Dies hat Gott auch schon in alter Zeit getan. Von den Stammeltern an hat er ohne Unterlaß für das Menschengeschlecht gesorgt, um allen das ewige Leben zu geben, die das Heil suchen. Die eschatologische Dimension, die das göttliche Wort in Jesus Christus erhält, wird deutlich, wenn mit dem Hebräerbrief gelehrt wird, daß Gott viele Male und auf viele Weisen durch die Propheten gesprochen hat, zuletzt aber - in diesen Tagen - durch seinen Sohn[129]. Nach dem Johannes-Evangelium ist es das ewige Wort, das Licht aller Menschen, das unter ihnen wohnt und ihnen vom Innern Gottes Kunde bringt[130]. Noch einmal wird gesagt, daß Jesus Christus, das fleischgewordene Wort, als Mensch zu den Menschen gesandt ist, um das Heilswerk zu vollenden, dessen Durchführung der Vater ihm aufgetragen hat. Er ist es, der durch sein ganzes Dasein und seine ganze Erscheinung, vor allem durch seinen Tod und seine Auferstehung, schließlich durch die Sendung des Geistes der Wahrheit die Offenbarung erfüllt und abschließt; der durch göttliches Zeugnis bekräftigt, daß Gott mit uns ist, um uns aus der Finsternis von Sünde und Tod zu befreien und zu ewigem Leben zu erwecken. Daher bekräftigt das Konzil den eschatologischen Charakter dieses Ereignisses, indem es betont, daß die christliche (Heils-)ökonomie, nämlich der neue und endgültige Bund, unüberholbar ist. Es ist keine neue göttliche Offenbarung mehr zu erwarten vor der Erscheinung unseres Herrn Jesus Christus in Herrlichkeit[131]. Noch einmal wird gesagt, daß Gott

---

[127] Vgl. 1. Joh. 1, 2-3. - DV. 1.
[128] DV. 2. - Vgl. Eph. 2, 18. - 2. Petr. 1, 4.
[129] DV. 4. - Vgl. Heb. 1, 1-2.
[130] Vgl. Joh. 1, 1-18.
[131] Vgl. 1. Tim. 6, 14. - Tit. 2, 13.

sich selbst und die ewigen Entscheidungen seines Willens über das Heil der Menschen kundtut und mitteilt, um Anteil zu geben am göttlichen Reichtum, der die Fassungskraft des menschlichen Geistes schlechthin übersteigt[132].

Das zweite Kapitel befaßt sich nun mit der Weitergabe der göttlichen Offenbarung: Was Gott zum Heil aller Völker geoffenbart hatte, das sollte für alle Zeiten unversehrt erhalten bleiben und allen Geschlechtern weitergegeben werden. Darum hat Christus der Herr, in dem die ganze Offenbarung des höchsten Gottes sich vollendet[133], geboten, das Evangelium, das er als Erfüllung der früher ergangenen prophetischen Verheißung selbst gebracht und persönlich verkündet hat, allen zu predigen ... und so göttliche Gaben mitzuteilen. Weil nun die Heilige Überlieferung und die Heilige Schrift beider Testamente gleichsam ein Spiegel ist, in dem die Kirche Gott, von dem sie alles empfängt, auf ihrer irdischen Pilgerschaft anschaut, bis sie hingeführt wird, ihn von Angesicht zu Angesicht zu sehen, so wie er ist[134], muß die apostolische Predigt ... in ununterbrochener Folge bis zur Vollendung der Zeiten bewahrt werden. Auch in Hinblick auf die Wirksamkeit des Heiligen Geistes heißt es, daß die Kirche im Gang der Jahrhunderte ständig der Fülle der göttlichen Wahrheit entgegengeht, bis an ihr sich Gottes Worte erfüllen[135].

Die eschatologische Ausrichtung der göttlichen (Heils-)ökonomie tritt noch einmal in Erscheinung im Bemühen des Konzils, die bleibende Bedeutung der beiden Testamente einzeln zu verdeutlichen. So heißt es denn in Artikel 17 hinsichtlich des Neuen Testaments resümierend: Als die Fülle der Zeit kam[136], ist das Wort Fleisch geworden und hat unter uns gewohnt, voll Gnade und Wahrheit[137]. Christus hat das Reich Gottes auf Erden wiederhergestellt, in Wort und Tat seinen Vater und sich selbst geoffenbart und sein Werk durch Tod, Auferstehung, herrliche Himmelfahrt und Sendung des Heiligen Geistes vollendet. Von der Erde erhöht, zieht er alle an sich[138], Er, der allein die Worte des ewigen Lebens besitzt[139]. Dies Geheimnis wurde anderen Generationen nicht kundgetan, wie es nun geoffenbart ist seinen heiligen Aposteln und Propheten im Heiligen Geist[140], damit sie das Evangelium verkünden, den Glauben an Jesus als Christus und Herrn wecken und die Kirche sammmeln[141]. Hier liegt der Grund dafür, daß die Kirche selbst all das unverbrüchlich festhält, was Jesus, der Sohn Gottes, unter den Menschen zu deren ewigem Heil wirklich getan und gelehrt hat bis zu dem Tag, da er aufgenommen wurde[142]. Zur Begründung wird am Ende des Kapitels noch einmal angeführt, daß der Herr Jesus selbst bei seinen Aposteln geblieben ist, so wie er verheißen hatte[143],

---

[132] DV. 6. - Vgl. Concilium Vaticanum I. Sess. 3 (24.4.1870): Constitutio dogmatica "Dei Filius" de fide catholica. Cap. 2: De revelatione. DS 3005.
[133] Vgl. 2. Kor. 1, 20; 3, 16- 4, 6. - DV. 7.
[134] Vgl. 1. Joh. 3, 2.
[135] DV. 8.
[136] Vgl. Gal. 4, 4.
[137] Vgl. Joh. 1, 14.
[138] Vgl. Joh. 12, 32.
[139] Vgl. Joh. 6, 68.
[140] Vgl. Eph. 3, 4-6.
[141] DV. 17.
[142] Apg. 1, 1-2.
[143] Mat. 28, 20.

und daß er ihnen als Beistand den Geist sandte, der sie in die Fülle der Wahrheit einführen sollte[144]. Die Synode schließt mit dem Wunsch, daß der Schatz der Offenbarung, der der Kirche anvertraut ist, mehr und mehr die Herzen der Menschen erfülle. Sie hofft auf neuen Antrieb für das geistliche Leben aus der gesteigerten Verehrung des Wortes Gottes, das bleibt in Ewigkeit[145].

Es ist nicht unsere Aufgabe, die einzelnen Lehren des Konzil wie etwa hinsichtlich des Verhältnisses von Schrift und Tradition eingehend zu erörtern, obwohl der Kommentar von J. Ratzinger zu dieser Konstitution ahnen läßt[146], daß das eschatologische Thema im Gespräch mit den Christen der Reformation unweigerlich aktuell wird. Hier sollte nur gezeigt werden, daß Eschatologie im Rahmen (heils-)ökonomischen Denkens als Abschluß des universalen Offenbarungsvorgangs zu sehen ist.

2. Rückblick auf die eschatologischen Entwürfe aus den ersten Jahrzehnten des 20. Jahrhunderts

Die Lehraussagen des zweiten vatikanischen Konzils sind der Punkt, von dem aus wir noch einmal auf jene Arbeit zurückblicken, die im Bereich der christlichen Eschatologie vom Ende des 19. bis zur Mitte des 20. Jahrhunderts geleistet wurde.

Bei einem Vergleich der Sprechweise des Konzils mit der jener Theologen, deren Entwürfe wir zuvor untersuchten, ist zu bemerken, daß die Sprache der Väter derjenigen gleicht, die sich seit eh und je am Wort der Heiligen Schrift orientierte. Allerdings darf man nicht meinen, daß mit dieser Ausrichtung schon jener Biblizismus gegeben ist, der sich auf eine schablonenhafte Wiederholung biblischer Aussagen beschränkt, ohne zugleich wenigstens im Ansatz den Versuch zeitgemäßen Verstehens und spekulativen Durchdringens zu wagen. Denn obwohl die biblischen Zitate sich in einzelnen Artikeln häufen, wurde die Heilige Schrift als solche nie prinzipiell zur einzigen Erkenntnisquelle erhoben; auch versuchte man nicht, auf biblischer Grundlage eine systematisch geschlossene Theologie vorzulegen. In Kraft blieb vielmehr all das, was die katholische Kirche über das Verhältnis von Glaube und Vernunft, Glauben und Wissen bzw. Erkennen gelehrt hat und lehrt[1].

---

[144] Vgl. Joh. 16, 13. - DV. 20.

[145] Vgl. Jes. 40, 8. - 1. Petr. 1, 23-25. - DV 26.

[146] Vgl. J. Ratzinger: Einleitung und Kommentar zum Prooemium, I., II. und VI. Kapitel der dogmatischen Konstitution über die göttliche Offenbarung (Art. 1-10; 21-26). In: LThK - 2.V.K. Bd. 2. S. 498-528; 571-581.

---

[1] Vgl. Theses de fide et ratione oppositae fideismo, a Ludovico Eugenio Bautain iussu sui episcopi subscriptae (8.9.1840 - ähnlich bereits am 18.11.1835). In: DS 2751-2756. - Pius IX.: Ep. encycl. "Qui pluribus" (9.11.1846): De errore rationalismi; de vera rationis humanae habitudine ad fidem. In: DS 2775-2777, 2778-2780. - Decretum S. Congr. Indicis (11./ 15.6.1855): Theses contra traditionalismum Augustini Bonetty. In: DS 2811-2813. - Pius IX.: Ep. "Gravissimas inter" ad archiepiscopum Monaco-Frising (11.12.1862): Errores Iacobi Frohschammer de scientiae libertate. In: DS 2850-2861; besonders 2850-2854. - Pius IX.: Syllabus, seu Collectio errorum in diversis Actis Pii IX proscriptorum (8.12.1864): In: DS besonders 2903-2909. - Conc. Vat. I. Sess. III (24.4.1870): Constitutio dogmatica "Dei Filius" de fide

Es liegt auf der Hand, daß mit einer solchen Verkündigung der kirchlichen Doktrin ebenso wenig alle Schwierigkeiten des Glaubens und Denkens verschwinden wie bei einer nur formellen Wiederholung des biblischen Buchstabens. Obwohl die Texte des Konzils nach dem Verständnis katholischer Theologie authentische und verbindlich ausgeprägte Kirchenlehre sind, erfüllt ihre Vorlage nur dann ihren Zweck, wenn sie dem Fragen und Bedenken des Menschen begegnet und dieses zur Erkenntnis des Glaubens führt. Da nun der vom Licht des Evangeliums erleuchtete Lehrer zunächst selbst ein fragender ist, ergibt sich als Faktum, daß die Struktur der Antwort in jedem Fall von der Frage her mitbestimmt ist. Insofern sind auch alle Lehraussagen des Konzils grundsätzlich daraufhin untersuchbar, was ihre Aussage in Inhalt und Form geprägt hat. Tut man dies, so treten wiederum jene verschiedenen philosophischen und soziologischen Ansatzpunkte zutage, die das von der Kirche vorgelegte Endprodukt impliziert. Freilich erschöpft sich die theologische Arbeit nicht im nachträglichen Aufzeigen der bedingenden Faktoren; vielmehr besteht ihre Aufgabe vornehmlich darin, den Menschen mit allen Fähigkeiten seines Verstandes und Gemütes über jene Brücke zu führen, die in einem lebendigen Prozeß von philosophischer Frage und theologischer Antwort unter der Inspiration des göttlichen Geistes selbst gebaut wurde.

Der hier gemeinte Sachverhalt wurde vom zweiten vatikanischen Konzil im allgemeinen nur teilweise erörtert und in concreto nur gelegentlich bewußt gemacht. Man beachte jedoch, wie die Väter eine Vielzahl von Begriffen verwendeten, die eine Sprachgeschichte außerhalb der speziellen Offenbarung haben und die daher hinsichtlich ihrer Verwendung und Verstehbarkeit nicht nur theologisch im engeren Sinne, sondern auch profan philosophisch geklärt werden müssen. Eine solche Arbeit wird von der konziliaren Verkündigung selbst nicht geleistet, vielmehr der wissenschaftlichen Theologie anvertraut.

Die vorliegende Studie hatte zum Ziel, den vielfältigen Zusammenhang von soziologischen Bedingungen, philosophischen Fragen und theologischen Antworten im Gebiet der Eschatologie zu verdeutlichen. Obwohl die zeitgeschichtliche Dimension der Theologie nie vernachlässigt werden darf, war das eigentliche Interesse unserer Analysen nicht so sehr ein historisches als vielmehr ein systematisches. Wenn wir vesuchen, ein Facit dieser Arbeit zu ziehen, so sei als erstes Ergebnis vermerkt, daß auch für die Zeit vom Ende des 19. Jahrhunderts bis zum Beginn des 2. Weltkrieges die christliche Eschatologie nicht unter einen beherrschenden Leitgedanken subsummiert werden kann. Was in Erscheinung tritt, ist vielmehr ein vielschichtiger Erkenntnisprozeß mit unterschiedlichen Ansätzen, Standpunkten, Meinungen, Lehren, - im ganzen ein Ringen um Wahrheit, das keineswegs in einer Aporie stecken bleiben muß. Denn das, was ebenfalls in diesem universalen Erkenntnisprozeß erscheint, ist die Wahrheit jenes Glaubens, der auf der historischen

catholica. Cap. 4: De fide et ratione. In: DS 3015-3020. - Conc. Vat. I. Canones de fide et ratione. In: DS 3041-3043. - Conc. Vat. II. Constitutio dogmatica de divina revelatione "Dei Verbum". I, 6. - Conc. Vat. II. Declaratio de educatione christiana. 10. - Conc. Vat. II. Constitutio pastoralis de ecclesia in mundo huius temporis "Gaudium et spes". 59. - Vgl. u.a. G. Söhngen: Wissen und Glauben. In: LThK[2] 10 (1965) 1194-1196. - P. Henrici: Vernunft und Verstand in der Theologie. In: LThK[2] 10 (1965) 721-724.

Einmaligkeit und daher Unwandelbarkeit der göttlichen Offenbarung beruht. Gerade diesem Glauben gilt das vielfältige Bemühen der christlichen Theologie im engeren Sinn, und überall wo dieses fundamentale Faktum beachtet wird, kann ein Abgleiten in den relativierenden Historismus vermieden werden. Für eine wahrhaft christliche Theologie ist die ursprüngliche Erkenntnis der Kirche nie überholt; in allen Wandlungen des Lebens wird sie vielmehr je aufs Neue bedacht, damit sie auch in einer im Lauf der Zeiten veränderten Welt ihre Frucht trägt.

Diesem Ziel, dem letztlich alles intellektuelle Ringen um Erkenntnis gilt, sollte mit vorliegender Untersuchung gedient sein. Das Wissen um den zurückgelegten Weg erleichtert den Schritt in die Zukunft. Vergegenwärtigen wir uns daher noch einmal kurz die verschiedenen Etappen der theologie- und geistesgeschichtlichen Entwicklung innerhalb des eingangs umrissenen Zeitraumes.

Bis ins 20. Jahrhundert hinein wurde das Denken des Geistes weithin von einer idealistischen Philosophie beherrscht, die in den Werken G. F. W. Hegels ihre einflußreichste Ausgestaltung fand. Die Hegel-Forschung hat verdeutlicht, in wie weit die Ursprünge dieses Denkens in einem theologischen Bereich liegen. Schon früh wurde erkannt, daß der dialektische Prozeß des absoluten Geistes als eine säkularisierte Religion verstanden werden kann und zu einer solchen hinführt. Von katholischer Seite aus haben vor allem die Vertreter der sogenannten Tübinger Schule die Auseinandersetzung mit dem epochalen Denken begonnen, ohne freilich sich in allen Punkten einer Beeinflussung der eigenen Position entziehen zu können.

Auch H. Schell, dessen Entwurf wir hinsichtlich seiner Eschatologie untersuchten, kann in einem weiteren Sinn der Tübinger Theologie zugeordnet werden. Am Ausgang des 19. Jahrhunderts wagte er als letzter katholischer Theologe in Deutschland den Versuch zu einem umfassenden theologischen System, in dem das Eschaton dem Proton zugeordnet wird. Die Vollendung des Schöpfungswerkes erscheint dabei als jenes große Ziel, das in neuerer, wissenschaftlicher Tradition mit »Eschatologie« bezeichnet wird. Wie weit dieses Telos ontologisch zu erfassen ist, bleibt eine Frage, der man sich auch in unseren Tagen neu stellen muß. Beim Studium der Schriften H. Schells wird deutlich, wie sehr das ganze Problem unlöslich mit der Gottesfrage verbunden ist. Ohne eine gesicherte Gotteserkenntnis werden alle eschatologischen Aussagen der Theologie völlig wertlos.

Soweit im 19. Jahrhundert an der Lehre von der Unsterblichkeit des Menschen hinsichtlich seiner Geistigkeit festgehalten wurde, erscheint diese Position verbunden mit einer theistischen Philosophie. Es gehört aber wegen des Pluralismus der Weltanschauungen unabdingbar zu einem vollständigen Bild jener Zeit, daß die Bestreitung eben dieses Theismus vielfach unternommen wurde, vor allem im Bereich eines kraß materialistischen Denkens. Auch dort, wo man dessen Unhaltbarkeit erkannte und zu einer mehr spirituellen Weltsicht neigte, wurde der Glaube an einen persönlichen Gott - weil wissenschaftlich nicht verifizierbar - weithin aufgegeben. Die Wurzeln dieses Spiritualismus sind uralt; in neuerer Zeit verbanden sie sich mit einem monistischen Evolutionismus, der auch unter Theologen bis heute seine Vertreter hat. Im sozialen Bereich kam es unter seiner Inspiration zu einer Neubelebung utopisch-chiliastischer Ideen, die zu einer totalitären Verwirklichung drängten. Als Antriebskraft erschien dabei der Geist, der voluntaristisch als Weltwille verstanden wurde. Dies gilt ebenso für jene Versuche, Weltschöpfung nicht nur als Wertverwirklichung zu verstehen, sondern auch zu betreiben: Ethischer

Dynamismus, dynamischer Volutarismus, das sind jene Kräfte, die selbst innerhalb einer christlichen Weltanschauung zur Auswirkung kamen. Zunächst bestimmtem sie ein innerweltlich engagiertes Kulturchristentum, dem die eschatologische Dimension kaum noch bewußt war. Dann herrschten die gleichen Kräfte im Bereich jener Lebensphilosophie, die auf die Erfahrung und Gestaltung geistiger Wirklichkeit in einem allgemeinen Wirkzusammenhang aus war. Verschärft durch einen radikalen Eschatologismus lassen sich jedoch die gleichen Antriebe und Tendenzen auch in einem Bereich des Denkens aufweisen, in dem man der Kulturseligkeit einer von innen her im hohen Maße gefährdeten Welt kritisch gegenüberstand.

Mit diesen geistigen Strömungen der Zeit hatten sich die katholischen Theologen in allen Bereichen auseinanderzusetzen. Wir sahen bei J. Zahn, wie die Dogmatik darum bemüht war, die Harmonie von Diesseitswirken und Jenseitshoffnung aufzuzeigen. Gleiches gilt auch vom Lebenswerk jener anderen Männer wie H. Schell, E. Krebs, R. Guardini, K. Adam, B. Bartmann: Selbst dort, wo ihre Schriften einen speziell dogmatischen Charakter tragen, eignet ihnen eine starke ethische Ausrichtung. Besonders bei J. Zahn trat als Anliegen der Einbau der Eschatologie in das Ganze einer christlichen Heilslehre deutlich hervor.

In die Auseinandersetzung um den radikalen Eschatologismus haben vor allem B. Bartmann und K. Adam eingegriffen. Wir tun jedoch gut daran, auch bei R. Guardini den Ursprung seines gesamten Lebenswerkes in jenem Ringen zu suchen, das mit seinen Schwierigkeiten zur Krise des Modernismus führte. Sowenig die päpstlichen Weisungen jener Zeit einseitig von ihrer restriktiven Tendenz aus interpretiert werden dürfen, sowenig ist im Bereich der deutschen katholischen Theologie eine allgemeine Resignation festzustellen. Allerdings blieben zunächst die von der radikalen Eschatologie aufgeworfenen Fragen offen, bis sie fortschreitend einer genaueren Klärung näher gebracht werden konnten. Eines darf jedoch mit Fug und Recht behauptet werden: Auf philosophischem Gebiet stand der katholischen Theologie das Feld zur Auseinandersetzung völlig frei, und in der Tat verdanken gerade die oben genannten Theologen den geistigen Strömungen jener Zeit die fruchtbaren Anregungen, die zu ihren beachtlichen Werken führten.

Die Katastrophe des ersten Weltkrieges hatte die Menschen erneut für die Frage nach den letzten Dingen sensibilisiert: Im Bereich des Denkens und Glaubens wurden neue Antworten auf die uralten Fragen nach Ursprung, Wesen und Ziel des Menschen verlangt. Die Folge war, daß die Eschatologie verstärkt als Teil der Anthropologie hervortrat. Besonders deutlich hat dies Th. Steinbüchel gesehen, der für neue Fragestellungen voll und ganz aufgeschlossen war. Im Kreise seiner Schüler schenkte man auch der existenzialen Bedeutung des Todes innerhalb der ontologischen Struktur des Seins Aufmerksamkeit. Bei R. Guardini ergab sich die Berührung mit der verstehenden Psychologie K. Jaspers, in der das Verhältnis von Unendlichem und Konkretem, das Verhalten des Menschen in Grenzsituationen, die Erfahrung des Todes als Widerspruch zum Leben behandelt wurde. Was den christlichen Personalismus unserer katholischen Autoren betrifft, so werden heute gerne M. Buber[2] und F. Ebner[3] als seine bedeutendsten Anreger genannt, allerdings

---

[2] Martin Buber (1878-1965). Werke siehe LV.
[3] Ferdinand Ebner (1882-1931). - F. Maliske: Ferdinand Ebner. In: LThK[2] 3 (1959) 635. - Th. Schleiermacher: Ich und Du. Die Grundzüge der Anthropologie Ferdinand Ebners. In:

meistens ohne zu erwähnen, daß die Ansätze zu dieser Philosophie schon früher gegeben sind. M. Scheler hatte die Stellung des Menschen im Kosmos erörtert und dabei die Bedeutung der menschlichen Person gewürdigt. Auch im Hinblick auf R. Eucken spricht man von einem Personalismus, wenngleich bei ihm der Mensch in einen umfassenden geistig-kulturellen Prozeß eingebunden erscheint. G. Simmel hatte das Problem der Individualität deutlich gesehen; in seiner Philosophie der Grenze verwies er auf die Liebe als die alle Begrenzung übergreifende Kraft. W. Diltey suchte das Individuelle in seinem typischen Charakter zu bestimmen. H. Cohen, der zunächst wie W. Wundt die persönliche Unsterblichkeit aufgegeben hatte, korrigierte später seine Auffassung und gehört insofern auch zu den Stammvätern eines theologischen Personalismus. In dem hier skizzierten Feld wurzelte jener Personalismus, der von R. Guardini positiv gewertet wurde und den er in seinen Schriften zum Einklang mit den Offenbarungswahrheiten des christlichen Glaubens führen wollte. Allerdings sei noch einmal vermerkt, daß ein ontologisch begründetes Verständnis der menschlichen Person wie des menschlichen Lebenszieles im Bereich dieses Personalismus leider zu sehr außer Betracht blieb. Das hat zur Folge, daß noch heute bei Theologen, die dem personalistischen Denken nahe stehen, das Wesen des Menschen einseitig in seiner Relationalität gesehen wird. Es genügt jedenfalls nicht, an die Stelle »verdinglichter End-Vorstellungen« nur personale Begegnungskategorien treten zu lassen[4].

Aus all dem ergeben sich die offenen Fragen, die die Theologie weiterhin beschäftigen: Welche Stellung gebührt einer Lehre von den letzten Dingen innerhalb eines umfassenden theologischen Systems? Welche Ausprägung gewinnt die Eschatologie im Zusammenhang mit einem bestimmten Gottesbild? Wie verhält sich Weltdienst und eschatologische Vollendung zueinander? Gibt es eine Eschatologie der Geschichte und in wie weit kann diese ontologisch begründet werden? Wie ist letztlich das Verhältnis von allgemeiner Vollendung und individuellem Heil?

Außer den Antworten, die wir bei den von uns untersuchten Autoren fanden, gibt es auch neuere Beiträge zu den oben gestellten offenen Fragen, auf die wir im Augenblick nicht näher eingehen können[5]. Eines nur sei vermerkt: Auch aus deren Schriften wird klar, daß die uralten Menschheitsfragen weder mit einer einseitig biblizistischen Theologie zu befriedigen sind noch mit einer Spekulation zu lösen, die nur auf einer modischen Verbreitung einzelner Ideen aufbaut, ohne daß deren Fundamente begrifflich genügend gesichert werden. Es liegt auf der Hand, daß dabei einer Lehre von den theologischen Erkenntnisquellen nie zu entraten ist.

Kommen wir zum Schluß. Die in der christlichen Eschatologie vorgelegten Glaubenswahrheiten sind nicht Gebilde der philosophischen Spekulation, nicht Postulate der praktischen Vernunft, nicht Produkte und Projektionen menschlicher Sehnsucht, sondern Gegebenheiten der göttlichen Offenbarung, die der

---

KuD 3 (1957) 208-229. - Th. Steinbüchel: Der Umbruch des Denkens. Die Frage nach der christlichen Existenz erläutert an Ferdinand Ebners Menschendeutung. Regensburg 1936.
[4] Vgl. G. Greshake: Zur Hermeneutik eschatologischer Aussagen. In: Greshake, Lohfink: Naherwartung - Auferstehung - Unsterblichkeit. S. 20.
[5] Vgl. insbesondere die Arbeiten von H.U. von Balthasar, K. Rahner, L. Boros, G. Greshake. - Werke siehe im LV.

Mensch im Glauben mittels der Liebe seines Herzens und dem Denken seines Verstandes erfaßt, soweit das einem geschaffenen und damit kontingenten Wesen möglich ist. Schon wegen der Begrenztheit des Individuellen gegenüber dem Universalen, vollends wegen der des Geschöpflichen gegenüber dem Göttlichen, dem Zeitlich-Geschichtlichen gegenüber dem Ewigen, ist uns kein totales und absolutes, sondern nur ein parziell-fragmentarisches und relatives Erfassen der Wahrheit gegeben. Hierin liegt der Grund für jenen theologischen Pluralismus, den wir nicht nur für prinzipiell unvermeidbar, sondern auch für positiv fruchtbar halten, da er der Quellpunkt für ein immer neues, lebendiges Erfassen der objektiv-gegebenen Offenbarungswahrheit ist.

In vorliegender Arbeit wurde der Versuch gemacht, dem hier skizzierten Umstand Rechnung zu tragen, indem wir davon ausgingen, daß nicht ein einzelner Theologe die Wahrheitsfülle der eschatologischen Glaubensinhalte voll erfassen und letztgültig darstellen kann. Wir haben daher die verschiedensten Entwürfe im Bereich der Eschatologie vorgestellt. Dabei waren wir bemüht, alle Einzelaussagen in ihrem vielfältigen Zusammenhang zu verdeutlichen, ohne sie jedoch in ein apriorisch konstruiertes Schema zu pressen, - weder in ein solches, das auf einer ungeschichtlich angewandten Begrifflichkeit beruht, noch in jenes andere, in dem alle Begriffe nach vorgefaßter Meinung in die Dynamik eines evolutiven Prozesses relativiert werden.

Die hier gewählte Methode legte es nahe, den jeweiligen Autor zunächst möglichst viel selber sprechen zu lassen, ohne seine Aussagen durch die Wiedergabe zu entfremden und durch ein vorschnelles Urteil abzuwerten. Stattdessen waren wir bestrebt, die Logoi spermatikoi in einem universalen Kolloquium zu sammeln und zu einen. Da sich dieses Gespräch, das die Wahrheit zwar nicht begründet, wohl jedoch in Erscheinung bringt, nicht nur horizontal, sondern auch vertikal in und mit der Zeit vollzieht, ergibt sich nun allerdings ein theologisch - geistiger Prozeß, den wir in den Grenzen unserer Untersuchung parziell zu verdeutlichen suchten. Aufs Ganze gesehen, hat er weder mit der eschatologischen Neubesinnung am Ausgang des 19. Jahrhunderts begonnen, noch wurde er bis jetzt zu einem Ende geführt. Diese Offenheit nach allen Seiten trotz der allgemein begrenzenden Kontingenz rechtfertigt zugleich, daß auch bei einer Vergegenwärtigung der Wahrheit im Gespräch Vollständigkeit weder erreicht noch überhaupt angestrebt werden kann. Der Anstrengung des Vergegenwärtigens verdanken wir jedoch, daß anhand ausgewählter Texte paradigmatisch aufzuzeigen ist, wie der christliche Glaube an die Eschata in einer bestimmten Zeit die Menschen beseelt und wie die Theologen einer Epoche ihm auf verschiedene Weise sprachlichen Ausdruck und spekulative Erläuterung verleihen. Aus dieser lebendigen Tradition heraus ist zu erlernen, wie der objektiv gegebene, dogmatische Wahrheitsgehalt unseres Glaubens verstanden und erklärt werden kann, und zwar so, daß zugleich dem individuellen wie dem sozialen Leben der Menschen neue Heilskräfte vermittelt werden.

Theologie ist nicht nur ein Reden von Gott und über Gott, sondern letztlich ein Rühmen Gottes, das mit dem Glaubensbekenntnis einer irdischen Konfession beginnt und im ewigen, seligen Gotteslob der erlösten Schöpfung endet. Auf diese universale, kosmische Liturgie, in die alles einmündet, haben die Theologen und die Väter des zweiten vatikanischen Konzils wiederholt hingewiesen. Insofern dies von der liturgischen Bewegung im deutschen Sprachraum schon zuvor den Gläubigen bewußt gemacht wurde, können sie Männern wie H. Schell und R. Guardini nicht genügend danken. Beide jedoch waren in ihrem Hauptberuf und in erster Linie Theologen, das heißt Männer, die wie andere auch auf dem Weg der Wissenschaft nicht nur vom Erkennen zum Handeln, sondern auch zum Lobpreis der Herrlichkeit Gottes und zur Anbetung seiner Weisheit und Liebe führen wollten. Daß diese liebende Hingabe an den Vater aller Menschen nicht nur auf den liturgischen Akt im engeren Sinne beschränkt bleiben kann, vielmehr das ganze Leben mitumfassen muß, versteht sich von selbst. Omnia ad maiorem Dei gloriam - »omnia«, darin liegt das eschatologische Ziel all dessen, was hier und jetzt fragmentarisch ist und parziell bleibt. Vollendet werden, zu einem »Alles« hingeführt werden, kann das Kontingente nur von dem, der nicht nur alles in allem sein soll, sondern es auch ist. Er wird alles vollenden. »Ad«, das gibt uns die Richtung allen Tuns und Streben an. Das letzte Ziel, die Steigerung, sind nicht wir selbst. Das Eschaton ist nicht der Mensch, sondern die Ehre dessen, der allein der Erste wie auch der Letzte - und der Lebendige ist[6]. Ihm gilt ein Tag wie tausend Jahre und tausend Jahre wie ein Tag. Der Zukunft seines Tages eilen wir entgegen. Und wenn alles zergehen wird mit lautem Krachen, so erwarten wir dennoch einen neuen Himmel und eine neue Erde, in der Gerechtigkeit wohnt. Wachsen möchten wir inzwischen in der Gnade und in der Erkenntnis unseres Herrn und Heilandes Jesus Christus, dem die Ehre sei

nunc et in diem aeternitatis [7].

---

[6] Off. 1, 18. - Zum Begriff der Ehre Gottes vgl. u.a. R. Guardini in: PhJ 31 (1918) 321-334. - Dass. in: Ders. Auf dem Wege. S. 66-85.
[7] 2. Petr. 3, 18.

LITERATURVERZEICHNIS

Vorbemerkungen:

1. In dieses Literaturverzeichnis wurden außer den im Hauptteil der Arbeit zitierten oder erwähnten Schriften auch solche aufgeführt, die das Arbeitsfeld der betreffenden Verfasser sowie den theologie- und geistesgeschichtlichen Zusammenhang ihrer Werke verdeutlichen können. In den Anmerkungen findet sich dazu öfters der Hinweis: Siehe LV (= Literaturverzeichnis). Die Fülle des Materials bietet den Ansatz zu weitergehenden Studien.

2. Festschriften sind meistens unter ihrem Haupttitel aufgeführt und mit diesem zitiert. Das Personenregister ermöglicht ihr Auffinden, falls von Autoren oder Adressaten aus der Zugang gesucht wird.

Abendland. Deutsche Monatshefte für europäische Kultur, Politik und Wirtschaft. Köln 1925-1930.

Achelis, E.Chr.: Alois Emanuel Biedermann. In: ADB 46 (1902) 540-543.

Achelis, Th.: Lotze's Philosophie. In: VWPh 6 (1882) 1-27.

Achelis, Th.: Der Begriff des Unbewußten in psychologischer und erkenntnistheoretischer Hinsicht bei Eduard von Hartmann. In: PhJ 6 (1893) 395-407.

Achelis, Th.: Religion der Naturvölker im Umriß. (SG. 164.) Leipzig 1909.

Adam, A.: Lehrbuch der Dogmengeschichte. Band 1. Die Zeit der Alten Kirche. Gütersloh (1965). - Dass. Band 2. Mittelalter und Reformationszeit. Ebd. (1968, ²1972).

Adam, K.: Die Lehre vom Heiligen Geist bei Hermas und Tertullian. In: ThQ 88 (1906) 36-61. - Dass. in: Gesammelte Aufsätze. S. 53-69.

Adam, K.: Der Kirchenbegriff Tertullians. Eine dogmengeschichtliche Studie. (FCLDG. VI/4.) Paderborn 1907.

Adam, K.: Die Eucharistielehre des heiligen Augustinus. (FCLDG. VIII/1.) Paderborn 1908.

Adam, K.: Zum außerkanonischen und kanonischen Sprachgebrauch von Binden und Lösen. In: ThQ 96 (1914) 161-197. - Dass. in: Gesammelte Aufsätze. S. 17-52.

Adam, K.: Rez. zu H. Meyer. Geschichte der Lehre von den Keimkräften von der Stoa bis zum Ausgang der Patristik. In: ThRv 14 (1915) 303-307.

Adam, K.: Pfingstgedanken. Drei Vorträge. München 1915, ²1933.

Adam, K.: Die kirchliche Sündenvergebung nach dem heiligen Augustin. (FCLDG. XIV/1.) Paderborn 1917.

Adam, K.: Das sogenannte Bußedikt des Papstes Kallistus. (VKSM. IV/2.) Kempten 1917.

Adam, K.: Rez. zu J. Sachs. Das Gottessohnbewußtsein Jesu. In: ThRv 16 (1917) 316-317.

Adam, K.: Der Weg der erfahrungsmäßigen Gotteserkenntnis. (Eine Auseinandersetzung mit H. Scholz. Religionsphilosophie. Berlin 1920.) In: Ders. Glaube und Glaubenswissenschaft. ²1923. S. 94-142.

Adam, K.: Eine merkwürdige Streitschrift gegen den Katholizismus. (Rez. zu F. Heiler. Das Wesen des Katholizismus.) In: WuGl 18 (1920) 193-201.

Adam, K.: Glaube und Glaubenswissenschaft im Katholizismus. Akademische Antrittsrede. Rottenburg 1920.

Adam, K.: Die geheime Kirchenbuße nach dem heiligen Augustin. (MStHTh. 2.) Kempten 1921.

Adam, K.: Rez. zu M. Ten Hompel. Das Opfer als Selbsthingabe und seine ideale Verwirklichung im Opfer Christi. In: ThQ 102 (1921) 237-239.

Adam, K.: Der Weg der erfahrungsmäßigen Gotteserkenntnis. Eine Auseinandersetzung mit Heinrich Scholz. In: ThQ 103 (1922) 200-248.

Adam, K.: Rez. zu Th. Rüther. Die Lehre von der Erbsünde bei Clemens von Alexandrien. In: ThQ 103 (1922) 293-294.

Adam, K.: Glaube und Glaubenswissenschaft im Katholizismus. Vorträge und Aufsätze. Zweite erweiterte Auflage. Rottenburg 1923.

Adam, K.: Pfingsten. In: Seele 5 (1924) 161-175.

Adam, K.: Das Wesen des Katholizismus. Augsburg 1924. - Dass. 2. vermehrte Auflage. (Aus Gottes Reich.) Düsseldorf 1925, ¹³1957.

Adam, K.: Rez. zu F.J. von Rintelen. Pessimistische Religionsphilosophie der Gegenwart. In: ThQ 106 (1925) 158-159.

Adam, K.: Die Theologie der Krisis. In: Hochland 23/II (1925/26) 271-286. - Dass. in: Gesammelte Aufsätze. S. 319-337.

Adam, K.: Karl Heim und das Wesen des Katholizismus. In: Hochland 23/II (1925/26) 447-469, 586-608. - Dass. in: Gesammelte Aufsätze. S. 338-388.

Adam, K.: Christus unser Bruder. (Seele-Bücherei. 6.) Regensburg 1926. - Dass. 2. verbesserte Auflage. Ebd. 1930. - Dass. 3. verbesserte Auflage. Ebd. 1934. - Dass. 9. durchgesehene Auflage. Ebd. 1960.

Adam, K.: Die katholische Tübinger Schule. Zur 450-Jahr-Feier der Universität Tübingen. In: Hochland 24/II (1927) 581-601. - Dass. in: Gesammelte Aufsätze. S. 389-412.

Adam, K.: Von der lebendigen Kirche als Quellort meines Christusglaubens. In: Schildgenossen 8 (1928) 490-502.

Adam, K.: Christus und der Geist des Abendlandes. (BKG. 1.) München 1928, ²1935.

Adam, K.: Die abendländische Kirchenbuße im Ausgang des christlichen Altertums. Kritische Bemerkungen zu Poschmanns Untersuchung. In: ThQ 110 (1928) 1-66. - Dass. in: Gesammelte Aufsätze. S. 268-312.

Adam, K.: Rez. zu B. Bartmann. Lehrbuch der Dogmatik. In: ThQ 111 (1930) 147-150.

Adam, K.: Rez. zu A. Schweitzer. Die Mystik des Apostels Paulus. In: ThQ 111 (1930) 438-441.

Adam, K.: Bußdisziplin. In: LThK¹ 2 (1931) 657-661. - Dass. in: Gesammelte Aufsätze. S. 313-318.

Adam, K.: Rez. zu A. Deneffe. Der Traditionsbegriff. In: ThQ 112 (1931) 251-252.

Adam, K.: Zur Eucharistielehre des heiligen Augustinus. In: ThQ 112 (1931) 490-536.

Adam, K.: Glaube an Christus. In: KKZ 71 (1931) 318.

Adam, K.: Rez. zu W. Völker. Das Vollkommenheitsideal des Origenes. In: ThQ 113 (1932) 417-418.

Adam, K.: Wie Jesus die Menschen sah. In: KKZ 73 (1933) 43.

Adam, K.: Jesus Christus. Augsburg 1933, ¹⁰1945.

Adam, K.: Jesus Christus und der Geist unserer Zeit. Augsburg 1935.

Adam, K.: Rez. zu E. Brunner. Natur und Gnade. In: ThQ 116 (1935) 260.

Adam, K.: Gesammelte Aufsätze zur Dogmengeschichte und Theologie der Gegenwart. Hrsg. von Fritz Hofmann. Augsburg 1963. - Zitiert: Gesammelte Aufsätze.

Adam, K.: Religion durch Christus. In: ABK 50 (1936) 153-156.

Adam, K.: Die dogmatischen Grundlagen der Liturgie. In: WiWei 4 (1937) 43-54. - Dass. in: ThdZ 4 (1937) 193-219.

Adam, K.: Jesu menschliches Wesen im Licht der urchristlichen Verkündigung. In: WiWei 6 (1939) 111-120.

Adam, K.: Das Geheimnis der Inkarnation Christi und seines mystischen Leibes. Vom Ärgernis zum sieghaften Glauben. In: Die Eine Kirche. S. 33-54. - Dass. separat unter dem Titel: Kirchenmüdigkeit? Vom Ärgernis zum sieghaften Glauben. Paderborn 1940.

Adam, K.: Rez. zu H. Volk. Emil Brunners Lehre von der ursprünglichen Gottebenbildlichkeit des Menschen. In: ThQ 121 (1940) 122-123.

Adam, K.: Jesus, der Christus und wir Deutschen. In: WiWei 10 (1943) 73-103; 11 (1944) 10-23.

Adam, K.: Wie der Mensch zu Christus kommt. In: Der Mensch vor Gott. S. 365-377.

834

Adam, K.: Una Sancta in katholischer Sicht. Drei Vorträge über die Frage einer Wiedervereinigung der getrennten christlichen Bekenntnisse. Düsseldorf 1948.

Adam, K.: Zum Problem der Apokatastasis. In: ThQ 131 (1951) 129-138.

Adam, K.: Das Problem der Entmythologisierung und die Auferstehung des Christus. In: ThQ 132 (1952) 385-410. - Dass. in: KuM. Bd. V. S. 101-119.

Adam, K.: Der Christus des Glaubens. Vorlesungen über die kirchliche Christologie. Düsseldorf 1954.

Adam, M.: Die intellektuelle Anschauung bei Schelling in ihrem Verhältnis zur Methode der Intuition bei Bergson. (Phil. Diss. Hamburg 1926.) Patschkau 1926.

Adickes, E.: Kant contra Haeckel. Erkenntnistheorie gegen naturwissenschaftlichen Dogmatismus. Berlin 1901, ²1906.

Adickes, E.: Charakter und Weltanschauung. Akademische Antrittsrede gehalten am 12. Januar 1905. Tübingen 1905, ²1907.

Adickes, E.: Die Zukunft der Metaphysik. In: Weltanschauung. S. 219-252.

Adickes, E.: Selbstbiographie. In: Die deutsche Philosophie der Gegenwart in Selbstdarstellungen. ²1923. Bd. 2. S. 1-30.

Adler, M.: Georg Simmels Bedeutung für die Geistesgeschichte. Wien, Leipzig 1919.

Adloff, J.: Rez. zu A. Harnack. Das Wesen des Christentums. In: Der Katholik 3. F. 23 (1901) 20-35, 126-138, 248-264.

Adolph, H.: Die Weltanschauung Gustav Theodor Fechners. Stuttgart 1923.

Adolph, H.: Die Philosophie des Grafen Keyserling. Stuttgart 1927.

Adolph, H.: Subjektives Leben und objektives Sein in der neueren Geistesgeschichte. In: ZSTh 2 (1934) 246-267.

Adolphe, L.: La Philosophie religieuse de Bergson. Préf. de Emile Brehier. (Bibliothèque de philosophie contemporaine. Histoire de la philosophie et philosophie génerale.) Paris 1946.

Adolphe, L.: La Dialectique des images chez Bergson. (Bibliothèque de philosophie contemporaine. Psychologie et sociologie.) Paris 1951.

Adolphe, L.: La Contemplation créatrice (Aristote, Plotin, Bergson). Paris 1953.

Adolphe, L.: L'Univers bergsonien. Paris 1955.

Adorno, Th.: Zur Metakritik der Erkenntnistheorie. Studien über Husserl und die phänomenologischen Antinomien. Stuttgart 1956.

Ahlbrecht, A.: Tod und Unsterblichkeit in der evangelischen Theologie der Gegenwart. (KKSt. 10.) Paderborn (1964).

Ahlbrecht, A.: Unsterblichkeit der Seele. Voraussetzungen und methodische Vorentscheidungen für ihre Leugnung in der evangelischen Theologie. In: ThGl 7 (1964) 27-32.

Ahlbrecht, A.: Die bestimmenden Grundmotive der Diskussion über die Unsterblichkeit der Seele in der evangelischen Theologie. In: Cath 17 (1963) 1-24.

Ahlbrecht, A.: Zwischenzustand. In: LThK² 10 (1965) 1441-1442.

Ahrem, M.: Das Problem des Tragischen bei Theodor Lipps und Johann Volkelt. (Phil. Diss. Bonn 1908. - Ref.: B. Erdmann.) Nürnberg 1908.

Akademische Feier zum 80. Geburtstag von Romano Guardini. (Hrsg. Karl Forster.) (KA-Bay. H. 5.) Würzburg (1965).

Aksakow, A.N.: Animismus und Spiritualismus. Versuch einer kritischen Prüfung der mediumistischen Phänomene mit besonderer Berücksichtigung der Hypothesen der Hallucination und des Unbewußten. Als Entgegnung auf Dr. Ed. von Hartmanns Werk "Der Spiritismus". 2 Bde. Petersburg 1890. - Dass. deutsch. Leipzig 1895. - Dass. 3. verbesserte Auflage. Ebd. 1898, ⁵1919.

Aksakow, A.N.: Der Vorläufer des Spiritismus in den letzten 250 Jahren. St. Petersburg 1895. - Dass. deutsch. Hervorragende Fälle willkürlicher mediumistischer Erscheinungen aus den letzten drei Jahrhunderten. Einzig autorisierte Übersetzung aus dem Russischen und mit einem Beitrag von Feilgenhauer. Leipzig 1898.

Alaux, J.E.: Théorie de l'âme humaine. Essai de psychologie métaphysique. Paris 1896.

Albert Schweitzer. Sein Denken und sein Weg. Hrsg. von H.W. Bähr. Tübingen 1962.

Alcañiz, F.: Ecclesia patristica et millenarismus. Expositio historica. Granada 1933.

d'Alès, A.: Le dogme de Nicée. Paris 1926.

d'Alès, A.: La communion des Saints. In: DAFC 4 (1928) 1145-1156.

Algermissen, K.: Chiliasmus. In: LThK¹ 2 (1931) 864-867.

Algermissen, K.: Monistenbund. In: LThK¹ 7 (1935) 281-282.

Algermissen, K.: Monistenbund. In: LThK² 7 (1962) 555.

Allers, R.: Charakter als Ausdruck. Ein Versuch über psychoanalytische Charaktereologie. I. Berlin 1924.

Allwohn, A.: Die Botschaft vom Reich Gottes. In: SMH 58. Bd. 28 (1922) 22-26.

Altaner, B. - Stuiber, A.: Patrologie. Leben, Schriften und Lehre der Kirchenväter. Siebte, völlig neubearbeitete Auflage. Freiburg, Basel, Wien 1966.

Der alte Mensch in unserer Zeit. Eine Vortragsreihe. (Das Heidelberger Studio.) (KTA. 286.) Stuttgart 1958.

Alter und Tod - annehmen oder verdrängen? Ein Tagungsbericht. Hrsg. von Prof. Dr. med. Dr. phil. Wilhelm Bitter. Stuttgart (1974).

Althaus, P.: Der Friedhof unserer Väter. In: AELKZ 46 (1913) 1115-1118, 1142-1146, 1167-1169, 1192-1194, 1216-1217.

Althaus, P.: Ein Gang durch die Sterbe- und Ewigkeitslieder der evangelischen Kirche. Gütersloh 1915. - Dass. 4. erweiterte Auflage. Ebd. 1948.

Althaus, P.: Religiöser Sozialismus. Grundfragen der christlichen Sozialethik. (StASW. H. 5.) Gütersloh 1921.

Althaus, P.: Erkenntnis und Leben. In: Die Furche 10 (1921) 237-246.

Althaus, P.: Die letzten Dinge. Entwurf einer christlichen Eschatologie. (StASW. 9.) Gütersloh 1922.

Althaus, P.: Theologie und Geschichte. Zur Auseinandersetzung mit der dialektischen Theologie. In: ZSTh 1 (1923/24) 741-786.

Althaus, P.: Paulus und sein neuester Ausleger. Eine Beleuchtung von Karl Barths "Auferstehung der Toten". In: ChWi 1 (1925) 20-30, 97-102.

Althaus, P.: Rez. zu R. Seeberg. Christliche Dogmatik. In: ThLZ 50 (1925) 432-439.

Althaus, P.: Heilsgeschichte und Eschatologie. In: ZSTh 2 (1925) 605-676.

Althaus, P.: Unsterblichkeit der Seele bei Luther. In: ZSth 3 (1925) 725-734.

Althaus, P.: Die Bedeutung des Kreuzes in Luthers Denken. In: Luther 8 (1926) 97-107.

Althaus, P.: Die letzten Dinge. Entwurf einer christlichen Eschatologie. (StASW. 9.) 3. neubearbeitete Auflage. Gütersloh 1926.

Althaus, P.: Unsterblichkeit und ewiges Leben. (RQH. H. 48.) Leipzig 1927.

Althaus, P: Christliche Eschatologie. IV. Dogmengeschichtlich. V. Religionsphilosophisch und dogmatisch. In: RGG² 2 (1928) 345-353, 353-362.

Althaus, P.: Ewiges Leben, dogmatisch. In: RGG² 2 (1928) 459-463.

Althaus, P.: Zur Frage der endgeschichtlichen Eschatologie. In: ZSTh 7 (1929) 363-368.

Althaus, P.: Unsterblichkeit und ewiges Leben bei Luther. Zur Auseinandersetzung mit C. Stange. (StASW. H. 30.) Gütersloh 1930.

Althaus, P.: Seligkeit. In: RGG² 5 (1931) 415-417.

Althaus, P.: Vergeltung, dogmatisch. In: RGG² 5 (1931) 1540-1542.

Althaus, P.: Die Gestalt dieser Welt und die Sünde. Ein Beitrag zur Theologie der Geschichte. In: ZSTh 9 (1932) 319-338.

Althaus, P.: Das kommende Reich Gottes. In: Ders. Grundriß der Dogmatik. Teil 2. Erlangen 1932. - Dass. Dritte, verbesserte Auflage. (GETh.) Gütersloh 1949. S. 153-169.

Althaus, P.: Die letzten Dinge. (StASW. 9.) 4. neubearbeitete Auflage. Gütersloh 1933.

Althaus, P.: Heilsgeschichte und Eschatologie. In: ZSTh 2 (1934) 605-676.

Althaus, P.: Eschatologisches. Zur Verständigung mit Folke Holmström. In: ZSTh 12 (1935) 609-623.

Althaus, P.: Die Wahrheit des kirchlichen Osterglaubens. Einspruch gegen Emanuel Hirsch. Gütersloh 1940.

Althaus, P.: Luthers Gedanken über die letzten Dinge. In: LuJ 23 (1941) 9-34.

Althaus, P.: "Niedergefahren zur Hölle". Friedrich Brunstäd zum 60. Geburtstag. In: ZSTh 19 (1942) 365-384.

Althaus, P.: Der Mensch und sein Tod. Zu H. Thielickes "Tod und Leben". In: Universitas 3 (1948) 385-394.

Althaus, P.: Die letzten Dinge. Lehrbuch der Eschatologie. 5. durchgesehene Auflage. Gütersloh 1949.

Althaus, P.: Retraktionen zur Eschatologie. In: ThLZ 75 (1950) 253-260.

Althaus, P.: Auferstehung, dogmatisch. In: RGG³ 1 (1957) 696-698.

Althaus, P.: Von der Leibhaftigkeit der Seele. In: Die Leibhaftigkeit des Wortes. S. 169-179.

Althaus, P.: Luthers Wort vom Ende und Ziel der Geschichte. In: Luther 29 (1958) 98-105.

Althaus, P.: Vom Sinn und Ziel des Lebens. In: Der alte Mensch in unserer Zeit. S. 143-157.

Althaus, P.: Eschatologie, religionsgeschichtlich und dogmatisch. In: RGG³ 2 (1958) 680-689.

Althaus, P.: Ewiges Leben, dogmatisch. In: RGG³ 2 (1958) 805-809.

Althaus, P.: Gericht Gottes, dogmatisch. In: RGG³ 2 (1958) 1421-1423.

Althaus, P.: Die letzten Dinge. Lehrbuch der Eschatologie. 8. unveränderte Auflage. Güters-loh 1961.

Althaus, P.: Seelenwanderung II. Dogmatisch. In: RGG³ 5 (1961) 1639-1640.

Althaus, P.: Seligkeit. In: RGG³ 5 (1961) 1686-1688.

Althaus, P.: Tod und Totenreich, dogmatisch. In: RGG³ 6 (1962) 914-919.

Althaus, P.: Vergeltung VI. Dogmatisch. In: RGG³ 6 (1962) 1352-1354.

Althaus, P.: Wiederbringung Aller II. Dogmatisch. In: RGG³ 6 (1962) 1694-1696.

Althaus, P.: Karl Heim. In: NDB 8 (1969) 268-269.

Altmann, A.: Die Grundlagen der Wertethik: Wesen/Wert/Person. Max Schelers Erkennt-nis- und Seinslehre in kritischer Analyse. (Phil. Diss. Berlin 1931. - Ref.: M. Dessoir, H. Maier.) Berlin 1931.

Amann, E.: Préadamites. In: DThC 12,2 (1935) 2793-2800.

An, Hosang: Hermann Lotzes Bedeutung für das Problem der Beziehung. (Phil. Diss. Jena 1929. Gutachter: Bruno Bauch.) Jena 1929.

Andersen, W.: Der Existenzbegriff und das existenzielle Denken in der neueren Philosophie und Theologie. Gütersloh 1940.

Anderson, J.A.: Reincarnation. A study of human soul in its relation to re-birth, evolution, post-mortem states, the compound nature of man, hypnotism etc. San Francisco 1893. - Dass. Second edition. Ebd. (u.a.) 1894. - Dass. 4. ed. Ebd. 1896. - Dass. In autorisierter deutscher Bearbeitung von Ludwig Deinhard. Leipzig 1896.

Anderson, J.A.: Septenary man: or, The microcosm of the macrocosm, a stuy of the human soul in relation to the various vehicles, or avenues of consciousness. San Francisco 1895.

Anderson, J.A.: Die Seele, ihre Existenz und wiederholte Verkörperung; kurzgefaßte, an den Ergebnissen der modernen Wissenschaft sich stützende Darstellung der aus den Urquel-len morgenländischer Religionsphilosophie fließender Seelenkunde. Deutsch bearbeitet und mit einer Vorrede versehen von Ludwig Deinhard. Leipzig 1895.

Anderson, J.A.: Karma. A study of the law of cause and effect in relation to rebirth or reincar-nation, post-mortem states of consciousness cycles, vicarious atonement, fate, predesti-nation, free will, forgiveness, animals, suicides, etc. San Francisco, New York 1896.

Anderson, J.A.: The evidence of immortality. San Francisco 1899.

André, H.: Über den Vitalismus und Mechanismus als methodische Prinzipien. In: MNWU 11 (1917) 305-315, 372-382.

André, H.: Die Kirche als Keimzelle der Weltvergöttlichung. Ein Ordnungsbauriß im Lichte biologischer Betrachtung. Leipzig 1921.

André, H.: Das Gesetz der Überwindbarkeit des Todes im Gleichnis biologischer Erkenntnis. In: MedW 9 (1935) 177-181, 503-505.

Angelicum. Periodicum trimestre facultatum theologiae, juris canonici, philosophicae. Roma 1. 1924. - Dass. ab 1963: Periodicum Pontificiae studiorum Universitatis a Sancto Tho-mae Aquinate in Urbe.

Anima. Vierteljahresschrift für praktische Seelsorge. Olten ab 1946.

Antwort. Karl Barth zum 70. Geburtstag am 10.5.1956. Zollikon, Zürich 1956.

Aragó, J.: Die antimetaphysische Seinslehre Nicolai Hartmanns. In: PhJ 67 (1959) 179-204.

Arnaud d'Agnel, G.: La mort et les morts d'après S. Augustin. Paris [1916].

Arndt, A.: Rez. zu J. Zahn. Das Jenseits. In: ALBl 26 (1917) 268.

Arnold, E.: Die Lebenswertung Nietzsches im Glaubenskampf der Gegenwart. In: Die Fur-che 6 (1916) 333-337.

Arnold, F.X.: Eduard Spranger zum Gedächtnis. In: ThQ 143 (1963) 477-483.

Arnold, H.: Was wird aus uns nach dem Tod? Eine populär-naturphilosophische Abhand-lung in Form eines Vortrags. Leipzig 1891.

Arnold, H.: Anfang und Ende der menschlichen Persönlichkeit. Eine kurzgefaßte allgemein verständliche Philosophie des menschlichen Daseins. Leipzig 1892.

Arnold, H.: Zwei Welten. Eine Sammlung gut beglaubigter Erlebnisse, die in ungesuchter und ungezwungener Art überzeugend beweisen, daß unsere Verstorbenen noch leben und teilnehmend alle unsere Angelegenheiten ... und uns bei unserem Abscheiden von dieser Welt erwarten. Mit erläuternden Anmerkungen hrsg. und allen denen gewidmet, die sich ohne Spiritismus (u. Medien) überzeugen möchten, ob obiges tatsächlich volle Wahrheit ist. (Die Brücke zum Jenseits. Bd. 3.) Wiesbaden [1920].

Arnold, U.: Die Entelechien. Systematik bei Platon und Aristoteles. (ÜA. 2.) Wien und München [1965].

Aschhoff, L.: Rudolf Virchow, Wissenschaft und Weltgeltung. (Geistiges Europa.) Hamburg 1940.

Asemissen, H.U.: Helmuth Plessner: Die exzentrische Position des Menschen. In: Grundprobleme der großen Philosophen. Philosophie der Gegenwart II. S. 146-180.

Asendorf, U.: Eschatologie bei Luther. Göttingen 1967.

Asmussen, H.: Finitum capax infiniti. In: ZZ 5 (1927) 70-81.

Atzberger, L.: Die christliche Eschatologie in den Stadien ihrer Offenbarung im Alten und Neuen Testamente. Mit besonderer Berücksichtigung der jüdischen Eschatologie im Zeitalter Christi. Freiburg i/B. 1890.

Atzberger, L.: Geschichte der christlichen Eschatologie innerhalb der vornizänischen Zeit. Freiburg 1896.

Atzberger, L.: Auferstehung des Fleisches. In: KHL 1 (1907) 400-401.

Atzberger, L.: Eschatologie. In: KHL 1 (1907) 1349.

Atzberger, L.: Fegfeuer. In: KHL 1 (1907) 1434-1436.

Atzberger, L.: Gericht. In: KHL 1 (1907) 1659-1660.

Atzberger, L.: Unterwelt. In: KHL 2 (1912) 2517-2518.

Atzberger, L.: Rez. zu B. Bartmann. Lehrbuch der Dogmatik. In: LRKD 38 (1912) 325-326.

Auberlen, K.A.: Die Theosophie Friedrich Christoph Oetingers, nach ihren Grundzügen. Ein Beitrag zur Dogmengeschichte und zur Geschichte der Philosophie. Mit einem Vorwort von R. Rothe. Basel 1847, [2]1859.

Auberlen, K.A.: Der Prophet Daniel und die Offenbarung Johannis in ihrem gegenseitigen Verhältnis betrachtet und in ihren Hauptstellen erläutert. Mit einer Beilage von M. Fr. Roos. Basel 1854, [2]1857.

Aubert, R.: Karl Adam. In: TdTh. S. 156-162.

Auer, A.: Kommentar zum 3. Kapitel des 1. Teils der pastoralen Konstitution über die Kirche in der Welt von heute "Gaudium et spes". In: LThK - 2.V.K. Bd. 3. S. 377-397.

Auer, A.: Karl Adam. In: ThQ 150 (1970) 131-140.

Auer, J.: Das Eschatologische, eine christliche Grundbefindlichkeit. In: Festschrift Kardinal Faulhaber. S. 71-90.

Auer, J.: Die Bedeutung der "Modellidee" für die "Hilfsbegriffe" des katholischen Dogmas. In: Einsicht und Glaube. S. 259-279.

Auer, J.: Modelldenken. In: LThK[2] 7 (1962) 508.

Auer, J.: Zum Begriff der Dogmengeschichte. In: MThZ 15 (1964) 146-149.

Auer, J.: Heinrich Klee 1800-1840. In: Bonner Gelehrte - Katholische Theologie. S. 26-38.

Auer, J.: Das Evangelium der Gnade. Die neue Heilsordnung durch die Gnade Christi in seiner Kirche. (KKD. Bd. 5.) Regensburg 1970.

Auer, J.: Auferstehung des Fleiches. In: MThZ 26 (1975) 17-37.

Auer, W.: Die theologische Grundposition Reinhold Seebergs im Blick auf die Auseinandersetzung über theozentrische und anthropozentrische Theologie. (Theol. Diss. Heidelberg 1937.) Berlin 1937. - Dass. (NDF. Abt. Religions- und Kirchengeschichte. Bd. 3 = Bd. 155 [der Gesamtreihe].) Berlin 1937.

Auf dem Grunde der Apostel und Propheten. Festgabe für Landesbischof D. Theophil Wurm zum 80. Geburtstag am 7. XII. 1948 dargebracht von ... Hrsg. von Max Loeser. Stuttgart 1948.

Augstein, C.: Der Tod und das Leben. Eine philosophische Betrachtung über das Todesproblem. In: PhSt-B (1950/51) 93-116.

Augustinus. Literarische Beilage zum Korrespondenzblatt für den katholischen Clerus Oesterreichs. Wien ab 1882, bis Jg. 58 (1939).

Augustinus, A.: Confessiones/Bekenntnisse. Lateinisch und deutsch. (Eingeleitet, übersetzt und erläutert von Joseph Bernhart.) München. (Zweite Auflage 1960.) Zitiert: C/B.

Augustinus, A.: Enchiridion de fide, spe et caritate. Handbüchlein über Glaube, Hoffnung und Liebe. Text und Übersetzung mit Einleitung und Kommentar hrsg. von Josph Barbel. (Testimonia. 1.) Düseldorf (1960). Zitiert: E/H.

Aus der Geisteswelt des Mittelalters. Studien und Texte, Martin Grabmann zur Vollendung des 60. Lebensjahres von Freunden und Schülern gewidmet. Hrsg. von Albert Lang, Jos. Lechner, Mich. Schmaus. (BGPhMA. Supplimentband 3.) Halbbd. 1. 2. Münster 1935.

Aus der Theologie der Zeit. Hrsg. im Auftrag der Theologischen Fakultät München von Gottlieb Söhngen. Regensburg 1948.

Aus der Vergangenheit der Universität Würzburg. Festschrift zum 350jährigen Bestehen der Universität. Hrsg. von Max Buchner. Berlin 1932.

Avenarius, R.: Über die Stellung der Psychologie zur Philosophie. Eine Antrittsvorlesung. In: VWPh 1 (1877) 471-488.

Avenarius, R.: Der menschliche Weltbegriff. Leipzig 1891. - Dass. 2., nach dem Tode des Verfassers hrsg. Auflage. Ebd. 1905.

Babolin, A.: Romano Guardini. In: EF² 3 (1967) 391-394.

Babolin, A.: Romano Guardini, filosofo dell'alterità. 1. Realtà e persona. 2. Situazione umana ed esperienza religiosa. 2 Bde. Bologna 1968-1969.

Bachelard, G.: La dialectique de la durée. Dijon 1936.

Bachmann, Ph.: Der 2. Brief des Paulus an die Korinther ausgelegt. (KNT. 8.) Dritte, durchgesehene Auflage. Leipzig 1918.

Bachmann, Ph.: Tod oder Leben? Fragen und Gewißheiten über Sterben und Unsterblichkeit, Himmel und Hölle, Seelenwanderung und Seligkeit, Menschheitskampf und Menschheitsvollendung. Stuttgart 1920.

Bachmann, Ph.: Der 1. Brief des Paulus an die Korinther ausgelegt. (KNT. 7.) Leipzig 1923.

Bachmann, Ph.: Der neutestamentliche Ausblick in die Endgeschichte und seine Bedeutung für die Gegenwart. In: NKZ 39 (1928) 25-46, 85-109, 171-190.

Bačinskas, P.: Geistbegriff bei Max Scheler. (Phil. Diss. Innsbruck 1948.) Innsbruck 1948 (M.schr.).

Backes, I.: Rez. zu E. Krebs. Was kein Auge gesehen. ¹²1937. In: PastBon 48 (1937) 115.

Baden, H.J.: Der Tod. In: ThStKr (1937/38) 142-166.

Bader, D.: Der Weg Loisys zur Erforschung der christlichen Wahrheit. (Theol. Diss. Freiburg 1973.) Freiburg 1973 (M.schr.).

Bäumer, R.: Bernhard Bartmann. In: LThK² 2 (1958) 16.

Bäumer, R.: Emil Göller. In: LThK² 4 (1960) 1048.

Bäumer, R.: Leonhard Lessius (Leys). In: LThK² 6 (1961) 981-982.

Bäumer, R.: Albert Ritschl. In: LThK² 8 (1963) 1324-1325.

Bäumker, Cl.: Über die Philosophie Henri Bergsons. In: PhJ 25 (1912) 1-23.

Bäumker, Cl.: Das Ringen der Mächte im philosophischen Weltanschauungskampf der Gegenwart. In: JVVKA (1923) 34-54.

Bahnsen, J.F.A.: Beiträge zur Charaktereologie mit besonderer Berücksichtigung pädagogischer Fragen. In: Höhere Bürgerschule in Lauenburg i.P. - Vierter Jahresbericht, durch welchen zur Öffentlichen Prüfung, Schlußfeierlichkeit und Abiturienten-Entlassung auf Donnerstag den 29. und Freitag den 30. September ehrerbietigst einladet. Der Rector Dr. H.A. Bahrdt. Lauenburg 1864. S. 3-22.

Bahnsen, J.F.A.: Beiträge zur Charaktereologie. Mit besonderer Berücksichtigung pädagogischer Fragen. 2 Bde. Leipzig 1867. - Dass. Mit Zusätzen aus dem handschriftlichen Nachlaß hrsg. und eingeleitet von J. Rudert. 2 Bde. Ebd. 1932.

Bahnsen, J.: Zur Philosophie der Geschichte. Eine kritische Besprechung des Hegel-Hartmann'schen Evolutionismus aus Schopenhauer'schen Principien. Berlin 1871.

Baldensperger, W.: Die neueren kritischen Forschungen über die Apokalypse Johannis. (Vortrag, gehalten auf der Gießener theologischen Conferenz.) In: ZThK 4 (1894) 232-250.

Ballauff, Th.: Bibliographie der Werke von und über Nicolai Hartmann einschließlich der Übersetzungen. In: Nicolai Hartmann. Der Denker und sein Werk. S. 286-312.

von Balthasar, H.U.: Apokalypse der deutschen Seele. Studie zu einer Lehre von den letzten Haltungen. Bd. 1: Der deutsche Idealismus. Bd. 2: Im Zeichen Nietzsches. Bd. 3: Die Vergöttlichung des Todes. Salzburg, Leipzig 1937-1939.

von Balthasar, H.U.: Martin Heideggers Philosophie vom Standpunkt des Katholizismus. In: StZ 137. Bd. 70 (1939) 1-8.

von Balthasar, H.U.: Analogie und Dialektik. Zur Klärung der theologischen Prinzipienlehre Karl Barths. In: DTh 22 (1944) 171-216.

von Balthasar, H.U.: Prometheus. Studien zur Geschichte des deutschen Idealismus. (2. (unveränderte) Auflage des ersten Bandes der Apokalypse der deutschen Seele.) Heidelberg 1947.

von Balthasar, H.U.: Theologie der Geschichte. Ein Grundriß. (ChHe. 1, 8.) Einsiedeln 1950, ²1953.- Dass. 3. Auflage. Neue Fassung. Ebd. 1959, ⁵1962.

von Balthasar, H.U.: Karl Barth. Darstellung und Bedeutung seiner Theologie. Köln 1951, ²1962.

von Balthasar, H.U.: Der Tod im heutigen Denken. In: Anima 11 (1956) 292-299.

von Balthasar, H.U.: Eschatologie. In: FThH. S. 403-421.

von Balthasar, H.U.: Das Ganze im Fragment. Aspekte der Geschichtstheologie. (Einsiedeln) (1963).

von Balthasar, H.U.: Zuerst das Reich Gottes. Einsiedeln 1966.

von Balthasar, H.U.: Abstieg zur Hölle. In: ThQ 150 (1970) 193-201.

von Balthasar, H.U.: antwortet Boros. In: Orientierung 34 (1970) 38-39.

von Balthasar, H.U.: Romano Guardini. Reform aus dem Ursprung. (MAS. 53.) München 1970.

von Balthasar, H.U.: Die Wahrheit ist symphonisch. Aspekte des christlichen Pluralismus. Einsiedeln 1972.

von Balthasar, H.U.: Eschatologie im Umriß. In: Ders. Pneuma und Institution. Skizzen zur Theologie. IV. Einsiedeln 1974. S. 410-454.

Baltzer, O.: Praktische Eschatologie. Die christliche Hoffnung in der gegenwärtigen Evangeliums-Verkündigung. (PThHB. Bd. 9.) Göttingen 1908.

Bamberger, F.: Untersuchung zur Entstehung des Wertproblems in der Philosophie des 19. Jahrhunderts. 1. Lotze. Halle 1924.

Bannes, J.: Versuch einer Darstellung und Beurteilung der Grundlagen der Philosophie Edmund Husserls. Breslau 1930.

Bardenhewer, O.: Geschichte der altkirchlichen Literatur. Freiburg 1902-1903. - Dass. verschiedene Auflagen. Freiburg 1913-1932. - Davon reprographischer Nachdruck. Darmstadt 1962.

Baring, N.: Wilhelm Diltheys Philosophie der Geschichte. (Phil. Diss. Freiburg 1936.) Bückeburg 1936.

Barnikol, E.: Albert Eichhorn. In: NDB 4 (1959) 379.

Baronius, C.: Annales ecclesiastici. 12 tom. Romae 1588-1607. - Dass. 38. tom. (A. D. 1 - 1565) auctore Caesare Baronio ... una cum critica historico-chronologica P. Antonii Pagii. (Hrsg. von J. D. Mansi und D. Georgius.) Lucae 1738-1759.

Bartels, E.: Ludwig Klages. Seine Lebenslehre und der Vitalismus. (MNPh. 1.) Meisenheim 1953.

Barth, H.: Christliche und idealistische Deutung der Geschichte. In: ZZ 3 (1925) 154-182.

Barth, H.: Die idealistische Philosophie und das Christentum. In: ZZ 6 (1928) 46-58.

Barth, H.: Kant und die moderne Metaphysik. In: ZZ 6 (1928) 406-428.

Barth, H.: Philosophie und Christentum. In: ZZ 7 (1929) 142-156.

Barth, H.: Ontologie und Idealismus. Eine Auseinandersetzung mit M. Heidegger. In: ZZ 7 (1929) 511-540.

Barth, H.: Philosophie, Theologie und Existenzproblem. In: ZZ 10 (1932) 99-124.

Barth, K.: Moderne Theologie und Reichsgottesarbeit. In: ZThK 19 (1909) 317-321.

Barth, K.: Der christliche Glaube und die Geschichte. In: ZSTH 29 (1912) 1-17, 49-72.

Barth, K., Thurneysen, E.: Suchet Gott, so werdet ihr leben! (Predigten.) Bern 1917. - Dass. (Wiederabdruck der 1. Auflage.) München 1928.

Barth, K.: Der Römerbrief. Bern 1919. - Dass. 2. Auflage in neuer Bearbeitung. München 1922. - Dass. 2. Abdruck der neuen Bearbeitung. Ebd. 1923. - Dass. 3. Abdruck der neuen Bearbeitung. Ebd. 1924.

Barth, K.: Das Problem des Ursprungs in der platonischen Philosophie. Antrittsvorlesung. München 1921.

Barth, K.: Die Auferstehung der Toten. Eine akademische Vorlesung über 1. Kor. 15. München 1924, ²1926.

Barth, K.: Die dogmatische Prinzipienlehre bei Wilhelm Herrmann. In: ZZ 3 (1925) 246-280.

Barth, K.: Schleiermacher. In: ZZ 5 (1927) 422-464.

Barth, K.: Verheißung, Zeit, Erfüllung. Biblische Betrachtung. In: ZZ 9 (1931) 457-463.

Barth, K.: Die protestantische Theologie im 19. Jahrhundert. Ihre Vorgeschichte und ihre Geschichte. Zollikon, Zürich 1947.

Barth, P.: Zu Hegel's und Marx' Geschichtsphilosophie. In: AGPh 8 (1895) 315-335.

Bartmann, B.: St. Paulus und St. Jakobus über die Rechtfertigung. (BSt. II/1.) Freiburg 1897.

Bartmann, B.: Rez. zu E. Ménégoz. Die Rechtfertigungslehre nach Paulus und nach Jakobus. In: ThRv 2 (1903) 198-199.

Bartmann, B.: Das Himmelreich und sein König nach den Synoptikern biblisch-dogmatisch dargestellt. Paderborn 1904.

Bartmann, B.: Dogmatische Vorlesungen, gehalten an der Bischöflichen Fakultät zu Paderborn und für die Zuhörer als Manuskript gedruckt. (S.-S. 1905 - W.-S. 1906/07.) Paderborn 1905-1907.

Bartmann, B.: Christus, ein Gegner des Marienkultes? Jesus und seine Mutter in den heiligen Evangelien. Gemeinverständlich dargestellt. Freiburg 1909.

Bartmann, B.: Rez. zu J. Boehmer. Der religionsgeschichtliche Rahmen des Reiches Gottes. In: ThGl 1 (1909) 671.

Bartmann, B.: Rez. zu P. Torge. Seelenglauben und Unsterblichkeitshoffnung im Alten Testament. In: ThGl 1 (1909) 842-843.

Bartmann, B.: Lehrbuch der Dogmatik. Freiburg ²1911.

Bartmann, B.: Rez. zu P. Metzger. Der Begriff des Reiches Gottes. In: ThGl 3 (1911) 162.

Bartmann, B.: Lehrbuch der Dogmatik. Zweite, vermehrte und verbesserte Auflage. (ThB.) 2 Bde. Freiburg 1912.

Bartmann, B.: Das Reich Gottes in der Heiligen Schrift. (BZfr. 5.F. H. 4/5.) Münster 1912.

Bartmann, B.: Rez. zu P. Feine. Theologie des Neuen Testaments. In: ThGl 4 (1912) 862-864.

Bartmann, B.: Rez. zu Th. Specht. Lehrbuch der Dogmatik. In: ThRv 12 (1913) 578-579.

Bartmann, B.: Rez. zu G. Zietlow. Der Tod. In: ThRv 12 (1913) 579-580.

Bartmann, B.: Maria im Anfang der Scholastik. In: ThGl 5 (1913) 705-715.

Bartmann, B.: Rez. zu G. Schnedermann. Wie der Israelit Jesus der Weltheiland wurde. In: ThGl 5 (1913) 769.

Bartmann, B.: Paulus. Die Grundzüge seiner Lehre und die moderne Religionsgeschichte. Paderborn 1914.

Bartmann, B.: Rez. zu K. Girgensohn. Der Schriftbeweis in der evangelischen Dogmatik einst und jetzt. In: ThGl 7 (1915) 330. - Ders. in: ThRv 14 (1915) 217-219.

Bartmann, B.: Rez. zu R. Seeberg. Ewiges Leben. In: ThGl 7 (1915) 774-775.

Bartmann, B.: Wo sind unsere Toten? In: ThGl 8 (1916) 708-717.

Bartmann, B.: Rez. zu J. Zahn. Das Jenseits. In: ThGl 8 (1916) 855.

Bartmann, B.: Lehrbuch der Dogmatik. Dritte, vermehrte und verbesserte Auflage. 2 Bde. Freiburg 1917-1918.

Bartmann, B.: Rez. zu E.F. Ströter. Das Evangelium Gottes von der Allversöhnung in Christus. In: ThGl 9 (1917) 179.

Bartmann, B.: Rez. zu G. Hoffmann. Der Streit über die selige Schau Gottes. In: ThGl 11 (1919) 445.

Bartmann, B.: Lehrbuch der Dogmatik. Vierte und fünfte verbesserte Auflage. Freiburg 1920-1921. - Dass. Ebd. ⁶1923.

Bartmann, B.: Rez. zu L. Lemme. Endlosigkeit der Verdammnis und allgemeine Wiederbringung. In: ThGl 12 (1920) 50.

Bartmann, B.: Rez. zu E. Bischoff. Das Jenseits der Seele. In: ThGl 12 (1920) 51.

Bartmann, B.: Rez. zu M. Hennig. Die Welt des Jenseits. In: ThGl 13 (1921) 185.

Bartmann, B.: Dogma und Kanzel. Einleitung und Gotteslehre in 54 Entwürfen. Paderborn 1921.

Bartmann, B.: Des Christen Gnadenleben. Biblisch, dogmatisch, aszetisch dargestellt in vierzig Vorträgen. Paderborn 1921. - Dass. ... in sechsundvierzig Vorträgen. Zweite und dritte vermehrte und verbesserte Auflage. Paderborn 1922.

Bartmann, B.: Maria im Lichte des Glaubens und der Frömmigkeit. (KLW. Bd. 8.) Paderborn 1.-21922, 3.-41925.

Bartmann, B.: Dogma und Religionsgeschichte. In: Verzeichnis der Vorlesungen, die an der Bischöflich philosophisch-theologischen Akademie zu Paderborn im Winter-Semester 1922/23 gehalten werden. Mit einer Abhandlung. Paderborn 1922.

Bartmann, B.: Rez. zu A. Schenz. Der Zeitbegriff der Wiederkunft Jesu. In: ThGl 14 (1922) 58.

Bartmann, B.: Rez. zu L. Ihmels. Die Auferstehung Jesu Christi. 51921. In: ThGl 14 (1922) 119.

Bartmann, B.: Rez. zu W. Koepp. Die Welt der Ewigkeit. In: ThGl 14 (1922) 119.

Bartmann, B.: Rez. zu S. Goebel. Auferstehungsgeschichte Jesu. In: ThGl 14 (1922) 376.

Bartmann, B.: Grundriß der Dogmatik. (HThGr.) Freiburg im Breisgau 1923. - Dass. Zweite, neubearbeitete Auflage. Ebd. 1931.

Bartmann, B.: Rez. zu L. Lemme. Christliche Apologetik. In: ThGl 15 (1923) 118.

Bartmann, B.: Mater divinae gratiae. In: ThGl 17 (1925) 16-38.

Bartmann, B.: Rez. zu E. Brunner. Die Mystik und das Wort. In: ThGl 17 (1925) 132.

Bartmann, B.: Rez. zu H. Cremer. Über den Zustand nach dem Tode. In: ThGl 17 (1925) 132.

Bartmann, B.: Rez. zu R. Baxter. Die ewige Ruhe der Heiligen. In: ThGl 17 (1925) 732.

Bartmann, B.: Jesus Christus unser König und Heiland. (KLW.) Paderborn 1.-21926.

Bartmann, B.: Rez. zu J.M. Michael. Von der Auferstehung der Toten, dem jüngsten Gericht und dem Weltende. In: ThGl 18 (1926) 137.

Bartmann, B.: Rez. zu L. Reinhardt. Kennt die Bibel ein Jenseits? 21925. In: ThGl 18 (1926) 441.

Bartmann, B.: Rez. zu A. von Gall. Βασιλεία τοῦ θεοῦ In: ThGl 19 (1927) 125.

Bartmann, B.: Die Schöpfung. Gott. Welt. Mensch. Gemeinverständlich dargestellt. Paderborn 1928.

Bartmann, B.: Lehrbuch der Dogmatik. Siebte verbesserte Auflage. Freiburg 1928.

Bartmann, B.: Das Fegfeuer. Ein christliches Trostbuch. Paderborn 1929. - Dass. Dritte Auflage mit einem neuen Vorwort. Ebd. 1934.

Bartmann, B.: Rez. zu J. Witte. Das Jenseits im Glauben der Völker. In: ThGl 21 (1929) 667.

Bartmann, B.: Unser Vorsehungsglaube. Paderborn 1931.

Bartmann, B.: Rez. zu E. Weberitz (!) »Eschatologie« und »Mystik« im Neuen Testament. In: ThGl 23 (1931) 404.

Bartmann, B.: Rez. zu A. Schweitzer. Die Mystik des Apostels Paulus. In: ThGl 23 (1931) 654-656.

Bartmann, B.: Lehrbuch der Dogmatik. Achte, durch Ergänzungen erweiterte Auflage. Erster Band: Formalprinzipien. Gott, einer und dreifaltiger, Schöpfer, Erlöser. Zweiter (Schluß-) Band: Gnade, Kirche, Sakramente, Eschatologie. (ThBib.) Freiburg im Breisgau 1932.

Bartmann, B.: Die Erlösung. Sünde und Sühne. Paderborn 1933.

Bartmann, B.: Rez. zu J. Kroll. Gott und Hölle. In: ThGl 25 (1933) 645-646.

Bartmann, B.: Positives Christentum in katholischer Wesensschau. Paderborn 1934.

Bartmann, B.: Maria. Mutter des Erlösers. Eine dogmatische Maibetrachtung. In: ThGl 26 (1934) 265-273.

Bartmann, B.: Rez. zu J.B. Walz. Die Fürbitte der Armen Seelen und ihre Anrufung durch die Gläubigen auf Erden. 21933. In: ThGl 26 (1934) 378.

Bartmann, B.: Rez. zu F. Guntermann. Die Eschatologie des hl. Paulus. In: ThGl 26 (1934) 502.

Bartmann, B.: Moderne Marienideale. In: ThGl 27 (1935) 30-43.

Bartmann, B.: Rez. zu L. Landsberg. Erfahrung des Todes. In: ThGl 29 (1937) 468.

Bartmann, B.: Der Glaubensgegensatz zwischen Judentum und Christentum. Paderborn 1938.

Bartmann, B.: Rez. zu K. Heim. Jesus der Weltvollender. In: ThGl 30 (1938) 337.

Bartmann, B.: Der Katholizismus. Sein Stirb und Werde. (Aufsatz zu dem gleichnamigen Buch von G. Mensching.) Dogmatische Fragen. In: ThGl 30 (1938) 125-162.

Bartmann, B.: Aus meinem Leben. Fragment einer Autobiographie, veröffentlicht zum 15. Jahrestag seines Todes (1.8.1938). In: ThGl 43 (1953) 359-373.

Bauch, B.: Philosophie des Lebens und der Werte. Langensalza 1927.

Bauch, B.: Selbstdarstellung. In: DSPh. Bd. 1. S.225-280.

Bauch, B.: Heinrich Rickert † In: BlDPh 11 (1937/38) 45-51.

Baudi von Vesme, C.: Storia dello Spiritismo. Torino 1896. - Dass. deutsch: Geschichte des Spiritismus. 3 Bde. Luzern 1898-1900.

Bauer, I.: Die Tragik in der Existenz des modernen Menschen bei G. Simmel. Berlin (1962).

Bauer, K.: Die geistige Heimat F. Chr. Baurs. In: ZThK N.F. 4 (1923) 63-73.

Bauer, K.: Zur Jugendgeschichte von F.Chr. Baur (1805-1807). In: ThStKr 95 (1923/24) 303-315.

Bauer, K.: Ferdinand Christian Baur. In: RGG² 1 (1927) 817-820.

Baumann, W.X.: Das Problem der Finalität im Organischen bei Nicolai Hartmann. (Phil. Diss. München 1955.) O.O. 1954. - Dass. (MPhF. 16.) Meisenheim/Glan 1955.

Baumgartner, H.M.: Lebensphilosophie. In: SM 3 (1969) 176.

Baur, F.Ch.: Die Christuspartei in der korinthischen Gemeinde; der Gegensatz des petrinischen und paulinischen Christentums in der ältesten Kirche. In: TZTh (1831) H. 4. S. 61-136.

Baur, F.Ch.: Einige weitere Bemerkungen über die Christuspartei in Korinth. In: TZTh (1836) H. 4. S. 1-32.

Baur, F.Ch.: Die christliche Lehre von der Versöhnung in ihrer geschichtlichen Entwicklung. Tübingen 1838.

Baur, F.Ch.: Paulus, der Apostel Jesu Christi. Ein Beitrag zu einer kritischen Geschichte des Urchristentums. Stuttgart 1845.

Baur, F.Ch.: Kritische Untersuchungen über die kanonischen Evangelien. Tübingen 1847.

Baur, F.Ch.: Epochen der kirchlichen Geschichtsschreibung. Tübingen 1852.

Baur, F.Ch.: Die christliche Kirche der ersten drei Jahrhunderte. Tübingen 1853.

Baur, L.: Rez. zu E. Adickes. Charakter und Weltanschauung. In: ThQ 87 (1905) 643-645.

Baur, L.: Paul von Schanz. In: KVZ Nr. 471 (8.6.1905).

Baur, L.: Abstammung. In: KHL 1 (1907) 29-33.

Baur, L.: Entwicklung. In: KHL 1 (1907) 1307-1309.

Baur, L.: Monismus. KHL 2 (1912) 1008-1012.

Baur, L.: Rez. zu J. Zahn. Das Jenseits. In: ThQ 98 (1916) 127-128.

Baur, L.: Abstammung. In: LThK¹ 1 (1930) 46-51.

Baur, L.: Eduard von Hartmann. In: LThK¹ 4 (1932) 833-834.

Baur, L.: Monismus. In: LThK¹ 7 (1935) 276-281.

Bautz, J.: Die Lehre vom Auferstehungsleib, nach ihrer positiven und spekulativen Seite. Paderborn 1877.

Bautz, J.: Der Himmel. Spekulativ dargestellt. Mainz 1881.

Bautz, J.: Die Hölle. Mainz 1882, ²1905.

Bautz, J.: Das Fegfeuer. Mainz 1883.

Bautz, J.: Weltgericht und Weltende. Mainz 1886.

Bautz, J.: Grundzüge der christlichen Apologetik. Mainz 1887, ³1906.

Bautz, J.: Grundzüge der katholischen Dogmatik. 4 Bde. Mainz 1888-1893, ²1899-1903.

Bautz, J.: Hölle. In: KL² 6 (1889) 112-124.

Baxter, R.: The saints everlasting rest. London 1649. - Davon zahlreiche deutsche Übersetzungen. U.a.: Nach der neuesten englischen Ausgabe. Mit einem Vorwort von S.K. von Kapff. Stuttgart ¹⁰1924.

Becher, E.: Philosophische Voraussetzungen der exakten Naturwissenschaften. Leipzig 1907.

Becher, E.: Gehirn und Seele. Heidelberg 1911.

Becher, E.: Naturphilosophie. (KdG. III. 7, 1.) Leipzig 1914.

Becher, E.: Weltgebäude, Weltgesetze, Weltentwicklung. Berlin 1915.

Becher, E.: Zur Kritik des parallelistisch-spiritualistischen Monismus. In: ZPhPhKr 161 (1916) 42-68.

Becher, E.: Die fremddienliche Zweckmäßigkeit der Pflanzengallen und die Hypothese eines überindividuellen Seelischen. Leipzig 1917.

Becher, E.: Die Geisteswissenschaften und die Naturwissenschaften. München 1921.

Becher, E.: Metaphysik und Naturwissenschaften. München 1926.

Beck, J.T.: Umriß der biblischen Seelenlehre. Ein Versuch. Stuttgart 1843. - Dass. 3. vermehrte und verbesserte Auflage. Ebd. 1871.

Beck, J.T.: Erklärung der Offenbarung Johannis 1-12. Posth. hrsg. von J. Lindenmeyer. Gütersloh 1883.

Beck, J.T.: Erklärung des Briefes Pauli an die Römer. Hrsg. von J. Lindenmeyer. 2 Bde. Gütersloh 1884.

Beck, J.T.: Vollendung des Reiches Gottes. Posth. hrsg. von J.Lindenmeyer. Gütersloh 1887.

Beck, J.T.: Vorlesungen über christliche Glaubenslehre. Posth. hrsg. von J. Lindenmeyer. Gütersloh 1887.

Beck, M.: Referat und Kritik von Martin Heidegger: »Sein und Zeit«. In: PhH 1 (1928/29) 5-44.

Beck, M.: Kritische Auseinandersetzung mit den ethischen Grundprinzipien der Gegenwart. (Mit bes. Berücksichtigung der Lehren von Dilthey und Nicolai Hartmann.) In: PhH 1 (1928/29) 69-104.

Beck, M.: Ideelle Existenz. In: PhH 1 (1928/29) 151-239.

Beck, M.: Hermeneutik und philosophia perennis. In: PhH 2 (1930) 13-46.

Beck, M.: Der phänomenologische Idealismus, die phänomenologische Methode und die Hermeneutik im Anschluß an Theodor Celms: "Der phänomenologische Idealismus Husserls". (Sonderdruck aus: AUL XIX. Riga 1928.) In: PhH 2 (1930) 97-101.

Beck, M.: Rez. zu M. Dessoir. Vom Jenseits der Seele. ⁴1931. In: PhH 3 (1931) 92-93.

Becker, O.: Mathematische Existenz. Untersuchungen zur Logik und Ontologie mathematischer Phänomene. Halle 1927.

Becker, O.: Die Philosophie Edmund Husserls. In: Kantst 35 (1930) 119-150.

Becker, O.: Zur Logik der Modalitäten. Halle 1930.

Becker, O.: Einführung in die Logik, vorzüglich in den Modalkalkül. Meisenheim/Glan 1951.

Becker, O.: Grundlagen der Mathematik in geschichtlicher Entwicklung. (OA. 2/6.) Freiburg, München 1954, ²1964.

Becker, O.: Das mathematische Denken in der Antike. (StHAW. 3.) Göttingen 1957.

Becker, O.: Größe und Grenzen der mathematischen Denkweise. Freiburg, München 1957.

Becker, O.: Dasein und Dawesen. Gesammelte Aufsätze. Pfullingen 1963.

Becker, W.: Karl Neundörfer. In: LThK¹ 7 (1935) 519-520.

Becker, W.: Nachwort. In: J.H. Newman. Der Antichrist nach der Lehre der Väter.

Beckmann, F.: Houston Stewart Chamberlains Stellung zum Christentum. (Ev.-theol. Diss. Tübingen 1943.) O.O. 1943 (M.schr.)

Beckmann, J.: Die Religion als Erfahrung. Stanges kritische Religionsphilosophie. In: ZZ 3 (1925) 89-113.

Beemelmans, F.: Zeit und Ewigkeit nach Thomas von Aquino. (BGPhMA. Bd. 17. H. 1.) Münster 1914.

Beerling, R.F.: Moderne doodsproblematiek. Een vergelijkende studie over Simmel, Heidegger en Jaspers. Delft 1945 und 1946.

Behler, E.: Henri Bergson. - Bergsonianismus. In: LThK² 2 (1958) 227-228.

Behler, E.: Pietro Pompanazzi. In: LThK² 8 (1963) 604-605.

Behm, J.: Johannesapokalypse und Geschichtsphilosophie. In: ZSTh 2 (1934) 323-344.

Beinert, W.: Rez. zu G. Greshake. Stärker als der Tod. In: ThRv 73 (1977) 225-226.

Beiträge zur Weiterentwicklung der christlichen Religion. Hrsg. von A. Deißmann, A. Dorner, R. Eucken, H. Gunkel, W. Herrmann, F. Meyer, W. Rein, L. von Schroeder, G. Traub, G. Wobbermin. München 1905.

Bekenntnis zur Kirche. Festgabe für Ernst Sommerlath zum 70. Geburtstag 1960. Berlin 1960.

Belke, I. (Hrsg.): Moritz Lazarus und Heymann Steinthal. Die Begründer der Völkerpsychologie in ihren Briefen. Mit einer Einleitung. (SWALBI. 21.) Tübingen 1971.

Bellersen, H.: Die Sozialpädagogik P. Natorps im Lichte der christlichen Weltanschauung.

Eine religionsphilosophische Behandlung der Schulfrage in ihren Grundproblemen. Paderborn 1928.

Bellersen, H.: Paul Natorp. In: LThK¹ 7 (1935) 449-450.

Belser, J.: Die Selbstverteidigung des hl. Paulus. Biblisch-patristische Studie. (BSt. I. 3.) Freiburg 1896.

Belser, J.: Rez. zu B. Bartmann. Das Himmelreich und sein König. In: ThQ 87 (1905) 445-447.

Benckert, H.: Ernst Troeltsch. In: RGG³ 6 (1962) 1044-1047.

Benckert, H.: Rez. zu R. Guardini. Religion und Offenbarung. In: ThLZ 89 (1964) 378-379.

Bender, J.: Dem Weltuntergang entgegen. Gründe für den Eintritt des Endes der Zeiten im 20. Jahrhundert, nebst einigen sehr bösen Bemerkungen über das Verhältnis zwischen Bibelglauben und moderner Wissenschaft, sowie einem tröstlichen Ausblick auf die nähere Zukunft Deutschlands. Hildesheim o.J. - Ders.: Der Untergang der Welt. Ein Spiegelbild der letzten Zeiten nebst Gründen für den Eintritt des Endes der Zeiten im 20. Jahrhundert, zugleich mit einigen sehr bösen Bemerkungen über das Verhältnis zwischen Bibelglauben und moderner Wissenschaft. 5. umgearbeitete und sehr stark vermehrte Auflage. Ebd. (1923.).

Bender, W.: Schleiermachers Theologie mit ihren philosophischen Grundlagen. 2 Bde. Nördlingen 1876.

Bender, W.: Schleiermacher und die Frage nach dem Wesen der Religion. Bonn 1877.

Benediek, H.: Der Gegensatz von Seele und Geist bei Ludwig Klages. Grundlinien seiner philosophischen Systematik. (FF. 2.) Werl 1935.

Bengel, J.A.: Erklärte Offenbarung Johannis. Stuttgart. 1740.

Bengel, J.A.: Ordo temporum. Ulm 1741.

Bengel, J.A.: Gnomon Novi Testamenti. Tübingen 1742. - Dass.: Gnomon novi Testamenti (deutsch). Auslegung des Neuen Testaments in fortlaufenden Anmerkungen. Deutsch von C.F. Werner. Unveränderter Abdruck der 3. Auflage von 1876. 6. Auflage. Bd. 1.2, T. 1.2. (Sammling Heinsius. 2.) Berlin 1952. - Dass. 7. Auflage. Stuttgart (Berlin 1959-1960).

Benz, E.: Das Todesproblem in der stoischen Philosophie. Stuttgart 1929.

Benz, E.: Ecclesia spiritualis. Kirchenidee und Geschichtstheologie der franziskanischen Reformation. Stuttgart 1934. - Dass. Reprographischer Nachdruck. Ebd. 1964 und 1969.

Benz, E.: Der Mensch in christlicher Sicht. In: NA. 6. Stuttgart 1975. S. 373-429.

Benz, E.: Die Todesvorstellungen der großen Religionen. In: Was ist der Tod? S. 147-163.

Benz, E.: Endzeiterwartung zwischen Ost und West. Freiburg 1973.

Benz, M.: Rez. zu B. Bartmann. Grundriß der Dogmatik. In: DTh Ser. 3. Bd. 2. 11 (1933) 108-109.

Berdjajew, N.: Der Sinn der Geschichte. Versuch einer Philosophie des Menschengeschicks. Mit einer Einleitung des Grafen H. Keyserling. Darmstadt 1925.

Berdjajew, N.: Essai de métaphysique eschatologique. Paris 1946.

Berger, J.: Die Verwurzelung des theologischen Denkens Karl Barths in dem Kerygma der beiden Blumhardts vom Reiche Gottes. (Theol. Diss. Berlin 1956.) (M.schr.).

Bergmann, H.: Untersuchungen zum Problem der Evidenz der inneren Wahrnehmung. Halle 1908.

Bergman, H.: Das philosophische Werk B. Bolzanos mit Benutzung ungedruckter Quellen kritisch untersucht. Halle 1909.

Bergmann, H.: Das Unendliche und die Zahl. Halle 1913.

Bergson, H.: Introduction à la Métaphysique. Paris 1889. - Dass. deutsch: Einführung in die Metaphysik. Jena 1909, ²1920.

Bergson, H.: Essai sur les données immédiates de la conscience. Paris 1889, ²³1924. - Dass. deutsch: Zeit und Freiheit. Eine Abhandlung über die unmittelbaren Bewußtseinstatsachen. Berechtigte Übersetzung (von P. Fohr). Jena 1911, ²1920. - Dass. Lizenzausgabe. Meisenheim a.Gl. 1949.

Bergson, H.: Matière et Memoire. Essai sur les relations du corps à l'esprit. Paris 1896. - Dass. deutsch: Materie und Gedächtnis. Eine Abhandlung über die Beziehung zwischen Körper und Geist. Mit einer Einleitung von W. Windelband. Jena 1908. - Dass. Neu übersetzt von J. Frankenberger. Jena 1919. - Ders.: Materie und Gedächtnis und andere Schriften. Frankfurt 1964.

Bergson, H.: L'Evolution créatrice. Paris 1907. - Dass. deutsch: Schöpferische Entwicklung. Übersetzt von G. Kantorowicz. Jena 1912.

Bergson, H.: Les Deux Sources de la Morale et de la Religion. Paris 1932. - Dass. deutsch: Die beiden Quellen der Moral und der Religion. Jena 1933.

Beringer, C.Ch.: Schopenhauer und Spengler. In: BlDPh 12 (1938/39) 423-429.

Berkhof, H.: Der Sinn der Geschichte: Christus (= Christus, de zin der geschiedenis.) (Aus dem Niederländischen übersetzt von Gerhard Dedeke.) Göttingen und Zürich (1962).

Berkhof, H.: Über die Methode der Eschatologie. Aus dem Holländischen von H.-U. Kirchhoff. In: Diskussion über die "Theologie der Hoffnung" von Jürgen Moltmann. S. 168-180. -Dass. zuerst in: NedThT 19 (1966) 480-491.

Bernard, P.: Communio des Saints, son aspect dogmatique et historique. In: DThC 3, 1 (1907, ³1923) 429-454.

Berndt, B.: Die Bedeutung der Person und Verkündigung Jesu für die Vorstellung vom Reiche Gottes bei Albrecht Ritschl. (Ev.-theol. Diss. Tübingen 1959.) Bühl bei Tübingen 1959.

Bernhart, J.: Rez. zu F. Heiler. Der Katholizismus. In: ÖRR 19 (1923) 1107-1117.

Berning, V.: Das Denken Herman Schells. Die philosophische Systematik seiner Theologie genetisch entfaltet. (BNGKTh. 8.) Essen 1964.

Berning, V.: Der religiöse Schell. Eine unveröffentlichte Studie über den Würzburger Theologen Herman Schell (1850-1906) von seinem Schüler Hugo Paulus (1878-1951). Eingeleitet, hrsg. und kommentiert. In: MThZ 19 (1968) 102-120.

Berning, V.: Modernismus und Reformkatholizismus in ihrer prospektiven Tendenz. In: Die Zukunft der Glaubensunterweisung. S. 9-32.

Berning, V.: Das Wagnis der Treue. Gabriel Marcels Weg zu einer konkreten Philosophie des Schöpferischen. Freiburg, München 1973.

Berning, V.: Gott, Geist und Welt. Herman Schell als Philosoph und Theologe. Einführung in die spekulativen Grundlinien seines Werkes. (APPSRÖ. H. 37 der N.F.) München, Paderborn, Wien 1978.

Berning-Baldeaux, U.: Person und Bildung im Denken Romano Guardinis. (WuE. 28.) Würzburg 1968.

von Bertalanffy, L.: Das Gefüge des Lebens. Leipzig 1937.

Bertholet, A.: Die israelitische Vorstellung vom Zustand nach dem Tode. Ein öffentlicher Vortrag. Freiburg, Tübingen 1899. - Dass. gänzlich umgearbeitete und erweiterte Auflage. (SGV. 16.) Tübingen 1914.

Bertholet, A.: Bernhard Duhm. In: DBJ 10 (1907) 45-52.

Bertholet, A.: Eschatologie, israelitische und jüdische. In: RGG¹ 2 (1910) 598-611.

Bertholet, A.: Gericht Gottes. In: RGG¹ 2 (1910) 1318-1320.

Bertholet, A.: Tod und Totenreich im AT. In: RGG¹ 5 (1913) 1249-1251.

Bertholet, A.: Eschatologie, religionsgeschichtlich. In: RGG² 2 (1928) 320-329.

Bertholet, A.: Gericht Gottes, religionsgeschichtlich, im AT und im Judentum. In: RGG² 2 (1928) 1044-1049.

Bertholet, A.: Himmelfahrt, Himmelreise, religionsgeschichtlich. In: RGG² 2 (1928) 1898.

Bertholet, A.: Dynamismus und Personalismus in der Seelenauffassung. (SGWV. 142.) Tübingen 1930.

Bertholet, A.: Tod und Totenreich, religionsgeschichtlich. In: RGG² 5 (1931) 1189-1195.

Bertholet, A.: Tod und Totenreich im AT. In: RGG² 5 (1931) 1195-1196.

Bertholet, A.: Tod und Totenreich, religionsgeschichtlich. In: RGG³ 6 (1962) 908-911.

Berthoud, A.: L'état des morts d'après la Bible. Lausanne 1910.

Bertram, F.: Die Unsterblichkeitslehre Plato's. Eine von der phil. Fakultät der Universität Würzburg genehmigte Dissertationsschrift von Friedr. Bertram aus Eltville im Rheingau. Halle a/S. 1878.

Beßmer, J.: Philosophie und Theologie des Modernismus. Erklärung des Lehrgehalts der Enzyklika Pascendi, des Dekretes Lamentabili und des Eides wider den Modernismus. Freiburg 1912.

Beßmer, J.: Spiritismus heute. In: StZ 104. Bd. 53 (1923) 414-429.

Beth, K.: Tod, dogmatisch. In: RGG¹ 5 (1913) 1254-1261.

Beth, K.: Unsterblichkeit. In: RGG¹ 5 (1913) 1503-1508.

Beth, K.: Religion und Magie bei den Naturvölkern. Ein religionsgeschichtlicher Beitrag zur Frage nach den Anfängen der Religion. Leipzig 1914.

Beth, K.: Tod, dogmatisch. In: RGG^2 5 (1931) 1198-1202.

Beurlen, K.: Das Gesetz der Überwindbarkeit des Todes. (BNBA. 9.) Breslau 1933.

Beyschlag, W.: Neutestamentliche Theologie oder geschichtliche Darstellung der Lehren Jesu und des Urchristentums nach den neutestamentlichen Quellen. 2 Bde. Halle 1891, ^{2}1896.

von Bezzel, H.: Wozu brauchen wir ein ewiges Leben? Vortrag. München ^{2}1916.

von Bezzel, H.: Ich glaube an die Auferstehung des Fleisches und ein ewiges Leben. Predigt über 2. Korinther Kap. 4 und 5. Nürnberg ^{2}1918.

von Bezzel, H.: Sterbensnot und Sterbenstrost. Worte Hermann Bezzels über Heimweh und Heimat, Tod, Gericht und Ewigkeit, zusammengestellt von Johannes Rupprecht. Stuttgart 1932.

Bianca, G.: Pomponazzi e il problema della personalità umana. Catania 1941.

Biedermann, A.E.: Die freie Theologie oder Philosophie und Christentum im Streit und Frieden. Tübingen 1844.

Biedermann, A.E.: Unsere junghegelsche Weltanschauung oder der sogenannte neueste Pantheismus. Zürich 1849.

Biedermann, A.E.: Stellung und Aufgabe der Philosophie zu der Theologie. Akademische Antrittsrede. Zürich 1850.

Biedermann, A.E.: Christliche Dogmatik. Zürich 1869. - Dass. 2. Auflage. 2 Bde. Berlin 1884-1885.

Biedermann, A.E.: Ausgewählte Beiträge und Aufsätze mit einer biographischen Einleitung von J. Kradolfer. Berlin 1885.

Biedermann, G.: Philosophie des menschlichen Lebens. Des Systems der Philosophie. 3. Theil. Leipzig 1889.

Biesterfeld, W.: Chiliasmus I. In: HWPh 1 (1971) 1001-1005.

Bietak, W.: Die Lebenslehre und Weltanschauung der jüngeren Romantik. Leipzig 1936.

Bietenhard, H.: Das tausendjährige Reich. Eine biblisch-theologische Studie. (Diss. Basel.) Bern 1944. - Dass. 2. vermehrte Auflage. Zürich 1955.

Bihlmeyer, K.: Franz Xaver von Funk. In: LThK^1 4 (1932) 235.

Bihlmeyer, K.: Tübingen. Die heutige kath.-theol. Fakultät. In: LThK^1 10 (1938) 322-323.

Bijdragen. Tijdschrift voor filosofie en theologie. Nijmwegen ab 1938.

Das Bild vom Menschen. Beiträge zur theologischen und philosophischen Anthropologie. Fritz Tillmann zum 60. Geburtstag. (1. November 1934) gewidmet von Schülern und Freunden. Hrsg. von Theodor Steinbüchel und Theodor Müncker. Düsseldorf 1934.

Billot, L.: Quaestiones de Novissimis. Romae 1902. - Dass. Editio tertia aucta et emendata. Ebd. 1908, ^{5}1921, ^{6}1924, ^{7}1938, ^{8}1946.

Billot, L.: De sacra traditione contra novam haeresim Evolutionismi. Romae 1904.

Billot, L.: De immutabilitate traditionis contra modernam haeresim evolutionismi ... editio altera aucta et emendata. Romae 1907, ^{3}1922, ^{4}1929, ^{5}1929.

Billot, L.: La Parousie. Paris 1920, ^{2}1928.

Bilo, C.: Romano Guardini. Een inleeding tot zijn denken. (DOGW. 13.) Tielt, Den Haag 1965.

Bilz, J.: Rez. zu B. Bartmann. Grundriß der Dogmatik. In: ThRv 31 (1932) 167-168.

Binde, W.: Die Psychologie Friedrich Paulsens. (Phil. Diss. Rostock 1929.) Stuttgart 1929.

Bios. Bücherei für erfolgreiches Leben. Leipzig ab 1924.

Birkner, H.J.: Spekulation und Heilsgeschichte. Die Geschichtsauffassung Richard Rothes. (FGLP. 17.) München 1959.

Bischoff, D.: Wilhelm Diltheys geschichtliche Lebensphilosophie. Mit einem Anhang: Eine Kantdarstellung Diltheys. Leipzig 1935.

Bischoff, E.: Das Jenseits der Seele. Zur Mystik des Lebens nach dem Tode. (Unsterblichkeit, ewige Wiederkunft, Auferstehung, Seelenwanderung.) (GW. 18.) Berlin 1919.

Blanke, F.: Wiedertäufer. In: LThK^2 10 (1965) 1107-1109.

Blau, P.: Und dann? 10 biblische Betrachtungen über die persönliche Vollendung. Nebst einem Anhang: Ist Christus wirklich auferstanden? Berlin 1907, ^{3}1916.

Blavatzky, H.P.: The secret doctrine: The synthesis of science, religion, and philosophy. 2 vol.

London 1888. - Dass. Pasadena 1952.

Blavatzky, H.P.: Die Geheimlehre. Die Vereinigung von Wissenschaft, Religion und Philosophie. Kosmogenesis. (Aus dem Englischen der 3. Auflage übersetzt von Robert Froebe. 1.-3. Bd. Leipzig [1920-1921]. - Dass. 4. Index-Bd. Ebd. 1921.

Blavatzky, H.P.: Die Geheimlehre. Die Vereinigung von Wissenschaft, Religion und Philosophie. (Aus dem Englischen übersetzt von Robert Froebe.) [Photomechanischer Nachdruck] Bd. 1-4. Ulm/Donau (1958-[1960]).

Blavatzky, H.P.: Grundriß der Geheimlehre. Zusammengestellt von Franz Hartmann. Leipzig [1919].

Blavatzky, H.P.: The key to theosophy, beeing a clear exposition, in the form of question and answer, of the ethics, sciences, and philosophy for the study of which the Theosophical society has been founded. By H.P. Blavatzky. London, New York 1889. - Dass. Reprinted verbatim from the original ed. first published in 1889. London 1948.

Blavatzky, H.P.: Astral bodies. And The mysteries of the after life. Dialogues. London 1892.

Blavatzky, H.P.: Offener Brief an die christliche Kirche. Berlin [1910?].

Blavatzky, H.P.: The origin of evil. Adyar/Madras 1917.

Blavatzky, H.P.: Die Wanderung der Lebensatome. (Authentischer Schlüssel zum tieferen Verständnis der arisch-philosophischen Lehre von den Sieben okkulten Grundkräften unter besonderer Berücksichtigung des Wiederverkörperungsgesetzes) Ins Deutsche übertragen und mit Einleitung und Erläuterungen versehen von Willy Adelmann-Húttula. Mit einem erklärenden Diagramm der okkulten Grundkräfte. (OW. 96.) Pfullingen in Württemberg

Blavatzky, H.P.: Höllenträume (Nightmare Tales.) Aus dem Englischen von Julius Sylvester. Leipzig ²1925.

Bleek, H.: Die Grundlagen der Christologie Schleiermachers. Die Entwicklung der Anschauungsweise Schleiermachers bis zur Glaubenslehre, mit besonderer Rücksicht auf seine Christologie dargestellt. Freiburg 1898.

Blot, F.-R.: Au Ciel on se reconnait, lettres de consolation, écrites par le R.P. Blot. Paris, Lyon 1863, ²²1902.

Blot, F.R.: Im Himmel erkennt man sich wieder. Trostbriefe geschrieben von P.F. Blot, ... aus dem Französischen, nach der siebenten und mit einer wichtigen Vorrede vermehrten Auflage übersetzt. Mit besonderer Genehmigung des Verfassers. Straßburg 1863. - Dass.: Das Wiedersehen im Himmel ... Mainz 1863, ²1866, ³1869, ⁵1881, ⁶1887, ⁹1898, ¹⁰1900, ¹³1915, ¹⁴1919.

Blot, F.-R.: Ein Blick in das Jenseits. Trostworte für Trauernde über den Verlust geliebter Angehörigen. Nach dem Französischen. Nebst einem Anhang erbaulicher Gebete. Leipzig 1864.

Bocheński, I.M.J.: Europäische Philosophie der Gegenwart. (SDa. 50.) Bern 1947, ²1951.

Bocheński, I.M.: Die zeitgenössischen Denkmethoden. München 1954.

Bode, J.: Lebensauffassung und Lebensgestaltung. Vier Vorträge. (BFM. 25.) Berlin 1911.

Bode, P.: Der kritische Realismus Oswald Külpes. Darstellung seiner Grundlegung. (Phil. Diss. Berlin 1928.) Pforzheim 1928.

Bodenstein, W.: Neige des Historismus. Ernst Troeltschs Entwicklungsgang. Gütersloh 1959.

Böhm, F.: Die Philosophie Heinrich Rickerts. Eine Betrachtung zum 70. Geburtstag des Philosophen am 25. Mai 1933.

Böhmer, J.: Der alttestamentliche Unterbau des Reiches Gottes. Leipzig 1902.

Böhmer, J.: Reichgottesspuren in der Völkerwelt. (BFChTh. X. 1.) Gütersloh 1906.

Böhmer, J.: Das Reich Gottes in Schrift und Kirchengeschichte. (BKFG. 1.) Helmstedt 1908.

Böhmer, J.: Der religionsgeschichtliche Rahmen des Reiches Gottes. Leipzig 1909.

Böhmer, J.: Christentum und Religionsgeschichte. (BKFG. 2.) Helmstedt 1909.

Böhmer, J.: Segnungen der Religionsgeschichte. (LWDV. 33.) Hamburg 1909.

Böklen, E.: Die Verwandtschaft der jüdisch-christlichen mit der parsischen Eschatologie. Göttingen 1902.

Bölsche, W.: Ernst Haeckel. Ein Lebensbild. (MdZ. 8.) Dresden, Leipzig 1900.

Bölsche, W.: Die Abstammung des Menschen. Stuttgart 1904. - Dass. Jubiläumsausgabe. Ebd. 1921.

Bölsche, W.: Was ist Natur? Berlin 1907.

Bösch, J.M.: Friedrich Albert Lange und sein "Standpunkt des Ideals". Frauenfeld 1890.

Bohlin, T.: Die Reich-Gottes-Idee im letzten halben Jahrhundert. (Aus dem Schwedischen übersetzt von Ilse Meyer-Lüne.) In: ZThK 37 N.F. 10 (1929) 1-27.

Bohner, H.: Die Grundlagen der Lotzschen Religionsphilosophie. (Phil. Diss. Erlangen 1914. - Ref.: P. Hensel.) Borna-Leipzig 1914.

Bollnow, O.F.: Die Lebensphilosophie F.H. Jacobis. Stuttgart 1933. - Dass. 2. Auflage Photomechanischer Nachdruck. Ebd. 1966.

Bollnow, O.F.: Dilthey. Eine Einführung in seine Philosophie. Leipzig 1936. - Dass. Stuttgart ²1955.

Bollnow, O.F.: Existenzphilosophie und Geschichte. Versuch einer Auseinandersetzung mit Karl Jaspers. In: BlDPh 11 (1937) 337-378. - Dass. In: Karl Jaspers in der Diskussion. S. 235-273.

Bollnow, O.F.: Existenzerhellung und philosophische Anthropologie. Versuch einer Auseinandersetzung mit Karl Jaspers. In: BlDPh 12 (1938) 133-174. - Dass. In: Karl Jaspers in der Diskussion. S. 185-223.

Bollnow, O.F.: Existenzphilosophie. In: Systematische Philosophie. S. 313-430. - Dass. separat. 3. erweiterte Auflage. Stuttgart 1949. - Dass. 4. erweiterte Auflage. Ebd. 1955, ⁷1969.

Bollnow, O.F.: Existenzialismus. In: Die Sammlung 2 (1946/47) 654-666.

Bollnow, O.F.: Deutsche Existenzphilosophie. (BEStPh. 23.) Bern 1953.

Bollnow, O.F.: Neue Geborgenheit. Das Problem der Überwindung des Existenzialismus. Stuttgart 1955, ²1960.

Bollnow, O.F.: Wilhelm Christian Ludwig Dilthey. In: NDB 3 (1957) 723-726.

Bollnow, O.F.: Wilhelm Dilthey. In: RGG³ 2 (1958) 196-198.

Bollnow, O.F.: Lebensphilosophie. Berlin 1958.

Bollnow, O.F.: Karl Jaspers. In: RGG³ (1959) 549-550.

Bolzano, B.: Athanasia oder Gründe für die Unsterblichkeit der Seele. Sulzbach 1827. - Dass. Neudruck. Prag 1929.

Bolzano, B.: Lehrbuch der Religionswissenschaft. 4 Bde. Sulzbach 1834.

Bolzano, B.: Lebensbeschreibung, mit einigen seiner ungedruckten Aufsätze und dem Bildnis des Verfassers, eingeleitet und erläutert von dem Herausgeber. Sulzbach 1836. - Dass. Selbstbiographie. Mit Anmerkungen und einigen kleineren ungedruckten Schriften Bolzano's. Neue Ausgabe. Wien 1875.

Bolzano, B.: Wissenschaftslehre. Versuch einer ausführlichen und größtenteils neuen Darstellung der Logik mit steter Rücksicht auf deren bisherigen Bearbeiter. Hrsg. von mehreren seiner Freunde. 4 Bde. Sulzbach 1837. - Dass. Leipzig ³1929-1931.

(Bonaventura): Doctoris Seraphici S. Bonaventurae ... Opera omnia ... edita studio et cura PP. Collegii a S. Bonaventura ad plurimos codices MSS. emendata, anectis aucta prolegomenis scholiis notisque illustrata. 10 tom. Ad Claras Aquas MDCCCLXXXII-MCMII.

Bonner Gelehrte. Beiträge zur Geschichte der Wissenschaften in Bonn. Katholische Theologie. (150 Jahre Rheinische Friedrich-Wilhelms-Universität zu Bonn 1818-1968.) Bonn 1968.

Bonnet, Ch.: Essai de psychologie. Leiden 1754. - Dass. deutsch. Lemgo 1773.

Bonnet, Ch.: La Palingénésie philosophique ou idées sur l'état passé et sur l'état future des êtres vivants. 2 Bde. Genève ⁶1769. Dass. deutsch: Über die Unsterblichkeit. Übersetzt von J.K. Lavater. Zürich 1769.

Bonnet, Ch.: Essai analytique sur les facultés de l'âme. O.O. 1760. - Dass. deutsch. Bremen 1770.

Bonnet, Ch.: Considérations sur les corps organisés. Amsterdam 1762. - Dass. deutsch. Lemgo 1775.

Bonnet, Ch.: Contemplation de la nature. Amsterdam 1764. - Dass. deutsch. Lemgo 1803.

Bonus, A.: Religion und Kultur. In: Weltanschauung. S. 393-413.

Bonwetsch, G.N.: Johann Heinrich Kurtz. In: RE³ 11 (1902) 187-190.

de Boor, W.: Der letzte Grund unseres Glaubens an Gott in der Theologie Wilhelm Herrmanns. In: ZThK N.F. 6 (1925) 437-453.

de Boor, W.: Wilhelm Herrmann. In: RGG² 2 (1928) 1836-1838.

Bopp, L.: Dr. Engelbert Krebs. Necrologium Friburgense. Nr. 36. In: FDA 3.F. Bd. 3. 71

(1951) 260-265.

Borchert, A.: Der Animismus oder Ursprung und Entwicklung der Religion aus dem Seelen-, Ahnen- und Geisterkult. Ein kritischer Beitrag zur vergleichenden Religionswissenschaft. (StCSF. 5.) Freiburg 1900.

Bork, A.: Diltheys Auffassung des griechischen Geistes. Berlin 1944.

Bormann, P.: Paul Wilhelm Keppler. In: LThK² 6 (1961) 118-119.

Bornhäuser, K.: Das Recht des Bekenntnisses zur Auferstehung des Fleisches. In: BFChTh 3 (1899) H. 2.

Bornhausen, K.: Das religiöse Apriori bei Ernst Troeltsch und Rudolf Otto. In: ZPhPhKr 139 (1910) 193-206.

Bornhausen, K.: Der religiöse Wahrheitsbegriff in der Philosophie Rudolf Euckens. Göttingen 1910.

Bornhausen, K.: Die Philosophie Henri Bergsons und ihre Bedeutung für den Religionsbegriff. In: ZThK 20 (1910) 39-77.

Bornhausen, K.: Otto Liebmann. In: RGG¹ 3 (1912) 1650.

Bornhausen, K.: Ernst Troeltsch. In: RGG¹ 5 (1913) 1360-1364.

Bornhausen, K.: Das Problem der Wirklichkeit Gottes. Zu Cohens Religionsphilosophie. In: ZThK 27 (1917) 55-75.

Bornhausen, K.: Der Sinn des Lebens und der Glaube an Jesus Christus. Ein Kriegsbekenntnis zu Wilhelm Herrmanns Religion. In: ZThK 28 N.F. 1 (1920) 3-13.

Bornhausen, K.: Die Bedeutung von Wilhelm Herrmanns Theologie für die Gegenwart. In: ZThK 30 (1922) 161-179.

Bornhausen, K.: Ernst Troeltsch und das Problem der wissenschaftlichen Theologie. In: ZThK 31 (1923) 196-223.

Bornhausen, K.: Vom christlichen Sinn des deutschen Idealismus. (BChW. 3.) Gotha 1924.

Bornhausen, K.: Friedrich Albert Lange. In: RGG² 3 (1929) 1482.

Bornhausen, K.: Neukantianismus. In: RGG² 4 (1930) 504-508.

Bornhausen, K.: Georg Simmel. In: RGG² 5 (1931) 496.

Bornhausen, K.: Ernst Troeltsch. In: RGG² 5 (1931) 1284-1287.

Boros, L.: Das Problem der Zeitlichkeit bei Augustinus. (Phil. Diss. München 1954.) O.O. 1954 (M.schr.).

Boros, L.: Entwurf einer philosophischen Eschatologie. In: Orientierung 25 (1961) 252-254; 26 (1962) 4-7, 30-32.

Boros, L.: Mysterium Mortis. Der Mensch in der letzten Entscheidung. Olten, Freiburg 1962, ⁹1971.

Boros, L.: Der neue Himmel und die neue Erde. In: WoWa 19 (1964) 263-279. - Dass. in: Christus vor uns. S. 19-27.

Boros, L.: Leib, Seele und Tod. In: Orientierung 29 (1965) 92-96.

Boros, L.: Zur Theologie des Todes. In: Christus vor uns. S. 90-109.

Boros, L.: Der neue Himmel und die neue Erde. In: Christus vor uns. S. 19-27.

Boros, L.: Aus der Hoffnung leben. Zukunftserwartung im christlichen Denken. (ThPubl. 10.) Olten 1968.

Boros, L.: Der Geist der eschatologischen Neubesinnung. In: Conc 4 (1968) 107-112.

Boros, L.: Zukunft der Hoffnung. In: ACh 15 (1969) 198-210.

Boros, L.: Der Tod in katholischer Sicht - Tod als letzte Entscheidung. In: Alter und Tod - annehmen oder verdrängen? S. 169-179.

Bouillard, H.: Karl Barth I: Genèse et évolution de la théologie dialectique. Paris 1957.

Bouillard, H.: Das Dialektische bei Karl Barth. In: LThK² 3 (1959) 335-337.

Bour, R.-E.: Communio des saints d'après les monuments de l'antiquité chrétienne. In: DThC 3, 1 (1907, ³1923) 454-480.

Bousset, W.: Jesu Predigt in ihrem Gegensatz zum Judentum. Göttingen 1892.

Bousset, W.: Der Antichrist. Göttingen 1895.

Bousset, W.: Kommentar zur Offenbarung Johannis. (KEKNT. 16. Abt. 5. und 6. Auflage.) Göttingen 1896, ²1906.

Bousset, W.: Die Religion des Judentums im neutestamentlichen Zeitalter. Berlin 1902, ²1906.

Bousset, W.: Die jüdische Apokalyptik, ihre religionsgeschichtliche Herkunft und ihre Bedeutung für das Neue Testament. Berlin 1903.

Bousset, W.: Das Wesen der Religion, dargestellt in ihrer Geschichte. Halle 1903, ³1906, ⁴1920.

Bousset, W.: Jesus. (RV. 2.3.) Halle, Tübingen 1904, ⁴1922.

Bousset, W.: Was wissen wir von Jesus? Halle 1904.

Bousset, W.: Der Apostel Paulus. Halle 1904.

Bousset, W.: Das Hauptproblem der Gnosis. Göttingen 1907.

Bousset, W.: Unser Gottesglaube. (RV. 5. R. H. 6.) Tübingen 1908.

Bousset, W.: Die Bedeutung der Person Jesu für den Glauben. Historische und rationale Grundlagen des Glaubens. Vortrag. (Sonderdruck aus: Protokoll des 5. Weltkongresses für freies Christentum und religiösen Fortschritt.) Berlin-Schöneberg 1910.

Bousset, W.: Kyrios Christos. Geschichte des Christusglaubens von den Anfängen des Christentums bis auf Irenäus. Göttingen 1913. - Dass. 2. Auflage hrsg. von G. Krüger und R. Bultmann. Göttingen 1921.

Bousset, W.: Die Religion des Judentums im späthellenistischen Zeitalter. In 3. verbesserte Auflage hrsg. von H. Greßmann. (HNT. 21.) Tübingen 1926.

Boutroux, E.: Rudolf Euckens Kampf um einen neuen Idealismus. Autorisierte Übersetzung von I. Benrubi. Leipzig 1911.

Brachmann, W.: Ernst Troeltschs historische Weltanschauung. (Phil. Diss. Halle 1940.) Halle 1940.

Braig, C.: Natürliche Gotteserkenntnis nach Thomas von Aquin. In: ThQ 63 (1881) 511-596.

Braig, C.: Die Zukunftsreligion des Unbewußten und das Princip des Subjektivismus. Ein apologetischer Versuch. Freiburg i.B. 1882.

Braig, C.: Das philosophische System von Lotze. Freiburg 1884.

Braig, C.: Über das philosophische System von Hermann Lotze. Vortrag. In: Jahresbericht der Section für Philosophie der Görres-Gesellschaft für 1884. Freiburg 1885. S. 22-40.

Braig, C.: Die Freiheit der philosophischen Forschung in kritischer und christlicher Fassung. Eine akademische Antrittsrede mit einer Vorbemerkung. Freiburg 1894.

Braig, C.: Grundzüge der Philosophie. 1. Vom Denken. Abriß der Logik. 2. Vom Sein. Abriß der Ontologie. 3. Vom Erkennen. Abriß der Noetik. Freiburg 1896 - 1896 - 1897.

Braig, C.: Substanz. In: KL² 11 (1899) 939-946.

Braig, C.: Zur Erinnerung an Franz X. Kraus. Freiburg 1902.

Braig, C.: Das Wesen des Christentums an einem Beispiel erläutert oder Adolf Harnack und die Messias-Idee. Ein Vortrag. Freiburg 1903.

Braig, C.: Abriß der Christologie. Freiburg 1906.

Braig, C.: Modernstes Christentum und moderne Religionspsychologie. Zwei akademische Arbeiten. Freiburg 1906, ²1907.

Braig, C.: Wilhelm Wundt. In: Ders. Modernstes Christentum und die Religionspsychologie. ²1907. S. 101-150.

Braig, C.: Was soll der Gebildete von dem Modernismus wissen? (FZB.) Hamm 1908.

Braig, C.: Jesus Christus außerhalb der katholischen Kirche im 19. Jahrhundert. Drei Vorträge mit einer Einführung und einem Nachtrag. In: Jesus Christus. ²1911. S. 117-341.

Braig, C.: Wie sorgt die Enzyklika gegen den Modernismus für die Reinerhaltung der christlich-kirchlichen Lehre? In: Jesus Christus. ¹1908. S. 389-440. - Dass. ²1911. S. 523-577.

Braig, C.: Der Modernismus und die Freiheit der Wissenschaft. Freiburg 1911.

Braig, C.: Die Gotteslehre. Freiburg 1912.

Braig, C.: Rez. zu B. Bartmann. Lehrbuch der Dogmatik. In: LH (1918) 222; (1919) 158.

à Brakel, Th.: Het geestlyk leven ende de stand eens gelovigen mensches hier op aarde, uit Gods Heylig Woord vergadert en by een gestellt. Amsterdam 1648.

à Brakel, D.G.: De trappen Des Geestelycken Levens. Beschreven door Theodorum tot Mackum. En volgens syn bevel na syn Dood in't licht gebracht door W. à Brakel, Th. F. Predikant tot Leeuwarden. De achtste Druck, met een ontledinge des Tractaets, ende met het Afsterven des Autheurs vermeerdert. Amsterdam 1670.

Brandenburg, A.: Adolf von Harnack. In: LThK² 5 (1960) 16-17.

Brandenburg, A.: Karl Heim. In: LThK² 5 (1960) 169.

Brandenburg, A.: Ernst Troeltsch. In: LThK² 10 (1965) 372.

von Brandenstein, Béla: Metaphysik des organischen Lebens. Habelschwerdt i. Schl. 1930.

von Brandenstein, Béla: Die Seele im Gebiet des Geistes. In: BlDPh 11 (1937/38) 8-23.

Brander, V.: Der naturalistische Monismus der Neuzeit oder Haeckels Weltanschauung systematisch dargestellt und kritisch beleuchtet. Paderborn 1907.

Brandon, S.G.F.: The fall of Jerusalem and the Christian Church. A study of the effects of the Jewish overthrow of A. D. 70 on Christianity. London 1951.

Brandon, S.G.F.: Time and Mankind. An historical and philosophical study of mankind's attitude to the phenomena of change. London, New York (1951).

Brandon, S.G.F.: The de-eschatologising of christian doctrine. In: The Hibbert Journal LIV (1955/56) 392-396.

Brandon, S.G.F.: The personification of death in some ancient religions. (Originally given as a presidential address to the Manchester University Egyptian and Oriental Society, 24 October 1960.) In: John Rylands Library, Manchester. Bulletin. 43 (Manchester 1961) 317-335.

Brandon, S.G.F.: Man and his Destiny in the Great Religions. An historical and comparative study containing the Wilde Lectures in Natural and Comparative Religion delivered in University of Oxford, 1954-1957. Manchester [1962].

Brandon, S.G.F.: Time as God and Devil ... Reprinted from the »Bulletin of the John Rylands Library«, etc. Manchester 1964.

Brandon, S.G.F.: History, Time and Deity. Manchester and New York 1965.

Braun, H.: Der psychische Ursprung des Lebens. Bekenntnis oder Glaube? Berlin 1931.

Braun, Joachim: Der Tod liegt hinter uns. (VMH. 12.) Metzingen 1962.

Braun, Josef: Was ist's mit dem Jenseits? Hamburg [1931].

Braun, L.: Die Persönlichkeit Gottes. Auseinandersetzung zwischen Eduard von Hartmanns Philosophie des Unbewußten und dem kritischen Theismus. 2 Teile. (SELWG. R.B. 1-2.) Heidelberg 1929-1931.

Braun, O.: Zwei typische Vertreter moderner Lebensanschauung (Fr. Nietzsche und R. Eucken). Auszug aus dem am 25. März 1907 in Tilsit gehaltenem Vortrage. In: VWs 7 (1907) 329-332.

Braun, O.: Rudolf Euckens Monismus. In: Der Monismus dargestellt in Beiträgen seiner Vertreter. Bd. 2. S. 149-174.

Brausewetter, A.: Gedanken über den Tod. Stuttgart 1913.

Brecht, F.J.: Bewußtsein und Existenz. Wesen und Weg der Phänomenologie. Bremen 1948.

Brecht, F.J.: Einführung in die Philosophie der Existenz. (Heidelberger Skripten.) Heidelberg 1948.

[Brecht, F.J.]: Heidegger und Jaspers. Die beiden Grundformen der Existenzphilosophie. (Schriften zur Zeit.) Wuppertal 1948.

Brechter, S.: Einleitung und Kommentar zum Dekret über die Missionstätigkeit der Kirche. In: LThK - 2.V.K. Bd. 3. S. 9-124.

Breilmann, H.: Lotzes Stellung zum Materialismus, unter besonderer Berücksichtigung seiner Controverse mit Czolbe. (Phil. Diss. Münster 1925.) Telgte 1925.

Breipohl, R.: Religiöser Sozialismus und bürgerliches Geschichtsbewußtsein zur Zeit der Weimarer Republik. (Theol. Diss. Göttingen 1970.) (StDGSTh. 32.) Zürich 1971.

Breipohl, R.: Dokumente zum religiösen Sozialismus in Deutschland. München 1972.

Breitung, A.: Entwicklungslehre und Monismus. In: StML 75/II (1908) 13-27; 152-169.

Bremi, W.: Albert Schweitzer. In: TdTh. S. 145-149.

Brentano, F.: Psychologie vom empirischen Standpunkt. Leipzig 1874. - Dass. Neuausgabe. Mit Einleitung, Anmerkungen und Register hrsg. von O. Kraus. 3 Bde. (PhB. 192. 193. 207.) Hamburg 1973-1971-1974.

Brentano, F.: Vom Ursprung sittlicher Erkenntnis. Leipzig 1889. - Dass. Hrsg., eingeleitet, mit den Anmerkungen und Register versehen von O. Kraus. 4. mit der 3. übereinstimmenden Auflage. (PhB. 55.) Hamburg 1955.

Brentano, F.: Untersuchungen zur Sinnespsychologie. Leipzig 1907.

Brentano, F.: Von der Klassifikation der psychischen Phänomene. Leipzig 1911. - Dass. Mit neuen Abhandlungen aus dem Nachlaß. Mit Einleitung, Anmerkungen und Register hrsg. von O. Kraus. (PhB. 193.) Hamburg 1971.

Brentano, F.: Zur Lehre von Raum und Zeit. Aus dem Nachlaß hrsg. von O. Kraus. In: Kantst 25 (1920/21) 1-23.

Brentano, F.: Vom sinnlichen und noetischen Bewußtsein. Teil 1: Wahrnehmung, Empfindung, Begriff. Mit ausführlicher Einleitung und Anmerkungen hrsg. von O. Kraus. (PhB. 207.) Leipzig 1928.

Brentano, F.: Philosophische Untersuchungen zu Raum, Zeit und Kontinuum. Mit Anmerkungen von A. Kastil hrsg. und eingeleitet von St. Körner und R.M. Chisholm. (PhB. 293.) Hamburg 1976.

Breuning, W.: Tod und Auferstehung in der Verkündigung. In: Conc 4 (1968) 77-85.

Breuning, W.: Systematische Entfaltung der eschatologischen Aussagen. In: MS 5 (1976) 779-890.

Breymann, A.: Höhere Wahrheiten aus dem Jenseits. (Umschlag: Unsere Toten leben. - Die Brücke zum Jenseits. [Bd. 1.] H.5. S. 239-286.) Wiesbaden [1916].

Bröker, W.: Politische Motive naturwissenschaftlicher Argumentation gegen Religion und Kirche im 19. Jahrhundert: dargestellt am Materialisten Karl Vogt (1817-1895). Münster 1973.

Brömse, H.: Die Realität der Zeit. In: ZPhPhKr 114 (1899) 27-63.

Bruch, R.: Sittlichkeit und Religion. Bischof Wilhelm Schneider von Paderborn als Moraltheologe. In: ThGl 50 (1960) 401-419.

Bruchhagen, P.: Über die Grundlagen von Hermann Cohens Idealismus. (Phil. Diss. Bonn 1932.) (Teildruck.) Bochum-Langendreer 1932.

Brück, M.: Über das Verhältnis Edmund Husserls zu Franz Brentano vornehmlich mit Rücksicht auf Brentanos Psychologie. (Phil. Diss. Bonn 1932. - Ref.: A. Dyroff.) Würzburg 1933.

Die Brücke zum Jenseits. Eine Sammlung Veröffentlichungen über Seelenleben und -Forschung, Unsterblichkeit und Fortleben nach dem Tode im Jenseits. Mit Unterstützung berufener Gelehrter aus allen Zweigen der Wissenschaft und guter Medien hrsg. von Emil [J.] Abigt. 4 Bde. Wiesbaden 1916-1920.

Brückner, M.: Die urchristliche Wiederkunftserwartung. In: ProtKZ 30 (1884) 1118-1123, 1137-1143.

Brückner, M.: Der sterbende und auferstehende Gottheiland in den orientalischen Religionen und ihr Verhältnis zum Christentum. (RV. R.I. 16.) Tübingen 1908.

Brückner, M.: Urchristliche Eschatologie. In: RGG¹ 2 (1910) 611-622.

Brückner, M.: Ewiges Leben. I. Im NT. In: RGG¹ 2 (1910) 773-777.

Brückner, M.: Mensch im NT. In: RGG¹ 4 (1913) 281-285.

Brückner, M.: Parusie. In: RGG¹ 4 (1913) 1232-1235.

Brückner, M.: Tod im NT. In: RGG¹ 5 (1913) 1251-1254.

Brückner, M.: Verdammnis. In: RGG¹ 5 (1913) 1583-1584.

Brugger, W.: Monismus. In: LThK² 7 (1962) 553-555.

Brugger, W.: Seelenwanderung. In: LThK² 9 (1964) 576-578.

Bruhn, W.: Wesen, Wurzeln und Wert der intuitiv-metaphysischen Zeitströmung. In: ZThK 31 (1923) 169-195.

Brunner, A.: Ursprung und Grundzüge der Existentialphilosophie. In: Scholastik 13 (1938) 173-205.

Brunner, A.: Rez. zu K. Lehmann. Der Tod bei Heidegger und Jaspers. In: Scholastik 15 (1940) 118.

Brunner, A.: Ewige Vollendung. In: StZ 75 (1949) 81-87.

Brunner, A.: Oswald Spenglers Spätwerk. In: StZ 181. Bd. 93 (1968) 349-351.

Brunner, A.: Christentum als Gemeinschaft mit Gott durch Christus. Regensburg 1977.

Brunner, E.: Erlebnis, Erkenntnis und Glaube. Tübingen 1921. - Dass. 2. und 3. neubearbeitete Auflage. Ebd. 1923.

Brunner, E.: Die Mystik und das Wort. Der Gegensatz zwischen moderner Religionsauffassung und christlichem Glauben dargestellt an der Theologie Schleiermachers. Tübingen 1924.

Brunner, E.: Philosophie und Offenbarung. Tübingen 1925.

Brunner, E.: Theozentrische Theologie? In: ZZ 4 (1926) 182-184.

Brunner, E.: Der Mittler. Zur Besinnung über den Christusglauben. Tübingen 1927.

Brunner, E.: Natur und Gnade. Zum Gespräch mit Karl Barth. Tübingen 1934.

Brunner, E.: Das Ewige als Zukunft und Gegenwart. (STb. 32.) München und Hamburg

(1965).

Brunswig, A.: Das Problem Kants. Eine kritische Untersuchung und Einführung in die Kant-Philosophie. Leipzig 1914.Brunswig, A.: Hegel. (PhR. 54.) München, Berlin 1922.

Brunswig, A.: Leibniz. (MVZ. 8.) Wien 1925.

Buber, M.: Werke. 1.-3. Bd. München (1962-1964-1963).

Buch des Dankes an Georg Simmel. Briefe, Erinnerungen, Bibliographie. Zu seinem 100. Geburtstag hrsg. von Kurt Gassen und Michael Landmann. Berlin 1958.

Buchard, A.: Der Entelechie-Begriff bei Aristoteles und Driesch. (Phil. Diss. Münster 1928.) Quakenbrück 1928.

Buchenau, A.: Natorps Monismus der Erfahrung und das Problem der Psychologie. (PM. 552.) Langensalza 1913.

Buchhorn, L.: Evidenz und Axiome im Aufbau von Sigwarts Logik. (Phil. Diss. Berlin 1931. - Ref.: H. Maier, E. Spranger.) Berlin-Charlottenburg 1931.

Die Bücherwelt. Zeitschrift für Bibliothekswesen und Buchwesen. (Zeitschrift des Borromäusvereins.) Köln ab 1902.

Büchner, L.: Kraft und Stoff. Empirisch-naturphilosophische Studien. In allgemein-verständlicher Darstellung. 1.-3. Auflage. Frankfurt 1855-1856. - Dass. 4. vermehrte und mit einem 3. Vorwort versehene Auflage. Ebd. 1856. - Dass. 14., sehr vermehrte und mit Hilfe der neuesten Forschungen ergänzte Auflage. Mit Bildnis und Biographie des Verfassers. Leipzig 1876. - Dass. Nebst einer darauf gebauten Sittenlehre. 21. Auflage. Ebd. 1904.

Büchner, L.: Natur und Geist. Gespräch zweier Freunde über den Materialismus und über die real-philosophischen Fragen der Gegenwart. In allgemein verständlicher Form. Frankfurt 1857. - Dass. 3. verbesserte Auflage. Halle 1874.

Büchner, L.: Sechs Vorlesungen über die Darwin'sche Theorie von der Verwandlung der Arten und die erste Entstehung der Organismuswelt, sowie über die Anwendung der Umwandlungstheorie auf den Menschen, das Verhältnis dieser Theorie zur Lehre vom Fortschritt und den Zusammenhang derselben mit der materialistischen Philosophie der Vergangenheit und Gegenwart. In allgemein verständlichen Darstellungen. Leipzig 1868, [8]1872.

Büchner, L.: Die Stellung des Menschen in der Natur, in Vergangenheit, Gegenwart und Zukunft. Oder: Woher kommen wir? Wer sind wir? Wohin gehen wir? Allgemeinverständlicher Text mit zahlreichen wissenschaftlichen Erläuterungen und Anmerkungen. Leipzig 1870.

Büchner, L.: Der Gottes-Begriff und dessen Bedeutung in der Gegenwart. Ein allgemein verständlicher Vortrag. Leipzig 1874. - Dass. 2. sehr vermehrte Auflage. Leipzig 1874. - Dass. 3. ganz umgearbeitete Auflage: Gott und die Wissenschaft. Leipzig 1895.

Büchner, L.: Die Darwin'sche Theorie von der Entstehung und Umwandlung der Lebe-Welt. Ihre Anwendung auf den Menschen, ihr Verhältnis zur Lehre vom Fortschritt und ihr Zusammenhang mit der materialistischen oder Einheits-Philosophie der Vergangenheit und Gegenwart. In 6 Vorlesungen allgemeillgemein-verständlich dargestellt. 4. verbesserte und mit Hilfe der neuesten Forschungen ergänzte Auflage. Leipzig 1876.

Büchner, L.: Die Macht der Vererbung und ihr Einfluß auf den moralischen und geistigen Fortschritt der Menschheit. Leipzig 1882.

Büchner, L.: Licht und Leben. Drei allgemeinverständliche naturwissenschaftliche Vorträge als Beitrag zur Theorie der natürlichen Weltordnung. Leipzig 1882.

Büchner, L.: Der Fortschritt in Natur und Geschichte im Lichte der Darwinschen Theorie. Ein Vortrag. Stuttgart 1884.

Büchner, L.: Über religiöse und wissenschaftliche Weltanschauung. Ein historisch-kritischer Versuch. Leipzig 1887.

Büchner, L.: Das künftige Leben und die moderne Wissenschaft. Zehn Briefe an eine Freundin. 1. und 2. Auflage. Leipzig 1889.

Büchner, L.: Das goldene Zeitalter oder das Leben vor der Geschichte. Nebst einem Anhang: Das Kulturmetall der Zukunft. Berlin 1891.

Büchner, L.: Das Buch vom langen Leben, oder die Lehre von der Dauer und Erhaltung des Lebens (Makrobiotik). Nach den wissenschaftlichen Prinzipien der Neuzeit allgemeinverständlich dargestellt. Leipzig 1892.

Büchner, L.: Darwinismus und Sozialismus oder der Kampf ums Dasein und die moderne Gesellschaft. Leipzig 1894.

Bürde, J.: Die Philosophie des Lebens. In allgemein-verständlicher Darstellung. Jena 1910.

Büttner, H.: Die phänomenologische Psychologie Alexander Pfänders. In: AGPs 94 (1935) 317-346.

Bukowski, A.: Die Genugtuung für die Sünde nach der Auffassung der russischen Orthodoxie. (FCLDG. XI/1.) Paderborn 1911.

Bukowski, L. (!): La réincarnation selon les Pères de l'Eglise. In: Greg 9 (1928) 65-91.

Bukowski, A.: L'opinion de S. Augustin sur la réincarnation des âmes. In: Greg 12 (1931) 57-85.

Bultmann, R.: Die Bedeutung der Eschatologie für die Religion des Neuen Testaments. In: ZThK 27 (1917) 76-87.

Bultmann, R.: Das Wesen der "dialektischen" Methode. In: ZZ 4 (1926) 40-59.

Bultmann, R.: Die Eschatologie des Johannesevangeliums. In: ZZ 6 (1928) 4-22. - Dass. in: GuV. Bd. 1. ⁴1961. S. 134-152.

Bultmann, R.: ἐλπίς . A. Der griechische Hoffnungsbegriff. B. Der alttestamentliche Hoffnungsbegriff. In: ThWNT 2 (1935) 515-520.

Bultmann, R.: ζωή im griechischen Sprachgebrauch. In: ThWNT 2 (1935) 833-844.

Bultmann, R.: Der Lebensbegriff des Alten Testaments. In: ThWNT 2 (1935) 850-853.

Bultmann, R.: Der Lebensbegriff des Judentums. In: ThWNT 2 (1935) 856-862.

Bultmann, R.: Der Lebensbegriff des Neuen Testaments. In: ThWNT 2 (1935) 862-874.

Bultmann, R.: θάνατος im griechischen Sprachgebrauch. In: ThWNT 3 (1938) 7-13.

Bultmann, R.: Der Todesbegriff des Neuen Testaments. In: ThWNT 3 (1938) 13-21.

Bultmann, R.: ἀθανασία . In: ThWNT 3 (1938) 23-25.

Bultmann, R.: Die Auslegung der mythologischen Eschatologie. (Aus: Jesus Christus und die Mythologie. 1958.) In: GuV. Bd. 4. 1965. S. 148-156.

Bultmann, R.: Geschichte und Eschatologie. Tübingen 1958, ²1964.

Buonaiuti, E.: Wiedergeburt, Unsterblichkeit und Auferstehung im Urchristentum. In: Eranos. Zürich 1940. S. 291-320.

Buri, F.: Die Bedeutung der neutestamentlichen Eschatologie für die neuere protestantische Theologie. Zürich, Gießen 1935.

Buri, F.: Zur Diskussion des Problems der ausgebliebenen Parusie. Replik zu O. Cullmann, Das wahre, durch die ausgebliebene Parousie gestellte neutestamentliche Problem. In: ThZ 3 (1947) 422-428.

Buri, F.: Theologie der Existenz. Bern 1954.

Buri, F.: Albert Schweitzer als Theologe heute. Zürich 1955.

Buri, F.: Der Pantokrator. Ontologie und Eschatologie als Grundlage der Lehre von Gott. (ThF. 47.) Hamburg-Bergstedt 1969.

Buri, F., Lochmann, J.M., Ott, H.: Dogmatik im Dialog. Die Kirche und die letzten Dinge. Bd. I. Gütersloh 1973.

Burkamp, W.: Die Entwicklung des Substanzbegriffs bei W. Ostwald. Leipzig 1913.

Burkhardt, H.: Rez. zu Ph. Lersch. Lebensphilosophie der Gegenwart. In: BlDPh 7 (1933/34) 434-435.

Busse, L.: Philosophie und Erkenntnistheorie. Teil I: Metaphysik und Erkenntniskritik. Teil II: Begründung eines dogmatischen Systems der Philosophie. Leipzig 1894.

Busse, L.: Leib und Seele. (Mit besonderer Berücksichtigung der Rehmkschen Schrift: Innenwelt und Außenwelt, Leib und Seele. Greifswald 1898.) In: ZPhPhKr 114 (1899) 1-26.

Busse, L.: Die Wechselwirkung oder Parallelismus. In: ZPhPhKr 116 (1900) 56-80.

Busse, L.: Die Wechselwirkung zwischen Leib und Seele und das Gesetz der Erhaltung der Energie. In: PhA-ChS. S. 89-126.

Busse, L.: Geist und Körper, Seele und Leib. Leipzig 1903. - Dass. Zweite Auflage mit einem ergänzenden und neue Literatur zusammenfassenden Anhang von E. Dürr. Ebd. 1913.

Callian, C.S.: The Significance of Eschatology in the Thoughts of Nicolas Berdyaev. Leiden 1965.

Calvin, J.: Tractatus de Psychopannychia. Straßburg 1542.

von Campenhausen, H.: Die Idee des Martyriums in der alten Kirche. Göttingen 1936.
von Campenhausen, H.: Der Ablauf der Osterereignisse und das leere Grab. (SHAW-ph/hKl Jg. 1952. Abh. 4.) Heidelberg 1952. - Dass. 3., neu durchgesehene und ergänzte Auflage. Ebd. 1966.
von Campenhausen, H.: Tod, Unsterblichkeit und Auferstehung. In: Pro veritate. S. 295-311.
von Campenhausen, H., Schaefer, H.: Der Auferstehungsglaube und die moderne Naturwissenschaft. Eine Diskussion. In: Was ist der Tod? S. 179-192.
Capéran, L.: Le problème du salut des infideles. Essai historique et essai théologique. 2 vol. Paris 1912. - Dass. 2e éd. Toulouse 1934.
Cappuyns, M.: Note sur le problème de la vision béatifique au 9e siècle. In: RThAM 1 (1929) 98-107.
Cardinal Hergenröther. In: Der Katholik 70/II (1890) 481-499.
Carl, L.: Der Begriff des Geistes bei Herman Schell. (Phil. Diss. Würzburg 1953.) O.O. 1953 (M.schr.).
Carus, C.: Psyche. Zur Entwicklungsgeschichte der Seele. Pforzheim 1846. - Dass. 2. verbesserte und vermehrte Auflage. Ebd. 1851, ^{3}1860. - Dass. Ausgewählt und eingeleitet von L. Klages. Jena 1926. - Dass. Neuausgabe mit einem Vorwort von F. Arnold. Darmstadt 1966.
Carus, C.G.: Physis. Zur Geschichte des leiblichen Lebens. Stuttgart 1851. - Dass. Pforzheim 1860.
Carus, C.G.: Natur und Idee oder das Werdende und sein Gesetz. Eine philosophische Grundlage für die specielle Naturwissenschaft. Wien 1861.
Casel, O.: Rez. zu B. Bartmann. Grundriß der Dogmatik. In: JLW 12 (1932) 232.
Caspari, Walter: Advent. In: RE^3 1 (1896) 188-191.
Caspari, Wilhelm: Tod und Auferstehung nach der Enderwartung des späteren Judentums. In: JSOR 10 (1926) 1-13.
Cassirer, E.: Paul Natorp. In: Kantst 30 (1925) 273-298.
Castelein, A.: Le Rigorisme, le nombre des élus et la doctrine du salut. 2e éd, revue et augmentée. Bruxelles 1899.
Cathrein, V.: Die moderne Entwicklungslehre als Weltanschauung. In: StML 76/I (1909) 479-494.
Cathrein, V.: Die Einheit des sittlichen Bewußtseins der Menschheit. Eine ethnographische Untersuchung. 3 Bde. Freiburg 1914.
Cedrins, J.: Gedanken über den Tod in der Existenzphilosophie. (Phil. Diss. Bonn 1949.) Bonn 1949.
Celms, Th.: Der phänomenologische Idealismus Husserls. Riga 1928.
Chamberlain, H.St.: Die Grundlagen des 19. Jahrhunderts. München 1899.
Charles, R.H.: A Critical History of the Doctrine of a Future Life in Israel, Judaism and Christianity, or, Hebrew, Jewish and Christian eschatology from pre-prophetic times till the close of the New Testament. London 1899, ^{2}1913. - Dass. neue Auflage unter dem Titel: Eschatology, the doctrine of future life in Israel, Judaism and christianity; a critical history. Introduction by George Wesley Buchanan. New York 1963.
Charles, R.H.: Immortality. (The Drew lecture.) Oxford 1912.
Chauvin, C.: Jésus-Christ est-il ressuscité? (SeR. 151.) Paris $^{1-2}$1901.
Chauvin, C.: Le Purgatoire, s'il existe, et ce qu'il est. (SeR.) Paris 1901.
Chenu, M.-D.: Das Mysterium in der Geschichte. - Das Menschenbild und der Kosmos. In: KHW. S. 229-232, 234-242.
Chollet, J.-A.: Corps glorieux. In: DThC 3, 2 (1907, ^{3}1923) 1879-1906.
Das Christentum. Fünf Einzeldarstellungen. C.H. Cornill. E.v.Dobschütz. W. Herrmann. W. Staerk. E. Troeltsch. (WuB. 50.) Leipzig 1908.
Christentum und Marxismus - heute. Hrsg. von Erich Keller. (Gespräche der Paulus-Gesellschaft.) Wien, Frankfurt, Zürich 1966.
Christliche Verwirklichung. Romano Guardini zum 50. Geburtstag dargebracht von seinen Freunden und Schülern. Hrsg. von Karlheinz Schmidthüs. (= Die Schildgenossen. Beiheft 1.) Rothenfels am Main 1935.
Christus vor uns. Studien zur christlichen Eschatologie. Franz Mußner, Ladislaus Boros, Adolf Kolping (u.a.) (ThBrp. Bd. 8/9.) Bergen-Enkheim bei Frankfurt am Main 1966.

Chroust, A.: Lebensläufe aus Franken. Hrsg. im Auftrag der Gesellschaft für Fränkische Geschichte. (VGFG. R. 7.) Bd. 2-3. Würzburg 1922-1927. - Dass. Bd. 5. Erlangen 1936.

Cladder, H.J.: Die Enzyklika »Pascendi« und der Modernismus. In: StML 74 (1908) 266-269.

Clemen, C.: »Niedergefahren zu den Toten«. Ein Beitrag in der Theologie. Gießen 1900.

Clemen, C.: Die religionsgeschichtliche Methode in der Theologie. Gießen 1904.

Clemen, C.: Religionsgeschichtliche Erklärung des Neuen Testaments. Gießen 1909.

Clemen, C.: Die neuesten Arbeiten über Animismus und Totemismus. In: IWWKT 5 (1911) 962-972, 1007-1016.

Clemen, C.: Das Leben nach dem Tode im Glauben der Menschheit. (ANGW. 544.) Leipzig, Berlin 1920.

Clément, O.: Transfigurer le temps. Neuchâtel, Paris 1959.

Clément, O.: Gedanken eines orthodoxen Laientheologen. In: KWH. S. 503-529.

Clodd, E.: Animism, the seed of religion. London 1905.

Coccejus, J.: Summa doctrina de foedere et testamento Dei. Leiden 1648.

Cohen, H.: Kants Theorie der Erfahrung. Berlin 1871, ²1885.

Cohen, H.: Friedrich Albert Lange. In: PrJ 37 (1876) 353-381.

Cohen, H.: Kants Begründung der Ethik. Berlin 1877. - Dass.: Kants Begründung der Ethik nebst ihren Anwendungen auf Recht, Religion und Geschichte. 2. verbesserte und erweiterte Auflage. Ebd. 1910.

Cohen, H.: System der Philosophie. Teil I: Logik der reinen Erkenntnis (1902). Teil II: Ethik des reinen Willens (1904). Teil III: Aestetik des reinen Gefühls (2 Bde. 1912). Berlin ³1923.

Cohen, H.: Der Begriff der Religion im System der Philosophie. Gießen 1915.

Cohen, H.: Die Religion der Vernunft aus den Quellen des Judentums. Leipzig 1919, ²1928.

Cohen, H.: Jüdische Schriften. Hrsg. von B. Strauß, mit einer Einleitung von F. Rosenzweig. 3 Bde. Berlin 1924.

Cohn, J.: Geschichte des Unendlichkeitsproblems im abendländischen Denken bis Kant. Leipzig 1896. - Dass. Hildesheim 1960.

Cohn, J.: Die Hauptformen des Rationalismus. In: PhSt 19 (1903) 69-92.

Cohn, J.: Voraussetzungen und Ziel des Erkennens. Untersuchungen über die Grundfragen der Logik. Leipzig 1908.

Cohn, J.: Religion und Kulturwerte. (PhV. 6.) Berlin 1914.

Cohn, J.: Der Sinn der gegenwärtigen Kultur. Ein philosophischer Versuch. Leipzig 1914.

Cohn, J.: Relativität und Idealismus. In: Kantst 21 (1917) 222-269.

Cohn, J.: Zur Psychologie der Weltanschauungen. In: Kantst 26 (1921) 74-90.

Cohn, J.: Theorie der Dialektik. Formenlehre der Philosophie. Leipzig 1923.

Cohn, J.: Der deutsche Idealismus. (= GPh. Teil 6. Hrsg. von J. Cohn.) Leipzig 1923.

Cohn, J.: Theorie der Dialektik. Leipzig 1923.

Cohn, J.: Der physikalische Weltbegriff und das Leben. In: William Stern, Festschrift ... (= ZAPs. Beiheft 59.) S. 33-48.

Cohn, J.: Wertwissenschaft. 2 Bde. Stuttgart 1932-1933.

Cohnen, A.: Rez. zu B. Bartmann. Lehrbuch der Dogmatik. In: KPBl 48 (1914) 21-23.

Collin, R.: Physique et métaphysique de la vie; esquisse d'une interpretation synthétique des phénomènes vitaux. Paris 1925.

Commer, E.: Hermann (!) Schell und der fortschrittliche Katholizismus. Ein Wort zur Orientierung für gläubige Katholiken. Wien 1906, ²1908.

Commer, E.: Zur Theologie der visio beatifica. In: DTh 5 (1918) 288-320.

Congar, Y. M.-J.: L'église, sacrement universel du salut. In: Eglise vivante 17 (1965) 339-355.

Congar, Y.: Kommentar zum 4. Kapitel des 1. Teils der pastoralen Konstitution über die Kirche in der Welt von heute »Gaudium et spes«. In: LThK - 2.V.K. Bd. 3. S. 397-422.

Conrad-Martius, H.: Zur Ontologie und Erscheinungslehre der realen Außenwelt. In: JPhPhF 3 (1916) 345-552.

Conrad-Martius, H.: Metaphysische Gespräche. Halle 1921.

Conrad-Martius, H.: Realontologie. Edmund Husserl zum 60. Geburtstag gewidmet. In: JPhPhF 7 (1925) 159-333.

Conrad-Martius, H.: Bemerkungen über Metaphysik und ihre methodische Stelle. (Enthaltend eine Auseinandersetzung mit Nikolai Hartmanns "kritischer Ontologie".) In: PhH 3

(1931/32) 101-124.

Conrad-Martius, H.: Die fundamentale Bedeutung eines substanziellen Seinsbegriffs. In: Cath 1 (1932) 80-90.

Conrad-Martius, H.: Rez. zu M. Heidegger. Sein und Zeit. In: DKW 46 (1933) 246-251.

Conrad-Martius, H.: Der Selbstaufbau der Natur. Entelechie und Energie. Hamburg 1944.

Conrad-Martius, H.: Die Geistseele des Menschen. München 1960.

Conrat, F.: Hermann von Helmholtz' psychologische Anschauungen. (APhG. 18.) Halle 1904.

Coppin, J.: Le Ciel, ou le Bonheur dans l'éternité. (Lille) 1898.

Coppin, J.: La Question de l'Evangile: "Seigneur, y en aura-t-il peu de sauvés?" (Luc. XIII, 23) ou Considération sur l'écrit du R.P. Castelein, S.J.. intitulé: "Le Rigorisme et la question du nombre des Elus". Bruxelles 1899.

Corbon, J.: Die Konstitution (Gaudium et Spes) in der Sicht der orientalischen Theologie. In: KWH. S. 489-502.

Coreth, E.: Was ist philosophische Anthropologie? In: ZKTh 91 (1969) 252-273.

Cornelius, H.: Vom Wert des Lebens. Hannover 1923.

Cramer, W.: Über den Begriff des Unendlichen. In: BlDPh 11 (1937/38) 272-284.

Crawley, A.E.: The idea of the soul. London 1909.

Cremer, E.: Die Wiederkunft Christi und die Aufgabe der Kirche. Gütersloh 1902.

Cremer, H.: Die eschatologische Rede Jesu Christi Matthäi 24. 25. Versuch einer exegetischen Erörterung derselben. Stuttgart 1860.

Cremer, H.: Jenseits des Grabes. Eine Vorlesung über den Zustand nach dem Tode. Nebst einigen Andeutungen über das Kindersterben. Gütersloh 1868.

Cremer, H.: Über den Zustand nach dem Tode. Nebst einigen Andeutungen über das Kindersterben und den Spiritismus. Gütersloh 1883, ⁸1923.

Croll, J.: Philosophy of theism. London 1857.

Croll, J.: The Philosophical Basis of Evolution. London 1890.

Cüppers, Cl.: Die erkenntnistheoretischen Grundgedanken Wilhelm Diltheys, dargestellt in ihrem historischen und systematischen Zusammenhange. (Phil. Diss. Freiburg 1934.) Leipzig und Berlin 1933.

Cullmann, O.: La caractère eschatologique du devoir missionaire. In: RHPhR 16 (1936) 210-245.

Cullmann, O.: Unsterblichkeit der Seele und Auferstehung der Toten. Das Zeugnis des Neuen Testaments. In: ThZ 12 (1956) 126-156.

Cullmann, O.: Parusieverzögerung und Urchristentum. Der gegenwärtige Stand der Diskussion. In: ThLZ 83 (1958) 1-12.

Cumont, F.: After Life in Roman Paganism. New Haven 1922.

Cumont, F.: Recherches sur le symbolisme funéraire des Romains. Paris 1942.

Cumont, F.: Lux perpetua. Paris 1949. (=Erneuerung und Erweiterung von: Ders. Afterlife in Roman Paganism.)

Czapiewski, W.: Wilhelm Wundt. In: LThK² 10 (1965) 1266.

Dacqué, E.: Urwelt, Sage und Menschheit. Eine naturhistorisch-metaphysische Studie. München 1924.

Dacqué, E.: Natur und Seele. Ein Beitrag zur magischen Weltlehre. München 1926.

Dacqué, E.: Leben als Symbol. Metaphysik einer Entwicklungslehre. München 1928.

Dacqué, E.: Erdzeitalter. München 1930.

Dacqué, E.: Natur und Erlösung. München 1933.

Dacqué, E.: Organische Morphologie und Paläontologie. Berlin 1935.

Dacqué, E.: Das verlorene Paradies. Zur Seelengeschichte des Menschen. München 1938. - Dass. 3. Auflage. Tübingen 1952.

Dacqué, E.: Die Urgestalt. Der Schöpfungsmythos. Leipzig 1940.

Dacqué, E.: Vermächtnis der Urzeit. Grundprobleme der Erdgeschichte. München 1948.

Dadek, W.: Max Weber. In: LThK² 10 (1965) 973.

Dähne, A.F.: Die Entwicklung des paulinischen Lehrbegriffs. Halle 1835.

Dalman, G.: Die Worte Jesu. Mit Berücksichtigung des nach-kanonischen jüdischen Schrifttums und der aramäischen Sprache erörtert. 1. Bd. Einleitung und wichtige Begriffe. Nebst Anhang: Messianische Texte. Leipzig 1898. - Dass. 2. Auflage. Mit Anhang: A.

Das Vaterunser. B. Nachträge und wichtige Begriffe. Ebd. 1930.

Damm, H.-H.: Die Heiligung der Welt bei Richard Rothe. (Ev.-theol. Diss. Tübingen 1955.) Berlin 1955 (M.schr.)

Dammann, E.: Johann Friedrich Heiler. In: NDB 8 (1969) 259-260.

Dannenbauer, H.: Tübingen. Universität (3.). In: RGG² 5 (1931) 1306-1307.

Darwin, Ch.R.: On the Origin of Species by Means of Natural Selection or the Perseveration of Favoured in the Struggle for Life. London 1859. - Dass. deutsch: Über die Entstehung der Arten im Tier- und Pflanzenreich durch natürliche Züchtung, oder Erhaltung der vervollkommneten Rassen im Kampfe um Dasein. Nach der 3. englischen Ausgabe und mit neueren Zusätzen des Verfassers für diese deutsche Ausgabe aus dem Englischen übersetzt und mit Anmerkungen versehen von H. G. Bronn. Stuttgart 1860. - Dass. 2., verbesserte und sehr vermehrte Auflage. Ebd. 1862-1863. - Dass.: Über die Entstehung der Arten durch natürliche Zuchtwahl oder die Erhaltung der begünstigten Rassen im Kampfe ums Dasein. Nach der 4. englischen sehr vermehrten Auflage durchgesehen und berichtigt von J.V. Carus. Stuttgart ³1867.

Darwin, Ch.R.: The Descent of Man and Selection in Relation to Sex. 2 Bde. London 1871-1872. - Dass. deutsch: Die Abstammung des Menschen und die geschlechtliche Zuchtwahl. Aus dem Englischen übersetzt von J.V. Carus. 2 Bde. Stuttgart 1871-1872. - Dass. (Kröners Taschenausgabe. 28.) Stuttgart 1966.

Dausch, P.: Das Leben Jesu (Grundriß). (BZfr. 4. F. H. 1.) Münster ¹⁻³1911.

Dausch, P.: Kirche und Papsttum eine Stiftung Jesu. (BZfr. 4. F. H. 2.) Münster 1911.

Dausch, P.: Rez. zu B. Bartmann. Das Reich Gottes in der Heiligen Schrift. In: ThRv 11 (1912) 399-400.

De doctrina Joannis Duns Scoti. Acta Congressus Internationalis Oxonii et Edimburgi 11-17 sept. 1966 celebrati. Vol. I-IV: I. Documanta et studia in Duns Scotum introductoria. II. Problemata philosophica. III. Problemata theologica. IV. Scotismus de cursu saeculorum. (Studia Scholastico-Scotistica. 1-4.) Romae 1968.

Degener, A.: Dilthey und das Problem der Metaphysik. Einleitung zu einer Darstellung des lebensphilosophischen Systems. Bonn 1933.

Deißmann, A.: Reinhold Seeberg. Stuttgart 1936.

Deißner, K.: Auferstehungshoffnung und Pneumagedanke bei Paulus. (Theol. Diss. Greifswald 1912. - Ref.: J. Haußleiter.) Naumburg und Leipzig 1912.

Deißner, K.: Paulus und die Mystik seiner Zeit. Leipzig 1918.

Deißner, K.: Eschatologie im Urchristentum. In: RGG² 2 (1928) 339-345.

Deißner, K.: Ewiges Leben, im Judentum und im NT. In: RGG² 2 (1928) 457-459.

Deißner, K.: Parusie. In: RGG² 4 (1930) 978-981.

Deißner, K.: Tod und Totenreich im NT. In: RGG² 5 (1931) 1196-1198.

Delekat, F.: Vom Sinn des christlichen Glaubens an das Ende der Welt. In: Ders. Die Kirche Jesu Christi und der Staat. (FurSt. 8.) Berlin 1933. S. 121-129.

Delitzsch, F.: Die biblisch-prophetische Theologie, ihre Fortbildung durch Chr. A. Crusius und ihre neueste Entwicklung seit der Christologie Hengstenbergs. Leipzig 1845.

Delitzsch, F.: Messianische Weissagungen in geschichtlicher Folge. Leipzig 1890, ²1899.

Delitzsch, F.: Das Land ohne Heimkehr. Die Gedanken der Babylonier und Assyrer über Tod und Jenseits nebst Schlußfolgerungen. Stuttgart 1911.

Delius, H.: Franz Brentano. In: RGG³ 2 (1957) 1399-1400.

Delius, H.: Phänomenologie. In: RGG³ 5 (1961) 320-322.

von Delius, R.: Urgesetze des Lebens. Darmstadt 1922.

Delp, A.: Tragische Existenz. Zur Philosophie Martin Heideggers. Freiburg 1935.

Dempf, A.: Die Hauptform der mittelalterlichen Weltanschauung. München 1925.

Dempf, A.: Sacrum Imperium. Geschichts- und Staatsphilosophie des Mittelalters und der politischen Renaissance. München, Berlin 1929. - Dass. Zweite unveränderte Auflage. Darmstadt 1954.

Dempf, A.: Kulturphilosophie. (=HPh. 4.) München, Berlin 1932.

Dempf, A.: Religionsphilosophie. Wien 1937.

Dempf, A.: Christliche Philosophie. Der Mensch zwischen Gott und der Welt. (BSBB. 14.) Bonn 1938, ²1952.

Dempf, A.: Selbstkritik der Philosophie und vergleichende Philosophiegeschichte im Umriß.

Wien 1947.

Dempf, A.: Theoretische Anthropologie. (SDa. 67.) München 1950.

Dempf, A.: Aloys Wenzl zum 70. Geburtstag. In: PhJ 65 (1957) 1-4.

Demske, J.M.: Der Tod im Denken Martin Heideggers. (Phil. Diss. Freiburg 1962.) Freiburg i.B. 1963. - Dass.: Sein, Mensch und Tod. Das Todesproblem bei Martin Heidegger. (Symposion. 12.) Freiburg, München 1963.

Deneffe, A.: Rez. zu B. Bartmann. Lehrbuch der Dogmatik. In: Scholastik 4 (1929) 614.

Deneffe, A.: Die geradezu lächerliche Torheit der päpstlichen Theologie. In: Scholastik 5 (1930) 380-387.

Deneffe, A.: Der Traditionsbegriff. Studie zur Theologie. MBTh.18.) Münster 1931.

Deneffe, A.: Rez. zu B. Bartmann. Grundriß der Dogmatik. In: Scholastik 7 (1932) 293-294.

Denis, L.: Pourquoi la vie? Solution rationnelle du problème de l'existence, ce que nous sommes, d'où nous venons, où nous allons. Tours 1885. - Dass. Paris 1892.

Denis, L.: Après la mort. Exposé de la doctrine des esprits, ses bases scientifiques et experimentales, ses conséquences morales. Paris 1891.

Denis, L.: Christianisme et spiritisme, les vicissitudes de l'Evangile, la doctrine secrète du christianisme, relations avec les esprits des morts, la nouvelle révélation. Paris 1898.

Denker und Deuter im heutigen Euorpa. Hrsg.: Hans Schwerte und Wilhelm Spengler. 2 Bde. Eingeleitet von Arnold Bergstraesser. (Gestalter unserer Zeit.) Oldenburg, Hamburg 1954.

Dennert, E.: Leben, Tod und - dann? Pfullingen 1929.

Dennert, E.: Ist der Geist eine Gehirnfunktion? Wider den Materialismus redivivus. (BWF. 83.) Pfullingen 1932.

Dentler, E.: Die Auferstehung Jesu nach den Berichten des Neuen Testaments. (BZfr. I. 6.) Münster 1908, [3]1910, [4]1920.

Deppe, B.: Rez. zu A. Castelein. Le rigorisme. [2]1899. - J. Coppin. La question de l'évangile. - F.X. Godts. De paucitate salvandorum. [2]1899. In: LH 38 (1899) 141-145, 309-311.

Dessoir, M.: Geschichte der neueren deutschen Psychologie. Berlin 1894.

Dessoir, M.: Abriß einer Geschichte der Psychologie. Heidelberg 1911.

Deussen, P.: Naturwissenschaft, Philosophie und Religion. In: Weltanschauung. S. 367-372.

Deutsche Mystiker des 14. Jahrhunderts. Hrsg. von Franz Pfeiffer. 2 Bde. Auch unter dem Titel: Meister Eckhart. 1. Abt. Leipzig 1857. - Dass. 3., unveränderter (anastatischer) Neudruck der Ausgabe von 1857. Göttingen 1914.

Die deutsche Philosophie der Gegenwart in Selbstdarstellungen. Mit einer Einführung hrsg. von Raymund Schmidt. Bd. 1-5. Leipzig 1921-1924. - Dass. Bd. 2. 2., verbesserte Auflage. Ebd. 1923.

Deutschland und der Katholizismus. Gedanken zur Neugestaltung des deutschen Geistes- und Gesellschaftslebens. Hrsg. von Dr. Max Meinertz Prof. der Theologie in Münster i.W. und Dr. Hermann Sacher. Hrsg. des Staatslexikons in Freiburg i.Br. (Arbeitsausschuß zur Verteidigung deutscher und katholischer Interessen im Weltkrieg.) Erster Band. Das Geistesleben. Zweiter (Schluß-) Band. Das Gesellschaftsleben. Freiburg im Breisgau 1918.

Dey, J.: ΠΑΛΙΓΓΕΝΕΣΙΑ. Ein Beitrag zur Klärung der religionsgeschichtlichen Bedeutung von Tit 3, 5. (Theol. Diss. Freiburg 1936) (NTA. XVII/5.) Münster i.W. 1937.

Dibelius, M.: Geschichtliche und übergeschichtliche Religion im Christentum. Göttingen 1925.

Dieffenbach, G.Ch.: Die letzten Dinge, das Leben nach dem Tode und die Vollendung des Gottesreiches. Kurze Betrachtungen. Stuttgart [1+2]1896, [4]1911.

Diekamp, F.: Die origenistischen Streitigkeiten im 6. Jahrhundert und das 5. allgemeine Concil. Münster 1899.

Diemer, A.: Edmund Husserl. Versuch einer systematischen Darstellung seiner Philosophie. (MPhF. 15.) Meisenheim 1956.

"Dienet einander". Eine homiletische Zeitschrift. Nebst Literatur-Bericht für Theologie als Beiblatt. Leipzig ab 1891.

Dieringer, F.X.: Das Epistelbuch der katholischen Kirche. Theologisch erklärt. 3 Bde. Mainz 1863.

Dieterich, A.: Mutter Erde. Ein Versuch über Volksreligion. Leipzig 1905, [2]1925.

Dietterle, J.A.: Die Grundgedanken in Herders Schrift "Gott" und ihr Verhältnis zu Spinozas Philosophie. In: ThStKr 87 (1914) 505-555.

Dilthey, W.: Einleitung in die Geisteswissenschaften. Versuch einer Grundlegung für das Studium der Gesellschaft und Geschichte. Leipzig 1883. - Dass. Vierte Auflage mit einem Vorwort von B. Groethuysen. In: Gesammelte Schriften. Bd. 1. Stuttgart 1959.

Dilthey, W.: Das Erlebnis und die Dichtung. Lessing, Goethe, Novalis, Hölderlin. Leipzig 1906, ²1907, ⁵1916, ⁷1921.

Dilthey, W.: Weltanschauung und Analyse des Menschen seit Renaissance und Reformation. Leipzig 1913. - Dass. In: Gesammelte Schriften. Bd. 2. (Mit einem Vorwort von G. Misch.) 5. unveränderte Auflage. Stuttgart 1957.

Dilthey, W.: Die geistige Welt. Einleitung in die Philosophie des Lebens. (Mit einem Vorwort von G. Misch.) In: Gesammelte Schriften. Bd. 5. Leipzig 1923. - Dass. 2. unveränderte Auflage. Stuttgart 1957.

Dilthey, W.: Das Wesen der Philosophie. In: Die Kultur der Gegenwart. Teil 1. Abt. 6: Systematische Philosophie. S. 1-72. - Dass. In: Gesammelte Schriften. Bd. 5: Die geistige Welt. Einleitung in die Philosophie des Lebens. 1. Hälfte: Abhandlungen zur Grundlegung der Geisteswissenschaften. (Hrsg. von G. Misch.) Leipzig 1923. - Dass. 2. unveränderte Auflage. Stuttgart 1957.

Dilthey, W.: Der Aufbau der geschichtlichen Welt in den Geisteswissenschaften. (APAW.) Berlin 1910. - Dass. in: Gesammelte Schriften. Bd. 7. (Mit einem Vorwort von B. Groethysen.) Leipzig 1928. - Dass. 2. unveränderte Auflage. Stuttgart 1958.

Dilthey, W.: Die Typen der Weltanschauung und ihre Ausbildung in den metaphysischen Systemen. In: Weltanschauung. S. 3-51. - Dass. In: Ders. Gesammelte Schriften. Bd. 8. Weltanschauungslehre. Abhandlungen zur Philosophie der Philosophie. Vorbericht des Hrsg.: B. Groethuysen. 2., unveränderte Auflage. Stuttgart, Göttingen (1960). - Dass. in: Ders. Die Philosophie des Lebens. Aus seinen Schriften ausgewählt von Hermann Nohl. Mit Vorwort von Otto Friedrich Bollnow. Stuttgart (1961).

Dilthey, W.: Das Leben Schleiermachers. 1. Bd. Berlin 1870. - Dass. Auf Grund des Textes der ersten Auflage von 1870 und der Zusätze aus dem Nachlaß hrsg. von M. Redeker. (Gesammelte Schriften. Bd. 13.) Göttingen 1970.

Dilthey, W.: Das Leben Schleiermachers. Bd. 2: Schleiermachers System als Philosophie und Theologie. Aus dem Nachlaß von Wilhelm Dilthey mit einer Einleitung hrsg. von M. Redeker. 2. Halbband: Schleiermachers System als Theologie. Berlin 1966. - Dass. Gesammelte Schriften. Bd. 14/2. Göttingen 1966.

Dirks, W.: Das Ende der Neuzeit ist nicht das Ende des Menschen. Zu Romano Guardinis neuen Schriften. In: FH 7 (1952) 26-35. - Dass. Zu Romano Guardinis politischen Schriften. In: Ders. Das schmutzige Geschäft? S. 153-167.

Dirks, W.: Das Schmutzige Geschäft? Die Politik und die Verantwortung des Christen. Olten und Freiburg im Breisgau (1964).

Dirks, W.: Romano Guardini. In: TdTh. S. 248-252.

Dirksen, A.: Individualität als Kategorie. Ein logisch-erkenntnistheoretischer Versuch in Form einer Kritik der ausführlich dargestellten Individualitätslehre Rickerts. Berlin 1926.

Diskussion über die "Theologie der Hoffnung" von Jürgen Moltmann. Hrsg. und eingeleitet von Wolf-Dieter Marsch. (Mit Beiträgen von ...) München 1967.

Disteldorf, J.: Rez. zu A. Harnack. Wesen des Christentums. In: PastBon 13 (1901) 448-453; 14 (1902) 1-9.

Disteldorf, J.B.: Die Auferstehung Christi. Eine apologetisch-biblische Studie. Trier 1906.

Divinitas. Pontificiae Academiae theologicae Romanae. Roma ab 1957.

Diwald, H.: Wilhelm Dilthey. Erkenntnistheorie und Psychologie der Geschichte. Göttingen 1963.

Dochmann, A.: Friedrich Wilhelm Ostwalds Energetik. (BStPhG. 62.) Bern 1908.

Dodel, A.: Geist und Materie - Tod und Unsterblichkeit. In: Ders. Aus Leben und Wissenschaft. Gesammelte Vorträge und Aufsätze. 3 Teile (in einem Band). Berlin 1923. S. 249-264.

Doeberl, A.: Anton von Henle. In: LThK¹ 4 (1931) 959-960.

Dölger, F.J.: ICHTYS. Das Fischsymbol in frühchristlicher Zeit. Bd. 1.: Religionsgeschichtliche und epigraphische Untersuchungen. Zugleich ein Beitrag zur ältesten Christologie und Sakramentenlehre. (RQ. Suppl. H. 17.) Freiburg 1910.

Döller, J.: Die Messiaserwartungen im Alten Testament. (BZfr. 4. F. H. 6-7.) Münster 1911.

von Döllinger, I.: Beiträge zur Sektengeschichte des Mittelalters. München 1890.

Döring-Hirsch, E.: Tod und Jenseits im Spät-Mittelalter. Zugleich ein Beitrag zur Kulturgeschichte des deutschen Bürgertums. (StGWGK. Bd. 2.) Berlin 1927.

Doerne, M.: Die Religion in Herders Geschichtsphilosophie. Leipzig 1927.

Dokumente des Fortschritts. Internationale Revue. Berlin 1907-1918.

Dormagen, H.: Die psychische Struktur des menschlichen Erkennens bei Wilhelm Dilthey. Hünfeld/Fulda 1953.

Dormagen, H.: Wilhelm Diltheys Konzeption der geschichtlich-psychischen Struktur der menschlichen Erkenntnis. In: Scholastik 29 (1954) 363-386.

Dorner, A.: Schleiermachers Verhältnis zu Kant. In: ThStKr 74 (1901) 1-75.

Dorner, A.: Isaak August Dorner. In: ADB 48 (1904) 37-47.

Dorner, I.A.: Entwicklungsgeschichte der Lehre von der Person Christi, von den ältesten Zeiten bis auf die neuesten dargestellt. Stuttgart 1839.

Dorner, I.A.: Die Lehre von der Person Christi geschichtlich und biblisch-dogmatisch dargestellt. 3 Teile. Stuttgart 1845.

Dorner, I.A.: Über die ethische Auffassung der Zukunft. Inauguralrede. Königsberg 1845.

Dorner, I.A.: Geschichte der protestantischen Theologie, besonders in Deutschland, nach ihrer prinzipiellen Bewegung und im Zusammenhang mit dem religiösen, sittlichen und intellektuellen Leben betrachtet. München 1867.

Dorner, I.A.: Über die psychologische Methode in der Dogmatik und ihr Gegensatz zur Metaphysik. Mit besonderer Beziehung auf Dr. R.A. Lipsius, evangelisch protestantische Dogmatik. 1876. In: JDTh 22 (1877) 177-206.

Dorner, I.A.: System der christlichen Glaubenslehre. 2 Bde. Berlin 1879-1880, ²1886-1888.

Dorner, I.A.: System der christlichen Sittenlehre. Hrsg. von A. Dorner. Berlin 1885. - Dass. 2 Bde. Ebd. ²1887.

Douglas, A.H.: The Philosophy and Psychology of Pietro Pomponazzi. Edited by Charles Douglas and R.P. Hardie. Cambridge 1910. - Dass. (Reprographischer Nachdruck.) Hildesheim 1962.

Douie, D.L.: John XXII and the Beatific Vision. In: DSt 3 (1950) 154-174.

Douie, D.L.: John XXII, Pope. In: NCE 7 (1967) 1014-1015.

Drescher, H.-G.: Glaube und Vernunft bei Ernst Troeltsch. Eine kritische Deutung seiner religionsphilosophischen Grundlegung. (Theol. Diss. Marburg 1957.) Bochum [1957].

Drescher, H.-G.: Das Problem der Geschichte bei Ernst Troeltsch. In: ZThK 57 (1960) 186-230.

Drews, A.: Die Lehre von Raum und Zeit in der nachkantischen Philosophie. Ein Beitrag zur Geschichte der Erkenntnistheorie und Apologetik der Metaphysik. (Phil. Diss. Halle 1889.) Halle 1889.

Drews, A.: Die deutsche Spekulation seit Kant mit besonderer Rücksicht auf das Wesen des Absoluten und die Persönlichkeit Gottes. 2 Bde. Berlin 1893. - Dass. 3. Auflage Leipzig 1925.

Drews, A.: Das Ich als Grundprinzip der Metaphysik. Freiburg 1897.

Drews, A.: Eduard von Hartmanns philosophisches System im Grundriß. Heidelberg 1902, ²1906.

Drews, A.: Nietzsches Philosophie. Heidelberg 1904.

Drews, A.: Die Religion des Selbst-Bewußtsein Gottes. Eine philosophische Untersuchung über das Wesen der Religion. Jena 1906, ²1925.

Drews, A.: Das Lebenswerk Eduard von Hartmanns. Leipzig 1907.

Drews, A.: Die Christusmythe. Jena 1909. - Dass. Verbesserte und erweiterte Ausgabe. Ebd. 1910. - Dass. Teil 2: Die Zeugnisse für die Geschichtlichkeit Jesu. Eine Antwort an die Schriftgelehrten mit besonderer Berücksichtigung der theologischen Methode. Nebst einem Anhang: Ist der vorchristliche Jesus widerlegt? Eine Auseinandersetzung mit Weinel von W.B. Smith. Jena 1911. - Dass. Völlig umgearbeitete Ausgabe. Jena 1924.

Drews, A.: Freie Religion. Vorschläge zur Weiterführung des Reformations-Gedankens. Jena 1917, ²1920. - Dass.: Freie Religion. Gedanken zur Weiterbildung und Vertiefung für den Gottsucher unserer Tage. 3. verbesserte und vermehrte Auflage. Jena 1921.

Drews, A.: Einführung in die Philosophie. Die Erkenntnis der Wirklichkeit als Selbsterkenntnis. Berlin 1921.

Drews, A.: Die Entstehung des Christentums aus dem Gnostizismus. Jena 1924.

Drews, A.: Psychologie des Unbewußten. Berlin 1924.

Drews, A.: Die Leugnung der Geschichtlichkeit Jesu. (WiWir. 33.) Karlsruhe 1926.

Drews, A.: Gott (RelM.) Mainz 1930.

Drews, A.: Deutsche Religion. Grundzüge eines Gottesglaubens im Geiste des deutschen Idealismus. München 1935.

Driesch, H.: Die "Seele" als elementarer Naturfaktor. Studien über die Bewegung der Organismen. Leipzig 1903.

Driesch, H.: Naturbegriffe und Naturteile. Analytische Untersuchungen zur reinen und empirischen Naturwissenschaft. Leipzig 1904.

Driesch, H.: Der Vitalismus als Geschichte und Lehre. (NKPhB. Bd. 3.) Leipzig 1905. - Dass. 2. Auflage unter dem Titel: Geschichte des Vitalismus. Ebd. 1922.

Driesch, H.: Die Philosophie des Organischen. Gifford-Vorlesungen, geh. an der Universität Aberden in d.J. 1907-1908. 2 Bde. Leipzig 1909. - Dass. 2., verbesserte und teilweise umgearbeitete Auflage. Mit 14 Figuren im Text. Ebd. 1921.

Driesch, H.: Zwei Vorträge zur Naturphilosophie. I.: Die logische Rechtfertigung der Lehre von der Eigengesetzlichkeit des Belebten. II.: Über Aufgabe und Begriff der Naturphilosophie. Leipzig 1910.

Driesch, H.: Über die Bedeutung einer Philosophie der Natur für die Ethik. In: Weltanschauung. S. 191-216.

Driesch, H.: Ordnungslehre. Ein System des nichtmechanischen Teils der Philosophie. Jena 1912, ²1923.

Driesch, H.: Leib und Seele. Eine Prüfung des psychophysischen Grundproblems. Leipzig 1916. - Dass. 2. verbesserte und teilweise umgearbeitete Auflage: Leib und Seele. Eine Untersuchung über das psychophysische Grundproblem. Leipzig 1920.

Driesch, H.: Grundprobleme der Psychologie. Leipzig 1924, ²1929.

Driesch, H.: Metaphysik der Natur. (= HPh. München 1926.) München 1927.

Driesch, H.: Mensch und Welt. (MuW.) Leipzig 1928.

Driesch, H.: Selbstdarstellung. In: DSPh. Bd. 1. S. 127-190.

Driesch, H.: Entelechie und Materie. In: Fortschritte und Wandlungen in Wissenschaft, Leben und Weltanschauung. S. 23-26.

Driesch, H.: Parapsychologie. München 1932, ²1943.

Driesch, H.: Philosophische Gegenwartsfragen. Leipzig 1933.

Driesch, H.: Alltagsrätsel des Seelenlebens. Stuttgart 1938, ²1939.

Driesch, H.: Lebenserinnerungen. München, Basel, Wien 1951.

Drüe, H.: Edmund Husserls System der phänomenologischen Psychologie. (PhPsF. 4.) Berlin 1963.

Dürr, K.: Rez. zu F. Pfeiffer. Bolzanos Logik und das Transzendenzproblem. 1922. In: Kantst 28 (1923) 475.

Dürr, L.: Die Wertung des Lebens im Alten Testament und im antiken Orient. Kirchhain 1926.

Duhm, B.: Die Theologie der Propheten als Grundlage für die innere Entwicklungsgeschichte der israelitischen Religion dargestellt. Bonn 1875.

Duhm, B.: Kosmologie und Religion. Vortrag. Basel 1892.

Duhm, B.: Das Geheimnis der Religion. Vortrag. Freiburg 1896, ²1927.

Duhm, B.: Das kommende Reich Gottes. Vortrag. Tübingen 1910.

Duilhé de Saint-Projet, F.: Apologie des Christentums auf dem Boden der empirischen Forschung. In Vorträgen, mit Zusätzen und einer Einführung von Dr. K. Braig. Freiburg 1889.

von Dunin-Borkowski, St.: Rez. zu G. Simmel. Lebensanschauung. In: StZ 98 (1920) 322-323.

Dunkmann, K.: Der christliche Gottesglaube. Grundriß der Dogmatik. Gütersloh 1918.

Du Prel, C.: Der Spiritismus. (UBib. 316.) Leipzig 1893.

Durchblicke. Martin Heidegger zum 80. Geburtstag. (Hrsg. von Vittorio Klostermann.)

Frankfurt (1970).

Durckheim, E.: Les formes élémentaires de la vie religieuse. Paris 1912, ²1925.

Dyroff, A.: Einleitung in die Psychologie. Leipzig 1908.

Dyroff, A.: Chronos. In: Festgabe Friedrich von Bezold. S. 1-21.

Dyroff, A.: Glossen über Sein und Zeit. In: Philosophia Perennis. Bd.2. S. 772-796.

Dyroff, A.: Friedrich Albert Lange. In: LThK¹ 6 (1934) 375-376. - Ders. in: LThK² 6 (1961) 784.

Dyroff, A.: Wilhelm Wundt. In: LThK¹ 10 (1938) 986-989.

Dyrssen, C.: Bergson und die deutsche Romantik. Marburg 1922.

Ebbinghaus, H.: Über die Hartmannsche Philosophie des Unbewußten. (Phil. Diss. Bonn 1873.) Düsseldorf 1873.

Ebbinghaus, H.: Grundzüge der Psychologie. 1. Bd. Leipzig 1897. - Dass. 2. vielfach veränderte und umgearbeitete Auflage. Ebd. 1905; ⁴1919. - 2. Bd. Erste bis dritte Auflage begonnen von Hermann Ebbinghaus, fortgeführt von Ernst Dürr. Ebd. 1902-1913.

Ebbinghaus, H.: Psychologie. In: KdG. Teil 1. Abt. 6: Systematische Philosophie. Berlin, Leipzig 1907. S. 173-246.

Ebbinghaus, J.: Hermann Cohen. In: NDB 3 (1957) 310-313.

Ebrard, J.H.A.: Christliche Dogmatik. Bd. 2. Königsberg 1852, ²1862.

Echeverría-Ruiz, B.: John Duns Scotus and Immortality of the Soul. In: De doctrina Ioannis Duns Scoti. S. 577-587.

Eck, S.: David Friedrich Strauß. Stuttgart 1899.

Eck, S.: Baur und die Tübinger Schule. In: RGG¹ 1 (1909) 959-963.

Eck, S.: Friedrich Ernst Daniel Schleiermacher. In: RGG¹ 5 (1913) 303-314.

Eck, S.: David Friedrich Strauß. In: RGG¹ 5 (1913) 958-961.

Ecke, G.: Die theologische Schule Albrecht Ritschls und die evangelische Kirche der Gegenwart. 2 Bde. Berlin 1897-1904.

Edgar Dacqué. Werk und Wirkung. Eine Rechenschaft. Aus dem Nachlaß hrsg. von Manfred Schröter. Bibliographischer Anhang: Horst Kliemann. München 1948.

Edgar, J.: Where are the Dead? An address etc. Glasgow 1918. - Dass. deutsch: Wo sind unsere Toten? Religiös-psychologische Studie auf positiv biblischer Grundlage. 6. deutsche Auflage (von E. Lanz). Barmen (1919).

Edgar, J.: The Perservation of Identity in the Resurrection. The Importance of the formation of a right character. An address etc. Glasgow 1918.

Die Edinburger Welt-Missions-Konferenz. Bilder und Berichte von Vertretern deutscher Missions-Gesellschaften. Gesammelt von A.W. Schreiber. Basel 1910.

Edsman, C.M.: Le baptême de feu. Leipzig, Uppsala 1940.

Edsman, C.M.: The Body and Eternal Life - a comparative and exegetical study. (Horae Soederblomianae, I. Mélanges Johs. Pedersen. 2.) Stockholm 1946. S. 33-104.

Edsman, C.M.: Ignis divinus - le feu comme moyen de rajeunissement et d'immortalité: Contes, légendes, mythes et rites. (Skrifter utg. av Vetenskaps-societeten i Lund. 34.) Lund (1949).

Edsman, C.M.: Eschatologie, religionsgeschichtlich. In: RGG³ 2 (1958) 650-655.

Edsman, C.M.: Nathan Söderblom. In: LThK² 9 (1964) 844-845.

Effelberger, H.: Die Modalitäten in der Geschichte. Umrisse einer Geschichtsphilosophie. In: PhH 1 (1928/29) 112-119.

Eger, H.: Die Eschatologie Augustins. (GThF, 1.) Greifswald 1933.

Eglise vivante. Paris, Louvain 1949-1971.

Ehrenberg, R.: Leben und Tod. In: ZSTh 2 (1924) 464-537.

Ehrenreich, P.: Die allgemeine Mythologie und ihre ethnologischen Grundlagen. (MB. IV. 1.) Leipzig 1910.

Ehrhard, A.: Schell, H.: Gedenkblätter zu Ehren des hochw. geistlichen Rathes Dr. Joseph Grimm. Würzburg 1897.

Ehrle, F.: Das Verhältnis der Spiritualen zu den Fraticellen. In: ALKGMA 4 (1888) 64-190.

Eichhorn, K.: Die letzten Dinge. Eine Auseinandersetzung mit Herrn Dr. Althaus. Gießen 1927.

Eichrodt, W.: Die Hoffnung des ewigen Friedens im Alten Testament. Gütersloh 1920.

Eichrodt, W.: Gottes ewiges Reich und seine Wirklichkeit in der Geschichte nach alttestamentlicher Offenbarung. (Vortrag, gehalten auf der Theologischen Woche in Bethel, 14. April 1936.) In: ThStKr 108 (1937/38) 1-27.

Die Eine Kirche. Zum Gedenken J.A. Möhlers 1838-1938 dargereich von K. Adam (u.a.) besorgt von Hermann Tüchle. Paderborn 1939.

Einhorn, W.J.: Der Begriff der "Innerlichkeit" bei David von Augsburg und Grundzüge der Franziskanermystik. In: FSt 48 (1966) 336-376.

Einsicht und Glaube. (Gottlieb Söhngen zum 70. Geburtstag am 21. Mai 1962.) Hrsg. von Joseph Ratzinger und Heinrich Fries. Freiburg, Basel, Wien (1962).

Eisenhuth, H.E.: In Gedenken an Karl Heim. In: ThLZ 83 (1958) 657-662.

Eisenmeier, J.: Die Psychologie und ihre zentrale Stellung in der Philosophie. Eine Einführung in die wissenschaftliche Philosophie. Halle 1914.

Eisler, R.: Die Weiterbildung der Kant'schen Aprioritätslehre bis zur Gegenwart. Ein Beitrag zur Geschichte der Erkenntnistheorie. (Phil. Diss. Leipzig 1894.) Leipig 1894.

Eisler, R.: Das Bewußtsein der Außenwelt. Grundlegung zu einer Erkenntnistheorie. Leipzig 1901.

Eisler, R.: Wilhelm Wundts Philosophie und Psychologie. In ihren Grundzügen dargestellt. Leipzig 1902.

Eisler, R.: Kritische Einführung in die Philosophie. Berlin 1905.

Eisler, R.: Leib und Seele. Darstellung und Kritik der neueren Theorien des Verhältnisses zwischen physischem und psychischem Dasein. (NKPhB. 4.) Leipzig 1906.

Eisler, R.: Einführung in die Erkenntnistheorie. Darstellung und Kritik erkenntnistheoretischer Richtungen. Leipzig 1907.

Eisler, R.: Grundlagen der Philosophie des Geisteslebens. (PhSB. 6.) Leipzig 1908.

Eisler, R.: Die voluntaristische Richtung in der modernen Philosophie. In: DFIR (Berlin 1908) S. 390.

Eisler, R.: Das Wirken der Seele. Ideen zu einer organischen Psychologie. Leipzig 1909.

Eisler, R.: Geschichte des Monismus. Leipzig 1910.

Eisler, R.: Philosophen-Lexikon. Leben, Werke und Lehren der Denker. Berlin 1912.

Eißfeld, O.: Religionsgeschichtliche Schule. In: RGG² 4 (1930) 1898-1905.

Eißfeld, O.: Julius Wellhausen. In: RGG³ 6 (1962) 1594-1595.

Elbé, L.: La vie future devant la sagesse antique et la science moderne. Paris 1905.

Elert, W.: Der Kampf um das Christentum. Geschichte der Beziehungen zwischen dem evangelischen Christentum in Deutschland und dem allgemeinen Denken seit Schleiermacher und Hegel. München 1921.

Ellissen, O.A.: Friedrich Albert Lange. Eine Lebensbeschreibung. Leipzig 1891.

Elsas, A.: Über Psychophysik. Marburg 1886.

Elsenhans, Th.: Phänomenologie und Empirie. In: Kantst 22 (1917/18) 243-261.

Elze, M.: Tübingen. Universität (3.) In: RGG³ 6 (1962) 1068-1069.

Emerson, R.W.: Natur und Geist. Aus dem Englischen übertragen von Wilhelm Wiesner. Buchausstattung von Fritz Schumacher. Jena 1907.

Emmel, F.: Wundts Stellung zum religiösen Problem. (Phil. Diss. Würzburg 1911. 1. Ref.: R. Stölzle.) Paderborn 1911.

Emmen, A.: Die Eschatologie des Petrus Johannis Olivi. In: WiWei 24 (1961) 113-144.

Engel, J.: Christoph Sigwart's Lehre vom Wesen des Erkennens. Ein Beitrag zur Geschichte der Erkenntnistheorie. (Phil. Diss. Erlangen 1908. Ref.: P. Hensel.) Bamberg 1908.

Engelke, K.: Die metaphysischen Grundlagen in Nietzsches Werk. (Phil. Diss. Kiel 1941.) (KPESt. 17.) Würzburg 1942.

Engert, J.: Der naturalistische Monismus Haeckels auf seine wissenschaftliche Haltbarkeit geprüft. Von der theologischen Fakultät der Universität Würzburg gekrönte Preisschrift. Wien 1905.

Engert, J.: Hermann Samuel Reimarus als Metaphysiker. Paderborn 1908.

Engert, J.: Herman Schell. In: RGG¹ 5 (1913) 280-281.

Engert, J.: Herman Schell. In: BadB (1935) 685-691.

Engert, J.: Herman Schell. In: LThK¹ 9 (1937) 232-234.

Engert, Th.: Josef Schnitzer. In: RGG² 5 (1931) 220.

Engler, K.: Das Tausendjährige Reich. Neumünster (1919). - Dass. 2. durchgesehene Aufl. Ebd. (1920). - Dass. 3., durchgesehene Auflage. Ebd. 1926.

Engler, K.: Das Himmlische Jerusalem und die neue Erde. Neumünster (1920), ²1926.

Englhauser, J.: Metaphysische Tendenzen in der Psychologie Diltheys. Inaugural-Dissertation zur Erlangung des Doktorgrades der Philosophischen und Naturwissenschaftlichen Fakultät der Westfälischen Wilhelms-Universität zu Münster vorgelegt von Joh. Englhauser aus Lampferding. (Ref. P. Wust, W. Kabitz.) (= APhPsR. 50.) Würzburg 1938.

Entscheidung. Eine Schriftenreihe. Kevelaer ab 1956.

Eranos = Eranos-Jahrbuch. Zürich ab 1933.

Erdmann, B.: Johann Eduard Erdmann. In: PhM 29 (1893) 219-227.

Erdmann, B.: Wissenschaftliche Hypothese über Leib und Seele. Vorträge gehalten an der Handelshochschule zu Köln. Köln [1907].

Erdmann, B.: Über den modernen Monismus. Akademische Festrede. Berlin 1914.

Erdmann, B.: Die philosophischen Grundlagen von Helmholtz Wahrnehmungstheorie. (AAWB-ph/hKl. 1.) Berlin 1921.

Erdmann, J.E.: Versuch einer wissenschaftlichen Darstellung der Geschichte der neueren Philosophie. 3 Bde. Leipzig 1834-1853.

Erdmann, J.E.: Leib und Seele nach ihrem Begriff und ihrem Verhältnis zueinander. Ein Beitrag zur Begründung der philosophischen Anthropologie. Halle 1837. - Dass. 2., verbesserte Auflage. Ebd. 1849.

Erdmann, J.E.: Vorlesungen über Glauben und Wissen, als Einleitung in die Dogmatik und Religionsphilosophie, gehalten und auf den Wunsch seiner Zuhörer herausgegeben. Berlin 1837.

Erdmann, J.E.: Natur oder Schöpfung? Eine Frage an die Naturphilosophie und Religionsphilosophie. Leipzig 1840.

Erdmann, J.E.: Grundriß der Psychologie. Leipzig 1840.

Erdmann, J.E.: Grundriß der Logik und Metaphysik. Halle 1841.

Erdmann, J.E.: Grundriß der Geschichte der Philosophie. 2 Bde. Berlin 1865-1867, ⁷1896. - Dass. Neudruck. Stuttgart-Bad Cannstatt 1964.

Erhardt, F.: Die Wechselwirkung zwischen Leib und Seele. Eine Kritik der Theorie des psychophysischen Parallelismus. Leipzig 1897.

Erhardt, F.: Psycho-physischer Parallelismus und erkenntnistheoretischer Idealismus. Eine ergänzende Abhandlung zu meiner Schrift: Über Wechselwirkung zwischen Leib und Seele. Sonderdruck aus: ZPhPhKr.

Ernst: Moderne Versuche zur Gewinnung eines neuen Lebensverständnisses in Philosophie und Theologie. (Vortrag, gehalten am 16. Januar 1931 vor der theologischen Fachschaft der Universität Halle.) (M. Heidegger und die dialektische Theologie.) In: ZSTh 9 (1932) 25-46.

Ernst Haeckel. (2 Bde.) 1. Sein Leben, Denken und Wirken. Eine Schriftenfolge für seine zahlreichen Freunde und Anhänger. 2. Eine Schriftenfolge zur Pflege seines geistigen Erbes. Buchgabe der Ernst-Haeckel-Gesellschaft. Hrsg. von Victor Franz. Jena, Leipzig 1943-1944.

Ertel, Chr.: Von der Phänomenologie und jüngeren Lebensphilosophie zur Existentialphilosophie M. Heideggers. In: PhJ 51 (1938) 1-28.

Erxleben, W.: Erlebnis, Verstehen und geschichtliche Wahrheit. Untersuchungen über die geschichtliche Stellung von Wilhelm Diltheys Grundlegung der Geisteswissenschaften. (Phil. Diss. Berlin 1937.) Berlin 1937.

Erxleben, W.: Der Einzelne und der Zusammenhang des Lebens in der Philosophie Wilhelm Diltheys. In: IZE 7 (1938) 321-329.

Eschatologie im Alten Testament. Hrsg. von Horst Dietrich Preuß. (Wege der Forschung. Bd. CDLXXX.) Darmstadt 1978.

Escribano Alberca, I.: Die Gewinnung theologischer Normen aus der Geschichte der Religion bei E. Troeltsch. Eine methodologische Studie. (Theol. Diss. München 1961.) (MThSt. Abt. 2. Bd. 21.) München 1961.

Espenberger, J.N.: Rez. zu K. Adam. Glaube und Glaubenswissenschaft. In: ThRv 20 (1921) 193-195.

Espenberger, J.N.: Rez. zu W. Götzmann. Die Unsterblichkeitsbeweise der Väterzeit. In: ThPQ 81 (1928) 658-659.

Esser, A.: Präadamiten. In: KL² 10 (1897) 252-254.

Esser, G.: Die Seelenlehre Tertullians. Paderborn 1893.

Esser, G.: Krieg und göttliche Vorsehung. (FZB. Bd. 34. H. 5.) Hamm 1915.

Ettlinger, M.: Untersuchungen über Bedeutung der Deszendenztheorie für die Psychologie. Köln 1903.

Ettlinger, M.: Einheitsbestrebungen in der Psychologie. In: Hochland 6/II (1909) 215-219.

Ettlinger, M.: Neulamarckismus und vergleichende Psychologie. In: Hochland 6/II (1909) 617-619.

Eucken, R.: Über die Bedeutung der aristotelischen Philosophie der Gegenwart. Berlin 1872.

Eucken, R.: Geschichte und Kritik der Grundbegriffe der Gegenwart. Leipzig 1878.

Eucken, R.: Zur Charakteristik der Philosophie Trendelenburg's. In: PhM 20 (1884) 342-366.

Eucken, R.: Die Philosophie des Thomas von Aquino und die Kultur der Neuzeit. Halle 1886.

Eucken, R.: Die Einheit des Geisteslebens in Bewußtsein und Tat der Menschheit. Untersuchungen. Leipzig 1888.

Eucken, R.: Die Lebensanschauungen der großen Denker. Eine Entwicklungsgeschichte des Lebensproblems der Menschheit von Plato bis zur Gegenwart. (1890). 5. umgearbeitete Auflage. Leipzig 1904.

Eucken, R.: Der Kampf um einen geistigen Lebensinhalt. Neue Grundlegung einer Weltanschauung. Leipzig 1896.-Dass. 2. umgestaltete Auflage. Ebd. 1907. - Dass. 3. umgearbeitete Auflage. Leipzig, Berlin 1918. - Dass. 5. umgearbeitete Auflage. Berlin 1924.

Eucken, R.: Thomas von Aquino und Kant, ein Kampf zweier Welten. Berlin 1901.

Eucken, R.: Der Wahrheitsgehalt der Religion. Leipzig 1901. - Dass. 4. umgearbeitete Auflage. Berlin 1920. - Dass. Neudruck. Berlin 1927.

Eucken, R.: Gesammelte Aufsätze zur Philosophie und Lebensanschauung. Leipzig 1903.

Eucken, R.: Die geistigen Strömungen der Gegenwart. Der Grundbegriff der Gegenwart 3., umgearbeitete Auflage. Leipzig 1904. - Dass. 4., umgearbeitete Auflage. Ebd. 1909. - Dass. 6. umgearbeitete Auflage. Berlin 1920. - Dass. Unveränderter Neudruck. Berlin 1928.

Eucken, R.: Grundlinien einer neuen Lebensanschauung. Leipzig 1907. - Dass. 2., völlig umgearbeitete Auflage. Ebd. 1913.

Eucken, R.: Die Hauptprobleme der Religionsphilosophie der Gegenwart. Berlin 1907. - Dass. 3. verbesserte und erweiterte Auflage. Ebd. 1907. - Dass. 4.-5. verbesserte und erweiterte Auflage. Ebd. 1912.

Eucken, R.: Philosophie der Geschichte. In: KdG. Teil 1, Abt. 6: Systematische Philosophie. Berlin, Leipzig 1907. S. 247-281.

Eucken, R.: Einführung in die Philosophie des Geisteslebens. Leipzig 1908.

Eucken, R.: Der Sinn und Wert des Lebens. Leipzig 1908. - Dass. 2. völlig umgearbeitete Auflage. Ebd. 1910. - Dass. 4. umgearbeitete und erweiterte Auflage. Ebd. 1914. - Dass. 5., völlig umgearbeitete und 6. Auflage. Ebd. 1918. - Dass. 9. Auflage. Ebd. 1922.

Eucken, R.: Können wir noch Christen sein? Leipzig 1911.

Eucken, R.: Die geistigen Forderungen der Gegenwart. (RDS. 1.) Berlin 1928.

Ewald, H.: Der geschichtliche Christus und die synoptischen Evangelien. Leipzig 1892.

Ewald, O.: Nietzsches Lehre in ihren Grundbegriffen. Die ewige Wiederkunft des Gleichen und der Sinn des Übermenschen. Eine kritische Untersuchung. Berlin 1903.

Ewald, O.: Gründe und Abgründe. Präludien zu einer Philosophie des Lebens. 2 Teile. Berlin 1909.

Ewald, O.: Lebensfragen. Leipzig 1910.

Ewald, O.: Zur Analyse des Unsterblichkeitsproblems. (Wissenschaftliche Beilage zum 24. Jahresbericht der philosophischen Gesellschaft an der Universität zu Wien.) Leipzig 1911.

Ewald, O.: Die Religion des Lebens. Basel 1925.

Faber, F.W.: The burial service, its doctrine and consolation. London 1838.

Fabian, W.: Kritik der Lebensphilosophie Georg Simmels. (Phil. Diss. Breslau 1926. Ref.: E. Kühnemann.) Breslau 1926.

Fabri, F.: Karl August Auberlen. In: RE[3] 2 (1897) 215-217.

Färber, K.: Erinnerung an Wilhelm Koch. In: ThQ 150 (1970) 102-112.

Falckenberg, R.: Hermann Lotze. 1. Teil: Das Leben und das Entstehen der Schriften nach den Briefen. (FKPh. 12.) Stuttgart 1901.

867

Falckenberg, R.: Hermann Lotze. Sein Verhältnis zu Kant und zu den Problemen der Gegenwart. In: ZPhPhKr 150 (1913) 37-56.

Falke, R.: Die Lehre von der ewigen Verdammnis mit besonderer Berücksichtigung des Conditionalismus, der Apokatastasis und der Seelenwanderung. Eisenach 1892.

Falke, R.: Gibt es eine Seelenwanderung? Eine moderne Frage unserer Zeit. Halle 1904.

Falke, R.: Die Seelenwanderung. (Zeit- und Streitfragen. IX. Ser. 4. H.) 2. Tausend. Berlin-Lichterfelde 1913.

Falkenheim, H.: Kuno Fischer. In: BJDN 12 (1909) 255-272.

Farnetani, B.: La visione beatifica di Dio secondo S. Bonaventura. In: MF 54 (1954) 3-28.

Faust, A.: Heinrich Rickert und seine Stellung innerhalb der deutschen Philosophie der Gegenwart. Tübingen 1927.

Fechner, G.Th.: Das Büchlein vom Leben nach dem Tode. (Hauslexikon, vollständiges Handbuch praktischer Lebenskenntnisse für alle Stände, hrsg. von G.Th. Fechner.) Leipzig 1836-1838. - Dass. Hamburg ⁷1911.

Fechner, G.Th.: Zend-Avesta oder über die Dinge des Himmels und des Jenseits. Vom Standpunkt der Naturbetrachtung. Drei Theile. Leipzig 1851. - Dass. 3. Auflage besorgt von K. Laßwitz. Hamburg 1903.

Fechner, G.Th.: Elemente der Psychophysik. 2 Bde. Leipzig 1860.

Fechner, G.Th.: Über die Seelenfrage. Ein Gang durch die sichtbare Welt um die unsichtbare zu finden. Leipzig 1861. - Dass. 2. Auflage mit einem Geleitwort von F. Paulsen hrsg. von E. Spranger. Ebd. 1907.

Fechner, G.Th.: In Sachen Psychophysik. Leipzig 1877.

Fechner, G.Th.: Die Tagesansicht gegenüber der Nachtansicht. Leipzig 1879, ²1904.

Fechner, G.Th.: Revision der Hauptpunkte der Psychophysik. Leipzig 1882.

Fechter, P.: Grundlagen der Realdialektik. Ein Beitrag zur Kenntnis der Bahnsen'schen Willensmetaphysik. (Phil. Diss. Erlangen 1906. Ref.: R. Falckenberg.) München, Leipzig 1906.

Feckes, K.: Rez. zu B. Bartmann. Das Fegfeuer. In: ThRv 29 (1930) 213-214.

Feigel, F.K.: Tod und Unsterblichkeit im Geistesleben der Menschheit. Drei Vorträge. Essen 1926.

Feigel, F.K.: "Das Heilige". Kritische Abhandlung über Rudolf Ottos gleichnamiges Buch. Haarlem 1919. - Dass. 2. durchgesehene Auflage. Tübingen 1948.

Feine, P.: Theologie des Neuen Testaments. Leipzig 1910, ⁴1922, ⁷1935.

Feine, P.: Die Gegenwart und das Ende aller Dinge. Leipzig 1918, ³1919.

Feine, P.: Das Leben nach dem Tode. Leipzig 1918, ²1919.

Felder, H.: Jesus Christus. Apologie seiner Messianität und Gottheit gegenüber der neuesten ungläubigen Jesusforschung. 2 Bde. Paderborn 1911-1914.

Fell, G.: Die Unsterblichkeit der menschlichen Seele philosophisch beleuchtet. (Ergänzungsheft zu den Stimmen aus Maria Laach. Nr. 55.) Freiburg 1892, ²1919.

Der Fels. (Halb-)Monatszeitschrift für Gebildete aller Stände. Das Organ der Central-Auskunftsstelle der katholischen Presse. (Vorher: Apologetische Rundschau.) Frankfurt ab 1913 (= Jg. 9).

Fels, H.: Bernhard Bolzano. Leipzig 1929.

Fels, H.: Franz Brentano. In: LThK¹ 2 (1931) 541-542.

Festgabe Alois Knöpfler zur Vollendung des 70. Lebensjahres von seinen Freunden und Schülern hrsg. von Heinrich M. Gietl und Georg Pfeilschifter. Freiburg 1917.

Festgabe Friedrich von Bezold dargebracht zum 70. Geburtstag von seinen Schülern, Kollegen und Freunden. Bonn + Leipzig 1921.

Festgabe für Heinrich Rickert zum 70. Geburtstag. Hrsg. von August Faust. (Pädagogische Hochschule. Sonderausgabe.) Bühl (1933).

Festschrift Edmund Husserl zum 70. Geburtstag gewidmet. (=JPhPhF-Erg.-H.) Halle 1929.

Festschrift Georg Beer zum 70. Geburtstag. Hrsg. von Artur Weiser. Stuttgart 1935.

Festschrift Johannes Volkelt zum 70. Geburtstag dargebracht von Paul Barth, Bruno Bauch, Ernst Bergmann (u.a.). Mit einem Bildnis und einem vollständigen Verzeichnis der Schriften Volkelts. München 1918.

Festschrift Kardinal Faulhaber zum 80. Geburtstag dargebracht vom Professorenkollegium der Philosophisch-theologischen Hochschule Freising. München 1949.

Festschrift für Paul Natorp, zum 70. Geburtstag von seinen Schülern und Freunden gewidmet. Berlin 1924.

Fest-Schrift Sebastian Merkle zu seinem 60. Geburtstag gewidmet von seinen Schülern und Freunden, hrsg. unter Mitwirkung von Johannes Hehn und Fritz Tillmann von Wilhelm Schellberg. Düsseldorf 1922.

[Feuerbach, L.]: Gedanken über Tod und Unsterblichkeit. (Anonym.) Nürnberg 1830.

Feuerbach, L.: Das Wesen des Christentums. Leipzig 1851.

Feuerbach, L.: Theogonie. Leipzig 1857.

Feuling, D.: Das Wesen des Katholizismus. Grundsätzliches zu Heilers gleichnamiger Schrift. Beuron 1920.

Feuling, D.: Rez. zu A. Sternberger. Der verstandene Tod. In: ThRv 34 (1935) 497-500.

Feuling, D.: Katholische Glaubenslehre. Einführung in das theol. Leben für weitere Kreise. Salzburg 1936, [4]1951.

Feuling, D.: Das Leben der Seele. Einführung in psychologische Schau. Salzburg 1940, [2]1948.

Fichte, I.H.: Die Seelenfortdauer. Eine philosophische Confession. Leipzig 1859.

Fichte, I.H.: Die Seelenfortdauer und die Weltstellung des Menschen. Eine anthropologische Untersuchung und ein Beitrag zur Religionsphilosophie wie zu einer Philosophie der Geschichte. Leipzig 1867.

Fichte, I.H.: Der neue Spiritualismus, sein Wert und seine Täuschung. Leipzig 1878.

Ficker, Ch.Th.: Woldemar Gottlob Schmidt. In: RE[3] 17 (1906) 660-661.

Fiedler, J.K.: Die Motive der Fechnerschen Weltanschauung. (Phil. Diss. Leipzig 1918. Ref.: J. Volkelt, E. Spranger.) Halle 1918.

Fink, E.: Die phänomenologische Philosophie Edmund Husserls in der gegenwärtigen Kritik. Mit einem Vorwort von E. Husserl. In: Kantst 38 (1933) 319-383.

Fink, E.: Sein, Wahrheit, Welt. Vor-Fragen zum Problem des Phänomen-Begriffs. (Text einer Vorlesung.) (Phän. 1.) Den Haag 1958.

Fink, K.A.: Verzeichnis der Schriften Emil Göllers. In: RQ 41 (1933) 9-13.

Finke, H.: Emil Göller - Nekrolog. In: HJ 53 (1933) 277-279.

Fischer, Alois: Die Existenzphilosophie Martin Heideggers. Darlegung und Würdigung ihrer Grundgedanken. (Phil. Diss. München 1935.) Leipzig 1935.

Fischer, Aloys: Die Grundlagen der vorsokratischen Philosophie. In: Große Denker. Bd. 1. S. 7-73.

Fischer, Aloys: Psychologie der Gesellschaft. (HVPs. Bd. 2. Abt. 4.) München 1922.

Fischer, An.: De salute infidelium. Commentatio ad theologiam apologeticam pertinens. Essendiae ad Ruram 1886.

Fischer, E.L.: Das Prinzip der Organisation der Pflanzenseele. Mainz 1883.

Fischer, E.L.: Das Problem des Übels und die Theodicee. Mainz 1883.

Fischer, E.L.: Ersatzversuche für das Christentum. Regensburg 1903.

Fischer, E.L.: Die Harmonie als Grundgesetz des Seins und Lebens. Nebst einem Rückblick auf die Feier meines ... Jubiläums. Würzburg 1920.

Fischer, K.: System der Logik und Metaphysik oder Wissenschaftslehre. Stuttgart 1852, [3]1909.

Fischer, K.: Geschichte der neueren Philosophie. Bd. 1-2, 3-4. Mannheim 1854-1860. - Dass. 5 Bde. Heidelberg 1865-1869. - Dass. München 1877-1882. - Dass. Bd. 5/2: Immanuel Kant und seine Lehre. Das Vernunftsystem auf der Grundlage der Vernunftkritik. (Photomechanischer Nachdruck.) Heidelberg 1957. - Dass. Bd. 8: Hegels Leben, Werke und Lehre. 2 Bde. Heidelberg [2]1911. - Dass. Reprographischer Nachdruck. (= 5. Auflage.) Darmstadt 1976.

Fischer, K.: De realismo et idealismo. Jena 1858.

Fischer, K.: Anti-Trendelenburg. Jena 1870.

Fischer, K.: Über das Problem der menschlichen Freiheit. Rede. Heidelberg 1875.

Fischer, K.: Philosophische Schriften. Sechs Bde. Heidelberg 1891, [5]1902.

Fisher, G.M.: John R. Mott, architect of co-operation and unity. New York. 1952.

Flade, W.: Die philosophischen Grundlagen der Theologie Richard Rothe's. (Phil. Diss. Leipzig.) Leipzig-Reudnitz 1900.

Flaskämper, P.: Die Wissenschaft vom Leben. Biologisch-philosophische Betrachtungen. München 1913.

Flaskämper, P.: Rez. zu H. Driesch. Leib und Seele. In: Kantst 21 (1917) 445-448.

Flebbe, K.: Die Lehre Schleiermachers von der Sünde und vom Übel. (Phil. Diss. Jena 1873.) Jena 1873.

Fleisch, U.: Die erkenntnistheoretischen und metaphysischen Grundlagen der dogmatischen Systeme Alois Emanuel Biedermanns und Richard Adelbert Lipsius kritisch dargestellt. (Phil. Diss. Zürich 1901.) Berlin 1901.

Fleischer, H.: Nicolai Hartmanns Ontologie des idealen Seins. (Phil. Diss. Erlangen 1955.) O.O. 1954.

Fleischer, H.: Marxismus und Geschichte. (EdS. 323.) Frankfurt 1969, ⁴1972.

Fleischhack, E.: Fegfeuer. Die christliche Vorstellung vom Geschick der Verstorbenen geschichtlich dargestellt. Tübingen 1969.

Flex, W.: Der Wanderer zwischen beiden Welten. Ein Kriegserlebnis von Walter Flex. München 1917. - Dass. Der Gesamtauflage 683-686. Tausend. Ebd. 1940.

Floerke, W.: Die Lehre vom tausendjährigen Reiche; ein theologischer Versuch. Marburg 1859.

Flügel, G.: Rez. zu M. Heidegger. Sein und Zeit. In: PhJ 42 (1929) 104-109.

Flügel, O.: Die Seelenfrage, mit Rücksicht auf die neueren Wandlungen gewisser naturwissenschaftlicher Begriffe. Cöthen 1878. - Dass. 2. vermehrte Auflage. Ebd. 1890. - Dass. 3. vermehrte Auflage. Ebd. 1902.

Flügel, O.: Albrecht Ritschls philosophische Ansichten. Langensalza 1886.

Flügel, O.: Über die persönliche Unsterblichkeit, Vortrag gehalten im Zweigverein für wissenschaftliche Pädagogik in Halle. (Aus: Deutsche Blätter für erzieherischen Unterricht.) Langensalza 1887. - Dass. (PM. H. 125.) Ebd. ³1899.

Flügel, O.: Monismus und Theologie. Cöthen 1908.

Flunk, M.: Die Eschatologie Altisraels. Argumente und Dokumente für die Existenz des Unsterblichkeitsglaubens in Altisrael. I. Argumente und allgemeine Grundlagen. Innsbruck 1908.

Foerster, E.: Der Weltkrieg in seinen religiösen und sittlichen Auswirkungen. In: RGG² 3 (1929) 1316-1318.

Fonck, L.: Harnacks Evangelium. In: ZKTh 25 (1901) 420-435.

Fonck, L.: Die Parabeln des Herrn. Innsbruck 1902.

Forget, J.: Rez. zu B. Bartmann. Lehrbuch der Dogmatik. In: RHE 13/I (1912) 331-337.

Forster, K.: Anschauung Gottes (II-IV). In: LThK² 1 (1957) 585-591.

Forsthoff, H.: Schleiermachers Religionstheorie und die Motive seiner Grundanschauung. (Phil. Diss. Tübingen 1910. Ref.: H. Maier.) Rostock 1910.

Fortschritte und Wandlungen in Wissenschaft, Leben und Weltanschauung. Festschrift für Prof. D. Dr. Eberhard Dennert. Hrsg. von Wolfgang Dennert. Leipzig 1931.

Fraedrich, G.: Ferdinand Christian Baur, der Begründer der Tübinger Schule, als Theologe, Schriftsteller und Charakter. Preisgekrönt von der Karl-Schwarz-Stiftung. Gotha 1909.

Fraedrich, G.: Unser neues Bild vom Weltall, Mensch und Gott. Bremen 1929.

Die Frage ans Jenseits! Neue Antworten über Tod, Endzeit, Ewigkeit. Hrsg. von Max Braun. Hamburg [1920, ²1921].

Francé, R.H.: Zoesis. Eine Einführung in die Gesetze der Welt. München 1920.

Francé, R.H.: Die Waage des Lebens. Ein Buch der Rechenschaft. (Umschlag: Eine Kulturbilanz.) Prien (1920). - Dass. Eine Bilanz der Kultur. (KTA.) (=Gekürzter Neudruck.) Stuttgart 1939.

Francé, R.: Bios. Das Gesetz der Welt. Stuttgart 1921.

Francé, R.H.: Richtiges Leben. ("Gesetz - Ausgleich - Einordnung".) Ein Buch für Jedermann. (Bios. 1.) Leipzig 1924, ⁶1925.

Francé, R.: So mußt du leben. Dresden 1929.

Franco, G.G.: El espiritismo; manual científico popular. Versión castellana de L.C. Viada y Lluch. Historia del espiritismo moderno; sus fenomenos, doctrinas, moral, causas y peligros; cuestiones con el espiritismo revelacionadas. Barcelon 1893.

Franco, G.G.: Le spiritualisme, manuel scientifique et populair. Bruxelles 1894.

Frank, Fr.H.R.: System der christlichen Gewißheit. Erlangen 1870. - Dass. 2., durchweg verbesserte Auflage. Erlangen 1881-1884.

Frank, Fr.H.R.: System der christlichen Wahrheit. Erste (und) zweite Hälfte. Erlangen 1878-

1880. - Dass. Zweite verbesserte Auflage. Ebd. 1885-1886. - Dass. Dritte verbesserte Auflage. Leipzig 1893-1894.

Frank, Fr.H.R.: Geschichte und Kritik der neueren Theologie, insbesondere der systematischen, seit Schleiermacher. Aus dem Nachlaß des Verfassers hrsg. von P. Schaarschmidt. Leipzig 1894. - Dass. 4. Auflage bearbeitet und bis zur Gegenwart fortgeführt von R.H. Grützmacher. Leipzig 1908.

Frank, G.W.: Geschichte der protestantischen Theologie. Teil 4: Die Theologie des 19. Jahrhunderts. Aus dem Nachlaß hrsg. von G. Loesche. Leipzig 1905.

Franke, J.: Über Lotze's Lehre von der Phänomenalität des Raumes. (Inaugural-Diss.) Leipzig 1884.

Franzen, W. - Georgulis, K.: Entelechie I. In: HWPh 2 (1972) 506-507.

Frazer, J.G.: On certain burial customs as illustrative of the primitive theory of the soul. London 1885.

Frazer, J.G.: The golden bough, a study of comparative religion. 2 vol. London and New York 1890, ³1920. - Dass. A study in magic and religion. 3. ed. rev. and enl. 12 vol. London, New York 1955.

Frazer, J.G.: The belief in immortality and the worship of the dead. 3 vol. London 1913-1924.

Frazer, J.G.: Man, God and immortality. Thoughts an human progress, passages chosen from the writings of Sir James George Frazer ... revised and edited by the author. New York 1927.

Frazer, J.G.: The fear of the dead in primitive religion. London 1933. - Dass. 3 vol. Ebd. 1933-1936.

Frege, G.: Begriffsschrift, eine der arithmetischen nachgebildete Formelsprache des reinen Denkens. Halle 1879.

Frege, G.: Die Grundlagen der Arithmetik. Eine logisch-mathematische Untersuchung über den Begriff der Zahl. Breslau 1884. - Dass. Photomechanischer Nachdruck. Darmstadt 1961.

Frege, G.: Über Sinn und Bedeutung. In: ZPhPhKr 100 (1892) 25-50.

Frege, G.: Begriffswelt und Gegenstand. In: VWPh 16 (1892) 192-205.

Frege, G.: Grundgesetze der Arithmetik, begriffsgeschichtlich abgeleitet. 2 Bde. Jena 1893-1903. - Dass. Reprographischer Nachdruck. Darmstadt 1962.

Frege, G.: Begriffsschrift und andere Aufsätze. Mit E. Husserl und H. Scholz' Anmerkungen hrsg. von Ignacio Angelelli. Reprographischer Nachdruck. Hildesheim 1977.

Frei, L.: Katechismus der monistischen Weltanschauung. Frei nach E. Haeckel's Lehre. Stuttgart 1908.

Freigang, E.W.: Das Problem der Religion bei Dilthey. (Phil. Diss. Jena 1937.) Lodz 1937.

Freisberg, D.: Das Problem der historischen Objektivität in der Geschichtsphilosophie von Ernst Troeltsch. (Phil. und naturwiss. Diss. Münster 1940.) Emsdetten 1940.

Freistedt, E.: Altchristliche Totengedächtnistage und ihre Beziehung zum Jenseitsglauben und Totenkultus der Antike. (LQF. H. 24.) Münster 1928.

Frese, J.: Phänomenologie. In: LThK² 8 (1963) 432-435.

Fresenius, W.: Die Bedeutung der Geschichtlichkeit Jesu für den Glauben. In: ZThK 22 (1912) 244-268.

Frey, J.: Tod, Seelenglaube und Seelenkult im alten Israel. Eine religionsgeschichtliche Untersuchung. Leipzig 1898.

Frey, J.B.: La vie de l'au-delà dans les conceptions juives au temps de Jésus Christ. In: Bibl 13 (1932) 129-168.

Frey-Rohn, L.: Die Grundbegriffe der Dilthey'schen Philosophie mit besonderer Berücksichtigung der Theorie der Geisteswissenschaften. (Phil. Diss. Zürich 1934.) Zürich 1934.

Freybe, A.: Stilling. In: RE³ 19 (1907) 46-51.

Freyer, H.: Theorien des objektiven Geistes. Eine Einleitung in die Kulturphilosophie. Leipzig 1923, ³1934. - Dass. Reprographischer Nachdruck. Stuttgart 1966.

Freyer, H.: Soziologie als Wirklichkeitswissenschaft. Logische Grundlegung des Systems der Soziologie. Leipzig 1930.

Freyer, H.: Einleitung in die Soziologie. (WuB. 276.) Leipzig 1931.

Freyer, H.: Weltgeschichte Europas. 2 Bde. (SDi. 31-32.) Wiesbaden 1948, ²1954, ³1969.

Freyer, H.: Theorie des gegenwärtigen Zeitalters. Stuttgart 1955. - Dass. 11-13. Tausend.

Ebd. 1961.

Freyer, H.: Schwelle der Zeiten. Beiträge zur Soziologie der Kultur. Stuttgart 1965.

Frick, H.: Das Reich Gottes in amerikanischer und deutscher Theologie der Gegenwart. (VThKGi. F. 43.) Gießen 1926.

Fricke, P.: Eduard Thurneysen. In: RGG² 5 (1931) 1171.

Friedemann, K.: Nicolai Hartmanns "Grundzüge einer Metaphysik der Erkenntnis". In: PhJ 39 (1926) 62-67.

Friedmann, R.: Vorwort zur Charaktereologie. In: AGPs 27 (1913) 195-203.

Fries, H.: Die katholische Religionsphilosophie der Gegenwart. Der Einfluß M. Webers auf ihre Formen und Gestalten. Eine problemgeschichtliche Studie. Heidelberg 1949.

Fries, H.: Tod und Leben. In: H. Fries, R. Müller-Erb. Von Tod und Leben. (Hohenheimer Reihe. 2.) Stuttgart 1956. S. 37-76.

Fries, H.: Theodor Steinbüchel. In: RGG³ 6 (1962) 348.

Fries, H.: Katholische Tübinger Schule. In: LThK² 10 (1965) 390-392.

Fries, H.: Die Einheit in der Theologie. Gottlieb Söhngen zum Gedächtnis, geb. 21.5.1892 in Köln, gest. 14.11.1971 in München. In: MThZ 23 (1973) 354-366.

Fries, H.: Und das ewige Leben. In: Ich glaube. S. 167-179.

Frings, M.S.: Person und Dasein. Zur Frage der Ontologie des Wertseins. (Phaen. 32.) Den Haag 1969.

Frings, M.S.: Max Scheler: Drang und Geist. In: Grundprobleme der großen Philosophen. Philosophie der Gegenwart. Bd. 2. S. 9-42.

Frischeisen-Köhler, M.: Wissenschaft und Wirklichkeit. (WuH. 15.) Leipzig 1912.

Frischeisen-Köhler, M.: Georg Simmel (1.3.1858 - 26.9.1918). In: Kantst 24 (1919/1920) 1-51.

Fritsch, P.: Friedrich Paulsens philosophischer Standpunkt, insbesondere sein Verhältnis zu Fechner und Schopenhauer. (Phil. Diss. Erlangen 1910. Ref.: R. Falckenberg.) (APhG. 17.) Leipzig 1910.

Froberger, J.: Paul de Lagarde. In: SL⁵ 3 (1929) 732-733.

Fröbes, J.: Die Bedeutung Wilhelm Wundts. In: StZ Bd. 100. 51 (1921) 412-424.

Frör, K.: Reformatorische Haltung und religionsgeschichtlicher Historismus. Ihre Behauptung gegenüber der historischen Zersetzung bei Ernst Troeltsch. In: Ders. Evangelisches Denken und Katholizismus seit Schleiermacher. (FGLP. 5, 2.) München 1932. S. 98-123.

Frohnmeyer, L.J.: Die theosophische Bewegung, ihre Geschichte, Darstellung und Beurteilung. Stuttgart 1920.

Fuchs, A.: Das tausendjährige Reich. Kirchliche Tondichtung für Sopran- und Baritonsolo, Chor und Orchester (Orgel ad lib.). op. 48 (Textbuch.) Leipzig 1909.

Fuchs, E.: Schleiermachers Religionsbegriff und religiöse Stellung zur Zeit der ersten Ausgabe der Reden (1799-1806). Gießen 1901.

Fuchs, E.: Ewiges Leben. (RV. 12.) Tübingen 1913.

Fuchs, E.: Monismus. (RV. 10/11.) Tübingen 1913.

Fuchs, E.: Leonhard Ragaz. Prophet unserer Zeit. (Quellen zur Geschichte des sozialen Gedankens. = Geist und Welt. 2.) Oberursel/Ts. [1947].

Fülling, E.: Geschichte als Offenbarung. Studien zur Frage Historismus und Glaube von Herder bis Troeltsch. (StLA. N.F. 4.) Berlin 1956.

Fülling, E. - Stange, C.: Vom Historismus und des christlichen Gottesglaubens Eigenart. Geschichtlichkeit und Christentum in der Theologie der Gegenwart. Ein Bericht. Von E. Fülling. Die Eigenart des biblischen Gottesglaubens von C. Stange. (StLA. N.F. 6.) Berlin 1958.

Fuhrmanns, H.: Romano Guardini zum Gedenken. In: Burgbrief Nr. 2. Burg Rothenfels Dezember 1968. S. 30-35.

Funk, F.X.: Ferdinand Christian Baur. In: KL² 2 (1883) 64-75.

Funk, Ph.: Das geistige Erbe von F.X. Kraus. Zum Gedächtnis seines 10. Todestages. In: NJh 4 (1912) 1-4, 16-19, 30-34.

Funk, Ph.: Der Historismus und die Religion. In: Hochland 17/II (1921) 494-499.

Funk, Ph.: Karl Neundörfer. In: Hochland 24/I (1926/27) 111-114.

Funk, Ph.: Herman Hefele. In: HJ 56 (1936) 208-213.

Die Furche. Eine (Akademische) Monatsschrift zur Vertiefung christlichen Lebens und Anregung christlichen Werks in der akademischen Welt. Hrsg. im Auftrag der deutschen christlichen Studentenvereinigung. (Später: Evangelische Monatsschrift für das geistige Leben der Gegenwart.) Berlin 1910-1941.

Gabriel, H.: Das Problem der Existenz objektiver Werte bei Max Scheler. In: PhH 1 (1928/29) 104-112.

Gabriel, L.: Existenzphilosophie. Von Kierkegaard bis Sartre. Wien 1951.

Gadamer, H.-G.: Metaphysik der Erkenntnis. Zu dem Buch von Nicolai Hartmann. In: Logos 12 (1913) 340-359.

Gächter, P.: Parusie. In: LThK¹ 7 (1935) 990-992.

Gaede, E.: Die Lehre von dem Heiligen und der Divination bei Rudolf Otto. Ochersleben 1932.

Gaede, E.: Die Religionsphilosophie von J.F. Fries und A. Görland. Ochersleben 1935.

von Gall, A.: Βασιλεία τοῦ θεοῦ. Eine religionsgeschichtliche Studie zur vorkirchlichen Eschatologie. (RWB. 7.) Heidelberg 1926.

Galling, K.: Hugo Greßmann. In: NDB 7 (1966) 50-51.

Gallinger, A.: Zum Streit über das Grundproblem der Ethik in der neueren philosophischen Literatur. (Phil. Diss. München 1901.) In: Kantst 6 (1901) 353-404. - Dass. separat. Halle 1901.

Gallinger, A.: Das Problem der objektiven Möglichkeit. Eine Bedeutungsanalyse. (SGPsF. 16.) Leipzig 1912.

Gallinger, A.: Zur Grundlegung einer Lehre von der Erinnerung. Halle 1914.

Galot, J.: Eschatologie. In: DSp 4 (1961) 1020-1059.

Galot, J.: Maria Typus und Urbild der Kirche. In: DE ECCL. Bd. 2. S. 477-492.

Gardair, J.: L'Activité dans les corps inorganiques, les puissances de l'âme. Paris 1884.

Gardair, M.J.: Corps et Ame. Essais sur la philosophie de Saint Thomas. Paris 1892.

Gardair, M.J.: La Philosophie de Saint. Thomas. Les Passiones et la Volonté. Paris 1892.

Gardair, M.J.: La Philosophie de Saint Thomas. La Connaissance. Paris 1895.

Gardair, M.J.: La Philosophie de Saint Thomas. La Nature humaine. Paris (1896).

Gaß, W.: Geschichte der protestantischen Dogmatik in ihrem Zusammenhang mit der Theologie überhaupt. 4 Bde. Berlin 1854-1867.

Gastrow, P.: Pfleiderer als Religionsphilosoph. Berlin 1913.

Gegenwartsfragen. Stuttgart ab 1909.

Gehlen, A.: Zur Systematik der Anthropologie. In: Systematische Philosophie. S. 1-53.

Geiger, M.: Über Wesen und Bedeutung der Einfühlung. In: Bericht über den 4. Kongreß für experimentelle Psychologie in Innsbruck vom 19. bis 22. April 1910. Im Auftrag des Vorstandes hrsg. von Prof. Dr. F. Schumann. Leipzig 1911. S. 29-73.

Geiger, M.: Fragment über den Begriff des Unbewußten und die psychische Realität. In: JPhPhF 4 (1921) 1-137. - Dass. Ein Beitrag zur Grundlegung des immanenten psychischen Realismus. E. Husserls zum 60. Geburtstag. Halle 1930.

Geiger, M.: Die philosophische Bedeutung der Relativitätstheorie. Halle 1921.

Geiger, M.: Systematische Axiomatik der Euklidischen Geometrie. Augsburg 1924.

Geiger, M.: Zugänge zur Ästhetik. Leipzig, Berlin 1928.

Geiger, M.: Die Wirklichkeit der Wissenschaften und die Metaphysik. Bonn 1930.

Geiselmann, J.: Dialektische Theologie. In: LThK¹ 3 (1931) 279-282.

Geiselmann, J.R.: Lebendiger Glaube aus geheiligter Überlieferung. Der Grundgedanke der Theologie Johann Adam Möhlers und der katholischen Tübinger Schule. Mainz 1942.

Geiselmann, J.R.: Johann Evangelist von Kuhn. In: LThK² 6 (1961) 656-657.

Geiselmann, J.R.: Die katholische Tübinger Schule. Ihre theologische Eigenart. Freiburg 1964.

Geissler, K.: Die Ergründung des Unendlichen und ihre Bedeutung für die religiösen Vorstellungen. In: PhWs 6 (1907) 353-361; 7 (1907) 108-117.

Geissler, K.: Die Seelenwanderung im Lichte heutiger philosophischer Lehren. In: PhWs 7 (1907) 345-361.

Geist und Welt. Abhandlungen und Quellenschriften zum Problem der Politik, Kultur, Bildung und Religion. Oberursel/Ts. Ab 1947.

Geisteskultur. Monatshefte der Comeniusgesellschaft für Geisteskultur und Volksbildung. Berlin 1893.

Geistige und sittliche Wirkung des Krieges in Deutschland. Von Otto Baumgarten, Erich Foerster, Arnold Rademacher, Wilhelm Flitner. (Wirtschafts- und Sozialgeschichte des Weltkrieges. Deutsche Serie. (= Veröffentlichung der Carnegie-Stiftung für internationalen Frieden. Abt. für Volkswirtschaft und Geschichte.) Stuttgart 1927.

Genér, J.-B.: Theologia dogmatico-scholastica. 6 Bde. Romae 1767-1777.

Gennrich, P.: Die Lehre von der Wiedergeburt, die christliche Zentrallehre, in dogmengeschichtlicher und religionsgeschichtlicher Beleuchtung. Leipzig 1907.

Gennrich, P.: Moderne buddhistische Propaganda und indische Wiedergeburtslehre in Deutschland. Leipzig 1914.

Gennrich, P.: Christentum und Theosophie. Eine Auseinandersetzung mit Rudolf Steiners Anthropologie. (HEVOPr.) Königsberg 1920.

von Gerdtell, L.: Rudolf Euckens Christentum. Für Gebildete aller Stände kritisch dargestellt. Eilenburg 1909.

Gerhard, H.W.: Max Weber. In: RGG³ 6 (1962) 1553-1554.

Gerlach, W.: Hermann L.F. von Helmholtz. In: NDB 8 (1969) 498-501.

Gerlich, F.: Der Kommunismus als Lehre vom tausendjährigen Reich. München 1920.

Gerling, F.W.: Das Ich und die Unsterblichkeit. Leipzig 1901.

Gerling, R.: Der Spiritismus und seine Phänomene. Oranienburg ²1918, ⁵1923.

Gertz, B.: Glaubenswelt als Analogie. Die theologische Analogie-Lehre Erich Przywaras und ihr Ort in der Auseinandersetzung um die analogia fidei. (ThThTh.) Düsseldorf 1969.

Gese, P.: Lotzes Religionsphilosophie, dargestellt und beurteilt. Leipzig 1916.

Die Gesellschaft. Sammlung sozialpsychologischer Monographien. Frankfurt a.M. Ab 1906.

Getzeny, H.: Augenblick und Ewigkeit im Problem des Glaubens. In: Hochland 21/I (1924) 390.

Getzeny, H.: Auf dem Wege Romano Guardinis. In: Hochland 21/II (1924) 637-647.

Geyer, B.: Adolf von Harnack. In: Hochland 28/I (1930) 84-85.

Geyser, J.: Lehrbuch der allgemeinen Psychologie. Münster 1908. - Dass. Zweite gänzlich umgearbeitete und bedeutend vermehrte Auflage. Ebd. 1912.

Geyser, J.: Die Seele; ihr Verhältnis zum Bewußtsein und zum Leibe. (WuF. 6.) Leipzig 1914.

Geyser, J.: Max Schelers Phänomenologie der Religion. Freiburg 1924.

Geyser, J.: Zur Grundlegung der Ontologie. Ausführungen zu dem jünsten Buch von Nicolai Hartmann. In: PhJ 49 (1936) 3-29, 289-338, 425-465; 50 (1937) 9-67.

Gihr, N.: Die heiligen Sakramente der katholischen Kirche. Für die Seelsorger dogmatisch dargestellt. (ThBib. Ser. 2. Bd. 1.) Freiburg 1897.

Gilbert, L.: Fundamente des exakten Wissens. Bd. 1: Neue Energetik. Dresden 1912.

Gilbert, Levi: The hereafter and heaven. Cincinnati, New York 1907.

Gilen, L.: Kleutgen und die Theorie des Erkenntnisbildes. Meisenheim 1956.

Gilen, L.: Kleutgen und der hermesianische Zweifel. In: Scholastik 33 (1958) 1-31.

Gilen, L.: Josef Kleutgen. In: LThK² 6 (1961) 340.

Gilson, E.: Christlicher Existentialismus. Warendorf 1951.

Gilson, E.: Autour de Pomponazzi. Problématique de l'immortalité de l'âme en Italie du XVIe siècle. In: AHDLMA. Bd. 28. 36 (1961) 163-279.

Girgensohn, K.: Der Schriftbeweis in der evangelischen Dogmatik einst und jetzt. Leipzig 1914.

Girgensohn, K: Grundriß der Dogmatik. Leipzig 1924.

von Giżycki, G.: Konsequenzen der Lamarck-Darwinischen Entwicklungstheorie. Ein Versuch. Leipzig 1876.

von Giżycki, G.: Die Ethik David Hume's in ihrer geschichtlichen Stellung. Nebst einem Anhang über die universelle Glückseligkeit als oberstes Moralprinzip. Breslau 1878.

von Giżycki, G.: Grundzüge der Moral. Leipzig 1883.

von Giżycki, G.: Moralphilosophie. Leipzig 1888.

von Giżycki, G.: Vorlesungen über soziale Ethik. Aus dem Nachlaß hrsg. von L. Giżycki. Berlin 1895.

Glaube und Geschichte. Festschrift für Friedrich Gogarten zum 13. Januar 1947. In Gemeinschaft mit Freunden und Schülern hrsg. von Heinrich Runte. Gießen 1948.

Globus. Illustrierte Zeitschrift für Länder- und Völkerkunde. Vereinigt mit den Zeitschriften "Das Ausland" und "Aus allen Weltteilen". Braunschweig 1862-1910.

Glock, K.Th.: Wilhelm Diltheys Grundlegung einer wissenschaftlichen Lebensphilosophie.

(Phil. Diss. Berlin 1935.) Berlin 1935 (Teildruck). - Dass. (NDF. Abt. Phil. 31 = 218 der Gesamtreihe.) Berlin 1939.

Glockner, H.: Johann Eduard Erdmann. Leben und Werk. Stuttgart 1932.

Glockner, H.: Unmittelbarkeit und Sinndeutung. Tübingen 1939.

Gloege, G.: Deutung des Daseins. Zur neueren Literatur über katholisches Welt- und Selbstverständnis. In: ThLZ 82 (1957) 11-14.

Gloßner, M.: Tübinger katholisch-theologische Schule, vom spekulativen Standpunkt kritisch beleuchtet. In: JPhSTh 15 (1900) 166-194; 16 (1901) 1-5, 309-329; 17 (1902) 2-42.

Gloßner, M.: Rez. zu A. Loisy. Evangelium und Kirche. In: JPhSTh 19 (1904) 135-145.

Goblet d'Alviella, Eu.: Introduction à l'histoire des religions. Paris, Bruxelles 1886.

Goblet d'Alviella, Eu.: L'idée de Dieu, d'après l'anthropologie et l'histoire. Paris, Bruxelles 1892.

Goblet d'Alviella, Eu.: La Loi du progrès dans les religions. Etrait de la Revue de Belgique. Bruxelles 1894.

Goblet d'Alviella, Eu.: Animism. In: ERE 1 (1908) 535-537. - Dass. 5. Impression. Ebd. 1964.

Goblet d'Alviella, Eu.: L'Animisme et sa place dans l'évolution religieuse. Paris 1910. - Dass. In: Croyance, rites, institution. Bd. 2. Paris 1911.

Godts, F.X.: De paucitate salvandorum, quid docuerunt Sancti? Lectio spiritualis clero perutilis. Editio tertia. Bruxellis 1899.

Goebel, L.: Herder und Schleiermachers Reden über die Religion. Ein Beitrag zur Entwicklungsgeschichte der neueren Theologie. Gotha 1904.

Göbel, S.: Auferstehungsgeschichte Jesu. Eine öffentliche akademische Vorlesung. Stuttgart 1922.

Görland, A.: Der Gottesbegriff bei Leibniz. Ein Vorwort zu seinem System. (PhAr. I. 3.) Gießen 1907.

Görland, A.: Aristoteles und Kant. Bezüglich der Idee der theoretischen Erkenntnis untersucht. Gießen 1909.

Görland, A.: Mein Weg zur Religion. Sonderdruck aus: Deutsche Schule. Leipzig 1910.

Görland, A.: Religionsphilosophie. Berlin, Leipzig 1923.

Göschel, K.F.: Von den Beweisen für die Unsterblichkeit der menschlichen Seele im Lichte der spekulativen Philosophie. Eine Ostergabe. Berlin 1835.

Göschel, K.F.: Zur Lehre von den letzten Dingen. Eine Ostergabe. Berlin 1850.

Goette, A.: Über den Ursprung des Todes. Hamburg 1883.

Goettsberger, J.: Paul Vetters Stellung zur Pentateuchkritik. In: BZ 5 (1907) 113-125.

Götzmann, W.: Die Unsterblichkeitsbeweise in der Väterzeit und Scholastik bis zum Ende des 13. Jahrhunderts. Eine philosophie- und dogmengeschichtliche Studie. Karlsruhe 1927.

Gogarten, F.: Fichte als religiöser Denker. Jena 1914.

Gogarten, F.: Die religiöse Entscheidung. Jena 1921.

Gogarten, F.: Ethik des Gewissens oder Ethik der Gnade. In: ZZ 1 (1923) H. 2. S. 10-29.

Gogarten, F.: Die Entscheidung. In: ZZ 1 (1923) H. 1. S. 33-47.

Gogarten, F.: Historismus. In: ZZ 2 (1924) H. 8. S. 7-25.

Gogarten, F.: Das Problem der theologischen Anthropologie. In: ZZ 7 (1929) 493-511.

Goldner, F.M.: Die Begriffe der Geltung bei Lotze. (Phil. Diss. Erlangen 1918. Ref.: R. Falckenberg.) Borna - Leipzig 1918. - Dass. Unter dem Namen: Felix Maria Gatz. Unveränderter Abdruck. Stuttgart 1929.

Goldscheid, R.: Zur Ethik des Gesamtwillens. Leipzig 1902. - Dass. Wien 1905.

Goldscheid, R.: Grundlinien einer Kritik der Willenskraft. Willenstheoretische Betrachtung des biologischen, ökonomischen und sozialen Evolutionismus. Wien 1905.

Goldscheid, R.: Probleme des Marxismus. 1. Verelendungs- und Meliorationstheorie? Berlin 1906.

Goldscheid, R.: Entwicklungstheorie, Entwicklungsökonomie, Menschenökonomie. Leipzig 1908.

Goldscheid, R.: Darwin als Lebenselement unserer modernen Kultur. Wien 1909.

Goldscheid, R.: Höherentwicklung und Menschenökonomie. (PhSB. 8.) Leipzig 1911.

Goldscheid, R.: Kulturperspektiven. In: ANKPh 12 (1913) 3-27.

Goldschmidt, A.: Fechners metaphysische Anschauungen. (Phil. Diss. Würzburg 1902.)

Würzburg 1902.

Gollwitzer, H.: Reich Gottes und Sozialismus bei Karl Barth. (ThEH. 169.) München 1972.

Gonzales Hernandes, O.: Das neue Selbstverständnis der Kirche und seine geschichtlichen und theologischen Voraussetzungen. d) Die endzeitliche Dimension. In: DE ECCL. Bd. 1. S. 155-185.

Gorsen, P.: Zur Phänomenologie des Bewußtseinsstroms. Bergson, Dilthey, Husserl, Simmel und die lebensphilosophischen Antinomien. (Phil. Diss. Frankfurt 1965.) - Dass. (APPP. 33.) Bonn 1966.

Gothot, H.: Die Grundbestimmungen über die Psychologie des Gefühls bei Theodor Lipps und ihr Verhältnis zur "Peripheren Gefühlstheorie". (Phil. Diss. Bonn 1921. Ref.: G. Störring.) Mühlheim-Ruhr 1921.

Gotthardt, J.: Das Wahrheitsproblem in dem philosophischen Lebenswerk Bernhard Bolzanos. (Phil. Diss. Münster 1918. Ref.: J. Geyser.) Trier 1918 [Teildruck].

Gotthardt, J.: Rez. zu B. Bartmann. Lehrbuch der Dogmatik. In: LZD 73 (1923) 569-570.

Gottschalch, W., Karrenberg, F., Stegmann, F.J.: Geschichte der sozialen Ideen in Deutschland hrsg. von H. Grebing. (DHP. Bd. 3.) München, Wien (1969).

Gottschalk, J.: Max Sdralek. In: LThK² 9 (1964) 554-555.

Gottschalk, W.: Ideengeschichte des Sozialismus in Deutschland. In: DHP. Bd. 3. S. 19-324.

Grabes, H.: Der Begriff des a priori in Nicolai Hartmanns Erkenntnismetaphysik und Ontologie. (Phil. Diss. Köln 1963.) Köln 1963.

Grabmann, M.: Franz Morgott als Thomist. In: JPhSTh 15 (1901) 46-79.

Grabmann, M.: Der kritische Realismus Oswald Külpes und der Standpunkt der aristotelisch-scholastischen Philosophie. In: PhJ 29 (1916) 333-369.

Grabmann, M.: Die Idee des Lebens in der Theologie des Hl. Thomas von Aquin. Paderborn 1922.

Grabmann, M.: Mittelalterliches Geistesleben. Abhandlungen zur Geschichte der Scholastik und Mystik. Bd. [I]. II. München MCMXXVI-MCMXXXVI. - Dass. Bd. III. Mit der Bibliographie M. Grabmanns hrsg. von Ludwig Ott, Prof. an der Phil.-Theol. Hochschule Eichstätt. München MCMLVI.

Grabmann, M.: Die Grundgedanken des heiligen Augustinus über Seele und Gott in ihrer Gegenwartsbedeutung. 2., neubearbeitete Auflage. (Rüstzeug der Gegenwart. N.F. 5. Bd.) Köln 1929. - Dass. Sonderausgabe. (Unveränderter reprographischer Nachdruck.) Darmstadt MCMLXVII.

Grabmann, M.: Franz Morgott. In: LThK¹ 7 (1935) 326.

Grabmann, M.: Mathias Schneid. In: LThK¹ 9 (1937) 290.

Grabmann, M.: Albert Stöckl. In: LThK¹ 9 (1937) 834.

Grabs, R.: Albert Schweitzer. In: RGG³ 5 (1961) 1607-1608.

Graefe, J.: Das Problem des menschlichen Seins in der Philosophie Paul Natorps. (Phil. Diss. Leipzig 1933.) Würzburg 1933.

Grässer, E.: Das Problem der Parusieverzögerung in den synoptischen Evangelien und in der Apostelgeschichte. (Beihefte zu: ZNW. 22.) Berlin 1957. - Dass. 2., berichtigte und erweiterte Auflage. Ebd. 1960. - Dass. 3., durch eine ausführliche Einleitung und ein Literaturverzeichnis ergänzte Auflage. Berlin, New York 1977.

Granel, G.: Le sens du temps et de la perception chez E. Husserl. Paris 1968.

Graß, H.: Unsterblichkeit. In: RGG³ 6 (1962) 1174-1178.

Graß, H.: Die Theologie von Paul Althaus. In: NZSThRPh 8 (1966) 213-241.

Graß, H.: Auferstehung. In: HWPh 1 (1971) 616-617.

Graßmann, F.L.: Die Schöpfungslehre des heiligen Augustinus und Darwin's. Gekrönte Preisschrift. Regensburg 1889.

Graue, G.: Die modernen Bemühungen, den naturalistischen Monismus mit einer religiössittlichen Weltordnung zu vereinigen. In: PrM 9 (1905) 417-430, 466-479.

Grebe, W.: Der natürliche Realismus. Eine Untersuchung zum Thema: Philosophie und Leben. In: ZDKPh 5 (1939) 169-208.

Gredt, J.: Die Sünde und ihre Auswirkung im Jenseits. In: JPhSTh 16 (1902) 406-423.

Greshake, G.: Historie wird Geschichte. Bedeutung und Sinn der Unterscheidung von Historie und Geschichte in der Theologie Rudolf Bultmanns. (Koinonia. 3.) Essen 1964.

Greshake, G.: Auferstehung der Toten. Ein Beitrag zur gegenwärtigen Diskussion über die

Zukunft der Geschichte. (Koinonia. 10.) Essen 1969.

Greshake, G. - Lohfink, G.: Naherwartung, Auferstehung, Unsterblichkeit. Untersuchungen zur christlichen Eschatologie. (QD. 71.) Freiburg, Basel, Wien 1975.

Greshake, G.: Stärker als der Tod. Zukunft - Tod - Auferstehung - Himmel - Hölle - Fegfeuer. (TTb. 50.) Mainz 1976.

Greshake, G.: Tod und Auferstehung. Alte Probleme neu überdacht. In: BuK 32 (1977) 2-11.

Greßmann, H.: Der Ursprung der israelitisch-jüdischen Eschatologie. (FRLANT. 6.) Göttingen 1905. - Dass. Neu hrsg. von H. Schmidt unter dem Titel: Der Messias. Ebd. 1929.

Greßmann, H.: Hölle. In: RGG¹ 3 (1912) 80-82.

Greßmann, H.: Paul A. de Lagarde. In: RGG¹ 3 (1912) 1919-1922.

Greßmann, H.: Tod und Jenseits. In: RGG¹ 5 (1913) 1246-1249.

Greßmann, H.: Albert Eichhorn und die religionsgeschichtliche Schule. Göttingen 1914.

Greßmann, H.: Sterbende und auferstehende Götter. In RGG² 1 (1927) 623-624.

Grill, S.: Dr. August Rohlings Leben und Schrifttum. In: ÖKBl 94 (1961) 18-20, 33-35.

Grillmeier, A.: Der Gottessohn im Totenreich. Die Descensuslehre in der älteren christlichen Überlieferung. In: ZKTh 71 (1949) 1-53, 184-204.

Grillmeier, A.: Höllenabstieg/Höllenfahrt Christi. In: LThK² 5 (1960) 450-455.

Grillmeier, A.: Kommentar zur dogmatischen Konstitution über die Kirche (Lumen Gentium). In: LThK-2.V.K. Bd. 1. S. 156-207, 247-255.

Grimm, J.: Das Leben Jesu. Nach den vier Evangelien dargestellt. 5 Bde. Regensburg 1876-1887. - Dass. später vollständig in 7 Bdn.: 2. verbesserte Auflage. Ebd. ab 1890. - Dass. Bd. 1: Geschichte der Kindheit Jesu. 3. Auflage von J. Zahn. Ebd. 1906. - Dass. Bd. 4-5: Geschichte der öffentlichen Tätigkeit Jesu. 2. Auflage besorgt von J. Zahn. Ebd. 1900. - Dass. 3. verbesserte Auflage besorgt von J. Zahn. Ebd. 1914. - Dass. Bd. 6: Geschichte des Leidens Jesu (Bd. 1.) 2. Auflage besorgt von J. Zahn. Ebd. 1903.

Groethuysen, B.: Das Leben und die Weltanschauung. In: Weltanschauung. S. 55-77.

Groethuysen, B.: Philosophische Anthropologie. (HPh. Bd. 3.) München 1931. - Dass. Reprographischer Nachdruck 1969.

Groner, J.F.: Kardinal Cajetan. Eine Gestalt aus der Reformationszeit. Fribourg, Louvain 1951.

Groos, K.: Rez. zu F. Erhardt. Die Wechselwirkung zwischen Leib und Seele. In: ZPhPhKr 115 (1899/1900) 257-261.

Groos, K.: Die Unsterblichkeitsfrage. (NDF. Abt. Phil. Bd. 15.) Berlin 1936.

Groos, K.: Rez. zu E. Matthiesen. Das persönliche Überleben des Todes. In: BlDPh 11 (1937/38) 444-446.

Grosche, R.: Georg Simmel. In: Die Schildgenossen 5 (1924/25) 191-198.

Groß, H.: Die Idee ewigen und allgemeinen Weltfriedens im Alten Orient und im Alten Testament. [Habilitationsschrift Trier 1954/55.] (TThSt. 7.) Trier 1956.

Groß, H.: Eschatologie im Alten Testament. In: LThK² 3 (1959) 1084-1088.

Groß, H.: Die Entwicklung der alttestamentlichen Heilshoffnung. In: TTHZ 70 (1961) 15-28. - Dass. In: Eschatologie im Alten Bund. S. 181-197.

Groß, H.: Die Eschatologie im Alten Bund. In: Anima 20 (1965) 213-219.

Groß, H.: Grundzüge biblischer Eschatologie. In: MS 5 (1976) 701-778.

Groß, H.: Die Eschatologie im Alten Bund. In: Eschatologie im Alten Bund. S. 217-226.

Gruber, H.: Pantheismus. In: KL² 9 (1895) 1335.

Grünberg, H.: Über das Verhältnis von Theoretischem und Praktischem im transzendentalen Subjekt. Eine transzendentalphilosophische Untersuchung mit besonderer Berücksichtigung von H. Rickerts Behandlung des Subjektproblems. (Phil. Diss. Jena 1927.) Borna-Leipzig 1927.

Grützmacher, R.H.: Der Tod und das Leben nach dem Tode. In: Ders. Modern-positive Vorträge. Leipzig 1906.

Grützmacher, R.H.: Rez. zu J. Zahn. Das Jenseits. In: ThG 11 (1917) 31.

Grützmacher, R.H.: Diesseits und Jenseits in der Geistesgeschichte der Menschheit. Berlin 1932.

Grützmacher, R.: Spengler und Nietzsche. In: Die Sammlung 5 (1950) 590-608.

Grützner, P.: Jacob Moleschott. In: ADB 52 (1906) 435-438.

Grun, J.: Das Geheimnis der Ewigkeit. Weltanschauung in Aphorismen. München 1931.

Grundformen menschlichen Seins. (Mit Berücksichtigung ihrer Beziehungen zu Biologie und Medizin, zu Kulturphilosophie und Pädagogik.) Von Erich Jaensch (und Mitarbeitern). (MGPhAW. 2. = SGBGNW. 17.) Berlin 1929.

Grundmann, H.: Studien über Joachim von Floris. (BKGMAR. 32.) Leipzig 1927.

Grundprobleme der großen Philosophen. Hrsg. von Josef Speck. (2 Bde.) Philosophie der Gegenwart I: Frege. Carnap. Wittgenstein. Popper. Russell. Whitehead. Mit einer Einführung "Die Sprache der Logik". II: Scheler. Hönigswald. Cassirer. Plessner. Merleau-Ponty. Gehlen (UTB 147 und 183.) Göttingen (1972-1973).

Grundwaldt, H.H.: Über die Phänomenologie Husserls mit besonderer Berücksichtigung der Wesensschau und der Forschungsmethode des Galileo Galilei. (Phil. Diss. Berlin 1927.) Berlin 1927.

Grupp, G.: Rez. zu A. Harnack. Wesen des Christentums. In: HPBl 128 (1901) 660-665.

Grupp, G.: Jenseitsreligion. Erwägungen über brennende Fragen der Gegenwart: Diesseits-oder Jenseitsreligion, Lebensrichtungen, Religion und Kultur, Zukunftsreligion. Freiburg 1910. - Dass. 2. und 3. vermehrte und verbesserte Auflage. Ebd. 1916.

Gry, L.-P.-F.: Le Millénarisme dans ses origines et sons développement. Paris 1904.

Gschwind, K.: Die Niederfahrt Christi in die Unterwelt. (NTA II. 3./5. H.) Münster 1911.

Gspann, J.Ch.: Rez. zu B. Bartmann. Lehrbuch der Dogmatik. In: ThPQ 65 (1912) 898-899.

Guardini, R.: Gegensatz und Gegensätze. Entwurf eines Systems der Typenlehre. Als Manuskript gedruckt. Freiburg 1914.

Guardini, R.: Die Bedeutung des Trinitätsgeheimnisses für die sozialen Beziehungen. In: ThGl 8 (1916) 400-406. - Dass. In: Ders. Auf dem Wege. S. 86-94.

Guardini, R.: Zum Begriff der Ehre Gottes. In: PhJ 31 (1918) 321-334. - Dass. In: Ders. Auf dem Wege. S. 66-85.

Guardini, R.: Universalität und Synkretismus. [Rez. zu F. Heiler. Das Wesen des Katholizismus.] In: JVVKA. Augsburg 1920/21. S. 150-155.

Guardini, R.: Die Lehre des Heil. Bonaventura von der Erlösung. Ein Beitrag zur Geschichte und zum System der Erlösungslehre. Düsseldorf 1921.

Guardini, R.: Das Erwachen der Kirche in der Seele. In: Hochland 19/II (1922) 257-267.

Guardini, R.: Vom Sinn der Kirche. Fünf Vorträge. Mainz 1922, ⁴1955.

Guardini, R.: Auf dem Wege. Versuche. Mainz 1923.

Guardini, R.: Der Gegensatz. Versuch zu einer Philosophie des Lebendig-Konkreten. Mainz 1925. - Dass. 4.-6. Tausend. Würzburg 1955.

Guardini, R.: Der Ausgangspunkt der Denkbewegung Sören Kierkegaards. In: Hochland 24/II (1926/27) 12-33. - Dass. In: Ders. Unterscheidung des Christlichen. (1935). S.466-496.

Guardini, R.: Lebendiger Geist. In: Schildgenossen 7 (1927) 349-368.

Guardini, R.: Seinsordnung und Aufstiegsbewegung in Dantes Göttlicher Komödie. In: HJ 53 (1933) 1-26.

Guardini, R.: Der Mensch und der Glaube. Versuche über die religiöse Existenz in Dostojewskis großen Romanen. Leipzig 1933. - Dass. 2. neubearbeitete Auflage: Religiöse Gestalten in Dostojewskis Werk. Leipzig 1939. - Dass. 3. Auflage München 1947. - Dass. Studien über den Glauben. München (⁴1951). - Dass. Neuauflage. München 1964.

Guardini, R.: Christliches Bewußtsein. Versuche über Pascal. Leipzig 1935. - Dass. 2. Auflage. München 1950.

Guardini, R.: Die Bekehrung des Heiligen Aurelius Augustinus. Der innere Vorgang in seinen Bekenntnissen Leipzig 1935.

Guardini, R.: Unterscheidung des Christlichen. Gesammelte Studien. Mainz 1935, ²1963.

Guardini, R.: Christliche Innerlichkeit. In: Ders. Unterscheidung des Christlichen. (1935) S. 305-316. - Dass. neu durchgearbeitet. In: Ders. Welt und Person. S. 51-59.

Guardini, R.: Der Engel in Dantes Göttlicher Kommödie. Leipzig 1937.

Guardini, R.: Der Herr. Betrachtungen über die Person und das Leben Jesu. Würzburg 1937. - Dass. Bd. 1. 2. Colmar 1947. - Dass. 5. unveränderte Ausgabe. Aschaffenburg 1948. - Dass. 6. Auflage. Würzburg (1949).

Guardini, R.: Die Bereiche des menschlichen Schaffens. (1938). In: Ders. Unterscheidung des Christlichen. (²1963). S. 202-218.

Guardini, R.: Das Wesen des Christentums. Würzburg 1939, ⁵1958.

Guardini, R.: Hölderlin. Weltbild und Frömmigkeit. Leipzig 1939.

Guardini, R.: Welt und Person. Versuche zur christlichen Lehre vom Menschen. Würzburg 1939, ⁴1955, ⁵1962.

Guardini, R.: Die letzten Dinge. Die christliche Lehre vom Tode, der Läuterung nach dem Tode, Auferstehung, Gericht und Ewigkeit. Würzburg 1940 (Ausgabe 1941). Dass. 2. durchgearbeitete Auflage. Ebd. 1949, ³1952, ⁶1966.

Guardini, R.: Das Harren der Schöpfung. Eine Auslegung von Römer 8, 12-39. Würzburg 1940.

Guardini, R.: Die Offenbarung. Ihr Wesen und ihre Formen. Würzburg 1940.

Guardini, R.: "Offenbarung" als Form des Lebensvollzugs. (1940). In: Ders. Unterscheidung des Christlichen. (²1963). S. 391-397.

Guardini, R.: Das Fegfeuer. (ChB. 17.) Würzburg 1940.

Guardini, R.: Die Heiligen. (ChB. 25.) Würzburg 1940.

Guardini, R.: Die Offenbarung als Geschichte. (ChB. 33.) Würzburg 1940.

Guardini, R.: Der Widersacher. (ChB. 37.) Würzburg 1940.

Guardini, R.: Der Tod des Sokrates. Eine Interpretation der Platonischen Schriften Euthyphron, Apologie, Kriton und Phaidon. (StHum. Abt.: Studien zur Antike. 18.) Berlin 1944. -Dass. (ÜA-PrH. 1.) Bern 1945. - Dass. 3. erweiterte Auflage. Godesberg 1947. - Dass. (RDE. 27.) Reinbek/Hamburg (1956).

Guardini, R.: Der Heilbringer in Mythos, Offenbarung und Politik. Eine theologisch-politische Besinnung. (1946). In: Ders. Unterscheidung des Christlichen. (²1963.) S. 411-456.

Guardini, R.: Freiheit, Gnade, Schicksal. Drei Kapitel zur Deutung des Daseins. München 1948.

Guardini, R.: Glaubenserkenntnis. Versuche zur Unterscheidung und Vertiefung. Würzburg 1949.

Guardini, R.: Drei Schriftauslegungen. Im Anfang war das Wort, Joh. 1, 1-18. Das Harren der Schöpfung, Röm. 8, 12-39. Die christliche Liebe, 1. Kor. 13. Würzburg 1949.

Guardini, R.: Die Sinne und die religiöse Erkenntnis. Würzburg 1950.

Guardini, R.: Zum Geleit. In: J. Weiger. Der Leib Christi in Geschichte und Geheimnis. S. VII-XI.

Guardini, R.: Lebendiger Geist. (SGW.) Zürich 1950.

Guardini, R.: Das Ende der Neuzeit. Ein Versuch zur Orientierung. Basel 1950. - Dass. 3. durchgesehene Auflage. Würzburg 1951. - Dass. 7. unveränderte Auflage. Ebd. 1959.

Guardini, R.: Gläubiges Dasein. Drei Meditationen. Würzburg 1951.

Guardini, R.: Über den christlichen Sinn der Erkenntnis. Eine Meditation zum Semesterbeginn. (1951). In: Ders. Unterscheidung des Christlichen. (²1963). S. 251-259.

Guardini, R.: Die Offenbarung und die Endlichkeit. Eine Frage und der Versuch einer Antwort. (1951). In: Ders. Unterscheidung des Christlichen. (²1963). S. 398-410.

Guardini, R.: Glaube und Dasein. Zur Bekehrung religiöser Gehalte im Denken der Neuzeit. In: WuW 5 (1952) 225-231.

Guardini, R. - Bollnow, O.F.: Begegnung und Bildung. (WuE. 12.) Würzburg 1956, ³1962, ⁴1965.

Guardini, R.: Religion und Offenbarung. 1. Bd. Würzburg 1958.

Guardini, R.: Das Unendlich-Absolute und das Religiös-Sittliche. (1958). In: Ders. Unterscheidung des Christlichen. (²1963). S. 260-276.

Guardini, R.: Landschaft der Ewigkeit. (Dante-Studien. 2. Bd.)München (1958).

Guardini, R.: Nähe des Herrn. Betrachtungen über Advent, Weihnachten und Epiphanie. Würzburg 1960.

Guardini, R.: Der Anfang aller Dinge. Meditationen über Genesis. Kap. 1-3. Würzburg 1961.

Guardini, R.: Gläubiges Dasein. Drei Meditationen. Würzburg 1961.

Guardini, R.: Johanneische Botschaft. Meditation über Worte aus den Abschiedsreden und dem 1. Johannes-Brief. Würzburg 1962.

Guardini, R.: Sorge um den Menschen. (Reden, Vorträge, Aufsätze). Bd. 1. Würzburg (1962). - Dass. (2. Auflage) (1963.) - Dass. (3. Auflage.) (1966.) - Dass. Bd. 2. Ebd. (1966.)

Guardini, R.: Unterscheidung des Christlichen. Gesammelte Studien 1923-1963. Hrsg. von H. Waltmann. Zweite, vermehrte und vom Hrsg. durchgesehene Auflage. Mainz 1963.

Guardini, R.: Die Situation des Menschen. In: Ders. Unterscheidung des Christlichen.

(²1963). S. 220-229.

Guardini, R.: Scritti filosofici, a cura di Guido Sommavilla. Milano 1964.

Guardini, R.: Systembildende Elemente in der Theologie Bonaventuras. Die Lehren vom Lumen mentis, von der Gradatio Entium und der Influentia Sensus et Motus. Hrsg. von W. Dettloff. (StDF. 3.) Leiden 1964.

Guardini, R.: Religiöse Erfahrung und Glaube. Düsseldorf 1974.

Guardini, R.: Die Existenz des Christen. Hrsg. aus dem Nachlaß. Paderborn 1976.

Guardini, R.: Theologische Briefe an einen Freund. Einsichten an der Grenze des Lebens. Hrsg. aus dem Nachlaß. Paderborn 1976.

Güder, P.: Leonhard Usteri. In: RE³ 20 (1908) 368-370.

Günther, D.: Leib und Seele. Ihre Wechselwirkung nach der heutigen Naturanschauung. Paderborn 1925.

Günther, D.: Vitalismus. In: LThK¹ 10 (1938) 653-654.

Günther, E.: Die Entwicklung der Lehre von der Person Christi im 19. Jahrhundert. Tübingen 1911.

Günther, F.: Wir Toten leben! Ein Bild des Gedenkens an die Gefallenen des großen Krieges. Münster [1935].

Günther, S.: Der philosophische und mathematische Begriff des Unendlichen. In: VWPh 1 (1877) 513-525.

Günther, W.: Die Grundlagen der Religionsphilosophie Ernst Troeltschs. (APhG. 24.) Leipzig 1914.

Güntzel, F.E.: Reflexionen bei Betrachtung der Lebenserscheinungen der Erde. Eine philosophisch-naturwissenschaftliche Darstellung. Leipzig [1888].

Güntzel, F.E.: Was lehrt die Natur über das Schicksal unserer Seele? Reflexionen auf biologischer Grundlage in gemeinverständlicher Weise geführt. Leipzig [1891].

Güntzel, F.E.: Ein Blick in die Werkstatt der Weltgeschichte. Naturphilosophische Reflexionen. Leipzig 1893.

Guggenberger, A.: Zwei Wege zum Realismus. Ein Vergleich zwischen Nicolai Hartmanns "Erkenntnisponderanz" und J. Maréchals "Erkenntnisdynamismus". In: RNSPh 41 (1938) 46-79.

Guggenberger, A.: Das Weltbild Nicolai Hartmanns. Die erkenntnistheoretische Grundthese. In: StZ 136. Bd. 69 (1939) 21-32.

Guggenberger, A.: Ontologie oder Theologie als Abschlußwissenschaft? (Weltbild N. Hartmanns). In: StZ 136. Bd. 69 (1939) 78-90.

Guggenberger, A.: Der Menschengeist und das Sein. Ontologie oder Theologie als Abschlußwissenschaft? Eine Begegnung mit Nicolai Hartmann. (Kath.-theol. Diss. Tübingen 1941. Ref.: Th. Steinbüchel.) Krailling vor München 1942.

Guggisberg, K.: Alois Emanuel Biedermann. In: NDB 2 (1955) 221.

Gummersbach, J.: Hermann Lange. In: LThK² 6 (1961) 784-785.

Gunkel, H.: Die Wirkungen des heiligen Geistes nach der populären Anschauung der apostolischen Zeit und nach der Lehre des Apostels Paulus. Göttingen 1888, ³1909.

Gunkel, H.: Schöpfung und Chaos in Urzeit und Endzeit. Religionsgeschichtliche Untersuchung über Gen. 1 und Apok. 12. Göttingen 1895, ²1921.

Gunkel, H.: Zum religionsgeschichtlichen Verständnis des Neuen Testaments. (FRLANT. 1.) Göttingen 1903.

Gunkel, H.: Julius Wellhausen und Wellhausensche Schule. In: RGG¹ 5 (1913) 1888-1889. - Ders. In: RGG² 5 (1931) 1820-1822.

Gunkel, H.: Was will die "religionsgeschichtliche" Bewegung? In: DE 5 (1914) 385-397.

Gunkel, H.: Wilhelm Bousset. Gedächtnisrede an der Universität Gießen. Tübingen 1920.

Gunkel, H.: Bernhard Duhm. In: RGG² 1 (1927) 2043-2044.

Gunkel, H.: Wilhelm Bousset. In: DBJ Überleitungsband 2 (1917-1920). Berlin, Leipzig 1928. S. 501-505.

Gunkel, H.: Hugo Greßmann. In: RGG² 2 (1928) 1454.

Guntermann, F.: Die Eschatologie des hl. Paulus. (NTA. 13, 4/5.) Münster 1932.

Gurewitsch, A.D.: H. Bergson, die französische Metaphysik der Gegenwart. In: ASPh 9 (1903) 463-490.

Gutberlet, C.: Die Psychologie. Münster 1880. - Dass. 2. vermehrte Auflage. Ebd. 1890. -

Dass. (= Lehrbuch der Philosophie. Bd. 3.) 3. vermehrte und verbesserte Auflage. Ebd. 1896.

Gutberlet, C.: Der Spiritismus. Köln 1882.

Gutberlet, C.: Das Problem des Unendlichen. In: ZPhPhKr 88 (1886) 179-223.

Gutberlet, C.: Friedrich Paulsen's philosophisches System. In: PhJ 6 (1893) 263-272, 382-394.

Gutberlet, C.: Der mechanische Monismus. Eine Kritik der modernen Weltanschauung. Paderborn 1893.

Gutberlet, C.: Der Mensch, sein Ursprung und seine Entwicklung. Eine Kritik der mechanisch-monistischen Anthropologie. Paderborn 1896. - Dass. 2. vermehrte und verbesserte Auflage. Ebd. 1903. - Dass. 3. vermehrte und verbesserte Auflage. Ebd. 1911.

Gutberlet, C.: Der Kampf um die Seele. Vorträge über die brennenden Fragen der modernen Psychologie. Mainz 1899. - Dass. 2 Bde. 2. verbesserte und vermehrte Auflage. Ebd. 1903.

Gutberlet, C.: De poena sensus. In: Der Katholik 81 (1901) 305-316, 385-401.

Gutberlet, C.: Die natürliche Erkenntnis der Seligen. In: PhJ 16 (1903) 125-138, 269-277.

Gutberlet, C.: Psychophysik. Historisch-kritische Studien über experimentelle Psychologie. Mainz 1905, ²1909.

Gutberlet, C.: Im Kampf um die Seele. In: PhJ 25 (1922) 24-48.

Gutberlet, C.: Glauben und Wissen. In: PhJ 32 (1919) 109-128.

Guttmann, J.: Die Philosophie des Judentums. Geschichte der Philosophie in Einzeldarstellungen. Abt. I: Das Weltbild der Primitiven und die Philosophie des Morgenlandes. Bd. 3. München 1933.

Haas, A.: Das stammesgeschichtliche Werden der Organismen und des Menschen. Freiburg 1959.

Haas, A.: Edgar Dacqué. In: LThK² 3 (1959) 121-122.

Haas, A.: Deszendenztheorie. In: LThK² 3 (1959) 255-256.

Haas, H.: Bibliographie zur Frage nach Wechselbeziehungen zwischen Buddha und Christentum. (VFVRG. 6.) Leipzig 1922.

Haase, K.: Die Soziologie der Lebensphilosophie am Beispiel Friedrich Nietzsches. (Rechts- und staatswiss. Diss. Münster 1924.) Burgsteinfurt 1923.

Hadrossek, P.: Theodor Steinbüchel. In: LThK² 9 (1964) 1031.

Haeckel, E.: Generelle Morphologie der Organismen. 2 Bde. Berlin 1866.

Haeckel, E.: Natürliche Schöpfungsgeschichte. Gemeinverständliche Vorträge über die Entwicklungs-Lehre im allgemeinen und diejenige von Darwin, Goethe und Lamarck im besonderen. 2 Teile. Berlin 1868, ¹¹1909.

Haeckel, E.: Über die Entstehung und den Stammbaum des Menschengeschlechts. (SGWV. H. 52-53.) Berlin 1868.

Haeckel, E.: Anthropogonie. Entwicklungsgeschichte des Menschen. Keim- und Stammesgeschichte. Leipzig 1874, ⁵1903.

Haeckel, E.: Der Monismus als Band zwischen Religion und Wissenschaft. Glaubensbekenntnis eines Naturforschers, vorgetragen am 9.10.1892 in Altenburg beim 75jährigen Jubiläum der Naturforschungs-Gesellschaft des Osterlandes. Leipzig ¹⁵1911.

Haeckel, E.: Die Welträtsel. Gemeinverständliche Studie über monistische Philosophie. Bonn 1899.

Haeckel, E.: Der Monistenbund. Thesen zur Organisation des Monismus. Frankfurt a.M. 1904. - Dass. 4. und 5. Tausend. Ebd. 1905.

Haeckel, E.: Die Lebenswunder. Gemeinverständliche Studie über biologische Philosophie. Ergänzungsband zu dem Buch über die Welträtsel. Stuttgart 1904.

Haeckel, E.: Der Kampf um den Entwicklungsglauben. Drei Vorträge. Berlin 1905.

Haeckel, E.: Der Monismus als Band zwischen Religion und Wissenschaft. Stuttgart 1905.

Haeckel, E.: Gott-Natur (Theophysis). Studien über monistische Religion. Leipzig 1914.

Haeckel, E.: Monistische Bausteine. Mit einer Einleitung hrsg. von W. Breitenbach. 2 Hefte. Brackwede 1914.

Haeckel, E.: Ewigkeit. Weltkriegsgedanken über Leben und Tod, Religion und Entwicklungslehre. Berlin 1915.

Haecker, Th.: Geist und Leben. Zum Problem Max Schelers. In: Hochland 23/II (1925/26) 129-155. - Dass. In: Ders. Christentum und Kultur. München 1927. S. 227-281. - Dass. In:

Ders. Essays. München 1958. S. 213-256.

Haecker, Th.: Was ist der Mensch? Leipzig 1933.

Haecker, Th.: Der Geist des Menschen und die Wahrheit. Leipzig 1935.

Häfele, G.M.: Constantin von Schäzler. Zu seinem 100. Geburtstag. In: DTh 5 (1927) 411-418.

Haeger, A.: Lotzes Kritik der Herbartischen Metaphysik und Psychologie. (Phil. Diss. Greifswald 1891.) Greifswald.

Hänsel, L.: Herman Hefele. In: Hochland 26/II (1929) 358-374, 516-533, 631-645.

Hänsel, L.: Die Philosophie Wilhelm Diltheys. In: Hochland 36 (1939) 277-293.

Haering, Th.: Über das Bleibende im Glauben an Christus. Eine christologische Studie. Stuttgart 1880.

Haering, Th.: Zu Ritschls Versöhnungslehre. Zürich 1888.

Haering, Th.: Zur Versöhnungslehre. Eine dogmatische Untersuchung. Göttingen 1893.

Haering, Th.: Gehört die Auferstehung Jesu zum Glaubensgrund? Amica exegesis zu M. Reischle's Streit über die Begründung des Glaubens auf dem geschichtlichen Jesus. In: ZThK 7 (1897) 331-351.

Haering, Th.: Glaubensgrund und Auferstehung. In: ZThK 8 (1898) 129-193.

Haering, Th.: Gäbe es Gewißheit des christlichen Glaubens, wenn es geschichtliche Gewißheit von der Ungeschichtlichkeit der Geschichte Jesu Christi gäbe? Mit einem besonderen Bezug auf die Auferstehung. In: ZThK 8 (1898) 468-493.

Haering, Th.: Das christliche Leben auf Grund des christlichen Glaubens. Christliche Sittenlehre. Calw, Stuttgart 1902. - Dass. 3. vermehrte und verbesserte Auflage. Ebd. 1914.

Haering, Th.: Der christliche Glaube. Dogmatik. Calw, Stuttgart 1906, [2]1912. - Dass. Unveränderter Abdruck der 2. Auflage. Ebd. 1922.

Haering, Th.: Von den ewigen Dingen. Betrachtungen. Stuttgart 1923.

Haering, Th.: Noch einmal das "Wie" der Auferstehung Jesu. In: ZThK N.F. 4 (1923/24) 27-46.

Haering, Th.L.: Die Materialisierung des Geistes. Ein Beitrag zur Kritik des Geistes der Zeit. Tübingen 1919.

Haering, Th.L.: Die Struktur der Weltgeschichte. Philosophische Grundlegung zu einer jeden Geschichtsphilosophie (in Form einer Kritik Oswald Spenglers). Tübingen 1921.

Haering, Th.L.: Über Individualität in Natur- und Geisteswelt. Begriffliches und Tatsächliches. Leipzig 1926.

Haering, Th.L.: Hauptprobleme der Geschichtsphilosophie. (WiWir. 26.) Karlsruhe 1925.

Haering, Th.L.: Gemeinschaft und Persönlichkeit in der Philosophie Hegels. (Sonderdruck aus: Philosophie der Gemeinschaft ... 2. Sonderheft der Deutschen Philosophischen Gesellschaft.) Berlin 1929.

Haering, Th.L.: Christoph Sigwart. (PhG. 27.) Tübingen 1930.

Haering, Th.L.: Hegel und die moderne Naturwissenschaft. Bemerkungen zu Hegels Naturphilosophie. In: PhH 3 (1931) 71-82.

Haering, Th.L.: Naturphilosophie in der Gegenwart. (DGGW. 6. = Öffentliche Vorträge der Universität Tübingen. Sommersem. 1933.) Stuttgart 1933.

Haering, Th.L.: Rede für den Geist, gehalten in Stuttgart am 26. Februar 1935. Stuttgart 1935.

Hagemann, G.: Elemente der Philosophie. Ein Leitfaden für akademische Vorlesungen, sowie zum Selbstunterricht. 3 Bde. Münster 1868-1870. Dass. Bd. 3: Psychologie. Vollständig neu bearbeitet von A. Dyroff. Freiburg 1921.

Hahn, G.: Der Allbeseelungsgedanke bei Lotze. Stuttgart 1925.

Hahn, W.T.: Das Mitsterben und Mitauferstehen mit Christus bei Paulus. Ein Beitrag zum Problem der Gleichzeitigkeit der Christen mit Christus. (Ev.-theol. Diss. Tübingen 1937.) Gütersloh 1937.

Halder, A.: Edmund Husserl. In: LThK[2] 5 (1960) 545-546.

Halder, A.: Ernst Haeckel. In: LThK[2] 4 (1960) 1303.

Hall, St.: Die Begründer der modernen Psychologie (Lotze, Fechner, Helmholtz, Wundt). Übersetzt und mit Anmerkungen versehen von Raymund Schmidt. Durch Vorwort eingeführt von Dr. M. Brahn. (WuF. Bd. 7.) Leipzig 1914.

Hall, G.St.: Wilhelm Wundt, der Begründet der modernen Psychologie. Übersetzt und mit

Anmerkungen versehen von Raym. Schmidt. Durch Vorwort eingeführt von Max Brahn. (Sonderdruck aus: WuF. Bd. 7.) Leipzig 1914.

Hamm, J.: Das philosophische Weltbild von Helmholtz. (Phil. Diss. Berlin 1937.) Bielefeld 1937.

Hamp, V. - Schmid, J.: Julius Wellhausen. In: LThK² 10 (1965) 1020-1021.

Hans Driesch. Persönlichkeit und Bedeutung für Biologie und Philosophie von heute. Mit Beiträgen von ... hrsg. von Aloys Wenzl. München, Basel 1951.

von Hansemann, D.: Rudolf Virchow. In: BJDN 7 (1905) 352-361.

Hanslmeier, J.: Erich Adickes. In: NDB 1 (1953) 66-67.

Happel, J.: Richard Rothes Lehre von der Kirche, nach ihren Wurzeln untersucht, ihrem Gehalt und ihren Folgerungen geprüft. Leipzig 1909.

Hardeland, Th.: Unsterblichkeitsglaube bei Luther. In: AELKZ 60 (1927) 5-9.

von Harnack, A.: Lehrbuch der Dogmengeschichte. 3 Bde. Freiburg 1886-1887-1890. - Dass. Bd. 1. 2. vermehrte und verbesserte Auflage. Ebd. 1888. - Dass. Bd. 2. 2. unveränderte Auflage. Ebd. 1888. - Dass. 1. und 2. Bd. 3. verbesserte und vermehrte Auflage. (SThL-T.) Freiburg i.B. 1894. - Dass. Bd. 3. Ebd. 1897. - Dass. 4. neudurchgearbeitete und vermehrte Auflage. Tübingen 1909-1910. - Dass. 5. Auflage. (Photomechanischer Nachdruck.) Tübingen 1931-1932. - Dass. (Reprographischer Nachdruck der 4. Auflage.) Darmstadt 1964.

von Harnack, A.: Das Wesen des Christentums. Sechzehn Vorlesungen vor Studierenden aller Fakultäten im Wintersemester 1899/1900 an der Universität Berlin gehalten. Leipzig ¹⁻⁵1900. - Dass. Neuausgabe. Berlin, Stuttgart 1950. - Dass. Mit einem Geleitwort von Rudolf Bultmann. München und Hamburg (1964).

von Harnack, A.: Rez. zu A. Loisy. Evangelium und Kirche. In: ThLZ 29 (1904) 59-60.

von Harnack, A.: Über die Sicherheit und die Grenzen geschichtlicher Erkenntnis. Vortrag. München 1917.

Hartill, I.: Immortality. London [1896].

Hartl, V.: Rez. zu B. Bartmann. Das Himmelreich und sein König. In: ThPQ 58 (1905) 637-638.

von Hartmann, A.: Eduard von Hartmann. Bibliographie. In: Kantst 17 (1912) 501-520.

von Hartmann, A.: Eduard von Hartmanns konkreter Monismus. In: Der Monismus dargestellt in Beiträgen seiner Vertreter. Bd. 2. S. 175-201.

Hartmann, C.: Der Tod in seiner Beziehung zum menschlichen Dasein bei Augustinus. (Phil. Diss. Gießen 1932. Ref.: Th. Steinbüchel, E. von Aster.) In: Cath 1 (1932) H. 4. - Dass. (Sonderdruck.) Gießen 1932.

von Hartmann, E.: Philosophie des Unbewußten. Versuch einer Weltanschauung. 3 Bde. Berlin 1869, ¹²1923.

von Hartmann, E.: Schellings positive Philosophie als Einheit von Hegel und Schopenhauer. Berlin 1869.

von Hartmann, E.: Gesammelte philosophische Abhandlungen zur Philosophie des Unbewußten. Berlin 1872.

von Hartmann, E.: Die Selbstzersetzung des Christentums und die Religion der Zukunft. Berlin 1874.

[von Hartmann, E.]: Das Unbewußte vom Standpunkt der Physiologie und Deszendenztheorie. Berlin 1872, ²1877. - Dass. 3. Auflage: Philosophie des Unbewußten. Gesammelte Studien und Aufsätze. Berlin 1876.

von Hartmann, E.: Erläuterungen zur Metaphysik des Unbewußten mit besonderer Rücksicht auf den Panlogismus. Berlin 1874.

von Hartmann, E.: Die Krisis des Christentums in der modernen Theologie. Berlin 1881.

von Hartmann, E.: Religionsphilosophie. I. historisch-kritischer Teil: Das religiöse Bewußtsein der Menschheit im Stufengang seiner Entwicklungs. II. systematischer Teil: Die Religion des Geistes. Berlin 1882.

von Hartmann, E.: Der Spiritismus. Leipzig 1885, ²1898.

von Hartmann, E.: Der reine Realismus Biedermanns und Rehmkes. In: ZPhPhKr 88 (1886) 161-179.

von Hartmann, E.: Lotzes Philosophie. Leipzig 1888.

von Hartmann, E.: Die Geisterhypothese des Spiritismus und seine Phantome. Leipzig 1891.

von Hartmann, E.: Das Christentum des Neuen Testaments, (= 2. umgearbeitete Auflage der pseudonym erschienenen Schrift: A. Müller. Briefe über die christliche Religion. Stuttgart 1870.) Sachsa 1904.

von Hartmann, E.: Zur Philosophie des Lebens. Biologische Studie. Sachsa 1906.

von Hartmann, E.: Grundriß der Religionsphilosophie. Stuttgart 1909. - Dass. (Libelli. CLXXI.) Darmstadt 1968.

Hartmann, K.: Existentialismus. In: HWPh 2 (1972) 850-851.

Hartmann, K.: Existenzphilosophie. In: HWPh 2 (1972) 862-866.

Hartmann, M.: Das Mechanismus-Vitalismus-Problem vom Standpunkt der kritischen Ontologie N. Hartmanns. In: ZPhF 3 (1948) 36-49.

Hartmann, N.: Systembildung und Idealismus. In: PhA-HC. S. 1-23. - Dass. In: Ders. Kleinere Schriften. Berlin 1958. Bd. 3. S. 60-78.

Hartmann, N.: Über die Erkennbarkeit des Apriorischen. In: Logos 5 (1915) 290-329.

Hartmann, N.: Grundzüge einer Metaphysik der Erkenntnis. Berlin 1921. - Dass. 2. ergänzte Auflage. Ebd. 1925. - Dass. 5. Auflage. Ebd. 1965.

Hartmann, N.: Wie ist kritische Ontologie überhaupt möglich? Ein Kapitel zur Grundlegung der allgemeinen Kategorienlehre. In: Festschrift für Paul Natorp. S. 124-177.

Hartmann, N.: Diesseits von Idealismus und Realismus. Ein Beitrag zur Scheidung des Geschichtlichen und Übergeschichtlichen in der Kantischen Philosophie. In: Kantst 29 (1924) 160-206.

Hartmann, N.: Kategoriale Gesetze. Ein Kapitel zur Grundlegung der allgemeinen Kategorienlehre. In: PhA 1 (1926) 201-266.

Hartmann, N. Selbstdarstellung. In: DSPh. Bd. 1. S. 281-340.

Hartmann, N.: Zum Problem der Realitätsgegebenheit. (PhV. 32.) Berlin 1931.

Hartmann, N.: Das Problem des geistigen Seins. Untersuchungen zur Grundlegung der Geschichtsphilosophie und Geisteswissenschaften. Berlin 1933, ³1962.

Hartmann, N.: Zur Grundlegung der Ontologie. Berlin 1934, ⁴1965.

Hartmann, N.: Sinngebung und Sinnerfüllung. In: BlDPh 8 (1934) 1-38.

Hartmann, N.: Das Problem des Apriorismus in der Platonischen Philosophie. In: SPAWph/hKl (1935) 223-260. - Dass. separat: Berlin 1935.

Hartmann, N.: Möglichkeit und Wirklichkeit. Berlin 1938. - Dass. 2. Auflage. (Zur Grundlegung der Ontologie. Bd. 2.) Berlin 1949.

Hartmann, N.: Zeitlichkeit und Substantialität. In: BlDPh 12 (1938/39) 1-38.

Hartmann, N.: Der Aufbau der realen Welt. Grundriß der allgemeinen Kategorienlehre. Berlin 1940, ³1964.

Hartmann, N.: Neue Wege der Ontologie. In: Systematische Philosophie. Hrsg. von Nicolai Hartmann. Stuttgart, Berlin 1942. - Dass. (Stuttgart [1947].) S. 202-311. Aus: Systematische Philosophie. 2. Auflage. - Dass. 3. Auflage. Stuttgart (1949).

Hartmann, N.: Philosophie der Natur. Abriß der speziellen Kategorienlehre. Berlin 1950.

Hartmann, N.: Teleologisches Denken. Berlin 1951.

Hartmann, P.: Das geistige Sein nach der phänomenologisch-metaphysischen Lehre Max Schelers. (Phil. Diss. Köln 1947.) O.O. 1948 (M.schr.).

Hartmann, W.: Die Philosophie Max Schelers in ihren Beziehungen zu E. von Hartmann. Düsseldorf 1956.

Hartmann, W.: Karl Robert Eduard von Hartmann. In: NDB 7 (1966) 738-740.

Hartmann, W.: Das Wesen der Person. Substantialität - Aktualität. Zur Personlehre Max Schelers. In: SJPhPs 10-11 (1966-1967) 151-168.

Hartung, W.: Die Bedeutung der Schelling - Okenschen Lehre für die Entwicklung der Fechnerschen Metaphysik. (Phil. Diss. Bonn 1912. Ref.: O. Külpe.) In: VWPhS N.F. 12 (1913) 253-289. - Dass. separat: Leipzig 1912.

Hartwich, O.: Die Unsterblichkeit im Lichte der modernen Wissenschaft. Leipzig 1895.

Hasenfuß, J.: Die moderne Religionssoziologie und ihre Bedeutung für die religiöse Problematik. Paderborn 1937.

Hasenfuß, J.: Herman Schell als existenzieller Denker und Theologe. Zum 50. Todestag. Würzburg 1956.

Hasenfuß, J.: Hettinger. In: LThK² 5 (1960) 314.

Hasenfuß, J.: Herman Schell. In: LThK² 9 (1964) 384-385.

Hasenfuß, J.: Leben und Wirken Herman Schells. In: H. Schell. Katholische Dogmatik. Bd. 1. (1968). S. IX-XXI.

Hasenfuß, J.: Franz Seraph Hettinger. In: NDB 9 (1972) 30-31.

Haskamp, R.J.: Spekulativer und phänomenologischer Personalismus. Einflüsse J.G. Fichtes und Rudolf Euckens auf Max Schelers Philosophie der Person. (Symposion. 22.) Freiburg, München 1966.

Hasse, H.: Die Philosophie Raoul Richters. Leipzig 1914.

Hatheyer, F.: Vom Wesen der Entwicklung. In: ZKTh 41 (1917) 504-533.

Hatheyer, F.: Rez. zu J. Ude. Metaphysischer Beweis für die Unmöglichkeit der Tierabstammung des Menschenleibes. In: ZKTh 41 (1917) 796-798.

Hauber, V.: Wahrheit und Evidenz bei Franz Brentano. (Phil. Diss. Tübingen 1936.) Stuttgart 1936.

Haubfleisch, M.: Wege zur Lösung des Leib-Seele-Problems. Berlin 1929.

Haubfleisch, M.: Leib und Seele. Ihr Unterschied und ihre wechselseitige Beziehung. (Drei Vorträge.) Berlin 1930.

Haubst, R.: Eschatologie "Der Wetterwinkel" - "Theologie der Hoffnung". In: TThZ 77 (1968) 35-65.

Hauck, A.: Johann Chr. K. von Hofmann. In: RE³ 8 (1900) 234-241.

Hauck, W.A.: Das Geheimnis des Lebens. Naturanschauung und Gottesauffassung Friedrich Christoph Oetingers. Heidelberg (1947).

Haug, L.: Darstellung und Beurteilung der Ritschl'schen Theologie. Zur Orientierung dargeboten. (Aus: Theologische Studien aus Württemberg.) Ludwigsburg ¹⁻²1885.

Haug, M.: Tübinger Theologie (2.). In: EKL 3 (1959) 1517-1518.

Haupt, E.: Die eschatologischen Aussagen Jesu in den synoptischen Evangelien. Berlin 1895.

Hausrath, A.: David Friedrich Strauß und die Theologie seiner Zeit. 2 Bde. Heidelberg 1876-1878.

Hebart, J.A.L.: Die zweite sichtbare Zukunft Christi. Eine Darstellung der gesamten biblischen Eschatologie in ihren Hauptmomenten, im Gegensatz zu vorhandenen Auffassungen bearbeitet und auch für das Verständnis von Nichttheologen eingerichtet. Erlangen 1850.

Heberer, G.: Ernst Haeckel und seine wissenschaftliche Bedeutung. Zum Gedächtnis der 100. Wiederkehr seines Geburtstages. Tübingen 1934.

Heckel, K.: Die Idee der Wiedergeburt. Preisgekrönt durch die Jenny-Stiftung. Leipzig 1889.

Heckel, K.: Nietzsche. Sein Leben und seine Lehre. Mit einem (Titel-)Bildnis. (UBib. 6342-6344.) Leipzig (1922). - Dass. 2. Auflage, mit einem Nachwort von Alfred Baeumler. Ebd. [1930].

Hefele, H.: Das Gesetz der Form. Briefe an Tote. Jena 1919.

(Hefele, H.): Des Heiligen Augustinus Bekenntnisse, übersetzt von Hermann Hefele. Jena 1919.

Hefele, H.: Dante. Stuttgart 1921.

Hefele, H.: Das Wesen der Dichtung. Stuttgart 1923.

(Hefele, H.): Augustinus: Der Sabbat Gottes. Eingeleitet und hrsg. von H. Hefele (FPhT. III/2.) Stuttgart 1923.

Hefele, K.J.: Conciliengeschichte. 7 Bde. Freiburg 1855-1874. - Dass. Bd. 1-6. Ebd. ²1873-1890.

Hegel, E.: Geschichte der Katholisch-Theologischen Fakultät Münster 1773-1964. 2 Bde. (MBTh. 30, 1-2.) Münster 1966-1971.

Hegel, G.W.F.: Die Enzyklopädie der philosophischen Wissenschaften. Heidelberg 1817. - Dass. Neu hrsg. von F. Nicolin und O. Pöggeler. Erneut durchgesehener Nachdruck. (PhB. 33.) Hamburg 1975.

Hehn, J.: Die biblische und die babylonische Gottesidee. Die israelitische Gottesauffassung im Licht der altorientalischen Religionsgeschichte. Leipzig 1913.

Heidegger, M.: Das Realitätsproblem in der modernen Philosophie. In: PhJ 25 (1912) 353-363.

Heidegger, M.: Die Lehre vom Urteil im Psychologismus. Ein kritisch-positiver Beitrag zur Logik. (Phil. Diss. Freiburg 1914. Ref.: A. Schneider.) Leipzig 1914. - Dass. In: Ders. Frühe Schriften. S. 1-129.

Heidegger, M.: Die Kategorien- und Bedeutungslehre des Duns Scotus. (Habilitationsschrift Freiburg 1915.) Tübingen 1916. - Dass. In: Ders. Frühe Schriften. S. 131-353.

Heidegger, M.: Der Zeitbegriff in der Geschichtswissenschaft. In: ZPhPhKr 161 (1916) 173-188. - Dass. In: Ders. Frühe Schriften. S. 353-375.

Heidegger, M.: Anmerkungen zu Karl Jaspers "Psychologie der Weltanschauung" (1919/21). In: Karl Jaspers in der Diskussion. S. 70-100.

Heidegger, M.: Sein und Zeit. Erste Hälfte. (Sonderdruck aus: JPhPhF. 7.) Halle 1927.

Heidegger, M.: Kant und das Problem der Metaphysik. Bonn 1929.

Heidegger, M.: Hölderlin und das Wesen der Dichtung. (Aus: Das Innere Reich.) München 1937.

Heidegger, M.: Ein Vorwort. Brief an P. William Richardson. In: PhJ 73 (1964/65) 397-402.

Heidegger, M.: Frühe Schriften. Frankfurt 1972.

Heidegger und die Theologie. Beginn und Fortgang der Diskussion. Hrsg. von G. Noller. (TB. 38. SystTh.) München 1967.

Heider, F.: Der Begriff der Lebendigkeit und Diltheys Menschenbild. (Phil. Diss. Tübingen 1940.) (= NDF. Abt. Charaktereologie, psychol. u. phil. 10 = 259 [der Gesamtreihe].) Berlin 1939.

Heidingsfelder, G.: Die Unsterblichkeit der Seele. München 1930.

Heidingsfelder, G.: Unsterblichkeitsstreit in der Renaissance. In: Aus der Geisteswelt des Mittelalters. Bd. 2. S. 1265-1286.

Heiler, F.: Das Wesen des Katholizismus. Sechs Vorträge. München 1920.

Heiler, F.: Der Katholizismus. Seine Idee und seine Erscheinung. Völlige Neubearbeitung der schwedischen Vorträge über "Das Wesen des Katholizismus". München 1923.

Heiler, F.: Gesammelte Aufsätze und Vorträge. 1. Evangelische Katholizität. München 1926.

Heiler, F.: Josef Schnitzer. In: Eine heilige Kirche 21 (1939) 297-313.

Heiler, F.: Alfred Loisy. Der Vater des katholischen Modernismus. München 1947.

Heiler, F.: Unsterblichkeitsglaube und Jenseitshoffnung in der Geschichte der Religion. (GuW. 2.) München, Basel (1950).

Heiler, F.: Zum Tod von Karl Adam. (Brief an die Katholisch-Theologische Fakultät der Universität Tübingen.) In: ThQ 146 (1966) 257-262.

Heiler, J.: Das Absolute. München 1921.

Heiler, J.: Zu Romano Guardinis Buch "Der Gegensatz". In: Abendland 2 (1926/27) 342-344.

Heiler, J.: Gottgeheimnis im Sein und Werden. München (1936).

Heilmaier, L.: Rez. zu J. Zahn. Das Jenseits. In: ARM 18 (1921) 149.

Heim, K.: Psychologismus oder Antipsychologismus? Entwurf einer erkenntnistheoretischen Fundamentierung der modernen Energetik. Berlin 1902.

Heim, K.: Das Weltbild der Zukunft. Eine Auseinandersetzung zwischen Philosophie, Naturwissenschaft und Theologie. Berlin 1904.

Heim, K.: Leitfaden der Dogmatik. Zum Gebrauch bei akademischen Vorlesungen. 2 Teile. Halle 1912. - Dass. Teil 1: 2. veränderte Auflage. Ebd. 1916. - Dass. 3. veränderte Auflage. Ebd. 1923. - Dass. 2. Abdruck. Ebd. 1935. - Dass. Teil 2: 2. Auflage. Ebd. 1921. - Dass. 3. veränderte Auflage. Ebd. 1925.

Heim, K.: Ottos Kategorie des Heiligen und der Absolutheitsanspruch des Christusglaubens. In: ZThK 28 N.F. 1 (1920) 14-41.

Heim, K.: Die Weltanschauung der Bibel. (VEB. 2.) Leipzig 1920, ²1921. - Dass. 3. erweiterte Auflage. Erlangen, Leipzig 1921.

Heim, K.: Die Hoffnung auf einen neuen Himmel und eine neue Erde. In: Die Weltanschauung der Bibel. (³1921.) S. 70-93.

Heim, K.: Stille im Sturm. Predigten. Tübingen 1924.

Heim, K.: Das Werden des evangelischen Christentums. (WuB. 209.) Leipzig 1925.

Heim, K.: Zeit und Ewigkeit, die Hauptfragen der heutigen Eschatologie. In: ZThK N.F. 7 (1926) 403-429.

Heim, K.: Glaube und Leben. Gesammelte Aufsätze und Vorträge. Berlin 1926, ²1928.

Heim, K.: Der Glaube an ein ewiges Leben. In: Ders. Glaube und Leben. S. 325-347.

Heim, K.: Zeit und Ewigkeit (Ps. 103, 15-17). - Ders. Gesammelte Predigten [2.]. 2. Die lebendige Quelle (1921-1925). Tübingen 1927. S. 171-188.

Heim, K.: Die neue Welt Gottes. Berlin 1928, ⁴1929.

886

Heim, K.: Ontologie und Theologie. In: ZSTh N.F. 11 (1930) 325-338.

Heim, K.: Glauben und Denken, Philosophische Grundlegung einer christlichen Lebensanschauung. (EGlDG. Bd. 1.) Berlin 1931.

Heim, K.: Leben aus dem Glauben. Beiträge zur Frage nach dem Sinn des Lebens. Berlin 1932.

Heim, K.: Der Glaube an ein ewiges Leben. (FurB. [N.F.] 3.) Berlin (1934), ²(1938).

Heim, K.: Auferstehung des Leibes. (VSD. 2: Der Tod als Feind - aber er ist überwunden! 3: Unser Wandel im Himmel.) Berlin [1935?].

Heim, K.: Jesus der Weltvollender. Der Glaube an die Versöhnung und Weltverwandlung. (EGlDG. Bd. 3.) Berlin 1937. - Dass. 2., neubearbeitete Auflage. Ebd. 1939. - Dass. 3., neubearbeitete Auflage. Hamburg 1952.

Heim, K.: Die Auferstehung der Toten. Der Sinn der Auferstehungsbotschaft und der Sieg über die dämonische Macht des Todes. (FurSchr. 5.) Berlin 1937.

Heim, K.: Der Himmel auf Erden. Predigt über die Seligpreisungen Jesu. (StK. 3.) Stuttgart 1946, ²1947.

Heim, K.: Das Reich Gottes ist nahe. Vortrag am 9.9.1945 in der Markus-Kirche in Stuttgart. (StK. 7.) Stuttgart 1946

Heim, K.: Das Weltgericht. München 1946.

Heim, K.: Zeit und Ewigkeit. (Zum Silvesterabend.) (Das lösende Wort.) München 1948.

Heim, K.: Die Königsherrschaft Gottes nach Texten aus dem Markusevangelium. Stuttgart 1948.

Heim, K.: Was nach dem Tode unser wartet. Biblischer Vortrag über 2 K 4, 17 - 5, 10. München 1948. - Dass. 6. erweiterte Auflage. Frankfurt 1957.

Heim, K.: Die Gemeinde der Auferstandenen. Tübinger Vorlesungen über den 1. Korintherbrief. Hrsg. von F. Melzer. München 1949.

Heim, K.: Weltschöpfung und Weltende. Dritte Folge von "Der christliche Glaube und die Naturwissenschaft". Tübingen 1952. - Dass. (EGlDG. Bd. 6.) Hamburg 1952, ²1958.

Heim, K.: Ich gedenke der vorigen Zeiten. Erinnerungen aus acht Jahrzehnten. Hamburg 1957.

Heimpel, H.: Heinrich Finke. Ein Nachruf. In: HZ 160 (1939) 534-545.

Heimpel, H. - Heuß, Th. - Reifenberg, B. (Hrsg.): Die großen Deutschen. Deutsche Biographie. 5 Bde. Berlin 1956, (= GroD.)

Heimsoeth, H.: Lebensphilosophie und Metaphysik. In: BlDPh 10 (1937) 384-406.

Heimsoeth, H.: Geschichtsphilosophie. In: Systematische Philosophie. S. 561-647.

Hein, A.: Die Christologie von D.F. Strauß. In: ZThK 16 (1906) 321-345.

Hein, J.: Aktualität oder Substantialität der Seele? (StPhR. H. 18.) Paderborn 1916.

Heinichen, O.: Driesch's Philosophie. Eine Einführung. Leipzig 1924.

Heinrich Denzinger. Erinnerungen aus seinem Leben, gesammelt von seinem älteren Bruder. In: Der Katholik 63/II (1883) 428-444, 523-538, 638-649.

Heinrich, E.: Untersuchungen zur Lehre vom Begriff. (Phil. Diss. Göttingen 1910. Ref.: E. Husserl.) Göttingen 1910.

Heinrich, J.B.: Heinrich Klee. In: KL² 7 (1891) 743-746.

Heinrich, J.B.: Dogmatische Theologie. Bd. I-VII/1. Mainz 1874-1889. - Dass. Fortgeführt von Const. Gutberlet. Bd. I-X/2. Mainz (bis) 1897, (dann) Münster 1899-1904.

Heinrich, W.: Gott und Materie. Betrachtungen zur Versöhnung von Religion und Wissenschaft. Leipzig 1890.

Heinrichs, H.: Die Theorie des Unbewußten in der Psychologie von Eduard von Hartmann. (Phil. Diss. Bonn 1933.) Bonn 1933 (Teildruck).

Heinz, K.: Wo sind unsere Toten und was tun sie? (Die Brücke zum Jenseits. [Bd. 1.] H. 6. S. 287-334.) Wiesbaden [1916].

Heinze, M.: Der Idealismus Friedrich Albert Lange's. In: VWPh 1 (1877) 173-201.

Heinzelmann, G.: Der Begriff der Seele und die Idee der Unsterblichkeit bei Wilhelm Wundt. Darstellung und Beurteilung. (Theol. Diss. Göttingen. Ref.: A. Titius.) Tübingen 1910.

Heinzelmann, G.: Animismus und Religion. Eine Studie zur Religionspsychologie der primitiven Völker. Gütersloh 1913.

Heinzelmann, G.: Die erkenntnistheoretische Begründung der Religion. Ein Beitrag zur religions-philosophischen Arbeit der gegenwärtigen Theologie. Basel 1915.

Heinzelmann, G.: Ewiges Leben. Berlin 1917.

Heinzelmann, G.: Die Stellung der Religion im modernen Geistesleben. Ein akademischer Vortrag. Basel 1919.

Heinzelmann, G.: Das Prinzip der Dialektik in der Theologie K. Barths. In: NKZ 35 (1924) 531-556.

Heinzmann, R.: Rez. zu R. Guardini. Systembildende Elemente in der Theologie Bonaventuras. In: ThLZ 90 (1965) 684-686.

Heiß, R.: Die Lehre vom Charakter. Berlin 1936. - Dass. Eine Einführung in die Probleme und Methoden der diagnostischen Psychologie. 2., durchgesehene und erweiterte Auflage. Ebd. 1949.

Heitmüller, W.: "Im Namen Jesu". Eine sprach- und religionsgeschichtliche Untersuchung speziell zur altchristlichen Taufe. (FRLANT. 2.) Göttingen 1903.

Heitmüller, W.: Taufe und Abendmahl bei Paulus. Darstellung und religionsgeschichtliche Bedeutung. Göttingen 1903.

Heitmüller, W.: Taufe und Abendmahl im Urchristentum. (RV. R. 1. H. 22-23.) Halle, Tübingen 1911.

Heitmüller, W.: Jesus. Tübingen 1913.

Helm, G.: Die Lehre von der Energie, historisch-kritisch entwickelt. Nebst Beiträgen zu einer allgemeinen Energetik. Leipzig 1887.

Helmholtz, H.: Über die Erhaltung der Kraft, eine physikalische Abhandlung vorgetragen in der physikalischen Gesellschaft zu Berlin am 23. Juli 1847.

Helmholtz, H.: Über das Verhältnis der Naturwissenschaften zur Gesamtheit der Wissenschaften. Akademische Festrede gehalten zu Heidelberg am 2. November 1862 beim Antritt des Prorectorats. In: Ders. Vorträge und Reden. Bd. 1. Braunschweig [4]1896. S. 157-185. -Dass. In: Ders. Abhandlungen zur Philosophie und Naturwissenschaft. (Libelli. CXIX.) Darmstadt 1966. S. 7-35.

Helmholtz, H.: Die Tatsachen in der Wahrnehmung. Rede, gehalten zur Stiftungsfeier der Friedrich-Wilhelm-Universität zu Berlin am 3. August 1878, überarbeitet und mit Zusätzen versehen. Berlin 1879.

Helwig, P.: Seele als Äußerung. Untersuchungen zum Leib-Seele-Problem. Leipzig, Berlin 1936.

Hemleben, J.: Ernst Haeckel in Selbstzeugnissen und Bilddokumenten. (RoMo. 99.) Reinbek/Hamburg 1964.

Hempel, J.: Religionsgeschichtliche Schule. In: RGG[3] 5 (1961) 991-994.

Hendrichs, H.: Modell und Erfahrung. Ein Beitrag zur Überwindung der Sprachbarriere zwischen Naturwissenschaft und Philosophie. Mit Vorwort von K. Lorenz und M. Müller. (ABrPh.) Freiburg 1973.

Hengstenberg, H.E.: Einsamkeit und Tod. Regensburg 1938.

Hengstenberg, H.E.: Tod und Vollendung. Regensburg 1939.

von Henle, A.: Der Evangelist Johannes und die Antichristen seiner Zeit. Eine historisch-exegetische Abhandlung. (Theol. Diss.) München 1884.

von Henle, A.: Der Ephesierbrief des heiligen Apostels Paulus. Augsburg 1890, [2]1908.

Hennemann, C.: Widerrufe Herman Schells? Eine aktenmäßige Darstellung. Würzburg 1908.

Hennemann, G.: Gustav Theodor Fechner. In: NDB 5 (1961) 37-38.

Hennig, J.: Lebensbegriff und Lebenskategorien. Studien zur Geschichte und Theorie der geisteswissenschaftlichen Begriffsbildung mit besonderer Berücksichtigung Wilhelm Diltheys. Mit einer Dilthey-Bibliographie. (Phil. Diss. Leipzig 1934.) Aachen 1934. - Dass. (In Kommission.) Dresden 1934.

Hennig, Martin: Die Welt des Jenseits. (AGFr. 1.) Hamburg 1920.

Hennig, Max: Alois Emanuel Biedermanns Theorie der religiösen Erkenntnis. Eine religionsphilosophische Studie. (Phil. Diss. Leipzig 1902.) Leipzig 1902.

Henrici, P.: Vernunft und Verstand. II. In der Theologie. In: LThK[2] 10 (1965) 721-724.

Hense, F.: Fegfeuer. In: KL[2] 4 (1886) 1284-1296.

Herder, J.G.: Ideen zur Philosophie der Geschichte. 4 Bde. Riga 1785 bis 1792.

Hergenröther, J.: Photius. Patriarch von Constantinopel. Sein Leben, seine Schriften und das griechische Schisma. Nach handschriftlichen und gedruckten Quellen. 3 Bde. Regensburg 1867-1868-1869.

Herget, O.: Was ist die Seele? Im Kampffelde der Substanzialitäts- und Aktualitätstheorie. (ThSÖLG. 28.) Wien 1928.

Hering, E.: Über Fechner's psychologisches Gesetz. Beiträge zur Lehre von der Beziehung zwischen Leib und Seele. 1. Mitteilung. (Sonderdruck aus: SAWW.) Wien 1875.

Hering, J.: Bemerkungen über das Wesen, die Wesenheit und die Idee. In: JPhPhF 4 (1921) 495-543.

Hermann, H.J.: Albert Schweitzers Analyse dieses Zeitalters und seiner Kultur. In: Albert Schweitzer. Sein Denken und sein Weg. S. 511-543.

Hermann, I.: Guastav Theodor Fechner. Eine psychoanalytische Studie über individuelle Bedingtheit wissenschaftlicher Ideen. (Aus: Imago. 11.) Wien 1926.

Hermann, R.: Christentum und Geschichte bei Wilhelm Herrmann. Mit besonderer Berücksichtigung der erkenntnistheoretischen Seite des Problems. (Theol. Diss. Göttingen 1914. Ref.: C. Stange.) Luck S.-A., Leipzig 1913.

Hermann, R.: Carl Stange zum 85. Geburtstag. In: ThLZ 80 (1955) 243.

Hermann, R.: Wilhelm Herrmann. In: EKL 2 (1958) 129-131.

Hermann, R.: Martin Kähler. In: RGG³ 3 (1959) 1081-1084.

Hermann, R.: In memoriam Carl Stange. In: ThLZ 85 (1960) 231-234.

Hermes, H.: Friedrich Ludwig Gottlob Frege. In: NDB 5 (1961) 390-392.

Herr, J.: Der heutige Stand der Deszendenztheorie und ihre Bedeutung für die Apologetik. In: ThPQ 58 (1905) 292-307.

Herrigel, H.: Die Theologie Wilhelm Herrmanns. In: Zwingliana 4 (1927) 331-353.

Herrigel, H.: Das neue Denken. Berlin 1928.

Herrigel, H.: Was heißt Ontologie bei Nicolai Hartmann? In: ZPhF 17 (1963) 111-116.

Herrmann, F.W.: Jenseits des Grabes. 10 Vorträge. 2. verbesserte Auflage. Kassel 1918.

Herrmann, F.W.: Was jeder vom "Spiritismus" wissen muß. (FSGFr. 5.) Kassel [1921].

Herrmann, F.W.: Wo bleibe ich, wenn ich sterbe? (FSGFr. 4.) Kassel [1921].

Herrmann, W.: Die Metaphysik in der Theologie. Halle 1876.

Herrmann, W.: Die Religion im Verhältnis zum Welterkennen und zur Sittlichkeit. Halle 1879.

Herrmann, W.: Die Bedeutung der Inspirationslehre für die evangelische Kirche. Vortrag. Halle 1882.

Herrmann, W.: Warum bedarf unser Glaube geschichtlicher Tatsachen? Vortrag. Halle 1884, ²1892.

Herrmann, W.: Der Verkehr des Christen mit Gott. Im Anschluß an Luther dargestellt. Stuttgart 1886. - Dass. 7. unveränderte Auflage. Tübingen 1921.

Herrmann, W.: Der Begriff der Offenbarung. Vorträge der theologischen Konferenz zu Gießen, gehalten am 9. Juni 1887. (3. F.) Gießen 1887.

Herrmann, W.: Der Streitpunkt in betreff des Glaubens. In: BGl 25 = N.F. 10 (1889) 361-378.

Herrmann, W.: Grund und Inhalt des Glaubens. In: BGl 26 = N.F. 11 (1890) 81-97.

Herrmann, W.: Der geschichtliche Christus der Grund unseres Glaubens. In: ZThK 2 (1892) 232-273.

Herrmann, W.: Ethik. (GThW. 15. Abt.) Tübingen 1901, ⁶1921.

Herrmann, W.: Die sittlichen Weisungen Jesu, ihr Mißbrauch und ihr richtiger Gebrauch. Göttingen 1904. - Dass. Dritte Auflage hrsg. von Horst Stephan. Göttingen 1921.

Herrmann, W.: Der Glaube an Gott und die Wissenschaft unserer Zeit. In: ZThK 15 (1905) 1-26.

Herrmann, W.: Religion und Sittlichkeit. In: Beiträge zur Weiterentwicklung der christlichen Religion. S. 183-202. - Dass. Einzelausgabe. München (1906).

Herrmann, W.: Christlich-protestantische Dogmatik. (KdG. Abt. IV/1. Bd. 2.) Berlin, Leipzig 1906, ²1909.

Herrmann, W.: Die Lage und die Aufgabe der evangelischen Dogmatik in der Gegenwart. In: ZThK 17 (1907) 1-33, 172-201, 315-351.

Herrmann, W.: Die religiöse Frage der Gegenwart. In: Das Christentum. S. 102-140.

Herrmann, W.: Offenbarung und Wunder. (VThKGi. 28.) Gießen 1908.

Herrmann, W.: Die christliche Religion unserer Zeit. I. Die Wirklichkeit Gottes. Tübingen 1914.

Herrmann, W.: Gesammelte Aufsätze. Hrsg. von F.W. Schmidt. Tübingen 1923.

Herrmann, W.: Dogmatik. Mit einer Gedächtnisrede auf Wilhelm Herrmann von Martin Rade. (BChW.) Gotha 1925.

Hertkens, J.: P. Kleutgen, S.J. Sein Leben und seine literarische Wirksamkeit. Zum Säkulargedächtnis seiner Geburt (1811-1911.) Bearbeitet und hrsg. von P.L. Lercher S.J. Regensburg 1910.

Hertwig, O.: Zur Abwehr des ethischen, des sozialen, des politischen Darwinismus. Jena 1918, [2]1921.

Hertwig, R.: Abstammungslehre und neuere Biologie. Jena 1927.

Hertwig, R.: Ernst Haeckel. In: DBJ 2 (1928) 397-412.

Herzfeld, H.: Begriff und Theorie vom Geist bei Max Scheler. (Phil. Diss. Leipzig 1930. - Ref.: H. Driesch, Th. Litt.) Leipzig 1930.

Herzig, E.: Psychophysische Kausalität und Energiegesetz. In: DTh 2 (1915) 86-114.

Hesse, J.: Johann Christoph Blumhardt. In: RE[3] 3 (1897) 264-266.

Hessen, J.: Die Religionsphilosophie des Neukantianismus dargestellt und gewürdigt. Freiburg 1919. - Dass. 2. erweiterte Auflage. Ebd. 1924.

Hessen, J.: Der augustinische Gottesbeweis, historisch und systematisch dargestellt. Münster 1920.

Hessen, J.: Hegels Trinitätslehre, zugleich eine Einführung in Hegels System. (FThSt. 26.) Freiburg 1921.

Hessen, J.: Augustinische und thomistische Erkenntnislehre. Eine Untersuchung über die Stellung des heiligen Thomas von Aquin zur augustinischen Erkenntnislehre. Paderborn 1921.

Hessen, J.: Patristische und scholastische Philosophie. Breslau 1922.

Hessen, J.: Augustinus und seine Bedeutung für die Gegenwart. Stuttgart 1924.

Hessen, J.: Die Kategorienlehre Eduard von Hartmanns und ihre Bedeutung für die Philosophie der Gegenwart. (WuF. 17.) Leipzig 1924.

Hessen, J.: Erkenntnistheorie. (Leitfäden der Philosophie, 2.) Berlin 1926.

Hessen, J.: Die Weltanschauung des Thomas von Aquin. Stuttgart 1926.

Hessen, J.: Das Kausalprinzip. Augsburg 1928.

Hessen, J.: Augustins Metaphysik der Erkenntnis. Berlin, Bonn 1931.

Hessen, J.: Das Substanzproblem in der Philosophie der Neuzeit. Berlin, Bonn 1932.

Hessen, J.: Die Methode der Metaphysik. Berlin, Bonn 1932.

Hessen, J.: Der deutsche Genius und sein Ringen um Gott. 10 Vorlesungen. München 1936, [2]1937.

Hessen, J.: Der Sinn des Lebens. Paderborn, Wien, Zürich 1937.

Hessen, J.: Die Geistesströmungen der Gegenwart. Freiburg 1937.

Hessen, J.: Wertphilosophie. Paderborn, Wien, Zürich 1937.

Hessen, J.: Platonismus und Prophetismus. Die antike und die biblische Geisterwelt in strukturvergleichender Betrachtung. München 1939.

Hessen, J.: Die philosophischen Strömungen der Gegenwart. 2. erweiterte Auflage. Rottenburg 1940.

Hessen, J.: Die Philosophie des heiligen Augustinus. (GörB. 55.) Nürnberg 1947.

Hessen, J.: Von der Aufgabe der Philosophie und dem Wesen der Philosophie. Zwei Vorlesungen. Heidelberg 1947.

Hessen, J.: Existenzphilosophie. Grundlinien einer Philosophie des menschlichen Daseins. (Zeit und Leben im Geiste des Ganzen.) Essen (1947). - Dass. Basel (1948). - Dass.: Grundlinien einer Philosophie des menschlichen Daseins. 2. verbesserte Auflage. Essen (1948).

Hessen, J.: Existenz-Philosophie. Basel 1948.

Hessen, J.: Grundlinien einer Philosophie des menschlichen Daseins. (= Existenz-Philosophie. Basel 1948.) 2. verbesserte Auflage. Essen 1948.

Hessen, J.: Die Werte des Heiligen. Eine neue Religionsphilosophie. Regensburg 1948.

Hessen, J.: Religionsphilosophie. 2 Bde. 1. Methoden und Gestalten der Religionsphilosophie. 2. System der Religionsphilosophie. Essen, Freiburg 1948.

Hessen, J.: Lehrbuch der Philosophie. 3 Bde. 1. Wissenschaftslehre. 2. Wertlehre. 3. Wirklichkeitslehre. München, Basel 1948-1948-1950.

Hessen, J.: Max Scheler. Eine kritische Einführung in seine Philosophie. Aus Anlaß des 20.

Jahrestages seines Todes. Essen 1948.

Hettinger, F.: Apologie des Christentums. 2 Bde. Freiburg 1863. - Dass. 9. Auflage. 5 Bde. Hrsg. von Eugen Müller. Freiburg 1906-1908.

Hettinger, F.: David Friedrich Strauß. Ein Lebens- und Literaturbild. Freiburg 1875.

Hettinger, F.: Fundamentaltheologie oder Apologetik. Freiburg 1879. - Dass. 3. Auflage. Hrsg. von Simon Weber. Freiburg 1913.

Heussi, K.: Die Krisis des Historismus. Tübingen 1932.

Heußner, A.: Einführung in Wilhelm Wundts Philosophie und Psychologie. Göttingen 1920.

von Heydebrand, R.: Innerlichkeit. In: HWPh 4 (1976) 386-388.

Heydorn, H.-J.: Julius Bahnsen. Eine Untersuchung und Vorgeschichte der modernen Existenz. Göttingen, Frankfurt [1953].

Heydorn, W.: Alois Emanuel Biedermann. In: RGG[1] 1 (1909) 1235-1237.

Heyfelder, V.: Über den Begriff der Erfahrung bei Helmholtz. (Phil. Diss. Berlin 1897.) Berlin 1897.

von Hildebrand, D.: Die Idee der sittlichen Handlung. In: JPhPhF 3 (1918) 123-251. - Dass. Halle 1930.

von Hildebrand, D.: Sittlichkeit und ethische Werterkenntnis. In: JPhPhF 5 (1922) 462-602.

von Hildebrand, D.: Metaphysik der Gemeinschaft. Untersuchungen über Wesen und Wert der Gemeinschaft. (KuG. Bd. 1.) Augsburg 1930.

von Hildebrand, D.: Zeitliches im Lichte des Ewigen. Gesammelte Abhandlungen und Vorträge. Regensburg 1931.

Hilgenreiner, K.: Hussiten. In: LThK[1] 5 (1933) 209.

Hilty, C.: Sub specie aeternitatis (Ewiges Leben). Leipzig 1909.

Hirsch, E.: Deutschlands Schicksal. Staat, Volk und Menschheit im Lichte einer ethischen Geschichtsansicht. Göttingen 1920.

Hirsch, E.: Die Reich-Gottes-Begriffe des neueren europäischen Denkens. Ein Versuch zur Staats- und Gesellschaftsphilosophie. Göttingen 1921.

Hirsch, E.: Jesus Christus der Herr. Theologische Vorlesungen. Göttingen 1926, [2]1929.

Hirsch, E.: Die idealistische Philosophie und das Christentum. Gesammelte Aufsätze. Gütersloh 1926.

Hirsch, E.: Geschichte der neueren evangelischen Theologie im Zusammenhang mit den allgemeinen Bewegungen des europäischen Denkens. 5 Bde. Gütersloh 1949-1954. - Dass. (5. Auflage.) Ebd. (1975).

Hirschberger, J.: Geschichte der Philosophie. I Altertum und Mittelalter. II Neuzeit und Gegenwart. Freiburg 1949. - Dass. Zweite Auflage. Ebd. (1953-1955).

Hirscher, J.B.: Christliche Moral als Lehre von der Verwirklichung des göttlichen Reiches in der Menschheit. 3 Bde. Tübingen 1835.

Hirscher, J.B.: Erörterungen über die großen religiösen Fragen der Gegenwart. Den höheren und mittleren Ständen gewidmet. 3 Hefte. Freiburg im Breisgau 1846-1847-1855.

Hirscher, J.B.: Die Fürbitte für die Abgestorbenen. In: Ders. Erörterungen über die großen religiösen Fragen der Gegenwart. H. 3. S. 129-151.

Hirscher, J.B.: Die Unsterblichkeitslehre in ihrem Verhältnis zur Natur und irdischen Stellung des Menschen. In: Ders. Erörterungen über die großen religiösen Fragen der Gegenwart. In: Ders. Erörterungen über die großen religiösen Fragen der Gegenwart. H. 3. S. 192-304.

Hirscher, J.B.: Von der Unsterblichkeit. In: Ders. Erörterungen über die großen religiösen Fragen der Gegenwart. H. 2. S. 233-253.

Hirscher, J.B.: Von der Ewigkeit der Höllenstrafen. In: Ders. Erörterungen über die großen religiösen Fragen der Gegenwart. H. 2. S. 253-276.

Hirt, S.: Simon Weber (1866-1929). Nekrolog. In: FDA N.F. 32 (1931) 22-27.

Hoche, A.: Zum Leib-Seele-Problem. In: Verhandlungen der Gesellschaft deutscher Naturforscher und Ärzte 88. Versammlung zu Innsbruck vom 21.-27.IX.1924. Hrsg. im Auftrag des Vorstandes und der Geschäftsführer durch: Die Naturwissenschaften. Organ der Gesellschaft deutscher Naturforscher und Ärzte. (Aus: 12. Jg. H. 7.) Berlin 1924.

Hochfeld, S.: Fechner als Religionsphilosoph. Potsdam 1909.

Hochkirche. (= Später: Eine heilige Kirche.) Zeitschrift für Kirchenkunde und Religionswissenschaft. Hrsg. von F. Heiler. München ab 1918.

Hochland. Monatszeitschrift für alle Gebiete des Wissens, der Literatur und Kunst. Hrsg.

von Karl Muth. Kempten und München 1902-1971.

Hoeber, F.: Das Erlebnis der Zeit und die Willensfreiheit. Ein Versuch über Henri Bergsons intuitive Philosophie. In: WBl 3 (1916) 185-198.

Hoeber, K.: Max Weber. In: LThK¹ 10 (1938) 769.

Hödl, L.: Anima forma corporis. Philosophisch-theologische Erhebung zur Grundformel der scholastischen Anthropologie im Korrektorienstreit 1277-1287. In: ThPh 41 (1966) 336-356.

Höfer, J.: Vom Leben der Wahrheit. Katholische Besinnung an der Lebensanschauung Diltheys. Freiburg im Breisgau 1936.

Hölscher, G.: Ursprünge der jüdischen Eschatologie. (VThKGi. Folge 41.) Gießen 1925.

Hönigswald, R.: Ernst Haeckel, der monistische Philosoph. Eine kritische Antwort auf seine "Welträtsel". Leipzig 1900.

Hönigswald, R.: Selbstdarstellung. In: DSPh. Bd. 1. S. 191-224.

Hoffmann, A.: Bañezianisch-thomistisches Gnadentum. In: LThK² 1 (1957) 1220-1221.

Hoffmann, E.: Kuno Fischer. Rede. Heidelberg 1924.

Hoffmann, E.E.: Die Psychologie Friedrich Adolf Trendelenburgs. (Phil. Diss. Greifswald 1892.) Greifswald 1892.

Hoffmann, G.: Das Wiedersehen jenseits des Todes. Geschichtliche Untersuchung. Leipzig 1906.

Hoffmann, G.: Der Streit über die selige Schau Gottes (1331-1338). Leipzig 1917.

Hoffmann, G.: Das Problem der letzten Dinge in der neueren evangelischen Theologie. (Theol. Diss. Göttingen 1929.) (StSTh. 2.) Göttingen 1929.

Hoffmann, W.: Friedrich Albert Lange. In: RGG¹ 3 (1912) 1961-1962.

Hofmann, F.: Theologie aus dem Geist der Tübinger Schule. (Rede zur akademischen Gedenkfeier für Karl Adam in der Universität Tübingen.) In: ThQ 146 (1966) 262-284.

Hofmann, H.: Untersuchungen über den Empfindungsbegriff. (Phil. Diss. Göttingen 1912. - Ref.: E. Husserl.) In: AGPs 26 (1913) 1-136. - Dass. separat: Göttingen 1912.

Hofmann, J.Chr.K.: Weissagung und Erfüllung im alten und neuen Testament. Ein theologischer Versuch. 1. (und) 2. Hälfte. Nördlingen 1841-1844.

Hofmann, J.Chr.K.: Der Schriftbeweis. Ein theologischer Versuch. 1. Hälfte. Nördlingen 1852. - Dass. 2. Hälfte. 1. (und) 2. Abtheilung. Ebd. 1853-1855. - Dass. 2., durchgängig veränderte Auflage. 1. Hälfte. Ebd. 1857. - Dass. 2. Hälfte. 1. (und) 2. Abtheilung. Ebd. 1859-1860.

Hofmann, P.: Metaphysik oder verstehende Sinnwissenschaft? Gedanken zur Neugründung der Philosophie im Hinblick auf Heideggers "Sein und Zeit". (Kantst. Erg.-H. 64.) Leipzig 1929.

Hofmann, P.: Das Verstehen von Sinn und seine Allgemeingültigkeit. Untersuchungen über die Grundlagen des apriorischen Erkennens. (Pan-GPh. 4.) Berlin, Leipzig 1929.

Hofmann, P.: Sinn und Geschichte. München 1937.

Hohlwein, H.: Richard Adelbert Lipsius. In: RGG³ 4 (1960) 385-386.

Holder, H.: Die Grundlagen der Gemeinschaftslehren Schleiermachers. (PU. R. 2. H. 1.) Langensalza 1927.

Holl, K.: Die Rechtfertigungslehre in Luthers Vorlesung über den Römerbrief mit besonderer Rücksicht auf die Frage der Heilsgewißheit. In: ZThK 20 (1910) 245-291.

Holl, K.: Gesammelte Aufsätze zur Kirchengeschichte. I. Luther. Tübingen ⁴⁻⁵1927.

Hollweck, J.: Ein bayrischer Cardinal †. [= J. Hergenröther]. In: HPBl 106 (1890) 721-729.

Holmström, F.: Das eschatologische Denken der Gegenwart. Drei Etappen der theologischen Entwicklung des zwanzigsten Jahrhunderts. Aus dem Schwedischen (1933). Gütersloh 1936.

Holtzmann, H.J.: Lehrbuch der neutestamentlichen Theologie. 2 Bde. Freiburg 1897. - Dass. (SThL-T.) 2. neu bearbeitete Auflage hrsg. von A. Jülicher und W. Bauer. Leipzig 1911.

Holtzmann, H.: Richard Rothes spekulatives System. Freiburg 1899.

Holtzmann, H.: Rez. zu B. Bartmann. Das Himmelreich und sein König. In: ThLZ 32 (1907) 199-200.

Holtzmann, R,: Über Richard Rothes Herkunft und Jugend. In: PrM 24 (1920) 169-181.

Holzapfel, H., Keicher, O.: Monistische und christliche Weltanschauung. (RWVMF. 1.) Regensburg, München 1921.

Holzhey, K.: Das Bild der Erde bei den Kirchenvätern. In: Festgabe Alois Knöpfler. S. 177-187.

L'homme et son destin d'après les penseurs du moyen âge. Actes du premier congrès international de philosophie médiéval. Louvain - Bruxelles, 28 août - 4 septembre 1958. Louvain, Paris 1960.

Hommes, J.: Das Anliegen der Existentialphilosophie. In: PhJ 60 (1950) 175-199.

Hommes, J.: Zwiespältiges Dasein. Die existenziale Ontologie von Hegel bis Heidegger. Freiburg 1953.

Hoppe, E.: Glauben und Wissen. Antworten auf Weltanschauungsfragen. Gütersloh 1915.

Hoppe, E.: Leben nach dem Tode? Berlin-Lichterfelde 1915.

Horneffer, E.: Nietzsches Lehre von der ewigen Wiederkunft und deren bisherige Veröffentlichung. Leipzig 1900.

Horneffer, E.: Wege zum Leben. (Der höchste Wert. Gott und Mensch. Die Ehe. Der Tod.) Vorträge. Leipzig 1908.

Horneffer, E.: Das Buch vom wahren Leben. Düsseldorf 1936.

Hotz, E.: Johann Wilhelm Petersen. In: RGG³ 5 (1961) 243.

Hoßfeld, P.: W. Diltheys Stellung zur Religion und seine philosophischen Voraussetzungen. In: ThGl 52 (1962) 107-121.

Huber, E.: Die Entwicklung des Religionsbegriffs bei Schleiermacher. (StGTh. VII/3.) Leipzig 1901.

Huber, M.: Eduard von Hartmanns Metaphysik und Religionsphilosophie. (Phil. Diss. Zürich.) Winterthur 1954.

Huber, R.: Zur Kritik des Finalitätsbegriffes bei Nicolai Hartmann. (Phil. Diss. München 1956.) O.O. 1955.

Huber, S.: Seligkeit. In: KHL 2 (1912) 2043-2044.

Hubert: Cardinal Franzelin. In: Der Katholik 67/I (1887) 225-252.

Huck, J.Ch.: Ubertino von Casale und dessen Ideenkreis. Ein Beitrag zum Zeitalter Dantes. Freiburg 1903.

Hude, A.S.: The Evidence for Communication with the Death. London 1913.

Hüffel, L.: Der Tod kein Ende. Trostbriefe über Unsterblichkeit und Wiedersehen im Jenseits mit unseren verstorbenen Lieben und den im Kriege gefallenen Helden. Für Seelsorger und Trauernde. Manna für Gläubige. (Die Brücke zum Jenseits. [Bd. 1.] H. 2. S. 63-110.) Wiesbaden [1915].

von Hügel, F.: Eternal Life. A study of its implications and applications. Edinburgh 1912.

Hünermann, P.: Trinitarische Anthropologie bei Franz Anton Staudenmaier. (Symposion. 10.) Freiburg, München 1962.

Hünermann, P.: Franz Anton Staudenmaier. In: LThK² 9 (1964) 1024.

Hünermann, P.: Rez. zu G. Greshake. Auferstehung der Toten. In: ThRv 67 (1971) 382-384.

Hupfeld, R.: Carl Stange zum 80. Geburtstag am 7. März 1950. In: ThLZ 75 (1950) 171-173.

Husserl, E.: Philosophie der Arithmetik. Leipzig 1891.

Husserl, E.: Logische Untersuchungen. I. Prolegomena zur reinen Logik. Halle 1900. - Dass. 2. umgearbeitete Auflage. Ebd. 1913. - II/1 Untersuchungen zur Phänomenologie und Theorie der Erkenntnis. Ebd. 1901. - Dass. 2. umgearbeitete Auflage. Ebd. 1913. - II/2 Elemente einer phänomenologischen Aufklärung der Erkenntnis. 2. teilweise umgearbeitete Auflage. Ebd. 1921.

Husserl, E.: Logische Untersuchungen. 1: Prolegomena zur reinen Logik. 2: Untersuchungen zur Phänomenologie und Theorie der Erkenntnis. 4. (= 2. umgearbeitete) Auflage. Halle 1928.

Husserl, E.: Der Anthropologismus in Sigwarts Logik. In: Ders. Logische Untersuchungen. Bd. 1. ⁴1928. S. 125-136.

Husserl, E.: Philosophie als strenge Wissenschaft. In: Logos 1 (1911) 289-341.

Husserl, E.: Ideen zu einer reinen Phänomenologie und phänomenologischen Philosophie. Erstes Buch: Einführung in die reine Phänomenologie. (Sonderdruck aus JPhPhF. Bd. 1.) Halle 1913.

Husserl, E.: Erinnerungen an Franz Brentano. In: O. Kraus. Franz Brentano. S. 153-168.

Husserl, E.: Formale und transzendentale Logik. Versuch einer Kritik der logischen Vernunft. (Sonderdruck aus: JPhPhF. 10.) Halle 1929.

Husserl, E.: Méditations cartésiennes. Paris 1932.

Husserl, E.: Husserliana. Gesammelte Werke. Auf Grund des Nachlasses veröffentlicht unter Leitung von Hermann Leo Breda. 3 Bde. Den Haag 1950.

Husserl, E.: Die Idee der Phänomenologie. Fünf Vorlesungen. Hrsg. und eingeleitet von W. Biemel. (= Husserliana. Bd. 2.) Den Haag 1950.

Husserl, E.: Cartesianische Meditationen. Eine Einleitung in die Phänomenologie. Hrsg., eingeleitet und mit Registern versehen von Elisabeth Ströker. (PhB. 291.) Hamburg 1977.

Husserl, G.: Recht und Welt. In: Festschrift Edmund Husserl zum 70. Geburtstag gewidmet. S. 111-158.

Husserl, G.: Recht und Welt. Rechtsphilosophische Abhandlungen. (8 Zeitschriften-Aufsätze und Beiträge zu Festschriften.) (JAb. 1.) Frankfurt 1964.

Husserl, G.: Person, Sache, Verhalten. Zwei phänomenologische Studien. (PhA. 32.) Frankfurt 1969.

Ich glaube. Ein Buch über das Apostolische Glaubensbekenntnis. Hrsg. von Wilhelm Sandfuchs. Würzburg 1975.

Ihmels, L.: Die Auferstehung Jesu Christi. Leipzig 1906. - Dass. 5. durchgesehene und ergänzte Auflage. Ebd. 1921.

Illemann, W.: Husserls vor-phänomenologische Philosophie. Mit einer monographischen Bibliographie: Edmund Husserl. (StBGPh. 1.) Leipzig 1932.

Illig, J.: Ewiges Schweigen -? Ein Blick in die Tiefen der Menschenseele und ein Versuch zur Deutung ihrer Rätsel. Mit vielen neuen Tatsachenberichten. Stuttgart 1924.

In Deo omnia unum. Eine Sammlung von Aufsätzen, Friedrich Heiler zum 50. Geburtstag dargebracht. (Hrsg. Christel Matthias Schröder.) (Sonderausgabe der Zeitschrift "Eine Heilige Kirche". Jg. 23.) München 1942.

Ingarden, R.: Intuition und Intellekt bei Bergson. In: JPhPhF 5 (1921) 285-461.

Ingarden, R.: Über die Gefahr einer petitio principii in der Erkenntnistheorie. In: JPhPhF 4 (1921) 545-568.

Ingarden, R.: Intuition und Intellekt bei Henri Bergson. Darstellung und Versuch einer Kritik. In: JPhPhF 5 (1922) 285-461.

Ingarden, R.: Essentiale Fragen. In: JPhPhF 7 (1925) 125-304.

Ingarden, R.: Über die Stellung der Erkenntnistheorie im System der Philosophie. Halle 1926.

Ingarden, R.: Bemerkungen zum Problem "Idealismus - Realismus". In: Festschrift Edmund Husserl zum 70. Geburtstag gewidmet. S. 159-190.

Ingarden, R.: Das literarische Kunstwerk. Eine Untersuchung aus dem Grenzgebiet der Ontologie, Logik und Literaturwissenschaft. Halle 1931, ²1960, ³1965.

Ingarden, R.: Der Streit um die Existenz der Welt. 2 Bde. Polnisch 1946-1948. - Dass. deutsch: 3 Bde. Tübingen 1964-1965.

Ingarden, R.: Vom Erkennen des literarischen Kunstwerkes. Tübingen 1968.

Ingarden, R.: Über die Verantwortung. Ihre ontischen Fundamente. (UBib. 8363/64.) Stuttgart 1970.

Interpretation der Welt. Festschrift für Romano Guardini zum 80. Geburtstag. Hrsg. von Helmut Kuhn, Heinrich Kahlefeld und Karl Forster in Verbindung mit der Katholischen Akademie in Bayern. Würzburg (1965).

Israel, W.: Die große Hoffnung vom Reiche Gottes auf Erden. Berlin 1915. - Dass., 3. ergänzte Auflage. Ebd. 1920.

Ittel, G. W.: Die Hauptgedanken der Religionsgeschichtlichen Schule. In: ZRGG 10 (1958) 61-78.

Jacoby, H.: Das ewige Leben. (Vortrag gehalten zu Königsberg i.P, am 30. Januar 1890) In: DEBl 15 (1890) 361-380.

Jäckh, E.: Blumhardt Vater und Sohn und ihre Botschaft. Berlin 1924.

Jäckh, E.: Christoph Blumhardt. In: RGG² 1 (1927) 1153-1154.

Jaeger, E.: Kritische Studien zu Lotzes Weltbegriff. Würzburg 1937.

Jäger, P.: »Ich glaube keinen Tod ...« Stille Gedanken beim Heimgang unserer Lieben. Freiburg 1914. - Dass. Tübingen 1914. - Dass. 4. unveränderte Auflage. Ebd. 1917. - Dass. 5. unveränderte Auflage. Ebd. 1918.

Jäger, P.: Innseits. Zur Verständigung in der Jenseitsfrage. Tübingen 1917.

Jaensch, E.R.: Wirklichkeit und Wert in der Philosophie und Kultur der Neuzeit. Prolegomena zur philosophischen Forschung auf der Grundlage philosophischer Anthropologie nach empirischer Methode. (MGPhAW. 1. = SGBGNW. 16.) Berlin 1929.

Jahn, G.: Max Weber. In: RGG² 5 (1931) 1776-1777.

James, W.: The dilemma of determinism. Boston 1884.

James, W.: Principles of psychology. 2 vols. New York 1890.

James, W.: Psychology, New York 1891.

James, W.: Psychologie. Übersetzt von Maria Dürr, mit Anmerkungen von Ernst Dürr. Leipzig 1909, ²1920.

James, W.: Human immortality. Two supposed objections to the doctrine. Boston and New York 1898. - Dass. Ebd. 1922.

James, W.: Unsterblichkeit. Übersetzt von E. von Aster. (Die Morgenreihe. Schrift 1.) Berlin 1926.

James, W.: Varieties of religious experience. A study in human nature being the Gifford Lectures on Natural Religion delivered at Edinburgh, London, Cambridge/Mass. 1902.

James, W.: The varieties of religious experience. A study in human nature. New York, London 1902. - Dass. Ebd. 1952.

James, W.: The energies of men. New York 1906. - Dass. New ed. Ebd. 1926.

James, W.: Pragmatism, a new name for some old ways of thinking. (Popular lectures on philosophy.) New York 1907.- Dass. Ebd. 1949.

James, W.: Die religiöse Erfahrung in ihrer Mannigfaltigkeit. Materialien und Studien zu einer Psychologie und Pathologie des religiösen Lebens. Ins Deutsche übertragen von Georg Wobbermin. Leipzig 1907. - Dass. 2. verbesserte Auflage. Ebd. 1914. - Dass. 4. unveränderte Auflage. Ebd. 1925.

James, W.: Der Pragmatismus, ein neuer Name für alte Denkmethoden. Volkstümliche philosophische Vorlesungen ... aus dem Englischen übersetzt von Wilhelm Jerusalem. (PhSB. 1.) Leipzig 1908. - Dass. 2. durchgesehene Auflage . Ebd. 1928.

James, W.: Pluralism and religion. Boston/Mass. 1908.

James, W.: The doctrine of the earth-soul and of beings intermediate between man and God. An account of the philosophy of G.T. Fechner. Boston etc. 1909.

James, W.: The philosophy of Bergson. Boston/Mass. 1909.

James, W.: A pluralistic mystic. Boston/Mass. 1910.

James, W.: Essays in radical empirsm. New York etc. 1912. - Dass. Ebd. 1947.

James, W.: A pluralistic universe. New York 1912. - Dass. Ebd. 1928.

James, W.: Das pluralistische Universum. Hibbert-Vorlesungen am Mancester College über die gegenwärtige Lage der Philosophie. Ins Deutsche übertragen und mit einer Einführung versehen von Julius Goldstein. (PhSB. 33.) Leipzig 1914.

Jammer, M.: Energie. In: HWPh 2 (1972) 494-499.

Janeff, J.: Kant und das Problem der Geschichte. Bemerkungen zur Kritik des Rationalismus. In: PhH 2 (1930) 133-139.

Janet, P.: Principes de métaphysique et de psychologie. Paris 1897.

Janke, H.: Das Eschaton als Sinnverwirklichung. Eine religionsgeschichtliche Untersuchung zum Phänomen der Enderwartung. (Phil.Diss. Bonn 1938.) (Teildruck) Würzburg 1938.

Jansen, B.: Die Definition des Konzils von Vienne: Substantia animae rationalis seu intellectivae vere ac per se humani corporis forma. In: ZKTh 32 (1908) 289-306, 471-487.

Jansen, B.: Die Lehre Olivis über das Verhältnis von Leib und Seele. (Nach Cod. Vat. Lat. 1116.) In: FSt 5 (1918) 153-175, 233-258.

Jansen, B.: Quonam spectet definitio Concilii Viennensis de anima. In: Greg 1 (1920) 78-90.

Jansen, B.: Die Seelenlehre Olivis und ihre Verurteilung auf dem Vienner Konzil. In: FSt 21 (1934) 297-314. - Dass. in: Scholastik 10 (1935) 241-244.

Janssens, Al.: La signification sotériologique de la parousie et du jugement dernier. In: DThP A. 36. S. 3. 10 (1933) 25-53.

Janssens, L.: Summa theologica ad modum commentarii in Aquinatis Summam praesentis aevi studiis aptatam. 9 vol. Friburgi Brisgoviae 1900-1921.

Jarreaux, L.: Un philosophe languedocien méconnue. Essai sur la philosophie de Pierre Olivi, Franciscain du XIIIe siècle. I. La Métaphysique. II. La Psychologie. III. La doctrine de la Connaissance. (Thèses Toulouse 1929.) [1934 zitiert. Ungedruckt.]

Jaspers, K.: Heimweh und Verbrechen. (Med. Diss. Heidelberg 1909.) Leipzig 1909.

Jaspers, K.: Allgemeine Psychopathologie. Ein Leitfaden für Studierende, Ärzte und Psychologen. Berlin 1913. - Dass. (Jeweils neu bearbeitete Auflage.) Ebd. ²1920, ³1922, ⁴1946.-
Dass. Siebte unveränderte Auflage. Berlin, Göttingen, Heidelberg 1959.
Jaspers, K.: Psychologie der Weltanschauungen. Berlin 1919. - Dass. 4. Auflage. Berlin, Göttingen, Heidelberg 1954.
Jaspers, K.: Max Weber. Rede bei der von der Heidelberger Studentenschaft veranstalteten Trauerfeier (1920). Tübingen 1921, ²1926.
Jaspers, K.: Existenzphilosophie. In: Ders. Die geistige Situation der Zeit. (SG. 1000.) Berlin, Leipzig 1931. - Dass. 5. zum Teil neubearbeitete Auflage. Ebd. 1933.
Jaspers, K.: Max Weber, Politiker, Forscher, Philosoph. München 1932, ³1958.
Jaspers, K.: Philosophie. 3 Bde. Bd. 1: Philosophische Weltorientierung. Bd. 2: Existenzerhellung. Bd. 3: Metaphysik. Berlin 1932, ³1956.
Jaspers, K.: Vernunft und Existenz. München 1935, ³1949.
Jaspers, K.: Existenzphilosophie. Drei Vorlesungen gehalten am Freien Hochstift in Frankfurt a.M. September 1937. Berlin, Leipzig 1938.
Jaspers, K.: Der philosophische Glaube. München 1948, ⁴1955.
Jaspers, K.: Vom Ursprung und Ziel der Geschichte. München, Zürich 1949, ²1952.
Jaspers, K.: Rechenschaft und Ausblick. Reden und Aufsätze. München 1951, ²1958.
Jaspers, K.: Der philosophische Glaube angesichts der Offenbarung. München 1962.
Jaspers, K.: Chiffren der Transzendenz. (Vorlesungen, Hrsg. von Hans Saner.) (Serie Piper. 7.) (München 1970).
Jelke, R.J.: Das religiöse Apriori und die Aufgaben der Religionsphilosophie. Ein Beitrag zur Kritik der religionsphilosophischen Position Ernst Troeltschs. (Phil. Diss. Gießen 1917. -Ref.: A.W. Messer.) Gütersloh 1917.
Jelke, R.: Das religiöse Apriori bei Reinhold Seeberg. In: Reinhold-Seeberg-Festschrift. Bd. 1. S. 81-97. - Dass. separat. Ebd. 1929.
Jelke, R.: Rez. zu C. Stange. Das Ende aller Dinge. In: ThLBl 52 (1931) 8-9.
Jensen, P.: Schleiermachers Auffassung vom Wesen der Religion und ihr Wert gegenüber dem modernen, besonders dem naturwissenschaftlichen Denken. (Phil. Diss. Erlangen 1905. - Ref.: P. Hensel.) Husum 1905.
Jensen, P.: Das Gilgameschepos in der Weltliteratur. Bd. 1: Die Ursprünge der alttestamentlichen Patriarchen-, Propheten- und Befreier-Sage und der neutestamentlichen Jesus-Sage. Straßburg 1906.
Jensen, P.: Moses, Jesus, Paulus. Drei Varianten des babylonischen Gottmenschen Gilgamesch. Eine Anklage wider die Theologen, ein Apell auch an die Laien. Frankfurt 1909, ³1910.
Jensen, P.: Hat der Jesus der Evangelien wirklich gelebt? Eine Antwort an Prof. Dr. Jülicher. Frankfurt 1910.
Jenseits des Todes. Beiträge zur Frage des Lebens nach dem Tode. Hrsg. von Gerhard Hildmann. Stuttgart (1970).
Jesus Christus. Vorträge auf dem Hochschulkurs zu Freiburg im Breisgau 1908, gehalten von Dr. Karl Braig, Dr. Gottfried Hoberg, Dr. Cornelius Krieg, Dr. Simon Weber, Professoren an der Universität Freiburg im Breisgau, und von Dr. Gerhard Esser, Professor an der Universität Bonn. Freiburg im Breisgau 1908.
Jesus Christus. Apologetische Vorträge auf dem II. theologischen Hochschulkurs zu Freiburg im Breisgau im Oktober 1908 gehalten von Prof. Dr. Karl Braig, Prof. Dr. Gerhard Esser, Prof. Dr. Gottfried Hoberg, Prof. Dr. Corn. Krieg und Prof. Dr. Simon Weber. Zweite, verbesserte Auflage. Freiburg im Breisgau 1911.
Joachimi-Dege, M.: Zur Geschichte des Monismus. In: Der Monismus dargestellt in Beiträgen seiner Vertreter. Bd. 2. S. 33-59.
Joannès, G.: La vie de l'au-delà dans la vision béatifique. (Evangile dans la vie.) Paris 1932.
Joel, K.: Seele und Welt. Versuch einer organischen Auffassung. Jena 1912, ²1923.
Joel, K.: Weltanschauung und Zeitanschauung. In: Weltanschauung. S. 129-138.
Joerges, W.: Der Tod als die unwesensgemäße Trennung zwischen Leib und Seele bei Hedwig Conrad-Martius. In: MThZ 11 (1960) 106-122.
Joest, W.: Der Zusammenhang von Sünde und Tod, biblisch und dogmatisch untersucht. (Ev.-theol. Diss. Tübingen 1946.) Heidelberg 1946 (M.schr.).

Jolivet, R.: Le problème de la Mort chez M. Heidegger et J.-P. Sartre. Abbaye S. Wandrille 1950.

Jolivet, R.: L'intuition intellectuelle et le problème de la métaphysique. Paris 1934.

Jostock, P.: Eschatologie des Kapitalismus. In: Abendland 1 (1925/26) 138-142.

Journet, Ch.: La peine temporelle du péché. RThom 10 (1927) 20-39, 89-103.

Journet, Ch.: Les privilèges secondaires de l'Eglise triomphante. In: Angelicum 14 (1937) 114-125.

Journet, Ch.: La volonté divine salvifique sur les petits enfants. Bruges 1958.

Journet, Ch.: Vom Geheimnis des Übels. Essen 1962.

Journet, Ch.: Das Nein zur Liebe. In: Christus vor uns. S. 63-74.

Journet, Ch.: Der gottmenschliche Charakter der Kirche Quelle dauernder Spannung. In: DE ECCL. Bd. 1. S. 276-277.

Jülicher, A.: Wiliam Wrede. In: RE[3] 21 (1908) 506-510.

Jung, C.G.: Psychologische Typen. Zürich 1921.

Jung, C.G.: Seelenprobleme der Gegenwart. (Vorträge und Aufsätze. Psych. Abh. 3.) Zürich 1931, [2]1932.

Jung, C.G.: Wirklichkeit der Seele. Anwendungen und Fortschritte der neueren Psychologie. Mit Beiträgen von Hugo Rosenthal, Emma Jung, W.M. Kranefeld. (Psych. Abh. Bd. 4.) Zürich 1934. - Dass. (3. Tausend.) Ebd. 1939. - Dass. Mit Beiträgen von W.M. Kranefeld und Josef Jashuvi. 4., revidierte Auflage. Zürich, Stuttgart 1969.

Jung, C.G.: Psychologische Betrachtungen. Eine Auslese aus den Schriften von C.G. Jung. Zusammengestellt und hrsg. von Dr. Jolan Jacobi. Zürich 1945. - Dass. (2. Auflage.) Ebd. 1949. - Dass.: Mensch und Seele. Aus dem Gesamtwerk 1905-1961 ausgewählt und hrsg. von Jolande Jacobi. (3., neubearbeitete und ergänzte Auflage.) Olten und Freiburg 1971.

Jung, J.: Karl Vogts Weltanschauung. Paderborn 1915.

Jung-Stilling, J.H.: Das Heimweh. 4 Bde. Marburg 1793.

Jung-Stilling, J.H.: Szenen aus dem Geisterreich. 2 Theile. Frankfurt 1803.

Junglas, J.P.: Adolf von Harnack. In: LThK[1] 4 (1932) 828-829.

Junglas, J.P.: Des Menschen Gemeinschaft mit Gott. In: BM-BThPhA. S. 223-234.

Jungmann, J.A.: Einleitung und Kommentar zur Konstitution über die heilige Liturgie. In: LThK-2VK. Bd. 1. S. 10-109.

Jurevičs, P.: Henri Bergson. Eine Einführung in seine Philosophie. Freiburg/Br. 1949.

Kabisch, R.: Die Quellen der Apokalypse Baruchs. In: JPTh 18 (1892) 66-107.

Kabisch, R.: Die Eschatologie des Paulus. Göttingen 1893.

Kade, R.: Rudolf Euckens noologische Methode in ihrer Bedeutung für die Religionsphilosophie. Leipzig 1912.

Kähler, M.: Der Menschen Fortschritt und des Menschen Ewigkeit (1865). In: Ders. Dogmatische Zeitfragen. H. 1. Leipzig 1898. S. 16-45. -Dass. in: Ders. Zeit und Ewigkeit. Der dogmatischen Zeitfragen 3. Bd. 2., gänzlich veränderte und vermehrte Auflage. Leipzig 1913. S. 166-195.

Kähler, M.: Eschatologie. In: RE[2] 4 (1879) 326-330. - Dass. (Stark erweitert.) In: RE[3] 5 (1898) 490-495.

Kähler, M.: Die Wissenschaft der christlichen Lehre, von den evangelischen Grundartikeln aus im Abriß dargestellt. H. 1-2: Erlangen 1883-1884. - H. 3: Leipzig 1887. - Dass. 2. umgestaltete Auflage. Leipzig 1893. - Dass. 3. Auflage, sorgfältig durchgearbeitet und durch Anführungen aus der heiligen Schrift vermehrt. Leipzig 1905.

Kähler, M.: Der sogenannte historische Jesus und der geschichtliche, biblische Christus. Leipzig 1892. - Dass. 2. erweiterte und erläuterte Auflage. Ebd. 1896. - Dass. Photomechanischer Druck. Ebd. 1928. - Dass. Neu hrsg. von E. Wolf. München 1953. - Dass. 2., erweiterte Auflage. (TB-SysTh. 2.) Ebd. 1956.

Kähler, M.: Dogmatische Zeitfragen. Alte und neue Ausführungen zur Wissenschaft der christlichen Lehre. 2 Hefte. Leipzig 1898. - Dass. 2. gänzlich veränderte und vermehrte Auflage. Bd. 1: Zur Bibelfrage. Leipzig 1907. - Bd. 2: Angewandte Dogmen. Ebd. 1908.

Kähler, M.: Gehört Jesus in das Evangelium? (1901). - In: Ders. Angewandte Dogmen. Bd. 2. [2]1908. S. 244-268.

Kähler, M.: Leben, ewiges. In: RE[3] 11 (1902) 330-334.

Kähler, M.: Geschichte der protestantischen Dogmatik im 19. Jahrhundert. Bearbeitet und mit einem Verzeichnis der Schriften M. Kählers hrsg. von Ernst Kähler. (TB. 16.) München 1962.

Käppli, Th.: Le procès contre Thomas Waleys O.P., études et documents. Roma 1936.

Kaftan, J.: Das Wesen der christlichen Religion. Basel 1881, ²1888.

Kaftan, J.: Die Wahrheit der christlichen Religion. Basel 1888.

Kaftan, J.: Dogmatik. (GThW. V/1.) Freiburg ¹-²1897. - Dass. (Jeweils verbesserte Auflagen.) Tübingen ³-⁴1901, ⁵-⁶1909, ⁷-⁸1920.

Kaftan, J.: Kirche und Wissenschaft. In: Weltanschauung. S. 457-472.

Kaftan, Th.: Ernst Troeltsch. Eine kritische Zeitstudie. Schleswig 1912.

Kallen, G.: Die Geschichtsphilosophie Martin Deutingers. In: ZPhPhKr 161 (1916) 21-41.

Kalthoff, A.: Die Entstehung des Christentums. Neue Beiträge zum Christusproblem. Leipzig 1904.

Kalweit, P.: Die praktische Begründung des Gottesbegriffes bei Lotze. (Phil. Diss. Jena 1900.) Jena 1900.

Kampmann, Th.: Gelebter Glaube. Zwölf Porträts. Warendorf 1957.

Kaplan, S.: Das Geschichtsproblem in der Philosophie Hermann Cohens. Berlin 1930.

Kappstein, Th.: Rudolf Eucken, der Erneuerer des deutschen Idealismus. (MPh. 5.) Berlin-Schöneberg 1909.

Kardec, A.: Le ciel et l'enfer, ou la justice divine selon le spiritisme. Paris 1865. ⁵1875.

Kardec, A.: Über das Wesen des Spiritismus. Aus dem Französischen. Zwickau 1882. - Dass. Leipzig 1894.

Kardec, A.: Spiritualistische Philosophie. Das Buch der Geister. Enthaltend die Grundsätze der spiritistischen Lehre über die Unsterblichkeit der Seele, die Natur der Geister und ihre Beziehungen zu den Menschen, die sittlichen Gesetze, das gegenwärtige und das künftige Leben, sowie die Zukunft der Menscheit. Nach der durch die höheren Geister mit Hilfe verschiedener Medien gegebenen Unterrichtung gesichtet und geordnet. Autorisierte deutsche Original-Ausgabe. Zürich 1886. ²1898.

Kardec, A.: Der Himmel und die Hölle oder die göttliche Gerechtigkeit nach den Aufschlüssen der Kunde vom Geist; dargestellt durch die vergleichende Prüfung der Lehren über den Übergang vom körperlichen zum geistigen Leben, die künftigen Strafen und Belohnungen, die Engel und die Teufel, die endlosen Strafen u.s.w.; sodann beleuchtet in zahlreichen Beispielen bezüglich der wirklichen Lage der Seele während und nach dem Tode. Mit Übertragung ins Deutsche durch Christian Heinrich Wilhelm Feller. Berlin 1890.

Kardec, A.: Der experimentelle Spiritismus. Das Buch der Medien oder Wegweiser der Medien und der Anrufer, enthaltend eine besondere Belehrung über die Geister, über die Theorie aller Kundgebungen, über die Mittel für den Verkehr mit der unsichtbaren Welt, Entdeckung der Mediumität, über Schwierigkeiten und Klippen, welchen man bei der Ausübung des Spiritismus begegnen kann. Aus dem Französischen ins Deutsche übersetzt von Franz Pavlicek. 2. (Titel-)Auflage. Leipzig 1891, ³1899.

Kardec, A.: Das Buch der Geister. Die Grundsätze der Spiritistischen Lehre über die Unsterblichkeit der Seele, die Natur der Geister und ihre Beziehungen zu den Menschen, die moralischen Gesetze, das diesseitige und jenseitige Leben und die Zukunft der Menschheit enthaltend, nach der Belehrung, welche von den höheren Geistern mittels verschiedender Medien gegeben wurde. Leipzig 1903.

Karl Jaspers in der Diskussion. Hrsg. von Hans Saner. Mit Beiträgen von Hannah Arendt (u.a.). München 1973.

Karl Jaspers. Werk und Wirkung. (Zum 80. Geburtstag von Karl Jaspers, 23. Februar 1963. Hrsg. von Klaus Piper.) München (1963).

Karl Neundörfer zum Gedächtnis. Von seinen Freunden. Mainz 1926.

Karrer, O.: Der Unsterblichkeitsglaube. Das menschliche Suchen und die göttliche Offenbarung über den ewigen Lebenssinn. München 1936.

Kasper, W.: Domenico Palmieri. In: LThK² 8 (1963) 14.

Kasper, W.: Die Lehre von der Tradition in der Römischen Schule. Freiburg 1962.

Kasper, W.: Giovanni Perrone. In: LThK² 8 (1963) 282.

Kasper, W.: Karl Adam. Zu seinem 100. Geburtstag und 10. Todestag. In: ThQ 156 (1976) 251-258.

Kastil, A.: Franz Brentano und der Positivismus. In: Wuw 2 (1949) 272-282.

Kastil, A.: Franz Brentano und die Phänomenologie. In: ZPhF 5 (1951) 402-410.

Kastil, A.: Die Philosophie Franz Brentanos. Bern 1951.

Katholik = Der Katholik. Zeitschrift für katholische Wissenschaft und Kirche. Mainz 1821-1918.

Der Katholizismus. Sein Stirb und Werde. Von katholischen Theologen und Laien, hrsg. von G. Mensching. Leipzig 1937.

Katsube, K.: Wilhelm Diltheys Methode der Lebensphilosophie. Hiroschima 1931.

Kattenbusch, F.: Der christliche Unsterblichkeitsglaube. Vortrag gehalten in Darmstadt am 24. November 1880. Darmstadt 1881.

Kattenbusch, F.: Die deutsche evangelische Theologie seit Schleiermacher. 2 Teile. Gießen 1934.

Kaufmann, C.M.: Die Jenseitshoffnung der Griechen und Römer nach den Sepulkralinschriften. Beiträge zur monumentalen Eschatologie. Freiburg 1897.

Kaufmann, C.M.: Die sepulkralen Jenseitsdenkmäler der Antike und das Urchristentum. Beiträge zu der christlichen Jenseitshoffnung. (FMThVRW. 1.) Mainz 1900.

Kaufmann, C.M.: Handbuch der christlichen Archäologie. (WHB. 3. Reihe: Lehrbücher verschiedener Wissenschaften. V.) Paderborn 1905, ²1913.

Kaufmann, C.M.: Handbuch der altchristlichen Epigraphik. Freiburg 1917.

Kautz, H.: Jonas Cohn. In: NDB 3 (1957) 316.

Keber, E.: Die Auffassung vom Wesen der Erkenntnis bei Edmund Husserl und Nicolai Hartmann. Ein systematischer Vergleich. (Phil. Diss. Hamburg 1952.) Hamburg 1951.

Keller, H.: Der Raum-Zeitidealismus bei J. Bergmann, H. Cohen und P. Natorp. (Phil. Diss. Bonn 1930.) Bonn 1930. (Dass.. vollständig unter dem Titel: Die idealistische Raum-Zeitphilosophie von Hobbes bis Natorp in ihren typischen Ausgestaltungen.)

Keller, J.: Raum und Zeit bei Lotze. (Phil. Diss. Bonn 1926.) Bonn 1926.

Keppler, P.W.: Die Armenseelenpredigt. Freiburg 1913, ⁸1928.

Kern, H.: Die Frage nach der Eschatologie und die Antwort der Apostolikums. In: NKZ 40 (1929) 238-264.

Kern, H.: Von Paracelsus bis Klages. Studien zur Philosophie des Lebens. Berlin 1942.

Kerygma und Mythos. V. Bd. Die Theologie Bultmanns und die Entmythologisierung in der Kritik der katholischen Theologie. Mit Beiträgen von ... Hrsg. von Dr. theol. Hans-Werner Bartsch. (ThF. 9.) Hamburg-Volksdorf 1953.

Kesseler, K.: Die Vertiefung der Kantischen Religionsphilosophie durch Rudolf Eucken. Bunzlau 1908.

Kesseler, K.: Rudolf Euckens Werk. Eine neue idealistische Lösung des Lebensproblems. Zur Einführung in sein Denken und Schaffen. Bunzlau-Leipzig 1911.

Keßler, L.: Die Eschatologie des Apostel Paulus und die religiös-bildliche Erkenntnis. In: ZSTh 7 (1930) 573-597.

Key, E.: Unsterblichkeit. In: Die Zukunft. 54 (1906) 487-490.

von Keyserling, H.: Unsterblichkeit. Eine Kritik der Beziehungen zwischen Naturgeschehen und menschlicher Vorstellungswelt. München 1907, ²1911.

von Keyserling, H.: Das Schicksalsproblem. In: Weltanschauung. S. 283-299.

von Keyserling, H.: Das Wesen der Intuition und ihre Rolle in der Philosophie. In: Logos 3 (1912) 59-79.

von Keyserling, H.: Das Reisetagebuch eines Philosophen. 2 Bde. Darmstadt 1919. - Dass. in einem Band. Stuttgart ⁸1932.

von Keyserling, H.: Was uns not tut, Was ich will. Darmstadt 1919, ²1920, ³1921.

von Keyserling, H.: Schöpferische Erkenntnis. Einführung in die Schule der Weisheit. Darmstadt 1922.

(von Keyserling, H.:) Das Ehe-Buch. Eine neue Sinngebung im Zusammenklang der Stimmen führender Zeitgenossen, angeregt und hrsg. von Graf Hermann Keyserling. Celle 1925.

von Keyserling, H.: Menschen als Sinnbilder, Darmstadt 1926.

von Keyserling, H.: Die neuentstehende Welt. Darmstadt 1926.

von Keyserling, H.: Wiedergeburt. Darmstadt 1927.

von Keyserling, H.: Das Spektrum Europas. Heidelberg, Darmstadt 1928.

von Keyserling, H.: Amerika. Der Anfang einer neuen Welt, Stuttgart 1930.

von Keyserling, H.: Südamerikanische Meditation. Darmstadt 1932, ²1933.
von Keyserling, H.: Das Buch vom persönlichen Leben. Stuttgart, Berlin 1936.
von Keyserling, H.: Die Betrachtung der Stille und Besinnlichkeit. Jena 1941, ²1942, ³1943.
von Keyserling, H.: Das Buch vom Ursprung. Jena 1942. - Dass. Sonderausgabe. Baden-Baden 1947. - Dass. Bühl 1947.
Kiefl, F.X.: Herman Schell und die Ewigkeit der Hölle. In: ThPM 14 (1904) 685-709.
Kiefl, F.X.: Die Heiligkeit Gottes und der ewige Tod. Eine Antwort auf Stuflers Schrift: »Die Verteidigung Schells durch Prof. Kiefl (Innsbruck 1904). In: ThPM 15 (1905) 331-346, 468-486, 588-601.
Kiefl, F.X.: Herman Schell und die Ewigkeit der Höllenstrafe. Eine Kritik der Darstellung der Lehre Schells in Joh. Stuflers Schrift: »Die Heiligkeit Gottes und der ewige Tod«. (Sonderdruck aus: ThPM.) Passau 1904.
Kiefl, F.X.: Die Ewigkeit der Hölle und die spekulative Begründung gegenüber den Problemen der modernen Theodicee. Meine Kontroverse mit Johann Stufler S.J. über die Eschatologie von Herman Schell und Thomas von Aquin. Sonderdruck aus ThPQ 1904 und 1905 nebst einem Nachwort. Paderborn 1905. Titel im Katalog der Erzbischöflichen Diözesanbibliothek in Köln.
Kiefl, F.X.: Herman Schell. (KuK. 7.) Mainz 1907.
Kiefl, F.X.: Die Stellung der Kirche zur Theologie Herman Schells. Mainz 1908.
Kiefl, F.X.: Herman Schell. In: RE³ 26 (1913) 452-454.
Kiefl, F.X.: Katholische Weltanschauung und modernes Denken. Gesammelte Essays über die Hauptstationen der neueren Philosophie. Regensburg 1922, ²⁻³1922.
Kierkegaard, S.A.: Die Krankheit zum Tode. (= Sygdommen til Döden.) Eine christlich-psychologische Entwicklung zur Erbauung und Erweckung von Anti-Climacus. Hrsg. von S. Kierkegaard (1848). Übersetzt von A. Bärthold. Halle 1881. - Dass. Übersetzt und mit Nachwort von H. Gottsched. (Gesammelte Werke. Bd. 8.) Jena 1911.
Kiessler, H.: Rez. zu W. Götzmann. Die Unsterblichkeitsbeweise in der Väterzeit. In: DTh 8 (1930) 348.
King, I.: The developement of religion. A study in anthropology and social psychology. New York 1910.
King, J.H.: The Supranatural: its Origin, Nature and Evolution. 2 vol. London, New York 1892.
Kinkel, W.: Paul Natorp und der kritische Idealismus. In: Kantst 28 (1923) 398-418.
Kinkel, W.: Hermann Cohen. Einführung in sein Werk. Stuttgart 1924. Die Kirche und ihre Ämter und Stände. Festgabe, Joseph Kardinal Frings zum goldenen Priesterjubiläum am 10. August 1960 dargeboten. Hrsg. von Wilhelm Corsten, Augustinus Frotz, Peter Linden. Köln 1960.
Kirchner, F.: Der Spiritismus, die Narrheit unseres Zeitalters. (DZSF. 186.) Hamburg 1883.
Kirfel, H.: Das natürliche Verlangen nach der Anschauung Gottes. In: DTh (Ser. II.) 1 (1914) 33-57.
Kirn, O.: Die Versöhnung durch Christus. Ein Vortrag. Leipzig 1902.
Kirn, O.: Isaak August Dorner. In: RE³ 4 (1898) 802-807.
Kirn, O.: Grundriß der evangelischen Dogmatik. Leipzig 1905, ²1907.- Dass. 3., durchgesehene Auflage. Ebd. 1910. - Dass. 5. Auflage. Hrsg. von Hans Preuß. Ebd. 1916. - Dass. 7. Auflage. Nach dem Tode des Verfassers hrsg. von Hans Preuß. Ebd. 1921. - 8. Auflage. Hrsg. von Hans Preuß. Ebd. 1930.
Kirn, O.: Schleiermacher. In: RE³ 17 (1906) 587-617.
Kirsch, J.P.: Emil Göller. In: RQ 41 (1933) 1-7.
Kiss, J.: Zur eschatologischen Beurteilung der Theologie des Apostels Paulus. In: ZSTh 15 (1938) 379-416.
Klaas, W.: Martin Kähler. In: EKL 2 (1958) 503-504.
Klages, L.: Die Grundlegung der Charakterkunde. 4. Auflage der Prinzipien der Charaktereologie. Leipzig 1926.
Klages. L.: Die Psychologischen Errungenschaften Nietzsches. Leipzig 1926.
Klages, L.: Der Geist als Widersacher der Seele. 3 Bde. Leipzig 1929-1932. - Dass. 4. Auflage. (Ungekürzte Studienausgabe.) München, Bonn 1960.
Klages, L.: Prinzipien der Charaktereologie. Leipzig 1910.

900

Klages, L.: Mensch und Erde. Fünf Abhandlungen. Leipzig 1920. - Dass. Zehn Abhandlungen. (KTA. 242.) Stuttgart 1956.

Klages, L.: Vom Wesen des Bewußtseins. Leipzig 1921. - Dass. 4. verbesserte Auflage. München 1955.

Klages, L.: Vom kosmogonischen Eros. München, Jena 1922. - Dass. 2. erweiterte Auflage. Ebd. 1926.

Klauser, Th.: Franz Joseph Dölger. In: LThK[2] 3 (1953) 473-474.

Klauser, Th.: Franz Joseph Dölger, Leben und Werk. Münster 1956.

Klauser, Th.: Franz Joseph Dölger, In: NDB 4 (1959) 19-20.

Klauser, Th.: Franz Joseph Dölger 1879-1940. In: Bonner Gelehrte. S. 123-130.

(Klee, H.): Tentamen theologico-criticum de Chiliasmo primorum saeculorum, elucubravit Henricus Klee, seminarii episcopalis Moguntini professor. Herbipoli 1825.

Klein, J.: Nicolai Hartmann und die Marburger Schule. In: Nicolai Hartmann. Der Denker und sein Werk. S. 105-130.

Klein, J.: Der Mensch im System des Marburger Idealismus. In: BM-BThPhA. S. 119-131.

Klein, M.: Lotzes Lehre vom Sein und Geschehen in ihrem Verhältnis zur Lehre Herbarts. Berlin, Leipzig 1890.

Kleinert, P.: Zur Idee des Lebens im Alten Testament. In: ThStKr 68 (1895) 693-732.

Klemm, O.: Geschichte der Psychologie. Leipzig 1911.

Kleutgen, J.: Theologie der Vorzeit verteidigt. 3 Bde. Münster 1853-1870. - Dass. 5 Bde. Münster [2]1867-1874.

Kleutgen, J.: Philosophie der Vorzeit verteidigt. 2 Bde. Münster 1860-1863, [2]1878.

Kleutgen, J.: Kleine Werke. 4 Bde. Münster 1869-1874.

Kleutgen, J.: Abhandlungen über den Ursprung der Seele. In: ZKTh 7 (1883) 197-229.

Kliefoth, Th.: Christliche Eschatologie. Leipzig 1886.

Klimke, F.: Der Monismus und seine philosophischen Grundlagen. Freiburg 1911, [4]1919.

Klimsch, R.: Gottes Herrlichkeit und des Himmels ewige Freuden. Regensburg 1915.

Klösters, J.: Die »kritische Ontologie« Nicolai Hartmanns und ihre Bedeutung für das Erkenntnisproblem. (Phil. Diss. München 1927. Ref.: J. Geyser, E. Becher.) Fulda 1928.

Klug, I.: Katechismusgedanken. 3 Bde. 1. Die ewigen Dinge. 2. Die ewigen Wege. 3. Die ewigen Quellen. Paderborn [3]1916.

Klumpp, E.: Der Begriff der Person und das Problem des Personalismus bei Max Scheler. (Phil. Diss. Tübingen 1952.) O.O. 1952.

Knabenbauer, J.: Das Zeugnis des Menschengeschlechts für die Unsterblichkeit. (StML. Erg.-H.) Freiburg 1878.

Knabenbauer, J.: Jesus und die Erwartung des Weltendes. In: StML 74 (1908) 487-497.

Kneib, Ph.: Die Unsterblichkeit der Seele, bewiesen aus dem höheren Erkennen und Wollen. Ein Beitrag zur Apologetik und Würdigung der Thomistischen Philosophie. (ApStLG. I/4.) Wien 1900.

Kneib, Ph.: Die Beweise für die Unsterblichkeit der Seele aus allgemeinen psychologischen Tatsachen neu geprüft. (SThSt. 5, 2.) Freiburg 1903.

Kneib, Ph.: Die Jenseitsmoral im Kampf um ihre Grundlagen. Freiburg 1906.

Kneib, Ph.: Wesen und Bedeutung der Enzyklika gegen den Modernismus. Dargestellt im Anschluß an ihre Kritiker. Mainz 1908.

Knevels, W.: Simmels Religionstheorie. Ein Beitrag zum religiösen Problem der Gegenwart. Leipzig 1920.

Knittermeyer, H.: Zum Problem des religiösen Sozialismus. In: ZThK N.F. 4 (1923) 47-62.

Knittermeyer, H.J.: Zur Metaphysik der Erkenntnis. Zu Nicolai Hartmanns »Grundzüge einer Metaphysik der Erkenntnis«. 2. Auflage. In: Kantst 30 (1925) 495-514.

Knittermeyer, H.: Die dialektische Entscheidung. In: ZZ 5 (1927) 396-421.

Knittermeyer, H.: Philosophie der Existenz von der Renaissance bis zur Gegenwart. (SDU. 29.) Wien, Stuttgart; München 1952.

Knoch, A.E., Schaedel, H.: Ist »ewig« unendlich? Eine Erwiderung. Stepenitz 1934.

Knoch, O.: Die eschatologische Frage, ihre Entwicklung und ihr gegenwärtiger Stand. In: BZ N.F. 6 (1962) 112-120.

Knoch, O.: Eigenart und Bedeutung der Eschatologie im theologischen Aufriß des 1. Clemensbriefes. Bonn 1964.

Knöpfler, A.: Constantin von Schäzler. In: ADB 30 (1890) 649-651.

Knöpfler, A.: Valentin Thalhofer. In: ADB 37 (1894) 646-648.

Knöpfler, A.: Rez. zu A. Harnack. Das Wesen des Christentums. In: HJ 22 (1901) 338-342.

Knoth, E.: Ubertino von Casale. Ein Beitrag zur Geschichte der Franziskaner an der Wende des 13. und 14. Jahrhunderts. Marburg 1903.

Kobusch, Th.: Intuition. In: HWPh 4 (1976) 524-540.

Koch, A.: Zur Erinnerung an Paul von Schanz. In: ThQ 88 (1906) 102-123.

Koch, A.: Zur Erinnerung an Paul Vetter. In: ThQ 89 (1907) 585-612.

Koch, A.: Zur Erinnerung an Franz Xaver von Funk. In: ThQ 90 (1908) 95-137.

Koch, G.: Die Wahrheit des Christentums nach Reinhold Seeberg. (= Die Religionsphilosophie Reinhold Seebergs, kritisch untersucht. (Theol. Diss. Erlangen 1929.) Erlangen 1932.

Koch, G.: Wilhelm Herrmann. In: RGG³ 3 (1959) 275-277.

Koch, J.: Die Erkenntnislehre Herman Schells. (Phil. Diss. Bonn 1915 Ref.: A. Dyroff.) Fulda 1915.

Koch, J.: Herman Schell und Franz Brentano. In: Philosophia perennis. Bd. 1. S. 337-348.

Koch, J.: Ludwig Baur †. In: HJ 62-69/II (1949) 903-905.

Koch, W.: Höllenfahrt Christi. In: KHL 1 (1907) 2005-2006.

Koch, W.: Die Taufe im Neuen Testament. (BZfr. 3. F.H. 10.) Münster 1910, ³1921.

Koch, W.: Herman Schell. In: KHL 2 (1912) 1955-1956.

Koch, W.: Rez. zu A. Schweitzer. Geschichte der Paulinischen Forschung. In: ThQ 95 (1913) 144-145.

Koch, W.: Rez. zu B. Bartmann. Lehrbuch der Dogmatik. In: ThQ 95 (1913) 273-274.

Koch, W.: Rez. zu E. Krebs. Was kein Auge gesehen. In: DLZ 39 (1918) 443-445.

Koch, W.: Ferdinand Christian Baur. In: LThK¹ 2 (1931) 52-54.

Koch, W.: Albrecht Ritschl. In: LThK¹ 8 (1936) 908-909.

Koch, W.: Paul von Schanz. In: LThK¹ 9 (1937) 218-219.

Koch, W.: Reinhold Seeberg. In: LThK¹ 9 (1937) 401-402.

Köberle, A.: Wilhelm Volck. In: RE³ 20 (1908) 730-733.

Köberle, A.: Der Tod als Frage an das Leben. In: Zeitwende 5/I (1929) 205-219.

Köberle, A.: Todesnot und Todesüberwindung. Gedanken über die letzten Dinge. Berlin 1932.

Köberle, A.: Das Rätsel des Todes und seine Überwindung. (BMV. 8.) Bern 1932.

Köberle, A.: Das Rätsel des Todes und der Glaube an das Leben. In: Neubau 3 (1948) 210-214.

Köberle, A.: Evangelisches Totengedenken. In: SBl 3 (1951) Nr. 47. S. 20.

Köberle, A.: Das Evangelium und die Geheimnisse der Seele. In: ZSTh 21 (1952) 419-433.

Köberle, A.: Die kosmische Schau des Todes. Gedanken zum Totensonntag. In: EW 8 (1954) 627-628.

Köberle, A.: Stirbt die Seele mit dem Tode? In: EW 10 (1956) 641-643.

Köberle, A.: Christus und der Kosmos. (Die Trennung von Natur und Geist. Das Wahrheitsrecht des Personalen. Die kosmische Tragweite der Botschaft Jesu. Das Verständnis des Todes. Auferstehung als Hoffnung für die Schöpfung.) In: Theologie als Glaubenswagnis. S. 96-112. Dass. in: A. Köberle. Herr über alles. S. 106-113.

Köberle, A.: Herr über alles. Beiträge zum Universalismus der christlichen Botschaft. Hamburg 1958.

Köberle, A.: Glaubensvermächtnis der schwäbischen Väter. Heidelberg 1959.

Köberle, A.: Was wartet unser nach dem Sterben? In: Neues Leben allezeit. S. 28-34.

Köberle, A.: Die Theologie und das Leben nach dem Tode. In: Jenseits des Todes. S. 74-95.

Köberle, A.: Tod und Auferstehung. Zur Kritik am Unsterblichkeitsglauben in der Theologie der Gegenwart. In: Zeitwende 41 (1970) 89-99.

Köberle, A.: Der Tod in protestantischer Sicht. In: Alter und Tod - annehmen oder verdrängen? S. 180-190.

Köberle, A.: Karl Heim. Denker und Verkünder aus evangelischem Glauben. Hamburg 1973.

Köhler, A: Franz Delitzsch. In: RE³ 4 (1898) 565-570.

Köhler, R.: Kritik der Theologie der Krisis. Eine Auseinandersetzung mit Karl Barth, Friedrich Gogarten, Emil Brunner und Ed. Thurneysen. Auf Grund eines am 25. April 1925 in der Philosophischen (Hegel-) Gesellschaft zu Berlin gehaltenen Vortrags. Berlin 1925.

Köhler, W.: Wesen und Wahrheit der Religion nach A.E. Biedermann. In: PrM 25 (1921) 210-233.

Köhler, W.: Wiedertäufer. In: RGG² 5 (1931) 1915-1917.

Köhler, W.: Ernst Troeltsch. Tübingen 1941.

Kölbing, P.: Schleiermacher's Zeugnis vom Sohne Gottes nach seinen Festpredigten. Vortrag gehalten bei einem Festaktus des theol. Seminars der Brüdergemeinde. In: ZThK 3 (1893) 277-310.

Kölbing, P.: Die bleibende Bedeutung der urchristlichen Eschatologie. Vortrag gehalten auf der 16. Versammlung der Sächsischen Konferenz in Chemnitz. Göttingen 1907.

König, E.: Die Lehre vom psychophysischen Parallelismus und ihre Gegner. In: ZPhPhKr 115 (1899/1900) 161-192.

König, Josef: Der Begriff der Intuition. (PhGW. Bd. 2.) Halle 1926.

König, Joseph: Franz Anton Staudenmaier. In: KL² 11 (1899) 744-746.

König, K.: Leben nach dem Tode. Beweise für die Fortexistenz der Menschenseele über das Grab hinaus. Bremen 1908. - Dass. 2. neu durchgesehene und erweiterte Auflage. Ebd. 1912.

König, R.: Max Weber. In: GroD. Bd. 4. S. 408-420.

Königsberger, L.: Hermann von Helmholtz. 3 Bde. Braunschweig 1902-1903.

Koepp, W.: Einführung in das Studium der Religionspsychologie. Tübingen 1920.

Koepp, W.: Die Welt der Ewigkeit. (ZSGWB. R. 14. H. 6/7.) Berlin-Lichterfelde 1921.

Koepp, W.: Oswald Külpe. In: RGG² (1929) 1332.

Koepp, W.: Die gegenwärtige Geisteslage und die »dialektische« Theologie. Eine Einführung. Tübingen 1930.

Koepp, W.: Einführung in die Evangelische Dogmatik. Tübingen 1934.

Koestenbaum, P.: Karl Jaspers. In: EPh 4 (1967) 254-258.

Köstlin, F.: Die Lehre des Apostels Paulus von der Auferstehung. In: JDTh 22 (1877) 273-288.

Kofink, H.: Lessings Anschauungen über die Unsterblichkeit und Seelenwanderung. (Phil. Diss. Tübingen 1911. - Ref.: H. Maier.) (Teildruck) Berlin 1911. - Dass. (Vollständig). Straßburg 1912.

Koinonia. Beiträge zur ökumenischen Spiritualität und Theologie. Essen ab 1963.

Kolping, A.: Das ewige Leben und die kirchliche Verkündigung. In: Die Kirche und ihre Ämter und Stände. S. 299-314.

Kolping, A.: Verkündigung über das ewige Leben. In: Christus vor uns. S. 28-37.

Konrad, A.: Irrationalismus und Subjektivismus. Eine immanente Kritik des Satzes des Bewußtseins in Nicolai Hartmanns Erkenntnismetaphysik. (Phil. Diss. Jena 1939.) (ABPh.2.) Würzburg 1939.

Kontinuität - Diskontinuität in den Geisteswissenschaften. Hrsg. und eingeleitet von Hans Trümpy. (Vorträge, gehalten anläßlich der Feier des 75-jährigen Jubiläums der »Schweizer Gesellschaft für Volkskunde« vom 9. bis 11. September 1971 in Basel.) Darmstadt 1973.

Kosch, W.: Das katholische Deutschland. Biographisch-bibliographisches Lexikon. 3 Bde. Augsburg 1930-1938.

Kraenzlin, G.: Max Schelers phänomenologische Systematik. Mit einer monographischen Bibliographie: Max Scheler. (Phil. Diss. Zürich. - Ref.: E. Grisebach.) (StBGPh. 3.) Leipzig 1934.

Kraenzlin, G.: Die Philosophie vom unendlichen Menschen. Ein System des reinen Idealismus und zugleich eine kritische Transzendentalphilosophie. Leipzig 1936.

Krafft, W.: Johann Peter Lange. In: RE³ 11 (1902) 264-268.

Kraft, H.: Christliche Eschatologie. Dogmengeschichtlich. In: RGG³ 2 (1958) 672-680.

Kraft, J.: Von Husserl zu Heidegger. Kritik der phänomenologischen Philosophie. Leipzig 1932. - Dass. Hamburg ³1977.

von Kralik, R.: Gibt es ein Jenseits? (GlW. 11.) Kevelaer 1907.

Kramář J.U.: Das Problem der Materie. Olmütz 1871.

Kramář, J.U.: Die Hypothese der Seele, ihre Begründung und metaphysische Bedeutung. 2 Theile. Leipzig 1898.

Kranz, C.: Chamberlains »Grundlagen des 19. Jahrhunderts« in ihrer Stellung zu Christus und zum Christentum. (ZChVL. Bd. 31. H. 3. S. 107-154.) Stuttgart 1906.

Kraus, F.X. (Hrsg.): Realenzyklopädie der christlichen Altertümer. 2 Bde. Freiburg 1883-1886.

Kraus, H.-J.: Die Königsherrschaft Gottes im Alten Testament. Untersuchungen zu den Liedern von Jahwes Thronbesteigung. (BHTh. 13.) Tübingen 1951.

Kraus, H.-J.: Geschichte der historisch-kritischen Erforschung des Alten Testaments. Neukirchen 1956.

Kraus, H.-J.: Schöpfung und Weltvollendung. In: EvTh 24 (1964) 462-485.

Kraus, O.: Franz Brentano. Zur Kenntnis seines Lebens und seiner Lehre. Mit Beiträgen von Carl Stumpf und Edmund Husserl. München 1919, [2]1921.

Kraus, O.: Brentanos Stellung zur Phänomenologie und Gegenstandstheorie. Leipzig 1924.

Kraus, O.: Albert Schweitzer. Sein Werk und seine Weltanschauung. Berlin 1926. - Dass. 2. vermehrte Auflage. Ebd. 1929.

Kraus, O.: Die »kopernikanische Wendung« in Brentanos Erkenntnis und Wertlehre. Ein Vortrag. In: PhH 1 (1928/1929) 133-142.

Kraus, O.: Gegen entia rationis, sogenannte irreale oder ideale, Gegenstände. Briefe Franz Brentanos (ausgewählt und erläutert von Professor Oskar Kraus, Prag.) In: PhH 1 (1928/29) 257-274.

Krause, K.C.F.: Das Urbild der Menschheit, vorzüglich für Freimaurer. Dresden 1811, [2]1819. - Dass.: Das Urbild der Menschheit. Ein Versuch. 2. unveränderte Auflage. Göttingen 1851. -Dass. Aufs neue hrsg. von P. Hohlfeld und A. Wünsche. 3. durchgesehene Auflage. Leipzig 1903.

Krause, K.C.F.: Vorlesungen über das System der Philosophie. Göttingen 1828. - Dass. 2. aus dem handschriftlichen Nachlasse des Verfassers vermehrte Auflage. Hrsg. von P. Hohlfeld und A. Wünsche. 2 Bde. 1: Der zur Gewißheit der Gotteserkenntnis als des höchsten Wissenschaftsprincipes emporleitende Teil der Philosophie. 2: Der im Lichte der Gotteserkenntnis als des höchsten Wissenschaftsprincipes ableitende Theil der Philosophie. Leipzig 1889.

Krause, K.C.F.: Die absolute Religionsphilosophie im Verhältnis zum gefühlsglaubigen Theismus und nach der ihr gegebenen endlichen Vermittlung des Supranaturalismus und Rationalismus. Dargestellt in einer philosophischen Prüfung und Würdigung von Fr. Bouterwek's Schrift: Die Religion der Vernunft und von Fr. Schleiermacher's Einleitung in dessen Schrift: Der christliche Glaube. Hrsg. von H.K. von Leonhardi. (Karl Chr. Fr. Krause's handschriftlicher Nachlaß. Hrsg. von Freunden und Schülern desselben. (1. Abtheilung.) 2. Reihe: Synthetische Philosophie.) 3 Bde. Dresden, Leipzig; Göttingen 1834-1843.

Krause, K.C.F.: Die reine d.i. allgemeine Lebenslehre und Philosophie der Geschichte zur Begründung der Lebenskunstwissenschaft. Vorlesungen für Gebildete aus allen Ständen. Hrsg. von H.K. von Leonhardi. (Karl Chr. Fr. Krause's handschriftlicher Nachlaß. 4. Abth. Vermischte Schriften. I. Geist der Geschichte der Menschheit. 1. Theil.) Göttingen 1843.

Krause K.C.F.: Vorlesungen über das System der Philosophie. Bd. 1. Intuitiv-analytischer Hauptteil: Der zur Gewißheit der Gotteserkenntnis als des höchsten Wissenschaftsprincipes emporleitende Theil der Philosophie. 2. vermehrte Auflage. Prag 1869.

Krause, K.C.F.: Zur Religionsphilosophie und spekulativen Theologie. Aus dem handschriftlichen Nachlasse des Verfasser hrsg. von P. Hohlfeld und A. Wünsche. Leipzig 1893.

Krebs, E.: Studien über Meister Dietrich genannt von Freiberg. (Phil. Diss. Freiburg 1903.) Freiburg 1903 (Teildruck). - Dass. vollständig: Meister Dietrich (Theodoricus Teutonicus de Vriberg). Sein Leben, seine Werke, seine Wissenschaft. (BGPhMA. Bd. 5. H. 5-6.) Münster 1906.

Krebs, E.: Der Logos als Heiland im ersten Jahrhundert. Ein religions- und dogmengeschichtlicher Beitrag zur Erlösungslehre. Mit einem Anhang: Poimandres und Johannes. Kritisches Referat über Reitzensteins religionsgeschichtliche Logosstudien. (FThSt. 2.) Freiburg 1910.

Krebs, E.: Was keine Auge gesehen. Die Ewigkeitshoffnung der Kirche nach ihren Lehrent-

904

scheidungen und Gebeten dargelegt. Freiburg 1917, ³1918.

Krebs, E.: Der Weltkrieg und die Grundlagen unserer geistig-sittlichen Kultur. In: Deutschland und der Katholizismus. Bd. 1. S. 1-28.

Krebs, E.: Rez. zu B. Bartmann. Lehrbuch der Dogmatik. In: DLZ 40(1919) 550-551. - Ders. Ebd. 42 (1921) 9.

Krebs, E.: Die religiöse Unruhe der Gegenwart und die katholische Kirche. In: JVVKA. (1920/21). S. 8-32.

Krebs, E.: Grundfragen der kirchlichen Mystik dogmatisch erörtert und für das Leben gewertet. Freiburg 1921.

Krebs, E.: Rez. zu K. Adam. Glaube und Glaubenswissenschaft. In: LH 57 (1921) 541.

Krebs, E.: Rez. zu B. Bartmann. Grundriß der Dogmatik. In: LH 60 (1923) 77.

Krebs, E.: Rez. zu F. Heiler. Der Katholizismus. In: KVZ 8. 2. 1923.

Krebs, E.: Dogma und Leben. Die kirchliche Glaubenslehre als Wertquelle für das Geistesleben. 2 Teile. (KLW. Bd. 5.) Paderborn 1921-1925.

Krebs, E.: Eschatologie. In: LThK¹ 3 (1931) 793-794.

Krebs, E.: Dogma und Sterben. Erfahrungen und Erwägungen des Verfassers von »Dogma und Leben« (1940). In: ORhPBl 52 (1951) 88-98, 113-118.

Kreck, W.: Die Zukunft des Gekommenen. Grundprobleme der Eschatologie. München 1961, ²1966.

Kreck, W.: »Eschatologische Geschichte«. Exkurs 8. In: Ders. Grundfragen der Dogmatik. München 1970. S. 240-241.

Kreck, W.: Typen der Eschatologie. Exkurs 27. In: Ders. Grundfragen der Dogmatik. S. 279-281.

Kreis, F.: Zu Lask's Logik der Philosophie. In: Logos 10 (1921/22) 227-243.

Kreis, F.: Phänomenologie und Kritizismus. (APhG. H. 21.) Tübingen 1930.

Krieg, C.: Friedrich Wörter. In: BadB. Teil V. S. 831-837.

Krings, H.: Ursprung und Ziel der Philosophie der Existenz. In: PhJ 61 (1951) 433-445.

Krings, H.: Existenzphilosophie. In: LThK² 3 (1959) 1308-1312.

Krings, H.: Über die Wandlungen des Realismus in der Philosophie der Gegenwart. In: PhJ 70 (1962/63) 1-16.

Kroell, H.: Der Aufbau der menschlichen Seele. Eine psychologische Skizze. Leipzig 1900.

Kroell, H.: Die Seele im Lichte des Monismus. Straßburg 1902.

Kröning, M.: Gibt es ein Fortleben nach dem Tode? Stuttgart 1917.

Kroll, J.: Beiträge zum Deszensus ad inferos. In: Verzeichnis der Vorlesungen an der Akademie von Braunsberg Winter 1922/23.

Kroll, J.: Gott und Hölle. Der Mythos vom Descensuskampfe. (StBW. 20.) Leipzig, Berlin 1932. - Dass. Reprographischer Nachdruck. Darmstadt 1968.

Kroner, R.: Henri Bergson. In: Logos 1 (1910/11) 125-150.

Kroner, R. Zweck und Gesetz in der Biologie. Tübingen 1913.

Kroner, R.: Kants Weltauffassung. Tübingen 1914.

Kroner, R.: Von Kant bis Hegel. 2 Bde. Tübingen 1921-1924, ²1961.

Kroner, R.: Die Selbstverwirklichung des Geistes. Prolegomena zur Kulturphilosophie. Tübingen 1928.

Kroner, R.: Kulturphilosophische Grundlegung der Politik. Berlin 1931.

Kronheim, H.: Lotzes Lehre von der Einheit der Dinge. (Phil. Diss. Leipzig 1910. - Ref.: R. Falckenberg.) Leipzig 1910. - Dass. vollständig unter dem Titel: Lotzes Kausaltheorie und Monismus. (APhG-F. 15.) Leipzig 1910.

Kroug, W.: Das Sein zum Tode bei Heidegger und die Probleme des Könnens und der Liebe. In: ZPhF 7 (1953) 392-415).

Krüger, G.: Dialektische Methode und theologische Exegese. Logische Bemerkungen zur Barths Römerbrief. In: ZZ 5 (1927) 116-157.

Krüger, G.: Wie ist eine Metaphysik der Geschichte möglich? In: ZZ 9 (1931) 480-495.

Krüger, H.: Die absolute Krisis der Kultur und die Metaphysik. In: ZThK 37 N.F. 10 (1929) 435-451.

Kruijt, A.Ch.: Het animisme in den Indischen archipel. 's-Gravenhage 1906.

Krupp, J.: Die Gestalt des Menschen, ihr immanenter Wert und ihre Symbolik bei Rudolf Hermann Lotze. (Phil. Diss. Bonn 1942.) Bonn 1941 (M.schr.).

Kübel, R., Hauck, A.: Johann Tobias Beck. In: RE³ 2 (1897) 500-506.

Kübel, R.: Ch.F.A. Kolb. In: RE³ 7 (1899) 345-348.

Kühn, U.: Das Problem der zureichenden dogmatischen Begründung der christlichen Auferstehungshoffnung. In: KuD 9 (1963) 1-17.

Kühne, A.: Der Realitätsbegriff entwickelt im Anschluß an die Ontologie Nicolai Hartmanns. (Phil. Diss. Mainz 1952.) O.O. 1952.

Külpe, O.: Das Ich und die Außenwelt. In: PhSt 7 (1891) 394-413; 8 (1892) 311-341.

Külpe, O.: Grundriß der Psychologie auf experimenteller Grundlage dargestellt. Leipzig 1893.

Külpe, O.: Einleitung in die Philosophie. Leipzig 1895. - Dass. 2. verbesserte Auflage. Ebd. 1898, ¹²1928.

Külpe, O.: Die Philosophie der Gegenwart in Deutschland. Eine Charakterristik ihrer Hauptrichtungen nach Vorträgen. Leipzig 1901, ³1905.

Külpe, O.: Immanuel Kant. Festrede. Würzburg 1906, ²1908.

Külpe, O.: Erkenntnistheorie und Naturwissenschaft. Vortrag. Königsberg 1910.

Külpe, O.: Realisierung. Ein Beitrag zur Grundlegung der Realwissenschaften. 3 Bde. Bd. 1-2: Aus dem Nachlaß hrsg. von A. Messer. Leipzig 1912-1920-1923.

Kümmel, W.G.: »L'eschatologie conséquente« d'Albert Schweitzer jugée par ses contemporains. In: RHPhR 37 (1957) 58-70.

Kümmel, W.G.: Die Eschatologie der Evangelien. Ihre Geschichte und ihr Sinn. (Aus: ThBl.) Leipzig 1936.

Kümmel, W.G.: Verheißung und Erfüllung. Untersuchungen zur eschatologischen Verkündigung Jesu. (AThANT. 6.) Zürich 1945 ²1953, ³1956.

Kümmel, W.G.: Futurische und präsentische Eschatologie im ältesten Urchristentum. In: NTS 5 (1958/59) 113-126.

Kümmel, W.G.: Paul Wilhelm Schmiedel. In: RGG³ 5 (1961) 1460.

Kümmel, W.G.: Die Naherwartung in der Verkündigung Jesu. In: Zeit und Geschichte. S. 31-49.

Kümmel, W.G.: Die Bedeutung der Enderwartung für die Lehre des Paulus. In: Ders. Heilsgeschichte und Geschichte. Gesammelte Aufsätze 1933-1964. Hrsg. von Erich Grässer, Otto Merk und Adolf Fritz. (Marburger theologische Studien. 3.) Marburg 1965. S. 36-47.

Künneth, W.: Die Gottesidee Richard Rothes. (Theol. Diss. Erlangen 1923.) (M.schr.)

Künzle, P.: Das Verhältnis der Seele zu ihren Potenzen. Fribourg 1956.

Künzle, P.: Die Eschatologie im Gesamtaufbau der wissenschaftlichen Theologie. In: Anima 20 (1965) 231-238.

Künzle, P.: Thomas von Aquin und die moderne Eschatologie. Antrittsvorlesung gehalten am 26.10.1960 an der Universität Freiburg. In: FZPhTh 8 (1961) 109-120.

Kuhaupt, H.: Das Problem des erkenntnis-theoretischen Realismus in Nicolai Hartmanns Metaphysik der Erkenntnis. (Phil. und naturw. Diss. Münster 1938.) (APPR. 49.) Würzburg 1938.

Kuhn, H.: Die Begegnung mit dem Nichts. Ein Versuch über die Existenzphilosophie. Tübingen 1950.

Kuhn, H.: Lebensphilosophie. In: LThK² 6 (1961) 865-868.

Kuhn, H.: Romano Guardini. Der Mensch und das Werk. München (1961).

Kuhn, J.E.: Katholische Dogmatik. 4 Bde. Tübingen 1846-1868. Die Kultur der Gegenwart. Ihre Entwicklung und ihre Ziele. Hrsg. von Paul Hinneberg. Berlin, Leipzig 1907. I. Teil. 6. Abt.: Systematische Philosophie von W. Dilthey, A. Riehl, W. Wundt, W. Ostwald, H. Ebbinghaus, R. Eucken, Fr. Paulsen, W. Münch, Th. Lipps. Leipzig 1907. - Dass. 2. durchgesehene Auflage. Ebd. 1908.

Kumpf, A.: Romano Guardini. Diener des Herrn. Berlin 1969. - Dass. München, Salzburg 1970.

Der Kunstwart. Halbmonatsschau über Dichtung, Theater, Musik, bildende und angewandte Künste. Jg. 24-26: Der Kunstwart. Halbmonatsschau für Ausdruckskultur auf allen Lebensgebieten. - Jg. 27-28: Der Kunstwart und Kulturwart. Halbmonatsschau für Ausdruckskultur auf allen Lebensgebieten. - Jg. 29-32/1: Deutscher Wille. - Jg. 32-45: Der Kunstwart und Kulturwart.

Kuntze, J.E.: Gustav Theodor Fechner (Dr. Mises). Ein deutsches Gelehrtenleben. Leipzig 1892.

Kunze, J.: Rez. zu B. Bartmann. Lehrbuch der Dogmatik. ³1918. In: ThLBL 39 (1918) 385-387.

Kunze, J.: Rez. zu B. Bartmann. Grundriß der Dogmatik. In: ThLBl 46 (1925) 12.

Kupisch, K.: Das Jahrhundert des Sozialismus und die Kirche. Berlin 1958.

Kupisch, K.: Martin Rade. In: RGG³ 5 (1961) 762-763.

Kupisch, K.: Ernst Ferdinand Ströter. In: RGG³ 6 (1962) 419.

Kupisch, K.: Christoph Blumhardt. In: TdTh. S. 24-32.

Kurtz, J.H.: Lehrbuch der heiligen Geschichte. Ein Wegweiser zum Verständnis des göttlichen Heilsplanes. Königsberg 1843.

Kutter, H.: Sie müssen! Ein offenes Wort an die christliche Gesellschaft Zürich 1904. - Dass. 2. Auflage. Berlin 1904.

Kutter, H.: Gerechtigkeit. Ein altes Wort an die moderne Christheit. (Römerbrief Kap. 1-7.) Berlin 1905.

Kutter, H.: Die Revolution des Christentums. Leipzig 1908.

Kym, A.L.: Über die menschliche Seele, ihre Selbstrealität und Fortdauer. Eine psychologisch-prinzipielle Untersuchung. Berlin 1890.

Lachelier, J.: Le fondement de l'induction. Paris 1871.

Lackmann, H.: Das Realitätsproblem in der phänomenologischen Systematik der Spätphilosophie Max Schelers. (Phil. Diss. Mainz 1958. - Ref.: K. Holzamer, F.J. von Rintelen.) Mainz 1958.

Lacordaire, H.-D.: Des effets de la Doctrine catholique sur l'âme. In: Ders. Conférences de Notre-Dame de Paris. Tom. II. Paris 1847. S. 5-199.

Lacordaire, H.-D.: Des effets de la doctrine catholique sur l'âme. In: Conférences de Notre-Dame de Paris. Tom. II. Année 1844. Oeuvres. Tom III. Paris 1912. S. 3-182.

Lacordaire, H.-D.: Conférences de Notre-Dame de Paris, par le R.P. Henri-Dominique Lacordaire, des Frères Prêcheurs. Tome premier. Années 1835-1836-1843. Paris 1849. - Tome deuxième. Année 1844-1845-1846. Ebd. 1847. - Tome troisième. Années 1848-1849-1850. Ebd. 1848 (!).

Lacordaire, H.-D.: Conférences de Notre-Dame de Paris par le P. Henri-Dominique Lacordaire des Frères Prêcheurs, membre de l'Academie Francaise. Tome premier: Années 1835-1836-1843. Tome deuxième: Années 1844-1845. Tome troisième: 1846-1848. Tome quatrième: Années 1849-1850. Tome cinquième: Années 1851-1854. (Oeuvres. Tome II-VI.) Paris 1912-1912-1912-1911 (Umschlag: 1912)-1912.

Lagrange, M.J.: L'Avènement du Fils de l'Homme. In: RBI N.S. 3 (1906) 382-411, 561-574.

Lagrange, Fr. M.-J.: Rez. zu P. Feine. Theologie des Neuen Testaments. In: RBI 19 N.S. 7 (1911) 583-585.

Lagrange, Fr. M.-J.: Rez. zu Alfred Loisy. Jésus et la tradition évangelique. Paris 1910. In: RBI 20 N.S. 8 (1911) 294-299.

Lakner, F.: Kleutgen und die kirchliche Wissenschaft Deutschlands im 19. Jahrhundert. In: ZKTh 57 (1933) 161-214.

Lakner, F.: Zur Eschatologie bei Johannes XXII. In: ZKTh 72 (1950) 326-332.

Lampe, F.A.: Das Geheimnis des Gnadenbundes, dem großen Bunde Gottes zu Ehren und allen heilbegierigen Seelen zur Erbauung geöffnet. 6 Bde. Bremen 1740.

Lanczkowski, G.: Eschatologie. I. Religionsgeschichtlich. In: LThK² 3 (1959) 1083-1084.

Landerer, M.A.: Neueste Dogmengeschichte. Vorlesungen hrsg. von P. Zeller, Heilbronn 1881.

Landgrebe, L.: Diltheys Theorie der Geisteswissenschaften. Analyse ihrer Grundbegriffe. In: JPhPhF 9 (1928) 237-366.

Landgrebe, L.: Edmund Husserl. Prag 1938.

Landgrebe, L.: Der Weg der Phänomenologie. Das Problem einer ursprünglichen Erfahrung. Gütersloh 1963.

Landmann, M.: Konflikt und Tragödie. Zur Philosophie Georg Simmels. In: ZPhF 6 (1951/52) 115-133.

Landmann, M.: Geist und Leben. Varia Nietzscheana. Bonn 1951.

Landmann-Kalischer, E.: Die Transzendenz des Erkennens. Berlin 1923.

Landsberg, L.: Die Erfahrung des Todes. Luzern 1937.

Landsberg, P.L.: Die Erfahrung des Todes. Nachwort von Arnold Metzger. (Bibliothek Suhrkamp. 371.) Frankfurt 1973.

Lang, A.: Custom and Myth. Londen 1884. [2]1904.

Lang, A.: Myth, Ritual and Religion. London 1887, [2]1906.

Lang, A.: The Making of Religion. London, New York 1898, [2]1900, [3]1909.

Lang, A.: The secret of the Totem. London 1905.

Lang, P.: Lotze und der Vitalismus. (Phil. Diss. Bonn 1913. - Ref.: M. Wentscher.) Bonn 1913.

Lang, W.: David Friedrich Strauß. Eine Charakteristik. Leipzig 1874.

Lange, F.A.: Die Arbeiterfrage in ihrer Bedeutung für Gegenwart und Zukunft. Duisburg 1865. - Dass. Leipzig 1910.

Lange, F.A.: J.St. Mills Ansichten über die soziale Frage und die angebliche Umwälzung der Sozialwissenschaft durch Carey. Duisburg 1865.

Lange, F.A.: Geschichte des Materialismus und Kritik seiner Bedeutung in der Gegenwart. Iserlohn 1866.

Lange, H.: Rez. zu B. Bartmann. Des Christen Gnadenleben. [2-3]1922. In: ThRv 23 (1924) 106-108.

Lange, H.: De gratia. Tractatus dogmaticus. Ed. 3. Friburgi Brisgoviae 1929.

Lange, H.: Im Reich der Gnade. Regensburg 1934.

Lange, H.: Lessius. In: LThK[1] 6 (1934) 522-523.

Lange, J.P.: Christliche Dogmatik. 2. Teil: Positive Dogmatik. Heidelberg 1851.

Langer, P.: Die Grundlagen der Psychophysik. Eine kritische Untersuchung. Jena 1876.

de La Peyrère, I.: Systema theologicum ex Praeadamitorum hypotesi. I. O.O. 1655.

de La Peyrère, I.: Praeadamitae sive exercitatio super versibus 12, 13 et 14 capitis V Epistolae D. Pauli ad Romanos. O.O. 1655.

Laros, M.: Pascals Pensées. München 1913.

Lasch, G.: Schleiermacher's Religionsbegriff in seiner Entwicklung von den ersten Auflagen der Reden zur zweiten Auflage der Glaubenslehre. (Phil. Diss. Erlangen 1900.) Erlangen 1900.

Lask, E.: Fichtes Idealismus und die Geschichte. Tübingen 1902.

Lask, E.: Die Logik der Philosophie und die Kategorienlehre. Eine Studie über den Herrschaftsbereich der logischen Form. Tübingen 1911.

Lask, E.: Gesammelte Schriften. 3 Bde. Hrsg. von E. Herrigel. Mit einem Geleitwort von H. Rickert. Tübingen 1923-1924.

Laslowski, E.: Diltheys Verhältnis zur geschichtlichen Welt. In: HJ 56 (1936) 379-387.

Laslowski, E.: Probleme des Historismus. In: HJ 62-69 (1949) 593-606.

Lasson, A.: Die Entwicklung des religiösen Bewußtseins der Menschheit nach Eduard von Hartmann. (PhV. N.F. 3.) Halle 1883.

Lasson, A.: Otto Pfleiderers Religionsphilosophie. In: ZPhPhKr 95 (1889) 261-279.

Lasswitz, K.: Ein Beitrag zum kosmologischen Problem und zur Feststellung des Unendlichkeitsbegriffes. In: VWPh 1 (1877) 329-360.

Laßwitz, K.: Gustav Theodor Fechner. (FKPh. Bd. 1.) Stuttgart 1896, [3]1910.

Lauchert, F.: Franz Anton Staudenmaier in seinem Leben und Wirken dargestellt. Freiburg 1901.

Lauchert, F.: Heinrich Joseph Denzinger. In: ADB 47 (1903) 663-665.

Lauchert, F.: Johann Baptist Franzelin, In: ADB 48 (1904) 730-731.

Lauchert, F.: Joseph Grimm. In: ADB 49 (1904) 550-551.

Lauchert, F.: Franz Seraph Hettinger. In: ADB 50 (1905) 283-284.

Lauchert, F.: Johannes von Kuhn. In: ADB 51 (1906) 418-420.

Lauchert, F.: Paul von Schanz. In: BJDN 10 (1907) 264-265.

Lauchert, F.: Mathias Schneid. In: ADB 54 (1908) 135.

Lauchert, F.: Joseph Schwane. In: ADB 54 (1908) 268-269.

Lavater J.C.: Aussichten in die Ewigkeit. 4. Bde. Zürich 1768-1778.

Lavater, J.K.: Briefe an die Kaiserin Maria Feodorowna ... über den Zustand der Seele nach dem Tode. Nach der Originalhandschrift hrsg. von der Kaiserlichen Bibliothek. St. Petersburg 1858.

Lazarus, M.: Über den Begriff und die Möglichkeit einer Völkerpsychologie. In: DMus 1

(1851) 113-126.

Lazarus, M.: Das Leben der Seele in Monographien. 2 Bde. Bd. I: 1. Bildung und Wissenschaft. 2. Ehre und Ruhm. 3. Der Humor als psychologisches Phänomen. Bd. II: 1. Geist und Sprache. 2. Der Tact. 3. Die Vermischung und Zusammenwirkung der Künste. Berlin 1856-1857. - Dass. 3. Auflage: Das Leben der Seele in Monographien über seine Erscheinung und Gesetze. Berlin 1883-1885. - Dass. 3. Bd. Ebd. 1897.

Lazarus, M., Steinthal, H.: Einleitende Gedanken über Völkerpsychologie als Einladung zu einer Zeitschrift für Völkerpsychologie und Sprachwissenschaft. In: ZVPsSpW 1 (1860) 1-73.

Lazarus, M: Einige synthetische Gedanken zur Völkerpsychologie. In: ZVPsSpW 3 (1865) 1-94.

Le Bachelet, X.-M.: Benoit XII. In: DThC II/1 (1905, ³1932) 657-696.

Leben angesichts des Todes. Beiträge zum theologischen Problem des Todes Helmut Thielicke zum 60. Geburtstag. Tübingen 1968.

Leben nach dem Tode? Beiträge von H.H. Berger, P. Schoonenberg, W.J. Berger. Köln 1972.

Lebensläufe aus Franken. Hrsg. von A. Chroust. (VGFG. R. 7. Bd. 1-6. - Bd. 6 hrsg. von Sigmund Freiherr von Pölnitz.) München 1919-1960.

Das Lebensproblem im Lichte der modernen Forschung. Unter Mitarbeit von Heinz Woltereck. Leipzig 1931.

Leese, K.: Krisis und Wende des christlichen Geistes. Studien zum anthropologischen und theologischen Problem der Lebensphilosophie. Berlin 1932. - Dass. 2. durchgesehene Auflage. Ebd. 1941.

Leese, K.: Die Magna Mater. Zur Lebensmetaphysik Ludwig Klages'. In: ZThK N.F. 14, 41 (1933) 25-45.

van der Leeuw, G.: Einführung in die Phänomenologie der Religion. (ChFR. Bd. 1.) München 1925.

van der Leeuw, G.: Animismus. In: RGG² 1 (1926) 347-350.

van der Leeuw, G.: Leben. In: RGG² 3 (1929) 1508-1509.

van der Leeuw, G.: Phänomenologie der Religion. Tübingen 1933, ²1956.

van der Leeuw, G.: Urzeit und Endzeit. In: Eranos 17 (1949) 11-51.

van der Leeuw, G.: Unsterblichkeit und Auferstehung. (ThEH. N.F. 52.) München 1956.

van der Leeuw, G.: Refrigerium. In: Mnemosyne 3. S. 3 (1935/36) 125-148.

Le Guillou, M.-J.: Ein zur endzeitlichen Fülle gerufenes Volk. In: DE ECCL. Bd. 1. S. 622-628.

Lehaut, A.: L'Eternité des Peines de l'Enfer dans saint Augustin, thèse Présentée à la Faculté de théologie de l'Institut catholique de Paris. Paris 1912.

Lehmann, E.: Religionsgeschichte. In: RE³ 24 (1913) 393-411.

Lehmann, G.: Die Ontologie der Gegenwart in ihren Grundgestalten. Halle 1933.

Lehmann, G.: Karl Dunkmann. In: NDB 4 (1959) 199-200.

Lehmann, K.: Der Tod bei Heidegger und Jaspers. Ein Beitrag zur Frage: Existentialphilosophie, Existenzphilosophie und protestantische Theologie. Heidelberg 1938.

Lehmkuhl, A.: Die göttliche Vorsehung. Neu durchgesehen. (RdG. 2.) 9.-11. Tausend. Köln 1910. - Dass. Neudurchgesehen von F. Ehrenborg. Köln ¹²-¹⁶ [1923].

Lehner, J.: Der Willenszustand des Sünders nach dem Tode. Nach thomistischen Prinzipien dargestellt. Wien 1906.

Lehner, M.: Das Substanzproblem im Personalismus Max Schelers. (Phil. Diss. Freiburg/ Schw. 1926.) Waida/Thüringen 1926.

Die Leibhaftigkeit des Wortes. Theologische und seelsorgliche Studien und Beiträge als Festgabe für Adolf Köberle zum 60. Geburtstag. In Zusammenarbeit mit ... hrsg. von Otto Michel und Ulrich Mann. Hamburg 1958.

Leicht, A.: Lazarus als Begründer der Völkerpsychologie. Leipzig 1904.

Leidreiter, E.: Troeltsch und die Absolutheit des Christentums. (Theol. Diss. Königsberg 1927.) Mohrungen 1927.

Leipold, J.: Jesus und die letzten Dinge. In: AELKZ 60 (1927) 410-417, 434-440.

Leisegang, H.: Die Begriffe der Zeit und Ewigkeit im späteren Platonismus. (BGPhMA. 13.) Münster 1913.

Leisegang, H.: Der Heilige Geist. Das Werden und Wesen der mystisch-intuitiven Erkenntnis in der Philosophie und Religion der Griechen. Bd. 1. T. 1: Die vorchristlichen Anschauungen und Lehren vom Pneuma und der mystisch-intuitiven Erkenntnis. Leipzig und Berlin 1919. -Dass. (Unveränderter reprographischer Nachdruck.) Stuttgart 1967.

Leisegang, H.: Denkformen. Berlin 1928, ²1949.

Leisegang, H.: Goethes Denken. Leipzig 1932.

Leist, F.: Um die Überwindung der Neuzeit. Zur geschichtsphilosophischen Konzeption im Werk R. Guardinis. In: PhJ 62 (1953) 60-85.

Leiste, H.: Die Charaktereologie von Julius Bahnsen. (Phil. Diss. Halle 1928.) Köln-Mülheim 1928.

Lemme, F.: Die unsichtbare Welt. Halle 1908.

Lemme, L.: Die Prinzipien der Ritschlschen Theologie und ihr Wert. Bonn 1891.

Lemme, L.: Endlosigkeit der Verdammnis und allgemeine Wiederbringung. Ein Beitrag zur Lehre von den letzten Dingen. Berlin-Lichterfelde 1899.

Lemme, L.: Das Wesen des Christentums und die Zukunftsreligion. 17 Reden über christliche Religiosität. Berlin-Lichterfelde 1901.

Lemme, L.: Religionsgeschichtliche Entwicklung oder göttliche Offenbarung? Vortrag. Karlsruhe 1904.

Lemme, L.: Rez. zu B. Bartmann. Lehrbuch der Dogmatik (1911). In: ThLBl 33 (1912) 295-297.

Lemme, L.: Christliche Glaubenslehre. 2 Bde. Berlin-Lichterfelde 1918.

Lemme, L.: Christliche Apologetik. Berlin 1922.

Lemme, L.: Das Leben Jesu Christi in seiner geschichtlichen Tatsächlichkeit aus den Quellen dargestellt. Berlin 1927.

Lenk, K.H.: Die These von der Ohnmacht des Geistes. Versuch einer kritischen Darstellung der Spätphilosophie Max Schelers. (Phil. Diss. Frankfurt 1956.) - Dass. im Buchhandel: Von der Ohnmacht des Geistes. Kritische Darstellung der Spätphilosophie Max Schelers. (NGWSt.) Tübingen 1959.

Lenk, K.: Die Mikro-Kosmosvorstellung in der philosophischen Anthropologie Max Schelers. In: ZPhF 12 (1958) 408-415.

Lennert, R.: Die Religionstheorie Max Webers. Versuch einer Analyse seines religionsgeschichtlichen Verstehens. (Phil. Diss. Leipzig 1935.) (RuG. 2.) Stuttgart 1935.

Lenz, J.: Der moderne deutsche und französische Existentialismus. In: TThZ 58 (1949/50) 99-108, 204-211, 327-346. - Dass. 2. erweiterte Auflage. Trier 1951.

von Leonhardi, H.: Karl Christian Friedrich Krause's Leben und Lehre. Aus dem handschriftlichen Nachlasse hrsg. von P. Hohlfeld und A. Wünsche. Leipzig 1902.

Lépicier, A.H.M.: Uno sguardo al di là della tomba. Dello stato e dell'operazione dell'anima separata dal corpo. Roma 1896.

Lépicier, A.-H.-M.: Dell' Anima umana separata dal corpo, suo stato, sua operazione. 2a edizione ampliata. Roma 1901.

Lépicier, A.H.M.: The unseen world. An exposition of catholic theology in its relation to modern spiritism. New York 1906. - Dass. New English edition greatly enlarged. Ebd. 1929.

Lépicier, A.-H.-M.: Tractatus de novissimis. Parisii 1921.

Lépicier, A.-H.-M.: Il Monodo invisibile, esposizione della teologia cattoloca intorno allo spiritismo moderno. 2a edizione ampliata. Vicenza 1922.

Leppelmann, P.: Das Gesetz von der Erhaltung der Energie und die verschiedenen Auffassungen von der Wechselwirkung zwischen Leib und Seele. PhJ 36 (1923) 179-198; 37 (1924) 28-56.

Lersch, Ph.: Die Lebensphilosophie der Gegenwart. (PhFB. 14.) Berlin 1932.

Lersch, Ph.: Der Aufbau des Charakters. Leipzig 1938.

Lersch, Ph.: Seele und Welt. Zur Frage nach der Eigenart des Seelischen. Antrittsvorlesung. Leipzig 1941, ²1943.

Lersch, Ph.: Der Aufbau der Person. 4., völlig umgearbeitete Auflage. München 1951. - Dass. 6., erweiterte und verbesserte Auflage. Ebd. 1954.

Le Senne, R.: La philosophie bergsonnienne en France. In: RevP 39/II (1932) 823-844.

Lessing, E.: Die Geschichtsphilosophie Ernst Troeltschs. (Theol. Diss. Göttigen 1963.) (ThF. 39.) Hamburg-Bergstedt 1965.

Lessing, Th.: Schopenhauer, Wagner, Nietzsche. Einführung in moderne deutsche Philosophie. München 1906.

Lessing, Th.: Wertaxiomatik. In: ASPh 14 (1908) 58-93, 226-257.

Lessing, Th.: Studien zur Wertaxiomatik. Untersuchungen über reine Ethik und reines Recht. 2. erweiterte Ausgabe. Leipzig 1914.

Lessing, Th.: Philosophie als Tat. 2 Teile. Göttigen 1914.

Lessing, Th.: Europa und Asien. (Politische Aktions-Bibliothek.) Berlin 1918.

Lessing, Th.: Geschichte als Sinngebung des Sinnlosen. München 1919, ³1921.

Lessing, Th.: Die verfluchte Kultur. Gedanken über den Gegensatz von Leben und Geist. München 1921.

Lessing, Th.: Europa und Asien; oder Der Mensch und das Wandellose. Sechs Bücher wider Geschichte und Zeit. Hannover 1923.

Lessing, Th.: Europa und Asien. Untergang der Erde am Geist. 5. völlig neu gearbeitete Auflage. Leipzig 1930.

Lessing, Th.: Einmal und nie wieder. Prag 1935. - Dass. Lebenserinnerungen mit einem Vorwort von H. Mayer. (Unveränderter Nachdruck.) Gütersloh 1969.

Letourneau, Ch.-J.-M.: L'évolution religieuse. Paris 1898.

Levison, W.: Die Politik in den Jenseitsvisionen des frühen Mittelalters. In: Festgabe Friedrich von Bezold. S. 81-100.

Lewalter, E.: Thomas von Aquin und die Bulle »Benedictus Deus« von 1336. In: ZKG 54 (1935) 399-461.

Lewalter, E.: Eschatologie und Weltgeschichte in der Gedankenwelt Augustins. In: ZKG 53 (1934) 1-52.

Lewin, J.: Geist und Seele. Ludwig Klages' Philosophie. Berlin 1931.

Lhotzky, H.: Religion oder Reich Gottes. Leipzig 1904. ³1908.

Liebe, R.: Fechner's Metaphysik. Leipzig 1903.

Liebe, R.: Gustav Theodor Fechner. In: RGG¹ 2 (1910) 843-844. - Dass. in: RGG² 2 (1928) 531-532.

Liebermann, B.: Der Zweckbegriff bei Trendelenburg. (Phil. Diss. Jena 1889.) Meiningen 1889.

Liebert, A.: Rez. zu R. Eucken. Mensch und Welt (1918). In: Kantst 24 (1919/20) 394-396.

Liebert, A.: Wilhelm Dilthey. Eine Würdigung zum 100. Geburtstag des Philosophen. Berlin 1933.

Liebing, H.: Ferdinand Christian Baurs Kritik an Schleiermachers Glaubenslehre. In: ZThK 54 (1957) 225-243.

Liebing, H.: Karl Gustav Adolf von Harnack. In: NDB 7 (1966) 688-690.

Liebmann, O.: Kant und die Epigonen. Eine kritische Abhandlung. Stuttgart 1865. - Dass. Berlin 1912.

Liebmann, O.: Über den individuellen Beweis für die Freiheit des Willens. Stuttgart 1866.

Liebmann, O.: Über den objektiven Anblick. Stuttgart 1869.

Liebmann, O.: Zur Analysis der Wirklichkeit. Straßburg 1876, ⁴1911.

Liebmann, O.: Gedanken und Tatsachen. Philosophische Abhandlungen, Aphorismen und Studien. 2 Bde. Straßburg 1882-1889, ²1904.

Lienhard, F.: Der Gottesbegriff bei Gustav Theodor Fechner. Bern 1920.

Liese, W.: Der heilsnotwendige Glaube. Freiburg 1902.

Liese, W.: Wilhelm Schneider. In: Necrologium Paderbornense, S.485-486.

Lindblom, J.: Das ewige Leben. Eine Studie über die Entstehung der religiösen Lebensidee im Neuen Testament. Uppsala, Leipzig 1914.

Lindblom, J.: Gibt es eine Eschatologie bei den alttestamentlichen Propheten? In: StTh 6 (1952) 79-114.

Lindt, A.: Leonhard Ragaz. Eine Studie zur Geschichte und Theologie des religiösen Sozialismus. Zollikon 1957.

Link, W.: Rudolf Otto. In: EKL 2 (1958) 1784-1785.

Linke, P.F.: Die phänomenologische Sphäre und das reale Bewußtsein. Halle 1912.

Linke, P.F.: Grundfragen der Wahrnehmungslehre. Untersuchungen über die Bedeutung der Gegenstandstheorie und Phänomenologie für die experimentelle Psychologie. München 1918.

Linke. P.F.: Bild und Erkenntnis. In: PhAn 1/II (1926) 299-358.

911

Linke, P.F.: Grundfragen der Wahrnehmungslehre. 2. durchgesehene und um ein Nachwort über Gegenstandsphänomenologie und Gestalttheorie vermehrte Auflage. München 1929.

Linke, P.F.: Phänomenologie. In: RGG² 4 (1930) 1167-1171.

Linke, P.F.: Gegenstandsphänomenologie. In: PhH 2 (1930) 65-90.

Linke, P.F.: Verstehen, Erkennen und Geist. Leipzig 1936.

Linke, P.F.: Gottlob Frege als Philosoph. In: ZPhF 1 (1946/47) 75-99.

Linke, P.F.: Franz Brentano. In: NDB 2 (1955) 593-595.

Linke, P.F.: Niedergangserscheinungen in der Philosophie der Gegenwart. Wege zu ihrer Überwindung. Basel 1961.

Der linke Flügel der Reformation. Glaubenszeugnisse der Täufer, Spiritualisten und Antitrinitarier. Hrsg. von Heinold Fast. (KlProt. Bd. 4.= SDi. Bd. 269.) Bremen (1962).

Lippert, J.: Die Religionen der europäischen Culturvölker, der Litauer, Slaven, Germanen, Griechen und Römer in ihrem geschichtlichen Ursprunge. Berlin 1881.

Lippert, J.: Der Seelenkult in seinen Beziehungen zur althebräischen Religion. Berlin 1881.

Lippert, J.: Kulturgeschichte der Menscheit in ihrem organischen Aufbau. 2 Bde. Stuttgart 1886.

Lippert, P.: Rez. zu J. Zahn. Das Jenseits. In: StZ Bd. 92. 47 (1917) 570.

Lippert, P.: Rez. zu F. Heiler. Das Wesen des Katholizismus. In: StZ 99 (1920) 455-464.

Lippl, J.: Buddhistische Bewegung im Abendland. In: LThK ¹ 2 (1931) 617-619.

Lipps, G.F.: Grundriß der Psychophysik. (SG. 98.) Leipzig 1899. - Dass. Neudruck. Ebd. 1903. - Dass. 2. neubearbeitete Auflage. Ebd. 1909.

Lipps, G.F.: Die psychischen Maßtheorien. (Die Wissenschaft. H. 10.) Braunschweig 1906.

Lipps, G.F.: Mythenbildung und Erkenntnis. Abhandlungen über die Grundlagen der Philosophie. Leipzig 1907.

Lipps, G.F.: Das Problem der Willensfreiheit. (ANGW. Bd. 383.) Leipzig 1912.

Lipps, G.F.: Das Wirken als Grund des Geisteslebens und des Naturgeschehens. Leipzig 1931.

Lipps, H.: Untersuchungen zur Phänomenologie der Erkenntnis. 2 Bde. 1. Das Ding und seine Eigenschaften. 2. Aussage und Urteil. Bonn 1927-1928.

Lipps, H.: Untersuchungen zu einer hermeneutischen Logik. Frankfurt 1938.

Lipps, H.: Die menschliche Natur. Frankfurt 1941.

Lipps, H.: Die Verbindlichkeit der Sprache. Arbeiten zur Sprachphilosophie und Logik. (Durchgesehen und hrsg. von Evamaria von Busse.) Frankfurt (1944).

Lipps, H.: Die Wirklichkeit des Menschen. Durchgesehen und hrsg. von Evamaria von Busse. Frankfurt am Main (1954).

Lipps, Th.: Zur Herbart'schen Ontologie. (Phil. Diss. Bonn 1874.) Bonn 1874.

Lipps, Th.: Die Grundtatsachen des Seelenlebens. Bonn 1883, ²1912.

Lipps, Th.:Psychologische Studien. Heidelberg 1885. - Dass. 2. umgearbeitete und erweiterte Auflage. Leipzig 1905.

Lipps, Th.: Selbstbewußtsein, Empfindung und Gefühl. (GNSL. H. 9.) Wiesbaden 1901, ³1907.

Lipps, Th.: Vom Fühlen, Wollen und Denken. Eine psychologische Skizze. SGPsF. III. Sammlung. H. 13-14.) Leipzig 1902.

Lipps, Th.: Vom Fühlen, Wollen und Denken. Versuch einer Theorie des Willens. 2., völlig umgearbeitete Auflage. (SGPsF. H. 13. 14.) Leipzig 1907. - Dass. 3. mit der zweiten übereinstimmende Auflage. Ebd. 1926.

Lipps, Th.: Einheiten und Relationen. Eine Skizze zur Psychologie der Aperzeption. Leipzig 1902.

Lipps, Th.: Inhalt und Gegenstand, Psychologie und Logik. In: SBAW-ph/hKl (1905). S. 511-569.

Lipps, Th.: Naturwissenschaft und Weltanschauung. Vortrag. Heidelberg 1906, ⁹1907.

Lipps, Th.: Philosophie und Wirklichkeit. Heidelberg 1908.

Lipps, Th.: Die Erscheinung. Die physikalischen Beziehungen und die Einheit der Dinge. Zur Frage der Realität des Raumes. Das Ich und die Gefühle. Das Wissen vom fremden Leben. (PsU. Bd. 1. H. 3-4.) Leipzig 1911.

Lipsius, F.R.: Richard Adelbert Lipsius. In: RE³ 11 (1902) 520-524.

912

Lipsius, F.R.: Die Religion des Monismus. Berlin 1908.
Lipsius, R.A.: Lehrbuch der evangelisch-protestantischen Dogmatik. Braunschweig 1876. - Dass. 3. bedeutend umgearbeitete Auflage. Mit einem Verzeichnis der literarischen Veröffentlichungen des Verfassers. (Hrsg. von O. Baumgarten.) Braunschweig 1893.
Lipsius, R.A.: Die Bedeutung des Historischen im Christentum. Berlin 1881.
Lipsius R.A.: Philosophie und Religion. Leipzig 1885.
Litt, Th.: Geschichte und Leben. Von den Bildungsaufgaben geschichtlichen und sprachlichen Unterrichts. Leipzig 1918, ³1930.
Litt, Th.: Individuum und Gemeinschaft. Grundfragen der sozialen Theorie und Ethik. Leipzig 1919, ³1926.
Litt, Th.: Erkenntnis und Leben. Untersuchungen über Gliederung, Methoden und Beruf der Wissenschaft. Leipzig 1923.
Litt, Th.: Kant und Herder als Deuter der geistigen Welt. (Das wissenschaftliche Weltbild.) Leipzig 1930.
Litt, Th.: Einleitung in die Philosophie. Leipzig 1933.
Litt, Th.: Die Selbsterkenntnis des Menschen. Leipzig 1938.
Litt, Th.: Die Befreiung des geschichtlichen Bewußtseins durch J.G. Herder. (KBGG. 11.) Leipzig 1943.
Litt, Th.: Wege und Irrwege geschichtlichen Denkens. München 1948.
Litt, Th.: Denken und Sein. Stuttgart 1948. - Dass. Zürich 1948.
Litt, Th.: Mensch und Welt. Grundlinien einer Philosophie des Geistes. München 1948. - Dass. 2. durchgesehene Auflage. Heidelberg 1961
Litt, Th.: Die Frage nach dem Sinn der Geschichte. München 1949.
Litt, Th.: Die Wiederentdeckung des geschichtlichen Bewußtseins. Heidelberg 1956.
Littmann, E.: Paul A. de Lagarde. In: RGG² 3 (1929) 1452-1453.
Litton, E.A.: Introduction to Dogmatic Theology on the basis of the thirty-nine articles of the Church of England. London 1882, ³1912.
Litton, E.F.: Life or death; the destiny of the soul in the future state. London 1866.
Lodge, O.J.: Life and Matter. A criticism of Professor Haeckel's »Riddle of the Universe«. New York, London 1905, ²1911. - Dass. deutsch: Leben und Materie. Haeckel's Welträtsel kritisiert. Berlin 1908.
Lodge, O.J.: The Immortality of the Soul. Boston 1908.
Lodge, O.J.: Man and Univers. A study of the influence of the advance in scientific knowledge upon our understandig of Christianity. London 1908, ¹⁹1919. - Dass. New York 1920.
Lodge, O.J.: The Survival of Man. A study in unrecognized human faculty. London 1909. - Dass. New York 1929. - Dass. deutsch: Das Fortleben des Menschen. Eine wissenschaftliche Studie über die okkulten Fähigkeiten des Menschen. Bad Schmiedeberg (1921).
Lodge, O.J.: Science and Immortality. New York 1909. - Dass. Ebd. 1914.
Lodge, O.J.: Raymond, or Life and Death. With exemples of the evidence for survival of memory and affection after death. London 1916, ¹⁴1929.
Lodge, O.J.: Making of Man. A study in evolution. London 1914.
Lodge, O.J.: Evolution and Creation. London 1926.
Lodge, O.J.: Energy. New York (1927).
Lodge, O.J.: Why I believe in Personal Immortality. Carden City N.Y. 1928. - Dass. London 1939.
Lodge, O.J.: Demonstrated survival. Its influence on science, philosophy and religion. London 1930.
Lodge, O.J.: Conviction of survival. Two discourses in memory of F.W.H. Myers. London 1930.
Lodge, O.J.: The Reality of a Spiritual World. London 1930.
Lodge, O.J.: The Reality of Hell. In: What is hell? New York 1930. S. 17-30.
Löw, F.: Bemerkungen zur relativistischen Auffassung von Raum und Zeit. In: PhH 1 (1928/29) 120-125.
von Loewenich, W.: Luthers theologia crucis. (FGLP. Reihe 2.2.) München 1929.
Löwe, R.: Kosmos und Aion. Ein Beitrag zur heilsgeschichtlichen Dialektik des urchristlichen Weltverständnisses. (NTF. R. 3. H.5.) Gütersloh 1935.
Löwith, K.: Die Freiheit zum Tode. In: Was ist der Tod? S.165-178.

Löwith, K.: Phänomenologische Ontologie und protestantische Theologie. In: ZThK N.F. 11 (1930) 365-399.

Löwith, K.: Grundzüge der Entwicklung der Phänomenologie zur Philosophie und ihr Verhältnis zur protestantischen Theologie. In: ThR N.F. 2 (1930) 26-64, 333-361.

Löwith, K.: Kierkegaard und Nietzsche. Frankfurt 1933.

Löwith, K.: Nietzsches Philosophie der ewigen Wiederkehr des Gleichen. Berlin 1935. - Dass. (Neuausgabe.) Stuttgart 1956.

Logos. Internationale Zeitschrift für Philosophie der Kultur. Tübingen 1910-1933.

Lohff, W.: Theologische Erwägungen zum Problem des Todes. In: Leben angesichts des Todes. S. 157-170.

Lohff, W.: Paul Althaus. In: TdTh. S. 296-302.

Lohfink, G.: Zur Möglichkeit christlicher Naherwartung. In: Greshake, Lohfink. Naherwartung - Auferstehung - Unsterblichkeit. S. 38-81.

Lohfink, G.: Was kommt nach dem Tode? In: Greshake, Lohfink. Naherwartung - Auferstehung - Unsterblichkeit. S. 133-148.

Lohfink, G.: Der Tod hat nicht das letzte Wort. Freiburg 1976.

Lohmeyer, E.: Urchristliche Mystik. In: ZSTh 2 (1925) 3-18.

Lohmeyer, E.: Probleme paulinischer Theologie. Sünde, Fleisch, Tod. In: ZNW 29 (1930) 1-59.

Lohse, B.: Martin Kähler. In: TdTh. S. 19-23.

Loisy, A.: L'Evangile et l'Eglise. Paris 1902.

Loisy, A.: Evangelium und Kirche. Autorisierte Übersetzung nach der 2. vermehrten, bisher unveröffentlichten Auflage des Originals von Joh. Grière-Becker. München, Mainz 1904.

Loosen, J.: Apokatastasis. II. im dogmatischen Sprachgebrauch. In: LThK² 1 (1957) 709-712.

Lorscheid, B.: Max Schelers Phänomenologie des Psychischen. (Phil. Diss. Bonn 1955.) (APPP. 11.) Bonn 1957.

Lorscheid, B.: Das Leibphänomen. Eine systematische Darbietung der Schelerschen Wesensschau des Leiblichen in Gegenüberstellung zur leibontologischen Auffassung der Gegenwartsphilosophie. Bonn 1962.

Losskij, N.: Die Unsterblichkeit der Seele als erkenntnistheoretisches Problem. (Übersetzt von Johann Strauch.) ZPhPhKr 161 (1916) 68-82.

Lotz, J.B.: Sein und Wert. In: ZKTh 57 (1933) 557-613.

Lotz, J.B.: Analogie und Chiffre. Zur Transzendenz in der Scholastik und bei Jaspers. In: Scholastik 15 (1940) 39-56.

Lotz, J.B.: Die Transzendenz bei Jaspers und im Christentum. In: StZ 137 (1940) 71-76.

Lotz, J.B.: Zum Wesen der Existenzphilosophie. In: Scholastik 25 (1950) 161-183.

Lotz, J.B.: Sein und Existenz. Freiburg 1965.

Lotz, J.B.: Wert. In: LThK² 10 (1965) 1058-1059.

Lotz, W.: Das religionsphilosophische Problem der Wahrheit der Religion bei Ernst Troeltsch in seiner Entwicklung dargestellt. (Ev.-theol. Diss. Bonn 1924.) Bonn 1924.

Lotze, H.: De futurae biologiae principiis philosophicis. (Medizin. Diss.) Leipzig 1838.

Lotze, H.: Metaphysik. Leipzig 1841.

Lotze, H.: Logik. Leipzig 1843.

Lotze, H.: Leben. Lebenskraft. In: HPhys. Bd. 1. S. IX-LVIII.

Lotze, H.: Seele und Seelenleben. In: HPhys. Bd. 3. 1. Abt. S. 142-264.

Lotze, H.: Medizinische Physiologie oder Physiologie der Seele. Leipzig 1852. - Dass. Anastatischer Neudruck. Göttingen 1896.

Lotze, H.: Mikrokosmos. Ideen zur Naturgeschichte der Menschheit. Versuch einer Anthropologie. 3 Bde. Leipzig 1856-1864. - Dass. (PhB. Bd. 185-186.) Ebd. ⁶1923.

Lotze, H.: Grundzüge der Religionsphilosophie. Diktate nach den Vorlesungen vom Wintersemester 1878/79. Leipzig 1882.

Loyson, P.H.: Der Modernismus. In: NJh 2 (1910) 373-375.

Luchtenberg, P.: Erich Becher. In: Kantst 34 (1929) 275-290.

Lucka, E.: Das Problem einer Charaktereologie. In: AGPs 22 (1908) 211-241.

Lubosch: Leben und Tod. (Kritische Bemerkungen zu dem Aufsatz Ehrenbergs in ZSTh 1924. H. 3.) In: NKZ 37 (1926) 20-36.

Ludwig, A.F.: Die chiliastische Bewegung in Franken und Hessen im ersten Drittel des 19. Jahrhunderts. Mit einem Sendschreiben Möhlers. Regensburg 1913.

Ludwig, A.: Irenäus und Tertullian gegen die Reinkarnations-Lehre. In: ThGl 7 (1915) 228-235.

Ludwig, A.F.: Okkultismus und Spiritismus im Lichte der Wissenschaft und des katholischen Glaubens. (NuK. 13.) München 1921.

Ludwig, A.F.: Geschichte der okkultistischen (metaphysischen) Forschung von der Antike bis zur Mitte des 19. Jahrhunderts. Bd. 1: Von der Antike bis zur Mitte des 19. Jahrhunderts. Pfullingen 1922.

Ludwig Klages, Erforscher und Künder des Lebens. Festschrift zum 75. Geburtstag des Philosophen am 10. Dezember 1947. Hrsg.: Herbert Hönel. Linz (1947).

Lübbe, H.: Arthur Drews. In: NDB 4 (1959) 117.

Lübbe, H.: Neukantianismus. In: LThK² 7 (1962) 911-913.

Lubenow, H.: Woran man nicht zu glauben braucht. Eine Richtigstellung falscher Auffassungen. Gütersloh 1911.

Lüdemann, H.: Monistische und christliche Welt- und Lebensanschauung. In: PrM 11 (1907) 401-426.

Lüdemann, H.: Das Erkennen und die Werturteile. Leipzig 1910.

Lülmann, Ch.: Monismus und Christentum bei G.Th. Fechner. Mit 3 Beilagen: Die Persönlichkeit Gottes im Lichte des christlichen Glaubens und des Pantheismus. Zur Frage nach der persönlichen Unsterblichkeit. Monismus und Christentum. Berlin 1917.

Lüthi, K.: Die Erörterung der Allversöhnungslehre durch das pietistische Ehepaar Johann Wilhelm und Johanna Eleonora Petersen. In: ThZ 12 (1956) 362-377.

Lüttge, W. Zur Krisis des Christentums. Gütersloh 1926.

Lüttge, W. Henri Bergson. In: RGG² 1 (1927) 913-914.

von Lukács, G.: Die Seele und die Formen. Berlin 1911.

Luthardt, Ch.E.: Die Lehre von den letzten Dingen, in Abhandlungen und Schriftauslegungen dargestellt. Leipzig 1861, ³1885.

Luthardt, Ch.E.: Kompendium der Dogmatik. Leipzig 1865. - Dass. 3. verbesserte und vermehrte Auflage. Ebd. 1868. - Dass. 10. vermehrte und verbesserte Auflage. Ebd. 1910.

Luthe, H.: Die Religionsphilosophie von Heinrich Scholz. (Kath.-theol. Diss. München 1961.)

Luther, (1926-1937 Jg. 8-19: Vierteljahrsschrift.) Mitteilungen der Luther-Gesellschaft. Leipzig ab 1919. Später München, Berlin; jetzt Göttingen.

Luther, Kant, Schleiermacher in ihrer Bedeutung für den Protestantismus. Forschungen und Abhandlungen. Georg Wobbermin zum 70. Geburtstag (27. Oktober 1939) dargebracht von Kollegen, Schülern und Freunden. Herausgeber: Prof. D. Friedrich Wilhelm Schmidt, Berlin, Prof. D. Robert Winkler, Breslau, Lic. hab. Wilhelm Meyer, Schwerin i.M., Berlin 1939.

Luthertum. Erlangen, Leipzig 1935-1940. (Vorher: NKZ.)

Lutosławski, W.: On the difference between knowledge and belief as to the immortality of the soul. In: JSpPh (1893).

Lutosławski, W.: On the eth. consequ. of the doctrine of the immortality. In: IJE (1895).

Lutosławski, W.: Über Lotzes Begriff der metaphysischen Einheit aller Dinge. In: ZPhPhKr 114 (1899) 64-77.

Lutosławski, W.: The Knowledge of Reality. Cambridge 1930.

Maas, M.: Wie dachte Friedrich Schleichermacher über die Fortdauer nach dem Tode? Eine kritische Zusammenstellung aus seinen Schriften. In: JPrTh 17 (1891) 40-107.

Macintosh, D.C.: Die Wechselbeziehungen zwischen Theologie und Metaphysik. In: Luther, Kant, Schleiermacher. S. 286-315.

Mack, H.: Bruno Wille als Philosoph. (Phil. Diss. Gießen 1913. - Ref.: A. Messer.) Gießen 1913.

Märker, O.: Der Zwischenzustand. Eine Untersuchung über das Reich der Todten. Leipzig 1891.

Maeterlinck, M.: Vom Tode. Jena 1913.

Mager, A.: Theosophie und Christentum. Berlin 1922; Berlin, Bonn ²1926.

Mager, A.: Morderne Theosophie. Eine Wertung der Lehre Steiners. In: PZFr 4 (1922)

113-128.

Mager, A.: Theosophie. In: LThK¹ 10 (1938) 86-88.

Magnus, R.: Wilhelm Bölsche. Ein biographisch-kritischer Beitrag zur modernen Weltanschauung. Berlin 1909.

Mahlmann, Th.: Eschatologie und Utopie im geschichtsphilosophischen Denken Paul Tillichs. In: NZSThRPh 7 (1965) 339-370.

Mahlmann, Th.: Wilhelm Herrmann, In: TdTh. S. 38-43.

Mahlmann, Th.: Eschatologie. In: HWPh 2 (1972) 740-743.

Maier, H.: Die Syllogistik des Aristoteles. 2 Hälften. Tübingen 1896-1900.

Maier, H.: Die Psychologie des emotionalen Denkens. Tübingen 1908.

Maier, H.: Philosophie der Wirklichkeit. 3 Teile. 1. Wahrheit und Wirklichkeit. 2. Der Aufbau der physischen Welt. 3. Die psychisch-geistige Wirklichkeit. Tübingen 1926-1934-1935.

Maillard, Pl.: Henri Bergson. In: PhJ 57 (1947) 409-412.

Malantschuk, G.: Die Kategorienfrage bei Lotze. (Phil. Diss. Berlin 1934.) Berlin (1934).

Malik, J.: Das personale und soziale Sein des Menschen in der Philosophie Max Schelers. In: ThGl 54 (1964) 401-436.

Maliske, F.: Ferdinand Ebner. In: LThK² 3 (1959) 635.

Mandonnet, P.: Cajetan. In: DThC 2, 2 (1923) 1313-1329.

Mangenot, E.: Fin du monde. In: DB 2 (1899) 2262-2278.

Mangenot, J.-E.: La résurrection de Jesus. Paris 1910.

Mangenot, J.-E.: Fin du monde. In: DThC 5, 2 (1913) 2504-2552.

Mangenot, J.-E.: Eschatologie. In: DThC 5, 1 (1924) 456-457.

Manser, A.: Nikolaus Gihr. In: LThK¹ 4 (1932) 494.

Marcel, G.: Situation fondamentale et situations limites chez Karl Jaspers. In: Recherches philosophiques 2 (Paris 1932/33) 317-348. - Dass. in: Ders. Du refus à l'invocation. S. 284-326. - Dass. deutsch in: Ders. Schöpferische Treue. S. 208-235. - Dass. neu übersetzt in: Karl Jaspers in der Diskussion. S. 155-180.

Marcel, G.: Du refus à l'invocation. Paris 1940. - Dass. deutsch: Schöpferische Treue. Nach der 5. Auflage übertragen von U. Behler. München, Paderborn, Wien, Zürich 1963.

Marcel, G.: La Métaphysique de Royce. Paris 1945.

Marck, S.: Am Ausgang des jüngeren Neu-Kantianismus. Ein Gedenkblatt für Richard Hönigswald und Jonas Cohn. In: APh 3 (1949) 144-164.

Marcuse, H.: Beiträge zu einer Phänomenologie des Historischen Materialismus. In: PhH 1 (1928/29) 45-68.

Marcuse, H.: Hermann Noack, Geschichte und System der Philosophie. Untersuchungen über die Begründbarkeit ihrer Einheit im kritisch-idealistischen Begriff der Systematik selbst. (Hamburg 1928). In: PhH 2 (1930) 91-96.

Marett, R.R.: The Threshold of Religion. London 1909, ²1914.

Margreth, J.: La philosophie religieuse de R. Eucken. In: BLE 7 (1906) 105-119.

Maritain, J.: La philosophie bergsonnienne; études critiques. Paris 1914. - Dass. 2. éd., revue et augmantée. Ebd. 1930, ³1948, ⁴1948.

Maritain, J.: Sort de l'homme. (Les Cahiers du Rhône, Série blanche. 17.) Neuchâtel 1943.

Maritain, J.: De Bergson à Thomas d'Aquin. Essais de métaphysique et de morale. New York 1944. - Dass. deutsch von E.M. Morris: Von Bergson zu Thomas von Aquin. Acht Abhandlungen über Metaphysik und Moral. Cambridge/Mass. 1945.

Maron, G.: Josef Schnitzer. In: RGG³ 5 (1961) 1468.

Martelet, G.: Zeitlich und Endzeitlich. In: DE ECCL. Bd. 1. S. 475-481.

Martensen, H.L.: Die christliche Dogmatik (1849). Aus dem Dänischen. In 2 Abteilungen. Kiel 1850. - Dass. 2. verbesserte Auflage. Ebd. 1853, ³1855, ⁴1858. - Dass. Vom Verfasser selbst veranstaltete deutsche Ausgabe. Berlin 1856.

Martin, Br.: Karl Christian Friedrich Krause's Leben, Lehre und Bedeutung. Leipzig 1881. - Dass. Neue (Titel)-Ausgabe. München 1885.

Martin Heidegger zum 70. Geburtstag. Festschrift. (Hrsg. von Günther Neske.) Pfullingen (1959).

Marty, A.: Raum und Zeit. Aus dem Nachlaß des Verfassers hrsg. von Josef Eisenmeier, Alfred Kastil, Oscar Kraus. Halle 1916.

916

Masaryk, Th.G.: Rußland und Europa. Studien über die geistigen Strömungen in Rußland. I. Folge: Russische Geschichts- und Religionsphilosophie. Soziologische Skizzen. 2 Bde. Jena 1913.

Masi, G.: La ricerca della verità in Karl Jaspers. Bologna 1953.

Masi, G.: Karl Jaspers. In: EF² 3 (1968) 1155-1163.

Mathews, B.: Ein Christ auf den Straßen den Welt. Das Leben des Dr. John Raleigh Mott. Aus dem Amerikanischen. Hrsg. von Jul. Richter. Berlin 1934.

Mattiesen, E.: Das persönliche Überleben des Todes. Eine Darstellung der Erfahrungsbeweise. Berlin, Leipzig 1936.

Mattmüller, M.: Leonhard Ragaz und der religiöse Socialismus. Die Entwicklung der Persönlichkeit und des Werkes bis zum Jahr 1913. (BBGW. 67.) Basel, Stuttgart 1957.

Mauer, W.: Diltheys Lehre vom Ursprung der Philosophie im Leben. In: Die Sammlung 5 (1950) 475-485.

Maurer, R.K.: Endgeschichtliche Aspekte der Hegelschen Philosophie. Zur Kritik des Chiliasmus. In: PhJ 76 (1968) 88-122.

Maurer, R.K.: Geschichtsphilosophie als »Phänomenologie des Geistes«. Zu Hegels Phänomenologie und ihrer Wirkungsgeschichte. (Phil. Diss. Münster 1964.) Münster 1964. - Dass. Im Buchhandel unter dem Titel: Hegel und das Ende der Geschichte. Interpretationen zur »Phänomenologie des Geistes«. Stuttgart 1965.

Mausbach, J.: Joseph Schwane. In: KL² 10 (1897) 2042-2043.

Mausbach, J.: Außerordentliche Heilswege für die gefallene Menschheit und der Begriff des Glaubens. In: Der Katholik 80/I (1900) 251-271, 306-325, 401-425.

Mausbach, J.: Euckens Welt- und Lebensanschauung. In: Hochland 6 (1908/09) 641-658.

Mausbach, J.: Die Ethik des heiligen Augustinus. 2 Bde. Freiburg 1909.

Mausbach, J.: Der Eid wider den Modernismus und die theologische Wissenschaft, Köln 1911.

Mausbach, J.: Grundlagen und Ausbildung des Charakters nach dem Heiligen Thomas von Aquin. Freiburg i.B. 1911.

Maxsein, A.: Philosophia Cordis. Das Wesen der Personalität bei Augustinus. (Neues Forum.) Salzburg (1966).

May, W.: Ernst Haeckel. Versuch einer Chronik seines Lebens und Wirkens. Leipzig 1909.

Mayer, A.: Unsterblichkeit. In: RG 3 (1909) 30-38.

Mayer, E.W.: Ein Beitrag zur Verhandlung über das Unsterblichkeitsproblem. (Zu Th. Steinmann: Der religiöse Unsterblichkeitsglaube.) In: RG 3 (1909) 170-173.

Mayer, E.W.: Werturteile (2). In: RGG¹ 5 (1914) 1947-1948.

Mayer, E.W.: Rudolf Hermann Lotze. In: RGG¹ 3 (1912) 2390-2391.

Mayer, J.: Johann Friedrich Wörter. In: FDA 34 N.F. 7 (1906) 24-26. (Necrologium Friburgense 1900-1905.)

Mayer, J.: Karl Braig. In: FDA 54 N.F. 27 (1926) 28-29. (Necrologium Friburgense.)

Maynage, Th.: Die Religion des Spiritismus. (= La religion spirite.) Aus dem Französischen übersetzt von J. Hoffman. Limburg 1914.

McDougall, W.: Body and mind. A history and a defense of animism. London 1911.

Meckauer, W.: Der Intuitionismus und seine Elemente bei Henri Bergson. Eine kritische Untersuchung. (Phil. Diss. 1916. - Ref.: M. Baumgartner.) Breslau 1916 (Teildruck). - Dass. vollständig. Leipzig 1917.

Meffert, F.: Vom Jenseits. (ApVB. 6.) M.-Gladbach 1906.

Méhat, A.: »Apokatastase«. Origène, Clément d'Alexandrie, Act. 3, 21. In: VCh 10 (1956) 196-214.

Mehlis, G.: Schellings Geschichtsphilosophie in den Jahren 1799-1804, gewürdigt vom Standpunkt der modernen geschichtsphilosophischen Problembildung. Heidelberg 1907.

Mehlis, G.: Die Geschichtsphilosophie Auguste Comtes. Leipzig 1909.

Mehlis, G.: Lehrbuch der Geschichtsphilosophie. Berlin 1915.

Mehlis, G.: Einführung in ein System der Religionsphilosophie. Tübingen 1917.

Meinecke, F.: Ernst Troeltsch und das Problem des Historismus. In: DN 5 (1923) 183-192.

Meinecke, F.: Die Entstehung des Historismus und seine Probleme. 2 Bde. München 1936, ³1959.

917

Meinecke, F.: Straßburg/Freiburg/Berlin 1901-1919. Stuttgart 1949.

Meinertz, M.: Rez. zu B. Bartmann. Das Himelreich und sein König. In: ThRv 4 (1905) 406-409.

Meinertz, M.: Rez. zu B. Bartmann. Jesus Christus unser König und Heiland. In: ThRv 26 (1927) 325-327.

Meinhold, P.: Friedrich Daniel Ernst Schleiermacher. In: LThK² 9 (1964) 413-416.

Meisner, H.: Schleiermachers Lehrjahre. Hrsg. von Hermann Mulert. Berlin 1934.

Meister Eckhart. Hrsg. von Franz Pfeiffer. 3., unveränderte (anastatische) Auflage der Ausgabe von 1857. (= Deutsche Mystiker des 14. Jahrhunderts. 2. Bd.) Göttingen 1914.

Melzer, F.: Karl Heim. In: EKL 2 (1958) 94.

Ménégoz, E.: Die Rechtfertigungslehre nach Paulus und nach Jakobus. Gießen 1903.

Der Mensch ein Bürger zweier Welten. Erfahrungstatsachen von Hereinragen einer anderen unsichtbaren Welt in die sichtbare. Zeitgemäße leichtverständliche Aufklärungen über Geist, Kräfte und Erscheinungen, die sich mit den bekannten Naturgesetzen nicht erklären lassen und seit Jahrhunderten Gegenstand der Untersuchung nur einzelner Forscher blieben. Bearbeitet und hrsg. (Die Brücke zum Jenseits. 2. Bd. 5. und 6. Teil. S. 193-296.) Wiesbaden [1917].

Der Mensch vor Gott. Beiträge zum Verständnis der menschlichen Gottesbegegnung. Theodor Steinbüchel zum 60. Geburtstag. Hrsg. von Philipp Weindel und Rudolf Hofmann. Düsseldorf 1948.

Menzer, P.: Kants Lehre von der Entwicklung in Natur und Geschichte. Berlin 1911.

Menzer, P: Erich Adickes. In: Kantst 33 (1928) 369-372.

Menzer, P.: Deutsche Metaphysik der Gegenwart. Berlin 1931.

Menzer, P.: Metaphysik. (Die philosophischen Hauptgebiete in Umrissen.) Berlin 1932.

Mérič, E.: L'autre vie. 2 tomes. Paris 1880. - Dass. deutsch: Das andere Leben. Autorisierte Übersetzung. Mainz 1882.

Mérič, E.: Les élus se reconnaitront au ciel. Paris 1885.

Merk, A.: Rez. zu B. Bartmann. Jesus Christus unser König und Heiland. In: Scholastik 2 (1927) 423-424.

Merlan, Ph.: Averroes über die Unsterblichkeit des Menschengeschlechts. In: L'Homme et son destin. S. 305-311.

Merz, G.: Religiöser Sozialismus. In: EKL 3 (1959) 617-618.

Messel, N.: Die Einheitlichkeit der jüdischen Eschatologie. (= ZATW. Beiheft 30.) Gießen 1915.

Messer, A.: Einführung in die Erkenntnistheorie. (PhB. 118.) Leipzig 1909. - Dass. 2. umgearbeitete Auflage. (WuF. 11.) Leipzig 1921.- Dass. 3. umgearbeitete Auflage. Ebd. 1927.

Messer, A.: Das Problem der Willensfreiheit. (WPh. 1.) Göttingen 1911.- Dass. 3., verbesserte Auflage. Ebd. 1922.

Messer, A.: Geschichte der Philosophie. 3 Bde. (WuB. 107-109.) Leipzig 1912-1913, ³-⁴1932.

Messer, A.: Psychologie. (WdG. 13.) Stuttgart 1914, ⁴1928.- Dass. 5., völlig umgearbeitete Auflage. Leipzig 1934.

Messer, A.: Die Philosophie der Gegenwart. (WuB. 138.) Leipzig 1916. - Dass. 3. verbesserte Auflage. Ebd. 1921.

Messer, A.: Ethik. Eine philosophische Erörterung der sittlichen Grundfragen. (Handbuch für höhere Schulen, zur Einführung in ihr Wesen und ihre Aufgaben.) Leipzig 1918, ²1925.

Messer, A.: Glauben und Wissen. Geschichte einer inneren Entwicklung. München 1919, ²1920.

Messer, A.: Natur und Geist. Philosophische Aufsätze. Osterwieck 1920.

Messer, A.: Selbstdarstellung. In: DPhG. Bd. 3. S. 145-176.

Messer, A.: Der kritische Realismus. (WiWir. 9.) Karlsruhe 1923.

Messer, A.: Rickert und der kritische Realismus. In: Kantst 28 (1923) 364-375.

Messer, A.: Der Fall Lessing. Eine objektive Darstellung und kritische Würdigung. Bielefeld 1926.

Messer, A.: Deutsche Wertphilosophie der Gegenwart. Leipzig 1926.

Messer, A.: Lebensphilosophie. Leipzig 1931.

Meßner, H.: Die Lehre der Apostel. Leipzig 1856.

Metscher, H.: Causalnexus zwischen Leib und Seele und die daraus resultierenden psycho-
physischen Phänomene. Dortmund 1896.
Metz, J.B.: Heidegger und das Problem der Metaphysik. In: Scholastik 28 (1953) 1-22.
Metz, J.B.: Zukunft gegen Jenseits? In: Christentum und Marxismus - heute. S. 218-228.
Metzger, A.: Untersuchung zur Frage der Differenz der Phänomenologie und des Kantianis-
mus. Versuch einer erkenntnistheoretischen Studie am Gegenstandsbegriff. (Phil. Diss.
Jena 1915. - Ref.: R. Eucken.) Jena 1915.
Metzger, A.: Der Gegenstand der Erkenntnis. Studien zur Phänomenologie des Gegenstan-
des. In: JPhPhF 7 (1925) 613-769.
Metzger, A.: Phänomenologie und Metaphysik. Das Problem des Relativismus und seine
Überwindung. Halle 1933.
Metzger, A.: Freiheit und Tod. Tübingen 1955.
Metzger, P.: Der Begriff des Reiches Gottes im Neuen Testament. Stuttgart 1910.
Metzger, W.: Das Zwischenreich. Ein Beitrag zum exegetischen Gespräch der Kirchen über
den Chiliasmus. In: Auf dem Grunde der Apostel und Propheten. S. 100-118.
Meusel, H.: Zur paulinischen Eschatologie. In: NKZ 34 (1923) 689-701.
Meusel, J.: Geschichtlichkeit und Mystik im Denken Nikolaj Berdjajews. (Phil. Diss. Berlin
1962.) Berlin 1962.
Meyer, Adolf: Über Liebmanns Erkenntnislehre und ihr Verhältnis zur Kantischen Philoso-
phie. Ein Beitrag zur Kritik des modernen Intellektualismus. (Phil. Diss. Jena 1916. -
Ref.: R. Eucken.) Borna-Leipzig 1916.
Meyer, Arnold: Die Auferstehung Christi. Die Berichte über Auferstehung, Himmelfahrt
und Pfingsten, ihre Entstehung, ihr geschichtlicher Hintergrund und ihre religiöse Be-
deutung. Tübingen 1905.
Meyer, A.: Das »Leben nach dem Evangelium Jesu«. Tübingen 1905.
Meyer, A.: Ewiges Leben, dogmatisch. In: RGG¹ 2 (1910) 777-781.
Meyer, Eduard: Ursprung und Anfänge des Christentums. 3 Bde. Stuttgart 1921-1923.
Meyer, Ernst: Rudolf Virchow. Wiesbaden 1956.
Meyer F.A.E.: Philosophische Metaphysik und christlicher Glaube bei Gustav Theodor
Fechner. (Ev.-theol. Diss. Tübingen 1934. - Ref.: K. Heim.) Göttingen 1937.
Meyer, H.: Geschichte der Lehre von den Keimkräften (λόγοι σπερματικοί) von der Stoa
bis zum Ausgang der Patristik nach den Quellen dargestellt. Bonn 1914.
Meyer, H.: Zur Lehre von der ewigen Wiederkunft aller Dinge. In: BGCABL. S. 359-380.
Meyer, H.: Lebensphilosophie. In: GAW. Bd. 5. S. 243-418.
Meyer, H.: Geschichte der abendländischen Weltanschauung. (= GAW.) 5 Bde. Würzburg
1947-1949.
Meyer, W.: Religionspsychologie, Historismus und Psychologismus in der evangelisch-prote-
stantischen Theologie seit Schleiermacher. In: Luther - Kant - Schleiermacher. S. 48-56.
Meyer-Abich, A.: Hans Driesch, der Begründer der theoretischen Biologie. In: ZPhF 1 (1946/
47) 356-369.
Mezger, P.: Die christliche Hoffnung auf ein Leben nach dem Tode. Kalw, Stuttgart 1912.
Michael, J.M.: Von der Auferstehung der Toten, dem jünsten Gericht und dem Weltende.
Zwickau 1924.
Michaelis, J.D.: Dogmatik. Göttingen 1784.
Michaelis, W.: Der Herr verzieht nicht die Verheißung. Die Aussagen Jesu über die Nähe des
Jüngsten Tages. Bern 1942.
Michaltschew, D.: Philosophische Studien. Beiträge zur Kritik des modernen Psychologis-
mus. Mit einem Vorwort von Johannes Rehmke. Leipzig 1909.
Michel, A.: Nombre des élus. In: DThC 4, 2 (1924) 2350-2378. - Ders.: Eternité. Ebd. 5, 1
(1924) 912-921. - Ders.: Feu de l'enfer - du jugement - du purgatoire. Ebd. 5, 2 (1913)
2196-2261. - Ders.: Form. Form du corps humain. Ebd. 6, 1 (1915) 541-588. - Ders.: Gloi-
re des élus. Ebd. 6, 2 (1924) 1393-1426. - Ders.: Purgatoire. Ebd. 13, 1 (1936) 1163-1325. -
Ders.: Résurrection des mortes. 13, 2 (1937) 2501-2571. - Ders.: Vie éternelle 15, 2 (1950)
2956-2973.
Michel, A.: Les fins dernières. Paris 1929.
Michel, A.: Les mystères de l'au-delà. Paris 1953.
Michel, A.: Enfants morts sans baptême. Paris 1954.

Michel, A.: La doctrine de la parousi et son incidence dans le dogme et la théologie. In: Divinitas 3 (1959) 397-437.

Michel, O.: Grundzüge urchristlicher Eschatologie. In: ZSTh 9 (1932) 645-662.

Michel, O.: Der Mensch zwischenTod und Gericht. In: Theologische Gegenwartsfragen. S. 6-28.

Michel, O.: Unser Ringen um die Eschatologie. In: ZSTh 13 (1936) 154-174.

Michel, O.: Zur Lehre vom Todesschlaf. In: ZNTW 35 (1936) 285-290.

Michel, O.: Albert Schweitzer und die Leben-Jesu-Forschung heute. In: Albert Schweitzer. Sein Denken und sein Weg. S. 125-134.

Michel, O.: Der Menschensohn. Die eschatologische Hinweisung. Die apokalyptische Aussage. Bermerkungen zum Menschensohn-Verständnis des N.T. In: ThZ 27 (1971) 81-104.

Michl, J.: Quid veteres Christiani post mortem expectaverint. In: VD 19 (1939) 358-365.

Michl, J.: Chiliasmus, biblisch. In: LThK² 2 (1958) 1058-1059.

Miller-Rostowska, A.: Das Individuelle als Gegenstand der Erkenntnis. Eine Studie zur Geschichtsmethode Heinrich Rickerts. (Diss. Basel.) Winterthur 1955.

Minges, P.: Der Monismus des deutschen Monistenbundes. Aus monistischen Quellen dargelegt und gewürdigt. Münster 1919.

Minner, M.: Wiedersehen nach dem Tode ist Gewißheit. Zeugnisse aus dem Jenseits. Den Lebenden zum Trost. (Umschlag: Zum Trost für Trauernde. - Zur höheren Wahrheit. - Die Brücke zum Jenseits. [Bd. 1.] H. 1. S. 1-62.) 1.-7. Auflage. Wiesbaden [1916]. - Dass. 10. Auflage. Ebd. [1918].

Mirgeler, A.: Historismus. In: LThK² 5 (1960) 393-394.

Misch, G.: Von den Gestaltungen der Persönlichkeit. In: Weltanschauung. S. 129-136.

Misch, G.: Die Idee der Lebensphilosophie in der Theorie der Geisteswissenschaften. In: Kantst 31 (1926) 536-548.

Misch, G.: Vom Lebens- und Gedankenkreis W. Diltheys. (Drei Aufsätze, erschienen 1924, 1932, 1936.) Frankfurt 1947.

Misch, G.: Lebensphilosophie und Phänomenologie. Eine Auseinandersetzung der diltheyschen Richtung mit Heidegger und Husserl. Bonn 1930. - Dass. Reprographischer Nachdruck. Stuttgart 1967.

Misch, G.: Dilthey versus Nietzsche. In: Die Sammlung 7 (1952) 378-395.

Misch, Cl.: Der junge Dilthey. Ein Lebensbild in Briefen und Tagebüchern 1852-1870. Hrsg. von Clara Misch, geb. Dilthey. Leipzig 1933.

Mitschelitsch, A.: Rez. zu B. Bartmann. Lehrbuch der Dogmatik. In: JPhSTh 6 (1922) 405-408.

Mittasch, Alwin: Entelechie. (GuW. 10.) München, Basel 1952.

Mitzka, F.: Rez. zu B. Bartmann. Lehrbuch der Dogmatik. In: ZKTh 57 (1933) 316-317.

Mivart, St.G.: Happiness in Hell. In: The Nineteenth Century. Philadelphia. December 1892. S. 899-919; February 1893. S. 320-338.

Mivart, St.G.: A retrospect. In: The Tablet. Saturday, May 20, 1893. S. 764-766.

Möhler, J.A.: Die Einheit in der Kirche oder das Prinzip des Katholicismus. Dargestellt im Geiste der Kirchenväter der drei ersten Jahrhunderte. Tübingen 1825. - Dass. Herausgegeben, eingeleitet und kommentiert von J.R. Geiselmann. Köln und Olten (1957).

Mnemosyne. Arbeiten zur Erforschung von Sprache und Dichtung. Bonn ab 1929.

Moeller, Ch.: Einleitung und Kommentar zur pastoralen Konstitution über die Kirche in der Welt von heute. In: LThK-2VK. Bd. 3. S. 242-312.

Möslang, A.: Finalität. Ihre Problematik in der Philosophie Nicolai Hartmanns. (StF N.F. 37.) Freiburg/Schw. 1964.

Moleschott, J.: Der Kreislauf des Lebens. Heidelberg 1852. - Dass. 2 Bde. Ebd. ⁵1875-1886.

Moleschott, J.: Die Einheit des Lebens. Vortrag bei der Wiedereröffnung der Vorlesungen über Physiologie an der Turiner Hochschule am 23. November 1863 gehalten. Gießen 1864.

Molinari, P.: I Santi e il loro cultu. Roma 1962. - Dass. deutsch: Die Heiligen und ihre Verehrung. Freiburg 1964.

Molinari, P.: Der endzeitliche Charakter der pilgernden Kirche und ihre Einheit mit der himmlischen Kirche. In: DE ECCL. Bd. 2. S 435-456.

Molitor, A.: Bemerkungen zum Realismusproblem bei Nicolai Hartmann. In: ZPhF 15

(1961) 591-611.

Molitor, H.: Die Auferstehung der Christen und Nichtchristen nach dem Apostel Paulus. (NTA. 16, 1.) Münster 1933.

Der Monismus, dargestellt in Beiträgen seiner Vertreter. Hrsg. von Arthur Drews. 2 Bde. Jena 1908.

Monnier, J.: La descende aux enfers, étude de pensée religieuse, d'art et de litterature, thèse présentée à la Faculté de théologie protestante de Paris. Paris 1904.

Monnier, J.: La Fin du monde est-elle proche? Dammerie-les-Lys 1927.

Monsabré, J.-M.-L.: Carême 1888. Conférences de Notre-Dame de Paris. Exposition du dogme catholique. La Vie future ... Aux bureaux de l'»Année dominicaine«. Paris 1888. - Dass. 2e éd. Ebd. 1888.

Monsabré, J.-M.-L.: Carême 1889. L'Autre monde ... Conférence de Notre-Dame de Paris. Exposition du dogme catholique. Aux bureaux de l'»Année dominicaine«. Paris 1889.

Monsabré, J.M.L.: Das künftige Leben. Conferenz-Reden, gehalten in der Notre-Dame-Kirche zu Paris. Genehmigte Übersetzung von J. Drammer. Köln 1890.

Monsabré, J.M.L.: Die andere Welt. Conferenz-Reden, gehalten in der Notre-Dame-Kirche zu Paris, 2. Folge. Genehmigte Übersetzung von J. Drammer. Köln 1890.

Monsabré, J.-M.-L.: La Vie future, principaux de ses oeuvres, rassemblés par l'abbé J. Chapeau, chanoine de Blois. Paris 1932.

Monzel, A.: Die historischen Voraussetzungen und die Entwicklung der Kantischen Lehre vom inneren Sinn. (Phil. Diss. Bonn 1912. - Ref.: O. Külpe.) (Teildruck.) Bonn 1912.

Monzel, A.: Die Lehre vom inneren Sinn bei Kant; eine auf entwicklungsgeschichtliche und kritische Untersuchung gegründete Darstellung. Bonn 1913.

Monzel, A.: Kants Lehre vom inneren Sinn und der Zeitbegriff im Duisburg'schen Nachlaß. In: Kantst 25 (1920/21) 427-435.

Moosherr, Th.: A.E. Biedermann nach seiner allgemein-philosophischen Stellung. (Phil. Diss. Jena 1893.) Jena 1893.

Morgott, F.: Geist und Natur im Menschen. Eichstätt 1860.

Morgott, F.: Dominigo Báñez. In: KL² 1 (1882) 1948-1965.

Morgott, F.: Luis Molina. In: KL² 8 (1893) 1731-1750.

Moser, C.: Rez. zu B. Bartmann. Lehrbuch der Dogmatik. In: DTh 8 (1930) 220-223.

Mott, J.R.: Evangelisation of the World in this Generation. New York 1900.

Mott, J.R.: The decisive hour of Christian Missions. New York 1910. - Dass. deutsch.: Die Entscheidungsstunde der Weltmission und wir. Aus dem Englischen. (HbMK. Bd. 4.) Basel 1911. - Dass. 3. durch einen Anhang erweiterte Auflage. Ebd. 1914.

Mounier, E.: Révolution personaliste et communautaire. Paris 1935.

Mounier, E.: Manifeste au service du personalisme. Paris 1936. - Dass. deutsch: Das personalistische Manifest. Zürich 1936.

Mounier, E.: Qu'est-ce que le personalisme? Paris 1946.

Mounier, E.: Le Personalisme. Paris 1950.

Mounier, E.: Introduction aux existentialismes. Paris 1960. - Dass. in: Oeuvres. (Hrsg. von Paulette Mounier.) Paris 1962. S. 67-175. - Dass. deutsch: Einführung in die Existenzphilosophie. Bad Salzig/Boppard 1949.

Muck, O.: Psycho-physischer Parallelismus. In: LThK² 8 (1963) 79.

Muckermann, H.: Von der Wiederkehr des Welterlösers. Religiöse Darlegungen über die Letzten Dinge des Menschen im Anschluß an Kanzelvorträge in der St. Matthias-Kirche zu Berlin. Regensburg 1937.

Muckermann, H.: Von der Wiederkehr des Welterlösers. Religiöse Darlegungen über die Letzten Dinge des Menschen. Essen 1947.

Muckermann, H.: Religiöse Darlegung über die Letzen Dinge des Menschen. Berlin 1948.

Mücke, A.: Die Dogmatik des 19. Jahrhunderts in ihrem inneren Flusse und im Zusammenhang mit der allgemeinen theologischen, philosophischen und literarischen Entwicklung desselben. Gotha 1867.

Mühlmann, W.E.: Animismus. In: RGG³ 1 (1957) 389-391.

Mühlmann, W.E.: Chiliasmus II. In: HWPh 1 (1971) 1005-1006.

Müller, A.: Über den Unterschied der Menschen- und der Tierseele im Zusammenhang mit allgemeineren Fragen. In: ThGl 2 (1910) 387-395.

Müller A.: Rez. zu H. Rickert. Die Grenzen der naturwissenschaftlichen Begriffsbildung [3]-[4]1921. In: Kantst 28 (1923) 473-474.

Müller, Ernst: Die säkulare Bedeutung Schweitzers für die Leben-Jesu-Forschung. In: Albert Schweitzer. Sein Denken und sein Weg. S. 146-158.

Müller, E.F.K.: Johann HeinrichAugust Ebrard. In: RE[3] 5 (1898) 130-137.

Müller, E.F.K.: Gottfried Menken. In: RE[3] 12 (1903) 581-586.

Müller, E.F.K.: Wiederkunft Christi. In: RE[3] 21 (1908) 256-266.

Müller, Ewald: Das Konzil von Vienne 1311-1312. Seine Quellen und seine Geschichte. (VRF. XII.) Münster in Westfalen 1934.

Müller, F.A.: Das Axiom der Psychophysik und die psychische Bedeutung der Weber'schen Versuche. Eine Untersuchung auf Kantischer Grundlage. Marburg. 1882.

Müller, F.K.: Erkenntnistheoretischer Idealismus und Realismus in der Religionsphilosophie unter besonderer Berücksichtigung Natorps, Ottos und Külpes. (Phil. Diss. Gießen 1924.) Gießen 1924.

Müller, F.M.: Introduktion to the Science of Religion. London 1873. - Dass. deutsch: Einleitung in die vergleichende Religionswissenschaft. Vier Vorlesungen. Straßburg 1874.

Müller, F.M.: Lectures on the Origion and Growth of Religion. London 1878. - Dass. deutsch: Vorlesungen über den Ursprung und die Entwicklung der Religion, mit besonderer Rücksicht auf die Religionen des alten Indiens. Straßburg 1880, [2]1881.

Müller, F.M.: Natural religion; the Gifford lectures delivered before the University of Glasgow in 1888. London, New York 1889, [2]1892. - Dass. Neudruck 1907. - Dass. deutsch: Natürliche Religion. Gifford Vorlesungen gehalten vor der Universität Glasgow im Jahre 1888. Aus dem Englischen von Engelbert Schneider. Autorisierte, vom Verfasser durchgesehene Ausgabe. Leipzig 1890.

Müller, F.M.: Physical religion; the Gifford lectures before the University of Glasgow in 1890. London, New York 1891. - Dass. deutsch: Physische Religion. Gifford-Vorlesungen, gehalten an der Universität Glasgow im Jahre 1890. Aus dem Englischen übersetzt von R.O. Franke. Autorisierte, vom Verfasser durchgesehene Ausgabe. Leipzig 1892.

Müller, F.M.: Anthropological religion; the Gifford lectures delivered before the University of Glasgow in 1891. London, New York 1892, [2]1898, [3]1903. - Dass. deutsch: Anthropologische Religion. Gifford-Vorlesungen. Aus dem Englischen von M. Winternitz. Leipzig 1894.

Müller, F.M.: Theosophy; or, Psychological religion; the Gifford lectures delivered before the University of Glasgow in 1892. London, New York 1893, [2]1899. - Dass. Neudruck 1903; 1911. - Dass. deutsch: Theosophie oder psychologische Religion. Gifford-Vorlesungen gehalten an der Universität Glasgow im Jahre 1892. Autorisierte, vom Verfasser durchgesehene Ausgabe. Aus dem Englischen von Moritz Winternitz. Leipzig 1895.

Müller, G.: Origenes und die Apokatastasis. In: ThZ 14 (1958) 174-190.

Müller, G.E. Zur Grundlegung der Psychophysik. (BWL. Bd. 23.) Berlin 1878.

Müller, G.F. (wahrscheinlich richtig: G.E.): Gesichtspunkte und Tatsachen der psychophysischen Methodik. (Aus: Ergebnissse der Psychologie.) Wiesbaden 1904.

Müller, H.: Lebensphilosophie und Religion bei Georg Simmel. (Phil. Diss. Berlin 1959.) Berlin (1960).

Müller, H.M.: Erfahrung und Glaube bei Luther. Leipzig 1929.

Müller, J.: Von den Quellen des Lebens. Sieben Aufsätze. München 1905, [2]1906.

Müller, J.: Hemmungen des Lebens. München 1907, [2]1908.

Müller, J.: Die Bergpredigt, verdeutscht und vergegenwärtigt. München 1906, [8]1929.

Müller, J.: Vom Leben und Sterben. München 1907, [2]1909, [3]1913.

Müller, K.: Das Rätsel des Todes. (SuL. 10.) Barmen 1905.

Müller, K.E.: Animismus. In: HWPh 1 (1971) 315-319.

Müller, K.: Theodor Lipps' Lehre vom Ich im Verhältnis zur Kantischen. Berlin 1912.

Müller, M.: Existenzphilosophie im geistigen Leben der Gegenwart. Heidelberg 1949, [3]1964.

Müller, M.: Romano Guardini. In: Denker und Deuter im heutigen Europa. S. 65-70.

Müller, W.H.: Die Philosophie Edmund Husserls nach den Grundzügen ihrer Entstehung und ihrem systematischen Gehalt. Bonn 1956.

Müller-Freienfels, R.: Rez. zu H. Scholz. Der Unsterblichkeitsgedanke als philosophisches Problem. In: Kantst 27 (1922) 198-199.

922

Müller-Goldkuhle, P.: Die Eschatologie in der Dogmatik des 19. Jahrhunderts. (BNGKTh. 10.) Essen 1966.

Müller-Schwefe, H.-R.: Existenzphilosophie. Zürich 1961.

Müller-Schwefe, H.-R.: Der Mensch - das Experiment Gottes. Gütersloh 1966.

Münsterberg, H.: The Eternal Life. London 1905 und 1906.

Münsterberg, H.: The Eternal Values. London, Cambridge/Mass. 1909.

Münsterberg, H.: Philosophie der Werte. Grundzüge einer Weltanschauung. Leipzig 1908.

Münzer, R.: Bausteine zu einer Philosophie des Lebens. Leipzig 1905. - Dass. 2. durchgesehene Auflage. Wien 1909.

Mulert, H.: Adolf von Harnack. In: RGG^1 2 (1910) 1858-1860.

Mulert, H.: Wilhelm Herrmann. In: RGG^1 2 (1910) 2138-2142.

Mulert, H.: Wilhelm Koch. In: RGG^2 3 (1929) 1112.

Mulert, H.: Ferdinand Christian Baur. In: NDB 1 (1953) 670-671.

Mulford, P.: The process of reimbodiment. Boston [1886].

Mulford, P.R.: Der Unfug des Sterbens. Ausgewählte Essays von Prentice Mulford. Bearbeitet und aus dem Englischen übersetzt von Sir Galahad (Pseud.) München 1909. - Dass. öfter, zuletzt 1953.

Mulson, J.: La possibilité de la vision béatifique dans S. Thomas d'Aquin. Langres 1932.

de Munnynck, M.: La notion du temps. In: Philosophia perennis. Bd. 2. S. 855-868.

Muser, J.: Die Auferstehung Jesu und ihre neuesten Kritiker. Eine apologetische Studie. Kempten 1911. - Dass. Zweite völlig neu bearbeitete Auflage. Mit einem Anhang: Die Auferstehungsberichte in deutscher Übersetzung. Paderborn 1914.

Mußner, F.: Was lehrt Jesus über das Ende der Welt? Freiburg 1958.

Mußner, F.: Leben, in der Schrift. In: LThK^2 6 (1961) 853-856.

Mußner, F.: Wann »kommt das Reich Gottes?« Die Antwort Jesu nach Lk 17, 20b. 21. In: BZ N.F. 6 (1962) 107-111.

Mußner, F.: Leben. In: HThG 2 (1963) 25-30.

Mußner, F.: David Friedrich Strauß. In: LThK^2 9 (1964) 1108-1109.

Mußner, F.: Christus und das Ende der Welt. In: Christus vor uns. S.8-18.

Mußner, F.: Tod und Auferstehung. Fastenpredigten über Römerbrieftexte. Regensburg 1967.

Mußner, F.: Jesu Lehre über das kommende Leben nach den Synoptikern. In: Conc 6 (1970) 692-695.

Myers, F.W.H.: Human Personality and its Survival of bodily Death. London 1902. - Dass. Neuausgabe. New York 1954. - Dass. Ebd. 1961.

Naegle, A.: Die Eucharistielehre des heiligen Johannes Chrysostomus, des Doctor Eucharistiae. (Theol. Diss. Würzburg 1900. (SThSt. Bd. 3. H. 4-5.) Freiburg, Straßburg 1900.

Natorp, P.: Descartes Erkenntnistheorie. Eine Studie zur Vorgeschichte des Kritizismus. Marburg 1882.

Natorp, P.: Einleitung in die Psychologie nach kritischer Methode. Freiburg 1888.

Natorp, P.: Religion innerhalb der Grenzen der Humanität. Ein Kapitel zur Grundlegung der Sozialpädagogik. Freiburg i.B. 1894. - Dass. 2., durchgesehene und um ein Nachwort vermehrte Auflage. Tübingen 1908.

Natorp, P.: Platos Ideenlehre. Eine Einführung in den Idealismus. Leipzig 1903. - Dass. 3. Auflage. (Unveränderter Nachdruck der 2., durchgesehenen und um einen metakritischen Anhang vermehrten Auflage von 1922.) Darmstadt 1961.

Natorp, P.: Jemand und ich. Ein Gespräch über Monismus, Ethik und Christentum, den Metaphysikern des Bremer »Roland« gewidmet. Stuttgart 1906.

Natorp, P.: Logische Grundlagen der exakten Wissenschaften. (WuH. Bd. 12.) Leipzig 1910, ^{2}1921, ^{3}1923.

Natorp, P.: Religion? Ein Zwiegespräch. In: Weltanschauung. S. 305-325.

Natorp, P.: Philosophie. Ihr Problem und ihre Probleme. Einführung in den kritischen Idealismus. (WPh-EPhG. 1.) Göttingen 1911. - Dass. 3. verbesserte Auflage. Ebd. 1921.

Natorp, P.: Allgemeine Psychologie nach kritischer Methode. 1. Objekt und Methode. Tübingen 1912.

Natorp, P.: Husserls »Ideen zu einer reinen Phänomenologie«. In: Logos 7 (1917/18) 224-246.

Natorp, P.: Hermann Cohen als Mensch, Lehrer und Forscher. Gedächtnisrede. (MAR. 39.)

Marburg 1918.

Natorp, P.: Hermann Cohens philosophische Leistung unter dem Gesichtspunkt des Systems. (PhV. 21.) Berlin 1918.

Natorp, P.: Sozialidealismus. Berlin 1920.

Natorp, P.: Vorlesungen über praktische Philosophie. Erlangen 1925.

Natur, Geist, Geschichte. Festschrift für Aloys Wenzl. (Zum 60. Geburtstag.) Im Auftrag der Freunde hrsg. von Josef Hanslmeier. München-Pasing 1950.

Neck, K.: Das Problem der wissenschaftlichen Grundlegung der Theologie bei Alois Emanuel Biedermann. (Theol. Diss. Zürich 1944.) (Schleitheim 1944.)

Necrologium Paderbornense. Totenbuch Paderborner Priester [1822-1930]. Paderborn 1934.

Nef, W.: Die Philosophie Wilhelm Wundts. Leipzig 1923.

Nestle, E.: Paul de Lagarde. In: RE³ 11 (1902) 212-218.

Neubau. Blätter für neues Leben aus Wort und Geist. München (1946/47-1953.)

Neuendorff, E.: Lotzes Kausalitätslehre. In: ZPhPhKr 115 (1899/1900) 41-144.

Neues Leben allezeit. Geistliche Wochen 1960. Hrsg. Evangelische Akademie Mannheim. Mannheim 1960.

Neumann, A.: Grundlagen und Grundzüge der Weltanschauung von R.A. Lipsius. Ein Beitrag zur Geschichte der neuesten Religionsphilosophie. (Phil. Diss. Jena 1896.) Braunschweig 1896.

Neundörfer, K.: Der ältere deutsche Liberalismus und die Forderung der Trennung von Staat und Kirche. (Jur. Diss. Gießen 1909. - Ref.: A. B. Schmidt.) Mainz 1909. - Dass. in: AKK 89 (1909) 270-299.

Neundörfer, K.: Die Kirche als gesellschaftliche Notwendigkeit. In: Hochland 20/I (1922/23) 225-238. - Dass. In: Ders. Zwischen Kirche und Welt. S. 77-94.

Neundörfer, K.: Zwischen Kirche und Welt. Ausgewählte Aufsätze aus seinem Nachlaß. Hrsg. von L. Neundörfer und W. Dirks. Frankfurt a.M. 1927.

Newman, J.H.: Der Antichrist nach der Lehre der Väter. (= The patristical Idea fo Antichrist.) Deutsch von Theodor Haecker. Mit einem Nachwort hrsg. von Werner Becker. (Hochland-Bücherei.) München (1951).

Nicolai Hartmann. Der Denker und sein Werk. 15 Abhandlungen mit einer Bibliographie. Hrsg.: Heinz Heimsoeth und Robert Heiß. Göttingen 1952.

Niebergall, A.: Eduard Thurneysen. In: RGG³ (1962) 881-882.

Nieuwenhuis, A.W.: Die Wurzel des Animismus. Anfänge der naiven Religion nach den unter primitiven Malaien beobachteten Erscheinungen. In: IAE 24 (1917) 1-88.

Nigg, W.: Das ewige Reich. Geschichte einer Sehnsucht und einer Enttäuschung. Erlenbach-Zürich 1944. - Dass.: Das ewige Reich. Geschichte einer Hoffnung. 2. überarbeitete Auflage. Zürich 1954.

Ninck, J.: Die seelische Begründung der Religion bei Herder entwicklungsgeschichtlich dargestellt. (Phil. Diss. Jena 1912. - Ref.: R. Eucken.) Leipzig 1912. - Dass.: Die Begründung der Religion bei Herder. 2. Auflage Ebd. 1912.

Nink, C.: Sein, Leben und Erkennen. In: Scholastik 29 (1954) 210-234.

Nippold, F.: Richard Rothe. 2 Bde. Wittenberg 1873.

Nippold, F.: Handbuch der neuesten Kirchengeschichte. Bd. 3. Teil 1: Geschichte der deutschen Theologie. Elberfeld 1890, ³1901.

Nippold, F.: Lipsius' historische Methode. Jena 1893.

Nirschl, J.: Lehrbuch der Patrologie und Patristik. 3 Bde. Mainz 1881-1885.

Nitzsch, C.I.: System der christlichen Lehre für akademische Vorlesungen. Bonn 1829. - Dass. 2. verbesserte Auflage. Ebd. 1831. - Dass. 3. verbesserte und vermehrte Auflage. Ebd. 1839. - Dass. 5. verbesserte und vermehrte Auflage. Ebd. 1844. - Dass. 6. verbesserte und vermehrte Auflage. Ebd. 1851.

Nitzsch, F.: Karl Immanuel Nitzsch. In: RE³ 14 (1904) 128-136.

Nitzsch, F.A.B.: Lehrbuch der evangelischen Dogmatik. 2 Hälften Freiburg 1889-1892. - Dass. 2. verbesserte Auflage. (SThL-T.) Freiburg, Tübingen 1896. - Dass. 3. Auflage. Bearbeitet von H. Stephan. 2 Teile. Tübingen 1911-1912.

Noack, H.: Sinn und Geist. Eine Studie zu Keyserlings Anthropologie. In: ZPhF 7 (1953) 592-597.

Noack, H.: Existentialphilosophie. (Existenzphilosophie.) In: EKL 1 (1956) 1237-1241.

Noack, H.: Die Philosophie Westeuropas. (Die philosophischen Bemühungen des 20. Jahrhunderts.) Darmstadt 1967.

Nobis, H.M.: Über die immaterielle Dynamik als Innen der materiellen Körpersubstanz. (Phil. Diss. München 1959.) O.O. 1956 (M.schr.).

Nobis, H.M.: Entelechie II. In: HWPh 2 (1972) 507-509.

Noble, H.-D.: Lacordaire. In: DThC 8, 2 (1925) 2394-2424.

Nohl, H.: Stil und Weltanschauung. Jena 1920.

Nohl, H.: Einführung in die Philosophie. Frankfurt a.M. 1935, ⁶1960.

Nordmann, W.: Die theologische Gedankenwelt in der Eschatologie des pietistischen Ehepaares Petersen. (Theol. Diss. Berlin 1929.) Naumburg (Saale) 1929 (= Teildruck aus: Die Eschatologie des Ehepaares Petersen. Ein Einzelbild aus der Geschichte des deutschen Pietismus.).

Nordmann, W.: Die Eschatologie des Ehepaares Petersen, ihre Entwicklung und Auflösung. In: ZVKGS 26 (1930) 83-108.

Nordwälder, O.: Friedrich Paulsen und seine religiösen Anschauungen. Mainz 1906.

von Nostiz-Rieneck, R.: Oswald Spenglers Philosophie des Kulturuntergangs. In: StZ Bd. 105. 53 (1923) 177-192.

Nüdling, G.: Ludwig Feuerbachs Religionsphilosophie. Die Auflösung der Theologie in Anthropologie. (FNPhG. 7.) Paderborn 1936, ²1961.

Nygren, A.: Carl Stange als theologischer Bahnbrecher. In: NZSTh 2 (1960) 123-128.

Ölsner, W.: Die Entwicklung der Eschatologie von Schleiermacher bis zur Gegenwart. (Theol. Diss. Berlin 1929.) Gütersloh 1929.

Oepke, A.: Die Eschatologie des Paulus. In: AELKZ 60 (1927) 458-462, 482-489, 509-513, 530-536.

Oesterreich, T.K.: Kant und die Metaphysik. (Phil. Diss. Berlin 1905. - Ref.: F. Paulsen, C. Stumpf.) Halle 1905. - Dass. vollständig: (Kantst Erg.-h. 2.) Berlin 1906.

Oesterreich, T.K.: Die Phänomenologie des Ich in ihren Grundproblemen. Bd. 1: Das Ich und das Selbstbewußtsein. Die scheinbare Spaltung des Ich. Leipzig 1910.

Oesterreich, T.K.: Die religiöse Erfahrung als philosophisches Problem. Vortrag. (PhV. 9.) Berlin 1915.

Oesterreich, T.K.: Einführung in die Religionspsychologie als Grundlage für Religionsphilosophie und Religionsgeschichte. Berlin 1917.

Oesterreich, T.K.: Das Weltbild der Gegenwart. Berlin 1920, ²1923.

Oesterreich, T.K.: Der Okkultismus im modernen Weltbild. Dresden ¹⁻²1921. - Dass. 3. stark vermehrte Auflage. Ebd. 1923.

Oesterreich, T.K.: Die Besessenheit. Langensalza - Halle 1921.

Oesterreich, T.K.: Grundbegriffe der Parapsychologie. Eine philosophische Studie. (Die Okkulte Welt. 25.) Pfullingen 1921.

Oesterreich, T.K.: Die philosophische Bedeutung der mediumistischen Phänomene. Erweiterte Fassung des auf dem 2. Internationalen Kongreß für parapsychologische Forschung in Warschau gehaltenen Vortrages. Stuttgart 1924.

Oesterreich, T.K.: Die Probleme der Einheit und die Spaltung des Ich. (BPhPs. 1.) Stuttgart 1928.

Oesterreich, T.K.: Spiritismus. In: RGG² 5 (1931) 699-700.

Oetinger, F.Ch.: Abhandlung von dem Zusammenhang der Glaubenslehren mit den letzten Dingen und von dem Überbleiben der Seele nach dem Tode. Tübingen 1780.

Oetinger, F.Ch.: Die heilige Philosophie. Aus den Werken, Briefen, Aufzeichnungen ausgewählt und mit einem kritischen Nachwort versehen von Otto Herpel. München 1923.

Oetinger, F.Ch.: Theologia ex idea vitae deducta. Hrsg. von Konrad Ohly. (Texte zur Geschichte des Pietismus. VII/2.) 2 Teile. Berlin, New York 1980.

Offenbarungen unserer Zukunft. Unsere Verstorbenen in der Sternenwelt? Die Eröffnung der Seherin über das Jenseits und die Planeten. Wunderbare Enthüllungen von Somnambulen (Hellseherinnen) über Seelen und Seelenleben, Fortleben und Fortbildung im Jenseits und vieles andere für jeden Christenmenschen. Trostbringende, für Zweifler, Gelehrte und Geistliche wertvolle Aufklärungen Gebende. Mit dem zur Verfügung gestellten Material von Geistlichen, Seelenforschern, Universitäts-Professoren und Ärzten hrsg. (Die Brücke zum Jenseits. Bd.2. 1. und 2. Teil.) Wiesbaden [1977].

Offener Horizont, Festgabe für Karl Jaspers. Hrsg.: Klaus Piper. München (1953).

Ogiermann, H.: Rez. zu W. Stegmüller. Hauptströmungen der Gegenwartsphilosophie. In: Scholastik 28 (1953) 448.

Ohlhaver, H.: Die Toten leben! Eigene Erlebnisse, [Erster Teil]. Hamburg 1916.

Ohlhaver, H.: Die Toten leben! Zweiter Teil. Hamburg 1918. - Dass. 200.-230. Tausend. Ebd. (1921).

Ohlhaver, H.: Die Toten leben! Dritter Teil. Hamburg 1921.

Orientierung. Katholische Blätter für weltanschauliche Information. Zürich ab 1947 (= Jg. 11.) - Vgl. ApBl.

Origenes: Vier Bücher von den Prinzipien. Hrsg., übersetzt, mit kritischen und erläuternden Anmerkungen versehen von Herwig Görgemanns und Heinrich Karpp. (TzF.24.) Darmstadt 1976.

Ostwald, G.: Wilhelm Ostwald, mein Vater. Stuttgart 1953.

Ostwald, W.: Die Energie und ihre Wandlungen. Antrittsvorlesung. Leipzig 1888.

Ostwald, W.: Die Überwindung des wissenschaftlichen Materialismus. Vortrag, gehalten in der dritten allgemeinen Sitzung der Versammlung der Gesellschaft deutscher Naturforscher und Ärzte zu Lübeck am 20. September 1895. Leipzig 1895.

Ostwald, W.: Vorlesungen über Naturphilosophie (1901). Leipzig 1902.

Ostwald, W.: Naturphilosophie. In: KdG. Teil 1. Abt. 6: Systematische Philosophie. S. 138-172.

Ostwald, W.: Monistische Sonntagspredigten. Stuttgart 1908. - Dass. 4 Teile. Leipzig 1911-1914.

Ostwald, W.: Grundriß der Naturphilosophie. Bücher der Naturwissenschaft. Bd. 1. (UBib.) Leipzig 1908.

Ostwald, W.: Die Energie. (WuK. Bd. 1.) Leipzig 1908.

Ostwald, W.: Energetische Grundlagen der Kulturwissenschaft. (PhSB. 16.) Leipzig 1909.

Ostwald, W.: Große Männer. Leipzig 1909.

Ostwald, W.: Die Forderungen des Tages. Leipzig 1910.

Ostwald, W.: Der energetische Imperativ. 1. Reihe. Leipzig 1912.

Ostwald, W.: Die Philosophie der Werte. Leipzig 1913.

Ostwald, W.: Moderne Naturphilosophie. 1. Ordnungswissenschaften. Leipzig 1914.

Ostwald, W.: Lebenslinien. Eine Selbstbiographie. 3 Bde. Berlin 1927.

Oswald, J.: Georg Pfeilschifter. In: HJ 56 (1936) 437-440.

Ott, E.: Henri Bergson, der Philosoph moderner Religion. (ANGW. 480.) Leipzig, Berlin 1914.

Ott, G.: Johann Georg Wilhelm Herrmann. In: NDB 8 (1969) 691-692.

Ott, H.: Neure Publikationen zum Problem von Geschichte und Geschichtlichkeit. In: ThR N.F. 21 (1953) 63-96.

Ott, H.: Geschichte und Heilsgeschichte in der Theologie R. Bultmanns. Tübingen 1955.

Ott, H.: Eschatologie. Versuch eines dogmatischen Grundrisses. (ThSt. 53.) (Zollikon), Zürich 1958.

Ott, H.: Der Weg zu Heidegger und der Weg der Theologie. Zollikon 1959.

Ott, H.: Martin Heidegger. In: TdTh. S. 349-353.

Ott, L.: Franz Morgott. In: LThK ² 7 (1962) 635.

Ott, L.: Grundriß der katholischen Dogmatik. Achte, verbesserte Auflage. Freiburg 1970.

Otto, C.: Hermann Lotze über das Unbewußte. (Phil. Diss. Erlangen 1899.) Labes 1900.

Otto, H.: Zum Streit um die visio beatifica. In: HJ 50 (1930) 227-232.

Otto, R.: Die Anschauung vom Heiligen Geist bei Luther. Göttingen 1898.

Otto, R.: Naturalistische und religiöse Weltsicht. (LFr-SR. 296.) Freiburg 1904, ³1929.

Otto, R.: Kantisch-Fries'sche Religionsphilosophie und ihre Anwendung in die Glaubenslehre für Studenten der Theologie. Tübingen 1909, ²1921.

Otto, R.: Das Heilige. Über das Irrationale in der Idee des Göttlichen und sein Verhältnis zum Rationalen. Breslau 1917, ²1918; München ³⁰1950.

Otto, R.: West-östliche Mystik. Vergleich und Unterscheidung zur Wesensdeutung. (BChW.) Gotha 1926. - Dass. 2. ergänzte Auflage. Ebd. 1929.

Otto, R.: Die Gnadenreligion Indiens und das Christentum. Gotha 1930.

Otto, R.: Das Gefühl des Überweltlichen (sensus numinis). (5. und 6. Auflage von »Aufsätze das Numinose betreffend, 1«.)München 1932.

Otto, R.: Reich Gottes und Menschensohn. Religionsgeschichtlicher Vergleich. München 1934, ³1954.

Paalzow, A.: Helmholtz. In: ADB 51 (1906) 461-472.

Pagani, J.B.: Das Ende der Welt, oder die Wiederkunft unseres Herrn und Heilandes Jesu Christi. Aus dem Englischen von L. Haug. (NLBH. 2.) Regensburg 1856, ²1879.

Palágyi, M.: Neue Theorie des Raumes und der Zeit. Die Grundbegriffe einer Metageometrie. Leipzig 1901.

Palágyi, M.: Kant und Bolzano. Eine kritische Parallele. Halle 1902.

Palágyi, M.: Der Streit der Psychologisten und Formalisten in der modernen Logik. Leipzig 1902.

Palágyi, M.: Naturphilosophische Vorlesungen über die Grundprobleme des Bewußtseins und des Ich. In: PhWs 7 (1907) 1-13, 52-63, 117-124, 161-177, 193-209; 8 (1907) 33-47, 121-150, 182-209, 217-248, 281-312, 345-370. - Dass. Charlottenburg 1908. - Dass. 2. wenig veränderte Auflage. Leipzig 1924.

Palágyi, M.: Die Relativitätstheorie in der modernen Physik. Vortrag gehalten auf dem 85. Naturforschertag in Wien. Berlin 1914.

Palágyi, M.: Zur Weltmechanik. Beiträge zur Metaphysik der Physik. Mit einem Geleitwort von Prof. Dr. Ernst Gehrcke. Leipzig 1925.

Palmieri, A.: Theologia dogmatica orthodoxa (ecclesiae graeco-russiae) ad lumen catholicae doctrinae examinata et discussa. 2 tom. Florentiae 1911-1913.

Palmieri, D.: Tractatus theologicus de Novissimis. Prato 1908.

Pape, J.: Der Tod. Ein Beirag zur Aufhellung seines Dunkels. Leipzig 1889.

Pape, G.: Lotzes religiöse Weltanschauung. (Phil. Diss. Erlangen 1899.) Berlin 1899.

Parrhesia. Karl Barth zum 80. Geburtstag am 10. Mai 1966. Zürich 1966.

Partee, C.: Peter John Olivi: Historical and doctrinal study. In: FStudies 20 (1960) 215-260.

(Pascal, B.): Pensées de Blaise Pascal. Nouvelle édition, collationnée sur le manuscrit autographe et publiée avec une introduction et des notes par Léon Brunschvicg. Tome 1er-3ème. (Oeuvres de Blaise Pascal.) (Les grand Ecrivains de la France.) Paris 1904.

Pascal, (B.): Pensées. (Texte de l'édition Brunschvicg. Edition précédée de la vie de Pascal par Mme Périer, sa soeur. Introduction et notes par Ch.-M. des Granges Docteur ès Lettres.) Paris (1958).

Pascals »Pensées« (Gedanken). Hrsg. von M. Laros. (Sammlung Kösel. 67/68. Bd.) Kempten und München 1913.

Pascher, J.: Der Seelenbegriff im Animismus Edward Burnett Tylors. Ein Beitrag zur Religionswissenschaft. Dargestellt und gewürdigt. (APPR. 23.) Würzburg 1929.

Paulhan, F.: L'Activité mentale et les éléments de l'esprit. Paris 1889, ²1913.

Paulhan, F.: Les Caractères. (Bibliothèque de philosophie contemporaine.) Paris 1894. - Dass. 2e éd., revue, augmentée d'une préface nouvelle. Paris 1902.

Paulhan, F.: Les Types intellectuels. Esprits logiques et esprits faux. (Bibliothèque de philosophie contemporaine.) Paris 1896, ²1914.

Paulhan F.: Psychologie de l'invention. (Bibliothèque de philosophie contemporaine.) Paris 1901, ²1911, ⁴o.J..

Paulhan, F.: La Volonté. Paris 1903, ²1910.

Paulhan, F.: Les Mensonges du caractère. Paris 1905.

Paulhan, F.: Physiologie de l'esprit. 5e éd. entièrement refondue. Paris 1910.

Paulhan, F.: La Logique de la contradiction. Paris 1911.

Paulsen, F.: Einleitung in die Philosophie. Berlin 1892. - Dass. Stuttgart ⁴²1929.

Paulsen, F.: Noch ein Wort zur Theorie des Parallelismus. In: ZPhPhKr 115 (1899/1900) 1-9.

Paulsen, F.: Der moderne Pantheismus und die christliche Weltanschauung. Mit einem Vorwort von M. Kähler. Halle 1906.

Paulsen, F.: Die Zukunftsaufgaben der Philosophie. In: KdG. Teil 1. Abt. 6: Systematische Philosophie. S. 388-422.

Paulsen, P.: Das Leben nach dem Tode. Ein zeitgemäßer Beitrag zur Lehre von den letzten Dingen. (ZChV. 200.) Stuttgart 1901. - 2. durchgesehene und erweiterte Auflage. Stuttgart (1905).

Pellegrino, M.: Un cinquantennio di studi patristici in Italia. In: ScCat 80 (1952) 424-452.

Pelster, F.: Rez. zu R. Guardini. Die Lehre des hl. Bonaventura von der Erlösung. In: ThRv 22 (1923) 366-368.

Pelster, F.: Rez. zu W. Götzmann. Die Unsterblichkeitsbeweise der Väterzeit. In: Scholastik 4 (1929) 291-292.

Perkmann, J.: Der Begriff des Charakters bei Platon und Aristoteles. O.O. 1909.

Perrone, J.: Kompendium der katholischen Dogmatik. 4 Bde. Landshut 1852-1854.

Perty, M.: Allgemeine Naturgeschichte. Als philosophische und Humanitätswissenschaft für Naturforscher, Philosophen und das höher gebildete Publikum. Bearbeitet von Maximilian Perty. 4 Bde. Bern 1837-1846.

Perty, M.: Über die Bedeutung der Anthropologie für Naturwissenschaft und Philosophie. Ein Vortrag, gehalten ... den 19. August 1852. Bern 1853.

Perty, M.: Die mystischen Erscheinungen der menschlichen Natur, dargestellt und gedeutet von Maximilian Perty. Leipzig 1861. - Dass. 2. vermehrte und verbesserte Auflage. 2 Bde. Leipzig und Heidelberg 1872.

Perty, M.: Die Realität magischer Kräfte und Wirkungen des Menschen gegen Widersacher verteidigt. Ein Supplement zu des Verfassers »Mystische Erscheinungen der menschlichen Natur«. Leipzig 1863.

Perty, M.: Über das Seelenleben der Thiere. Thatsachen und Betrachtungen Leipzig und Heidelberg 1865. - Dass. 2. umgearbeitete, sehr bereicherte Auflage. Leipzig etc. 1875.

Perty, M.: Blicke in das verborgene Leben des Menschengeistes. Leipzig und Heidelberg 1869.

Perty, M.: Die Natur im Lichte philosophischer Anschauung. Leipzig 1869.

Perty, M.: Die Anthropologie als die Wissenschaft von dem körperlichen und geistigen Wesen des Menschen. Dargestellt von Maximilian Perty. 1. (und) 2. Bd. Leipzig und Heidelberg 1873-1874.

Perty, M.: Über die Grenze der sichtbaren Schöpfung, nach den jetzigen Leistungen der Mikroskope und Fernröhre. (SGWV. 195.) Berlin 1874.

Perty, M.: Der jetzige Spiritualismus und verwandte Erfahrungen der Vergangenheit und Gegenwart. Ein Supplement zu des Verfassers »Mystischen Erscheinungen der Menschlichen Natur«. Leipzig und Heidelberg 1877.

Perty, M.: Erinnerungen aus dem Leben eines Natur- und Seelenforschers des 19. Jahrhunderts. Leipzig und Heidelberg 1879.

Perty, M.: Die sichtbare und die unsichtbare Welt. Diesseits und Jenseits. Leipzig und Heidelberg 1881.

Perty, M: Ohne mystische Tatsachen keine erschöpfende Physiologie. Leipzig 1883.

Pesch, Ch.: Rez. zu A. Harnack. Das Wesen des Christentums. In: StML 60 (1900) 48-62, 154-169, 257-273.

Pesch, Ch.: Die Seele des Todsünders im Jenseits. In: ThZFr. 2. F. Freiburg 1901. S. 81-138.

Pesch, Ch.: Theologische Zeitfragen. Vierte Folge: Glaube, Dogmen und geschichtliche Tatsachen. Eine Untersuchung über den Modernismus. Freiburg im Breisgau 1908.

Pesch, Ch.: Compendium theologiae dogmaticae. Tom. I-IV. I: De Christo legato divino. De ecclesia Christi. De fontibus theologicis. II: De deo uno. De deo trino. De deo fine ultimo et de novissimis. III: De verbo incarnato. De beata virgine Maria et de cultu sanctorum. De gratia, de virtutibus theologicis. IV: De sacramentis. Freiburg i.B. 1913-1914, 6 1941-1942.

Pesch, T.: Die großen Welträtsel. Philosophie der Natur. Allen denkenden Naturfreunden dargeboten. 2 Bde.: 1. Philosophische Naturerklärung. 2. Naturphilosophische Weltauffassung. Freiburg 1883-1884. - Dass. 2. verbesserte Auflage. Ebd. 1892. - Dass. 3. verbesserte Auflage. Ebd. 1907.

Pesch, T.: Aufs Diesseits ein Jenseits! Eine Verteidigung der Menschenwürde gegen alle Menschenverächter. (KFWL. Nr. 41.) Berlin 1892.

Pesch, T.: Christliche Lebensphilosophie. Gedanken über religiöse Wahrheiten. Weiteren Kreisen dargeboten. Freiburg 1895, 2 1896, 4 1898.

Peschel, O.: Völkerkunde. Leipzig 1874, 7 1897.

Pétavel-Olliff, E.: La fin du mal; ou L'immortalité des justices et l'anéantissement graduel des impénitents. (Questions vitales.) Paris 1872.

Pétavel-Olliff, E.: Le problème de l'immortalité. Etude de précédé d'une lettre de Charles Secrétan. 2 Tom. Paris 1891-1892.

928

Pétavel-Olliff, E.: Le plan de Dieu dans l'évolution; étude sur l'évolutionisme chretien. Lausanne 1902.

Petersen, E.: Richard Adelbert Lipsius. In: RGG[1] 3 (1912) 2168-2171.

Petersen, P.: Der Entwicklungsgedanke in der Philosophie Wundts. (BKUG. 9.) Leipzig 1908.

Petersen, P.: Die Philosophie Adolf Trendelenburgs. Ein Beitrag zur Geschichte des Aristoteles im 19. Jahrhundert. Heidelberg 1913.

Petersen, P.: Wilhelm Wundt und seine Zeit. (FKPh. XIII.) Stuttgart 1925.

Peterson, E.: Zur Theorie der Mystik. In: ZSTh 2 (1925) 146-166.

Peterson, E.: Die Einholung des Kyrios. (Zum eschat. Abschnitt 1. Thess 4, 13 ff.) In: ZSTh 7 (1930) 682-702.

Petraschek, K.O.: Die Logik des Unbewußten. Eine Auseinandersetzung mit den Prinzipien und den Grundbegriffen der Philosophie Eduards von Hartmann, 2 Bde. München 1926.

Pfänder, A.: Phänomenologie des Wollens. Eine psychologische Analyse. Leipzig 1900. - Dass. 2. unveränderte Auflage. Ebd. 1930.

Pfänder, A.: Einführung in die Psychologie. Leipzig 1904, [2]1920.

Pfänder, A.: Logik. In: JPhPhF 4 (1921) 139-494e.

Pfänder, A.: Die Seele des Menschen. Versuch einer verstehenden Psychologie. Halle 1933.

Pfahler, G.: System der Typenlehren: Grundlegung einer pädagogischen Typenlehre ... mit 20 Abbildungen im Text. Leipzig 1919, [4]1943.

Pfeiffer, F.: Bolzanos Logik und das Transzendenzproblem. (Phil. Diss. Zürich. - Ref.: W. Freytag.) Langensalza 1922.

Pfeiffer, J.: Existenzphilosophie. Eine Einführung in Heidegger und Jaspers. Leipzig 1933. - Dass. 2. verbesserte Auflage. Hamburg 1949. - Dass. 3. erweiterte Auflage. Ebd. 1952.

Pfeil, H.: Existentialistische Philosophie. (FNPGPhP. 1.) Paderborn 1950.

Pfennigsdorf, E.: Vergleich der dogmatischen Systeme von R.A.Lipsius und A. Ritschl. Zugleich Kritik und Würdigung derselben. Gotha 1896.

Pfennigdorf, E.: Gustav Teichmüllers Bedeutung für die Erkenntnistheoretische Grundlegung der Theologie. In: Luther, Kant, Schleiermacher in ihrer Bedeutung für den Protestantismus. S. 316-339.

Pfister, B.: Die Entwicklung zum Idealtypus. Eine methodologische Untersuchung über das Verhältnis von Theorie und Geschichte bei Menger, Schmoller und Max Weber. Tübingen 1928.

Pfister, O.: Die Genesis der Religionsphilosophie Biedermanns untersucht nach Seiten ihres psychologischen Aufbaus. (Phil. Diss.Zürich.) Zürich 1898.

Pfleiderer, E.: Lotze's philosophische Weltanschauung, nach ihren Grundzügen. Zur Erinnerung an den Verstorbenen. Berlin 1882, [2]1884.

Pfleiderer, O.: Über die Composition der eschatologischen Rede Matth. 24, ff. In: JDTh 13 (1868) 134-149.

Pfleiderer, O.: Die Religion, ihr Wesen und ihre Geschichte. 2 Bde. Leipzig 1869, [2]1878.

Pfleiderer, O.: Die deutsche Religionsphilosophie und ihre Bedeutung für die Theologie der Gegenwart. Eine Einleitungsvorlesung. Berlin 1875.

Pfleiderer, O.: Alois Emanuel Biedermann. In: PrJ 57 (1886) 53-76.

Pfleiderer, O.: Der Paulinismus. Leipzig 1873, [2]1890.

Pfleiderer, O.: Religionsphilosophie auf geschichtlicher Grundlage. Berlin 1878, [3]1896.

Pfleiderer, O.: Geschichte der Religionsphilosophie von Spinoza bis auf die Gegenwart, Berlin 1884, [3]1893.

Pfleiderer, O.: Das Urchristentum, seine Schriften und Lehren in geschichtlichem Zusammenhang beschrieben. Berlin 1887. - Dass. 2 Bde. Berlin [2]1902.

Pfleiderer, O.: Die Theologie Ritschl's nach ihrer biblischen Grundlage. In: JPTh 16 (1889/1890) 42-83.

Pfleiderer, O.: Die Theologie der Ritschl'schen Schule nach ihrer religionsphilosophischen Grundlage. In: JPTh 17 (1890/91) 321-383.

Pfleiderer, O.: Die Ritschlsche Theologie, kritisch beleuchtet. (Aus: JPTh.) Braunschweig 1891.

Pfleiderer O.: Religion und Religionen. München 1906.

Pflüger, E.: Die teleologische Mechanik der lebenden Natur. (Aus: AGPhys.) Bonn [1]+[2]1877.

Pflüger, E.: Wesen und Aufgabe der Physiologie. Rede zur feierlichen Eröffnung des neuen physiologischen Instituts in Poppelsdorf bei Bonn am 9. November 1878. Bonn 1878.
Pflüger, E.: Die allgemeinen Lebenserscheinungen. Rede, zum Antritt des Rektorats der Rhein. Friedrich-Wilhelms-Universität am 18. Oktober 1889. Bonn 1889.
Pflüger, P.B.: Was das Christentum ursprünglich war und was man daraus gemacht hat. (SWVB. 6.) Zürich ²1897.
Pflüger, P.B.: Unsere Religion! Festrede. (SWVB. 6.) Zürich ²1897.
Pflüger, P.B.: Kirche und Proletariat. Wie soll die Kirche unter den heutigen Verhältnissen den Armen das Evangelium verkünden? Vortrag. (SWVB. 7.) Zürich 1897.
Pflüger, P.B.: Der Sozialismus der israelitischen Propheten. (SWVB.10.) Zürich 1899.
Pflüger, P.B.: Der Himmel auf Erden. (SWVB. 16.) Zürich 1899.
Pflüger, P.B.: Glaubensbekenntnis eines modernen Theologen. Zürich ²1906.
Pflüger, P.B.: Die Religion der Moderne. Zürich 1909.
Pflüger, P.B. Die Entstehung des Christentums. Zürich 1910.
Pflüger, P.B.: Der Sozialismus der israelitischen Propheten. Der Sozialismus der Kirchenväter. Berlin 1914.
Pflülf, O.: Universalisten. In: KL²12 (1901) 314-315.
Pflug, G.: Der Aufbau des Bewußtseins bei Wilhelm Dilthey. (Phil. Diss. Bonn 1950.) (M.schr.)
Pflug, G.: Henri Bergson. Quellen und Konsequenzen einer induktiven Metaphysik. Berlin 1959.
Pflug, G.: Intuitionismus. In: HWPh 4 (1976) 540-541.
Philipon, M.: Eschatologie und Dreifaltigkeit. In: DE ECCL. Bd. 1. S. 269-270.
Philipp, W.: Friedrich Heiler, In: TdTh. S. 387-391.
Philippi, F.A.: Kirchliche Glaubenslehre. 6 Bde. Stuttgart 1854-1857-1859-1861-1863-1871-1873. - Dass. Hrsg. von F.Philippi. Gütersloh 1883-1890.
Philips, G.: Die Geschichte der dogmatischen Konstitution über die Kirche (Lumen Gentium). In: LThK-2VK. Bd. 1. S. 139-155.
Philosophia perennis. Abhandlungen zu ihrer Vergangenheit und Gegenwart. Festgabe, Josef Geyser zum 60. Geburtstag. Bd. 1: Abhandlungen über die Geschichte der Philosophie. Bd. 2: Abhandlungen zur systematischen Philosophie. Hrsg. von F.-J. von Rintelen. Regensburg 1930.
Die Philosophie im Beginn des 20. Jahrhunderts. Festschrift für Kuno Fischer. Unter Mitwirkung von B. Bauch, K. Groos, E. Lask, O. Liebmann, H. Rickert, E. Troeltsch, W. Wundt hrsg. von W. Windelband. 2 Bde. Heidelberg 1904-1905, ²1907.
Pick, G.: Die Übergegensätzlichkeit der Werte. Gedanken über das religiöse Moment in Emil Lask's Logischen Schriften vom Standpunkt des transzendentalen Idealismus. Tübingen 1921.
Pilgram, F.: Physiologie der Kirche. Forschungen über die geistigen Gesetze, in denen die Kirche nach ihrer natürlichen Seite besteht. Mainz 1860. - Dass. Hrsg. von Dr. H. Getzeny. Text der Urausgabe. Mit einer Einführung. (DKKTh. Bd. 3.) Mainz 1931.
Piper, O.: Das religiöse Erlebnis. Eine kritische Analyse der Schleiermacherschen Rede über die Religion. Göttingen 1920.
Piper, O.: Rez. zu B. Bartmann. Grundriß der Dogmatik. In: ThLZ 58 (1933) 19.
Pissarek-Hudelist, H.: Präadamiten. In: LThK² 8 (1963) 652-653.
Pleßner, H.: Die Einheit der Sinne. Grundlinien einer Ästhesiologie des Geistes. Bonn 1923.
Pleßner, H.: Grenzen der Gemeinschaft. Eine Kritik des sozialen Radikalismus. Bonn 1924.
Pleßner, H.: Stufen des Organischen und der Mensch. Einleitung in die philosophische Anthropologie. Berlin 1928.
Pleßner, H.: Das Schicksal des deutschen Geistes im Ausgang seiner bürgerlichen Epoche. Zürich 1935.
Pleßner, H.: Lachen und Weinen. Eine Untersuchung nach den Grenzen menschlichen Verhaltens. Arnhem 1941. - Dass. 2. Auflage. (SDa. 54.) Bern 1950, ³1961.
Pleßner, H.: Über die Beziehung der Zeit zum Tode. In: Eranos 20(1951) 349-386.
Pleßner, H.: Zwischen Philosophie und Gesellschaft. Ausgewählte Abhandlungen und Vorträge. Bern 1953.
Plumacher, O.: Der Kampf ums Unbewußte. Nebst einem chronologischen Verzeichnis der

Hartmann-Literatur als Anhang. Berlin 1881.

Podmore, F.: Modern Spiritualism. A history and a criticism. 2 Bde. London 1902.

Podmore, F.: The Naturalisation of the Supernatural. New York, London 1908.

Podmore, F.: The Newer Spiritualism. London, New York 1910.

Pöggeler, O.: Der Denkweg Martin Heideggers. Pfullingen 1963.

Pöhlmann, H.: Rudolf Euckens Theologie mit ihren philosophischen Grundlagen dargestellt. Berlin 1903.

Pöll, W.: Wesen und Wesenerkenntnis. Untersuchungen mit besonderer Berücksichtigung der Phänomenologie Husserls und Schelers. München 1936.

Pohle, J.: Seele. In: KL² 11 (1899) 44-57.

Pohle, J.: Rez. zu J. Zahn. Das Jenseits. In: ThRv 18 (1919) 32.

Pohle, J.: Lehrbuch der Dogmatik in sieben Büchern. Für akademische Vorlesungen und zum Selbstunterricht. (WHB. 1. R. Theologische Lehrbücher. XX-XXIII.) 3 Bde. Paderborn 1902-1905. - Dass. 1. Bd. 6., verbesserte und vermehrte Auflage. Ebd. 1914. - Dass. 2. (und) 3. Bd. 5., verbesserte Auflage. Ebd. 1912. - Dass. ⁷1920-1922.

Pohle, J.: Tod. In: KHL 2 (1912) 2415-2416.

Pollach, F.: Das Gesetz von der Erhaltung der Energie und der christliche Glaube. (Theol. Diss. Würzburg 1913. - Ref.: H. Schell.) Fulda 1913.

Pomponazzi, P.: De immortalitate animae. Bologna 1516. - Das. Neuausgabe. Ebd. 1954.

Pomponazzi, P.: De immortalitate animae a cura di Giovanni Gentile. Messina, Roma 1925.

Pongratz, L.J.: Charaktereologie. In: HWPh 1 (1971) 994-996.

Poschmann B.: Rez. zu B. Bartmann. Lehrbuch der Dogmatik. In: ThRv 11 (1912) 490-494.

(Prados, M.): Dos sermones del papa Juan 22. Introducción y edición de Mariano Prados S.J. In: ATG 23 (1960) 155-184.

von Prantl, K.: Hermann Lotze. In: ADB 19 (1884) 288-290.

Preuß, K.Th.: Der Ursprung der Religion und Kunst. In: Globus 86-87 (1904-1905) Nr. 20, 24.

Preuß, K.Th.: Die geistige Kultur der Naturvölker. (ANGW. 452.) Leipzig 1914, ²1923.

Preuß, K.Th.: Tod und Unsterblichkeit im Leben der Naturvölker. (Vortrag.) (SVG. 146.) Tübingen 1930.

Pribnow, H.: Die johanneische Anschauung vom »Leben«. Biblisch-theologische Untersuchung in religionsgeschichtlicher Beleuchtung. (Theol. Diss. Greifswald 1934.) (GThF. 4.) Greifswald 1934.

Priegel: Rez. zu B. Bartmann. Grundriß der Dogmatik. ²1931. In: ThBl 53 (1932) 222-223.

Prinzhorn, H.: Leib-Seele-Einheit: Ein Kernproblem der neuen Psychologie. (Das Weltbild. Bücher des lebendigen Wissens. 3.) Potzdam [1927].

Prinzhorn, H.: Leib-Seele-Einheit. Lebenslehre Goethe- Carus- Nietzsche. Zürich, Potzdam 1928.

Prinzhorn, H.: Nietzsche und das 20. Jahrhundert. Zwei Vorträge. Heidelberg 1928.

Proksch, O.: Eschatologie. II: Im AT und Judentum. In: RGG² 2 (1928) 329-339.

Proksch, O.: Der Lebensgedanke im Alten Testament. In: ChWi 4 (1928) 145-158, 193-206.

Pro Veritate. Ein theologischer Dialog. Festgabe für Erzbischof Dr.h.c. Lorenz Jaeger und Bischof Prof. D. Dr. Wilhelm Stählin DD. Hrsg. von Edmund Schlink und Hermann Volk. Münster, Kassel 1963.

Prümm, K.: Die Darstellungsform der Hadesfahrt des Herrn in der Literatur der alten Kirche. Scholastik 10 (1935) 55-77.

Prümm, K.: Rez. zu R. Löwe. Kosmos und Aion. In: Scholastik 11 (1936) 186.

Prümm, K.: Zur Frage »altchristliche und kaiserzeitlich-heidnische Eschatologie«. In: Greg 34 (1953) 640-652.

Pruner, J.E.: Valentin Thalhofer. In: KL² 11 (1899) 1451-1453.

Przywara, E.: Vom Gottgeheimnis der Welt. Drei Vorträge über die geistige Krisis der Gegenwart. (Der katholische Gedanke.) München 1923.

Przywara, E.: Religionsbegründung. Max Scheler - J.H. Newman. Freiburg 1923.

Przywara, E.: Metaphysik und Religion. In: StZ Bd. 104. 53 (1923) 132-140.

Przywara, E.: Religiöses Gefühl als natürliches Denken? [Zu K. Girgensohn: Der seelische Aufbau des religiösen Erlebens. Leipzig 1921.] In: StZ 104. Bd. 53 (1923) 316-318.

Przywara, E.: Vom Himmelreich der Seele. Christliche Lebensführung. 5 Bde. Freiburg 1922-1923.

Przywara, E.: Religiöse Bewegungen. In: StZ 104. Bd. 53 (1923) 445-454.

Przywara, E.: Ernst Troeltsch. In: StZ 105. Bd. 53 (1923) 75-79.

Przywara, E.: Unmittelbare Intuition? (Augustinus - Pascal - Newman). In: StZ 105. Bd. 53 (1923) 121-131.   •

Przywara, E.: Unmittelbare Intuition. Ihr historischer Hintergrund. In: StZ 105. Bd. 53 (1923) 218-226.

Przywara, E.: Gott in uns oder Über uns? (Immanenz und Transzendenz im heutigen Geistesleben. In: StZ 105. Bd. 53 (1923) 343-362.

Przywara, E.: Rez. zu F. Heiler. Der Katholizismus. In: StZ 105. Bd. 53 (1923) 353-355. - Dass. In: Ders. Das Ringen der Gegenwart. Bd. 2. S. 560-564.

Przywara, E.: Einheit von Natur und Übernatur? In: StZ 105. Bd. 53 (1923) 428-440.

Przywara, E.: Thomas von Aquin oder Hegel? Sinn der »Wende zum Objekt«. In: StZ 111. Bd. 56 (1926) 1-20.   •

Przywara, E.: J.J. Bachofen, Mythos von Orient und Okzident. In: StZ 111. Bd. 56 (1926) 183-198.

Przywara, E.: Probleme protestantischer Theologie. In: StZ 111. Bd. 56 (1926) 428-443.

Przywara, E.: Gott. München 1926.

Przywara, E. Religionsphilosophie katholischer Theologie. München 1926.

Przywara, E.: Drei Richtungen in der Phänomenologie. In: StZ 115/II. Bd.58 (1928) 252-264.

Przywara, E.: Das Ringen der Gegenwart. Gesammelte Aufsätze. I. (und) II. Bd. Augsburg 1929.

Przywara, E.: Problematik der Gegenwart. In: StZ 116. Bd. 59 (1929) 99-115.

Przywara, E.: Das neue Denken. In: StZ 117. Bd. 59 (1929) 414-424.

Przywara, E.: Kant heute. München 1930.

Przywara, E.: Rez. zu H.M.Müller. Erfahrung und Glaube bei Luther. In: StZ 118. Bd. 60 (1930) 73.

Przywara, E.: Analogia entis. Methaphysik. Bd. 1: Prinzip. München 1932. - Dass.: Ders. Gesammelte Schriften. Bd. 3. Einsiedeln 1962.

Przywara, E.: Thomismus und Molinismus. In: StZ 125. Bd. 63 (1933) 26-35.

Przywara, E.: Christliche Existenz. Leipzig 1934.

Przywara, E.: Mensch als Transzendenz. In: StZ 130. Bd. 66 (1936) 448-457.

Przywara, E.: Essenz- und Existenz-Philosophie. Tragische Identität oder Distanz der Geduld. In: Scholastik 14 (1939) 515-544.

Przywara. E.: Die Reichweite der Analogie als katholischer Grundform. In: Scholastik 15 (1940) 339-362, 508-532.

Przywara, E.: Humanitas. Der Mensch gestern und morgen. Nürnberg 1952.

Przywara, E.: Um die analogia entis. In: Ders. In und Gegen. Stellungnahmen zur Zeit. Nürnberg 1955. S. 277-281.

Przywara, E.: Simmel - Husserl - Scheler. In: Ders. In und Gegen. S. 33-54.

Przywara, E. Analogia entis (Analogie) II-IV. In: LThK² 1 (1957) 470-473.

Przywara, E.: Kirche in Gegensätzen. Düsseldorf (1962).

Pünjer, B.: Heinrich Klee. In: AEWK II/36 (1884) 378-379.

Quilliet, H.-R.: Descente de Jésus aux Enfers. In: DThC 4, 1 (1910, ³1924) 565-619.

von Rabenau, K.: Bernhard Duhm. In: NDB 4 (1959) 179-180.

von Rabenau, K.: Hermann Gunkel. In: NDB 7 (1966) 322-323.

von Rabenau, K.: Hermann Gunkel. In: TdTh. S. 80-87.

Rabeneck, F.: Picarden. In: LThK¹8 (1936) 274-275.

Rackl, M.: Rez. zu B. Bartmann. Lehrbuch der Dogmatik. In: ThRv 17 (1918) 271-273. - Ders. Ebd. 18 (1919) 275-276.

von Rad, G.: Leben und Tod im AT. In: ThWNT 2 (1935) 844-850.

Rade, M.: Religionsgeschichte und Religionsgeschichtliche Schule. In: RGG¹ 4 (1913) 2183-2200.

Rade, M.: Ritschlianer. In: RGG¹ 4 (1913) 2334-2338. - Ders. In: RGG² 4 (1930) 2047-2049.

Rade. M.: Glaubenslehre. (BChW.) 3 Bde. Gotha, Stuttgart 1924-1926-1927.

Rade, M.: Friedrich Traub. In: RGG² 4 (1930) 2048.

Rademacher, J.: Der Weltuntergang. (GlW. 19/20.) Kevelaer 1909.

Raeber, Th.: Rudolf Christoph Eucken. In: NDB 4 (1959) 670-672.

Ragaz, L.: Das Evangelium und der soziale Kampf der Gegenwart. Basel 1906, ²1907.

Ragaz, L.: Dein Reich komme. Predigten. 2 Bde. Basel 1908. - Dass. 3. Auflage. Zürich 1922.

Ragaz, L.: Weltreich, Religion und Gottesherrschaft. 2 Bde. Zürich 1922.

Ragaz, L.: Theosophie und Reich Gottes? Zürich 1922.

Ragaz, L.: Der Kampf um das Reich Gottes in Blumhardt, Vater und Sohn - und weiter! (Bücher der Quelle.) Zürich 1922. - Dass. Erlenbach (-Zürich) ²1925.

Ragaz, L.: Von Christus zu Marx - von Marx zu Christus. Ein Beitrag. Werningerode 1929.

Ragaz, L.: Das Reich und die Nachfolge. Bern 1938.

Ragaz, L.: Die Botschaft vom Reich Gottes. Ein Katechismus für Erwachsene. Bern 1947.

Rahner, K.: Geist in Welt. Zur Metaphysik der endlichen Erkenntnis bei Thomas von Aquin. Innsbruck 1939. - Dass. 3. Auflage München 1964.

Rahner, K.: Zur Ontologie der visio beatifica (1939). In: SzTh. Bd. 1. S. 354-361.

Rahner, K.: Zur Theologie des Todes. In: Synopsis. 3 (1949) 87-112.

Rahner, K.: Die Auferstehung des Fleisches. In: StZ 79 (1953) 81-91.

Rahner, K.: Schriften zur Theologie. 14 Bde. Zürich, Einsiedel, Köln 1954-1980. (= SzTh).

Rahner, K.: Theologische Anthropologie. In: LThK² 1 (1957) 618-627.

Rahner, K.: Zur Theologie des Todes. In: ZKTh 79 (1957) 1-44.

Rahner, K.: Zur Theologie des Todes. (QD. 2.) Freiburg (1958, ⁴1963).

Rahner, K.: Eschatologie. Theologisch-wissenschaftstheoretisch. In: LThK² 3 (1959) 1094-1098.

Rahner, K.: Theologische Prinzipien der Hermeneutik eschatologischer Aussagen. In: SzTh. Bd. 4. S. 401-428.

Rahner, K.: Das Leben der Toten. In: SzTh. Bd. 4. S. 429-437.

Rahner, K.: Fegfeuer. Kirchliches Lehramt. Dogmengeschichte. Zur Systematik. In: LThK² 4 (1960) 51-55.

Rahner, K.: Letztes Gericht. Systematisch. In: LThK² 4 (1960) 734-736.

Rahner, K.: Mensch. Theologisch. In: LThK² 7 (1962) 287-294.

Rahner, K.: Auferstehung des Fleisches. Können wir noch daran glauben? (Entscheidung. 30.) Kevelaer 1962, ²1965.

Rahner, K.: Parusie. Dogmatisch. In: LThK² 8 (1963) 123-124.

Rahner, K.: Vom Geheimnis des Lebens. In: SzTh. Bd. 6. S. 171-184.

Rahner, K.: Die Einheit von Geist und Materie im christlichen Glaubensverständnis. In: SzTh. Bd. 6. S. 185-214.

Rahner, K.: Tod. Theologisch. In: LThK² 10 (1965) 221-226.

Rahner, K.: Das Ärgernis des Todes. In: SzTh. Bd. 7. S. 141-145.

Rahner, K.: Über das christliche Sterben. In: SzTh. Bd. 7. S. 273-283.

Rahner, K.: Christentum als Religion der absoluten Zukunft. In: Christentum und Marxismus heute. S. 202-213.

Rahner K.: Theologie und Anthropologie. In: SzTh. Bd. 8. S. 43-65.

Rahner, K.: Fragment einer theologischen Besinnung auf den Begriff Zukunft. In: SzTh. Bd. 8. S. 555-560.

Rahner, K.: Zur Theologie der Hoffnung. In SzTh. Bd. 8. S. 561-579.

Rahner, K.: Über die theologische Problematik der »Neuen Erde«. In:SzTh. Bd. 8. S. 580-592.

Rahner, K.: Immanente und transzendente Vollendung der Welt. In: SzTh. Bd. 8. S. 593-612.

Rahner, K.: Der Leib in der Heilsordnung. In: Rahner, K., Görres, A.: Der Leib und das Heil. (PPTh. 4.) Mainz 1967. S. 29-44.

Rahner, K.: Eschatologie. In: SM 1 (1967) 1183-1192.

Rahner, K.: Hölle. In: SM 2 (1968) 735-739.

Rahner, K.: Anschauung Gottes. In: SM 3 (1969) 159-163.

Rahner, K.: Anthropologie III. Theologische. In: SM 3 (1969) 176-186.

Rahner, K.: Letzte Dinge. In: SM 3 (1969) 220-224.

Rahner, K.: Parusie II. Theologische Vermittlung. In: SM 3 (1969) 1036-1039.

Rahner, K.: Tod. In: SM 4 (1969) 920-927.

Rahner, K.: Grundkurs des Glaubens. Einführung in den Begriff des Christentums. Freiburg, Basel, Wien (1976).

Raoul Heinrich Francé. Der Begründer der Lebenslehre. Eine Festschrift zum 50. Geburtstag. Original-Beiträge von A. Wagner, A. von Gothard, F. Lienhard (u.a.). (Verstärkte

Sondernummer der Zweimonatsschrift Die Fahne. Ein Führer zu Dichtern und Denkern. 5. Jg. H. 3.) Stuttgart, Heilbronn (1924).

Raphael, M.: Die pyrrhoneische Skepsis. (Für Dr. August Koppel, den Skeptiker.) In: PhH 3 (1931) 47-70.

Rathje, J.: Die Welt des freien Protestantismus. Ein Beitrag zur deutsch-evangelischen Geistesgeschichte. Dargestellt an Leben und Werk von Martin Rade. Stuttgart (1952).

Ratschow, C.H.: Die Einheit der Person. Eine theologische Studie zur Philosophie Klages. Halle 1938.

Ratschow, C.H.: Rez. zu R. Guardini. Im Spiegel und Gleichnis ([2]1940). In: ThLZ 66 (1941) 285-286.

Ratzel, F.: Völkerkunde. 2 Bde. Leipzig 1885-1886. - Dass. 2. gänzlich neubearbeitete Auflage. Ebd. 1894.

Ratzinger, J.: Auferstehung des Fleisches. Lehre der Kirche. Dogmengeschichte, Systematik. In: LThK[2] 1 (1957) 1042, 1048-1052.

Ratzinger, J.: Auferstehungsleib. In: LThK[2] 1 (1957) 1052-1053.

Ratzinger, J.: Benedictus Deus. In: LThK[2] 2 (1958) 171-173.

Ratzinger, J.: Ewigkeit, theologisch. In: LThk[2] 3 (1959) 1268-1270.

Ratzinger, J.: Auferstehung und ewiges Leben. In: LuM. H. 25 (1959) 92-103.

Ratzinger, J.: Tod und Auferstehung. In: KlBl 39 (1959) 366-368, 370.

Ratzinger, J.: Der Mensch und die Zeit im Denken des heiligen Bonaventura. Zugleich ein Beitrag zum Problem des mittelalterlichen Augustinismus. In: L'homme et son destin. S. 473-483.

Ratzinger, J.: Himmel, systematisch. In: LThK[2] 5 (1960) 355-358.

Ratzinger, J.: Hölle. Kirchliches Lehramt. Dogmengeschichtliches. Systematik. In: LThK[2] 5 (1960) 446-449.

Ratzinger, J.: Joachim von Fiore. In: LThK[2] 5 (1960) 975-976.

Ratzinger, J.: Schöpfung. In: LThK[2] 9 (1964) 460-466.

Ratzinger, J.:: Einleitung. In: Zweites Vatikanisches Konzil. Dogmatische Konstitution über die Kirche. Authentischer lateinischer Text. Deutsche Übersetzung im Auftrag der deutschen Bischöfe. Münster 1965.

Ratzinger, J.: Auferstehung des Fleisches, theologisch. In: SM 1 (1967) 397-402.

Ratzinger, J.: Heilsgeschichte und Eschatologie. Zur Frage nach dem Ansatz des theologischen Denkens. In: Theologie im Wandel. S. 68-89.

Ratzinger, J.: De relatione inter conceptum historiae salutis et quaestionem eschatologicam. In: Acta congressus internationalis de theologia concilii vaticani II. Romae 26. IX. - 1. X 1966. Roma 1968. S. 484-498.

Ratzinger, J.: Kommentar zum 1. Kapitel des 1. Teils der pastoralen Konstitution über die Kirche in der Welt von heute (Gaudium et spes). In: LThK- 2VK. Bd. 3. S. 313-354.

Ratzinger, J.: Einführung in das Christentum. Vorlesungen über das Apostolische Glaubensbekenntnis. München 1968.

Ratzinger, J.: Auferstehung. In: SM 1 (1969) 397-402.

Ratzinger, J.: Heil und Geschichte. In: WoWa 25 (1970) 1-14.

Ratzinger, J.: Offenbarung und Transzendenzerfahrung. In: ThRv 67 (1971) 11-14.

Ratzinger, J.: Jenseits des Todes. In: IKZ 1 (1972) 231-244.

Ratzinger, J.: Eschatologie. In: Ders. Dogma und Verkündigung. München 1973. S. 281-314.

Ratzinger, J.: Eschatologie und Utopie. In: IKZ 6 (1977) 97-110.

Ratzinger, J.: Eschatologie - Tod und ewiges Leben. (KKD. 9.) Regensburg 1977.

Rau, A.: Friedrich Paulsen über Ernst Haeckel. Eine kritische Untersuchung über Naturforschung und moderne Kathederphilosophie. (FDMB. 3.) Berlin 1906.

Rau, A.: Das Wesen des menschlichen Verstandes und Bewußtseins nach monistischer und dualistischer Auffassung. München 1910.

Raub, W.L.: Die Seelenlehre bei Lotze und Wundt. (Phil. Diss. Straßburg 1901.) Straßburg 1901.

Raupert, J.G.: Die Geister des Spiritismus. Erfahrungen und Beweise. Innsbruck (1925).

Raupert, J.G.: Der Spiritismus im Lichte der vollen Wahrheit. Innsbruck 1925.

Rauschen, G.: Grundriß der Patrologie mit besonderer Berücksichtigung des Lehrgehaltes der Väterschriften. Neubearbeitet von J. Wittig. Freiburg [6-7]1921.

934

de Ravignan, G.-X.: Au ciel un ange de plus, fragments et lettres de consolation tirés de Saint François de Sales, de Fénelon, du R.P. de Ravignan et du P. Lacordaire, avec la messe pour les funérailles des enfants. (Extrait des Lettres à des jeunes gens.) Nouvelle édition. Paris 1863.

Redeker, M.: Johann Gottfried Herder. In: RGG³ 3 (1959) 235-239.

Reding, M.: Die Existenzphilosophie. Düsseldorf 1949.

Reding, M.: Theodor Steinbüchel 1888-1949. In: ThQ 150 (1970) 148-151.

Reform-Katholizismus? Eine Antwort auf das Buch: Der Katholizismus. Sein Stirb und Werde. Von B. Bartmann (u.a.) [1. und] 2. unveränderte Auflage. Paderborn (1938).

Refoulé, F: Seelenschlaf. In: LThK² 9 (1964) 575-576.

Rehmke, J.: Innenwelt und Außenwelt, Leib und Seele. Greifswald 1898.

Rehmke, J.: Die Seele des Menschen. (ANGW. Bd. 36.) Leipzig 1902. - Dass. 4. völlig umgearbeite Auflage. Ebd. 1913.

Reichert, H.W., Schlechta, K.: International Nietzsche bibliography, compiled and edited by Herbert W. Reichert and Karl Schlechta. Rev. and expanded. (University of North Carolina studies in comparative literature. 45.) Chapel Hill/N.Carol. 1968.

Reimarus, H.R.: Von dem Zwecke Jesu und seiner Jünger. Noch ein Fragment des Wolfenbüttelschen Ungenannten. Hrsg. von G.E. Lessing. Braunschweig 1778.

Reinach, A.: Was ist Phänomenologie? Halle 1921. - Dass. Neudruck. München 1951.

Reinach, S.: Orpheus, histoire générale des religions. Paris 1909, ³⁰1921. - Dass. deutsch: Orpheus. Allgemeine Geschichte der Religionen. Deutsche, vom Verfasser durchgesehene Auflage von A. Mahler. Wien 1910.

Reiner, H.: Freiheit, Wollen und Aktivität. Phänomenologische Untersuchungen in Richtung auf das Problem der Willensfreiheit. (Phil. Diss. Freiburg i.B. 1927.) Halle 1927.

Reiner, H.: Phänomenologie und menschliche Existenz. (Antrittsvorlesung.) Halle 1931.

Reiner, H.: Der Grund der sittlichen Bindung an das Gute. Ein Versuch, das kantische Sittengesetz auf dem Boden seiner heutigen Gegner zu erneuern. Halle 1932.

Reiner, H.: Das Phänomen des Glaubens, dargestellt im Hinblick auf das Problem seines metaphysischen Gehalts. Halle 1934.

Reiner, H.: Die Existenz der Wissenschaft und ihre Objektivität. Die Grundfrage der Universität und ihre Erneuerung. Halle 1934.

Reiner, H.: Das Prinzip von Gut und Böse. Freiburg 1949, ²1965.

Reiner, H.: Pflicht und Neigung. Die Grundlegung der Sittlichkeit erörtert und neu bestimmt mit besonderem Bezug auf Kant und Schiller. (MPhF. 5.) Meisenheim 1951.

Reiner, H.: Der Sinn unseres Daseins. Tübingen 1960.

Reiner, H.: Die philosophische Ethik. Ihre Fragen und Lehren in Geschichte und Gegenwart. (HSWED.) Heidelberg 1964.

Reinhard, F.V.: Vorlesungen über Dogmatik. Amberg, Sulzbach 1801. - Dass., mit literarischen Zusätzen hrsg. von Joh. G. Im. Berger. Nürnberg und Sulzbach 1806. - Dass. 3. Auflage. Sulzbach 1812. - Dass. mit neuen literarischen Zusätzen vermehrt von D. Heinrich August Schott. 4. verbesserte Auflage. Sulzbach 1818. - Dass. 5. vermehrte Auflage. Ebd. 1824.

Reinhard, J.: Gott und die Seele in der monistischen Religionsphilosophie der Gegenwart. Kritische Skizzen. (Phil. Diss. Erlangen 1908. - Ref.: P. Hensel.) Erlangen und Grimma 1908.

Reinhardt, L.: Kennt die Bibel ein Jenseits? und Woher stammt der Glaube an die Unsterblichkeit der Seele, an Hölle, Fegfeuer (Zwischenzustand) und Himmel? München 1900, ²1925.

Reinhardt, L: Die Entwicklung unseres Weltbildes, des Jenseitsglaubens und des Christentums. München 1912.

Reinhold, G.: Das Wesen des Christentums: Eine Entgegnung auf Harnacks gleichnamiges Buch. Wien, Stuttgart 1901.

Reinhold-Seeberg-Festschrift. In Gemeinschaft mit einer Reihe von Fachgenossen hrsg. von Wilhelm Koepp. 2 Bde. Bd. 1: Zur Theorie des Christentums. Bd. 2: Zur Praxis des Christentums. Leipzig 1929.

Reininger, R.: Kants Lehre vom inneren Sinn und seine Theorie der Erfahrung. Wien, Leipzig 1900.

Reininger, R.: Philosophie des Erkennens. Ein Beitrag zur Geschichte und Fortbildung des Erkenntnisproblems. Leipzig 1911.

Reininger, R.: Kants kritischer Idealismus in seiner erkenntnistheoretischen Bedeutung. In: Wissenschaftliche Beilage zum 24. Jahresbericht der philosophischen Gesellschaft an der Universität Wien. (JPhGUW.) Leipzig 1912.

Reininger, R.: Über Hans Vaihingers » Philosophie des Als Ob«. Vortrag, gehalten am 26. Januar in der Philosophischen Gesellschaft der Universität zu Wien. In: JPhGW (1912). -Dass. separat: Wien 1912.

Reininger, R.: Das Psycho-physische Problem. Eine erkenntnistheoretische Untersuchung zur Unterscheidung des Physischen und Psychischen überhaupt. Wien, Leipzig 1916. - Dass. 2. verbesserte Auflage. Ebd. 1930.

Reininger, R.: Friedrich Nietzsches Kampf um den Sinn des Lebens. Der Ertrag seiner Philosophie für die Ethik. Wien 1922. - Dass. 2. durchgesehene und ergänzte Auflage. Ebd. 1925.

Reininger, R.: Metaphysik der Wirklichkeit. Wien 1931. - Dass. 2. gänzlich neubearbeitete und erweiterte Auflage. Ebd. 1947-1948.

Reininger, R.: Wertphilosophie und Ethik. Die Frage nach dem Sinn des Lebens als Grundlage einer Wertordnung. Wien 1939. - Dass. 2. verbesserte und ergänzte Auflage. Ebd. 1946, ³1947.

Reischle, M.: Die Frage nach dem Wesen der Religion. Grundlegung zu einer Methodologie der Religionsphilosophie. Freiburg i.B. 1899.

Reischle, M.: Rez. zu R.A. Lipsius. Lehrbuch der evangelisch-protestantischen Dogmatik. ³1893. In: ThLZ 21 (1896) 41-47.

Reischle, M: Der Streit über die Begründung des Glaubens auf den »geschichtlichen« Jesus Christus. In: ZThK 7 (1897) 171-264.

Reischle, M.: Christentum und Entwicklungsgedanke. Leipzig 1898.

Reischle, M.: Werturteil und Glaubensurteile. Eine Untersuchung. Halle 1900.

Reischle, M.: Jesu Worte von der ewigen Bestimmung der Menschenseele in religionsgeschichtlicher Beleuchtung. Eine Skizze. (Sonderabzug aus: PhA-RH. S. 531-560.) Halle a.S. 1902.

Reischle, M.: Theologie und Religionsgeschichte. Fünf Vorlesungen gehalten auf dem Ferienkurs in Hannover im Oktober 1903. Tübingen und Leipzig 1904.

Reisner, E.: Existenzphilosophie und existentielle Philosophie. In: ZZ 11 (1933) 57-78.

Reitzenstein, R.: Die Göttin in der hellenistischen und frühchristlichen Literatur. (SHAWph/hKl. 10.) Heidelberg 1917.

Reitzenstein, R.: Die hellenistischen Mysterienreligionen. Ihre Grundgedanken und Wirkungen. Leipzig 1910. - Dass. 3. erweiterte und umgearbeitete Auflage: Die hellenistischen Mysterienreligionen nach ihren Grundgedanken und Wirkungen. Ebd. 1927. - Dass. Reprographischer Nachdruck. Darmstadt 1956.

Reitzenstein, R.: Das iranische Erlösungsmysterium. Religionsgeschichtliche Untersuchungen. Bonn 1921.

Reiterer, A.: Stimmen aus dem Jenseits - die Toten leben! Graz 1920.

Reitzenstein, R.: Die Göttin in der hellenistischen und frühchristlichen Literatur. (SHAWph/hKl. 10.) Heidelberg 1917.

Reitzenstein, R.: Die hellenistischen Mysterienreligionen. Ihre Grundgedanken und Wirkungen. Leipzig 1910. - Dass. 3. erweiterte und umgearbeitete Auflage: Die hellenistischen Mysterienreligionen nach ihren Grundgedanken und Wirkungen. Ebd. 1927. - Dass. Reprographischer Nachdruck. Darmstadt 1956.

Reitzenstein, R.: Das iranische Erlösungsmysterium. Religionsgeschichtliche Untersuchungen. Bonn 1921.

Révész, B.: Geschichte des Seelenbegriffs und der Seelenlokalisation. Stuttgart 1917.

Rey, A.: L'Energétique et le Mécanisme. Paris 1907.

Reyer, W.: Einführung in die Phänomenologie. (WuF. 18.) Leipzig 1926.

Říčan, R.: Das Reich Gottes in den böhmischen Ländern. Geschichte des tschechischen Protestantismus. [Aus dem tschechischen Manuskript] ins Deutsche übersetzt von Bohumir Popelář. Stuttgart (1957).

Rich, A.: Die Bedeutung der Eschatologie für den christlichen Glauben. Zürich 1954.

936

Rich, A.: Leonhard Ragaz. In: TdTh. S. 109-113.

Richard, P.: Enfer. In: DThC 5, 1 (1924) 28-120.

Richard, P.: Fin dernière. In: DThC 5, 2 (1924) 2477-2504.

Richter, A.: Friedrich Adolf Trendelenburg. In: ADB 38 (1894) 569-572.

Richter, J.R.: »Intuition« und »Intellektuelle Anschauung« bei Schelling und Bergson. (Phil. Diss. Leipzig 1929.) Ohlau 1929.

Richter, R.: Schopenhauer's Verhältnis zu Kant in seinen Grundzügen. Leipzig 1893.

Richter, R.: Friedrich Nietzsche. Sein Leben und Werk. 15 Vorlesungen. Leipzig 1903, ⁴1922.

Richter, R.: Der Skeptizismus in der Philosophie. 2 Bde. Leipzig 1904-1908.

Richter, R.: Philosophie und Religion. Vortrag. Leipzig 1905.

Richter, R.: Kunst und Philosophie bei Richard Wagner. Akademische Antrittsvorlesung, gehalten in Leipzig den 17.VII.1906. Leipzig 1906.

Richter, R.: Einführung in die Philosophie. Sechs Vorträge (ANGW. 155.)Leipzig 1907. - Dass. 2. durchgesehene Auflage. Ebd. 1910. - Dass. Ebd. ⁵1920.

Richter, R.: Dialoge über Religionsphilosophie. Leipzig 1911.

Richter, R.: Religionsphilosophie. Leipzig 1912.

Rickert, H.: Die Definition. Freiburg 1888, ³1919.

Rickert, H.: Der Gegenstand der Erkenntnis. Einführung in die Transzendental-Philosophie. Freiburg 1892. - Dass. 3. völlig umgearbeitete und erweiterte Auflage. Tübingen 1915. - Dass. 4. und 5. verbesserte Auflage. Ebd. 1921. - Dass. 6. verbesserte Auflage. Ebd. 1928.

Rickert, H.: Die Grenzen der naturwissenschaftlichen Begriffsbildung. Eine logische Einleitung in die historischen Wissenschaften. 1. Hälfte: Freiburg, Tübingen 1896. 2. Hälfte: Tübingen 1902. - Dass. 2. neu bearbeitete Auflage. Ebd. 1913. - Dass. 3. und 4. verbesserte und ergänzte Auflage. Ebd. 1921. - Dass. 5. verbesserte, um ein Register vermehrte Auflage. Ebd. 1929.

Rickert, H.: Kultur und Naturwissenschaft. Tübingen 1899, ⁷1926.

Rickert, H. Das Problem der Geschichtsphilosophie. In: Die Philosophie im Beginn des 20. Jahrhunderts. S. 51-135. - Dass. 2. Auflage. S. 321-422. - Dass. separat: 3. umgearbeitete Auflage. Heidelberg 1924.

Rickert, H.: Psychophysische Causalität und psychophysischer Parallelismus. In: PhA-ChS. S. 59-87.

Rickert, H.: Das Eine, die Einheit und die Eins. Bemerkungen zur Logik des Zahlbegriffs. In: Logos 2 (1911) 26-78. - Dass. 2. umgearbeitete Auflage. (HAPhG. 1.) Tübingen 1924.

Rickert, H.: Wilhelm Windelband. Tübingen 1915, ²1929.

Rickert, H.: Psychologie der Weltanschauungen und Philosophie der Werte. In: Logos 9 (1920) 1-42. - Dass. In: Karl Jaspers in der Diskussion. S. 35-69.

Rickert, H.: Die Philosophie des Lebens. Darstellung und Kritik der philosophischen Modeströmungen unserer Zeit. Tübingen 1920, ²1922.

Rickert, H.: System der Philosophie. 1. Allgemeine Grundlagen der Philosophie. Tübingen 1921.

Rickert, H.: Kant als Philosoph moderner Kultur. Ein geschichtsphilosophischer Versuch. Tübingen 1924.

Rickert, H.: Die Logik und das Problem der Ontologie. Heidelberg 1930.

Rickert, H.: Grundprobleme der Philosophie. Tübingen 1934.

Rieger, R.: Johann Eduard Erdmann. In: RGG² 2 (1928) 228.

Riehl, A.: Robert Mayers Entdeckung und Beweis des Energieprinzipes. In: PhA-ChS. S. 159-184.

Riehl, A.: Logik und Erkenntnistheorie. In: KdG. T. 1. Abt. 6: Systematische Philosophie. S. 73-102.

Riemann, O.: Was wisen wir über die Existenz und Unsterblichkeit der Seele? Eine Polemik gegen Dr. L. Büchners »Das künftige Leben und die moderne Wissenschaft«. Vortrag. Magdeburg ¹⁻³1892. - Dass.: Was wissen wir über die Existenz und Unsterblichkeit der Seele??? Polemik gegen den Materialismus, wie er besonders in L. Büchners »Das zukünftige Leben und die moderne Wissenschaft« zum Ausdruck kommt. Magdeburg ⁵1900.

Riemann, O.: Ein aufklärendes Wort über den Spiritismus auf Grund praktischer Erfahrung und wissenschaftlicher Studien. Berlin 1901. - Dass. 2. durchgesehene und vermehrte Auflage. Ebd. 1901.

Riemann, O.: Die Lehre von der Apokatastasis, d.h. der Wiederbringung aller, aufs neue untersucht und verteidigt. Magdeburg 1889, ²1897.

von Rintelen, F.-J.: Pessimistische Religionsphilosophie der Gegenwart. Untersuchungen zur religionsphilosophischen Problemstellung bei Eduard von Hartmann und ihren erkenntnistheoretisch-metaphysischen Grundlagen. München 1924.

von Rintelen, F.-J.: Der Versuch einer Überwindung des Historismus bei Ernst Troeltsch. In: DVLG 8 (1930) 324-372.

von Rintelen, F.-J.: Die Bedeutung des philosophischen Wertproblems. In: Philosophia perennis. Bd. 2. S. 927-972.

von Rintelen, F.-J.: Der Wertgedanke in der europäischen Geistesentwicklung. Halle 1932.

von Rintelen, F.-J.: Wertphilosophie. In: LThK¹ 10 (1938) 832-834.

von Rintelen, F.-J.: Dämonie des Willens. Eine geistesgeschichtlich-philosophische Untersuchung. Mainz 1947.

von Rintelen, F.-J.: Endlichkeit - Existenz - Transzendenz. In: ZPhF 3 (1948) 178-197.

von Rintelen, F.-J.: Philosophie der Endlichkeit als Spiegel der Gegenwart. Meisenheim/Glan 1951, ²1961.

von Rintelen, F.-J.: Philosophie des lebendigen Geistes in der Krise der Gegenwart. Selbstdarstellung. Göttingen, Zürich, Frankfurt 1977.

Ritschl, A.: Das Evangelium Marcions und das kanonische Evangelium des Lukas. Eine kritische Untersuchung. Tübingen 1846.

Ritschl, A.: Die Entstehung der altkatholischen Kirche. Eine kirchen- und dogmengeschichtliche Monographie. Bonn 1850. - Dass. 2. durchgängig neu ausgearbeitete Auflage. Ebd. 1857.

Ritschl, A.: Die christliche Lehre von der Rechtfertigung und Versöhnung. 3 Bde. Bonn 1870-1874, ⁴1895-1902.

Ritschl, A.: Schleiermachers Reden über die Religion und ihre Nachwirkung auf die evangelische Kirche Deutschlands. Bonn 1874.

Ritschl, A.: Die christliche Vollkommenheit. Bonn 1874, ³1902.

Ritschl, A.: Unterricht in der christlichen Religion. Bonn 1875, ⁶1903.

Ritschl, A.: Geschichte des Pietismus. Bd. 1: In der reformierten Kirche. Bd. 2-3: In der lutherischen Kirche des 17. und 18. Jahrhunderts. Bonn 1880-1886.

Ritschl, A.: Theologie und Metaphysik. Bonn 1881, ³1902.

Ritschl, O.: Schleiermachers Stellung zum Christentum in seinen Reden über die Religion. Ein Beitrag zur Ehrenrettung Schleiermachers. Gotha 1888.

Ritschl, O.: Albrecht Ritschl. In: ADB 29 (1889) 759-767.

Ritschl, O.: Albrecht Ritschls Leben. 2 Bde. Freiburg 1892-1896.

Ritschl, O.: Albrecht Ritschl. In: RE³ 17 (1906) 22-34.

Ritschl, O.: System und systematische Methode in der Geschichte des wissenschaftlichen Sprachgebrauchs und der philosophischen Methodologie. Bonn 1906.

Rittelmeyer, F.: Nietzsche. In: RGG¹ 4 (1913) 797-798.

Rittelmeyer, F.: Wiederverkörperung im Lichte des Denkens, der Religion, der Moral. Stuttgart 1931.

Rittelmeyer, F.: Gemeinschaft mit den Verstorbenen. Stuttgart 1958.

Ritter, J.: Rez. zu M. Wundt. Ewigkeit und Endlichkeit. In: BlDPh 12 (1938/39) 109-113.

Ritzel, H.: Über analytische Urteile. Eine Studie zur Phänomenologie des Begriffs. In: JPhPhF 3 (1916) 253-344.

Ritzenthaler, E.: Gedächtnisrede auf den hochw. erzb. Rat Dr. Friedrich Wörter, o.ö. Professor der Dogmatik und Apologetik an der Univ. zu Freiburg. Freiburg 1902.

Ritzert, G.: Die Religionsphilosophie Ernst Troeltsch's. Eine bewußtseinskritische und religiöse Würdigung seiner religionsphilosophischen Schriften. (Phil. Diss. Gießen 1924.) (PhPS. 4.) Langensalza 1924.

Röhr, R.: Die Grundlegung einer Geschichtsphilosophie in Graf Hermann Keyserlings »Sinnmetaphysik«. (Phil. Diss. Leipzig 1939.) Leipzig 1939.

Röhr, R.: Graf Keyserlings magische Geschichtsphilosophie. (StBGPh.26.) Leipzig 1939.

Rohde, E.: Psyche. Seelenkult und Unsterblichkeitsglauben der Griechen. 2 Bde. Freiburg 1890-1894. - Dass. Tübingen ³1903, ⁷⁺⁸1921.

Rohling, A.: Der Zukunftsstaat. St. Pölten 1894.

Rohner, A.: Natur und Person in der Ethik. In: DTh 11 (1933) 52-62.

Rohr, I.: Die Geheime Offenbarung und die Zukunftserwartungen des Urchristentums. (BZfr. 4. F. H. 2.) Münster 1911.

Rohrbach, P.: Gottes Herrschaft auf Erden, Königstein 1921.

Rolfes, E.: Die substantiale Form und der Begriff der Seele bei Aristoteles. Paderborn 1896.

Rolfes, E.: Des Aristoteles Schrift über die Seele übersetzt und erklärt. Bonn 1901.

Rolfes, E.: Rez. zu W. Götzmann. Die Unsterblichkeitsbeweise in der Väterzeit. In: ThRv 27 (1928) 337.

Roßmann, K.: Bibliographie K. Jaspers. In: Offener Horizont. S. 446-458.

Rothacker, E.: Einleitung in die Geisteswissenschaften. Tübingen 1920. - Dass. 2., durch eine ausführliche Vorrede ergänzte Auflage. Ebd. 1930. - Dass. Unveränderter reprographischer Nachdruck. Darmstadt 1972.

Rothacker, E.: Logik und Systematik der Geisteswissenschaften. (HPh. Abt. 2. Beitrag C.) München und Berlin 1926. - Dass. Bonn 1948.

Rothacker, E.: Geschichtsphilosophie. (HPh. Abt. 4. Beitrag F.) München und Berlin 1934. - Dass. Reprographischer Nachdruck. Darmstadt 1971. - Dass. Reprographischer Nachdruck der Ausgabe München und Berlin 1934 aus dem Handbuch der Philosophie, Abteilung IV, Beitrag F, in der vom Autor 1952 überarbeiteten Fassung. München 1971.

Rothacker, E.: Schichten der Persönlichkeit. Leipzig 1938. - Dass. 2. stark erweiterte Auflage. Ebd. 1941. - Dass. 3. verbesserte Auflage. Ebd. 1947. - Dass. 4. mit der 3. übereinstimmenden Auflage. Bonn 1948.

Rothacker, E.: Probelme der Kulturanthropologie. In: Systematische Philosophie. S. 55-198. - Dass. Bonn 1948.

Rothacker, E.: Mensch und Geschichte. Studien zur Anthropologie und Wissenschaftsgeschichte. (1. Auflage 1944.) (2. Auflage) Bonn 1950.

Rothacker, E.: Die dogmatische Denkform in den Geisteswissenschaften und das Problem des Historismus. (AWL-g/swKl. Jg. 1954. Nr. 6.) Mainz, Wiesbaden 1954.

Rothacker, E.: Philosophische Anthropologie. Bonn 1964. - Dass. 2. verbesserte Auflage. Ebd. 1966.

Rothe, R.: Theologische Ethik. 2 Bde. Wittenberg 1845. - Dass. 2. völlig neu ausgearbeitete Auflage. 2 Bde. Ebd. 1867. - Dass. 4 Bde. Ebd. 1870. - Dass. 5. Bd. Ebd. 1871.

Rothe, R.: Zur Dogmatik. Gotha 1863, ²1869.

Roure, L.: Le spiritisme d'aujourd'hui et d'hier. Paris 1923.

Roure, L.: Spiritisme. In: DThC 14, 2 (1941) 2507-2522.

Roux, F.: Essai sur la vie après la mort chez les Israélites. Thèse. Genève 1904.

Roy, W.: Die Substanzialität der Seele in der Metaphysik von Leibniz und Bolzano. (Phil. Diss. Bonn 1935. - Ref. A. Dyroff.) Oberhausen 1935.

Royce, J.: The conception of immortality. (The Ingersoll lecture. 1899.) Boston, New York 1900. - Dass. London 1906.

Royce, J.: The World and the Individual. (Gifford Lectures.) 2 vol. New York and London 1900-1901.

Royce, J.: William James and other Essays in the Philosophy of Life. New York 1911.

Royer, J.: Die Eschatologie des Buches Job. Unter Berücksichtigung der vorexilischen Prophetie dargestellt. (BSt. VI/5.) Freiburg 1901.

Rüben, A.: Die Philosophie Albert Görlands. In: LiG 5 (1919) 149-157, 179-183.

Rudert, J.: Charakter und Schicksal. (Potzdamer Vorträge. 5.) Potzdam 1944.

Rüfner, V.: Rez. zu F.-J. von Rintelen. Philosophie der Endlichkeit als Spiegel der Gegenwart. In: ZPhF 6 (1952) 472-474.

Rüsche, F.: Blut, Leben und Seele. Ihr Verhältnis nach der Auffassung der griechischen und hellenistischen Antike, der Bibel und der alten Alexandrinischen Theologen. (StGKA. 5. Erg.-H.) Paderborn 1930.

Rüsche, F.: Pneuma, Seele und Geist. Ein Ausschnitt aus der antiken Pneumalehre. In: ThGl 23 (1931) 606-624.

Rüsche, F.: Das Seelenpneuma, seine Entwicklung von der Hauchseele zur Geistseele. Ein Beitrag zur Geschichte der antiken Pneumalehre. (StGKA. Bd. 18. H. 3.) Paderborn 1933.

Rüther, Th.: Die Lehre von der Erbsünde bei Clemens von Alexandrien. (FThSt. 28.) Freiburg 1922.

Ruf, A.: Wie steht es mit dem naturwissenschaftlichen Beweis für die tierische Abstammung des Menschen? In: MVA 14 (1916) 193-256.

Ruf, A.: Monismus und Erdenleid. Literarische Würdigung eines monistischen Betrachtungsbuches. In: WUGl 18 (1920) 250-252.

Ruge, A.: Wilhelm Windelband. In: ZPhPhKr 162 (1917) 188-221; 163 (1917) 36-46. - Dass. separat: Leipzig 1917. (Sonderdruck aus: ZPhPhKr. 162.-163. Bd.).

Runze, G.: Psychologie des Unsterblichkeitsglaubens und der Unsterblichkeitsleugnung. (StVRW. 2.) Berlin 1894.

Runze, G.: Animismus. In: RE³ 23 (1913) 54-57.

Rupprecht, E.: Das Christentum von D. Adolf Harnack nach dessen 16 Vorlesungen. Gütersloh 1901.

Rusche, H.: Eschatologie in der Verkündigung des schwäbischen und niederrheinischen Biblizismus des 18. Jahrhunderts. (Theol. Diss. Heidelberg 1943.) O.O. 1943 (M.schr.).

Russel, Ch.T.: Schriftstudien 1-6: 1. Der Plan der Zeitalter. 2. »Die Zeit ist herbeigekommen«. 3. Dein Königreich komme. 4. Der Krieg von Harmagedon. 5. Die Versöhnung des Menschen mit Gott. 6. Die neue Schöpfung. Brocklyn, Barmen 1914-1918.

Sacher, H.: Weltkrieg. IV. Statistik. In: SL⁵ 5 (1932) 1174-1177.

Sachs, J.: Die ewige Dauer der Höllenstrafen, neueren Aufstellungen gegenüber prinzipiell erörtert. Paderborn 1900.

Sachs, J.: Ewigkeit. In: KHL 1 (1907) 1397.

Sachs, J.: Himmel. In: KHL 1 (1907) 1975-1976.

Sachs, J.: Hölle. In: KHL 1 (1907) 2004-2005.

Sachs, J.: Seele. In: KHL 2 (1912) 2029-2031.

Sachs, J.: Das Gottessohnbewußtsein Jesu. Regensburg 1914.

Sachs, W.: Schweitzers Bücher zur Paulusforschung. In: Albert Schweitzer. Sein Denken und sein Weg. S. 438-441.

Sack, J.: Monistische Gottes- und Weltanschauung. Versuch einer idealistischen Begründung des Monismus auf dem Boden der Wirklichkeit. Leipzig 1899.

Die Sammlung. Zeitschrift für Kultur und Erziehung. Göttingen 1945/46-1960.

Sannwald, A.: Der Begriff der »Dialektik« und die Anthropologie. Eine Untersuchung über das Ich-Verständnis in der Philosophie des deutschen Idealismus und seiner Antipoden. (FGLP. 3. R. Bd. 4.) München 1931.

Sauer, J.: Nekrolog über Prälat Emil Göller. In: FDA N.F. 34. 61 (1933) VII-XXXI.

Sauter, G.: Zukunft und Verheißung. Das Problem der Zukunft in der gegenwärtigen theologischen und philosophischen Diskussion. Zürich, Stuttgart 1965, ²1973.

Sauter, G.: Die Zeit des Todes. Ein Kapitel Eschatologie und Anthropologie. In: ETh 25 (1965) 623-643.

Sauter, G: Dogma - ein eschatologischer Begriff. In: Parrhesia. S. 173-191.

Savioz, R.: La philosophie de Charles Bonnet de Genève. (Bibliothèque d'histoire de la Philosophie.) Paris 1948.

Sawicki, F.: Rudolf Eucken und das Problem des Lebens. In: Pharus 4 (1913) 97-112.

Sawicki, F.: Lebensanschauungen moderner Denker. Vorträge über Kant, Schopenhauer, Nietzsche, Haeckel und Eucken. Paderborn 1919, ⁶1922.

Sawicki, F.: Rez. zu K. Adam. Glaube und Glaubenswissenschaft. ²1923. In: ThRv 22 (1923) 306-310.

Sawicki, F.: Rez. zu H.W. Schmidt. Die Christusfrage. In: ThRv 29 (1930) 388-389.

Sawicki, F.: Ernst Haeckel. In: LThK¹ 4 (1932) 771.

Sawicki, F.: Rez. zu R. Guardini. Christliches Bewußtsein. Versuche über Pascal. In: ThRv 34 (1935) 410-411.

Schaaf, J.: Geschichte und Begriff. Eine kritische Studie zur Geschichtsmethodologie von Ernst Troeltsch und Max Weber. (Phil. Diss. Tübingen 1943.) O.O. 1943 (M.schr.).

Schaarschmidt, E.: Die Unsterblichkeit der Menschenseele von Emil Schaarschmidt. Verfasser von »Wahre Schöpfungslehre«. Leipzig (1892).

Schaedel, H.: Die neutestamentliche Äonenlehre. Klosterlausnitz ²1930.

Schaeder, E.: Theozentrische Theologie. Eine Untersuchung zur dogmatischen Prinzipienlehre. I. Geschichtlicher Teil. Leipzig 1909, ³1925. - Dass. II. Systematischer Teil. Leipzig

1914, ²1928.

Schaeder, E.: Streiflichter zum Entwurf einer theozentrischen Theologie. (BFChTh. 20. Jg. H. 1.) Gütersloh 1916.

Schaeder, E.: Das Geistproblem der Theologie. Leipzig 1924.

Schäfer, B.: Die religiösen Altertümer der Bibel. Leitfaden für akademische Vorlesungen und zum Selbstunterricht. Münster 1878.

Schäfer, B.: Bibel und Wissenschaft. Zehn Abhandlungen über das Verhältnis der heiligen Schrift zu den Wissenschaften. Münster 1881.

Schaefer, H.: Der natürliche Tod. In: Was ist der Tod? S. 9-23.

Schäfer, J.: Das Reich Gottes im Lichte der Parabeln des Herrn wie im Hinblick auf Vorbild und Verheißung. Eine exegetisch-apologetische Studie. Mainz 1897.

Schäfer, R.: Das Geich Gottes bei Albrecht Ritschl und Johannes Weiß. In: ZThK 61 (1964) 68-88.

Schäffler, A.: Vergangenheit und Zukunft des Modernismus. In: NJh 2 (1910) 121-124.

Schaidnagl, B.: Diltheys Verhältnis zur Geschichte. Ein psychologischer Versuch. (Phil. Diss. Berlin 1927.) - Im Buchhandel unter dem Titel: Seele und Geschichte. Ein Versuch über Dilthey. Berlin 1927.

Schanz, P.: Die christliche Weltanschauung und die modernen Naturwissenschaften. Tübingen 1876.

Schanz, P.: Das Evangelium des heiligen Matthäus. Freiburg 1879.

Schanz, P.: Jakobus und Paulus. In: ThQ 62 (1880) 3-46, 247-286.

Schanz, P.: Zur Erinnerung an Johannes Evangelist von Kuhn. In: ThQ 69 (1887) 531-598.

Schanz, P.: Apologie des Christentums. 3 Teile. 1. Gott und Natur. 2. Gott und die Offenbarung. 3. Christus und die Kirche. Freiburg 1887-1888. - Dass. 2. vermehrte und verbesserte Auflage. Ebd. 1895-1897-1898. - Dass. Ebd. ³1903-1906. - Dass. Teil I. 4. vermehrte und verbesserte Auflage. Hrsg. von Wilhelm Koch. Ebd. 1910.

Schanz, P.: Rez. zu L. Atzberger. Die christliche Eschatologie ... In: ThQ 75 (1893) 137-141.

Schanz, P.: Johannes von Kuhn. In: KL² 7 (1891) 1238-1242.

Schanz, P.: Zur Geschichte der neueren protestantischen Theologie in Deutschland. In: ThQ 75 (1893) 3-66, 226-254.

Schanz, P.: Die katholische Tübinger Schule. In: ThQ 80 (1898) 1-49.

Schanz, P.: Seelenschlaf. In: KL² 11 (1899) 57-58.

Schanz, P.: Seelenwanderung. In: KL² 11 (1899) 58-62.

Schanz, P.: David Friedrich Strauß. In: KL² 11 (1899) 904-913.

Schanz, P.: Spiritualismus (Spiritismus.). In: KL² 11 (1899) 645-653.

Schanz, P.: Rez. zu A. Loisy. Evangelium und Kirche. In: ThQ 86 (1904) 472-475.

Schapp, W.: Beiträge zur Phänomenologie der Wahrnehmung. (Phil. Diss. Göttingen 1910. - Ref.: E. Hussserl.) Göttingen 1910.

Schapp, W.: In Geschichten verstrickt. Zum Sein von Mensch und Ding. Hamburg (1953).

Schapp, W.: Philosophie der Geschichten. Leer 1959.

Schaxel, J.: Grundzüge der Theorienbildung in der Biologie. Jena 1919. - Dass. 2., neubearbeitete und vermehrte Auflage. Ebd. 1922.

Scheel, H.: Theorie von Christus als dem zweiten Adam bei Schleiermacher. Leipzig 1913.

Scheel, O.: Rez. zu R. Guardini. Die Lehre des heil. Bonaventura von der Erlösung. In: ThLZ 46 (1921) 322-323.

Scheffczyk, L.: Das Besondere Gericht im Licht der gegenwärtigen Situation. In: Scholastik 32 (1957) 526-541.

Scheffczyk, L.: Die Idee der Einheit von Schöpfung und Erlösung in ihrer theologischen Bedeutung. In: ThQ 140 (1960) 19-37.

Scheffczyk, L.: Die Wiederkunft Christi in ihrer Heilsbedeutung für die Menschheit und den Kosmos. In: LebZ 18 (1963) 66-87.

Scheffczyk, L.: Gottes fortdauernde Schöpfung. In: LebZ. H. 1 (1968) 46-71.

Scheffczyk, L.: Auferstehung. Prinzip des christlichen Glaubens. Einsiedeln 1976.

Scheibe, M.: Rez. zu R.A. Lipsius. Lehrbuch der evangelisch-protestantischen Dogmatik. ³1893. In: ThStKr 68 (1895) 189-206.

Scheibe, M.: Richard Adelbert Lipsius. In: ADB 52 (1906) 7-27.

Scheibe, M.: Philosophen der Gegenwart in ihrer Stellung zur Religion. In RGG¹ 4 (1913)

1554-1578.

Scheler, M.F.: Beiträge zur Feststellung der Beziehungen zwischen den logischen und ethischen Prinzipien. (Phil. Diss. Jena 1897). Jena 1899.

Scheler, M.: Die transzendentale und psychologische Methode. Eine grundsätzliche Erörterung zur philosophischen Methodik. Leipzig 1900, ²1922.

Scheler, M.: Versuch einer Philosophie des Lebens: Nietzsche - Dilthey - Bergson (1912-1914). In: Ders.: Vom Umsturz der Werte. Bd. 2. (= Gesammelte Werke. Bd. 3.) Bern 1955. S. 311-339.

Scheler, M.: Der Formalismus in der Ethik und die materiale Wertethik. Mit besonderer Berücksichtigung der Ethik I. Kants. Teil I. In: JPhPhF 1 (1913) 405-565. - Teil II. Ebd. 2 (1916) 21-478. - Dass. Teil I-II. Halle 1916. - Dass. unter dem Titel: Neuer Versuch der Grundlegung eines ethischen Personalismus. Ebd. ²1921, ³1927. - Dass. 5. durchgesehene Auflage, hrsg. mit einem Anhang von Maria Scheler. Bern, München 1966.

Scheler, M.: Gesammelte Abhandlungen und Aufsätze. 2 Bde. Leipzig 1915. - Dass. 2. und 3. Auflage unter dem Titel: Vom Umsturz der Werte. Leipzig 1919, 1923. - Dass. In: Ders. Gesammelte Werke. Bd. 3. Bern ⁴1955.

Scheler, M.: Die Stellung des Menschen im Kosmos. Darmstadt 1928.

Scheler, M.: Tod und Fortleben. In: Ders. Schriften aus dem Nachlaß. Bd. 1: Zur Ethik und Erkenntnislehre. Mit einem Anhang hrsg. von Maria Scheler. (= Gesammelte Werke. Bd. 10.) 2. durchgesehene und erweiterte Auflage. Bern 1957.

Schell, H.: Die Einheit des Seelenlebens aus den Principien der aristotelischen Philosophie entwickelt. Freiburg 1873.

Schell, H.: Das Wirken des dreieinigen Gottes. Mainz 1885.

Schell, H.: Katholische Dogmatik in sechs Büchern. (WHB. 1. R. I-IV.) Paderborn 1889-1893. - Dass.: Katholische Dogmatik. Kritische Ausgabe. Herausgegeben, eingeleitet und kommentiert von J. Hasenfuß und P.W. Scheele. Bd. 1-2. Paderborn 1968-1972.

Schell, H.: Die göttliche Wahrheit des Christentums. Buch 1: Gott und Geist. 2 Teile. Paderborn 1895-1896.

Schell, H.: Der Katholizismus als Princip des Fortschritts. Würzburg 1897.

Schell, H.: Die neue Zeit und der alte Glaube. Würzburg 1898.

Schell, H.: Apologie des Christentums. Bd. 1: Religion und Offenbarung. Bd. 2: Jahwe und Christus. Paderborn 1901-1907.

Schell, H.: Christus. Das Evangelium und seine weltgeschichtliche Bedeutung. Mainz 1903.

Scheller, W.: Die kleine und die große Metaphysik Hermann Lotzes. Eine vergleichende Darstellung. (Phil. Diss. Erlangen 1912. - Ref.: R. Falckenberg.) Bonn 1912.

Schelling, F.W.: System des transzendentalen Idealismus. Tübingen 1800. - Dass. Mit einer Einleitung von Walter Schulz. Hrsg. von R.-E. Schulz. (PhB. 254.) Nachdruck. Hamburg 1962.

Schelling, F.W.: Einleitung in die Philosophie der Mythologie. (Sämtliche Werke. 2. Abt. Bd. 1-2.) Stuttgart, Augsburg 1856. - Dass. Reprographischer Nachdruck. Darmstadt 1966.

Schempp, P.: Theologie der Geschichte. In: ZZ 5 (1927) 497-513.

Schenz, A.: Der Zeitpunkt der Wiederkunft Jesu nach den Synoptikern. (Kath.-theol. Diss. Straßburg. - Ref.: I. Rohr.) O.O. - O.J. (Imprimatur: Augustae Vindel. 1921.)

Scherke, F.: Über das Verhalten der Primitiven zm Tode. (PhPsA. H.7. = PM. H. 938.) Langensalza 1923.

Schian, M.: Reinhold Seeberg. In: RGG² 5 (1931) 367-368.

Schiel, H.: Im Spannungsfeld von Kirche und Politik. Franz X. Kraus. Trier 1951.

Schiel, H.: Franz Xaver Kraus und die katholische Tübinger Schule. Ellwangen (Jagst) (1958).

Schiel, H.: Franz Xaver Kraus. In: LThK² 6 (1961) 596.

Schierse, F.J.: Eschatologismus. In: LThK² 3 (1959) 1098-1099.

Schieser-Landshut, J.: Moderne Einführung in eine gottesgläubige Weltanschauung und religiöse Lebensauffassung, aufgebaut auf naturwissenschaftlicher, biologischer, anthropologischer, medizinischer, ethnologischer und paläontologischer Grundlage unter Berücksichtigung der Entwicklungslehre. Habelschwerdt (1929).

Die Schildgenossen. (Blätter der Großquickborner und Hochländer.) Hrsg. von Josef Außem und Romano Guardini. Burg Rothenfels a.M. Ab 1920.

Schillebeeckx, E.: Einige hermeneutische Überlegungen zur Eschatologie. In: Conc 5 (1969) 18-28.

Schilling, G.: Die Berechtigung der teleologischen Betrachtungsweise der Natur nach Paulsen und Sigwart. (Phil. Diss. Erlangen 1919. - Ref.: P. Hensel.) Neudamm 1919.

Schilling, O.: Zur Erinnerung an Dr. Anton Koch. In: ThQ 99 (1917/18) 440-448.

Schilling, R.: Die realistischen Momente der Lotzeschen Ontologie. (Phil. Diss. Leipzig 1909. - Ref.: W. Wundt, M. Heinze.) Leipzig 1909.

Schindler, H.: Barth und Overbeck. Ein Beitrag zur Genesis der dialektischen Theologie im Lichte der gegenwärtigen theologischen Situation. Gotha 1936.

Schlaich, L.: Zur Theologie Karl Heims. In: ZZ 7 (1929) 461-483.

Schlatter, A.: Das christliche Dogma. Stuttgart 1911, ²1923.

Schlatter, A.: Religiös-soziale Bewegung in der Schweiz. In: Die Furche 12 ((1922) 173.

Schlegel, F.: Philosophie des Lebens (1827). In: Kritische Friedrich-Schlegel-Ausgabe (Werke.) Bd. 10. Abt. 1. Hrsg. von E. Behler. Paderborn 1969.

Schleich, C.L.: Das Problem des Todes. [Nach einem im Schubert-Saal, Berlin, im Mai 1920 gehaltenem Vortrage.] Berlin 1921.

Schleicher, W.: Aloys Wenzl. In: EF² 6 (1967) 1107.

Schleiermacher, F.D.: Über Religion. Reden an die Gebildeten unter ihren Verächtern. Berlin 1799, ²1806, ³1821. - Dass. (UBib 8313-8315.) Stuttgart 1969. - Dass. Hrsg. von H.-J. Rothert. (PhB. 255.) Hamburg 1958. - Dass. Nachdruck. Ebd. 1970.

Schleiermacher, F.D.: Monologe. Eine Neujahrsgabe. Berlin 1800.

Schleiermacher, F.D.: Die Grundlinien einer Kritik der bisherigen Sittenlehre. Berlin 1803.

Schleiermacher, F.D.: Der christliche Glaube, nach den Grundsätzen der evangelischen Kirche im Zusammenhang dargestellt. 2 Bde. Berlin 1821-1832. - Dass. 7. Auflage hrsg. von M. Redeker. Berlin 1960.

Schleiermacher, Th.: Ich und Du. Grundzüge der Anthropologie Ferdinand Ebners. In: KuD 3 (1957) 208-229.

Schlette, A.R.: Housten Stewart Chamberlain. In: EPh 2 (1967) 72-73.

Schlette, H.R.: Aporie und Glaube. Schriften zurPhilosophie und Theologie. München 1970.

Schlette, H.R.: Romano Guardini. Werk und Wirkung. (AVA. H. 40.) Bonn 1973.

Schlier, H.: Paul Feine. In: LThK² 4 (1960) 63.

Schlier, H.: Religionsgeschichtliche Schule. In: LThK² 8 (1963) 1184-1185.

Schlier, H.: Das Ende der Zeit. Freiburg 1971.

Schlink, E.: Zum Begriff des Teleologischen und seiner augenblicklichen Bedeutung für die Theologie. In: ZSTh 10 (1933) 94-125.

von Schlippe, G.: Die Absolutheit des Christentums bei Ernst Troeltsch auf dem Hintergrund der Denkfelder des 19. Jahrhunderts. (Theol. Diss. Marburg 1966.) Marburg 1966. - Dass.. Neustadt an derAisch 1966.

Schlüter-Hermkes, M.: Die Gegensatzlehre Romano Guardinis. In: Hochland 26/I (1928/29) 529-539.

Schlunk, M: Albert Schweitzer. In: RGG² 5 (1931) 339-341.

Schmalenbach, H.: Die Entwicklung des Seelenbegriffes. In: Logos 16 (1927) 311-355.

Schmaus, M.: Das Eschatologische im Christentum. In: Aus der Theologie der Zeit. Bd. 1. S. 56-84.

Schmaus, M.: Von den letzten Dingen. Münster 1948.

Schmaus, M: Katholische Dogmatik. Bd. IV/2: Von den letzten Dingen. Fünfte stark vermehrte und umgearbeitete Auflage. München 1959.

Schmaus, M.: Heinrich Joseph Denzinger. In: NDB 3 (1957) 604.

Schmaus, M.: Die Unsterblichkeit der Seele und die Auferstehung des Leibes nach Bonaventura. In: L'homme et son destin. S. 505-519.

Schmaus, M.: Unsterblichkeit der Geistseele oder Auferstehung von den Toten? In: Universitas 14 (1959) 1241-1250.

Schmaus, M.: Der Glaube der Kirche. Handbuch katholischer Dogmatik. 2 Bde. München (1969-1970).

Schmick, J.H.: Ein Wissen für einen Glauben. Naturstudien zur Beruhigung vorgelegt. Köln 1878. - Dass. 2. Ausgabe. Leipzig 1881.

Schmick, J.H.: Die Unsterblichkeit der Seele. Naturwissenschaftlich und philosophisch begründet. 2. Auflage der Schrift: »EinWissen für einen Glauben«. Leipzig 1886. - Dass. 3. verbesserte Auflage. Ebd. 1890.

Schmick, J.H.: Ist der Tod das Ende oder nicht? Gespräche über das Erdenleben und die Menschennatur. 1.-5. Auflage. Leipzig 1888. - Dass. 6. [Titel-]Auflage. Ebd. 1890.

Schmick, J.H.: Die Erde kein Abschluß, Vorträge und Gespräche über alle Entwicklung. Leipzig 1890.

Schmick, J.H.: Die nachirdische Fortdauer der Persönlichkeit. Beleuchtung dieser Frage durch neuere und neueste Einblicke in die Menschennatur. Leipzig 1891.

Schmick, J.H.: Geist oder Stoff? Gespräche über die irdische Lebewelt. 1. und 2. Auflage. Leipzig 1889, ³1889.

Schmid, A.: ValentinThalhofer, Dompropst in Eichstätt. Lebensskizze. Kempten 1892.

Schmid, F.: Quaestiones selectae ex theologia dogmatica. Auctore Dre Francisco Schmid, sacrae theologiae professore in seminario Brixinensi. Paderbornae 1891.

Schmid, F.: Die außerordentlichen Heilswege für die gefallene Menschheit. Brixen 1899.

Schmid, F.: Der Unsterblichkeits- und Auferstehungsglaube in der Bibel. Brixen 1902.

Schmid, F.: Das Fegfeuer nach katholischer Lehre. Brixen 1904.

Schmid, F.: Die Seelenläuterung im Jenseits. Brixen 1907.

Schmid, H.: Chiliasmus. In: AEWK I/16 (1827) 323-340.

Schmid, J.: Rez. zu R. Löwe. Kosmos und Aion. In: ThRv 35 (1936) 889.

Schmid, J.: William Wrede. In: LThK¹ 10 (1938) 976-977. - Ders. In: LThK² 10 (1965) 1244.

Schmid, J.: Ferdinand Christian Baur. In: LThK² 2 (1958) 72-73.

Schmid, J.: Paul de Lagarde. In: LThK² 6 (1961) 730-731.

Schmid, J.: Weiterleben nach dem Tode. In: LThK² 10 (1965) 1016-1018.

Schmidhäuser, U.: Karl Jaspers. In: TdTh. S. 206-211.

von Schmidt, E.: Zum Begriff und Sitz der Seele. Vortrag gehalten auf dem 3. Internat. Kongreß für Psychologie in München 1898 mit Anmerkungen und einem Nachtrag über Giordano Brunos Philosophie. Freiburg 1897.

Schmidt, E.H.: Kritik der Philosophie vom Standpunkt der intuitiven Erkenntnis. Leipzig 1908.

Schmidt, F.J.: Der Christus des Glaubens und der Jesus der Geschichte. Frankfurt 1910.

Schmidt, F.J.: Der philosophische Sinn. Programm des energetischen Idealismus. (WPh-EPhG. 2.) Göttingen 1912.

Schmidt, F.W.: Wilhelm Koepp. In: RGG² 3 (1929) 1137-1138.

Schmidt, H.: Die eschatologischen Lehrstücke in ihrer Bedeutung für die gesamte Dogmatik und das kirchliche Leben. In: JDTh 13 (1868) 577-621; 15 (1870) 455-502.

Schmidt, H., Haußleiter, J.: Ferdinand Christian Baur. In RE³ 2 (1897) 467-483.

Schmidt, Hans: Mythos vom wiederkehrenden König im Alten Testament. Festrede. (Schriften der hessischen Hochschulen. Universität Gießen. Jg. 1925. H. 1.) Gießen 1925.

Schmidt, H.-W.-: Zeit und Ewigkeit. Die letzten Voraussetzungen der dialektischen Theologie. Gütersloh 1927.

Schmidt, H.-W.: Der Brief des Paulus an dieRömer. (ThHKNT. 6.) Berlin 1962, ²1966.

Schmidt, H.-W.: Die Christusfrage. Beitrag zu einer christlichen Geschichtsphilosophie. Gütersloh 1929.

Schmidt, H.-W.: Die ersten und die letzten Dinge. In: Jahrbuch der Theologischen Schule Bethel erstmals zur Feier ihres 25-jährigen Bestehens hrsg. von Th. Schlatter. Bethel bei Bielefeld 1930. S. 177-237.

Schmidt, H.-W.: Die Menschwerdung Gottes. In: ZSTh 19 (1942) 122-142.

Schmidt, Heinrich: Ernst Haeckel. Leben und Werke. Mit 12 Bildern. [Berlin] (1926).

Schmidt, H.: Wie Ernst Haeckel Monist wurde. Ernst Haeckels Entwicklung vom Christentum zum Monismus. (Monistische Bibliothek. 49/49a.) Hamburg [1930].

Schmidt, M.: Speners Wiedergeburtslehre. In: ThLZ 76 (1951) 17-30.

Schmidt, M.: Johann Gottfried Herder. In: EKL 2 (1958) 116-117.

Schmidt, P.: Die pädagogische Relevanz einer anthropologischen Ethik. Eine Untersuchung zum Werk Romano Guardinis. Düsseldorf 1973.

Schmidt, W. [1]: Die göttliche Vorsehung und das Selbstleben der Welt. Berlin 1887.

Schmidt, W. [1]: Die Universalität des göttlichen Heilswillens und die Partikularität der Berufung. In: ThStKr 60 (1887) 7-44.

944

Schmidt, W. [1]: Die Gefahren der Ritschl'schenTheologie für die Kirche. Berlin 1888.

Schmidt, W. [1]: Der Kampf um die Weltanschauungen. Berlin 1904.

Schmidt, W. [1]: Das Grundbekenntnis der Kirche und die modernen Geistesströmungen. Gütersloh 1905.

Schmidt, W. [1]: Der Kampf um die sittliche Welt. Gütersloh 1906.

Schmidt, W. [1]: »Moderne Theologie des alten Glaubens« in kritischer Beleuchtung. Gütersloh 1906.

Schmidt, W. [1]: »Die Forderung einer modernen positiven Theologie« in kritischer Beleuchtung. Gütersloh 1906.

Schmidt, W. [1]: Der Kampf um den Sinn des Lebens. Von Dante bis Ibsen. 2 Hälften. 1. Dante. Milton. Voltaire. 2. Rousseau. Carlyle. Ibsen. Berlin 1907.

Schmidt, W. [1]: Die verschiedenen Typen der religiösen Erfahrung und die Psychologie. Gütersloh 1908.

Schmidt, W. [1]: Der Kampf um die Seele. Gütersloh 1909.

Schmidt, W. [2]: Der Ursprung der Gottesidee. Eine historisch kritische und positive Studie. 12 Bde. Münster 1912-1955.

Schmidt, W.G.: De statu animarum medio inter mortem et resurrectionem. Zwickau 1861.

Schmidt-Japing, J.W.: Lotzes Religionsphilosophie in ihrer Entwicklung, dargestellt in Zusammenhang mit Lotzes philosophischer Gesamtanschauung. Göttingen 1925.

Schmidt-Japing, J.W.: Ewigkeit, systematisch. In: RGG² 2 (1928) 464-466.

Schmidt-Japing, J.W.: Martin Kähler. In: RGG² 3 (1929) 578-580.

Schmidt-Japing, J.W.: Hermann Lotze. In: RGG² 3 (1929) 1730-1731.

Schmiedel, P.W.: Die Person Jesu im Streit der Meinungen der Gegenwart. Vortrag, und erstes Votum von J.G. Hosang, samt Schlußwort des Referenten. Zürich 1906.

Schmitt, A.: Bibel und Naturwissenschaft. (BZfr.) Münster 1910, ³1912.

Schmitt, A.: Ursprung des Menschen oder die gegenwärtige Anschauung über die Abstammung des Menschen. Freiburg 1911.

Schmitt, A.: Katholizismus und Entwicklungsgedanke. (KLW. 9.) Paderborn ¹⁻²1923.

Schmitt, J.: Die göttliche Vorsehung oder die liebevolle Führung des Menschen von Seiten Gottes und das Glück jener, welche sich dieser Führung anvertrauen, so wie es recht und billig ist. Nach der Schrift des R. P. de la Colombière. Dritte verbesserte Auflage. Mainz 1904.

Schmoller, O.: Die Lehre vom Reich Gottes in den Schriften des Neuen Testaments. Bearbeitung einer von der Haager Gesellschaft zur Verteidigung der christlichen Religion gestellten Aufgabe. Leiden 1891.

Schmücker, F.G.: Nic. Hartmanns Erkenntnismetaphysik in phänomenologischer Sicht (Antwort auf die Einwände von H. Herrigel). In: ZPhF 17 (1963) 116-122.

Schnackenburg, R.: Todes- und Lebensgemeinschaft mit Christus. Neue Studien zu Röm 6, 1-11. In: MThZ 6 (1955) 32-53.

Schnackenburg, R.: Christusmystik. In: LThK² 2 (1958) 1178-1180.

Schnackenburg, R.: Gottesherrschaft und Reich. Eine biblisch-theologische Studie. Freiburg 1958, ⁴1965.

Schnackenburg, R.: Eschatologie im Neuen Testament. In: LThK² 3 (1959) 1088-1093.

Schnackenburg, R.: Interimsethik. In: LThK² 5 (1960) 727-728.

Schnackenburg, R.: Naherwartung. In: LThK² 7 (1962) 777-779.

Schnackenburg, R.: Rez. zu H. Conzelmann. Mitte der Zeit. Studien zur Theologie des Lukas. 3. überarbeitete Auflage. Tübingen 1960. In: BZ N.F. 6 (1962) 146-147.

Schnackenburg, R.: Das Johannesevangelium. (HThKNT. IV, 1-3.) 3 Teile. Freiburg, Basel, Wien 1965-1971-1975.

Schnedermann, G.:Jesu Verkündigung und Lehre vom Reiche Gottes, in ihrer geschichtlichen Bedeutung dargestellt. 1. (und) 2. Hälfte. Leipzig 1893-1895.

Schnedermann, G.: Wie der Israelit Jesu der Weltheiland wurde. Leipzig 1913.

Schneemelcher, W.: Adolf von Harnack. In: RGG³ 3 (1959) 77-79.

von Schnehen, W.: Monismus und Dualismus. In: Der Monismus dargestellt in Beiträgen seiner Vertreter. Bd. 1. S. 185-203.

von Schnehen, W.: Haeckels »reiner« und »konsequenter« Monismus. In: Der Monismus dargestellt in Beiträgen seiner Vertreter. Bd. 2. S. 103-148.

von Schnehen, W.: Eduard von Hartmann. (FKPh. 20.) Stuttgart 1929.

Schneid, M.: Die scholastische Lehre von Materie und Form und ihre Harmonie mit den Tatsachen der Naturwissenschaft. Eichstätt 1873. - Dass. 2. umgearbeitete Auflage. Ebd. 1877.

Schneid, M.: Der moderne Spiritismus, philosophisch geprüft. Eichstätt 1880.

Schneider, A.M.: Refrigerium I. Nach liturgischen Quellen und Inschriften [Teildruck]. (Theol. Diss. Freiburg 1926.). Freiburg im Breisgau 1928.

Schneider, A.: Beiträge zur Psychologie Alberts des Großen. (Phil.Diss. Breslau 1900.) Münster 1900. - Dass. (BGPhMA. IV/5-6.) Münster 1903-1906.

Schneider, A.: Die philosophischen Grundlagen der monistischen Weltanschauung. (SNK. 1.) München [1911].

Schneider, E.: F.Chr. Baur in seiner Bedeutung für die Theologie. Berlin 1909.

Schneider, F.: Alois Emanuel Biedermann, Wilhelm Schuppe und Johannes Rehmke. (Phil. Diss. Bonn 1939.) Bonn 1939.

Schneider, H.: Die Einheit als Grundprinzip der Philosophie Paul Natorps. (Phil. Diss. Tübingen 1936.) Bottrop 1936.

Schneider, J.N.: Die chiliastische Doktrin und ihr Verhältnis zur christlichen Glaubenslehre. Schaffhausen 1859.

Schneider, K.C.: Vitalismus. Elementare Lebensfunktion. Leipzig, Wien 1903.

Schneider, K.C.: Versuch einer Begründung der Deszendenztheorie. Jena 1908.

Schneider, K.C.: Die Grundgesetze der Deszendenztheorie in ihrer Beziehung zum religiösen Standpunkt. Freiburg 1910.

Schneider, K.C.: Einführung in die Deszendenztheorie. 35 Vorträge. 2. (erweiterte) Auflage. Jena 1911.

Schneider, K.C.: Die Welt, wie sie jetzt ist und wie sie sein wird. Eine Natur-, Geist- und Lebensphilosophie. Wien und Leipzig 1917.

Schneider, R.: Schellings und Hegels schwäbische Geistesahnen. (Phil. Diss. Bonn 1936.) Würzburg 1938. - Außerdem Teildruck 3, 1: Die Logik des Lebens. Berlin 1936.

Schneider, Th.: Teleologie als theologische Kategorie bei Herman Schell. (BNGKTh. 9.) Essen 1966.

Schneider, Th.: Die Einheit des Menschen. Die anthropologische Formel »anima forma corporis« im sog. Korrektionsstreit und bei Petrus Johannis Olivi. Ein Beitrag zur Vorgeschichte des Konzils von Vienne. (BGPhThMa. N.F. Bd. 8.) Münster 1973.

Schneider, Wilhelm: Das Wiedersehen im anderen Leben. Trostworte an Trauernde. Paderborn 1879.

Schneider, W.: Der neue Geisterglaube. Tatsachen, Täuschungen und Theorien. Paderborn 1882, ³1913.

Schneider, W.: Das andere Leben. Ernst und Trost der christlichen Weltanschauung. 3. teilweise neu bearbeitete und sehr vermehrte Auflage von »Das Wiedersehen im anderen Leben«. Paderborn 1890, ⁵1901, ⁶1902. - Dass. 12. Auflage mit einem Begleitwort von Paul Wilhelm von Keppler. Ebd. 1914. - Dass.: Das andere Leben. Ernst und Trost der christlichen Welt-und Lebensanschauung. 15. und 16. verbesserte Auflage besorgt von F. Egon Schneider. Ebd. 1932.

Schneider Wolfgang.: Das Problem der »Realitätsgegebenheit« im »logischen Idealismus« der Marburger Schule. (Phil. Diss. Köln 1954.) Köln 1953.

Schneider, W.: Paul Nicolai Hartmann. In: NDB 8 (1969) 2-4.

Schnitzer, J.: Berengar von Tours, sein Leben und seine Lehre. Ein Beitrag zur Abendmahlslehre des beginnenden Mittelalters. (Theol. Diss. München 1890.) München 1890.

Schnitzer, J.: Die Enzyklika Pascendi und die katholische Theologie. In: IWWKT 2 (1908) 129-140.

Schnitzer, J.: Hat Jesus das Papsttum gestiftet? Eine dogmengeschichtliche Untersuchung. Augsburg 1910. - Dass. Dritte durchgesehene und verbesserte Auflage. Ebd. 1910.

Schnitzer, J.: Das Papsttum eine Stiftung Jesu? Eine erneute dogmengeschichtliche Untersuchung. Fritz Tillmann gewidmet. Augsburg 1910.

Schnitzer, J.: Der katholische Modernismus. In: ZPol 5 (1911) 1-218 . - Dass. (KdR. Bd. 3.) Berlin 1912.

Schnitzer, J.: Katholizismus und Modernismus. Vortrag mit einem Vorwort und einem Nachwort. München 1912.

Schnitzer, J.: Rez. zu F. Heiler. Der Katholizismus. In: AZM. 126. Bd. (München 1923) S. 714.

Schöllgen, W.: Die Leib-Seele-Ganzheit Mensch in heutiger Psychologie. In: BM-BThPhA. S. 160-173.

Schölling, O.: Nikolaus Gihr. Eine Skizze seines Lebens und Wirkens. Karlsruhe 1925.

Schönberger, D.: Das religiöse Problem bei Gustav Theodor Fechner. (Phil. Diss. Königsberg 1923.) Auszug in: JPhFAUK 1923.

Schoeps, H.-J.: Johann Eduard Erdmann. In: NDB 4 (1959) 569-570.

Scholastik. Vierteljahresschrift für Theologie und Philosophie. Freiburg i.B. 1926-1965. - Vgl.: ZThPh.

Scholz, A.: Franz Brentano. In: LThK² 2 (1958) 670.

Scholz, H.: Schleiermachers Unsterblichkeitsglaube. Eine Totenfest-Betrachtung. In: ChW 21 (1907) 1133-1138.

Scholz, H.: Wie dachte Goethe über Tod und Unsterblichkeit? In: TR 20. und 22. November 1909.

Scholz, H.: Friedrich Paulsen. In: RGG¹ 4 (1913) 1274-1276.

Scholz, H.: Der Unsterblichkeitsgedanke als philosophisches Problem. Berlin 1920. - Dass. 2. neuverfaßte Ausgabe. Ebd. 1922.

Scholz, H.: Religionsphilosophie. Berlin 1921, ²1922.

Scholz, H.: Die Wissenschaftslehre Bolzanos. (AFS. 6.) Berlin 1937.

Schoonenberg, P.: Und das Leben der zukünftigen Welt. In: Leben nach dem Tode? S. 61-104.

Schopenhauer, A.: Über den Tod und sein Verhältnis zur Unzerstörbarkeit unseres Lebens an sich. In: Ders. Die Welt als Wille und Vorstellung. Zweiter Band, welcher die Ergänzungen zu den vier Büchern des ersten Bandes enthält. Dritte, verbesserte und beträchtlich vermehrte Auflage. Leipzig 1859. S. 527-581. (Kap. 41).

Schott, E.: Die Endlichkeit des Daseins nach Martin Heidegger. (GSt.3.) Berlin, Leipzig 1930.

Schott, E.: Otto Pfleiderer. In: RGG³ 5 (1961) 312-313.

Schott, E.: Albrecht Ritschl. In: RGG³ 5 (1961) 1114-1117.

Schott, E.: Ritschlianer. In: RGG³ 5 (1961) 1117-1119.

Schott, E.: Erich Schaeder. In: RGG³ 5 (1961) 1381.

Schott, E.: David Friedrich Strauß. In: RGG³ 6 (1962) 416-417.

Schott, E.: Systematische Theologie. II. Geschichte im deutschen Sprachgebiet. In: RGG³ 6 (1962) 586-595.

Schreiber, Ch.: Rez. zu C. Clemen. Das Leben nach dem Tode im Glauben der Menschheit. In: PhJ 33 (1920) 387-390.

von Schrenk, E.: Die johanneische Anschauung vom »Leben« mit Berücksichtigung ihrer Vorgeschichte untersucht. Leipzig 1898.

von Schrenk, E.: Das ewige Leben nach Johanneischer Anschauung. Naumburg a.S. 1897.

Schrenk, G.: Gottesreich und Bund im Protestantismus, vornehmlich bei Johann Coccejus. Zugleich ein Beitrag zur Geschichte des Pietismus und der heilsgeschichtlichen Theologie. (BFChTh. R. 2. Bd. 5.) Gütersloh 1923.

Schrey, H.-H.: Carl Clemen. In: NDB 3 (1957) 280.

Schrey, H.-H.: Religiöser Sozialismus. In: RGG³ 6 (1962) 181-186.

Schröder, C.M.: Friedrich Heiler. In: RGG³ 3 (1959) 145.

Schrödinger, E.: Über Indeterminismus in der Physik. Ist die Naturwissenschaft milieubedingt? Zwei Vorträge zur Kritik der Naturwissenschaftlichen Erkenntnis. Leipzig 1932.

Schrödinger, E.: What is life? Cambridge 1944. - Dass. deutsch: Was ist Leben? Die lebende Zelle mit den Augen des Physikers betrachtet. Deutsch von Ludwig Mazurczak. (SDa. 1.) Bern 1946.

Schröter, F.: Glaube und Geschichte bei Friedrich Gogarten und Wilhelm Herrmann. (Ev.-theol. Diss. Münster 1933.) Köthen-Anhalt 1936 (Teildruck.).

Schröter, M.: Der Ausgangspunkt der Metaphysik Schellings entwickelt aus seiner ersten phil. Abhandlung »Über die Möglichkeit einer Form der Philosophie überhaupt«. (Phil. Diss. Jena 1908. - Ref.: O. Liebmann.) München 1908.

Schröter, M.: Der Streit um Spengler. München 1922.

Schubert, M.: Das Verhältnis der Vitalitätswerte zu den Geisteswerten in der Philosophie

Nietzsches. (Phil. Diss. Berlin 1927.) Berlin 1927.

Schühlein, F.: Paul de Lagarde. In: LThK¹ 6 (1934) 334-335.

Schüler, A.:Romano Guardini, eine Denkergestalt an der Zeitenwende. In: AMRhKG 21 (1969) 133-139.

Schürer, E.: Schleiermachers Religionsbegriff und die philosophischen Voraussetzungen desselben. Leipzig 1868.

Schürer, E.: Rez. zu B. Bartmann. St. Paulus und St. Jakobus über die Rechtfertigung. In: ThLZ 22 (1897) 481-482.

Schütz, A.: Der Mensch und die Ewigkeit. München 1938.

Schütz, Ch.: Allgemeine Grundlegung der Eschatologie. In: MS 5 (1976) 553-700.

Schütz, P.: Die kritische Bedeutung der Eschatologie für die moderne Missionsidee bei Johann Tobias Beck. In: ZSTh 9 (1932) 3-24.

Schütz, P.: Parusia - Hoffnung und Prophetie. Heidelberg 1960.

Schütz, P.: Was heißt - »Wiederkunft Christi«? In: ThZ 27 (1971) 399-410.

Schütz, W.: Das Grundgefüge der Herrmannschen Theologie, ihre Entwicklung und ihre geschichtlichen Wurzeln. (PhA. 5.) Berlin 1926.

Schulemann, G.: Seelenschlaf. In: LThK¹ 9 (1937) 414.

Schuler, G.M.: Gibt es denn wirlich ein anderes Leben? Der religiöse Irrtum der Sozialdemokratie. 4 Hefte. Kempten 1878, ²1890.

Schuler, G.M.: Der Pantheismus. Gewürdigt durch Darlegung und Widerlegung. Würzburg 1884.

Schuler, G.M.: Der Materialismus. Gewürdigt durch Darlegung und Widerlegung. (KFWL) Berlin 1890.

Schulte-Hubbert, B.: Die Philosophie von Friedrich Paulsen. Ein Beitrag zur Kritik der modernen Philosophie. Berlin 1914.

von Schultheß-Rechberg, G.: Johann Caspar Lavater. In: RE³ 11 (1902) 314-325.

Schultze, E.: Tod und Leben. Untersuchungen über das Fortleben nach dem Tode. Basel 1913.

Schultze, F.: Die Grundgedanken des Spiritismus und die Kritik derselben. Drei Vorträge zur Aufklärung. Leipzig 1883.

Schultze, F.: Vergleichende Seelenkunde. 2 Bde. Leipzig 1892.

Schultze, F.: Psychologie der Naturvölker. Entwicklungspsychologische Charakteristik des Naturmenschen in intellektueller, ästhetischer, ethischer und religiöser Beziehung. Eine natürliche Schöpfungsgeschichte des menschlichen Vorstellens, Wollens und Glaubens. Leipzig 1900.

Schultze, V.: Otto Zöckler. In: RE³ 21 (1908) 704-708.

Schulz, A.: Der Sinn des Todes im Alten Testament. Ein Beitrag zur alttestamentlichen Theologie. In: Braunsberger Akademie, Verzeichnis der Vorlesungen. Sommerhalbj. 1919. S. 5-41. Braunsberg 1919.

Schulze, M.: Grundriß der evangelischen Dogmatik. Leipzig 1918.

Schumann, F.K.: Zur Frage der theologischen Anthropologie. In: ZSth 9 (1932) 612-639.

Schumann, H.: Die Seele und das Leid. Vom Kunst- und Glückssinn des Daseins. Mit einer Einleitung von E. Haeckel. Dresden 1919.

Schuppe, W.: Der Zusammenhang von Leib und Seele. Das Grundproblem der Psychologie. (GNSL. 13. H.) Wiesbaden 1902.

Schurtz, H.: Katechismus der Völkerkunde. Leipzig 1893.

Schurtz, H.: Urgeschichte der Kultur. Leipzig 1900.

Schuster, H.: Die konsequente Eschatologie in der Interpretation des Neuen Testaments, kritisch betrachtet. In: ZNW 47 (1956) 1-25.

Schuster, M.: Ethnologische Bemerkungen zum Kontinuitätsproblem. In: Kontinuität - Diskontinuität in den Geisteswissenschaften. S.95-114.

Schwally, F.: Das Leben nach dem Tode nach den Vorstellungen des alten Israel und des Judentums einschließlich des Volksglaubens im Zeitalter Christi. Gießen 1892.

Schwane, J.: Über die Auferstehungslehre Tertullians und die Identität des Auferstehungsleibes im Besonderen. In: Der Katholik. N.F. Bd. 3. 40/1 (1860) 299-323.

Schwane, J.: Dogmengeschichte. (ThBib.) 4 Bde.: 1 Bd. 2. vermehrte und verbesserte Auflage. [1. Auflage Münster 1862.] 2. Bd. 2. vermehrte und verbesserte Auflage. [1. Auflage

Münster 1866-1867.] 3. (und) 4. Bd. Freiburg i.B. 1882-1895.

Schwarz, C.: Zur Geschichte der neuesten Theologie. Leipzig 1856, ⁴1869.

Schwarz, E., Tschakert, P.: Christian August Crusius. In: RE³ 4 (1898) 344-345.

Schwarz, H.: Die Seelenfrage. In: Weltanschauung. S. 255-282.

Schwarz, H.: Rudolf Eucken. In: RGG² 2 (1928) 399.

Schwarz, H.: Selbstdarstellung. In: DSPh. Bd. 1. S. 57-126.

Schwarz, H.: Deutscher Glaube am Scheidewege. Ewiges Sein oder werdende Gottheit? Berlin 1936.

Schwarz, H.: Ewigkeit. Ein deutsches Bekenntnis. Berlin 1941.

Schweitzer, A.: Das Christusbild des urchristlichen Glaubens in religionsgeschichtlicher Beleuchtung. Berlin 1903.

Schweitzer, A.: Von Reimarus zu Wrede. Geschichte der Leben-Jesu-Forschung. Tübingen 1906.

Schweitzer, A.: Geschichte der Leben-Jesu-Forschung. 2. neu bearbeitete und vermehrte Auflage des Werkes »Von Reimarus zu Wrede«. Tübingen 1913. - Dass. 6. photomechanisch gedruckte Auflage. Ebd. 1951. - Dass. (STb. 77-80.) München, Hamburg 1966.

Schweitzer, A.: Geschichte der paulinischen Forschung von der Reformation bis auf die Gegenwart. Tübingen 1911.

Schweitzer, A.: Kulturphilosophie. I.: Verfall und Wiederaufbau der Kultur. (Olaus Vorlesungen an der Universität Uppsala.) München 1923, ²1925. - Dass. II.: Kultur und Ethik. Ebd. 1924.

Schweitzer, A.: Die Mystik des Apostels Paulus. Tübingen 1930.

Schweitzer, A.: Aus meinem Leben und Denken. Leipzig 1931.

Schweizer, E.: 1 Petr 4, 6. In: ThZ 8 (1952) 152-154.

Schweizer, E.: πνεῦμα, πνευματικός (im NT). In: ThWNT 6 (1959) 394-450.

Schweizer, E.: σῶμα. In: ThWNT 7 (1964) 1024-1091.

Schweizer, E.: Die »Mystik« des Sterbens und Auferstehens mit Christus bei Paulus. In: ETh 26 (1966) 239-257.

Schweizer, E.: Die Leiblichkeit des Menschen: Leben - Tod - Auferstehung. In: ETh 29 (1969) 40-55.

Schweizer, E. ψυχή. D. Neues Testament. In: ThWNT 9 (1973) 635-657.

Schwellenbach, R.: Das Gottesproblem in der Philosophie Friedrich Paulsens und sein Zusammenhang mit dem Gottesbegriff Spinozas. (Phil. Diss. Münster 1911. - Ref.: G. Spicker.) Berlin 1911.

von Schwerin, L.: Christentum und Spiritismus und die Gleichartigkeit ihrer Beweise. Leipzig 1895, ²(1919).

Sciacca, M.F.: Morte ed Immortalità. (Opere complete. 9.) Milano 1959.

Scientia sacra. Theologische Festgabe, zugeeignet Sr. Eminenz dem hochwürdigsten Herrn Karl Joseph Kardinal Schulte, Erzbischof von Köln, zum 25. Jahrestag der Bischofsweihe am 19.3.1935. (Hrsg. Carl Feckes.) Köln, Düsseldorf (1935).

Ščukarew, A.: Die Gesetzmäßigkeit der Natur. Ein Versuch zur Begründung des transzendentalen Realismus. In: PhH 2 (1930) 55-64.

Seeberg, R.: Die Grundwahrheiten der christlichen Religion. Ein akademisches Publikum in 16 Vorlesungen vor Studierenden aller Fakultäten. Leipzig 1902. - Dass. 6. verbesserte Auflage. Ebd. 1918.

Seeberg, R.: Otto Pfleiderer. In: RE³ 24 (1913) 316-326.

Seeberg, R.: Der Ursprung des Christusglaubens. Leipzig 1914.

Seeberg, R.: Ewiges Leben. Leipzig 1915. - Dass. Zweite mehrfach verbesserte Auflage. Ebd. 1915.

Seeberg, R.: Geschichte, Krieg und Seele. Reden und Aufsätze aus den Tagen des Weltkrieges. Leipzig 1916.

Seeberg, R.: Christliche Dogmatik. Bd. 1: Religionsphilosophisch-apologetische und erkenntnistheoretische Grundlagen - Allgemeiner Teil: Die Lehre von Gott, dem Menschen und der Geschichte. Bd. 2: Die spezielle Dogmatik: Das Böse und die sündige Menschheit, der Erlöser und sein Werk, die Erneuerung der Menschheit und die Gnadenordnung, die Vollendung und das ewige Gottesreich. Erlangen, Leipzig 1924-1925.

Seibt, F.: Hussiten. In: LThK² 5 (1960) 546-549.

Seibt, F.: Pikarden. In: LThK² 8 (1963) 503-504.

Seibt, F.: Taboriten. In: LThK² 9 (1964) 1269.

Seifert, F.: Psychologie - Metaphysik der Seele. (Aus: HPh. Bd. III F.) München 1928.

Seiterich, E.: Leben, Bedeutung und religiöse Entwicklung Franz Brentanos. In: Ders. Die Gottesbeweise bei Franz Brentano. (Theol. Diss. Freiburg. FThSt. 42.) Freiburg 1936. S. 1-30.

Seitz, A.: Die Heilsnotwendigkeit der Kirche nach der altchristlichen Literatur bis zur Zeit des heiligen Augustinus. Freiburg i.B. 1903.

Seitz, A.: Okkultismus, Wissenschaft und Religion. 3 Bde. 1. Die Welt des Okkultismus. 2. Illusion des Spiritismus. 3. Phänomene des Spiritismus. (ZRLG. 11. 17. 18.) München 1926-1927-1929.

Sellin, E.: Die israelitisch-jüdische Heilandserwartung. (BZSF. Ser.5. H.2/3.) Groß-Lichterfelde 1909.

Sellin, E.: Der alttestamentliche Prophetismus. Drei Studien. Leipzig 1912.

Sellin, E.: Alter, Wesen und Ursprung der alttestamentlichen Eschatologie. In: Ders. Der alttestamentliche Prophetismus. S. 102-193.

Sellin, E.: Die alttestamentliche Hoffnung auf Auferstehung und ewiges Leben. In: NKZ 30 (1919) 232-289.

Sellin, E.: Julius Wellhausen. In: DBJ Überleitungsband 2 (1917-1920). S. 341-344.

Sellin, E.: Tod, wo ist dein Stachel, Hölle, wo ist dein Sieg? (Hosea 13, 14b). In: Reinhold-Seeberg-Festschrift. Bd. I. S. 307-314.

Selow, E.: Rudolf Eisler. In: NDB 4 (1959) 421-422.

Selow, E.: Kuno Fischer, In: NDB 5 (1961) 199.

Semisch, K., Bratke, E.: Chiliasmus. In: RE³ 3 (1897) 805-817.

Semmelroth, O.: Die Kirche als »sichtbare Gestalt der unsichtbaren Gnade«. In: Scholastik 18 (1953) 23-39.

Semmelroth, O.: Die Kirche als Ursakrament. Frankfurt 1953.

Semmelroth, O.: Rez. zu M. Schmaus. Katholische Dogmatik. IV/2. Von den letzten Dingen. München ³⁺⁴1953. In: Scholastik 29 (1954) 314.

Semmelroth, O.: Rez. zu E. Brunner. Das Ewige als Zukunft und Gegenwart. In: Scholastik 29 (1954) 625-626.

Semmelroth, O.: Gott und Mensch in Begegnung. Ein Durchblick durch die katholische Glaubenslehre. Frankfurt (1956).

Semmelroth, O.: Der Glaube an den Tod. In: GuL 30 (1957) 325-337.

Semmelroth, O.: Erwägungen über das christliche Weltverständnis. In: GuL 37 (1964) 258-272.

Semmelroth, O.: Kommentar zum 7. und 8. Kapitel der dogmatischen Konstitution über die Kirche (Lumen gentium). In: LThK-2VK. Bd. 1. S. 314-347.

Semmelroth, O.: Der Tod - wird er erlitten oder getan? Die Lehre von den letzten Dingen als christliche Interpretation desTodes. In: ThAk. IX. Frankfurt 1972. S. 9-26.

Semon, R.: Bewußtseinsvorgang und Hirnprozeß. Eine Studie über die energetischen Korrelate der Eigenschaften der Empfindungen. Nach dem Tode des Verfassers hrsg. von Otto Lubarsch. Wiesbaden 1920.

Sengler, J.: Über das Wesen und die Bedeutung der spekulativen Philosophie und Theologie. Bd. 1: Allgemeine Einleitung. Bd. 2: Spezielle Einleitung. Heidelberg 1834-1837.

Sengler, J.: Die Idee Gottes. 2 Bde. Heidelberg 1845-1847.

Sengler, J.: Die Erkenntnislehre, Heidelberg 1858.

Seppelt, F.X.: Max Sdralek. In: LThK¹ 9 (1937) 389.

Seydel, R.: Religionsphilosophie im Umriß. Freiburg 1893.

Seydl, E.: Rudolf Eucken. In: LThK¹ 3 (1931) 835.

Sickenberger, J.: Rez. zu A. Harnack. Wesen des Christentums. In: BZ 2 (1904) 191-194.

Sickenberger, J.: Das Tausendjährige Reich in der Apokalypse. In: Fest-Schrift Sebastian Merkle. S. 300-315.

Sickenberger, J.: Das Problem des Tausendjährigen Reiches in der Johannes-Apokalypse. In: RQ 40 (1932) 13-25.

Sieffert, A.E.F.: Richard Rothe. In: RE³ 17 (1906) 169-178.

Siegel, H.: Die Religion im Monismus. Historisch-kritische Untersuchung ihrer Stellung im modernen Monismus. (Phil. Diss. Münster 1950.) O. O. 1950.

Siegfried, Th.: Endgeschichtliche und aktuelle Eschatologie. In: ZThK N.F. 4 (1923/24) 353-371.

Siegfried, Th.: Die Idee der Vollendung. [Zur Kritik der Zeitauffassung von E. Thurneysen u.a.] In: ThBl 6 (1927) 81-95.

Siegfried, Th.: Das Wort und die Existenz. Eine Auseinandersetzung mit der dialektischen-Theologie. I Die Theologie des Worts bei Karl Barth. Eine Prüfung von Karl Barths Prolegomena zur Dogmatik. II Die Theologie der Existenz bei Friedrich Gogarten und Rudolf Bultmann. III Autorität und Freiheit. Gotha 1930-1933-1933.

Siegfried, Th.: Grundfragen der Theologie bei Rudolf Otto. Gotha 1931.

Siegmund, G.: Hans Driesch. In: PhJ 57 (1947) 12-18.

Sigmund, J.: Das Ende der Zeiten mit einem Nachblick in die Ewigkeit oder das Weltgericht mit seinen Ursachen, Vorzeichen und Folgen. Für Prediger und gebildete Laien. Salzburg 1892. - Dass. 2. verbesserte (und vermehrte) Auflage. Ebd. 1912.

Sigwart, Ch.: Schleiermachers Erkenntnistheorie und ihre Bedeutung für die Grundbegriffe der Glaubenslehre. - Schleiermachers psychologische Voraussetzungen, insbesondere die Begriffe des Gefühls und der Individualität. (JDTh. 2.) Stuttgart 1857. - Dass. Reprographischer Nachdruck. (Libelli. CCXXVII.) Darmstadt 1974.

Sigwart, Ch.: Logik. 2 Bde. Tübingen 1873-1878. - Dass. 2. erweiterte Auflage. Ebd. 1889-1893. - Dass. 5. durchgesehene Auflage. Mit Anmerkungen von H. Maier. Tübingen 1924.

Sigwart, Ch.: Kleine Schriften. 1. (und) 2. Reihe. Freiburg i.B. 1881. - Dass. Erste Reihe: Zur Geschichte der Philosophie. Biographische Darstellungen. 2., berichtigte und vermehrte Ausgabe. Zweite Reihe: Zur Erkenntnislehre und Psychologie. 2., unveränderte Ausgabe. Ebd. 1889.

Simar, H.Th.: Die Theologie des heiligen Paulus. Übersichtlich dargestellt. Freiburg 1864, [2]1883.

Simar, H.Th.: Lehrbuch der Dogmatik. (ThBib.) Freiburg i.B. 1880.- Dass. 3. verbesserte Auflage. Ebd. 1893.

Simmel, G.: Über soziale Differenzierung. Soziologische und psychologische Untersuchungen. Leipzig 1890, [3]1910.

Simmel, G.: Die Religion. (Die Gesellschaft. Bd. 2.) Frankfurt a.M. 1906, [2]1912.

Simmel, G.: Schopenhauer und Nietzsche. Berlin 1907.

Simmel, G.: Zur Metaphysik des Todes. In: Logos 1 (1910/11) 57-70.

Simmel, G.: Das Problem der religiösen Lage. In: Weltanschauung. S. 329-340.

Simmel, G.: Philosophische Kultur. Gesammelte Essays, (PhSB. 27.) Leipzig 1911. - Dass. 2. um einige Zusätze vermehrte Auflage. Ebd. 1919.

Simmel G.: Lebensanschauung. Vier metaphysische Kapitel. München, Leipzig 1918, [2]1922.

Simmel, G.: Zur Philosophie der Kunst. Potzdam 1922.

Simmel, G.: Fragmente und Aufsätze. Hrsg. von Dr. G. Kantorowicz. München 1923.

Simmel, G.: Brücke und Tür. Essays des Philosophen zur Geschichte. Religion, Kunst und Gesellschaft. Im Verein mit MargareteSusman hrsg. von Michael Landmann. Stuttgart 1957.

Simmel, O.: Abgestiegen zu der Hölle. In: StZ 156. Bd. 80 (1955) 1-6.

Simon, J.: Leben. In: HPhG 3 (1973) 844-859.

Simon, P.: Ernst Troeltsch. In: LThK[1] 10 (1938) 302-304.

Simon, Th.: Leib und Seele bei Fechner und Lotze als Vertreter zweier maßgebender Weltanschauungen. Göttingen 1894.

Simon, Th.: Entwicklung und Offenbarung. Berlin 1907.

Simon, Th.: Der Monismus. (Gegenwartsfragen. 7.) Stuttgart 1909.

Simon, Th.: Grundriß der Geschichte der neueren Philosophie in ihren Beziehungen zur Religion. (SThL-T.) Leipzig 1920.

Sippell, Th.: Zur Vorgeschichte des Quäkertums. Gießen 1920.

Sippell, Th.: Seekers. In: RGG[2] 5 (1931) 368-369.

Sladeczek, F.M.: Zur Gegensatzlehre. Gedanken zu Romano Guardinis Buch vom Gegensatz. In: Scholastik 3 (1928) 244-249.

Sleumer, A.: Der Geisterkult in alter und neuer Zeit. (FZB. N.F. Bd. 26. H.12.) Hamm 1907.

Sleumer, A.: Spiritismus. In: KHL 2 (1912) 2175-2177.

Smith, W.B.: Der vorchristliche Jesus. Nebst weiteren Vorstudien zur Entstehungsgeschichte des Urchristentums. Mit einem Vorwort von Paul Wilhelm Schmiedel. Gießen 1906.

Smith, W.B.: Der vorchristliche Jesus. Vorstudien zur Entstehungsgeschichte des Urchristentums. 2.(Titel-)Auflage. Mit einem Vorwort von Paul Wilhelm Schmiedel. Jena (1906)1911.

Smith, W.B.: Ecce Deus. Die urchristliche Lehre des reingöttlichen Jesus. Jena 1911.

Smulders, P.: Theologie und Evolution. Essen 1963.

Smulders, P.: Die Kirche als Sakrament des Heils. In: DE ECCL. Bd. 1. S. 289-312.

Smulders, P.: Die neue Erde. In: KHW. S. 219-222.

Sneath, E.H.: At one with the invisible. Studies in mysticism, edited by E. Hershey Sneath. New York 1921.

Sneath, E.H.: Religion and future life; the development of the belief in life after death; by authorities in the history of religions ed. by E. Hershey Sneath. New York, Chicago etc. 1922.

von Soden, H.: Adolf von Harnack. In: RGG² 2 (1928) 1633-1636.

von Soden, K.: Über die Ewigkeit des Reiches der Kultur. Leipzig 1939.

Söderblom, N.: La vie future d'après le mazdéisme, à la lumière des croyances parallèles dans les autres religions, étude d'eschatologie comparée. Paris 1901.

Söderblom, N.: Das Werden des Gottesglaubens. Leipzig 1916, ²1926.

Söhngen, G.: Neubegründung der Metaphysik und der Gotteserkenntnis. In: VKIPh. Bd. 2. H.3: Probleme der Gotteserkenntnis. Münster 1928. S. 1-55.

Söhngen, G.: Sein und Gegenstand. Das scholastische Axiom ens et verum convertuntur als Fundament metaphysischer und theologischer Spekulation. (Kath.-theol. Diss. Tübingen 1930.) (VKIPh. II/4.) Münster i.Westf. 1930.

Söhngen, G.: Intuition. In: LThK¹ 5 (1933) 441-442.

Söhngen, G.: Lebensphilosophie. In: LThK¹ 6 (1934) 439-441.

Söhngen, G.: Phänomenologie. In: LThK¹ 8(1936) 210-212.

Söhngen, G.: Erkennen - Wissen - Glauben. Freiburg, München 1955.

Söhngen, G.: Neuscholastik. In: LThK² 7 (1962) 923-926.

Sölle, D.: Friedrich Gogarten, In: TdTh. S. 291-295.

Soffner, J.: Dogmatische Begründung der kirchlichen Lehre von den Bestandteilen des Menschen. Ein offener Brief an Herrn Christian Franke, mit Rücksicht auf dessen Vademecum. Regensburg 1861.

Sokolowski, E.: Die Begriffe Geist und Leben bei Paulus in ihren Beziehungen zueinander. Eine exegetisch-religionsgeschichtliche Untersuchung. Göttingen 1903.

Solowiejczyk, J.: Das reine Denken und die Seinskonstituierung bei Hermann Cohen. (Phil. Diss. Berlin 1932.) Berlin 1932.

Solowjow, W.S.: Drei Gespräche über Krieg, Fortschritt und Ende der Weltgeschichte, mit einer kurzen Erzählung vom Antichrist (1900). In: Ders. Gesammelte Werke. Bd. 8. St. Petersburg ²1911.

Solowjow, W.S.: Ausgewählte Werke. Übersetzt von H. Köhler. 2 Bde. Jena 1914-1916.

Sommavilla, G.: La filosofia di Romano Guardini. In: R. Guardini. Scritti filosofici. Bd. 1. S. 3-121.

Sommer, J.W.E.: Der heilige Gott und der Gott der Gnade bei Rudolf Otto. Frankfurt 1950.

Sommerhäuser, H.: Emil Lask in der Auseinandersetzung mit Heinrich Rickert. (Phil. Diss. Zürich 1965.) Berlin 1966.

Sommerlath, E.: Kants Lehre vom intelligiblen Charakter. Ein Beitrag zu seiner Freiheitslehre. Leipzig 1917.

Sommerlath, E.: Der Ursprung des neuen Lebens nach Paulus. Leipzig 1923. - Dass. 2. erweiterte Auflage. Ebd. 1927.

Sommerlath, E.: Unsere Zukunftshoffnung. Zur Frage nach den letzten Dingen. (Vortrag, gehalten auf der Tagung des Lutherischen Einigungswerkes in Marburg. Sonderdruck aus: AELKZ. Nr. 47-50.) Leipzig 1928.

Sommerlath, E.: Lebensphilosophie. In: RGG² 3 (1929) 1510-1511.

Spätling, L.: De Apostolicis, Pseudoapostolicis, Apostolinis. (Dissertatio ad diversos vitae apostolicae conceptus saeculorum decursu elucidandos). (Pontificium Athenaeum Antonianum. Facultas Theologica - Theses ad Lauream. N. 35.) Monachii 1947.

Spätling, L.: Spiritualen. In: LThK[2] 9 (1964) 974-975.

Specht, Th.: Lehrbuch der Dogmatik. 2 Bde. Regensburg 1907-1908, [2]1912.

Speck, Johannes: Friedrich Paulsen. Sein Leben und sein Werk. Langensalza 1926.

Speck, Josef: Person. In: HPG 2 (1970) 288-329.

Spencer, H.: Principles of Sociology. New York 1880-1896. - Dass. Werke. Bd. 6. London 1885, [6]1906.

Spener, Ph.J.: Pia desideria oder herzliches Verlangen nach gottgefälliger Besserung der wahren evangelischen Kirchen, samt einigen dahin abzweckenden christlichen Vorschlägen. (1675.) Frankfurt 1680.

Spengler, O.: Der Untergang des Abendlandes. Umrisse einer Morphologie der Weltgeschichte. 2 Bde. München 1918-1922. - Dass. Neuausgabe. (dtv- 838-839.) München 1972.

Spengler, O.: Der Mensch und die Technik. Beitrag zu einer Philosophie des Lebens. München 1931.

Spettmann, H.: Rez. zu W. Götzmann. Die Unsterblichkeitsbeweise der Väterzeit und Scholastik. In: PhJ 41 (1928) 491-493.

Spicker, G.: Der Kampf zweier Weltanschauungen. Eine Kritik der alten und neuesten Philosophie mit Einschluß der christlichen Offenbarung. Stuttgart 1898.

Spiegler, Julius S.: Die Unsterblichkeit der Seele nach den neuesten naturhistorischen und philosophischen Forschungen. Leipzig 1895.

Spieß, Edmund: Entwicklungsgeschichte der Vorstellungen vom Zustand nach dem Tode auf Grund vergleichender Religionsforschung dargestellt. Jena 1877.

Spieß, Emil: Die philosophischen Theorien Oswald Spenglers im Lichte der thomistischen Metaphysik. In: DTh 1 (1923) 51-67.

Spieß, E.: Die Religionstheorie von Ernst Troeltsch. Paderborn 1927.

Splett, J.: Existenz(ial)philosophie. In: SM 2 (1968) 2-7.

Splett, J.: Leib, Leib-Seele-Verhältnis. In: SM 3 (1969) 213-219.

Splett, J.: Unsterblichkeit. In: HThTL 7 (1973) 397-400.

Splittgerber, F.: Tod, Fortleben nach dem Tode und Auferstehung. Ein biblisch-apologetischer Versuch zur Lösung der wichtigsten, in dies Gebiet einschlagenden Fragen mit besonderer Berücksichtigung der älteren und neueren Literatur. Halle 1862. - Dass. 3. wesentlich vermehrte und verbesserte Auflage. Ebd. 1879. - Dass. 4. Auflage. Ebd. 1885.

Splittgerber, F.: Schlaf und Tod, nebst den damit zusammenhängenden Erscheinungen des Seelenlebens. Eine psychologisch-apologetische Erörterung. Halle 1866.

Splittgerber, F.: Schlaf und Tod oder die Nachtseite des Seelenlebens nach ihren häufigsten Erscheinungen im Diesseits und an der Schwelle des Jenseits; mit besonderer Berücksichtigung des Schlaf- und Traumlebens, des Ahnungsvermögens und der natürlichen Prophetie, sowie des höheren Aufleuchtens der Seele in der Nähe des Todes; nach bewährten Tatsachen dargestellt und vom Standpunkt des Christentums beurteilt. 2., völlig umgearbeitete und wesentlich vermehrte Auflage. 2 Theile. Halle 1880.

Splittgerber, F.: Schlaf und Tod oder die Nachtseite des Seelenlebens nach ihren häufigsten Erscheinungen im Diesseits und an der Schwelle des Jenseits. Eine psychologisch-apologetische Erörterung. 2. vielfach vermehrte und verbesserte Auflage. Halle 1881.

Splittgerber, F.: Aus dem inneren Leben. Erfahrungsbeweise für die Einwirkung der unsichtbaren Welt auf das Seelenleben des Menschen. Ein Beitrag zur christlichen Mystik. Leipzig 1880. - Dass. 2. vermehrte Auflage. Leipzig 1884.

Spörl, J.: Heinrich Finke (1855-1938). In: HJ 58 (1938) 241-248.

Spörl, J.: Zeitgeschichtliches Dokument als bleibender Anruf. Zum Geleit. In: R. Guardini. Vom Sinn der Kirche. [5]1955. S. 9-15.

Spörl, J.: Romano Guardinis geistiger Werdegang. Zu seinem ersten Todestag. In: ChG/ChS 21 (1969) 333-335.

Spranger, E.:Die Grundlagen der Geschichtswissenschaft. Eine erkenntnistheoretisch-psychologische Untersuchung. Berlin 1905.

Spranger, E.: Euckens Religionsphilosophie. In: ZThK 18 (1907) 292-298.

Spranger, E.: Phantasie und Weltanschauung. In: Weltanschauung. S. 141 - 169.

Spranger, E.: Lebensformen. Heidelberg 1914.

Spranger, E.: Zur Theorie des Verstehens und zur geisteswissenschaftlichen Psychologie. In: Festschrift Johannes Volkelt zum 70. Geburtstag. S. 357-403.

Spranger, E.: Lebensformen. Geisteswissenschaftliche Psychologie und Ethik der Persönlichkeit. Halle 1921. - Dass. 5. vielfach verbesserte Auflage. Ebd. 1925.

Spranger, E.: Rickerts System. In: Logos 12 (1923) 183-198.

Spranger, E.: Die Kulturzyklentheorie und das Problem des Kulturzerfalls. (SPAW.) Berlin 1926.

Spranger, E.: Der Sinn der Voraussetzungslosigkeit in den Geisteswissenschaften. (SPAW.) Berlin 1919. - Dass. Reprographischer Nachdruck. (Libelli. XCII.) Darmstadt 1963.

Spranger, E.: Menschenleben und Menschheitsfragen. Gesammelte Rundfunkreden. München 1963.

Stade, B.: Über die alttestamentlichen Vorstellungen vom Zustand nach dem Tode. Eine academische Rede. Leipzig 1877.

Stade, B.: Geschichte des Volkes Israel. 2 Bde. Berlin 1887-1888, [2]1889.

Stadtland, T.: Eschatologie und Geschichte in derTheologie des jungen K. Barth. (BGLRK. 22.) Neunkirchen-Vluyn 1966.

Stähelin, R.: Zur paulinischen Eschatologie. 1 Thess. 4, 13-17 im Zusammenhang mit der jüdischen Eschatologie untersucht. In: JDTh 19 (1874) 177-237.

Stähelin, R.: Alois Emanuel Biedermann. In: RE[3] 3 (1897) 203-208.

Stähelin, R.: Die Christenhoffnung. Basel 1900.

Staerk, W.: Judentum und Hellenismus. In: Das Christentum. S. 23-41.

Staerk, W.: Alttestamentliche Eschatologie. (Thesen zu einem in der Akad.-Theol. Vbdg. Jena am 7. Mai 1929 gehaltenen Vortrag.) In: ThBl 8 (1929) 165-166. - Dass. In: Eschatologie im Alten Testament. S. 20-21.

Staerk, W.: Der eschatologische Mythus in der altchristlichen Theologie. In: ZNW 35 (1936) 83-95.

Stakemeier, E.: Bernhard Bartmann. In: ThGl 30 (1938) 481-484.

Stakemeier, E.: Bernhard Bartmann. Leben, Werk und theologische Bedeutung. In: ThGl 44 (1954) 81-113.

Stallmach, J.: Die Irrationalismusthese Nicolai Hartmanns. Sinn, Gründe, Fraglichkeit. In: Scholastik 32 (1957) 481-497.

Stange, C.: Die christliche Ethik und ihr Verhältnis zur modernen Ethik: Paulsen, Wundt, Hartmann. Göttingen 1892.

Stange, C.: Einleitung in die Ethik. I. System und Kritik der ethischen Systeme. II. Grundlinien der Ethik. Leipzig 1900-1901, [2]1923.

Stange, C.: Der Gedankengang der »Kritik der reinen Vernunft«. Leipzig 1903, [4]1920.

Stange, C.: Die ältesten ethischen Disputationen Luthers. Hrsg. von Carl Stange. (QGP. Zum Gebrauch in akademischen Übungen. 1.) Leipzig 1904.

Stange, C.: Religion und Sittlichkeit bei den Reformatoren. In: Theologische Studien. S. 111-134.

Stange, C.: Der dogmatische Ertrag der Ritschlschen Theologie nach Julius Kaftan. Leipzig 1906.

Stange, C.: Grundriß der Religionsphilosophie. Leipzig 1907.

Stange, C.: Jesu Beweis für die Auferstehung der Toten. In: Ders. Moderne Probleme des christlichen Glaubens. Leipzig 1910. S. 220-225.

Stange, C.: Christentum und moderne Weltanschauung. I: Das Problem der Religion. Leipzig 1911, [2]1913. II: Naturgesetz und Wunderglaube. Ebd. 1914.

Stange, C.: Die Gemeinschaft mit dem lebendigen Gott. Zwölf Predigten. Leipzig 1914.

Stange, C.: Die Religion als Erfahrung. Gütersloh 1919.

Stange, C.: Luther und das sittliche Ideal. Gütersloh 1919. - Dass. neu abgedruckt in: Ders. Studien zur Theologie Luthers. Bd. 1. Ebd. 1928. S. 159-219.

Stange, C.: Die Ethik Kants. Zur Einführung in die Kritik der praktischen Vernunft. Leipzig 1920.

Stange, C.: Hauptprobleme der Ethik. Leipzig 1922.

Stange, C.: Albrecht Ritschl. Die geschichtliche Stellung seiner Theologie. Leipzig 1922.

Stange, C.: Die Unsterblichkeit der Seele. (StASW. 12.) Gütersloh 1925.

Stange, C.: Die Unsterblichkeit der Seele. In: ZSTh 2 (1924/25) 431 - 463.

Stange, C.: Zur Auslegung der Aussagen Luthers über die Unsterblichkeit der Seele. In: ZSTh 3 (1925/26) 735-784. - Dass. in: Ders. Studien zur Theologie Luthers. Bd. 1. S. 287-344.

Stange, C.: Der christliche Gottesglaube im Sinne der Reformation. In: ZSTh 3 (1926) 517-547. - Dass. in: Ders. Studien zur Theologie Luthers. Bd. 1. S. 235-269.

Stange, C.: Der Todesgedanke in Luthers Tauflehre. In: ZSTh 5 (1928) 758-844. - Dass. in: Ders. Studien zur Theologie Luthers. Bd. 1. S. 348-434.

Stange, C.: Studien zur Theologie Luthers. Bd. 1. Gütersloh 1928.

Stange, C.: Luther und das 5. Laterankonzil. In: ZSTh 6 (1928/29) 339 - 444. - Dass. separat: ZurAuslegung der Aussagen Luthers ... Luther und das 5. Laterankonzil. (StASW. 24. Gütersloh 1928.

Stange, C.: Das Ende aller Dinge. Christliche Hoffnung, ihr Grund und ihr Ziel. Gütersloh 1930.

Stange, C.: Die christliche Lehre vom ewigen Leben. In: ZSTh 9 (1931/32) 250-276.

Stange, C.: Die christliche Vorstellung vom jüngsten Gericht. In: ZSTh 9 (1931/32) 441-454.

Stange, C.: Das letzte Wort des Auferstandenen (Matth. 28, 18-20). In: ZSTh 9 (1931/32) 637-644.

Stange, C.: Zu richten die Lebenden und die Toten. In: ThLBl 52 (1931) 17-22.

Stange, C.: Luthers Gedanken über die Todesfurcht. (GSt. 7.) Berlin, Leipzig 1932.

Stange, C.: »Die geradezu lächerliche Torheit der päpstlichen Theologie«. Zu Luthers Urteil über die Seelenlehre des 5. Laterankonzils. In: ZSTh 10 (1932/33) 301-367.

Stange, C.: Luthers Gedanken über Tod, Gericht und ewiges Leben. In: ZSTh 10 (1932/33) 490-513.

Stange, C.: Typen der Lebenskunst. In: ZSTh 10 (1932/33) 514-530.

Stange, C.: Das Problem der Unsterblichkeit der Seele. In: ZSTh 11 (1933/34) 108-125.

Stange, C.: Rez. zu H.Thielicke, Tod und Leben. [2]1946, In: ThLZ 72 (1947) 286-288.

Statistisches Jahrbuch für das Deutsche Reich (1924/25). Jg. 44. Berlin 1925.

Staudenmaier, F.A.: Das Wesen der katholischen Kirche mit Rücksicht auf ihre Gegner. Freiburg 1845.

Stave, E.: Der Einfluß des Parsismus auf das Judentum. Harlem 1898.

Steck, R.: Paulus und die Parusie. In: PrM 9 (1905) 449-453.

Steenbergen, A.: Henri Bergsons intuitive Philosophie. Jena 1909.

Steffes, J.P.: Eduard von Hartmanns Religionsphilosophie des Unbewußten. Auf der Grundlage seiner induktiven Metaphysik dargestellt und kritisch gewürdigt. Ein Beitrag zur Auseinandersetzung zwischen theistischer und monistischer Weltanschauung. Mergentheim 1921.

Steffes, J.P.: Ewigkeit. In: LThK[1] 3 (1931) 899-900.

Steffes, J.P.: Religionsgeschichte (4). In: LThK[1] 7 (1936) 776-778.

Stegmüller, F.: Geschichte des Molinismus. Bd. 1: Neue Molinaschriften. Münster 1937.

Stegmüller, F.: Engelbert Krebs (1881-1950). Ein Nachruf. In: ORhPBl 52 (1951) 10-19.

Stegmüller, F.: Karl Braig. In: ORhPBl 54 (1953) 120-128.

Stegmüller, F.: Karl Braig. In: LThK[2] 2 (1958) 642.

Stegmüller, F.: Isaak August Dorner. In: LThK[2] 3 (1959) 522-523.

Stegmüller, F.: Molinismus. In: LThK[2] 7 (1962) 527-530.

Stegmüller, W.: Die Hauptströmungen der Gegenwartsphilosophie. Eine historisch-kritische Einführung. (SDU. 32.) Wien, München 1952, [2]1961. - Dass. 3. wesentlich erweiterte Auflage. (KTA. 308.) Stuttgart 1965.

Stegmüller, W.: Der Phänomenalismus und seine Schwierigkeiten. Darmstadt 1969. - Dass. Reprographischer Nachdruck. (In: Libelli CXXXIX.) Ebd. 1972.

Stein, A.: Der Begriff des Geistes bei Dilthey. (Phil. Diss. Freiburg 1914. - Ref.: H. Rickert.) Bern 1913.

Stein, A.: Der Begriff des Verstehens bei Dilthey. Tübingen [2]1926.

Stein, E.: Zum Problem der Einfühlung. (JPhPhF. III.) Halle 1917. (= Teil II/IV von: Ders. Das Einfühlungsproblem in seiner historischen Entwicklung und in phänomenologischer Betrachtung. Phil. Diss. Freiburg 1917. - Ref.: E. Husserl.)

Stein, E.: Beiträge zur philosophischen Begründung der Psychologie und phänomenologischen Forschung. 1. Psychische Kausalität. 2. Individuum und Gemeinschaft. In: JPhPhF 5 (1922) 1-284.

Stein, E.: Husserls Phänomenologie und die Philosophie des hl. Thomas von Aquino. Versuch einer Gegenüberstellung. In: Festschrift Edmund Husserl. S. 315-338.

Stein, E.: Endliches und Ewiges Sein. Versuch eines Aufstiegs zum Sinn des Seins. (= Diess. Werke. Bd. 2. Hrsg. von Lucy Gelber und Romanus Leuven.) Leuven, Freiburg 1950, ²1962.

Stein, E.: Welt und Person. Beitrg zum christlichen Wahrheitsstreben. (= Werke. Bd. 6.) Leuven, Freiburg 1962.

Steinberg, W.: Psychologie als Wissenschaft von der Seele. Leipzig 1937.

Steinbüchel, Th.: Chiliasmus. In: SL⁵ 1 (1926) 1219-1223.

Steinbüchel, Th.: Die menschliche Existenz in heutiger philosophischer Sicht. In: BM-BThPhA. S. 149-159.

Steinbüchel, Th.: Das Problem der Existenz in idealistischer und romantischer Philosophie und Religion. In: Scientia sacra. S. 169-228.

Steinbüchel, Th.: Der Umbruch des Denkens. Die Frage nach der christlichen Existenz erläutert an Ferdinand Ebners Menschendeutung. Regensburg 1936. - Dass. (Unveränderter reprographischer Nachdruck.) Darmstadt 1966.

Steinbüchel, Th.: Die philosophische Grundlegung der katholischen Sittenlehre. (HKSL. Bd. I/2.) Düsseldorf 1938, ⁴1953.

Steinbüchel, Th.: Existentialismus und christliches Ethos. Bonn, Heidelberg 1948.

Steiner, R.: Reinkarnation und Karma. Berlin 1903.

Steiner, R.: Theosophie. Einführung in übersinnliche Welterkenntnis und Menschenbestimmung. Berlin 1904. - Dass. 3. durchgesehene und erweiterte Auflage. Leipzig 1910. - Dass. 21. Auflage. Stuttgart 1922. - Dass. Ebd. (1948).

Steinmann, Th.: Der religiöse Unsterblichkeitsglaube. Sein Wesen und seine Wahrheit, religionsvergleichend und kulturphilosophisch untersucht. (BThSBG. 8.) Leipzig 1908, ²1912.

Steinmann, Th.: Jenseitsvorstellungen der primitiven Völker. Ein Wort zu deren Verständnis. Ein Vortrag. (HMK. 10.) Herrnhut 1912.

Steinmann, Th.: Monismus. In: RGG¹ 4 (1913) 463-466.

Steinmann, Th.: Psychophysischer Parallelismus. In: RGG¹ 4 (1913) 1199 - 1202.

Steinmann, Th.: Psychophysik. In: RGG¹ 4 (1913) 1982-1985.

Steinmann, Th.: Spiritismus. In: RGG¹ 5 (1913) 839-841.

Steinmann, Th.: Rez. zu J. Zahn. Das Jenseits. In: ThLZ 42 (1917) 42.

Steinmann, Th.: Rez. zu G. Grupp. Jenseitsreligion. ²1916. In: ThLZ 43 (1918) 279-280.

Steinmann, Th.: Rez. zu E. Krebs. Was kein Auge gesehen. In: ThLZ 43 (1918) 280.

Steinmann, Th.: Zur Auseinandersetzung mit Gogarten, Brunner und Barth. (Kritischer Bericht zu: F. Gogarten. Ich glaube an den dreieinigen Gott. - E. Brunner. Zur Besinnung über den Christusglauben.) In: ZThK 37 N.F.10 (1929) 220-237.

Steinmetz, J.: Das Substanzproblem bei Wilhelm Wundt. (Phil. Diss. Bonn 1930.) Düsseldorf 1931.

Steinthal, H.: Charakteristik der hauptsächlichsten Typen des Sprachbaues. Berlin 1860.

Steinthal, H.: Der Begriff der Völkerpsychologie. In: ZVPs 17 (1887) 233-264.

Stenzel, J.: Dilthey und die deutsche Philosophie der Gegenwart. (PhV. H. 33.) Berlin 1934.

Stenzel, J.: Philosophie der Sprache. (HPh. Bd. 4.) München 1934. - Dass. (2., unveränderter reprographischer Nachdruck der Ausgabe München und Berlin 1934.) München 1969.

Stephan, H.: Die Lehre Schleiermachers von der Erlösung. Tübingen, Leipzig 1901.

Stephan, H.: Schleiermachers »Reden« und Herders »Religion, Lehrmeinungen und Gebräuche«. In: ZThK 16 (1906) 484-506.

Stephan, H.: Johann Gottfried Herder. In: RGG¹ 2 (1910) 2122-2126. - Ders. in: RGG² 2 (1928) 1814-1818.

Stephan, H.: Theozentrische Theologie. In: ZThK 21 (1911) 171-209.

Stephan, H.: Glaubenslehre. Der evangelische Glaube und seine Weltanschauung. In 2 Teilen. (Sammlung Töpelmann. Gruppe 1: Die Theologie im Abriß. Bd. 3.) Gießen 1920-1921. -Dass. 2. völlig neubearbeitete Auflage. Ebd. 1927-1928.

Stephan, H.: Die systematische Theologie. (ETh. 4.) Halle 1928.

Stephan, H.: Albrecht Ritschl. In: RGG² 4 (1930) 2043-2046. - Ders. in: RGG¹ 4 (1913) 2326-2333.

Stephan, H.: Richard Rothe. In: RGG² 4 (1930) 2117-2120.

Stephan, H.: Geschichte der evangelischen Theologie seit dem deutschen Idealismus. Berlin 1938. - Dass. 2. neubearbeitete Auflage von Martin Schmidt. Berlin 1960.

Steppuhn, F.: Friedrich Schlegel, als Beitrag zu einer Philosophie des Lebens. In: Logos 1 (1910/11) 261-288.

Stern, A.: Das Jenseits. Der Zustand der Verstorbenen bis zur Auferstehung nach der Lehre der Bibel und den Ergebnissen der Erfahrung. 2. umgearbeitete und vermehrte Auflage. Gotha 1906, ⁴1909, ⁵1912,⁷1918. Dass. 8. verbessere Auflage. Ebd. 1920.

Stern, A.: Blicke ins Jenseits. Konstanz 1914.

Stern, W.: Über Psychologie der individuellen Differenz. Leipzig 1900.

Stern, W.: Die differentielle Psychologie in ihren methodischen Grundlagen. Leipzig 1911.

Stern, W.: Vorgedanken zur Weltanschauung. Leipzig 1915.

Stern, W.: Die Psychologie des Personalismus. Leipzig 1917.

Stern, W.: Grundgedanken der personalistischen Philosophie. Berlin 1918.

Sternberger, A.: Der verstandene Tod. Eine Untersuchung zu Martin Heideggers Existenzialontologie. Mit einer monographischen Bibliographie. (StBGPh. 6.) Leipzig 1934.

Stertenbrink, R.: Ein Weg zum Denken. Die Analogia entis bei Erich Przywara. Salzburg, München 1971.

Stettner, W.: Die Seelenwanderung bei Griechen und Römern. (TBAW. 22.) Stuttgart 1934.

Steude, E.G.: Die Verteidigung der Auferstehung Jesu Christi. Ein Beitrag zur Apologetik. In: ThStKr 60 (1887) 203-295.

Steude, E.G.: Die monistische Weltanschauung. Gütersloh 1898.

Stirnimann, H.: Zur Enzyklika »Pascendi«. Eigenart und Gültigkeit. In: FZThPh 8 (1961) 254-274.

Stock, H.: Friedrich Schlegel und Schleiermacher. (Phil. Diss. Marburg 1930.) Marburg 1930.

Stockmann, A.: Licht der Verklärung. In: ThGl 1 (1909) 513-527.

Stockums, W.: Rez. zu B. Bartmann. Lehrbuch der Dogmatik. In: KPBl 52 (1918) 40-52.

Stockums, W.: Das Los der ohne Taufe sterbenden Kinder. Ein Beitrag zur Heilslehre. Freiburg 1923.

Stöckl, A.: Die speculative Lehre vom Menschen und ihre Geschichte. 2 Bde. Würzburg 1858-1859.

Stöckl, A.: Geschichte der neueren Philosophie von Baco und Cartesius bis zur Gegenwart. 2 Bde. Mainz 1883.

Stöhr, A.: Gedanken über Weltdauer und Unsterblichkeit. Wien 1894.

Stölzle,R.: Lehre vom Unendlichen bei Aristoteles, mit Berücksichtigung früherer Lehren über das Unendliche dargestellt. Teil einer gekrönten Preisschrift. Würzburg 1880.

Stölzle, R.: A. von Köllikers Stellung zur Deszendenztheorie. Ein Beitrag zur Geschichte moderner Naturphilosophie. Münster 1901.

Stölzle, R.: Herman Schell. Rede bei Enthüllung seines Grabdenkmals. Kempten 1908.

zu Stolberg-Wernigerode, O.: Houston Stewart Chamberlain. In: NDB 3 (1957) 187-190.

Stomps, M.A.H.: Heideggers verhandeling over den dood en de Theologie. In: VoxTh 9 (1938) 63-73.

Storkebaum, E.: Monisten und Monistenbund. In: RGG¹ 4 (1913) 466-468.

Strathmann, H.: Philipp G.O. Bachmann. In: NDB 1 (1953) 500-501.

Strathmann, H.: Isaak August Dorner. In: NDB 4 (1959) 79-80.

Strathmann, H.: Paul Feine. In: NDB 5 (1961) 61.

Stratilescu, E.: Die physiologischen Grundlagen des Seelenlebens bei Fechner und Lotze. (Phil. Diss. Berlin 1903.) Berlin 1903.

Straubinger, H.: Die Religion und ihre Grundwahrheiten in der deutschen Philosophie seit Leibniz. Freiburg 1919.

Straubinger, H.: Seele. In: LThK¹ 9 (1937) 403-408.

Strauch, M.: Die Theologie Karl Barths. Straßburg 1924. - Dass. 2. Auflage. München [1925], ⁵1933.

Strauß, D.F.: Das Leben Jesu, kritisch bearbeitet. 2 Bde. Tübingen 1835, ¹³1904.

Strauß, D.F.: Die christliche Glaubenslehre in ihrer geschichtlichen Entwicklung und im Kampfe mit der modernen Wissenschaft dargestellt. 2 Bde. Tübingen, Stuttgart 1840-1841.

Strauß, D.F.: Das Leben Jesu für das deutsche Volk bearbeitet. Leipzig 1864, [12]1902.

Strauß, D.F.: Der Christus des Glaubens und der Jesus der Geschichte. Berlin 1865.

Strauß, D.F.: Der alte und der neue Glaube. Bonn 1872, [16]1904.

Strecker, W.: Welt und Menschheit vom Standpunkt des Materialismus. Eine Darlegung der materialistischen Weltanschauung. Mit einer »Einführung« von Ludwig Büchner. Leipzig 1892.

Strege, M.: Das Eschaton als gestaltende Kraft in der Theologie. Stuttgart 1955.

Strege, M.: Das Reich Gottes als theologisches Problem im Lichte der Eschatologie und Mystik Albert Schweitzers. Stuttgart 1956.

Strege, M.: Albert Schweitzers Religion und Philosophie. Eine systematische Quellenstudie. Tübingen 1965.

Strehle, F.: Der metaphysische Monismus. (ChZg. 2. S. H. 12.) Stuttgart 1907.

Strobl, W.: Die Bedeutung der Synthese. Aloys Wenzl - der Philosoph der Integration, Synthese und Ganzheit. In: Akten des 14. internat. Kongresses für Philosophie Wien 2.-9. September 1968. Bd. 2. Wien 1968. S. 454-461.

Ströle, A.: Monistenbund. In: RGG[2] 4 (1930) 175-177.

Ströter, E.F.: Unseres Leibes Erlösung. Bremen 1905.

Ströter, E.F.: Kommt der Herr, wenn wir sterben? 2. durchgesehene Auflage. Düsseldorf 1907.

Ströter, E.F.: Das Evangelium Gottes von der Allversöhnung in Christus. Chemnitz (1916). - Dass. Wernigerode [2]O.J.

Stuba, B.: Tod und Unsterblichkeit. Was Denker und Dichter darüber sagen. Gesammelt von B. Stuba. Gütersloh 1912.

Stuckert, K.: Vom Schauen Gottes. In: ZThK 6 (1896) 492-544.

Stürmer, K.: Albert Schweitzer. In: EKl 3 (1959) 881-883.

Stufler, J.: Die Heiligkeit Gottes und der ewige Tod. Eschatologische Untersuchungen mit besonderer Berücksichtigung der Lehre des Professors Herman Schell. Innsbruck 1903.

Stufler, J.-B.: Die Verteidigung Schells durch Professor Kiefl. Innsbruck 1904.

Stufler, J.-B.: Die Theorie der freiwilligen Verstocktheit. Innsbruck 1905.

Stufler, J.: Bemerkungen zur Lehre des hl. Thomas über den Willenszustand des Sünders nach dem Tode. In: ZKTh 31 (1907) 171-176.

Stufler, J.: Rez. zu F. Schmid. Die Seelenläuterung im Jenseits. In: ZKTh 32 (1908) 353-357.

Stufler, J.: Rez. zu J. Zahn. Das Jenseits. In: ZKTh 41 (1917) 111-113.

Stufler, J.: Die Lehre des hl. Thomas von Aquin über den Endzweck des Schöpfers und der Schöpfung. In: ZKTh 41 (1917) 656-700.

Stufler, J.: Rez. zu B. Bartmann. Lehrbuch der Dogmatik. In: ZKTh 43 (1918) 112-116.

Stuiber, A.: Refrigerium interim. Die Vorstellung vom Zwischenzustand und die frühchristliche Grabeskunst. Bonn 1957.

Stumpf, C.: Über den psychologischen Ursprung der Raumvorstellung. Leipzig 1873.

Stumpf, C.: Tonpsychologie. 2 Bde. Leipzig 1883-1890.

Stumpf, C.: Psychologie und Erkenntnistheorie. (Aus: ABAW.) München 1891.

Stumpf, C.: Über den Begriff der mathematischen Wahrscheinlichkeit. In: SBAW-ph/hKl. 1892. S. 37-120.

Stumpf, C.: Über die Anwendung des mathematischen Wahrscheinlichkeitsbegriffes auf Teile der Wahrscheinlichkeitsrechnung. In: SBAW-ph/hKl. 1892. S. 681-691.

Stumpf, C.: Hermann von Helmholtz und die neure Psychologie. In: AGPh 8 (1895) 303-314.

Stumpf, C.: Erscheinungen und psychische Funktionen (APAW.) Sonderdruck. Berlin 1907.

Stumpf, C.: Über den Begriff der Gemütsbewegung. In: ZPsPhySO 21 (1899) 47-99.

Stumpf, C.: Der Entwicklungsgedanke in der gegenwärtigen Philosophie. Festrede, gehalten am Stiftungstage der Kaiser-Wilhelms-Akademie für das militärische Bildungswesen, 2. XII. 1899. Leipzig 1900. - Dass. In 2. Auflage zusammen mit: Leib und Seele. Leipzig 1903.

Stumpf, K.: Zur Einteilung der Wissenschaften. (APAW. 1906.) Berlin 1907.

Stumpf, C.: Philosophische Reden und Vorträge. Leipzig 1910.

Stumpf, C.: Zum Gedächtnis Lotzes. In: Kantst 22 (1917/18) 1-26.

Stumpf, C.: Empfindung und Vorstellung. (APAW-ph/hKl. Jg. 1918. Nr. 1.) Berlin 1918.

Stumpf, C.: Erinnerung an F. Brentano. In: O. Kraus. Franz Brentano. S. 87-149.

Stumpf, C.: Spinozastudien. (APAW-ph/hKl. 1919.) Berlin 1919.

Stumpf, C.: Gefühl und Gefühlsempfindung. Leipzig 1928.

Stumpf, F.: Die Gotteslehre von Hermann Lotze und Gustav Theodor Fechner. Eine vergleichende religionsphilosophische Untersuchung. (Phil. Diss. Gießen 1925.) Schotten 1925.

Switalski, B.W.: Das Leben der Seele. Eine Einführung in die Psychologie. Braunsberg 1907.

von Sydow, E.: Der Gedanke des Ideal-Reichs in der idealistischen Philosophie von Kant bis Hegel im Zusammenhang der geschichtsphilosophischen Entwicklung. Leipzig 1914.

Symposion. Philosophische Zeitschrift für Forschung und Aussprache. Erlangen 1930/31.

Synopsis. Studien aus Medizin und Naturwissenschaft. Hamburg ab 1948.

Systematische Philosophie. Hrsg. von Nicolai Hartmann. Stuttgart und Berlin 1942.

Szilasi, W.: Wissenschaft als Philosophie. (Vortrag in erweiterter Form.) Zürich, New York 1945.

Szilasi, W.: Macht und Ohnmacht des Geistes. Interpretationen zu Platon: Philebos und Staat VI - Aristoteles: Nikomachische Ethik, Metaphysik IX und XII, Über die Seele III, Über die Interpretation c 1-5. (ÜA-S. 2.) Bern 1946.

Szilasi, W.: Einführung in die Phänomenologie Husserls. Tübingen 1959.

Szilasi, W.: Philosophie und Wissenschaft. (DTb. 347.) Bern, München 1961.

Tafel, J.F.I.: Die Unsterblichkeit und Wiedererinnerungskraft der Seele, erwiesen aus Schrift, Vernunft und Erfahrung, und bestätigt durch Erfahrungsbelege aus den Schriften der griechischen und römischen Classiker und der Christen aus den folgenden Jahrhunderten. Tübingen 1853.

Tafel, J.F.I.: Die Beweise der Unsterblichkeit und Wiedererinnerungskraft der Seele, erwiesen aus Schrift, Vernunft und Erfahrung, und bestätigt durch Erfahrungsbelege aus den Schriften der griechischen und römischen Klassiker und der Christen aus den folgenden Jahrhunderten, sowie Beispielen bis zur Neuzeit. (Die Brücke zum Jenseits. Bd. 4.) Wiesbaden [1920].

Tanabe, H.: Todesdialektik. In: Martin Heidegger zum 70. Geburtstag. S. 93-133.

Tausch, E.: Die geschichtliche Entwicklung des Begriffs des Lebens im A.T. und die Ansätze der tieferen neutestamentlichen Fassung. In: JPTh 18 (1892) 1-33.

Taylor, A.E.: The Christian hope of immortality. (The Christian challenge series). London 1938.

Techen, L.: Paul de Lagarde. In: ADB 51 (1906) 531-536.

Teichmüller, G.: Geschichte des Begriffs der Parusie. Halle 1873.

Teichmüller, G.: Über die Unsterblichkeit der Seele. Leipzig 1874.

Teichmüller, G.: Studien zur Geschichte der Begriffe. Berlin 1874.

Teilhard de Chardin, P.: Der Mensch im Kosmos. (Le phénomène humain). München (1959).

Tenbruck, F.H., Stavenhagen, G., Winckelmann, J.: Max Weber. In: StL[6] 8 (1963) 466-478.

Ten Hompel, M.: Das Opfer als Selbsthingabe und seine ideale Verwirklichung im Opfer Christi. (FThSt. 24.) Freiburg 1920.

Terán-Dutari, J.: Die Geschichte des Terminus »Analogia Entis« und das Werk Erich Przywaras. Dem Denker der »analogia entis« zum 80. Geburtstag. In: PhJ 77 (1970) 163-179.

Ternus, J.: Rez. zu K. Heim. Weltschöpfung und Weltende. In: Scholastik 29 (1954) 618-619.

Testimonia. Schriften der altchristlichen Zeit. In Verbindung mit Theodor Klauser hrsg. von Eduard Stommel † und Alfred Stuiber. Düsseldorf ab 1960.

Tetz, M.: Ferdinand Christian Baur. In: RGG[3] 1 (1957) 935-938.

Thalhofer, V.: Handbuch der katholischen Liturgik. 2 Bde. Freiburg 1883-1893.

Theologie als Glaubenswagnis. Festschrift für Karl Heim zum 80. Geburtstag. Dargebracht von der Evang.-Theol. Fakultät in Tübingen. (FurSt. 23.) Hamburg (1954).

Theologie im Wandel. Festschrift zum 150jährigen Bestehen der katholisch-theologischen Fakultät an der Universität Tübingen 1817/1967. (Schriftleitung: Joseph Ratzinger und Johannes Neumann.) (TThR. 1.) München, Freiburg 1967.

Theologische Gegenwartsfragen, behandelt von Kurt Galling, Gerhard Heinzelmann, Otto Michel und Ernst Wolf. Bericht über den am 15.-17.IV.1940 auf dem Ferienkurs der Gesellschaft zur Förderung der evangelisch-theologischen Wissenschaft in der Provinz Sachsen und Anhalt gehaltenen Vorträge, hrsg. von Otto Eissfeld. Halle 1940.

Theologische Studien. Martin Kähler zum 6. I. 1905 dargebracht von Frdr. Giesebrecht, Rud. Kögel, Karl Bornhausen, Karl Müller, Carl Stange, Mart. Schulze, Wilh. Lütgert, Paul

Tschackert. Leipzig 1905.

Thiel, Ch.: Sein und Bedeutung in der Logik Gottlob Freges. (MPhF. 43.) Meisenheim 1965.

Thiele, R.: Person und Charakter. Leipzig 1940.

Thielicke, H.: Tod und Leben. Studien zur christlichen Anthropologie. Genf 1945. - Dass. 2. Auflage. Tübingen 1946.

Thielicke, H.: Der Christ und das Jenseits. In: HK 27 (1973) 412-415.

Thieme, K.: Glauben und Wissen bei Lotze. Leipzig 1888.

Thieme, K.: Zu Wundts Religionspsychologie. In: ZRPs-H 4 (1911) 145-161.

Thieme, K.: Die genetische Religionspsychologie. In: ZWTh 53 (1911) 289-316.

Thieme, K.: Rez. zu R. Seeberg. Ewiges Leben. In: ThLZ 41 (1916) 415 - 416.

Thieme, K.: W. Wundt's Bedeutung für die Theologie. In: ZThK N.F. 2. 29 (1921) 213-238.

Thieme, K: Wilhelm Wundt. In: RGG^1 5 (1913) 2168-2173. - Ders. In: RGG^2 5 (1931) 2052-2053.

Thieme, K.: Am Ziel der Zeiten? Ein Gespräch über das Heranreifen der Christenheit zum Vollalter ihres Herrn. Salzburg 1939.

Thierfelder, A.: Kritik des psychischen Parallelismus. Psychismus. In: ANKPh 12 (1913) 264-288.

Thomä, J.: Die Absolutheit des Christentums, zur Auseinandersetzung mit Troeltsch untersucht, Leipzig 1907.

Thomä, J.: Rothes Lehre von der Kirche. In: ThStKr 83 (1910) 244-299.

Thomas a Kempis: Vier Bücher von der Nachfolge Christi. Nach der Reuter-schen Übersetzung bearbeitet und mit praktischen Zugaben versehen von P. Weber. Domvicar in Trier. Saarlouis [1901].

Thomas: Das Weltende. Nach der Lehre des Glaubens und der Wissenschaft. Autorisierte Übersetzung. Münster 1900.

Thurneysen, E.: Suchet Gott, so werdet ihr leben. Predigten mit Karl Barth. Bern 1917, ^{2}1929.

Thurneysen, E.: Dostojewski. München 1921, ^{4}1930.

Thurneysen, E.: Eine christliche Unterweisung. In: ZZ 1 (1923) H. 1. S. 48-61.

Thurneysen, E.: Sozialismus und Christentum. In: ZZ 1 (1923) H. 2. S. 58-80.

Thurneysen, E.: Komm Schöpfer Geist. Predigten mit K. Barth. München 1924, ^{3}1926.

Thurneysen, E.: Christoph Blumhardt. München 1926.

Thurneysen, E.: Das Wort Gottes und die Kirche. Gesammelte Aufsätze. München 1927.

Thurneysen, E.: Zum religiös-sozialen Problem. In: ZZ 5 (1927) 513-522.

Thurneysen, E.: Christus und seine Zukunft. Ein Beitrag zur Eschatologie. In: ZZ 9 (1931) 187-211.

Thurneysen, E.: Die Fülle in Christus. Vortrag gehalten an der 1. Internationalen Missionsstudienkonferenz in Basel am 3. 9. 1935. München 1935.

Thurneysen, E.: Kreuz und Wiederkunft Christi. 2 Vorträge und ein Nachwort über »Rechtgläubigkeit und Frömmigkeit«. (ThEH. 60.) München 1939.

Thurneysen, E.: Die Anfänge. Karl Barths Theologie der Frühzeit. In: Antwort. S. 831-864.

Thyssen, J.: Zur Neubegründung des Realismus in Auseinandersetzung mit Husserl. In: ZPhF 7 (1953) 145-171.

Tiele, C.P.: Geschiedenis van den godsdienst tot aan de heerschappij der goddiensten. Amsterdam 1876. - Dass. deutsch: Kompendium der Religionsgeschichte. Berlin 1880, ^{13}1931.

Tiele, C.P.: Geschiedenis van den godsdienst in de oudheid tot op Alexander den Grote. 4 Bde. Leiden 1891-1902. - Dass. deutsch: Geschichte der Religion im Altertum. 2 Bde. Gotha 1895-1903.

Tiele, C.P.: Inleiding tot de godsdienst-wetenschap. Amsterdam 1897 - 1899. - Dass. deutsch: Einleitung in die Religionswissenschaft. 2 Teile. Gotha 1899-1901.

Tillard, J.M.R.: Die Verherrlichung des Menschensohnes als Einssein von Kirche Gottes und Welt im Eschaton. In: KWH. S. 130-136.

Tillich, P.: Zum Problem des religiösen Sozialismus. Göttingen 1902.

Tillich, P.: Masse und Geist. Studien zur Philosophie der Masse. (VuG. 1.) Berlin 1922.

Tillich, P.: Das System der Wissenschaften nach Gegenständen und Methoden. Ein Entwurf. Göttingen 1923.

Tillmann, F.: Die Wiederkunft Christi nach den paulinischen Briefen. (BSt. XIV/1-2.) Freiburg 1909.

Tillmann, F.: David Friedrich Strauß. In: LThK[1] 9 (1937) 859-860.

Tissot, J.: La vie intérieure, simplifié et ramené à son fondement. Ouvrage publié par le R.P. Joseph Tissot. Paris, Lyon 1894, [15]1920. - Dass. deutsch: Das innerliche Leben muß vereinfacht und wieder auf seine Grundlagen zurückgeführt werden. Aus dem Franz. übersetzt von F.X. Kerer. Regensburg 1899, [4]1919, [6]1925.

Titius, A.: Die neutestamentliche Lehre von der Seligkeit und ihre Bedeutung für die Gegenwart. 1. Theil. Jesu Lehre vom Reiche Gottes. Tübingen 1895. - Dass. Der geschichtlichen Darstellung 2.-4. (Schluß-)Abtheilung. 2. Der Paulinismus unter dem Gesichtspunkt der Seligkeit dargestellt. 3. Die johanneische Anschauung unter dem Gesichtspunkt der Seligkeit dargestellt. 4. Die vulgäre Anschauung von der Seligkeit im Urchristentum. Ihre Entwicklung bis zum Übergang in katholische Formen. Tübingen 1900.

Titius, A.: Der Bremer Radikalismus. Vortrag 10. 10. 1907. (SGV. H. 54.) Tübingen 1908.

Titius, A.: Charles Robert Darwin. In: RGG[1]1(1909) 1975-1984. - Ders. in: RGG[2] 1 (1927) 1789-1793.

Titius, A.: Deszendenztheorie. In: RGG[1]1(1909) 2041-2053. - Ders. in: RGG[2] 1 (1927) 1838-1848.

Titius, A.: Entwicklungslehre. In: RGG[1] 2 (1910) 377-410.

Titius, A.: Natur und Gott. Ein Versuch zur Verständigung zwischen Naturwissenschaft und Theologie. Göttingen 1926.

Titius, A.: Helmholtz. In: RGG[2] 2 (1928) 1788-1789.

Titius, A.: Leib und Seele, philosophisch. In: RGG[2] 3 (1929) 1545-1555.

Titius, A.: Ludwig Plate. In: RGG[2] 4 (1930) 1285.

Titius, A.: Psychophysischer Parallelismus. In: RGG[2] 4 (1930) 954-955.

Titius, A.: Psychophysik. In: RGG[2] 4 (1930) 1646-1647.

Titius, A.: Neure Seelentheorie. In: RGG[2] 5 (1931) 372-374.

Titius, A.: Vitalismus und Mechanismus. In: RGG[2] 5 (1931) 1599-1600.

Tixeront, L.-J.: Histoires des dogmes dans l'antiquité chrétienne. 3 tom. (Bibliothèque de l'enseignement de l'histoire ecclésiastique.) Paris 1906-1912, [11]1930.

Tödt, H.E.: Ernst Troeltsch. In: TdTh. S. 93-98.

Tögel, H.: Das Rätsel des Todes und des Lebens. Drei Vorträge. Göttingen 1921.

Torge, P.: Seelenglauben und Unsterblichkeitshoffnung im Alten Testament. Leipzig 1909.

van Torre, J.: Sint Thomas en de natuurlijke ontvankelijkheid van de mens voor de onmiddellijke godsschouwing. In: Bijdragen 19 (1958) 162-187.

Traub, F.: Die sittliche Weltordnung. Eine systematische Untersuchung. Freiburg i.B. 1892.

Traub, F.: Ritschls Erkenntnistheorie. In: ZThK 4 (1894) 91-129.

Traub, F.: Grundlegung und Methode der Lipsius'schen Dogmatik. In: ThStKr 68 (1895) 471-529.

Traub, F.: Die religionsgeschichtliche Methode und die systematische Theologie. Eine Auseinandersetzung mit Troeltschs Reformprogramm. In: ZThK 11 (1901) 301-340.

Traub, F.: Zur Kritik des Monismus. In: ZThK 18 (1908) 157-180.

Traub, F.: Theologie und Philosophie. Eine Untersuchung über das Verhältnis der theoretischen Philosophie zum Grundproblem der Theologie. Tübingen 1910.

Traub, F.: Die Frage des religiösen Apriori. In: ZThK 24 (1914) 181 - 199.

Traub, F.: Rudolf Steiner als Philosoph und Theosoph. (SGVSGThRPh. 91.) Tübingen 1919.

Traub, F.: Geschichtswahrheiten und Vernunftswahrheiten bei Lessing. In: ZThK 28 N.F. 1 (1920) 193-207.

Traub, F.: Die christliche Lehre von den letzten Dingen. In: ZThK 6 (1925) 29-49, 91-120.

Traub, F.: Glaube und Geschichte. Eine Untersuchung über das Verhältnis von christlichem Glauben und historischer Leben-Jesu-Forschung. Gotha 1926.

Traub, F.: Zum Begriff des Dialektischen. In: ZThK N.F. 10 (1929) 380 - 388.

Traub, F.: David Friedrich Strauß. In: RGG[2] 5 (1931) 844-846.

Traub, F.: Theozentrische Theologie. In: RGG[2] 5 (1931) 1140-1141.

Traub, F.: Heidegger und die Theologie. In: ZSTh 9 (1931/32) 686-743.

Traub, Th.: Totengedächtnis. Stuttgart 1921.

Traub, Th.: Von den letzten Dingen. Vorträge auf neutestamentlicher Grundlage. Stuttgart

1926. - Dass. 2. ergänzte Auflage. Ebd. 1928.

Traumann, E.: Kuno Fischer. Ein Nachruf. Heidelberg 1907.

Trendelenburg, F.A.: Platonis de ideis et numeris doctrina ex Aristotele illustrata. (Phil. Diss. Berlin 1826.) Leipzig 1826.

Trendelenburg, F.A.: Elementa logices Aristotelae. In usum scholarum ex Aristotele excerpsit, convertit, illustravit. Berolini 1836. - Dass. ed. IX. Ebd. 1892.

Trendelenburg, F.A.: Erläuterungen zu den Elementen der Aristotelischen Logik. Berlin 1842. - Dass. 2. vermehrte Auflage. Ebd. 1861, ³1872.

Trendelenburg, F.A.: Historische Beiträge zur Philosophie. 3 Bde. Berlin 1855-1867.

Trendelenburg, F.A.: Über den letzten Unterschied der philosophischen Systeme. In: Ders. Historische Beiträge zur Philosophie. Bd. 2. S. 1 - 30.

Trendelenburg, F.A.: Kuno Fischer und sein Kant. Eine Entgegnung. Leipzig 1869.

Troeltsch, E.: Rez. zu R.A. Lipsius. Lehrbuch der evangelisch-protestantischen Dogmatik. ³1893. In: GGA (1894) Bd. 2. S. 841-854.

Troeltsch, E.: Die christliche Weltanschauung und die wissenschaftlichen Gegenströmungen. In: ZThK 3 (1893) 493-528; 4 (1894) 167-231.

Troeltsch, E.: Die Selbständigkeit der Religion. In: ZThK 5 (1895) 361 - 436.

Troeltsch, E.: Geschichte und Metaphysik. In: ZKTh 8 (1898) 1-69.

Troeltsch, E.: Historische und dogmatische Methode der Theologie. (Bemerkungen zu dem Aufsatz »Über die Absolutheit des Christentums« von Niebergall.) In: ThARhWPV N.F. 4 (1900) 87-108.

Troeltsch, E.: Die Absolutheit des Christentums und die Religionsgeschichte. Vortrag, gehalten auf der Versammlung der Freunde der christlichen Welt zu Mühlacker, am 3.10.1901, erweitert und mit einem Vorwort versehen. Tübingen 1902, ²1912, ³1929. - Dass. (STb. 138.) München und Hamburg 1969.

Troeltsch, E.: Politische Ethik und Christentum. Göttingen 1904.

Troeltsch, E.: Das Historische in Kants Religionsphilosophie. Berlin 1904.

Troeltsch, E.: Psychologie und Erkenntnistheorie in der Religionswissenschaft. Eine Untersuchung über die Bedeutung der Kantischen Religionslehre für die heutige Religionswissenschaft. Vortrag, gehalten auf dem International Congress of arts and sciences in St. Louis. Tübingen 1905.

Troeltsch, E.: Das Wesen der Religion und Religionswissenschaft. Ihre Entwicklung und ihre Ziele. KdG. I. Teil, IV/2., Leipzig 1906, ²1909.

Troeltsch, E.: Die letzten Dinge. In: ChW 22 (1908) 74-78, 97-101.

Troeltsch, E.: Eschatologie, dogmatisch. In: RGG¹ 2 (1910) 622-632.

Troeltsch, E.: Die Zukunftsmöglichkeiten des Christentums. In: Logos 1 (1910/11) 165-185.

Troeltsch, E.: Die Bedeutung der Geschichtlichkeit Jesu für den Glauben. (Vortrag.) Tübingen 1911.

Troeltsch, E.: Was heißt Christentum? In: Ders. Gesammelte Schriften. Bd. 2. Tübingen 1913. S. 386-451.

Troeltsch, E.: Moderne Geschichtsphilosophie. In: Ders. Gesammelte Schriften. Bd. 2. S. 673-728.

Troeltsch, E.: Die Soziallehren der christlichen Kirchen und Gruppen. Tübingen 1912.

Troeltsch, E.: Über Maßstäbe zur Beurteilung historischer Dinge. In: HZ 116 (1916) 1-47.

Troeltsch, E.: Über den Begriff einer historischen Dialektik. In: HZ 119 (1918) 373-426.

Troeltsch, E.: Die Bedeutung der Geschichte für die Weltanschauung. Berlin 1918.

Troeltsch, E.: Die Dynamik der Geschichte nach der Geschichtsphilosophie des Positivismus. (PhV. 23.) Berlin 1919.

Troeltsch, E.: Die Logik des historischen Entwicklungsbegriffes. In: Kantst 27 (1922) 265-297.

Troeltsch, E.: Der Historismus und seine Probleme. Bd. 1: Das logische Problem der Geschichtsphilosophie. (Gesammelte Werke. Bd. 3.) Tübingen 1922.

Troeltsch, E.: Der Historismus und seine Überwindung. Fünf Vorträge. Berlin 1924.

Troeltsch, E.: Glaubenslehre. München 1925.

Trübe, O.: Rudolf Euckens Stellung zum religiösen Problem, ein Beitrag zur Charakteristik und Würdigung seiner religionsphilosophischen Grundanschauungen. (Phil. Diss. Erlangen 1904.) Erlangen 1904.

Trütsch, J.: Intuitionismus. In: LThK² 5 (1960) 740-741.

Tüchle, H.: Franz Xaver Funk. In: LThK² 4 (1960) 460.

Tylor, E.B.: Primitive Culture. Researches into the development of mythology, philosophy, religion, art and custom. 2 vol. London 1871, ⁵1913. - Dass. Neuauflage. London 1958. - Dass. deutsch: Die Anfänge der Kultur. Untersuchungen über die Entwicklung der Mythologie. Philosophie, Religion, Kunst und Sitte. Unter Mitwirkung des Verfassers ins Deutsche übertragen von J.W. Spengel und Fr. Poske. 2 Bde. Leipzig 1873.

Tyrell, G.: Zwischen Scylla und Charybdis oder Die alte und die neue Theologie. Aus dem Englischen von E. Wolff. Jena 1909.

Uckeley, A.: Rez. zu R. Seeberg. Ewiges Leben. In: ThG 9 (1915) 148-149.

Ucko, S.: Der Gottesbegriff in der Philosophie Hermann Cohens. Berlin 1929.

Ude, J.: Materie und Leben. (GlW. 21.) Kevelaer 1909.

Ude, J.: Können wir Monisten sein? 5 Vorträge, gehalten in Mainz, Ostern 1913. (SNK. 7.) München 1913.

Ude, J.: Kann der Mensch vom Tier abstammen? Graz, Wien 1914, ²1926.

Ude, J.: Metaphysischer Beweis für die Unmöglichkeit der Tierabstammung des Menschenleibes. Ein Beitrag zum Deszendenzproblem und Nachwort zu meiner Schrift: »Kann der Mensch vom Tier abstammen?« (SNK. 10.) München 1917.

Ueberweg - Friedrich Ueberwegs Grundriß der Geschichte der Philosophie. Bd. 4: Das 19. Jahrhundert und die Gegenwart. 13. Auflage. (= 12. von T.K. Oesterreich völlig neubearbeitete Auflage. Tübingen 1924.) Darmstadt 1951.

Ultramontane Weltanschauung und moderne Lebenskunde, Orthodoxie und Monismus. Die Anschauungen des Jenseitspaters Erich Wasmann und die gegen ihn in Berlin gehaltenen Reden. Hrsg. von Prof. Dr. L. Plate. Jena 1907.

Unger, R.: Herder, Novalis, Kleist. Studien über die Entwicklung des Todesproblems in Denken und Dichten von Sturm und Drang zur Romatik. Mit einem eingedruckten Brief Herders. (DF.9.) Frankfurt 1922.

Ungerer, E.: Die Teleologie Kants und ihre Bedeutung für die Logik der Biologie. (AThB. 14.) Berlin 1922.

Ungerer, E.: Der Darwinismus und die logische Struktur des biologischen Artbegriffs. In: Kantst 27 (1922) 86-100.

Universitas. Zeitschrift für Wissenschaft, Kunst und Literatur. Stuttgart ab 1946.

Unsterblichkeit. Religionswissenschaftliche Vorträge, in Verbindung mit ... hrsg. von Erhard Schlund. (RWVMF. 7.) München 1928.

Uphues, G.: Einführung in die moderne Logik. Teil 1: Grundzüge der Erkenntnistheorie. (BdL. 5.) Osterwieck 1901.

Uphues, G.: Zur Krisis in der Logik. Auseinandersetzung mit M. Palágyi. Berlin, Leipzig 1903.

Uphues, G.: Kant und seine Vorgänger. Was wir von ihnen lernen können. Berlin, Leipzig 1906.

Uphues, G.: Erkenntniskritische Logik. Leitfaden für Vorlesungen. Halle 1909.

Uschmann, G.: Ernst Haeckel. In: NDB 7 (1966) 423-425.

Usener, H.: Götternamen. Versuch einer Lehre von der religiösen Begriffsbildung. Bonn 1896. - Dass. Frankfurt ³1948.

Usteri, L.: Die Entwicklung des paulinischen Lehrbegriffs in seinem Verhältnis zur biblischen Theologie des Neuen Testaments. Ein exegetisch-dogmatischer Versuch. Zürich 1824, ⁶1851.

Utiz, E.: Franz Brentano. In: Kantst 22 (1917/18) 217-242.

van der Vaart Smit, H.W.: Die Schule Karl Barths und die Marburger Philosophie. In: Kantst 34 (1929) 333-350.

Vaihinger, H. Kant - ein Metaphysiker? In: PhA-ChS. S. 133-158.

Vaihinger, H.: Die Philosophie des Als-ob. System der theoretischen, praktischen und religiösen Fiktion der Menschheit auf Grund eines idealistischen Positivismus. Mit einem Anhang über Kant und Nietzsche. Berlin 1911.

Vansteenberghe, E.: Molinismus. In: DThC 10 (1929) 2094-2187.

Vatter, R.: Das Verhältnis von Trinität und Vernunft nach Johannes von Kuhn mit Berücksichtigung der Lehre Matthias Joseph Scheebens. (Kath.-theol. Diss. Münster 1940.)

Speyer a.Rh. 1940.

Verga, E.: L'immortalità dell'anima nel pensiero del Card. Gaetano. In: RFN 27 (1935) Suppl. 21-46.

Vermeersch, A.: Rez. zu B. Bartmann. Das Fegfeuer. In: Greg 12 (1931) 493-494.

Vermeil, E.: Jean Adam Möhler et l'école catholique de Tubingue (1815 - 1840), étude sur la théologie romantique en Wurtemberg et les origines germaniques du modernisme, thèse pour le doctorat présentée à la Faculté des lettres de l'Université de Paris. Paris 1913.

Vermeil, E.: La pensée religieuse d'Ernst Troeltsch. (Aus: RHPhR 1. 1921.) Strasbourg 1922.

Verzeichnis der Vorlesungen an der Akademie von Braunsberg Winter 1922/23. Mit einer Abhandlung von J. Kroll: Beiträge zum Descensus ad inferos. Königsberg-Braunsberg 1922.

Dr. Verus: Christi Wiederkunft zur Endvollendung. In: WuGl 18 (1920) 283-286, 309-313.

Verzeichnis der Vorlesungen die an der Bischöfl. philos.-theol. Akademie zu Paderborn im Winter-Semester 1922/23 gehalten werden Mit einer Abhandlung. Paderborn 1922.

Verzeichnis der wichtigsten Schriften von Prof. Dr. D.C. Stange. In: ThLZ 75 (1950) 175-180. - Dass. 1950-1955. -Ebd. 80 (1955) 244-246.- Dass. 1955-1959. Ebd. 85 (1960) 233-234.

Vetter, A.: Julius Friedrich August Bahnsen. In: NDB 1 (1953) 540-541.

Vitringa, C.: Ἀνάκρισις Apocalypseos Ioannis Apostoli. Franequera [= Franeker/ NL] 1705.

Völker, W.: Das Vollkommenheitsideal des Origines. (BHTh. 7. Tübingen 1931.

Vogels, H.: Rez. zu H.E. Weber. Eschatologie und Mystik im Neuen Testament. In: ThRv 31 (1932) 14.

Vogt, K.: Physiologische Briefe. Stuttgart 1845-1846.

Vogt, K.: Natürliche Geschichte der Schöpfung des Weltalls, der Erde und der auf ihr befindlichen Organismen, begründet auf die durch die Wissenschaft errungenen Tatsachen. Aus dem Engl. nach der 6. Auflage von Carl Vogt. Braunschweig 1851. - Dass. 2. verbesserte Auflage. Ebd. 1858.

Vogt, K.: Köhlerglaube und Wissenschaft. Eine Streitschrift gegen Rudolf Wagner. Gießen 1854.

Vogt, K.: Vorlesungen über den Menschen, seine Stellung in der Schöpfung und in der Geschichte der Erde. 2 Bde. Gießen 1863.

Volck, W.: Der Chiliasmus seiner neuesten Bekämpfung gegenüber. Dorpat 1869.

Volk, H.: Emil Brunners Lehre von der ursprünglichen Gottebenbildlichkeit des Menschen. Emsdetten 1939.

Volk, H.: Der Tod in der Sicht des christlichen Glaubens. Münster 1958.

Volk, H.: Tod. II. Theologisch. In: HThG 2 (1963) 670-679.

Volk, H.: Gott alles in allem. (Gesammelte Schriten. Bd. 1.) Mainz ²1967.

Volkelt, J.: Phänomenologie und Metaphysik der Zeit. München 1925.

Volkelt, J.: Selbstdarstellung. In: DSPh. Bd. 1. S. 1-56.

Vollrath, W.: Die Frage nach der Herkunft des Prinzips der Anschauung in der Theologie Herders. (Theol. Diss. Gießen 1909. - Ref.: S.A. Eck.) Darmstadt 1909.

Vollrath, W.: Die Auseinandersetzung Herders mit Spinoza. Eine Studie zum Verständnis der Persönlichkeit. (Phil. Diss. Gießen 1911. Ref.: K.Groos.) Darmstadt 1911.

Vollrath, W.: Rez. zu R. Seeberg. Christliche Dogmatik. In: ThG 19 (1925) 62.

Vollrath, W.: H.S. Chamberlain und seine Theologie. Erlangen 1937.

Volz, P.: Jüdische Eschatologie von Daniel bis Akiba. Tübingen 1903.

Volz, P.: Die Eschatologie der jüdischen Gemeinde im neutestamentlichen Zeitalter. Nach den Quellen der rabbinischen, apokalyptischen und apokryphen Literatur dargestellt. 2. (neubearbeitete) Auflage des Werkes »Jüdische Eschatologie von Daniel bis Akiba«. Tübingen 1934. - Dass. (Reprographischer Nachdruck der 2. Ausgabe. Tübingen 1934.) Hildesheim 1966.

Volz, P.: Der eschatologische Glaube im Alten Testament. In: Festschrift Georg Beer. S. 72-87.

Vorbrodt, G.: Principien der Ethik und Religionsphilosophie Lotzes. Dessau, Leipzig 1891, ²1892.

Vorländer, K.: Geschichte der Philosophie. 2 Bde. (PhB. 105-106.) Leipzig 1910, ³1911.

Vraetz, A.: Spekulative Begründung der Lehre der katholischen Kirche über das Wesen der

964

menschlichen Seele und ihr Verhältnis zum Körper. Köln, Neuß 1866.

de Vries, J.: Rez. zu M. Heidegger. Kant und das Problem der Metaphysik. In: Scholastik 5 (1930) 422-425.

Wach, J.: Die Typenlehre Trendelenburgs und ihr Einfluß auf Dilthey. Eine philosophie- und geistesgeschichtliche Studie. (PhG. 11.) Tübingen 1926.

Wach, J.: Das Problem des Todes in der Philosophie unserer Zeit. In: PhG. H. 49.) Tübingen 1934.

Wackerzapp, H.: Intuition. In: LThK² 5 (1960) 739-740.

Wagner: Rez. zu J. Zahn. Das Jenseits. In: LA 31 (1917) 84.

Wagner, F.J.H.R.: Naturgeschichte des Menschen. Handbuch der populären Anthropologie für Vorlesungen und Selbstunterricht. 1. Theil: Bau und Leben des Leibes. 2. Theil: Entwicklungsgeschichte der Erde und des Menschen.

Wagner, H.: Rez. zu H. Thielicke. Tod und Leben. ²1946. In: ZPhF 3 (1948) 159-160.

Wagner, H.: Apriorität und Idealität. Vom ontologischen Moment in der apriorischen Erkenntnis. In: PhJ 56 (1946) 292-361; 57 (1947) 431 - 496.

Waldmann, M: Glaube und Glaubenswissenschaft im Katholizismus. (Rez. zu K. Adam. Glaube und Glaubenswissenschaft.) In: ThGl 13 (1921) 103.

Walk, L.: Tod, religionsgeschichtlich. In: LThK¹ 10 (1938) 188-192.

Walter, E.: Das Kommen des Herrn. (= Leben aus dem Wort. [4.] 1: Die entzeitgemäße Haltung des Christen nach den Briefen der heiligen Apostel Petrus und Paulus. Maranatha. 1. Kor. 16, 22. Freiburg (1941), ³1948. - 2: Die eschatologische Situation nach den synoptischen Evangelien. Freiburg 1947.

Walter, E.: Das Pascha-Mysterium. Der österliche Ursprung der Eucharistiefeier. Freiburg 1965.

Walther, Ch.: Der Reich-Gottes-Begriff in der Theologie Richard Rothes und Albrecht Ritschls. (Teil einer theol. Diss. Kiel 1956.) In: KuD 2 (1956) 115-138. - Dass. separat: Kiel 1955.

Walther, Ch.: Typen des Reich-Gottes-Verständnisses. Studien zur Eschatologie und Ethik im 19. Jahrhundert. (Phil. Diss. Kiel 1955.) (FGLP. R. 10. Bd. 20.) München 1961.

Walther, G.: Zur Phänomenologie der Mystik. Halle 1923.

Walther, G.: Zur Ontologie der sozialen Gemeinschaften. In: JPhPhF 6 (1923) 1-158.

Walther, J.: Im Banne Ernst Haeckels. Jena um die Jahrhundertwenden. Aus dem Nachlaß hrsg. von Gerhard Heberer. Göttingen 1953.

Walther, W.: Adolf Harnacks Wesen des Christentums. Leipzig 1901.

Walz, J.B.: Die Fürbitte der Heiligen. Dogmatische Studie. Freiburg i.B. 1927.

Walz, J.B.: Die Fürbitte der Armen Seelen und ihre Anrufung durch die Gläubigen auf Erden. Ein Problem des Jenseits, dogmatisch untersucht und dargestellt. 2. Auflage. Würzburg 1933.

Wandrey, K.: Ludwig Klages und seine Lebensphilosophie. In: PrJ (1932) 205-219. - Dass. separat: Leipzig 1933.

Wandt, A.: David Friedrich Strauß' philosophischer Entwicklungsgang und Stellung zum Materialismus. (Phil. Diss. Münster.) 1902 Münster 1902.

Wartenberg, G., Barning, G.: Zwei Stimmen zu Karl Barths »Auferstehung der Toten«. In: ChWi 1 (1925) 306-323, 337-361.

Was heißt »Wiederkunft Christi«? Analyse und Thesen: Paul Schütz. Stellungnahmen: Magnus Löhrer, Hans Urs von Balthasar, Ervin Völyé-Nagy, Heinrich Ott. (Kirche im Gespräch.) Freiburg, Basel, Wien (1972).

Was ist der Tod? Elf Beiträge ... und eine Diskussion zwischen Hans von Campenhausen und Hans Schaefer. (Das Heidelberger Studio. Eine Sendereihe des Süddeutschen Rundfunks. Leitung: Johannes Schlemmer. 45. Sendefolge.) München 1969.

Was wir Ernst Haeckel verdanken. Ein Buch der Verehrung und Dankbarkeit. Im Auftrag des deutschen Monistenbundes hrsg. von Hinrich Schmidt-Jena. 2 Bde. Leipzig 1914.

Wasmann, E.: Die moderne Biologie und die Entwicklungslehre. Dritte stark vermehrte Auflage. Freiburg 1906.

Wasmann, E.: Alte und neue Forschungen Haeckels über das Menschenproblem. In: (St ML) 76 (1909) 169-184, 297-306, 422-438.

Wasmann E.: Der christliche Monismus. Freiburg 1919.

Wasmann E.: Lebensgesetze und Lebensromane. In: StZ 104. Bd. 53 (1923) 401-413.

Weber, E.: Der moderne Spiritismus. (ZChVL. H. 57.) Heilbronn 1883.

Weber, H.E.: Die philosophische Scholastik des Deutschen Protestantismus im Zeitalter der Orthodoxie. (Phil. Diss. Erlangen 1907. - Ref.: R. Falckenberg.) (APhG-F. H. 1.) Leipzig 1907.

Weber, H.E.: Das Problem der Heilsgeschichte nach Röm. 9-11. Ein Beitrag zur historisch-theologische Würdigung der paulinischen Theodizee. Leipzig 1911.

Weber, H.E.: Die Formel in »Christo Jesu« und die paulinische Christusmystik. In: NKZ 31 (1920) 213-260.

Weber, H.E.: Das Geisteserbe der Gegenwart und die Theologie. Leipzig 1925.

Weber, H.E.: Die Kirche im Lichte der Eschatologie. In: NKZ 37 (1926) 299-339.

Weber, H.E.: Glaube und Mystik. (StASW. 21.) Gütersloh 1927.

Weber, H.E.: »Eschatologie« und »Mystik« im Neuen Testament. Ein Versuch zum Verständnis des Glaubens. (BZFChTh. 2. R. 20. Bd.) Gütersloh 1930.

Weber, H.E., Wolf, E.: Begegnung. Theologische Aufsätze zur Frage nach der una Sancta. (BETh. 4.) München 1941.

Weber, H.J.: Die Lehre von der Auferstehung der Toten in den Haupttraktaten der scholastischen Theologie von Alexander von Hales zu Duns Skotus. (FThSt. 91.) Freiburg, Basel, Wien (1973).

Weber, M.: Die »Objektivität« sozialwissenschaftlicher und sozialpolitischer Erkenntnis. In: ASWSP. N.F. 1 (1904) 22-87. - Dass. In: Ders. Gesammelte Aufsätze zur Wissenschaftslehre. Tübingen 1922. S. 146-214.

Weber, M.: Die protestantische Ethik und der Geist des Kapitalismus. In: ASWSP 20-21 (1904-1905) . - Dass. In: Ders. Gesammelte Aufsätze zur Religionssoziologie. Bd. 1. Tübingen 1921. S. 17-206.

Weber, M.: Die protestantischen Sekten und der Geist des Kapitalismus (1906). In: Ders. Gesammelte Aufsätze zur Religionssoziologie. Bd. 1. S. 207-236.

Weber, M.: Gesammelte Aufsätze zur Religionssoziologie. 3 Bde. Tübingen 1920-1921, ²1922-1923.

Weber, M.: Über einige Kategorien der verstehenden Soziologie. In: Logos 4 (1913) 253-294. - Dass. In: Ders. Schriften zur Wissenschaftslehre. S. 403-450.

Weber, M.: Schriften zur Wissenschaftslehre, Tübingen 1922.

Weber, M.: Die protestantische Ethik. Eine Aufsatzsammlung. (STb. 53-54). München, Hamburg 1965.

Weber, S.: Seelenschlaf (Psychopannychie) - Seelenwanderung (Metempsychose). In: KHL 2 (1912) 2031-2032.

Wechsler, F.: Romano Guardini als Kerygmatiker. (SPK. 22.) Paderborn 1973.

Weck, E.: Der Erkenntnisbegriff bei Paul Natorp. (Phil. Diss. Bonn 1914. - Ref.: A. Dyroff.) Ohligs 1914.

Wegener, G.S.: John Mott - Weltbürger und Christ. Ein Mann bereitet den Weg der Ökumene. Wuppertal (1965).

Wehrung, G.: Der geschichtsphilosophische Standpunkt Schleiermachers zur Zeit seiner Freundschaft mit den Romantikern. Ein Beitrag zur Entwicklungsgeschichte Schleiermachers in den Jahren 1787-1800. Stuttgart 1907.

Wehrung, G.: Schleiermacher in der Zeit seines Werdens. Gütersloh 1927.

Weidauer, F.: Kritik der Transzendentalphänomenologie Husserls. 1. Teil: Kritik der Gegenwartsphilosophie. Mit Nachtrag zur monographischen Bibliographie.: Edmund Husserl. (StBGPh. 2.) Leipzig 1933.

Weiger, J.: Der Leib Christi in Geschichte und Geheimnis. Geleitwort: Romano Guardini. Würzburg 1950.

Weil, E.: Des Pietro Pomponazzi Lehre von dem Menschen und der Welt. (Phil. Diss. Hamburg [1932].) Hamburg [Berlin] 1928.

Weil, E.: Die Philosophie des Pietro Pomponazzi. In: AGPh 41 (1932) 127-176.

Weingartner, R.H.: Experience and Culture: The Philosophy of Georg Simmel. Middletown/Conn. 1962.

Weingartner, R.H.: Georg Simmel. In: EPh 7 (1967) 442-443.

Weininger, O.: Über die Letzten Dinge. Mit einem biographischen Vorwort von Moriz Rappaport. Wien 1904. - Dass. 9. Auflage. Mit einem Nachwort von Hermann Swoboda »Gedanken über den Denker und das Denken«. Ebd. 1930.

Weinkauff, F.: Friedrich Albert Lange. In: ADB 17 (1883) 624-631.

Weis, L.: Idealrealismus und Materialismus. Eine allgemeinverständliche Darstellung ihres wissenschaftlichen Wertes. (BWL. 15.) Berlin 1877, ²1879.

Weis, L.: Anti-Materialismus. Vorträge aus dem Gebiete der Philosophie mit Hauptrücksicht auf deren Verächter. Berlin, München 1871.

Weis, L.: Jacob Sengler, eine Skizze seines Lebens und seiner Gottesidee. In: ZPhPhKr. N.F. 74 (1879) 295-309; 75 (1879) 85-119.

Weiß, B.: Lehrbuch der biblischen Theologie des Neuen Testaments. Berlin 1868. - Dass. Stuttgart, Berlin ⁵1888.

Weiß, J.: Die Predigt Jesu vom Reiche Gottes. Göttingen 1892. - Dass. 2., völlig neubearbeitete Auflage. Ebd. 1900. - Dass. Hrsg. von Ferdinand Hahn. Mit einem Geleitwort von Rudolf Bultmann. 3. Auflage. (Durchgesehener Nachdruck der 2., neubearbeiteten Auflage.) Göttingen 1964.

Weiß, J.: Die Nachfolge Christi und die Predigt der Gegenwart. Göttingen 1895.

Weiß, J.: Die Idee des Reiches Gottes in der Theologie. (VThKGi. 16. F.) Gießen 1900.

Weiß, J.: Christus. Die Anfänge des Dogmas. (RV.) Halle, Tübingen 1909.

Weiß, J.: Paulus und Jesus. Berlin 1909.

Weiß, J.: Jesus im Glauben des Urchristentums. Tübingen 1910.

Weiß, J.: Jesus von Nazareth. Mythos oder Geschichte? Eine Auseinandersetzung mit Kalthoff, Drews, Jensen. Vorträge, gehalten auf dem theologischen Ferienkurs in Berlin am 31.3. und 1.4.1910. Tübingen 1910.

Weiß, J.: Höllenfahrt im NT. In: RGG¹ 3 (1912) 82-88.

Weiß, J.: Das Problem der Entstehung des Christentums. In: ARW 16 (1913) 423-515.

Weiß, J.: Das Urchristentum. I. Teil: 1.-3. Buch. Göttingen 1914. - Dass. II. Teil: Nach dem Tode des Verfassers hrsg. und am Schluß ergänzt von R. Knopf. Göttingen 1917. - Rudolf Knopf. Mit einem Bildnis von Johannes Weiß. Ebd. 1917. - Dass. Teil I und II in einem Band. Ebd. 1917.

Weiß, Th.: Angst vor dem Tode und Freiheit zum Tode in Martin Heideggers »Sein und Zeit«. Innsburg [1947].

Weiße, Ch.H.: Über die philosophische Bedeutung der christlichen Lehre von den letzten Dingen. In: ThStKr 9 (1836) 271-340.

Weiße, Ch.H.: Rez. zu K.F. Göschel. Von den Beweisen für die Unsterblichkeit der menschlichen Seele im Lichte der spekulativen Philosophie. In: ThStKr 9 (1836) 187-216.

Weiße, Ch.H.:Psychologie und Unsterblichkeitslehre. Leipzig 1869.

Weißkopf, J.: Geschichte und Lehre der Böhmischen Brüder. In: LThK² 2 (1958) 563-565.

Weizel: Die urchristliche Unsterblichkeitslehre. In: ThStKr 9 (1836) 579-640, 895-981.

Wellek, A.: Die Polarität im Aufbau des Charakters. System der Charakterkunde. Bern 1950.

Wellhausen, J.: Israelitische und jüdische Geschichte. Berlin 1894.

Wellhausen, J.: Gedächtnisrede auf Paul de Lagarde. In: NKGW. Göttingen 1895.

Die Welt des Jenseits. Blicke in das Reich der Geister. Hrsg. von Martin Hennig. (AGFr. 1.) Hamburg 1920.

Weltanschauung. Philosophie und Religion in Darstellung von Wilhelm Dilthey, Bernhard Groethuysen, Georg Misch, Karl Joel, Eduard Spranger, Julius von Wiesner, Hans Driesch, Erich Adickes, Hermann Schwarz, Hermann Graf Keyserling, Paul Natorp, Georg Simmel, Georg Wobbermin, Paul Deussen, Carl Güttler, Arthur Bonus, Bruno Wille, Ernst Troeltsch, Julius Kaftan, Max Frischeisen-Köhler. Berlin MCMXI.

Weltende und jüngstes Gericht. Das prophetische Wort der Heiligen Schrift von der vergangenenen, jetzigen und kommenden Weltgeschichte und den letzten Dingen. Von einem Gärtner im Weinberg des Herrn. Neu hrsg. von M. Minner. (Die Brücke zum Jenseits. Bd. 2. 3. und 4. Teil. S. 97-192.) Wiesbaden [1917].

Wendland, H.-D.: Die Eschatologie des Reiches Gottes bei Jesus. Eine Studie über den Zusammenhang von Eschatologie, Ethik und Kirchenproblem. Gütersloh 1931.

Wendland, J.: Albrecht Ritschl und seine Schüler im Verhältnis zur Frömmigkeit unserer Zeit. Berlin 1899.

Wendland, J.: Monismus in alter und neuer Zeit. Basel 1908.

Wendland, J.: Ernst Haeckel. In: RGG¹ 2 (1910) 1773-1776. - Ders. in: RGG² 2 (1928) 1562-1564.

Wendland, J.: Eduard von Hartmann. In: RGG¹ 2 (1910) 1864-1865. - Ders. in: RGG² 2 (1928) 1640-1641.

Wendland, J.: Rez. zu B. Bartmann. Lehrbuch der Dogmatik. In: ThLZ 37 (1912) 759-760. - Ders. Ebd. 44 (1919) 182. - Ders. Ebd. 54 (1929) 454.

Wendland, J.: Oswald Külpe. In: RGG¹ 3 (1912) 1792.

Wendland, J.: Wilhelm Ostwald, In: RGG¹ 4 (1913) 1090. - Ders. In: RGG² 4 (1930) 836.

Wendland, J.: Otto Pfleiderer. In: RGG¹ 4 (1913) 1465-1466. - Ders. in: RGG² 4 (1930) 1156-1157.

Wendland, J.: Psychologie. In: RGG¹ 4 (1913) 1973-1976.

Wendland, J.: Georg John Romanes. In: RGG¹ 5 (1913) 14-15. - Ders. in: RGG² 5 (1930) 2094.

Wendland, J.: Rudolf Virchow. In: RGG¹ 5 (1913) 1685.- Ders. in: RGG² 5 (1931) 1593.

Wendland, J.: Philosophie und Christentum bei Ernst Troeltsch in Zusammenhang mit der Philosophie und Theologie des letzten Jahrhunderts. In: ZThK 24 (1914) 129-165.

Wendland, J.: Die neue Diesseitsreligion. (RV. 5. R. 13. H.) Tübingen 1914.

Wendland, J.: Die religiöse Entwicklung Schleiermachers. Tübingen 1915.

Wendland, J.: Rez. zu K. Adam. Glaube und Glaubenswissenschaft. In: ThLZ 47 (1922) 554.

Wendland, J.: Arthur Drews. In: RGG² 1 (1927) 2026-2027.

Wendland, J.: Theodor Lipps. In: RGG² 3 (1929) 1667.

Wendland, J.: Friedrich Paulsen. In: RGG² 4 (1930) 1018-1019.

Wendland, J.: Friedrich Traub. In: RGG² 5 (1931) 1252.

Wendland, P.: Die hellenistisch-römische Kultur in ihren Beziehungen zu Judentum und Christentum. (HNT. I/2.) Tübingen 1907, ²1912.

Wendt, H.H.: Die christliche Lehre von der Vollkommenheit. Göttingen 1891,

Wendt, H.H.: Die Lehre des Paulus verglichen mit der Lehre Jesu. In: ZThK 4 (1894) 1-78.

Wendt, H.H.: System der christlichen Lehre. 2 Teile. Göttingen 1906 - 1907, ²1920.

Wendt, H.H.: Die sittliche Pflicht. Eine Erörterung der sittlichen Grundprobleme. Göttingen 1916.

Wendt, H.H.: Albrecht Ritschls theologische Bedeutung. Zu seinem 100. Geburtstag (25.3.1922). In: ZThK 30 (1922) 3-48.

Weniger, E.: Geschichte ohne Mythos. Zur Neugestaltung des Geschichtsunterrichts. In: Glaube und Geschichte. S. 255-277.

Weniger, F.X.: Ostern im Himmel. Betrachtungen über die Freuden des Himmels. Mainz 1865, ⁵1912.

Wentscher, E.: Das Kausalproblem in Lotzes Philosophie. (APhG. 21.) Halle 1903.

Wentscher, M: Lotzes Gottesbegriff und dessen metaphysische Begründung. (Phil. Diss. Halle 1893.) Halle 1893.

Wentscher, M.: Über physische und psychische Kausalität und das Prinzip des psycho-physischen Parallelismus. Leipzig 1896.

Wentscher, M.: Der psychophysische Parallelismus in der Gegenwart. In: ZPhPhKr 116 B. (1900) 103-120.

Wentscher, M.: Einführung in die Philosophie. (SG. 281.) Berlin 1906, ⁷1926.

Wentscher, M.: Lotzes »Monismus«. In: Der Monismus dargestellt in Beiträgen seiner Vertreter. Bd. 2. S. 82-102.

Wentscher, M.: Hermann Lotze. Bd. 1: Lotzes Leben und Werk. Heidelberg 1913.

Wentscher, M.: Erkenntnistheorie. Bd. I: Wahrnehmung und Erfahrung. Bd. II. Theorie und Kritik des Erkennens. (SG. 807-808.) Berlin 1920.

Wentscher, M.: Fechner und Lotze. (GPhE. Bd. 36.) München 1925.

Wentscher, M.: Metaphysik. (SG. 1005.) Berlin 1928.

Wenzl, A.: Das Verhältnis der Einsteinschen Relativitätslehre zur Philosophie der Gegenwart, mit besonderer Rücksicht auf die Philosophie des Als-Ob. Preisgekrönt von der »Gesellschaft der Freunde der Philosophie des Als-Ob«. (BPhals-ob. 9.) München, Berlin 1924.

Wenzl, A.: Das naturwissenschaftliche Weltbild der Gegenwart. (WuB.261.) Leipzig 1929.

Wenzl, A.: Der Gestalt- und Ganzheitsbegriff der modernen Psychologie und sein Verhältnis zum Entelechiebegriff. In: Philosophia perennis. Bd. 2. S. 657-684.

Wenzl, A.: Das Leib-Seele Problem im Licht der neueren Theorien der physischen und seelischen Wirklichkeit. Leipzig 1933.

Wenzl, A.: Metaphysik der Physik von heute. (WuZ. 2.) Leipzig 1935.

Wenzl, A.: Wissenschaft und Weltanschauung. Natur und Geist als Probleme der Metaphysik. Leipzig 1936, ²1948.

Wenzl, A.: Metaphysik der Biologie von heute. Die Fragen des Lebensprinzips und der Lebensentwicklung und die neuere Forschung. (WuZ. 9.) Leipzig 1938.

Wenzl, A.: Philosophie als Weg von den Grenzen der Wissenschaft an die Grenzen der Religion. Leipzig 1938. - Dass. 2. Auflage unter dem Titel: Metaphysik als Weg von den Grenzen der Wissenschaft an die Grenzen der Religion. Graz, Köln, Wien 1956.

Wenzl, A.: Seelisches Leben - Lebendiger Geist. (BLeb. 1.) Stuttgart 1943.

Wenzl, A.: Philosophie der Freiheit. 2 Bde. München-Pasing 1947-1949.

Wenzl, A.: Ontologie der Freiheit. (Vortrag) In: ZPhF 3 (1948) 50-59.

Wenzl, A.: Freiheit und Wirklichkeit. (SBAW-ph/hKl. 1948. 1.) München 1949.

Wenzl, A.: Materie und Leben als Problem in der Naturphilosophie. Stuttgart 1949.

Wenzl, A.: Freiheit und Bindung als Weltprinzip. In: DtB 2 (1948) 138 - 148.

Wenzl, A.: Drieschs Neuvitalismus und der philosophische Stand des Lebensproblems heute. In: Hans Driesch. Persönlichkeit und Bedeutung für Biologie und Philosophie von heute. S. 65-179.

Wenzl, A.: Unsterblichkeit. Ihre metaphysische und anthropologische Bedeutung. (SDa. 77.) München 1951.

Wenzl, A.: Die ontologische Problematik von heute. (SBAW-ph/hKl. 1952. H.7.) München 1952.

Wenzl, A.: Erich Becher. In: NDB 1 (1953) 688-689.

Wenzl, A.: Philosophische Grundfragen der modernen Naturwissenschaft. Stuttgart 1954, ³1960.

Wenzl, A.: Ludwig Busse. In: NDB 3 (1957) 75-76.

Wenzl, A.: Die metaphysisch-anthropologische Situation und Aufgabe. In: PhJ 65 (1957) 5-11.

Wenzl, A.: Der Grenzbegriff der »materia prima« und die Frage seines ontologischen Bedeutungsgehaltes im Weltbild der Physik. (SBAW-ph/h Kl. 1958. H. 1.) München 1958.

Wenzl, A.: Der Begriff der Materie und das Problem des Materialismus. (SBAW-ph/hKl. 1958. H. 3.) München 1958.

Wenzl, A.: Hans Driesch. In: NDB 4 (1959) 125-126.

Werner, Al.: Die psychologisch-erkenntnistheoretischen Grundlagen der Metaphysik Franz Brentanos. (Phil. Diss. Münster 1930.) Hildesheim 1930.

Werner, Au.: Herder als Theologe. Ein Beitrag zur Geschichte der protestantischen Theologie. Berlin 1871.

Werner, Au.: Johann Gottfried Herder. In: RE³ 7 (1899) 697-703.

Werner, H.: Blicke ins Jenseits oder christliche Lehre vom Zustand nach dem Tode. Elberfeld 1875.

Werner, K.: Der Entwicklungsgang der mittelalterlichen Psychologie von Alcuin bis Albertus Magnus. Wien 1876.

Werner, K,: Die nominalisierende Psychologie der Scholastik des späteren Mittelalters. In: SAWW 99 (1882) 214-254.

Werner, Martin: Das Weltanschauungsproblem bei Karl Barth und Albert Schweitzer. Eine Auseinandersetzung. München 1924.

Werner, M.: Albert Schweitzer und das freie Christentum. Zürich 1924.

Werner, M.: Die Entstehung des christlichen Dogmas, problemgeschichtlich dargestellt. Bern, Tübingen 1941, ²1953.

Werner, M.: Albert Schweitzers Beitrag zur Frage nach dem historischen Jesus. In: Albert Schweitzer. Sein Denken und sein Weg. S. 135-145.

Werner, Max: Das Christentum und die monistische Religion. Berlin 1908.

Wernle, P.: Die Anfänge unserer Religion. Tübingen 1901, ²1904.

Wernle, P.: Die Reichsgotteshoffnung in den ältesten christlichen Dokumenten bei Jesus. Tübingen 1903.

Wernle, P.: Jesus und Paulus. Antithesen zu Boussets Kyrios Christos. In: ZThK 25 (1915) 1-92. - Dass. separat. Tübingen 1915.

Wernle, P.: Jesus. Tübingen 1916.

Wernle, P.: Der schweizerische Protestantismus im 18. Jahrhundert. 3 Bde. Tübingen 1923-1925.

Wetter, F.: Die Lehre Benedikts XII. vom intensiven Wachstum der Gottesschau. (AnGr. 92.) Romae 1958.

Weyl, H.: Das Kontinuum. Kritische Untersuchung über die Grundlagen der Analysis. Leipzig 1918.

Weyl, H.: Mathematische Analyse des Raumproblems. Vorlesungen. Berlin 1923.

Weyl, H.: Die Stufen des Unendlichen. Vortrag. Jena 1931.

Weyl, H.: The open world; three lectures on the metaphysical implications of science. New Haven, London 1932.

Weyl, H.: Mind and nature. Philadelphia 1934.

Weymann-Weyhe, W.: Das Problem der Personeinheit in der ersten Periode der Philosophie Max Schelers. (Phil. Diss. Münster 1940. - Ref.: P. Wust, J.P. Steffes.) Emsdetten 1940.

Wiedenmann, L.: Mission und Eschatologie. Eine Analyse der neueren deutschen evangelischen Missionstheologie. (KKSt. Bd. 15.) Paderborn (1965).

Wielandt, R.: Herders Theorie von der Religion und den religiösen Vorstellunge. Eine Studie zum 18. XII. 1903, Herders 100jährigem Todestag. Berlin 1904.

Wiencke, G.: Paulus über Jesu Tod. Die Deutung des Todes Jesu bei Paulus und ihre Herkunft. (Theol. Diss. Erlangen 1939.) (BFChTh. R. 2, 42.) Gütersloh 1939.

von Wiese, B.: Christentum und deutscher Idealismus. In: ZZ 10 (1932) 167-181.

Wieser, J.: Der Spiritismus und das Christentum. (Aus: ZKTh.) Mit einer Beilage: Über Dr. G.Th. Fechner's »Tagesansicht«. Regensburg 1881.

von Wiesner, J.: Naturforschung und Weltanschauung. In: Weltanschauung. S. 173-188.

Wiesner, W.: Karl Heim. In: RGG³ 3 (1959) 198-199.

Wikenhauser, A.: Die Herkunft der Idee des Tausendjährigen Reiches in der Johannes-Akokalypse. In: RQ 45 (1937) 1-24.

Wikenhauser, A.: Weltwoche und Tausendjähriges Reich. In: ThQ 127(1947) 399-417.

Wild, I.: Wundt's Religionspsychologie. In: Der Katholik 91 (1911) 174 - 186.

Wilhelm, R.: Keyserling und seine Schule der Weisheit. In: RGG² 3 (1929) 741-742.

Wille, B.: Der Phänomenalismus bei Hobbes. Inaugural-Diss. Kiel 1888.

Wille, B.: Leben ohne Gott. Vortrag. Berlin 1889.

Wille, B.: Der Tod. Vortrag. Berlin 1889.

Wille, B.: Die »Beweise« vom Dasein Gottes. Vortrag, gehalten am 15. Februar 1891 in der freireligiösen Gemeinde zu Berlin. Berlin 1891.

Wille, B.: Materie nie ohne Geist. Berlin 1900.

Wille, B.: Die Christusmythe als monistische Weltanschauung. Ein Wort zur Verkündigung zwischen Religion und Wissenschaft. Berlin 1903.

Wille, B.: Auferstehung. Ideen über den Sinn des Lebens. Nach einem Vortrag zur Osterfeier des Giordano Bruno-Bundes, Frühling 1904, im Beethovensaal zu Berlin. (FGBB. 2.) Berlin-Schmargendorf 1904.

Wille, B.: Das lebendige All. Idealistische Weltanschauung auf naturwissenschaftlicher Grundlage im Sinne Fechners. Hamburg, Leipzig 1905.

(Wille, B.:) Darwins Weltanschauung, von ihm selbst dargestellt, geordnet von Bruno Wille. (FGSG. Bd. 1.) Heilbronn 1906.

Wille, B.: Faustischer Monismus. In: Der Monismus dargestellt in Beiträgen seiner Vertreter. Bd. 1. S. 243-291.

Wille, B.: Zum Problem der Erlösung. In: Weltanschauung. S. 417-437.

Wille, B.: Das Ewige und seine Masken. Aus dem Nachlaß hrsg. von Emmy Wille. (Gesammelte Werke. Bd. 1.) Pfullingen 1929.

Wille, Emil: Über Wilhelm Wundt's Grundbegriff der Seele. In: PhMH 20 (1884) 586-592.

Willems, B.: Der sakramentale Kirchenbegriff. In: FZPhTh 5 (1958) 274 - 296.

William Stern, Festschrift zum 60. Geburtstag am 29. 4. 1931 gewidmet von Alfred Adler, Hellmut Bogen (u.a.). Hrsg. von seinen Mitarbeitern am Psychologischen Institut Hamburg. (= ZAPs. Beiheft 59.) Leipzig 1931.

Willwoll, A.: Seele und Geist. Ein Aufbau der Psychologie. (Mensch, Welt, Gott. 4.) Freiburg 1938, ²1953.
Willwoll, A.: Die Seele des Menschen als Bild und Gleichnis. In: SchwR 48 (1948) 635-643.
Willwoll, A.: Geist. In: PhW 14. S. 124-126.
Willwoll, A., Leib. Leib-Seele-Verhältnis. In: PhW ¹⁴. S. 218-221.
Willwoll, A.: Psychologie. In: PhW¹⁴. S. 306-308.
Willwoll, A.: Seele. In: PhW¹⁴ S. 341-344.
Willwoll, A.: Unsterblichkeit. In: PhW¹⁴. S. 422-423.
Wilmsen, A.: Zur Kritik der phänomenologischen »Seins«-Philosophie. In: PhJ 57 (1947) 242-255.
Winchel, A.: Preadamites. or, A demonstration of the existence of men before Adam; together with a study of their condition, antiquity, racial affinities, and progressive dispersion over the earth. With charts and other illustrations. Chicago 1890.
Windelband, W.: Die Lehre vom Zufall. (Phil. Diss.) Berlin 1870.
Windelband, W.: Über die Gewißheit der Erkenntnis. Leipzig 1873.
Windelband, W.: Präludien. Aufsätze und Reden zur Philosophie und ihrer Geschichte. 2 Bde. Freiburg 1884. - Dass. Tübingen ⁹1924.
Windelband, W.: Lehrbuch der Geschichte der Philosophie. Freiburg 1892. - Dass. 15. durchgesehene und ergänzte Auflage. Hrsg. von H. Heimsoeth. Tübingen 1957.
Windelband, W.: Kuno Fischer und sein Kant. In: Kantst 2 (1897) 1-10.
Windelband, W.: Vom System der Kategorien. In: PhA-ChS. S. 41-58.
Windelband, W.: Über die Willensfreiheit. Tübingen 1904, ⁴1923.
Windelband, W.: Kuno Fischer. Gedächtnisrede. Heidelberg 1907.
Windelband, W.: Die Erneuerung des Hegelianismus. Festrede in der Heidelberger Akademie der Wissenschaften. Heidelberg 1910. - Dass.: (SHAW-Ph/HKl. Abh. 10 und 14. 1910.) Heidelberg 1910.
Windelband, W.: Über Gleichheit und Identität. (SHAW-ph/hKl. Abh. 14. 1910.) Heidelberg 1910.
Windelband, W.: Kulturphilosophie und transzendentaler Idealismus. In: Logos 1 (1911) 186-196.
Windelband, W.: Über Sinn und Wert des Phänomenalismus. In: SHAW-ph/hKl. Abh. 9. Heidelberg 1912.
Windisch, H.: Albert Kalthoff. In: RGG¹ 3 (1912) 891-893.
Winkler, R.: Phänomenologie und Religion. Ein Beitrag zu den Prinzipienfragen der Religionsphilosophie. Tübingen 1921.
Winkler, R.: Das Programm der Phänomenologie Husserls in seiner Bedeutung für die systematische Theologie. In: ZThK 29 (1921) 103-138.
Winkler, R.: Das Geistproblem in seiner Bedeutung für die Prinzipienfragen der systematischen Theologie der Gegenwart. Göttingen 1926.
Winkler, R.: Karl Heim. In: RGG² 2 (1928) 1763-1764.
Winkler, R.: Das Wesen der Kirche mit besonderer Berücksichtigung ihrer Sichtbarkeit. Göttingen 1931.
Winkler, R.: Die Eigenart des theologischen Erkennens. Ein Beitrag zum Problem der Existenz. In: ZSTh 9 (1932) 277-318.
Winkler, R.: Philosophie oder theologische Anthropologie? Versuch eines Gespräches mit der Philosophie von Jaspers. In: ZThK 41N.F. 14 (1933) 103-125.
Winkler, R.: Theologie und Kirche. In: Evangelische Theologie vor deutscher Gegenwart. Vorträge der Theologie Tagung in Wittenberg Oktober 1935. (KBE. 24.) Bonn 1935. S. 49-59. - Dass. separat: (KBE. 32.) Bonn 1936.
Winkler, R.: Der Transzendentalismus bei Luther. In: Luther, Kant, Schleiermacher in ihrer Bedeutung für den Protestantismus. S. 20-47.
Winter, E.: Religion und Offenbarung in der Religionsphilosophie Bernhard Bolzanos dargestellt mit erstmaliger Heranziehung des handschriftlichen Nachlasses Bolzanos, von Eduard Winter. (BStHTh. Bd. XX.) Breslau 1932.
Winter, E.: Bolzano und sein Kreis. Dargestellt mit erstmaliger Heranziehung der Nachlässe Bolzanos und seiner Freunde von Eduard Winter. Leipzig 1933.
Winter, E.: Leben und geistige Entwicklung des Sozialethikers und Mathematikers Bernhard

Bolzano. 1781-1848. (HM. 14.) Halle 1949.

Winter, E.: Bernhard Bolzano. In: NDB 2 (1959) 438-440.

Winterstein, H.: Kausalität und Vitalismus vom Standpunkt der Denkökonomie. (AThOE. N.F. H. 4.) Wiesbaden, München 1919. - Dass. 2., erweiterte Auflage. Berlin 1928.

Winterswyl, L.A.: Romano Guardini, Eigenart und Ertrag seines theologischen Werkes. In: Hochland 34/II (1937) 363-383.

Wirth, I.: Realismus und Apriorismus in Nicolai Hartmanns Erkenntnistheorie. (Phil. Diss. Köln 1963. - Ref.: P. Wilpert, L. Landgrebe.) (QStGPh. 8.) Berlin 1965.

Wirth, W.: Psychophysik. Darstellung der Methoden der experimentellen Psychologie. (Sonderdruck aus: Handbuch der psychologischen Methodik. III. 5. - Dass. in: AGPs. 3.) Leipzig 1912.

Die Wissenschaft am Scheideweg von Leben und Geist. Festschrift Ludwig Klages zm 60. Geburtstag, 10. Dezember 1932, hrsg. von Hans Prinzhorn. Leipzig 1932.

Wisser, R.: Verantwortung im Wandel der Zeit. Einübung in geistiges Handeln. Jaspers, C.F. von Weizsäcker, Guardini, Heidegger, Mainz(1967).

Wisser, R.: Das Konkret-Lebendige erschließen und an die Zukunft des Menschen denken. R. Guardinis Frage nach dem geschichtlichen Weltsein des Menschen. In: Ders. Verantwortung im Wandel der Zeit. S. 237-272.

Witkowski, S.: Über den Zusammenhang von Lotzes medizinisch-physiologischer Anschauung mit seiner Auffassung vom Entstehen und Fortleben der Seele. (Phil. Diss. Gießen 1924.) Berlin 1924.

Witte, J.: Das Wesen der Seele und die Natur der geistigen Vorgänge, im Lichte der Philosophie seit Kant und ihrer grundlegenden Theorien historisch-kritisch dargestellt. Halle 1888.

Witte, J.: Das Jenseits im Glauben der Völker. (WuB. 257.) Leipzig 1929.

Witte, W.: Die Metaphysik von Ludwig Klages. Würzburg 1939.

Wittig, H.: Das Menschenbild der Jasper'schen Existenzphilosophie. In: PhSt (1950/51) 329-343.

Wobbermin, G.: Ernst Haeckel im Kampf gegen die christliche Weltanschauung. Leipzig 1906.

Wobbermin, G.: Ertrag der Ritschlschen Theologie bei Carl Stange. In: ZThK 17 (1907) 53-59.

Wobbermin, G.: Julius Kaftans Dogmatik in der Beleuchtung Carl Stanges. In: ZThK 17 (1907) 202-214.

Wobbermin, G.: Die heutigen Anschauungen vom Wesen der Materie und ihre Bedeutung für die Weltanschauungsfrage. In: ThR 12 (1909) 119 - 129, 163-171.

Wobbermin, G.: Monismus und Monotheismus. Vorträge und Abhandlungen zum Kampf um die monistische Weltanschauung. Tübingen 1911.

Wobbermin, G.: Psychologie und Erkenntniskritik der religiösen Erfahrung. In: Weltanschauung. S. 343-363.

Wobbermin, G.: Diesseits und Jenseits in der Religion. In: ChW 27(1913) 554-558, 578-583.

Wobbermin, G.: Systematische Theologie nach religionspsychologischer Methode. Bd. 2: Das Wesen der Religion. Bd. 3: Wesen und Wahrheit des Christentums. Leipzig 1922-1925.

Wobbermin, G.: Schleiermacher und Ritschl in ihrer Bedeutung für die heutige theologische Lage und Aufgabe. Tübingen 1927.

Wobbermin, G.: Friedrich Ernst Daniel Schleiermacher. In: RGG[2] 5 (1931) 170-179.

Wölber, H.-O.: Dogma und Ethos. Christentum und Humanismus von Ritschl bis Troeltsch. (BFChTh. 44, 4.) (Theol. Diss. Erlangen 1940.) Gütersloh 1940.

Wörter, F.J.: Die Unsterblichkeitslehre in den philosophischen Schriften des Aurelius Augustinus mit besonderer Rücksicht auf den Platonismus. (Programm wodurch zur Feier des Geburtsfestes seiner königlichen Hoheit unseres durchlauchtigsten Großherzogs Friedrich im Namen des academischen Senats die Angehörigen der Albert-Ludwigs-Universität einladet der gegenwärtige Prorector Dr. Friedrich Wörter.) Freiburg 1880.

Wohlgschaft, H.: Hoffnung angesichts des Todes. Das Todesproblem bei Karl Barth und in der zeitgenössischen Theologie des deutschen Sprachraums. (BÖTh. 14.) Paderborn 1977.

Wolf, E.: Helena Petrovna Blavatzky. In: RGG³ 1 (1957) 1320.

Wrede, W.: Das Messiasgeheimnis in den Evangelien. Zugleich ein Beitrag zum Verständnis des Markusevangeliums. Göttingen 1901, ²1913. - Dass. 3. unveränderte Auflage. Ebd. 1963.

Wrede, W.: Paulus. (RV. 1. R. H. 5-6.) Tübingen 1904, ²1907.

Wucherer-Huldenfeld, K.: Romano Guardini. Zum 70. Geburtstag. In: WuW 8 (1955) 61-64.

Wucherer-Huldenfeld, K.: Die Gegensatzphilosophie Romano Guardinis. In: WuW 8 (1955) 288-301.

Wucherer-Huldenfeld, K.: Die Gegensatzphilosophie Romano Guardinis in ihren Grundlagen und Folgerungen. (Diss. Wien 1953. - Ref.: L. Gabriel, F. Kainz.) (DUW. 11.) Wien 1968.

Wünsch, G.: Rudolf Otto. In: RGG² 4 (1930) 842. - Ders. in: RGG³ 4 (1960) 1749-1750.

Wünsche, K.A.: Die Vorstellungen vom Zustand nach dem Tode nach Apokryphen, Talmud und Kirchenvätern. In: JPTh 6 (1880) 355-383, 494-523.

Wunderle, G.: Die Voraussetzungen von Rudolf Euckens Religionsphilosophie. In: PhJ 22 (1910) 55-66.

Wunderle, G.: Die Religionsphilosophie Rudolf Euckens. Nach ihren Grundlagen und in ihrem Aufbau dargestellt und gewürdigt. (Kath.-theol. Diss. Straßburg 1911.) Paderborn 1912.

Wunderle, G.: Rez. zu G. Simmel. Philosophische Kultur. In: PhJ 33 (1920) 188-191.

Wunderle, G.: Rez. zu F. Heiler. Das Wesen des Katholizismus. In: APZ. Nr. 24 (1920). - Ders. in: LH 56 (1920) 409.

Wunderle, G.: Rez. zu H. Scholz. Religionsphilosophie. In: ThRv 20 (1921) 393-394.

Wunderle, G.: Rez. zu F. Heiler. Der Katholizismus. In: IKZ 13 (1923) 64-72.

Wundt, E.: Wilhelm Wundts Werke. Ein Verzeichnis seiner sämtlichen Schriften. (ASSFIFIPs. 28.) München 1927.

Wundt, M.: Rudolf Eucken. Rede. (SEK. 22. = PM. 1124.) Langensalza 1928.

Wundt, M.: Ewigkeit und Endlichkeit. Grundzüge einer Wesenslehre. Stuttgart 1937.

Wundt, W.: Beiträge zur Theorie der Sinneswahrnehmung. Leipzig 1862.

Wundt, W.: Vorlesungen über die Menschen- und Tierseele. 2 Bde. Leipzig 1863. Dass. 4. Auflage. Hamburg 1906. - Dass. 6. neubearbeitete Auflage. Leipzig 1919, ⁷+⁸1922.

Wundt, W.: Lehrbuch der Physiologie des Menschen. Erlangen 1864- 1865. - Dass. 2. völlig umgearbeitete Auflage. Ebd. 1869. - Dass. 3. völlig umgearbeitete Auflage. Ebd. 1873. - Dass. Stuttgart 1874.

Wundt, W.: Die physikalischen Axiome und ihre Beziehungen zum Kausalprinzip. Ein Kapitel aus einer Philosophie der Naturwissenschaften. Erlangen 1866.

Wundt, W.: Grundzüge der physiologischen Psychologie. Leipzig 1874. - Dass. 3 Bde. Ebd. ⁶1908-1911.

Wundt, W.: Über das kosmologische Problem. In: VWPh 1 (1877) 80-136.

Wundt, W.: Über Ziele und Wege der Völkerpsychologie. In: PhSt 4 (1887/88) 1-27.

Wundt, W.: System der Philosophie. Leipzig 1889. - Dass. 2., umgearbeitete Auflage. Leipzig 1897. - Dass. 3., umgearbeitete Auflage. 2 Bde. Leipzig 1907.

Wundt, W.: Tier- und Menschenseele. Eine neue Realdefinition auf Grund eigener Beobachtungen. Frankfurt 1896.

Wundt, W.: Grundriß der Psychologie. Leipzig 1896. - Dass. 4. neubearbeitete Auflage. Ebd. 1901. - Dass. 11. Auflage. Ebd. 1913.

Wundt, W.: Einleitung in die Philosophie. Leipzig 1900, ⁵1909.

Wundt, W.: Völkerpsychologie. Eine Untersuchung der Entwicklungsgesetze von Sprache, Mythos und Sitte. Leipzig 1900-1909. - Dass. 2 Bde. à 2 Teile. I: Die Sprache. 1. Teil. 2. umgearbeitete Auflage. Ebd. 1904. 2. Teil. Ebd. 1904. II: Mythos und Religion. Ebd. 1905-1906. -Dass. Insgesamt 10 Bde. Ebd. 1910-1920.

Wundt, W.: Gustav Theodor Fechner. Rede. Leipzig 1901.

Wundt, W.: Metaphysik. In: Kdg. Teil 1. Abt. 6: Systematische Philosophie. Berlin, Leipzig 1907. S. 103-137.

Wurm, H.J.: Protestantismus. In: KL² 10 (1897) 480-533.

Wust, P.: Die Auferstehung der Metaphysik. Leipzig 1920. - Dass. (Unveränderter Abdruck der ersten Auflage mit einer Vorbemerkung von Wilhelm Vernekohl und einem Bild Peter Wusts.) Hamburg 1963.

Wust, P.: Die Krisis des abendländischen Historismus. In: Abendland 1 (1925-1926) 265-267, 299-301.

Wust, P.: Guardinis Metaphysik des Gegensatzes. In: KVZ. Beilage zu Nr. 875 und 894. (28. 11. und 5. 12. 1926.)

Wust, P.: Die Dialektik des Geistes. Augsburg 1928.

Wust, P.: Max Schelers Lehre vom Menschen. In: NeuR 11 (1928/29) 102, 119, 137, 160, 181, 200.

Wust, P.: Hedwig Conrad-Martius' Metaphysik der Zeit. In: Philosophia perennis. Bd. 1. S. 455-464.

Wust, P.: Ungewißheit und Wagnis. München 1936.

von Wyss, W.: Charles Darwin. Ein Forscherleben. Zürich und Stuttgart (1958).

Zahn, J.: Die apologetischen Grundgedanken in der Literatur der ersten drei Jahrhunderte systematisch dargestellt. Von der theologischen Fakultät der Universität Würzburg (1884/85) gekrönte Preisschrift. Würzburg 1890.

Zahn, J.: Das Jenseits. Paderborn 1916.

Zahn, J.: Einführung in die christliche Mystik. Paderborn 1908, ⁵1922.

von Zahn-Harnack, A.: Adolf von Harnack. Berlin 1936, ²1937. - Dass. Neuausgabe. Berlin 1951.

Zeeden, W.: Reinhold Seeberg. In: LThK² 9 (1964) 564-565.

Zeit und Geschichte. Dankesgabe an Rudolf Bultmann zum 80. Geburtstag. Im Auftrag der Alten Marburger und in Zusammenarbeit mit Hartwig Thyen hrsg. vonErich Dinkler. Tübingen 1964.

Zeller, E.: Die Philosophie der Griechen. Eine Untersuchung über Charakter, Gang und Hauptmomente ihrer Entwicklung. 3 Bde. Tübingen 1844-1852. - Dass. 2., völlig umgearbeitete Auflage, unter dem Titel: Die Philosophie der Griechen in ihrer geschichtlichen Entwicklung dargestellt. 5 Bde. Ebd. Später: Leipzig 1859-1868 (u.ö.). - Dass. 3 Teile zu je 2 Abteilungen. Reprographischer Nachdruck. Darmstadt 1963.

Zeller, E.: David Friedrich Strauß in seinem Leben und in seinen Schriften. Bonn 1874.

Zeller, E.: David Friedrich Strauß. In: ADB 36 (1893) 538-548.

Zeltner, H.: Zur katholischen Kulturphilosophie: Peter Wust. In: ZZ 9 (1931) 173-176.

Ziegenaus, A.: Auferstehung im Tod: Das geeignete Denkmodell? In: MThZ 28 (1977) 109-132.

Ziegenfuß, W., Jung, G.: Philosophen-Lexikon. Handwörterbuch der Philosophie nach Personen. 2 Bde. Berlin 1949-1950.

Ziegler, K.: Der Glaube an die Auferstehung Jesu Christi. In: ZThK 6 (1896) 219-264.

Ziegler, L.: Das Weltbild Hartmanns. Eine Beurteilung. Leipzig (1910).

Ziegler, Th.: David Friedrich Strauß. In: RE³ 19 (1907) 76-92; 24 (1913) 536.

Ziegler, Th.: David Friedrich Strauß. 2 Bde. Straßburg 1908.

Ziehen, Th.: Zum Begriff der Geschichtsphilosophie. In: Kantst 28 (1923) 66-89.

Ziemßen, O.: Allgemeines und ewiges Leben. Grundzüge zu einer physisch-ethischen Weltbetrachtung vom Mittelpunkte des christlichen Glaubens aus. Gotha 1874.

Ziemßen, W.: »Ich sehe den Himmel offen«. Apostel-Gesch. Kap. 7, V.55. Biblische Betrachtungen über das Leben der Gläubigen im Himmel. I: Der Blick in den offenen Himmel. II: Das Leben der Seligen im Himmel. Leipzig 1904.

Zietlow, G.: Der Tod. Biblische Studien. Gütersloh 1913.

Zigliara, T.M.: De mente Concilii Viennensis in definiendo dogmate unionis animae cum corpore, deque unitate formae substantialis in homine iuxta doctrinam S. Thomae, praemissa theoria scholastica de corporum compositione. Romae 1878.

Zigon, F.: Das Ävum. In: PhJ 21 (1908) 483-496.

Zimmermann, O.: Die neue Theosophie. In: StZ 79 (1910) 387-400, 479 - 495.

Zimmern, H.: Der Streit um die Christusmythe. Berlin 1910.

Zocher, R.: Husserls Phänomenologie und Schuppes Logik. Beitrag zur Kritik des intuitionistischen Ontologismus in der Immanenzidee. München 1932.

Zocher, R.: Geschichtsphilosophische Skizzen. 2 Teile. (BPh. 26-27.) Heidelberg 1933-1934.

Zocher, R.: Heinrich Rickerts philosophische Entwicklung. Bemerkungen zum Problem der philosophischen Grundlehre. In: ZDKPh N.F. 4 (1937) 84-97.

974

Zocher, R.: Heinrich Rickert zu seinem 100. Geburtstag. In: ZPhF 17 (1963) 457-462.

Zöckler, O.: Heinrich Wilhelm Josias Thiersch. In: RE^3 19 (1907) 684 - 692.

Zöllner, J.K.F.: Die transzendentale Physik und die sogenannte Philosophie. Leipzig 1879.

Zöllner, W.: Was ist Leben? Der gegenwärtige Stand des Problems. In: ZPhF 3 (1948) 399-410.

Zscharnack, L.: Albert Kalthoff. In: RGG^2 3 (1929) 592-593.

Zscharnack, L.: Levellers. In: RGG^2 3 (1929) 1600.

Zuidema, S.U.: De dood bij Heidegger. In: PhRef 12 (1947) 49-66.

Die Zukunft der Glaubensunterweisung. Hrsg. von Franz Pöggeler. (Herrn Professor D. Dr. Adolf Heuser zur Vollendung des 70. Lebensjahres am 27. Oktober 1970.) Freiburg (1971).

Zur Bonsen, F.: Sehen wir uns im Jenseits wieder? Die große Sehnsuchtsfrage der Menschheit. Hildesheim 1932.

Zwingliana. Mitteilungen zur Geschichte Zwinglis und der Reformation. Hrsg. von der Vereinigung für das Zwinglimuseum. Zürich.

PERSONENREGISTER

Vorbemerkung: Biblische Namen wurden in das Personenregister nicht aufgenommen, selbst dann nicht, wenn es sich um die Verfasser biblischer Schriften handelt.

Anderson, Jerome A. 837.
André, Hans 15, 723, 837.
Angelelli, Ignacio 871.
Anselm von Canterbury 329, 752.
Aragó, Joaquín 51, 837.
Arendt, Hannah 898.
Aristoteles 15, 22, 27, 50, 150, 183, 419, 622, 626, 835, 838, 854, 875, 916, 928, 929, 939, 957, 959, 962.
Arius (= Areios) 148.
Arnald von Villanova 91.
Arnaud d'Agnel, G. 837.
Arndt, Augustin 347, 837.
Arnold, Eberhard 35, 837.
Arnold, Franz Xaver 837.
Arnold, Friedrich 856.
Arnold, Hans 837-838.
Arnold, Uwe 15, 838.
Aschoff, Ludwig 11, 838.
Asemissen, Hermann Ulrich 838.
Asendorf, Ulrich 838.
Asmussen, Hans 838.
von Aster, Ernst 568, 883, 895.
Athanasius 147.
Atzberger, Leonhard 301, 306, 316, 331, 348, 613, 838, 941.
Auberlen, Karl August 90, 104, 838, 867.
Aubert, Roger 683, 686, 691, 696, 699, 723, 838.
Auer, Alfons 691, 698, 803, 838.
Auer, Johann VII, XXIV, 4, 177, 681, 838.
Auer, Wilhelm 357, 838.
Augstein, Carl 838.
Augustinus, Aurelius XXI, 22, 90, 126, 143, 144, 285, 296, 298, 310, 311, 329, 336, 338, 373, 567-569, 616, 618, 621, 626, 636, 639, 641, 649, 666, 669, 672-677, 687, 692, 697, 699, 728, 742, 807, 808, 818, 833, 834, 837, 839, 850, 855, 864, 876, 878, 883, 885, 890, 909, 911, 917, 932, 950, 972.
Außem, Josef 942.
Avenarius, Richard 696, 839.
Averroes 918.
von Baader, Benedikt Franz Xaver 87, 528.
Babolin, Albino 738, 839.
Bachelard, Gaston 839.
Bachmann, Philipp XII, 350, 379-382, 548, 839, 957.
Bachofen, Johann Jakob 932.
Bačinskas, Petras 56, 839.
Backes, Ignaz 551, 839.
Baclé, Louis Lucien siehe Elbé.
Bacon von Verulam, Francis 957.
Baden, Hans Jürgen 839.
Bader, Dietmar 839.
Baeck, Leo XXXII.
Bähr, Hans Walter 119, 835.
Bärthold, Albert 900.
Bäumer, Remigius 95, 577, 662, 749, 839.
Baeumker, Clemens 34, 42, 568, 839.
Baeumler, Alfred XXIII, 885.
Bahnsen, Julius Friedrich August 18, 730-731, 839, 868, 891, 910, 964.
Bahrdt, Heinrich August 730, 839.
Bajus (= De Bay), Michel 286.

Baldensperger, Wilhelm 36, 107, 119, 839.
Ballauff, Theodor 49, 840.
von Balthasar, Hans Urs 61, 69, 87, 88, 430, 738, 748, 752, 759, 760, 797, 829, 840, 965.
Baltzer, Otto 840.
Bamberger, Fritz 23, 840.
Báñez, Domingo 173, 921.
Bannes, Joachim 47, 840.
Baraúna, Guilherme XIX, XXV.
Barbel, Joseph 839.
Bardenhewer, Otto 303, 840.
Baring, Nina 31, 840.
Barnikol, Ernst 108, 840.
Barning, Georg 454, 965.
Baronio, Caesare 646, 840.
Bartels, Enno 43, 840.
Barth, Heinrich 453, 455, 840.
Barth, Karl XII, XXXII, XXXIII, 10, 81, 82, 88-90, 92, 93, 95, 100, 102, 115, 123, 350, 389,
    398, 430-457, 463, 468-470, 472-479, 482, 524, 528-530, 536, 542, 543, 546, 699, 703, 719,
    722, 734, 836, 837, 840-841, 845, 850, 853, 876, 888, 902, 927, 943, 951, 954, 956, 957, 960,
    963, 965, 969, 972.
Barth, Paul 841, 868.
Bartmann, Bernhard XII-XIII, 125, 299, 347, 351, 366, 377, 383, 570-681, 828, 834, 838, 839,
    841-843, 845, 847, 851, 856, 857, 859, 860, 868, 870, 876, 878, 883, 892, 902, 905, 907, 908,
    910, 918, 920, 921, 930-932, 935, 948, 954, 957, 958, 964, 968.
Bartsch, Hans-Werner XXV, XXXII, 899.
Bauch, Bruno XX, 21, 28, 34, 837, 843, 868, 930.
Baudi di Vesme, Caesare 317, 843.
Bauer, Isidora 843.
Bauer, Karl 93, 843.
Bauer, Walter 892.
Baumann, Willibald Xaver 50, 843.
Baumgarten, Otto 104, 350, 873, 913.
Baumgartner, Hans Michael XXIII, 739, 843.
Baumgartner, Mathias 41, 917.
Baur, Ferdinand Christian XXXIII, 93, 95, 96, 301, 607, 843, 864, 870, 872, 902, 911, 923,
944, 946, 959.
Baur, Hermann 119.
Baur, Ludwig 12, 13, 20, 550, 729, 843, 902.
Bautain, Louis-Eugène-Marie 825.
Bautz, Josef 6, 210, 300, 325, 675, 681, 843.
Baxter, Richard 637, 842, 843.
Bebel, August 658.
Becher, Erich 22, 51, 843-844, 901, 914, 969.
Beck, Johann Tobias 90, 296, 430, 449, 578, 844, 906, 948.
Beck, Maximilian XXVIII, 844.
Becker, Oskar 47, 49, 844.
Becker, Werner 428, 728, 729, 844, 924.
Beckmann, Fritz 271, 844.
Beckmann, Joachim 844.
Beda Venerabilis 672.
Beemelmans, Friedrich 619, 844.
Beer, Georg 868, 964.
Beerling, Reinier Franciscus 63, 844.
Behler, Ernst 40-42, 258, 844, 943.
Behler, Ursula 75, 916.
Behm, Johannes 844.
Beinert, Wolfgang 844.

Buri, Fritz 36, 123, 855.
Burkamp, Wilhelm 13, 855.
Burkhardt, Hellmuth. 855.
von Busse, Evamaria 912.
Busse, Ludwig 17, 22, 624, 855, 969.
von Buttlar, Eva 87.
Caesar, Gaius Julius 728.
Caesarius von Arles 672-673.
Cajetan de Vio, Thomas 676-677, 877, 916, 965.
Callian, Carnegie Samuel 855.
Callixtus I. 687, 833.
Calvin (= Cauvin), Jean 296, 300,373, 855.
von Campenhausen, Hans XXX, 856, 965.
Capéran, Louis 310, 856.
Cappuyns, Maieul 298, 856.
Carey, Henry Charles 23, 908.
Carl, Ludwig 182; 856.
Caryle, Thomas 34, 945.
Carnap, Rudolf 878.
Cartesius = Descartes
Carus, Carl Gustav 35, 856, 931.
Carus, Julius Viktor 859.
Casel, Odo 613, 856.
Caspari, Walter August Anton Nathanael 856.
Caspari, Wilhelm 856.
Cassirer, Ernst 27, 696, 856, 878.
Castelein, Auguste 309, 856, 858, 860.
Cathrein, Viktor 12, 630, 856.
Cattin, Paul XXIII.
Cedrins, Janis 63, 856.
Celms, Theodor 48, 844, 856.
Celsus = Kelsos 249.
Chamberlain, Housten Stewart 271, 844, 856, 904, 943, 957, 964.
Chapeau, J. 309, 921.
Charles, Robert Henry 856.
Chauvin, Constantin 627, 856.
Chenu, Marie-Dominque 856.
Chisholm Roderick M. 853.
Chollet, Jean-Arthur 856.
Chroust, Anton 129, 857, 909.
Cicero, Marcus Tullius 289.
Cladder, Hermann Josef 696, 857.
Clemen, Carl XII, 101, 350, 389-392, 549, 652, 857, 947.
Clemens V. 185.
Clemens VI. 559.
Clemens XI. 310.
Clemens von Alexandrien 285, 303, 719, 834, 917, 939.
Clément, Olivier 806, 857.
Clodd, Edward 101, 857.
Coccejus (= Koch), Johann 87, 857, 947.
Cohen, Hermann IX, XXVIII, 23-26, 49, 696, 829, 850, 853, 857, 864, 898-900, 923, 924, 952, 963.
Cohn, Jonas XVI, XXII, 28, 857, 899, 916.
Cohnen, Alois 613, 857.
Collin, Rémy 857.
de la Colombière , Claude 620, 945.
Commer, Ernst XXIV, 127, 177, 857.

982

Comte, Auguste   696, 917.
Congar, Yves M.-J.   348, 821, 857.
Conrad-Martius, Hedwig   15, 49, 62, 857-858, 896, 974.
Conrat, Friedrich   16, 858.
Conus, Humbert-Thomas   XXII.
Conzelmann, Hans   945.
Coppin, Joseph   309, 858, 860.
Corbon, Jean   806, 858.
Coreth, Emerich   4, 858.
Cornelius, Hans   34, 858.
Cornill, Carl Heinrich   856.
Corsten, Wilhelm   7, 900.
Cossart, Gabriel   XV.
Cramer, Wolfgang   858.
Crawley, Alfred Ernst   101, 858.
Cremer, Ernst   858.
Cremer, Hermann   633, 842, 858.
Croll, James   13, 858.
Cromwell, Oliver   87, 373.
Crusius, Christian August   89, 90, 859, 949.
Cüppers, Clemens   31, 858.
Cullmann, Oscar   124, 813, 855, 858.
Cumont, Franz Valery Marie   858.
Cyprianus, Caecilius Thascius   298, 311, 807.
Cyrillus (= Kyrillos) von Alexandrien   298.
Cyrillus (= Kyrillos) von Jerusalem   342, 674.
Czapiewski, Winfried   10, 858.
Czolbe, Heinrich   21, 852.
Dacqué, Edgar   34, 43, 801, 858, 864, 881.
Dadek, Walter   722, 858.
Dähne, August Ferdinand   301, 858.
Daley, Brian E.   5.
Dalman, Gustav Hermann   588, 858.
Damm, Hans- Heinz   92, 859.
Dammann, Ernst   690, 859.
Dannenbauer, Heinrich   683, 859.
Dante Alighieri   34, 91, 373, 728, 751, 878, 879, 885, 893, 945.
Darwin, Charles Robert   11, 12, 621, 622, 854, 859, 874-876, 881, 961, 970, 974.
Dausch, Petrus   278, 600, 604-605, 859.
David von Augsburg   818, 865.
Dedeke, Gerhard   846.
Degener, Alfons   31, 859.
Deinhard, Ludwig   837.
Deißmann, Gustav Adolf   350, 844, 859.
Deißner, Kurt   496, 859.
Delekat, Friedrich   859.
Delitzsch, Franz   90, 859, 902.
Delius, Harald   45, 859.
von Delius, Rudolf   34, 859.
Delp, Alfred   61, 859.
Demetrianus   311.
Demokritos   289.
Dempf, Alois   22, 35, 91, 859-860.
Demske, James Michael   62, 63, 860.
Deneffe, August   419, 613, 624, 685, 834, 860.
Denifle, Heinrich Seuse (Taufname   Joseph)   XVI.
Denis, Léon   860.

Dennert, Eberhard   860, 870.
Dennert, Wolfgang   870.
Dentler, Eberhard   627, 860.
Denzinger, Heinrich Joseph   XX, 129, 887, 908, 943.
Deppe, Bernhard   309, 860.
Depta, Helga   VII.
Descartes, René   29, 43, 923, 957.
Dessoir, Max   53, 837, 844, 860.
Dettloff, Werner   742, 880.
Deussen, Paul   860, 967.
Deutinger, Martin   898.
Dewey, John   696.
Dey, Joseph   860.
Dibelius, Martin   517, 860.
Dieffenbach, Georg Christian   860.
Diekamp, Franz   304, 860.
Diemer, Alwin   48, 860.
Diercks, Gustav   XXVI.
Dieringer, Franz Xaver   309, 575, 673, 860.
Dieterich   XXX.
Dietrich, Albrecht   101, 860.
Dietrich von Freiberg (= Teutonicus de Vriberg)   551, 557, 904.
Dietterle, Johannes A.   82, 861.
Dilthey, Wilhelm Christian Ludwig   IX, 29, 31-35, 43-45, 69, 70, 82, 83, 93, 351, 425, 732, 734, 739, 829, 840, 844, 847, 849, 850, 858, 859, 861, 862, 866, 871, 876, 882, 888, 893, 899, 906-908, 911, 917, 920, 930, 936, 941, 942, 955, 956, 965, 967.
Dinkler, Erich   XXX, 974.
Dionysios Areopagites   745.
Dirks, Walter   728, 748, 861, 924.
Dirksen, Alfons   28, 861.
Disteldorf, Johann Baptist   584, 627, 861.
Diwald, Hellmut   34, 861.
von Dobschütz, Ernst   856.
Dochmann, Abraham   13, 861.
Dodel, Arnold   861.
Doeberl, Anton   690, 861.
Dölger, Franz Joseph   295, 751, 861, 901.
Döller, Johannes   605, 862.
von Döllinger, Johannes Joseph Ignaz   4, 91, 631, 862.
Döring-Hirsch, Erna   862.
Doerne, Martin   82, 862.
Fra Dolcino   91.
Dormagen, Hugo   31, 862.
Dorner, August   83, 102, 844, 862.
Dorner, Isaak August   81, 102, 104, 528, 844, 862, 900, 955, 957.
Dostojewskij, Fedor Michailowitsch   453, 734, 878, 960.
Douglas, Andrew Halliday   285, 862.
Douglas, Charles   285, 862.
Douie, Decima Langworthy   299, 862.
Drammer, Joseph   309, 921.
Drescher, Hans-Georg   862.
Drews, Arthur   12, 20, 104, 128, 608, 714-715, 862-863, 915, 921, 967, 968.
Driesch, Hans   IX, XX, 14-15, 56, 740, 854, 863, 870, 883, 887, 890, 919, 951, 967, 969.
Drüe, Hermann   863.
Dürig, Walter   VII.
Dürr, Ernst   624, 855, 864, 895.
Dürr, Karl   863.

Dürr, Lorenz   863.
Dürr, Maria   895.
Duhm, Bernhard   108, 109, 598, 846, 863, 880, 932.
Duilhé de Saint-Projet, Marc-Antoine-Marie François   863.
von Dunin-Borkowski, Zbigniew Stanislaus   291, 739, 863, 936.
Dunkmann, Karl   403, 863, 909.
Duns Scotus, Johannes   62, 626, 646, 859, 864, 886, 966.
Du Prel, Carl   317, 863.
Durandus de S. Porciano   240, 334, 646.
Durckheim, Emile   101, 864.
Dyroff, Adolf   17, 23, 26, 44, 62, 853, 864, 882, 902, 939.
Dyrssen, Carl   42, 864.
Ebbinghaus, Hermann   18, 864, 906.
Ebbinghaus, Julius   24, 864.
Ebner, Ferdinand   61, 734, 828, 829, 916, 943, 956.
Ebrard, Johann Heinrich August   90, 864, 922.
Echeverría-Ruiz, Bernardino   626, 864.
Eck, Samuel Adalbert   82, 84, 103, 864, 964.
Ecke, Gustav   96, 864.
Eckhart, Meister   559, 860, 918.
Edgar, John   659, 864.
Edsmann, Carl-Martin   690, 864.
Effelberger, Hans   864.
Eger, Hans   864.
Ehrenberg, Rudolf   864, 914.
Ehrenborg, Ferdinand   620, 909.
Ehrenreich, Paul   101, 864.
Ehrhard, Albert Joseph Maria   XVII, XXI, 576, 864.
Ehrle, Franz   XVI, 91, 864.
Eichhorn, Albert   108, 840, 877.
Eichhorn, Karl   864.
Eichrodt, Walther   864.
Einhorn, Werinhard J.   818, 865.
Einstein, Albert   968.
Eisenhofer, Ludwig   576.
Eisenhuth, Heinz Erich   425, 865.
Eisenmeier, Joseph   79, 485, 865, 916.
Eisler, Rudolf   XXI, XXIII, XXVIII, 8, 10, 11, 13, 14, 16, 17, 20-22, 24, 26, 28, 34, 45, 95, 105,
    277, 425, 865, 950.
Eißfeld, Otto   108, 115, 865, 959.
Elbé, Louis (= Louis Lucien Baclé)   865.
Elert, Werner   81, 84, 94, 865.
Eller, Elias   87.
Ellissen, Otto Adolf   23, 865.
Elsas, Adolf   8, 865.
Elsenhans, Theodor   865.
Elze, Martin   683, 865.
Emerson, Ralph Waldo   865.
Emmel, Felix   17, 865.
Emmen, Aquilin   624, 865.
Engel, Joseph   729, 865.
Engelke, Kurt   35, 865.
Engert, Joseph   12, 126, 700, 865.
Engert, Thaddäus   631, 865.
Engler, Karl   865-866.
Englhauser, Johannes   31, 866.
Epikuros   289.

Epiphanios von Salamis   240.
Erasmus, Desiderius, von Rotterdam   728.
Erdmann, Benno   XVI, XXVIII, 16, 17, 29, 835, 866.
Erdmann, Johann Eduard   29, 866, 875, 937, 947.
Erhardt, Franz   331, 866, 877.
Ernst   866.
Ersch, Johann Samuel   XV.
Ertel, Christoph   62, 866.
Erxleben, Wolfgang   31, 866.
Escribano Alberca, Igancio   5, 110, 866.
Espenberger, Johann Nepomuk   567, 687, 866.
Esser, August   623, 866.
Esser, Gerhard   291, 620, 696, 867, 896, 936.
Ettlinger, Max   867.
Eucken, Rudolf Christoph   IX, 24, 34, 38, 39, 44, 45, 52, 53, 58, 82, 356, 829, 844, 850-852,
      867, 874, 885, 897-899, 906, 911, 916, 917, 919, 924, 931, 932, 940, 949, 950, 953, 962, 973.
Eugen IV.   562.
Euklid (= Eukleides)   873.
Ewald, Heinrich Georg August   100, 867.
Ewald, Oskar (= Friedländer)   34, 867.
Faber, Frederick William   309, 867.
Faber, Hermann   XXX.
Fabian, Wilhelm   34, 36, 37, 867.
Fabri, Friedrich   90, 867.
Färber, Karl   687, 748, 867.
Falkenberg, Friedrich Otto Richard   XVI, 14, 21, 730, 867-868, 872, 875, 942, 966.
Falke, Robert   868.
Falkenheim, Hugo   29, 868.
Farnetani, Bernardino   299, 868.
Fast, Heinold   87, 912.
von Faulhaber, Michael   681, 838, 868.
Faust, August   28, 868.
Fechner, Gustav Theodor   IX, 8-10, 14, 18, 20, 21, 34, 40, 317, 327, 625, 835, 868, 872, 875,
      882, 884, 888, 889, 891, 895, 907, 908, 911, 915, 919, 947, 951, 957, 959, 968, 970, 973.
Fechter, Paul   730, 868.
Feckes, Karl   61, 656, 868, 949.
Feigel, Friedrich Karl   688, 868.
Feilgenhauer   317, 835.
Feine, Paul   XII, 350, 370-379, 549, 841, 868, 907, 943, 957.
Feiner, Johannes   XXII, XXVII, 5.
Felder, Hilarius   605, 868.
Fell, Georg   868.
Feller, Christian Heinrich Wilhelm   317, 898.
Fels, Heinrich   45, 868.
Fénélon de Salignac de la Mothe, François   309, 679, 935.
Feuerbach, Ludwig   293, 869, 925.
Feuling, Daniel Martin   62, 690, 869.
Fichte, Immanuel Hermann   XXXV, 317, 869.
Fichte, Johann Gottlieb   30, 40, 53, 58, 327, 394, 399, 875, 885, 908.
Ficker, Christian Theodor   301, 869.
Fiedler, Johann Kuno   9, 10, 869.
Fink, Eugen   48, 49, 869.
Fink, Karl August   749, 869.
Finke, Heinrich   749, 869, 887.
Fiorenza, Francis Peter   624.
Fischer, Alois   61, 869.
Fischer, Aloys   49, 869.

Frings, Manfred S. 872.
Frischeisen-Köhler, Max 35, 36, 872, 967.
Fritsch, Paul 14, 872.
Fritz, Adolf 906.
Froberger, Joseph 107, 872.
Froebe, Robert 848.
Fröbes, Josef 17, 872.
Frör, Kurt 110, 872.
Frohnmeyer, Leonhard Johannes 302, 872.
Frohschammer, Jakob 825.
Frommann XXI.
Frotz, Augustinus 900.
Fuchs, Albert 872.
Fuchs, Emil 83, 872.
Fülling, Erich 33, 110, 872.
Fuhrmanns, Horst 872.
Funcke, Richard E. XXV.
von Funk, Franz Xaver 93, 578, 797, 847, 872, 902, 963.
Funk, Philipp XXVII, 690, 728, 749, 872.
Gabriel, Hugo 873.
Gabriel, Leo 61, 732, 873, 973.
Gadamer, Hans-Georg XXVII, 49, 873.
Gächter, Paul 873.
Gaede, Erich 28, 688, 873.
Gaetano = Cajetan
Sir Galahad (Pseudonym) 923.
Galilei, Galileo 47, 878.
von Gall, August 605, 842, 873.
Galling, Kurt XXX, 108, 873, 959.
Gallinger August 49, 873.
Galot, Jean 806, 810, 873.
Gardair, Joseph 873.
Gaß, Joachim Christain 82.
Gaß, Wilhelm 81, 873.
Gassen, Kurt 738, 854.
Gastrow, Paul 96, 873.
Gatz, Felix Maria (= Goldner) 21, 875.
Gehlen, Arnold 873, 878.
Gehrcke, Ernst 927.
Geiger, Moritz 49, 873.
Geiselmann, Josef Rupert 2, 129, 683, 689, 697, 873, 920.
Geissler, Kurt 873.
Gelber, Lucy 956.
Genér, Juan-Bautista 309, 874.
Gennrich, Paul 302, 874.
Gentile, Giovanni 931.
Georgius, Dominicus = Domenico Giorgi 646, 840.
Georgulis, Konstantinos 15, 871.
von Gerdtell, Ludwig 39, 874.
Gerhard, Hans Wolfram 722, 874.
Gerhartz, Johannes Günter XIX.
Gerlach, Wilhelm 16, 874.
Gerlich, Fritz 88, 874.
Gerling, Friedrich-Wilhelm 874.
Gerling, Reinhold (= R. Dörffel) 318, 874.
Gertz, Bernhard 46, 874.
Gese, Paul 22, 874.

989

Haas, Hans   302.
Haase, Kurt   35, 881.
Hadrossek, Paul   568, 881.
Haeckel, Ernst   IX, 11-14, 17, 20, 28, 34, 380, 622, 634, 835, 848, 852, 865, 866, 871, 881, 882, 885, 888, 890, 892, 913, 917, 934, 940, 944, 945, 948, 963, 965, 968, 972.
Haecker, Theodor   58, 428, 801, 881-882.
Häfele, Gallus Maria   126, 882.
Haeger, August Friedrich Christian   21, 882.
Hänsel, Ludwig   728, 882.
Häring, Bernhard   XXVI, 7.
von Haering, Theodor   IX, 97, 313, 411, 528, 547, 882.
Haering, Theodor Lorenz   729, 882.
Hagemann, Georg   574, 882.
Hahn, Ferdinand   967.
Hahn, Gustav   21, 882.
Hahn, Johann Michael   87.
Hahn, Philipp Matthäus   89.
Hahn, Wilhelm Traugott   882.
Halder, Alois   11, 12, 44, 48, 882.
Hall, Granville Stanley   10, 882.
Hamann, Johann Georg   87.
Hamm, Josef   16, 883.
Hamp, Vinzenz   108, 883.
von Hansemann, David   11, 883.
Hanselmeier, Josef   18, 883, 924.
Happel, Julius   92, 883.
Hardeland, Theodor   883.
Hardie, Robert Purves   285, 862.
Hardouin, Jean   XV.
von Harnack, Karl Gustav Adolf   19, 102, 109, 278, 392, 584-585, 588, 590, 592, 598, 605, 607, 627, 653, 659, 681, 690, 835, 851, 861, 870, 874, 878, 883, 897, 902, 911, 923, 928, 935, 940, 945, 952, 965, 974.
Hartill, Isaak   883.
Hartl, V.   584, 883.
von Hartmann, Alma   18, 883.
Hartmann, Clara   XII, 568-570, 883.
Hartmann, Franz   848.
Hartmann, K.   61, 884.
von Hartmann, Karl Robert Eduard   IX, 18-21, 34, 53, 128, 254, 317, 415-417, 548, 750, 833, 835, 839, 843, 852, 862, 864, 883-884, 887, 890, 893, 908, 929, 931, 938, 946, 955, 968, 974.
Hartmann, Max   884.
Hartmann, Nikolai   IX, XX, 49-52, 61, 696, 837, 840, 843, 844, 857, 870, 872-874, 876, 880, 884, 889, 893, 899-901, 903, 906, 924, 945, 946, 954, 959, 972.
Hartmann, Peter (= Pater Norbert Hartmann O.F.M.)   56, 884.
Hartmann, Wilfried   20, 53, 57, 59, 884.
Hartung, Walter   9, 884.
Hartwich, Otto   884.
Hasenfuß, Josef   126, 128, 129, 722, 884-885, 942.
Haskamp, Reinhold J.   53, 56-58, 885.
Hasse, Heinrich   17, 885.
Hastings. James   XXI.
Hatheyer, Franz   621, 885.
Hauber, Volkmar   45, 885.
Haubfleisch, Maria   885.
Haubst, Rudolf   120, 885.
Hauck, Wilhelm Albert   XXIX, 87, 89, 90, 885, 906.
Haug, Ludwig   95, 296, 885, 927.

Henrici, Peter   826, 888.
Hense, Friedrich   888.
Hensel, Paul   14, 22, 83, 729, 849, 865, 896, 935, 943.
Heraklit   288, 289, 738, 740.
Herbart, Johann Friedrich   17, 21, 882, 901, 912.
Herder, Johann Gottfried   33, 82, 83, 115, 373, 862, 872, 888, 913, 924, 935, 944, 956, 963, 964, 969, 970.
Hergenröther, Joseph   XXV, 129, 298, 856, 888, 892.
Herget, Oscar   889.
Hering, Ewald   8, 889.
Hering, Jean   49, 889.
Hermann, Heinrich Julius   547, 889.
Hermann, Imre   9, 889.
Hermann, Rudolf   99, 100, 889.
Hermas   689, 833.
Hermes, Hans   47, 889.
Herpel, Otto   87, 925.
Herr, Jakob   12, 889.
Herrigel, Eugen   908.
Herrigel, Hermann   49, 100, 889, 945.
Herrmann, Friedrich Wilhelm   889.
Herrmann, J.G. Wilhelm   IX, 42, 99-100, 431, 528, 841, 844, 849, 850, 856, 889-890, 902, 916, 923, 926, 947, 948.
Hertkens, Johann Wilhelm Franz   128, 890.
von Hertling, Georg   12, 622.
Hertwig, Oskar   621, 890.
Hertwig, Richard   11, 621, 890.
Herzfeld, Hans   56, 890.
Herzig, Ernst   13, 890.
Herzog, Johann Jakob   XXIX.
Hesse, Johannes   90, 890.
Hessen, Johannes   24, 25, 27, 28, 49, 61, 696, 890.
Hettinger, Franz Seraph   103, 129, 292, 330, 333, 575, 884, 885, 891, 908, 936.
Heuser, Adolf   699, 975.
Heuß, Theodor   XXII, 887.
Heussi, Karl   110, 891.
Heußner, Alfred   10, 891.
von Heydebrand, Renate   818, 891.
Heydorn, Heinz-Joachim   730, 891.
Heydorn, Wilhelm   19, 891.
Heyfelder, Victor   16, 891.
Hibbert   XXIII, 852, 895.
Hidding, Klaas Aldert Hendrik   119.
Hieronymus, Sophronius Eusebius   342, 646.
Hilarius von Poitiers   144.
von Hildebrand, Dietrich   49, 699, 891.
Hildemann, Gerhard   896.
Hilgenreiner, Karl   XXIV, 86, 891.
Hilty, Carl   891.
Hinneberg, Paul   XXIV, 906.
Hirsch, Emanuel   81, 87, 88, 90, 93, 95, 102, 103, 472, 507, 836, 891.
Hirschberger, Johannes   XXII, 11, 12, 15, 21-23, 44, 45, 48, 696, 891.
Hirscher, Johann Baptist   305, 633, 728, 891.
Hirt, Somon   292, 891.
Hobbes, Thomas   27, 899, 970.
Hoberg, Gottfried   696, 896.
Hoche, Alfred Erich   891.

Hupfeld, Renatus 893.
Hus, Johann 86.
Husserl, Edmund IX, XXVIII, 22, 35, 44-48, 51, 52, 62, 70, 425, 729, 734, 756, 835, 840, 844,
   853, 856, 857, 860, 863, 868, 869, 871, 873, 876, 878, 882, 887, 892-894, 903, 904, 907, 920,
   922, 923, 932, 941, 955, 956, 959, 960, 966, 971, 974.
Husserl, Gerhart 49, 894.
Ibsen, Hendrik 34, 945.
Ignatios von Antiochien 122.
Ignatius von Loyola 705.
Ihmels, Ludwig 627, 842, 894.
Illemann, Werner 47, 894.
Illig, Johannes 894.
Ingarden, Roman 41, 49, 894.
Ingersoll, Caroline Haskell 939.
Ingersoll, George Goldthwait 939.
Irenaeus (= Eirenaios) 296, 298, 311, 851, 915.
Israel, Wilhelm 375, 894.
Ittel, Gerhard Wolfgang 108, 894.
Jacobi, Friedrich Heinrich 894.
Jacobi, Jolande 897.
Jacoby, Hermann 894.
Jäckh, Eugen 88, 894.
Jaeger, Ernst 894.
Jaeger, Lorenz 931.
Jäger, Paul 894.
Jaensch, Erich Rudolf 23, 732, 878, 894.
Jahn, Georg 722, 895.
James, William 14, 696, 895, 939.
Jammer, Max 13, 895.
Janeff, Janko 895.
Janet, Paul 41, 895.
Janke, Helmut 895.
Jansen, Bernhard 624, 895.
Janssens, Alois 895.
Janssens, Laurentius (= Henri Laurent) 324, 894.
Jarreaux, Louis 624, 895.
Jashuvi, Josef (= Rosenthal, Hugo) 897.
Jaspers, Karl IX, 61-63, 70-79, 730-732, 739, 828, 844, 849, 852, 853, 886, 894, 898, 903, 914,
   916, 917, 926, 929, 937, 939, 944, 971, 972.
Jedin, Hubert XXVI.
Jelke, Robert Johannes 110, 357, 896.
Jensen, Peter 83, 714-715, 896, 967.
Jerusalem, Wilhelm 895.
Joachim von Fiore 90, 91, 296, 878, 934.
Joachimi-Dege, Marie 896.
Joannès, G. 896.
Joel, Karl 896, 967.
Joerges, Wolfgang 896.
Joest, Wilfried 285, 896.
Johannes XXII. 299, 633, 862, 907, 931.
Johannes I. Chrysostomos 669, 674, 923.
Johannes von Damaskus 807.
Johannes von Kastl 636.
Johannes von Leyden 373.
Jolivet, Régis 41, 63, 897.
Jorissen, Hans VII.
Jostock, Paul 897.

Journet, Charles   810, 897.
Jülicher, Adolf   108, 715, 892, 896, 897.
Jung, Carl Gustav   732, 897.
Jung, Emma   897.
Jung, Gertrud   974.
Jung, Johannes   11, 897.
Jung-Stilling, Johann Heinrich   104, 871, 897.
Junglas, Johann Peter   102, 897.
Jungmann, Josef Andreas   XXVI, 804, 805, 897.
Junker, Josef   49.
Jurevičs, Pauls   897.
Justinus   296, 298, 311.
Kabisch, Richard   336, 897.
Kabitz, Willy   31, 866.
Kade, Richard   38, 897.
Kähler, Ernst   7, 898.
Kähler, Martin   IX, 7, 12, 81-84, 92-95, 100-107, 339, 341, 418, 495, 516, 517, 519, 527, 528, 889, 897-898, 900, 914, 927, 945, 959.
Käppeli, Thomas   299, 898.
Kafka, Gustav   XXII, XXIII.
Kaftan, Julius   IX, 94, 97-99, 104, 105, 109, 305, 528, 954, 967, 972.
Kaftan, Theodor   109, 296, 898.
Kahlefeld, Heinrich   894.
Kainz, Friedrich   732, 973.
Kallen, Gerhard   898.
Kallistus = Kallistos = Calixtus I.   687, 833.
Kalthoff, Albert   13, 714-715, 898, 967, 971, 975.
Kalweit, Paul   22, 898.
Kampmann, Theoderich   898.
Kant, Immanuel   XXIV, XXIX, 14, 16-19, 21, 23-30, 34, 37, 38, 46, 50, 53, 62, 70, 81-83, 88, 94, 95, 109, 110, 154, 352, 355, 373, 392, 394, 395, 402, 417, 418, 420, 464, 485, 548, 696, 698, 724, 730, 761, 835, 840, 847, 854, 857, 862, 865, 867-869, 875, 884, 886, 895, 905, 906, 911, 913, 915, 919, 921, 922, 925-927, 929, 932, 935-937, 940, 942, 954, 959, 962, 963, 965, 971, 972.
Kantorowicz, Gertrud   38, 40, 846, 951.
von Kapff, Sixt Karl   637, 843.
Kaplan, Simon   24, 898.
Kappstein, Theodor   38, 898.
Kardec, Allan (= Hippolyte-Léon-Denizard Rivail)   316, 898.
Karpp, Heinrich   926.
Karrenberg, Friedrich   876.
Karrer, Otto   777, 898.
Kasper, Walter   320, 683, 685, 898.
Kastil, Alfred   45, 485, 853, 899, 916.
Katsube, Kensö   35, 899.
Kattenbusch, Ferdinand   81, 899.
Kaufmann, Carl Maria   295, 899.
Kaulen, Franz   XXV.
Kautz, Heinrich   28, 899.
Kayser, Joh.   574.
Keber, Einhard   49, 899.
Keicher, Otto   892.
Keller, Erich   856.
Keller, Hans   27, 899.
Keller, Josef   21, 899.
von Kempski, Jürgen   XVI.
von Keppler, Paul Wilhelm   309, 673, 675, 676, 678, 850, 899, 946.

996

Kerer, Franz Xaver 746, 961.
Kern, Hans 730, 899.
Kesseler, Kurt 39, 899.
Keßler, L. 899.
Key, Ellen 899.
von Keyserling, Hermann 41, 42, 44, 609, 835, 845, 899-900, 924, 938, 967, 970.
Kiefl, Franz Xaver 11, 13, 35, 38, 126, 250, 641, 696, 900, 958.
Kierkegaard, Sören 35, 61, 67, 70, 72, 453, 514, 528, 737, 738, 765, 785, 797, 873, 878, 900, 914.
Kiessler, Hubert 900.
King, Irving 101, 900.
King, John H. 101, 900.
Kinkel, Walter 24, 27, 900.
Kirchhoff, Hans-Ulrich 413, 846.
Kirchner, Ferdinand 317, 900.
Kirfel, Heinrich 327, 900.
Kirn, Otto 82, 102, 313, 528, 900.
Kirsch, Johann Peter XXI, 291, 749, 900, 936.
Kiss, Jenö 900.
Kittel, Gerhard XXXIII.
Klaas, Walter 100, 900.
Klages, Ludwig 35, 43, 44, 730-731, 840, 845, 856, 899-901, 909, 911, 915, 934, 965, 972.
Klauser, Theodor 751, 901, 959.
Klee, Heinrich 91, 644, 673, 838, 887, 901, 932.
Klein, Joseph 49, 901.
Klein, Max 21, 901.
Kleinert, Paul 901.
von Kleist, Heinrich 82, 963.
Klemm, Otto 901.
Kleutgen, Joseph 128, 305, 686, 874, 890, 901, 907.
Kliefoth, Theodor XXV, 313, 527, 528, 901.
Kliemann, Horst 864.
Klimke, Friedrich 13, 901.
Klimsch, Robert 901.
Klösters, Joseph 51, 901.
Klostermann, Vittorio 863.
Klug, Ignaz 901.
Klumpp, Eberhard 53, 901.
Knabenbauer, Joseph 901.
Kneib, Philipp 288, 323-324, 328, 626, 696, 901.
Knevels, Wilhelm 38, 901.
Knittermeyer, Hinrich Joh. (= H.H.) 49, 61, 89, 901.
Knobbe 129.
Knoch, Adolph Ernst 901.
Knoch, Otto 123, 901.
Knöpfler, Alois 126, 576, 584, 634, 868, 893, 902.
Knopf, Rudolf 967.
Knoth, Ernst 91, 902.
Kobusch, Theo 41, 902.
Koch, Anton 575, 797, 902, 943.
Koch, Günther 99, 355, 902.
Koch, Josef (Joseph) Karl 550, 902.
Koch, Wilhelm 13, 93, 95, 120, 350, 560, 578, 613, 687, 748, 797, 867, 923.
Köberle, Adolf 89, 425, 902, 909.
Kögel, Rudolf 959.
Köhler, August 90, 902.
Köhler, H. 338, 952.

Köhler, Rudolf   456.
Köhler, Walther   19, 90, 109, 903.
Kölbing, Paul   903.
von Kölliker, Albrecht   957.
König, Edmund   903.
König, Franz   806.
König, Josef   41, 903.
König, Joseph   690, 903.
König, Karl   903.
König, René   722, 903.
König, Samuel   87.
Koeniger, Albert Michael   XVII.
Königsberger, Leo   16, 903.
Koepp, Wilhelm   XII, 18, 350, 357, 382-389, 430, 431, 454, 463, 469, 490, 499, 503, 549, 631,
   842, 903, 935, 944.
Körner, Stephan   853.
Körting, Gustav   575.
Koestenbaum, Peter   71, 903.
Köstlin, Friedrich   301, 903.
Kofink, Heinrich   903.
Kolb, Christoph Friedrich Adolf   89, 906.
Kolping, Adolf   7, 856, 903.
Konrad, Andreas   51, 903.
Konstantin I.   233.
Kopernikus (= Koppernigk), Nikolaus   634, 664.
Koppel, August   934.
Kosch, Wilhelm   XXIV, 903.
Krabbel, G   728.
Kradolfer, J.   847.
Kraenzlin, Gerhard   53, 56, 903.
Krafft, Wilhelm   89, 903.
Kraft, Heinrich   5, 903.
Kraft, Julius   62, 903.
von Kralik, Richard   903.
Kramář, J. Udalrich (= Oldřich)   903.
Kranefeld, Wolfgang M.   897.
Kranz, C.   271, 904.
Kraus, Franz Xaver   295, 676, 728, 749, 851, 872, 904, 942.
Kraus, Hans-Joachim   108, 904.
Kraus, Oskar   44, 45, 119, 485, 852-853, 893, 904, 916, 958.
Krause, Karl Christian Friedrich   40, 904, 910, 916.
Krebs, Engelbert   XII, 265, 547, 551-567, 613, 640, 669, 687, 691, 748, 751, 828, 839, 849, 902,
   904-905, 955, 956.
Kreck, Walter   120, 905.
Kreis, Friedrich   29, 905.
Krieg, Cornelius   126, 696, 896, 905.
Krieger, Albert   XVII.
Krings, Hermann   XXIII, 52, 61, 904.
Kroell, Herman   905.
Kröner, Alfred   XXV.
Kröning, Max   302, 905.
Kroll, Josef   641, 842, 905, 964.
Kroner, Richard   28-30, 42, 905.
Kronheim, Hans   905.
Kroug, Wolfgang   63, 905.
Krüger, Gerhard   905.
Krüger, Gustav   851.

998

Krüger, Hans   905.
Kruijt, Albertus Christiaan   101, 905.
Krupp, Hans Josef   21, 905.
Kübel, Robert Benjamin   89, 90, 906.
Kühn, Ulrich   85, 454, 549, 906.
Kühne, Andreas   51, 906.
Kühnemann, Eugen   34, 37, 867.
Külpe, Oswald   9, 17, 18, 26, 425, 876, 884, 903, 906, 921, 922, 968.
Kümmel, Werner Georg   124, 715, 906.
Künneth, Walter   92, 906.
Künzle, Pius   348, 776, 906.
Kuhaupt, Hermann   51, 906.
Kuhn, Helmut   35, 48, 52, 61, 570, 748, 749, 894, 906.
von Kuhn, Johann Evangelist   129, 575, 750, 797, 906, 908, 941, 963.
Kumpf, Alfred   906.
Kuntze, Johannes Emil   8, 907.
Kunz, Erhard   5.
Kunze, Johannes   613, 907.
Kupisch, Karl   88, 89, 607, 622, 907.
Kurtz, Johann Heinrich   90, 849, 907.
Kutter, Hermann   88, 399, 431, 907.
Kym, Andreas Ludwig   907.
Laas, Ernst   696.
de Labadie, Jean   87.
Labbe, Philippe   XV.
Lachelier, Jules   41, 907.
Lackmann, Heinrich   52, 907.
Lacaordaire, Jean-Baptist-Henri (Dominique)   240, 309, 334, 646, 907, 924, 935.
Lactantius, Lucius Caecilius Firmianus   296.
de Lagarde, Paul Anton   107, 872, 877, 913, 924, 944, 948, 959, 967.
Lagrange, Albert-Marie-Henri (Mari-Joseph)   377, 907.
Lakner, Franz   128, 299, 907.
de Lamarck, Jean-Baptiste Pierre-Antoine de Monet   874, 881.
Lampe, Friedrich Adoph   87, 907.
Lanczkowski, Günter   5, 907.
Landerer, Maximilian Albert   81, 907.
Landgrebe, Ludwig   31, 44, 48, 49, 907, 972.
Landmann, Michael   35, 738, 742, 854, 907, 951.
Landmann-Kalischer, Edith   49, 907.
Landsberg, Paul Ludwig   632, 842, 908.
Lang, Albert   285, 839.
Lang, Andrew   101, 908.
Lang, Paul   21, 908.
Lang, Wilhelm   103, 908.
Lange, Friedrich Albert   IX, 14, 23, 24, 696, 849, 850, 857, 864, 887, 892, 908, 967.
Lange, Hermann   639-640, 662, 880, 908.
Lange, Johann Peter   89, 903, 908.
Langen, Peter   574.
Langer, Paul   8, 908.
Lanz, E.   659, 865.
Lao-tse   150.
de la Peyrère, Isaark   622, 908.
Laros, Matthias   818, 908, 927.
Lasch, Gustav   83, 908.
Lask, Emil   28-30, 485, 905, 908, 930, 952.
Laslowski, Ernst   32, 908.
Lasson, Adolf   19, 96, 908.

von der Linden, Antonius XXIII.
Linden, Peter 900.
Lindenmeyer, Julius 90, 579, 844.
Lindt, Andreas 88, 911.
Link, Wilhelm 688, 911.
Linke, Paul Ferdinand 44, 45, 47, 49, 911-912.
Lippert, Julius 101, 912.
Lippert, Peter 346, 347, 690, 912.
Lippl, Josef 302, 912.
Lipps, Gottlob-Friedrich 8, 17, 912.
Lipps, Hans 49, 912.
Lipps, Theodor 17, 730, 835, 876, 906, 912, 922, 968.
Lipsius, Friedrich Reinhard 12, 105, 912-913.
Lipsius, Richard Adelbert 19, 104, 105, 862, 870, 892, 912-913, 924, 929, 936, 941, 961, 962.
Litt, Theodor 35, 49, 56, 119, 890, 913.
Littmann, Enno 107, 913.
Litton, Edward Arthur 305, 913.
Litton, Edward Falconer 305, 913.
Lochmann, Jan Milíc 855.
Lodge, Sir Oliver Joseph 913.
Lögstrup, Knut Eiler XXX.
Löhrer, Magnus XXVII, 5, 965.
Loesche, Georg 81, 871.
Loeser, Max 91, 838.
Löw, Fritz 913.
Löwe, Richard 571, 913, 931, 944.
von Loewenich, Walther 502, 913.
Löwith, Karl 35, 62, 913-914.
Lohff, Wenzel 397, 914.
Lohfink, Gerhard 7, 619, 829, 877, 914.
Lohmeyer, Ernst 914.
Lohse, Bernhard 100, 914.
Loisy, Alfred 584-586, 588-591, 598, 605, 630, 681, 699, 839, 875, 883, 886, 907, 914, 941.
Loosen, Josef 914.
Lorenz, Karl 4, 888.
Lorscheid, Bernhard 60, 914.
Losskij, Nikolai 914.
Lotz, Johannes Baptist 23, 61, 63, 74, 914.
Lotz, Willi 110, 914.
Lotze, Hermann Rudolf IX, 8, 14, 17, 18, 20-23, 94, 185, 280, 750, 833, 837, 840, 851, 852, 867, 868, 871, 875, 882, 883, 894, 898, 899, 901, 905, 908, 914-917, 924, 926, 927, 929, 931, 934, 942, 943, 945, 951, 957-960, 964, 968, 972.
Loyson, Paul-Hyacinthe 749, 914.
Lubarsch, Otto 13, 950.
Lubenow, Hugo 634, 915.
Lubosch, Wilhelm 914.
Luchtenberg, Paul 22, 914.
Lucka, Emil 731, 914.
Ludwig, August Friedrich 915.
Lübbe, Hermann 20, 25, 915.
Lüdemann, Hermann 12, 21, 915.
Lülmann, Christian 10, 915.
Lütgert, Wilhelm 959.
Lüthi, Kurt 915.
Lüttge, Willy 41, 456, 915.
von Lukács, Georg 915.
Luthardt, Christoph Ernst XV, 289, 296, 313, 344, 915.

Nitzsch, Friedrich August Berthold 89, 296, 302, 313, 924.
Noack, Hermann 15, 22, 23, 26, 28, 29, 31, 35, 40, 42-44, 46-49, 61, 62, 71, 916, 924-925.
Nobis, Heribert Maria 15, 925.
Noble, Henri-Dominique 646, 925.
Nohl, Hermann 32, 35, 861, 925.
Noller, Gerhard 62, 886.
Nordmann, Walter 87, 925.
Nordwälder, Otto 14, 925.
von Nostiz-Rieneck, Robert 925.
Novalis (= von Hardenberg, Friedrich) 70, 82, 861, 963.
Nüdling, Gregor 293, 925.
Nygren, Anders Theodor Samuel 419, 425, 925.
Ölsner, Willi 84, 85, 87-90, 92, 95, 97, 99, 102, 104, 115, 120, 289, 296, 300, 305, 313, 341, 344, 350, 366, 385, 397, 418, 430, 454, 469, 925.
Oepke, Albrecht 925.
Oesterreich, Traugott Konstantin 49, 694, 925, 963.
Oetinger, Friedrich Christoph 87, 90, 296, 304, 838, 885, 925.
Ogiermann, Helmut 61, 926.
Ohlhaver, Hinrich 318, 926.
Ohly, Konrad 925.
Oken, Lorenz 9, 884.
Olivi, Petrus Johannis 91, 185, 623, 624, 865, 895, 927, 946.
Origenes 235, 240, 249, 303, 304, 342, 623, 633, 646, 648, 672, 723, 834, 917, 922, 926, 964.
Orosius 311.
Ostwald, Friedrich Wilhelm XVI, 13, 22, 285, 855, 861, 906, 926, 968.
Ostwald, Grete 13, 926.
Oswald, Josef 751, 926.
Ott, Emil 41, 926.
Ott, Günther 99, 926.
Ott, Heinrich 62, 299, 855, 926, 964.
Ott, Ludwig 5, 576, 681, 876, 926.
Otto, Clemens 21, 926.
Otto, Heinrich 299, 926.
Otto, Rudolf 26, 110, 366, 400, 405, 688, 694, 850, 868, 873, 886, 911, 922, 926-927, 951, 952, 973.
Overbeck, Franz 453, 943.
Paalzow, A. 16, 927.
Pagani, Johann Baptist 297, 927.
Pagius, Antonius (= Antoine Pagi) 840.
Palágyi, Menyhert/Melchoir 927, 963.
Palmieri, Aurelio 320, 927.
Palmieri, Domenico 320, 898, 927.
Pape, Georg 22, 927.
Pape, Joseph 927.
Paracelsus, Theophrastus Bombastus 730, 899.
Parmenides 738.
Partee, Carter 624, 927.
Pascal, Blaise 748, 816, 818, 878, 908, 927, 932, 940.
Pascher, Jossef 101, 927.
Passaglia, Carlo 129, 685.
Paulhan, Frédéric 730-731, 927.
Paulsen, Friedrich 10, 12, 14, 17, 34, 40, 355, 415, 425, 625, 847, 868, 872, 881, 906, 925, 927, 943, 947-949, 953, 954, 968.
Paulsen, Peter 927.
Paulus, Hugo 846.
Pavlicek, Franz 317, 898.
Pedersen, Johannes 864.

Schleiermacher, Friedrich Ernst Daniel   IX, XXI, 11, 80-86, 93-95, 99, 102-104, 293, 304, 373, 393, 478, 518, 521, 560, 631, 636, 651, 737, 841, 845, 848, 853, 861, 862, 864, 865, 870-872, 892, 893, 896, 899, 900, 903, 904, 908, 911, 915, 918, 919, 925, 929, 930, 938, 941, 943, 947, 948, 951, 956, 957, 966, 968, 971, 972.
Schleiermacher, Theodor   828, 943.
Schlemmer, Johannes   953.
Schlette, Antonia Ruth   271, 943.
Schlette, Heinz Robert   749, 763, 943.
Schlier, Heinrich   108, 370, 943.
Schlink, Edmund   414, 931, 943.
Schlippe, Gunna   109, 943.
von Schlör   215, 217.
Schlüter-Hermkes, Maria   943.
Schlund, Erhard   963.
Schlunk, Martin   119, 943.
Schmalenbach, Herman   943.
Schmaus, Michael   129, 285, 624, 646, 680, 701, 839, 943, 950.
Schmick, Jakob Heinrich   943-944.
Schmid, Alois   576, 944.
Schmid, Franz   256, 310, 319, 625, 641, 944, 958.
Schmid, H.   944.
Schmid, Josef   93, 107, 108, 115, 571, 883, 944.
Schmidhäuser, Ulrich   71, 944.
Schmidt, Arthur Benno   728, 924.
von Schmidt, Eugen   944.
Schmidt, Eugen Heinrich   41, 944.
Schmidt, Ferdinand Jakob   13, 100, 425, 944.
Schmidt, Friedrich Wilhelm   100, 384, 889, 915, 944.
Schmidt, H.   93, 944.
Schmidt, H.   877.
Schmidt, Hans   944.
Schmidt, Hans-Wilhelm   XII, 30, 350, 389, 413, 430, 469-508, 510, 549, 550, 650, 940, 944.
Schmidt, Heinrich   11, 944.
Schmidt, Hinrich   965.
Schmidt, Martin   81-84, 87, 89, 90, 92, 94-97, 99-102, 107, 109, 350, 397, 463, 944, 957.
Schmidt, Paul   944.
Schmidt, Philipp   663.
Schmidt, Raymund   XX, 10, 860, 882, 883.
Schmidt, Wilhelm (1)   34, 944-945.
Schmidt, Wilhelm (S.V.D.) (2)   945.
Schmidt, Woldemar Gottlob   301, 869, 945.
Schmidt-Japing, Johann Wilhelm   22, 100, 945.
Schmidthüs, Karlheinz   XXVI, 856.
Schmiedel, Paul Wilhelm   715, 906, 945, 952.
Schmitt, Alois   621, 945.
Schmitt, Jakob   620, 945.
Schmitz, Otto   571.
Schmoller, Gustav   730, 929.
Schmoller, Otto   516, 584, 945.
Schmücker, Franz Georg   49, 945.
Schnackenburg, Rudolf   5, 91, 118, 724, 945.
Schnedermann, Georg   584, 841, 945.
Schneemelcher, Wilhelm   102, 945.
von Schnehen, Wilhelm   20, 945-946.
Schneid, Mathias   317, 576, 876, 908, 946.
Schneider, Alfons Maria   668, 946.
Schneider, Artur   47, 62, 759, 885, 946.

1014